AQ

**BIEN MOUDRE
ET POUR TOUS**

*"L'art d'écrire
et de bien rédiger"*

DICTIONNAIRE QUILLET
DE LA
LANGUE FRANÇAISE

DICTIONNAIRE MÉTHODIQUE ET PRATIQUE
RÉDIGÉ SOUS LA DIRECTION DE RAOUL MORTIER

"L'art d'écrire

et de bien rédiger"

LIBRAIRIE ARISTIDE QUILLET
278, BOULEVARD SAINT-GERMAIN

PARIS VII°

Tous droits de reproduction et
de traduction réservés pour tous
pays y compris la Russie

Copyright by Librairie Aristide Quillet
Paris 1948

P

p [*pé* ou *pe*], n. m. Seizième lettre de notre alphabet et douzième des consonnes. — Abréviat. : Devant le nom d'un religieux, P. sign. *Père*. — On écrit encore *p.*, pour *page*, *pp* pour *pages*. — Au bas d'une lettre, *P. S.* sign. *post scriptum*. ‖ *P. p. c.*, pour prendre congé; *p. c. q.*, parce que. ‖ Symbole chim. du phosphore.
Ling. — *P*, suivi d'un *h*, dans les mots d'étymologie grecque, se prononce avec le son de notre *f* (*photographie* = *fotografi*). Au XVIe s. de nombreux *P* étymologiques disparus furent rétablis dans la graphie; pour quelques-uns, l'écriture finit par réagir sur la prononciation. C'est ainsi que l'on dit ca*p*tif, exem*p*tion, mais on dit toujours com(p)te. Le *P* final s'entend dans les noms propres et dans quelques autres mots : *cap*, *cep*, et dans les adverbes *trop* et *beaucoup* suivis d'une voyelle. Mais en général, en liaison, il est prétentieux et très peu usité. — Cette lettre se redouble dans beaucoup de mots commençant par *op*, *up*, *sup*, mais les exceptions sont nombreuses.

* **paca**, n. m. [Zool.] Mammifère rongeur de l'Amérique centrale, à chair estimée, s'apprivoisant facilement.

pacage, n. m. Lieu où l'on mène paître les bestiaux. ‖ Action de faire paître. — *Droit de pacage*, droit de faire paître les bêtes à cornes dans certains pâturages.
Hom. — *Pacage*, n. m., action de faire paître; — *pacquage*, n. m., action de mettre le poisson en barils; — *pacage*, *es*, *ent*, du v. pacager.
Par. — *Parcage*, action de faire séjourner des troupeaux dans un endroit clos.

pacager, v. intr. (lat. *pacare*, faire paître). Paître dans un pacage, en parlant des bestiaux. ‖ Faire paître des troupeaux. = V. tr. Donner à manger en herbe aux troupeaux. *Pacager du seigle*. = Conjug. V. grammaire.

* **pacane**, n. f. [Bot.] La noix du pacanier.

* **pacanier**, n. m. [Bot.] Grand arbre de l'Amérique du Nord, à fruits comestibles (*juglandées*).

* **pacant**, n. m. Manant, rustre (Vx).

pace (in), loc. adv. V. in pace.

pacha, n. m. (mot turc). Titre donné chez les Turcs aux gouverneurs de provinces. ‖ Titre de hauts fonctionnaires turcs. ‖ Fig. et pop. Homme qui se donne de grands airs ou qui aime trop ses aises.

pachalik, n. m. Territoire soumis au gouvernement d'un pacha; vilayet.

pachyderme [*ki* ou *chi*], n. m. (gr. *pakhys*, épais; *derma*, peau). [Zool.] Anc. groupe de mammifères ruminants à sabots, à peau très épaisse, comme l'éléphant, le rhinocéros, le cheval, le cochon. = Adj. *Un mammifère pachyderme*.

pacificateur, trice, adj. et n. Qui pacifie, qui apaise les troubles, les dissensions, les querelles.

pacification [*sion*], n. f. Rétablissement de la paix. ‖ Apaisement des différends, des querelles.

pacifier, v. tr. (lat. *pax*, *pacis*, paix; *facere*, faire). Rétablir la paix. = Conjug. V. grammaire.
Syn. — *Pacifier*, établir une paix, un ordre durables après une longue série de troubles : *Henri IV pacifia la France longtemps déchirée par les factions.* — *Apaiser*, rétablir une paix, une tranquillité momentanément troublées : *La querelle entre ces amis a été vite apaisée.* — *Unifier*, rétablir l'union dans un pays, un parti : *Unifier le monde du travail*. V. aussi accorder, adoucir, apaiser.
Ctr. — *Troubler, exciter, belligérer, combattre, bouleverser.*

pacifique, adj. (lat. *pacificus*, m. s.). Qui aime la paix, qui est favorable à la paix. *Un esprit, un prince. pacifique.* ‖ Paisible, tranquille, exempt de guerre. *Un règne pacifique.* ‖ Qui amène la paix. *Recourir à des mesures pacifiques.* = N. m. *Bienheureux les pacifiques.* [Géogr.] *Le Pacifique* ou *l'Océan Pacifique*, le plus grand des océans du globe, entre l'Amérique, l'Asie et l'Australie.
Syn. — *Pacifique*, qui aime la paix : *La Suisse est une nation pacifique.* — *Calme*, que rien ne vient agiter, tourmenter : *Une mer calme, une séance calme.* — *Paisible*, qui vit en paix : *Mener une existence paisible.* — *Tranquille*, qui est sans agitation : *Vivre tranquille dans son village.* V. aussi béat.
Ctr. — *Belliqueux, martial, guerrier.*
Par. — *Pacifiste*, partisan systématique de la paix entre les peuples.

pacifiquement, adv. D'une manière pacifique; tranquillement, paisiblement.

pacifisme, n. m. Doctrine qui a pour but la paix à tout prix entre les États.

pacifiste, n. Partisan résolu de la paix entre les peuples. = Adj. Qui travaille à assurer la paix.
Par. — *Pacifique*, qui aime la paix; paisible.

* **packfond** ou * **pacfung**, n. m. [Chim.] Alliage de cuivre, de nickel et de zinc.

* **pacolet**, n. m. [Mar.] Cheville à amarrer.

pacotille [*ll* mll.], n. f. (orig. dont.). [Mar.] Quantité de marchandises qu'il est permis à ceux qui s'embarquent sur un vaisseau d'emporter avec eux sans payer de fret, afin d'en faire commerce. *Une pacotille de quincaillerie.* — Assortiment de verroteries, etc., servant au troc avec les sauvages. ‖ Marchandise de qualité inférieure. *Vendre de la pacotille.*

* **pacotiller**, v. intr. Faire le commerce de pacotille.
* **pacquage**, n. m. Action de pacquer. HOM. — V. PACAGE.
* **pacquer** ou * **paquer** [pa-ké], v. tr. [Pêche] Trier et disposer dans des barils le poisson salé à expédier.
PAR. — *Paqueter*, mettre en paquet; — *paquet*, assemblage de plusieurs choses enveloppées ensemble.

pacte, n. m. (lat. *pactum*, chose convenue). Convention solennelle, traité. ‖ Convention, accord quelconque.
SYN. — V. ACCORD (*convention*).

> VOCAB. — *Famille de mots*. — Pacte [rac. *pac, pai, pav, pagl*]: pactiser, compact, compacité; paix, pacifique, pacifiquement, pacifier, pacification, pacificateur, in pace; apaiser, apaisement; payer, payeur, paiement, payant, payable, impayable, impayé; page, pagination, paginer, provigner, propager, propagation, propagateur.

pactiser [zé], v. intr. Faire un pacte. ‖ Fig. et péjor. Composer, transiger. *Pactiser avec sa conscience*.
Pactole, n. m. Rivière de Lydie qui roulait des paillettes d'or. ‖ Fig. Source de richesses.
* **paddock**, n. m. (mot angl.). Enclos pour les poulinières et leurs poulains. ‖ Enceinte pour les chevaux de course, contiguë à leur box. ‖ Enceinte réservée dans le pesage d'un champ de course.
padischah [pa-di-cha], n. m. Titre d'honneur que portait le sultan des Turcs.
* **padou**, n. m. Ruban mi-fil, mi-soie.
padouan, ane, adj. De Padoue. = N. f. Médaille contrefaite d'après l'antique par deux graveurs de Padoue.
paean ou **péan**, n. m. [Antiq. gr.] Chant solennel et joyeux, hymne de reconnaissance en l'honneur d'Apollon. ‖ Chant de fête et de victoire.
ANT. — *Thrène*.
* **paediatrie**, n. f. [Méd.] V. PÉDIATRIE.
* **paedotribe**, n. m. (gr. *pais, paidos*, enfant; *tribô*, j'exerce). [Antiq. gr.] Maître de gymnastique pour les enfants.
paf, interj. Onomatopée imitant le bruit d'un coup, d'une gifle, d'une chute, de tout accident survenant à l'improviste. ‖ Pop. *Être paf*, être ivre.
pagaie [ghé], n. f. Rame à une ou deux palettes qu'on manœuvre sans l'appuyer sur le bord de l'embarcation.
HOM. — *Pagaie, es, ent*, du v. pagayer.
pagaille, pagaye ou **pagaïe**, n. f. Précipitation, désordre. = EN PAGAÏE, loc. adv. Un peu au hasard et à la hâte, en désordre. — On dit aussi *pagale*.
SYN. — V. CHAOS.
* **paganiser** [zé], v. tr. Rendre païen. = V. intr. Se conduire en païen.
paganisme, n. m. (lat. *paganus*, paysan, puis païen). Nom donné, par oppos. à *christianisme*, à l'anc. religion polythéiste des Grecs, des Romains et des peuples barbares. — V. tabl. RELIGIONS (Idées suggérées par le mot).
ANT. — *Christianisme, judaïsme*.
pagayer [gué-ié], v. intr. Ramer à la pagaie. = V. tr. Conduire à la pagaie. *Pagayer un canot*. = Conjug. V. GRAMMAIRE.

pagayeur, euse [ghè-ieur], n. Celui, celle qui pagaye.

1. **page**, n. f. (lat. *pagina*, m. s.). Chacun des côtés d'un feuillet de papier, de parchemin, etc. *Les pages d'un registre*. ‖ Le feuillet tout entier. *Il manque une page dans ce livre*. ‖ L'écriture, l'impression contenue dans la page même. *Une page d'écriture*. ‖ Valeur du contenu d'une page. *La plus belle page d'un roman*. ‖ Fig. *Les plus belles pages d'un auteur*, les parties saillantes de son œuvre. — *Les plus belles pages de l'histoire d'un pays*, les parties les plus mémorables de cette histoire. ‖ Fig. Actions, moments d'une vie. *Ne jugez pas un homme sur une seule page de sa vie*. [Typo.] *Mettre en page*, réunir ensemble plusieurs paquets de composition pour en faire des pages auxquelles on met un folio. ‖ Fam. *Être à la page*, être au courant de tout, des dernières nouveautés, de la dernière mode.

2. **page**, n. m. (orig. inconnue). Jeune homme noble placé auprès d'un souverain, d'un seigneur, etc., pour faire le service d'honneur et apprendre le métier des armes. ‖ *Être hors de page*, avoir fini le temps pendant lequel on était page. — Par ext. Être devenu indépendant. — *Hardi, effronté comme un page*, d'une hardiesse allant jusqu'à l'impudence.

pagel, n. m. ou **pagelle**, n. f. [Zool.] Genre de poissons de mer à chair estimée (brèmes, rousseaux...), famille des *sparidés*.
pagination [sion], n. f. Action de paginer. ‖ Série des numéros des pages d'un livre.
paginer, v. tr. Numéroter les pages d'un livre, d'un registre, etc.
pagne, n. m. Morceau de toile dont certains sauvages, qui vivent presque nus, s'enveloppent le corps, depuis la ceinture jusqu'aux genoux.
* **pagnon**, n. m. Drap noir très fin de Sedan.
* **pagnote**, adj. et n. Couard, poltron, lâche (Vx).
* **pagnoterie**, n. f. Lâcheté (Vx). ‖ Sottise.
pagode, n. f. (port. *pagoda*, m. s., emprunté d'une langue indienne). Temple de certains peuples de l'Asie, particulièrement de ceux qui professent le brahmanisme et le bouddhisme. ‖ Par ext. Idole qu'on adore dans ces temples. *Une pagode d'or*. = Adj. *Manches pagodes*, manches serrées jusqu'au coude et s'évasant au poignet. V. pl. COSTUMES.
SYN. — V. ÉGLISE.
* **pagre**, n. m. [Zool.] Genre de poissons téléostéens, famille des *sparidés*, appelés aussi *bagres*.
* **pagure**, n. m. [Zool.] Genre de crustacés décapodes logeant dans des coquilles vides de mollusques; vulg. *bernard l'ermite*.
paie, n. f. V. PAYE.
paiement, n. m. V. PAYEMENT.
païen, ienne [pa-ien, iè-ne], adj. (lat. *paganus*, paysan, parce que le christianisme fut plus lent à triompher dans les campagnes). Idolâtre, adorateur des faux dieux, par oppos. à *chrétien*; se dit des peuples de l'Antiquité et des peuples modernes. ‖ Relatif au culte des idoles. *Un temple païen*. ‖ Impie, qui agit en

paîen. *Fête païenne.* = Nom. Celui, celle qui adore les faux dieux. *Épouser une païenne.* — *Jurer comme un païen,* proférer des jurons. — V. tabl. RELIGIONS (*Idées suggérées par le mot*).
SYN. — V. IDOLÂTRE.
ANT. — *Chrétien, juif.*
* **païennie** [iè-ni], n. f. Pays habité par des païens.
* **paierie** [pè-ri], n. f. Caisse d'un payeur.
HOM. — V. PAIRIE.
* **paillage,** n. m. [Hortic.] Action de pailler.
PAR. et SYN. — *Empaillage.*
paillard, arde [ill mll.], adj. (de *paille*). Lubrique, adonné aux plaisirs charnels. ǁ Qui marque la lubricité. = Nom. Débauché.
PAR. — *Piaillard, arde,* qui a l'habitude de piailler.
paillarder [ill mll.], v. intr. Vivre dans l'impudicité, la débauche.
paillardise [ill mll.], n. f. Goût, habitude de la débauche. = Au pl. Propos grivois. ǁ Actes de luxure.
1. **paillasse** [ill mll.], n. f. (de *paille*). Grand sac de toile rempli de paille ou d'une matière analogue, qui se place sur le fond d'un lit, sous le matelas.
2. **paillasse** [ill mll.], n. m. (ital. *Pagliaccio,* personnage de la comédie pop. napolitaine). Bateleur, pitre, bouffon des théâtres forains. ǁ Fig. Homme sans caractère, sans fidélité.
* **paillasserie** [ill mll.], n. f. Caractère, rôle, action d'un paillasse.
paillasson [ill mll.], n. m. (de *paille*) [Hortic.] Claie faite avec de la paille longue, attachée sur des perches, pour garantir de la gelée ou du soleil les couches et les espaliers. ǁ Tapis de paille, jute, etc., qui sert à essuyer les pieds, devant une porte.
PAR. — *Paillon,* fourreau de paille pour protéger les bouteilles; grosse paillette.
* **paillassonnage** [ill mll.], n. m. Action de paillassonner. — *Les paillassons employés.*
* **paillassonner** [ill mll.], v. tr. Garnir, couvrir de paillassons.
paille [pa-ille, ill mll], n. f. (lat. *palea,* m. s.). Chaume desséché des *graminées,* et surtout des céréales, après qu'on a séparé le grain de l'épi. *Paille de blé, de seigle, d'avoine. Botte de paille.* ǁ *Paille d'avoine,* balle d'avoine. V. tabl. AGRICULTURE (*Idées suggérées par le mot*). ǁ *Paille* employée comme couchage, comme matière industrielle. *Coucher sur la paille. Chapeau de paille.* ǁ Fig. *Être sur la paille,* être dans une grande misère. — *Mettre quelqu'un sur la paille,* le réduire à la misère. ǁ *Homme de paille,* homme de nulle considération. — Personne qu'on fait intervenir dans une affaire où elle n'a pas de véritable intérêt pour qu'elle en endosse la responsabilité. ǁ *Feu de paille.* V. FEU. ǁ *Brin, fétu de paille. Il m'est entré une paille dans l'œil.* — *Tirer à la courte paille,* tirer au sort avec des brins de paille de longueur inégale. — Prov. *Voir une paille dans l'œil de son voisin, et ne pas voir une poutre dans le sien,* remarquer jusqu'aux moindres défauts d'autrui, et ne pas voir les siens propres, quelque grands qu'ils soient.

[Métall.] Défaut de liaison dans la fusion des métaux, et particulièrement dans le fer et l'acier, ce qui les expose à se briser. *Cette lame n'est pas solide, il y a une paille.* [Joaill.] Défaut qui diminue l'éclat d'une pierre précieuse. ǁ *Paille de fer,* tournure de fer, utilisée pour nettoyer à fond les meubles et les parquets. = Adj. invar. Qui a la couleur de la paille, jaune clair brillant. *Des gants paille.* —
ORTH. — L'adjectif *paille* (qui a la couleur de la paille) reste toujours invariable.
HOM. — *Paille, es, ent,* du v. pailler.

> VOCAB. — *Famille de mots.* — *Paille* : paillasson, paillard, paillasse, paillette, pailleté, empailler, empailleur, rempailler, rempailleur, rempaillage.

1. * **paillé** [ill mll.], n. m. [Agric.] Fumier non consommé.
2. * **paillé, ée** [ill mll.], adj. Qui a la couleur de la paille. ǁ Qui présente des pailles. *Fer paillé.*
paille-en-queue ou **paille-en-cul,** n. m. [Zool.] Oiseau de mer dont la queue est terminée par deux plumes longues et étroites. = Pl. *Des paille-en-queue.*
1. **pailler** [ill mll.], n. m. Cour d'une ferme avec sa paille, ses grains épars. ǁ Meule de paille. ǁ Hangar, grenier à paille.
PAR. — *Palier,* plate-forme dans un escalier; — *pallier,* déguiser une chose qui est mauvaise; — *paillet,* vin clair; — *pailleter,* orner de paillettes.
2. **pailler** [ill mll.], v. tr. Couvrir ou envelopper de paille pour protéger contre le froid. *Pailler des arbustes.* ǁ Garnir de paille ouvrée. *Pailler des chaises.*
PAR. — V. PAILLER 1.
1. **paillet** [ill mll.], adj. et n. m. Se dit d'un vin rouge peu chargé de couleur.
2. * **paillet,** n. m. [Mar.] Natte pour préserver des frottements.
PAR. — V. PAILLER 1.
pailleté, ée [ill mll.], adj. Couvert de paillettes. ǁ Qui contient des paillettes.
* **pailleter** [ill mll.], v. tr. Orner, parsemer de paillettes. — Fig. Parsemer de particules brillantes. = Conjug. V. GRAMMAIRE.
PAR. — V. PAILLER 1.
* **pailleteur,** n. m. Celui qui recueille des paillettes d'or dans les sables aurifères.
PAR. — *Pailleur,* marchand de paille.
paillette [ill mll.], n. f. Petit morceau d'une lame d'or, d'argent, de cuivre ou d'acier dont on orne une étoffe pour la faire scintiller. ǁ Fig. Ce qui paraît très brillant et n'a aucune solidité; clinquant. ǁ Parcelle d'or qu'on trouve dans le sable de quelques rivières. [Bot.] Glumelle des *graminées.*
HOM. — *Paillette, es, ent,* du v. pailleter.
* **pailleur, euse** [ill mll.], n. Personne qui vend de la paille. ǁ Personne qui paille les chaises.
PAR. — *Pailleteur,* celui qui cherche des paillettes d'or.
pailleux, euse [ill mll.], adj. Fait de paille. ǁ Qui a une paille, un défaut de structure, en parlant d'un métal. ǁ [Agric.] Se dit d'un fumier dont la paille n'est pas encore consommée.

PAILLIS — PAIRE

LING. — L'Acad. ne donne pas le fém. *pailleuse*.

paillis [*ill* mll.], n. m. [Agric.] Couche de paille, de fumier à demi-consommé, dont on couvre les plates-bandes, les semis.

paillon [*ill* mll.], n. m. Grosse paillette, généralement de cuivre. || Petit morceau de soudure. || Lame mince de cuivre, qui sert à faire le fond des chatons. || Manchon conique de paille ou de jonc pour emballer des bouteilles. || Panier de paille ou d'osier sans anse.

HOM. — *Paillons*, du v. pailler.

PAR. — *Paillasson*, sorte de paillasse plate pour garantir de la gelée, pour s'essuyer les pieds, etc.

paillot [*pa-io*], n. m. Petite paillasse dont on garnit un lit d'enfant pour protéger la literie.

paillote [*ill* mll.], n. f. Hutte de paille en usage dans les pays chauds.

...pain, pin.

> ORTH. — *Finales.* — A l'exception de *pain* et de ses composés, la finale *pin* s'écrit toujours sous cette dernière forme : calepin, cisalpin, crépin, escarpin, galopin, grappin.

pain [*pin*], n. m. (lat. *panis*, m. s.). Aliment fait de farine pétrie et cuite au four après fermentation. *Pain blanc, bis, noir*. || Loc. fam. diverses. *Avoir mangé son pain blanc le premier*, avoir été dans un état prospère et n'y être plus. — *Être bon comme du bon pain*, être d'une grande bonté. — *Long comme un jour sans pain*, très long et ennuyeux. — *Oter le pain de la bouche à quelqu'un*, lui ôter les moyens de subsister. *S'ôter le pain de la bouche pour quelqu'un*, se priver pour lui permettre de subsister. — *Avoir du pain sur la planche*, avoir des ressources en abondance et Fig., avoir une abondante matière à travail. — *Donner une chose pour un morceau de pain*, la vendre à très bas prix, au-dessous de sa valeur. — *Pain bénit*, pain qui a été béni avec les cérémonies de l'Église et que l'on distribue à la grand'messe. || Fig. et fam. *C'est pain bénit*, il a bien mérité tout ce qui lui arrive de fâcheux. — *Pain à chanter* (prop. *à chanter la messe*) ou *pain azyme*, pain sans levain, que le prêtre consacre pendant la messe ; pain sans levain qui sert à envelopper les poudres médicinales pour en faciliter l'absorption. — *Pain à cacheter*, pain sans levain découpé en rondelles et qui servait à cacheter les lettres. — *Pain d'épice*, pain fait de farine de seigle, de miel et de diverses épices. || Nourriture, substance en général. *Le pain quotidien*. — *Gagner son pain à la sueur de son front*, gagner sa vie en travaillant durement. *Mendier son pain*, vivre de la charité publique. [Techn.] Se dit encore de certaines choses qui forment une masse solide de manière à figurer plus ou moins exactement un pain, un gâteau. *Pain de sucre, de cire, de savon*. [Bot.] *Arbre à pain*, l'artocarpe, à fruit farineux comestible. — V. tabl. NOURRITURE (*Idées suggérées par le mot*).

ÉPITHÈTES COURANTES : tendre, frais, chaud, rassis, dur, brûlé, recuit, levé, mou, blanc, bis, noir ; rond, long, fendu ; sec, bon, exécrable, moisi ; azyme ; quotidien, gagné, mangé, etc.

HOM. — *Pain*, n. m., aliment ; — *pin*, n. m., arbre (conifère) ; — *peint*, adj., pp. du v. peindre ; — *peins, peint*, du v. peindre.

> VOCAB. — *Famille de mots.* — *Pain* [rad. *pain, pagn, pan,*] : panade, panaire, panasserie, panifiable, panification, panifier, paner, pané, panerée, paneterie, panure, panetier, panetière, paneton, panière, panier ; apanage, apanager, apanagiste ; compagnie, compagne, compagnon, compagnonnage, copain ; accompagner, accompagnement, accompagnateur, raccompagner.

1. pair, n. m. (lat. *par*, égal). Autrefois, grand vassal du roi. *Charlemagne et ses douze pairs*. || Seigneur d'une terre érigée en pairie. *Duc et pair*. || Membre de la Chambre Haute sous la Restauration et le règne de Louis-Philippe. || Membre de la Chambre des Lords en Angleterre.

2. pair, e [*pèr*], adj. (lat. *par*, égal). Égal, semblable, pareil. [Arith.] *Nombre pair*, nombre qui est exactement divisible par 2, comme 4, 18, etc. — *Numéros pairs*, ceux qui représentent les nombres. [Anat.] *Organes pairs*, organes doubles et symétriques. = N. m. Égal d'une personne. *Vivre avec ses pairs. Traiter quelqu'un de pair à compagnon*. || Chacun des oiseaux d'un couple. || *Pair du change*, égalité des rapports de deux monnaies à leurs parités-or respectives. || *L'or est au pair*, la valeur monétaire de la pièce d'or est égale au poids d'or qu'elle contient. || *Pair d'un titre boursier*, valeur de ce titre lorsque son cours coté représente exactement la valeur nominale de ce titre. || *Être au pair*, se dit d'un employé, d'une institutrice, etc. nourris et logés, mais sans appointements. = DE PAIR, loc. adv. D'égal à égal, d'une manière égale. *Il marche de pair avec les plus savants*. = HORS DE PAIR, loc. adv. Au-dessus de ses égaux, sans rival. *C'est un administrateur hors de pair*.

CTR. — *Impair*.

HOM. — *Pair*, adj., égal, pareil ; — *pair*, n. m., grand vassal du roi ; — *paire*, n. f., couple ; — *père*, n. m., celui qui a un ou plusieurs enfants ; — *perds, perd*, du v. perdre ; — *pers*, adj., couleur entre le bleu et le vert.

> VOCAB. — *Famille de mots.* — *Pair* [rad. *pai, par*] : pairesse, pairie, pairement, pariade, paire, parité, impair, imparité, disparité, parier, pari, parieur, apparier, parisyllabique, imparisyllabique, pareil, nonpareil, appareil, appareiller, appareilleur, appareillage, dépareiller, désappareiller, désappareillage ; parer, parage ; parement, parure, parade, parader, parasol, parapluie, parafoudre, paratonnerre, paravent, etc ; apparat, disparate ; comparer, comparaison, comparatif, comparable, incomparable, incomparablement ; préparer, préparation, préparateur, préparatif, préparatoire, séparer, séparation, séparateur, séparatif, séparé, séparément, séparable, inséparable, séparatisme, déparer, s'emparer, rempart, remparer, désemparer.

paire [*pè-re*], n. f. (lat. *paria*, choses égales). Groupe de deux êtres ou de deux choses semblables allant nécessairement ou ordinairement ensemble. *Une paire de*

bœufs. Une paire de gants. ‖ Désigne abusivement deux personnes ou choses quelconques. *Une paire d'heures. Une paire d'amis.* [Anat.] Se dit de deux organes disposés symétriquement. *Une paire de nerfs.* ‖ Couple d'animaux de la même espèce, mâle et femelle. *Une paire de pigeons.* ‖ Désigne encore certains objets essentiellement composés de deux pièces symétriques. *Une paire de lunettes, de ciseaux, de tenailles.* ‖ Loc. fam. *Les deux font bien la paire,* se dit iron. de deux personnes, de deux objets qui ont les mêmes défauts. — *C'est une autre paire de manches,* cela est une affaire toute différente (Fam.).
Hom. — V. PAIR.
pairement, adv. [Arith.] *Nombre pairement pair,* nombre pair dont la moitié est aussi un nombre pair, et qui peut donc se diviser en quatre parties égales. Ex. : 8, 12.
pairesse, n. f. Titre donné, en Angleterre, à la femme d'un pair.
pairie, n. f. Dignité, titre de pair. ‖ Fief, domaine auquel cette dignité était attachée. ‖ Dignité de membre de la chambre des pairs.
Hom. — *Pairerie,* caisse d'un payeur.
* **pairle,** n. m. [Blas.] Pièce héraldique, pal en forme d'Y. V. pl. BLASON.
Hom. — *Perle,* petit corps brillant et rond fourni par l'huître perlière.
* **pairol,** n. m. Grand chaudron de cuivre.
paisible [zi], adj. (de *paix*). Qui aime la paix, qui demeure en paix, qui ne trouble pas la paix. ‖ Qui n'est point troublé dans la possession d'un bien. *Paisible possesseur d'un bien.* ‖ Où l'on est en paix, sans bruit. *Un séjour paisible.* ‖ Qui n'est pas troublé, agité, en parlant des personnes, du sommeil, etc. ‖ Calme, tranquille. *Une vie paisible.*
SYN. — V. PACIFIQUE.
CTR. — *Agité, violent, orageux, belliqueux.*
paisiblement [zi], adv. D'une manière paisible; sans trouble.
* **paissance,** n. f. Action de paître en pâturage.
paissant, ante, adj. Qui paît. [Blas.] Se dit d'un bœuf, d'un mouton figuré la tête inclinée vers la terre.
* **paisseau,** n. m. Échalas pour la vigne.
* **paisselage,** n. m. Action de paisseler.
* **paisseler,** v. tr. Garnir une vigne de paisseaux ou échalas. = Conjug. V. GRAMMAIRE.
* **paisselure,** n. f. Menu chanvre pour lier les sarments aux paisseaux.
1. * **paisson,** n. f. Tout ce que les animaux paissent et broutent.
2. * **paisson,** n. m. Outil de gantier pour déborder, tirer et ouvrir les peaux.
paître, v. tr. (lat. pop. *pascere,* m. s.). [Agric.] Brouter l'herbe, ou se nourrir de certains fruits tombés, en parlant des animaux. *Les vaches paissent l'herbe. Les porcs paissent les glands.* ‖ Faire paître, mener paître. *Les patriarches bibliques paissaient leurs troupeaux.* — *Mener paître des moutons,* les conduire à la pâture. ‖ Fig. et pop. *Envoyer paître quelqu'un,* quelque chose, les repousser avec mauvaise humeur ou dégoût. = V. intr. Brouter l'herbe. *Le troupeau paissait dans la prairie.* = SE PAITRE, v. pron. Se nourrir; ne se dit que des

oiseaux carnassiers. *Les corbeaux se paissent de charogne.* ‖ Fig. *Se paître de chimères,* se livrer à de vaines imaginations. On dit plus ordinairement : *Se repaître de chimères.*

CONJUG. — V. intrans. 3ᵉ groupe (inf. en *re*) [rad. *paiss, pai*].
Indicatif. — *Présent* : je pais, tu pais, il paît, nous paissons, vous paissez, ils paissent. — *Imparfait* : je paissais..., nous paissions, vous paissiez, ils paissaient. — *Passé simple* : N'existe pas. — *Futur* : je paîtrai, tu paîtras..., nous paîtrons...
Impératif. — Pais, paissons, paissez.
Conditionnel. — *Présent* : je paîtrais..., nous paîtrions, vous paîtriez...
Subjonctif. — *Présent* : que je paisse, que tu paisses, qu'il paisse, que nous paissions, que vous paissiez... — *Imparfait* : N'existe pas.
Participe. — *Présent* : Paissant. — *Passé* : N'existe pas. (Cf. cependant *repu*.)

VOCAB. — *Famille de mots.* — *Paître* [rad. *pai, pac, past*] : pacage, pacager, pâture, pâtis, pâturer, pâturage, paturon, pâtre, pasteur, pastoral, empêtrer, dépêtrer, appât, appâter, panais, pastille, repaître, repas.

---

paix [pè], n. f. (lat. *pax,* m. s.). Situation tranquille d'un peuple, d'un pays qui n'est pas en état de guerre. *Demander, offrir la paix. Les arts de la paix,* ceux qui fleurissent pendant la paix. — *L'arbre de la paix,* l'olivier. ‖ *Armée sur le pied de paix,* situation d'une armée à effectifs réduits, en temps de paix. ‖ *La Paix,* la paix divinisée ou symbolisée. *L'autel de la Paix.* ‖ Traité de paix. *La paix des Pyrénées.* ‖ Fig. et fam. *Paix fourrée, paix plâtrée,* paix faite de mauvaise foi par les deux parties, et avec intention de la rompre lorsqu'il leur paraîtra avantageux de le faire. ‖ Concorde, tranquillité intérieure qui règne dans les États, dans les familles, etc. *La paix civile.* — En parlant des animaux, on dit de même : *Ces deux espèces d'animaux vivent en paix l'une avec l'autre.* ‖ Fig. Réconciliation de deux personnes qui étaient brouillées. *Elles ont fait la paix.* — *Fichez moi la paix! Laissez moi tranquille!* (Très fam.).
Tranquillité de l'âme, de la conscience. *Mettre sa conscience en paix.* ‖ Calme, repos, quiétude, silence, éloignement du bruit et des affaires. *La paix des forêts.* — *Laisser quelqu'un en paix,* le laisser en repos, cesser de l'importuner. — *Qu'il repose en paix* (trad. du lat. *Requiescat in pace*), formule de souhait de repos éternel pour les morts. ‖ *Juge de paix,* magistrat siégeant dans certains ch.-l. de cantons importants et jugeant les affaires civiles de petite importance.
EN PAIX, loc. adv. Tranquillement. *Allez en paix.* = PAIX ! interj. Sert à rappeler au calme des gens qui se querellent, ou à ordonner de faire silence. *Paix, Messieurs! Chut!*
— *Ne pouvant fortifier la justice, on a justifié la force, afin que le juste et le fort fussent ensemble, et que la paix fût, qui est le souverain bien.* (PASCAL.)

PAL — PALATAL

— *La paix est fort bonne en soi,
J'en conviens ; mais de quoi sert-elle
Avec des ennemis sans foi ?*
(LA FONTAINE.)
— *La paix rend les peuples plus heureux
et les hommes plus faibles.*
(VAUVENARGUES.)
ÉPITHÈTES COURANTES : durable, solide, favorable, défavorable, précaire ; bonne, mauvaise, honorable, honteuse, glorieuse ; sincère, fausse, fourrée, trompeuse, salutaire, désirée, imposée, signée, dictée, négative, de compromis, etc.
SYN. — V. CONCORDE.
ANT. — *Guerre, conflit.* — *Inquiétude, agitation, souci.* — *Bruit.*
HOM. — *Paix*, n. f., situation d'un État qui n'est pas en état de guerre ; concorde ; — *pet*, n. m., incongruité ; — *pais*, *paît*, du v. paître. — *paie*, *paies*, *paient*, du v. payer.

pal, pall...

ORTH. — *Initiales.* — L'initiale *pal* s'écrit le plus souvent avec un seul *l* : palabre, paladin, palais, palan, palanquin, palatin, pale, palefrenier, palefroi, paléographie et tous les mots formés avec le préfixe paléo ; paleron, palestre, palet, palette, palier, palinodie, palombe, palonnier, paludisme, etc. ; sauf dans palladium, palliateur, palliatif, pallier (verbe), pallium.

pal, n. m. (lat. *palus*, pieu). Pieu aiguisé par un bout. ǁ Supplice longtemps appliqué en Orient : le condamné est embroché par le fondement sur un pieu aigu fiché en terre. [Blas.] Une des pièces honorables de l'écu. V. pl. BLASON. ǁ Pieu servant à faire des digues, des batardeaux.
HOM. — *Pal*, n. m., pieu aiguisé ; — *pale*, n. f., carton qu'on met sur un calice ; — *pale*, n. f., partie plate d'un aviron ; bras d'une hélice ; — *pâle*, adj., blême, d'un blanc sans éclat ; — *palle*, n. f., pièce de l'étole.

VOCAB. — *Famille de mots.* — *Pal* [rad. *pal*, *pieu*] : palis, palissade, palissadement, palissader, pieu ; empaler.

palabre, n. f. (esp. *palabra*, parole). Dans les colonies, conférence, négociations avec les indigènes. ǁ Fig. Longue conversation oiseuse.
SYN. — V. ENTRETIEN.
palabrer, v. intr. Conférer avec un chef nègre. ǁ Fam. Discourir longuement et vainement.
SYN. — V. PARLER.
*** palace** [*pa-lass*], n. m. (mot angl.). Grand hôtel luxueusement aménagé.
SYN. — V. AUBERGE.
*** palade**, n. f. [Mar.] Coup d'aviron. ǁ Distance parcourue à chaque coup d'aviron.
paladin, n. m. (lat. *palatinus*, du palais). Nom des principaux seigneurs (douze pairs) qui suivaient Charlemagne. *Le paladin Roland.* ǁ Chevalier qui courait le monde en cherchant des aventures. ǁ Fig. Homme plein de bravoure et de galanterie.
PAR. —*Baladin*, bateleur, saltimbanque ; — *palatin*, qui se rapporte au palais ; dignitaire du palais.

*** palafitte**, n. m. (ital. *palafitta*, clayonnage). Habitations lacustres des temps préhistoriques, construites sur pilotis.
1. palais [*pa-lè*], n. m. (lat. *palatum*, m. s.). [Anat.] Partie supérieure de la cavité buccale chez l'homme et les vertébrés. ǁ Fig. *Avoir le palais fin,* avoir le sens du goût fin, délicat.
HOM. — V. PALAIS 2.
PAR. — *Palée*, rangée de pieux.
2. palais [*lè*], n. m. (lat. *palatium*, m. s.). Vaste et somptueux édifice destiné à loger un souverain, un grand personnage, une assemblée parlementaire, etc. *Le palais du Louvre, de l'Élysée.* — *Révolution de palais,* qui a lieu dans l'intérieur du palais. ǁ Par exagér. Maison particulière de caractère somptueux. V. tabl. HABITATION (*Idées suggérées par le mot*). ǁ *Palais de justice* ou simpl., *le Palais,* le lieu où les tribunaux rendent la justice. — *Style du palais, termes de palais,* les formules, les termes de pratique dont on se sert dans les actes judiciaires, dans les plaidoiries.
ÉPITHÈTES COURANTES : impérial, royal, princier, pontifical ; grand, magnifique, somptueux, luxueux, grandiose, neuf, vieux, antique, historique, ruiné, délabré, etc.
SYN. — V. CHATEAU.
ANT. — *Chaumière, chaumine, masure.*
HOM. — *Palet,* pierre plate ou disque de métal.

VOCAB. — *Famille de mots.* — *Palais* : palatin, palatine, paladin, palatial, palatinat.

palan, n. m. (ital. *palanco*, m. s.). [Techn.] Appareil de levage formé de deux systèmes de poulies réunies par un câble ou une chaîne, pour enlever les lourds fardeaux.
palanche, n. f. Pièce de bois cintrée et relevée aux deux bouts, qui sert à porter deux seaux pleins à la fois.
palançons, n. m. pl. [Archit.] Morceaux de bois qui retiennent les torchis.
*** palancre** ou **palangre**, n. f. Longue et forte ligne soutenue par des bouées et le long de laquelle sont attachées des lignes plus petites munies d'hameçons.
palanque, n. f. (ital. *palanca*). [Fortif.] Retranchement fait de pieux ou de troncs d'arbres enfoncés verticalement en terre.
*** palanquer**, v. tr. et intr. Faire effort sur et avec un palan. ǁ Munir de palanques.
palanquin, n. m. Sorte de litière, de chaise, de hamac que des hommes portent sur leurs épaules ; usité dans l'Extrême-Orient.
*** palastre** ou **palâtre**, n. m. Boîte de fer qui forme la partie extérieure d'une serrure et renferme son mécanisme.
PAR. — *Pilastre*, pilier engagé dans un mur.
palatal, ale, aux, adj. (lat. *palatum*, palais). [Gram.] Se dit des consonnes prononcées à l'aide de mouvements de la langue contre le palais, comme *c, qu, k, g, l.* — N. f. Consonne palatale.
ANT. — *Labial.*
PAR. — *Palatal,* adj., qui se rapporte au palais de la bouche : *Consonne palatale ;* — *palatial,* adj., qui a rapport au palais de justice : *Monument palatial ;* — *palatin*

adj., du palais; dignitaire du palais d'un souverain au Moyen Age : *Bibliothèque palatine. Comte palatin.*

* **palatial, ale, aux,** adj. Qui a rapport au palais de justice, à la pratique. *Style palatial* (Vx).
Par. — V. palatal.

1. **palatin, ine,** adj. (lat. *palatinus*, du palais). Se disait des dignitaires qui avaient un office dans le palais. ‖ Qui appartient au mont Palatin à Rome, ou au Palatinat, ancien État d'Allemagne. — *Électeur palatin,* le plus puissant des comtes de l'Empire germanique, possesseur du Palatinat. = N. m. Vice-roi de Hongrie; gouverneur de province dans l'anc. Pologne.
Par. — *Paladin,* nom des pairs de Charlemagne. *Le paladin Roland.* — V. aussi palatal.

2. **palatin, ine,** adj. [Anat.] Qui a rapport au palais 1. *Voûte palatine.*

palatinat, n. m. Dignité d'électeur palatin. ‖ Province gouvernée par un palatin, et, partic., État de l'Empire germanique gouverné par l'*Électeur palatin.*

1. **palatine,** adj. et n. f. Femme d'un palatin ou princesse de la maison palatine. ‖ *École palatine,* groupe de savants réunis par Charlemagne.

2. **palatine,** n. f. Fourrure de femme assez large, qui couvre le cou et les épaules.

* **palatre,** n. m. Partie de la garde d'un sabre qui est en forme de pelle.

1. **pale** [pr. l'*a* fermé et bref], n. f. (lat. *pala*, pelle). [Mar.] Partie plate d'un aviron, qui entre dans l'eau. — Aube de la roue d'un bateau à vapeur. [Mar. et Aviat.] Chacune des ailettes d'une hélice.
Hom. — V. pal.

2. **pale** ou **palle** [pr. l'*a* fermé et bref], n. f. (lat. *palla*, manteau). [Liturgie] Carton carré garni de toile blanche qui se met sur le calice pendant la messe.
Hom. — V. pal.

pâle [pr. l'*â* ouvert et long], adj. (lat. *pallidus*, m. s.). Blême, d'un blanc sans éclat (en parlant des personnes ou de certaines parties du corps humain). *Avoir le visage, le teint pâle.* — *Les Visages pâles,* nom donné aux Européens par les Peaux-Rouges. ‖ Se dit encore de corps lumineux, quand ils ne répandent qu'une lumière faible et terne. *Les pâles rayons de la lune.* ‖ Se dit aussi des couleurs qui ne sont pas vives. *Un bleu pâle.* ‖ Fig. Qui manque d'éclat, de couleur, en parlant du style : *Cette poésie est pâle.*
Syn. — V. blafard.
Ctr. — *Foncé, coloré, rouge, brillant, éclatant.*
Hom. — V. pal.

* **palé, ée,** adj. [Blas.] Meublé d'un ou de plusieurs pals.

* **paléage,** n. m. [Mar.] Travail des dockers déchargeant ce qui se remue à la pelle (sel, grain...).

* **pale-ale** [*pêle, êle*], n. m. Bière blonde anglaise.

palée, n. f. [Techn.] Rang de pieux enfoncés en terre pour former digue, soutenir des terres, etc.
Par. — *Palais,* vaste et somptueux édifice; partie supérieure de la cavité buccale; — *palet,* pierre plate ou disque de métal.

palefrenier, n. m. Valet d'écurie.

palefroi, n. m. Cheval de parade monté par un grand seigneur et tenu en main par un écuyer.
Syn. — V. cheval.

palémon, n. m. [Zool.] Grosse crevette comestible (*crevette rose* ou *bouquet*).

* **paléo-** (gr. *palaios*, ancien). Préfixe sign. *ancien,* qui entre dans la composition de nombreux termes de science et d'érudition.

* **paléobotanique,** n. f. [Géol.] Étude des plantes fossiles.

* **paléocène,** adj. [Géol.] Qui concerne les dépôts tertiaires les plus anciens.

paléographe, n. m. Celui qui s'occupe de paléographie. = Adj. *Archiviste paléographe,* titre des anc. élèves diplômés de l'École des Chartes.

paléographie, n. f. (gr. *palaios*, ancien; *graphein*, écrire). Science qui permet de déchiffrer les écritures anciennes, partic. celles des inscriptions, des manuscrits et des chartes. V. tabl. sciences (*Idées suggérées par le mot*).
Par. — *Paléontographie,* science des corps organisés fossiles.

paléographique, adj. Qui concerne la paléographie.

* **paléographiquement,** adv. Selon les caractères paléographiques.

paléolithique, adj. et n. m. (gr. *palaios*, ancien; *lithos*, pierre). Relatif à l'âge de pierre le plus reculé (âge de la pierre non polie).
Ant. — *Mésolithique, néolithique.*

* **paléologue,** n. m. Celui qui connaît les langues anciennes.

* **paléontographie,** n. f. [Géol.] Syn. de *paléontologie.*
Par. — *Paléographie,* art de déchiffrer les anciennes écritures.

* **paléontographique,** adj. Qui a rapport à la paléontographie.

paléontologie, n. f. (gr. *palaios*, ancien; *ôn, ontos*, qui est; *logos*, étude). Partie de l'histoire naturelle qui étudie les animaux et les végétaux fossiles, leur succession, leur développement et leur disparition. *Cuvier a créé la paléontologie.* V. tabl. sciences (*Idées suggérées par le mot*).

paléontologique, adj. Qui appartient à la paléontologie.

paléontologiste, adj. et n. Celui, celle qui s'occupe de l'étude de la paléontologie.

paléothérium, n. m. (gr. *palaios*, ancien; *thérion*, animal). [Paléont.] Genre de pachydermes fossiles.

paléozoïque, adj. [Paléont.] Qui concerne les plus anciennes couches géologiques où l'on trouve des fossiles animaux.

* **paléozoologie,** n. f. [Hist. nat.] Histoire naturelle des animaux fossiles.

* **palermitain, aine,** adj. et n. Qui est de Palerme.

paleron, n. m. (lat. *pala*, pelle). Partie plate et charnue de l'épaule de certains animaux. V. pl. boucherie.

palestre, n. f. (gr. *palê*, lutte). [Antiq. gr.]. Lieu public où les jeunes gens se formaient aux exercices du corps. ‖ Art de la lutte et des exercices du corps.

* **palestrique,** adj. Qui a rapport aux exercices faits dans la palestre. = N. f. Art des exercices de la palestre.

palet, n. m. Pierre ou morceau de métal plat et rond, qu'on doit placer le plus près possible d'un but.
Hom. — *Palais*, édifice somptueux; partie supérieure de la cavité buccale.
Par. — *Palette*, n. f., plaque où les peintres étalent leurs couleurs; aube d'une roue de moulin; — *palée*, n. f., rangée de pieux.

paletot, n. m. Vêtement d'homme ou de femme, assez ample, qui se porte par dessus les autres habits. V. pl. VÊTEMENTS ET PARURE (*Idées suggérées par les mots*).
1. **palette,** n. f. (dimin. de *palet*). Nom donné à divers objets de forme aplatie présentant une certaine largeur. [Jeu] Raquette de bois plat pour lancer la paume. [Mécan.] Nom donné aux parties planes et larges de certains mécanismes ou instruments. — Aube d'une roue de bateau à vapeur, de moulin. [Peint] Plaque mince, ovale ou carrée, de bois, de porcelaine, etc., percée d'un trou par lequel on passe le pouce et sur laquelle les peintres étalent et mélangent leurs couleurs. *Charger sa palette*, y mettre ses couleurs. ‖ Fig. On dit d'un peintre bon coloriste, et, par analogie, d'un poète dont le style a de l'éclat : *Il a une riche, une brillante palette*. [Techn.] Nom de divers instruments en forme de petite pelle. V. pl. DESSIN. [Bouch.] Viande fournie par la région de l'omoplate.
Par. — *Palet*, pierre plate ou disque de métal; — *palée*, rangée de pieux.
2. **palette,** n. f. (corrupt. de *poêlette*). [Méd.] Petit vase d'étain pour recevoir le sang d'une saignée; il contenait 4 onces. ‖ Quantité de sang extraite en saignant.
Par. — V. PALETTE 1.

palétuvier, n. m. [Bot.] Nom vulg. de différents arbres des régions tropicales, qui vivent dans l'eau.

pâleur, n. f. (lat. *pallor*, m. s.). Couleur, teinte de ce qui est pâle.
Obs. — Ce mot ne s'emploie pas au pluriel, sauf en poésie.

pâli, n. m. Langue de l'Inde ancienne, contemporaine du sanscrit; c'est la langue sacrée des Bouddhistes du sud de l'Inde. V. tabl. LANGUES.
Hom. — *Pâli*, langue de l'Inde ancienne; — *palis*, pieu pointu; — *pâlis, pâlit, pâli*, du v. pâlir.

* **palicare,** n. m. V. PALIKARE.

palier [*li-é*], n. m. (orig. inconnue). Plate-forme servant de repos dans un escalier, dans un perron, etc. — *Palier de communication*, celui qui est entre des appartements de plain-pied, et qui leur est commun. *Demeurer sur le même palier.* ‖ Partie horizontale ou en très faible pente d'une voie de chemin de fer, d'une route. *Faire 100 km à l'heure en palier.* [Techn.] Pièce d'une machine qui facilite le mouvement horizontal d'une pièce sur une autre. V. pl. MOTEUR. ‖ Fig. Relais successifs. *Procéder par paliers à un travail de longue haleine.* — Fig. Échelon. *L'impôt sur le revenu est établi par paliers.*
Hom. — *Pallier*, v., déguiser, atténuer.

* **palière,** adj. f. *Porte palière,* s'ouvrant sur le palier. — *Marche palière,* celle qui est de niveau avec le palier.

* **palification** [*sion*], n. f. [Techn.] Action de palifier. ‖ Son résultat.

* **palifier,** v. tr. (lat. *palus*, pieu; *facere*, faire). Affermir le sol avec des pieux, des pilotis. — Conjug. V. GRAMMAIRE.

palikare ou **pallikare,** n. m. Soldat de la milice grecque, à l'époque de la guerre de l'Indépendance. ‖ Aujourd. Grec partisan des vieilles coutumes.

palimpseste, n. m. (gr. *palin*, de nouveau; *psêstos*, gratté). Manuscrit dont on a gratté ou effacé l'écriture primitive pour écrire autre chose sur le parchemin. — Par des procédés chimiques on fait réapparaître l'écriture primitive.

* **palindrome,** adj. Se dit des vers, des phrases offrant le même sens quand on les lit de gauche à droite ou de droite à gauche. Ex. : *Elisa, rude, lava le dur asile.*

palingénésie, n. f. (gr. *palin*, de nouveau; *génésis*, génération). Renaissance des corps après la mort. ‖ Fig. Renouvellement, régénération morale.

* **palingénésique,** adj. Relatif à la palingénésie.

palinod, n. m. Pièce de poésie dans laquelle on amène la répétition du même vers à la fin de chaque strophe. ‖ Poème en l'honneur de la Vierge, assujetti à cette règle.

palinodie, n. f. (gr. *palin*, de nouveau; *odê*, chant). [Antiq.] Poème dans lequel on rétractait ce qu'on avait dit dans un poème précédent. ‖ Fig. Rétractation, changement d'opinion politique. ‖ *Chanter la palinodie,* faire amende honorable; changer d'opinion.

* **palinodique,** adj. Qui a le caractère d'une palinodie.

pâlir, v. intr. Devenir pâle. ‖ Se dit de la lumière qui s'affaiblit, des choses qui prennent une teinte moins brillante. *Le soleil pâlit.* ‖ Fig. *Son étoile pâlit,* sa puissance, sa renommée diminue. ‖ *Pâlir sur les livres,* étudier sans relâche. = V. tr. Rendre pâle.
Ctr. — *Rougir.*

palis [*li*], n. m. (de *pal*). Pieu pointu par un bout qu'on enfonce en terre pour faire une clôture. — Lieu entouré de palis.
Hom. — V. PÂLI.

palissade, n. f. Clôture, barrière faite de planches ou de pieux fichés en terre. ‖ Chacun des pieux et des planches qui forment la palissade. V. pl. FORTIFICATIONS. ‖ Espalier; mur de verdure.

* **palissadement,** n. m. Action, manière de palissader.

palissader, v. tr. Entourer de palissades; protéger par une palissade. ‖ Dresser des arbres en palissade.

palissage, n. m. [Hortic.] Action de palisser un arbre, de fixer les branches des arbres conduits en espalier.

palissandre, n. m. Bois violet et odorant fourni par plusieurs arbres de la Guyane; employé dans l'ébénisterie.

pâlissant, ante, adj. Qui devient pâle.

palisser, v. tr. Étaler et fixer contre un mur ou contre un treillage les branches d'un arbre conduit en espalier.

* **palisson,** n. m. Instrument du chamoiseur pour adoucir les peaux.
Par. — *Polisson,* enfant mal élevé.

* **palissonner,** v. tr. Passer les peaux au palisson.
Par. — *Polissonner,* faire le polisson.

* **palissonneur,** n. et adj. m. Qui palissonne.

palla, n. f. (mot lat.). [Antiq.] Long manteau des femmes romaines. V. pl. COSTUMES. — Robe longue des acteurs tragiques.

1. **palladium** [di-omm], n. m. [Antiq.] Statue de Pallas, à laquelle était attaché le destin d'une ville et, partic., de Troie. ‖ Fig. Tout ce qui est garant de la conservation d'une chose; sauvegarde.

2. **palladium** [di-omm], n. m. [Chim.] Corps simple métallique, de la couleur de l'argent, inaltérable à l'air.

pallas, n. m. Sorte de peluche.

palle, n. f. (lat. *pallium*, manteau). [Liturg.] Chacune des pièces triangulaires qui terminent l'étole.
HOM. — V. PAL.

palléal, ale, adj. [Zool.] Qui a rapport au manteau des mollusques.

palliata, adj. (mot lat.). [Litt.] *Fabula palliata,* nom donné, à Rome, aux comédies à sujet grec dont les personnages portaient le pallium.

pallateur, trice, adj. Qui pallie.

palliatif, ive, adj. Qui pallie, dont l'efficacité n'est qu'apparente et temporaire. = N. m. Remède qui ne soulage que pour peu de temps. ‖ Fig. Mesure provisoire mais insuffisante.

pallier, v. tr. (lat. *pallium*, manteau). Déguiser une chose qui est mauvaise, la couvrir d'un déguisement, d'une excuse comme d'un manteau. [Méd.] Ne guérir qu'en apparence; soulager momentanément. ‖ Fig. Atténuer pour un temps. = Conjug. V. GRAMMAIRE.
INCORR. — *Pallier* se construit avec un complément direct d'objet. C'est une incorrection, souvent commise, de dire: *pallier aux difficultés, pallier au désordre des finances,* pour: *pallier les difficultés, le désordre.*
SYN. — V. CACHER et INDEMNISER.
HOM. — *Palier,* n. m. Plate-forme dans un escalier; partie horizontale.
PAR. — V. PAILLER.

pallium [li-omm], n. m. inv. (mot lat.). Nom donné par les Romains au manteau des Grecs. ‖ [Liturg.] Ornement ecclésiastique que portent le pape, les archevêques et certains évêques.

pallotin, n. m. Membre d'une congrégation fondée en 1834 par Vincent Palloti.

palma-christi [kristi], n. m. [Bot.] Nom vulg. du ricin.

palmage, n. m. [Mar.] Action de palmer.

palmaire, adj. (lat. *palma,* paume). Qui se rapporte à la paume de la main.
HOM. — *Palmaire,* adj., qui dépend de la paume; — *palmèrent,* du v. palmer; — *palmer,* n. m., instrument de mesure; micromètre.

palmarès [rèss], n. m. (de *palme*). Liste des élèves couronnés dans une distribution de prix, des lauréats primés dans une exposition, etc.

palmature, n. f. État de ce qui est palmé, réun par des membranes. [Méd.] *Palmature des doigts,* union des doigts par une membrane.

1. **palme,** n. f. (lat. *palma,* paume de la main et branche de palmier). Branche de palmier. *La bénédiction des palmes, le jour des Rameaux.* ‖ *Huile de palme,* matière grasse que fournit le *palmier à huile.* ‖ Branche de palmier employée comme symbole de la victoire. *Remporter la palme,* remporter une victoire, au propre et au fig. — *Décerner la palme,* récompenser d'une victoire. — Par anal. *La palme du martyre,* insigne de la mort subie pour la foi. ‖ Ornement en forme de palme; motif décoratif en bronze, en argent, etc., déposé sur un cercueil, un monument funéraire ou commémoratif. ‖ *Palmes académiques,* décoration universitaire française.
HOM. — *Palme, es, ent,* du v. palmer.

> VOCAB. — *Famille de mots.* — *Palme* [rad. *pal, pau*]: palmé, palmier, palmeraie, palmette, palmipède, palmarès, paume, paumée, paumer, empaumer.

2. **palme,** n. m. (lat *palmus,* m. s.). Unité de longueur chez les Romains (grand palme: 0 m. 225; petit palme: 0 m. 029). ‖ Anc. unité de longueur italienne (environ 0 m. 25).
HOM. — V. PALME I.

palmé, ée, adj. (lat. *palmatus,* m. s.). [Hist. nat.] Qui a la forme d'une main ouverte. [Zool.] *Pied palmé,* pied dont les doigts sont réunis par une membrane intermédiaire. [Bot.] *Feuille palmée,* feuille en forme de main ouverte, doigts écartés.

1. **palmer** [mèrr], n. m. Instrument de mesure à vis et tambour gradué, pour mesurer l'épaisseur des tôles, le diamètre des fils métalliques, etc.
HOM. — V. PALMAIRE.

2. **palmer** [mé], v. tr. [Mar.] Apprécier la grosseur d'un mât en palmes. — Dégager un mât, une vergue de tout le bois inutile.

palmeraie, n. f. Lieu planté de palmiers.

palmette, n. f. Petite palme. ‖ Ornement en forme de feuille de palmier, sculpté sur une frise architecturale, brodé sur une étoffe, etc. V. pl. ORNEMENTS. ‖ Disposition donnée aux arbres fruitiers en espalier.

palmier, n. m. [Bot.] Arbre d'une famille de plantes monocotylédones. = N. m. pl. Famille de végétaux monocotylédones des régions chaudes, à tige formant un stipe non ramifié, à feuilles pennées ou palmées (palmier à huile, dattier, cocotier...).

palmifide ou **palmatifide,** adj. [Bot.] Dont les feuilles ont les nervures palmées et les lobes fendus jusqu'à moitié du limbe.

palmifolié, ée ou **palmatifolié, ée,** adj. [Bot.] Qui a les feuilles palmées.

palmipèdes, n. m. pl. [Zool.] Groupe comprenant les oiseaux aquatiques à pieds palmés conformés pour la natation (pingouins, albatros, goélands, pélicans, cormorans, cygnes, oies, canards, etc.). V. pl. OISEAUX.

palmiséqué, ée ou **palmatiséqué, ée,** adj. [Bot.] Dont les feuilles ont les nervures palmées et les lobes fendus jusqu'à la base du limbe.

palmiste, n. m. [Bot.] Nom vulgaire du palmier dont la cime produit un bourgeon comestible appelé *chou-palmiste.*

palmite, n. m. Moelle du palmier, qui rappelle le lait caillé.

* **palmure**, n. f. [Zool.] Membrane qui joint les doigts des pieds chez les palmipèdes.

* **palois, oise**, adj. et n. De la ville de Pau.

palombe, n. f. (lat. pop. *palumba*, m. s.). [Zool.] Nom vulg. du pigeon ramier et du pigeon sauvage.

* **palon**, n. m. [Techn.] Pelle ou spatule de bois.

palonnier, n. m. Pièce du train d'une voiture à laquelle on attache les traits. ‖ [Aviat.] Barre mue par les pieds, qui commande le gouvernail de direction d'un avion.

1. * **palot** [*lo*], n. m. [Techn.] Piquet ou pieu. ‖ Bêche à l'usage des tourbiers. ‖ Rustre, homme grossier.

2. **pâlot, otte**, adj. Un peu pâle.

palourde, n. f. [Zool.] Nom vulgaire de plusieurs coquillages comestibles.

* **palpabilité**, n. f. Caractère de ce qui est palpable.

palpable, adj. Qui peut être palpé, senti au toucher. ‖ Fig. Clair, évident.

* **palpablement**, adv. D'une manière palpable, évidente.

palpation [*sion*], n. f. Action de palper. [Méd.] Examen de l'état d'une partie intérieure du corps par le toucher.

palpe, n. f. [Zool.] Appendice articulé et mobile, situé en nombre pair sur la mâchoire inférieure des insectes, leur servant d'organe du toucher.

palpébral, ale, aux, adj. (lat. *palpebra*, paupière). Qui appartient aux paupières.

palper, v. tr. (lat. *palpare*, m. s.). Toucher, explorer avec la main, doucement et en pressant légèrement. *Le médecin l'a palpé pour savoir s'il y avait une tumeur.* ‖ Fig. et fam. *Palper de l'argent*, et absol. *Palper*, toucher de l'argent.

VOCAB. — *Famille de mots.* — *Palper.* [rad. *palp, paup.*] : palpable, impalpable, palpiter, palpitant, palpitation, paupière.

palpitant, ante, adj. Qui palpite. ‖ Fig. Qui fait palpiter, qui excite le plus vif intérêt.

palpitation [*sion*], n. f. Agitation violente et déréglée d'un organe, partic. du cœur.

palpiter, v. intr. (lat. *palpitare*, m. s.). Avoir des palpitations, des mouvements convulsifs et déréglés. ‖ Fig. Être ému au point que le cœur en palpite. ‖ Derniers mouvements qui agitent un corps frappé d'une mort brutale. *Le corps du chevreuil palpitait encore.*

palsambleu ! * **palsangué** ! * **palsanguienne** !, interj. (déform. de *par le sang de Dieu*). Anciens jurons.

paltoquet [*to-kè*], n. m. Fam. Individu épais, grossier, sans valeur.

paludéen, enne [*dé-in, dé-ène*], adj. (lat. *palus, paludis*, marais). Qui appartient aux marais. ‖ Dû aux émanations des marais. *Fièvre paludéenne.*

paludier, ière, n. Ouvrier, ouvrière qui récolte le sel dans les marais salants.

paludisme, n. m. (lat. *palus, paludis*, marais). [Méd.] Maladie infectieuse caractérisée par la fièvre (intermittente, continue, pernicieuse...), due à la présence dans le sang de l'hématozoaire de Laveran, propagé par les piqûres de moustiques.

palus [*luss*], n. m. (mot lat.). Marais (Vx). ‖ *Palus Méotide*, nom anc. de la mer d'Azov. ‖ Dans le Bordelais, terrain situé sur l'emplacement d'anciens marais. *Vin de palus*.

palustre, adj. Qui vit ou croît dans les marais, ou qui a la nature des marécages.

pâmé, ée, adj. Évanoui. ‖ *Poisson pâmé*, qui vient respirer la gueule ouverte à la surface de l'eau pendant les fortes chaleurs. ‖ Recouvert de buée, en parlant d'une carafe contenant un liquide plus frais que l'air ambiant.

pâmer, v. intr. (lat. *spasmare*, m. s.). Tomber en pâmoison, en défaillance, en syncope. ‖ *Pâmer de rire*, rire excessivement. ‖ *Pâmer de joie*, éprouver une joie infinie. = SE PÂMER, v. pr. Mêmes sens.

pâmoison [*zon*], n. f. Défaillance, évanouissement, syncope.

pampa, n. f. [Géog.] Vastes plaines herbeuses de l'Amérique du Sud où se fait l'élevage extensif des chevaux et bovins. — S'emploie surtout au pl.

* **pampe**, n. f. La feuille du blé, de l'orge, de l'avoine, etc. (Vx).

PAR. — *Pampre*, branche de vigne.

* **pampéen, éenne**, adj. et n. Qui est de la pampa, ou qui s'y rapporte.

* **pampéro**, n. m. Vent des pampas de l'Uruguay.

pamphlet [*pan-flè*], n. m. (mot angl.). Petit écrit satirique, brochure contenant des attaques plus ou moins vives.

ÉPITHÈTES COURANTES : violent, virulent, vil, injurieux, injuste, calomnieux, mordant, spirituel, etc.

pamphlétaire, n. m. Auteur de pamphlets.

pampille, n. f. Petite garniture en passementerie des vêtements de dames, formée d'un macaron d'où pendent des cordelières.

pamplemousse, n. f. (selon l'Académie, 1933) ou n. m. (selon Littré). Fruit très gros et très savoureux du pamplemoussier. — SYN. — *Grape-fruit.*

* **pamplemoussier**, n. m. [Bot.] Nom vulg. du *citrus decumana*, arbre de la famille des *rutacées*, qui vit dans les contrées chaudes et rappelle le citronnier ou l'oranger.

pampre, n. m. Branche de vigne avec ses feuilles, ses vrilles et ses fruits. [Archi.] Ornement représentant cette branche.

PAR. — *Pampe*, feuille de certaines céréales.

pan (son **pann**), **pann**...

ORTH. — *Initiales.* — L'initiale *pan* s'écrit avec *un seul n* dans la plupart des mots : panacée, panache, panais, panama, panaris, panathénées, panetier, paneton (petit panier), panier, panique, panonceau, panorama, panure, etc.; avec *deux n* dans les mots suivants : panne, panneau, panner, panneautage, panneauter, panneton (d'une clef).

...**pan, pant, pens, pent**.

ORTH. — *Finales.* — Le son final *pan* s'écrit : *pan* dans chenapan, trépan, tympan ; *pant* dans clopin-clopant, pimpant, sacripant et dans les ppr. des verbes terminés à l'infinitif par *per* : palpant, décapant, etc. ; *pens* dans dépens, guetapens, suspens ; *pent* dans arpent, serpent.

1. **pan-** ou **panto-,** préf. tirés du gr. *pan, pantos,* tout, et qui ajoutent au mot qu'ils précèdent l'idée de généralité, comme dans *panthéisme, pangermanisme, pantomime,* etc.

2. **pan,** n. m. (lat. *pannus,* morceau d'étoffe). Partie assez considérable d'un vêtement, d'une pièce d'étoffe. *Le pan d'un manteau. Un pan de tapisserie.* ∥ Partie d'un mur, d'une fortification. *Un pan de muraille s'écroula.* — *Pan de bois, de fer,* assemblage de charpente en bois ou en fer pour fermer des façades ou des cloisons. ∥ Face d'un ouvrage de maçonnerie, d'un corps de bâtiment polyédrique. *Une tour à huit pans.* — *Pan coupé,* surface qui remplace l'angle à la rencontre de deux pans de mur. ∥ Chacune des faces que présentent divers ouvrages qui ont plusieurs angles. *Écrou à six pans.*
Hom. — V. PAON.

3. **pan!,** interj. (onomatopée). Exclamation qui sert à indiquer un bruit inattendu, qui accompagne un coup donné. *Pan! un coup de fusil part du bois.*
Hom. — V. PAON.

* **panabase,** n. f. [Minér.] Minerai de cuivre gris contenant de l'antimoine.

panacée, n. f. (gr. *pan,* tout; *âkos,* remède). Remède prétendu universel. ∥ Prétendu remède à tout mal moral.
Gram. — *Panacée universelle* est un pléonasme étymologique.
Syn. — V. REMÈDE.

* **panachage,** n. m. Action de panacher, de mélanger.

panache, n. m. (ital. *pennachio,* m. s.; du lat. *penna,* plume). Faisceau de plumes servant d'ornement à un casque, à une coiffure. *Le panache blanc de Henri IV.* — Touffe de plumes surmontant, pour les orner, un dais, un corbillard, etc. ∥ Fig. Ce qui surmonte quelque chose, en ondoyant comme un panache. *Le panache de vapeurs du Vésuve.* ∥ Fig. Amour de tout ce qui a de l'éclat, des parades militaires, des grands sentiments patriotiques ou chevaleresques, etc. ∥ *Faire panache,* se dit d'un cavalier qui tombe en passant par-dessus la tête de son cheval; d'un cycliste qui passe par-dessus son guidon; d'une automobile qui se renverse complètement d'arrière en avant.

panaché, ée, adj. Orné d'un panache (on dit mieux *empanaché*). ∥ Bigarré de diverses couleurs tranchant les unes sur les autres. *Fleur panachée.* ∥ *Glace panachée,* mélange de crèmes glacées de parfums différents. ∥ Disparate. *Style panaché.*

panacher, v. tr. Orner d'un panache. ∥ Varier, mélanger les couleurs. ∥ Fig. Mélanger, composer d'éléments différents. = V. intr. Se dit des plantes dont les fleurs, les feuilles ou les fruits prennent des couleurs variées. = SE PANACHER, v. pr. Devenir panaché.

panachure, n. f. Taches de diverses couleurs sur les feuilles, les fleurs, les fruits, et sur certains oiseaux, tranchant sur la couleur principale.

panade, n. f. (de *pain*). Soupe faite de pain mitonné, d'eau, de sel et de beurre. ∥ Pop. *Être dans la panade,* dans la déconfiture. = Adj. Mou, sans énergie. (Pop.).

panader (se), v. pron. Marcher avec l'allure d'un paon qui fait la roue (Vx). — On dit aujourd. : *se pavaner.*

* **panage,** n. m. Action de mener les porcs à la glandée. ∥ Droit qu'on payait pour cela au propriétaire de la forêt.

* **panaire,** adj. Relatif à la fabrication du pain.

panais [*nè*], n. m. [Bot.] Genre d'ombellifères à racine charnue utilisée comme légume et fourrage.

panama, n. m. (de *Panama,* n. pr.). Chapeau souple très léger, tressé avec la feuille d'un arbuste d'Amérique. V. pl. COIFFURES. ∥ *Bois de panama,* écorce d'un arbre de l'Amérique centrale qui donne à l'eau des propriétés savonneuses.

* **panaméricain, aine,** adj. Qui concerne l'Amérique entière.

panard, adj. m. Se dit d'un cheval dont les pieds de devant sont tournés en dehors.
OBS. — L'Acad. ne donne pas le fém. *panarde.*

panaris, n. m. (lat. *panaricium,* m. s.). [Méd.] Inflammation phlegmoneuse à l'extrémité d'un doigt.

* **panasserie,** n. f. Nom commercial des petits pains et pains de fantaisie.

* **panathénaïque,** adj. Qui se rapporte aux panathénées.

panathénées, n. f. pl. Fêtes solennelles que les Athéniens célébraient en l'honneur d'Athéna, protectrice de leur cité.

* **panathénien, ienne,** adj. Qui concerne les panathénées.

* **panca** ou * **panka,** n. m. Écran mobile suspendu au plafond par une de ses extrémités, et qui sert à éventer les pièces, dans les pays chauds. ∥ Boy qui manœuvre cet écran.

* **pancalier,** n. m. [Bot.] Variété de chou frisé.

pancarte, n. f. (préf. *pan* et lat. *charta,* papier). Placard affiché pour donner au public avis de quelque chose.

* **panchromatique,** adj. [Photo.] Se dit des émulsions dont la sensibilité s'étend à toutes les couleurs du spectre.

panclastite, n. f. Explosif brisant extrêmement puissant obtenu par l'action du peroxyde d'azote sur le benzène, les essences, les corps gras, etc.

pancrace, n. m. [Antiq. gr.] Exercice gymnique consistant dans une combinaison de la lutte et du pugilat.

* **pancratiaste** [*sias-te*], n. m. [Antiq. gr.] Athlète qui se livrait au pancrace.

* **pancratier** [*sié*], n. m. [Bot.] Genre d'*amaryllidées,* plantes vivaces à grandes fleurs blanches.

pancréas [*ass*], n. m. (gr. *pankreas,* m. s.). [Anat.] Glande abdominale qui déverse dans l'intestin le suc pancréatique.

* **pancréatine,** n. f. [Méd.] Mélange de diastases extrait du pancréas des animaux.

pancréatique, adj. [Physiol.]. Qui a rapport au pancréas. — *Suc pancréatique,* liqueur incolore sécrétée par le pancréas. qui sert à la digestion des albuminoïdes, des corps gras et des féculents.

* **pancréatite,** n. f. [Méd.] Inflammation du pancréas.

* **panda,** n. m. [Zool.] Sorte de petit ours frugivore de l'Inde.

* **pandanées,** n. f. pl. [Bot.] Famille de plantes monocotylédones ornementales des régions tropicales.

* **pandanus** [*nuss*], n. m. [Bot.] Plante type de la famille des *pandanées.* Une variété fournit des graines comestibles.

pandectes, n. f. pl. (gr. *pan*, tout; *dekhomai*, je recueille). Recueil général des décisions des anciens jurisconsultes romains, que Justinien fit réunir (appelé aussi *Digeste*).

* **pandèmes,** n. f. pl. [Antiq.] Fêtes populaires grecques avec festins publics.

* **pandémie,** n. f. Maladie contagieuse qui atteint la presque totalité des habitants d'une région.

pandémonium [*ni-omm*], n. m. (gr. *pan*, tout; *daimôn*, démon). Lieu imaginaire, capitale des enfers, où l'on suppose que les démons se réunissaient. ‖ Fig. Réunion de débauchés, de gens bruyants ou assemblés pour faire le mal.

pandiculation [*sion*], n. f. (lat. *pandiculari*, s'étendre). Action d'étendre les membres en rejetant la tête en arrière, en bâillant et en s'étirant, comme il se produit au réveil.

pandit [*di*], n. m. (sanscrit *pandita*, savant). Titre des savants, érudits et docteurs brahmanes.

1. **pandore,** n. m. Fam. Gendarme.
2. * **pandore,** n. f. [Mus.] Sorte de cithare ou de luth (xvɪᵉ et xvɪɪᵉ s.).

Pandore. [Myth.] Femme que Jupiter envoya du ciel à Prométhée, pour se venger de lui et de l'humanité, avec une boîte d'où sortirent tous les maux et où il ne resta que l'espérance. ‖ Fig. *Boîte de Pandore*, source de beaucoup de maux.

pandour, n. m. Soldat d'une ancienne milice hongroise. ‖ Fig. Homme grossier, brutal, pillard.

pané, ée, adj. (lat. *panis*, pain). Couvert de pain réduit en miettes. *Côtelette panée*. ‖ *Eau panée*, eau dans laquelle on a fait bouillir du pain ou tremper du pain grillé pour en ôter la crudité.

panégyrique, n. m. (gr. *panêgyrikos*, assemblée). Discours public fait à la louange d'une ville, d'un personnage. ‖ ‖ Toute louange. ‖ Éloge outré ou, par ironie, discours médisant, malin.

Syn. — V. DISCOURS et ÉLOGE.
Ant. — *Critique, diatribe.*

panégyriste, n. m. Celui qui fait un panégyrique. ‖ Prôneur, celui qui vante (sens souvent péjor.). *Les panégyristes d'un tyran*.

paner, v. tr. (lat. *panis*, pain). Couvrir un mets de pain émietté ou râpé.
Hom. — V. PANNER.
Par. — *Panifier*, convertir en pain.

panerée, n. f. Contenu d'un panier rempli.

paneterie, n. f. (lat. *panis*, pain). Lieu où se fait la distribution du pain dans les grandes maisons, les communautés, les collèges, etc.

panetier, ière, n. Celui, celle qui, dans les grands établissements, est chargé de la garde et de la distribution du pain. ‖ *Grand panetier*, autref. un des principaux officiers de bouche du roi.

panetière, n. f. Sac dans lequel les bergers mettent le pain qu'ils emportent. ‖ Petite armoire close dans laquelle on serrait le pain.
Par. — *Pantière*, filet pour prendre les oiseaux.

* **paneton,** n. m. V. PANNETON.

pangermanisme, n. m. Système tendant à imposer la domination de l'Allemagne à tous les peuples de race germanique ou réputés tels.

* **pangermaniste,** n. Adepte du pangermanisme. = Adj. Relatif au pangermanisme.

* **pangolin,** n. m. [Zool.] Genre de mammifères édentés, au corps écailleux, des Indes et d'Amérique.

panhellénisme [*pan-nèl-lé*], n. m. Tendance à réunir tous les peuples de race hellénique en une seule nation.

* **panic,** n. m. [Bot.] Genre de *graminées*; le *panic d'Italie* est le millet des oiseaux.

* **panicaut,** n. m. [Bot.] Nom vulg. d'une plante de la famille des *ombellifères* (*chardon Roland*).

panicule, n. f. [Bot.] Mode d'inflorescence composée constitué par une grappe d'épis ou d'épillets.

paniculé, ée, adj. [Bot.] Qui a ses fleurs disposées en panicules.

panier, n. m. (lat. *panarium*, corbeille à pain). Ustensile portatif fait d'osier, de jonc, de treillis métallique, etc., muni d'une anse, qui sert à transporter des denrées et divers objets. *Panier d'osier*. — *Panier à bouteilles*, panier divisé intérieurement en compartiments destinés à recevoir des bouteilles. ‖ *Panier à ouvrage*, corbeille où les dames mettent leur mercerie et les travaux en cours. ‖ *Panier à salade*, panier à jour pour secouer et égoutter la salade. — Fig. et fam. Voiture cellulaire pour le transport des prisonniers. ‖ Locut. prov. et fam. *Faire danser l'anse du panier*. V. ANSE. — *Mettre tous ses œufs dans le même panier*. V. ŒUF. — Fig. et fam. *Un panier percé*, un dissipateur. ‖ Panerée, contenu d'un panier. *Acheter un panier de pêches*. ‖ *Le dessus du panier*, le plus beau, le meilleur du contenu d'un panier que l'on a mis en évidence sur le dessus; par ext. : Ce qu'il y a de meilleur, en parlant des choses et même des personnes (Fam.). ‖ Ruche d'abeilles, en paille, à rayons fixes. ‖ Autref. Espèce de jupon garni de baleines, de tiges de fer ou d'osier, qui, partic. au xvɪɪɪᵉ s., soutenait et étendait d'une façon démesurée les jupes et la robe des femmes. V. pl. COSTUMES. [Archit.] *Arc en anse de panier*, courbe d'un arc surbaissé. V. pl. ARCS.

* **panière,** n. f. Grande corbeille à anses.

* **panifiable,** adj. Dont on peut faire du pain.

panification [*sion*], n. f. Conversion des matières farineuses en pain.

panifier, v. tr. (lat. *panis*, pain; *facere*, faire). Convertir en pain. = SE PANIFIER, v. pr. Se transformer en pain. = Conjug. V. GRAMMAIRE.
Par. — *Paner*, couvrir de pain émietté.

panique, adj. (gr. *panikos*, du dieu Pan, qui troublait les esprits). *Terreur panique*, terreur subite et sans fondement. = N. f. Frayeur subite qui s'empare d'une foule.
Syn. — V. FRAYEUR et RETRAITE.

* **panislamisme,** n. m. Système tendant à réunir tous les peuples de l'Islam en un seul empire indépendant.

1. **panne,** n. f. (lat. *pannus*, étoffe). Haillon (Vx). ‖ Fig. *Être dans la panne*, être dans la misère (Pop.). ‖ Sorte d'étoffe de soie, de coton, de fil, de laine, etc.,

fabriquée à peu près comme le velours, mais dont les poils sont plus longs et moins serrés. [Blas.] Fourrure d'hermine ou de vair. [Théâtre] Mauvais rôle. *Ne jouer que des pannes.*

2. **panne**, n. f. (orig. inc.). [Mar.] Voilure d'un navire. — *Être en panne*, se dit de l'état d'un bâtiment dont les voiles sont orientées de manière que l'action contraire de vents opposés maintient le bâtiment sans vitesse progressive. ‖ Par ext. *Être en panne*, être arrêté accidentellement. — *Rester en panne*, se trouver arrêté dans l'exécution d'un projet ou dans un voyage. — *Avoir une panne d'automobile, de bicyclette, de moteur*, etc., se trouver arrêté par une avarie survenue à la voiture, au moteur, etc. ‖ Interruption. *Panne d'électricité.*

3. **panne**, n. f. (orig. inc.) Graisse qui garnit le dessous de la peau du cochon et de quelques autres animaux.

4. **panne**, n. f. (orig. inc.). [Techn.] Pièce horizontale de bois ou de fer qui supporte les chevrons.

5. **panne**, n. f. (allem. *Bahn*, m. s.). Partie du fer d'un marteau opposée au gros bout. V. pl. OUTILS USUELS.

Hom. — *Paonne*, femelle du paon (on prononce *panne*) ; — *panne, es, ent*, du v. panner ; — *pane, es, ent*, du v. paner ; — *paonner, es, ent*, du v. paonner.

panné, ée, adj. et n. (Pop.) Qui est dans la panne, dans la misère.

Hom. — V. PANNER.

panneau [pa-no], n. m. (de *pan* 2). [Techn.] Partie d'un ouvrage d'architecture, de menuiserie, etc., qui offre une surface enfermée dans une bordure ou ornée de moulures. *Un panneau de porte.* [Archit.] Chacune des faces d'une pierre taillée. ‖ *Panneau de sculpture*, panneau dont l'intérieur est sculpté en bas-relief. ‖ Planche de bois bien plane sur laquelle on peint à l'huile. [Mar.] Cadre de bois qui ferme l'écoutille. V. pl. NAVIGATION. [Chasse] Sorte de filet, pour prendre les lièvres, les lapins, etc. *Tendre des panneaux.* — Fig. et fam. *Donner, tomber dans le panneau*, se laisser duper. ‖ (V. milit.) *Panneau de tir*, toile tendue sur un cadre rigide, servant de cible dans les exercices de tir. [Aéron.] *Panneau de déchirure*, pan d'étoffe masquant une fente dans l'enveloppe d'un ballon et pouvant être déchiré rapidement. V. pl. AÉRONAUTIQUE. ‖ Assemblage de planches sur lequel on peut coller des affiches. *Panneaux électoraux.* [Ch. de F.] Cadre métallique sur lequel sont disposés plusieurs signaux. V. pl. CHEMIN DE FER.

Syn. — V. AMORCE.

Hom. — *Paonneau*, jeune paon (on prononce *pa-no*).

* **panneautage** [pa-no], n. m. Action de panneauter, chasse aux panneaux.

panneauter [pa-no-té], v. tr. Tendre des panneaux pour prendre des lapins, des lièvres.

* **panneauteur**, n. m. Celui qui braconne avec des panneaux.

* **pannequet**, n. m. Sorte de crêpe roulée.

* **panner**, v. tr. Creuser avec la panne d'un marteau.

Hom. — *Paner*, v. tr., couvrir de pain émietté ; — *paonner*, v. intr., faire la roue ; — *panné*, adj., qui est dans la misère.

* **panneresse**, n. f. [Techn.] Pierre assemblée de façon que sa plus grande surface soit en parement.

panneton, n. m. [Techn.] Partie plate de la clef qui fait mouvoir les pênes et ressorts d'une serrure. V. pl. SERRURE. ‖ Panier d'osier où l'on dépose la pâte à laquelle on a donné le volume et la forme d'un pain. — Dans ce sens on écrit aussi *paneton*.

pannicule, n. m. (lat. *panniculus*, tumeur). [Méd.] Excroissance membraneuse sur la cornée. [Anat.] *Pannicule adipeux*, couche graisseuse située directement sous la peau.

* **pannonien, ienne**, adj. et n. De la Pannonie.

* **pannus**, n. m. [Méd.] Affection de la cornée caractérisée par le développement d'un réseau vasculaire à sa surface.

panonceau, n. m. (v. *pennon*). Écusson d'armoiries mis sur une affiche. ‖ Écusson placé à la porte des huissiers, greffiers, avoués et notaires.

Par. — *Pennonceau*, petit pennon.

panoplie, n. f. (gr. *pan*, tout ; *oplon*, arme). Armure complète du chevalier, de l'homme d'armes. ‖ Sorte de trophée d'armes groupées et disposées sur un mur.

panorama, n. m. (préf. *pan*, et gr. *orama*, vue). Grand tableau circulaire et continu (vue perspective d'une ville, d'un site), établi sur les murs d'une rotonde éclairée par en haut, au centre de laquelle se trouve le spectateur. ‖ Bâtiment où est monté ce tableau. ‖ Par ext. Vue circulaire découverte d'un point élevé. *Découvrir un vaste panorama.* ‖ Fig. Ensemble d'idées perçues en une fois par la pensée. *Le panorama des connaissances humaines.*

panoramique, adj. Qui offre les caractères du panorama. *Vue panoramique*, série de vues photographiques juxtaposées.

* **panoufle**, n. f. Morceau de peau de mouton, avec sa laine, garnissant le dessus des sabots.

pansage, n. m. Action de panser un cheval, un mulet, etc.

* **pansard, arde**, adj. V. PANSU.

panse, n. f. (lat. *pantex*, ventre). Fam. Ventre. ‖ [Zool.] Le premier et le plus volumineux des estomacs des ruminants. ‖ Partie la plus renflée, la plus large de certains objets. *La panse d'une cruche, d'une bouteille.*

Hom. — *Panse*, n. f., un des estomacs des ruminants ; — *pense, es, ent*, du v. penser (réfléchir) ; — *panse, es, ent*, du v. panser (soigner).

pansement, n. m. Action de panser une plaie, une blessure. ‖ Produits appliqués sur cette plaie. *Pansement humide.*

panser, v. tr. (lat. *pensare*, peser, juger). Soigner une plaie, une blessure en y appliquant, après nettoyage, des produits antiseptiques et en l'isolant de l'air. ‖ Se dit aussi du malade lui-même. *Panser un blessé.* ‖ Fig. Adoucir, calmer les douleurs morales. *Panser les plaies de l'amour-propre.* ‖ En parlant d'un animal, l'étriller, le brosser, le nettoyer. *Panser un cheval.*

Syn. — V. FRICTIONNER.

Hom. — *Panser, pansez, pansé*, du v. panser (soigner) ; — *penser*, du v. penser

(réfléchir); — *pensée*, n. f., fleur; — *pensée*, n. f., réflexion, action de penser.
* **panseur, euse**, n. Celui, celle qui fait un pansement.
Hom. — *Panseur*, qui fait un pansement; — *penseur*, celui qui réfléchit.
* **pansière**, n. f. [A. milit.] Partie de l'armure protégeant le ventre. V. pl. ARMURES.
* **panslavisme**, n. m. Système tendant à réunir en une seule nation tous les peuples de race slave.
* **panslaviste**, adj. Relatif au panslavisme. = Nom. Partisan du panslavisme.
pansu, ue, adj. et n. Fam. Qui a une grosse panse. ‖ Très renflé. *Bouteille pansue.* On dit aussi *pansard.*
pantagruélique, adj. Qui a rapport à Pantagruel; digne de Pantagruel, le bon géant épicurien de Rabelais. *Repas pantagruélique.*
* **pantagruéliser**, v. intr. Mener joyeuse et large vie.
* **pantagruélisme**, n. m. Manière de vivre pleine d'une large et joyeuse philosophie.
* **pantagruéliste**, n. et adj. Partisan du pantagruélisme.
pantalon, n. m. (de *Pantalon*, personnage bouffon de la comédie italienne, vieillard avide et débauché). Sorte de culotte descendant sur le cou-de-pied. ‖ Vêtement de dessous féminin. V. pl. COSTUMES. ‖ Une des figures du quadrille français. ‖ Personnage sans scrupule qui joue les rôles les plus divers pour arriver à ses fins. — V. tabl. VÊTEMENT ET PARURE (*Idées suggérées par les mots*).
pantalonnade [*lo-na*], n. f. Bouffonnerie grossière. ‖ Fig. Comédie hypocrite et ridicule; démonstration de sentiments simulés.
pantelant, ante, adj. (ppr. de *panteler*). Haletant, qui respire avec peine et par saccade. *Chair pantelante*, chair d'un animal récemment tué, qui palpite encore.
* **pantélégraphe**, n. m. Appareil qui permet de transmettre à distance le fac-similé de l'écriture de l'expéditeur.
panteler, v. intr. Avoir la respiration haletante. ‖ Fig. Être agité d'une émotion violente. = Conjug. V. GRAMMAIRE.
* **pantenne (en)**, loc. adv. [Mar.] Se dit d'un bâtiment dont le gréement est en désordre après un combat, un coup de vent, ou en signe de deuil, de détresse.
* **panthée**, adj. f. (gr *pan*, tout; *théos*, dieu). Qui réunit les symboles ou les attributs de différentes divinités.
panthéisme, n. m. (gr. *pan*, tout; *théos*, dieu). [Philos.] Doctrine philosophique qui identifie Dieu et le monde, le créateur et la création, Dieu étant considéré comme l'âme du monde et le monde comme le corps de Dieu. V. tabl. LETTRES (*Idées suggérées par le mot*).
ANT. — *Théisme.*
panthéiste, n. m. Partisan du panthéisme. = Adj. Qui appartient au panthéisme.
* **panthéistique**, adj. Qui a le caractère du panthéisme.
Panthéon, n. m. (gr. *pan*, *pantos*, tout; *théos*, dieu). [Antiq.] Temple consacré à tous les dieux, chez les Grecs et les Romains. ‖ Ensemble des dieux d'une mythologie. ‖ Fig. Ensemble de personnages illustres. = Monument consacré au souvenir des grands hommes, et recevant parfois leurs cendres. *Le Panthéon de Paris.*
panthère, n. f. [Zool.] Grand mammifère carnivore du groupe des félins à fourrure jaune semée de taches noires.
* **pantière**, n. f. Filet tendu verticalement pour prendre les oiseaux migrateurs. ‖ Sac à mailles pour mettre le gibier.
PAR. — *Panetière*, sac, armoire à pain.
pantin, n. m. Petite figure de bois ou de carton mince et coloriée, dont on fait mouvoir les membres par le moyen d'un fil. ‖ Fig. Homme qui gesticule sans motif et ridiculement. ‖ Homme qui n'a rien de sérieux et de constant dans ses actes, dans ses opinions.
pantographe, n. m. (gr. *pan*, *pantos*, tout; *graphein*, écrire). Instrument qui permet de reproduire mécaniquement, en les agrandissant ou en les diminuant, des dessins, des gravures. V. pl. DESSIN. [Ch. de fer] Engin articulé qui relie les appareils de commande et les organes moteurs d'une locomotive électrique avec les fils conducteurs du courant. V. pl. LOCOMOTIVE.
* **pantographie**, n. f. Art, manière de reproduire par le pantographe.
* **pantographique**, adj. Qui a rapport au pantographe ou à la pantographie. ‖ Exécuté par le pantographe.
* **pantoire**, n. f. [Mar.] Cordage fixé à un mât, et auquel est suspendu un palan, une poulie.
pantois, oise, adj. Haletant, hors d'haleine. ‖ Fig. Interdit, stupéfait, penaud.
LING. — L'Acad. ne donne pas le féminin *pantoise.*
SYN. — V. SURPRIS.
pantomètre, n. m. Instrument d'arpentage servant à mesurer des angles ou à mener des perpendiculaires à une droite donnée.
pantomime, n. f. (gr. *pan*, *pantos*, tout; *mimos*, imitateur). Art d'exprimer les idées et les sentiments par les gestes et des attitudes, sans proférer une seule parole. ‖ Pièce où les acteurs suppléent à la parole par le geste; mimodrame. = N. m. Acteur qui joue des pantomimes.
INCORR. — Ne dites pas *pantomine* (par fausse analogie avec *mine*).
* **pantomimer**, v. tr. Imiter par gestes, par pantomime.
* **pantomimique**, adj. Qui appartient à la pantomime.
* **pantouflard** [*flar*], n. m. et adj. Fam. Bourgeois paresseux et casanier qui aime ses aises.
pantoufle, n. f. Chaussure de chambre, molle et silencieuse. V. pl. CHAUSSURES. ‖ Fam. *Raisonner comme une pantoufle*, raisonner en dépit du bon sens. = EN PANTOUFLES, loc. adv. Tout à son aise, sans se gêner.
* **pantoufler**, v. intr. Raisonner comme une pantoufle. ‖ Faire des démarches (Vx). ‖ Vivre en bourgeois casanier. ‖ Se débaucher un peu (Pop.).
* **pantouflier, ière**, n. Qui fait ou vend des pantoufles. ‖ Fig. Celui, celle qui raisonne comme une pantoufle.

pantoun ou * **pantoum**, n. m. [Litt.] Poème à forme déterminée (le 2ᵉ et le 4ᵉ vers de chaque quatrain forment le 1ᵉʳ et le 3ᵉ vers du quatrain suivant) emprunté par les Parnassiens à la poésie malaise.

panure, n. f. Mie de pain émiettée ou croûte de pain râpée dont on saupoudre les mets qu'on fait cuire sur le gril.

* **panus**, n. m. [Bot.] Genre de champignons poussant sur les souches (*agaricinées*).

* **paolo**, n. m. Anc. monnaie d'argent des États de l'Église.

paon [*pan*], n. m. (lat. *pavo, pavonis*, m. s.). [Ornith.] Oiseau gallinacé de la famille des *phasianidés*, remarquable par la magnificence de son plumage. ‖ Fig. et fam. *Être glorieux comme un paon*, être fier, fort vaniteux. *C'est le geai paré des plumes du paon*, se dit d'une personne qui se fait honneur de ce qui ne lui appartient pas (allusion à une fable de La Fontaine).
Hom. — *Paon*, n. m., oiseau gallinacé; — *pan*, n. m., partie d'un vêtement; — *pan!* interj. indiquant un bruit; — *pend, pends*, du v. pendre.

paonne [*pane*], n. f. Femelle du paon.
Hom. — *Panne*, n. f., sorte d'étoffe; mauvais rôle; voilure d'un navire; graisse de porc; arrêt d'un mécanisme; partie d'un marteau, etc.; — *panne, es, ent*, du v. panner; — *pane, es, ent*, du v. paner; — *paonne, es, ent*, du v. paonner.

paonneau [*pa-no*], n. m. [Zool.] Jeune paon.
Hom. — *Panneau*, partie d'un lambris; piège.

* **paonner** [*pa-né*], v. intr. Se pavaner, faire la roue, étaler ses avantages.
Hom. — V. PANNER.

papa, n. m. Terme enfantin sign. père. ‖ Homme d'un certain âge, qui a de l'embonpoint et de la bonne humeur (très fam.). = À LA PAPA, loc. adv. Sans se gêner, sans se presser. (Fam.)

Vocab. — *Famille de mots.* — *Papa* : pape, papauté, papal, papable, papalin, papelard, papisme, papiste, popeline.
---

papable, adj. Se dit d'un cardinal propre à être élu pape.

* **papaïne**, n. f. [Chim.] Diastase végétale servant aux mêmes usages que la pepsine.

papal, ale, aux, adj. Qui appartient au pape. *L'autorité papale*.

papalin, n. m. Partisan du pape; soldat du pape (se dit en mauvaise part). = Adj. Qui se rapporte au pape.

papas [*pass*], n. m. Prêtre de l'Église grecque.

papauté, n. f. Dignité du pape. ‖ *La puissance des papes.* ‖ Le gouvernement papal. ‖ Temps pendant lequel un pape a occupé le Saint-Siège.

* **papaver**, n. m. [Bot.] Nom scientif. du pavot.

papavéracées, n. f. pl. [Bot.] Famille de végétaux dicotylédones herbacées, souvent à suc laiteux (pavot, chélidoine, sanguinaire).

* **papaye** [*pa-ie*], n. f. [Bot.] Fruit comestible du papayer, pouvant atteindre plusieurs kilos.

papayer [*pa-ié*], n. m. [Bot.] Arbre de l'Amérique tropicale, fam. des *passiflorées*.

pape, n. m. (lat. *papa*, m. s.). Chef de l'Église catholique romaine. ‖ Chef suprême d'une église quelconque, ou personnage jouissant d'une grande autorité morale. V. tabl. RELIGIONS (*Idées suggérées par le mot*).
Syn. — *Le Souverain pontife*, le *Saint-Père*, le *Vicaire de J.-C.*
Hom. — *Pappe*, n. f., aigrette surmontant certaines graines.

* **papefigue**, n. m. (ceux qui font la figue au pape). Nom donné par Rabelais aux protestants.

papegai, n. m. (arabe *babbagha*, m. s.). Perroquet (Vx). ‖ Oiseau de bois ou de carton placé au bout d'une perche pour servir de but dans un tir.

papelard, arde, adj. et n. Hypocrite, faux dévot. — *Air papelard*, air douceureux, mielleux.
Syn. — V. PATELIN.

* **papelarder**, v. intr. Faire le papelard.

papelardise [*ze*], n. f. Fausse dévotion, hypocrisie.

paperasse, n. f. Papier, écrit sans utilité, sans valeur. ‖ Par ext. Travail des bureaucrates.

paperasser, v. intr. Fam. Remuer, feuilleter des paperasses. ‖ Faire des écritures inutiles.

paperasserie, n. f. Amas de paperasses inutiles.

paperassier, ière, adj. et n. Qui aime à ramasser, à conserver, à rédiger des paperasses inutiles.

papesse, n. f. Femme qui aurait été pape. *La légende de la papesse Jeanne*.

papeterie, n. f. Industrie du papier. ‖ Manufacture de papier. V. tabl. INDUSTRIE (*Idées suggérées par le mot*). ‖ Commerce, boutique où l'on vend au détail du papier, des plumes, des crayons, de l'encre, etc. ‖ Petite boîte renfermant ce qu'il faut pour écrire.

papetier, ière, n. Fabricant, marchand de papier. ‖ Celui qui vend au détail tout ce qu'il faut pour écrire ou dessiner.

papier, n. m. (lat. *papyrus*). Sorte de membrane faite de diverses substances fibreuses ou de cellulose préalablement réduites en pâte. *Papier à écrire.* — *Papier timbré*, papier portant le timbre de l'État, vendu à un prix déterminé par la loi et exigé pour dresser certains actes. — *Papier libre*, papier non timbré. — *Mettre, jeter ses idées sur le papier*, les mettre par écrit. — *N'exister que sur le papier*, figurer sur des contrôles, des documents, mais n'avoir pas d'existence réelle.
Se dit de toutes sortes d'écritures ou d'imprimés. *Il laisse traîner sur son bureau des papiers importants.* — *Vieux papiers*, papiers imprimés ou manuscrits mis au rebut. — *Papiers d'affaires*, papiers de commerce, épreuves d'imprimerie, etc., transportés par la poste à tarif réduit.
= N. m. pl. Se dit de toutes sortes de titres, documents, et partic. de la carte d'identité, du passeport, des actes qui certifient de l'état civil de quelqu'un. *Veuillez me montrer vos papiers.* — Fig. et fam. *Rayez cela de vos papiers*, ne comptez pas là-dessus. — *Être dans les petits papiers de quelqu'un*, être très bien vu de lui.

[Fin. et Comm.] Effets publics, titres négociables, lettres de change, traites billets de banque. — *Franc papier*, franc, à sa valeur actuelle, par opp. à *franc or*. — *Papier-monnaie.* V. ce mot. [Mar.] *Les papiers d'un navire*, rôles d'équipage, commission, brevets, connaissements, etc. [Techn.] *Papier d'emballage, papier à chandelle, papier à sucre*, papier servant à emballer des produits ou des marchandises. — *Papier peint*, celui dont on tapisse les murs d'une chambre. — *Papier de verre, d'émeri*, papier enduit de poudre de verre, d'émeri, dont on se sert pour polir. — *Papier mâché*, papier sous forme pâteuse servant à divers usages industriels. ǁ Fig. Se dit de ce qui est blême, qui manque de force, de robustesse. *Une figure, une armée de papier mâché.* — *papier à musique*, papier réglé en portées. ǁ Fig. et prov. *Être réglé comme un papier à musique*, être très régulier.

papier-monnaie, n. m. Billets de banque que ne couvre aucune encaisse métallique et auxquels un gouvernement donne cours forcé.

* **papilionacé, ée**, adj. V. PAPILLONACÉ.

* **papilionidés**, n. m. pl. [Zool.] Famille de papillons diurnes dont les ailes postérieures n'ont qu'une nervure anale.

papillaire, adj. [*pil-lère*]. [Anat.] Qui a des papilles. ǁ Qui a rapport aux papilles.

papille [*ll* mll.], n. f. (lat. *papula*, mamelle). [Anat.] Petite éminence charnue à la surface de la peau, des muqueuses, siège de la sensibilité. *Les papilles de la langue.*

PAR. — *Pupille*, prunelle de l'œil; enfant sous la direction d'un tuteur.

* **papilleux, euse** [*ll* mll.], adj. Parsemé, pourvu de papilles.

* **papillifère** [*pil-li*], adj. [Anat.] Qui porte des papilles.

* **papilliforme** [*pil-li*], adj. [Anat.] Qui a la forme d'une papille.

* **papillome**, n. m. [Méd.] Hypertrophie des papilles (verrues, végétations).

papillon [*ll* mll.], n. m. (lat. *papilio*, m. s.). [Zool.] Nom donné, dans le langage ordinaire, à tous les insectes appelés *lépidoptères* par les naturalistes. V. pl. INSECTES. ǁ Fig. et fam. Esprit léger qui voltige d'objet en objet; homme ou femme près de donner dans un piège. *Il va se brûler à la chandelle comme un papillon. C'est un papillon.* — *Avoir des papillons noirs*, des sujets de tristesse. [Techn.] Nom de divers objets, de diverses pièces en forme d'ailes de papillon. — *Bec d'éclairage* dont la flamme s'étale comme les ailes d'un papillon.

Petit feuillet imprimé, inséré dans un livre ou une revue, contenant un avis au lecteur. — Petite feuille distribuée ou collée sur les murs pour donner de la publicité à quelque chose.

— *Papillon du Parnasse et semblable aux abeilles,*
Je suis chose légère et vole à tous sujets,
Je vais de fleur en fleur et d'objet en objet. (LA FONTAINE.)

VOCAB. — *Famille de mots.* — *Papillon* : pavillon, pavillonnerie, papilionacé, papillonner, papillote, papilloter, papillotage, parpaillot.

---

papillonacé, ée ou * **papilionacé, ée**, adj. (lat. *papilio*, papillon). [Hist. nat.] Qui ressemble aux ailes d'un papillon. [Bot.] Se dit de certaines fleurs dialypétales dont la corolle, formée de cinq pétales inégaux, rappelle la forme d'un papillon. = N. f. pl. Tribu de plantes dicotylédones de la fam. des *légumineuses*.

* **papillonage** ou * **papillonnage** [*ll* mll.], n. m. Action, goût de papillonner. ǁ Chasse aux papillons.

papillonner [*ll* mll.], v. intr. Voltiger d'objet en objet, d'idée en idée, sans s'arrêter à aucun. [Argot] Voler du linge dans les voitures de blanchisseurs.

PAR. — *Papilloter*, remuer continuellement les paupières, en parlant des yeux.

papillotage [*ll* mll.], n. m. Mouvement incertain et involontaire des yeux qui les empêche de se fixer sur les objets. ǁ Effet de ce qui éblouit et fatigue les yeux. ǁ Effet d'un style trop chargé d'expressions à effet. ǁ Action de faire des papillotes.

papillotant, ante [*ll* mll.], adj. Qui cause le papillotage.

papillote [*ll* mll.], n. f. Morceau de papier dont on enveloppe les cheveux mis en boucles, pour les faire tenir frisés. ǁ Bonbon enveloppé dans un morceau de papier frisé. ǁ *Côtelette en papillote*, côtelette panée que l'on enveloppe de papier huilé pour la faire cuire.

* **papillotement** [*ll* mll.], n. m. Reflet trop éclatant qui trouble et fatigue la vue.

papilloter [*ll* mll.], v. intr. (de *papillon* par changement de suffixe). Se dit des yeux quand un mouvement incertain et involontaire les empêche de se fixer sur les objets. ǁ Fig. Se dit des couleurs d'un tableau qui fatiguent les yeux par des reflets trop éclatants, ou d'un style où les expressions brillantes sont répandues avec trop de profusion. = V. tr. Mettre des papillotes. *Papilloter les cheveux d'un enfant.* [Cuis.] *Papilloter des côtelettes.* — SE PAPILLOTER, v. pron. Se faire des papillotes.

PAR. — *Papillonner*, voltiger d'objet en objet.

* **papion**, n. m. [Zool.] Genre de singes cynocéphales d'Afrique (babouins et espèces voisines).

papisme, n. m. Terme par lequel les protestants (anglicans partic.) désignent par dénigrement l'Église catholique.

papiste, adj. et n. Nom, sobriquet donné par les protestants aux catholiques romains.

* **papolâtre**, adj. et n. Nom donné par dénigrement aux partisans d'une dévotion ou d'une soumission exagérée envers le pape.

* **papolâtrie**, n. f. Dévotion au pape, exagérée et qui tourne à l'idolâtrie (par dénigr.).

papotage, n. m. Fam. Bavardage, conversation vaine et frivole.

SYN. — V. BAVARDAGE.

papoter, v. intr. Fam. Bavarder sur des sujets insignifiants.

SYN. — V. BAVARDER.

PAR. — *Tapoter*, donner de petits coups.

* **pappe**, n. f. [Bot.] Aigrette surmontant certaines graines.

Hom. — *Pape*, chef de l'Église catholique romaine.

* **paprika,** n. m. Variété de piment originaire de Hongrie.

papule, n. f. (lat. *papula,* pustule). [Méd.] Petit bouton de la peau, caractérisé par une élevure solide, sans pus ni sérosité.

* **papuleux, euse,** adj. Couvert de papules ou qui a le caractère d'une papule.

Par. — *Populeux, euse,* très peuplé.

papyracé, ée, adj. Mince et sec comme du papier.

* **papyrographie,** n. f. Lithographie faite à l'aide de la pierre lithographique artificielle.

* **papyrier,** n. m. [Bot.] Arbre du Japon avec lequel les Japonais fabriquent un excellent papier.

papyrologie, n. f. Science relative à l'étude des papyrus.

* **papyrologique,** adj. Relatif à la papyrologie.

papyrologue, n. m. Celui qui pratique la papyrologie.

papyrus [*russ*], n. m. (mot lat.). Plante (espèce de souchet) dont l'écorce était employée dans l'anc. Égypte pour recevoir l'écriture. ‖ Feuille obtenue avec cette écorce. ‖ Manuscrit écrit sur ces feuilles. = Pl. *Des papyrus,* et, parfois, *des papyri.*

pâque, n. f. (hébr. *passah,* passer). La plus solennelle des fêtes annuelles des Juifs, commémorant le passage de l'ange exterminateur, et le passage de la mer Rouge. = Pâques, n. f. pl. (ou f., V. obs. gram.). Fête de l'Église chrétienne commémorant la résurrection du Christ. ‖ *Œufs de Pâques,* confiseries en forme d'œuf mises en vente à l'occasion de la fête de Pâques. — Par ext. Cadeaux faits à cette époque. = N. f. pl. Communion pascale prescrite par l'Église catholique. *Faire ses Pâques.* V. tabl. religions (*Idées suggérées par le mot*).

Hom. — *Pacque, es, ent,* du v. pacquer.

Gram. — *Pâques* s'emploie plus souvent que *Pâque,* et il est masc.; mais alors il n'est jamais précédé de l'article et jamais suivi d'un adjectif: *Le jour de Pâques, la fête de Pâques. J'irai vous voir après Pâques.* Quand *Pâques* est précédé de l'article ou suivi d'un adjectif, il redevient féminin. Ainsi dans les locutions : *Pâques fleuries, Pâques closes, faire ses Pâques,* le mot *Pâques* est féminin.

paquebot [*ke-bo*], n. m. (angl. *packet,* paquet; *boat,* bateau). [Mar.] Navire à vapeur, rapide et de fort tonnage, qui fait un service régulier et transporte des passagers, la poste, les marchandises. ‖ *Paquebot-poste,* paquebot spécialement chargé de la poste maritime. V. tabl. marine (*Idées suggérées par le mot*). — V. pl. navigation et port.

Ling. — V. navire.
Syn. — V. bateau.

* **paquer,** v. tr. V. pacquer.

pâquerette, n. f. [Bot.] Petite marguerite blanche, famille des *composées,* qui fleurit dans les prés vers l'époque de Pâques.

pâques, n. m. V. pâque, n. f.

paquet, n. m. (angl. *packet,* m. s.). Assemblage de plusieurs choses attachées ou enveloppées ensemble. ‖ Fig. et fam. Personne grosse, courte, qui se remue difficilement; ou qui est mal habillée; ou dont la présence gêne tout le monde. ‖ Fig. et pop. *Faire son paquet, ses paquets,* se préparer à partir. — *Recevoir son paquet,* recevoir une apostrophe vive et qui réduit au silence. — On dit de même: *Donner à quelqu'un son paquet.* — *Risquer le paquet,* s'engager dans une affaire hasardeuse. [Typo.] Assemblage d'un certain nombre de lignes de composition, à peu près de l'étendue d'une page ordinaire, liées avec une ficelle. [Mar.] *Paquet de mer,* lame qui embarque à bord d'un navire.

Hom. — *Pacquais, ait, aient,* du v. pacquer.

> Vocab. — *Famille de mots.* — *Paquet* : paqueter, paquetage, empaqueter, pacotille, paquebot.

paquetage, n. m. Action ou manière de mettre les objets en paquet. [A. mil.] Manière réglementaire de plier et de disposer les effets d'habillement, soit dans le sac, soit dans la chambrée. ‖ Les effets ainsi paquetés.

* **paqueter,** v. tr. Mettre en paquet. = Conjug. V. grammaire.

Par. — *Pacquer,* mettre le poisson salé en baril.

* **paqueteur, euse,** n. Celui, celle qui fait des paquets.

* **paquetier,** n. m. [Impr.] Compositeur qui compose des lignes et les réunit en paquets.

pâquis [*ki*], n. m. Pâturage (Vx).

par, parr...

> Orth. — *Initiales.* — L'initiale *par* s'écrit avec *un seul r* : parabase, parabole, parachute, parade, paradis, paraphe, parapluie, parasol, paravent, pareil, parent, parer, paresse, pariétaire, paroisse, parole, paronyme, paroxysme, etc., sauf dans les mots : parrain, parrainage, parricide.

1. **par,** mot invar. V. tabl. par.

2. * **par-** ou **-para-,** préf. tiré du grec, qui signifie *à côté de, auprès,* et indique le voisinage, l'opposition ou le caractère défectueux.

* **para,** n. m. Petite monnaie turque, quarantième partie de la piastre.

parabase, n. f. (gr. *parabasis,* digression). [Litt.] Partie de la comédie grecque du Vᵉ s. av. J.-C. qui contenait principalement un discours du coryphée au public, par lequel l'auteur exposait souvent ses opinions.

1. **parabole,** n. f. (gr. *parabolê,* action de juxtaposer). [Litt.] Sorte d'histoire allégorique, à caractère moral. *Les paraboles de l'Évangile.* — Fig. et fam. *Il ne parle que par paraboles,* il use sans cesse d'images incompréhensibles.

Syn. — *Parabole,* allégorie qui contient une vérité importante, une leçon morale: *La parabole évangélique du bon Samaritain.* — *Allégorie,* fiction par laquelle on présente un sujet pour parler d'un autre : *Le roman de la Rose n'est qu'une suite d'allégories.* — *Symbole,* figure matérielle servant à marquer une idée morale : *Le laurier est le symbole de la victoire.* V. aussi emblème.

PARABOLE — PARACHRONISME 1360

PAR, mot invariable.

Étymologie et Historique. — Latin *per*, préposition marquant l'idée de : au travers, par le moyen de. Du sens étymologique, resté dans certains emplois, on est passé aux idées d'instrument, de moyen, de manière, de temps, de cause : *par* est devenu la préposition par excellence qui introduit le complément d'agent du verbe passif, c'est-à-dire l'auteur de l'action ; ailleurs, la préposition *par* est devenue le mot-outil qui établit la transition entre le sujet qui fait l'action et cette action même.

Observation grammaticale. — *Par* et *de* introduisent un complément d'agent de verbe passif : *par* marque surtout l'action momentanée ; *de*, l'action permanente : *Il a été puni par ses parents ; il est aimé de ses parents.*

Hom. — *Par*, prép. ; — *pard*, n. m., nom vulgaire du serval, chat-pard ; — *pare, es, ent,* du v. parer ; — *pars, part,* du v. partir.

PAR, préposition.

a) — Au sens proprement étymologique, marque ce qui sert de passage : à travers, en passant par le milieu de, en divers sens, à l'intérieur de :
1° Par rapport au lieu. *Passer par Vienne. Cette idée lui a passé par la tête. Aller par monts et par vaux. Aller par mer de Marseille à Naples. Passer par tous les grades.*
2° Par rapport au temps. *Sortir par tous les temps. Par une belle journée d'hiver.*

b) — Marque ce qui produit un effet :
1° La cause, l'auteur. *Tourmenté par l'inquiétude. Agir par intérêt. Britannicus, par Racine.*
2° L'agent (complément des verbes passifs). *Joseph fut vendu par ses frères.* V. ci-dessus, obs. gram.
3° Le moyen, l'instrument. *Voyage par terre, par paquebot, par avion, par chemin de fer. Reproduire par la photographie. Par le fer et par le feu.*
4° L'idée de : au nom de, dans des invocations. *Par tous les dieux, par le Styx. Par notre vieille amitié, je vous conjure de...* V. PARDIEU.
5° Marque le motif : sous l'effet de, à cause de (Vx). *Il me cache ses maux par l'intérêt qu'il sait que j'y prends* (Mme DE SÉVIGNÉ).
6° La manière, le point de vue. *Ranger des livres par ordre de grandeur. Classer les animaux par genres et par espèces.*
7° L'idée de distribution (anc. emploi adverbial). *Payer cent francs par tête. Avancer un par un. Marcher quatre par quatre.*
8° La partie, le point d'attache. *Saisir quelqu'un par le bras. Être pris par les jambes.*
9° Le point de départ ou d'aboutissement. *Finir par la prison. Commencer par être manœuvre.*

Locutions formées avec PAR.

PAR-DEVANT, loc. prép. Devant. *Acte fait par-devant notaire.*
PAR DEVERS, loc. prép. En la possession de. *Conserver de l'argent par devers soi.*
PAR, qui était aussi autrefois adverbe, se trouve souvent combiné avec un autre adverbe pour en renforcer le sens ; souvent sans y ajouter de nuance spéciale :
PAR TROP, loc. adv., beaucoup trop, avec excès. *Il est par trop bête. C'est par trop fort !* (Fam.).
PAR ICI, PAR LÀ, loc. adv. *Passez par ici,* par cet endroit où je vais, par ce lieu qui est plus proche de moi. — *Passez par là,* par cet endroit que je vous désigne, et qui n'est point celui où je suis.
PAR LÀ. Par ce moyen, par cet exemple. *Par là, vous pouvez voir quelle confiance on peut avoir en lui !*
PAR-DESSUS, PAR-DESSOUS, loc. adv. Dessus, en plus, dessous. *On lui a adressé des compliments par-dessus le marché. Travail fait par-dessous la jambe.*
PAR CONSÉQUENT, loc. conj. de coordination. Donc, d'où il résulte que. *Il était parti au loin, par conséquent il n'a pas pu vous recevoir.*
PAR-CI PAR-LÀ, loc. adv. De côté et d'autre. *Quelques fleurs apparaissaient par-ci par-là.* — De temps à autre ; par intermittence. *Il vient nous voir par-ci par-là.*
PAR APRÈS, loc. adv. Depuis, après. *Par après, j'ai reçu de ses nouvelles* (Vx).
DE PAR, loc. prép., (probablement déformation de la loc. anc. *de la part le roi,* pour : du roi). Au nom de, par l'ordre de. *De par la loi.*
PAR CONTRE, loc. adv. En revanche (locution à éviter).
PAR CE QUE. V. PARCE QUE (tableau).

---

2. parabole, n. f. [Géom.] Ligne courbe qui résulte de la section d'un cône coupé par un plan parallèle à un de ses plans. C'est le lieu géométrique des points équidistants d'un point fixe et d'une droite fixe. V. pl. LIGNES.

* **parabolicité,** n. f. Caractère de ce qui est parabolique.

parabolique, adj. Relatif à la parabole. [Géom.] En forme de parabole ; qui dérive d'une parabole. *Miroir parabolique. Segment parabolique.* V. pl. SURFACES planes.

paraboliquement, adv. En parabole, par paraboles. ǁ En décrivant une parabole.

* **paraboliser,** v. tr. Donner la forme d'une parabole.

* **paraboliste,** n. m. Auteur de parabole.

* **paraboloïdal, ale,** adj. Qui a la forme d'un paraboloïde.

paraboloïde, n. m. [Géom.] Surface de second degré engendrée par une parabole, dont le centre est rejeté à l'infini et qui admet une infinité de plans diamétraux parallèles à une même droite. V. pl. VOLUMES des corps ronds.

* **paracentèse,** n. f. (gr. *para,* vers ; *kentéō,* je pique). [Chir.] Ponction pratiquée pour retirer un liquide séreux ou purulent d'une partie quelconque du corps.

* **paracentral, ale,** adj. Situé non loin du centre.

* **parachevable,** adj. Qui peut être parachevé.

parachèvement, n. m. Fin, perfection d'un ouvrage.

parachever, v. tr. Achever, terminer aussi parfaitement que possible. = Conjug. V. GRAMMAIRE.
SYN. — V. ACHEVER.
CTR. — *Ébaucher.*

* **parachronisme** [kro], n. m. (*para,* préf., et gr. *khronos,* temps). Erreur de date qui consiste à placer un événement à une époque postérieure à celle où il

a eu lieu. On dit aussi, dans le même sens: *anachronisme, métachronisme, prochronisme.*
parachute, n. m. Appareil destiné à ralentir, jusqu'à la rendre sans danger, la chute d'une personne qui tombe ou se jette d'un ballon, d'un avion. Il est essentiellement formé par une sorte de grand parasol. V. pl. AÉRONAUTIQUE.
* **parachutiste,** n. Celui, celle qui opère une descente en parachute, du haut d'un avion, d'un planeur, d'un ballon. *Soldat parachutiste.*
* **paraclase,** n. f. [Géol.] Syn. de *faille.*
paraclet, n. m. (gr. *paraklêtos*, appelé, défenseur). Nom qui désigne le Saint-Esprit dans l'Écriture sainte.
1. parade, n. f. (esp. *parada*, arrêt, station). Montre, étalage, exhibition de quelque chose destiné moins à l'usage qu'à l'ornement. *Cheval de parade.* || Fig. *Faire parade de son savoir, de sa beauté, de ses grands sentiments,* en faire ostentation, en tirer vanité.
Scène burlesque que les bateleurs donnent à la porte de leur théâtre, pour engager à y entrer. — Par ext. Imitation ridicule, étalage d'un sentiment qu'on n'éprouve pas. *Cette cérémonie ne fut qu'une parade.* [A. mil.] Espèce de revue que l'on fait passer aux troupes qui vont monter la garde. || Évolution de cavalerie, carrousel.
SYN. — *Parade,* désir affecté de mettre en avant : *Faire parade de beaux sentiments.* — *Étalage,* ostentation vaniteuse et peu sincère : *Faire étalage des prétendus services rendus à quelqu'un.* — *Ostentation,* façon affectée de faire valoir sa richesse, son mérite : *Il y a de l'ostentation dans tout ce qu'il fait.* — *Pose,* affectation orgueilleuse pour attirer l'attention sur soi : *Il y a bien de la pose dans sa manière de parler.*
2. parade, n. f. (de *parer*). [Escr.] Action par laquelle on pare un coup. || Fig. et fam. *N'être pas heureux à la parade,* ne pas savoir écarter une plaisanterie, un reproche.
parader, v. intr. Manœuvrer. *Faire parader un cheval.* || Faire la parade militaire. || Fam. Faire le beau, se pavaner. [Mar.] Aller et venir comme si on allait attaquer.
paradigme, n. m. (gr. *paradeigma*, modèle). Exemple, modèle de déclinaison, de conjugaison, donné dans une grammaire.
paradis [*di*], n. m. (lat. *paradisus*, jardin). Grand jardin (Vx). *Le paradis terrestre,* le jardin habité par Adam et Ève à leur création. || Fig. et fam. Lieu enchanteur, séjour délicieux. *Ce jardin est un paradis terrestre.* || Le séjour des bienheureux après leur mort. *Les joies du paradis.* — Fig. *Le chemin du paradis,* par allusion à la difficulté d'être sauvé : *un chemin montant et difficile.* — *Croire être en paradis,* être ravi de contentement, de joie. — *Il n'emportera pas cela en paradis,* il sera puni tôt ou tard. — Fam. *Se vouer à tous les saints du paradis,* loc. prov. Chercher partout des secours. || Fig. et au sens moral. L'état le plus heureux dont on puisse jouir, et le lieu où l'on en jouit. (Ornith.) *Oiseau de paradis.* V. PARADISIER. [Théâtre] Galerie supérieure d'un théâtre, dite aussi *poulailler.*

PARACHUTE — PARAGRÊLE

* **paradiséidés,** n. m. pl. [Zool.] Famille d'oiseaux passereaux comprenant les paradisiers.
paradisiaque [*ziak*], adj. Du paradis; digne du paradis. *Des joies paradisiaques.*
* **paradisier** [*zié*], n. m. [Zool.] Groupe d'oiseaux de la Nouvelle-Guinée, au plumage magnifique.
* **paradiste,** n. m. Bateleur qui joue les parades.
* **parados** [*do*], n. m. (de *parer*, et *dos*). [Fortif.] Retranchement élevé en arrière d'une batterie, au revers d'une tranchée pour abriter des coups venant à revers. V. pl. FORTIFICATIONS.
paradoxal, ale, adj. Qui tient du paradoxe. *Opinion paradoxale.* || Qui aime le paradoxe. *Esprit paradoxal.*
* **paradoxalement,** adv. D'une manière paradoxale; en forme de paradoxe.
paradoxe, n. m. (préf. *para ;* gr. *doxa,* opinion). Proposition contraire à l'opinion commune et qui choque les idées reçues.
* **paradoxisme,** n. m. [Rhét.] Figure qui consiste à unir deux idées en apparence inconciliables. *Un fou raisonnable.*
parafe, n. m. V. PARAPHE.
parafer, v. tr. V. PARAPHER.
* **paraffinage,** n. m. Action d'enduire de paraffine. || Son résultat.
paraffine, n. f. [Chim.] Substance solide, incolore, de consistance cireuse, tirée des schistes bitumineux et du goudron. Elle sert à fabriquer des bougies, à imperméabiliser les tissus, etc.
* **paraffiner,** v. tr. Enduire de paraffine.
parafoudre, n. m. Instrument qui sert à protéger les installations électriques contre les dangers de la foudre.
1. parage, n. m. (de *pair*). Extraction, qualité. N'est usité que dans la locut. *de haut parage,* de haut rang, de grande naissance.
2. parage, n. m. (esp. *paraje,* lieu de station). [Mar.] Espace ou étendue de mer. *La mer est très orageuse dans ces parages.* || Par ext. et fam., lieu, endroit quelconque. *Que venez-vous faire dans ces parages ?*
3. * **parage,** n. m. (de *parer*). Action de parer, d'apprêter des peaux, des draps, des pièces métalliques avant leur ajustage, etc. [Vitic.] Labour donné aux vignes avant l'hiver.
paragoge, n. f. [Gram.] Addition d'une lettre ou d'une syllabe à la fin d'un mot. Ex. : *s* dans *jusques* ou *guères.*
paragogique, adj. Ajouté par paragoge.
* **paragramme,** n. m. (gr. *para,* à côté; *gramma,* lettre). [Gram.] Figure qui consiste à employer une lettre pour une autre.
paragraphe, n. m. (gr. *para,* à côté; *graphô,* j'écris). Petite section d'un chapitre, d'un discours, d'un article de loi, etc., comprise entre deux alinéas. [Typo.] Signe typographique (§) qui s'emploie dans les renvois à un paragraphe donné. Ex. : *V. ch. 3, § 8.*
SYN. — V. CHAPITRE.
* **paragrêle,** n. m. Appareil destiné à protéger les cultures contre la grêle. = Adj. *Canon paragrêle, fusée paragrêle,* engins dont la déflagration empêche la grêle de se former dans les nuages.

PARAITRE, verbe.

Étymologie. — Du latin pop. *parescere*, fréquentatif du classique *parere*, m. s.

Gram. — *Paraître* se conjugue en principe avec l'auxiliaire *avoir* dans la plupart des cas. Toutefois la grammaire moderne admet que quand il s'agit de la publication d'un ouvrage, on pourra faire une distinction entre l'acte qui est exprimé par l'auxiliaire *avoir* : *Cette revue a paru le mois dernier*, et l'*état*, qui est exprimé au moyen de l'auxiliaire *être* : *Cette revue est parue.* — C'est faire une faute que de dire : *A peine fut-il paru sur la scène du monde.* La grammaire exige : *A peine eut-il paru*, etc. — *Paraître*, employé impersonnellement, et accompagné d'une négation, demande le subjonctif : *Il ne paraît pas que vous soyez son ami.*

Syn. — *Paraître*, se manifester tout à coup à la vue : *Une comète a paru dans le ciel à l'horizon.* — *Apparaître*, devenir visible à un moment donné : *Le soleil commence à apparaître à l'horizon.* — *Se manifester*, déceler sa présence : *Des marques de mécontentement se sont manifestées dans le public.* — *Se montrer*, se faire voir, paraître en public : *Le souverain s'est montré au balcon du palais.*
Paraître, avoir telle ou telle apparence : *Vos raisons paraissent bonnes.* — *Avoir l'air*, présenter l'aspect de : *Il a l'air de se moquer de moi.* — *Sembler*, avoir tel ou tel air : *Cela semble vraisemblable à première vue.*

Ctr. — *Disparaître.*

Conjug. — V. intrans. 3e groupe (inf. en *re*). [rad. *paraiss, parai, par*.].
Indicatif. — *Présent* : je parais, tu parais, il paraît, nous paraissons, vous paraissez, ils paraissent. — *Imparfait* : je paraissais..., nous paraissions, vous paraissiez... — *Passé simple* : je parus, tu parus, il parut, nous parûmes, vous parûtes, ils parurent. — *Futur* : je paraîtrai..., nous paraîtrons, vous paraîtrez...
Impératif. — Parais, paraissons, paraissez.
Conditionnel. — *Présent* : je paraîtrais..., nous paraîtrions, vous paraîtriez...
Subjonctif. — *Présent* : que je paraisse..., que nous paraissions, que vous paraissiez... — *Imparfait* : que je parusse, que tu parusses, qu'il parût, que nous parussions, que vous parussiez, qu'ils parussent.
Participe. — *Présent* : Paraissant. — *Passé* : Paru (invar., sauf lorsqu'il est accompagné de l'auxiliaire *être*).
Temps composés. — Auxiliaires ÊTRE (état) et AVOIR (action).

Vocab. — *Famille de mots.* — *Paraître* : parution, apparaître, apparition, appariteur, apparent, apparence, apparement, apparoir, il appert; comparaître, comparution, comparant, comparoir, comparse, disparaître, disparaissant, disparition, disparu, reparaître, réapparaître, réapparition, transparaître, transparent, transparence.

PARAITRE, verbe intransitif.

a) Être exposé à la vue, se faire voir, se manifester. *Les bourgeons paraissent aux arbres. L'aurore commence à paraître. Paraître sur la scène.* — Se montrer subitement. *Paraissez, Navarrois, Maures et Castillans* (Corneille). — *Laisser paraître*, manifester. *Il a plus de cœur qu'il ne le laisse paraître.*
Fig. *Son innocence a paru dans tout son jour. Il a fait paraître un grand courage.*
b) Comparaître. *Paraître en justice* (Vx).
c) Exister, se manifester au monde. *Le plus grand génie qui ait paru.* En ce sens, *paraître* s'emploie quelquefois impersonnellement (V. ci-dessous).
d) Se dit particulièrement d'un livre qui est ou qui doit être publié, mis en vente. *Quand votre ouvrage paraîtra-t-il ? Il a paru sur ce sujet un excellent article. Vient de paraître tel ouvrage.* (V. ci-dessus.)
e) Fig. Briller, se distinguer, se faire remarquer. *Il cherche à paraître.*
f) Sembler, avoir l'apparence (avec un nom ou un adjectif attribut). *Cela me paraît beau. Il me paraît fort honnête homme. Il paraît souffrir beaucoup. Cela me paraît de très haute importance.* — Locut. prov. *Être et paraître sont deux*, la réalité et l'apparence sont différentes.
g) Sembler avoir. *Cette femme paraît plus que son âge. Vous paraissez vingt ans.*

PARAITRE, verbe impersonnel.

1° Il semble. *Il me paraît que vous vous êtes trompé. Il ne paraît pas qu'on ait fait tout le nécessaire.*
2° *Il paraît que, paraît-il*, le bruit court que, on répand la nouvelle que. *Il paraît que vous avez l'intention de quitter la ville. A ce qu'il paraît, on verrait bientôt du nouveau.*
3° *Il y paraît*, on le voit bien, il y en a des marques. *Il a trop bu, il y paraît* (fam.). *Sans qu'il y paraisse, c'est un homme de grand talent.*
4° Exister, se publier. *Il paraît plusieurs revues chaque semaine dans cette ville.*

paraguante [*gou-an...*], n. f. Mot espagnol, désignant un cadeau donné pour un service (pris en mauvaise part).

*** paraison** [*zon*], n. f. [Techn.] Travail d'une masse de verre pâteux alors que l'ouvrier souffle dans la canne.

paraître, verbe. V. tabl. PARAITRE.

*** paralien, ienne**, adj. et n. Qui est de la Paralie (une des trois divisions de l'Attique ancienne).

paralipomènes, n. m. pl. Nom de deux livres historiques de l'Ancien Testament, attribués à Esdras et parfois intitulés *Chroniques*.

*** paralipse**, n. f. (gr. *paraleipsis*, omission). [Rhét.] Figure qui consiste à attirer l'attention sur un objet en feignant de le laisser de côté. — On dit aussi *prétérition*.

*** paralique**, adj. [Géol.] Propre aux rivages maritimes.

parallactique, adj. [Astr.] Qui appartient à la parallaxe.

parallaxe, n. f. (gr. *parallaxis*, changement). [Astron.] Angle formé par deux droites joignant le centre d'un astre, l'une au centre de la Terre, l'autre au point où se trouve l'observateur. [Chir.] Chevauchement de deux fragments d'os cassé.

parallèle [*paral-lèle*], adj. (lat. *parallelus*, placé en regard). [Géom.] Se dit d'une ligne ou d'une surface également

distante d'une autre ligne ou d'une autre surface dans toute son étendue. *Deux lignes, deux plans parallèles.* V. pl. LIGNES. ‖ Fig. Semblable, qui se déroule au même moment et dans des conditions analogues. *Leurs carrières ont été parallèles.*
— N. f. Ligne parallèle à une autre. *Tirer une parallèle.* = N. f. pl. [A. mil.] Ouvrages formés de grandes tranchées parallèles aux lignes de défense pour l'attaque des places. *Parallèles de départ.*
PARALLÈLE, n. m. [Astron. et Géogr.] Se dit des cercles parallèles à l'équateur; ils sont perpendiculaires à l'axe terrestre. [Géom.] Cercle tracé sur une surface de révolution et dont le plan est perpendiculaire à l'axe de cette surface.
— Comparaison, rapprochement suivi qu'on établit entre deux personnes ou entre deux choses pour faire voir leurs ressemblances et leurs différences. *Faire le parallèle d'Alexandre et de César.* [Litt.] Notice biographique comparée. *Les Parallèles des hommes illustres, de Plutarque.*
parallèlement, adv. D'une manière parallèle.
parallélipipède ou * **parallélépipède**, n. m. [Géom.] Prisme dont la base est un parallélogramme. V. pl. VOLUMES des corps à faces planes.
* **parallélipipédique** ou * **parallélépipédique**, adj. Qui a la forme d'un parallélipipède.
parallélisme, n. m. État de deux lignes, de deux plans parallèles. ‖ Fig. Correspondance entre deux personnes, deux choses que l'on compare.
* **parallélogrammatique**, adj. Qui a la forme d'un parallélogramme.
parallélogramme, n. m. [Géom.] Figure plane dont les côtés opposés sont égaux et parallèles. V. pl. LIGNES et SURFACES planes.
* **paralogie**, n. f. [Gram.] Déformation d'un mot par fausse analogie.
paralogisme, n. m. Raisonnement faux, mais fait de bonne foi.
* **paralysant, ante,** adj. Qui paralyse, au pr. et au fig.
CTR. — *Stimulant, excitant.*
* **paralysateur, trice,** adj. Qui paralyse.
paralysé, ée, adj. et n. Atteint de paralysie, au pr. et au fig.
SYN. — V. IMPOTENT.
paralyser, v. tr. Frapper de paralysie. ‖ Fig. Empêcher d'agir, frapper d'inertie. *La frayeur paralysait ses facultés.*
SYN. — V. ARRÊTER.
paralysie, n. f. (gr. *para*, le long de; *lusis*, dissolution). [Méd.] Perte partielle ou totale de l'aptitude aux mouvements volontaires, due le plus souvent à des lésions de l'encéphale, de la moelle ou des nerfs. ‖ Fig. Impossibilité d'agir. — V. tabl. MALADIE ET MÉDECINE (*Idées suggérées par les mots*).
paralytique, adj. et n. Atteint de paralysie.
* **paramagnétique,** adj. [Phys.] Se dit des substances qui s'aimantent très faiblement quand on les place dans un champ magnétique.
paramètre, n. m. [Géom.] Ligne constante et invariable qui entre dans l'équation ou dans la construction d'une famille de courbes.

* **paramétrique,** adj. [Géom.] Qui a rapport au paramètre.
* **paramilitaire,** adj. Se dit de groupements armés et exercés militairement, mais qui ne font pas partie de l'armée régulière.
* **paramnésie,** n. f. [Méd.] Trouble de la mémoire, caractérisé par l'oubli ou la confusion des mots.
parangon, n. m. Ce qui peut servir de modèle; patron, type. *Un parangon de vertu* (Vx). ‖ Comparaison. *Mettre en parangon* (Vx). ‖ Nom d'un caractère d'imprimerie (Vx). ‖ Diamant, pierre, perle fine, sans défaut.
parangonnage, n. m. [Impr.] Action de parangonner.
parangonner, v. tr. [Impr.] Aligner des caractères qui ne sont pas de même corps en leur donnant la même force par des épaisseurs complémentaires.
* **paranoïa,** n. f. [Méd.] Maladie mentale caractérisée par la perte partielle de l'intelligence, de la volonté et de la sensibilité.
* **paranoïaque,** adj. Qui concerne la paranoïa. = Nom. Malade atteint de paranoïa.
* **parant, ante,** adj. Qui orne, qui pare.
HOM. — *Parent,* qui a un lien de parenté avec.
paranymphe, n. m. [Antiq.] Celui qui dirigeait les cérémonies du mariage. — Ami du marié ou amie de la mariée, qui l'assistait pendant cette cérémonie. ‖ Discours solennel prononcé autref. à la fin des épreuves de licence, et qui louait les licenciés.
* **paranympher,** v. tr. Louer en prononçant un paranymphe.
parapet, n. m. (ital. *parapetto*, garde-poitrine). Mur à hauteur d'appui, élevé sur le bord d'un pont, d'une terrasse, etc., pour empêcher les chutes; garde-fou. [Fortif.] Partie supérieure d'un rempart qui protège les défenseurs. V. pl. FORTIFICATIONS.
paraphe ou **parafe,** n. m. Trait ou ensemble de traits qui accompagnent souvent une signature, et qui parfois se mettent pour la signature même. ‖ Signature abrégée.
PAR. — *Patarafe,* lettres aux traits confus et embrouillés.
parapher ou **parafer,** v. tr. Apposer son paraphe sur un acte. [Droit] *Parapher un papier, un registre,* se dit d'un officier public qui met son paraphe sur un papier, sur les feuilles d'un registre pour empêcher toute substitution, intercalation ou suppression de feuillets.
paraphernal, ale, aux, adj. (gr. *para,* outre; *phernê,* dot). Se dit des biens d'une femme mariée sous le régime dotal, qui ne sont pas constitués en dot, et dont elle conserve l'administration.
* **paraphernalité,** n. f. État des biens paraphernaux.
paraphrase, n. f. (gr. *para,* au delà; *phrasis,* façon de parler). Explication plus étendue que le texte ou que la simple traduction littérale du texte. ‖ Imitation en vers d'un texte que le poète amplifie. ‖ Par ext. Discours ou écrit verbeux et diffus.
SYN. — V. VERSION.

PARAPHRASER — PARCE QUE

PAR. — *Périphrase*, fig. de rhétorique, circonlocution, détours de langage.
paraphraser, v. tr. Faire une paraphrase. ‖ Étendre, amplifier longuement.
* **paraphraseur, euse**, n. Celui, celle qui paraphrase, qui amplifie les choses qu'il rapporte.
paraphraste, n. m. Auteur de paraphrases.
* **paraphrastique**, adj. Qui tient de la paraphrase.
paraplégie, n. f. [Méd.] Paralysie des membres supérieurs ou inférieurs, ou des quatre membres.
paraplégique, adj. et n. [Méd.] Qui est atteint de paraplégie. ‖ Qui présente le caractère de la paraplégie.
parapluie, n. m. Étoffe coupée circulairement, tendue sur un réseau flexible de tiges métalliques adapté à un manche, pour garantir de la pluie. — *Baleine de parapluie*, chacune des tiges de métal sur lesquelles est tendue l'étoffe du parapluie, parce que ces tiges étaient faites autrefois de fanons de baleine.
parasange, n. f. Mesure itinéraire des anciens Égyptiens, des anciens Perses, valant environ 5.250 m.
* **parascève**, n. f. Veille du sabbat chez les Juifs. — Vendredi saint chez les chrétiens.
parasélène, n. f. (préf. *para*; gr. *sélênê*, lune). [Astron.] Cercle lumineux autour de la lune. Syn. de *halo*.
parasitaire [zi], adj. Dû à des parasites. *Maladie parasitaire*. ‖ Relatif aux parasites.
parasite [para-zite], n. m. (lat. *parasitus*, m. s.). Commensal attaché à la table d'un riche à condition de le divertir. ‖ Celui qui fait métier de manger à la table d'autrui.
= Adj. et n. [Bot. et Zool.] Être qui vit aux dépens d'un autre être d'espèce différente. *Champignon parasite. La chasse aux parasites.* ‖ Fig. *Mots, expressions, ornements parasites,* qui chargent inutilement la phrase, qui surchargent un ouvrage artistique. [T. S. F.] *Signaux parasites, bruits parasites* (ou, comme n., *parasites*), perturbations produites dans un appareil récepteur de T. S. F., du fait de la variation de potentiel du champ terrestre.
* **parasiticide**, adj. et n. m. Se dit des substances ou préparations qui tuent les parasites.
* **parasitique**, adj. Qui appartient aux parasites. ‖ Qui dépend des parasites animaux ou végétaux. *Affection parasitique.*
parasitisme, n. m. État, condition d'un être organisé qui vit en parasite sur un autre organisme. ‖ Habitude de vivre en parasite.
parasitologie, n. f. Science qui étudie les animaux et végétaux parasites.
parasol, n. m. Petit pavillon portatif qu'on déploie au-dessus de sa tête pour se garantir du soleil.
parasolerie, n. f. Fabrique, commerce, magasin de parapluies, de parasols, d'ombrelles, etc.
* **parathyroïde**, n. f. [Anat.] Glande endocrine située contre la thyroïde.

PAR. — *Paratyphoïde*, maladie voisine de la fièvre typhoïde.
* **paratitles**, n. m. pl. Explication abrégée de quelques livres de droit civil ou canonique.
paratonnerre, n. m. Appareil constitué par une tige conductrice verticale reliée au sol par un conducteur, qui sert à préserver de la foudre un monument, une cheminée d'usine, etc.
parâtre, n. m. Beau-père (Vx). ‖ Fig. Mauvais père.
ORTH. — *Parâtre* ne prend qu'*un r*, mais *parricide* en prend *deux*.
* **paratyphique**, adj. [Méd.] Qui a rapport à la paratyphoïde.
paratyphoïde, n. f. [Méd.] Affection à symptômes assez voisins de ceux de la fièvre typhoïde, mais due à des bacilles un peu différents.
PAR. — *Parathyroïde*, glande située contre la thyroïde.
paravent, n. m. Sorte de meuble composé de plusieurs châssis à charnière, se repliant les uns sur les autres, qui sert à garantir des vents coulis dans une pièce, ou à en masquer une partie.
parbleu, interj. (de *par* et *Dieu*). Juron atténué indiquant une affirmation.
parc [*park*], n. m. (bas lat. *parricus*, m. s.). Grande étendue de terre close et plantée de bois où l'on conservait du gibier. ‖ Grand jardin d'agrément, dépendant souvent d'une habitation importante, et comportant des bois, des pelouses, des pièces d'eau, etc. *Le parc de Versailles.* ‖ Grand jardin public dans une ville. *Le parc Monceau.* [Agric.] Pâtis entouré de fossés où l'on met les bœufs pour les engraisser. — Clôture faite de claies, où l'on enferme les moutons en été quand ils couchent dans les champs. ‖ Clôture de filets ou de claies pour conserver le poisson. ‖ Lieu préparé pour y mettre les huîtres qu'on laisse grossir et verdir. [A. mil.] Endroit où l'on place l'artillerie, les fourgons, les munitions, etc., quand une armée est en campagne. — Par ext. Réunion des voitures qui traînent, à la suite d'une armée, le matériel de l'artillerie, de l'intendance, etc. ‖ Réunion de matériel du génie. *Outil de parc.*
SYN. — V. JARDIN et BERCAIL.
HOM. — *Parc*, n. m., terrain clos; — *Parque*, n. pr. f., divinité qui présidait à la destinée humaine; — *parque, es, ent,* du v. parquer.
parcage, n. m. Action de parquer des troupeaux et, partic., des moutons. ‖ Fertilisation du sol par leurs déjections. ‖ Action de parquer les huîtres.
PAR. — *Pacage*, lieu où l'on fait paître les troupeaux qu'on engraisse.
parcellaire, adj. Fait, établi, divisé par parcelles. — *Cadastre parcellaire,* cadastre fait par pièces de terre.
parcelle, n. f. (lat. *particula*, m. s.). Petite partie d'une chose. ‖ Petite quantité d'une substance.
SYN. — V. FRAGMENT.
* **parcellement**, n. m. Division par parcelles des biens territoriaux. *Le parcellement d'une propriété.*
SYN. — V. PARTAGE.
* **parceller**, v. tr. Diviser en parcelles.
parce que, loc. conjonct. V. tabl. PARCE QUE.

PARCE QUE, loc. conjonctive.

Étymologie et historique. — La loc. *parce que* est composée de trois mots, la préposition *par* (V. ce tableau), le pronom démonstratif neutre *ce* et la conjonction simple *que*. Elle s'écrit aujourd'hui en deux mots, l'usage sinon la logique en ayant décidé ainsi. — Au Moyen âge, le *ce* de cette locution était une forme tonique du pronom (cf. *cela*), le sens était donc : *pour cette raison que* et la préposition était séparée. — Dans la loc. conj. actuelle, *ce* est devenu atone, et même, dans la langue parlée familière il se réduit à : « paç'que ».

Observations grammaticales. — 1° *Parce que* ne doit pas être confondu avec *par ce que* en trois mots (*par*, prép., *ce*, pron. dém. n. et *que*, pr. relatif n.), signifiant : par la chose que, par le fait que, par cela que. *Par ce que vous me dites, je vois qu'il avait raison.* — 2° *Parce que* ne doit pas se construire avec un adjectif ou un participe, mais doit être suivi d'un verbe à un mode personnel. C'est une faute de dire : *Il a été écarté parce que trop jeune*; on doit dire : *parce qu'il était trop jeune*.

Sens et emplois de PARCE QUE.

Loc. conj. sign.: par la raison que, à cause que. Elle introduit la cause de l'action ou de l'état marqué par la proposition principale, qui précède toujours, et est placée en tête de la proposition subordonnée. *Il le fera parce qu'on l'y oblige. Ils ont été punis parce qu'ils avaient été négligents.*

La cause introduite par *parce que* peut être fausse ou invoquée comme un prétexte. *Socrate fut condamné à boire la ciguë, parce que, disait-on, il corrompait la jeunesse.* Dans ce cas, le verbe construit avec *parce que* peut être au conditionnel. *Aristide fut exilé parce qu'il aurait été trop juste.*

Dans certaines tournures, *parce que* n'a guère plus de valeur qu'une conjonction de coordination; il pourrait être remplacé par *car* ou par *en effet : Peu de chose nous console, parce que peu de chose nous afflige* (PASCAL).

En revanche, *parce que* peut parfois être suppléé par la conj. de subordination simple *que*, dans une prop. subordonnée sujet; la principale commence alors par *c'est*. *Si je ne suis pas arrivé plus tôt, c'est que j'ai été retardé par un accident de voiture.*

= N. m. Raison, motif. *Le parce que d'une décision.*

---

parchemin, n. m. (de *Pergame*, où l'on prépara les premiers parchemins). Peau de mouton, de chèvre, etc., préparée pour écrire, peindre, etc. ‖ Diplôme, en principe délivré sur parchemin. = Pl. Titres de noblesse.
SYN. — V. BREVET.

parcheminé, ée, adj. Semblable à du parchemin. ‖ Fig. Ridé et desséché. *Peau parcheminée.*

parcheminer, v. tr. Donner l'aspect, la consistance du parchemin.

parcheminerie, n. f. Art de préparer le parchemin. ‖ Fabrique de parchemin. ‖ Commerce du parchemin.

parcheminier, n. m. Celui qui prépare ou vend le parchemin.

parcimonie, n. f. (lat. *parcimonia*, de *parcus*, économe). Épargne minutieuse portant sur les petites choses.
SYN. — V. ÉCONOMIE.
ANT. — *Profusion.*

parcimonieusement, adv. Avec parcimonie.

parcimonieux, euse, adj. Qui a de la parcimonie.
SYN. — V. AVARE.
CTR. — *Large, généreux, prodigue.*

parcourir, v. tr. Aller d'un bout à l'autre, visiter en tous sens. *Parcourir un pays.* ‖ Fig. Examiner rapidement, sans approfondir. *Parcourir un livre.* = Conjug. (comme *courir*). V. VERBES.

parcours [*kour*], n. m. Action de parcourir. ‖ Chemin que fait une voiture publique, un chemin de fer, un fleuve, etc. *Le parcours d'un autobus.* ‖ Trajet en général. ‖ Prix du parcours. [Droit] Droit de faire paître les troupeaux, en un certain temps de l'année, sur les terres de la commune.

*** pard** [*par*] ou ***parde**, n. m. (lat. *pardus*, panthère). [Zool.] Nom vulg. du serval.
HOM. — V. PAR (tabl.).

pardessus, n. m. Vêtement porté par-dessus les autres quand il fait froid.

par-dessus, par-dessous, par devant, etc., loc. adv. V. tabl. PAR.

pardi, pardienne, pardieu, interj. Sortes de jurons affirmatifs.

pardon, n. m. (de *pardonner*). Rémission d'une faute, d'une offense. *Demander pardon. Le pardon des injures.* ‖ Fam. *Je vous demande pardon. Mille pardons !* Formules de civilité dont on se sert pour s'excuser d'interrompre quelqu'un, de lui causer un dérangement, de l'avoir bousculé, etc. ‖ Pèlerinage collectif solennel accompagné d'indulgences, en Bretagne. *Le pardon de Sainte-Anne-d'Auray.*
SYN. — V. CLÉMENCE.

pardonnable, adj. Qui mérite d'être pardonné, d'être excusé.
LING. — L'adjectif *pardonnable* ne se dit que des choses; ne dites pas qu'*une personne est pardonnable*; dites qu'*elle est excusable*, ou prenez un autre tour de phrase (*son erreur est pardonnable*, par ex.).

pardonner [*do-né*], v. tr. Accorder le pardon d'une faute, d'une offense; renoncer à punir. *Pardonner les offenses.* ‖ Excuser, tolérer, supporter. ‖ Fig. Voir sans dépit, sans chagrin. *Se faire pardonner sa supériorité.* = V. intr. Épargner, faire grâce. *Cette maladie ne pardonne pas.* = SE PARDONNER, v. pr. S'accorder mutuellement le pardon. ‖ Au sens passif. Être digne de pardon, être excusable. *C'est une faute qui ne se pardonne pas.*
— *Qui pardonne aisément invite à l'offenser.* (CORNEILLE.)
— *Lynx envers nos pareils, taupes envers nous-mêmes*
Nous nous pardonnons tout et rien aux autres hommes. (LA FONTAINE.)
— *Heureux qui peut bénir ! Grand qui peut pardonner !* (V. HUGO.)
LING. — *Pardonner* veut un régime direct de chose, et un régime indirect de personne ; d'où il suit qu'il ne faut pas dire : *pardonner à quelque chose, pardonner à quelques vers faibles*, ni : *pardonner*

quelqu'un, pardonner ses enfants; il faut dire : pardonner quelque chose, pardonner quelques vers faibles; pardonner à quelqu'un, pardonner à ses enfants.

* **pardonneur, euse,** n. Celui, celle qui pardonne facilement.

pare-, préfixe tiré du v. parer, dans le sens d'éviter, qui sert à la composition d'un certain nombre de mots : pare-boue, pare-chocs, etc.

paré, ée, adj. Orné, embelli. Parterre paré de mille fleurs. ‖ Fig. Elle est parée de toutes les vertus. ‖ Bien vêtu, couvert d'ornements. — Bal paré, bal où l'on va en toilette de soirée.
SYN. — V. REVÊTU.

* **paréage** ou * **pariage,** n. m. Partage de juridiction entre deux seigneurs.

* **paréatis** [tiss], n. m. (mot lat. : que vous obéissiez). [Dr. anc.] Permission de mettre à exécution un arrêt, un jugement en dehors du ressort du tribunal les ayant rendus.

* **pare-balles,** n. m. Plaque d'acier disposée sur un canon pour abriter les servants, dans une embrasure pour abriter un tireur. = Pl. Des pare-balles.

* **pare-boue,** n. m. Appareil destiné à arrêter la boue qu'un véhicule projette sur les côtés. = Pl. Des pare-boue ou pare-boues.

* **pare-brise,** n. m. Plaque de verre, de mica, etc., protégeant du vent, de la poussière le conducteur d'une automobile. = Pl. Des pare-brise.

* **pare-chocs,** n. m. Assemblage de pièces métalliques placé à l'avant et à l'arrière des automobiles pour en préserver les roues. = Pl. Des pare-chocs.

* **pare-éclats,** n. m. Traverse de sacs de terre, de gabions, etc., qui garnissent un parapet pour arrêter les éclats d'obus. = Pl. Des pare-éclats.

* **pare-étincelles,** n. m. Sorte d'écran destiné à arrêter la projection des étincelles hors des cheminées d'appartement. = Pl. Des pare-étincelles.

* **pare-feu,** n. m. Appareil, tranchée, espace dégarni pour arrêter la propagation des incendies. = Pl. Des pare-feu.

parégorique, adj. (gr. parêgoréô, j'adoucis). [Pharm.] Qui calme les douleurs. — Élixir parégorique, médicament contre les douleurs intestinales et la diarrhée.

pareil, eille [rè-il mll.], adj. (lat. par, égal). Semblable, identique, analogue. Ces deux objets sont pareils. — Sans pareil, excellent, supérieur dans son genre. Ce remède est sans pareil. On disait aussi autrefois nonpareil. ‖ Toutes choses pareilles, toutes choses étant égales. ‖ Tel, de cette nature, de cette espèce, en bonne ou en mauvaise part. Que feriez-vous en pareil cas? — On ne vit jamais pareille foule, on ne vit jamais foule aussi grande, aussi exceptionnelle. ‖ En parlant du temps, de la date. A pareille heure. A pareille époque.
= PAREIL, EILLE, n. Égal, égale. Cet homme n'a pas son pareil. — Il n'a pas son pareil au monde, c'est un homme extraordinaire (souvent ironique). = Au pl. Pareils ou Pareilles, précédé des adjectifs possessifs, mes, tes, ses, nos, etc., signif. les gens d'une naissance, d'une valeur ou d'un caractère analogue à celui de la personne dont il s'agit. — En mauvaise part. Allez dire cela à vos pareils. = N. f. La pareille, le même traitement qu'on a reçu ou qu'on a fait. Je vous rendrai la pareille.
— Mes pareils à deux fois ne se font point connaître. (CORNEILLE.)
— Trompeurs, c'est pour vous que j'écris; Attendez-vous à la pareille.
(LA FONTAINE.)
INCORR. — Il est très incorrect de dire pareil que; il faut dire pareil à, ou le même, ou semblable à. — La locut. J'ai un chapeau pareil que toi est doublement fautive; il faut dire : un chapeau pareil au tien.
SYN. — Pareil, qui a la même forme, les mêmes proportions : Deux maisons pareilles. — Égal, qui a les mêmes proportions, le même rang : Des situations égales. — Équivalent, qui a à peu près la même valeur : Il a trouvé une position équivalente à celle qu'il venait de perdre. — Identique, qui est en tous points semblable à un autre : Les divers manuscrits de ce texte ne sont pas identiques. — Semblable, qui est de même nature, de même équivalence : Nos malheurs sont semblables. — Similaire, qui ressemble beaucoup à autre chose : On a interdit la vente de l'opium et des produits similaires. V. aussi SEMBLABLE.
CTR. — Différent, opposé.

pareillement [ill mll.], adv. De la même manière. ‖ Aussi. Je le désire pareillement.

* **parélie,** n. m. [Astron.] V. PARHÉLIE.

* **parelle,** n. f. [Bot.] Nom vulg. de la patience (polygonées). ‖ Parelle d'Auvergne, nom vulg. de plusieurs lichens.

parement, n. m. Action de parer. ‖ ‖ Ce qui pare; ornement. ‖ Étoffe de couleur prescrite par la liturgie, dont on orne le devant d'un autel. ‖ Bande d'étoffe de couleur ou espèce de retroussis à l'extrémité des manches, sur le collet d'un habit. V. pl. COSTUMES. [Archi.] Côté d'une pierre ou d'un mur qui paraît au dehors. ‖ Surface apparente d'une pièce de menuiserie. ‖ Ce qui apparaît au dehors.

* **parementer,** v. tr. Disposer en parement. ‖ Recouvrir d'un parement.
PAR. — Parlementer, faire et écouter des propositions.

* **parémiologie** ou **parémiographie,** n. f. Étude ou explication des proverbes.

* **parenchymateux, euse** [pa-ran-chi], adj. Qui est formé d'un parenchyme. ‖ Qui appartient au parenchyme.

parenchyme [chi], n. m. (gr. para, auprès; egkuma, effusion). [Anat.] Tissu dépourvu de fibres linéaires apparentes, assez mou et qui présente un aspect plus ou moins spongieux.

parénèse, n. f. Discours moral; exhortation à la vertu (Peu us.).

parénétique, adj. Qui se rapporte à la parénèse.

parent, ente, [ran], n. (lat. parens, de parere, enfanter). Le père et la mère, ou plus généralement ceux dont on descend. En ce sens, ne se dit qu'au pl. Il s'est marié sans le consentement de ses parents. — Nos premiers parents, Adam et Ève. ‖ Les grands-parents, le grand-père et la grand-mère, l'arrière-grand-père et l'arrière-grand-mère. ‖ Par ext. Celui, celle qui est de la famille, qui est de même

sang que quelqu'un. *Parent paternel, maternel. Un parent éloigné.* ‖ Celui, celle auxquels on est lié par mariage. *Beaux-parents, parents par alliance.* ‖ *Parents spirituels,* le parrain et la marraine. ‖ Fig. Chose étroitement unie, ou analogue à une autre. *Le sommeil est parent de la mort.* — V. tabl. FAMILLE (*Idées suggérées par le mot*).
— *Il n'est meilleur ami ni parent que soi-même.* (LA FONTAINE.)
ANT. — *Enfant.* — *Étranger.*
HOM. — *Parant,* ppr. du v. parer.

VOCAB. — *Famille de mots.* — *Parent* [rac. *par, per*] : parenté, parentage, parentèle, grands-parents, beaux-parents, parturition, vivipare, vipère, vipérin, vipérine, ovipare; puerpéral; repérer, repère, répertoire, répertorier, etc.

---

parentage [ran], n. m. Parenté (Vx). ‖ Ensemble des parents et alliés.
* **parentales** ou **parentalies** [ran], n. f. pl. [Antiq. rom.] Fêtes annuelles en l'honneur des parents décédés.
parenté [ran], n. f. Liens de consanguinité ou d'alliance qui unissent les parents. ‖ Tous les parents et alliés d'une même personne. ‖ Analogie entre divers animaux, diverses choses.
SYN. — V. LIGNÉE.
* **parentèle**, n. f. Ensemble des parents (Vx).
parenthèse [paran-tè-ze], n. f. (lat. *parenthesis*, action de mettre). Phrase formant un sens distinct et séparé de celui de la période où elle est intercalée. *Il faut mettre cela en parenthèse.* ‖ Signes dont on se sert dans l'écriture et dans l'imprimerie pour enfermer les mots d'une parenthèse, et qui sont ainsi figurés ( ). *Ouvrez, fermez la parenthèse.* ‖ Fig. *Ouvrir une parenthèse,* faire une digression.
— *Fermer la parenthèse,* terminer une digression trop longue et revenir à son sujet. = PAR PARENTHÈSE, loc. adv. Incidemment; s'emploie quand on intercale quelque chose qui n'a pas un rapport direct avec ce qu'on disait. *Cela soit dit par parenthèse.*
1. parer, v. tr. (lat. *parare,* apprêter, qui a pris, en lat. pop. le sens de orner). Orner, embellir. *Parer un temple, une église, une chambre. Le printemps pare la terre de verdure et de fleurs.* — Se dit aussi des choses qui ornent et embellissent. *Les fleurs qui parent le jardin.*
Préparer, arranger, apprêter certaines choses de manière à leur donner meilleure apparence. *Parer un cuir, une peau.* ‖ *Parer le pied d'un cheval,* ôter de la corne du pied d'un cheval pour le ferrer. [Boucherie] *Parer un morceau de viande,* en ôter les os, les nerfs, l'excès de graisse, etc. [Mar.] Préparer pour la manœuvre. *Parer un navire, une ancre,* etc. = SE PARER, v. pron. S'ajuster, faire toilette, être orné. *Cette femme aime à se parer. Au printemps, la terre se pare de mille couleurs.* ‖ Faire parade. *Se parer de vertus qu'on n'a pas.*
2. parer, v. tr. (ital. *parare,* mettre obstacle à ce qui menace). Empêcher, éviter un coup. *Parer des coups en fuyant.* [Escr.] *Parer un coup, une botte,* l'éviter en détournant le fleuret de l'adversaire. ‖ Fig. Éviter une éventualité fâcheuse, une demande importune. [Mar.] Éviter par des mesures appropriées. *Parer un grain.* ‖ Mettre à couvert, défendre contre une attaque, une incommodité. *Cela vous parera de la pluie.* = V. trans. ind. *Parer à,* empêcher, éviter un coup. *On ne saurait parer à tout. Parer au plus pressé.* = SE PARER, v. pron. Se garantir contre quelque chose. *Je portais un manteau pour me parer de la pluie.*
HOM. — *Parez,* du v. parer.
PAR. — *Paraît, parais,* du v. paraître; — *parais, parait, paraient,* du v. parer.
3. parer, v. tr. [Man.] Retenir un cheval. = V. intr. S'arrêter.
* **parère,** n. m. (ital. *parere,* m. s.). [Droit] Avis émanant de fonctionnaires. de jurisconsultes, de négociants, sur un point de droit ou d'usage étranger. *Recours à parère.*
* **parésie,** n. f. [Méd.] Paralysie partielle qui ne supprime que le mouvement.
paresse, n. f. (lat. *pigritia,* m. s.). Nonchalance, fainéantise qui empêche de travailler, de faire ce qu'on doit faire. ‖ Amour du repos, du loisir; nonchalance agréable. ‖ Lenteur. *Cette rivière coule avec paresse.* ‖ *Paresse d'esprit,* lourdeur, lenteur, nonchalance d'esprit. [Méd.] Manque d'activité d'un organe. V. tabl. CARACTÈRE (*Idées suggérées par le mot*).
— *Le mérite en repos s'endort dans la paresse.* (BOILEAU.)
— *L'orgueil et la paresse sont les deux sources de tous les vices.* (PASCAL.)
— *L'ennui est entré dans le monde par la paresse; elle a beaucoup de part à la recherche que font les hommes des plaisirs, du jeu, de la société. Celui qui aime le travail a assez de soi-même.* (LA BRUYÈRE.)
— *Examinez toutes les nations, et vous verrez que, dans la plupart, la gravité, l'orgueil et la paresse marchent du même pas.* (MONTESQUIEU.)
ANT. — *Activité, énergie, travail.*
HOM. — *Paresse,* n. f., nonchalance, fainéantise; — *paresse, es, ent,* du v. paresser; — *paraisse, es, ent,* du v. paraître.
paresser, v. intr. Fam. Se laisser aller à la paresse. — Faire le paresseux.
paresseusement [ze-man], adv. D'une manière paresseuse.
paresseux, euse, adj. (de *paresse*). Qui aime à éviter l'action, le travail, la peine. *Un écolier, un cheval paresseux.* — Locut. prov. *Être paresseux comme une couleuvre, comme un loir,* être très paresseux. ‖ *Avoir l'esprit paresseux,* avoir l'esprit lent, incapable de concevoir promptement et de s'appliquer avec force. [Méd.] Se dit d'un organe qui exécute lentement ses fonctions. *Il a l'estomac paresseux.* = Nom. *C'est un paresseux, une paresseuse.*
PARESSEUX, n. m. [Zool.] Nom vulg. de l'*aï,* mammifère édenté.
GRAM. — L'adjectif *paresseux* peut se construire aussi bien avec la préposition *de : il est paresseux d'écrire* (Mme de Sévigné), qu'avec la préposition *à : être paresseux à faire ses devoirs,* et la préposition *pour : il est paresseux pour répondre.* Les prépositions *à* et *pour* marquent plus une destination, un but; la préposition *de* marque surtout l'état d'esprit.

PAREUR — PARIÉTAL

Syn. — V. indolent et nonchalant.
Ctr. — *Diligent, actif, laborieux, travailleur, studieux.*
pareur, euse, n. Ouvrier, ouvrière qui met la dernière main à un ouvrage.
parfaire, v. tr. (de *par* et *faire*). Achever, compléter quelque chose, y mettre la dernière main. *Parfaire un ouvrage.* ǁ *Parfaire une somme, un paiement,* ajouter ce qui y manque. = Conjug. (comme *faire*, mais n'est guère usité qu'à l'infinitif présent, au participe passé et à l'indicatif présent.) V. verbes.
Ctr. — *Ébaucher, commencer.*
parfait, aite [*fè, fète*], adj. (pp. du v. *parfaire*). Qui réunit toutes les qualités sans nul mélange de défauts. *Dieu seul est parfait.* ǁ Qui paraît accompli, achevé, dans son genre. *Une vertu parfaite.* — Par ironie. *Un parfait imbécile.* ǁ Complet, total. *Vivre dans une parfaite tranquillité.* — *Parfait amour,* amour sans mélange. *Filer le parfait amour* (Fam.). [Mus.] *Accord parfait,* accord de quatre sons dont les nombres de vibrations dans le même temps sont proportionnels aux nombres 4, 5, 6 et 8, comme les notes *do, mi, sol, do.*
N. m. Ce qui est parfait. *On ne saurait, en écrivant, rencontrer le parfait.* [Gram.] **Temps de la** conjugaison indiquant qu'une action est entièrement accomplie. En France on dit plutôt : *passé simple, prétérit.* V. temps et tabl. grammaire. [Pâtis.] Sorte de gâteau à la crème glacée.
Ling. — L'adjectif *parfait* ne s'emploie ni au comparatif ni au superlatif ; ne dites donc pas : *plus parfait, moins parfait, le plus parfait, extrêmement parfait,* etc. — *Faire une chose au parfait* est une locution qui s'est introduite dans la langue par abus, et dont on ne trouve pas un seul exemple dans les bons auteurs. On doit dire : *en perfection, dans la perfection, à la perfection.*
Syn. — V. achevé.
Ctr. — *Exécrable, détestable, imparfait, défectueux, incomplet.*
parfaitement, adv. D'une manière parfaite. ǁ Oui, assurément, certainement.
parfilage, n. m. Action de parfiler. ǁ Son résultat.
parfiler, v. tr. Défaire fil à fil une étoffe, un galon d'or ou d'argent. ǁ Orner d'un filet. ǁ Fig. Détailler des minuties.
* **parfilure,** n. f. Fils d'or ou d'argent entremêlés à la soie dans le tissage des étoffes riches. ǁ Fils d'or, d'argent, de soie provenant du parfilage.
parfois, adv. Quelquefois, de temps à autre.
Ctr. — *Souvent.*
* **parfond,** adj. Profond (Vx). = N. m. Fond (Vx).
parfondre, v. tr. [Techn.] Faire fondre uniformément en incorporant les couleurs à l'émail ou au verre. = Conjug. (comme *rendre*). V. verbes.
Par. — *Pourfendre,* fendre d'un coup de sabre.
parfum [*fun*], n. m. Odeur aromatique agréable qui s'exhale des fleurs, d'une substance. ǁ Fig. Rayonnement moral ; émanation. *Un parfum de vertu.* V. tabl. sens, vêtement et parure (*Idées suggérées par les mots*).
Syn. — V. arôme et odeur.

parfumé, ée, adj. Rempli, imprégné d'une odeur suave. *Une femme très parfumée.*
Syn. — V. odorant.
Ctr. — *Fétide.*
parfumer, v. tr. Remplir d'une bonne odeur. ǁ Faire prendre une bonne odeur à quelque chose. ǁ Fig. Imprégner d'un sentiment agréable. = se parfumer, imprégner ses vêtements, son linge, oindre sa peau, sa chevelure d'une odeur suave.
parfumerie, n. f. Fabrication et commerce des parfums. ǁ Boutique de parfumeur. ǁ Produits vendus dans ce commerce.
parfumeur, euse, n. Qui fait ou qui vend des parfums.
* **pargué ! *** **parguenne ! *** **parguienne,** interj. (corrupt. de *par Dieu*). Anc. juron paysan.
parhélie, n. m. (gr. *para,* à côté ; *hêlios,* soleil). [Météor.] Chacune des taches lumineuses colorées, ayant l'apparence du soleil et se montrant à droite et à gauche de celui-ci par suite d'un phénomène de réflexion dans des aiguilles de glace se trouvant dans l'atmosphère.
Par. — *Périhélie,* point de l'orbite d'une planète le plus près du soleil.
pari, n. m. (de *parier*). Gageure, promesse réciproque par laquelle deux ou plusieurs personnes, qui soutiennent des choses contraires, s'engagent à payer une certaine somme à celui qui se trouvera avoir raison. *Gagner, perdre son pari.* — *Tenir le pari,* l'accepter, parier contre la personne qui le propose. — *Les paris sont ouverts,* tout le monde est admis à parier. ǁ *Somme pariée. Payer le pari.* ǁ Somme risquée dans une course pour tel ou tel cheval. *Pari à la cote. Pari mutuel* (seul autorisé par la loi).
Hom. — *Pari,* n. m. gageure ; — *Paris,* n. pr., capitale de la France ; — *parie, es, ent,* du v. parier.
paria, n. m. Aux Indes, individu hors caste que les Hindous rejettent de leur société et dont le contact est une souillure ; intouchable. ǁ Fig. Homme méprisé et repoussé par tout le monde.
pariade, n. f. État des perdrix qui s'apparient, et époque où la chose a lieu. ǁ Époque de l'année où mâles et femelles se rapprochent pour vivre ensemble et s'accoupler.
* **pariage,** n. m. V. paréage.
* **parian,** n. m. Espèce de porcelaine opaque, riche en feldspath.
* **parien, ienne,** adj. et n. De Paros.
parier, v. tr. Faire un pari, une gageure. — *Parier pour quelqu'un,* gager qu'il gagnera. — Par ext. *Parier une chose,* affirmer qu'elle se produira, qu'elle s'est produite. — *Je parie que vous avez fait telle chose,* j'en suis à peu près certain. = Conjug. V. grammaire.
Syn. — V. gager.
pariétaire, n. f. (lat. *paries, parietis,* muraille). [Bot.] Genre de plantes de la famille des *urticées,* qui croît au pied des vieux murs.
Par. — Ne pas confondre avec le mot suivant.
pariétal, ale, adj. (lat. *paries, etis,* muraille). [Bot.] Se dit des plantes qui croissent sur les murailles. = N. m. [Anat.] Chacun des deux os qui forment

les côtés de la voûte cranienne, entre le frontal et l'occipital. V. pl. HOMME (squelette).
PAR. — Ne pas confondre avec le mot précédent.

parieur, euse, n. Celui, celle qui parie.

*** parinervé, ée**, adj. [Bot.] Qui porte deux nervures égales.

*** parisette**, n. f. [Bot.] Genre de *liliacées*.

*** parisianiser** [*zi-a-ni-zé*], v. tr. Donner le caractère parisien.

parisianisme, n. m. Usages, habitudes, locutions, manières propres aux Parisiens.

parisien, ienne, n. Originaire ou habitant de Paris. = Adj. Propre à Paris ou aux habitants de Paris. *Le chic parisien.* || Qui a la vivacité d'esprit propre aux habitants de Paris.
ANT. — *Provincial.*

parisis [*ziss*], adj. inv. Se disait de la monnaie qu'on frappait à Paris. *Denier parisis, livre parisis.*

parisyllabe ou **parisyllabique**, adj. (lat. *par, paris*, égal, et *syllabe*). Se dit des mots qui, dans les langues à déclinaison, ont le même nombre de syllabes à tous les cas.

*** paritaire**, adj. (de *parité*). Se dit des commissions d'arbitrage où les représentants des deux partis (ouvriers et patrons) sont en nombre égal.

parité, n. f. Égalité, similitude entre des personnes ou des objets de même qualité, de même nature. || Comparaison entre deux choses semblables dont l'une prouve l'autre.

1. parjure, n. m. Faux serment, action de jurer ce que l'on sait être faux. || Violation de serment.

2. parjure, adj. et n. Qui fait, qui a fait un faux serment, ou qui viole son serment.
— *Toujours les scélérats ont recours au parjure.* (RACINE.)

parjurer (se), v. pr. Violer son serment ou faire un faux serment. = V. tr. Affirmer sous serment ce que l'on sait être faux.

*** parlage**, n. m. Verbiage, abondance de paroles inutiles.

parlant, ante, adj. Qui parle, qui est doué de la parole. || Fam. Bavard, qui parle volontiers. *Être peu parlant.* || Très expressif. *Des regards, des gestes parlants.* || Fig. Très vivant, d'une ressemblance frappante. *Portrait parlant.* || *Film parlant,* film où la voix des acteurs est enregistrée en même temps que les images.
CTR. — *Muet, laconique, silencieux, taciturne.*

parlement, n. m. (de *parler*). [Hist.] Nom donné autrefois à certains grands corps judiciaires ainsi qu'au ressort de leur juridiction. || Auj. L'ensemble des assemblées législatives d'un pays. — *Les membres du Parlement,* hommes politiques élus par le suffrage de leurs concitoyens, chargés d'établir les lois d'un pays à régime parlementaire. V. tabl. GOUVERNEMENT (*Idées suggérées par le mot*).

*** parlementage**, n. m. Action de parlementer.

1. parlementaire, adj. Qui appartient, qui est relatif au parlement, à une assemblée délibérante, dans le gouvernement représentatif. *Régime parlementaire.* || Fig. Conforme aux usages parlementaires; convenable. *Expression peu parlementaire.* || Qui suit le parti du parlement. = N. m. Membre d'un parlement. || Partisan du parlementarisme.

2. parlementaire [*man*], n. m. (de *parlementer*). [A. Mil.] Officier, délégué envoyé par des belligérants à leurs adversaires pour faire quelque proposition ou discuter quelque condition. = Adj. Qui concerne un parlementaire. *Drapeau parlementaire.*

*** parlementairement** [*man*], adv. Conformément aux usages parlementaires. — D'une manière parlementaire.

parlementarisme [*man*], n. m. Régime, gouvernement, système parlementaire. — Se dit parfois par dénigr.

parlementer, v. intr. Faire et écouter des propositions pour la reddition d'une place, la cessation des hostilités. || Fig. Entrer en voie d'accommodement.
PAR. — *Parementer,* disposer en parement.

1. parler, v. intr. (bas lat. *paraulare,* m. s.). Proférer, prononcer, articuler des mots. *Parler haut, bas. Parler du nez.* — Par ext., se dit de certains oiseaux qui répètent, par imitation, les mots qu'ils ont entendus. *Apprendre à parler à un perroquet.* || Manifester sa pensée par la parole; discourir. *Parler peu. Parler trop.* || Fam. *Parler pour parler,* parler sans avoir rien à dire. — *Parlez donc!* répondez donc ! — *Il faut que quelqu'un ait parlé,* se dit quand une chose qui devait être tenue secrète a été divulguée. — *On sait ce que parler veut dire,* il ne faut pas ajouter trop foi aux promesses verbales. — *Faire parler quelqu'un,* le contraindre à dire ce qu'il voulait tenir caché; ou bien ajouter aux paroles de quelqu'un; ou lui prêter des propos qu'il n'a pas tenus. || Relativement aux règles de la logique, de la grammaire, du goût, on dit : *Parler bien. Parler mal. Parler purement, correctement,* etc. || Relativement aux dispositions morales de celui qui parle. *Il a parlé de vous avec intérêt. Parler autrement qu'on ne pense.* — Fig. *Parler haut,* parler sans ménagement, et parfois, avec insolence.
Relativement à l'intelligence, au jugement, à l'intention de celui qui parle, à l'attention plus ou moins grande qu'il donne à ce qu'il dit. *Parler sensément, raisonnablement. Parler inconsidérément. Parler de tout à tort et à travers.* — *Parler d'abondance,* parler sans avoir préparé ce qu'on dit. — *Il en parle comme un aveugle des couleurs,* se dit de quelqu'un qui parle de choses dont il n'a aucune connaissance. || Fam. *Parler d'or,* parler de la manière la plus convenable dans la circonstance, ou la plus satisfaisante pour celui à qui l'on parle (se dit souvent iron.).
Relativement aux personnes à qui l'on adresse la parole. *Parler à quelqu'un. Parler en public.* || Fam. *Trouver à qui parler,* trouver des gens qui vous tiennent tête. — *Je n'ai pu trouver à qui parler dans cette maison,* je n'y ai vu personne de connaissance. || Prov. *Trop parler nuit, trop gratter cuit.* || Fig. *Parler au cœur, aux passions, à l'imagination,* etc., parler de

manière à intéresser le cœur, à flatter ou exciter les passions, à plaire à l'imagination, etc.
Relativement aux choses dont on parle, au sujet de l'entretien. *De quoi parlez-vous? Nous parlons d'affaires.* — *Parler pour quelqu'un, en faveur de quelqu'un,* le recommander, ou intercéder pour lui. — *Parler bien, parler mal d'une personne,* en dire du bien ou du mal. — *Cela ne vaut pas la peine d'en parler,* se dit d'une chose commune ou de peu d'importance. — *Il en sera parlé, on en entendra parler,* cela doit faire du bruit, de l'éclat dans le monde. — *Vous en parlez bien à votre aise,* se dit à celui qui donne de beaux conseils à propos d'une affaire délicate, d'un péril où il n'est pas lui-même engagé. ‖ Fam. *Ne m'en parlez pas,* ne me mettez pas sur ce chapitre, n'agitez pas cette question. — *Faire parler de soi,* faire des choses qui viennent à la connaissance de tout le monde, dont tout le monde s'entretient; se dit en bien et en mal.

Manifester sa volonté, son intention, dire son avis, révéler ses sentiments, son secret. *Je saurai bien le faire parler. Il parle de faire un éclat.* ‖ Fig. Manifester ses pensées, ses sentiments par un autre moyen que celui de la parole. *Les muets parlent par signes. Ils se parlaient des yeux.*

Par anal. Rendre un son propre, en parlant d'un instrument de musique. *Faire parler l'orgue.* — Par ext. *Faire parler la poudre,* avoir recours aux moyens guerriers. ‖ Fig. Se dit des choses morales ou inanimées. *La sagesse, l'équité parlent par sa bouche.* — On dit : *La nature parle, le sang parle, le cœur parle,* pour faire entendre que les sentiments naturels se réveillent, se font sentir. — *Le devoir parle,* il commande de faire ou de ne pas faire. — On dit de même : *Son mérite, ses services parlent en sa faveur,* ils le rendent recommandable.

Manifester sa pensée, traiter un projet, rapporter un fait par écrit. *Dans sa lettre, il ne me parle point de ses projets.* ‖ Fig. Se dit des écrits eux-mêmes. *La loi doit parler clairement.*

[Argot pop.] *Tu parles!* marque l'incrédulité. — *Tu parles de... d'un...* pour marquer l'admiration, le mépris au plus haut degré.

PARLER, v. tr. *Parler une langue,* s'exprimer dans cette langue. *Parler latin, français, italien, allemand.* ‖ Fig. *Parler français,* et *parler français à quelqu'un,* dire clairement et franchement une chose. — *Parler gascon, parler normand,* etc., parler avec un accent gascon, etc. ‖ *Parler affaires,* s'entretenir d'affaires. *Parler raison,* V. RAISON.

SE PARLER, v. pron. avec sens passif. Être parlé. *Autrefois, la langue française se parlait dans toute l'Europe,* était usitée dans toute l'Europe. ‖ Avec sens réciproque. Parler l'un à l'autre. *Voulez-vous que nous nous parlions sans feinte.* = SANS PARLER DE, loc. prép. Indépendamment de, sans compter. *Sans parler des poursuites, il aura bien des ennuis.* — GÉNÉRALEMENT PARLANT, loc. adv. A prendre la chose en général. *Cela est vrai généralement parlant.*

— *Il y en a qui parlent bien et qui n'écrivent pas bien. C'est que le lieu, l'assistance les échauffe et tire de leur esprit plus qu'ils n'y trouvent sans cette chaleur.*
(PASCAL.)
— *Se peut-il que toujours, et en tous pays, dès que les hommes sont rassemblés, ils parlent tous à la fois! Quelle rage de parler avec la certitude de n'être point entendu!*
(VOLTAIRE.)
— *De bonnes gens il est beaucoup
Qui prendraient Vaugirard pour Rome
Et qui, caquetant au plus dru,
Parlent de tout et n'ont rien vu.*
(LA FONTAINE.)
— *L'on se repent rarement de parler peu, très souvent de trop parler; maxime usée et triviale, que tout le monde sait, et que tout le monde ne pratique pas.*
(LA BRUYÈRE.)

GRAM. — Le participe passé de *se parler* est toujours invariable : *Ils se sont parlé, elles se sont parlé;* excepté lorsque *se parler* signifie *être parlé* : *La langue latine s'est parlée longtemps en France.*

INCORR. — Ne pas dire : *parler avec quelqu'un,* mais : *parler à quelqu'un* ou encore : *causer avec quelqu'un.*

SYN. — *Parler,* adresser familièrement la parole à quelqu'un : *Pour parler au peuple il n'a dit que quelques mots bien sentis.* — *Causer,* s'entretenir familièrement avec quelqu'un : *J'ai pu beaucoup causer avec ce savant.* — *Discourir,* prononcer une allocution solennelle : *L'orateur a discouru longuement devant l'assemblée.* — *Discuter,* considérer à plusieurs le pour et le contre d'une question : *On a beaucoup discuté sur cet événement.* — *Disserter,* examiner attentivement, de vive voix ou par écrit, une question, une opinion : *Disserter sur la pluralité des mondes habités.* — *Épiloguer,* discuter avec le désir de critiquer : *Épiloguer sur une proposition.* — *Haranguer,* adresser un discours, une allocution à une personne, à un groupement : *Lamartine harangua les émeutiers d'une fenêtre de l'hôtel de ville.* — *Interpeller,* adresser la parole à quelqu'un en le mettant en demeure de répondre : *Interpeller un ministre.* — *Palabrer,* discourir longuement et inutilement à la manière des tribus nègres : *On a palabré plusieurs heures sans aboutir.* V. aussi BAVARDER.

2. parler [par-lé], n. m. (du v. *parler*). Langage, manière de parler. *Un parler rude.* ‖ Fam. *Avoir son franc parler,* s'être mis sur le pied de dire tout ce qu'on pense. ‖ Accent, dialecte ou patois particulier à une province. *Le parler picard, normand.*

SYN. — V. LANGAGE.

* **parlerie,** n. f. (de *parler*). Babil importun.

parleur, euse, n. Celui, celle qui parle, qui parle beaucoup. ‖ *Beau parleur,* celui qui parle d'une manière agréable, ou qui fait étalage, en paroles, de beaux sentiments. ‖ *Haut-parleur.* V. HAUT-PARLEUR.

parloir, n. m. Salle d'un collège, d'une communauté, d'une prison, etc., où l'on reçoit les visiteurs. *Le parloir d'un couvent.*

parlote ou **parlotte,** n. f. Local, réunion où les jeunes avocats s'exercent à la parole. ‖ Fam. et par dénigr. Lieu où l'on prononce de vains discours. Ces discours eux-mêmes. *Tout se passa en parlottes.*

* **parmélie,** n. f. [Bot.] Genre de lichens, parasites des végétaux en décomposition.

* **parmentière,** n. f. Nom que l'on donne quelquefois à la pomme de terre.

parmesan, ane [*zan*], adj. De Parme. = N. m. Fromage cuit, au safran, fabriqué dans la région de Parme.

parmi, prép. (de *par* et *mi*, pour *milieu*). Entre, dans le nombre de, au milieu de.
LING. — *Parmi* s'employait autrefois comme adverbe, c'est-à-dire sans régime: *Je voudrais trouver parmi quelque secret ami* (La Fontaine). Auj. il n'est plus permis de l'employer ainsi.
SYN. — V. ENTRE.

Parnasse, n. m. Montagne de la Grèce (Phocide), séjour mythologique d'Apollon et des Muses. ‖ Fig. La poésie. *Le Parnasse français.* ‖ Nom de divers recueils de vers. ‖ École poétique du XIXᵉ s., substituant au lyrisme romantique une poésie objective et impassible, d'une grande perfection de forme.

* **parnassie,** n. f. [Bot.] Genre d'herbe des marais d'Europe, famille des *renonculacées* (des *droseracées*, selon d'autres).

parnassien, ienne, adj. Du Parnasse. = N. m. Poète de l'école parnassienne.

parodie, n. f. (gr. *parôdia*, chant à côté). Imitation burlesque d'une œuvre célèbre. ‖ Imitation grotesque d'une chose réputée sérieuse. *Les patriotes furent exécutés après une parodie de jugement.*
SYN. — V. RAILLERIE.

parodier, v. tr. Faire une parodie. ‖ Contrefaire les manières, le langage de quelqu'un. = Conjug. V. GRAMMAIRE.
PAR. — *Parolier*, auteur des paroles d'une chanson.

* **parodique,** adj. Qui appartient à la parodie.

parodiste, n. m. Auteur de parodies.

paroi, n. f. (lat. pop. *pares*, lat. class. *paries*, m. s.). Cloison de maçonnerie séparant deux pièces contiguës. *Les parois d'une chambre.* ‖ Cloison métallique. ‖ Face interne d'un vase, d'un tuyau, etc. [Anat.] Partie qui forme la clôture, les limites des cavités du corps. *Les parois de l'estomac.*
SYN. — V. MUR.

* **paroir,** n. m. Instrument pour apprêter quelque chose.

paroisse, n. f. (gr. *paroikia*, voisinage). Territoire dans lequel un curé exerce ses fonctions. ‖ Église de la paroisse. ‖ Ensemble des habitants d'une paroisse. — V. tabl. RELIGIONS (*Idées suggérées par le mot*). ‖ En Angleterre, division administrative correspondant à la commune française.

paroissial, iale, aux, adj. Appartenant à la paroisse.

paroissien, ienne, n. Habitant, habitante d'une paroisse. = N. m. Livre pour suivre les offices à l'église. — Pop. *Un paroissien,* un individu quelconque.

parole, n. f. (lat. pop. *paraula,* lat. clas. *parabola,* parabole) Voix articulée exprimant la pensée humaine. *Perdre, re-couvrer l'usage de la parole. — Avoir le don de la parole,* avoir de la facilité à s'exprimer. ‖ La voix considérée quant aux qualités sonores. *Il a la parole douce, rude,* etc. ‖ Mot, abstraction faite de l'idée que présente celui-ci. *Ne pas dire une seule parole.* ‖ Faculté d'exprimer la pensée par la parole articulée. — Prov. *La parole est d'argent, mais le silence est d'or,* dans certains cas, mieux vaut savoir se taire que de bien parler.
Discours, propos (généralement au pluriel). — On peut considérer les paroles : 1º Relativement aux idées, aux sentiments qu'elles expriment. *La parole doit répondre exactement à la pensée.* — Fam. *Ce n'est pas parole d'évangile,* on n'est pas obligé de croire ce qu'il dit. ‖ 2º Relativement aux qualités qui caractérisent les paroles. V. ci-après. — Fam. *Il m'a donné de bonnes paroles,* il m'a tenu des discours qui annoncent des intentions favorables. = 3º Relativement à la personne qui parle, ou aux personnes à qui l'on parle. *Paroles amicales.* — *Il faut peser, mesurer ses paroles.* ‖ *Adresser la parole à quelqu'un,* parler directement à quelqu'un. — *Avoir la parole,* avoir le droit de parler en vertu de sa charge, de son emploi, ou conformément au règlement. — *Vous n'avez pas la parole,* se dit à quelqu'un qui interrompt, ou dont les avis sont intempestifs. ‖ *Couper la parole à quelqu'un,* l'interrompre dans son discours. — *Demander la parole,* demander à parler, à être entendu. — *Prendre la parole,* commencer à parler, à faire un discours dans une assemblée. [Jeu] *Avoir la parole,* avoir la faculté d'exprimer ce que l'on veut faire sur le coup qui se joue. — *Passer parole,* ne pas couvrir le jeu quand son tour est venu.
Sentence, mot notable; expression. *Connaissez-vous cette parole d'un ancien?* ‖ Proposition que l'on fait de la part d'un autre. *Parole d'accommodement. Parole de paix.* ‖ Assurance, promesse verbale par laquelle on s'engage à faire certaines choses. *Donner sa parole, sa parole d'honneur. Tenir sa parole. Manquer de parole.— Il est homme de parole, c'est un homme de parole,* il tient ce qu'il promet. ‖ Fam., on dit, pour affirmer plus fortement ce qu'on avance : *Parole d'honneur. Ma parole d'honneur,* ou, simpl. *Ma parole. — N'avoir qu'une parole. N'avoir pas deux paroles,* s'en tenir à ses premières conditions.
= Au pl. Promesses vaines et vagues, par opposit. à effets ou à actes. *Assez de paroles, nous voulons des actes.* On dit de même : *des paroles vagues, des paroles en l'air.* Ironiq. *Donner de belles paroles,* faire de grandes promesses qu'on n'a pas dessein de tenir. ‖ Formule, expression consacrée. *Paroles sacramentelles.* ‖ Les mots, le texte d'une chanson, d'un opéra, etc., par opp. à l'air, à la musique. « *Le Prophète* », paroles de Scribe, musique de Meyerbeer. ‖ Pris absol., éloquence. *Le talent, l'art de la parole.* = SUR PAROLE, loc. adv. D'après le témoignage d'autrui. *Croire sur parole,* croire sur une simple affirmation et sans autre examen. ‖ *Sur la parole de,* sur l'affirmation de. ‖ D'après la parole donnée. *Prisonnier sur parole.*

ÉPITHÈTES COURANTES : facile, difficile, agréable, douce, rude, forte, austère, acerbe, funèbre, vibrante, chaleureuse, énergique ; blessante, agressive, hostile, outrageante, insultante, terrible, désespérante, funeste, décourageante ; sévère, indulgente, apaisante, adoucissante, émouvante, troublante, rassurante, encourageante, amicale, affectueuse, inutile, superflue, oiseuse, etc.

— *La parole a été donnée à l'homme pour expliquer ses pensées ; et, tout ainsi que les pensées sont les portraits des choses, de même nos paroles sont-elles les portraits de nos pensées.* (MOLIÈRE.)

— *La parole a été donnée à l'homme pour déguiser sa pensée.*
(TALLEYRAND, selon BARRÈRE.)

> VOCAB. — *Famille de mots.* — *Parole* : parabole, parabolique, parler, parleur, parloir, parlote, pourparler, parlement, parlementaire, parlementarisme ; déparler, etc.

paroli, n. m. (mot ital.). Action de doubler ce qu'on a joué la première fois. ‖ Fig. *Faire paroli*, enchérir sur ce qu'un autre a dit ou fait.

* **parolier**, n. m. Auteur des paroles d'une chanson, d'un opéra, etc.
ANT. — *Compositeur.*
PAR. — *Parodier*, faire une parodie.

* **paromologie**, n. f. (gr. *paromoios*, presque semblable ; *logos*, discours).[Rhét.] Figure par laquelle on feint une concession pour en tirer aussitôt avantage.

paronomase, n. f. (gr. *para*, à côté ; *onoma*, nom). [Rhét.] Figure qui assemble des mots de sens différents mais de sonorités voisines. Ex. *Qui se ressemble, s'assemble.*

* **paronomasie** [zi], n. f. Ressemblance entre des mots de langues différentes, pouvant marquer une même origine commune.

paronyme, n. m. (gr. *paranumos*, m. s., de *para*, auprès de, et *onoma*, nom). [Gram.] Mots qui offrent une certaine ressemblance de forme et de prononciation, qu'ils aient ou non un rapport étymologique, alors que les *homonymes*, qui présentent une parfaite similitude de sons, n'ont aucun rapport étymologique. *Amande* et *amende* sont des homonymes, *émerger* et *immerger*, des paronymes.
PAR. — *Patronyme*, nom de famille.

* **paronymie**, n. f. Qualité de deux termes paronymes.
* **paronymique**, adj. Qui a rapport aux paronymes, à la paronymie.

parotide, n. f. (gr. *para*, auprès ; *ous*, *otos*, oreille). [Anat.] Glande salivaire paire, placée devant l'oreille, près du maxillaire inférieur.

* **parotidien, ienne**, adj. [Anat.] Qui appartient à la parotide.
* **parotidite**, n. f. [Méd.] Inflammation des parotides.
* **parousie** [zi], n. f. (gr. *parousia*, venue). [Théol.] Seconde venue du Christ sur terre, à la fin des siècles.

paroxysme, n. m. (gr. *paroxysmos*, m. s.). La plus forte intensité d'une maladie, d'un accès, d'une douleur. ‖ Point le plus aigu, moment de la plus grande violence. *Le paroxysme d'une passion, d'un orage.*

* **paroxystique**, adj. Qui présente un paroxysme.

paroxyton, adj. [Gram.] Désigne, partic. en grec, les mots ayant l'accent tonique sur l'avant-dernière syllabe.

parpaillot, ote [*ill mll.*], n. Sobriquet autrefois donné aux calvinistes. ‖ Fam. Incrédule, homme sans religion, impie.

parpaing [*pin*], n. m. [Archit.] Pierre taillée, moellon occupant toute l'épaisseur d'un mur. ‖ Pierre d'imitation, moulée, faite avec du ciment.

Parque, n. pr. f. [Myth.] Chacune des trois divinités (Clotho, Lachésis, Atropos) qui filaient, dévidaient et coupaient le fil de la vie des hommes. ‖ Fig. et poét. La mort, et aussi le Destin.
HOM. — V. PARC.

* **parquement**, n. m. V. PARCAGE.

parquer, v. tr. Mettre dans un parc, dans une enceinte. *Parquer des moutons.* ‖ Renfermer, en parlant des personnes. ‖ Fig. *Parquer les hommes dans une spécialité.* = V. intr. Être dans un parc.

parquet, n. m. (de *parc*). Espace réservé dans une salle, un tribunal. ‖ Ensemble des magistrats composant le ministère public auprès d'une cour, d'un tribunal, et lieu où ces magistrats font les opérations qui les concernent. *Le parquet du procureur général. Déposer une plainte au parquet.* — V. tabl. LOI ET TRIBUNAL (*Idées suggérées par les mots*). ‖ *Le parquet des huissiers*, le lieu où les huissiers se tiennent pendant la séance des juges. ‖ *Le parquet des agents de change*, l'enceinte où se réunissent les agents de change pour faire constater le cours de la bourse. — Cette réunion elle-même. [Archit.] Partie d'une salle de spectacle appelée plus souvent *orchestre*.
[Menuis.] Assemblage fait de pièces de bois minces, clouées sur des lambourdes et qui forme le plancher d'une salle, d'une chambre, etc. *Un parquet de bois de chêne.* V. pl. MAISON. — *Parquet de glace*, assemblage de bois sur lequel sont fixées les glaces d'appartement.
HOM. — *Parquais, ait, aient*, du v. parquer.

parquetage, n. m. Action de parqueter. ‖ Ouvrage de parquet.

parqueter, v. tr. Garnir d'un parquet. = Conjug. V. GRAMMAIRE.

parqueterie, n. f. Art de faire des parquets.

parqueteur, n. m. Ouvrier qui fait des parquets.

* **parqueur, euse**, ou * **parquier, ière**, Ouvrier, ouvrière dans un parc à poissons ou un parc à huîtres.

parrain [*rin*], n. m. Celui qui tient, avec la marraine, un enfant sur les fonts baptismaux. ‖ Celui qui présente quelqu'un dans un cercle, une compagnie savante, etc.
ANT. — *Marraine, filleul.*

parrainage [*pa-ré*], n. m. Qualité, fonctions de parrain ou, par ext., de marraine.

1. **parricide** [*pa-ri*], n. m. (lat. *parricidium*, m. s.). Crime de celui qui tue son père ou sa mère, ou quelqu'un de ses ascendants. ‖ Par ext. Crime commis par celui qui attente à la personne du souverain, ou qui porte les armes contre sa patrie.

2. parricide, n. (lat. *parricida*, m. s.). Celui, celle qui commet le crime du parricide. = Adj. Qui a rapport au crime du parricide. *Une main parricide, un conseil parricide.*
ORTH. — *Parricide* prend *deux r*, mais *paraître* n'en prend qu'*un*.

* **parsec,** n. m. [Astron.] Unité de distance égale à 206.265 fois la distance moyenne entre le Soleil et la Terre.

parsemer, v. tr. Couvrir de choses jetées çà et là. *Parsemer un chemin de fleurs.* ‖ Être répandu çà et là sur. *Les fleurs qui parsèment le chemin.* = Conjug. V. GRAMMAIRE.
CTR. — *Grouper, réunir, assembler, rassembler.*

parsi ou **parse,** n. m. Sectateur de la religion de Zoroastre, vivant aujourd. dans l'Inde. ‖ Langue usitée en Perse au temps des rois sassanides.

* **parsisme,** n. m. Religion des parsis (religion de Zoroastre un peu modifiée).

1. part, n. f. V. tabl. PART.

2. part [*par*], n. m. (lat. *partus*, pp. de *parere*, enfanter). Enfantement. V. PARTURITION. [Méd. légale] Fœtus ou enfant nouveau-né. — *Exposition de part*, exposition, délaissement d'un nouveau-né. ‖ Mise bas des animaux.
HOM. — *Pars, part,* du v. partir; — *pare, es, ent,* du v. parer.

partage, n. m. (de *partir*, dans le sens primitif de partager). Division d'une chose entre plusieurs personnes. *Faire le partage d'une succession.* ‖ Portion assignée à chaque copartageant. *Cette maison m'est tombée en partage.* ‖ Se dit aussi des opinions, des suffrages, etc., quand il y a autant de personnes d'un côté que de l'autre. *Il y a partage de voix.* ‖ Fig. Les biens et les maux que l'on tient de la nature ou de la fortune. *Les maladies et les misères sont le partage du genre humain.* ‖ *Sans partage*, complètement, en entier, sans restriction. [Géog.] *Ligne de partage des eaux*, mouvement de terrain séparant deux bassins fluviaux de telle sorte que, de sa crête, les eaux ruissellent en sens opposés.
SYN. — *Partage*, division en parts : *Le partage des terres d'un héritage.* — *Distribution*, action de diviser entre plusieurs personnes en donnant une part à chacun : *Distribution des denrées.* — *Lotissement*, division en parties vendues ou distribuées à part : *Le lotissement d'un parc.* — *Morcellement*, division en menues parcelles : *Le morcellement des propriétés rurales.* — *Parcellement*, division par parcelles des biens territoriaux : *Le parcellement d'une propriété.* — *Répartition*, action de partager entre plusieurs en attribuant à chacun ce qui lui revient ou ce qu'il doit verser : *La répartition des impôts.* — *Segmentation*, division en plusieurs parties, en plusieurs cellules : *La segmentation de l'œuf fécondé.*

partagé, ée, adj. Réciproque. *Amour partagé.*
SYN. — V. MUTUEL.

partageable, adj. Qui peut être partagé.

partageant, ante [*jan*], n. (ppr. de *partager*). Celui celle, qui reçoit une part, qui prend part à un partage.

partager, v. tr. (de *partage*). Diviser une chose en plusieurs parties, pour en faire la distribution. *Partager en parties égales, inégales.* ‖ Faire part de, communiquer une partie de ce qu'on a. *Il partage son bien avec les pauvres.* ‖ Former dans un tout des parties distinctes, mais non séparées. *Partager un nombre en deux.* ‖ Fig. Au sens moral : Répartir, diviser. *Être partagé entre la crainte et l'espérance.* ‖ Séparer des personnes en partis opposés. *Cette question a partagé la ville et la cour.* — Fig. *L'opinion est partagée à ce sujet.*
Avoir part, prendre part, concourir à une chose avec une ou plusieurs personnes. *Partager la même chambre.* ‖ Au sens moral : S'intéresser à, se réjouir ou s'affliger de ce qui réjouit ou afflige les autres. *Je partage votre joie, votre douleur.* = V. intr. Avoir part, avoir droit à une part. *Il ne partage pas dans cette succession.* = SE PARTAGER, v. pron. Être partagé, divisé. *Les avis se partagèrent.*
= Conjug. V. GRAMMAIRE.
GRAM. — *Partager avec*, c'est conserver une portion de ce qu'on partage; *partager entre* (et non *partager à*), c'est ne rien réserver pour soi. Ne dites donc pas : *partager ses économies aux pauvres ;* dites : *partager ses économies entre les pauvres.*
SYN. — V. DIVISER.

partageux, euse, n. Fam. et souvent par dénigr. Celui, celle qui est partisan du partage des biens. — On dit aussi *partageur.*

partance, n. f. [Mar.] Moment où un navire va partir. = EN PARTANCE, loc. adv. Sur le point de partir, sur le départ.

1. partant, adv. (de *par*, et *tant*). Par conséquent, par suite.

2. * partant, n. m. (ppr. de *partir*). Celui qui part. ‖ *Les partants,* les chevaux de course qui prennent effectivement le départ.

partenaire, n. (angl. *partner*, m. s.). L'associé avec qui l'on joue contre d'autres joueurs. ‖ Celui qui participe avec vous à certaines choses.
ANT. — *Adversaire, antagoniste, rival.*

parterre, n. m. (de *par*, et *terre*). Partie d'un jardin destinée à la culture des fleurs et des plantes d'agrément. ‖ Ensemble des plantes constituant un motif de décoration. ‖ Partie d'une salle de spectacle située au rez-de-chaussée, qui est circonscrite par l'orchestre et le pourtour des loges. ‖ Par ext. Les spectateurs qui sont placés au parterre. *Les applaudissements du parterre.*

parthénogenèse, n. f. (gr. *parthénos*, vierge; *genésis*, génération). [Biol.] Mode de reproduction par lequel les ovules se développent et donnent naissance à un nouvel être sans avoir été fécondés.

* **parthénogénésique** ou * **parthénogénétique,** adj. Qui a le caractère de la parthénogenèse.

* **parthénopéen, enne,** adj. et n. (de *Parthénope*, anc. nom de Naples). De Naples. — On dit auj. *napolitain.*

* **parthique,** adj. Relatif aux Parthes.
PAR. — *Portique*, galerie soutenue par des colonnes; appareil de gymnastique auquel on accroche les agrès.

1. parti, n. m. (de *partir*, dans le sens de partager). Union de plusieurs personnes

PART, nom féminin.

Étymologie. — Lat. *pars, partis*, même sens.

SYN. — *Part*, ce qui est détaché d'un tout : *Cet héritage a été divisé en quatre parts.* — *Fraction*, partie d'un tout divisé : *Il n'a eu qu'une fraction de la somme qu'il espérait.* — *Lot*, fragment détaché d'un tout qu'on partage : *Ce domaine sera vendu en plusieurs lots.* — *Partie*, portion ou fragment d'un tout : *Une partie du toit s'est effondrée.* — *Portion*, partie plus ou moins considérable d'un ensemble : *Portion de viande. Il n'a gardé qu'une portion de sa propriété.* — *Tranche*, morceau coupé en parties minces : *Tranche de pain.* V. aussi FRAGMENT.

SENS ET EMPLOIS DIVERS.

Portion de quelque chose qui doit être divisée entre plusieurs personnes. *On a fait trois parts de tout le bien de la succession. Faire, régler les parts. Il a part entière, demi-part dans les bénéfices de la société.*

Fig. et fam. *Ne pas jeter, ne pas donner sa part aux chiens*, se croire bien fondé dans les prétentions qu'on a sur quelque chose, ou accepter volontiers quelque chose. On dit de même : *Il compte bien en avoir sa part, sa bonne part.* = Fig. et prov. *La part du lion*, la plus grosse part, que quelqu'un s'attribue en abusant de son autorité ou de sa force (allusion à une fable de La Fontaine).

Ce qui, sans être divisé, peut se communiquer à plusieurs personnes. *Avoir part à la faveur du prince. Vous avez beaucoup de part à son amitié.* — *Avoir sa part au gâteau*, bénéficier de quelque chose (fam.).

Avoir part. — *Avoir part à une chose*, y contribuer, y concourir. *Il a eu beaucoup de part à cette affaire.* (Quand le verbe *avoir* est précédé de la négation, l'usage est d'employer la préposition *de*.) *Il n'a point eu de part à cet ouvrage.*

Prendre part. — *Prendre part à quelque chose*, y participer, ou y prendre intérêt. *Je prends part à votre douleur.*

Faire part. — *Faire part de quelque chose à quelqu'un*, partager avec lui quelque chose, l'y faire participer. *Cet homme fait part de son bien aux pauvres.* — *Faire part de quelque chose à quelqu'un*, sign. aussi : l'en informer. *Il m'a fait part de ses craintes.* — *Billet de faire part*, lettre de faire part, et parfois, abs., un *faire-part*, n. m., lettre, billet par lequel on fait part d'une naissance, d'un mariage, d'un décès, etc.

OBS. — La locution *faire part* se construit avec *de* et un nom, et non avec *que* et un verbe. Il faut donc dire : *Je vous fais part de ma venue*, et non : *Je vous fais part que je viendrai.*

Faire la part. — Dans les affaires : *Faire la part des accidents*, prévoir les accidents et tenir compte, soit des obstacles qui pourront surgir, soit du préjudice que certaines circonstances pourraient causer. — *Faire la part du feu*, abandonner à l'incendie une partie des bâtiments pour sauver les autres, et fig., sacrifier une partie pour sauver le reste.

Fig. *Prendre en bonne part, en mauvaise part*, trouver bon, trouver mauvais, interpréter en bien ou en mal. *Il a pris en mauvaise part l'observation que j'avais faite.*

LOCUTIONS FORMÉES AVEC PART.

QUELQUE PART, loc. adv. En quelque lieu, en quelque endroit, de quelque côté. *Voilà un homme que je dois avoir vu quelque part.* — *J'ai lu cela quelque part.* ‖ Pop. *Aller quelque part*, aller aux latrines. *Un coup de pied quelque part*, au derrière.

DE LA PART DE, loc. prép. Sert à indiquer la personne qui donne, offre, présente, etc., quelque chose. *Voici une lettre de la part de ma mère. Dites-lui cela de ma part.* — *De la part de MM. X, Y*, etc., sert à indiquer les personnes qui font part d'un événement, partic. d'un décès.

NULLE PART, loc. adv. En aucun endroit. *Je ne l'ai trouvé nulle part.* — *Nulle part ailleurs*, en aucun autre endroit que l'endroit désigné.

POUR MA PART, POUR SA PART, etc., loc. adv. Quant à moi, quant à lui, etc. *Pour ma part, je n'y consentirai pas. Il a fait, pour sa part, tout ce qu'il a pu.*

DE PART ET D'AUTRE. *Prononciation.* — Insister sur la liaison [part-té-d'autre]. DE TOUTE PART, DE TOUTES PARTS, loc. adv. De côté et d'autre, de tous côtés, de partout à la fois. *J'ai couru de part et d'autre. Il arrivait des soldats de toutes parts.* — Les loc. *De part et d'autre, des deux parts, d'une part, d'autre part, de toute part, de toutes parts*, s'emploient en parlant des personnes, pour marquer relation, réciprocité, opposition, concours. *On est content de part et d'autre. Il m'est venu des félicitations de toutes parts.* — Ces locutions s'emploient encore en parlant des choses que l'on considère, à un certain nombre de points de vue. *D'une part, il considérait que... D'autre part il envisageait...* ‖ Dans les mémoires, dans les livres de compte, *en l'autre part, de l'autre part*, signifient l'autre côté de la feuille.

OBS. — La locution adverbiale *de part et d'autre*, jointe aux adjectifs *mutuel, réciproque*, forme pléonasme. Ne dites donc pas : *des attaques réciproques de part et d'autre* ; dites : *des attaques réciproques* ou *des attaques de part et d'autre.* — L'Acad. dit : *de toute part* ou *de toutes parts* ; le dernier est préférable ; il est d'ailleurs beaucoup plus usité que le premier : *De toutes parts assemblés en ces lieux* (RACINE).

DE PART EN PART, loc. adv. *Prononciation.* — Insister sur la liaison [part-t'en-part]. D'un côté à l'autre, tout à travers. *Le tunnel traverse la montagne de part en part.*

À PART, loc. adv. Séparément. *Mettez cela à part. Faire bande à part.* — *Raillerie à part*, en mettant de côté la raillerie. — *C'est un homme, un esprit, un être* (fam.) *à part*, c'est un homme que son genre d'esprit, que ses qualités distinguent de tous les autres (se dit parfois ironiquement).

À PART, loc. prép. Au commencement d'une phrase, sign. excepté. *A part quelques auteurs favoris, il ne lit plus rien. A part cela, je n'ai pas autre chose à dire.* — SYN. — V. EXCEPTÉ.

À PART MOI, À PART SOI, loc. adv. et fam. En moi-même, en soi-même, tacitement. *Je disais à part moi.*

LA PLUPART. — V. PLUPART.

VOCAB. — *Famille de mots.* — *Part* [rad. *part, port*]: a parte, in partibus, de par (le roi), à part, partiel, partiellement, partitif, partition, partial, partialement, partible, partialité, impartial, impartialement, impartialité, partiaire, partenaire, parcelle, parceller, parcellement, parcellaire, particule, particulaire, particularisation, particulariser, particulier, particularité, particulièrement, particularisme, particulariste ; portion, portionnaire, portioncule, proportion, proportionnel, proportionnellement, proportionnable, proportionnalité, proportionner, proportionné, proportionnement ; disproportionner, disproportion, disproportionné ; participe, participal, participalement, participer, participant, participation, partir, parti, partant, partance ; départ, se départir ; partie, contre-partie, partage, partager, partagé, partageant, partageux, partageable, départager ; appartement, compartiment, compartimenter ; département, départemental ; impartir, imparti, triparti, tripartition, répartir, répartiteur, répartition, repartir, répartie.

dans un même intérêt ou une même opinion contre d'autres qui ont un intérêt, une opinion contraire. *Les partis politiques. N'être d'aucun parti.* — *Homme de parti,* celui qui se montre passionné en tout ce qui intéresse son parti. — *Esprit de parti,* disposition morale résultant de l'attachement à un parti, qui rend aveugle, injuste en ce qui regarde ce parti et les partis contraires. — *Prendre le parti de quelqu'un, prendre parti pour quelqu'un,* se déclarer pour lui. — *Prendre parti,* se déclarer pour ou contre. *Prendre parti contre quelqu'un.* — *Être du parti de quelqu'un, de quelque chose,* favoriser, préférer quelqu'un, quelque chose. Résolution, détermination. *Prendre un parti,* se déterminer à quelque chose. — Absol. *Il a pris son parti, c'est un parti pris,* il a pris une détermination inébranlable ou une résolution extrême. — *De parti pris,* se dit d'une résolution arrêtée d'avance, d'une idée préconçue et sur lesquelles on ne veut pas revenir, même si on en aperçoit la fausseté. — *Prendre son parti* signifie aussi se résigner à ce qui doit arriver. ‖ Expédient. *C'est le parti le plus sûr, le plus sage.* —Par ext. *Faire un mauvais parti, un méchant parti à quelqu'un,* lui faire essuyer des mauvais traitements ou attenter à sa vie.
Personne à marier considérée par rapport à son bien, à sa naissance. *Cette fille est un bon parti.* ‖ Avantage, utilité, profit. *Il tire parti de tout.* ‖ Profession, genre de vie, emploi. *Prendre, embrasser le parti des armes, de l'Église, du barreau.* [A. mil.] Troupe de gens de guerre qu'on détache pour battre la campagne, reconnaître l'ennemi, faire des prisonniers, etc. *Nous rencontrâmes un gros parti d'ennemis.* [Jeu] Balance des chances de gains et de pertes.
Syn. — V. BRIGUE.
Hom. — *Parti,* union de plusieurs personnes; — *partie,* n. f. portion, fragment; — *partis, tit, tît, ti,* du v. partir.
2. parti, ie, adj. (pp. du v. *partir* 2). Fig. et fam. *Être parti, un peu parti,* avoir un peu trop bu.
3. parti, ie, adj. et **partite,** adj. f. (lat. *partitus,* divisé). Partagé, divisé (Vx). — Ce mot s'emploie peu; mais ses composés, *biparti, triparti,* etc., qui indiquent le nombre des divisions, sont usités encore en botanique. [Blas.] Se dit de l'écu, ou des pièces héraldiques divisées de haut en bas en deux parties égales, dans le sens du pal. V. pl. BLASON. [Mar.] *Charte-partie,* contrat de location d'un navire. Ce nom vient de ce qu'à l'origine ces contrats étaient établis sur une feuille unique que l'on coupait en deux, et dont chacun des signataires prenait une part. — Pl. *Des chartes-parties.*
partiaire [*si-ère*], adj. [Droit] *Colon partiaire,* qui remet au propriétaire une part convenue des produits de la ferme; métayer.
partial, ale [*par-sial*], adj. (de *parti* 1). Qui, par inclinaison, affection, esprit de parti, favorise une personne, une opinion, au préjudice d'une autre.
Ctr. — *Impartial.*
Par. — *Partiel,* qui n'existe qu'en partie.
partialement [*sia*], adv. Avec partialité.

partialité [*sia*], n. f. Attachement passionné et injuste à une personne, à une opinion.
Ant. — *Impartialité.*
* **partible,** adj. [Bot.] Susceptible de se partager spontanément.
partibus (in) (sous-ent. *infidelium*; mots lat.: *dans les contrées des infidèles*). *Évêque in partibus,* qui porte le titre d'un évêché situé dans un pays non chrétien.
participant, ante, adj. Qui participe à.
participation [*sion*], n. f. Action de prendre part à, de participer. ‖ Part qu'on prend, qu'on a prise à une affaire.
participe, n. m. Forme que prend le verbe quand il est employé comme adjectif, le participe passé peut avoir des compléments; comme adjectif, il peut s'accorder, selon certaines règles, avec le mot auquel il se rapporte. V. tabl. GRAMMAIRE.
participer, v. tr. ind. (lat. *participare,* m. s.). Avoir part à. *Participer au gouvernement.* ‖ Coopérer. *Participer à de mauvais desseins.* ‖ Prendre part, s'intéresser. *Je participe à votre douleur, à votre joie.* ‖ Tenir de la nature de quelque chose. *Le mulet participe de l'âne et du cheval.*
Gram. — *Participer,* dans le sens de prendre part à, se construit avec la prép. *à*: *Il a participé à mes entreprises.* Quand *participer* signifie: tenir de, il prend la préposition *de*: *Le mulet participe du cheval et de l'âne.*
* **participial, ale, aux,** adj. Qui tient, qui vient du participe.
* **participialement,** adv. Comme un participe.
* **particulaire,** adj. [Gram.] Qui appartient à la particule.
* **particularisation** [*sion*], n.f. Action de particulariser; résultat de cette action.
particulariser, v. tr. Faire connaître le détail, les particularités de quelque chose. ‖ Rendre particulier, par oppos. à généraliser. = SE PARTICULARISER, se distinguer des autres, se singulariser, agir en original.
Ctr. — *Généraliser.*
particularisme, n. m. Esprit d'égoïsme ou esprit exclusif. Doctrine politique qui oppose les intérêts régionaux aux intérêts généraux d'une nation. ‖ Doctrine selon laquelle le Christ ne serait mort que pour le salut des seuls élus.
particulariste, n. m. Partisan du particularisme. = Adj. Relatif au particularisme.
particularité, n. f. Circonstance particulière. ‖ Caractère de ce qui est particulier.
particule, n. f. (lat. *particula,* m. s.). Petite partie d'un corps. [Gram.] Petit mot; généralement d'une syllabe, employé dans la composition d'un autre mot, préfixe ou suffixe. — Ex. *dif* dans difficile, *més,* dans mésaventure. ‖ Par ext. Mot invariable monosyllabique, préposition, conjonction ou adverbe. *La particule négative* ne. ‖ *Particule nobiliaire,* préposition *de* qui précède le nom de beaucoup de familles nobles.
Syn. — V. FRAGMENT et CORPUSCULE.
particulier, ière [*lié*], adj. (lat. *particularis,* m. s.). Qui appartient en propre

à certaines choses ou à certaines personnes et qui n'est pas commun à d'autres personnes, à d'autres choses de même espèce; spécial. *Cet usage est particulier à ce peuple.* ‖ Par opposition à *général, universel. L'intérêt particulier doit céder à l'intérêt général.* ‖ Par opposition à *public. Beaucoup de fortunes particulières sont intimement liées à la fortune publique.*

Séparé, distinct d'une autre chose de même nature. *Il a une maison particulière.* ‖ Singulier, extraordinaire, peu commun. *C'est un cas tout particulier.* ‖ Attaché à une personne privée. *Secrétaire particulier.*

= PARTICULIER, n. m. Ce qui est particulier. *Conclure du particulier au général.* ‖ Personne privée, par opposition, soit à une société, soit à une personne publique. *Un simple particulier.* ‖ Fam. et employé par dénigrement. Individu. *C'est un drôle de particulier.* = EN PARTICULIER, loc. adv. A part, séparément des autres. *Je l'ai pris en particulier.* — En particulier se dit aussi par opposition à *en général.*

SYN. — *Particulier,* qui n'est pas commun ou général : *Éprouver pour quelqu'un une amitié toute particulière.* — *Singulier,* qui ne ressemble pas à plusieurs, qui appartient ou s'adresse à un seul : *Il a en moi une confiance singulière.* — *Spécial,* qui est affecté à une chose déterminée : *On a fait pour lui un train spécial.*

Particulier, qui a trait à la personne et non à la généralité : *L'intérêt particulier doit venir après l'intérêt général.* — *Individuel,* qui appartient à l'individu et non à la collectivité : *Le paquetage individuel du soldat.* — *Personnel,* qui se rapporte à la personne même, et non à ce à quoi elle est attachée : *L'impôt personnel sur le revenu.* — *Privé,* qui n'a pas de caractère public : *La vie privée d'un homme d'État.* — *Propre,* qui appartient personnellement à une personne ou à une chose : *La parole est propre à l'espèce humaine.*

CTR. — *Général, universel, commun, public.*

particulièrement, adv. En détail. ‖ Spécialement, singulièrement.

partie, n. f. (de *partir,* dans le sens de partager). Élément d'un ensemble, portion d'un tout. *La partie est plus petite que le tout. Les cinq parties du monde.* ‖ En parlant du corps humain : *Parties nobles,* celles qui sont indispensables à la vie, comme le cœur, le poumon, le foie, le cerveau. *Parties naturelles, parties honteuses,* ou absol. *Les parties,* celles qui servent à la génération.

[Droit] Chacune des personnes qui plaident l'une contre l'autre. *Être juge et partie.* — *Partie civile,* l'avocat qui représente la victime. — *Partie publique,* le ministère public. — *Avoir affaire à forte partie,* plaider contre un homme puissant en crédit, et, au fig., avoir un adversaire redoutable. — *Prendre quelqu'un à partie,* attaquer quelqu'un en justice, et, au fig., s'en prendre à lui. ‖ Personnes qui contractent ensemble ou débattent des intérêts entre elles. *Les parties contractantes.*

[Gram.] *Partie d'oraison* ou *partie du discours,* les espèces de mots qui servent à exprimer les idées par le langage (nom, adjectif, verbe, préposition, etc.). V. tabl. GRAMMAIRE.

[Jeu] La totalité de ce qu'il faut faire pour qu'un des joueurs ait gagné ou perdu, suivant les règles de chaque sorte de jeu. *Une partie de cartes, d'échecs,* etc. *Perdre la partie.* — *La partie n'est pas égale,* se dit, au propre, de deux joueurs de force inégale, et, au fig., d'une contestation, d'une concurrence où il y a, d'un côté, supériorité marquée de force, d'habileté, de ressources, etc.

Projet de promenade ou autre, formé entre plusieurs personnes. ‖ Divertissement. *Partie de plaisir, de chasse, de campagne.* — *C'est, ce n'est que partie remise,* le projet est remis à plus tard, à une occasion meilleure.

[Mus.] Chacune des mélodies séparées dont la réunion forme l'harmonie ou le concert. *Morceaux à deux, à quatre parties.* ‖ Cahier, livret sur lequel est écrite la partie d'un musicien. ‖ Fam. Profession. *Son père est boulanger; il le mettra dans la partie.* ‖ Spécialité. *Il ne craint personne dans sa partie.* — Fig. et fam. *Être de la partie,* bien connaître une question.

EN PARTIE, loc. adv. Non en totalité, non entièrement; partiellement. *Cette ville a été en partie détruite par l'aviation ennemie.* — Quelquefois on omet la préposition *en. Le paiement s'est fait partie avec de l'argent, partie avec des billets.*

FAIRE PARTIE, avoir part, être compris.

SYN. — V. PART.
ANT. — *Tout, ensemble.*
HOM. — V. PARTI.

partiel, elle [*siel*], adj. Qui fait partie d'un tout. ‖ Qui n'existe ou qui n'a lieu qu'en partie. *Éclipse partielle de soleil.*

CTR. — *Total, entier, général, intégral, plénier.*
ANT. — *Partial,* qui prend injustement parti pour ou contre.

partiellement [*si-è-le-man*], adv. Par parties, en partie.

1. partir, v. tr. (bas lat. *partire,* lat. *partiri,* partager). Diviser en plusieurs parts (Vx). *Avoir maille à partir avec quelqu'un.* V. MAILLE.

2. partir, v. intr. (même étymol. que *partir* 1). Se porter ou être porté d'un lieu dans un autre; marque le commencement de cette action. *Les trains, les courriers partent à telle heure.* ‖ Fig. *Partir d'un éclat de rire,* rire tout à coup bruyamment. — Fig. Prendre comme base. *Partir d'un principe,* poser, admettre un principe, pour en tirer les conséquences qu'il renferme.

Par anal. Se détendre brusquement, en parlant d'un ressort, d'un engin qui se déclenche ou se détend; faire explosion, en parlant d'une arme à feu. *Il fit partir son arbalète. Le fusil est parti tout à coup.* — Fig., au sens moral. *Il est vif, la réponse ne tarde pas à partir.* ‖ Tirer son origine, avoir son commencement, en parlant des choses physiques. *Tous les nerfs partent des centres nerveux.* ‖ Avoir son point de départ à. *Les transatlantiques pour New-York partent du Havre.* ‖ Fig. S'en aller, disparaître. *L'argent part avec une rapidité incroyable.* ‖ En parlant des choses morales : émaner. *Cela part d'un bon naturel.* = N. m. Le fait de partir. *Au partir de ce lieu* (Vx). =
À PARTIR DE, loc. prép. A dater de; en

commençant à. *A partir d'aujourd'hui, soyez plus exact.* — Au delà. *A partir de ce point la route devient mauvaise.*
GRAM. — *Partir* se conjugue avec l'auxiliaire *être* : *Vous êtes partis trop tôt; quand vous fûtes partis.* Mais, lorsqu'il s'agit d'une arme à feu dont le coup part, on peut employer l'auxiliaire *avoir* : *Le pistolet a parti tout à coup.* — Quand *partir* exprime l'idée de se déplacer vers un lieu, on doit employer la préposition *pour* : *Il est parti pour Le Havre, pour le Canada.* — La loc. *partir à la campagne,* etc., est rejetée par Littré et non admise par l'Acad. Certains grammairiens modernes l'admettent, mais elle reste à éviter.
SYN. — V. FUIR.
CTR. — *Rester, demeurer.* — *Rater.*

CONJUG. — V. intrans. 3ᵉ groupe (inf. en *ir*) [rad. *part, par*].
Indicatif. — *Présent* : je pars, tu pars, il part, nous partons, vous partez, ils partent. — *Imparfait* : je partais..., nous partions, vous partiez... — *Passé simple* : je partis, tu partis, il partit, nous partîmes, vous partîtes, ils partirent. — *Futur* : je partirai..., nous partirons, vous partirez.
Impératif. — Pars, partons, partez.
Conditionnel. — *Présent* : je partirais..., nous partirions...
Subjonctif. — *Présent* : que je parte, que tu partes, qu'il parte, que nous partions, que vous partiez... — *Imparfait* : que je partisse, que tu partisses, qu'il partît, que nous partissions, que vous partissiez...
Participe. — *Présent* : Partant. — *Passé* : Parti, partie.
Temps composés conjugués avec l'auxiliaire ÊTRE.

---

partisan, ane, n. (ital. *partigiano*, m. s.). Celui, celle qui embrasse le parti de quelqu'un ou de quelque chose. *Les partisans de César.* ‖ Adepte d'un système, d'une doctrine. *Les partisans du transformisme.* ‖ Celui qui, sous l'ancien régime, prenait à ferme les revenus de l'État, les impôts, etc. ‖ Troupes irrégulières qui font une guerre d'embuscades et de surprises. *Un corps de partisans.* = Adj. *Passions partisanes.*
ANT. — *Antagoniste, adversaire.*
partitif, ive, adj. [Gram.] Qui désigne une partie d'un tout. *Le mot* plupart *est un nom partitif; le mot* plusieurs *est un adjectif partitif.* — *Collectif partitif.* V. COLLECTIF.
partition [*sion*], n. f. Action de partager, de diviser. [Mus.] Réunion sur une seule page des parties séparées d'une composition, de la plus haute à la plus basse. [Blas.] Lignes qui séparent les divisions d'un écu composé.
partout, adv. En tous lieux.
** **parturiente,** n. f. Femme dans le travail d'accouchement.
parturition, n. f. (lat. *parturitio*, m. s.). Accouchement. ‖ Mise bas, en parlant des animaux.
** **parulie,** n. f. [Méd.] Abcès des gencives.
parure, n. f. (de *parer*). Action de parer. *Passer une heure à sa parure.* ‖ Ce qui sert à parer, ornement. *Parure de diamants.*

‖ Fig. Ce qui embellit, rehausse le mérite. *Sa vertu est sa seule parure.* ‖ *Chevaux de même parure,* de même taille, de même poil. ‖ Col de lingerie et manchettes pareilles. — Ensemble de dessous féminins en lingerie. — V. tabl. VÊTEMENT et PARURE (*Idées suggérées par les mots*).
SYN. — V. AJUSTEMENT et EMBELLISSEMENT.
** **parution** [*tion*], n. f. Le fait, pour un livre, d'être publié, de paraître en librairie. — Date de cette publication (Néol.).
INCORR. — Ne pas dire: *la parition d'un ouvrage* (par fausse analogie avec *apparition*), pas plus que: *l'apparition,* mais: la parution.
parvenir, v. intr. (lat. *pervenire*, m. s.). Arriver au terme qu'on s'était proposé. *Il est parvenu à la fin de son livre.* ‖ Fig., au sens moral. *Parvenir à une charge, à une dignité, à une extrême vieillesse.* ‖ Arriver à destination, en parlant des choses. *J'espère que ma lettre lui parviendra.* ‖ Absol. S'élever en dignité ou faire fortune. *Le moyen de parvenir.* = Conjug. (comme *tenir*). V. VERBES.
parvenu, ue, n. (pp. de *parvenir*). Personne qui, née dans un état obscur, est arrivée à la fortune, aux honneurs tout en conservant une âme de roturier. (Péjor.)
** **parviflore,** adj. [Bot.] Qui a de petites fleurs.
parvis, n. m. (lat. *paradisus,* paradis). Place ménagée devant la grande façade d'une église.
1. pas [*pa*], n. m. (lat. *passus,* m. s.). Mouvement que fait une personne ou un animal en mettant un pied devant l'autre pour marcher. *Hâter, presser, ralentir le pas.* — *Marcher à grands pas. Aller bon pas,* marcher rapidement. — *Doubler le pas,* doubler la vitesse de son pas; presser l'allure. — *Marcher à pas comptés,* marcher très lentement, solennellement, comme si l'on comptait ses pas. — *Aller à pas de loup,* marcher très doucement, de façon à n'être pas entendu. — *Faire un faux pas,* glisser ou chanceler en marchant. ‖ Fig. Commettre quelque faute dans une affaire. — *Faire un pas en arrière,* reculer. ‖ Fig. et prov. *Il n'y a que le premier pas qui coûte,* en toute affaire ce qu'il y a de plus difficile est de commencer. — *Faire les premiers pas,* faire les avances, faire les premières démarches. — *Marcher à pas de géant,* faire de rapides progrès. — *Pas de clerc,* bévue. — *S'attacher aux pas de quelqu'un,* le suivre partout, ou le prendre pour modèle. — *Salle des pas perdus.* V. PERDU. ‖ Allure de marche. *Avoir le pas lourd.* [Archéol.] *Pas d'armes,* sorte de combat simulé. [Archi.] *Le pas d'une porte,* le seuil. — Par ext., se dit aussi des marches. *Prenez garde, il y a ici un pas.* [A. mil.] *Marcher au pas,* se dit d'une troupe dont tous les soldats portent ensemble le même pied à terre. — Différentes manières de marcher. *Pas cadencé. Pas de charge. Pas gymnastique. Pas de course.* — *Marquer le pas,* simuler le pas, en rapportant les talons à côté l'un de l'autre, sans avancer et en observant la cadence du pas. — *Ne pas avoir d'avancement dans une carrière.* ‖ Fig. et fam. *Mettre quelqu'un au pas,* le mettre à la raison, l'obliger à

PAS — PASQUIN

faire son devoir. [Danse] Différentes manières de conduire ses pas en marchant, en sautant, ou en pirouettant. [Géog.] Passage étroit et difficile dans une montagne ou dans une vallée. *Le pas de Suse.* — Détroit. *Le Pas de Calais.* [Man.] La moins rapide des allures naturelles du cheval. *Mener un cheval au pas. — Aller au pas,* marcher d'une allure lente. ‖ Allées et venues, démarches que l'on fait pour quelque affaire, peines qu'on prend pour y réussir. *Ce procès lui a coûté bien des pas.* ‖ Vestige, marque que laisse le pied d'une personne ou d'un animal, en marchant. *Des pas d'homme sur la grève. — Retourner sur ses pas,* retourner au lieu d'où l'on vient. — Fig. *Revenir sur ses pas,* reprendre sur un sujet au point où on l'avait laissé. ‖ Espace qui se trouve d'un pied à l'autre, quand on marche. *La longueur, la distance de cent pas. — Il ne faut pas le quitter d'un pas,* il faut toujours être avec lui. ‖ Par exag. Fort petite distance. *Il demeure à trois pas d'ici.* ‖ Passage. *Un pas glissant.* ‖ Fig. et fam. *Passer le pas,* mourir. ‖ *Un mauvais pas,* un endroit par où il est difficile ou dangereux de passer. — Fig. *Se tirer d'un mauvais pas,* se tirer d'une affaire difficile, embarrassante. [Mus.] *Pas redoublé,* sorte de marche militaire, d'un mouvement rapide. ‖ Préséance, droit de marcher le premier. — *Céder le pas à quelqu'un.* [Techn.] Distance comprise entre deux filets, deux dents d'engrenage. *Pas d'hélice, pas de vis.* = V. tabl. MOUVEMENT (Idées suggérées par le mot). PAS À PAS, loc. adv. A pas lents, lentement et continûment, progressivement. Se dit au propre et au figuré. *Suivre quelqu'un pas à pas.* = DE CE PAS, TOUT DE CE PAS, loc. adv. Incontinent, à l'instant même. *J'y vais de ce pas, tout de ce pas* (Fam.).

= À CHAQUE PAS, loc. adv. A tout moment, continuellement.

HOM. — *Pas,* n. m., mouvement fait en mettant un pied devant l'autre pour marcher; — *pas,* mot négatif; — *pât,* n. m. nourriture des faucons, des chiens.

ANT. — *Trot, galop.*

> VOCAB. — *Famille de mots.* — *Pas* (lat. *passus,* m. s. de *pandere,* répandre) [rad. *pas, pan*] : pas (nég.) passe, passer, passation, impasse, passant, passerelle, passoire, passade, passage, passavant, passager, passagèrement, compas, compassé, passim, passementerie, passementier, dépasser, dépassement, repasser, repassage, repasseur, repasseuse; surpasser; trépas, trépasser, passeport, passefilage, passepoil; expansion, expansif, expansible, épandre, répandre, épancher, épanchement, et les mots composés commençant par *passe* : passe-debout, passe-montagne, passe-droit, etc.

2. pas, adv. de négat. V. tabl. PAS.

pascal, ale, adj. Relatif à Pâques, fête chrétienne. *Communion pascale.* ‖ Relatif à la pâque des Juifs.

pas-d'âne, n. m. [Bot.] Nom vulgaire du tussilage. = Pl. *Des pas-d'âne.*

* **pasigraphie,** n. f. (gr. *pas,* tout; *graphê,* écriture). Système d'écriture universelle dans lequel pourraient être transcrites toutes les langues.

* **pasigraphique,** adj. Relatif à la pasigraphie.

Pasquin. Statue antique mutilée qui est à Rome et sur le socle de laquelle, depuis le XVe s., les mécontents avaient l'habitude de placarder des épigrammes et des pamphlets. ‖ Personnage de comédie, bouffon, effronté et glouton. ‖ N. m. Bouffon, mauvais plaisant. ‖ Écrit satirique.

PAS, mot négatif.

Étymologie. — Même mot que *Pas* 1., n. m.

Historique et emploi. — Le mot *pas,* comme *point, goutte, rien, personne,* etc., a servi primitivement à accompagner la négation pour la renforcer (V. NE). Il a d'abord gardé sa valeur de nom employé comme terme de comparaison indiquant une petite quantité qui n'est même pas réalisée; par ex. : *Ce paralytique n'avance pas* (pas même d'un pas). Il a fini par se vider tout à fait de son sens propre pour n'être plus qu'une particule renforçant la négation.

Aujourd'hui, on peut se servir presque indifféremment de *pas* ou *point,* avec toutefois certaines nuances : *il ne lit pas* (en ce moment); *il ne lit point* (il n'a pas l'habitude de lire). — *Point* a vieilli, et il ne s'emploie plus guère que dans la langue littéraire écrite, ou, au contraire, que dans certains parlers populaires campagnards. Au XVIIe siècle *pas* et *point* s'employaient conjointement, et Vaugelas, renvoyant à l'usage pour savoir lequel des deux il convenait d'employer, déclare qu'il faut « se souvenir que *point* nie bien plus fortement que *pas* ». Il n'est cependant pas possible de formuler une règle absolue sur cet emploi.

V. tabl. GRAMMAIRE (adverbe).

PAS, adverbe de négation.

a) Le plus souvent précédé de l'une des négations *ne* ou *non. Je ne le veux pas. Il se déclara contre lui, non pas qu'il fût son ennemi, mais...* — *Ce n'est pas qu'il soit méchant.*

b) Employé absol. sans *ne* :
1º Dans une interrogation. *Fit-il pas mieux que de se plaindre?* (LA FONTAINE.) *Ai-je pas réussi?* (MOLIÈRE.) (Emploi surtout fam.).
2º Dans une réponse. *Êtes-vous inquiet?* — *Pas tant que vous le pensez.*

c) Loc. *Pas,* devant un nom ou une locution nie ce mot ou cette locution. *Un pas grand chose,* un vaurien (fam.).

d) *N'est-ce pas?* V. ÊTRE. Dans la langue pop., *pas* s'emploie souvent comme abrév. de *n'est-ce pas? Pas vrai? Vous y étiez, pas?.*

LOCUTIONS FORMÉES AVEC PAS.

PAS DU TOUT. loc. adverb. négative renforcée. Aucunement, en aucune façon. *Il s'est absenté, mais il n'était pas du tout malade.*

Elliptiquement, dans une réponse négative : *Ma présence vous gêne-t-elle?* — *Mais, pas du tout* (fam.).

PAS UN, PAS UNE, loc. pronominale ou adjective indéfinie, toujours au singulier, avec le verbe au singulier, et sens négatif. Nul, nulle, aucun, aucune (négatif.) *Pas un ne le croit. Il n'y avait pas une âme. Il est insolent comme pas un* (fam.).

pasquinade, n. f. Placard attaché à la statue de Pasquin. ‖ Aujourd. Raillerie bouffonne.

passable, adj. Qui, sans être excellent ni même bon, peut passer, être admis.

passablement, adv. D'une manière supportable, à peu près satisfaisante.

passacaille, n. f. Ancienne danse.

passade, n. f. Passage dans un lieu où l'on ne fait qu'un court séjour. ‖ Action par laquelle un nageur en fait passer un autre sous lui en l'enfonçant dans l'eau. ‖ Fig. Goût passager, caprice. ‖ Commerce passager avec une femme.

passage, n. m. (de *passer*). Action de passer. *Le passage des troupes, du cortège.* [Zool.] *Oiseaux de passage,* les oiseaux qui, en certaines saisons, passent d'un pays dans un autre. — Fig. et fam. Celui qui ne fait que passer dans un lieu. — *Être de passage en un endroit,* s'y trouver momentanément au cours d'un voyage. — *Examen de passage,* examen permettant à l'élève, qui y est admis, de passer dans une classe supérieure. ‖ Fig. *La vie n'est qu'un passage,* la vie est courte. ‖ L'instant où l'on passe. *Je l'ai vu à son passage par notre ville.* [Astro.] L'instant où un corps céleste s'interpose entre l'œil de l'observateur et d'autres corps célestes. *Le passage d'un astre au méridien.* ‖ Lieu, endroit par où l'on passe. *Garder le passage des Alpes. S'ouvrir un passage.* — Dans les villes : issue, galerie couverte où ne passent que les piétons. *Ce passage est garni de boutiques.* — *Passage à niveau,* endroit où une ligne de chemin de fer croise à même niveau un chemin ordinaire. — Voyage, traversée au delà des mers. *Prendre passage sur un bateau.* ‖ Somme qu'on paie pour la traversée. ‖ Droit qu'on paie pour traverser une rivière dans un bac ou dans un bateau, pour passer sur un pont, etc. — Droit de passer par un lieu privé, une propriété particulière. *Mon parc est sujet au passage.* ‖ Fig. Transition. *Le passage de cette idée à celle qui la suit est trop brusque.* ‖ Fig. Changement d'état, soit au physique, soit au moral. *Le passage de vie à trépas.* ‖ Fig. Endroit d'un auteur, d'un ouvrage que l'on cite, que l'on allègue. *Un passage de Racine.* [Mus.] Fragment d'air ou d'un morceau de musique plus ou moins étendu. *Ce passage est charmant.*
ÉPITHÈTES COURANTES : fermé, interdit, étroit, resserré, difficile, libre, large, ouvert, aisé, facile; obscur, sombre, éclairé, illuminé; aérien, souterrain, etc.
SYN. — V. CHEMIN et DÉTROIT.

1. * **passager** et * **passeger,** v. tr. [Man.] Conduire un cheval pour le faire marcher de côté. = Conjug. V. GRAMMAIRE.

2. **passager, ère,** adj. (de *passage*). Qui ne s'arrête pas dans un lieu, qui ne fait que passer. *Des hôtes passagers.* ‖ Fig. Qui est de peu de durée. *Un succès passager.*
= Nom. Celui, celle qui fait une traversée par mer, un voyage par eau, un voyage en avion, sans participer à la manœuvre. *On a sauvé tous les passagers.* — *Passager clandestin,* celui qui se glisse à bord d'un navire en partance sans avoir payé son passage. — V. tabl. VOYAGE ET TOURISME (*Idées suggérées par les mots*).

LING. — C'est abusivement qu'on emploie l'adjectif *passager* pour signifier *où l'on passe fréquemment.* Ne dites donc pas : *chemin passager, rue passagère;* dites : *chemin, passant, rue passante.*
CTR. — *Durable, constant, continuel, éternel.*
PAR. — *Passant,* n. m. et adj., personne qui passe; où il passe beaucoup de monde.

passagèrement, adv. Pour peu de temps.

passant, ante, adj. Par où il passe beaucoup de monde; très fréquenté. *Chemin passant, rue passante.* [Blas.] Se dit de tout animal qui semble marcher. = Nom. Celui, celle qui passe par une rue, un chemin. *Rassembler les passants.*
PAR. — *Passager,* qui ne fait que passer. *Un hôte passager.*

passation [sion], n. f. [Droit] Action de passer un contrat. ‖ Action de faire passer d'une personne à une autre.

passavant, n. m. [Mar.] Passage de chaque côté d'un navire pour faire communiquer l'arrière et l'avant. ‖ Permis de circulation pour des marchandises ou des boissons soumises à certains droits.

passe, n. f. (de *passer*). Action de passer. *Une passe de canards sauvages.* [Mar.] Canal étroit entre des terres, des rochers, des bancs de sable, à l'entrée des ports, par où les bâtiments peuvent passer sans échouer. *Entrer dans une passe.* V. pl. PORT. ‖ *Mot de passe,* mot par lequel on peut se faire reconnaître d'un parti ami. [Chorég.] Mouvement du corps particulier à quelques figures. ‖ *Maison de passe,* lieu de rendez-vous galants. ‖ Petite somme qu'il faut ajouter pour compléter un compte. ‖ *Volumes de passe,* imprimés en plus du chiffre fixé pour le tirage, destinés généralement aux auteurs, aux critiques. [Escr.] Mouvement par lequel on avance sur son adversaire en faisant passer le pied gauche devant le pied droit. — *Passe d'armes,* série d'attaques, de ripostes, de parades. — Rencontre de jouteurs dans un tournoi. ‖ Dans le langage des magnétiseurs, mouvements des mains qu'on fait pour magnétiser une personne. [Jeu] Mise que les joueurs font à chaque nouveau coup. ‖ Fig. *Être en passe de,* être dans une position favorable pour obtenir une chose. *Il est en passe de devenir général.* — *Être dans une mauvaise passe,* se trouver dans une conjoncture difficile.
SYN. — V. DÉTROIT.

passé, ée, (adj. pp. du v. *passer*). Qui a été autrefois et qui n'est plus. *Au temps passé.* — *La semaine passée, l'année passée,* la semaine, l'année qui précède celle où l'on se trouve. ‖ Écoulé. *Il est six heures passées.* ‖ Fané, qui n'a plus sa fraîcheur. *Une fleur passée. Une tenture passée.* — [Gram.] *Participe passé.* V. PARTICIPE.
= PASSÉ, n. m. Le temps passé. ‖ Ce que l'on a fait ou dit autrefois. *Ne parlons plus du passé.* [Gram.] Temps de verbe marquant le passé. *Passé simple, composé, antérieur,* etc. ou adjectiv., *Temps passé.* V. TEMPS et GRAMMAIRE (tableau).
PASSÉ, prépos. Après. *Passé cette date, inutile de réclamer.* (Comme prépos., *passé* est ici nécessairement invariable.)
GRAM. — Il ne faut pas confondre le *passé composé* et le *passé simple.* Le passé

composé désigne un temps passé, soit entièrement écoulé : *J'ai reçu une lettre l'année dernière, le mois passé, la semaine dernière, hier*; soit qu'il en reste encore quelque portion à s'écouler : *J'ai reçu une lettre cette année, ce mois, cette semaine, aujourd'hui*. Le passé simple ne se dit au contraire que d'un temps complètement écoulé. Ne dites donc pas : *Je reçus une lettre cette année, ce mois, cette semaine, aujourd'hui*, car on est encore dans le temps dont il s'agit.

SYN. — V. SONNÉ.

ANT. — *Avenir, présent.*

* **passe-balle**, n. m. Instrument, cercle en métal pour vérifier le calibre des balles. = Pl. *Des passe-balles.*

* **passe-bouillon**, n. m. Ustensile de cuisine pour dégraisser le bouillon. = Pl. *Des passe-bouillon.*

passe-boule, n. m. Jouet, panneau percé d'une large ouverture, par où les joueurs doivent faire passer une boule lancée. = Pl. *Des passe-boules.*

* **passe-carreau**, n. m. Long morceau de bois dont les tailleurs se servent pour passer les coutures au fer. = Pl. *Des passe-carreaux.*

* **passe-cordon**, n. m. Syn. de *passe-lacet.* = Pl. *Des passe-cordons.*

passe-crassane, n. f. [Bot.] Variété de poires d'hiver. = Pl. *Des passe-crassanes.*

passe-debout, n. m. Reçu délivré au conducteur de marchandises soumises à l'octroi, qui ne font que traverser une ville, pour que les droits payés soient remboursés à la sortie de la ville. = Pl. *Des passe-debout.*

passe-dix, n. m. Jeu qui se joue avec trois dés. = Pl. *Des passe-dix.*

passe-droit, n. m. Faveur accordée contre le droit et l'usage ordinaires. || Injustice faite à quelqu'un en lui préférant une personne qui a moins de titres. = Pl. *Des passe-droits.*

SYN. — V. PRÉROGATIVE.

passée, n. f. Action de passer. [Vén.] Moment où certains oiseaux passent d'un lieu à un autre. Traces laissées par le gibier après son passage.

* **passefilage**, n. m. Action de passefiler.

* **passefiler**, v. tr. Faire un raccommodage avec du fil à repriser.

* **passefilure**, n. f. Résultat du passefilage.

passe-fleur, n. f. [Bot.] Nom vulg. de l'*anémone pulsatille*. = Pl. *Des passe-fleurs.*

passe-lacet, n. m. Grosse aiguille aplatie destinée à introduire le lacet dans des œillets, dans une coulisse, etc. = Pl. *Des passe-lacets.*

passement, n. m. Tissu plat et peu large, qu'on met pour ornement sur des habits, des rideaux, des meubles.

passementer, v. tr. Orner de passements.

passementerie, n. f. Art, commerce, industrie, marchandise du passementier. V. tabl. VÊTEMENT ET PARURE (*Idées suggérées par les mots*).

passementier, ière, n. Qui fait, qui vend des passements, ganses, torsades, cordons, glands, résilles, galons, etc.

* **passe-méteil**, n. m. Blé mélangé constitué par deux tiers de froment contre un tiers de seigle. — Pl. *Des passe-méteils.*

passe-montagne, n. m. Bonnet en tricot de laine, qui peut se rabattre sur la nuque et les oreilles. V. pl. COIFFURES. = Pl. *Des passe-montagnes.*

* **passe-parole**, n. m. inv. Commandement militaire transmis de bouche en bouche de la tête à la queue d'une colonne.

passe-partout, n. m. Clef qui peut ouvrir plusieurs serrures différentes. || Encadrement de papier, orné de filets, dans lequel on peut placer toutes sortes de dessins. — Cadre avec glace, à fond mobile, pour le même usage. || Scie pouvant se manœuvrer dans tous les sens. = Pl. *Des passe-partout.*

passe-passe, n. m. *Tours de passe-passe*, tours d'adresse d'un prestidigitateur, d'un escamoteur. || Fig. et fam. Tromperie adroite (sans pluriel).

passe-pied, n. m. Danse du XVIIe s., à trois temps et d'un mouvement très rapide. || Air de cette danse. = Pl. *Des passe-pieds.*

passe-pierre, n. f. [Bot.] Nom vulgaire de la *christe marine* (*ombellifères*) appelée encore *perce-pierre* et *casse-pierre.* = Pl. *Des passe-pierres.*

passepoil, n. m. Liséré qui borde certaines parties d'un habit ou la couture de certains vêtements.

passeport, n. m. Ordre écrit donné par l'autorité, pour laisser circuler librement, soit à l'intérieur, soit à l'extérieur d'un pays, la personne qui en est munie.

* **passe-purée**, n. m. Ustensile de cuisine pour passer les purées de légumes. = Pl. *Des passe-purée* ou *purées.*

passer, v. intr. V. tabl. PASSER.

passerage, n. f. [Bot.] Genre de crucifères dont une variété est le cresson alénois.

passereau, n. m. (lat. *passer*, moineau). [Zool.] Le moineau franc. = N. m. pl. PASSEREAUX, ordre d'oiseaux embrassant tous ceux qui ne sont ni nageurs, ni échassiers, ni rapaces, ni gallinacés. V. pl. OISEAUX.

passerelle, n. f. Pont étroit et léger pour les piétons, au-dessus d'une rivière, d'une voie ferrée. V. pl. CHEMIN DE FER. [Mar.] Plate-forme surélevée placée sur le pont d'un navire, devant la cheminée avant, et sur laquelle se tient le commandant. V. pl. PORT et NAVIGATION.

* **passeresse**, n. f. [Mar.] Cordage doublant les cargues de certaines voiles.

* **passerille** [*ll* mll.], n. m. Tout raisin ayant subi une demi-dessication, qui a augmenté sa teneur en sucre.

* **passe-rivière**, n. m. Longue corde fixée au-dessus d'un cours d'eau, pour le franchir. = Pl. *Des passe-rivières.*

passe-rose, n. f. [Bot.] Nom vulg. de l'*althæa rosea* ou rose trémière (*malvacées*).

passe-temps, n. m. Occupation légère et agréable; divertissement, distraction. = Pl. *Des passe-temps.*

* **passe-thé**, n. m. Petite passoire pour le thé. = Pl. *Des passe-thé.*

* **passette**, n. f. Petite passoire.

passeur, n. m. Celui, celle qui conduit un bateau, un bac pour passer l'eau.

LING. — L'Acad. ne donne pas le féminin *passeuse.*

PASSER, verbe.

Étymologie. — Du latin popul. *passare*, m. s., formé sur le mot *passus*, pas.
Le verbe *passer* a, en français, un grand nombre d'acceptions; son sens premier, d'où dérivent tous les autres, exprime l'idée d'aller d'un lieu à un autre, de franchir l'espace intermédiaire entre un endroit et un autre.
Passé, ée, pp. adj. et n.

Observation grammaticale. — *Passé*, participe passé, employé sans auxiliaire et précédant le nom, est toujours invariable, l'auxiliaire *avoir* étant dans ce cas sous-entendu. *Passé cette date, aucune réclamation ne sera admise.*
Pour les noms composés avec le verbe *passer*, tels que *passe-temps*, *passe-lacet*, *passe-partout*, *passe-rose*, *passe-montagne*, *passe-debout*, *passe-passe*, etc. V. ces mots à leur ordre alphabétique.

SYN. — V. MOURIR.
CTR. — *Séjourner, demeurer, rester.*

PASSER, verbe intransitif.

Aller d'un lieu à un autre; traverser un lieu, une chose. *Passer le long d'une muraille. Passer par un lieu, par un pays. Passer de France en Angleterre. Passer sur un pont, sur une planche. Il passe beaucoup de monde dans cette rue. La Seine passe à Paris. Faire passer un objet de main en main.* — Fam. *Passer chez quelqu'un,* entrer chez quelqu'un dont la demeure se trouve sur la route qu'on suivait pour aller ailleurs, ou, simplement, se rendre chez quelqu'un. — *Ne faire que passer,* demeurer très peu de temps dans un endroit, le traverser seulement. = *Passer à l'ennemi,* déserter et se mettre du parti ennemi. — *Le régiment a passé en revue,* on en a fait la revue.

[Jeu de cartes] *La carte, la main passe,* aucun des joueurs ne la coupe. — *Passer,* absol., se dit d'un joueur qui renonce à jouer quand son tour se présente. *A vous de jouer. — Je passe.*
[Mus.] *Passer d'un ton dans un autre,* changer de ton.

Fig. Arriver, venir à son tour avant ou après une autre personne, une autre chose. *Les affaires doivent passer avant les plaisirs. — Votre affaire ne passera qu'après telle autre, ne passera que dans un mois,* son tour d'être examinée ou jugée n'arrivera qu'après, etc. = En parlant d'une pièce de théâtre, être joué. *Sa pièce a passé aux Variétés.*

Fig., *Passer par,* être, pendant un certain temps, dans tel ou tel emploi, dans telle ou telle situation avant d'arriver par degrés à un autre emploi, à un autre état. *Passer par tous les grades. Passer par le rang. — Passer par de rudes épreuves.* — Fam. *J'ai passé par là,* j'ai éprouvé les mêmes peines, etc.

Fig. Traverser, faire un court séjour dans (Fam.). *Cela lui a passé par la tête, par l'esprit,* il lui est arrivé par hasard d'y penser, il s'en est occupé un instant. — Fam. *Il est fâcheux d'avoir à passer par ses mains,* se dit en parlant d'un homme sévère, ou peu expéditif, auquel on a affaire.

En passer par, se résigner, se soumettre à. *Il faut en passer par là.* — Fam. On dira à peu près dans le même sens : *Il faut se résigner à y passer.* = Fig. *Passer par-dessus une chose,* la négliger. — *Passer par-dessus toutes les difficultés,* ne point se laisser arrêter par elles. — *Il faut passer là-dessus,* il faut pardonner, oublier.

Fig. *Passer outre,* continuer une action sans tenir compte des obstacles ou des objections.
— *Passer plus avant,* ajouter encore à ce qu'on a dit, à ce qu'on a fait.

Passer sur. — Au fig. *Passer sur le ventre, sur le corps de quelqu'un,* parvenir malgré lui à ce qu'on veut; ou encore, obtenir quelque chose à son préjudice. = *Passer sur quelque chose,* examiner une chose légèrement, ou encore, prendre son parti d'une chose, la tolérer. — *Passer sur les défauts d'une personne, de l'ouvrage,* les voir avec indulgence, ne pas en tenir compte.

Passer, pris absolument. — Sens figurés. Aller, parvenir. *Passer à la postérité.* — On dit qu'*une chose a passé,* pour signifier qu'elle a été adoptée. *La loi a passé à une grosse majorité.* — *Passer tout d'une voix,* être admis à l'unanimité.

Laisser passer une proposition, une parole, une action, ne pas la contester, ne pas la blâmer, ne pas la remarquer. — *Laisser passer une personne devant soi,* lui céder le pas. — *Laisser passer son tour,* le céder à un autre, volontairement ou par distraction. — *Laissez-passer,* ordre de permettre à une personne de traverser des lignes militaires, de circuler dans une zone interdite, etc. Employé comme nom. V. LAISSER.

Passe, loc. adv. V. plus bas.

Se transmettre. *Sa place doit passer à son fils. — Passer de bouche en bouche. Son nom passera à la postérité. — Faire passer,* se dit aussi dans ce sens. *Faire passer ses idées dans l'esprit de quelqu'un. — Faire passer :* indication qu'une nouvelle, un avis, un papier doit être transmis, dans une réunion, de proche en proche.

S'introduire, se glisser, être admis dans. *Ce mot a passé dans notre langue. — Passer en proverbe,* devenir proverbial.

Se dit d'un changement d'état, de sentiment, de manière. *Passer de l'opulence à la pauvreté.*
— *Passons à d'autres choses,* ou absol., *passons :* ce dernier se dit surtout pour exprimer qu'on n'insiste point.

Fig. *Passer de cette vie en l'autre, passer de cette vie à une meilleure, passer de vie à trépas,* et absol., *passer,* mourir. *Le malade a passé cette nuit.*

Se faner, se flétrir. *Ces fleurs ont passé. Cette couleur a passé.*
S'écouler, disparaître. *L'heure, le temps passe. Les beaux jours sont passés.*
Finir, cesser. *Il est en colère, mais cela passera. Passer de mode.*
Comparaître, pour être jugé, examiné. *Passer en police correctionnelle, en cour d'assises.*
Être passé par là. Y avoir passé, loc. familières indiquant qu'une influence extérieure, manifeste ou secrète, s'est fait sentir. = Fam. *Le notaire y a passé.* — Pop. *Y passer,* être entièrement dépensé, consommé. *Tout son bien y passera.*

Être admis, être reçu. *Il ne passera pas à l'examen, il est trop ignorant. Cette monnaie ne passe plus.* — Avoir obtenu un emploi, un grade (avec un attribut). *Mon frère est passé sergent la semaine dernière. — Passer maître,* obtenir le grade de maître dans les anc. corporations. Fig. Exceller dans telle ou telle partie. *L'autre (le renard) était passé maître en fait de tromperie* (LA FONTAINE).

Être supportable, être susceptible d'être employé. *Cela peut passer pour cette fois* (cf. l'adj. *passable*). = *Ne pas passer,* en parlant des aliments, être d'une digestion difficile. *Mon déjeuner n'a pas passé.*

Passer pour (avec un attribut). Être réputé, être regardé comme. *Passer pour un fripon. Il passe pour avoir fait, pour avoir dit telle chose.*

PASSE-VELOURS — PASSIF

GRAM. — Le verbe intransitif *passer* prend l'auxiliaire *avoir* quand il s'agit d'exprimer une action. Ne dites donc pas : *Nous sommes passés par les Tuileries ; le cortège est passé sur les boulevards* ; dites : *Nous avons passé par les Tuileries ; le cortège a passé sur les boulevards.* Racine a pu dire : *Leur sang est passé jusqu'à vous de Lucrèce en Lucrèce* ; la grammaire exige aujourd'hui : *a passé*. — Pour marquer un état, *passer* prend l'auxiliaire *être* : *En novembre, les beaux jours sont passés.* — En termes de palais, *passer* se construit avec *avoir*. *Son affaire a passé à la dernière audience.*

— *Où la guêpe a passé, le moucheron demeure.* (LA FONTAINE.)
— *Heureux qui, dans ses vers, sait d'une voix légère*
— *Passer du grave au doux, du plaisant au sévère.* (BOILEAU.)
— *Avocat, ah! passons au déluge!* (RACINE.)

PASSER, verbe transitif.

Traverser. *Passer le pont, la rivière, les monts. Passer la Seine, le Rubicon, les déserts.* = Fig. et fam. *Passer son chemin*, continuer son chemin sans s'arrêter. — *Passez votre chemin*, se dit à un importun pour le renvoyer. — *Passer un examen*, s'y présenter.
Faire traverser. *Le batelier m'a passé.* = Introduire, revêtir. *Passer un ruban, un lacet dans un œillet. Passer son habit, sa robe*, etc. = *Passer un soldat par les armes*, le fusiller. — *Passer au fil de l'épée.* V. FIL. = Mettre. *Passer les menottes à un prisonnier, la corde au cou à un condamné*, etc.
Faire couler des substances au travers d'un tamis, d'un linge, etc., pour les filtrer, les épurer. *Passer un bouillon à travers une étamine.*
Faire mouvoir une chose sur une autre. *Passer le fer sur du linge. Passer la main sur le dos d'un cheval. Passer l'éponge.* V. ÉPONGE.
Mettre en circulation. *Passer de la fausse monnaie.*
Transmettre. *Passez-moi la carafe.* — *Passer un billet, une lettre de change à l'ordre de quelqu'un*, lui en transmettre la propriété par un endossement. — *Passer la parole à quelqu'un*, lui donner l'occasion de parler à son tour.
Aller au delà, excéder. *La boule a passé le but.* — Fig. *Passer les bornes, la mesure, l'heure.* — *Il ne passera pas l'année, la journée, la nuit*, etc., il ne vivra pas jusqu'à la fin de l'année, etc.
Dépasser, devancer, surpasser en mérite, valoir mieux. *Ce lévrier passe tous les autres à la course.* — Prov. *Contentement passe richesse.* ‖ Être au-dessus des forces du corps ou des facultés de l'esprit. *Cela passe mes forces, mon intelligence, mon jugement.* — Fam. *Cela me passe*, je n'y entends rien.
Exposer, soumettre à l'action de. *Passer du linge au feu pour le faire sécher.* — *Passer du linge au bleu.* ‖ *Passer au bleu.* V. BLEU. = *Passer les troupes en revue*, en faire la revue. On dit de même : *Passer en revue les actions d'une personne*, etc. Préparer, apprêter certaines choses, comme cuirs, étoffes, etc. *Passer une étoffe en couleur.* — *Passer à tabac.* V. TABAC.
Omettre, sauter. *Vous avez passé deux mots dans votre copie. Passer un fait sous silence.*
Pardonner, tolérer. *Passer une faute à quelqu'un. C'est un homme qui ne vous passe rien. Passer un contrat.*
Fig. Se dit des actes que l'on fait par devant notaire.
Céder, approuver, allouer. *Passer une somme en compte, dans un compte, à compte.* — Fig. *Satisfaire. Passer son envie d'une chose*, satisfaire le désir qu'on a de cette chose. — *Passer du condamnation.* V. CONDAMNATION. — Prov. *Passez-moi la rhubarbe, je vous passerai le séné.* Se dit de deux personnes qui se font mutuellement des concessions, qui ont l'une pour l'autre des complaisances intéressées.
Consumer, employer. *J'ai passé la nuit sans dormir. Passer sa vie dans les plaisirs. Cela fait passer le temps.*

SE PASSER, verbe pronominal.

S'écouler. *Les années se passent sans améliorer sa situation. Toute cette réunion se passa en bavardages stériles. Il faut que jeunesse se passe.*
Perdre sa beauté, son éclat, sa force. *Les fleurs se passent en un jour.*
Arriver, avoir lieu. *Ce qui s'est passé avant nous.* — On dit de même, au sens moral. *Je ne saurais dire ce qui se passait en moi.*
Savoir se priver, s'abstenir. *Il ne saurait se passer de vin.*
Ne pas avoir besoin de. *Cette conduite se passe de commentaires.* (Se dit ironiquement pour souligner la grossièreté d'un propos, d'une attitude.)
SE PASSER, verbe réciproque. Se pardonner, fermer mutuellement les yeux sur. *Les époux doivent savoir se passer bien des choses.*

LOCUTIONS DIVERSES.

PASSE ! Loc. adv. marquant le consentement. (Fam.) Soit, je l'accorde. *Eh bien! passe, j'y consens.* — *Passe pour cela.* — On dit aussi, quand une personne a fait quelque chose de mal, et qu'on lui pardonne pour cette fois-là : *Passe pour cette fois, mais que cela ne vous arrive plus.*
EN PASSANT, loc. adv., à forme de gérondif. En suivant son chemin, sans faire de séjour. *Je n'ai vu ce pays qu'en passant.* ‖ Fig. Se dit de tout ce que l'on fait avec précipitation, et sans y avoir donné le temps nécessaire. *Je n'ai vu ce livre qu'en passant.* — Incidemment, par occasion. *Cela soit dit en passant.*

---

passe-velours, n. m. inv. [Bot.] Nom vulgaire de l'*amarante queue de renard* et de la *célosie crête de coq.*

passe-volant, n. m. Autref. Faux soldat qui, sans être enrôlé, figurait dans une revue pour grossir en apparence le nombre des soldats. = Pl. *Des passe-volants.*

*** passe-vogue,** n. f. [Mar. anc.] La plus rapide des allures, pour les rameurs des galères.

*** passibilité,** n. f. Qualité des êtres passibles.

passible, adj. (lat. *passibilis*, m. s. de *pati*, souffrir). Capable d'éprouver des sensations (douleur ou plaisir). [Droit] Qui a mérité de subir une peine. *Celui qui commet ce délit est passible d'un emprisonnement.*

CTR. — *Impassible.*

passif, ive, adj. (lat. *passivus*, m. s., de *pati*, souffrir). Par opposit. à *actif*. Qui reçoit l'action, l'impression. *Un être passif.* ‖ Par ext. Qui n'agit point, qui n'a aucune initiative. *Un personnage, un tempérament passif.* — *Obéissance passive*, l'obéissance de celui qui exécute sans examen l'ordre qu'il a reçu. [Comm. et Fin.] *Dette passive*, celle dont on est débiteur. = N. m. *Le passif*, la totalité des dettes passives d'une personne. *Son passif dépasse de beaucoup son actif.*

[Gram.] Se dit des verbes et des participes qui représentent le sujet comme recevant l'effet d'une action produite par un autre, dit *complément d'agent* et qui serait le sujet du verbe à la tournure active correspondante. = N. m. *Le passif,* la forme passive, la voix passive. V. tabl. GRAMMAIRE.

GRAM. — Les régimes des verbes passifs doivent être accompagnés des prépositions *de* ou *par* ; *de*, quand ils expriment un sentiment, une passion, en un mot un mouvement de l'âme ; *par*, lorsqu'ils désignent une action à laquelle l'esprit ou le corps a seul part: *L'homme honnête est estimé de tout le monde ; Une grande partie de la terre a été conquise par les Romains.* Cependant, au lieu de la préposition *de*, l'usage permet d'employer *par*, pour éviter plusieurs *de* : *Votre conduite a été approuvée d'une commune voix par toutes les personnes sages.*

ANT. et CTR. — *Actif.*

* **passiflore**, n. f. [Bot.] Genre de plantes ornementales, type de la famille des *passiflorées* (grenadille).

* **passiflorées** ou * **passifloracées**, n. f. pl. [Bot.] Famille de plantes dicotylédones dialypétales.

* **passim** [*pa-sime*], adv. (mot lat.). Çà et là, en différents endroits. Se dit lorsqu'on renvoie à différents passages d'un ouvrage, non spécifiés particulièrement.

passion [*pa-sion*], n. f. (lat. *passio,* m. s.). Mouvement violent de l'âme, accompagné d'un sentiment de plaisir ou de peine, ou résultant d'un désir intense, d'un penchant irrésistible. *Céder à ses passions.* ‖ Partic. Passion de l'amour. *Cette femme est l'objet de sa passion,* ou par métonymie : *est sa passion.* — Fam. *Aimer à la passion,* aimer extrêmement. — Fig. *Avoir une passion malheureuse pour un art, un exercice,* s'y adonner sans y réussir. ‖ Affection très vive qu'on a pour quelque chose que ce soit. *Il a la passion de la gloire.* ‖ Prévention forte pour ou contre quelqu'un, pour ou contre quelque chose. *Cet homme juge de tout avec passion.* ‖ Expression, représentation vive des passions par la parole, par la musique, par la peinture, etc. *Un drame, un tableau plein de passion.* V. tabl. SENSIBILITÉ et MORALE (Idées suggérées par les mots).

— *Les passions sont les seuls orateurs qui persuadent toujours ; elles sont comme un art de la nature, dont les règles sont infaillibles ; et l'homme le plus simple qui a de la passion persuade mieux que le plus éloquent qui n'en a point.*

— *La passion fait souvent un fou du plus habile homme, et rend souvent habiles les plus sots.* (LA ROCHEFOUCAULD.)

— *Toutes les passions sont menteuses ; elles se déguisent autant qu'elles le peuvent aux yeux des autres ; elles se cachent à elles-mêmes ; il n'y a point de vice qui n'ait une fausse ressemblance avec quelque vertu, et qui ne s'en aide.* (LA BRUYÈRE.)

[Relig.] Les souffrances et la mort de Jésus-Christ pour la rédemption du genre humain (dans ce sens, s'écrit avec une majuscule). — La partie de l'Évangile où est racontée la Passion. *La Passion selon saint Matthieu.* [Hist.] Confrérie de la Passion, corporation qui, aux XVe et XVIe siècles, avait le privilège des représentations dramatiques de la Passion, des mystères. ‖ Fig. et fam. *Souffrir mort et passion,* éprouver de grandes douleurs, ou être fort impatienté.

SYN. — V. AMOUR.

* **passionnaire**, n. m. Livre renfermant l'histoire de la Passion du Christ. = N. f. [Bot.] Nom vulg. d'une variété de passiflore (*fleur de la passion*).

HOM. — *Passionnèrent,* du v. passionner.
PAR. — *Pensionnaire,* qui verse une pension pour être nourri et logé.

passionnant, ante, adj. Qui passionne, qui cause un très vif intérêt.

passionné, ée, adj. et n. Rempli de passion, d'affection ardente. *Homme passionné.* ‖ Rempli de prévention, d'une chaleur immodérée, ou de partialité. *Un juge passionné.*

SYN. — V. ARDENT.
CTR. — *Flegmatique.*
PAR. — *Passionnel,* déterminé par la passion.

passionnel, elle, adj. Qui tient aux passions, qui est déterminé par une passion. *Un crime passionnel.*

PAR. — *Passionné,* rempli de passion.

passionnément, adv. Avec passion.

passionner, v. tr. Inspirer de la passion, un vif intérêt ou de l'enthousiasme. ‖ Donner le caractère de la passion. *Passionner son chant.* ‖ Mettre de l'animation, de l'emportement dans. = SE PASSIONNER, v. pr. S'éprendre d'un penchant irrésistible pour une personne ou pour une chose.

* **passionnistes**, n. m. pl. Congrégation de clercs fondée en Italie, en 1720, par saint Paul de la Croix.

passivement, adv. D'une manière passive.

passivité ou * **passiveté**, n. f. État de celui ou de ce qui est passif, qui subit passivement.

passoire, n. f. Ustensile percé d'un grand nombre de petits trous, pour passer des jus, des légumes ou des fruits écrasés.

* **passure**, n. f. [Reliure] Action de trouer le carton et de passer dans les trous les ficelles.

1. **pastel** [*pas*], n. m. (prov. *pastel,* m. s.). [Bot.] Genre de plantes dicotylédones (*isatis*) de la famille des *crucifères.*

2. **pastel** [*pas*], n. m. (ital. *pastello,* m. s., dérivé de *pasta,* pâte). Sorte de crayon fait de couleurs pulvérisées, mêlées, soit avec du blanc de plomb, soit avec du talc, et incorporées avec une eau de gomme. *Un portrait au pastel.* [Bx-A.] Tableau exécuté au pastel. *Un pastel de La Tour.* SYN. = V. TABLEAU.

* **pastellage**, n. m. [Pâtiss.] Pâte de sucre pour garnir les pièces montées.

* **pasteller**, v. tr. Dessiner au moyen de pastels.

pastelliste, n. Celui, celle qui dessine au pastel.

* **pastenade** ou * **pastenague**, n. f. [Bot.] Nom vulg. du *panais* dans le Midi.

* **pastenague** ou * **pastinague**, n. f. [Zool.] Genre de poissons ganoïdes, sorte de raies à aiguillon caudal venimeux.

pastèque, n. f. [Bot.] Nom vulg. d'une *cucurbitacée*, à fruit aqueux et rafraîchissant (*melon d'eau*). ‖ Ce fruit lui-même.

pasteur, n. m. (lat. *pastor*, m. s., de *pasci*, faire paître). Celui qui garde des troupeaux, ou dont la principale richesse consiste en troupeaux. [Bot.] *Bourse à pasteur*, nom vulgaire d'une espèce de crucifère. ‖ Fig. Celui qui exerce une autorité paternelle sur un peuple, sur une réunion d'hommes. *Homère appelle les rois les pasteurs des peuples.* — Se dit surtout au sens spirituel. *Jésus-Christ est le pasteur des âmes. Le Bon Pasteur.* ‖ Prêtre, évêque, par rapport aux fidèles. ‖ Titre que les protestants donnent aux ministres de leur culte. V. tabl. RELIGIONS (*Idées suggérées par le mot*). = Adj. *Les rois pasteurs. Les peuples pasteurs.* — Sans fém.
SYN. — V. BERGER.
ANT. — *Fidèles*.

pasteurien, ienne, adj. Relatif aux découvertes, aux doctrines, aux méthodes de Pasteur.

pasteurisation [*za-sion*], n. f. Action de pasteuriser.

pasteuriser [*zé*], v. tr. Chauffer à 75° pendant environ 30 minutes, selon la méthode de Pasteur, le vin, la bière, le lait, pour tuer les germes des ferments qui les altéreraient.

* **pastichage,** n. m. Action de pasticher.
pastiche, n. m. (ital. *pasticcio*, pâté). Tableau où l'on a imité la manière d'un autre peintre. ‖ Ouvrage où l'on a imité le style d'un écrivain célèbre ou d'une certaine époque. ‖ Opéra composé de morceaux de différentes œuvres.
PAR. — *Postiche*, fait et ajouté après coup, faux, artificiel.

pasticher, v. tr. Faire le pastiche du style, de la manière d'un écrivain, d'un artiste.

* **pasticheur, euse,** n. Celui, celle qui pastiche, qui imite.
PAR. — *Posticheur*, fabricant de perruques, nattes, etc.

* **pastillage,** n. m. [Pâtiss.] Imitation d'un objet, faite en pâte de sucre.

pastille [*ll* mll.], n. f. (lat. *pastillus*, petit gâteau). Bonbon en forme de petit disque, fait avec du sucre et des sucs divers ou des substances médicamenteuses. *Pastille de menthe. Pastille pectorale.* ‖ Composition de pâte odorante, qui parfume l'air quand on la brûle. ‖ Nom de différents petits objets plats et de forme circulaire.

* **pastilleur** [*ll* mll.], n. m. Ouvrier confiseur qui fait les pastillages. ‖ Machine à fabriquer des pastilles (en ce cas on dit aussi *pastilleuse*, n. f.).

pastoral, ale, adj. (lat. *pastoralis*, m. s., de *pastor*, pasteur). Champêtre, qui appartient aux pasteurs ou bergers, aux habitants de la campagne en général. *Mœurs pastorales.* ‖ Qui retrace la vie, les mœurs pastorales. *Poésie pastorale.* ‖ Qui appartient aux pasteurs spirituels. *Lettre pastorale d'un évêque.* = N. m. Le genre littéraire traitant de sujets champêtres.
GRAM. — Le masc. plur. est inusité.

pastorale, n. f. Œuvre de littérature, de peinture, mettant en scène des bergers et des bergères. V. tabl. LETTRES (*Idées suggérées par le mot*). [Mus.] Air simple s'apparentant aux chants des bergers.

* **pastoralement,** adv. D'une façon pastorale.

* **pastorat** [*ra*], n. m. Dignité de ministre du culte, et, partic., de pasteur protestant.

pastorien, ienne, adj. V. PASTEURIEN.

pastorisation [*sion*], n. f. V. PASTEURISATION.

pastoriser, v. tr. V. PASTEURISER.

pastoure, n. f. Bergère (Poét. et Vx).
LING. — L'Acad. ne donne pas le masc. *pastour*, berger.

pastoureau, n. m. Petit berger (Vx).
pastourelle, n. f. Petite bergère (Vx). ‖ Une des figures du quadrille ordinaire. ‖ Genre de poésie du Moyen âge, mettant en scène un chevalier, une bergère et des bergers.

pat, patt...

ORTH. — *Initiales*. — L'initiale *pat* s'écrit avec un seul *t* dans tous les mots : patache, patard, patate, pataud, patelle, patène, patente, patère, patibulaire, patience, patin, patois, etc., sauf patte et pattu. — Le même son se rend par *path* dans les mots tirés du grec : pathétique, pathogène, pathologie, pathos, etc.

pat [*patt*], n. m. Se dit, aux échecs, lorsqu'un joueur, n'ayant pas son roi en échec, ne peut plus le jouer sans le mettre en prise et n'a pas d'autre coup à jouer.
HOM. — *Pat* [*patt*], n. m. terme du jeu d'échecs; — *pâte*, *es*, *ent*, du v. pâter. —*patte*, n. f., organe de locomotion des animaux; — *pâte*, n. f., farine délayée

pât ou **past** [*pâ*], n. m. [Vén.] Nourriture des faucons. ‖ Mélange de farine et de son pour nourrir les chiens.
HOM. — V. PAS I.

patache, n. f. [Mar.] Anc. bâtiment léger pour le service des grands navires. —Petit bâtiment pour la police des ports, le service de la douane, etc. ‖ Par ext. Voiture publique peu confortable, ou mauvaise voiture.

patachon, n. m. Conducteur de patache. ‖ Fam. *Vie de patachon*, vie de beuveries, de plaisirs bruyants et continus.

* **patafioler,** v. tr. *Que le Bon Dieu te patafiole*, qu'il te bénisse ou te confonde (formule pop. de dépit).

* **patagon, onne,** adj. De la Patagonie. = N. m. Anc. monnaie espagnole.

* **patapouf,** n. m. Homme gros, à démarche lourde (Pop.). ‖ Chute pesante et ridicule.

pataquès [*kès*], n. m. Fam. Faute de langage, liaison incorrecte (*t* final au lieu de *s*, et vice versa). ‖ Lourde erreur, gaffe.

patarafe, n. f. Traits informes, lettres confuses et embrouillées ou mal formées.
PAR. — *Paraphe*, signature abrégée; Traits accompagnant la signature.

* **patarasse,** n. f. [Mar.] Coin de fer pour ouvrir les joints entre deux bordages afin de faciliter le calfatage.

patard, n. m. Ancienne petite monnaie de billon du XVe s. Encore usité dans les loc. *Ne plus avoir un patard. Ne pas valoir un patard*, etc. (et non un *pétard*, comme on dit parfois à tort).

patarin, n. m. [Hist.] Hérétique des XIIe et XIIIe s., appelé encore *Albigeois*, *Vaudois* ou *Cathare*.

patate, n. f. (origine américaine). [Bot.] Plante grimpante qui a des racines tubéreuses comestibles, semblables à la pomme de terre. ‖ Ces racines mêmes. ‖ Pop. et abusiv. Pomme de terre.

patati, patata, onomatopée employée pour imiter par moquerie un bavardage, des cancans dans le détail desquels on ne veut pas entrer.

patatras [*tra*], onomatopée qui exprime le bruit d'un corps qui tombe.

pataud, aude [*tô*], n. m. Jeune chien qui a de grosses pattes. = Adj. et n. Personne grosse et courte, ou d'intelligence lourde et lente; épais, empoté.
PAR. — *Pitaud, aude*, paysan lourd et grossier.

*****pataugeage**, n. m. Le fait de patauger.

patauger, v. intr. Marcher dans une eau bourbeuse. ‖ Fig. S'embarrasser dans un raisonnement, dans ses paroles, dans une explication de texte, etc. = Conjug. V. GRAMMAIRE.

*****pataugeur, euse**, n. Celui, celle qui patauge.

patchouli, n. m. [Bot.] Nom vulg. d'une *labiée* aromatique de l'Inde. ‖ Parfum extrait de cette plante.

pâte, n. f. (lat. *pasta*, m. s.). Farine détrempée et pétrie dont on fait du pain, des pâtisseries, etc. *Faire lever la pâte.* — V. tabl. NOURRITURE (*Idées suggérées par le mot*). — *Colle de pâte*, farine délayée dans l'eau et cuite, servant à coller. ‖ Fig. et fam. *Mettre la main à la pâte.* V. MAIN. — *Être comme un coq en pâte.* V. COQ. — *Une bonne, une excellente pâte d'homme*, un homme doux, accommodant, paisible (Fam.). ‖ *Pâtes d'Italie* ou *pâtes alimentaires*, pâtes faites de farine, auxquelles on donne différentes formes, telles le vermicelle, le macaroni, les nouilles, etc. ‖ Substances comestibles, médicamenteuses, etc., plus ou moins consistantes, qui sont comme pétries ensemble. *Pâte d'amandes. Pâte de guimauve.* [Peint.] Ensemble des couleurs d'un tableau. [Techn.] Matières broyées et mêlées qu'on emploie à différents usages dans les arts ou l'industrie. *Pâte de porcelaine. Pâte de papier.*
HOM. — V. PAT.

pâté, n. m. (de *pâte*). Sorte de mets qui renferme de la viande ou du poisson préparés dans une croûte de pâte ou conservés dans une terrine, dans de la gelée, etc. *Pâté de lièvre, de foie gras.* V. tabl. NOURRITURE (*Idées suggérées par le mot*). — Loc. prov. *Hacher menu comme chair à pâté*, mettre en pièces, hacher par morceaux. ‖ Fam. Goutte d'encre tombée par inadvertance sur du papier. [Archi.] Assemblage de maisons ou d'édifice isolé, quand il est entouré de voies publiques. *Un pâté de maisons.*
HOM. — *Pâté*, n. m., sorte de mets; — **pâtée**, n. f., sorte de pâte dont on nourrit les animaux; — *pâter*, v. coller à la pâte.
— **patté, ée**, adj., terme de blason; — **pattée**, n. f., portée de quatre lignes dans la musique pour plain-chant.

pâtée, n. f. Pâte faite avec de la farine et des herbes, et dont on engraisse la volaille. ‖ Mélange épais de pain émietté, de pommes de terre et de viande hachée, pour les chiens, les chats. ‖ Fam. Soupe trop épaisse.

1. **Patelin**, avocat, personnage d'une farce du Moyen âge : *la farce de Maître Patelin.* = N. m. Homme souple et insinuant, qui cherche à faire venir les autres à ses fins. = Adj. *Voix pateline.*
SYN. — *Patelin*, souple et insinuant, qui cherche à tromper par de belles paroles : *Prendre un ton patelin.* — *Doucereux*, qui affecte une fausse douceur pour mieux s'insinuer : *Sous son aspect doucereux, on devine le fourbe.* — *Mielleux*, d'une douceur hypocrite : *Des paroles mielleuses.* — *Obséquieux*, qui exagère les marques de respect, les prévenances : *Un courtisan obséquieux.* — *Onctueux*, qui a une éloquence trop doucereuse : *Un prédicateur onctueux.* — *Papelard*, hypocrite, affectant la dévotion dans une vue intéressée : *Des paroles papelardes.*

2. **patelin**, n. m. Pop. Pays natal. ‖ Ville, pays quelconque.

patelinage, n. m. ou *****patelinerie**, n. f. Manière insinuante et artificieuse d'un patelin.

pateliner, v. intr. Agir en patelin. = V. tr. Flatter adroitement quelqu'un par intérêt.

patelineur, euse, n. Celui, celle qui pateline.

patelle, n. f. [Zool.] Genre de mollusques gastéropodes à coquille conique, vivant fixés sur les rochers (*bernicles*).

*****patemment** [*ta-man*], adv. D'une manière patente, publique.

patène, n. f. (lat. *patena*, plat). [Liturg.] Vase sacré en forme de petite assiette, qui sert à couvrir le calice et à recevoir l'hostie.

patenôtre, n. f. (corrupt. de *pater noster*). L'oraison dominicale, le *Pater noster*. = Pl. Suite de prières chrétiennes (Fam. et iron.). — *Diseur de patenôtres*, hypocrite. ‖ Suite de paroles inintelligibles. ‖ Chapelet.

*****patenôtrier**, n. m. Fabricant, marchand de chapelets, de boutons (Vx).

patent, ente [*tan*], adj. (lat. *patens*, ouvert). Évident, manifeste. ‖ *Lettres patentes*, toute lettre du souverain, scellée du grand sceau de l'État, qui conférait un privilège, un titre.
SYN. — V. AVÉRÉ et ÉVIDENT.
PAR. — *Patient*, qui souffre, qui supporte avec patience.

patentable, adj. Sujet à patente.

patente [*tan*], n. f. (de *patent*). Lettre de commission, diplôme accordé par le roi ou quelque autre autorité. *Patente de docteur, patente d'imprimeur* (Vx). [Admin. sanit.] Certificat délivré par le service sanitaire constatant l'état sanitaire du navire au départ, et celui du port dont il est parti. *Patente nette; patente suspecte.* [Fin.] Contribution directe à laquelle sont soumis ceux qui exercent certaines professions libérales (médecine, barreau), ou les professions industrielles et commerciales. — Certificat constatant le paiement de cette contribution. *Exhiber sa patente.*
SYN. — V. CONTRIBUTIONS.

patenté, ée, adj. et n. Qui paie patente. — Par plaisant. *Imbécile patenté*, imbécile fieffé.

patenter, v. tr. Soumettre à la patente. ‖ Délivrer une patente à quelqu'un.

pater [*terr*], n. m. inv. (mot lat. : *père*). Le Pater, le Pater noster, l'oraison dominicale. ‖ Chacun des gros grains d'un chapelet sur lesquels on dit le *pater*.
Hom. — *Patère*, pièce fixée au mur pour mettre les vêtements.

* **pâter,** v. tr. [Techn.] Coller avec une espèce de colle appelée pâte.
Hom. — V. PÂTÉ.

patère, n. f. (lat. *patera*, m. s.). [Antiq.] Sorte de coupe pour les sacrifices. ‖ Pièce de bois ou de métal fixée au mur et servant à tenir des embrasses de rideau, à suspendre des vêtements.
Hom. — *Pater*, prière chrétienne.
Par. — *Patène*, vase sacré pour couvrir le calice.

paterne, adj. (du lat. *pater*). Bienveillant, protecteur, paternel. *Parler d'un ton paterne.*
Par. — *Poterne*, couloir sous des remparts.

paternel, elle, adj. Du père. *Autorité paternelle.* ‖ Qui appartient, qui convient à un père. ‖ Qui est du côté du père. *Oncle paternel.* ‖ Qui a les sentiments bienveillants d'un père.
Ctr. — *Filial.*

paternellement, adv. En père; avec la bonté d'un père.

paternité, n. f. État, qualité de père. ‖ Fig. Qualité d'auteur, de créateur. *Revendiquer la paternité d'une œuvre.*

pâteux, euse, adj. Qui a la consistance molle de la pâte à faire le pain. ‖ Trop épais, en parlant d'un liquide; boueux. *Encre pâteuse.* ‖ Fig. Qui manque d'aisance, de légèreté, de fermeté, de netteté. *Style pâteux.* — *Langue, bouche pâteuse,* recouvertes d'un enduit muqueux qui en altère les fonctions.

pathétique, adj. (gr. *pathos*, passion). Qui émeut, qui provoque la terreur, la pitié. = N. m. Ce qui est pathétique.
Syn. — V. TOUCHANT.

pathétiquement, adv. D'une manière pathétique.

* **pathétisme,** n. m. Art de provoquer l'émotion. (Peu us.)

pathogène, adj. (gr. *pathos*, affection; *gennân*, engendrer). Qui donne naissance aux maladies. *Bacille pathogène.*

pathogénie, n. f. [Méd.] Science qui étudie la manière dont agissent sur l'organisme les causes pathogènes.

* **pathogénique,** adj. Qui a rapport à la pathogénie.

* **pathognomonique** [*tog-no*], adj. [Méd.] Se dit des signes caractérisant chaque maladie.

pathologie, n. f. (gr. *pathos*, souffrance; *logos*, traité). [Méd.] Partie de la science médicale qui étudie les maladies, leurs causes, leurs symptômes.
Par. — *Patrologie*, étude de la vie et des œuvres des Pères de l'Église.

pathologique, adj. Qui appartient à la pathologie.

* **pathologiquement,** adv. Au point de vue pathologique.

pathologiste, n. m. Médecin spécialisé dans la pathologie.

pathos, n. m. (mot gr.). [Rhétor.] Figure propre à faire une forte impression. ‖ Fam. Galimatias emphatique.

patibulaire, adj. (lat. *patibulum*, gibet). Qui sert de gibet. *Des fourches patibulaires.* ‖ Relatif au gibet. ‖ Fig. Qui est qui semble digne du gibet. *Aspect patibulaire.*

patiemment [*sia-man*], adv. Avec patience.

1. patience [*si-anse*], n. f. (lat. *patientia,* m. s.). Vertu qui fait supporter, avec modération et sans murmurer, les adversités, les douleurs, les contrariétés, les injures. *S'armer de patience.* — *Prendre son mal en patience,* le supporter, le souffrir avec résignation. ‖ État paisible, calme, sang-froid dans lequel on attend ce qui tarde. *Perdre patience.* ‖ Persévérance à poursuivre un dessein malgré les difficultés, les peines, les dégoûts. *La patience vient à bout des travaux les plus pénibles.* — *Ouvrage de patience,* ouvrage qui demande principalement du temps et de la persévérance. — Prov. *Patience passe science.* ‖ *Jeu de patience,* amusement qui consiste à mettre en ordre les pièces diversement découpées d'une mosaïque représentant une carte de géographie, une estampe, etc. ‖ Nom donné à certaines combinaisons de cartes. ‖ Planchette de bois mince, percée d'une longue fente terminée par un trou rond, et permettant d'astiquer les boutons d'un uniforme sans salir celui-ci. = Interj. Exhortation à l'espoir, à la résignation, au calme. *Patience, il va venir!* — V. tabl. CARACTÈRE et MORALE (Idées suggérées par les mots).

— *Patience et longueur de temps*
Font plus que force ni que rage.
(La Fontaine.)
— *Le génie, c'est la patience.*
(Buffon.)

2. patience [*si-anse*], n. f. [Bot.] Nom vulg. d'un *rumex*, plante voisine de l'oseille (*polygonées*).

patient, ente [*si-an*], adj. Qui souffre les adversités, les injures, etc. avec modération et sans murmurer. ‖ Qui supporte avec bonté, douceur, les imperfections d'autrui. ‖ Qui attend, qui persévère avec tranquillité. ‖ Qui marque la patience. [Philos.] Qui reçoit l'impression d'un agent physique. = N. Personne livrée à l'exécuteur pour subir un supplice. ‖ Celui, celle qui subit une opération chirurgicale.

— *Le patient vaut mieux que le fort,*
et celui qui dompte son cœur vaut mieux
que celui qui prend des villes (Bossuet).
Ctr. — *Impatient, brusque, irascible.*
Par. — *Patent,* évident, manifeste.

patienter [*sian*], v. intr. Prendre patience, attendre avec patience.

patin, n. m. (de *patte*). Soulier à semelle épaisse, que les femmes portaient autref. pour se grandir. ‖ Sorte de double chaussure pour garantir contre la boue, l'humidité. ‖ Chaussure garnie, par-dessous, d'une lame d'acier verticale pour glisser sur la glace. ‖ *Patin à roulettes,* patin où des roulettes remplacent la lame d'acier. ‖ Pièce de bois épaisse fermant la base de la charpente d'un escalier. [Ch. de fer] Pièce inférieure des rails, qui repose directement sur la traverse. V. pl. CHEMIN DE FER. ‖ Profil recourbé qu'on serre contre une roue et qui est la pièce active du frein. V. pl. CANON.

Orth. — *Patin* et ses dérivés, *patauger*, *épater* ne prennent qu'un *t*, mais *patte* et *pattu* en prennent *deux*.

patinage, n. m. Action de patiner sur la glace, ou avec des patins à roulettes. ‖ Action d'une roue, d'un véhicule qui patine.
Par. — *Platinage*, action de platiner.

patine, n. f. (ital. *patina*). Teinte unie, sorte de poli que le temps donne aux ivoires, aux statues, aux tableaux, etc. ‖ Teinte particulière que prennent à la longue le cuivre et le bronze. ‖ Concrétion qui se produit sur la pierre, le marbre, et leur donne un ton chaud.
Hom. — *Patine, es, ent*, du v. patiner.
Par. — *Platine*, métal précieux.

1. patiner, v. intr. (de *patin*). Glisser sur la glace, sur une surface unie avec des patins. ‖ Tourner sur place sans avancer, en parlant des roues motrices d'une locomotive, d'une automobile. — Se dit aussi du véhicule dont les roues patinent.
Par. — *Platiner*, recouvrir d'une couche de platine.

2. patiner, v. tr. (de *patte*). Fam. Manier sans précaution, indiscrètement. *Patiner des fruits*.

3. patiner, v. tr. (de *patine*). Produire la patine sur un objet quelconque. *Le temps a patiné ce meuble*.

* **patinette**, n. f. Planchette montée sur deux roues et munie d'un guidon; les enfants y posent un pied, l'autre servant à donner l'élan.

patineur, euse, n. Celui, celle qui patine (dans tous les sens du mot).

* **patinoire**, n. f. Endroit préparé pour le patinage.

* **patinot** [*no*], n. m. [Techn.] Poterie de forme rectangulaire qu'on place dans l'épaisseur d'un mur pour former les conduits des cheminées.

patio [*ti-o*], n. m. (mot esp.). Cour intérieure dallée d'une maison.

pâtir, v. intr. (lat. *pati*, m. s.). Souffrir. partic. par privation du nécessaire. ‖ Éprouver quelque dommage. ‖ En parlant des choses: s'abîmer, s'altérer.

Vocab. — *Famille de mots*. — Pâtir (lat. *pati*, souffrir, *passio*, souffrance, gr. *pathos*, souffrance) [rad. *pat, pas, path*] : patient, patience, patienter, patiemment, impatient, impatienter, impatiemment, passif, passivité, passible, impassible, passion, passionner, passionnément, passionnel; passer (qq. ch. à quelqu'un), passable, compatir, compatissant, compassion, compatible, incompatible, incompatibilité. — pathos, pathologie, pathologique, pathétique, apathie, apathique, sympathie, sympathique, sympathiser, sympathiquement, antipathie, antipathique; télépathie, homéopathie, allopathie, allopathe, pathogène, etc.

---

pâtiras, n. m. Pop. Souffre-douleur. ‖ Personne maladive ou misérable.
Hom. — *Pâtira, as*, du v. pâtir.

pâtis [*ti*], n. m. Terrain où l'on fait paître des bestiaux.
Hom. — *Pâtis, tit, tît, ti*, du v. pâtir.

* **pâtissage**, n. m. Action de pâtisser.

pâtisser, v. intr. Faire de la pâtisserie. = V. tr. Travailler de la pâte.

pâtisserie, n. f. (de *pâtisser*). Pâte préparée, sucrée et additionnée de crème, de fruits, etc., qu'on fait cuire ordinairement dans le four. ‖ Art de faire la pâtisserie. ‖ Commerce, magasin du pâtissier. V. tabl. Nourriture (*Idées suggérées par le mot*).

pâtissier, ière, n. Celui, celle qui fait ou vend de la pâtisserie. = Adj. *Garçon pâtissier*.

pâtissoire, n. f. Table pour pâtisser.

* **pâtisson**, n. m. [Bot.] Variété de courge appelée aussi *bonnet de prêtre*.

* **patito**, n. m. Cavalier servant, prêt à souffrir tous les caprices d'une femme. = Pl. *Des patiti*.

* **patoche**, n. f. Fam. Coup de férule sur la main. ‖ Grosse main.

1. patois, n. m. (orig. inc.). Parler dialectal, généralement réservé à la conversation familière, et sans valeur littéraire. *Patois lorrain, picard*. ‖ Jargon, langue déformée, incorrecte, ou affectation de parler particulière. *Le patois des précieuses, des médecins*.
Syn. — V. Langage.

2. patois, oise, adj. (de *patois* 1). Qui vient du patois. *Une expression patoise*.

patoiser, v. intr. Parler en patois ou avec un accent, des tours de phrase provinciaux.

* **patoiserie**, n. f. Paroles en patois.

pâton, n. m. Morceau de pâte qu'on fait avaler à la volaille pour l'engraisser. ‖ Morceau de pâte prêt à être enfourné.

* **patouillard** [*ill* mll.], n. m. [Mar.] Navire lourd et qui marche mal.

patouiller [*ill* mll.], v. intr. Fam. Patauger dans la boue. ‖ Remuer de l'eau sale et bourbeuse. = V. tr. Tripoter maladroitement.

* **patouillet** [*ill* mll.], n. m. [Techn.] Appareil pour laver les minerais.

* **patouilleux, euse**, adj. Gacheux, boueux. [Mar.] *Mer patouilleuse*, mer grosse.

patraque, n. f. Machine usée, mal faite ou qui marche mal. ‖ Fig. et fam. Personne faible, maladive. = Adj. *Se sentir patraque*, se sentir indisposé.

pâtre, n. m. (lat. *pastor*, m. s.). Celui qui garde, qui fait paître des troupeaux.
Syn. — V. Berger.

patres (ad) [*trèss*], loc. lat. (*vers les pères*). *Aller ad patres*, mourir.

patriarcal, ale, aux, adj. Qui a rapport aux patriarches bibliques, ou qui rappelle la simplicité de leurs mœurs. ‖ Qui appartient à la dignité de patriarche.

* **patriarcalement**, adv. En patriarche.

patriarcat, n. m. Dignité d'un évêque portant le titre de patriarche. ‖ Territoire soumis à sa juridiction. ‖ État social reposant sur l'autorité absolue du père de famille. V. tabl. Famille (*Idées suggérées par le mot*).
Par. — *Patriciat*, n. m., ordre des patriciens.

patriarche, n. m. (lat. *patriarcha*, m. s.). Père de famille ; nom donné à plusieurs personnages de l'Ancien Testament. ‖ Fig. Vieillard qui a une figure vénérable ou qui vit au milieu d'une famille nombreuse. *Mener une vie de patriarche*. [Liturgie] Titre donné autrefois aux principaux métropolitains, et donné encore aujourd'hui à certains évêques. ‖ Titres de certains métropolites du rite grec. V. pl. Costumes religieux.

PATRICE — PATRONAGE

patrice, n. m. Titre d'une dignité de l'empire romain instituée par Constantin.
*__patricial, ale, aux,__ adj. Qui a rapport à la dignité de patrice.
patriciat, n. m. [Antiq.] Dignité de patrice. ‖ Ordre des patriciens, dignité de patricien; qualité des familles patriciennes.
PAR. — *Patriarcat*, dignité de patriarche.
patricien, ienne, n. [Antiq. rom.] Citoyen appartenant au premier des trois ordres (patriciens, chevaliers, plébéiens). ‖ Membre de la noblesse, dans les États modernes. = Adj. Qui appartient aux patriciens. ‖ Aristocratique, raffiné.
ANT. — *Plébéien; roturier.*
PAR. — *Praticien, ienne*, qui a une grande expérience de son art.
patrie, n. f. (lat. *patria*, m. s., de *pater*, père). Le pays où l'on est né. *La France est notre patrie. Avoir bien mérité de la patrie.* — Dans un sens plus limité, province, ville où l'on est né. *Ajaccio est la patrie de Napoléon.* ‖ La nation dont on fait partie, la société politique dont on est membre. *Solon donna des lois à sa patrie.* — *Mère patrie*, nation à laquelle se rattachent une colonie ou des colonies. ‖ Fig. *La France est la patrie des sciences et des arts*, les sciences et les arts y sont particulièrement en honneur. ‖ Fig. *La céleste patrie*, le ciel, séjour des bienheureux.
— *Tout l'amour qu'on a pour soi-même, pour sa famille et pour ses amis, se réunit dans l'amour qu'on a pour sa patrie, où notre bonheur et celui de nos familles et de nos amis est renfermé.* (BOSSUET.)
— *L'amour de la patrie conduit à la bonté des mœurs, et la bonté des mœurs mène à l'amour de la patrie.*
(MONTESQUIEU.)
— *Ce ne sont ni les murs ni les hommes qui font la patrie, ce sont les lois, les mœurs, les coutumes, le gouvernement, la constitution, la manière d'être qui résulte de tout cela.* (J.-J. ROUSSEAU.)
— *La première des vertus est le dévouement à la patrie.* (NAPOLÉON Ier.)
— *Nous doutons qu'il soit possible d'avoir une seule vraie vertu, un seul véritable talent, sans amour de la patrie. A la guerre, cette passion fait des prodiges; dans les lettres, elle a formé Homère et Virgile.*
(CHATEAUBRIAND.)
— *C'est la cendre des morts qui a fait la patrie.* (LAMARTINE.)
— *Ceux qui pieusement sont morts pour la patrie*
Ont droit qu'à leur cercueil la foule vienne et prie. (V. HUGO.)
— *O patrie! ô patrie, ineffable mystère! Mot sublime et terrible! inconcevable amour! L'homme n'est-il donc né que pour un coin de terre,*
Pour y bâtir son nid, et pour y vivre un jour! (A. DE MUSSET.)
patrimoine, n. m. Le bien qu'on a hérité de son père et de sa mère ; les biens de la famille. ‖ Fig. Ce dont on tire ses moyens d'existence. V. tabl. FAMILLE (*Idées suggérées par le mot*).
patrimonial, ale, aux, adj. Qui fait partie du patrimoine.
*__patrimonialement,__ adv. A titre de patrimoine.

*__patriotard__ [*tar*], **arde,** adj. et n. Qui manifeste un patriotisme excessif et chauvin. (Fam.).
patriote, adj. et n. Qui aime sa patrie, qui cherche à lui être utile.
ANT. — *Internationaliste.*
patriotique, adj. Qui convient aux patriotes. ‖ Inspiré par le patriotisme.
*__patriotiquement,__ adv. En patriote.
patriotisme, n. m. Amour de la patrie, dévouement à la patrie.
— *Le véritable patriotisme n'est pas l'amour du sol, c'est l'amour du passé; c'est le respect des générations qui nous ont précédés.* (FUSTEL DE COULANGES.)
SYN. — V. CIVISME.
ANT. — *Internationalisme.*
patristique, adj. Qui se rapporte aux Pères de l'Église. = N. f. Syn. de *patrologie.*
patrociner, v. intr. (lat. *patronus*, avocat). Parler longuement, d'une manière importune, pour persuader.
patrologie, n. f. (gr. *patêr*, père ; *logos*, discours). Connaissance, étude de la vie et des œuvres des Pères de l'Église. ‖ Collection des œuvres des Pères de l'Église (avec une majuscule dans ce sens).
PAR. — *Pathologie*, étude des causes et des symptômes des maladies.
1. patron, n. m. [Dans plusieurs des acceptions du mot *patron*, on emploie aussi le féminin **patronne**] (lat. *patronus, patrona*, m. s.). [Antiq. rom.] Patricien protecteur à l'égard de ses clients, maître à l'égard de son ancien esclave affranchi. ‖ Maître d'une maison, et, partic., chef d'une maison de commerce par rapport à ses employés; notaire, avoué, etc., par rapport à ses clercs; chef d'un atelier par rapport à ses ouvriers, etc. *Prendre les ordres du patron.* ‖ Fam. Tout chef par rapport à ses subordonnés. — V. tabl. COMMERCE, INDUSTRIE, SOCIÉTÉ. (*Idées suggérées par les mots*). ‖ Partic. Médecin, chirurgien en titre par rapport à ses internes, à ses élèves. *Prendre l'avis d'un grand patron.* [Mar.] Commandant d'un petit bateau, d'une embarcation. *Le patron de la barque.* [Théol.] Saint dont on porte le nom; saint sous le vocable duquel une église est placée, ou encore celui qu'un pays, une ville, une communauté a choisi pour protecteur spécial. *Sainte Geneviève est la patronne de Paris.*
INCORR. — Ne pas dire : dès *patron*-minet ou : dès *patron*-jaquet, mais dès le *potron*-minet ou *potron*-jaquet.
ORTH. — *Patronne, patronnesse, patronner* prennent *deux n*, mais *patronage* et *patronat* n'en prennent qu'*un.*
ANT. — *Ouvrier, employé, salarié.*
2. patron, n. m. (même mot que le précéd.). [Techn.] Modèle sur lequel ou d'après lequel on travaille; partic.: morceau de papier, de carton, etc., que les tailleurs, les couturières, etc., découpent de manière à figurer les différentes parties de leurs ouvrages, et d'après lequel ils taillent l'étoffe dont ces ouvrages doivent être faits. ‖ Fig. et fam. *Ils sont tous taillés sur le même patron*, ils sont semblables (au physique ou au moral).
patronage, n. m. (de *patron* 1). Protection qu'un homme puissant accorde à un autre homme de condition inférieure.

Le *patronage d'un homme politique influent.* ‖ Protection d'un saint, d'une sainte. *Chapelle érigée sous le patronage de sainte Jeanne d'Arc.* ‖ Sorte de tutelle morale exercée par certaines œuvres de bienfaisance sur telle ou telle catégorie de personnes, partic. sur des enfants, des jeunes gens. *Patronage paroissial; patronage laïque.* — Ces œuvres elles-mêmes, et le local où elles s'exercent. *Aller au patronage.*

ORTH. — *Patronage, patronat* ne prennent qu'*un n*, mais *patronne, patronnesse, patronner* en prennent *deux.*

patronal, ale, aux, adj. Qui concerne un patron, les patrons. *Fête patronale. Exigences patronales.*

patronat [*na*], n. m. [Antiq. rom.] Qualité de patron; droit du patron sur ses clients. ‖ Condition de patron par rapport aux ouvriers. ‖ Ensemble des patrons.

1. patronner, v. tr. Recommander, appuyer de son crédit.

2. patronner, v. tr. [Techn.] Colorier en se servant d'un patron évidé aux endroits où la couleur doit s'appliquer.

patronnesse, adj. et n. f. Dame qui patronne, qui subventionne une œuvre de bienfaisance.

patronnet, n. m. Petit garçon pâtissier.
HOM. — *Patronner,* appuyer de son crédit.

* **patronyme,** n. m. Nom patronymique.
SYN. — V. NOM.

patronymique, adj. (gr. *patêr*, père; *onoma*, nom). *Nom patronymique,* nom commun à tous les descendants d'une race et tiré du nom de celui qui en est le père. Ex. : les *Héraclides,* descendants d'Héraclès, etc. ‖ *Nom patronymique,* nom de famille, nom par oppos. à prénom, aux noms de terre ou de fief, etc.

* **patrouillage** [*ill,* mll.], n. m. Pop. Malpropreté qu'on fait en patrouillant.

patrouille [*ill* mll.], n. f. Ronde faite par les troupes de garde pour la sûreté d'une ville, d'un camp. [A. Mil.] Petit détachement envoyé en avant pour fouiller une partie de terrain, observer les mouvements de l'ennemi, etc. ‖ Le détachement qui remplit cet office. V. tabl. GUERRE (*Idées suggérées par le mot*).

1. patrouiller, v. intr. Aller en patrouille.

2. * **patrouiller,** v. intr. Fam. Remuer de l'eau sale et bourbeuse. ‖ Piétiner dans la boue. — Syn. de *patouiller.*

patrouilleur, n. m. Soldat d'une patrouille. [Mar.] Navire, armé en guerre, donnant la chasse aux sous-marins ennemis.

* **patrouillis** [*ill* mll.] n. m. Patrouillage. ‖ Bourbier (Pop.).

patte, n. f. (orig. inc.). Organe de locomotion des animaux ; se dit partic. du pied des quadrupèdes, du pied de tous les oiseaux, à l'exception des oiseaux de proie, et des appendices locomoteurs de tous les invertébrés. *Pattes de lion, de perroquet, d'oie, de mouche, d'écrevisse.* ‖ [Blas.] *Pattes de loup,* un des meubles de l'écu. V. pl. BLASON. ‖ Fam. *Ce chat fait patte de velours,* il retire ses griffes en donnant la patte. — Fig. *Faire patte de velours,* cacher sous le dehors caressants le pouvoir de nuire, le dessein qu'on a de nuire.
— *Pattes de mouche,* caractères d'écriture trop fins et peu lisibles. ‖ *Montrer patte*

blanche, se faire reconnaître avant de pénétrer quelque part. ‖ Fig. et fam. *La main de l'homme. A bas les pattes !* ‖ *Il ne remue ni pied ni patte,* il est sans mouvement. — *Mettre la patte sur quelqu'un,* l'arrêter ou le battre, le maltraiter. — *Marcher à quatre pattes,* marcher à l'aide des pieds et des mains. — *Retomber sur ses pattes,* se tirer d'affaire adroitement.
Pied d'un verre, d'une coupe. [Techn.] Crochet en fer pour suspendre la viande, pour enlever les futailles. — Languette d'une couverture de portefeuille, d'une gaine, qui sert à les fermer. — *Patte à glace,* grand clou plat à tête plate pour soutenir et fixer une glace. On dit encore *patte-fiche.* ‖ Petite bande d'étoffe qu'on attache par un de ses bouts à une partie d'un vêtement, et dont l'autre bout porte, soit un bouton, soit une boutonnière. *Patte de bretelle, d'épaulette.*

— *Allez, vous êtes une ingrate,*
Ne tombez jamais sous ma patte,
(LA FONTAINE.)

ORTH. — *Patte, pattu* prennent *deux t,* mais *patin* et ses dérivés, *patauger, épater* n'en prennent qu'*un.*
SYN. — V. PIED.
HOM. — V. PAT.

patté, ée, adj. [Blas.] *Croix pattée,* croix dont les extrémités vont en s'élargissant.

patte-d'oie, n. f. Point de réunion de plusieurs routes ou allées divergentes. ‖ Rides divergentes qui se forment, avec l'âge, à l'angle extérieur de l'œil. ‖ Charpentes assemblées en triangle. = Pl. *Des pattes-d'oie.*

* **pattée,** n. f. [Mus.] Portée de quatre lignes dans la musique pour plain-chant.

patte-fiche, n. f. Long clou plat à tête plate. = Pl. *Des pattes-fiches.*

patte-pelu, ue, n. Personne qui, avec des airs doucereux, arrive adroitement à ses fins. = Pl. *Des pattes-pelus* ou *pelues.*

pattu, ue, adj. Qui a de grosses pattes. ‖ Se dit de certains oiseaux qui ont de la plume jusqu'aux pattes. *Pigeon pattu.*

* **pâturable,** adj. Qui peut être livré à la pâture.

pâturage, n. m. Lieu où l'on fait paître le bétail. ‖ Action de faire paître le bétail. ‖ Usage du pâturage. V. tabl. AGRICULTURE (*Idées suggérées par le mot*).

pâture, n. f. (lat. *pastura,* m. s.). Ce qui sert à la nourriture des animaux en général. ‖ Herbe, paille donnée aux bestiaux. ‖ Action de pâturer. ‖ Lieu où paissent les animaux; pâturage. ‖ *Droit de vaine pâture,* droit de faire paître les troupeaux sur les terrains d'autrui. ‖ Fam. Nourriture de l'homme. *Ce travail m'assurera la pâture.* ‖ Fig. Ce qui sert d'aliment pour l'esprit.

pâturer, v. intr. Prendre la pâture. = V. tr. Manger en paissant.

* **pâtureur,** n. m. Soldat qui, en temps de guerre, mène les chevaux à l'herbe,

* **paturin,** n. m. [Bot.] Genre de graminées qui constituent un bon fourrage,

paturon, n. m. Partie du bas de la jambe du cheval comprise entre le canon et la couronne.

* **pauciflore,** adj.; * **paucifolié, ée,** adj. [Bot.] Qui ne porte que peu de fleurs, peu de feuilles.

PAULETTE — PAUVRE

...paud, peau, pot, pôt.

> ORTH. — *Finales.* — La finale *paud* ne se présente que dans crapaud; elle s'écrit *peau* dans appeau, carpeau, chapeau, copeau, drapeau, oripeau, pipeau, troupeau; *pot* dans capot, hochepot, tripot; *pôt* dans dépôt, entrepôt, impôt, suppôt.

* **paulette**, n. f. Autref. Droit que les officiers de justice et de finances payaient annuellement au roi pour pouvoir vendre leurs charges ou en assurer la transmission héréditaire.

* **paulien, ienne**, adj. [Droit anc.] Action par laquelle un créancier demandait la révocation d'un acte fait par son débiteur en fraude de ses droits.

paulownia, n. m. [Bot.] Genre de *scrofularinées*, bel arbre d'ornement originaire du Japon.

paume, n. f. (lat. *palma*, m. s.). Le dedans de la main, entre le poignet et les doigts. ‖ Jeu dans lequel les joueurs se renvoient une balle, soit avec la paume de la main, soit avec une raquette ou un battoir. V. tabl. JEUX ET SPORTS (*Idées suggérées par les mots*).

HOM. — *Paume*, n. f., le dedans de la main; — *paume, es, ent*, du v. paumer; — *pomme*, n. f., fruit du pommier; — *pomme, es, ent*, du v. pommer.

* **paumée**, n. f. Coup dans la main ou coup donné avec la paume de la main.

HOM. — *Paumée*, n. f., coup donné avec la paume; — *paumer*, v. tr., frapper avec la paume de la main; — *pommer*, v. intr., se former en pomme.

1. paumelle, n. f. Variété d'orge commune à deux rangs.

HOM. — *Paumelle*, n. f., variété d'orge; sorte de gant; — *pommelle*, n. f., plaque hémisphérique percée de petits trous; *pommelle, es, ent*, du v. se pommeler.

2. paumelle, n. f. Sorte de gant, de lanière de cuir dont certains ouvriers se garnissent la main. ‖ Petite penture de porte. ‖ Morceau de liséré de drap dont on entoure un fil de caret pour qu'il ne se détorde pas.

HOM. — V. PAUMELLE 1.

* **paumer**, v. tr. Frapper avec la paume de la main. [Mar.] Touer à la main une embarcation.

HOM. — V. PAUMÉE.

paumier, n. m. Maître d'un jeu de paume. ‖ Fabricant de balles pour jeu de paume.

HOM. — *Paumier*, n. m., maître d'un jeu de paume; — *pommier*, n. m., arbre fruitier; — *paumiez*, du v. paumer; — *pommiez*, du v. pommer.

* **paumoyer** [*moi-ié*], v. tr. [Mar.] Faire passer un cordage d'une main à l'autre. = SE PAUMOYER, v. pron. Se hisser à force de mains le long d'un câble. = Conjug. V. GRAMMAIRE.

paumure, n. f. [Vén.] Sommet du bois d'un cerf.

paupérisme, n. m. (lat. *pauper*, pauvre). Appauvrissement des classes inférieures. ‖ Existence d'un grand nombre de pauvres dans un État; ensemble des pauvres d'un pays.

paupière, n. f. (lat. *palpebra*, m. s.). Membrane mobile qui recouvre le globe de l'œil pour le protéger d'une lumière trop vive ou de l'action des corps extérieurs. V. pl. ŒIL.

paupiette, n. f. Tranche de viande roulée autour d'un noyau de farce.

pause, n. f. (lat. *pausa*, m. s.). Suspension, interruption momentanée d'une action. ‖ Court séjour. [Mus.] Silence de la durée d'une mesure à quatre temps. V. pl. MUSIQUE.

SYN. — V. RELÂCHE.

HOM. — *Pause*, n. f., suspension; — *pose*, n. f., action de poser; — *pose, es, ent*, du v. poser; — *pause, es, ent*, du v. pauser.

pauser, v. intr. Faire une pause.

HOM. — *Pauser*, v. intr., faire une pause; — *poser*, v. tr., placer, mettre sur; — *posée*, n. f., endroit aménagé pour l'échouage des navires.

pauvre [*pô-vre*], adj. (lat. *pauper*, m. s.). Qui n'a pas le nécessaire, ou qui l'a trop strictement. *Il est pauvre comme Job.* ‖ Par ext. Qui n'a pas de quoi subsister honorablement selon sa condition. *Il est bien pauvre pour un homme de son rang.* ‖ *Il est pauvre d'esprit, de mérites*, etc., il en est presque dépourvu. ‖ Par anal. Stérile, dépourvu de ressources. *Ce village est pauvre.* ‖ Où l'on ne trouve pas l'abondance qu'on y pourrait désirer. — *Langue pauvre*, celle qui n'a pas tous les termes et tous les tours nécessaires pour bien exprimer les pensées. — *Sujet, matière pauvre*, qui fournit peu à l'écrivain. — *Rime pauvre*, celle qui satisfait à peine l'oreille. ‖ Qui inspire la compassion, la tendresse. *Le pauvre homme! il a bien souffert.* ‖ Qui a peu de valeur intellectuelle, morale ou matérielle. *Un pauvre orateur, un pauvre travail.* — *Un pauvre diable, un pauvre hère, un pauvre sire.* V. DIABLE, etc. (Dans ces deux derniers emplois, l'adj. *pauvre* est toujours placé devant le nom). = N. PAUVRE, PAUVRESSE. Indigent, homme qui est dans le besoin. *Donnez l'aumône à ce pauvre.* — V. tabl. SOCIÉTÉ (*Idées suggérées par le mot*).

— *S'il est vrai que l'on soit pauvre par toutes choses que l'on désire, l'ambitieux et l'avare languissent dans une extrême pauvreté.*

— *Celui-là est riche qui reçoit plus qu'il ne consomme; celui-là est pauvre dont la dépense excède la recette.*
(LA BRUYÈRE.)

— *Entre le pauvre et vous, vous prendrez*
  Dieu pour juge,
Vous souvenant, mon fils, que caché
  sous ce lin,
Comme eux, vous fûtes pauvre et
  comme eux orphelin. (RACINE.)

— *Un homme ne devient pas pauvre parce qu'il n'a rien, mais parce qu'il ne travaille pas.*
(MONTESQUIEU.)

OBS. — Lorsque *pauvre* est placé *avant* un nom de personne, il a le sens de *malheureux, digne de commisération*, parfois avec une nuance de dédain : *Un pauvre homme, mon pauvre enfant, c'est un pauvre sire.* Placé *après* ce nom, il s'oppose à *riche* : *Un homme pauvre, une fille pauvre.*

Dites : *une pauvresse* et non pas : *une pauvre*.

SYN. — *Pauvre*, qui manque de biens utiles à la vie : *Prendre soin des pauvres*. —

Besogneux, qui est toujours dans la gêne et doit recourir aux autres : *Il gagne sa vie, mais il est si dépensier qu'il est toujours besogneux.* — *Indigent*, qui manque des choses nécessaires à la vie : *Service de secours aux indigents.* — *Misérable*, qui est dans le malheur, dans la souffrance ou dans une pauvreté extrême : *Il ne se faut point moquer des misérables* (LA FONTAINE). — *Miséreux*, d'une pauvreté qui va jusqu'à la privation complète de ressources : *Avoir pitié des miséreux.* — *Nécessiteux*, qui a un besoin impérieux de ressources : *Signaler les nécessiteux à l'Assistance publique.*
CTR. — *Riche, fortuné, opulent.*

pauvrement, adv. D'une manière pauvre. || Fig. et fam. D'une manière insuffisante. *Ce sujet est pauvrement traité.*
CTR. — *Richement, abondamment.*

pauvresse, n. f. Mendiante.

pauvret, ette, adj. Fam. Pauvre petit, pauvre petite.

pauvreté, n. f. État de pauvre, manque des choses nécessaires à la vie. || Prov. *Pauvreté n'est pas vice*, il ne faut pas reprocher aux gens leur pauvreté. — *La pauvreté est mauvaise conseillère*, elle pousse parfois à des actions malhonnêtes. || *Pauvreté d'esprit*, manque d'esprit. — *Pauvreté d'esprit*, détachement des biens de la terre. || Fig. Insuffisance, stérilité, manque de valeur, gaucherie. *La pauvreté d'une langue, d'une œuvre.* = N. f. pl. Actions ou paroles banales sans aucune valeur. *Dire des pauvretés.* || Partie plate ou commune dans une œuvre de l'esprit.
— *La pauvreté est un abîme de tous les maux, l'assemblage de toutes les misères qui affligent la vie humaine.* (BOSSUET.)
SYN. — V. BESOIN.
CTR. — *Richesse, opulence, fortune.*

pavage, n. m. Ouvrage fait avec du pavé. || Travail du paveur. — V. tabl. VILLE ET VILLAGE (*Idées suggérées par les mots*).

pavane, n. f. Anc. danse espagnole, très lente et grave. || Air de cette danse.
HOM. — *Pavane, es, ent*, du v. se pavaner.

pavaner (se), v. pr. (de *pavane*). Avoir une démarche, une attitude pleine de vanité ; chercher à attirer le regard.

1. **pavé**, n. m. (de *paver*). Morceau de grès, de pierre dure, de marbre, de bois, etc., taillé en cube ou en parallélépipède, et dont on se sert pour paver. || Prov. *Le pavé de l'ours*, un service, un éloge maladroit ou intempestif. || *Un pavé de pain d'épice*, morceau de pain d'épice en forme de pavé. || Assemblage de pavés qui couvre une surface. *Le pavé de l'église est tout de marbre.* — Partie d'un chemin, d'une rue, d'un terrain qui est pavé. *Le pavé est glissant.* || Fig. et fam. *La rue.* — *Mettre quelqu'un sur le pavé*, le chasser de son logement sans qu'il sache où en trouver un autre. — *Être sur le pavé*, être sans domicile, ne pas trouver où loger ; et Fig. Être sans place, sans condition, sans emploi. || *Le haut du pavé*, la partie du pavé qui est du côté de la muraille. — Fig. et fam. *Tenir le haut du pavé*, être au premier rang, jouir d'une grande considération dans une ville, dans une société.

HOM. — *Pavé*, n. m., morceau de grès carré ; — *pavée*, n. f., nom vulgaire de la digitale pourprée ; — *paver*, v., couvrir avec des pavés.

2. **pavé, ée**, adj. (pp. du v. *paver*). Garni de pavés. *Route pavée.* || Loc. fig. *Les rues en sont pavées*, se dit de choses qui sont fort communes dans une ville, et de certaines gens dont il y a une multitude.
* **pavée**, n. f. [Bot.] Nom vulg. de la digitale pourprée.
HOM. — V. PAVÉ 1.

pavement, n. m. Action de paver. || Matériaux pour paver. || Genre de pavage.

paver, v. tr. Couvrir le sol d'une rue, d'un chemin, d'une cour, d'une salle, etc., de pavés de pierre, de grès, de bois, etc.
HOM. — V. PAVÉ 1.

pavesade, n. f. Autref. Claie que l'on portait devant les archers pour les abriter. [Mar.] Toile qu'on tendait autour des bords d'une galère avant le combat.

paveur, n. m. Ouvrier qui pave.

pavie, n. f. Pêche dont la chair est ferme et adhérente au noyau. — On dit aussi *alberge*.

pavillon [*ll* mll.], n. m. (lat. *papilio*, tente). Sorte de logement portatif terminé en pointe, qui servait au campement des gens de guerre. [Anat.] Partie extérieure de l'oreille. V. pl. OREILLE. [Archi.] Bâtiment lié à d'autres constructions, au-dessus desquelles il s'élève de la hauteur du comble, ou dont l'architecture est différente. *Le pavillon de Flore aux Tuileries.* — Petit corps de bâtiment isolé. *Pavillon de chasse.* [Blas.] Ornement extérieur des armes du souverain. [Liturg.] Tour d'étoffe dont on couvre le tabernacle ou le ciboire. [Mar.] Drapeau en usage dans la marine indiquant la nationalité, la compagnie, ou servant de signal. *Hisser son pavillon.* V. pl. NAVIGATION. — *Amener son pavillon*, se rendre. || Fig. *Baisser pavillon devant quelqu'un*, céder devant lui, rabattre de ses prétentions. [Mus.] Partie évasée de certains instruments de musique (cor, trompette, etc.). — Embouchure métallique évasée d'un phonographe, d'un haut-parleur, etc.
SYN. — V. DRAPEAU.

* **pavillonnerie**, n. f. [Mar.] Atelier où l'on fait les pavillons.

* **pavimenteux, euse**, adj. Susceptible de servir au pavage. [Anat.] *Épithélium pavimenteux*, tissu épithélial composé de cellules plates.

pavois [*voi*], n. m. (ital. *pavese*, m. s.). Sorte de grand bouclier usité au Moyen âge. || *Élever sur le pavois*, proclamer roi, chez les Francs, en hissant l'élu sur un pavois. || Par ext. Glorifier, entourer de grands honneurs. [Mar.] Ornementation de fête d'un navire constituée par des séries de pavillons de toutes couleurs. *Hisser le grand pavois.*

pavoisement, n. m. Action de pavoiser ; son résultat.

pavoiser [*zé*], v. tr. [Mar.] Orner un navire de ses pavois et de ses pavillons. || Orner des maisons, des monuments avec des tentures, des drapeaux. = V. intr., m. s. *La ville a pavoisé.*

pavot, n. m. (lat. *papaver*, m. s.). Genre de plantes, type de la famille des *papavéracées ;* on en tire l'*opium.*

payable, adj. Qui doit être payé à telle date ou à telle personne.

payant, ante, adj. (du part. pr. de *payer*). Qui paye. ‖ Où l'on paye son entrée. *Spectacle payant. Entrée payante.* = N. m. Celui qui paye.
CTR. — *Gratuit.*

paye [*pè-ié*] ou **paie** [*pè*], n. f. Action de payer. ‖ Solde des gens de guerre. — *Haute paye,* solde plus forte que la solde ordinaire. ‖ Salaire des ouvriers. ‖ Action de donner la paye. ‖ Pop. Celui qui paye. *C'est une bonne, une mauvaise paye.*
HOM. — *Paye,* n. f., action de payer; *peille,* n. f., chiffons qui servent à faire le papier ; — *paye, es, ent,* du v. payer.
SYN. — V. GAIN.

payement, paiement ou * **paîment,** n. m. Acquittement en espèces d'une dette. ‖ Action de payer. ‖ Somme payée. ‖ Fig. Rémunération, récompense ou punition.

* **payen, enne,** adj. et n. V. PAÏEN.

payer [*pè-ié*], v. tr. (lat. *pacare*, calmer, satisfaire). Acquitter une dette. *Il a été condamné à payer.* — S'emploie le plus souvent avec un complément d'objet direct. lequel peut désigner : 1° la somme ou la chose qui est due; 2° la chose qui est cause de la dette; 3° la personne à qui l'on doit. *Payer son loyer, une amende.* — *Payer une traite, ses créanciers.* ‖ *Payer cher,* payer un prix trop élevé. *Faire payer cher,* exiger un prix élevé. — Fig. Obtenir un résultat moyennant de grosses pertes, de gros déboires, etc. *L'ennemi a payé cher sa victoire.* ‖ Fig. *Payer le tribut à la nature,* mourir. ‖ *Payer sa dette à la société,* être exécuté, en parlant d'un criminel. — *Payer le prix d'une faute,* en être puni. — Par menace, on dit : *Il me le payera,* pour exprimer qu'on trouvera moyen de se venger du déplaisir, de l'injure qu'on a reçue de quelqu'un. — *Payer pour les autres,* être seul puni d'une faute commune à plusieurs. ‖ *Être payé pour savoir telle chose,* la connaître par une expérience personnelle désagréable (Fam.). ‖ Être sujet à quelque impôt, acquitter quelque droit. *Ce marchand paye tant de patente.* ‖ Fig. Récompenser, reconnaître, dédommager. *Je suis assez payé par le plaisir de vous avoir obligé.* ‖ Verser son traitement, sa solde, son salaire, etc., à quelqu'un. *L'État paye ses fonctionnaires.*
Payer de, donner une chose pour prix d'une autre, comme équivalent, ou donner en retour; se dit surtout dans certaines phrases figurées : *Il payera de sa tête un si grand forfait.* — *Payer quelqu'un de retour,* reconnaître ses procédés ou ses sentiments par des procédés ou des sentiments pareils. — *Payer d'ingratitude,* se montrer ingrat. ‖ *Faire montre de. Payer d'effronterie.* — *Payer d'audace.* — *Payer de sa personne,* s'exposer dans une occasion dangereuse et y bien faire son devoir. — *Payer de mine,* avoir un extérieur qui prévient favorablement. = SE PAYER, v. pron. Être payé. *Les bons ouvriers ne sauraient trop se payer.* ‖ Fig. Se contenter. *Se payer de mots,* se contenter de satisfaction en paroles, de vaines formules. = SE PAYER, v. pr. réfl. avec compl. d'objet dir. de la chose. S'offrir à soi-même. *Se payer un bon dîner.* ‖ Fig. Être atteint de. *Il s'est payé une bonne migraine* (Fam.). ‖ Pop. *Se payer la tête de quelqu'un,* se moquer de lui. = Conjug. V. GRAMMAIRE.
SYN. — *Payer,* acquitter ce qu'on doit : *Il a été payer ses impôts.* — *Régler,* payer un mémoire, un compte : *Régler la note d'électricité.* — *Rémunérer,* payer le prix d'un travail, d'un service : *Rémunérer grassement les bons offices de quelqu'un.* — *Rétribuer,* verser une somme d'argent convenue comme salaire d'un travail : *Rétribuer ses domestiques.* — *Solder,* régler définitivement une dette, un compte: *On a soldé tous les mémoires d'entrepreneurs* — *Verser,* déposer une somme dans une caisse, chez un créancier : *Verser des arrérages.* V. aussi ACQUITTER.
HOM. — *Peiller,* n., chiffonnier.
CTR. — *Toucher, recevoir.*

payeur, euse [*pè-ieur*], n. Celui, celle qui paye. ‖ Fonctionnaire dont l'emploi est de payer les dépenses de l'État, du département, etc. — V. tabl. ADMINISTRATION (*Idées suggérées par le mot*). = Adj. *Officier payeur,* officier chargé de la partie financière dans un régiment.
ANT. — *Receveur.*

* **payol,** n. m. [Mar.] Plancher de la chambre d'une embarcation.

1. pays [*pè-i*], n. m. (lat. *pagensis,* m.s.). Région, contrée, territoire plus ou moins étendu. *Pays montagneux, pauvre, peuplé, désert.* — *Pays plat,* pays de plaine. Loc. prov. *De quel pays venez-vous?* se dit à quelqu'un qui ignore une chose connue de tout le monde. — *Voir du pays,* voyager beaucoup. ‖ Fig. *Un pays perdu,* un lieu où il y a peu de ressources; et partic., un quartier éloigné du centre des affaires et de la société. ‖ Habitants d'un pays. *Chaque pays a ses mœurs, ses usages.* ‖ Patrie, lieu de naissance. *Mourir pour son pays.* ‖ Fig. Lieu élu, milieu d'élection. *La France est le pays du vin.* ‖ Proverb. *Cet homme est bien de son pays,* il est bien simple, bien crédule. — *Nul n'est prophète en son pays,* ce n'est pas d'ordinaire dans son propre pays qu'un homme de valeur est le plus considéré. ‖ *Mal du pays,* nostalgie. ‖ Fig. Partie, domaine. *Les pays encore inconnus de la science.*
— *Mourir pour son pays n'est pas un triste sort,*
C'est s'immortaliser par une belle mort.
(CORNEILLE.)
— *Qui sert bien son pays n'a pas besoin d'aïeux.*
(VOLTAIRE.)

VOCAB. — *Famille de mots.* — Pays [rad. *pay, pag*] : paysage, paysagiste, paysan, paysannerie, payse, dépayser, dépaysement; païen, paganisme.

---

2. pays, payse, n. (même mot que *pays*). Compatriote. Qui est du même lieu que la personne qui parle ou dont on parle. *C'est ma payse* (Fam.). — Partic. *Payse,* fiancée, promise, restée au pays natal.

paysage [*pè-i-za-ge*], n. m. Étendue de pays que l'on voit d'un seul aspect, et considérée au point de vue de son pittoresque. ‖ Tableau, dessin qui représente un paysage. ‖ Genre de peinture qui a pour objet les tableaux de paysage. ‖ Fig. et Pop. *Cela fait bien dans le paysage*, cela fait bon effet.

ÉPITHÈTES COURANTES : beau, joli, séduisant, gai, agréable, large, vaste, varié, accidenté, plat, montagneux, riche, enchanteur, verdoyant, ensoleillé, triste, laid, monotone, morne, désolé, lugubre, lunaire, etc.

* **paysager, ère**, adj. *Jardin paysager*, disposé irrégulièrement comme un paysage.

paysagiste, n. m. Peintre qui fait des paysages. = Adj. *Peintre paysagiste*.

paysan, anne [pé-i-zan], n. Homme, femme de la campagne. ‖ Fig. Personne rustre, impolie, grossière. = Adj. *Des mœurs paysannes*. = À LA PAYSANNE, loc. adv. À la façon des paysans.

SYN. — V. AGRICULTEUR.

ANT. — *Citadin*.

paysannerie [pé-i-za-ne-ri], n. f. Condition, classe, manières, mœurs des paysans. ‖ Petite œuvre littéraire dont les personnages sont des paysans.

* **paysannesque**, adj. Qui a le caractère paysan.

* **P.C.B.**, n. m. Abrév. de : Certificat d'études physiques, chimiques, biologiques, qui a remplacé le P. C. N. en 1934; prélude nécessaire des études de médecine.

* **P.C.N.**, n. m. Abrév. de : Certificat d'études physiques, chimiques et naturelles (Auj. P.C.B.).

péage, n. m. Droit de passage qui se payé à l'entrée d'un canal, d'un pont, d'une chaussée, d'un port, etc., pour leur entretien. ‖ Lieu où l'on paye ce droit.

péager, n. m. Celui qui reçoit le péage.

OBS. — L'Acad. ne donne pas le fém. *péagère*, non plus que l'adj. *péager, ère*.

* **peak** [pik], n. m. (mot angl.) [Mar.] Syn. de COQUEREAU. V. pl. NAVIGATION.

péan, n. m. V. PÆAN.

peau [po], n. f. (lat. *pellis*, m. s.). Tissu membraneux, flexible et résistant, qui revêt le corps de l'homme et d'une multitude d'animaux. — V. tabl. CORPS (Idées suggérées par le mot). *Les serpents changent de peau. Les maladies de la peau.*‖ Épiderme. *Cette maladie lui a fait faire peau neuve* (emploi abusif). ‖ *Fausses membranes se formant dans certaines maladies. Avoir des peaux dans la gorge.* ‖ Loc. prov. *N'avoir que la peau et les os*, être très maigre. — *Entrer dans la peau d'un personnage*, bien saisir et bien représenter son caractère. — *Faire peau neuve*, changer de genre de vie. ‖ Pop. *Avoir quelqu'un dans la peau*, l'aimer d'une violente passion sensuelle.

Fam. La personne même. *Ménager sa peau*, craindre pour sa peau, craindre les coups, redouter le danger. — *Défendre sa peau*, défendre sa vie. — *Risquer sa peau*, s'exposer au danger sans nécessité. — *Être dans la peau de...*, être à la place de... *Je ne voudrais pas être dans sa peau.*

Peau d'un animal séparée de son corps. *Peau de tigre, de lapin.* ‖ Peau d'un animal, préparée pour divers usages. *Des gants de peau.*

Par anal. Enveloppe qui couvre les fruits, les amandes des noyaux, les oignons. *La peau d'une orange.* ‖ Pellicule,

plus ou moins mince, qui se forme sur les substances liquides ou onctueuses. *Il se forme une peau sur le lait bouilli.*

SYN. — *Peau*, tissu qui recouvre toute la surface du corps de l'homme et des animaux et qui peut être préparé : *La peau des mains; des bottines en peau de daim*. — *Cuir*, peau d'animal, épaisse, tannée et corroyée : *Des lanières de cuir*. — *Écorce*, enveloppe extérieure de la tige et des branches d'une plante : *De l'écorce de chêne*. — *Enveloppe*, tout ce qui recouvre complètement ou entoure quelque chose : *Le péritoine est l'enveloppe de l'intestin*. — *Épiderme*, la membrane superficielle de la peau : *Une éraflure de l'épiderme*. — *Pelure*, l'épiderme d'un fruit, d'un légume : *Pelure d'orange, d'oignon.*

HOM. — *Peau*, n. f., tissu qui revêt le corps de l'homme et des animaux; — *Pau*, n. pr., ville des Basses-Pyrénées; — *Pô*, n. pr., fleuve d'Italie; — *pot*, n. m., vase.

> VOCAB. — *Famille de mots.* — Peau [rad. *peau*, *pell*] : peaussier, peaussière, dépiauter; pelletier, pelleterie; pelisse, surplis, pellicule, oripeau, pelage.

* **peaucier**, n. m. et adj. V. PEAUSSIER.

peausserie [pô-se-rî] n. f. (de *peau*). Art ou commerce du peaussier. ‖ Ensemble des peaux qui font l'objet de ce commerce.

peaussier [pô-si-é], n. m. (de *peau*). Celui qui prépare les peaux ou en fait le commerce. ‖ Médecin qui soigne les maladies de peau. ‖ Muscle qui sert à plisser la peau. = Adj. *Muscle peaussier.* — On écrit aussi *peaucier*.

* **peautre** [pôtre], n. m. Mauvais lit. ‖ Pop. *Envoyer quelqu'un au peautre*, le chasser, le congédier.

pébrine, n. f. Maladie épidermique de vers à soie.

* **pébriner (se)**, v. pron. Contracter la pébrine.

pec, adj. m. [Pêche]. Se dit du hareng fraîchement salé.

péc, pecc...

> ORTH. — *Initiales*. — L'initiale *péc* s'écrit avec *un seul c* dans : péca, pécore, péculat, pécule, pécune, pécuniaire, pécunieux; avec *deux c* dans peccabilité, peccable, peccadille. Le même son initial se rend également par *pek* dans pékin (étoffe).

* **pécaïre** [kaï-ré], exclamation provençale de commisération affectueuse.

pécari, n. m. [Zool.] Genre de pachydermes, petits cochons d'Amérique méridionale.

peccabilité, n. f. [Théol.] État de celui qui est capable de pécher.

peccable, adj. Qui est capable de pécher.

peccadille [ll mll.], n. f. Faute légère, petit péché.

peccante [pèk-kante], adj. [Méd.] Humeur *peccante*, qui pèche en quantité ou en qualité (Vx).

* **peccata**, n. m. Ane (Vx). ‖ Fig. et Pop. Homme stupide.

* **peccavi**, n. m. (mot lat. : *j'ai péché*). *Un bon peccavi*, une bonne confession, un véritable repentir.

pechblende [*pèch-blinde*], n. f. [Minér.] Minerai d'uranium contenant diverses terres rares et du radium.

1. pêche, n. f. (nom verb. de *pêcher*). Art, exercice, action de pêcher. *La pêche à la ligne, au filet. La pêche de la morue.* ‖ *Affermer la pêche d'une rivière*, affermer le droit d'y pêcher. ‖ Poisson qu'on a pêché. *Rapporter sa pêche.* ‖ Action de recueillir des productions marines qu'on va chercher au fond de l'eau. *La pêche des perles, du goémon.* [Mar.] *Petite pêche*, pêche côtière. — *Grande pêche*, pêche en Islande ou à Terre-Neuve. V. tabl. L'EAU ET LA MER; NAVIGATION (*Idées suggérées par les mots*).
Hom. — *Pêche*, n. f., action de pêcher; — *pêche*, n. f. fruit du pêcher; — *pèche, es, ent*, du v. pêcher; — *pèche, es, ent*, du v. pécher.

2. pêche, n. f. (lat. pop. *persica*, pomme persique). [Bot.] Fruit du pêcher. *La pêche est un fruit à noyau.* ‖ Fig. *Une peau de pêche*, veloutée comme celle de la pêche.
Hom. — V. PÊCHE 1.

péché, n. m. Transgression volontaire de la loi divine. — *Péché originel*, péché commis par Adam, et qui est retombé sur toute sa postérité. — *Péché mortel*, celui qui donne la mort à l'âme et entraîne la damnation. — *Péché véniel*, péché sans grande gravité. — *Péchés capitaux*, péchés qui sont la source des autres péchés. — *Péché mignon*, travers favori. V. tabl. MORALE, RELIGIONS (*Idées suggérées par les mots*).
Syn. — V. CRIME.
Hom. — *Péché*, n. m. transgression volontaire de la loi divine; — *pécher*, v., transgresser la loi divine.
Par. — *Pêcher*, v., prendre du poisson; — *pêcher*, n. m. arbre fruitier.

pécher, v. intr. (lat. *peccare*, m. s.). Transgresser la loi divine. *Pécher mortellement, véniellement.* ‖ Par anal. Faillir contre quelque règle de morale. *Pécher contre les bonnes mœurs.* ‖ Par ext. Faillir contre quelque autre règle que ce soit. *Pécher contre le bon sens, contre la grammaire.* — Se dit également des choses. *Cette comédie pèche contre la vraisemblance.* ‖ Commettre une erreur par excès de quelque qualité. *Il a péché par trop de zèle.* ‖ En parlant des choses. Avoir telle ou telle partie défectueuse. *Ce vin pèche par la couleur.* = Conjug. V. GRAMMAIRE.
Hom. et Par. — V. PÉCHÉ.

1. pêcher, v. tr. (lat. *piscari*, m. s.). Prendre du poisson avec quelque engin que ce soit. *Pêcher des carpes, du goujon.* — Absol. *Pêcher à la ligne, au filet.* ‖ Par ext. Retirer de l'eau. *Pêcher des écrevisses.* ‖ Fam. et par raillerie, *Où avez-vous pêché cela?* où avez-vous pris, où avez-vous trouvé cela? = SE PÊCHER, v. pr. Être pêché. *L'alose se pêche en avril.*
Hom. — *Pêcher*, v. tr., prendre du poisson; — *pêcher*, n. m. arbre fruitier.
Par. — *Péché*, n. m. transgression volontaire de la loi divine; — *pécher*, v., transgresser la loi divine.

2. pêcher, n. m. [Bot.] Arbre fruitier de nos régions, originaire de la Perse, famille des *rosacées*, qui produit la pêche.
Hom. et Par. — V. PÊCHER 1.

pêcherie, n. f. Lieu où l'on pêche, qui est préparé pour une pêche.

pêchettes, n. f. Petit filet rond pour prendre les écrevisses.

pécheur, pécheresse, n. Celui, celle qui commet des péchés, qui est sujet au péché. = Adj. *La femme pécheresse.*
Par. — *Pêcheur*, celui qui va à la pêche.

pêcheur, euse, n. Qui fait métier de pêcher le poisson, les coquillages, etc. ‖ Celui qui pêche pour son plaisir. = Adj. Qui sert pour la pêche. *Bateau pêcheur.* [Zool.] *Martin-pêcheur.* V. ce mot.
Syn. — V. MATELOT.
Par. — *Pécheur*, celui qui commet des péchés.

pécore, n. f. (lat. *pecus, pecoris*, bête de troupeau). Animal (Vx). ‖ Femme stupide.

pecque, n. f. Femme sotte et impertinente, qui fait l'entendue.

pectase, n. f. [Chim.] Diastase qui existe dans les fruits.

pectine, n. f. [Chim.] Substance visqueuse contenue dans les fruits à maturité.

pectiné, ée, adj. En forme de peigne.

pectique, adj. [Chim.] *Acide pectique*, acide existant dans les fruits mûrs; il donne aux gelées de fruits leur consistance gélatineuse.

1. pectoral, ale, adj. (lat. *pectoralis*, m. s.). [Anat.] Qui appartient à la poitrine. *Les muscles pectoraux.* ‖ Qui se porte sur la poitrine. *Croix pectorale.* — *Mamelles pectorales*, qui ont leur siège à la poitrine. = Nom. *Les pectoraux*, les muscles pectoraux; ils s'insèrent à la poitrine et au membre supérieur. V. pl. MUSCLES. [Méd. et Pharm.] Qui est bon contre les affections des poumons. *Pâte pectorale.* — *Espèces pectorales*, les sept fleurs (bouillon blanc, mauve, guimauve, violette, coquelicot, tussilage, pied-de-chat) dont on fait une tisane pectorale.

2. pectoral, n. m. Ornement garni de pierres précieuses que le grand prêtre des Juifs portait sur la poitrine. ‖ Ornement, bijou porté sur la poitrine.

péculat [*la*], n. m. Vol de deniers publics commis par celui qui en a l'administration ou le maniement.

pécule, n. m. (lat. *peculium*, m. s.). Argent amassé à force de travail et d'épargne, partic. par quelqu'un en puissance d'autrui.

pécune, n. f. (lat. *pecunia*, m. s.). Argent monnayé (Vx).

pécuniaire, adj. (de *pécune*). Qui a rapport à l'argent; qui consiste en argent. *Secours pécuniaire.*
Gram. — Quelques personnes disent *pécunier* au lieu de *pécuniaire*; c'est un barbarisme.

pécuniairement, adv. D'une manière pécuniaire; eu égard à l'argent.

pécunieux, euse, adj. Fam. Qui a beaucoup d'argent comptant.

pédagogie, n. f. (gr. *pais, paidos*, enfant; *agein*, conduire). Art d'élever les enfants. ‖ Théorie de l'éducation des enfants.

pédagogique, adj. Qui a rapport à la pédagogie.

pédagogiquement, adv. A la manière d'un pédagogue.

pédagogue, n. m. Celui qui élève, instruit les enfants, les jeunes gens (se dit parfois par dénigr.). ‖ Qui s'arroge le droit de censurer les autres, de manière pédante.

pédale, n. f. (ital. *pedale,* m. s.). Planchette ou levier que l'on meut avec le pied pour faire tourner une meule, une roue, etc. ‖ Touche mue par le pied de l'organiste, qui fait résonner une note basse. — Par ext. Note basse et grave. ‖ Pattes de métal que le pianiste abaisse avec les pieds pour modifier la durée des sons. ‖ Parties de la bicyclette à l'aide desquelles les pieds communiquent le mouvement à la roue arrière. V. pl. BICYCLETTE. ‖ Par ext. Le cyclisme. ‖ Pièce d'une automobile sur laquelle on agit avec le pied pour freiner, débrayer, etc.
PAR. — *Pétale,* n. m. chacune des pièces de la corolle d'une fleur.
pédaler, v. intr. Actionner une pédale. ‖ Pop. Aller à bicyclette; forcer sur les pédales.
* **pédaleur, euse,** n. et adj. Qui pédale. *Un bon pédaleur.*
pédalier, n. m. Clavier des grandes orgues qu'on fait mouvoir avec les pieds. ‖ Ensemble de pièces d'une bicyclette comprenant les pédales, les leviers coudés et les bielles. V. pl. BICYCLETTE.
* **pédané,** adj. m. (lat. *pedaneus,* m. s.). [Antiq. rom.] Se disait de certains juges subalternes qui jugeaient debout.
pédant, ante, n. (ital. *pedante,* m. s.). Maître d'école (Vx). ‖ Celui qui affecte de paraître savant, qui parle avec un ton trop décisif, trop doctoral. = Adj. Qui affecte de paraître savant. *Des personnes pédantes.* = Qui tient du pédant. *Un ton pédant.*
pédanterie, n. f. Air, manières, ton du pédant; affectation de gravité ou d'érudition.
pédantesque, adj. Qui tient du pédant. *Un ton pédantesque.*
pédantesquement, adv. D'une manière qui sent le pédant.
pédantiser [zé], v. intr. Faire le pédant.
pédantisme, n. m. Caractère, air, manières du pédant.
pédéraste, n. m. Celui qui pratique la pédérastie.
ANT. — *Lesbienne.*
pédérastie, n. f. Vice contre nature chez l'homme; amour physique de l'homme pour l'homme.
pédestre, adj. (lat. *pedestris,* m. s.). Qui se fait à pied. *Promenade pédestre.* ‖ *Statue pédestre,* qui représente un homme à pied.
CTR. — *Équestre.*
pédestrement, adv. A pied.
* **pédestrian,** n. m. [Sports] Athlète qui pratique la marche à pied.
* **pédiatre,** n. m. Médecin d'enfants.
pédiatrie, n. f. (gr. *pais, paidos,* enfant; *iatreia,* traitement). Médecine des enfants.
pédicelle, n. m. (lat. *pediculus,* dimin. de *pes, pedis,* pied). [Bot.] Dernière ramification d'un pédoncule. — Pédicule long et grêle.
1. pédiculaire, adj. (lat. *pediculus,* pou). [Méd.] Qui a rapport aux poux. — *Maladie pédiculaire,* ensemble des manifestations morbides déterminées par l'invasion des poux.
2. pédiculaire, n. f. [Bot.] Genre de *scrofularinées;* la pédiculaire des marais est appelée vulg. *herbe aux poux.*
PAR. — *Pelliculaire,* en forme de pellicule; — *pédonculaire,* qui concerne le pédoncule.

pédicule, n. m. [Hist. nat.] Support d'un organe quelconque quand il est plus ou moins allongé et grêle.
PAR. — *Pédicule,* n. m., support d'un organe quelconque : *Le pédicule d'un polype;* — *pédoncule,* n. m., support de la fleur, de certains fruits : *Le pédoncule de la poire;* — *pédicure,* n., celui, celle qui donne des soins aux pieds; — *pellicule,* n. f., peau ou membrane très mince.
pédiculé, ée, adj. [Bot.] Qui a un pédicule.
* **pédiculose,** n. f. [Méd.] Maladie pédiculaire; phtiriase.
pédicure, n. (lat. *pes, pedis,* pied; *cura,* soin). Celui, celle qui soigne les pieds, extirpe les cors, durillons, etc.
PAR. — V. PÉDICULE.
pédieux, euse, adj. Qui se rapporte au pied. *Muscles pédieux.* V. pl. HOMME (muscles).
pedigree [*grî*], n. m. (mot angl.). Liste des ascendants paternels et maternels d'un animal de race.
* **pédiluve,** n. m. Bain de pieds donné à certains animaux.
pédimane, adj. (lat. *pes, pedis,* pied; *manus,* main). Dont le pouce est séparé des autres doigts dans le pied de derrière. = N. m. pl. [Zool.] Groupe de marsupiaux (sarigues, chironectes).
* **pédomètre,** n. m. V. PODOMÈTRE.
* **pédon,** n. m. Dans le Midi, facteur rural.
PAR. — *Pédum,* bâton de berger.
* **pédonculaire,** adj. [Bot.] Qui concerne le pédoncule.
pédoncule, n. m. [Bot.] Support d'une fleur ou d'un fruit. [Zool.] Pièce allongée supportant un organe.
PAR. — V. PÉDICULE.
pédonculé, ée, adj. [Bot.] Porté par un pédoncule.
* **pédum** [*dome*] n. m. [Antiq.] Bâton de berger. [Zool.] Genre de mollusques lamellibranches.
Pégase, n. m. [Myth.] Cheval ailé, né du sang de Méduse, avec lequel Bellérophon voulut escalader le ciel; devenu l'emblème de la poésie. ‖ Fig. *Enfourcher Pégase,* faire des vers.
* **pegmatite,** [Minér.] n. f. Roche formée de quartz et de feldspath, employée comme fondant en céramique.
* **pégomancie,** n. f. Divination par l'examen des fontaines.
* **pégot,** n. m. [Zool.] Nom vulg. de la *fauvette des Alpes* ‖ Croûte gluante du fromage de Roquefort.
pègre, n. f. Le monde des voleurs, des escrocs.
pehlvi ou * **pehlevi,** n. m. Langue iranienne dérivée de l'anc. perse, et qu'a remplacé le parsi.
peignage, n. m. Action de peigner la laine, le lin, etc.
peigne [*pè-gne, gn* mll.], n. m. (lat. *pecten,* m. s.). Instrument de buis, de corne, d'écaille, d'ivoire, etc., taillé en forme de dents, qui sert à peigner les cheveux et à nettoyer la tête. ‖ Sorte de peigne dont les femmes se servent pour retrousser leurs cheveux, ou pour les orner. ‖ Fig. et pop. *Sale comme un peigne,* très sale. [Techn.] Nom de divers appareils qui représentent des dents ou des aiguilles de fer régulièrement espacées. *Peigne de*

cardeur, de tisserand, d'épinglier, etc. [Zool.] Genre de mollusques lamellibranches, nommé aussi *pecten*, à coquilles richement colorées, et auquel appartiennent les coquilles St-Jacques.
Hom. — *Peigne, es, ent*, du v. peigner; — *peigne, es, ent*, du v. peindre.
peigné, ée, adj. Nettoyé avec un peigne. ‖ Fig. Nettoyé, travaillé avec soin. *Style trop peigné.*
peignée, n. f. Quantité de chanvre, de laine que l'ouvrier prend sur son peigne. ‖ Pop. Volée de coups.
Hom. — V. peigner.
peigner [pè-gné, gn mll.], v. tr. (lat. *pectinare*, m. s.). Démêler, arranger les cheveux, les poils, avec un peigne. *Peigner ses cheveux, sa barbe.* ‖ Fig. et pop. Maltraiter, battre. ‖ Agrémenter d'ornements divers, soigner. *Peigner son style.* [Techn.] Démêler les fils, les fibres des textiles avec divers appareils appropriés. *Peigner du lin, du chanvre, de la laine.* = SE PEIGNER, v. pron. Peigner ses cheveux. ‖ Fig. et pop. Se prendre aux cheveux, se battre.
Hom. — *Peigner*, v. tr., arranger les cheveux; — *peignier*, n. m., celui qui fait et vend des peignes; — *peignée*, n. f., quantité de chanvre, de laine prise sur le peigne; — *peignez, peigniez*, du v. peindre.
* **peignerie**, n. f. Industrie du peignage des matières textiles.
peigneur, euse, n. Celui, celle qui peigne la laine, le chanvre, etc. = N. f. Machine à peigner les textiles.
peignier, n. m. Celui qui fait et vend des peignes. = Adj. *Ouvrier peignier.*
Hom. — V. peigner.
peignoir [pè-gn mll.], n. m. (de *peigner*). Espèce de manteau que l'on met quand on se peigne. ‖ Pièce d'étoffe ample avec ou sans manches, dont on se couvre quand on sort du bain. ‖ Sorte de robe non ajustée que les femmes portent le matin ou dans l'intimité. V. tabl. VÊTEMENT ET PARURE (*Idées suggérées par les mots*).
* **peignon**, n. m. Faisceau de chanvre peigné que le cordier fixe à sa ceinture pour faire une corde. = N. m. pl. Démêlures, peignures.
peignures, n. f. pl. Cheveux qui tombent ou restent dans le peigne quand on se coiffe. — On dit aussi *démêlures*.
* **peille** [ill mll.], n. f. Chiffons qui servent à faire le papier.
Hom. — V. paye.
* **peiller** ou * **peillier**, ère [pé-ill mll.] n. Chiffonnier, chiffonnière.
Hom. — *Payer*, v. tr., acquitter une dette.
* **peinard**, n. m. et adj. [Argot] Celui qui s'épuise en besognes inutiles. N'est plus employé que par antiphrase. *Un père peinard*, qui ne s'épuise pas en besognes inutiles. *Rester peinard dans son coin*, se bien garder d'en sortir quand il y a un mauvais coup à craindre.
Hom. — *Pénard*, n. m., vieux libertin.
peindre [pin-dre], v. tr. (lat. *pingere*, m. s.). Représenter une personne, une chose, par des traits et par des couleurs. *Peindre un portrait à l'huile.* ‖ Fam. *Cette personne est faite à peindre*, elle est très bien faite. ‖ Couvrir simplement avec des couleurs sans qu'elles représentent aucune figure. *Peindre une boiserie en rouge.* ‖

Fig. Décrire, représenter vivement quelque chose par le discours. *Racine a peint les hommes tels qu'ils sont.* ‖ Traduire par des signes sensibles. *Voilà qui peint l'homme.* = SE PEINDRE, v. pr. Peindre soi-même son portrait. ‖ Fig. *Cet auteur se peint dans ses ouvrages*, on y découvre son caractère. — *Cette femme se peint le visage*, elle se farde. ‖ Être peint, figuré comme par la peinture. *La joie se peint sur son visage.*
— *Peindre, c'est non seulement décrire les choses, mais en représenter les circonstances d'une manière si vive et si sensible que l'auditeur s'imagine presque les voir.*
(FÉNELON).
Syn. — V. dépeindre et colorier.
Par. — *Teindre*, imbiber complètement d'une substance colorante. *Teindre un vêtement.*

> Conjug. — V. trans. 3ᵉ groupe (inf. en *re*) [rad. *pein, peign*].
> *Indicatif.* — *Présent :* je peins, tu peins, il peint, nous peignons, vous peignez ils peignent. — *Imparfait :* je peignais..., nous peignions, vous peigniez... — *Passé simple :* je peignis, tu peignis, il peignit, nous peignîmes, vous peignîtes, ils peignirent. — *Futur :* je peindrai..., nous peindrons, vous peindrez...
> *Impératif.* — Peins, peignons, peignez.
> *Conditionnel.* — *Présent :* je peindrais..., nous peindrions, vous peindriez...
> *Subjonctif.* — *Présent :* que je peigne, que tu peignes, qu'il peigne, que nous peignions, que vous peigniez... — *Imparfait :* que je peignisse, que tu peignisses, qu'il peignît, que nous peignissions, que vous peignissiez...
> *Participe* — *Présent :* Peignant. — *Passé :* Peint, peinte.

> Vocab. — *Famille de mots.* — Peindre, [rad. *pein, pit, pin, pig*] : peint, peintre, peinture, peinturlurer, dépeindre, repeindre, repeint, pintade, pictural, pittoresque, pittoresquement, pigment, piment, orpiment.

peine [pè-ne], n. f. (lat. *pœna*, m. s.). Châtiment, punition. *Subir une peine. La peine de mort. Interdit sous peine d'amende.* — *La peine capitale*, la peine de mort. — *Les peines de l'enfer.* ‖ Douleur, souffrance, affliction, chagrin; sentiment de quelque mal physique ou moral. *Il m'a fait bien de la peine.* — *Être dans la peine*, être dans le besoin, dans l'affliction. — *Faire peine*, être un objet de compassion. ‖ Inquiétude d'esprit. *J'étais fort en peine de ce qu'il était devenu.* — Fam. *Il est comme une âme en peine*, il est dans une grande inquiétude, ou il ne sait pas s'occuper. — V. tabl. SENSIBILITÉ (*Idées suggérées par le mot*).
Travail, fatigue. *Toute peine mérite salaire.* — *Perdre sa peine, ses peines*, travailler inutilement à quelque chose. — *En être pour sa peine*, ne pas réussir, après un gros effort. — Prov. *A chaque jour suffit sa peine*, il ne faut pas s'affliger à l'avance des difficultés, des obstacles que l'on trouve à quelque chose. — *Ne pas plaindre sa peine*, donner à un travail toute son énergie. ‖ Difficulté, obstacle. *Avoir de la peine à*

parler, à marcher. — Fam. *La chose en vaut bien la peine,* elle mérite qu'on ne néglige rien afin d'y réussir. Dans le sens contraire : *Cela n'en vaut pas la peine.* — *Cela ne vaut pas la peine d'en parler,* se dit d'une chose peu importante ou à laquelle on veut paraître n'attacher que peu d'importance. — Par politesse : *Prenez la peine, donnez-vous la peine de faire cela,* je vous prie de faire cela.
Un homme de peine, des gens de peine, celui, ceux qui gagnent leur vie en faisant de gros ouvrages de manœuvre. ‖ *Répugnance d'esprit qu'on a à faire ou à dire quelque chose.* ‖ *Sans peine,* facilement. — *Avec peine,* difficilement. ‖ *Pour la peine, pour sa peine,* en punition de ce qu'il a fait, ou pour le dédommager du mal qu'il s'est donné. = À PEINE, loc. adv. Marque le peu de temps qui s'est écoulé depuis que la chose dont on a parlé est arrivée. *A peine le soleil est-il levé, qu'on se met en marche.* ‖ Presque pas. *Il sait à peine signer son nom.* ‖ Difficilement. *A peine voit-on à se conduire.* ‖ *A grand'peine,* très difficilement, ou encore : tout au plus. *Je l'ai convaincu à grand'peine. Il joint à grand' peine les deux bouts.*

— *Travaillez, prenez de la peine,*
C'est le fonds qui manque le moins.
(LA FONTAINE.)
— *Nos chagrins, nos peines, nos soucis*
nous viennent souvent de nous.
(J.-J. ROUSSEAU.)
SYN. — V. PUNITION et CHAGRIN.
ANT. — *Joie, plaisir, contentement.* — *Repos, inaction.* — *Facilité, aisance.*
HOM. — *Peine,* n. f., punition, souffrance, fatigue. — *Peine,* es, ent, du v. peiner, éprouver de la fatigue. — *Pêne,* n. m., pièce d'une serrure; — *Penne,* n. f. grosse plume des oiseaux; extrémité supérieure d'une antenne.

VOCAB. — *Famille de mots.* — Peine [rad. *pein, pèn, pun*] : peiner, pénal, pénalement, pénalisation, pénaliser, pénalité, pénible, péniblement, penaud, peinard; punir, punition, punissable, impuni, impunément, impunité.

---

peiné, ée, adj. Affligé, attristé, chagriné.
peiner [*pè-né*], v. tr. (de *peine*). Faire de la peine, causer du chagrin, de l'inquiétude. *Votre situation me peine extrêmement.* = V. intr. Répugner à. *Il peine à punir.* ‖ Se fatiguer à. *Peiner à monter un fardeau.* — Par ext. *Cette poutre peine beaucoup,* le poids qu'elle supporte est trop pesant. ‖ Éprouver du déplaisir. *On peine à l'entendre.* = SE PEINER, v. pron. Se donner de la peine. *Il n'aime pas se peiner.*
CTR. — *Consoler, réjouir.*
SYN. — V. BLESSER.
HOM. — *Penné, ée,* adj., en forme de plume ; — *penny,* n. m., monnaie anglaise.
* **peineux, euse,** adj. Qui est cause de peine (Vx).
peint, peinte, adj. Recouvert de peinture. *Papier peint.*
peintre, n. m. (lat. pop. *pintor,* du lat. clas. *pictor,* m. s.). Artiste qui exerce l'art de la peinture. *Un peintre d'histoire, de portrait.* — On dit souvent aussi, dans ce sens : *artiste-peintre.* ‖ *Peintre en bâtiment,*

artisan qui recouvre les murs, les plafonds, etc. de couches de peinture. ‖ Fig. Écrivain qui représente d'une façon vivante ou pittoresque les caractères, les sentiments de l'âme. *Racine appelle Tacite le plus grand peintre de l'antiquité.*
OBS. GRAM. — Fém. : *Une peintresse* (J.-J. Rousseau). On dit plutôt, en employant le mot comme adj. : *Une femme peintre.*
* **peintresse,** n. f. Femme peintre (Vx). V. PEINTRE.
* **peinturage,** n. m. Action de peinturer; son résultat.
peinture [*pin*], n. f. (lat. *pictura,* m. s.). Art de peindre. *Peinture d'histoire, peinture de genre.* ‖ Ouvrage de peinture. *Peinture à l'huile, à la détrempe, à la fresque,* etc. ‖ Fig. et fam. *Je ne puis la voir en peinture,* se dit d'une personne ou d'une chose que l'on déteste. ‖ Action d'appliquer des couleurs sur une surface. *Entrepreneur de peinture.* La couleur qui est étendue, appliquée sur une surface. *Prenez garde à la peinture.* ‖ Fig. Description vive et naturelle par la parole ou par le style. *La peinture des caractères.* — V. tabl. ARTS (Idées suggérées par le mot).
SYN. — V. TABLEAU.
* **peinturer,** v. tr. Enduire d'une couleur, de couleurs. ‖ Barbouiller.
PAR. — *Peinturlurer,* couvrir de couleurs criardes.
* **peintureur, euse,** n. Celui, celle qui peinture. ‖ Mauvais peintre.
* **peinturlurage,** n. m. Action de peinturlurer; son résultat.
peinturlurer, v. tr. Couvrir de peinture, et partic., de couleurs trop vives.
PAR. — *Peinturer,* enduire, barbouiller de couleurs.
péjoratif, ive, adj. (lat. *pejor,* pire). Qui donne un sens défavorable. *Suffixes péjoratifs :* ...*ache* (bravache), ...*aille* (ferraille), ...*âtre* (douceâtre); ...*ard* (pleurard). V. GRAMMAIRE et tabl. SUFFIXES.
* **péjoration** [*sion*], n. f. Action de rendre pire.
* **pekan,** n. m. [Zool.] Nom vulg. d'une *martre* du Canada.
pékin, n. m. Espèce d'étoffe de soie. [Arg. milit.] Civil. *Se mettre en pékin.*
pékiné, ée, adj. Se dit d'un tissu de soie qui présente des bandes alternativement claires et foncées.
pékinois, oise, adj. et n. Qui est de Pékin. = N. m. Race de chiens de luxe de très petite taille, à poil long et fauve.

pel, pell...

ORTH. — *Initiales.* — L'initiale *pel* s'écrit avec *un* seul *l* dans : pelade, pelage, pelard, pelé, pelisse, pelote, peloton, pelouse, pelu, peluche, pelure, etc.; avec *deux l* dans : pellagre, pelle, pelletier, pellicule et leurs dérivés.

---

pelade, n. f. (de *peler*). [Méd.] Dermatose qui fait tomber les poils et les cheveux par plaques.
1. pelage, n. m. Ensemble des poils de certains animaux, considérés surtout quant à leur couleur.
SYN. — V. TOISON.
* **2. pelage,** n. m. Action de peler. Hortic. Action d'enlever le gazon.

pélagianisme, n. m. [Théol.] Hérésie de Pélage, niant le péché originel et réduisant le rôle de la grâce.

* **pélagie,** n. f. [Zool.] Genre de méduses acalèphes.

1. * **pélagien, ienne,** adj. (gr. *pélagos*, haute mer). [Hist. nat.] Se dit des êtres qui vivent en haute mer.
CTR. — *Littoral.*

2. **pélagien, ienne,** adj. [Théol.] Qui est conforme à la doctrine de Pélage. = Nom. Partisan du pélagianisme.

* **pélagique,** adj. (gr. *pélagos*, haute mer). Qui a rapport à la haute mer. [Géol.] Formé par les sédiments de la mer.

* **pélagoscopie,** n. f. Examen, étude des fonds marins.

* **pélamide,** n. f. [Zool.] Genre de poissons de mer comestibles (vulg. *leiches*, *bonites*). ‖ Genre de serpents de mer venimeux (océan Indien, Pacifique).

pelard, adj. et n. m. Bois dont on a enlevé l'écorce pour faire du tan.

* **pelardeau,** n. m. [Mar.] Tampon de bois suiffé dont on se servait pour boucher les trous faits par les boulets dans la coque des navires.

pélargonium [*niome*], n. m. [Bot.] Genre de plantes ornementales de la famille des *géraniacées.*

pélasgique, [*pé-la*] adj. Qui appartient aux Pélasges (anc. peuple de Grèce et d'Italie). — On dit aussi *pélasgien, ienne.*

* **pélattage,** n. m. Action de faire tomber le poil des peaux.

pelé, ée, adj. Qui n'a plus de poils, de cheveux. ‖ Dépourvu d'arbres, de verdure. *Une montagne pelée.* = Nom. Fam. *Deux pelés et un tondu*, des gens de peu, et en petit nombre.
CTR. — *Velu; boisé, touffu.*

pêle-mêle, adv. Confusément, sans ordre. = N. m. Confusion, mélange inextricable. ‖ Cadre pour plusieurs photographies disposées en tous sens.

1. **peler,** v. tr. (lat. *pilare*, épiler). Oter le poil. *Peler des peaux, des cuirs.* = Conjug. V. GRAMMAIRE.

2. **peler,** v. tr. (lat. *pellis*, peau). Oter la peau d'un fruit, l'écorce d'un arbre, etc. *Peler une pomme, des oignons.* = V. intr. Se dit du corps d'où l'épiderme se détache de lui-même. *Sa main pèle.* = SE PELER, v. pr. Être pelé. *Ces prunes se pèlent facilement.* = Conjug. V. GRAMMAIRE.

pèlerin, ine, n. (lat. *peregrinus*, étranger). Personne qui, par piété, fait un voyage à un lieu de dévotion. ‖ Voyageur, voyageuse et, par ext., personne quelconque. *Un drôle de pèlerin.* [Zool.] Genre de poissons sélaciens comprenant de grands requins. ‖ Nom vulg. du *faucon commun.*

pèlerinage, n. m. Voyage fait par dévotion à quelque lieu consacré. ‖ Lieu où un pèlerin va par dévotion.

pèlerine, n. f. Vêtement d'homme, de femme en forme de grand collet rabattu, souvent muni d'un capuchon. V. tabl. VÊTEMENT ET PARURE (*Idées suggérées par les mots*).
HOM. — *Pèlerine*, n. f., vêtement en forme de collet rabattu; — *pèlerine*, n. f., celle qui va en pèlerinage; — *pèlerine, es, ent*, du v. pèleriner.

* **pèleriner,** v. intr. Aller en pèlerinage.

pélican, n. m. (lat. *pelicanus*, m. s.). [Zool.] Genre d'oiseaux aquatiques palmipèdes de grande taille, à fort bec, dont la mandibule inférieure est dilatable en forme de sac. ‖ Crochet de fer pour assujettir un ouvrage sur l'établi du menuisier.

* **péliose,** n. f. [Méd.] Anc. nom du *purpura.*

pelisse, n. f. (lat. *pellicia*, de peau). Robe, veste, manteau doublé ou garni de fourrure. V. tabl. VÊTEMENT ET PARURE (*Idées suggérées par les mots*).

pellagre, n. f. [Méd.] Maladie caractérisée par des éruptions cutanées et des troubles nerveux; elle est due à l'absorption d'aliments avariés.

* **pellagreux, euse,** adj. Qui a rapport à la pellagre. = Nom. Qui est atteint de la pellagre.

pelle [*pèle*], n. f. (lat. *pala*, m. s.). Instrument de fer ou de bois, large et plat, muni d'un manche pouvant servir à la manutention des objets solides, de la terre, du sable, du charbon, etc. *Pelle de feu, de four, de jardin, d'écurie.* V. pl. BÂTIMENT ET OUTILS. ‖ Fig. *Remuer l'argent à la pelle,* avoir beaucoup d'argent. [Argot pop.] *Ramasser une pelle,* tomber, échouer.
HOM. — *Pèle, es, ent,* du v. peler.

> VOCAB. — *Famille de mots.* — *Pelle :* pelletée, pellée, pelleteur, palet, palette.

* **pellée** [*pèl-lé*] ou * **pellerée** [*pè-le*], n. f. V. PELLETÉE.

* **pelleron,** n. m. Pelle de bois pour enfourner le pain.

* **pelletage** ou * **pellage,** n. m. Action de pelleter.

pelletée, n. f. Ce que contient une pelle. ‖ Fig. Grande quantité.

pelleter, v. tr. Remuer avec la pelle. = Conjug. V. GRAMMAIRE.

pelleterie, n. f. (lat. *pellis*, peau). Art de préparer les peaux pour en faire des fourrures. ‖ Commerce, magasin de fourrures. ‖ Les fourrures elles-mêmes.

* **pelleteur,** n. m. Ouvrier qui remue à la pelle. = PELLETEUSE, n. f. Excavateur mécanique, pelle articulée géante qui fouille le sol.
PAR. — *Pelletier,* celui qui prépare, vend des fourrures.

pelletier, ière, n. Celui, celle qui prépare, qui vend des fourrures.
PAR. — *Pelleteur,* celui qui remue à la pelle.

* **pelleverser,** v. tr. [Agri.] Labourer avec le pelleversoir.

* **pelleversoir,** n. m. [Agri.] Bêche en forme de fourche à deux dents. V. pl. OUTILS usuels.

* **pelliculaire,** adj. Qui a la forme d'une pellicule.
PAR. — *Pédiculaire,* adj., qui a rapport aux poux.

pellicule, n. f. Peau ou membrane très mince. = Au pl. Produits de la desquamation du cuir chevelu. [Photo.] Feuille mince et souple de celluloïd, de gélatine, recouverte d'une émulsion sensible.
PAR. — V. PÉDICULE.

* **pelliculé, ée,** adj. Recouvert d'une pellicule.

PELLICULEUX — PENCHANT

* **pelliculeux, euse,** adj. Couvert de pellicules.
* **pelloir,** n. m. [Agri.] Petit soc à l'avant de certaines charrues.
* **pellucide,** adj. (lat. *pellucidus*, m. s.). Qui est transparent ou demi-transparent.
* **pélobate,** n. m. [Zool.] Genre de batraciens anoures intermédiaires entre la grenouille et le crapaud.
* **pélodyte,** n. m. [Zool.] Genre de batraciens anoures, comprenant de petites grenouilles gris clair.
* **péloponésien, ienne,** adj. et n. Qui est du Péloponèse (sud de la Grèce).
* **pélorie,** n. f. [Bot.] État de certaines fleurs qui, d'irrégulières qu'elles sont généralement, deviennent quelquefois régulières.
* **pelotage,** n. m. Action de faire des pelotes de fil, de laine, etc. ‖ Fig. et fam. Caresses, flatteries.

pelotari, n. m. Joueur de pelote basque.

pelote, n. f. (bas lat. *pilotta*, dimin. de *pila*, balle). Balle à jouer (Vx et dialectal). ‖ Sorte de jeu de paume. — *Pelote basque*, jeu national des Basques. ‖ Sorte de boule que l'on forme avec du fil, de la laine, de la soie, etc., qu'on enroule sur eux-mêmes. ‖ *Pelote à épingles*, coussinet sur lequel on fiche des épingles, des aiguilles. ‖ Se dit pour motte, boule. *Pelote de neige, de beurre.* ‖ Fig. et fam. *Faire sa pelote*, amasser de petits profits et s'en composer une fortune.
Hom. — *Pelote, es, ent,* du v. peloter.
Par. — *Belote,* sorte de jeu de cartes.

peloter, v. tr. Mettre en pelote. *Peloter du fil.* ‖ Pop. Tripoter amoureusement une femme. ‖ Flatter quelqu'un pour obtenir ses faveurs.
Par. — *Pelotonner,* mettre en peloton.

* **peloteur, euse,** adj. et n. Celui, celle qui fait des pelotes. ‖ Celui, celle qui aime lutiner, flatter.

peloton, n. m. Petite pelote de soie, de laine, etc. ‖ *Se mettre en peloton,* se mettre en boule en ramassant ses membres. [Milit.] Petit corps de troupe, et partic., moitié d'une compagnie d'infanterie, ou quart d'un escadron de cavalerie. — *Peloton d'exécution,* groupe de soldats commandés pour fusiller un condamné. [Sport] Petit groupe de concurrents.
Hom. — *Pelotons,* du v. peloter.

* **pelotonnement,** n. m. Action de pelotonner ou de se pelotonner. ‖ Son résultat.

pelotonner, v. tr. Mettre en peloton.
= SE PELOTONNER, v. pr. Se ramasser sur soi, rassembler ses membres, se mettre en boule.
Syn. — V. BLOTTIR.
Par. — *Peloter,* mettre en pelote; flatter, caresser.

pelouse [ze], n. f. (lat. *pilosa*, poilue). Terrain couvert d'une herbe épaisse et courte. ‖ Partie gazonnée des champs de course, qu'entourent les pistes.

peltaste, n. m. [Antiq. gr.] Soldat d'infanterie armé plus légèrement que les hoplites et portant la pelte.

pelte ou * **pelta,** n. f. [Antiq. gr.] Bouclier court en bois ou en osier recouvert de cuir.

* **peltre,** n. m. Toile grossière fabriquée en Bretagne.

* **pelu, ue,** adj. Garni de poils = Nom. PATTE-PELU, UE. V. ce mot.

Par. et Syn. — *Velu, ue,* adj., couvert de poils.

peluche, n. f. Étoffe de laine, de soie, de coton, ressemblant au velours, mais dont le poil est très long d'un côté.
Hom. — *Peluche, es, ent,* du v. pelucher.
* **peluché, ée,** adj. Velu, en parlant des étoffes et de quelques plantes.

pelucher, v. intr. Se dit d'une étoffe qui se couvre de poils se détachant du tissu.

pelucheux, euse, adj. Qui peluche, ou dont l'aspect rappelle la peluche.

pelure, n. f. Peau, enveloppe de certains fruits ou de certains légumes. — *Pelure de poire.* — Par ext. *Pelure de fromage.* ‖ *Couleur pelure d'oignon,* couleur jaune un peu rosée. ‖ Fig. *Papier pelure,* papier fin et transparent.
Syn. — V. PEAU.

* **pelvan** ou * **pelven,** n. m. [Archi.] Pierre druidique, longue, dressée perpendiculairement au sol; menhir.

pelvien, ienne, adj. [Anat.] Qui appartient, qui a rapport au bassin.

* **pelvimétrie,** n. f. [Méd.] Mesure de l'étendue du petit bassin chez la femme grosse, afin de prévoir les difficultés de l'accouchement.

* **pelvis** [*viss*], n. m. [Anat.] Nom latin du bassin. Partie supérieure du bassin.

* **pemmican,** n. m. (mot angl.). Viande séchée, réduite en poudre et comprimée en tablettes.

* **pemphigus,** n. m. [Méd.] Dermatose caractérisée par des petites bulles séreuses qui se dessèchent en laissant des croûtes.

* **penaille** [*nâ-ill* mll.], n. f. (lat. *pannus*, étoffe). Pop. Haillon, loque (Vx).

* **penaillon** [*ill* mll.], n. m. Haillon, guenille. ‖ Moine (péjor.).

pénal, ale, adj. (lat. *pœna,* châtiment). Qui concerne les peines; qui assujettit à quelque peine. *Lois pénales.* ‖ *Code pénal,* recueil des lois sur la pénalité. ‖ *Action pénale,* qui tend à obtenir une condamnation pénale.

* **pénalement,** adv. En matière pénale, avec un caractère pénal.
Ctr. — *Civilement.*

* **pénalisation** [*za-sion*], n. f. [Sport] Désavantage infligé par l'arbitre à un concurrent qui a contrevenu aux règlements sportifs.

* **pénaliser,** v. tr. [Sport] Frapper un concurrent d'une pénalisation.

pénalité, n. f. Système des peines établies par les lois. ‖ Par ext. Peine.

* **pénard** [*pé-nar*], n. m. Vieux drôle, vieux libertin.
Hom. — *Peinard,* n. m. Qui s'épuise en besognes inutiles.

pénates, n. m. pl. (mot lat.) [Antiq. rom.] Dieux domestiques. ‖ Fig. et fam. Foyer, habitation, logis. *Je vais regagner mes pénates.* = Adj. *Dieux pénates.*

penaud, aude [*nô*], adj. Confus et embarrassé, honteux, interdit.

* **pence** [*pèn'-se*], [mot anglais] pl. de *penny.*

penchant [*pan-chan*], adj. (ppr. du v. *pencher*). Qui penche, qui est incliné. = N. m. Pente, terrain qui va en s'abaissant. *Le penchant d'une montagne.* ‖ Fig. *La faveur de cet homme est sur son penchant,* elle est sur le déclin. — *Le penchant de l'âge,* le déclin de l'âge. ‖ Fig. Tendance,

PENCHÉ — PENDRE

propension, inclination naturelle de l'âme. *Il a du penchant pour le plaisir.* — *Avoir du penchant pour quelqu'un,* en être amoureux.
Syn. — V. AMOUR.
penché, ée, adj. Qui penche, qui est incliné.
Syn. — V. COURBÉ.
penchement, n. m. Action d'une personne qui se penche. ‖ État d'un corps qui penche.
pencher, v. tr. (lat. *pendicare,* m. s., de *pendere,* pendre). Incliner, baisser quelque chose de quelque côté. *Pencher la tête.* = V. intr. Être hors de la perpendiculaire; n'être pas de niveau. *Le mur penche de ce côté-là.* — Fig. *Cet empire penche vers sa ruine,* il est sur le point d'être détruit. ‖ Fig., au sens moral, être porté à quelque chose. *Pencher vers un parti.* = SE PENCHER, v. pr. S'incliner. *Se pencher sur le bord d'une fontaine.*
CTR. — *Redresser.*
* **pendable,** adj. Qui mérite d'être pendu. ‖ *Cas pendable,* dont l'auteur mérite d'être pendu. ‖ *Tour pendable,* très mauvais tour.
pendaison [*zon*], n. f. Action de pendre un condamné; supplice de la potence. ‖ Mort de celui qui se pend.
1. **pendant, ante,** adj. V. tabl. PENDANT.
2. **pendant,** prép. V. tabl. PENDANT.
3. **pendant,** n. m. Partie pendante du baudrier ou du ceinturon. ‖ *Pendants d'oreilles,* parures de pierreries, de perles, etc., attachées aux boucles d'oreilles; les boucles d'oreilles elles-mêmes. ‖ Se dit de deux tableaux, de deux objets d'ornement, etc., de dimensions semblables, qu'on destine à figurer ensemble, à se correspondre. *Ces deux statues, ces deux tableaux font pendants.* ‖ Fig. et fam., se dit des personnes ou des choses qui ont entre elles beaucoup de rapports, qui sont à peu près pareilles. *Voici le pendant de votre histoire.*

ORTH. — *Pendant* s'écrit avec un *a,* mais *pendentif* remplace cet *a* par *e.*
pendard, arde [*pan-dar*], n. Qui mérite d'être pendu; vaurien, fripon.
* **pendarderie** [*pan*], n. f. Conduite, action de pendard.
pendeloque [*pan*], n. f. Pierre précieuse suspendue à des boucles d'oreilles. ‖ Ornement de cristal ou de verre taillé suspendu à un lustre. ‖ Fam. Lambeau d'étoffe d'un vêtement déchiré.
pendentif [*pan-dan*], n. m. [Archit.] Portion de voûte sphérique entre les quatre grands arcs d'une coupole. V. pl. VOUTES. ‖ Bijou de femme qui pend à une chaîne sur la poitrine. V. tabl. VÊTEMENT ET PARURE (*Idées suggérées par les mots*).
penderie [*pan*], n. f. Pendaison (Vx). ‖ Endroit où l'on suspend les vêtements.
* **pendeur, euse** [*pan*], n. Celui, celle qui pend. *Pendeur d'andouilles* (Vx).
pendiller [*pan, ll* mll.], v. intr. Être suspendu en l'air et agité par le vent.
* **pendoir,** n. m. Crochet où les charcutiers et les bouchers suspendent la viande.
pendre [*pan*], v. tr. (lat. *pendere,* m. s.). Attacher une personne ou une chose en haut, par une de ses parties, de façon qu'elle ne touche pas au sol. *Pendre un lièvre par les pattes de derrière.* — Fam. *Cet enfant est toujours pendu au cou de sa mère,* il l'embrasse continuellement. — Fig. et fam. *Être toujours pendu aux basques de quelqu'un,* l'accompagner, le suivre partout. ‖ Partic. Attacher quelqu'un à la potence au moyen d'une corde qui l'étrangle en lui serrant le cou. *Pendre des voleurs.* Fam. *Dire pis que pendre de quelqu'un,* dire de lui toute sorte de mal. — Par forme de serment: *Je veux être pendu si l'on m'y rattrape.* — *Il ne vaut pas la corde pour le pendre,* c'est un misérable. ‖ *Pendre la crémaillère,* accrocher à la cheminée la crémaillère où l'on suspend la marmite. — Fig. Célébrer par un festin l'installation dans un nouveau logement.

PENDANT, adj. et mot invariable.

Étymologie. — *Pendant,* dans les divers emplois cités dans ce tableau, est toujours, à l'origine, le participe présent du verbe *pendre,* tiré du verbe latin *pendere* avec ses deux sens de *être suspendu* et de *durer.* On trouve encore des expressions comme : *la cause est pendante.* On a eu autrefois des tours comme celui-ci : *le procès pendant* (étant en suspens), *il ne peut jouir de sa propriété...*; le tour : *pendant le procès...* (avec le même sens) étant également employé, *pendant* a été pris pour une préposition et employé comme tel. Cf. les expressions *durant, moyennant, nonobstant,* dont l'emploi est le même.
V. CEPENDANT.

PENDANT, n. m. V. ce mot.

PENDANT, PENDANTE, adj. verbal.

Qui pend. *Marcher les bras pendants. Ce chien a les oreilles pendantes. Des manches pendantes.* [Droit] En suspens. *Ce procès est pendant à tel tribunal,* c'est tel tribunal qui en est saisi. *L'instance, la cause est pendante,* elle n'est pas encore jugée.

PENDANT, préposition.

Durant. *Pendant la nuit, l'hiver. Pendant votre séjour.*
SYN. — *Durant,* qui indique plus l'idée d'une prolongation pénible. *Pendant l'hiver,* on pratique certains sports. *Durant tout l'hiver, les pauvres eurent grand froid.*

PENDANT QUE, loc. conj. de subordination construite avec l'indicatif.

1º Marque la durée en cas de simultanéité de deux actions. Dans le même temps que. *Pendant qu'on discutait, le prisonnier s'est enfui.*

2º Marque l'opposition entre deux actions. Alors que, tandis que. *Qui les oblige* (les seigneurs) *d'y renoncer* (aux armes défensives) *et pendant qu'ils se bottent pour aller au bal, de soutenir sans armes et en pourpoint des travailleurs exposés à tout le feu d'une contrescarpe.*
(LA BRUYÈRE.)

= V. intr. Être suspendu. *Des fruits qui pendent à l'arbre.* — Fig. *Cela lui pend au nez,* cela va lui arriver (en parlant de quelque chose de fâcheux). ‖ Tomber trop, descendre trop bas. *Votre robe pend d'un côté.* = SE PENDRE, v. pron. Se suspendre. *Se pendre par les mains à un arbre.* — *Se pendre au cou de quelqu'un,* lui entourer le cou de ses bras pour l'embrasser. ‖ Se donner la mort en se suspendant avec une corde au cou.
SYN. — V. ASSASSINER.

VOCAB. — *Famille de mots.* — *Pendre* [rad. *pen, poi, poe, pond*] : 1° Idée de suspendre : pendre, pendu, pendaison, pendable, pendard; pendule, pendeloque, pendentif, pendiller; pendant (n.), pendant (prép.), cependant; pente; pencher, penchant; dépendre, dépendant, dépendance; indépendant, indépendance; appendice, appendicite; dépendre, suspendre, suspensif, suspens; soupente; poêle, poêlier. — 2° Idée de poids : vilipender; pesant, pesanteur, pesée, peseur, peson, pesage, pesamment, appesantir; poids, contrepoids, contrepeser; pensée, penseur, pensif; panser, pansement, pansage; soupeser; compenser, compensation, compensateur; récompense, récompenser; dispenser, dispensateur, dispensaire, dispendieux; pondérable, pondéreux, pondérateur, pondération, pondéré; impondérable; prépondérant, prépondérance. — 3° Idée de payer : pension, pensionner, pensionnat, pensionnaire; dépens, dépenser, dépense, dépensier; dispendieux, dispenser, dispensateur, dispensaire; compendieux, compendieusement; stipendier.

---

pendu, ue, adj. et n. Celui, celle qui a subi la pendaison.
pendulaire [*pan*], adj. Qui appartient au pendule. *Mouvement pendulaire.*
1. pendule [*pan*], n. m. (lat. *pendulus,* qui pend). [Phys.] Masse pesante suspendue par un fil à un point fixe et pouvant se mouvoir dans un plan vertical avec des oscillations isochrones.
2. pendule, n. f. Horloge d'appartement dont le mouvement est réglé par un pendule. V. tabl. TEMPS (*Idées suggérées par le mot*).
pendulette, n. f. Petite pendule portative.
pêne, n. m. (altér. de *pesle,* lat. *pessulum*). [Serrur.] Pièce d'une serrure qu'on fait aller et venir avec la clef et dont une extrémité entre dans la gâche pour fermer une porte. V. pl. SERRURE.
HOM. — V. PEINE.
* **péneau,** n. m. [Mar.] État de l'ancre pendue au bossoir et parée à être mouillée.
* **pénéplaine,** n. f. (lat. *pene,* presque, et *plaine*). [Géog.] Région jadis montagneuse aplanie par les érosions et présentant un aspect de plaine.
pénétrabilité, n. f. Qualité de ce qui peut se laisser pénétrer.
pénétrable, adj. Qu'on peut pénétrer; où l'on peut pénétrer. ‖ Fig. Compréhensible, intelligible.
pénétrant, ante, adj. (ppr. de *pénétrer*). Qui pénètre. ‖ Qui se fait vivement sentir. *Il fait un froid pénétrant.* ‖ Qui exerce une vive action sur autrui. *Éloquence pénétrante.* ‖ Fig. Sagace; qui va promptement au fond des choses. *Avoir l'esprit pénétrant.* ‖ *Vue, regard pénétrants,* auquel rien n'échappe, ne peut être caché.
* **pénétratif, ive,** adj. Qui pénètre aisément.
pénétration [*sion*], n. f. Propriété et action de pénétrer. ‖ Fig. Sagacité de l'esprit, facilité à approfondir les choses.
SYN. — V. CLAIRVOYANCE.
pénétré, ée, adj. Imprégné, transpercé. *Être pénétré de froid.* ‖ Fig. Touché, rempli. *Pénétré de douleur, de reconnaissance.* ‖ Convaincu; ému. *Prendre un air pénétré.*
pénétrer, v. tr. (lat. *penetrare,* m. s.). Percer, passer à travers, entrer avant. *La lumière pénètre le verre. Il fait un froid qui vous pénètre.* ‖ Fig. Découvrir, parvenir à connaître. *Pénétrer les secrets de la nature.* ‖ Fig. Toucher profondément. *Sa douleur me pénètre le cœur.* = V. intr. Se dit dans la plupart des acceptions précédentes. *Le coup pénétra jusqu'à l'os. J'ai pénétré dans sa pensée.* ‖ Parvenir jusqu'à. *Je n'ai pu pénétrer jusqu'au ministre.* = SE PÉNÉTRER, v. pr. Se mélanger intimement. *Ces substances se pénètrent intimement.* ‖ Faire pénétrer en soi. *La terre se pénètre de pluie.* ‖ Fig. Remplir son esprit, son âme, d'une pensée, d'un sentiment. *Se pénétrer du sentiment de ses devoirs.* ‖ Être découvert, en parlant de ce qui se passe dans l'esprit et dans le cœur de quelqu'un. *Ses intentions ne se pénètrent pas facilement.* = Conjug. V. GRAMMAIRE.
SYN. — *Pénétrer,* entrer profondément à l'intérieur de : *Il a pénétré les secrets de la métaphysique.* — *Approfondir,* étudier à fond une matière, une question : *Ce jeune savant a approfondi les lois de la physique.* — *Creuser,* étudier dans tous ses détails : *Ce conférencier avait creusé son sujet.* — *Fouiller,* faire des recherches attentives : *Cet érudit a fouillé les archives.*
pénible, adj. Qui se fait avec peine, qui donne de la peine, de la fatigue. *Un travail pénible.* ‖ Qui laisse voir la peine qu'on a prise. *Un style pénible.* ‖ Qui fait de la peine. *Il est pénible de voir sa détresse.*
LING. — Quelques grammairiens ne veulent pas que l'adjectif *pénible* soit suivi de la préposition *à* et d'un infinitif, ni qu'on dise conséquemment : *Ce bois est pénible à travailler.* Cette opinion est discutable, et il semble qu'on peut dire : *pénible à travailler,* comme on dit : *dur à travailler, difficile à travailler.* — *Un trône est plus pénible à quitter que la vie.* (RACINE.)
SYN. — V. HARASSANT.
CTR. — *Aisé, facile, agréable.*
péniblement, adv. Avec peine, avec effort.
CTR. — *Facilement, aisément.*
péniche, n. f. (angl. *pinnace,* canot). [Mar.] Chaloupe légère; embarcation légère et rapide. [Navig. fluv.] Grand bateau plat appelé aussi *chaland.* V. tabl. MARINE et TRANSPORT (*Idées suggérées par les mots*).
pénicillé, ée, adj. [Bot.] Qui est en forme de pinceau.
* **pénicilline** [*si-line*], n. f. [Méd.] Substance sécrétée par une moisissure, dont le pouvoir bactéricide très élevé a bouleversé la thérapeutique de nombreuses maladies.

PÉNIL — PENSÉE

pénil, n. m. [Anat.] Saillie arrondie et couverte de poils située au-devant du pubis.

péninsulaire, adj. Qui appartient à une péninsule. Qui habite une péninsule.

péninsule, n. f. (lat. *pene*, presque; *insula*, île). Vaste contrée environnée par la mer, excepté d'un seul côté, par lequel elle est unie au continent; presqu'île de grande dimension. — Absol. *La Péninsule,* l'Italie. — *La Péninsule Ibérique* l'Espagne et le Portugal.

*** pénis,** n. m. [Anat.] Membre viril.

pénitence [*tan-se*], n. f. (lat. *pœnitentia,* m. s.). Repentir, regret d'avoir offensé Dieu. || *Sacrement de pénitence,* celui des sept sacrements de l'Église par lequel le prêtre remet les péchés à ceux qui se confessent à lui. — *Tribunal de la pénitence,* prêtre qui confesse et le lieu où il confesse. || Peine que le prêtre impose comme sanction pour les péchés qu'on lui a confessés. *Faire, accomplir sa pénitence.* || Austérités qu'on s'impose volontairement pour l'expiation de ses péchés. *Vivre dans la pénitence.* V. tableau RELIGIONS (*Idées suggérées par le mot*). || Punition imposée pour quelque faute. *Mettre un enfant en pénitence.* || Par ext. Disette, restriction. *Cette année sera une époque de grande pénitence.* = EN PÉNITENCE DE CELA, POUR VOTRE PÉNITENCE, loc. adv. En punition de, pour peine de.

pénitencerie, n. f. Tribunal installé auprès du pape pour connaître de certains péchés réservés et de certaines dispenses (mariages, vœux de chasteté). || Tribunal diocésain pour les cas réservés aux évêques. || Fonction, dignité du pénitencier.

1. pénitencier [*tan-sié*], n. m. Prêtre commis par l'évêque de chaque diocèse pour absoudre les cas réservés. || *Grand Pénitencier,* cardinal président de la pénitencerie de Rome.

2. pénitencier, n. m. Prison où les détenus sont soumis au régime pénitentiaire. || Bagne.

PAR. — *Pénitentiaire,* adj. Qui concerne le régime des condamnés.

pénitent, ente [*tan, ante*], adj. (lat. *pœnitens, entis,* m. s.). Qui a regret d'avoir offensé Dieu, qui se livre à des exercices de pénitence. *Un pécheur pénitent.* || Qui est inspiré par le regret d'avoir offensé Dieu. *Larmes pénitentes.* = Nom. Celui, celle qui confesse ses péchés au prêtre. = N. m. Membre de certaines confréries religieuses vouées à divers exercices de pénitence.

pénitentiaire [*tan'-siè-re*], adj. Qui concerne les pénitenciers, les prisons. *Administration pénitentiaire.* || Qui a rapport au régime d'isolement des condamnés. *Régime pénitentiaire.*

PAR. — *Pénitencier,* n. m., prison ou bagne.

pénitentiaux [*tan-sio*], adj. m. pl. [Liturg.] Relatif à la pénitence. || *Psaumes pénitentiaux,* les sept psaumes de la pénitence.

pénitentiel [*tan-siel*], n. m. [Liturg.] Rituel de la pénitence. = Adj. Qui concerne la pénitence.

pennage [*pè-na-je*], n. m. Plumage des oiseaux de proie. || Par ext. Plumage des ailes de tout oiseau.

*** pennatifolié, ée,** adj. [Bot.] Qui a des feuilles pennées.

*** pennatule,** n. f. (dimin. de *penna,* plume). [Zool.] Genre de cœlentérés coralliaires à colonie en forme de plume.

1. penne [*pè-ne*], n. f. (lat. *penna,* plume). Plume des ailes et de la queue des oiseaux, longue et résistante.

HOM. — V. PEINE.

2. * penne, n. f. (celt. *penn,* tête). [Mar.] Extrémité supérieure d'une antenne. [Techn.] Tête de la chaîne d'une trame.

HOM. — V. PEINE.

penné, ée, adj. [Bot.] Se dit des feuilles dans lesquelles le pétiole se prolonge dans le limbe en une nervure principale d'où partent des nervures secondaires disposées comme les barbes d'une plume.

HOM. — *Peiner,* v. tr., faire de la peine; — *penny,* n. m., monnaie anglaise.

*** penniforme,** adj. [Hist. nat.] Qui a la forme d'une plume.

pennon [*pèn-non*], n. m. Étendard triangulaire à la lance d'un chevalier. || Par ext. Bannière, drapeau. [Blas.] Écu composé formé de différents quartiers pour indiquer les alliances, la filiation. || Empennage d'une flèche.

PAR. — *Penon,* girouette marine.
HOM. — *Peinons,* du v. peiner.

*** pennonceau,** n. m. Petit pennon.

PAR. — *Panonceau,* écu armorié; écusson à la porte des officiers ministériels.

*** pennule,** n. f. Petite plume à tige très courte.

*** penny** [*pèn'-né*], n. m. Monnaie anglaise de bronze valant le douzième du shilling. = Pl. *Des pence.*

HOM. — V. PENNÉ.

pénombre, n. f. (lat. *pene,* presque; *umbra,* ombre). Demi-jour produit par le passage graduel de la lumière à l'obscurité. || Point où l'ombre se perd insensiblement dans la lumière. || Fig. Partie demi-obscure.

penon, n. m. [Mar.] Girouette de plumes ou banderolle servant à indiquer la direction du vent.

PAR. — *Pennon,* bannière, drapeau.

pensant, ante [*pan*], adj. (ppr. de *penser*). Qui pense; qui est capable de penser. — *Bien pensant, mal pensant,* celui qui a de bons, de mauvais sentiments, qui est ou non partisan de l'ordre établi.

1. pensée [*pan*], n. f. [Bot.] Genre de violariées ornementales, à fleurs de couleurs variées. — *Couleur de pensée,* d'un violet brun, comme la pensée commune.

HOM. — V. PANSER.

2. pensée [*pan*], n. f. (de *penser*). Faculté de penser, intelligence. *Cela m'est venu dans la pensée,* cela m'est venu dans l'esprit. — Fig. *Lire dans la pensée de quelqu'un,* découvrir ce qui se passe dans son esprit. || Acte, opération de l'intelligence; idée, jugement, réflexion qui sont le produit de la faculté de penser. *Une pensée profonde.* || Livre formé de réflexions, de remarques notées par un auteur en vue d'un ouvrage qui n'a pas vu le jour, ou extraites de l'œuvre complète d'un écrivain. *Les Pensées de Pascal.* || Opinion, façon de penser. *Dire toute sa pensée.* — *Entrer dans la pensée de quelqu'un,* comprendre et approuver les motifs qui le font penser de telle manière. — *Libre pensée*, esprit d'examen hostile à tout dogmatisme. — Par ext. Opinion de celui qui, en fait de religion, rejette tout dogme. ‖ Intention, dessein, projet. *Je n'ai jamais eu la pensée de vous offenser.* — *Être perdu dans ses pensées*, dans la rêverie. [Rhét.] *Figures de pensée*, figures qui résultent de la nature de la pensée et non de l'expression. V. tabl. INTELLIGENCE (*Idées suggérées par le mot*). V. tabl. FIGURES.

SYN. — V. SENTIMENT et INTELLIGENCE.
HOM. — V. PANSER.
— *Les grandes pensées viennent du cœur.*
— *Lorsqu'une pensée est trop faible pour comporter une expression simple, c'est la marque pour la rejeter.* (VAUVENARGUES.)
— *Les pensées sont les images des choses, comme les paroles sont les images des pensées.* (ROLLIN.)
— *Ce qui fait ordinairement une grande pensée, c'est lorsqu'on dit une chose qui en fait voir un grand nombre d'autres.* (MONTESQUIEU.)

1. **penser,** v. tr. et intr. V. tabl. PENSER.

2. **penser** [*pan*], n. m. Faculté de penser. ‖ Manière de penser. [Poét.] Pensée.
HOM. — V. PANSER.

penseur, euse [*pan*], n. Qui pense fortement, qui se livre à des réflexions philosophiques. ‖ *Libre penseur*, partisan de l'esprit d'examen hostile à tout dogmatisme. = Qui dénote la réflexion, la pensée. *Regard penseur.* — On dit plutôt *pensif*, ou *méditatif*.
LING. — L'Acad. ne donne pas le féminin *penseuse*.
HOM. — V. PANSEUR.

pensif, ive [*pan*], adj. Fortement occupé d'une pensée. ‖ Qui annonce la méditation ou la préoccupation. *Un air pensif.*
PAR. — *Poncif*, dessin piqué et poncé.

pension [*pan*], n. f. (lat. *pensio*, paiement). Somme qu'on donne pour être logé, nourri. *Payer pension.* — Par ext. Lieu où l'on est nourri et logé pour un certain prix. *Pension bourgeoise.* ‖ Somme qu'on donne pour faire élever un enfant dans un établissement d'enseignement. *La pen-*

PENSER, verbe.

Étymologie. — Du lat. *pensare*, verbe formé lui-même sur *pensum*, supin de *pendo*, peser, d'abord au sens matériel, puis avec l'idée de peser dans son esprit, de réfléchir sérieusement à, d'appliquer son esprit à, et aussi de soigner avec attention ; d'où le doublet orthographique *panser*, de telle sorte que *pensare* a donné en français à la fois *penser*, *panser* et *peser*.

GRAM. — Le verbe *penser* n'a pas de formes réfléchies, comme par ex. *jouer*. Il ne faut donc pas dire : *je me suis pensé*. — Notons qu'à l'impératif *pense*, on ajoute devant *y* une *s* pour éviter l'hiatus, *Penses-y*.

2. *Penser*, n. m. V. ce mot.

PENSER, verbe intransitif.

1° Employé absolument. Concevoir par la pensée. *L'homme pense.* — Avoir l'habitude de réfléchir. *Il pense peu.* ‖ Suivant la nature des pensées, on dit : *Penser finement, noblement, bassement*, etc. — *Bien penser, mal penser*, avoir des idées, des sentiments conformes ou contraires aux véritables principes, ou à ceux que l'on a soi-même. *Plus penser que dire.* (Devise de la Lorraine.)
Penser bien, penser mal de quelqu'un, en avoir une bonne ou une mauvaise opinion. — *Façon de penser*, opinion, jugement. ‖ Raisonner. *Cet homme pense juste.* ‖ Pop. *Tu penses !* sorte d'affirmation. *Pensez-vous ? croyez-vous ?* (ironiquement).

2° Employé avec un complément d'objet indirect.
Réfléchir, songer à quelque personne ou à quelque chose, s'en souvenir. *Pensez-y sérieusement. La chose mérite bien qu'on y pense. Je ne sais qu'en penser.*
Ne pas oublier. *Pensez bien à ma demande.*
Se souvenir d'une personne absente. *J'ai bien pensé à vous.* — *Penser à quelqu'un*, sign. aussi lui réserver, le cas échéant, un poste, un emploi. — *A quoi pensez-vous ?* se dit à une personne qui a l'air soucieuse, ou qui est prête à faire une sottise.
Prendre garde. *Vous avez des ennemis, pensez à vous.*
Penser à mal, avoir quelque mauvaise intention. *Il a fait cela sans penser à mal.* ‖ Prov. *Honni soit qui mal y pense*, honte à celui qui interprète en mal ce qui peut être innocent. (Devise de l'ordre de la Jarretière.)
— *N'en penser pas moins*, ne rien dire, mais garder son opinion, ses desseins.
— *Je pense, donc je suis.* (DESCARTES.)
— *L'homme est visiblement fait pour penser ; c'est toute sa dignité et tout son mérite, et tout son devoir est de penser comme il faut.* (PASCAL.)
— *L'homme est fait pour penser, aussi n'est-il pas un moment sans le faire.* (PASCAL.)
— *Le plus âne des trois n'est pas celui qu'on pense.* (LA FONTAINE.)
— *Il faut chercher absolument à penser et à parler juste, sans vouloir amener les autres à notre goût et à nos sentiments : c'est une trop grande entreprise.* (LA BRUYÈRE.)
— *L'homme pense, et dès lors il est maître des êtres qui ne pensent pas.* (BUFFON.)

PENSER, verbe transitif.

Avoir dans l'esprit. *C'est un homme qui ne dit jamais ce qu'il pense.*
Imaginer. *J'ai pensé une chose qui vous tirera d'affaire.*
Croire, juger, estimer, avoir une opinion. *On pense de lui des choses fâcheuses. Vous pensez bien que je n'ai pas répondu. Pensez-vous que je me contente de cela ?* — *A ce que je pense*, suivant ma manière de voir.

PENSER, verbe auxiliaire de mode. Construit avec un infinitif.

1° Avoir en vue ; avoir dessein de. *Je pense partir demain.*

2° Être sur le point de ; manquer de ; faillir. *J'ai pensé mourir en apprenant cette nouvelle.* (Emploi très fréquent au XVIIe s. et encore au XVIIIe s., en parlant des personnes et même des choses.) *Un loup donc étant de frairie se pressa, dit-on, tellement qu'il en pensa perdre la vie* (LA FONTAINE). *Leur hôtel pensa brûler* (Mme de SÉVIGNÉ).

PENSIONNAIRE — PENTURE

sion se paie par trimestre. — *Demi-pension*, situation d'un élève qui suit les cours d'un lycée, d'une pension, etc., et assiste aux études, mais n'est pas logé dans l'établissement et y prend seulement le repas de midi. ‖ Par ext. Maison d'éducation libre où des enfants sont logés, nourris et instruits, moyennant une certaine somme. *Maître de pension.* ‖ Réunion des enfants que renferme une pension. *Toute la pension est en promenade.*

Ce qu'un souverain, un État, un particulier, etc., donne annuellement à quelqu'un pour récompense de ses services, de ses travaux, ou par libéralité. *Pension de veuve, de mutilé de guerre.* ‖ *Pension de retraite*, revenu annuel attribué, sous certaines conditions d'âge et de services rendus, à un militaire, à un fonctionnaire, etc., qui a cessé son service. ‖ *Pension alimentaire*, moyens de subsistance imposés, dans certains cas, par la loi, à des parents ou alliés.

Hom. — *Pensions*, du v. penser; — *pansions*, du v. panser.

Syn. — V. AUBERGE, ÉCOLE et GAGES.

pensionnaire [*pan-sio-nè-re*], n. Celui ou celle qui verse une pension pour être logé et nourri. ‖ Celui, celle qui est logé et nourri dans une maison d'éducation ou dans un hospice, un asile, etc. ‖ *Demi-pensionnaire*, celui, celle qui est à demi-pension. ‖ Celui ou celle qui reçoit une pension d'un État, d'un particulier, etc. ‖ Acteur qui ne participe pas aux bénéfices et reçoit un traitement fixe. ‖ Artiste, élève de l'École de Rome. ‖ Autrefois, *grand pensionnaire de Hollande*, premier ministre de l'État, aux Pays-Bas.

Hom. — *Pensionnèrent*, du v. pensionner.
Par. — *Passionnaire*, livre qui raconte la Passion de Jésus-Christ.

pensionnat [*pan-sio-na*], n. m. Lieu où logent les pensionnaires d'un établissement d'enseignement. ‖ Établissement où l'on prend en pension des enfants pour les instruire. V. tabl. ÉDUCATION et ENSEIGNEMENT (*Idées suggérées par les mots*).

Hom. — *Pensionna*, *as*, du v. pensionner.
Syn. — V. ÉCOLE.

pensionné, ée, adj. Qui reçoit une pension.

pensionner [*pan-sio-né*], v. tr. Donner, faire une pension à quelqu'un.

* **pensivement** [*pan*], adv. D'une manière pensive.

pensum [*pin-somm*], n. m. (mot lat.) Surcroît de travail qu'on exige d'un écolier par punition. = Pl. *Des pensums*.

pent-, penta-, * **pente-** ou * **penté-** (gr. *penté*, cinq), préfixe sign. *cinq*.

pentacle [*pin*], n. m. (gr. *penté*, cinq). Étoffe à cinq branches, symbole de l'idée de parfait.

pentacorde [*pin*], n. m. Lyre à cinq cordes des anciens Grecs.

* **pentadactyle** [*pin*], adj. Qui a cinq doigts ou cinq divisions digitées.

* **pentadécagone** [*pin*], n. m. [Géom.] Polygone qui a quinze angles et quinze côtés.

* **pentaèdre** [*pin*], n. m. (gr. *penté*, cinq; *édra*, face). [Géom.] Solide qui a cinq faces.

pentagonal, ale, aux [*pin*], adj. Qui a la forme d'un pentagone. ‖ Qui a rapport au pentagone.

pentagone [*pin*], adj. (gr. *penté*, cinq; *gônia*, angle). [Géom.] Qui a cinq angles et cinq côtés. = N. m. Polygone à cinq côtés. — V. pl. SURFACES planes.

* **pentagynie** [*pin*], n. f. [Bot.] Dans le système de Linné, groupe de plantes ayant cinq styles distincts.

* **pentamère** [*pin*], adj. (gr. *penté*, cinq; *méros*, partie). [Zool.] Se dit des insectes dont le tarse a cinq articles distincts.

pentamètre [*pin*], adj. et n. m. (gr. *penté*, cinq; *métron*, mesure). Se dit d'un vers grec ou latin, composé de cinq pieds, qui suit toujours un hexamètre.

pentandrie [*pin*], n. f. [Bot.] Groupe de plantes ayant une fleur à cinq étamines, dans le système de Linné.

* **pentapétale** [*pin*], adj. Qui possède cinq pétales.

pentapole [*pin*], n. f. (gr. *penté*, cinq; *polis*, ville). [Antiq.] Territoire comprenant cinq villes importantes.

* **pentarchie** [*pin*], n. f. Gouvernement de cinq chefs.

* **pentastyle** [*pin*], n. m. [Archi.] Édifice qui a cinq rangs de colonnes à la face de devant.

* **pentasyllabe** [*pin*], adj. Mot, vers ou pied de vers composé de cinq syllabes.

* **Pentateuque** [*pin*], n. pr. m. Nom donné aux cinq premiers livres de la Bible, attribués à Moïse.

pentathle [*pin*], n. m. [Antiq. gr.] Ensemble des cinq espèces de jeux athlétiques (disque, javelot, lutte, course, saut).

* **pentatome** [*pin*], n. f. [Zool.] Genre d'hémiptères à odeur désagréable, appelés *punaises des bois*.

...pente.

> ORTH. — *Finales.* — La finale *pente* s'écrit toujours sous cette forme : pente, charpente, soupente.

pente [*pan-te*], n. f. (de *pendre*). Inclinaison, déclivité d'un terrain, d'une surface quelconque. *Le terrain va en pente. La pente d'un toit.* ‖ Ce qui pend autour d'un ciel de lit. ‖ Fig. Inclination, propension, penchant. *Il a beaucoup de pente au libertinage.* V. tabl. POSITION (*Idées suggérées par le mot*).

ÉPITHÈTES COURANTES : douce, modérée, rude, abrupte, raide, glissante, régulière.

Pentecôte [*pan*], n. f. (gr. *pentêkostê*, cinquantième). Chez les Juifs, fête qui commémore la révélation de la loi à Moïse, sur le Sinaï. ‖ Chez les chrétiens, fête qui commémore la descente du Saint-Esprit sur les Apôtres, et qui se célèbre cinquante jours après Pâques.

Pentélique [*pan*], n. pr. m. Montagne de l'Attique, dominant la plaine de Marathon, célèbre par ses marbres blancs. ‖ Ce marbre même. = Adj. *Marbre pentélique.*

pentière, n. f. V. PANTIÈRE.

* **pentsée** [*pin-tsé*], n. f. Toupet de cheveux sur le sommet de la tête des Chinois.

penture [*pan*], n. f. [Techn.] Bande de fer clouée transversalement à plat sur une porte, sur une fenêtre, pour la soutenir sur le gond. [Mar.] Ferrure du gouvernail.

pénultième, adj. (lat. *pene,* presque; *ultimus,* dernier). Avant-dernier. = N. f. L'avant-dernière syllabe d'un mot, d'un vers.
pénurie, n. f. (lat. *penuria,* m. s.). Extrême disette. ‖ Complet dénûment, misère, disette, indigence.
Syn. — V. manque et besoin.
Ctr. — *Abondance, opulence, affluence.*
1. * **péon,** n. m. Pâtre qui sert de guide dans les Andes.
2. * **péon,** n. m. [Versif. anc.] Pied de quatre syllabes (trois brèves et une longue).
péotte, n. f. Grande gondole en usage sur l'Adriatique.
* **pépère,** n. m. Père ou grand-père. (Fam. et enfantin). = Adj. Gros, important; ou calme, confortable. *Vie pépère* (Pop.).
Ant. — *Mémère.*
péperin, n. m. Sorte de tuf volcanique, employé pour bâtir. La variété ferrugineuse est appelée *pouzzolane.*
pépie, n. f. Petite peau blanche qui vient quelquefois au bout de la langue des oiseaux, et qui les empêche de boire. ‖ Fig. et fam. *Avoir la pépie,* avoir soif.
pépiement [*pi-man*], n. m. Action de pépier.
pépier, v. intr. (onomatopée). Crier, en parlant du moineau et de divers autres oiseaux. = Conjug. V. grammaire.
pépin, n. m. Graine qui se trouve à l'intérieur de certains fruits (raisins, pommes, melons, etc.), dit *fruits à pépins.* [Argot pop.] Parapluie. ‖ Obstacle imprévu. *Tomber sur un pépin.*
Ant. — *Noyau.*
pépinière, n. f. (de *pépin*). Plant de petits arbres qu'on sème et que l'on laisse croître jusqu'à ce qu'ils puissent être transplantés. *Une pépinière de pommiers.* ‖ Terrain préparé pour ces semis. ‖ V. tabl. agriculture (*Idées suggérées par le mot*). ‖ Fig. Réunion d'individus destinés ou propres à un état, à une profession, et le lieu où ils s'y préparent. *Le Conservatoire est une pépinière de musiciens.*
Syn. — V. bois.
pépiniériste, n. Celui, celle qui cultive, dirige des pépinières.
Syn. — V. agriculteur.
pépite, n. f. (esp. *pepita,* graine). Petite masse d'or natif, ou d'un autre métal précieux.
péplum [*plomm'*] ou **péplos,** n. m. (mots lat. et grec). Manteau de femme, chez les Grecs et les Romains; sorte de tunique longue agrafée à l'épaule.
* **pépon,** n. m. Nom vulg. de la *courge.*
pepsine, n. f. (gr. *pepsis,* digestion). [Chim.] Diastase qui est le principe actif du suc gastrique; elle sert à digérer les viandes et les albuminoïdes.
peptone, n. f. Produit de l'action de la pepsine et du suc intestinal sur les albuminoïdes.
* **peptonification** [*sion*], n. f. Transformation en peptone.
* **peptonifier** ou * **peptoniser,** v. tr. Transformer en peptone. = Conjug. (peptonifier). V. grammaire.
* **per-,** prépos. lat. indiquant l'achèvement d'une action, employée comme préfixe en chimie pour distinguer le composé le plus riche.

* **péramèle,** n. m. [Zool.] Genre de mammifères marsupiaux insectivores d'Australie.
perçage, n. m. Action de percer. ‖ Son résultat.
percale, n. f. Toile blanche de coton ras, d'un tissu fin et serré.
percaline, n. f. Étoffe de coton très lustrée qui sert à faire des doublures.
perçant, ante, adj. (ppr. du v. *percer*). Qui perce, qui pénètre. *Les vrilles sont des instruments perçants.* ‖ Fig. Qui pénètre profondément. *Un froid perçant.* ‖ *Des cris perçants,* des cris fort aigus. — *Une voix perçante,* une voix aiguë. — *Une vue perçante,* celle qui aperçoit des objets très petits ou très éloignés.
Syn. — V. aigu.
Hom. — *Perçant,* adj. et part. prés. du v. percer; — *persan,* n. m., variété de cépage; cheval de race asiatique; — *Persan,* n. et adj., habitant de la Perse.
perce, n. f. Outil servant à percer. ‖ Trou fait dans quelque chose. ‖ Action de percer. ‖ *Mettre en perce un tonneau,* y faire une ouverture pour tirer le vin.
Hom. — *Perce,* n. f., outil pour percer; trou qu'on fait; — *perce, es, ent,* du v. percer; — *Perse,* n. pr., anc. État de l'Asie, appelé auj. *Iran;* — *perse,* n. f., sorte de toile peinte.
percé, ée, adj. Troué. *Un habit percé au coude.* ‖ Fig. Pénétré, frappé. ‖ Se dit d'une ville dont les rues sont bien ou mal distribuées, d'une région traversée par de belles routes, etc.
* **percé,** n. m. Syn. de percée.
perce-bois, n. m. inv. [Zool.] Nom de divers coléoptères qui font des trous dans le bois.
percée, n. f. Ouverture dans un bois, une forêt, un parc, etc. ‖ *Faire une percée,* se faire un passage, partic. à travers un front ennemi. ‖ Baie, fenêtre dans un édifice.
Hom. — *Percer,* v. tr. pratiquer une ouverture; — *Persée,* n. pr. m., constellation boréale.
* **perce-feuille,** n. m. [Bot.] Nom vulg. du *buplèvre* à feuilles rondes (*ombellifères*). = Pl. *Des perce-feuilles.*
percement, n. m. Action de percer. *Le percement de l'isthme de Panama.*
* **perce-muraille,** n. f. [Bot.] Nom vulgaire de la *pariétaire* (*urticacées*). = Pl. *Des perce-murailles.*
perce-neige, n. f. inv. [Bot.] Nom vulg. d'une plante de la famille des *amaryllidées.*
* **percentage,** n. m. Droit de tant pour cent. — On dit plutôt *pourcentage.*
perce-oreille, n. m. [Zool.] Nom vulg. des *forficules,* insectes orthoptères. = Pl. *Des perce-oreilles.*
perce-pierre, n. f. V. passe-pierre.
1. **percepteur,** n. m. Fonctionnaire du Trésor préposé au recouvrement des contributions directes, ainsi que de certaines taxes. V. tabl. finances (*Idées suggérées par le mot*).
Par. — *Précepteur,* celui qui est chargé de l'éducation d'un enfant.
2. * **percepteur, trice,** adj. Qui perçoit. *Organe percepteur. Membrane perceptrice.*
perceptibilité, n. f. Qualité de ce qui peut être perçu.

perceptible, adj. Qui peut être perçu par un percepteur. ‖ Fig. Qui peut être saisi par les organes des sens, aperçu par l'esprit.

* **perceptiblement,** adv. D'une manière perceptible.

* **perceptif, ive,** adj. [Philos.] Qui concerne la perception. *Faculté perceptive.*

perception [*psion*], n. f. (lat. *percipere*, recueillir). Recette, recouvrement de deniers, de revenus, d'impositions. ‖ Emploi de percepteur. ‖ Local où il a sa caisse. [Philo.] Acte par lequel l'esprit perçoit les objets, en a une représentation. ‖ Ce que perçoit l'esprit. V. tabl. INTELLIGENCE (*Idées suggérées par le mot*).

percer, v. tr. (lat. pop. *pertusiare*). Pratiquer une ouverture, trouer. *Percer une planche, un mur.* — *Percer un tonneau,* y faire une ouverture pour tirer le liquide qu'il contient. ‖ *Percer une porte, une croisée dans un mur,* faire une ouverture dans un mur pour y pratiquer une porte, etc. — *Percer une rue,* ouvrir, faire une rue en abattant les constructions qui se trouvent dans sa direction.

Blesser ou tuer en traversant une partie du corps. *Un coup de lance lui perça le flanc.* ‖ Fig. *Cela perce le cœur, perce l'âme,* cela cause une vive affliction. ‖ *Percer ses dents,* se dit de l'enfant dont les dents commencent à pousser hors des gencives.

Pénétrer, passer à travers. *La pluie a percé tous mes habits.* — *Percer les buissons.* — *Percer la foule, percer le front ennemi,* etc., se faire passage à travers la foule, etc. — *La lumière perce les ténèbres,* elle se fait apercevoir à travers les ténèbres. — Fig. *Ses cris percent l'air,* ses cris se font entendre au loin. = V. intr. S'ouvrir un passage. *L'abcès a percé de lui-même.* ‖ Fig. Se déceler, se manifester. *La vérité perce tôt ou tard.* ‖ Fig. Faire son chemin dans le monde; acquérir de la réputation. *Cet homme a percé par son seul mérite.* = SE PERCER, v. pron. Être percé. *Cette étoffe se perce facilement.* = Conjug. V. GRAMMAIRE.

INCORR. — C'est une incorrection de dire : *percer un trou.* On doit dire : *faire un trou.*

CTR. — *Boucher.*

HOM. — *Percée,* n. f., ouverture; — *Percée,* n. pr. m.; constellation boréale.

* **percerette** ou * **percette,** n. f. Vrille, foret, poinçon.

perceur, euse, n. Celui, celle qui perce. = N. f. Machine-outil pour percer des métaux.

* **percevable,** adj. Qui peut être perçu.

percevoir, v. tr. (lat. *percipere,* m. s.). Recevoir, recueillir des revenus, des droits, des impôts, etc. ‖ Recevoir l'impression des objets, la sensation qu'ils causent. = Conjug. (comme *recevoir*) V. VERBES.

SYN. — V. COMPRENDRE.

PAR. — *Apercevoir,* voir à quelque distance.

* **perchant,** n. m. [Ven.] Oiseau attaché par la patte à un pieu pour attirer d'autres oiseaux.

1. **perche,** n. f. (lat. *perca,* m. s.). [Zool.] Genre de poissons téléostéens, à chair délicate, vivant dans les rivières et les lacs.

2. **perche,** n. f. (lat. *pertica,* m. s.). Morceau de bois long de plusieurs mètres, et de la grosseur du poignet environ. *Conduire un bateau à la perche.* [Gymn.] Appareil de gymnastique pour sauter, pour grimper. *Saut à la perche.* V. pl. GYMNASE. ‖ Fig. *Tendre la perche à quelqu'un* lui venir en aide. ‖ Fig. et fam. Personne dont la taille est élevée et toute d'une venue. *Une grande perche.* ‖ Ancienne mesure de longueur qui valait 18, 20, 22 pieds, etc., selon les localités. — Ancienne mesure agraire (entre 34 et 52 m²).

HOM. — *Perche,* n. f., sorte de poisson; long morceau de bois; — *Perche,* n. pr.; ancienne région de la France; — *perche, es, ent,* du v. percher.

perché, ée, adj. Posé sur une perche, sur une branche. — *Chat perché.* V. ce mot. = N. m. Moment où les oiseaux sont perchés. *Tirer au perché.*

1. * **perchée,** n. f. Réunion, groupe d'oiseaux perchés.

2. * **perchée,** n. f. Petite tranchée dans laquelle on plante des ceps de vigne.

percher, v. intr., ou **se percher,** v. pr. Se mettre sur une perche, une branche, un toit, etc., en parlant des oiseaux. ‖ Fig. et fam. Se mettre sur un endroit élevé, ou habiter un lieu fort élevé. — V. tr. Placer en un lieu élevé. *Percher un vase sur une armoire.*

percheron, onne, adj. et n. Qui est du Perche. = N. m. Cheval de gros trait, d'une race robuste et forte, élevée dans le Perche.

* **percheur, euse,** adj. Qui a l'habitude de percher, en parlant des oiseaux.

* **perchis,** n. m. Clôture faite avec des perches. ‖ Jeune bois dont les troncs ont la dimension d'une perche.

* **perchlorate** [*klo*], n. m. [Chim.] Nom générique des sels de l'acide perchlorique.

* **perchlorique** [*klo*], adj. m. [Chim.] *Acide perchlorique,* le plus oxygéné des acides du chlore.

perchlorure [*klo*], n. m. [Chim.] Chlorure le plus riche en chlore.

perchoir, n. m. Lieu où perche la volaille. ‖ Bâton sur lequel perche un oiseau. ‖ Fig. et fam. Siège, habitation élevée.

* **percidés,** n. m. pl. [Zool.] Famille de poissons téléostéens des eaux douces ou salées, ayant pour type la *perche.*

* **percillé, ée** [*ll* mll.], adj. (dimin. de *percé*). Criblé de petits trous. *Papier percillé.*

HOM. — *Persillé,* accommodé au persil, ou parsemé de petites taches vertes.

perclus, use [*klu*], adj. (lat. *perclusus,* empêché). Paralytique, impotent, privé de la faculté de se mouvoir. *Être perclus de rhumatismes.*

INCORR. — Dites *percluse,* et non pas *perclue.*

SYN. — V. IMPOTENT.

* **perclusion,** n. f. État de celui qui est perclus.

* **percnoptère,** n. m. [Zool.] Oiseau rapace, vautour fauve de la région méditerranéenne.

percolateur, n. m. (lat. *per,* à travers; *colare,* filtrer). Appareil pour faire du café en grande quantité.

percussion, n. f. (lat. *percussio,* m. s.). Coup par lequel un corps en frappe un autre. ‖ *Fusil à percussion*, fusil dans lequel le feu est communiqué à la charge par le choc sur la capsule, non plus d'un chien mais d'un percuteur. [Mus.] *Instrument de percussion*, instrument dont on joue en le frappant. [Méd.] Méthode d'exploration d'une cavité du corps qui consiste à frapper avec les doigts sur les parois.

percutant, ante, adj. Qui agit par percussion. ‖ Qui s'enflamme par percussion. *Fusée percutante. — Obus percutant*, qui éclate en touchant le sol ou le but. = N. m. *Un percutant.*
ANT. — *Fusant.*

percuter, v. tr. Frapper. [Méd.] Explorer par la percussion.

percuteur, n. m. Dans une arme à feu portative, tige métallique aiguë qui fait détoner, en la frappant, la capsule d'une cartouche.

perdable, adj. Qui peut être perdu.

perdant, ante, n. (ppr. de *perdre*). Celui, celle qui perd au jeu. = Adj. *Numéro perdant.*
CTR. — *Gagnant.*

* **perdeur, euse,** n. Celui, celle qui perd, égare, qui a l'habitude de perdre, d'égarer.

perdition [*sion*], n. f. Dégât, dissipation, ruine. *La perdition d'une fortune* (Vx). ‖ État de ce qui est en danger de périr, de faire naufrage. *Un navire en perdition.* [Théol.] État de quelqu'un hors de la voie du salut.

perdre, v. tr. (lat. *perdere*, m. s.). Être privé d'une chose qu'on avait en sa possession. *Perdre son bien, ses dignités.* ‖ Être privé, par la mort ou autrement, d'une personne qu'on a sujet de regretter. *Il a perdu son père et sa mère.* ‖ Être privé de quelque partie, de quelque faculté, de quelque propriété. *Perdre un bras. Perdre du sang. Perdre la vue, la mémoire*, etc. — Au sens moral. *Perdre courage. J'en ai perdu l'habitude. — Perdre patience*, laisser éclater une impatience longtemps contenue, ou se décider à ne pas attendre plus longtemps. — *Perdre la vie*, mourir. — *Perdre haleine*, manquer de respiration. — *Perdre la tête*, avoir la tête tranchée; et, fig., devenir fou, ou ne plus savoir où l'on en est. On dit aussi dans ce sens : *Perdre l'esprit. — Perdre la carte*, se confondre dans ses idées (Fam.).
Égarer. *Perdre son contenu. — Perdre quelqu'un*, le laisser s'égarer, ou l'égarer, le détourner de la route. ‖ Cesser de suivre ou d'occuper, laisser échapper ou laisser prendre. *Perdre son chemin. — Perdre un objet de vue*, cesser de le voir. — Fig. *Perdre de vue une affaire*, cesser de la suivre, de s'en occuper. — *Perdre quelqu'un de vue*, être longtemps sans en entendre parler. ‖ Faire un mauvais emploi, un emploi inutile de quelque chose, n'en pas profiter. *Perdre son temps. Perdre une bonne occasion.*
Être vaincu en quelque chose par un autre, avoir du désavantage contre quelqu'un ou quelque chose. *Perdre une bataille, un procès, une partie de cartes.* ‖ Fig. Ruiner, porter préjudice, en parlant de la fortune, du crédit, de la réputation, de la santé de quelqu'un. *C'est un homme qui vous perdra. — Un homme qui n'a plus rien à perdre*, un homme ruiné, perdu d'honneur et de réputation. ‖ Gâter, en-

dommager quelque chose. *Sa robe a été perdue par la pluie.* — Fig. Gâter, corrompre l'esprit, le jugement, les mœurs. *Il a perdu par ses maximes une infinité de jeunes gens.*
V. intr. Éprouver un préjudice; partic., vendre ses produits à un prix inférieur à leur prix d'achat ou à leur prix de revient. *Vous n'avez pas perdu au change.* — Fig. *Cet homme, cet ouvrage a beaucoup perdu*, on n'en fait plus le même cas qu'auparavant. ‖ Avoir une fuite. *Ce tonneau perd.* ‖ Devenir inférieur, diminuer de valeur. *Ce vin perd avec le temps.*
SE PERDRE, v. pron. Disparaître. *Il se perdit dans la foule.* — Fig. et fam. *Se perdre dans les nues, dans les nuages*, émettre avec emphase des idées vagues, obscures. — *Se perdre dans des digressions*, se livrer à des digressions, s'y embarrasser. = Au sens passif. Diminuer, s'affaiblir, et cesser d'exister. *La vue et l'ouïe se perdent avec l'âge.* — *Cet usage se perd de jour en jour*, de jour en jour on cesse de le suivre. — *La mode s'en est perdue*, elle n'est plus suivie. ‖ Être égaré. *Ces petits objets se perdent facilement.* [Mar.] En parlant d'un navire, périr, faire naufrage. *Le vaisseau s'est perdu corps et biens.*
S'égarer, se fourvoyer, ne plus retrouver son chemin. *Nous nous perdîmes dans le bois.* — Fig. *Je m'y perds; on s'y perd; l'esprit s'y perd*, se dit d'une chose où l'on a peine à rien concevoir. — *Ma tête se perd*, je ne sais plus où j'en suis. — *Se perdre en conjectures*, faire en vain toutes les suppositions possibles. ‖ Se ruiner. *Il se perd par ses dépenses excessives.* = Conjug. (comme *rendre*). V. VERBES.
CTR. — *Acquérir, conserver. — Trouver, retrouver, découvrir. — Gagner.*

perdreau, n. m. Jeune perdrix.

* **perdrieur,** n. m. Chasseur de perdrix.

perdrigon, n. m. Nom de diverses variétés de prunes.

perdrix [*dri*], n. f. (lat. *perdrix*, m. s.). [Zool.] Genre d'oiseaux gallinacés, estimés comme gibier à plumes.

perdu, ue, adj. (pp. du v. *perdre*). Égaré. *Objets perdus.* — *Tout est perdu*, il n'y a plus de ressource, plus d'espérance. ‖ Mêlé, confondu. *Être perdu dans la foule.* ‖ Fig. Plongé, abîmé dans. *Perdu dans sa douleur.* ‖ Écarté, inconnu. *Pays perdu.* ‖ *A corps perdu.* V. CORPS. ‖ Fig. *Salle des pas perdus*, grande salle qui précède la chambre des audiences d'un tribunal ou les quais d'une gare importante, et où le public se promène. ‖ *Femme, fille perdue*, prostituée. — *Être perdu de débauches, de dettes, de crimes*, etc., avoir ruiné sa santé par ses débauches, être accablé de dettes, etc. — *Être perdu d'honneur, de réputation*, etc., être perdu quant à l'honneur, à la réputation, etc. = N. m. *Courir, crier comme un perdu*, courir, crier de toute sa force.
OBS. — On dit *un homme perdu* pour désigner un homme dont la situation est désespérée; *une femme perdue* est une femme de mauvaises mœurs.
CTR. — *Trouvé, retrouvé, conservé, gagné.*

* **perdurable,** adj. (lat. *perdurabilis*, m. s.). Qui doit durer très longtemps.

* **perdurer,** v. intr. Durer très longtemps.

PÈRE — PERFIDIE

père, n. m. (lat. *pater*, m. s.). Celui qui a engendré un ou plusieurs enfants. ‖ Se dit quelquefois des animaux. *Le père de ce poulain est un étalon arabe.* [Droit] *Père naturel*, celui qui a eu un enfant d'une femme avec laquelle il n'était pas marié. — *Père légitime*, celui qui a eu un enfant d'un mariage légitime. — *Père adoptif*, celui qui a adopté quelqu'un pour son enfant. — *Père de famille*, celui qui a femme et enfants, ou seulement des enfants. — *En père de famille*, avec la sagesse et l'économie qu'un père de famille doit apporter à l'administration de ses biens. ‖ V. tabl. FAMILLE (*Idées suggérées par le mot*). ‖ *Grand-père, beau-père*, V. ces mots.

Nos pères, nos aïeux, nos ancêtres, ceux qui ont vécu dans un siècle antérieur au nôtre. *Du temps de nos pères.* ‖ En parlant de Dieu. *Dieu le Père*, le *Père éternel*, la première personne de la Trinité. ‖ Fig. Celui qui, par des soins continuels, a travaillé au bonheur des autres. *Le père du peuple, le père de la patrie.* ‖ Fig. Celui qui est le créateur, le fondateur d'un art, d'une science, d'un genre littéraire. *Hérodote est le père de l'histoire.*

Titre qu'on donne aux membres des ordres et des congrégations religieuses. *Les pères capucins. Le père Lacordaire.* — *Le Saint-Père, le très Saint-Père, notre Saint-Père*, le pape. — *Les Pères de l'Eglise*, ou absol., *les Pères*, les docteurs antérieurs au XIIIᵉ s., dont l'Église a reçu et approuvé la doctrine et les décisions. ‖ Nom que l'on donne au prêtre qui vous entend en confession. *Bénissez-moi, mon père, parce que j'ai péché.* [Hist. rom.] *Les pères conscrits*, les sénateurs de Rome. [Théâtre] *Père noble*, l'acteur chargé de jouer les rôles de pères dans la tragédie et la haute comédie. ‖ Fig. et fam. Homme d'un rang inférieur, qui est d'un certain âge. ‖ *Gros père*, homme gras, enfant joufflu (Fam.). — DE PÈRE EN FILS, locut. adv. Par transmission successive du père au fils. *Ils sont notaires de père en fils.*

— *Un père en punissant... est toujours père.* (RACINE.)
— *Parbleu, dit le meunier, est bien fou du cerveau*
Qui prétend contenter tout le monde et son père. (LA FONTAINE.)

SYN. — V. AÏEUX et RELIGIEUX.
ANT. — *Mère, fils, fille.*
HOM. — V. PAIR.

VOCAB. — *Famille de mots.* — *Père* [rad. *pèr, pater, patr, par*] : grand-père, beau-père, compère, compérage, pater, paternel, paternalisme, paternité, paternellement, paterne, patenôtre; patrimoine, patrimonial; patrie, patriote, patriotisme, patriotique, antipatriotique, antipatriotisme; compatriote; expatrier, expatriation, rapatrier; apatride; repaire, repairer; patriarche, patriarcat, patriarcal; parrain, parrainage; parricide; patron, patronat, patronal, patronner, patronnesse, patronage; impatroniser. (Par le grec) : patronyme, patronymique, patristique, patrologie, etc.

---

pérégrin, ine, adj. (lat. *peregrinus*, m. s.): Voyageur, nomade (Vx). [Antiq. rom.] *Prêteur pérégrin*, magistrat qui jugeait les contestations avec les étrangers.

* **pérégrinant**, n. m. Celui qui fait des pérégrinations.

pérégrination [sion], n. f. Voyage fait dans des pays éloignés. [Zool.] Migration.
LING. — Ne pas écrire *périgrination*.

pérégriner, v. intr. Aller çà et là, de place en place, de contrée en contrée ou dans des pays lointains.

pérégrinité, n. f. [Droit] État de celui qui est étranger dans un pays.

péremption [ran-psion], n. f. (lat. *perimere*, détruire). [Droit] Prescription par laquelle se trouve anéantie après un certain délai une procédure civile non continuée.
PAR. — *Préemption*, n. f., achat fait antérieurement. *Droit de préemption.*

péremptoire [ramp'], adj. (lat. de *perimere*, anéantir). Relatif à la péremption. ‖ Décisif, irréfutable, sans réplique. *Argument péremptoire.*
SYN. — V. CASSANT.

péremptoirement [ramp'], adv. D'une manière péremptoire.

pérennité, n. f. (lat. *perennitas*, m. s.). État de ce qui dure très longtemps ou toujours.

péréquation [koua-sion], n. f. Répartition équitable des charges, des impôts entre tous les citoyens.

perfectibilité, n. f. Qualité constitutive de ce qui est perfectible.

perfectible, adj. Qui est susceptible d'être perfectionné ou de se perfectionner.

perfection [sion], n. f. (lat. *perfectio*, m. s.). Achèvement; état de ce qui est complètement terminé. ‖ Qualité de ce qui est, dans son genre, aussi excellent que possible (toujours au sing. dans ce sens). *Chercher en tout la perfection.* ‖ Qualités excellentes de l'âme ou du corps (surtout au plur.). *Avoir de grandes perfections.* = EN PERFECTION, À PERFECTION, loc. adv. Parfaitement.
INCORR. — C'est un pléonasme de dire: *une perfection absolue* (l'idée de superlatif est contenue dans le mot perfection).

perfectionnement [sio-ne-man], n. m. Action de perfectionner. ‖ Résultat de cette action.

perfectionner [sio-né], v. tr. Rendre meilleur, corriger des défauts, faire faire des progrès. = SE PERFECTIONNER, v. pr. S'améliorer, faire des progrès.
CTR. — *Empirer.*

perfide, adj. (lat. *perfidus*). Qui trahit sa foi, sa parole, la confiance qu'on a en lui. ‖ Inspiré par la perfidie. *Un langage perfide.* = Nom. Personne perfide.
SYN. — V. DÉLOYAL.
CTR. — *Loyal, franc, droit, candide.*

perfidement, adv. Avec perfidie.
CTR. — *Loyalement, franchement, candidement.*

perfidie, n. f. Manque de foi, de loyauté. ‖ Action, trait où il y a de la perfidie.
— *Souvent la perfidie*
Retourne sur son auteur. (LA FONTAINE.)

SYN. — *Perfidie*, manquement à la foi donnée, à la loyauté : *La perfidie est un vice détestable.* — *Astuce*, moyen détourné, souvent déloyal, pour arriver à son but : *Sa conduite était pleine d'astuce.* — *Cautèle*, ruse pour tromper : *Un personnage* riche en cautèle (Vx). — *Déloyauté*, manque de franchise dans les affaires ou les relations humaines : *Sa déloyauté a été mise au jour*. — *Duplicité*, mauvaise foi de celui qui sert en même temps deux partis adverses : *La duplicité de Talleyrand*. — *Fourberie*, ruse qui cherche à tromper par des moyens odieux : *Les fourberies de Tartufe*. — *Rouerie*, les tromperies d'un individu sans scrupules : *Les roueries d'un usurier*. — *Ruse*, moyen d'arriver à un résultat en trompant autrui : *Louis XI usa souvent de ruse dans sa diplomatie*. V. aussi FAUX, TRAHISON.

ANT. — *Loyauté, franchise, candeur, bonne foi, droiture.*

perfolié, ée, adj. [Bot.] Se dit des feuilles alternes qui entourent la tige si complètement qu'elles semblent traversées par elles.

* **perforage**, n. m. Action de perforer.

perforant, ante, adj. Qui est capable de perforer, de percer. ‖ Qui perfore.

perforateur, trice, adj. et n. Qui perfore. = N. f. Machine à perforer les rochers, le sol, à creuser des galeries, des tunnels, etc.

perforation [sion], n. f. Action de perforer, de percer. [Méd.] Ouverture accidentelle dans un organe.

perforer, v. tr. (lat. *perforare*, m. s.). Faire un trou; percer.

performance, n. f. (angl. *to perform*, accomplir). [Sport] Preuves qu'un athlète, un champion, un cheval de course a données de sa valeur.

pergola, n. f. (mot ital. sign. *treille*). [Archi.] Sorte de galerie en bois, en ciment, adossée à une maison, ouverte sur les côtés, couverte à claire-voie et supportant des plantes grimpantes.

1. péri-, préfixe grec sign. *autour*, qui entre dans la composition de mots scientifiques.

2. péri, n. Génie bienfaisant, mâle ou femelle, de l'anc. religion perse.

HOM. — *Péris, it, ît*, du v. périr.

3. * péri, ie, adj. [Blas.] Se dit d'un meuble plus petit que les autres ou d'un petit bâton qui sert de brisure.

* **périanal, ale**, adj. [Zool.] Qui entoure l'anus.

périanthe, n. m. (gr. *péri*, et *anthos*, fleur). [Bot.] Ensemble des pièces florales qui entourent l'androcée et le pistil.

* **périarticulaire**, adj. [Anat.] Qui entoure une articulation.

péribole, n. m. [Archi.] Espace entre un édifice et la clôture qui l'entoure. [Antiq.] Enceinte sacrée qui entourait les temples.

PAR. — *Parabole*, section d'un cône; histoire allégorique à caractère moral.

péricarde, n. m. (gr. *péri* et *kardia*, cœur). [Anat.] Enveloppe fibro-séreuse qui entoure le cœur. V. pl. HOMME (viscères).

PAR. — *Péricarpe*, paroi du fruit mûr.

* **péricardique**, adj. Qui concerne le péricarde.

péricardite, n. f. [Méd.] Inflammation du péricarde.

péricarpe, n. m. (gr. *péri* et *karpos*, fruit). [Bot.] Enveloppe, paroi du fruit mûr.

PAR. — *Péricarde*, membrane qui entoure le cœur.

* **péricarpique**, adj. Qui a rapport au péricarpe.
* **péricentrique**, adj. Qui est disposé autour du centre.
* **périchondre** [kon-dre], n. m. (gr. *péri* et *khondros*, cartilage). [Anat.] Membrane qui recouvre les cartilages non articulaires.
* **périchondrite** [kon], n. f. [Méd.] Inflammation du périchondre.

péricliter, v. intr. (lat. *periclitari*, m. s.). Être en péril, aller à la ruine (ne se dit que des choses). *Ses affaires périclitent.*

* **péricrâne**, n. m. [Anat.] Membrane fibreuse entourant la surface extérieure du crâne.
* **péricycle**, n. m. [Bot.] Tissu situé entre l'endoderme et les faisceaux vasculaires, dans la tige et la racine.

péridot [do], n. m. [Minér.] Pierre précieuse, vitreuse, d'un vert jaunâtre, variété de corindon.

* **péridrome**, n. m. (gr. *péri* et *dromos*, course). [Archi.] Galerie couverte formant promenoir autour d'un édifice.
* **périégèse**, n. f. (gr. *péri* et *agô*, je conduis). Chez les anc. Grecs, description de la terre sous forme de voyage.

périégète, n. m. Auteur d'une périégèse.

périgée, n. m. (gr. *péri* et *ghê*, terre). [Astro.] Point de l'orbite d'une planète le plus rapproché de la terre.

ANT. — *Apogée.*

* **périgourdin, ine**, adj. et n. Du Périgord ou de Périgueux.

périgueux, n. m. [Minér.] Pierre noire très dure, employée pour polir le verre, l'émail.

* **périgyne**, adj. [Bot.] Se dit de la corolle et des étamines insérées sur le calice et formant cercle autour de l'ovaire.

périhélie, n. m. (gr. *péri* et *hêlios*, soleil). [Astro.] Point de l'orbite d'une planète qui est le plus près du soleil. *La terre passe au périhélie vers le premier janvier.*

ANT. — *Aphélie.*

PAR. — *Parhélie*, tache lumineuse visible près du soleil, produite par réfringence.

péril, n. m. (lat. *periculum*). Danger, risque, état où il y a quelque chose de fâcheux à craindre. ‖ *Il y a péril en la demeure*, le moindre retard peut causer du préjudice. ‖ *A ses risques et périls*, en se chargeant de tout ce qui peut arriver de bon ou de mauvais.

SYN. — V. DANGER.

ANT. — *Garantie, sécurité.*

périlleusement [ll mll.], adv. Avec péril.

périlleux, euse [ll mll.], adj. Dangereux, qui présente du péril.

* **périlymphe** [lin-fe], n. f. [Anat.] Liquide contenu dans le labyrinthe osseux de l'oreille.

périmé, ée, adj. Qui n'est plus valable faute d'avoir été utilisé dans le temps voulu.

CTR. — *Valable.*

périmer, v. intr. (lat. *perimere*, anéantir). S'annuler faute d'avoir été poursuivi ou employé dans les délais voulus. *Il a laissé périmer l'instance.*

périmètre, n. m. (gr. *péri* et *métron*, mesure). Contour ou somme des côtés d'une figure géométrique plane. ‖ Tour d'un terrain, etc.
* **périmétrique,** adj. Qui appartient au périmètre.
Syn. — V. circonférence.
* **périnéal, ale, aux,** adj. Qui se rapporte au périnée. *Hernie périnéale.*
périnée, n. m. [Anat.] Région comprise entre l'anus et les parties génitales.
* **périnéphrétique,** adj. Qui a son siège autour du rein.
* **périnéphrite,** n. f. [Méd.] Inflammation du tissu cellulaire qui enveloppe le rein.
1. période, n. f. (gr. *périodos*, m. s.). [Astro.] Temps qu'un astre met à parcourir son orbite ou à faire sa révolution. [Chronol.] Espace de temps qui embrasse un certain nombre d'années. V. tabl. temps (*Idées suggérées par le mot.*) [Méd.] Différentes phases ou époques qu'on peut distinguer dans le cours d'une maladie. [Géol.] Grande division des ères géologiques. *Période magdaléenne.* ‖ Chacune des divisions que l'on établit dans le cours d'une durée plus ou moins longue, d'une série successive de phénomènes ou d'événements. *Les âges sont les périodes de la vie. La période révolutionnaire.* [Arith. et Alg.] Ensemble de chiffres ou de termes qui se reproduisent périodiquement dans un calcul. [Rhét.] Phrase groupant plusieurs propositions enchaînées les unes aux autres, de sorte que le sens ne soit complètement achevé qu'avec le dernier mot. [Mus.] Phrase musicale disposée de telle sorte que l'ensemble de ses membres présente un sens.
2. période, n. m. Le plus haut point, le plus haut degré où une personne, une chose puisse arriver. ‖ Espace de temps indéterminé. *Dans un certain période de temps* (Vx).
périodicité, n. f. Nature de ce qui est périodique, de ce qui se produit à des intervalles réguliers.
périodique, adj. (lat. *periodicus*, m. s.). Qui a ses périodes; qui revient à des temps marqués. *Retour périodique. Maladie, folie périodique.* ‖ Qui paraît dans des temps fixes et réglés. *Publication périodique.* [Rhét.] Abondant en périodes. *Style périodique.* [Math.] *Fraction périodique*, fraction décimale dont les chiffres se reproduisent à l'infini dans le même ordre. = N. m. Ouvrage, revue, magazine paraissant à dates fixes. *S'abonner à un périodique.*
Syn. — V. revue.
Ctr. — *Quotidien, irrégulier.*
périodiquement, adv. D'une manière périodique.
* **périœciens** [*ri-é-si*], n. m. pl. (gr. *péri* et *oikéô*, j'habite). Nom donné à ceux qui, vivant à la même latitude, sont à une distance de 180° en longitude, de sorte qu'il est midi chez les uns quand il est minuit chez les autres.
périoste, n. m. (gr. *péri* et *ostéon*, os). [Anat.] Membrane fibro-vasculaire blanche, qui recouvre les os.
périostite, n. f. [Méd.] Inflammation du périoste.
* **périostose,** n. f. [Méd.] Tuméfaction du périoste.

péripatéticien, ienne, adj. et n. (gr. *peripatein*, se promener). Qui suit la doctrine d'Aristote, lequel enseignait en se promenant. = N. f. Prostituée qui « fait le trottoir » (Pop.).
* **péripatétique,** adj. Qui a rapport au péripatétisme.
péripatétisme, n. m. (gr. *péri* et *patéô*, je me promène). Doctrine philosophique d'Aristote ou du *Lycée* (Aristote enseignait en se promenant).
péripétie [*si*], n. f. (gr. *péripéteia*, chute). Changement de situation soudain et imprévu dans un roman, un poème, une pièce de théâtre, qui mène au dénouement. ‖ Changement subit de fortune; incident émouvant.
périphérie, n. f. (gr. *péri* et *phérein*, porter). Circonférence, contour d'une figure curviligne. ‖ Surface extérieure d'un corps.
Syn. — V. circonférence.
Ant. — *Centre.*
* **périphérique,** adj. Qui est situé à la périphérie.
périphrase, n. f. (gr. *péri* et *phrasis*, parole). [Rhét.] Figure qui consiste à dire en plusieurs mots ce qu'on pourrait dire en un seul. Ex. : *L'astre du jour*, pour *le soleil.* ‖ Par ext. Circonlocution, détours de langage. V. tabl. figures.
Syn. — V. circonlocution.
Par. — *Paraphrase*, explication qui développe un texte.
* **périphraser,** v. intr. Parler par périphrases (péjor.).
Par. — *Paraphraser*, faire une paraphrase.
* **périphraseur,** n. m. Celui qui fait des périphrases.
Par. — *Paraphraseur*, qui amplifie les choses en les rapportant.
* **périphrastique,** adj. Qui tient de la périphrase. ‖ Qui abonde en périphrases. [Gram.] Se dit des temps des verbes qui sont formés avec un auxiliaire.
périple, n. m. (gr. *péri* et *plein*, naviguer). Navigation autour des côtes d'un pays ou d'une mer intérieure. ‖ Récit d'une navigation de ce genre.
péripneumonie, n. f. [Méd.] inflammation du parenchyme du poumon; on dit aujourd'hui pneumonie.
périptère, adj. et n. m. (gr. *péri* et *pteron* aile). [Archi.] Édifice entouré d'un rang unique de colonnes isolées. V. pl. temple grec.
périr, v. intr. (lat. *perire*, m. s.). Prendre fin d'une façon malheureuse, violente; mourir, disparaître. *Tous les passagers périrent.* ‖ Tomber en ruine, en décadence, en parlant des choses (pour les personnes, on dit : *dépérir*). Être anéanti.
Gram. — *Périr* aujourd'hui ne se conjugue plus qu'avec l'aux. *avoir.*
Syn. — V. mourir.
Ctr. — *Vivre, subsister.*
* **périsciens** [*péri-si-in*], n. m. pl. (gr. *péri*, et *skia*, ombre). Habitants des zones glaciales, parce que, en un même jour, ils peuvent voir leur ombre se projeter dans toutes les directions.
périscope, n. m. (gr. *périskopéô*, je regarde autour). [Opt.] Appareil d'optique qui permet, par des combinaisons de lentilles, de miroirs et de prismes, de voir ce qui se passe au delà d'un obstacle

ou, dans les sous-marins en plongée, d'explorer l'horizon à la surface de la mer. V. pl. NAVIGATION et FORTIFICATIONS.
* **périscopique**, adj. [Phys.] Se dit des verres dont une des faces est convexe, l'autre concave et qui donnent au champ visuel une plus grande étendue. ‖ Relatif au périscope.
* **périsperme**, n. m. [Bot.] Nom donné à l'albumen lorsqu'il prend naissance en dehors du sac embryonnaire.
* **périspermé, ée**, adj. [Bot.] Muni d'un périsperme.
* **périspomène**, adj. et n. m. [Gram. gr.] Se dit d'un mot qui porte l'accent circonflexe sur la syllabe finale.
* **périsporiacées**, n. f. pl. [Bot.] Famille de champignons ascomycètes (moisissures, truffes).
périssable, adj. Sujet à périr.
CTR. — *Impérissable, perpétuel, éternel.*
* **périssant, ante**, adj. Qui est en train de périr.
* **périssodactyles**, n. m. pl. [Zool.] Groupe de mammifères ongulés dont le pied repose sur le sol par un nombre impair de doigts (tapir, cheval).
périssoire, n. f. Petite embarcation légère, longue, effilée et peu stable, qui se manœuvre avec une pagaie double.
* **périssologie**, n. f. (gr. *périssos*, superflu; *logos*, discours). Syn. de *pléonasme*.
péristaltique, adj. [Physiol.] Se dit des mouvements de contraction de l'œsophage et des intestins pendant la déglutition et la digestion.
péristole, n. f. Mouvement péristaltique des intestins.
* **péristome**, n. m. [Bot.] Nom des dents disposées sur les bords de l'ouverture de l'urne des mousses.
péristyle, n. m. (gr. *péri* et *stylos*, colonne). [Archi.] Galerie formée par des colonnes isolées faisant le tour d'un édifice. ‖ Ensemble des colonnes qui ornent la façade d'un monument. V. pl. TEMPLE. ‖ Partie postérieure des maisons romaines comportant une cour entourée d'une colonnade. ‖ Vestibule monumental.
périsystole, n. f. [Physiol.] Intervalle de temps entre la systole et la diastole, c'est-à-dire entre la contraction et la dilatation du cœur.
* **périthèce**, n. m. [Bot.] Organe qui renferme les asques chez les champignons ascomycètes.
péritoine, n. m. (gr. *péri* et *teinein*, tendre). [Anat.] Membrane séreuse en forme de sac clos qui tapisse toute la cavité abdominale et en maintient les organes.
* **péritonéal, ale**, adj. Qui se rapporte au péritoine.
péritonite, n. f. [Méd.] Inflammation aiguë ou chronique du péritoine.
* **pérityphlite**, n. f. (gr. *péri* et *tuphlos*, examen). [Méd.] Inflammation de la zone du péritoine qui entoure le cæcum.
* **périvasculaire**, adj. [Anat.] Situé autour des vaisseaux.
perle, n. f. (lat. pop. *pirula*, petite poire). Concrétion globuleuse, d'un blanc argenté et chatoyant, qui se forme dans certaines coquilles. *Collier de perles.* — *Gris perle*, couleur approchant de celle des perles. — *Perle fine*, la vraie perle. — *Perle fausse*, perle imitée artificiellement. —

PÉRISCOPIQUE — PERMANENT

[Archi.] Suite de petits grains ronds qu'on taille dans les moulures appelées baguettes. V. pl. ORNEMENTS. [Zool.] Groupe d'insectes *archiptères* assez voisins des éphémères. ‖ Petite boule de métal, de verroterie, etc., qu'on perce et qu'on enfile pour faire divers ouvrages. *Enfiler des perles.* — Fig. et fam. *Enfiler des perles*, perdre son temps. [Pharm.] Globule gélatineux contenant un médicament. ‖ Le plus petit des caractères d'imprimerie. ‖ Fig. et poét. Ce qui ressemble à une perle : gouttes de rosée, larmes, etc. *Les perles de rosée.* ‖ Fig. Dent très belle et très blanche. ‖ Personne ou chose sans défaut. *C'est la perle des hommes, des femmes.* — Se dit aussi, ironiquement, d'une absurdité, d'une énormité trouvée dans un livre, un journal, etc. ‖ Petite bulle qui se forme à la surface de certains liquides. V. tabl. PARURE ET VÊTEMENT (*Idées suggérées par les mots*).
ÉPITHÈTES COURANTES : grosse, fine, naturelle, artificielle, fausse, nacrée, blanche, noire, opaline, brillante, mate, transparente, d'une belle eau, belle, précieuse, chère, etc.
HOM. — *Pairle*, pièce héraldique en forme d'Y; — *perle, es, ent*, du v. perler.
perlé, ée, adj. Orné de perles. ‖ Qui a l'éclat de la perle. ‖ Fig. Très fin, très net, très soigné. *Style perlé.* [Mus.] *Jeu perlé*, jeu d'un musicien dont l'exécution est nette, égale, brillante. ‖ *Orge perlé*, dépouillé de son enveloppe. ‖ *Sucre perlé*, sucre cuit qui coule en gouttes semblables à des perles. ‖ *Grève perlée*, pratique consistant à saboter le travail et non à l'interrompre.
perler, v. tr. Arrondir par le frottement les grains de l'orge dépouillés de leur tégument. ‖ Faire avec un soin extrême. *Perler un ouvrage.* [Mus.] *Perler un passage*, en bien détacher toutes les notes. = V. intr. Former des gouttes arrondies et brillantes comme des perles. *La sueur perlait sur son visage.*
perlier, ière, adj. Qui produit, qui renferme des perles. *Huîtres perlières.* ‖ Relatif à la pêche de l'huître perlière. ‖ Relatif aux perles.
HOM. — *Perliez*, du v. perler.
perlimpinpin [*per-lin*], n. m. Fam. *Poudre de perlimpinpin*, médicament qui n'a aucune vertu.
* **perlot** [*lo*], n. m. Petite huître des côtes de la Manche. [Arg. pop.] Tabac à fumer.
* **perluète**, n. f. Nom donné autref. par les enfants au signe & (*et*).
perlure, n. f. [Vén.] Nom des inégalités qu'on remarque le long des cornes des cervidés.
permanence [*nan-se*], n. f. Durée constante, ininterrompue de quelque chose ; immutabilité. ‖ État de celui ou de celle qui demeure longtemps dans le même lieu. ‖ État d'une assemblée constamment en fonctions. *Siéger en permanence.* ‖ Bureau, centre ouvert d'une façon continue. = EN PERMANENCE, loc. adv. Sans interruption.
ANT. — *Variation, intermittence, discontinuité, fugacité.*
permanent, ente, adj. (du lat. *permanere*, demeurer). Stable, immuable, qui dure constamment.

Syn. — V. durable.
Ctr. — *Intermittent, provisoire, instable, transitoire, fugitif, variable, discontinu.*
permanganate, n. m. [Chim.] Sel de l'acide permanganique, excellent antiseptique.
permanganique, adj. m. [Chim.] *Acide permanganique,* le plus oxygéné des acides du manganèse.
perméabilité, n. f. Qualité de ce qui est perméable; propriété des corps de se laisser traverser par un liquide, un gaz.
perméable, adj. (lat. *permeare,* traverser). Qui peut être traversé. *Le verre est perméable à la lumière.*
Ctr. — *Imperméable.*
permettre, v. tr. (lat. *permittere,* m. s.). Donner liberté, pouvoir de dire, de faire; accorder, autoriser. *Il n'est pas permis de se venger soi-même.* || *Permettez,* formule de civilité dont on fait usage pour présenter une objection à quelqu'un. || Concéder, autoriser à faire usage d'une chose. *Le médecin lui a permis un peu de viande.* || Tolérer, souffrir. *Il faut bien permettre ce qu'on ne peut empêcher.* || En parlant des choses, donner le moyen, la possibilité. *J'irai vous voir dès que mes affaires me le permettront.* = se permettre, v. pr. Prendre la liberté de. *C'est un homme qui se permet tout.* — On dit, par formule de civilité : *Je me permettrai de vous dire, de vous représenter.* = Conjug. (comme *mettre*). V. verbes.
Syn. — *Permettre,* donner le pouvoir de, la liberté de faire ou de dire : *La loi, chez certaines peuplades primitives, permet le meurtre.* — *Autoriser,* accorder le droit de faire quelque chose que l'on ne désapprouve pas : *Autoriser un cortège dans la rue.* V. aussi allouer, attribuer.
Ctr. — *Interdire, défendre, prohiber, proscrire, empêcher.*
Par. — *Promettre,* faire promesse de.
permien, n. m. (de *Perm,* ville de Russie). [Géol.] Terrain géologique situé à la partie supérieure du primaire, entre le carbonifère et le dévonien.
1. **permis, ise,** adj. (pp. de *permettre*). Autorisé, toléré, concédé, licite. *Plaisirs permis.* || Légitime.
Syn. — V. légal.
Ctr. — *Prohibé, interdit, défendu, proscrit.*
2. **permis,** n. m. Autorisation écrite délivrée par l'autorité compétente. *Permis de séjour. Permis de conduire.*
Syn. — V. licence.
* **permissif, ive,** adj. Qui donne la permission, la licence de. [Gram.] *Voix permissive,* voix formée avec le verbe *laisser.*
permission, n. f. Autorisation donnant le pouvoir, la liberté de dire ou de faire. — *Avec votre permission,* formule de politesse ou d'adoucissement à un reproche. || Congé accordé à un militaire. || Temps de ce congé.
Syn. — V. approbation, licence et vacances.
Par. — *Promission,* action de promettre (sens religieux). *La Terre de promission.*
permissionnaire, n. Porteur, porteuse d'un permis. || Soldat en permission.
* **permissionner,** v. tr. Donner permission de stationner, d'exercer un commerce sur la voie publique.

* **permutabilité,** n. f. Qualité de ce qui est permutable, de ce qui peut être changé.
permutable, adj. Qui peut être permuté.
permutant, ante, n. Celui, celle qui permute.
permutation [*sion*], n. f. Action de permuter. || Échange réciproque de poste, d'emploi. [Math.] Différentes manières de ranger des objets.
Syn. — V. échange.
permuter, v. intr. (lat. *permutare,* m. s.). Échanger des emplois. *Cet officier a permuté avec un camarade.* = V. tr. Mettre une chose à la place d'une autre et réciproquement.
* **permuteur,** n. m. Celui qui permute, qui fait un échange, un troc.
pernicieusement, adv. D'une manière pernicieuse.
pernicieux, euse, adj. (lat. *perniciosus,* m. s.). Qui peut nuire, qui cause ou peut causer un grand préjudice. [Méd.] *Fièvre pernicieuse,* paludisme.
Syn. — V. malfaisant.
Ctr. — *Salutaire.*
* **perniciosité,** n. f. Caractère de ce qui est pernicieux (Rare).
péroné, n. m. (mot gr.). [Anat.] Os de la jambe long et grêle, situé à la partie externe du tibia. V. pl. homme (squelette).
* **péronier, ière,** adj. Qui a rapport au péroné. *Muscles péroniers.* V. pl. homme (muscles).
péronnelle, n. f. Fille ou jeune femme sotte, bavarde et impertinente (Péjor.).
* **péronosporées,** n. f. pl. [Bot.] Groupe de champignons siphomycètes, parasites des plantes supérieures (*mildiou*).
péroraison, n. f. (lat. *peroratio,* m. s.). Conclusion d'un discours, où tous les arguments déjà présentés sont réunis sous une forme resserrée et pressante. V. tabl. lettres (*Idées suggérées par le mot*).
Ant. — *Exorde.*
pérorer, v. intr. (lat. *perorare,* discourir). Discourir longuement et avec emphase.
* **péroreur, euse,** n. Celui, celle qui a l'habitude de pérorer.
pérot, n. m. Baliveau de deux coupes (par ex. de 50 ans, si on fait une coupe tous les 25 ans).
* **Pérou,** n. pr. m. (de *Pérou,* État de l'Amérique du Sud). Fam. Grosse fortune. — Loc. fam. *Ce n'est pas le Pérou,* ce n'est pas une chose merveilleuse, de grande valeur, ou difficile à obtenir, à réussir.
peroxyde, n. m. [Chim.] Le plus oxygéné des oxydes d'un même corps.
* **peroxyder,** v. tr. [Chim.] Oxyder au plus haut degré possible.
perpendiculaire[*per-pan*], adj.[Géom.] Qui se dirige sur une ligne ou sur un plan en formant un angle droit. = N. f. La ligne perpendiculaire. || Par ext. Perpendiculaire au plan de l'horizon. *Une falaise perpendiculaire* (sens à éviter). V. pl. lignes.
Obs. — Au point de vue du sens, *perpendiculaire* est souvent confondu à tort avec *vertical* (V. ce mot). — En géométrie, on ne doit pas dire qu'on abaisse *une* perpendiculaire d'un point sur une ligne, mais *la* perpendiculaire. En effet, d'un point donné, une seule perpendiculaire est possible.

perpendiculairement, adv. En situation perpendiculaire.
perpendicularité, n. f. État de ce qui est perpendiculaire.
* **perpendicule,** n. m. Fil à plomb.
perpétration [*sion*], n. f. Action de perpétrer; accomplissement. *La perpétration d'un crime.*
perpétrer, v. tr. (lat. *perpetrare*, m. s.) Commettre, consommer (un crime, un assassinat). = Conjug. V. GRAMMAIRE.
PAR. — *Perpétuer,* faire durer sans cesse ou longtemps.
perpétuation [*sion*], n. f. Action de perpétuer. ‖ Résultat de cette action.
perpétuel, elle, adj. (lat. *perpetualis*, m. s.). Qui ne cesse point, qui dure toujours, qui ne finit ou ne doit finir jamais. *Une rente perpétuelle.* [Mécan.] *Mouvement perpétuel,* mouvement qui serait produit sans dépense d'énergie ou qui produirait du travail à l'aide d'une seule source de chaleur. ‖ Dont la fonction dure toute la vie d'un homme. *Secrétaire perpétuel de l'Académie française.* ‖ Continuel. *Se livrer à des austérités perpétuelles.* ‖ Fréquent, qui revient à chaque instant. *Des plaintes perpétuelles.*
SYN. — V. CONTINUEL.
CTR. — *Éphémère, momentané, transitoire, intermittent.*
perpétuellement, adv. D'une façon perpétuelle; sans discontinuation. ‖ Fréquemment, habituellement.
perpétuer, v. tr. Rendre perpétuel, faire durer toujours ou longtemps. = SE PERPÉTUER, v. pr. Durer toujours, se succéder, se maintenir.
PAR. — *Perpétrer,* commettre, consommer (un crime).
perpétuité, n. f. Caractère de ce qui est perpétuel; durée sans interruption. = À PERPÉTUITÉ, loc. adv. Pour toujours. ‖ *Travaux forcés à perpétuité,* jusqu'à la mort du condamné.
* **perpignan,** n. m. Manche de fouet en bois de micocoulier.
perplexe [*plèk-se*], adj. (lat. *perplexus*, m. s.). Qui est dans une grande inquiétude, dans une irrésolution pénible sur ce qu'il doit faire. *Être perplexe.* ‖ Qui cause de la perplexité. *Situation perplexe.*
CTR. — *Résolu, décidé.*
perplexité, n. f. Irrésolution fâcheuse, incertitude du parti à prendre, embarras.
* **perquisiteur** [*ki*], n. m. Syn. de *perquisitionneur.*
perquisition [*ki-zi-sion*], n. f. (lat. *perquisitio,* m. s.). Recherche minutieuse et attentive. ‖ Recherche opérée au domicile d'un inculpé, par ordre de la justice.
SYN. — *Perquisition,* recherche domiciliaire ordonnée par la justice : *La police a fait une perquisition chez des gens suspects.* — *Descente,* visite judiciaire dans un endroit pour perquisitionner : *Une descente de police dans un endroit mal famé.* — *Enquête,* large information ordonnée par l'autorité et consistant à interroger des témoins, à faire des perquisitions, etc. ‖ *Une vaste enquête est ouverte sur cette affaire.* — *Information,* enquête judiciaire dans une affaire criminelle : *Ouvrir une information pour complot contre l'État.* — *Recherche,* action de chercher avec soin : *La recherche des témoins d'un crime.* V. aussi EXAMEN.

PAR. — *Perquisition,* n. f., recherche faite par un officier de police judiciaire : *Un mandat de perquisition.* — *Inquisition,* n. f., autrefois, tribunal ecclésiastique : *L'Inquisition laissa en Espagne de lugubres souvenirs.* — *Réquisition,* n. f., action de réclamer pour le service public : *La réquisition des chevaux.*
perquisitionner [*ki-zi-sio-né*], v. intr. Faire des perquisitions.
* **perquisitionneur,** n. m. Celui qui fait des perquisitions.
* **perré,** n. m. (de *pierre*). Revêtement de pierre qui protège les abords d'un pont, les berges d'une rivière.
* **perrière,** n. f. Machine de guerre du XIVe s. qui lançait des pierres, des traits.
perron, n. m. (de *pierre*). [Archi.] Escalier découvert et extérieur qui se compose d'un petit nombre de marches et aboutit à une plate-forme. V. pl. MAISON.
perroquet [*pèro-kè*], n. m. (ital. *parrocchetto*). [Zool.] Oiseau grimpeur à bec gros et bombé, qui apprend facilement à imiter la voix humaine. ‖ Personne qui parle beaucoup, sans comprendre les choses qu'elle répète et qu'elle a apprises par cœur. — *Parler comme un perroquet,* répéter à tort et à travers ce qu'on a entendu; parler sans réfléchir. [Mar.] *Mât, vergue, voile de perroquet,* les mât, vergue ou voile qui se gréent sur le mât de hune. V. pl. NAVIGATION.
perruche, n. f. [Zool.] Petit perroquet à longue queue. ‖ Femelle du perroquet. ‖ Fig. Femme sotte et bavarde, ou coquette, évaporée et sans cervelle. [Mar.] Gréement supérieur de l'artimon.
perruque [*pé-ruke*], n. f. (ital. *parruca,* m. s.). Coiffure postiche. V. pl. COSTUMES. ‖ Fig. et fam. Personne arriérée et à préjugés.
INCORR. — Il ne faut pas dire : *une fausse perruque, une perruque de faux cheveux,* une perruque étant évidemment fausse et les cheveux étant généralement de vrais cheveux.
* **perruquerie,** n. f. Chose démodée (Fam.).
perruquier, n. m. Faiseur de perruques. ‖ Coiffeur, barbier.
* **perruquière,** n. f. Femme de perruquier ou femme perruquier.
pers, erse [*pèr*], adj. De couleur intermédiaire entre le vert et le bleu. *La déesse aux yeux pers,* Athéné. = N. m. Drap bleu foncé.
HOM. — V. PAIR.
1. * **persan, ane,** adj. et n. De la Perse ou Iran. = N. m. Langue de la Perse actuelle (Iran).
HOM. — V. PERÇANT.
2. * **persan,** n. m. [Vitic.] Variété de cépage qui donne un vin très coloré.
* **perscrutateur,** n. m. Celui qui scrute profondément.
* **perscrutation** [*sion*], n. f. Recherche profonde.
* **perscruter,** v. tr. Examiner, rechercher en scrutant profondément.
PAR. — *Persécuter,* tourmenter par des moyens injustes, violents.
1. **perse,** n. f. (de *Perse*). Sorte de toile peinte, fabriquée originairement en Perse.
2. * **perse,** adj. et n. De la Perse ancienne.
HOM. — V. PERCE.

persécutant, ante, adj. Qui persécute. ‖ Qui gêne par ses importunités.

persécuté, ée, adj. et n. Qui est en butte à une persécution ou à des importunités.
ANT. — *Persécuteur.*

persécuter, v. tr. (lat. *persequi,* poursuivre). Vexer, inquiéter, tourmenter par des moyens injustes, violents. ‖ Condamner aux supplices, à la mort. ‖ Fig. Tourmenter, affliger vivement. ‖ Importuner vivement. *Ses créanciers le persécutent.*
CTR. — *Favoriser, encourager, protéger.*
PAR. — *Perscruter,* rechercher en scrutant profondément.

persécuteur, trice, n. Celui, celle qui persécute. ‖ Fig. Personne pressante, incommode, importune.
ANT. — *Persécuté.*

persécution [*sion*], n. f. (lat. *persecutio,* m. s.). Action de persécuter; vexation, tourment. *Souffrir persécution pour la justice.* ‖ Partic. Tourments et vexations infligés aux premiers chrétiens. ‖ Par exagér. Importunités continuelles auxquelles une personne se trouve exposée. [Pathol.] *Délire* ou *maladie de la persécution,* affection mentale dans laquelle le malade se croit en butte à l'animosité et aux vexations de tous ceux qui l'approchent.

* **Perséides,** n. pr. f. pl. Étoiles filantes qui semblent émaner de la constellation de Persée.

* **persel,** n. m. [Chim.] Composé salin plus riche en oxygène que les sels ordinaires.

persévéramment, adv. Avec persévérance.

persévérance, n. f. (lat. *perseverantia,* m. s.). Qualité ou action de celui qui persévère. ‖ Constance dans la piété. V. tabl. MORALE (*Idées suggérées par le mot*).
SYN. — *Persévérance,* le fait de persister à faire ce que l'on avait entrepris : *Ces paysans ont réparé avec persévérance les ravages causés par la guerre.* — *Constance,* fermeté d'âme dans la résistance au mal, à la tyrannie : *Régulus résista avec constance à ceux qui voulaient l'empêcher de retourner à Carthage.* V. aussi ENTÊTÉ.
ANT. — *Inconstance, versatilité.*

persévérant, ante, adj. Qui persévère.
SYN. — V. ENTÊTÉ.
CTR. — *Inconstant, versatile.*

persévérer, v. intr. (lat. *perseverare,* m. s.). Demeurer ferme et constant dans ce qu'on fait, ce qu'on pense ou ce qu'on veut. ‖ Fig. Durer, ne pas céder. *Son mal persévère,* il résiste aux remèdes. = Conjug. V. GRAMMAIRE.
SYN. — V. CONTINUER.
CTR. — *Renoncer, abandonner.*

persicaire, n. f. [Bot.] Variété de renouée, fourragère et ornementale (*polygonées*).

* **persicot,** n. m. (lat. *persicum,* pêche). Liqueur faite avec de l'alcool, du sucre et des noyaux de pêche.

persienne, n. f. Sorte de contrevent, à la mode de Perse, formé de lames de bois disposées en abat-jour à distance égales.

persiflage, n. m. Action, propos de celui qui persifle.
SYN. — V. MOQUERIE.

persifler, v. tr. Se moquer de quelqu'un, en lui disant d'un air ingénu des choses flatteuses qu'il croit sincères. = V. intr. Parler avec ironie, avec moquerie.
ORTH. — *Persifler* ne prend qu'*un* f, alors que *siffler* en prend *deux.*

persifleur, euse, n. Celui, celle qui persifle. = Adj. *Ton, air persifleur.*
LING. — L'Acad. ne donne pas le féminin *persifleuse.*

persil [*si*], n. m. (gr. *petrosélinon,* m. s.). Genre de plantes potagères de la famille des *ombellifères,* dont les feuilles sont employées comme condiment.

persillade [*ll* mll.], n. f. Tranches de bœuf froid assaisonnées de persil, d'ail, d'échalotes, d'huile et de vinaigre.

persillé, ée [*ll* mll.], adj. Parsemé à l'intérieur de points ou de taches verdâtres. *Fromage persillé.* ‖ *Viande persillée,* parsemée d'infiltrations de graisse.
HOM. — *Percillé, ée,* adj., criblé de petits trous.

* **persiller** [*ll* mll.], v. tr. Tacheter de petits points, de petites taches, le plus souvent verdâtres.

* **persillère** [*ll* mll.], n. f. Vase percé de trous et rempli de terre pour obtenir du persil en toutes saisons.

persique, adj. Qui appartient à l'ancienne Perse. [Archi.] Se dit d'un ordre où le fût des colonnes est remplacé par une figure de captif, où dont les chapiteaux sont bicéphales. V. pl. COLONNES.

persistance, n. f. Qualité de ce qui est persistant. ‖ Action de persister.
PAR. — *Résistance,* caractère de ce qui réagit, se défend; opposition.

persistant, ante, adj. Qui dure, qui persiste. [Bot.] Qui dure, qui se renouvelle même en hiver. *Feuilles, stipules persistantes.*
SYN. — V. CONTINUEL.
CTR. — *Variable, caduc.*

persister, v. intr. (lat. *persistere,* m. s.). Demeurer dans le même état de mouvement ou de repos. ‖ Demeurer ferme dans une résolution, une opinion; persévérer.
SYN. — V. CONTINUER.
CTR. — *Renoncer, abandonner, cesser, discontinuer.*

personnage [*perso-na-je*], n. m. (lat. *persona,* personne). Personne. Se dit toujours avec une idée accessoire favorable ou défavorable, exprimée ou sous-entendue. *Un grand personnage; un fort sot personnage.* [Litt.] Personne mise en action dans un ouvrage littéraire. *Il y a trop de personnages dans ce roman.* [Théâtre] Rôle joué par un acteur. *La liste des personnages.* — *Personnage muet,* celui qui assiste sur la scène à une action dramatique, mais sans prendre part au dialogue.

— *Se croire un personnage est fort commun en France.*

— [Il] *crut qu'il fallait s'aider de la peau du renard
Et faire un nouveau personnage.*
(LA FONTAINE.)

ÉPITHÈTES COURANTES : grand, puissant, haut, important, fastueux, imposant, considérable; orgueilleux, vaniteux, désagréable, ridicule, malfaisant, triste, grossier, odieux; petit, mince, sans importance, etc.

SYN. — *Personnage,* personne illustre ou de haut rang : *Se croire un bien grand personnage*. — *Célébrité*, personnage en vue : *Les célébrités du cinéma.* — *Figure*, personnage remarquable : *Les grandes figures de l'histoire de France.* — *Gloire*, celui qui a un renom glorieux : *Le palais de Versailles est consacré à toutes les gloires de la France.* — *Personnalité*, celui qui, par son mérite ou son rang, ne se confond pas avec la foule : *Il y avait dans cette réunion quelques personnalités marquantes.* — *Sommité*, personnage important (fam.) : *Les sommités de la médecine.*

* **personnaliser**, v. tr. Prêter une existence personnelle à une abstraction ou à un être inanimé. *Personnaliser les vices.* — On dit mieux *personnifier.*

* **personnalisme**, n. m. Attachement à sa propre personne ; conduite de celui qui rapporte tout à lui seul. [Phil.] Système selon lequel le fond de la nature peut être conçu sur le modèle de notre personnalité consciente et volontaire.

personnalité [so-na], n. f. (bas lat. *personnalitas*, m. s.). Ce qui fait qu'une personne est elle-même et non pas une autre. *Une forte personnalité.* ‖ Égoïsme, vice d'une personne qui n'est occupée que de soi-même. ‖ Trait piquant, injurieux et personnel contre quelqu'un. ‖ Personnage important. *On attend l'intervention d'une haute personnalité.*

SYN. — V. PERSONNAGE.

1. personne [so-ne], n. f. (lat. *persona*, masque, personnage). Individu, homme ou femme. *Une personne de mérite, de qualité. Payer tant par personne.* ‖ En parlant d'une femme. *Une jeune personne. Une belle personne.* ‖ Individu, homme ou femme, considéré en lui-même, et abstraction faite de toute autre circonstance. *Ce n'est pas à la personne qu'on en veut, c'est à son emploi.* — Loc. div. *On s'est assuré de sa personne*, on l'a arrêté, on lui a donné des gardes. — *Aimer sa personne, avoir soin de sa personne*, avoir grand soin de sa santé, de son ajustement. — *Être bienfait de sa personne*, être bien bâti, bien conformé. — *Être content de sa personne.* V. CONTENT. — *Payer de sa personne.* V. PAYER. — *Exposer sa personne*, exposer sa vie. *On a attenté à sa personne.* — *Sans acception de personnes*, sans marquer aucune préférence. — *En personne, en propre personne*, moi-même, vous-même, lui-même ; s'emploie pour donner plus de force à ce qu'on dit. *J'y étais en personne.* — *En sa personne, en sa propre personne*, se disent dans le même sens, mais ils ont toujours rapport au régime du verbe. *C'est l'offenser en sa personne.* — *En personne*, locut. adj. Personnifié. *Tartufe, c'est l'hypocrisie en personne.* (Fam.). [Droit] *Personne civile* ou *personne morale*, être moral, collectif ou impersonnel, auquel la loi reconnaît une partie des droits civils exercés par les citoyens. *Une commune est une personne civile qui peut posséder, acquérir.* — *Personne interposée*, prête-nom. [Gram.] Forme de la conjugaison d'un verbe permettant de distinguer : celui qui parle (1re *personne*), celui à qui l'on parle (2e *personne*), celui dont on parle (3e *personne*). *Il y a trois personnes du singulier et trois personnes du pluriel pour chaque temps de verbe. Parler à la troisième personne*, en parlant à quelqu'un, se servir de la 3e personne. Ex. *Madame est servie.* V. GRAMMAIRE (*verbe*).

LING. — *Personnes, gens.* — Ces mots au pluriel, de sens très indéfini, indiquent des êtres humains pris en groupe. On peut admettre que *gens* est plus indéfini que *personnes.* On dit : *ces gens*, en parlant d'individus inconnus groupés, et : *ces personnes*, en désignant plusieurs hommes ou femmes réunis que l'on connaît, au moins en partie, et qu'on peut dénombrer. On emploie ainsi *personnes* avec un nom de nombre : *trente personnes étaient là*, mais non *gens. Gens* désigne aussi des collectivités indéfinies : *des gens de guerre, les gens de lettres ; personnes* se dit de groupements plus définis, plus restreints : *des personnes de qualité.* — *Personnes* est plus relevé également que *gens.* On disait : *les personnes de la suite d'un prince* et *les gens de sa maison, des personnes* de petite condition et *des gens* sans aveu.

VOCAB. — *Famille de mots.* — *Personne :* personnel, personnellement, personnage, personnalité, personnaliser, impersonnel, impersonnellement, personnifier, personnification ; unipersonnel.

---

2. personne, pron. indéf. V. tabl. PERSONNE.

* **personné, ée** ou * **personé, ée**, adj. [Bot.] Se dit de certaines corolles gamopétales où la lèvre inférieure présente un renflement qui fait songer à un mufle d'animal. Ex. : *Gueule-de-loup* ou *muflier.*

1. personnel, elle [so-nel, èle], adj. (lat. *personalis*, m. s.). Qui est propre et particulier à chaque personne. *Mérite personnel.* — *Les fautes sont personnelles*, le coupable seul en doit être responsable. [Fin.] *Contribution personnelle*, celle que l'on paye en raison de sa personne, de son logement, etc. ‖ Qui vise la personnalité. *Critique personnelle.* ‖ *Lettre personnelle*, celle qui ne doit être lue que par la personne à qui elle est adressée. — Égoïste, qui n'est occupé que de soi. *Cet homme est très personnel.* [Gram.] *Pronom personnel*, pronom qui marque la personne, comme *je, tu, il.* — *Mode personnel d'un verbe*, qui se conjugue avec une des trois personnes pour sujet, par opposition à l'infinitif et au participe. ‖ V. tabl. GRAMMAIRE (*pronom* et *verbe*).

SYN. — V. ÉGOÏSTE et PARTICULIER.

2. personnel [so-nèl], n. m. Ensemble des personnes qui font partie d'une administration publique ou privée, d'un établissement, etc. *Le personnel d'une société, d'un restaurant.*

personnellement, adv. En personne, en propre personne.

* **personnificateur, trice**, n. Celui, celle qui personnifie.

personnification [so-ni-fi-ca-sion], n. f. Action de personnifier ; résultat de cette action. ‖ Type parfait. *C'est la personnification du courage.*

personnifier, v. tr. Attribuer à une chose inanimée ou abstraite la figure, le caractère, le langage d'une personne réelle. ‖ Réaliser, être le type de. *Jeanne d'Arc personnifie le patriotisme.* = Conjug. V. GRAMMAIRE.

PERSONNE, pronom.

Étymologie. — Le nom *personne* 1. (V. ce mot.)

Historique. — *Personne* est un des mots à sens nettement positif à l'origine qui, peu à peu, à force d'être en quelque sorte évoqués comme termes de comparaison à côté de la négation simple *ne* pour la renforcer (*pas même une personne n'est venue*), ont fini par prendre eux-mêmes le sens négatif. Par une transformation curieuse, le mot *personne*, de nom à sens positif et du genre féminin, est devenu un pronom négatif indéfini et de genre masculin : *Personne de sérieux ne soutiendrait cela.* V. GRAMMAIRE (négation), et tabl. PAS, POINT, RIEN.

GRAM. — *Personne*, pronom indéfini de genre masculin, sign. *aucune personne*, est toujours au singulier; il n'est jamais accompagné de l'article ou d'un adjectif accolé directement. Par là il se distingue nettement du nom féminin *personne*, qui a un sens déterminé, et est accompagné de l'article ou d'un adj. déterminatif. — Avec *personne*, pronom indéfini, on ne doit pas employer *pas* et *point: Je ne connais personne qui soit plus habile;* et non: *Je ne connais pas personne*, etc.

SYN. — *Nul, aucun* (V. ces tabl.).

PERSONNE, pron. indéf. masc.

a) **Avec le sens positif**, dans une question ou dans une prop. subordonnée ayant sens négatif. Quelqu'un, qui que ce soit. *Personne oserait-il nier? Je doute que personne réussisse. Il aimait sa patrie plus que personne au monde.*

b) **Avec le sens négatif.**

1° Accompagné de la négation *ne*. Nul, aucun, pas un individu. *Personne ne sera assez imprudent pour... Il n'y a personne si peu instruit des affaires qui ne sache... Je ne connais personne d'aussi heureux que cette femme. Il n'y a personne à la maison.* — *Y a-t-il quelqu'un ici? Il n'y a personne.*

Fam. et par euphémisme. *Il n'y a plus personne*, se dit de quelqu'un qui n'a plus sa tête, ou qui vient d'expirer.

Se construit parfois avec *de* explétif quand il est joint à un adjectif ou à un participe épithète. *Personne de sérieux ne soutiendrait cette théorie.*

2° Accompagné de la prép. *sans. Il est parti sans voir personne.*

3° Employé sans négation dans des tournures elliptiques :
a) dans des réponses. *Qui est venu? — Personne.*
b) dans des énumérations. *Personne dans les rues, personne aux portes de la ville* (CHATEAUBRIAND).

---

perspectif, ive, adj. Qui montre la perspective des objets.

perspective [*pers'-pèk*], n. f. (lat. *perspectivus*, perspectif). [Géom.] Partie de la géométrie qui enseigne à représenter sur une surface les objets avec les différences de formes, de dimensions et de couleurs dues à leur position ou à leur éloignement. ‖ Aspect que divers objets, vus de loin, ont par rapport au lieu d'observation. *Une agréable perspective.* ‖ Peinture qui représente en éloignement des jardins, des bâtiments, etc., et qu'on place au bout d'une galerie ou d'une allée de jardin pour tromper agréablement la vue. ‖ Fig. Événement probable, quoique encore éloigné; aspect sous lequel on envisage cet événement. *Il a la perspective d'une grande fortune.* = EN PERSPECTIVE, loc. adv. Dans un certain éloignement, mais à portée de la vue. *Du haut de cette colline, on voit Paris en perspective.* ‖ Fig. En vue, dans un avenir plus ou moins éloigné. *Avoir une situation en perspective.*

perspicace, adj. (lat. *perspicax*, qui a la vue pénétrante.) Qui a de la perspicacité.

CTR. — *Aveugle, borné.*

perspicacité, n. f. Pénétration d'esprit qui fait juger exactement des choses difficiles à connaître.

SYN. — V. CLAIRVOYANCE.

* **perspicuité**, n. f. (du lat. *perspicere*, voir à travers). Clarté, netteté. *La perspicuité du style.*

* **perspirable**, adj. Qui laisse passer la perspiration.

perspiration [*sion*], n. f. [Physiol.] Échanges respiratoires insensibles au moyen des pores de la peau.

persuadant, ante, adj. Susceptible de persuader.

persuader, v. tr. (lat. *per*, augmentatif, *suadere*, conseiller). Déterminer quelqu'un à croire, à faire quelque chose. *On lui a persuadé d'agir.* = SE PERSUADER, v. pron. S'imaginer, se figurer.

GRAM. — La grammaire permet d'écrire : *Les modernes se sont persuadés* ou *persuadé qu'ils surpassaient les anciens;* la raison en est qu'avec le verbe *se persuader*, le pronom *se* peut être également régime d'objet direct et régime indirect du verbe; en effet, on dit : *Persuader quelqu'un* et *persuader quelque chose à quelqu'un.*

— *L'art de persuader consiste autant en celui d'agréer qu'en celui de convaincre; tous les hommes se gouvernent plus par caprice que par raison.*

— *On se persuade mieux pour l'ordinaire par les raisons qu'on a soi-même trouvées que par celles qui sont venues dans l'esprit des autres.* (PASCAL.)

SYN. — V. INSINUER.
CTR. — *Dissuader.*

* **persuasible** [*zi-ble*], adj. Que l'on peut persuader.

persuasif, ive [*zif*], adj. Qui a la force, le pouvoir, le talent de persuader.

persuasion [*zion*], n. f. Action de persuader. ‖ Don de persuader. ‖ Croyance, conviction ferme.

* **persuasivement** [*zi*], adv. D'une manière persuasive.

* **persulfure**, n. m. [Chim.] Sulfure le plus riche en soufre.

perte, n. f. (fém. du pp. lat. *perditus*, perdu). Privation de quelque chose qu'on avait. *Perte des biens, de la vie, de l'honneur, de la raison.* — Se dit aussi des personnes dont on est privé par la mort. *La perte d'un père.* = Au pl. [A. milit.] La disparition des hommes tués, blessés ou disparus à la guerre. *Les pertes furent énormes dans cette expédition.* ‖ Dommage que l'on souffre, diminution de bien, de profit. *Ce négociant a essuyé de grandes pertes.* — Ruine, en ce qui regarde le gouvernement, la fortune, la réputation, les mœurs, etc. *Causer la perte de l'État. Les mauvais conseils l'ont conduit à sa perte.* — *Jurer, résoudre la perte de quelqu'un,* jurer sa mort, sa ruine. [Théol.] *La perte de l'âme,* la damnation éternelle. ‖ Insuccès, événement malheureux. *La perte d'une bataille, d'un procès, d'une partie de jeu.* ‖ Mauvais emploi que l'on fait d'une chose. *Voilà une grande perte de temps.* — *Profits et pertes.* V. PROFIT. [Géog.] *La perte d'un fleuve, d'une rivière,* le lieu où il disparaît sous les rochers, pour reparaître après un cours souterrain. ‖ Fuite, déperdition de fluide, de substance que contenait un corps, un récipient. *On recourt à la transfusion pour compenser la perte de sang.* [Méd.] *Perte de sang,* ou simpl. *perte,* hémorragie utérine. — *Pertes blanches,* leucorrhée. — *Perte de connaissance,* syncope. = À PERTE, loc. adv. *Vendre une marchandise à perte,* la vendre moins qu'elle ne coûte. ‖ À PERTE DE VUE, loc. adv. Jusqu'où la vue peut porter. ‖ Fig. et fam. *Raisonner, discourir à perte de vue,* faire des raisonnements vains et vagues, qui n'aboutissent à rien. = EN PURE PERTE, loc. adv. Sans utilité, sans effet. *Faire beaucoup de frais en pure perte.* ‖

ÉPITHÈTES COURANTES : grosse, grande, énorme, petite, cruelle, irréparable, douloureuse, considérable, fatale, sèche, matérielle, morale, pure, totale, etc.

ANT. — *Gain, profit.*

* **pertérébrant, ante,** adj. [Méd.] Se dit d'une douleur semblable à celle que produirait un instrument qui perce.

pertinacité, n. f. Opiniâtreté, ténacité poussée à l'extrême.

pertinemment [*na-man*], adv. Ainsi qu'il convient; avec compétence; en connaissance de cause. *Parler pertinemment d'une question.*

pertinence [*nan-se*], n. f. Caractère de ce qui est pertinent.

pertinent, ente [*nan*], adj. (lat. *pertinens,* qui convient). Qui est tel qu'il convient; qui se rapporte exactement à la question; convenable, approprié. *Raisons, excuses pertinentes.*

pertuis [*per-tui*], n. m. (lat. *pertusus,* percé). Ouverture, trou (Vx). ‖ Ouverture pratiquée dans une digue, dans certaines rivières, pour laisser passer les bateaux. — Ouverture à barrage mobile pour lâcher ou retenir l'eau. [Géog.] Détroit serré entre une île et la terre ferme ou entre deux îles. ‖ Dans la montagne, passage étroit d'un versant à un autre. ‖

pertuisane [*za-ne*], n. f. Hallebarde en usage du XVe au XVIIIe s., à fer long, triangulaire, dont la base est munie de deux oreillons en forme de croissant. V. pl. ARMES.

* **pertuisanier** [*za-ni-é*], n. m. Soldat armé d'une pertuisane.

perturbateur, trice, n. Celui, celle qui cause du trouble, du désordre. = Adj. *De s éléments pertubateurs.*

perturbation [*sion*], n. f. (lat. *perturbare, perturbatum,* troubler). Trouble, dérangement dans l'état ou la marche d'une chose. [Méd.] Trouble causé dans les fonctions par la maladie. [Météor.] *Perturbations atmosphériques,* troubles dans le temps. [Astro.] Inégalités dans le mouvement elliptique des planètes.

* **perturber,** v. tr. (lat. *perturbare,* m. s.). Causer de la perturbation.

* **pérugin, ine,** adj. et n. De Pérouse.

* **péruvien, ienne,** adj. et n. Du Pérou. = PÉRUVIENNE, n. f. Étoffe sans envers, tissée avec des fils de deux couleurs.

pervenche [*van*], n. f. (lat. *pervinca,* m. s.). [Bot.] Genre d'*apocynées* à fleurs bleu clair ou bleu foncé. — *Couleur pervenche,* bleu tirant sur le gris.

pervers, erse [*pèr-vèr*], adj. (lat. *perversus,* retourné en sens contraire). Méchant, corrompu, tourné vers le mal, dépravé. *Un être pervers.* ‖ Empreint de perversité. *Conseils pervers.* = N. m. *Dieu châtiera les pervers.*

* **perversement,** adv. Avec perversité.

perversion, n. f. Changement de bien en mal. [Méd.] Altération d'un sens, d'une fonction. *Perversion de l'appétit.*

SYN. — *Perversion,* état de ce qui, jadis bon, est devenu mauvais : *La perversion des mœurs est l'effet du luxe.* — *Corruption,* état de ce qui est devenu mauvais; situation d'une société où les mœurs sont mauvaises, où les consciences des citoyens sont achetées, etc. : *La corruption des mœurs cause la décadence des peuples.* — *Dissolution,* dérèglement des mœurs : *La dissolution du Bas Empire.* V. aussi DÉFAUT, DÉSORDRE.

perversité, n. f. Caractère de celui, de celle, de ce qui est pervers; méchanceté, dépravation. ‖ Action perverse.

perverti, ie, adj. Devenu dépravé.

pervertir, v. tr. (lat. *pervertere,* altérer). Faire changer de bien en mal dans les choses de la religion, de la morale. *Le luxe a perverti bien des nations.* ‖ Fig. Dénaturer, altérer. *Pervertir le sens d'un passage.* = SE PERVERTIR, v. pr. Devenir pervers, corrompu. *Ce jeune homme s'est promptement perverti.*

SYN. — V. GÂTER.

* **pervertissable,** adj. Que l'on peut pervertir.

pervertissement, n. m. Action de pervertir; résultat de cette action.

* **pervertisseur, euse,** n. Celui, celle qui pervertit. = Adj. *Des romans pervertisseurs.*

pesade [*za*], n. f. Mouvement d'un cheval qui s'élève du devant sans que les pieds de derrière quittent leur place.

pesage [*za*], n. m. Action de peser, d'apprécier le poids. [Turf] Action de peser les jockeys. ‖ Enceinte où l'on pèse les jockeys avant les courses.

pesamment [*za-man*], adv. D'une manière pesante. *Être armé pesamment.* ‖ Fig. Sans facilité, sans grâce, sans liberté. *Écrire pesamment.*

pesant, ante [*zan*], adj. (ppr. du v. *peser*). Qui pèse, qui est lourd. *Fardeau pesant.* ‖ Qui tend vers le centre de la terre par l'action de la pesanteur. *Les corps sont pesants.* ‖ Lourd, lent. *Une marche pesante.* — Fig. Qui manque de vivacité, de légèreté, de grâce. *Un style*

pesant. ‖ Fig. Onéreux, fâcheux, fatigant, incommode. *Porter un joug pesant.* = N. m. Poids. *Valoir son pesant d'or*, se dit d'un homme probe, obligeant, et des choses qu'on regarde comme excellentes dans leur genre.
Syn. — V. lourd.
Ctr. — *Léger; vif.*

pesanteur, n. f. (de *peser*). Nature de ce qui est pesant. [Phys.] Cause qui tend à attirer les corps vers le centre de la terre. — La force qui préside à cette tendance. *La pesanteur va en augmentant de l'équateur au pôle.* V. tableaux SCIENCES et POIDS (*Idées suggérées par les mots*). ‖ Intensité avec laquelle un corps pesant choque un autre corps. *La pesanteur d'une chute, d'un coup.* ‖ Indisposition dans une partie du corps, qui fait qu'on y sent comme un poids. *Avoir une grande pesanteur de tête, d'estomac.* ‖ Fig. Défaut de vivacité, de pénétration, de légèreté, de grâce. *La pesanteur du style.*
Syn. — *Pesanteur*, tendance qu'a tout corps à se diriger vers le centre de la terre : *Les lois physiques de la pesanteur.* — *Attraction,* force qui fait que tous les corps s'attirent : *C'est par l'attraction magnétique que l'aimant attire le fer.* — *Densité,* rapport du poids d'un corps au poids du même volume d'eau pris comme unité : *La densité du fer est 7,78.* — *Gravité,* pesanteur des corps, en terme de physique : *Le centre de gravité d'un corps.* — *Masse,* « la quantité de matière qui constitue un corps » : *C'est ainsi que Newton a défini la masse.* — *Poids,* la mesure fixée pour déterminer la pesanteur d'un objet, cette mesure elle-même une fois évaluée : *Le poids d'un litre d'eau est un kilogramme.*
Ant. — *Légèreté.*

pèse, préfixe tiré du v. *peser ;* il sert à former un certain nombre de mots composés s'appliquant à des instruments servant à peser. V. ci-après.

* **pèse-acide,** n. m. [Phys.] Aréomètre servant à mesurer la densité d'un acide. = Pl. *Des pèse-acide* ou *acides.*

* **pèse-alcool,** n. m. Syn. de *alcoomètre.* = Pl. *Des pèse-alcool.*

* **pèse-bébé,** n. m. Balance dont un des plateaux est remplacé par une corbeille, pour peser les jeunes enfants. = Pl. *Des pèse-bébés.*

pesée [*pe-zé*], n. f. Action de peser, d'évaluer le poids. ‖ Quantité de ce qui a été pesé en une fois. ‖ Effort fait, pression exercée avec une pince, un levier.

* **pèse-esprit** [*pé-zes-pri*], n. m. Aréomètre pour mesurer la densité des liquides spiritueux. = Pl. *Des pèse-esprits.*

* **pèse-lait,** n. m. inv. Appareil servant à reconnaître la densité, donc la qualité du lait.

* **pèse-lettre,** n. m. Petite balance à fléau mobile et contre-poids, pour peser les lettres, les paquets destinés à la poste. = Pl. *Des pèse-lettres.*

* **pèse-liqueur,** n. m. Appareil pour déterminer la richesse en alcool des liqueurs. = Pl. *Des pèse-liqueurs.*

* **pèse-moût,** n. m. inv. Syn. de *glucomètre.*

peser, v. tr. (lat. *pensare,* peser). Constater, mesurer le poids d'une chose, en la comparant avec un corps dont le poids est connu. *Peser de la viande.* ‖ Fig. Examiner attentivement une chose pour en connaître le fort et le faible. *Peser les raisons pour et contre.* — *Peser ses mots, ses paroles,* examiner, en parlant, la valeur, la conséquence de ce qu'on va dire.
V. intr. Avoir un certain poids. *L'or pèse plus que l'argent.* ‖ Fig. et fam. *Ne pas peser lourd devant quelqu'un,* n'être pas de taille à se mesurer avec lui, au physique ou au moral. ‖ Fig. Avoir de l'influence, de l'efficacité. — Avoir un poids trop lourd, être à charge. *Les impôts pèsent lourdement sur la population.* ‖ *Peser sur le cœur, sur la conscience,* causer des chagrins, des remords. — *Un secret lui pèse,* se dit d'une personne qui n'est pas capable de garder un secret. ‖ Appuyer fortement sur une chose. *Peser sur un levier.* = Conjug. V. GRAMMAIRE.
Gram. — *Peser* est transitif dans : *Pesez ce colis.* Il est pris absolument dans : *Ce secret me pèse.* Il se présente comme un verbe transitif, mais il reste cependant intransitif dans : *Ce porc pèse 120 kilos.*
Vocab. — *Famille de mots.* — V. PENDRE.
Syn. — V. CALCULER et APPRÉCIER.

* **pèse-sel,** n. m. Appareil indiquant la densité d'une solution saline. = Pl. *Des pèse-sels.*

* **pèse-sirop,** n. m. Appareil qui sert à déterminer le degré de concentration des sirops. = Pl. *Des pèse-sirops.*

* **peseta,** [*pé-zé*], n. f. Unité monétaire espagnole. = Pl. *Des pesetas.*

* **pesette** [*zè-te*], n. f. Petite balance de précision pour peser les pièces de monnaie.

peseur, euse, n. Celui, celle qui pèse.
Ling. — L'Acad. ne donne pas le fém. *peseuse.*

* **pèse-vin** ou **œnomètre,** n. m. Aréomètre pour mesurer la quantité d'alcool contenue dans le vin. = Pl. *Des pèse-vins.*

peson [*zon*], n. m. Instrument à contre-poids ou à ressort qui sert à peser.
Hom. — *Pesons,* du v. peser.

pessaire, n. m. (lat. *pessarium*). [Chir.] Instrument utilisé pour remettre et maintenir l'utérus dans sa position naturelle.

* **pesse** ou * **pèce,** n. f. [Bot.] Genre d'*hippuridées* vivant dans les eaux douces.
Hom. — *Paisse, es, ent,* du v. paître.

pessimisme, n. m. (lat. *pessimus,* très mauvais). [Philo.] Doctrine qui déclare que le monde est mauvais ou l'œuvre d'un principe mauvais, et que la somme des maux est supérieure à celle des biens. ‖ Tendance à voir tout en mal.
Ant. — *Optimisme.*

pessimiste, adj. et n. Partisan du pessimisme. ‖ Qui considère tout par son mauvais côté.
Ctr. — *Optimiste.*

peste [*pès-te*], n. f. (lat. *pestis,* fléau, peste). Maladie infectieuse, fébrile et épidémique qui cause une grande mortalité. *Saint Louis mourut de la peste à Tunis.* ‖ *Que la peste soit de lui, que la peste l'emporte,* se dit par imprécation de celui auquel on souhaite tout le mal possible.
V. tabl. MALADIE ET MÉDECINE (*Idées suggérées par les mots*)
— *Un mal qui répand la terreur,*
Mal que le ciel en sa fureur
Inventa pour punir les crimes de la terre,
La peste, püsqu'il faut l'appeler par son nom. (La Fontaine.)

Fig. Ce qui cause une vive terreur, la désolation. *La guerre est une peste.* ‖ Par anal. et fig. Ce qui corrompt l'esprit, le cœur. *La flatterie est la peste des cours.* ‖ Personne qui exerce une influence funeste. *Cet homme est une peste publique.* — Fam. *C'est une méchante peste, une petite peste,* c'est une personne méchante, médisante ou très malicieuse. = PESTE ! Interj. Marque l'étonnement, d'une façon ironique. *Peste ! que cela est beau !*
HOM. — *Peste, es, ent,* du v. pester.

pester, v. intr. Montrer son mécontentement par des paroles violentes ou aigres.

pesteux euse, adj. Qui a rapport à la peste. ‖ Qui donne la peste.

*** pestifère,** adj. (lat. *pestis,* peste ; *ferre,* porter). Qui communique la peste.

pestiféré, ée, adj. et n. Atteint de la peste. ‖ Fig. *Fuir quelqu'un comme un pestiféré,* en éviter le commerce.

pestilence [*lan-se*], n. f. Peste, maladie contagieuse répandue dans un pays (Vx). ‖ Fig. Doctrine pernicieuse. — Air infecté ; odeur repoussante.

pestilent, ente [*lan*], adj. Qui tient de la peste. ‖ Infecté de peste.

pestilentiel, elle [*lan-siel*], adj. Qui a le caractère de la peste. ‖ Qui donne la peste. ‖ Qui répand une très mauvaise odeur.
CTR. — *Aromatique.*

pet, n. m. (lat. *peditus,* m. s.). Mélange gazeux qui sort de l'anus avec bruit (Trivial.). ‖ *Pet de nonne,* beignet soufflé.
HOM. — V. PAIX.

*** pétalaire,** adj. Relatif aux pétales.

pétale, n. m. (gr. *pétalon,* feuille). [Bot.] Chacune des pièces qui composent la corolle d'une fleur.
PAR. — *Pédale,* planchette ou levier qu'on meut avec le pied.

*** pétalé, ée,** adj. Qui possède des pétales.

*** pétalisme,** n. m. (gr. *pétalon,* feuille). [Antiq.] Manière de voter l'exil d'un citoyen qui se pratiquait à Syracuse en écrivant les suffrages sur une feuille d'olivier.

pétarade, n. f. Suite de bruits violents, de détonations d'armes à feu. ‖ Suite de pets accompagnant les ruades du cheval.

pétarader, v. intr. Faire une pétarade.
PAR. — *Pétarder,* faire sauter au moyen de pétards.

pétard, n. m. Cylindre chargé de poudre, de dynamite, etc., qui sert à faire sauter un obstacle. ‖ Tube de carton qui contient de la poudre et qui est employé dans les feux d'artifice. ‖ Fig. et fam. Scandale ; nouvelle sensationnelle. — *Faire du pétard,* se fâcher (Pop.).

pétarder, v. tr. Faire sauter au moyen de pétards.
PAR. — *Pétarader,* faire une pétarade.

*** pétardier,** n. m. Celui qui fait les pétards ou qui les emploie.

pétase [*ze*], n. m. [Antiq.] Coiffure ronde et basse à larges bords, que portaient les Grecs. V. pl. COSTUMES.

Pétaud. n. pr. m. *Cour du roi Pétaud,* lieu où tout le monde commande ou parle à la fois.

pétaudière, n. f. (de *Pétaud*). Assemblée confuse, où tout le monde parle à la fois ou veut faire le maître. — On écrit aussi *petaudière*.

*** pétéchial, ale,** adj. [Méd.] Qui concerne les pétéchies. ‖ Qui est accompagné de pétéchies.

pétéchies, n. f. pl. [Méd.] Taches pourprées de sang extravasé apparaissant sur la peau, dans certaines maladies infectieuses.

...pête, pette.

> ORTH. — *Finales.* — A l'exception de tempête, arpète, la finale *pette* s'écrit toujours sous cette dernière forme : escampette, escopette, serpette, tripette, trompette, etc.

pet-en-l'air, n. m. inv. Veston très court, d'appartement.

péter, v. intr. Faire un pet. ‖ Faire un bruit fort sec et subit. (Pop.) ‖ Fig. et pop. Manquer, craquer, s'anéantir. *Cela m'a pété dans les mains.* = Conjug. V. GRAMMAIRE.

*** pètesec** ou *** pète-sec,** n. m. Personne au parler cassant, à volonté impérative (très fam.).

*** péteur, euse,** n. Celui, celle qui pète, qui a l'habitude de péter (Pop.).

péteux, euse, n. Poltron, individu prêt à toutes les bassesses (Pop.).

pétillant, ante [*ll* mll.], adj. Qui pétille. *Un feu pétillant.* ‖ Qui brille avec éclat. *Regard pétillant.* ‖ Fig. Plein de vivacité, alerte. *Esprit pétillant.*

pétillement [*ll* mll.], n. m. Action de pétiller. ‖ Éclat très vif.

pétiller [*ll* mll.], v. intr. Éclater avec un petit bruit sec et répété ; ou éclairer en sautillant. *Le feu pétille.* ‖ Fig. Briller, étinceler ; être plein de vivacité. *Un regard qui pétille.* ‖ *Pétiller d'esprit, d'ardeur, d'impatience,* avoir beaucoup d'esprit, manifester une grande ardeur, une vive impatience.

pétiole [*siole*], n. m. [Bot.] Queue de la feuille.

*** pétiolaire** [*sio*], adj. [Bot.] Qui est de la nature du pétiole.

pétiolé, ée [*siolé*], adj. [Bot.] Muni d'un pétiole.

petit, ite [*pe-ti*], adj. Qui est au-dessous de la grandeur, de la grosseur, de la capacité moyenne. *Petit homme. Petit cheval. Petit arbre.* — *Un petit enfant,* un enfant très jeune. — *Quand il était petit,* au temps de sa prime jeunesse. ‖ Se dit aussi des quantités qui s'évaluent par tête, par unité. *Une petite somme d'argent.* ‖ Se dit également des choses physiques et morales qui sont moindres que d'autres du même genre ou qui sont sans grande importance. *Petite fortune. Un petit personnage.* — *Petites gens,* gens de condition modeste. — *Un petit mot,* quelques paroles — Fam. *Le petit monde,* les gens qui sont obligés de travailler pour vivre, par opposition aux personnes riches. — Signifie aussi le monde des enfants. ‖ *Un petit esprit,* un homme mesquin qui attache de l'importance à de petites choses, ou qui a des sentiments peu nobles, peu généreux. ‖ Fig. *Se faire tout petit,* chercher à ne pas attirer sur soi les regards. — Qui représente une chose en raccourci, en miniature. *Cet hôtel est un petit Louvre.*

— *Hélas, on voit, que de tout temps, Les petits ont pâti des sottises des grands.*
(LA FONTAINE.)

PETIT-DUC — PÉTRAS

— *Dieu laissa-t-il jamais ses enfants au besoin ?*
Aux petits des oiseaux, il donne leur pâture. (RACINE.)
[Fam.] Exprime parfois une idée d'affection. *Mon petit homme,* ou simpl. *Mon petit, ma petite.* Dans ce sens, s'emploie souvent comme nom, en parlant à un enfant ou d'un enfant. *Viens çà, petite.*
— *Les tout petits,* les nouveau-nés. — Par ironie. *Mon petit monsieur.* ‖ Fig. *Se sentir petit garçon devant quelqu'un,* se sentir très inférieur à lui. ‖ *Au petit bonheur !* exclamation indiquant qu'on veut courir la chance favorable. — *Petit-fils, petite-fille, arrière-petit-fils, petit-neveu, petite-nièce.* V. ces mots.
N. m. Animal nouvellement né par rapport au père et à la mère. *Cette chienne a fait des petits.* ‖ Fig. et fam. *Faire des petits,* croître, augmenter. *Ses dettes font des petits sans cesse plus nombreux.* ‖ Fig. Se dit de ceux qui manquent de fortune, de crédit, par opposition à ceux qui possèdent ces avantages. *Il a contre lui les petits et les grands.* ‖ *Le petit,* ce qui a un caractère de petitesse. *Passer du petit au grand.* = Adv. Un peu. *Un petit peu.* = EN PETIT, loc. adv. En raccourci. *Un modèle en petit.* = PETIT À PETIT, loc. adv. Peu à peu, par degrés peu sensibles. *Il a fait sa fortune petit à petit.* — Fig. et prov. *Petit à petit l'oiseau fait son nid,* on fait peu à peu sa fortune, sa maison.
INCORR. — Il est absurde de joindre l'adjectif *petit* à des diminutifs. Ainsi ne dites pas : *un petit jardinet, une petite maisonnette, un petit monticule,* etc.
SYN. — V. EXIGU.
CTR. — *Grand, énorme, considérable, immense, gigantesque, moyen.*
* **petit-duc,** n. m. [Zool.] Espèce de chouette. = Pl. *Des petits-ducs.*
* **petit-dunkerque,** n. m., inv. Bibelot d'étagère.
petite-fille, n. f. La fille du fils ou de la fille, par rapport à l'aïeul ou à l'aïeule. = Pl. *Des petites-filles.*
ANT. — *Grand-père, grand-mère.*
petite-maîtresse, n. f. Jeune femme d'une élégance recherchée et affectée. = Pl. *Des petites-maîtresses.*
petitement, adv. En petite quantité. ‖ A l'étroit. *Être logé petitement.* ‖ Mesquinement, chichement. *Vivre petitement.* ‖ Sans élévation, bassement. *C'est penser petitement.*
petite-nièce, n. f. Fille du neveu ou de la nièce. = Pl. *Des petites-nièces.*
ANT. — *Grand-oncle, grand-tante.*
* **Petites-maisons,** n. f. pl. Ancien hôpital de Paris, où l'on enfermait les fous (XVIIe s.). ‖ Maison d'aliénés.
petitesse, n. f. (de *petit*). Faible dimension. *La petitesse d'un vase.* ‖ Modicité, manque de valeur. *La petitesse d'un don.* ‖ Fig. Faiblesse, bassesse. *Petitesse d'âme,* défaut d'une âme qui est incapable de grandes choses. — *Petitesse de cœur,* bassesse. — *Petitesse d'esprit,* défaut d'un homme qui a l'esprit borné, et qui attache beaucoup d'importance aux petites choses. ‖ Fig. Action qui dénote la petitesse de l'âme, du cœur, de l'esprit. *C'est un homme plein de petitesses.* V. tabl. ESPACE et DIMENSION (*Idées suggérées par les mots*).
ANT. — *Grandeur.*

* **petite vérole,** n. f. [Méd.] Variole.
petit-fils, n. m. Le fils du fils ou de la fille par rapport à l'aïeul ou à l'aïeule. = Pl. *Des petits-fils.*
ANT. — *Grand-père, grand-mère.*
* **petit-four,** n. m. Sorte de pâtisserie de petite dimension. = Pl. *Des petits-fours.*
* **petit-gendre,** n. m. Mari d'une petite-fille. = Pl. *Des petits-gendres.*
petit-gris, n. m. [Zool.] Variété d'écureuil de Russie et de Sibérie. ‖ Sa fourrure. ‖ Escargot comestible. = Pl. *Des petits-gris.*
* **petit-houx,** n. m. [Bot.] Arbrisseau toujours vert, ornemental, à fruits rouges, à feuilles réduites à des écailles. = Pl. *Des petits-houx.*
pétition [*sion*], n. f. (lat. *petitio*, m. s.). [Droit] Demande, plainte ou vœu adressé par écrit à une autorité quelconque. [Log.] *Pétition de principe,* raisonnement vicieux qui consiste à tenir pour vrai ce qu'il s'agit précisément de démontrer ; cercle vicieux.

> VOCAB. — *Famille de mots.* — *Pétition* [rad. *péti, pete, petul*] : pétitionnaire, pétitionnement, pétitoire, pétitionner, compétition, compétiteur, répétition, répétiteur, répétitorat, répétailler ; appétit, appétissant, appétence, appéter, appétitif, appétition, inappétence, compétence, compéter, compétent, incompétence, incompétent, incompétemment, centripète ; perpétuel, perpétuité, perpétuation, perpétuellement, perpétuer ; impétueux, impétuosité, impétueusement, pétulant, pétulamment, pétulance.

pétitionnaire, n. Celui, celle qui fait, qui présente, qui signe une pétition.
* **pétitionnement** [*sio-ne-man*], n. m. Action de pétitionner.
pétitionner [*sio-né*], v. tr. Présenter une pétition (Néol.).
petit-lait, n. m. Liquide qui se sépare du lait caillé. = Pl. *Des petits-laits.*
petit-maître, n. m. Jeune homme d'une élégance recherchée, de manières prétentieuses. = Pl. *Des petits-maîtres.*
petit-neveu, n. m. Fils du neveu ou de la nièce. = Pl. *Des petits-neveux.*
ANT. — *Grand-oncle, grand-tante.*
pétitoire, n. m. [Droit] Demande en justice pour réclamer le recouvrement d'une chose possédée par un tiers, et dont on revendique la propriété.
* **petit-salé,** n. m. Poitrine de porc mise au saloir. = Pl. *Des petits-salés.*
petits-enfants, n. m. pl. Les enfants du fils ou de la fille, par rapport au père ou à la mère de ce fils ou de cette fille. V. tabl. FAMILLE (*Idées suggérées par le mot*).
ANT. — *Grands-parents.*
* **pétoche,** n. f. Petit cierge de résine. ‖ Pop. Bougie, petite lampe.
* **pétoire,** n. f. Pistolet en sureau. ‖ Fam. Fusil, canon d'ancien modèle.
peton, n. m. Fam. Petit pied.
pétoncle, n. m. [Zool.] Genre de mollusques lamellibranches comestibles très communs.
* **pétrarquiser,** v. intr. Célébrer dans ses vers un amour platonique comparable à celui de Pétrarque pour Laure de Noves.
* **pétras** [*trâ*], n. m. Personnage épais, grossier, lourdaud et stupide.

pétrée, adj. f. (lat. *petra*, pierre). Couverte de pierres. Se dit d'une partie de l'Arabie.
pétrel, n. m. [Zool.] Nom vulg. de divers oiseaux de mer palmipèdes, à grandes ailes, au vol puissant, vivant au grand large.
pétri, ie, adj. Mis en pâte. ‖ Fig. Formé de, composé de, rempli de. *Pétri d'orgueil, de contradictions.*
pétrifiant, ante, adj. Qui a la propriété de pétrifier. *Fontaine pétrifiante.* ‖ Fig. et fam. Qui rend immobile de crainte, d'étonnement.
pétrification [sion], n. f. (lat. *petra*, pierre; *facere*, faire). Changement d'une substance animale ou végétale en une matière siliceuse ou calcaire. ‖ Phénomène par lequel les corps plongés dans certaines eaux calcaires se recouvrent d'une couche pierreuse. ‖ La chose pétrifiée.
pétrifier, v. tr. Changer en pierre. ‖ Imprégner ou recouvrir de calcaire, de silice. ‖ Fig. Rendre immobile de stupéfaction. *Mon apparition l'a pétrifié.* = SE PÉTRIFIER, v. pr. Se transformer en pierre. = Conjug. V. GRAMMAIRE.
PAR. — *Putréfier,* faire pourrir, corrompre.
pétrin, n. m. (lat. *pistrinum*, m. s.). Coffre dans lequel on pétrit et on serre le pain. ‖ Fam. *Être, se mettre dans le pétrin,* être, se mettre dans l'embarras.
pétrir, v. tr. (lat. *pisturire,* broyer). Mêler de la farine avec de l'eau, la malaxer et en faire de la pâte. ‖ Presser fortement entre les mains. *Pétrir de l'argile.* ‖ Fig. Composer, former, façonner. *Il se croit pétri d'un autre limon que le reste des hommes.*
pétrissable, adj. Qui peut être pétri.
pétrissage ou **pétrissement,** n. m. Action de pétrir.
pétrisseur, n. m. Celui qui pétrit la pâte. = PÉTRISSEUSE, n. f., instrument pour pétrir.
* **pétrissoire,** n. f. Machine à pétrir. ‖ Planche sur laquelle on pétrit.
pétrographe, n. Celui, celle qui pratique la pétrographie.
pétrographie, n. f. [Géol.] Étude des roches au point de vue minéralogique et chimique.
pétrographique, adj. Qui se rapporte à la pétrographie.
pétrole, n. m. (lat. *petra*, pierre; *oleum*, huile). Huile minérale qui se trouve dans le sol, composée d'un mélange de divers hydrocarbures, dont on extrait les benzines, les essences, des huiles de graissage, de la vaseline, de la paraffine. Ses usages industriels sont aussi importants que variés.

* **pétroler,** v. tr. Incendier à l'aide de pétrole. ‖ Enduire de pétrole.
* **pétrolerie,** n. f. Raffinerie de pétrole.
* **pétrolette,** n. f. Petite voiture automobile à pétrole.
* **pétroleur, euse,** n. Celui, celle qui emploie du pétrole pour incendier.
pétrolier, ère, adj. Qui a rapport au pétrole. ‖ Qui transporte le pétrole. *Bateau pétrolier;* et, n. m. *Un pétrolier.*
pétrolifère, adj. Qui renferme, qui produit du pétrole. *Gisements pétrolifères.*
pétrosilex, n. m. [Géol.] Pierre siliceuse, variété compacte d'orthose.
petto (in). V. IN PETTO.
* **pétulamment** [la-man], adv. D'une manière pétulante (Peu us.).
pétulance, n. f. Vivacité impétueuse qui a peine à se contenir.
SYN. — *Pétulance,* vivacité turbulente et sans retenue : *La pétulance s'oppose à la pondération.* — *Impétuosité,* extrême vivacité, qui va jusqu'à la violence : *Se jeter sur l'ennemi avec impétuosité.* — *Turbulence,* manière d'être désordonnée et violente : *La turbulence des foules mécontentes.* — *Vivacité,* qualité de ce qui est actif, agile, prompt : *La vivacité d'esprit de Condé était célèbre.* V. aussi ACTIVITÉ et FOUGUE.
ANT. — *Calme, tranquillité, pondération.*
pétulant, ante, adj. Qui a de la pétulance; vif, impétueux et brusque.
pétun, n. m. Ancien nom du tabac.
pétuner, v. intr. Fumer du tabac (Vx).
pétunia, n. m. [Bot.] Genre de *solanées* ornementales, à fleurs violettes, bleues ou blanches.
* **pétunsé** ou * **pétunzé,** n. m. [Minér.] Variété de feldspath employée en Chine pour la fabrication de la porcelaine.
peu, adv. et n. m. V. tabl. PEU.
* **peucédan,** n. m. [Bot.] Genre de plantes de la famille des *ombellifères.*
* **peuh,** interj. Qui marque le scepticisme, le dédain, l'indifférence.
HOM. — V. PEU.
peulven, * **peulvan** ou * **pelvan,** n. m. Menhir, pierre mégalithique plantée debout.
peuplade, n. f. (de *peupler*). Ensemble non organisé d'individus, généralement de même race, dans les pays non encore civilisés. *Des peuplades errantes.*
1. peuple, n. m. (lat. *populus*, masc., m. s.). Multitude d'hommes vivant sur le même territoire et obéissant au même gouvernement. *Le peuple français.* — *Le peuple-roi,* l'ancien peuple romain. ‖ Loc. prov. *La voix du peuple est la voix de Dieu* (trad. de l'expression latine : *vox populi vox Dei*), le sentiment général est l'indice de la vérité. ‖ Population d'une même ville. *Le peuple de Paris.* ‖ Par ext. Multitude

---

PEU, mot invariable et n. m.

Étymologie. — Du latin *paucum*, m. s., devenu *pau* puis *peu.*

GRAMMAIRE. — *Peu,* adverbe, modifie un verbe, un adjectif ou un adverbe : *Il demande peu; peu sérieux; peu solidement;* mais, en outre, de même que *beaucoup,* il peut être, à la façon des noms, accompagné d'un complément déterminatif : *Peu de soin; peu de gens savent.*
Peu, suivi d'un pronom relatif, demande que le verbe qui suit soit au subjonctif (V. ci-dessous).
Accord de : *le peu* (V. ci-après).

CTR. — *Beaucoup, très, prou* (Vx), *assez.*

HOM. — *Peu,* adv., *Mangeons peu;* — *peu,* n. m., *petite quantité;* — *peuh!* interj. (dédain, indifférence); — *peux, peut,* du v. *pouvoir.*

PEU, adverbe de quantité.

1° En petite quantité, de quantité insuffisante, par oppos. à *beaucoup*. *Manger peu. Dépenser peu. Peu s'en fallut qu'il ne fût tué. Il a fini son travail, ou peu s'en faut.*
C'est peu de, c'est peu que de, suivi d'un verbe. Il ne suffit pas de. *C'est peu que de donner, il faut le faire de bon cœur.*
C'est peu que, avec toute une proposition, indique que l'on va renchérir sur un fait annoncé, sur un argument. *C'est peu que, le front ceint d'une mitre étrangère,*
Ce lévite à Baal prête son ministère,
Ce temple l'importune (RACINE).
C'est peu de chose, se dit d'une chose ou d'une personne dont on ne fait nul cas. — *Peu de chose* se dit aussi d'un petit obstacle, d'un petit retard, d'une chose sans importance. *Cela tient à peu de chose.* — Fam. *C'est peu de chose que de nous*, se dit pour exprimer la faiblesse, la misère de la condition humaine.
Fam. *Peu ou point*, presque point. *Il a peu ou point de santé.* — *Ni peu ni point*, point du tout.

2° Avec la valeur d'un adjectif ou d'un pronom. Peu nombreux ; en petit nombre. *Beaucoup briguent le pouvoir, mais peu y réussissent.*
Le plus souvent sous la forme *peu de,* suivie d'un complément. *Peu de temps suffira à l'affaire. Peu de gens négligent leurs intérêts. Expliquez cela en peu de paroles.*

Observations grammaticales. — *Peu,* employé dans ce sens de *petit nombre,* doit toujours être suivi d'un nom de personne. Ne dites donc pas : *Peu pensent ; ils sont peu ;* dites : *Peu de gens pensent ; ils sont peu de personnes*. Cependant on peut dire : *J'en connais peu qui pensent ainsi,* à cause du pronom *en* qui remplace le nom *personne* et qui est le régime de *peu.*
Il s'en faut peu marque la différence de qualité : *Il s'en faut peu qu'il soit aussi savant que son frère.* — *Il s'en faut de peu* marque la différence de quantité : *Il s'en faut de peu que la somme n'y soit.* — On dit *c'est peu de,* et *c'est peu que de* ; la dernière locution est plus énergique, mais beaucoup moins usitée.

PEU, nom masculin.

1° Petite quantité. *Le peu que j'ai fait pour vous. Le peu qu'il me reste à vivre.* — *Vivre de peu, se contenter de peu*, vivre, se contenter de peu de chose. *Donnez-moi un peu de pain.*
Dans peu de temps, bientôt. — *Excusez du peu,* se dit à celui qui se plaint qu'on ne lui donne pas assez, quoiqu'on lui donne beaucoup ; se dit encore par celui même qui trouve qu'on lui donne trop. Se dit aussi, ironiquement, pour souligner dans un récit, dans une citation, une chose énorme ou exagérée. *Il a demandé, excusez du peu, un million.*

2° La trop petite quantité. *Le peu d'ardeur qu'il a déployée explique son peu de succès.*

Observations grammaticales. — Participe passé précédé de LE PEU DE... Il est invariable si *le peu de* signifie *le manque, le trop peu. Le peu d'efforts qu'il a fait a été cause de son échec.* — Il est variable si *le peu de* signifie *une petite quantité* mais *suffisante* tout de même : *Le peu de nourriture qu'il a prise l'a ranimé.*
Verbe précédé de LE PEU DE..., suivi d'un nom au pluriel. Le verbe se met au singulier quand *le peu de* signifie *le manque, le trop peu : Le peu de précautions qu'il a pris a provoqué cet accident.* — Le verbe se met au pluriel quand *le peu de* signifie *une petite quantité* mais *suffisante* tout de même : *Le peu de précautions qu'il a prises ont eu un heureux résultat.* Aujourd'hui, l'accord est considéré comme facultatif.
On emploie le subjonctif, d'ordinaire, après *peu* suivi d'un pronom relatif et qui, dans ce cas, peut être considéré comme nom à valeur collective (d'où le verbe pluriel), la proposition ayant alors un sens consécutif : *Il y en a peu qui soient aussi bons que cet homme.*

LOCUTIONS FORMÉES AVEC PEU

UN PEU, loc. adv. Un petit moment. *Attendez-moi un peu.* — Trop. *Aller un peu loin, un peu trop loin,* exagérer, dépasser dans ses actes ou dans ses paroles les bornes de la bienséance. — Dans le langage fam. *un peu* est parfois explétif. *Dites-moi un peu ce que cela signifie.* — *Un peu plus*, loc. adv. familière indique qu'une chose a été toute proche de se réaliser. *Je suis arrivé à temps, un peu plus toute la maison flambait.*

Observations grammaticales. — *Un peu* est inutile et s'emploie abusivement dans cette phrase et dans des tours analogues : *Donnez-moi un peu votre livre*. Il suffit de dire : *Donnez-moi votre livre.* — *Un petit peu* forme un pléonasme ; dites simplement *un peu*.

UN PETIT PEU, loc. adv. Fam. Renforce la loc. *un peu,* mais forme un véritable pléonasme, à éviter. *Venez un petit peu plus près.* — On dit même fam. *Un tout petit peu.*

PEU À PEU, loc. adv. Lentement, par un progrès presque imperceptible. *Les jours augmentent peu à peu.* (Cf. la loc. *petit à petit.*)

DE PEU, loc. adv. Marque la petite quantité qui forme une différence, qui aurait modifié un événement. *Il l'a emporté de peu sur son concurrent.* — *Un homme de peu,* un homme de basse condition ou de nulle valeur morale.

PEU APRÈS, loc. adv. Peu de temps après. *Il vint chez moi à midi, peu après il me quitta.*

QUELQUE PEU, loc. adv. Un peu. *Il est quelque peu.*

TANT SOIT PEU, loc. adv. Très peu. *Attendez tant soit peu.* — On dit dans le même sens : *un tant soit peu. S'il était un tant soit peu clairvoyant, il ne se mêlerait pas de cette affaire.*

À PEU PRÈS, À PEU DE CHOSE PRÈS, loc. adv. Presque, environ. *Ils sont à peu près du même âge.* = N. m. *L'à peu près* suffit dans les choses qui n'exigent pas une grande précision. — *Un à peu près*, jeu de mots portant sur des mots voisins et parfois déformés volontairement.

DANS PEU, SOUS PEU, loc. adv. et ellipt. Dans peu de temps. *Il arrivera dans peu, sous peu.* On dit de même : *Avant qu'il soit peu* et *avant peu.*

DEPUIS PEU, loc. adv. Depuis peu de temps. *Il est arrivé depuis peu.*

SI PEU, AUSSI PEU, TROP PEU, loc. adv. *Vous y resterez si peu, aussi peu, tant et si peu que vous voudrez. Vous m'en donnerez aussi peu qu'il vous plaira. C'est trop peu pour moi.* — *Si peu que rien,* une très petite quantité. *Donnez-moi de ce plat, si peu que rien* (Fam.).

SI PEU QUE, loc. conj. de concession, construite avec le subj. *Si peu qu'il fasse pour moi, je lui serai reconnaissant.*

POUR PEU QUE, loc. conj. qui est toujours suivie du subjonctif. *Il le fera pour peu que vous lui en parliez,* si vous lui en parlez le moins du monde. — *Pour le peu que* est un barbarisme ; il faut dire : *pour peu que.*

d'hommes qui n'habitent pas le même pays, mais qui ont une même origine ou une même religion. *Le peuple chrétien.* — *Le peuple de Dieu,* la nation juive. ‖ Masse de la nation, par opposition au souverain ou à certaines classes supérieures ou privilégiées. *Le sénat et le peuple romains.* ‖ La partie de la population qui ne vit que de son travail, et qui n'a ni l'instruction, ni les manières des classes aisées. *Un enfant du peuple.* — *Le petit peuple, le menu peuple, le bas peuple, la lie du peuple,* la partie inférieure de la population. ‖ Nombre plus ou moins grand de personnes considérées quant à certains rapports qui leur sont communs. *Un peuple de héros.* = Adj. Vulgaire, commun. *Avoir l'air peuple.*
— *Le silence des peuples est la leçon des rois.* (Oraison funèbre de Louis XV.) (Abbé de Beauvais.)
— *Un peuple est une communauté qui n'a qu'une âme et qu'une histoire.* (Lacordaire.)
— *De lui-même, le peuple veut toujours le bien; mais, de lui-même, il ne le voit pas toujours.* (J.-J. Rousseau.)
— *Le peuple, océan, onde sans cesse émue. Où l'on ne jette rien sans que tout y remue.* (V. Hugo.)
Hom. — *Peuple, es, ent,* du v. peupler.
Syn. — V. nation.
Épithètes courantes : grand, nombreux, petit, libre, roi, esclave; cultivé, policé, civilisé, barbare, sauvage, inculte, cruel, intelligent, industrieux, laborieux, patient, habile, aimable, docile, confiant, méfiant ; honnête, fourbe, agricole, pasteur, commerçant; guerrier, marin; belliqueux, brave, ardent, combattif; pacifique, tranquille, sociable; soumis, révolté, soulevé, pressé, traqué; heureux, malheureux, infortuné, riche, pauvre, misérable; français, romain, grec, anglais, allemand, russe, américain, etc.

Vocab. — *Famille de mots.* — **Peuple.** [rad. *peu, pop, pub, pléb.*] : peupler, peuplade, peuplement, dépeupler, dépeuplement, repeupler; populaire, populairement, populariste, popularité, populariser, populeux, population, populisme, populace, populacier; impopulaire, impopularité; dépopulation; public, publiquement, publier, publicité, publiciste, publicitaire, publication, publicain; république, républicain, républicanisme; plèbe, plébéien, plébiscite, plébiscitaire, etc.
Le mot grec de même sens, *dêmos,* a donné: démocratie, démocratique, démagogie, démagogue, démographie, endémie, épidémie, endémique, épidémique, etc.

---

2. peuple, n. m. (lat. *populus,* fém., m. s.). Peuplier (Vx).

peuplé, ée, adj. Où il y a beaucoup d'habitants. *Une région fort peuplée.*
Ctr. — *Dépeuplé, désert.*
Incorr. — Dites : *une ville très peuplée ;* ne dites pas : *une ville conséquente.*

peuplement, n. m. Action de peupler. ‖ État de ce qui est peuplé. ‖ *Colonie de peuplement,* celle où les colons peuvent faire souche, créer une population stable.

peupler, v. tr. (de *peuple*). Remplir un pays d'hommes, d'animaux ou de végétaux. *Peupler une île déserte. Peupler un étang, un bois.* ‖ Remplir un lieu d'habitants par la voie de la génération. *Les premiers hommes qui ont peuplé l'Amérique.* ‖ Constituer la population de. *Les races qui peuplent le Sud de l'Afrique.* ‖ Fig. Être en grand nombre. *Les hauts faits qui peuplent l'histoire.* = V. intr. Multiplier par la génération. *Toutes les nations ne peuplent pas également.* = se peupler, v. pr. Devenir habité, peuplé. *Les villes se peuplent au détriment des campagnes.*
Ctr. — *Dépeupler, dégarnir.*

* **peupleraie,** n. f. Lieu planté de peupliers.

peuplier, n. m. (de *peuple* 2). [Bot.] Genre de plantes arborescentes de la famille des *salicinées,* arbres à tiges élevées (30 à 35 m.) donnant un bois blanc, léger, très employé. Il en existe plusieurs espèces : *peuplier blanc, peuplier tremble, peuplier d'Italie* ou *peuplier franc,* etc.

peur, n. f. V. tabl. peur.

peureusement, adv. D'une manière peureuse.
Ctr. — *Courageusement, bravement, intrépidement, hardiment.*

peureux, euse, adj. Qui est sujet à la peur; poltron. ‖ Qui manque de hardiesse, qui ne sait pas oser ; timide. ‖ Qui témoigne de la peur. = Nom. Celui, celle qui a peur.
Syn. — V. craintif et lâche.
Ctr. — *Brave, courageux, intrépide, — Hardi.*

peut-être, mot invar. V. tabl. peut-être.

* **pézize,** n. f. [Bot.] Genre de champignons discomycètes, comestibles mais peu estimés.

* **pfennig,** n. m. [Métrol.] Petite monnaie allemande valant le centième du mark.

* **phacochère,** n. m. [Zool.] Genre de mammifères pachydermes, famille des *suidés,* sangliers d'Afrique.

phaéton, n. m. (de *Phaéton,* n. pr.). Espèce de calèche à quatre roues, légère et découverte. ‖ Cocher (Vx). [Zool.] Genre d'oiseaux palmipèdes, vulg. *paille-en-queue.*

phagédénique, adj. [Méd.] Qui ronge les chairs. *Ulcère phagédénique.*

* **phagédénisme,** n. m. [Méd.] Affection due à un ulcère phagédénique, gangrène envahissante des tissus.

phagocyte, n. m. (gr. *phagein,* manger; *kutos,* cellule). [Physiol.] Globule blanc ou leucocyte formant une importante partie du sang et de la lymphe, et dont la fonction est d'absorber et de détruire des éléments malfaisants de l'organisme. Ce sont les agents de l'auto-défense de l'organisme.

phagocytose [*tô-ze*], n. f. [Physiol.] Digestion par les phagocytes des éléments usés du sang ou des tissus, et des micro-organismes pathogènes.

phalange, n. f. (lat. *phalanx,* m. s.). [Antiq.] Corps d'infanterie spartiate et macédonienne rangé dans un ordre compact et armé de longues lances. ‖ Poét. et par ext. Corps d'armée. ‖ Fig. Troupes serrées. *Des phalanges d'insectes.* [Sociol.] Dans le système de Fourier : association de cent familles.
[Anat.] Chacun des os qui composent les doigts de la main et du pied. V. pl. homme (squelette).

PEUR, n. f.

Étymologie. — Latin *pavor*, m. s.
   SYN. — V. FRAYEUR et ALARME.
   ANT. *Assurance, bravoure, courage, intrépidité, hardiesse.*

PEUR, n. commun, fém.
   1º Crainte violente, inquiétude en présence d'un danger, réel ou imaginaire. *Avoir peur, grand'peur. Il en a été quitte pour la peur. Il ne faut pas faire peur aux enfants.* V. tabl. SENSIBILITÉ *(idées exprimées par le mot.)*

LOCUTIONS FAMILIÈRES :

Mourir de peur, éprouver une peur violente. — Prov. *Il a peur de son ombre*, les moindres choses lui font peur. *Avoir plus de peur que de mal*, échapper à un danger (Fam.). — *Avoir une peur bleue que...* (par allus. à la couleur livide que donne une peur intense), craindre très fortement que (Fam.). || Fam. *Être laid à faire peur*, être excessivement laid. — *Être habillé, mis à faire peur*, être vêtu d'une manière ridicule.

   2º Par exag. Simple appréhension, simple scrupule. *J'ai bien peur qu'il ne vienne pas. Il a eu peur de vous déplaire, de vous déranger.*
   GRAM. — *Avoir peur* exige *ne* devant le verbe qui suit : *J'ai peur qu'il ne vous trompe* ; à moins qu'*avoir peur* ne soit accompagné d'une négation, ou employé interrogativement ; dans ces deux cas on supprime *ne* : *Je n'ai pas peur qu'il vous trompe ; avez-vous peur qu'il vous trompe ?*

   — *Eh ! la peur se corrige-t-elle ?*
   Je crois même, en bonne foi
   Que les hommes ont peur comme moi. (LA FONTAINE.)

LOCUTIONS FORMÉES avec PEUR.

   DE PEUR DE, loc. prép. construite avec un infinitif, marquant l'intention d'éviter quelque chose, le but à éviter. Par crainte de. *Il ne sort jamais la nuit de peur d'être attaqué.*
   DE PEUR QUE, loc. conj. qui, dans une proposition finale, marque l'occasion, la chose à éviter Toujours suivie de *ne* devant le verbe suivant qui doit toujours être au subjonctif. Dans la crainte que, pour éviter que. *Cachez-lui votre dessein de peur qu'il ne le traverse.*
   VOCAB. — *Famille de mots.* — *Peur* [rad. *peu, pav, pouv.*] : mâlepeur, peureux, peureusement, apeuré ; épave, épouvante, épouvanter, épouvantable, épouvantement, épouvantablement, épouvantail. — Le mot grec *phobos*, peur, a donné *phobie* et ses composés.

---

* **phalanger,** n. m. [Zool.] Genre de mammifères marsupiaux nocturnes d'Océanie.

* **phalangette,** n. f. [Anat.] La dernière phalange de chaque doigt, qui donne naissance à l'ongle.

* **phalangien, ienne** [*ji-in, ji-è-ne*], adj. [Anat.] Qui a rapport aux phalanges.

* **phalangine,** n. f. [Anat.] Phalange médiane, seconde phalange des doigts. V. pl. HOMME (squelette).

phalangite, n. m. [Antiq. gr.] Soldat de la phalange.

phalanstère, n. m. Habitation de la phalange, dans le système de Fourier.

phalanstérien, ienne, n. Habitant d'un phalanstère ; partisan des doctrines de Fourier. = Adj. Qui a rapport au phalanstère.

phalaris ou * **phalaride,** n. f. [Bot.] Genre de plantes, de la famille des *graminées*, employées comme fourrage.

phalène, n. f. [Zool.] Nom vulg. de plusieurs papillons nocturnes de la famille des *géométrides*, dont les chenilles sont dites *arpenteuses.*

   1. * **phalère,** n. f. [Antiq. rom.]. Plaque ronde en métal servant de décoration aux soldats qui s'étaient distingués au combat.

PEUT-ÊTRE, loc. invariable.

Étymologie. — Peut-être est une locution verbale formée de la réunion de la 3e personne neutre du présent de l'indicatif de *pouvoir*, et de l'infinitif *être*. C'est une tournure elliptique pour : *cela peut être, il peut être,* anc. franç. *peut cel estre.*

Observations grammaticales. — *Peut-être* peut se placer en tête de la phrase, mais le nom qui le suit doit alors rester devant le verbe, où il est rappelé par un pronom personnel : *Peut-être l'influence de mon rocher natal a-t-elle agi sur mes sentiments* (CHATEAUBRIAND).
   Peut-être, employé avec le verbe *pouvoir*, forme pléonasme ; ne dites donc pas : *Peut-être il pourra venir* ; dites : *Peut-être il viendra.* De même les loc. synonymes : *Cela se peut, il se peut* ne sauraient être employées avec *peut-être.*

PEUT-ÊTRE, loc. adverbiale.

Marque un doute, une probabilité douteuse. *Ira-t-il ? Peut-être.* — *Il arrivera peut-être à ses fins.* — *Il n'y a pas de « peut-être »,* il s'agit de prendre une résolution ferme, non d'user de circonlocutions.
   N. m. *Un peut-être, un grand peut-être,* ce qui est incertain, partic. en parlant de la vie future envisagée avec un mélange de croyance et de scepticisme.

PEUT-ÊTRE QUE, loc. conj.

Marquant la possibilité, l'incertitude dans l'avenir par rapport à un fait. *Peut-être que, il pourra arriver que, se faire que. Peut-être que j'irai prochainement en voyage.* On dit de même, familièrement : *Peut-être bien que. Peut-être bien qu'il est déjà averti de la chose.* — *Vous n'attendez peut-être pas que,* vous n'allez pas supposer que (question ironique).
   INCORR. — Ne dites pas : *Peut-être qu'il fera beau demain,* mais : *Peut-être fera-t-il beau...*

2. * **phalère**, n. f. [Zool.] Genre d'insectes lépidoptères comprenant de gros papillons.
phaleuce ou * **phaleuque**, adj. m. [Métrique anc.] Se dit d'un vers de cinq pieds (un spondée ou un ïambe, un dactyle, deux trochées, un spondée ou un trochée).
* **phalline**, n. f. Principe toxique complexe des champignons vénéneux.
phallique, adj. [Antiq.]. Qui se rapporte au phallus.
* **phallisme**, n. m. [Antiq.] Culte rendu à l'emblème mâle de la génération.
phallus, n. m. Reproduction du membre viril, comme emblème de la force productive de la nature, que l'on portait dans certaines fêtes antiques.
phanariote ou * **fanariote**, n. Grec ou Grecque de Constantinople qui, souvent, avait accepté des charges dans l'empire turc, et qui habitait le quartier de Phanar.
phanérogame, adj. (gr. *phanéros*, apparent; *gamos*, mariage). [Bot.] Se dit des plantes pourvues d'une fleur, c.-à-d. d'organes reproducteurs apparents. = N. f. pl. Embranchement du règne végétal auquel appartiennent toutes les plantes à fleur. = N. f. *Une phanérogame.* V. tabl. VÉGÉTAUX (*idées suggérées par le mot*).
* **phantasmagorie**, n. f. V. FANTASMAGORIE.
* **phanérogamie**, n. f. [Bot.] Ensemble des caractères spécifiques d'une plante à fleur.
phantasme, n. m. [Méd.] Vision illusoire, hallucination due à une lésion de la vue ou à des troubles des facultés mentales.
* **pharamineux, euse**, adj. Fam. Stupéfiant, inouï, merveilleux, gigantesque. *Un succès pharamineux.*
pharaon, n. m. (mot déformé de l'égyptien). Nom donné aux rois de l'anc. Égypte, vénérés comme des êtres surhumains. ‖ Sorte de jeu de hasard qui se joue avec 52 cartes.
pharaonique ou * **pharaonien, ienne**, adj. Qui se rapporte aux pharaons.
phare, n. m. (de *Pharos*, petite île en face d'Alexandrie). Tour surmontée d'un foyer lumineux puissant, qu'on établit le long des côtes, sur les îles et sur certains récifs, pour guider la marche des navires pendant la nuit ou leur signaler des points dangereux. *Phare à feu fixe, à feu tournant, à éclipse.* V. tabl. NAVIGATION (*Idées suggérées par le mot*). V. pl. PORT ET GÉOGRAPHIE. ‖ Feu puissant jalonnant les routes aériennes et indiquant les aérodromes. ‖ Lanterne à réflecteur éclairant la route ou la voie, à l'avant d'une automobile, d'une locomotive, etc. V. pl. MOTOCYCLETTE. ‖ Fig. Ce qui éclaire les autres, leur sert de guide. [Géogr.] *Le phare de Messine* (anc. fr. *far*, détroit), le détroit de Messine. [Mar.] Mât d'un bâtiment avec ses vergues et ses voiles.
HOM. — V. FAR.
* **pharillon**, n. m. Réchaud sur lequel les pêcheurs font un feu vif, la nuit, pour attirer le poisson. ‖ Ce genre de pêche.
pharisaïque, adj. Qui tient du caractère des pharisiens.
* **pharisaïquement**, adv. A la manière des pharisiens.

pharisaïsme, n. m. Doctrine, caractère des pharisiens. ‖ Fig. Hypocrisie, rigorisme tout de surface.
pharisien, n. m. (d'un mot arménien sign. *séparé*). Membre d'une secte juive très attachée aux traditions des anciens et qui affectait une observation scrupuleuse et ostentatoire des pratiques du culte mosaïque. ‖ Fig. Faux dévot, hypocrite, dont la vertu est tout extérieure.
pharmaceutique, adj. Qui a rapport à la pharmacie. = N. f. Partie de la médecine qui étudie la composition des médicaments pour leur emploi.
pharmacie, n. f. (gr. *pharmakon*, remède). Art de préparer et de composer les médicaments. ‖ Lieu où l'on prépare, conserve, vend ou distribue les médicaments. ‖ La profession de pharmacien. ‖ Armoire contenant des médicaments. ‖ Collection portative de médicaments. V. tabl. MALADIE et MÉDECINE (*idées suggérées par les mots*).
pharmacien, ienne, n. m. Celui, celle qui exerce la pharmacie.
* **pharmacodynamique**, n. f. [Méd.] Action des médicaments sur l'organisme. — Science qui étudie cette action.
pharmacologie, n. f. Science, étude des médicaments et de leur emploi.
* **pharmacologique**, adj. Qui se rapporte à la pharmacologie.
pharmacopée, n. f. Ouvrage contenant les recettes, les formules pour préparer les médicaments.
* **pharmacopole**, n. m. Vendeur de drogues; charlatan (Vx).
* **pharyngé, ée**, adj. Qui appartient au pharynx.
pharyngien, ienne, adj. Du pharynx.
pharyngite, n. f. [Méd.] Inflammation du pharynx.
* **pharyngo-laryngite**, n. f. [Méd.] Inflammation combinée du pharynx et du larynx.
* **pharyngoscope**, n. m. Instrument permettant l'examen du pharynx.
* **pharyngotomie**, n. f. [Chir.] Ouverture, incision du pharynx.
pharynx, n. m. (mot gr.). [Anat.] Canal musculo-membraneux à direction verticale, qui fait suite à l'arrière-bouche et se continue par l'œsophage; il sert à la fois à la déglutition et à la respiration. V. tabl. CORPS (*idées suggérées par le mot*).
* **phascolome**, n. m. [Zool.] Genre de mammifères marsupiaux d'Australie.
phase [fa-ze], n. f. (gr. *phasis*, apparence). [Astron.] Apparences diverses que nous présentent la lune et quelques autres planètes, selon la manière dont elles sont éclairées par le soleil. ‖ Fig. Changements successifs qui se font remarquer dans certaines choses, dans certains phénomènes. *Les phases du développement des êtres organisés. Les phases d'une maladie.*
PAR. — *Phrase*, assemblage de mots formant un sens. *Phrase courte, claire.*
* **phasianidés** [fa-zia], n. m. pl. [Zool.] Famille de gallinacés terrestres, ne perchant guère: faisan, caille, perdrix, paon, etc.
* **phasme**, n. m. [Zool.] Genre d'insectes orthoptères présentant un mimétisme remarquable.
Phébé ou * **Phœbé**, n. pr. f. [Myth.] Surnom d'Artémis, déesse de la lune. ‖ Poét. La lune.

Phébus ou * **Phœbus,** n. pr. m. [Myth.] Apollon considéré comme dieu de la lumière. = N. m. Manière de parler ampoulée et affectée; style obscur et prétentieux.

* **phellandrie,** n. f. [Bot.] Genre d'*ombellifères* voisines des œnanthes.

* **phellogène,** adj. [Bot.] *Couche phellogène,* assise génératrice du liège.

* **phelloplastique,** n. f. Art de faire en liège certaines représentations de monuments d'architecture.

* **phénakistiscope,** n. m. (gr. *phénakistikos,* qui trompe et *skopéô,* j'examine). Disque circulaire de carton monté sur un axe et percé de trous régulièrement espacés, par lesquels les images successives d'un corps en mouvement sont vues comme une seule image animée, lorsque le disque tourne rapidement.

* **phénanthrène,** n. m. [Chim.] Hydrocarbure qui accompagne l'anthracène dans les huiles lourdes du goudron de houille.

phénicien, ienne, adj. et n. De la Phénicie.

phénicoptère, n. m. [Zool.] Genre de *palmipèdes* appelés vulg. *flamants.*

phénique, adj. *Acide phénique,* anc. nom du phénol.

phéniqué, ée, adj. Qui contient du phénol.

phénix, n. m. (mot gr. sign. *le rouge).* [Myth.]. Oiseau fabuleux semblable à un aigle aux plumes de pourpre et d'or; il était unique en son espèce, et renaissait de sa cendre. [Blas.] Un des meubles de l'écu. V. pl. BLASON. ‖ Fig. Personne, chose unique, sans pareille, sans égale. [Bót.] V. PHŒNIX.

phénol, n. m. [Chim. org.] Dérivé du benzène, extrait du goudron de houille, à propriétés antiseptiques.

phénoménal, ale, aux, adj. [Philos.] Qui tient du phénomène. *Le monde phénoménal.* ‖ Fam. Surprenant, étonnant, extraordinaire.

* **phénoménalement,** adv. Fam. D'une manière phénoménale.

* **phénoménalité,** n. f. [Philos.] Caractère du phénomène, du fait extérieur.

phénomène, n. m. (gr. *phainoménon,* ce qui paraît). Tout fait extérieur qui tombe sous nos sens, et tout fait intérieur dont nous avons conscience. *Les phénomènes de la pesanteur. Les phénomènes de conscience.* [Philos.] Ce qui apparaît, par opposition à ce qui est, ou chose en soi. ‖ Tout ce qui apparaît de nouveau et de remarquable dans l'air, dans le ciel. *Les comètes sont des phénomènes.* ‖ Tout ce qui apparaît de rare, de nouveau, d'extraordinaire. *Voilà un étrange phénomène.* ‖ Fig. et fam. Personnage excentrique, bizarre. *C'est un phénomène. — Phénomène vivant,* animal, homme ou femme présentant quelque particularité extraordinaire, qu'on montre dans les foires.

ANT. — [Philos.] *Noumène.*

* **phénoménique,** adj. Qui est relatif aux phénomènes.

* **phénoménisme,** n. m. [Philos.] Doctrine selon laquelle les phénomènes seuls sont réels ou connaissables.

* **phénoménologie,** n. f. [Philos.] Science des idées qui naissent des perceptions sensibles.

* **phénylamine,** n. f. [Chim.] Syn. d'*aniline.*

* **phéophycées,** n. f. pl. [Bot.] Ordre d'algues comprenant toutes les espèces colorées par un pigment brun, s'ajoutant à la chlorophylle.

* **phéosporées,** n.f. pl. [Bot.] Famille d'algues brunes à feuille longuement pétiolée.

* **phi,** n. m. 21e lettre de l'alphabet grec, (φ) correspondant au ph français. V. pl. ALPHABET GREC.

* **phialé,** n. f. [Archéol.] Coupe grecque. V. pl. VASES GRECS.

phil- ou **philo-,** préf. tiré du grec *philos,* qui aime (Ex. : philharmonique, philologue). Cet élément devient quelquefois final, surtout dans des mots nouveaux comme *francophile, hydrophile,* etc.

ANT. — *Phobe.*

* **philadelphe,** adj. (gr. *philo,* ami; *adelphos,* frère). Qui aime son frère ou sa sœur. ‖ Surnom ironique d'un Ptolémée qui avait tué sa sœur.

* **philanthe,** n. m. [Zool.] Genre d'insectes hyménoptères, comprenant des guêpes noires et fauves.

philanthrope, n. m. (préf. *philo*; gr. *anthrôpos,* homme). Qui aime le genre humain, qui s'emploie à améliorer son sort, sa condition.

ANT. — *Misanthrope.*

philanthropie, n. f. Amour du genre humain et, partic., des classes déshéritées.

SYN. — V. BONTÉ.

ANT. — *Misanthropie.*

philanthropique, adj. Qui a rapport à la philanthropie; qui est inspiré par elle.

* **philatélie,** n. f. *(phil,* préf.; gr. *atéléia,* affranchissement). Étude des timbres-poste.

philatélisme, n. m. Passion de collectionner les timbres-poste.

philatéliste, n. Celui, celle qui s'adonne à la philatélie; collectionneur de timbres-poste.

philharmonie, n. f. *(phil,* préf.; gr. *harmonia,* harmonie). Amour de la musique, de l'harmonie.

philharmonique, adj. Qui aime la musique. — *Société philharmonique* ou, n. f., *une philharmonique,* société d'amateurs de musique.

philhellène, n. m. Ami, partisan des Hellènes, des Grecs modernes.

philhellénisme, n. m. Sentiment des philhellènes.

* **philibeg** ou * **filibeg,** n. m. Jupe plissée des montagnards écossais.

* **philippin, ine,** n. et adj. Originaire des îles Philippines.

* **philippine,** n. f. (allem. *Vielliebchen,* bien-aimé). *Faire philippine.* Deux personnes s'étant partagé deux amandes jumelles, la première qui abordera la seconde en la saluant d'un *Bonjour Philippine!* sera la gagnante.

philippique, n. f. [Antiq. gr.] Nom des harangues prononcées par Démosthène contre le roi de Macédoine, Philippe. ‖ Fig. Discours, écrit violent et satirique.

* **philippiste,** n. Partisan du roi Louis-Philippe.

Philistins, anc. peuple chananéen de la Palestine, qui lutta contre les Hébreux. = N. m. Nom donné par les artistes aux « bourgeois », aux personnes fermées, selon eux, aux choses de l'art et de l'esprit.

philistinisme, n. m. Caractère du philistin.

* **philocome,** n. m. (préf. *philo* ; gr. *komê*, chevelure). Préparation utilisée pour l'entretien des cheveux.

* **philodendron,** n. m. [Bot.] Genre d'*aroïdées* ornementales, cultivées en serre.

* **philogyne,** adj. (préf. *philo* ; gr. *gynê*, femme). Qui aime les femmes.
CTR. — *Misogyne.*

* **philogynie,** n. f. Amour des femmes.
ANT. — *Misogynie.*

philologie, n. f. (préf. *philo* ; gr. *logos*, discours). Étude des langues ou d'une langue particulière sous le rapport de la grammaire, de la lexicographie, de l'étymologie, de la critique des textes, de l'histoire littéraire. ‖ Science qui étudie la vie matérielle et intellectuelle d'un peuple à travers les textes. *Philologie antique.* V. tabl. SCIENCES (*idées suggérées par le mot*).
LING. — Ne pas confondre avec la *linguistique*, dont l'objet est l'étude comparative des langues.
PAR. — *Physiologie*, étude des phénomènes vitaux.

philologique, adj. Qui concerne la philologie.

* **philologiquement,** adv. Au point de vue de la philologie.

philologue, n. m. Celui qui s'adonne à la philologie.

* **philomathie,** n. f. (préf. *philo* ; gr. *matheïn*, apprendre). Amour de la science, de l'instruction.

philomathique, adj. (gr. *philos*, ami ; *mathêsis*, science). Qui aime les sciences. ‖ *Société philomathique,* société dont le but est de répandre l'instruction dans le peuple.

philomèle, n. m. (de *Philomèle*, fille d'un roi mythol. d'Athènes, meurtrière d'Itys, et qui fut changée en rossignol). [Poét.] Le rossignol.

* **philonthe,** n. m. [Zool.] Genre de coléoptères à reflets métalliques, parasites des champignons.

* **philosophailler,** v. intr. Faire de la philosophie à tort et à travers.

* **philosophaillerie,** n. f. Habitude de philosophailler. ‖ Son résultat.

philosophale, adj. f. *Pierre philosophale,* pierre qui, selon les alchimistes, devait changer les métaux vils en or. ‖ Fig. Chose impossible à découvrir ; utopie.

philosophe [*filo-zo-fe*], n. m. (gr. *philosophos*, ami de la sagesse). Celui qui étudie la philosophie, qui s'efforce de démêler les principes généraux de l'univers, et d'ordonner ses connaissances et ses observations en un système cohérent. *Philosophe stoïcien, platonicien, épicurien.* ‖ Celui qui cultive sa raison, et conforme sa vie aux règles de la morale. Celui qui supporte avec sérénité les adversités, qui ne s'émeut pas des événements extérieurs. *Il supporta sa disgrâce en philosophe.* ‖ Au XVIIIe s., libre penseur. ‖ Écolier qui suit la classe de philosophie. = Adj. *Un roi philosophe.* — *Il est bon d'être philosophe, il n'est guère utile de passer pour tel.*
(LA BRUYÈRE.)

philosopher, v. intr. Discourir sur des questions de philosophie. ‖ Raisonner, discuter sur diverses matières. ‖ Argumenter, disputer trop subtilement.

philosophie [*fi-lo*], n. f. (gr. *philos*, ami ; *sophia*, sagesse). Amour de la sagesse. ‖ Science générale des principes et des causes. ‖ Recherche des principes essentiels que suppose une science particulière. *Philosophie des sciences, de l'art.* ‖ Doctrine philosophique. *La philosophie de Platon.* ‖ Classe d'un lycée, la plus élevée, où l'on enseigne la philosophie (psychologie, logique, morale, métaphysique). ‖ Par ext. Pratique de la sagesse. ‖ Égalité d'humeur de celui qui sait supporter les coups de la fortune. *Vivre et mourir avec philosophie.* V. tabl. LETTRES, INTELLIGENCE, MORALE, (*Idées suggérées par les mots*).
— *La philosophie triomphe aisément des maux passés et des maux à venir ; mais les maux présents triomphent d'elle.*
(LA ROCHEFOUCAULD.)
— *La philosophie est bonne à quelque chose, elle console.* (VOLTAIRE.)
— *Se moquer de la philosophie, c'est vraiment philosopher.* (PASCAL.)
— *Unir l'observation et la raison, ne pas perdre de vue l'idéal de la science auquel l'homme aspire, et le chercher et le trouver par la route de l'expérience, tel est le problème de la philosophie.*
(Victor COUSIN.)

philosophique, adj. Qui appartient à la philosophie, aux philosophes. ‖ Qui est inspiré par la philosophie.

philosophiquement, adv. D'une manière philosophique, en philosophe.

philosophisme, n. m. Abus de la philosophie ; fausse philosophie.

* **philotechnie,** n. f. (gr. *philos*, ami ; *tekhnê*, art). Amour des sciences et des arts.

philotechnique, adj. Qui aime les arts ; qui a pour but la culture, la vulgarisation des lettres, des arts. — *Société philotechnique,* société d'instruction populaire.

philtre, n. m. (gr. *philtron*, breuvage). Breuvage qui serait propre à inspirer de l'amour ou, en général, à provoquer quelque passion.
SYN. — V. SORTILÈGE.
HOM. — *Philtre*, n. m., breuvage qui serait propre à provoquer quelque passion ; — *filtre,* n. m., appareil servant à purifier les liquides ; — *filtre, es, ent,* du v. filtrer.

phimosis, n. m. (gr. *phimôsis*, m. s.). [Méd.] Étroitesse naturelle ou resserrement de l'embouchure du prépuce.

phlébite, n. f. (gr. *phlebs*, *phlébos*, veine). [Méd.] Inflammation de la membrane interne des veines, entraînant leur oblitération par un caillot.

* **phlébographie,** n. f. [Anat.] Description des veines.

* **phléborrhagie,** n. f. [Méd.] Rupture d'une veine ; hémorragie veineuse.

phlébotome, n. m. [Méd.] Lancette dont on se servait pour saigner.

phlébotomie, n. f. (gr. *phlebs*, *phlébos*, veine ; *tomê*, section). [Méd.] Saignée. — Art de saigner.

* **phlébotomiser,** v. tr. [Méd.] Saigner (Vx).

phlegmasie [*zi*], n. f. [Méd.] Inflammation interne ; maladie fébrile.

* **phlegmasique,** adj. Qui se rapporte à la phlegmasie.

phlegme, n. m. V. FLEGME. [Méd. anc.] Une des quatre humeurs du corps.

phlegmon, n. m. (gr. *phlegmonê*, inflammation). [Méd.] Inflammation du tissu conjonctif, qui sépare les organes, en forme de tumeur arrondie, dure, douloureuse.

phlegmoneux, euse, adj. Qui est de la nature du phlegmon.

* **phléole** ou * **fléole**, n. f. [Bot.] Genre de *graminées* fourragères.

phlogistique, n. m. (gr. *phlox, phlogos*, feu). [Chim.] Fluide imaginaire, qui était supposé inhérent à tout corps, et par lequel on expliquait le phénomène de la combustion avant les expériences de Lavoisier.

* **phlogose**, n. f. [Méd.] Inflammation superficielle résultant d'une brûlure.

phlox, n. m. [Bot.] Genre de *polémoniacées* ornementales.

phlyctène, n. f. [Méd.] Petite bulle transparente remplie de sérosité, qui se forme sous l'épiderme.

* **phobe-**, préfixe et suffixe tiré du grec et sign. : *qui n'aime pas*.
ANT. — *Phil...*

phobie, n. f. (gr. *phobos*, peur). [Méd.] Peur, appréhension irraisonnée, obsédante et angoissante d'un objet ou d'un acte. ‖ Fig. Horreur, dégoût.
GRAM. — Ce mot est aussi employé comme suffixe indiquant l'idée de crainte. V. SUFFIXE.

* **phocéen, enne**, adj. et n. De Phocée, anc. ville de l'Asie Mineure. *La cité phocéenne*, Marseille, fondée par les Phocéens.

* **phocidien, ienne**, adj. et n. De la Phocide anc. province grecque.

* **phœnix** ou **phénix**, n. m. [Bot.] Genre de *palmiers*. Le *phœnix dactilifera* est le palmier dattier.
HOM. — *Phénix*, oiseau fabuleux.

pholade, n. f. [Zool.] Genre de mollusques lamellibranches marins se creusant des trous dans les rochers.

* **phonalité**, n. f. Caractère des sons d'une langue.

* **phonateur, trice**, adj. [Physiol.] Qui produit la voix.

* **phonation** [*sion*], n. f. (gr. *phônê*, voix). [Physiol.] Phénomène de la production des sons qui constituent les cris des animaux ou la voix humaine.

phonème, n. m. [Ling.] Élément isolé du langage considéré au seul point de vue phonétique.

phonétique, adj. (gr. *phônê*, voix). Qui se rapporte aux sons du langage. — *Écriture phonétique*, dont les lettres ou les groupes de lettres expriment chacun un son. = N. f. Ensemble des sons et des articulations propres à une langue. ‖ Partie de la linguistique qui étudie ces sons, ces articulations. V. tabl. GRAMMAIRE et tabl. SCIENCES (*Idées suggérées par le mot*).
ANT. — *Syntaxe, morphologie.*

* **phonétiquement**, adv. Au point de vue phonétique.

* **phonétisme**, n. m. Représentation, par l'écriture, des sons du langage articulé.

phonique, adj. Qui a rapport à la voix. — Se dit partic. des signes destinés à représenter les sons de la voix.

phonographe, n. m. (gr. *phônê*, voix; *grapho*, j'écris). Machine parlante qui reproduit la voix humaine, le chant, la musique, etc., au moyen de disques de matière plastique sur lesquels ont été enregistrées les vibrations produites par les sons à reproduire.

* **phonographie**, n. f. (gr. *phônê*, voix, *graphein*, écrire). [Gram.] Représentation des sons des mots. [Phys.] Représentation graphique des vibrations sonores.

phonographique, adj. Qui a rapport au phonographe, à la phonographie.

phonolithe, n. m. [Minér.] Roche volcanique ayant la propriété de sonner lorsqu'on la frappe.

* **phonolithique** ou * **phonolitique**, adj. [Géol.] Se dit des roches qui résonnent harmonieusement quand on les frappe.

phonomètre, n. m. (gr. *phônê*, voix; *métron*, mesure). [Phys.] Instrument pour mesurer l'intensité du son.

* **phonométrie**, n. f. Art de mesurer l'intensité des sons vocaux.

* **phonométrique**, adj. Qui concerne la phonométrie.

* **phonothèque**, adj. Meuble, salle où l'on serre les disques de phonographe.

phoque, n. m. (lat. *phoca*, m. s.). [Zool.] Genre de mammifères pinnipèdes marins, carnivores, à membres antérieurs courts et palmés, à fourrure épaisse, abondants dans les mers boréales. V. pl. MAMMIFÈRES.
HOM. — *Foc*, voile de forme triangulaire.

phormium ou **phormion**, n. m. [Bot.] Genre de plantes de la famille des *liliacées*. Les feuilles d'une espèce (lin de la Nouvelle-Zélande) fournissent des fibres textiles.

phosgène, n. m. [Chim.] Gaz de combat, incolore, lacrymogène, suffoquant, très toxique, résultant de la combinaison du chlore et de l'oxyde de carbone.

* **phosphatage**, n. m. [Agri.] Action de répandre du phosphate sur une terre ou sur un végétal.

phosphate, n. m. [Chim.] Nom des sels et éthers-sels de l'acide phosphorique. Certains phosphates naturels sont utilisés comme engrais.

* **phosphaté, ée**, adj. [Chim.] A l'état de phosphate. ‖ Qui contient du phosphate ou de l'acide phosphorique. *Engrais phosphatés.*

* **phosphater**, v. tr. Fertiliser un sol au moyen des phosphates.

* **phosphène**, n. m. [Physiol.] Sensation lumineuse provoquée par une excitation mécanique de la rétine (coup, pression, etc.).

* **phosphines**, n. f. pl. [Chim.] Groupe de dérivés de l'hydrogène phosphoré.

phosphite, n. m. [Chim.] Sel de l'acide phosphoreux.

phosphore, n. m. (gr. *phôs*, lumière; *phoros*, qui porte). [Chim.] Corps simple, solide. *Le phosphore blanc* est mou, translucide, très inflammable, très toxique et présente une luminescence dans l'obscurité; le *phosphore rouge*, plus dur, est moins inflammable, non toxique, non phosphorescent. V. tabl. MINÉRAUX (*Idées suggérées par le mot*).

phosphoré, ée, adj. Qui contient du phosphore.

* **phosphorer**, v. tr. Munir de phosphore.

phosphorescence, n. f. Phénomène de luminescence présenté par certains corps qui émettent des lueurs dans l'obscurité, soit spontanément, soit sous l'action d'une combustion lente.
phosphorescent, ente [res-san], adj. Qui émet des lueurs dans l'obscurité. ‖ Qui tient de la phosphorescence. *Lueur phosphorescente.*
SYN. — V. ÉCLAIRÉ.
phosphoreux, adj. m. [Chim.] Qualifie certaines combinaisons oxygénées du phosphore.
phosphorique, adj. Qui appartient au phosphore, qui est de la nature du phosphore. *Lumière phosphorique.* ‖ *Allumettes phosphoriques,* préparées avec du phosphore. ‖ *Acide phosphorique,* acide formé par la combustion rapide du phosphore.

* **phosphorisation** [*za-sion*], n. f. Formation, influence du phosphate de calcium dans l'organisme humain.
* **phosphoriser,** v. tr. Rendre phosphorique. ‖ Mettre à l'état de phosphate.
* **phosphorisme,** n. m. [Méd.] Intoxication par le phosphore.
phosphure, n. m. [Chim.] Combinaison du phosphore avec un corps simple autre que l'oxygène.
* **phot,** n. m. Unité optique d'éclairement, valant 10.000 lux.
* **photo-** (gr. *phôs, phôtos,* lumière). Préfixe impliquant une idée de lumière. = N. f. Fam. Se dit pour *photographie. Faire une photo.*
* **photochimie,** n. f. [Chim.] Étude des réactions chimiques produites par la lumière.

PHOTOGRAPHIE
(Appareil à plaques)

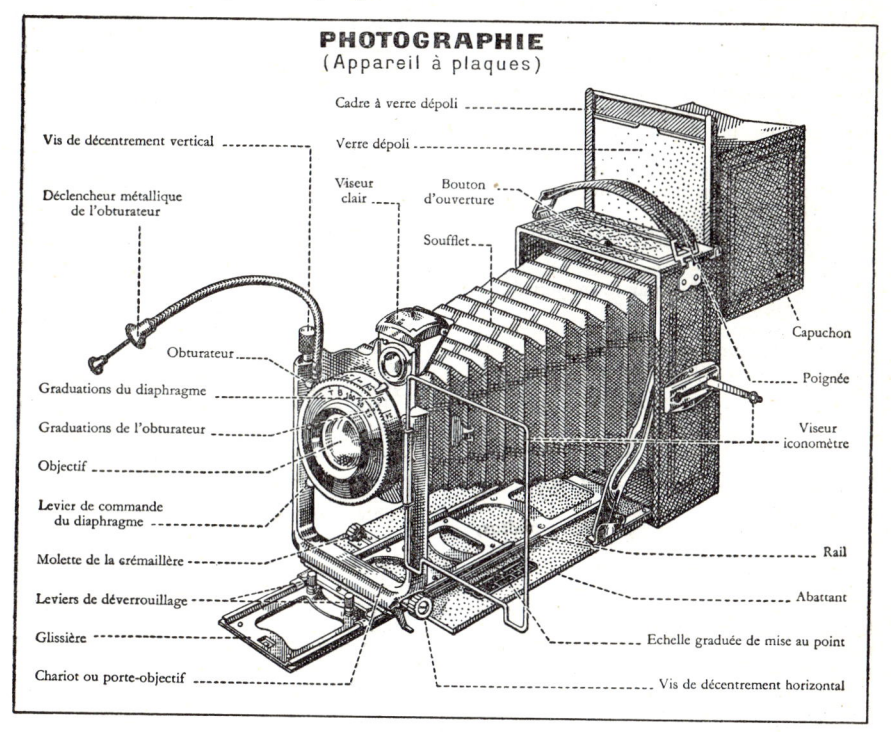

Cadre à verre dépoli — Vis de décentrement vertical — Verre dépoli — Viseur clair — Bouton d'ouverture — Déclencheur métallique de l'obturateur — Soufflet — Obturateur — Capuchon — Graduations du diaphragme — Poignée — Graduations de l'obturateur — Viseur iconomètre — Objectif — Levier de commande du diaphragme — Molette de la crémaillère — Rail — Leviers de déverrouillage — Abattant — Glissière — Echelle graduée de mise au point — Chariot ou porte-objectif — Vis de décentrement horizontal

photochimique, adj. [Chim.] Relatif aux effets chimiques de la lumière.
* **photochromie,** n. f. Reproduction des couleurs par la photographie.
* **photochromotypographie,** n. f. Procédé photomécanique de reproduction des couleurs pour l'illustration des ouvrages imprimés.
* **photocollographie,** n. f. Procédé de reproduction photomécanique par tirage aux encres grasses; phototypie.
* **photocopie,** n. f. Tirage, d'après le négatif, d'épreuves photographiques positives sur papier ou sur verre.
* **photo-électrique,** adj. [Phys.] Qui met en jeu à la fois des phénomènes lumineux et électriques. — *Cellule photo-électrique,* appareil donnant naissance à des variations de courant électrique proportionnelles aux variations du flux lumineux que l'on projette sur lui.

photogène, adj. (gr. *phôs, phôtos* lumière; *gennân,* engendrer). Qui produit de la lumière.
* **photogénie,** n. f. Production de la lumière.
photogénique, adj. Qui produit des images par la lumière. ‖ Qui se photographie facilement. *Couleur photogénique.* [Cinéma] Se dit d'une personne dont les traits rendent bien sur l'écran.
* **photogramme,** n. m. Nom technique de l'épreuve photographique positive sur papier.
photographe, n. m. Celui qui s'occupe de photographier, qui pratique la photographie.
photographie, n. f. (gr. *phôs, phôtos,* lumière; *graphô,* j'écris). [Phys.] Art de fixer sur une surface sensible à la lumière les images produites dans une chambre noire au moyen d'une lentille convergente,

puis de les reproduire, par inversion du cliché négatif primitif. ‖ Épreuve photographique. ‖ Portrait d'une personne obtenue par la photographie. V. tabl. SCIENCES (*idées suggérées par le mot*). V. pl. PHOTOGRAPHIE.

SYN. — V. TABLEAU.

photographier, v. tr. Reproduire un objet par la photographie. ‖ Fig. Reproduire aussi exactement que possible. = Conjug. V. GRAMMAIRE.

photographique, adj. Qui a rapport à la photographie. ‖ Obtenu par la photographie.

* **photographiquement**, adv. Par les procédés de la photographie.

photograveur, adj. et n. m. Ouvrier en photogravure.

photogravure, n. f. Ensemble des procédés de gravure photochimique qui permettent d'obtenir directement des planches gravées susceptibles de tirages typographiques.

photolithographie, n. f. Procédé pour reporter par les moyens propres à la photographie un dessin sur une pierre lithographique.

* **photolithographier**, v. tr. Employer le procédé de la photolithographie. = Conj. V. GRAMMAIRE.

* **photomécanique**, adj. Se dit des procédés de reproduction qui permettent de créer des clichés, des matrices et des planches d'impression par le moyen de la photographie.

photomètre, n. m. (gr. *phôs*, *phôtos*, lumière; *métron*, mesure). Appareil servant à mesurer l'intensité d'une source lumineuse.

photométrie, n. f. [Phys.] Mesure de l'intensité de la lumière.

* **photométrique**, adj. Qui concerne la photométrie.

* **photomicrographie**, n. f. Syn. de *microphotographie*.

photophobie, n. f. (gr. *phôs*, *phôtos*, lumière; *phobos*, crainte). [Méd.] Affection de l'œil qui, devenu trop sensible, ne peut plus supporter la lumière.

* **photophone**, n. m. (gr. *phôs*, *phôtos*, lumière; *phônê*, voix). Appareil transmettant les sons par l'intermédiaire des rayons lumineux.

* **photophore**, n. m. (gr. *phôs*, *phôtos*, lumière; *phoros*, qui porte). Se dit de tout ce qui porte une source lumineuse. ‖ Sorte de lampe électrique à réflecteur.

* **photosculpture**, n. f. Procédé de sculpture permettant, à l'aide de la photographie, de reproduire exactement un modèle vivant, une sculpture.

photosphère, n. f. (gr. *phôs*, *phôtos*, lumière; *sphaïra*, sphère). [Astron.] Couche superficielle du soleil où se produit surtout l'émission de la lumière. V. tabl. UNIVERS (*idées suggérées par le mot*).

* **phototactisme**, n. m. [Bot.] Réaction par laquelle les végétaux fuient ou cherchent la lumière. ‖ Réaction du protoplasma sous l'influence de la lumière.

photothérapie, n. f. (gr. *phôs*, *phôtos*, lumière; *therapeia*, traitement). [Méd.] Traitement des maladies par les lumières artificielles ou la lumière solaire.

* **photothérapique**, adj. Relatif à la photothérapie.

* **phototirage**, n. m. Action de tirer les épreuves d'un cliché photographique.

* **phototropisme**, n. m. (préf. *photo* : gr. *tropé*, action de tourner). [Bot.] Propriété de certains organes végétaux de diriger leurs extrémités vers la lumière.

* **phototype**, n. m. Cliché photographique négatif.

phototypie, n. f. (préf. *photo*; gr. *tupos*, empreinte). Procédé de reproduction aux encres grasses d'une image fixée sur une couche de gélatine par des procédés photographiques.

* **phototypochromie**, n. f. Syn. de *photochromotypographie*.

* **phototypographie**, n. f. Photogravure en relief.

* **phragmite**, n. m. [Bot.] Genre de *graminées* (roseau à balais). [Zool.] La fauvette des marécages, vulg. *rousserole*.

phrase [*fra-ze*], n. f. (lat. *phrasis*, m. s.). Assemblage de mots ou de propositions présentant un sens complet. V. tabl. GRAMMAIRE. ‖ Fam. *Faire des phrases*, parler d'une manière recherchée et affectée. — *Phrase toute faite*, locution consacrée par l'usage; formule banale. ‖ *Sans phrase*, sans ajouter de commentaires; sans détour. [Mus.] *Phrase musicale*, suite régulière de chant ou d'harmonie, de sons simples ou d'accords, qui aboutit à un repos.

ÉPITHÈTES COURANTES : longue, lourde, incorrecte, interminable, enchevêtrée, embarrassée, pénible, prétentieuse, contournée, hachée, heurtée, précipitée; légère, claire, simple, correcte, nette, précise, élégante, harmonieuse, musicale, poétique, rythmée, cadencée, etc.

PAR. — *Phase*, apparence variable d'un astre, changements successifs.

VOCAB. — *Famille de mots.* — *Phrase* : phraseur, phraser, phraséologie, antiphrase, paraphrase, paraphraser, périphrase.

---

phraséologie, n. f. Construction de phrases particulière à une langue ou propre à un écrivain. ‖ Discours creux, vide de sens, de pensée.

* **phraséologique**, adj. Qui a rapport à la phraséologie.

phraser [*zé*], v. intr. Faire des phrases (Péjor.). = V. tr. [Mus.] Faire bien sentir le rythme d'une phrase musicale.

phraseur, euse [*zeur*], n. Bavard emphatique (Fam.). = Adj. *Éloquence phraseuse*.

LING. — L'Acad. ne donne pas le féminin *phraseuse*.

* **phratriarque**, n. m. [Antiq. gr.] Chef; président d'une phratrie.

phratrie, n. f. Subdivision d'une tribu chez les Grecs de l'antiquité.

phrénique, adj. (gr. *phrên*, diaphragme). [Anat.] Qui a rapport au diaphragme.

phrénologie, n. f. (gr. *phrên*, intelligence; *logos*, discours). Système d'après lequel les fonctions intellectuelles de l'homme, son caractère, ses instincts auraient leur siège dans une certaine région du cerveau et pourraient être déterminés par l'étude des bosses et dépressions craniennes.

phrénologique, adj. Relatif à la phrénologie.

* **phrénologiquement,** adv. En phrénologie ; d'une manière phrénologique.
phrénologiste ou **phrénologue,** n. m. Celui qui s'occupe de phrénologie.
* **phrygane,** n. f. [Zool.] Genre d'insectes névroptères vivant dans les endroits marécageux et volant le soir en grande quantité.
phrygien, ienne, adj. et n. De la Phrygie. ‖ *Bonnet phrygien*, sorte de bonnet rouge que portaient les révolutionnaires vers 1793. [Mus.] *Mode phrygien*, un des plus anciens rythmes de la musique grecque.
phtiriasis, n. m., ou * **phtiriase,** n. f. (gr. *phtheir*, pou). [Méd.] Maladie de la peau déterminée par les poux.
phtisie [*zi*], n. f. (gr. *phtisis*, destruction). [Méd.] Maladie déterminant un état de maigreur et de consomption extrêmes (Vx). ‖ *Phtisie pulmonaire*, tuberculose pulmonaire. — *Phtisie galopante*, tuberculose à évolution très rapide. V. tabl. MALADIE ET MÉDECINE (*Idées suggérées par les mots*).
phtisique, adj. et n. Atteint de phtisie ; poitrinaire, tuberculeux.
* **phycoïdées,** n. f. pl. [Bot.] Anc. nom des algues brunes ou *fucacées*.
* **phycologie,** n. f. [Bot.] Partie de la botanique qui étudie les algues.
phylactère, n. m. (gr. *phylassein*, préserver). [Antiq.] Espèce d'amulette, de talisman. ‖ Parchemin où sont inscrits les chapitres de la loi, que les Juifs s'attachent au front ou au bras pendant la prière. [Bx-A.] Banderole à extrémité enroulée, contenant des inscriptions, placée dans la main d'un personnage.
phylarque, n. m. [Antiq. gr.] Chef d'une tribu d'Athènes.
* **phyllade,** n. m. [Géol.] Roche métamorphique dure, se séparant en feuillets.
* **phyllanthe,** n. m. [Bot.] Genre d'*euphorbiacées* dont certaines espèces sont cultivées en serre pour l'ornement.
* **phyllie,** n. f. [Zool.] Insecte orthoptère dont les élytres imitent les feuilles des arbres.
phyllithe, n. m. (gr. *phullon*, feuille ; *lithos*, pierre). [Minér.] Feuille pétrifiée, ou pierre qui porte des empreintes de feuilles.
* **phyllode,** n. m. [Bot.] Pétiole de certaines feuilles qui, dépourvu de limbe, s'est aplati comme une feuille et en remplit les fonctions.
* **phyllopodes,** n. m. pl. [Zool.] Ordre de crustacés entomostracés appelés aussi *branchiopodes*, aux pattes aplaties et élargies.
phylloxera, n. m. (gr. *phyllon*, feuille ; *xêros*, sec). [Zool.] Genre d'insectes hémiptères nuisibles, petits pucerons au corps large et aplati dont une espèce s'attaque aux racines des vignes et les fait mourir. ‖ Maladie de la vigne causée par cet insecte.
phylloxéré, ée, adj. Atteint du phylloxéra.
* **phylloxérien, ienne,** adj. [Vitic.] Qui est propre au phylloxéra.
* **phylogénèse** ou * **phylogénie,** n. f. (gr. *phylê*, espèce ; *génésis*, naissance). [Hist. nat.] Science qui traite du mode de formation des espèces, par oppos. à *ontogénèse* qui traite du développement des individus.

ANT. — *Ontogénèse* ou *ontogénie*.
* **phylogénétique** ou * **phylogénique,** adj. Relatif à la phylogénèse.
* **phylogéniste,** n. et adj. Qui s'occupe de phylogénie.
* **physalie,** n. f. [Zool.] Genre de cœlentérés hydroméduses des mers chaudes.
physalis, n. m. [Bot.] Genre de plantes de la famille des *solanées*, dont une espèce est l'alkékenge, vulg. *coqueret*.
* **physeter** [*zé-ter*], n. m. [Zool.] Nom scientif. du cachalot.
physicien, ienne, n. Celui, celle qui s'occupe de physique.
* **physico-chimie,** n. f. Science qui étudie les relations entre la structure des corps et leurs propriétés physiques et chimiques. V. tabl. SCIENCES (*Idées suggérées par le mot*).
* **physico-chimique,** adj. Qui tient de la physique et de la chimie.
* **physico-mathématique,** adj. Qui a rapport à la physique mathématique.
physiocrate, n. m. Partisan de la physiocratie.
* **physiocratie** [*kra-si*], n. f. (gr. *physis*, nature ; *kratos*, puissance). Doctrine économique qui considère la terre comme l'unique source de la richesse et réclame la liberté du commerce, de l'industrie et de la vie économique.
physiognomonie [*ziog-no*], n. f. (gr. *physis*, nature ; *gnômôn*, qui sait). Art de connaître le caractère des hommes d'après l'examen des traits de leur visage.
* **physiognomonique** [*ziog-no*], adj. Qui a rapport à la physiognomonie.
* **physiognomoniste,** n. Qui étudie la physiognomonie.
* **physiographe,** n. m. Celui qui s'occupe de physiographie.
* **physiographie,** n. f. (gr. *physis*, nature ; *graphein*, décrire). Description des productions et des phénomènes de la nature.
physiologie, n. f. (gr. *physis*, nature ; *logos*, discours). Science qui traite des phénomènes vitaux et des fonctions par lesquelles la vie se manifeste ; étude des organismes considérés dans leur activité. V. tabl. SCIENCES (*idées suggérées par le mot*).
PAR. — *Philologie*, étude complète d'une ou de plusieurs langues, de la vie intellectuelle d'un ou de plusieurs peuples.
physiologique, adj. Qui a rapport à la physiologie.
* **physiologiquement,** adv. D'une manière conforme aux lois de la physiologie.
physiologiste, n. m. Celui qui connaît, qui étudie la physiologie.
physionomie, n. f. (gr. *physis*, nature ; *nomos*, loi). Expression particulière qui résulte de l'ensemble des traits du visage. ‖ Fig. Caractère particulier qui distingue une chose ; aspect particulier.
ÉPITHÈTES COURANTES : agréable, avenante, fine, distinguée, ouverte, énergique, mâle ; déplaisante, ingrate, vulgaire, rude, quelconque, gaie, triste, renfrognée, maladive, etc.
SYN. — V. AIR et FACE.
* **physionomique,** adj. Qui a rapport à la physionomie.
physionomiste, n. m. Celui qui connaît le caractère des gens d'après leur physionomie. ‖ Celui qui a la mémoire des traits des gens.

* **physiothérapie,** n. f. (gr. *physis*, nature ; *thérapéia*, traitement). [Méd.] Traitement des maladies par les agents physiques : lumière, chaleur, électricité, etc.
— Syn. de *physicothérapie*.

* **physiothérapique,** adj. Syn. de *physicothérapique*.

1. **physique,** adj. (gr. *physicos*, relatif à la nature). Qui se rapporte à la matière, aux corps en général. *Mouvement, cause, effet physique.* — *Sciences physiques*, les sciences de la nature en général, l'étude des corps, de la matière. ‖ Qui a rapport au corps de l'homme. *Avantages physiques.* ‖ Qui existe réellement. *Le monde physique.* ‖ Qui s'appuie sur ce qui tombe sous les sens ; se dit par opposition à moral. *J'en ai la certitude morale, mais non la certitude physique.*
ANT. — *Moral.*

2. **physique,** n. m. (de *physique* 1). Constitution naturelle de l'homme. *Le physique influe beaucoup sur le moral.* ‖ Apparence extérieure du corps. *Son physique me déplaît* (Fam.).

3. **physique,** n. f. (de *physique* 1). Science qui a pour objet les phénomènes qui affectent les propriétés générales de la matière. V. tabl. SCIENCES (*idées suggérées par le mot*). *Expérience de physique.* ‖ Traité de physique. ‖ *Physique amusante, tour de physique*, expériences de physique faites pour intéresser les enfants ; tours de prestidigitation.

> VOCAB. — *Famille de mots.* — *Physique* [rad. *phy*] : physique (adj. et n.), physiquement, physicien ; métaphysique, métaphysicien ; physiologie, physiologique, physiologiste, physionomie, physionomiste, etc., néophyte, zoophyte, apophyse ; emphytéose, emphytéote, emphytéotique.

physiquement, adv. D'une manière réelle et physique. ‖ D'une manière matérielle, par oppos. à *moralement*.

* **physoïde,** adj. (gr. *physa*, vessie ; *eïdos*, apparence). Qui a la forme d'une vessie.

* **physostomes,** n. m. pl. [Zool.] Groupe de poissons téléostéens, dont la vessie natatoire est en communication avec l'œsophage.

* **phytine,** n. f. [Chim. org.] Substance organique phosphorée qui existe dans un grand nombre de plantes (racines, graines, etc.) et servirait au développement de l'embryon ; employée en médecine comme reconstituant.

* **phytobiologie,** n. f. Étude biologique des plantes.

* **phytochimie,** n. f. Chimie végétale.

* **phytogène,** adj. Qui est engendré par des végétaux, en parlant d'un produit.

* **phytogéographie,** n. f. (gr. *phyton*, plante, et *chimie*). Étude de la distribution des espèces végétales à la surface du globe.

* **phytographie,** n. f. Partie de la botanique qui traite de la description des plantes. ‖ Traité sur cette partie.

* **phytolaccacées** ou * **phytolaccées,** n. f. pl. [Bot.] Famille de végétaux dicotylédones apétales supérovariés.

phytolithe, n. m. (gr. *phyton*, plante ; *lithos*, pierre). Végétal fossile.

* **phytologie,** n. f. Traité sur les plantes. Syn. de *botanique*.

* **phytonymie,** n. f. Nomenclature des plantes.

* **phytopathologie,** n. f. Étude des maladies des plantes.

* **phytophage,** adj. et n. Qui se nourrit de substances végétales. Se dit d'un groupe de coléoptères très nuisibles aux végétaux.

* **phytozoaires,** n. m. pl. [Zool.] Groupe d'animaux pluricellulaires à symétrie nulle, axiale ou rayonnée, formant par bourgeonnement des colonies ayant le port d'un végétal (cœlentérés, spongiaires, échinodermes).

...pi, pie, pis, pit.

> *Finales.* — La finale *pi* s'écrit sous cette forme dans api, crépi, épi ; *pie* dans charpie, copie, harpie, impie ; *pis* dans apis, tapis ; *pit* dans décrépit, dépit, répit.

* **pi,** seizième lettre de l'alphabet grec, π, correspondant au p français V. pl. ALPHABET GREC. [Math.] Nombre exprimant le rapport de la circonférence au diamètre, rapport qui est de 3,1415926...

piaculaire, adj. (lat. *piacularis*, m. s.). *Sacrifice piaculaire*, sacrifice expiatoire.

piaffe, n. f. Fam. Ostentation, embarras, faste (Vx).

* **piaffement,** n. m. Action de piaffer, de trépigner.

piaffer, v. intr. Se dit du cheval qui, sans avancer, frappe bruyamment la terre avec ses pieds de devant. ‖ Fig. *Piaffer d'impatience*, ne pas pouvoir tenir en place, par suite de son impatience. ‖ Fam. Faire des embarras.

piaffeur, euse, adj. Qui piaffe. *Cheval piaffeur.* ‖ Celui, celle qui fait de l'embarras.
LING. — L'Acad. ne donne pas le féminin *piaffeuse*.

* **piaillard, arde** [pia-illar, ill mll.], adj. Qui a l'habitude de piailler.
PAR. — *Paillard, arde*, adj., qui s'adonne aux plaisirs charnels.

piailler [ill mll.], v. intr. Pousser des cris aigus et répétés, en parlant des oiseaux. ‖ Fig. et fam. Crier continuellement, criailler.

piaillerie [ill mll.], n. f. Action de piailler ; criaillerie.

piailleur, euse [ill mll.], adj. et n. Qui piaille, qui a l'habitude de piailler.

* **pian,** n. m. [Méd.] Maladie cutanée qui sévit dans les régions tropicales.

* **piane-piane,** adv. Fam. Doucement, lentement.

* **pianino,** n. m. [Mus.] Petit piano vertical.

pianissimo, adv. (mot ital.). [Mus.] Très lentement, avec beaucoup de douceur.

* **pianista,** n. m. [Mus.]. Instrument de musique qu'on adapte sur un clavier ordinaire pour exécuter mécaniquement des airs, grâce à un système de cartons perforés.

pianiste, n. Personne qui joue du piano.

1. **piano,** adv. (mot ital.). [Mus.] En jouant doucement.

2. **piano, piano-forte** (Vx) ou **forte-piano** (Vx), n. m. (ital. *pianoforte*, piano).

Instrument de musique à touches actionnant des marteaux qui vont frapper des cordes métalliques, et qui a remplacé le clavecin. — *Piano droit,* celui dans lequel les cordes et la table d'harmonie sont placées verticalement. — *Piano à queue,* celui dans lequel les cordes s'étendent horizontalement. V. tabl. MUSIQUE (*Idées suggérées par le mot*). V. pl. MUSIQUE.

* **pianola,** n. m. [Mus.] Sorte de piano mécanique.

* **pianotage,** n. m. Action de pianoter; son résultat.

pianoter, v. intr. Jouer du piano d'une façon médiocre (Fam.). ‖ Par ext. Tapoter, avec les doigts, sur une vitre ou sur un meuble, en signe de distraction ou d'impatience.

* **pianoteur, euse,** n. Celui, celle qui pianote.

piastre, n. f. (esp. *piastra*). Monnaie d'argent de valeur variable, en usage en Turquie, en Égypte, en Indochine, en Syrie, etc. [Archi.] Ornement d'architecture. V. pl. ORNEMENT.

* **piat,** n. m. Nom vulg. du petit de la pie.

* **piaulard** ou **piauleur, euse,** adj. Qui piaule, qui a l'habitude de piauler.

piaulement ou * **piaulis,** n. m. Action de piauler.

piauler, v. intr. Crier, en parlant des petits poulets. ‖ Fam. Geindre, criailler.

* **pible (à),** loc. adv. [Mar.] *Mât à pible,* mât d'un seul morceau.

* **pibroc** ou **pibrock,** n. m. Sorte de cornemuse écossaise. ‖ Air écossais pour ces cornemuses.

1. pic [*pik*], n. m. (orig. inc.). Instrument de fer, courbé et pointu vers le bout, qui a un manche de bois, et dont on se sert pour casser des morceaux de rocher et pour ouvrir la terre, quand elle est très dure. V. pl. BÂTIMENT. [Géog.] Montagne élevée, isolée et de forme pointue ou conique. *Le pic de Ténériffe.* = **à pic,** loc. adv. Verticalement. *Cette falaise est coupée à pic, est à pic.* [Mar.] Manque total de vent. *Le vent est à pic.* ‖ *Couler à pic,* tomber verticalement au fond de l'eau. ‖ Fig. et fam. A propos. *Tomber, arriver à pic.* [Jeu] En terme du jeu de piquet, compter jusqu'à trente, en jouant, sans que l'adversaire puisse rien compter. *Faire pic et repic.*

SYN. — V. COLLINE et ABRUPT.

HOM. — *Pic,* n. m., outil de terrassier; — *pic,* n. m., sommet pointu d'une montagne; — *pic,* n. m., oiseau grimpeur; — *pique,* n. f., arme d'hast; — *pique,* n. m., une des deux couleurs noires du jeu de cartes. — *pique,* n. f., brouille légère; *pique, es, ent,* du v. piquer.

VOCAB. — *Famille de mots.* — *Pic* : pique, piquer, picador, pioche, piocher, piocheur, piochon, piolet, piquer, piqûre, piqué, piquet, piquage, piquette, repiquer, repiquage.

---

2. pic, n. m. (lat. *picus,* m. s.). [Ornith.] Genre d'oiseaux grimpeurs, à bec long et fort, propre à fendre l'écorce des arbres, pour la chasse aux insectes.

HOM. — V. PIC 1.

* **pica** ou * **pika,** n. m. [Méd.] Dépravation de l'appétit poussant à manger des choses non comestibles.

HOM. — *Piquas, a,* du v. piquer.

picador, n. m. (mot esp.). Cavalier qui, dans les combats de taureaux, attaque l'animal avec la pique.

* **picage,** n. m. Maladie des volailles, qui les pousse à arracher les plumes des autres volailles. ‖ Opération qui consiste à piquer le dessin d'une dentelle sur le papier pour le reporter sur toile d'architecte.

HOM. — *Piquage,* n. m., action de piquer; taille donnée à certaines pierres.

picaillon [*ill* mll.], n. m. Anc. petite monnaie de cuivre piémontaise. = Pl. Pop. Argent.

* **picard, arde,** adj. et n. De la Picardie. = N. m. Patois de la Picardie.

* **picardan,** n. m. Cépage du bas Languedoc. ‖ Vin blanc muscat qu'il produit.

picaresque, adj. (esp. *picaro,* vaurien). Se dit des comédies et des romans où le principal personnage est un picaro.

* **picaro,** n. m. (mot esp.). Fourbe, intrigant, coquin de basse extraction.

* **picat,** n. m. [Méd. vét.] Maladie des ruminants qui prennent l'habitude de lécher les murs.

* **picciniste** ou * **piccimiste,** n. m. [Mus.] Partisan de Piccini et de sa manière (par opposition à *gluckiste*).

piccolo, n. m. (mot ital.). Petit vin du pays. ‖ Coup du jeu de boston. [Mus.] Petite flûte en ré.

* **picea** [*sé-a*], n. m. [Bot.] Nom scientif. de l'*épicéa*.

pichenette, n. f. Petite chiquenaude (Fam.).

pichet, n. m. Pot à anse, petit broc. ‖ Contenu de ce pot.

picholine [*ko*], n. f. Olive verte confite, qu'on sert en hors-d'œuvre.

* **pickles** [*pi-kle*], n. m. pl. (mot angl.). Condiments végétaux divers, fortement épicés et conservés au vinaigre.

pickpocket, n. m. (mot angl.). Voleur qui se glisse dans une foule pour voler dans les poches.

SYN. — V. VOLEUR.

* **pick-up** [*pik'eup'*], n. m. (mot angl. sign. *ramasser*). [Phys.] Dispositif électromagnétique transformant les vibrations mécaniques de l'aiguille d'un phonographe en courant électrique qui, amplifié, est envoyé dans un haut-parleur. V. pl. T.S.F.

* **picole,** n. f. Pioche pour gratter le sol au pied des vignes.

picorée, n. f. (esp. *pecorear,* voler des troupeaux). Action de butiner, de picorer, de marauder. *Aller à la picorée.*

picorer, v. intr. Aller à la maraude. ‖ En parlant des oiseaux, chercher sa nourriture. *Les poules picorent.* ‖ En parlant des abeilles, butiner. ‖ En parlant d'un auteur, piller dans les ouvrages d'autrui. = V. tr. Prendre çà et là. *Picorer des grains de raisin.*

PAR. — *Picoter,* causer des picotements.

picoreur, euse, n. Celui, celle qui picore.

picot [*pi-ko*], n. m. (dimin. de *pic*). Petite pointe qui reste sur le bois qu'on n'a pas coupé net. ‖ Petite engrêlure à l'un des bords des dentelles, des passements. [Pêche] Filets pour prendre les poissons plats.

* **picotage**, n. m. Action de picoter.

* **picotant, ante**, adj. Qui produit un picotement.

* **picote**, n. f. [Méd. vét.] Nom vulg. de la *clavelée*.

picoté, ée, adj. (pp. de *picoter*). Marqué d'un grand nombre de petits points, de petits trous.

picotement, n. m. Impression cutanée analogue à celle que produiraient des piqûres légères et répétées.

picoter, v. tr. Causer des picotements à. ‖ Couvrir de piqûres légères. ‖ Becqueter un fruit; détacher quelques grains d'une grappe. [Techn.] Enfoncer des picots pour le boisage d'un puits de mine. ‖ Fam. Railler taquiner par petites attaques réitérées.

PAR. — *Picorer*, chercher sa nourriture, en parlant des oiseaux.

picoterie, n. f. Parole taquine, maligne.

* **picoteur, euse**, n. Personne qui aime à picoter, à taquiner.

picotin, n. m. Petite mesure dont on se sert pour mesurer l'avoine aux chevaux. ‖ Son contenu.

* **picoture**, n. f. Marque, tache de ce qui est picoté.

* **picpouille**, * **picpoule** ou * **piquepoule**, n. m. Cépage du Midi; vin qu'il donne.

picrate, n. m. [Chim.] Nom des sels de l'acide picrique, et des combinaisons que cet acide forme avec les hydrocarbures; plusieurs constituent de violents explosifs.

* **picraté, ée**, adj. Qui renferme un picrate.

picrique, adj. (gr. *pikros*, amer). [Chim.] *Acide picrique*, dérivé tri-nitré du phénol, substance tinctoriale d'un jaune intense; fondu, il constitue la *mélinite*, explosif puissant. — On l'emploie en médecine pour soigner les brûlures.

* **pictographique**, adj. Se dit d'une écriture primitive représentant les idées au moyen de scènes et d'objets dessinés.

* **picton**, n. m. Syn. de *piquette*.

* **pictonner**, v. intr. Boire du picton.

pictural, ale, aux, adj. Qui se rapporte à la peinture.

pic-vert, n. m. V. PIVERT.

1. **pie**, n. f. (lat. *pica*, m. s.). [Zool.] Oiseau passereau à plumage blanc et noir, de la famille des *corvidés*. ‖ Prov. *Jaser comme une pie borgne, être bavarde comme une pie*, parler beaucoup. — Par ext. *Pie*, personne très bavarde. ‖ *Pie-grièche*. V. ce mot. [Mar.] *Nid de pie*, sorte de musette en filet dans laquelle les marins qui opèrent le gréement mettent leurs outils.

Adj. invar. Se dit d'un pelage de deux couleurs. *Cheval pie, jument pie.* = N. m. Cheval dont la robe blanche présente des taches noires, alezanes ou baies.

HOM. — *Pie*, n. f., oiseau passereau; — *pie*, adj., pieux; — *Pie*, n. pr. Ex. : *Pie IX;* — *pis*, n. m., bout de la mamelle de la vache; — *pis*, adv., plus; — *pis*, n. m., le plus mal; — *pi*, n. m., lettre grecque; rapport de la circonférence au diamètre.

2. **pie**, adj. (lat. *pius*). Pieux. ‖ *Œuvre pie*, œuvre de charité faite pour l'amour de Dieu.

HOM. — V. PIE 1.

* **piéça**, adv. (contract. de *pièce à*, voilà une pièce de temps). Depuis longtemps (Vx).

pièce, n. f. (orig. inc.). Partie, portion, morceau d'un tout. *Une pièce de bois. Les pièces d'une machine.* ‖ Fragment brisé d'un tout. *Vase brisé en mille pièces.* — *Tailler une armée en pièces*, la défaire entièrement. — Petit morceau d'étoffe, de toile, de métal, etc., qu'on ajuste à des choses de même nature, pour les raccommoder lorsqu'elles sont trouées. *Mettre une pièce à un habit, à un toit*, etc. ‖ Fig. *Être fait de pièces et de morceaux*, ne présenter aucune unité. ‖ *Être tout d'une pièce*, être d'un seul morceau. — Fig. et fam. *Se tenir droit avec raideur*; et, au sens moral, être d'un caractère rigide, sans aucune souplesse d'esprit. ‖ Unité. *C'est tant la pièce.* ‖ Chacune des parties d'un appartement, d'un domaine. *Appartement composé de dix pièces.* — *Pièce de blé, d'avoine*, champ qui est couvert de blé, etc. — *Pièce d'eau*, petit étang creusé pour l'embellissement d'un parc, d'un jardin. ‖ Tout complet, que l'on considère comme unité distincte. *Une pièce de drap, d'orfèvrerie.*

Monnaie ou médaille. *Une pièce de monnaie. Donner la pièce à quelqu'un*, lui donner un pourboire. — *Être près de ses pièces*, être fort avare ou avoir fort peu d'argent. ‖ *Pièce de vin*, quantité de vin déterminée (220 l. environ), contenue dans un fût. Le fût lui-même.

Tête de bétail, bête prise comme gibier. *Il a tué dix pièces de gibier*.

[Artill.] Toute espèce de bouche à feu. *Une pièce d'artillerie. Pièces de 75*. V. pl. CANON. — *Chef de pièce*, le canonnier qui pointe, qui commande la manœuvre d'une pièce.

[Litt.] Ouvrage en vers ou en prose, qui fait un tout complet. *Une pièce de vers.* — *Pièce de théâtre*, une tragédie, une comédie, un opéra, un vaudeville, etc. V. tabl. LETTRES (*Idées suggérées par le mot*). Abs. *La pièce a réussi, est tombée.* — Fig. et fam. *Jouer une pièce, faire une pièce à quelqu'un*, lui faire une malice, lui jouer un tour.

Documents apportés pour soutenir une discussion littéraire, une thèse, etc. *Pièces justificatives.* [Droit] Toute sorte d'écriture qui sert à un procès, tout ce qu'on produit pour établir son droit, tout document écrit qui sert à constater un fait, etc. *Produire une pièce.*

Travailler à la pièce, aux pièces, se dit de quelqu'un qui est payé, non pas à la journée, mais à proportion de l'ouvrage qu'il fait. ‖ Fig. et fam. Personne. *Une bonne pièce. Une mauvaise pièce*, une personne rusée, dissimulée, malicieuse. [Blas.] *Pièces honorables*, meuble héraldique (chef, fasce, pal, croix, bande, chevron et sautoir). V. pl. BLASON. [Jeu] *Au jeu d'échecs*, tout ce qui n'est pas pion. *Jouer une pièce.* [Méd.] *Pièces anatomiques*, parties d'un cadavre préparées pour les études anatomiques. ‖ *Pièce de résistance*, le plat principal d'un repas. — *Pièce montée*, pâtisserie, gâteau en forme

de motif d'architecture. = DE TOUTES PIÈCES, loc. adv. Entièrement, complètement. — *Être armé de toutes pièces.* = PIÈCE À PIÈCE, loc. adverb. Une pièce après l'autre. *Il a vendu son mobilier pièce à pièce.*
SYN. — V. FRAGMENT, TONNEAU et CANON.

> VOCAB. — *Famille de mots.* — *Pièce* : piécette, empiècement, dépecer, dépècement, rapiécer, rapiècement, etc.

piécette, n. f. Petite pièce, partic., petite pièce de monnaie.
pied [pié], n. m. (lat. *pes, pedis,* m. s.). — I. *Chez l'homme.* Partie du membre inférieur qui porte sur le sol, supporte le corps et sert à marcher. *Pied droit, pied gauche. Marcher sur la pointe du pied. Marcher pieds nus, nu-pieds.* — *Sauter à pieds joints,* les pieds étant réunis l'un contre l'autre. V. tabl. CORPS (*Idées suggérées par le mot*). — *Gens de pied,* les fantassins. — Fig. et fam. *Pied plat,* homme qui ne mérite aucune considération, être plein de bassesse. ‖ *Trace des pas. On relevait des pieds sur le sable.* ‖ *Des pieds à la tête ; de la tête aux pieds,* depuis les pieds jusqu'à la tête. — Fig. *Regarder quelqu'un de la tête aux pieds,* le toiser avec mépris. — *Avoir pieds et poings liés,* ne pas être maître de sa volonté, ne pouvoir agir. — Fam. *Avoir bon pied,* être bon marcheur. — *Avoir bon pied, bon œil,* se porter bien, être dans toute sa vigueur, et Fig., être vigilant, se tenir sur ses gardes. — *Mettre pied à terre,* descendre de cheval ou de voiture. — *Mettre le pied, les pieds dans une maison,* y aller. — *Ne pouvoir mettre un pied devant l'autre,* être si faible qu'on ne peut marcher. ‖ *Perdre pied,* ne plus trouver le fond de l'eau avec les pieds ; et fig., ne savoir plus où l'on en est, comment sortir d'une situation fâcheuse. *Il y a, il n'y a pas pied,* se dit quand on peut ou non se tenir debout dans l'eau, la tête dehors. — Fig. *Prendre pied,* commencer à s'établir solidement, à acquérir de la considération, du crédit. ‖ *Se jeter aux pieds de quelqu'un,* le supplier humblement. ‖ *Lever le pied,* disparaître en emportant les fonds. *Ce banquier, ce notaire a levé le pied* (Fam.). ‖ *Fouler aux pieds,* écraser sous ses pieds, et fig., ne faire aucun cas de. ‖ Fig. *Mettre une chose sous ses pieds,* la mépriser. ‖ Fam. *Prendre quelqu'un au pied levé,* surprendre quelqu'un au moment où il se disposait à sortir ; et fig. demander une chose à quelqu'un sans lui laisser le temps de la réflexion. — *Faire quelque chose au pied levé,* sans préparation. ‖ *Lâcher pied,* quitter la ligne de combat, se débander, en parlant d'une armée ; et, fig. céder. ‖ *Traverser à pied sec,* sans se mouiller. ‖ *Peindre quelqu'un en pied,* faire le portrait d'une personne tout entière, debout ou assise. ‖ *Être sur pied,* être levé, debout. *Il a été sur pied toute la nuit pour veiller sa mère.* — Fig. *Être sur pied,* être préparé, être prêt. — *Remettre quelqu'un sur pieds,* le guérir. — Fig. *Être, se mettre sur tel pied avec quelqu'un,* être à son égard dans telle disposition, avoir ou prendre relativement à lui telle manière d'agir. — *Mettre une armée, des troupes sur pied,*

lever une armée. ‖ Fam. *Mettre les pieds dans le plat,* dire les choses brutalement. ‖ *Haut le pied,* allons, partons, ou allez, partez. — Adv. *Renvoyer des chevaux haut le pied,* les renvoyer sans les atteler, ni les monter. — *Envoyer une machine, une locomotive, un remorqueur haut le pied,* les faire circuler sans qu'ils soient attelés à un train de chemin de fer ou de bateaux. ‖ *Valet de pied,* celui qui suit un haut personnage, qui descend de la voiture pour ouvrir la portière. ‖ Pop. *Faire quelque chose comme un pied,* le faire très mal.
II. *En parlant des êtres vivants autres que l'homme.*
A. Animaux. *Pied de cheval, d'éléphant.* ‖ Cette partie de l'animal préparée comme aliment. *Pied de veau, de porc.* ‖ *Pied-de-biche,* poignée de sonnette constituée par le pied d'une biche ou de certains autres quadrupèdes. ‖ *Vendre du bétail sur pied,* le vendre pour la boucherie encore vivant.
B. Végétaux. — Base d'un végétal, la partie du tronc ou de la tige qui est au ras du sol. *Couper un chêne au pied.* ‖ *Vendre, acheter une récolte sur pied,* vendre du blé avant qu'il soit coupé, du raisin avant qu'il soit vendangé, etc. ‖ *Sécher sur pied,* se flétrir sans avoir été coupé ni arraché. ‖ Arbre, plante considérés comme une unité. *Repiquer des pieds de salade.*
III. *En parlant des objets.* — Partie qui sert à soutenir des meubles, des ustensiles, etc. *Les pieds d'une table, d'un lit,* etc. ‖ Endroit le plus bas d'une montagne, d'un édifice, d'un mur, d'une tour, etc. *Le pied d'un rocher, d'une échelle.* ‖ Loc. fig. *Être sur le pied de guerre, de paix,* se dit d'une armée, d'une flotte, d'un État, etc. où tout est prêt pour faire la guerre, ou, au contraire, qui ont des effectifs réduits quand la paix règne. ‖ *A pied d'œuvre.* V. ŒUVRE. Fig. *Mettre au pied du mur.* V. MUR. — Fig. *Au pied de la lettre,* selon le sens littéral, selon le propre sens des paroles.
IV. [Métrol.] Ancienne mesure de longueur qui était divisée en 12 pouces, et dont la valeur était variable selon les lieux et les époques. Le pied français valait 0 m 324 ; le pied anglais vaut encore 0 m 304. — Par exag. *Il voudrait être à cent pieds sous terre,* il voudrait pouvoir se cacher tant il est confus, honteux ; se dit aussi d'un homme qui a un grand chagrin, qui est dégoûté de la vie.
[Métr.] Chacune des divisions d'un vers, laquelle se compose d'un certain nombre de syllabes longues ou brèves. Ex. le *dactyle,* le *spondée,* etc. — Par extens., dans les vers français, réunion de deux syllabes. *Notre vers alexandrin est de six pieds ou de douze syllabes.* — On emploie, abusivement, *pied* pour *syllabe* en disant que *l'alexandrin est le vers de 12 pieds.*
V. *Locutions figurées diverses et termes scientifiques.* — [Bot.] *Pied-d'alouette, pied-de-chat, pied-de-lion.* V. ces mots. [Techn.] *Pied-de-biche,* outil formé d'une barre de fer recourbée, à tête fendue, constituant levier, et qui sert à arracher les clous, à ouvrir les caisses, etc. — Pièce qui, dans la machine à coudre, maintient l'étoffe appuyée sur la tablette. ‖ *Pied à coulisse,* outil composé d'une réglette gra-

duée en métal et de deux pièces en équerre, dont l'une est fixe, et l'autre coulisse sur la réglette pour permettre d'évaluer l'épaisseur de l'objet serré entre ces deux pièces.

VI. *Locutions adverbiales.* — À PIED, loc. adv. Au moyen de ses pieds, pédestrement. *Voyager à pied.* — *Troupes à pied,* l'infanterie. — *Mettre à pied,* proprement, priver un° cocher de son emploi en le faisant descendre de son véhicule. — Par anal. Priver quelqu'un de son emploi, soit définitivement, soit temporairement. ‖ *Loger à pied et à cheval,* se dit d'un aubergiste qui reçoit les piétons et les cavaliers. = PIED À PIED, loc. adv. Pas à pas, graduellement. *Défendre un passage pied à pied.* = DE PIED FERME, loc. adv. V. FERME. = D'ARRACHE-PIED, loc. adv. V. ARRACHE-PIED. = AU PETIT PIED, loc. adv. En petit, en raccourci. *Crébillon fut un Corneille au petit pied.* = SUR LE PIED DE, loc. prép. A raison, à proportion de. *J'ai payé cette étoffe sur le pied de cinq francs le mètre.* — *Vivre sur le pied de cent mille livres de rente,* vivre avec le train de vie que comporterait un tel revenu. — *Se mettre sur le pied de faire, de ne pas faire une chose,* prendre l'habitude de faire... surtout en mauvaise part.

LING. — Les poètes peuvent écrire *pied* ou *pié,* selon que le besoin de la rime l'exige. — Ne dites pas : *j'irai de pied;* dites : *j'irai à pied.*

SYN. — *Pied,* partie inférieure de la jambe chez l'homme et chez certains animaux : *Avoir mal aux pieds. Pied de cheval, de mouton, de chèvre, de cerf, de veau,* etc. — *Patte,* partie inférieure de la jambe d'autres animaux : *Patte de lion, de tigre, de chien, de chat, de lapin, de poule, de mouche,* etc.

VOCAB. — *Famille de mots.* — Pied (lat. *pes, pedis;* gr. *pous, podos*) [rad. *pié, ped, pet, pod.*] : piédouche, piédestal, pieddroit, pédicule, pédiculé, pédieux, pédimane; pédon, pédoncule, pédonculaire, peton, pétiole, pétiolé, piétinement, pédale, pédaler, pédaleur, rétropédaler; péage, péager, pédestre, pédestrement; piètre, piéton, piéter, piétiner, piétinement; pion, pionner, pionnier; pédicure, trépied, bipède, quadrupède, palmipède, pinnipèdes; vélocipède; contre-pied; pourpier, empiéter, empiétement, impedimenta; expédier, expédition, expéditeur, expéditionnaire, expéditif; piège, empêcher, empêchement, empêcheur, dépêche, dépêcher, et les mots composés commençant par *pied*: pied-à-terre, pied-bot, pied-plat, etc. = antipode, tripode, décapode, myriapode, podagre, podomètre.

pied-à-terre, n. m. inv. Petit logement que l'on n'occupe qu'en passant.
SYN. — V. HABITATION.
pied-bot. V. BOT. = Pl. *Des pieds-bots.*
* **pied-d'alouette,** n. m. [Bot.] Plante ornementale de la famille des *renonculacées,* appelée aussi *dauphinelle.* = Pl. *Des pieds-d'alouette.*
* **pied-de-biche,** n. m. [Techn.] V. PIED. = Pl. *Des pieds-de-biche.*
* **pied-de-chat,** n. m. [Bot.] Nom vulg. du *gnaphalium,* plante ornementale de la famille des *composées.* = Pl. *Des pieds-de-chat.*

* **pied-de-cheval,** n. m. Huître de grande taille. = Pl. *Des pieds-de-cheval.*
* **pied-de-chèvre,** n. m. Sorte de levier de fer à bout fendu. = Pl. *Des pieds-de-chèvre.*
* **pied-de-lion,** n. m. [Bot.] Nom vulg. d'une alchimille ornementale, famille des *rosacées.* = Pl. *Des pieds-de-lion.*
* **pied-de-veau,** n. m. [Bot.] Gouet, arum. = Pl. *Des pieds-de-veau.*
pied-droit ou **piédroit,** n. m. [Archit.] Mur vertical ou pilier carré qui va du sol à la naissance des voûtes. V. pl. VOUTES. ‖ Le jambage d'une porte ou d'une fenêtre. = Pl. *Des pieds-droits.*
piédestal, n. m. (ital. *piedestallo,* m. s.). Support, base d'une statue, d'une colonne. V. pl. COLONNES. ‖ Fig. Ce qui sert à s'élever, à monter. — *Mettre quelqu'un sur un piédestal,* en faire abusivement un plus grand personnage qu'il ne l'est.
pied-fort, ou **piéfort,** n. m. Pièce d'or ou d'argent, plus épaisse que les pièces communes, qu'on frappe pour servir d'essai. = *Des pieds-forts.*
piédouche, n. m. (ital. *pieduccio,* petit pied). Petit piédestal pour buste, statuette, etc.
pied-nu, n. m. Sorte de sandale. V. pl. CHAUSSURES.
* **pied-plat,** n. m. Homme vil et méprisable. = Pl. *Des pieds-plats.*
piège, n. m. (lat. *pedica,* entrave). Instrument, engin, qui sert à prendre des animaux. *Tendre, dresser un piège.* ‖ Fig. Artifice dont on se sert pour tromper quelqu'un, embûche. *Tomber, donner dans un piège.*
SYN. — V. AMORCE.
* **piégeage,** n. m. Action de chasser à l'aide de pièges.
* **piéger,** v. tr. Chasser à l'aide de pièges. = Conjug. V. GRAMMAIRE.
pie-grièche, n. f. [Zool.] Nom vulg. de passereaux dentirostres, de caractère hargneux et méchant, ayant l'aspect et les mœurs de petits rapaces. ‖ Fig. Femme d'humeur acariâtre et querelleuse. = Pl. *Des pies-grièches.*
pie-mère, n. f. [Anat.] La plus interne des méninges, qui enveloppe immédiatement la masse cérébrale. = Pl. *Des pies-mères.*
* **piémontais, aise,** adj. et n. Du Piémont.
* **piéride,** n. f. [Zool.] Genre d'insectes lépidoptères diurnes (papillons blancs). dont les chenilles dévorent les feuilles des crucifères. V. pl. INSECTES.
Piérides. [Myth.] Nom des Muses, tiré du mont Piéros, en Macédoine.
pierraille, n. f. Amas de petites pierres.
pierre [*piè-re*], n. f. (lat. *petra,* m. s.). Corps dur et solide, constitué par une substance minérale non métallique et non combustible. *Tailleur de pierre. Bâtiment, pont, banc de pierre.* ‖ Fragment détaché de ce corps. *Ce chemin est couvert de pierres.* ‖ Cette matière utilisée pour les constructions. *Poser la première pierre d'un édifice. Pierre de taille.* — *Pierres sèches,* pierres posées les unes sur les autres sans chaux, plâtre, ni mortier. *Muraille de pierres sèches.* — *Pierre tombale,* pierre qui recouvre une sépulture. ‖ *Pierre précieuse,* minéral d'un bel éclat ou de riches couleurs

employé comme parure, tel que le diamant, l'émeraude, le rubis, le saphir, etc. — *Pierres fines*, l'agathe, la cornaline, l'onyx, etc. — *Pierre à plâtre*. V. PLÂTRE et GYPSE. — *Pierre à aiguiser, à repasser* ou *à morfiler*, grès argileux, schistes argilosiliceux à grain plus ou moins fin. — *Pierre d'aimant*, nom vulgaire de l'oxyde dit magnétique. — *Pierres à bâtir*, pierres calcaires, plus ou moins dures et homogènes qu'on emploie dans les constructions. — *Pierre ponce*, pierre volcanique poreuse et légère, qui sert à polir. — *Pierre calcaire* toute roche composée de carbonate de calcium. La pierre calcaire destinée spécialement à faire de la chaux reçoit le nom de *pierre à chaux*. V. tabl. MINÉRAUX (*idées suggérées par le mot*).
Fig. *Pierre fondamentale*, ce qu'il y a de principal et de plus important dans les préceptes de morale, de politique, etc. *La justice est la pierre fondamentale des États.* — *Pierre de touche*. V. TOUCHE. ‖ Fig. et fam. *Dur comme pierre*, très dur. — *Un cœur de pierre*, un cœur dur et insensible. *Être malheureux comme les pierres*, être très malheureux. — *Jeter la pierre à quelqu'un* (allusion à la femme adultère de l'Évangile), lui adresser un reproche, l'accuser, le condamner. — *Faire d'une pierre deux coups*. V. COUP. — *Ne pas laisser pierre sur pierre*, détruire, ruiner entièrement. [Chim.] *Pierre infernale*, nitrate d'argent fondu puis coulé en crayons, utilisé pour la destruction des verrues. ‖ [Chir. et Méd.] Concrétion, calcul qui se forme dans la vessie et dans quelques organes du corps. ‖ Petite concrétion ligneuse qui se forme dans certains fruits. *Ces sortes de poires ont beaucoup de pierres.*

VOCAB. — *Famille de mots.* — Pierre [rad. *pie, pet*]: pierrures, pierreux, pierrable, pierreries, perron, empierrer, empierrement; pétrifier, pétrification, pétrole, pétroler, pétroleur, pétrolier, pétrolette, pétrolerie, pétrolifère; salpêtre, salpêtrer, etc.
La forme grecque, *lithos*, a donné naissance à de nombreux mots techniques: litharge, lithiase, lithium, lithochromie, lithochromographie, lithocolle, lithoglyphie, lithographie, lithographe, lithographier, lithographique, lithoïde, lithologie, lithophage, lithophanie, lithophyte, lithotome, lithotomie, lithotriteur, lithotritie, lithotypographie; aérolithe, aérolithique, monolithe, oolithe, oolithique, hippolithe, mégalithe, mégalithique, néolithique, paléolithique, etc.

---

pierrée, n. f. ou * **pierré**, n. m. Lit de pierres. ‖ Conduit de pierres sèches pour l'écoulement des eaux.
pierreries, n. f. pl. Pierres précieuses, quand elles ont été travaillées. V. tabl. VÊTEMENT ET PARURE (*idées suggérées par les mots*).
pierrette, n. f. Petite pierre. ‖ Femme, petite fille travestie en pierrot. ‖ Femelle du pierrot (moineau).
pierreux, euse, adj. Qui est plein de pierres. *Terrain, chemin pierreux.* ‖ Qui est de la nature de la pierre. *Concrétion pierreuse.* ‖ *Poire pierreuse*, qui contient des concrétions dures. = N. f. Prostituée de bas étage.
pierrier, n. m. Engin de guerre du Moyen Age qui lançait des pierres. ‖ Sorte de bouche à feu qui lançait des pierres et de la mitraille.

pierrot, n. m. Le moineau franc. ‖ Bateleur, acteur à la figure enfarinée, qui porte un habit blanc à longues manches, et qui joue des rôles de niais. ‖ Fig. Niais, imbécile.
pierrures, n. f. pl. [Vén.] Excroissances dures à la base du bois des cerfs, daims, etc.
* **Pieta** ou * **Piéta**, n. f. (mot ital.). Statue ou tableau représentant la Vierge assise et portant sur ses genoux le corps mort du Christ. *La Pieta de Michel-Ange.*
* **piétage**, n. m. [Mar.] Échelle tracée sur les côtés de l'étrave et de l'étambot d'un navire pour faire connaître son tirant d'eau.
piété, n. f. (lat. *pietas*, m. s.). Dévotion intérieure, affection et respect pour les choses de la religion. *Exercices de piété.* ‖ Par ext. Sentiment d'affection mêlée de respect. *Piété filiale. La piété envers les morts.* ‖ *Mont-de-piété*. V. ce mot.
ÉPITHÈTES COURANTES : grande, profonde, sincère, raisonnée, éclairée, instinctive, naïve, superstitieuse; affectée, fausse, simulée, factice, trompeuse, hypocrite; filiale, etc.
HOM. — *Piété*, pp. du v. piéter.
PAR. — *Pitié*, sentiment de compassion.
piéter, v. intr. (de *pied*). Au jeu de boules, tenir le pied à l'endroit marqué pour cela. ‖ S'avancer de quelques pas en courant (se dit du gibier de plume). = SE PIÉTER, v. pr. Se raidir, résister avec force. = Conjug. V. GRAMMAIRE.
* **piétin**, n. m. [Agri.] Maladie des céréales causée par de minuscules champignons pyrénomycètes. ‖ [Méd. vét.] Ramollissement de la corne du pied des ovidés, avec suppuration.
piétinement, n. m. Action de piétiner.
piétiner, v. intr. Remuer fréquemment et vivement les pieds sans avancer. *Piétiner d'impatience.* = V. tr. Fouler aux pieds. *Les chevaux le piétinèrent* ‖ Fouler avec les pieds. *Piétiner du cuir.*
piétisme, n. m. Doctrine des piétistes.
piétiste, n. Membre d'une secte protestante très rigoriste qui s'attache à la lettre de l'Évangile.
piéton, onne, n. Personne qui va à pied. = N. m. Facteur rural. ‖ Fantassin (Vx).
piètre, adj. Chétif, mesquin, sans nulle valeur.
piètrement, adv. D'une manière piètre.
* **piètrerie**, n. f. Chose piètre, vile, de nulle valeur.
PAR. — *Pitrerie*, bouffonnerie.
piette, n. f. [Zool.] Nom vulg. d'un oiseau palmipède appelé aussi *harle piette*.
HOM. — *Piète, es, ent*, du v. piéter.
pieu, n. m. Pièce de bois pointue par un bout. *Une palissade de pieux.*
HOM. — *Pieux*, qui a de la piété.
pieusement [ze-man], adv. D'une manière pieuse.
pieuvre, n. f. [Zool.] Poulpe commun. V. pl. MOLLUSQUES. ‖ Fig. Parasite qui « suce » celui, celle aux dépens de qui il vit.
pieux, euse, adj. (lat. *pius*). Qui a ou dénote de la piété. *Homme pieux. Pensée pieuse.*
SYN. — V. DÉVÔT.
CTR. — *Impie, irréligieux.*

PIÈZE — PILE

Hom. — *Pieu*, morceau de bois long et pointu.

> Vocab. — *Famille de mots.* — *Pieux* : pie (adj.), pieusement, piété, impie, impiété, piteux, piteusement, pitoyable, pitoyablement, impitoyable, impitoyablement ; pitié, pie-mère, mont-de-piété ; expier, expiable, expiateur, expiation, expiatoire ; inexpiable, inexpié.

* **pièze**, n. f. (gr. *piézein*, comprimer). Unité mécanique de pression, qui équivaut à la pression exercée par une force d'un sthène par mètre carré de surface.
* **piézo-électricité**, n. f. Partie de la physique qui étudie la production de l'électricité par la traction ou la compression.
* **piézomètre**, n. m. Instrument pour mesurer la compressibilité des liquides.
* **piézométrie**, n. f. Partie de la physique qui a pour objet la compressibilité des liquides.
* **pif**, n. m. [Arg. pop.] Nez, grand nez.

pif, paf, interj. Onomatopée marquant deux bruits secs se répondant l'un à l'autre.

pifferaro, n. m. (mot ital.). Musicien ambulant italien, joueur de *piffero*, sorte de flûte, ou encore de violon, de cornemuse, etc. = Pl. *Des pifferari*.

* **piffre, esse**, n. Pop. Personne excessivement grosse et replète. ǁ Personne gloutonne, goulue.
* **piffrer (se)**, v. pron. Se remplir de nourriture. — On dit mieux *s'empiffrer* (Pop.).
* **pigamon**, n. m. [Bot.] Genre de plantes des lieux humides de la famille des *renonculacées*.

pigeon [*pi-jon*], n. m. (lat. *pipio*, m. s.). [Zool.] Oiseau domestique de la famille des *colombidés*. *Pigeon voyageur*. ǁ *Couleur gorge de pigeon*, couleur changeante et chatoyante, verte et violette, comme celle de la gorge des pigeons. ǁ *Aile de pigeon*, disposition des cheveux qui figure une aile à chaque côté de la tête. [Techn.] Poignée de plâtre pétri, pour dresser des coffres, des hottes de cheminée. ǁ Morceau de pierre mêlé à de la chaux. [Jeu] *Pigeon vole*, jeu d'enfants.

Ling. — Quand on parle de pigeons appariés, on dit : *une paire de pigeons* ; quand on parle de pigeons destinés à être mangés on dit : *une couple de pigeons*.

Hom. — *Pigeons*, du v. piger.

* **pigeonnage**, n. m. [Techn.] Action de pigeonner ; son résultat.

pigeonne, n. f. Femelle du pigeon.

Hom. — *Pigeonne, es, ent*, du v. pigeonner.

pigeonneau, n. m. Jeune pigeon. ǁ Fig. Jeune homme que l'on dupe.

* **pigeonner**, v. tr. [Maçonn.] Employer à la main du plâtre gâché serré pour élever certains ouvrages.

pigeonnier [*jo-nié*], n. m. Lieu où l'on élève les pigeons domestiques. ǁ Fam. Logement situé dans un lieu élevé.

* **piger**, v. tr. Pop. Regarder. ǁ Attraper. ǁ Comprendre, saisir. = Conjug. V. Grammaire.

pigment [*man*], n. m. (lat. *pigmentum*). Chose qui colore. [Anat.] Matière colorante qui donne sa coloration à la peau, à certains tissus.

Par. — *Piment*, condiment à saveur brûlante.

* **pigmentaire**, adj. Qui a rapport au pigment.

pigmentation [*man-ta-sion*], n. f. Formation du pigment. ǁ Coloration de la peau, d'un tissu, etc., par un pigment.

pigne, n. f. [Techn.] Masse de métal qui reste, dans le traitement du minerai d'or ou d'argent, après l'évaporation du mercure amalgamé à ce minerai. ǁ Graine qu'on trouve dans la pomme de pin.

* **pignère** [*gn* mll.], n. f. Étui à peignes. Hom. — *Pinière*, n. f., lieu planté de pins.

pignochage, n. m. Manière de peindre de l'artiste qui pignoche. ǁ Manière de manger de celui qui pignoche.

pignocher, v. intr. Peindre trop soigneusement à petits coups de pinceau. ǁ Fam. Manger négligemment et par petits morceaux.

1. **pignon** [*gn* mll.], n. m. (bas lat. *pinnio*, m. s.). Partie supérieure d'un mur qui se termine en pointe. *Dans les anciennes maisons, le pignon était sur la façade principale.* V. Pl. FORTIFICATIONS. — Prov. *Avoir pignon sur rue*, avoir une maison à soi, et, par ext. avoir des biens immeubles. [Mécan.] La plus petite des deux roues d'un engrenage. V. pl. BICYCLETTE. ǁ Cylindre cannelé réglant le pêne de certaines serrures.

2. **pignon** [*gn* mll.], n. m. (lat. *pinus*, pin). [Botan.] Graine du pin pignon.

pignoratif, ive [*pig-no*], adj. (lat. *pignorare*, mettre en gage). [Droit] Se dit d'un contrat usuraire par lequel un débiteur vend, sous faculté de rachat, un bien à son créancier qui le lui laisse en location.

* **pignoration** [*tion*], n. f. Action de conclure un contrat pignoratif.

pignouf, n. m. Pop. Individu peu intéressant. ǁ Avare.

pilaf, n. m. V. PILAU.

* **pilage**, n. m. Action de piler.

Par. — *Pillage*, action de piller ; — *pliage*, action de plier.

pilaire, adj. (lat. *pilus*, poil). Qui a rapport aux poils.

pilastre, n. m. [Archi.] Pilier rectangulaire ou carré, ordinairement engagé dans un mur. V. pl. COLONNES. ǁ Premier barreau, plus fort et souvent orné, au bas d'une rampe d'escalier. ǁ Sorte de colonne plate qui sert à la décoration.

Syn. — V. COLONNE.

Par. — *Palastre*, partie extérieure d'une serrure ; — *pinastre*, pin maritime.

pilau ou **pilaf**, n. m. Riz cuit légèrement avec de l'huile, du beurre, de la viande ou des coquillages, et fortement épicé.

Hom. — *Pilot*, n. m., gros pieu de pilotis ; tas de sel en cône.

pilchard, n. m. Sardine des côtes de l'Océan ou de la Méditerranée.

Par. — *Pinchard*, robe gris de fer d'un cheval.

1. **pile**, n. f. (lat. *pila*, colonne). Amas de plusieurs corps placés les uns sur les autres. *Une pile de bois, de livres*. [Archi.] Massif de maçonnerie qui soutient les

PILE — PILOT

arches d'un pont. Par ext. Bâti métallique jouant le même rôle. [Blas.] Pile de l'écu, de forme triangulaire. V. pl. BLASON. [Phys.] Appareil destiné à transformer l'énergie développée par un agent chimique en courant électrique, et qui était d'abord formé de disques de métal empilés. ‖ Pop. Volée de coups. *Recevoir une pile.* ‖ Par ext. Défaite militaire ou sportive.

SYN. — V. COLONNE.

HOM. — *Pile,* n. f., amas d'objets placés les uns sur les autres; massif de maçonnerie; appareil producteur d'électricité; — *pile,* n. f., pierre servant à broyer; côté opposé à la face; — *pile, es, ent,* du v. piler.

VOCAB. — *Famille de mots.* — Pile : pilier, pilastre, pilot, pilotis; empiler, empileur, empilage; désopilation, désopiler, désopilant.

---

2. pile, n. f. (lat. *pila,* mortier). Grosse pierre servant à broyer, à écraser; pilon. ‖ Appareil pour laver et défiler les chiffons.

HOM. — V. PILE 1.

3. pile, n. f. (orig. incert.). Côté d'une pièce de monnaie opposé à la face. — *Jouer à pile ou face,* décider d'une chose selon le côté que présentera, en tombant, une pièce de monnaie jetée en l'air.

ANT. — *Face.*
HOM. — V. PILE 1.

piler, v. tr. Broyer avec un pilon. ‖ Fig. *Se faire piler,* se faire battre dans une compétition.

SYN. — V. BROYER.

PAR. — *Piller,* mettre au pillage, voler, détruire de vive force; — *pilier,* massif soutenant une partie d'un édifice.

* **pilet,** n. m. [Zool.] Nom vulg. d'une espèce de canard sauvage.

HOM. — *Pilais, ait, aient,* du v. piler.

* **pileur, euse,** n. Celui, celle qui pile.

pileux, euse, adj. Qui a rapport aux poils. *Système pileux.* ‖ Composé, revêtu, garni de poils.

pilier, n. m. [Archit.] Massif de pierre, support de fer, de bois qui sert à soutenir quelque partie d'un édifice. V. pl. ÉGLISE, COLONNES et VOUTES. ‖ Tout ce qui soutient un corps quelconque. ‖ Fig. Soutien, défenseur. *Un pilier de la foi.* ‖ Poteau qui sépare les chevaux dans les écuries. ‖ Fig. Habitué, celui qui fréquente assidûment un lieu. *Un pilier de cabaret.* ‖ Grosses jambes épaisses et inélégantes.

SYN. — V. COLONNE.
PAR. — *Piller,* mettre au pillage; — *piler,* broyer avec un pilon.

* **pilifère,** adj. Qui porte des poils.
* **piliforme,** adj. Qui a la forme d'un poil.

pillage, n. m. Action de piller; dégât qui en résulte. ‖ Par ext. Gaspillage, exaction. *Mettre une maison au pillage.* ‖ Plagiat.

SYN. — *Pillage,* action de dépouiller les villes, les maisons de ce qu'elles contiennent pour s'en emparer : *Après la prise de la ville, l'armée ennemie en fit le pillage.* — *Brigandage,* vol à main armée, généralement accompli par plusieurs : *Le brigandage a longtemps sévi dans certaines contrées.* — *Déprédation,* pillage accompagné de dégâts, d'incendie, etc. : *L'émeute causa dans la ville de graves déprédations.* — *Pillerie,* action de piller : « *Pillerie* » est un mot vieilli pour « *pillage* ». — *Rapt,* enlèvement de personnes à main armée : *Les rapts de femmes et d'enfants.* — *Razzia,* pillage sur le territoire ennemi : *Les razzias des anciennes tribus maures.* — *Sac,* pillage d'une ville dans sa totalité : *Le sac de Troie prise par les Grecs.* V. aussi LARCIN, VOLEUR.

PAR. — *Pillage,* action de piller; — *pliage,* action de plier.

pillard, arde, adj. Qui aime le pillage. ‖ Plagiaire. *Écrivain pillard.* = N. m. Celui qui pille.

piller [*ll* mll.], v. tr. (lat. *pilare,* voler). Dépouiller violemment les maisons, les villes de ce qu'elles contiennent pour s'en emparer. ‖ Commettre des exactions, des détournements frauduleux. ‖ Prendre dans les œuvres d'autrui des choses que l'on donne comme siennes; plagier, contrefaire. *Il a pillé cette pensée dans Montaigne.* [Chasse] *Pille !* cri pour exciter un chien à se jeter sur le gibier.

PAR. — *Piler,* écraser avec le pilon; — *pilier,* massif soutenant une partie d'un édifice.

* **pilleri** [*ll* mll.], n. m. Nom pop. du moineau.

HOM. — *Pillerie,* action de piller.

pillerie [*ll* mll.], n. f. Fam. Action de piller; volerie (Vx).

SYN. — V. PILLAGE.
HOM. — *Pilleri,* nom pop. du moineau.

pilleur, euse [*ll* mll.], n. Celui, celle qui pille.

LING. — L'Acad. ne donne pas le féminin *pilleuse.*

* **pilocarpe,** n. m. [Bot.] Genre de rutacées. Le pilocarpe à grandes feuilles est le jaborandi.

* **pilocarpine,** n. f. [Chim.] Alcaloïde extrait du jaborandi, employé en ophtalmologie et contre la chute des cheveux.

pilon, n. m. (de *piler*). Instrument en bois, en pierre ou en métal, à base arrondie, dont on se sert pour piler quelque chose dans un mortier, pour écraser des légumes cuits, etc. — *Marteau-pilon.* V. MARTEAU. ‖ Rondin de bois muni d'un manche pour tasser les terres, l'asphalte, etc. ‖ *Mettre un livre au pilon,* en déchirer les feuillets pour les piler et réduire en pâte, et, par ext., en détruire l'édition complète. ‖ Morceau de volaille cuite, constitué par la partie inférieure de la cuisse. ‖ Fam. Jambe de bois.

HOM. — *Pilons,* du v. piler.

pilonnage, n. m. Action de pilonner. ‖ Action d'écraser du pilon.

pilonner, v. tr. Tasser la terre avec le pilon. [Artill.] Écraser un point par bombardement de gros obus.

pilori, n. m. (orig. inc.). Appareil où autrefois était exposé publiquement un condamné. ‖ Fig. *Clouer quelqu'un au pilori,* le désigner à l'indignation publique.

pilorier, v. tr. Mettre au pilori. ‖ Fig. Exposer l'infamie de quelqu'un. = Conjug. V. GRAMMAIRE.

* **piloselle** [zè-le], n. f. [Bot.] Nom vulg. de l'*épervière* à fleurs jaunes, famille des *composées.*

* **pilot,** n. m. Gros pieu de pilotis. ‖ Tas de sel en cône au bord d'un marais salant.

Hom. — *Pilau*, n. m., riz cuit et fortement épicé.

1. pilotage, n. m. Ouvrage de pilotis.

2. pilotage, n. m. [Mar.] Art de conduire un vaisseau; ensemble des notions nécessaires pour conduire un bâtiment, en mesurer la route. ‖ Action de conduire un navire à l'entrée ou à la sortie d'un port. [Aviat.] Art de piloter un avion, un dirigeable.

pilote, n. m. (holland. *piloot*, m. s.). [Mar.] Celui qui gouverne, qui conduit un navire en mer. ‖ Celui qui conduit un navire dans les passes difficiles, à l'entrée et à la sortie d'un port. V. tabl. MARINE (*Idées suggérées par le mot*). ‖ Celui qui a la direction de route dans un avion, un dirigeable. ‖ Fig. Ce qui sert de guide. [Zool.] Nom vulg. d'un poisson téléostéen de la Méditerranée. = Adj. *Bateau pilote*, bateau qui conduit le pilote d'un port à bord du navire qu'il doit gouverner.

Syn. — V. MATELOT.

Hom. — *Pilote, es, ent*, du v. piloter.

1. piloter, v. tr. Enfoncer des pilots, des pilotis dans.

2. piloter, v. tr. Conduire un bâtiment de mer, un avion, un dirigeable. ‖ Fig. Guider quelqu'un dans les lieux qu'il ne connaît pas.

pilotin, n. m. Dans la marine marchande, élève-officier qui étudie le pilotage et l'art nautique.

pilotis [*ti*], n. m. Ensemble de gros pieux qu'on enfonce dans le lit d'un cours d'eau ou dans un sol mouvant, pour servir de base à une construction. ‖ Chacun de ces pieux.

pilou, n. m. (lat. *pilus*, poil). Tissu de coton pelucheux pour blouses, peignoirs, etc.

* **pilulaire**, adj. Relatif aux pilules. — *Masse pilulaire*, pâte préparée pour être divisée en pilules.

pilule, n. f. (lat. *pilula*, petite balle). [Pharm.] Composition médicinale façonnée en petite boule. *Pilules purgatives*. ‖ Fig. et fam. *Dorer la pilule*, adoucir une chose pénible par des dehors flatteurs. — *Avaler la pilule*, se déterminer à faire ou à accepter une chose pour laquelle on a de la répugnance, ou croire à un mensonge.

* **pilulier**, n. m. Instrument pour fabriquer les pilules.

pilum [*lomm*], n. m. (mot lat.). [Antiq.] Lourd javelot du légionnaire romain, à la fois lance et arme de jet. V. pl. ARMES.

pimbêche [*pin*], n. f. Femme orgueilleuse et impertinente, ou qui affecte des airs prudes ou pincés.

piment [*man*], n. m. (lat. *pigmentum*, matière colorante). [Bot.] Genre de *myrtacées*, dont le fruit (piment de la Jamaïque) est employé comme condiment. ‖ Nom de diverses espèces du genre *capsicum*, famille des *solanées* (poivrons, piments de Cayenne, etc.). ‖ Fruit de ces plantes, à saveur brûlante. ‖ Fig. Ce qui donne du piquant, de la saveur à un propos, à une œuvre.

Par. — *Pigment*, ce qui donne à un tissu sa coloration.

* **pimentade**, n. f. Sauce au piment.

pimenté, ée, adj. Assaisonné au piment. ‖ Fig. *Histoire pimentée*, histoire très libre.

Ctr. — *Fade, insipide*.

pimenter, v. tr. Assaisonner de piment. ‖ Fig. Rendre piquant, donner un tour très libre. *Pimenter un récit*.

pimpant, ante [*pin*], adj. D'une élégance recherchée mais séduisante. ‖ Gracieux, plein de fraîcheur. *Toilette pimpante*.

* **pimpesouée**, n. f. Femme qui a des manières affectées, ridicules.

pimprenelle, n. f. [Bot.] Genre de plantes de la famille des *rosacées*, qui sert d'assaisonnement.

pin, n. m. (lat. *pinus*, m. s.). [Bot.] Genre de plantes gymnospermes, de la famille des *conifères*, beaux arbres très élancés, au feuillage persistant en forme d'aiguilles.

Hom. — V. PAIN.

pinacle, n. m. (lat. *pinaculum*, faîte.) La partie la plus élevée d'un édifice ou d'un meuble, lui servant de couronnement. V. pl. ÉGLISE. ‖ Fig. *Être au pinacle*, dans une position très élevée. — *Porter au pinacle*, faire un grand éloge de.

Syn. — V. SOMMET.

* **pinacothèque**, n. f. (gr. *pinax, pinakos*, tableau; *thêkê*, dépôt). [Antiq. rom.] Endroit orné d'objets d'art, à l'entrée de l'atrium. ‖ Galerie de tableaux, musée. *La pinacothèque de Munich*.

pinard, n. m. Vin, dans l'argot des soldats.

pinasse ou * **pinace**, n. f. (de *pin*.) [Mar.] Embarcation légère, longue, étroite, qui servait à la guerre de course. ‖ Grande et rapide chaloupe de pêche.

pinastre, n. m. [Bot.] Nom vulg. du *pin maritime*.

Par. — *Pilastre*, pilier engagé dans un mur.

* **pinatelle**, n. f. Bois de pin.

* **pinçade**, n. f. Action de pincer.

* **pinçage**, n. m. Action de raccourcir les sarments de vigne, les pousses des arbres fruitiers.

pinçard, arde, adj. Se dit du cheval qui, en marchant, appuie sur la pince. = Nom. *Un pinçard*.

pince, n. f. (de *pincer*). Action ou propriété de pincer, de saisir avec force. ‖ Instrument composé de deux leviers articulés ensemble de diverses manières et qui sert à saisir et à serrer les objets (serrurerie, menuiserie, chirurgie, etc.). V. pl. OUTILS, DESSIN, CHAUSSURES. — Levier, barre de fer à l'aide de laquelle on fait mouvoir horizontalement une pierre ou avec laquelle on la soulève. ‖ Levier à pied de biche pour arracher des clous. — *Pince monseigneur*, levier qui sert à forcer les portes, surtout employé par les cambrioleurs. ‖ Devant d'un fer de cheval. [Couture] Pli qu'on fait sur une étoffe, pour en diminuer l'ampleur et qui se termine en pointe. ‖ *Les pinces d'une écrevisse, d'un homard*, la partie des grosses pattes avec laquelle ils pincent. ‖ Extrémité antérieure du pied des mammifères ongulés. ‖ Les dents incisives des herbivores, et partic. du cheval. ‖ Pop. Main. *Serrer la pince à quelqu'un*.

Hom. — *Pince, es, ent*, du v. pincer.

pincé, ée, adj. Qui a un air précieux, maniéré, ou sec et mécontent. ‖ *Lèvres pincées*, lèvres serrées et minces.

pinceau [so], n. m. (lat. *penicillum*, m. s.). Assemblage de poils, attaché au bout d'une hampe, dont on se sert pour appliquer des couleurs, de la colle, etc. V. pl. DESSIN. ‖ Par ext. Manière de peindre d'un artiste. *Ce peintre a le pinceau délicat.* [Phys.] Mince faisceau lumineux.

* **pinceautage**, n. m. Action de pinceauter.

* **pinceauter**, v. tr. [Techn.] Réparer au pinceau les défauts de couleur d'un papier peint, d'une étoffe imprimée, etc.

pincée, n. f. Ce qu'on peut prendre de certaines choses entre deux ou trois doigts. *Une pincée de sel, de poivre.*
Hom. — *Pincez, pincé, ée*, du v. pincer.

pincelier, n. m. Petit vase de fer-blanc, séparé en deux parties, l'une contenant l'huile pour peindre, l'autre de l'essence pour nettoyer les pinceaux.

pince-maille [*ill* mll.], n. m. Personne dont l'avarice se montre dans les plus petites choses. = Pl. *Des pince-maille* ou *mailles*.

pincement, n. m. Action de pincer. ‖ Action de couper le sommet d'un bourgeon, d'un jeune rameau.

pince monseigneur, n. f. V. PINCE. = Pl. *Des pinces monseigneur.*

pince-nez, n. m. inv. Binocle fixé sur le nez par un ressort.

* **pince-notes**, n. m. invar. Sorte d'attache métallique appelée aussi «trombone» pour réunir plusieurs feuilles en les pinçant ensemble. On dit aussi *pique-notes*.

pincer, v. tr. (orig. inc.). Serrer fortement avec une pince, avec des tenailles, etc., un objet quelconque pour le maintenir, pour l'écraser, etc. *Pincer une barre de fer avec des tenailles.* ‖ Presser, serrer de la peau entre les doigts ou autrement. *Pincer quelqu'un jusqu'au sang.* ‖ Par ext. *Un corsage qui pince la taille*, qui fait paraître la taille plus mince. ‖ *Pincer un vêtement*, le resserrer en faisant des plis dans certaines parties. ‖ *Pincer les lèvres*, les serrer fortement. ‖ Fig. et fam. *Pincer quelqu'un*, le reprendre avec raillerie. — Surprendre quelqu'un au moment où il commet une faute. *Cette fois il s'est fait pincer.* ‖ Produire une sensation vive et désagréable. *Le froid pince fort ce matin.* [Hortic.] *Pincer des bourgeons*, en couper le sommet afin de réprimer la croissance exubérante d'un rameau. [Mus.] Faire vibrer les cordes d'un instrument en les pinçant avec les doigts. *Pincer un violon.* — Lorsqu'il s'agit d'instruments dont on ne joue que de cette manière on dit intransit. *pincer de. Pincer de la harpe, de la guitare,* etc. Conjug. V. GRAMMAIRE.

pince-sans-rire, n. m. inv. Celui qui raille en restant impassible.

pincette, n. f. et plus ordin. **pincettes**, n. f. pl. Petite pince à deux branches. ‖ Instrument composé de deux branches égales dont on se sert pour tisonner le feu. ‖ Fig. et fam. *Pas à prendre avec des pincettes*, très sale, ou désagréable et grincheux.
LING. — Quand il s'agit d'attiser le feu, on doit dire : *Donnez-moi les pincettes*, et non : *Donnez-moi la pincette;* ce mot, dans ce sens, n'a pas de singulier.

* **pinchard, arde**, adj. Gris de fer, en parlant de la robe d'un cheval.
PAR. — *Pilchard*, sorte de sardine.

pinchina, ou * **pinchinat**, n. m. Étoffe grossière de laine non croisée.

1. pinçon, n. m. Marque qui reste sur la peau, lorsqu'elle a été pincée.
Hom. — *Pinçon*, n. m., marque sur la peau qui a été pincée; — *pinçon*, n. m., rebord d'un fer à cheval; — *pinson*, n. m., petit oiseau au chant mélodieux.

2. pinçon, n. m. Rebord de protection d'un fer à cheval.
Hom. — V. PINÇON 1.

* **pinçure**, n. f. Action de pincer. ‖ Faux pli à une étoffe.

pindarique, adj. Qui est dans la manière de Pindare.

pindariser [*zé*], v. intr. Parler, écrire d'une manière recherchée, ampoulée, emphatique.

* **pindariseur** [*zeur*], **euse**, n. Celui, celle qui pindarise.

* **pindarisme**, n. m. Imitation du style lyrique de Pindare. ‖ Lyrisme ampoulé ou obscur.

Pinde, n. pr. m. Montagne de la Thessalie consacrée à Apollon et aux Muses. *Les lauriers du Pinde.*

pinéal, ale, aux, adj. (lat. *pinea*, pomme de pin). [Anat.] En forme de pomme de pin. ‖ *Glande pinéale*, petit corps ovale situé en avant du cerveau, où Descartes plaçait le siège de l'âme.
LING. — L'Acad. ne donne que le féminin *pinéale*.

pineau, n. m. [Vitic.] Cépage très estimé, dont on fait les meilleurs vins blancs et rouges de Bourgogne. — Il y a aussi le pineau blanc de la Loire.

pinède, n. f. Lieu planté de pins; forêt de pins.

pineraie, n. f. Syn. de *pinède*.

pingouin, n. m. [Zool.] Genre d'oiseaux palmipèdes, à ailes atrophiées, vivant par troupes dans les mers arctiques.

* **ping-pong**, n. m. Petit tennis d'appartement qui se joue sur une table avec des balles de celluloïd et de petites raquettes garnies de liège.

pingre, adj. et n. Fam. Avare en ce qui concerne les petites dépenses.

pingrerie, n. f. Avarice; caractère ou actes d'un personnage pingre.

pinicole, adj. Qui vit ou croît sur les pins ou sapins.

* **pinière**, n. f. Syn. de *pinède*.
Hom. — *Pignère*, n. f., étui à peignes.

* **pinifère**, adj. Qui produit des pins.

pinne ou **pinne marine**, n. f. [Zool.] Genre de mollusques marins lamellibranches, à coquille en forme d'éventail.

pinnée, adj. f. Syn. de *pennée*.

pinnipèdes, n. m. pl. [Zool.] Ordre de mammifères carnassiers à pieds courts et palmés, adaptés à la vie marine : phoques, otaries et morses. V. pl. MAMMIFÈRES.

pinnule, n. f. (lat. *pinna*, créneau). Petite plaque de cuivre élevée perpendiculairement à chaque extrémité d'une alidade et percée d'une fente, qui sert à faire des visées.

pinque, n. f. [Mar.] Bâtiment à trois mâts, à voiles latines.

pinson, n. m. [Zool.] Genre d'oiseaux passereaux conirostres, au chant mélodieux, au vol pénible et saccadé.
Hom. — V. PINÇON 1.

* **pinsonnière**, n. f. Cage renfermant des pinsons, qui sert à attirer les petits oiseaux.

pintade, n. f. [Zool.] Oiseau gallinacé, originaire d'Afrique, au plumage noir taché de cendre et de blanc, d'un naturel vagabond, turbulent et querelleur, à l'état de domesticité.

* **pintadeau**, n. m. Petit de la pintade.

* **pintadine**, n. f. [Zool.] Nom vulg. d'un genre de mollusques lamellibranches, dont une espèce produit des perles.

pinte, n. f. Anc. mesure de capacité pour les liquides qui valait, à Paris, 93 centilitres. ‖ Son contenu. ‖ Fig. *Se faire une pinte de bon sang*, se réjouir, s'amuser fort.

Hom. — *Peinte*, pp. du v. peindre. *Toile peinte*.

pinter, v. tr. et intr. Pop. Boire avec excès.

* **pinxit** [*ksit*], mot lat., sign. a *peint*, qui se lit souvent, sur les *tableaux*, après la signature du peintre.

* **piochage**, n. m. Travail fait avec la pioche. ‖ Action de piocher.

pioche, n. f. (de *pic*). Outil fait d'un manche et d'un fer pointu, des deux bouts (parfois un des bouts est large), servant à creuser la terre. V. pl. BÂTIMENT et OUTILS.

Hom. — *Pioche, es, ent*, du v. piocher.

* **piochement**, n. m. Action de piocher.

piocher, v. tr. Remuer, creuser, fouir à la pioche. *Piocher la terre*. ‖ Fig. et fam. Travailler avec ardeur.

piocheur, n. m. Celui qui manie la pioche. ‖ Fig. Travailleur opiniâtre. = PIOCHEUSE, n. f. Machine à piocher.

* **piochon**, n. m. Petite pioche.

Hom. — *Piochons*, du v. piocher.

piolet, n. m. Bâton ferré d'un bout et terminé à l'autre extrémité par une petite pioche; il sert pour les excursions en haute montagne.

Hom. — *Piaulais, ait, aient*, du v. piauler.

pion, n. m. (lat. *pedo, pedonis*, piéton). La plus petite pièce du jeu des échecs, et, par analogie, chacune des pièces du jeu de dames. *Il y a huit pions de chaque côté au jeu des échecs.* V. tabl. JEUX et SPORTS (Idées suggérées par les mots). — Fig. et fam. *Damer le pion à quelqu'un*, prendre l'avantage sur lui. ‖ Fam. et par dénigr. Surveillant d'études dans un collège, dans une pension.

pioncer, v. intr. Pop. Dormir. = Conjug. V. GRAMMAIRE.

pionner, v. intr. Au jeu de dames ou d'échecs, s'attacher à prendre beaucoup de pions. ‖ Faire un travail de pionnier.

pionnier, n. m. (de *pion*). Soldat employé aux terrassements, au creusement des tranchées. *Bataillon de pionniers*. ‖ Celui qui défriche et cultive des contrées incultes. *Les pionniers de l'Australie*. ‖ Fig. Personne qui, avec beaucoup de peines et de travaux, ouvre quelque voie nouvelle. *Les pionniers de la science*.

Hom. — *Pionniez*, du v. pionner.

piot [*pio*], n. m. (Vx fr. *pier*, chopiner). Vin. *Humer le piot*.

* **piotter**, v. intr. Crier, en parlant des petits oiseaux.

* **pioupiou**, n. m. Soldat d'infanterie (Pop.). = Pl. *Des pioupious*.

* **pipa**, n. m. [Zool.] Genre de batraciens anoures comprenant de gros crapauds (Amérique tropicale).

pipe, n. f. (n. verb. de *piper*). Mesure pour les liquides, de valeur variable. ‖ Grande futaille contenant de l'eau-de-vie, et son contenu. ‖ Appareil pour fumer, composé d'un tuyau aboutissant à un fourneau contenant le tabac allumé. *Fumer sa pipe, allumer sa pipe*. ‖ Par ext. Quantité de tabac contenue dans le fourneau d'une pipe. *Fumer une pipe après chaque repas*. [Argot pop.] *Casser sa pipe*, mourir. — *Tête de pipe*, figure ridicule ou figure populaire.

pipé, ée, adj. Truqué frauduleusement. *Dés pipés*.

pipeau, n. m. Flûte champêtre, chalumeau. [Chasse] Syn. d'*appeau*. ‖ Petite branche qu'on enduit de glu pour prendre les oiseaux. ‖ Petit artifice par lequel on cherche à tromper.

Hom. — *Pipo*, l'école polytechnique.

pipée, n. f. Chasse aux pipeaux, dans laquelle on contrefait le cri des oiseaux que l'on veut attirer. ‖ Lieu préparé pour cette chasse. ‖ Fig. Tromperie.

Hom. — *Piper*, tromper.

* **pipelet, ette**, n. Fam. et iron. Concierge.

* **pipe-line** [*pa-î-pe-la-î-ne*], n. m. Série de tubes ajustés formant un long tuyau qui conduit directement le pétrole ou le mazout du puits d'origine ou du navire transporteur aux réservoirs de distribution ou au point d'utilisation.

piper, v. tr. (lat. *pipare*, siffler). Prendre à la pipée. ‖ Fig. Tromper, leurrer. ‖ *Piper des dés, des cartes*, y faire frauduleusement quelques marques pour tromper au jeu. ‖ Pop. *Ne pas piper*, ne pas dire un mot, rester impassible. ‖ Pop. Fumer la pipe.

Hom. — *Pipée*, chasse aux pipeaux.

VOCAB. — *Famille de mots*. — *Piper* : pipé, pipée, pipe, pipette, piperie, pipeur, pipeau, fifre, piffre, s'empiffrer.

---

* **pipéracées**, n. f. pl. [Bot.] Famille de dicotylédones apétales à propriétés aromatiques très prononcées, ayant pour type le *poivrier*.

piperie, n. f. Tromperie au jeu. ‖ Fourberie.

* **pipéronal**, n. m. [Chim.] Aldéhyde-éther d'odeur très agréable, employé en parfumerie.

pipette, n. f. Tube de verre, renflé au milieu, effilé à sa partie inférieure, servant à puiser une petite quantité de liquide.

pipeur, euse, n. Celui, celle qui pipe au jeu ou qui dupe. ‖ Celui, celle qui chasse à la pipée.

pipi, n. m. Urine, dans le langage des enfants. ‖ *Faire pipi*, uriner.

Hom. — V. PIPIT.

* **pipiement**, n. m. Cri des petits oiseaux; pépiement.

* **pipier**, v. intr. Crier comme le moineau. = Conjug. V. GRAMMAIRE.

* **pipistrelle**, n. f. Espèce de chauve-souris commune en France.

* **pipit**, n. m. [Zool.] Genre d'oiseaux passereaux appelés aussi *farlouses*.

Hom. — *Pipit*, n. m., genre de passereaux; — *pipi*, n. m., urine; — *pipie, es, ent*, du v. pipier.

* **pipo**, n. m. [Arg. scol.] L'école polytechnique. ‖ Élève de cette école.
Hom. — *Pipeau*, n. m., flûte champêtre.
piquage, n. m. [Techn.] Action de piquer, de coudre à la machine; résultat de cette action. ‖ Taille donnée à certaines pierres.
Hom. — *Picage*, n. m., maladie des volailles; phase de la préparation de la dentelle-réseau.
piquant, ante [*pi-kan*], adj. (ppr. du v. *piquer*). Qui pique ou peut piquer. *Les épines sont piquantes.* ‖ Qui fait une impression vive sur l'organe du goût. *Une sauce piquante.* ‖ *Un froid piquant*, un froid vif. ‖ Fig. Mordant, satirique. *Un propos piquant.* — Qui plaît par quelque chose de fin et de vif. *Une conversation piquante.* — Qui plaît par la vivacité et par l'agrément de la physionomie plus que par la régularité des traits. *Cette femme est piquante.* = N. m. [Hist. Nat.] Aiguillon que portent certains végétaux et diverses espèces d'animaux. *Les piquants d'un hérisson, d'une châtaigne.* Fig. Ce qui est plaisant. *Le piquant de l'aventure, de la chose.*
Syn. — V. CAUSTIQUE et AIGRE.
1. pique, n. f. (de *pic*). Arme d'hast, fer aigu au bout d'une hampe. V. pl. ARMES. ‖ Anc. mesure de longueur (environ 2 m 50). ‖ Fig. et fam. *Être à cent piques au-dessus, au-dessous de quelqu'un*, lui être fort supérieur, fort inférieur.
Hom. — V. PIC 1.
2. pique, n. m. (de *pique* 1). [Jeu] L'une des deux couleurs noires du jeu de cartes.
3. pique, n. f. (du v. *piquer*). Brouille légère, aigreur entre deux ou plusieurs personnes (Fam.).
Hom. — V. PIC.
1. piqué, n. m. Étoffe de coton présentant des dessins qui lui donnent l'aspect d'un tissu piqué à l'aiguille.
Hom. — *Piquez, piqué, piqué*, du v. piquer.
2. piqué, ée, adj. Attaqué par les insectes qui y font de petits trous, ou par l'humidité qui y fait des taches. ‖ Qui a pris, sous l'influence de moisissures, une saveur aigre. *Vin piqué.* ‖ Froissé, irrité. *Prendre un air piqué.* ‖ Pop. Étrange, un peu fou. *Il est piqué.* [Mus.] *Notes piquées*, notes surmontées de points ronds, qui doivent être nettement détachées dans le jeu. V. pl. MUSIQUE. = N. m. [Aviat.] Descente en piqué, descente très rapide, voisine de la verticale.
Syn. — V. FÂCHÉ.
pique-assiette, n. m. inv. Parasite, homme qui court les dîners.
* **pique-bœuf**, n. m. Long bâton pour piquer les bœufs. [Zool.] Genre d'oiseaux d'Afrique, voisins des étourneaux, se nourrissant de la vermine des grands ruminants. = Pl. *Des pique-bœufs.*
pique-feu, n. m. inv. Tisonnier.
pique-nique, n. m. Repas où chacun paye son écot ou apporte sa part. = Excursion où se fait ce repas. = Pl. *Des pique-niques.*
* **pique-niquer**, v. intr. Se réunir dans un pique-nique.
* **pique-notes**, n. m. inv. Crochet courbe pour réunir des feuilles volantes, des notes. — On dit aussi *pince-notes*.
piquer [*pi-ké*], v. tr. (de *pic* 1). Percer, entamer légèrement avec quelque chose de fort pointu. *Piquer quelqu'un jusqu'au sang. Il a été piqué par une abeille.* — Loc. fam. *On ne sait jamais quelle mouche le pique*, il se fâche, se vexe sans qu'on puisse en savoir la raison. ‖ Parsemer de petits trous. *Les vers ont piqué ce meuble.* ‖ *Piquer une tête*, tomber la tête la première dans l'eau. [Confection] Faire avec du fil ou de la soie, sur deux ou plusieurs étoffes mises l'une sur l'autre, des points qui les traversent et qui les unissent. *Piquer à la machine.* [Man.] *Piquer un cheval*, lui donner des éperons. [Mus.] *Piquer une note*, la détacher nettement par un coup sec. ‖ Fig. et fam. *Piquer l'assiette*, courir après les dîners en ville. ‖ Fam. *Piquer un soleil, un fard*, rougir subitement.
Piquer sign. encore, affecter le goût de telle sorte que la langue semble en être piquée. *Ce vin pique la langue.* ‖ Fig. Fâcher, irriter. *Ce discours l'a piqué au vif.* ‖ Produire une impression vive. *Piquer la curiosité de quelqu'un*, rendre plus vif le désir qu'il a de savoir quelque chose. ‖ *Piquer quelqu'un d'honneur*, lui persuader que son honneur est intéressé à quelque chose.
V. intr. Se dit d'une boisson qui devient aigre, ou d'objets en bois, en fer, rongés par la rouille ou troués par des vers. *Ce vin commence à piquer.* ‖ Causer une impression physique analogue à celle que produit une piqûre. *Le froid pique fort aujourd'hui.* ‖ *Piquer sur*, se diriger tout droit vers. ‖ *Piquer des deux*, faire sortir les deux éperons à un cheval afin d'accélérer sa marche. Fig. et fam. Aller très vite.
SE PIQUER, v. pron. Se faire une piqûre, des piqûres. ‖ *Ce bois se pique, ce manteau se pique*, les vers s'y mettent. ‖ *Ce vin commence à se piquer*, à tourner à l'aigre. ‖ Fig. Se sentir offensé, prendre en mauvaise part. *C'est un homme qui se pique du moindre mot.* ‖ Se glorifier de quelque chose, en tirer avantage, en faire profession. — *Se piquer d'honneur*, montrer dans quelque occasion plus de courage qu'on n'a coutume d'en faire paraître. ‖ Fig. *Se piquer au jeu*, ou simpl. *Se piquer*, s'opiniâtrer à jouer malgré la perte. Par ext. S'obstiner à venir à bout de quelque chose, malgré les obstacles. ‖ Pop. *Se piquer le nez*, s'enivrer.
PAR. — *Piqueter*, établir, marquer avec des piquets.
1. piquet [*pi-kè*], n. m. (de *pique*). Petit pieu qu'on fiche en terre pour tendre des cordeaux, pour y attacher des chevaux, pour tendre et arrêter des cordages de tentes, etc. *Piquet de tente.* ‖ Fig. et fam. *Être droit comme un piquet*, se tenir droit d'une manière roide et affectée. ‖ Dans les écoles, punition qui consiste à rester debout pendant un certain temps et dans un lieu fixé. [A. mil.] Groupe constitué de soldats de la compagnie de jour qui se tiennent prêts à marcher au premier ordre, afin de fournir certains services exceptionnels. *Le piquet d'incendie.*
Hom. — *Piquais, piquait, aient*, du v. piquer; — *piquet*, sorte de jeu de cartes.
2. piquet [*pi-kè*], n. m. Jeu de cartes qui se joue avec trente-deux cartes, dont la plus forte est l'as et la plus petite le sept.
* **piquetage**, n. m. Action, manière de piqueter. ‖ Ligne formée par une suite de piquets marquant le travail à faire.

piqueté, ée, adj. (pp. du v. *piqueter*). Parsemé de petites taches. *Un oiseau piqueté de blanc.*

piqueter [*pike-té*], v. tr. [Techn.] Établir à l'aide d'un piquet. ‖ Marquer un travail à exécuter à l'aide de piquets. *Piqueter un alignement.* ‖ Parsemer de points semblables à des piqûres. = Conjug. V. GRAMMAIRE.

PAR. — *Piquer*, percer légèrement; faire de petits trous; stimuler.

piquette, n. f. Boisson que l'on fait en jetant de l'eau sur du marc de raisin, des prunelles ou d'autres fruits et en laissant fermenter. ‖ Mauvais vin aigrelet et sans couleur.

HOM. — *Piquette, es, ent,* du v. *piqueter*.

1. piqueur [*pi-keur*, et *piqueu*, en terme de vénerie], n. m. (du v. *piquer*). [Vén.] Homme de cheval, dont la fonction est de suivre et de diriger une meute de chiens. [Man.] Domestique chargé de monter les chevaux pour les dresser, pour les exercer. ‖ Domestique à cheval qui précède les voitures des grands personnages. ‖ Celui qui surveille des travaux, qui tient le rôle des ouvriers et règle les comptes. *Un piqueur des ponts et chaussées.* ‖ *Piqueur de vin*, celui qui déguste des vins pour en reconnaître le cru, la qualité, etc. ‖ Fig. et fam. *Piqueur d'assiettes,* parasite. [Techn.] Appareil de mines et de carrières, à air comprimé et dirigé à la main, pour abattre les roches. *Marteau-piqueur.*

2. piqueur, euse, n. Ouvrier, ouvrière qui pique des étoffes, des objets de cuir.

piqueux, n. m. Piqueur, en terme de vénerie. V. PIQUEUR.

piquier, n. m. Autrefois, soldat d'infanterie armé d'une pique.

HOM. — *Piquiez*, du v. *piquer*.

*****piquoir**, n. m. Aiguille emmanchée pour piquer un dessin.

piqûre, n. f. (du v. *piquer*). Plaie étroite et plus ou moins profonde faite par un instrument aigu ou par le dard de certains animaux. *Une piqûre d'épingle, d'abeille.* [Méd.] Injection sous-cutanée, intramusculaire ou intraveineuse, faite avec une seringue munie d'une aiguille. *Piqûre de morphine.* ‖ Fig. Blessure morale. *Des piqûres d'amour-propre.* ‖ Trou que font les insectes dans les fruits, le bois, les étoffes. *Piqûre de ver.* ‖ Taches d'humidité sur un livre. ‖ [Cout.] Rangs de points et d'arrière-points qui se font symétriquement, soit pour unir deux ou plusieurs étoffes étendues l'une sur l'autre, soit pour orner certaines parties d'un vêtement. *La piqûre d'une couverture.*

pirate, n. m. (lat. *pirata*, m. s.). Celui qui, en temps de paix, court les mers pour voler, pour piller. ‖ Corsaire barbaresque. ‖ Navire monté par les pirates. *Couler un pirate.* ‖ Fig. Individu qui s'enrichit aux dépens des autres par des exactions impudentes.

SYN. — V. BANDIT.

HOM. — *Pirate, es, ent,* du v. *pirater*.

pirater, v. intr. Faire le métier de pirate.

piraterie, n. f. Métier de pirate. ‖ Acte propre aux pirates. ‖ Fig. Exaction. ‖ Plagiat, pillerie.

pire, adj. m. et f. dont le neutre est *pis* (V. ce mot) (lat. *pejor*, m. s.). De plus mauvaise qualité dans son espèce; plus dommageable, plus nuisible. *De deux maux, il faut éviter le pire.* ‖ S'emploie aussi comme superlatif; il est alors toujours précédé de l'article. *C'est le pire de tous.* = N. m. Ce qu'il y a de plus mauvais.

— *Souvent la peur d'un mal nous conduit dans un pire.*
— *Dans l'art périlleux de penser et d'écrire Il n'est point de degré du médiocre au pire.*
(BOILEAU.)
— *Il n'est, comme l'on dit, pire eau que l'eau qui dort.* (MOLIÈRE.)

GRAM. — *Pire* est toujours adj. m. ou f. Comme adj. neutre et comme adverbe, on doit employer *pis*; il est donc incorrect de dire : *Il va pire; tant pire;* l'exactitude grammaticale exige : *Il va pis; tant pis.* — Les adjectifs *pire* et *pis*, suivis de *que*, veulent *ne* devant le verbe qui suit : *Ce vin est pire que je ne le pensais; cela est pis que je ne le croyais;* à moins que ces mots n'accompagnent un verbe négatif ou employé interrogativement : *Ce vin n'est pas pire que je le croyais; est-il pire que vous le croyiez?*

CTR. — *Meilleur.*

piriforme, adj. En forme de poire.

pirogue, n. f. (vient du caraïbe). Bateau long, étroit et plat, dont se servent les sauvages; il est fait d'un arbre creusé ou de peaux cousues. ‖ Canot long, rapide, conduit à la pagaie.

pirouette, n. f. Jouet, petit disque traversé par un pivot, que l'on fait tourner avec les doigts. ‖ Tour entier qu'on fait de tout le corps, sur la pointe du pied, et sans changer de place. ‖ Fig. et fam. *Il a répondu par des pirouettes* se dit de quelqu'un qui a répondu par des plaisanteries à un discours sérieux. ‖ Fig. Changement brusque d'opinion. *Les pirouettes d'un politicien.* = N. f. pl. [Archit.] Ornement de moulures à profil convexe, alternant souvent avec des perles.

*****pirouettement**, n. m. Succession de pirouettes.

pirouetter, v. intr. Faire une ou plusieurs pirouettes.

1. pis, n. m. (lat. *pectus*, poitrine). Poitrine (Vx). ‖ Mamelle d'une vache, d'une chèvre, etc.

HOM. — V. PIE.

> VOCAB. — *Famille de mots.* — *Pis* [rad. *pic, pect*] : in petto, parapet, pectoral, poitrine, poitrail, poitrinaire, dépoitrailler, expectorer, expectoration.

2. pis [*pi*], adv. comparatif (lat. *pejus*, m. s.). Plus mal, plus désavantageusement, d'une manière plus fâcheuse. *Ils sont pis que jamais ensemble.* — *Tant pis.* V. TANT. = Adj. (neutre de *pire*). Plus mauvais. *Il n'y a rien de pis que cela.* — *Il en dit pis que pendre,* tout le mal possible, plus qu'il ne faut pour le faire pendre. — *Qui pis est,* ce qu'il y a de pire, de plus désagréable, de plus fâcheux. *Elle est laide et, qui pis est, méchante.* = Nom. Ce qu'il y a de pis. *Le pis qui puisse arriver.* ‖ *Prendre, mettre les choses au pis,* les envisager dans leur pire état, et en supposant tout ce qui peut arriver de plus fâcheux. = PIS ALLER, n. m. Ce dont on doit bien se contenter, à défaut de mieux. *Cette solu-*

tion ne peut être qu'un pis aller. = AU PIS ALLER, loc. adv. En mettant les choses au pis, = DE MAL EN PIS, DE PIS EN PIS, loc. adv. De mal ou de plus mal en plus mal. *Aller de mal en pis.*
GRAM. — V. PIRE.
INCORR. — Ne pas dire: *de mal en pire; tant pire*, mais : *de mal en pis; tant pis.*
CTR. — *Mieux.*
pis aller, n. m. V. PIS 2.
* **pisan, ane,** adj. et n. De la ville de Pise.
* **piscicole,** adj. Qui appartient à la pisciculture.
pisciculteur, n. m. Celui qui se livre à la pisciculture.
pisciculture, n. f. (lat. *piscis*, poisson; *cultura*, culture). Art de multiplier et d'élever les poissons.
* **pisciforme,** adj. En forme de poisson.
piscine, n. f. (lat. *piscina*, vivier). Réservoir d'eau où les anciens nourrissaient du poisson. ‖ Bassin où l'on purifiait les victimes des sacrifices. ‖ Fonts baptismaux. ‖ Bassin pour les bains et la natation. V. pl. STADE ET PISCINE.
* **piscivore,** adj. (lat. *piscis*, poisson; *vorare*, dévorer). Qui se nourrit de poissons.
pisé [*zé*], n. m. Terre argileuse détrempée, comprimée et durcie, servant à faire des constructions.
* **piser** [*zé*], v. tr. Battre la terre pour construire en pisé.
* **piseur** ou **piseyeur,** n. m. Celui qui bâtit en pisé.
* **pisolithe,** n. f. [Minér.] Petit grain de carbonate de calcium et d'oxyde de fer, de la grosseur d'un pois.
pissat, n. m. Urine des animaux (Triv.).
* **pisse,** n. f. Urine; pissat (Triv.).
* **pissée,** n. f. Quantité d'urine rendue en une seule fois (Triv.).
* **pisse-froid,** n. m. Pop. Homme flegmatique, impassible. = Pl. *Des pisse-froid.*
pissement, n. m. Action de pisser (Triv.).
1. **pissenlit,** n. m. [Bot.] Genre de plantes à fleurs jaunes, famille des *composées*. Une espèce se mange en salade. ‖ Pop. *Manger les pissenlits par la racine*, être mort et enterré.
2. * **pissenlit,** n. m. Enfant qui pisse au lit (Fam.).
pisser, v. intr. (onomat.). Évacuer l'urine. = V. tr. *Pisser du sang.* ‖ Laisser échapper un liquide, en parlant des choses.
* **pissette,** n. f. [Chim.] Appareil en verre, muni de tubes produisant un jet de liquide. V. pl. CHIMIE.
pisseur, euse, n. Celui, celle qui pisse souvent.
pisseux, euse, adj. Qui rappelle l'urine. ‖ *Ton pisseux,* d'une couleur jaunâtre. ‖ Imprégné d'urine.
* **pissoir,** n. m. Urinoir. (Fam.)
* **pissote,** n. f. Petite canule de bois, au bas d'un cuvier.
pissoter, v. intr. Uriner fréquemment et peu à la fois (Fam.).
pissotière, n. f. Urinoir (Fam.).
pistache, n. f. Fruit du pistachier, de couleur verte, utilisé comme amande en confiserie. ‖ *Pistache de terre,* l'arachide.

pistachier, n. m. [Bot.] Genre de plantes originaires d'Asie, comprenant des arbres et des arbrisseaux, famille des *anacardiacées*.
piste, n. f. (ital. *pista*, m. s.). Vestige, trace que laisse un homme ou un animal aux endroits où il a marché. *On a perdu la piste de la bête.* ‖ Fig. *Suivre un homme à la piste,* le rechercher en s'informant de tous les endroits où il a passé successivement. Voie que les coureurs ou les chevaux qui prennent part à une course doivent suivre. V. pl. STADE. — *Piste d'accès,* partie de l'hippodrome sur laquelle le public est admis. — On dit dans le même sens *piste vélocipédique, piste de bicyclettes,* etc. ‖ Dans les pays coloniaux ou peu peuplés, chemin sommairement aménagé. ‖ [Aviat.] *Piste d'envol,* partie d'un aérodrome où les avions prennent leur vol.
SYN. — V. CHEMIN.
HOM. — *Piste, es, ent,* du v. pister.
* **pister,** v. tr. Suivre à la piste. ‖ Pop. Racoler les voyageurs pour un hôtel.
* **pisteur,** n. m. Celui qui piste. ‖ Fam. Employé d'hôtel qui racole les voyageurs à la gare ou au port.
pistil, n. m. [Bot.] Organe femelle des plantes à fleurs (phanérogames).
* **pistillaire** [*til-laire*], adj. Qui se rapporte au pistil.
* **pistolade,** n. f. Coup de pistolet (Vx).
pistole, n. f. Ancienne monnaie d'or dont la valeur variait selon les lieux et les pays; elle valait dix livres sous Louis XIV. ‖ Endroit d'une prison où les détenus pouvaient obtenir, en payant, logement et nourriture meilleurs. ‖ Gros pistolet de cavalerie.
pistolet, n. m. (de *pistole*). Poignard court, de fabrication italienne. ‖ Instrument de dessinateur, sorte de règle plate dont les bords découpés de diverses manières permettent de tracer un grand nombre de courbes. V. pl. DESSIN.
Petite arme à feu, à canon court, qui se tient d'une seule main. *Tirer un coup de pistolet.* V. pl. ARMES. ‖ Petit pain, en forme de pistolet. *Pistolet de mineurs,* barre en acier de forme octogonale à pans, ayant un bout en biseau. ‖ Pulvérisateur utilisé en peinture ou pour le nettoyage. ‖ Fig. et fam. *Un drôle de pistolet,* un individu dont la conduite est bizarre et parfois louche.
* **pistolier,** n. m. Prisonnier au régime de la pistole.
piston, n. m. (lat. *pistare,* fouler). Cylindre mobile qui se meut, au moyen d'une tige, dans un corps de pompe ou dans le cylindre d'une machine à vapeur ou à explosion. V. pl. LOCOMOTIVE ET MOTEUR. [Armur.] *Fusil à piston,* anc. fusil dont le chien faisant marteau, frappait une capsule de fulminate enflammant la charge. [Mus.] *Cornet à piston,* instrument de musique à vent. ‖ Celui qui joue du cornet à piston. ‖ Fam. Influence dont on se sert pour obtenir une place, un avancement, etc. *Avoir du piston.*
HOM. — *Pistons,* du v. pister.
* **pistonner,** v. tr. Recommander, faire avancer par piston. ‖ Ennuyer, tracasser.
pitance, n. f. Dans les communautés, portion de pain, de vin, de viande qu'on donne à chacun, à chaque repas. ‖ Nourriture journalière; subsistance.

* **pitancerie,** n. f. Office de pitancier. ‖ Lieu d'un couvent où se distribuait la pitance.

* **pitancier, ière,** n. Moine ou religieuse qui distribuait la pitance.

* **pitaud, aude,** n. Paysan lourd et grossier.
PAR. — *Pataud, aude*, jeune chien à grosses pattes; personne grosse.

pitchpin, n. m. [Bot.] Variété de pin originaire des États-Unis. ‖ Bois de cet arbre, jaune à raies rougeâtres, employé en ébénisterie.

1. * **pite,** n. f. Petite monnaie de cuivre.

2. * **pite** ou * **pitte,** n. f. [Bot.] Nom vulg. de l'*agave* du Mexique. ‖ Matière textile qu'on en retire.

piteusement, adv. De manière à exciter une pitié un peu méprisante; lamentablement.

piteux, euse, adj. (lat. *pietosus*, pieux). Digne de pitié, et souvent d'une pitié un peu ironique. ‖ *Résultat piteux*, tout à fait médiocre. ‖ *Tout à fait mauvais. Devoir piteux.* ‖ Déconfit, lamentable, un peu ridicule. *Mine piteuse.*
SYN. — V. PITOYABLE.

pithécanthrope, n. m. (gr. *pithêcos*, singe, *anthrôpos*, homme). [Paléont.] Grand singe fossile trouvé à Java; on a voulu y voir un intermédiaire entre le singe et l'homme. On dit aussi *anthropopithèque*.

* **pithos,** n. m. (mot grec). Grand vase antique pour mettre le vin. V. pl. VASES.

pitié, n. f. (lat. *pietas*, m. s.). Sentiment de sympathie, de douleur qu'excitent dans l'âme les souffrances d'autrui. *Exciter, émouvoir la pitié.* — *Prendre le mal d'autrui en pitié*, en être touché. — *Prendre en pitié*, faire grâce. — Prov. *Il vaut mieux faire envie que pitié.* ‖ Fam. *C'est grande pitié*, c'est une chose très digne de pitié. ‖ Sentiment de dédain, de mépris; ou chose propre à inspirer du mépris, de la réprobation. *C'est à faire pitié!* C'est détestable. *Vous me faites pitié de parler ainsi.* — *Prendre quelqu'un en pitié*, avoir de la compassion ou du dédain pour lui.
— *La pitié est souvent un sentiment de nos propres maux dans les maux d'autrui.* (LA ROCHEFOUCAULD.)
— *Le sentiment de la pitié dort dans le cœur de l'homme jusqu'à ce que la douleur vienne le réveiller.* (J.-J. ROUSSEAU.)
LING. — Ce mot ne s'emploie pas au pluriel, en dehors du langage précieux.
SYN. — *Pitié*, sentiment qui nous porte à plaindre et à vouloir soulager les souffrances d'autrui : *La pitié pour les malheureux.* — *Apitoiement*, le fait d'être touché de pitié : *L'apitoiement pour les misérables.* — *Grâce*, pardon accordé par générosité pure : *Demander grâce; faire grâce à un condamné.* — *Indulgence*, caractère de celui qui n'est pas rigoureux ou implacable pour les fautes d'autrui : *Traiter les coupables avec indulgence.* — *Merci, miséricorde, vie sauve : Les vaincus demandèrent merci.* — *Miséricorde*, sentiment de celui qui a pitié d'un malheureux ou d'un coupable et qui cherche à le soulager ou à l'épargner : *Les dissidents vaincus demandèrent miséricorde.* V. aussi COMMISÉRATION et CLÉMENCE.
PAR. — *Piété*, dévotion ou affection respectueuse.

piton, n. m. Sorte de clou ou de vis dont la tête est en forme d'anneau ou de crochet. ‖ Pointe la plus élevée d'une montagne, souvent isolée et une ‖ Pop. Nez très proéminent.
HOM. — *Python*, genre de serpent.

pitoyable [*pitoi-iable*], adj. Qui est naturellement enclin à la pitié. *Une âme sensible et pitoyable envers les pauvres.* ‖ Qui excite la pitié. *Il a une santé pitoyable.* ‖ Méprisable, mauvais dans son genre. *Un discours pitoyable.*
SYN. — *Pitoyable*, qui excite la pitié : *Une situation pitoyable.* — *Lamentable*, digne d'exciter les larmes : *La destinée de ce malheureux a été lamentable.* — *Navrant*, qui cause un profond chagrin : *Une situation navrante.* — *Piteux*, qui excite une compassion un peu méprisante ou ironique : *Il s'est battu avec des camarades et ses habits étaient en piteux état.*
Ces divers mots s'emploient au figuré avec le sens de mauvais, qui ne vaut rien : *Un devoir pitoyable.* — *Un discours lamentable.* — *Des notes navrantes à un examen.* — *Une composition piteuse.* V. aussi DÉPLORABLE et HARASSANT.
CTR. — *Risible.*

pitoyablement, adv. D'une manière pitoyable.

pitre, n. m. Paillasse, bateleur, bouffon. ‖ Homme bouffon, grimacier. ‖ Homme versatile, sans caractère.

pitrerie, n. f. Action de pitre; bouffonnerie.
PAR. — *Piètrerie*, chose vile, de nulle valeur.

pittoresque, adj. (ital. *pittoresco*, m. s.). Qui appartient à la peinture. ‖ Qui semble propre à faire un grand effet en peinture. ‖ Par ext. Tout ce qui fait image; original, qui frappe par quelque côté. = N. m. Ce qui est pittoresque.
CTR. — *Banal, commun.*

pittoresquement, adv. D'une manière pittoresque.
CTR. — *Banalement, communément.*

pituitaire, adj. Qui se rapporte à la pituite. ‖ *Membrane pituitaire*, membrane qui tapisse les fosses nasales.

pituite, n. f. (lat. *pituita*, humeur). [Méd.] Mucosité des fosses nasales. ‖ Mucosités glaireuses que sécrète et rejette l'estomac dans certaines maladies. [Méd. anc.] Une des quatre humeurs du corps.

pituiteux, euse, adj. Qui a le caractère de la pituite. ‖ Sujet à la pituite.

* **pityriasis** [*ziss*], n. m. [Méd.] Affection chronique de la peau, caractérisée par des taches roses ou jaunes sur la poitrine, et suivie d'une desquamation permanente de l'épiderme.

pivert [*ver*], n. m. [Zool.] Nom vulg. du *pic* ou *pic-vert*.

pivoine, n. f. [Bot.] Genre de *renonculacées* à fleurs volumineuses rouge vif ou blanches, très ornementales. = N. m. [Zool.] Un des noms de bouvreuil.

pivot [*vo*], n. m. (orig. inc.). Morceau de métal, arrondi par le bout, qui soutient un corps solide et qui sert à le faire tourner. *Le pivot de l'aiguille d'une boussole.* ‖ Fig. Ce qui sert d'appui, de soutien, de principe, de base. *L'égalité est le pivot d'une démocratie.* ‖ Celui sur lequel repose une organisation. *Ce député fut le pivot de la combinaison*

PIVOTANT — PLACER

ministérielle. [A. mil.] Aile sur laquelle on tourne dans les exercices militaires, ou point autour duquel se fait la conversion. ‖ Par ext. Point d'appui. [Bot.] Racine principale de la plante, enfoncée verticalement dans le sol.

pivotant, ante, adj. Qui pivote. [Bot.] Qui s'enfonce perpendiculairement en terre. *Racine pivotante.*

pivoter, v. intr. Tourner sur un pivot ou comme sur un pivot. — *L'armée pivota sur son aile,* elle exécuta une conversion sur cette aile. [Bot.] Enfoncer verticalement en terre sa racine principale. *Le chêne le poirier pivotent.*

pizzicato [*pidzi*], n. m. (mot ital.). [Mus.] Morceau exécuté en pinçant avec les doigts les cordes du violon, de la contrebasse, au lieu de se servir de l'archet. = Pl. *Des pizzicati.*

* **placable,** adj. Qui se laisse apaiser.

placage, n. m. Ouvrage de menuiserie fait de bois précieux scié en feuilles très minces qui sont appliquées avec de la colle sur du bois de moindre prix. — *Bureau de placage.* ‖ Fig. Ouvrage de l'esprit composé de morceaux pris çà et là.

* **plaçage,** n. m. Action de placer, de distribuer les places.

1. placard [*kar*'], n. m. (de *plaquer*). Armoire fixe pratiquée dans un enfoncement de mur. ‖ *Porte à placard,* porte ornée de diverses pièces.

2. placard [*kar*'], n. m. (de *plaque*). Écrit ou imprimé qu'on affiche pour informer le public de quelque chose. ‖ Écrit injurieux ou séditieux qu'on rend public en l'appliquant sur les murs, les arbres, etc. *Un placard incendiaire.* [Typo.] Épreuve imprimée d'un seul côté de la feuille, et sans que la composition ait été divisée en pages.

placarder, v. tr. Afficher un placard ou couvrir de placards. ‖ *Placarder quelqu'un,* afficher contre lui un placard injurieux, ou l'attaquer publiquement de diverses manières. [Typo.] Imprimer en placard.

place, n. f. (lat. *platea,* m. s.). 1° Espace qu'occupe ou que peut occuper une personne ou une chose. *Place occupée, vide. Céder sa place à quelqu'un. Prendre place. Payer sa place.* ‖ *Faire faire place,* faire écarter la foule. — *Faire place à quelqu'un,* se ranger afin qu'il passe, ou lui donner une place auprès de soi, ou lui céder sa place, au pr. et au fig. *Faire place nette,* vider le logement qu'on occupait dans une maison. ‖ *Ce mot n'est pas à sa place, dans sa place,* il ne convient pas à l'endroit où on l'a mis. — *Cet homme est à sa place, n'est pas à sa place,* il est ou il n'est pas dans un emploi qui lui convient. — *Je ne voudrais pas être à sa place* se dit d'une personne qui est dans une situation pénible, ou qui est menacée de quelque événement fâcheux. — *Prendre la place de quelqu'un,* se substituer à lui. ‖ *Se mettre en la place,* et plus ordinairement, *à la place de quelqu'un,* se figurer que l'on est dans la situation où il se trouve. *Mettez-vous à ma place.* — Elliptiq. *A ma place, que feriez-vous ?* ‖ Fam. *Ne pas tenir en place,* être remuant, agité, ou être très inquiet, très impatient. — Fig. *Se tenir à sa place, ne pas se tenir à sa place,* observer, ne pas observer les bienséances qu'exige

sa condition, son état. — *Remettre quelqu'un à sa place,* lui faire vivement sentir ce que ses propos, ses actions ont de déplacé. ‖ *Sur la place, au milieu de la place,* à terre, par terre. *Du premier coup de poing, il l'a étendu sur la place.* — *Être tué, rester, tomber mort sur la place,* tomber mort tout d'un coup, sur le lieu même. — *Sur place,* à l'endroit même où l'on se trouve. *Il l'a payé sur place.*

2° Fig. Dignité, charge, emploi qu'une personne occupe dans le monde. *Obtenir, refuser une place.* — Absol. *Être en place,* être dans un emploi qui donne de l'autorité, de la considération. Signifie aussi : être domestique dans une maison. ‖ Rang qu'un écolier, un candidat passant un concours, obtient par sa composition. *Avoir une bonne, une mauvaise place.* [Turf] Classement d'un cheval de course arrivé au 2e après le gagnant.

3° Espace, lieu public découvert et environné de bâtiments. *Place publique.* ‖ V. tabl. VILLE (*Idées suggérées par le mot*). *Voiture de place,* véhicule à l'usage du public, qui stationne sur une place. ‖ Fig. Corps des négociants, des banquiers d'une ville. *La place de Lyon est une des plus riches de France.* — *Faire la place,* aller offrir des marchandises aux divers commerçants d'une ville.

4° *Place* ou *place forte,* ville de guerre, forteresse. *Fortifier, assiéger, attaquer une place.* — Bureau du commandant d'une place. ‖ *Place d'armes,* lieu spacieux destiné à des revues, à des exercices militaires.

INCORR. — Ne dites pas : *En la place de la haie,* on a élevé un mur, dites : *A la place de la haie,* etc.

SYN. — V. ENDROIT, EMPLOI et RANG.

HOM. — *Place, es, ent,* du v. placer.

VOCAB. — *Famille de mots.* — Place : placer, placé, placement, placier, placeur, emplacement, déplacer, déplacement, remplacer, remplacement, remplaçable, remplaçant; plat, plateau, platée, platitude, plate, platine, platiné, aplatir, aplatissement; méplat, plafond, plafonner, plafonnier, etc.

---

placé, ée, adj. Qui occupe une certaine place, une certaine position. [Turf] *Cheval placé,* cheval qui se classe à la deuxième ou à la troisième place.

placement [*man*], n. m. Action de procurer une place, un emploi. *Un bureau de placement.* ‖ Action de placer de l'argent, ou argent placé. [Comm.] Action de vendre, de débiter des marchandises, principalement par la voie du courtage.

placenta [*sin-ta*], n. m. (mot lat.). [Anat.] Masse spongieuse et charnue par laquelle le fœtus reçoit sa nourriture dans le sein maternel. [Bot.] Partie de l'ovaire sur laquelle sont insérés les ovules.

1. placer [*sère*], n. m. (esp. *placer* var., de *placel*). Gisement d'or, en Californie, en Australie, au Transvaal, etc.

HOM. — *Placèrent* (ils), du v. placer.

2. placer, v. tr. (de *place*). Situer, mettre dans un lieu. *Où voulez-vous placer ces meubles ?* — Par an. Situer dans le temps. *L'époque où l'on place le déluge.* ‖ Indiquer à quelqu'un la place qui lui est assignée. *Placer quelqu'un dans une cérémonie.* ‖ Fig. Assigner un rang. *Son génie*

l'a placé au premier rang des écrivains. ǁ Dire quelque chose au moment opportun, pour produire l'effet qu'on en attend. *Placer un mot à propos.* — *Placer bien son amitié, sa confiance,* la donner à ceux qui en sont dignes.
Mettre de l'argent à intérêt, en faire un emploi productif. *Placer son argent en rentes sur l'État.* [Comm.] *Placer des marchandises,* en trouver le débit. — Partic. Vendre pour le compte d'une maison de commerce. *Placer de l'épicerie.* ǁ Procurer un emploi, une condition. *Placer un commis.* — *Une fille difficile à placer,* difficile à marier. = SE PLACER, v. pron. Prendre une place. *Placez-vous où vous pourrez.* ǁ Entrer dans une maison pour quelque travail, quelque service. *Il s'est placé chez un riche marchand.* = Conjug. V. GRAMMAIRE.
SYN. — V. METTRE.
CTR. — *Déplacer.*

placet, n. m. (lat. *placet,* il plaît). Demande succincte par écrit présentée à un roi, à un ministre, pour obtenir justice, grâce, faveur, etc. = Pl. *Des placets.*
HOM. — *Plaçais, ait, aient,* du v. placer.

*** placeur, euse,** n. Celui, celle qui place, qui procure une place.

placide, adj. (lat. *placidus,* m. s.). Doux, paisible, calme, pacifique.
SYN. — V. BÉAT.
CTR. — *Agité, emporté, violent, coléreux, turbulent.*

placidement, adv. D'une manière placide.

placidité, n. f. Caractère placide; tranquillité douce et sereine.

placier, ère, n. Celui, celle qui place des marchandises; représentant de commerce. ǁ Celui qui prend à bail les places d'un marché pour les sous-louer aux marchands. ǁ Celui, celle qui indique les places dans un lieu public, une cérémonie. ǁ Celui qui a pour métier de placer des domestiques, des ouvriers.
HOM. — *Placiez,* du v. placer.

*** placoïde,** adj. [Zool.] Se dit des écailles des poissons sélaciens, formées de dentine et d'émail.

plafond, n. m. (de *plat,* et *fond*). Surface plane et horizontale formant la partie supérieure d'un lieu couvert. [Aviat.] Altitude limite à laquelle peut atteindre chaque type d'avions. ǁ Fig. Limite supérieure. *Plafond de température.* [Bx-A.] Peinture décorant un plafond.

plafonnage [*fo-naje*], n. m. Action de plafonner. ǁ Travail de celui qui plafonne.

plafonnant, ante, adj. [Peint.] Qui plafonne. *Figure plafonnante.*

*** plafonnement,** n. m. [Peint.] Perspective particulière aux figures et scènes peintes sur un plafond.

plafonner [*fo-né*], v. tr. Garnir d'un plafond. ǁ Donner à une figure peinte sur un plafond le raccourci exigé par la vision de bas en haut. = V. intr. *Cette figure plafonne,* elle est peinte sur un plafond conformément aux règles particulières du genre. ǁ Se dit d'un avion qui vole le plus haut possible.

plafonneur ou **plafonnier,** n. m. Celui qui fait des plafonds de plâtre.

plafonnier, n. m. Appareil d'éclairage électrique placé près du plafond, qui en diffusera la lumière.

plagal, aux, adj. m. [Mus.] Se dit d'un mode où la quinte est à l'aigu et la quarte au grave.

plage, n. f. (lat. *plaga*). Rivage maritime, couvert de galets ou de sable fin, que la mer découvre à marée basse. ǁ Portion de rivage recouverte de sable fin, où l'on prend des bains de mer. ǁ Station balnéaire au bord de la mer. *Les plages de l'Océan.* [Mar.] Sur un navire, espace découvert et libre. *Plage avant, arrière* V. pl. NAVIGATION.

plagiaire, adj. et n. Celui qui pille les écrits, les ouvrages, les inventions d'autrui, et les donne comme siens.
— *Va-t'en, fripier d'écrits, impudent plagiaire.* (MOLIÈRE.)
HOM. — *Plagièrent,* du v. plagier.

plagiat [*jia*], n. m. Action du plagiaire.
HOM. — *Plagias, a,* du v. plagier.

plagier, v. tr. (du bas latin). Piller les idées, les expressions, les inventions d'autrui et les donner comme siennes. = Conjug. V. GRAMMAIRE.
SYN. — V. CONTREFAIRE.

1. plaid [*plè*], n. m. (lat. *placitum,* assemblée publique). Ce que dit un avocat pour la défense d'une cause. = Au plur. Assemblées où l'on jugeait les procès sous les premiers rois de France. — Par ext. Audience. *Tenir les plaids. Les plaids sont ouverts* (Vx).
HOM. — *Plaid,* n. m. (Vx), plaidoirie, pièce d'étoffe de laine; — *plaie,* n. f., blessure, cicatrice; — *plet,* n. m., chacun des tours d'un câble enroulé sur lui-même; — *plais, plaît,* du v. plaire.

2. plaid [*plè*], n. m. (mot angl.). Pièce d'étoffe de laine écossaise de diverses couleurs. ǁ Sorte de manteau écossais. ǁ Couverture de voyage à carreaux écossais.
HOM. — V. PLAID 1.

*** plaidable,** adj. Qui peut être plaidé.

plaidant, ante, adj. Qui plaide. *Partie plaidante.* ǁ Qui fait profession de plaider. *Avocat plaidant.*

plaider, v. intr. Contester quelque chose en justice. ǁ Défendre, soutenir oralement une cause devant les juges. ǁ Par ext. *J'ai plaidé sa cause devant son père.* ǁ Fig. Témoigner en faveur de. *Son passé plaide pour lui.* = V. tr. Défendre une cause, au pr. et au fig. — V. tabl. LOI ET TRIBUNAL (*Idées suggérées par les mots*).
LING. — On ne dit plus *plaider quelqu'un.* Boileau a pu dire : *Le moindre d'entre nous eût plaidé le prélat ;* on dirait aujourd'hui : *eût plaidé contre le prélat.*

plaideur, euse, n. Celui, celle qui plaide, qui est en procès. ǁ Qui aime à plaider, à chicaner.

plaidoirie, n. f. Action, art de plaider une cause. ǁ Le plaidoyer lui-même.
PAR. — *Plaidoyer,* discours d'un avocat à l'audience; défense d'une idée.

*** plaidoyable,** adj. *Jour plaidoyable,* jour d'audience (Vx).

plaidoyer, n. m. Discours prononcé en justice par un avocat pour défendre une cause, le droit d'une partie. ǁ Par ext. Défense d'une cause, d'une idée quelconque.
SYN. — V. DISCOURS.
PAR. — *Plaidoirie,* action de plaider.

plaie [plè], n. f. (lat. *plaga*, m. s.). Toute solution de continuité des parties molles du corps. *Panser, sonder une plaie.* [Théol.] *Les plaies de Notre-Seigneur* ou *Les cinq plaies*, les blessures qui furent faites à Jésus-Christ le jour de sa Passion. ‖ Prov. *Ne rêver que plaies et bosses*, souhaiter malheur à autrui, dans l'espérance d'en tirer profit. ‖ *Être très batailleur.* ‖ Par méton., se dit quelquefois pour cicatrice. V. tabl. MALADIE ET MÉDECINE (*Idées suggérées par les mots*). *Montrer ses plaies.* ‖ Fig. *Rouvrir une plaie*, raviver la douleur de quelqu'un. ‖ Fig. Ce qui cause un grand préjudice à un État, à une famille, à un particulier. *Les plaies de la guerre.* — Prov. *Plaie d'argent n'est pas mortelle*, une perte pécuniaire peut toujours se réparer. — *Mettre le doigt sur la plaie*, indiquer nettement ce qui est mal, ce qui ne va pas. [Écrit. sainte] *Les plaies d'Égypte*, les dix fléaux dont Dieu, suivant la Bible, punit le pharaon à l'appel de Moïse.
SYN. — V. BLESSURE.
HOM. — V. PLAID I.

plaignant, ante, adj. et n. Celui, celle qui se plaint en justice.

plain, aine, adj. (lat. *planus*, m. s.). Qui est plat, sans inégalités. ‖ Uni, sans nulle façon. *Linge plain.* = DE PLAIN-PIED, loc. adv. Sans monter ni descendre. *On va de plain-pied d'un appartement à l'autre.* — *Pièces de plain-pied*, qui sont au même niveau. ‖ Fig. Sans obstacle.
ORTH. — *De plein-pied*, grosse faute très fréquente.
HOM. — *Plain, plaine*, adj., plat, uni; — *plains, plaint*, du v. plaindre; — *plein*, adj., rempli. V. aussi PLAINE.

plain-chant, n. m. (lat. *planus cantus*, chant uni). [Liturg.] Chant ordinaire de l'église catholique d'un caractère grave et soutenu, composé de sons essentiellement égaux en durée. — On dit aussi *chant grégorien.*

plaindre [plin], v. tr. (lat. *plangere*, se désoler). Être touché des maux d'autrui; témoigner de la compassion. *Plaindre les malheureux.* ‖ Donner avec répugnance, à regret, d'une manière insuffisante. *Il ne plaint ni son temps, ni ses pas.* = SE PLAINDRE, v. pron. Exprimer sa douleur physique ou morale; exprimer sa peine, son mécontentement. *Il se plaint dès qu'on le touche. Se plaindre de son sort.* [Droit] Porter plainte en justice. = Conjug. (comme *craindre*). V. VERBES.

— *La douleur se soulage à se plaindre,*
Et, quelques maux qu'on souffre ou que l'on ait à craindre,
Ce qu'un cœur généreux en montre de pitié,
Semble en notre faveur en prendre la moitié.
(P. CORNEILLE.)

— *Fit-il pas mieux que de se plaindre?*
(LA FONTAINE.)

GRAM. — *Se plaindre de ce que* suppose un sujet de plainte : *Il se plaint de ce que vous l'avez trompé* (il y a eu tromperie). — *Se plaindre que* ne suppose pas lieu à la plainte : *Il a eu tort de se plaindre que vous l'ayez trompé* (il n'y a pas eu tromperie).
— Le participe passé de *se plaindre* s'accorde toujours avec le second pronom : *Ils se sont plaints de vous; elle s'est plainte de votre indifférence;* excepté, lorsque *se plaindre* signifie *se refuser* cas dans lequel le second pronom cesse d'être le régime

direct : *Elle s'est plaint le boire et le manger.*
= Conj. (comme *craindre*). V. VERBES.

plaine, n. f. (lat. *planus*, uni). Vaste étendue unie. *Les plaines de la Beauce.* V. tabl. UNIVERS (*Idées suggérées par le mot*). ‖ Poét. *La plaine liquide*, la mer.
ANT. — *Montagne.*
HOM. — *Plaine*, n. f., grande étendue de terrain plate; — *pleine*, adj. fém., remplie; — *plaine*, adj., fém. de *plain*, plat, uni.

plainte [plin-te], n. f. (de *plaindre*). Gémissement, lamentation. *Les plaintes des mourants.* ‖ Ce qu'on dit, ce qu'on écrit pour faire connaître le sujet qu'on a de se plaindre de quelqu'un. *Ses plaintes sont mal fondées.* [Droit] Dénonciation d'une infraction pénale à la justice, par la victime elle-même. *Porter plainte.*

— *Quand le mal est certain,*
La plainte ni la peur ne changent le destin.
(LA FONTAINE.)

ÉPITHÈTES COURANTES : amère, lamentable, poignante, frivole, justifiée, injustifiée, juste, injuste, réitérée, violente, pathétique, perpétuelle, éternelle, vaine, inutile.
SYN. — V. LARME et GÉMISSEMENT.
ANT. — *Jubilation, rires.*
HOM. — *Plinthe*, sorte de boiserie.

plaintif, ive, adj. Qui a l'accent de la plainte. ‖ Qui exhale des plaintes, des gémissements. ‖ Qui aime à se plaindre, qui fatigue par ses plaintes.

plaintivement, adv. D'une manière plaintive : d'un ton plaintif.

plaire, v. intr. (lat. *placere*, m. s.). Être agréable, causer à quelqu'un un sentiment ou une sensation qu'il aime à éprouver. *Avoir l'envie, le don de plaire.* — Partic. Inspirer de l'amour. = V. impers. Être agréable. *Il me plaît d'agir ainsi.* ‖ *Comme il vous plaira*, comme vous le désirez. ‖ Absol. *S'il vous plaît*, formule de civilité exprimant une demande, et quelquefois ajoutant de l'énergie à ce qu'on dit. *Pour les pauvres, s'il vous plaît, Taisez-vous, s'il vous plaît!* ‖ Fam. *Plaît-il?* Que voulez-vous de moi? Se dit aussi pour faire répéter ce qu'on n'a pas bien entendu. ‖ *Plaise à Dieu, plût à Dieu que*, locutions exclamatives, marquant qu'on souhaite quelque chose, ou qu'on regrette qu'une chose ne soit pas ou ne soit plus possible. *Plaise à Dieu qu'il revienne sain et sauf! Plût à Dieu qu'il fût encore vivant!* — *A Dieu ne plaise, ce qu'à Dieu ne plaise* se dit pour témoigner l'éloignement ou l'aversion que l'on a pour quelque chose. = SE PLAIRE, v. pron. Prendre plaisir à faire quelque chose. *Il se plaît à étudier.* Dans le sens péjoratif : *il se plaît à tourmenter autrui.* ‖ *Se plaire dans un lieu*, aimer à y être, en parlant des hommes et des animaux. ‖ Fig. Prospérer, en parlant d'un végétal. *Le sapin se plaît sur les montagnes.* ‖ Absol. Avoir un amour, une affection réciproque. *Ces jeunes gens se plaisent.*

— *Pour plaire aux autres, il faut parler de ce qu'ils aiment et de ce qui les touche, éviter les disputes sur les choses indifférentes, leur faire rarement des questions et ne leur laisser jamais croire qu'on prétend avoir plus de raison qu'eux.* (LA ROCHEFOUCAULD.)

— *Mon principal but est toujours de plaire; pour en venir là, je considère le goût du siècle.* (LA FONTAINE.)

PLAISAMMENT — PLAN

Conjug. — V. intrans. 3ᵉ groupe (inf. en *re*) [rad. *plais, plai*].
Indicatif. — *Présent* : je plais, tu plais, il plaît, nous plaisons, vous plaisez, ils plaisent. — *Imparfait* : je plaisais..., nous plaisions, vous plaisiez... — *Passé simple*, je plus, tu plus, il plut, nous plûmes, vous plûtes, ils plurent. — *Futur* : je plairai..., nous plairons, vous plairez...
Impératif — Plais, plaisons, plaisez.
Conditionnel. — *Présent* : je plairais..., nous plairions, vous plairiez...
Subjonctif. — *Présent* : que je plaise..., qu'il plaise, que nous plaisions, que vous plaisiez, qu'ils plaisent. — *Imparfait* : que je plusse, que tu plusses, qu'il plût, que nous plussions, que vous plussiez, qu'ils plussent.
Participe. — *Présent* : plaisant. — *Passé* : plu (invariable).
Temps composés conjugués avec l'auxiliaire AVOIR.

GRAM. — Il y a une différence entre *ce qui plaît* et *ce qu'il plaît*. Ce qui plaît c'est ce qui est agréable ; *ce qu'il plaît*, c'est ce que l'on veut : *Les insensés sacrifient leurs intérêts à ce qui leur plaît ; les gens d'un caractère opiniâtre ne veulent faire que ce qu'il leur plaît.* — Le participe passé de *plaire* et de *se plaire* est toujours invariable : *Ils nous ont plu ; ils se sont plu réciproquement ; ils se sont plu à me contrarier ; elles se sont plu à la campagne.*

VOCAB. — *Famille de mots.* — Plaire [rad. *plai, pla*]: plaisir, plaisant, plaisanter, plaisantin, plaisanterie, plaisamment, placet, complaire, complaisant, complaisance, déplaire, déplaisant, déplaisir ; plaid, plaider, plaideur, plaidoyer, plaidoirie ; placide, placidité ; implacable, implacablement.

plaisamment [*za-man*], adv. D'une manière plaisante, agréable. ‖ De façon ridicule. *Vous voilà plaisamment ajusté.*
plaisance [*zan-se*], n. f. Plaisir (Vx). ‖ *De plaisance*, qui sert à l'agrément. *Lieu, maison de plaisance.*
plaisant, ante [*plè-zan*], adj. (ppr. de *plaire*). Agréable, qui plaît. *Il n'est pas plaisant d'avoir affaire à des sots.* ‖ Qui divertit, qui provoque le rire. *Un homme, un récit plaisant.* ‖ En mauv. part. Impertinent, ridicule. *Voilà un plaisant drôle ! Il a un plaisant chapeau !* = PLAISANT, n. m. Celui qui cherche à faire rire par ses gestes, par ses propos. *Il fait le plaisant.* — *Mauvais plaisant*, celui qui fait des plaisanteries, des farces de mauvais goût. Ce qui est plaisant. *Passer du grave au doux, du plaisant au sévère* (BOILEAU). — Le côté plaisant *Le plaisant de l'histoire fut que...* (Fam.).
LING. — Le sens de *plaisant* peut varier, selon que cet adjectif est placé avant ou après le nom : *Un homme plaisant* est un homme agréable ; *un plaisant homme* est un homme ridicule.
SYN. — V. BADIN, COMIQUE et FACÉTIEUX.
CTR. — *Désagréable, oiseux, sérieux.*
plaisanter [*zan*], v. intr. Badiner, dire ou faire quelque chose pour amuser ; railler doucement. ‖ *Vous plaisantez ! Vous ne parlez pas sérieusement*, j'espère. ‖ *Ne pas plaisanter sur un point*, être très sévère sur ce point, le prendre très au sérieux.
= V. tr. Railler. *Plaisanter quelqu'un.*

plaisanterie, n. f. Chose dite ou faite pour amuser, pour faire rire. ‖ Dérision insultante, mystification de mauvais goût. *C'est une mauvaise plaisanterie.* ‖ Chose sans importance, bagatelle.
ÉPITHÈTES COURANTES : légère, spirituelle, fine, intempestive, déplacée, grosse, grossière, obscure, stupide, macabre, mauvaise, absurde, etc.
SYN. — V. RAILLERIE et MOQUERIE.
— *Ce n'est pas assez de souffrir en galant homme les petites plaisanteries, il faut les mettre à profit.* (RACINE.)
plaisantin, n. m. Celui qui affecte la plaisanterie, même hors de propos. (Péjor.).
plaisir [*plè-zir*], n. m. (Anc. inf. du v. *plaire*, pris comme n.). Sentiment ou sensation agréable, affection, contentement de l'âme quand elle atteint l'objet de son désir ; jouissance, volupté. *Les plaisirs de l'esprit. Les plaisirs des sens. Cela fait plaisir à voir.* — Prov. *Pas de plaisir sans peine*, il faut un effort pour obtenir un agrément. ‖ Ce qui cause ou est propre à causer du plaisir ; divertissement. *Les plaisirs de la campagne.* — *Homme de plaisirs* qui ne s'occupe que des jouissances ou des amusements de la vie. = *Jouer pour le plaisir, pour son plaisir*, ne point jouer d'argent ; jouer seulement par divertissement. V. tabl. SENSIBILITÉ (*Idées suggérées par le mot*). *Menus plaisirs.* V. MENU.
— Grâce, faveur, bon office. *Il m'a fait un grand plaisir. Volonté*, consentement, *Voulez-vous me faire le plaisir de.* Formule de commandement adoucie. — *Bon plaisir*, volonté arbitraire. [Chancell. anc.] *Car tel est notre plaisir, notre bon plaisir.* Formule par laquelle le roi marquait sa volonté dans les édits, les déclarations, etc. ‖ En mauvaise part. *Le régime, le temps du bon plaisir*, celui où la volonté arbitraire du souverain tient lieu de loi. ‖ [Pâtiss.] Espèce d'oublie roulée en cornet.
= À PLAISIR, locut. adv. Avec plaisir ou avec soin. ‖ *Conte fait à plaisir*, conte fait exprès pour divertir. ‖ *S'inquiéter, se tourmenter à plaisir*, sans sujet, comme si l'on y trouvait une sorte de plaisir. = PAR PLAISIR, locut. adv. Par divertissement. = AVEC PLAISIR, formule de politesse indiquant que l'on fera volontiers ce qui vous est demandé.
— *Le plaisir le plus délicat est de faire celui d'autrui.* (LA BRUYÈRE.)
— *Il n'est pas honteux pour l'homme de succomber sous la douleur, et il est honteux de succomber sous le plaisir.* (PASCAL.)
— *Fi du plaisir*
Que la crainte peut corrompre !
(LA FONTAINE.)
— *En courant après le plaisir, on attrape la douleur.* (MONTESQUIEU.)
SYN. — V. AMUSEMENT.
ANT. — *Chagrin, peine, douleur, souffrance, tristesse, affliction.*
plamée, n. f. Chaux dont les tanneurs se sont servis pour enlever le poil des cuirs.
*** plamer**, v. tr. [Techn.] Traiter les peaux au moyen d'une solution de chaux.
PAR. — *Blâmer*, réprimander, désapprouver.
1. plan, ane, adj. (lat. *planus*), uni. Plat, uni. *Surface plane.*

2. plan, n. m. (de *plan* 1). Surface plane, telle qu'une droite quelconque qui a deux points communs avec cette surface y est tout entière représentée. *Plan horizontal, vertical.*

Délinéation, représentation graphique en petit (dessin ou schéma) d'une ville, d'une place de guerre, d'un bâtiment, d'une machine, etc., supposés projetés sur un plan horizontal. [Peint.] Se dit des diverses parties d'une surface fuyante par rapport à l'éloignement où elles sont de l'œil du spectateur, et de leur représentation dans un dessin ou dans une peinture. *J'aime cette figure qui est sur le premier plan. La dégradation des plans.* ‖ Fig. Dessin, projet d'un ouvrage, quand on a coordonné les différentes parties qui y doivent entrer. *Il a fait le plan de sa tragédie.* — Par ext. Tout projet qu'on fait pour quelque chose que ce soit. *Un plan de conduite. Un plan stratégique.* ‖ Fig. *Premier plan,* ce qui est le plus en vue, ou ce qui doit être fait tout d'abord. — *Un personnage de premier plan,* un personnage très important, éminent. [A. mil.] *Plan de tir,* le plan vertical passant par la ligne de tir. ‖ Fam. *Laisser en plan,* abandonner, laisser en suspens. — *Rester en plan,* être abandonné. [Aviat.] Surface portante qui procure la sustentation d'un avion en vol. V. pl. AVIONS. [Aéron.] Dispositif qui assure la stabilisation d'un dirigeable. V. pl. AÉRONAUTIQUE.

ÉPITHÈTES COURANTES : étudié, mûri, mis au point, établi, préconçu, rigide, bien suivi, détaillé, coté, à l'échelle, quadrillé, etc.

SYN. — V. BUT et ÉBAUCHE.

HOM. — *Plan,* adj., plat, uni ; — *plan,* n. m., surface plane ; représentation graphique ; *plant,* n. m., scion ; jeune plante issue d'un semis.

VOCAB. — *Famille de mots.* — *Plan* [rad. *pla, pia*] : plan (adj.), plaine, plain-chant, plan-concave, terre-plein, planer, aéroplane, hydroplane, planeur, aplanir, planisphère, esplanade, monoplan, biplan, piano, pianiste.

---

* **planage,** n. m. Action de planer, de rendre planes des pièces à travailler, de régulariser à la plane.

planche, n. f. (bas lat. *planca,* m. s.). Morceau de bois refendu, plat, peu épais, et plus long que large, dont on se sert surtout dans les ouvrages de menuiserie. — *Planche de salut,* moyen suprême de salut. ‖ *Avoir du pain sur la planche,* avoir des ressources pour l'avenir, y avoir beaucoup de travail à exécuter. ‖ Fam. *Une planche,* une femme maigre, plate. [Argot scolaire]. *La planche,* le tableau noir.

[Grav.] Tablette de bois ou plaque de métal préparée pour la gravure. *Préparer une planche. Cette tablette, cette feuille, quand elle a été travaillée par le graveur. La planche est usée.* — Estampe tirée sur une planche gravée ; se dit surtout des estampes jointes à un ouvrage pour en faciliter l'intelligence. *Cet ouvrage est accompagné de planches.* [Hortic.] Petit espace de terre plus long que large où l'on cultive des fleurs, des légumes. *Une planche de tulipes. Une planche de salades.*

[Natation] *Faire la planche,* flotter étendu sur le dos, le corps raide, les mains faisant office de nageoires le long du corps. [Techn.] Nom de différents ustensiles dont la partie essentielle est une planche. *Planche à dessin. Planche à hacher, à laver, à repasser.*

N. f. pl. *Les planches du théâtre,* les planches de la scène ; par ext., le théâtre même. — Absol. *Monter sur les planches,* jouer sur la scène d'un théâtre. — *Brûler les planches,* avoir un jeu trépidant.

* **planchéiage,** n. m. Action de planchéier ; son résultat.

planchéier, v. tr. Garnir de planches, d'un plancher le sol d'un appartement. = Conjug. V. GRAMMAIRE.

* **planchéieur,** n. m. Celui qui fait des planchers.

plancher, n. m. Assemblage de planches supportées par des solives et des poutres, auxquelles elles sont fixées, qui sépare les divers étages d'une maison. V. tabl. HABITATION (*Idées suggérées par le mot.*) V. pl. BÂTIMENT. ‖ Pop. *Le plancher des vaches,* la terre ferme.

* **planchet,** n. m. [Bouch.] V. FLANCHET.

planchette, n. f. Petite planche. ‖ Instrument pour lever le plan d'un terrain.

* **plançon** ou **plantard,** n. m. [Agri.] Jeune plante. ‖ Branche de saule, d'osier dont on fait une bouture. ‖ Tronc d'arbre que l'on refend à la scie. [A. mil.] Arme d'hast du Moyen Age, très pointue. V. pl. ARMES.

* **plan-concave,** adj. [Phys.] Qui a une face plane et l'autre concave.

plancton ou * **plankton,** n. m. (gr. *planktôn,* errant). [Hist. Nat.] Masse de matière organique, vivante ou morte, qui se trouve en suspension dans l'eau de mer et sert de nourriture à de nombreux animaux marins.

PAR. — *Planton,* soldat de service.

* **planctonique** ou * **planktonique,** adj. Qui concerne le plancton.

1. plane, n. m. [Bot.] Se disait autref. pour platane.

HOM. — V. PLANE 2.

2. plane, n. f. Outil à main pour le travail du bois, constitué par une lame d'acier tranchante portant à chaque extrémité une poignée. V. pl. OUTILS et TONNEAU.

HOM. — *Plane,* n. f., outil à main pour le travail du bois ; — *plane,* adj., fém. de plan ; — *plane,* n. m., anc. nom du platane ; — *plane, es, ent,* du v. planer.

plané, adj. [Aviat.] *Vol plané,* vol d'un avion qui descend, moteur au ralenti ou arrêté, se soutenant par sa seule vitesse.

1. planer, v. tr. (lat. *planare,* m. s.). Unir, polir avec la plane. *Planer une planche.* ‖ En parlant de peaux, les débarrasser de leurs poils.

2. planer, v. intr. (de *plain* 1.) Se dit d'un oiseau, quand il se soutient en l'air sur ses ailes étendues, sans paraître les remuer. *Un milan qui plane.* ‖ Dominer du regard ; ou considérer par la pensée et dans l'ensemble. *De cette colline, on plane sur la campagne.*

[Aviat.] Voler en descendant, avec le moteur arrêté.

SYN. — V. VOLER.

CTR. — *Ramper.*

planétaire, adj. Qui concerne les planètes. ‖ *Système planétaire,* ensemble des planètes qui tournent autour du soleil. = N. m. Appareil qui représente le mouvement des planètes. [Auto.] Nom de deux pièces importantes du différentiel.

planète, n. f. (gr. *planêtês,* errant). Corps céleste gravitant autour du soleil, sur une orbite elliptique, et n'ayant pas de lumière propre. V. tabl. UNIVERS (*Idées suggérées par le mot*).
ANT. — *Étoile, soleil, nébuleuse.*

* **planétoïde,** n. m. Petite planète, planète télescopique.

1. **planeur,** n. m. Ouvrier qui plane les métaux, les cuirs, etc.

2. **planeur,** n. m. [Aviat.] Sorte d'avion léger sans moteur, dont la force motrice est fournie par le vent. V. tabl. AVIATION (*Idées suggérées par le mot*).

planimètre, n. m. Instrument pour mesurer l'aire des surfaces planes.

planimétrie, n. f. (lat. *planus,* plan; gr. *métron,* mesure). Représentation d'un terrain par sa projection horizontale, sans avoir égard au relief.

* **planimétrique,** adj. Qui a rapport à la planimétrie.

planisphère, n. m. (lat. *planus,* plan; *sphæra,* sphère). [Géog.] Surface plane sur laquelle est représentée en entier la sphère terrestre ou céleste.

* **planisphérique,** adj. Qui a rapport au planisphère.

* **plankton,** n. m. V. PLANCTON.

* **planorbe,** n. m. [Zool.] Genre de mollusques gastéropodes d'eau douce.

plant [*plan*], n. m. (de *planter*) [Agri.] Scion qu'on tire de certains arbres pour le planter. — Jeune arbre en état d'être transplanté. — Jeune plante tirée d'un semis destiné au repiquage. *Plant de salades.* — Groupe de jeunes plantes élevées dans un même terrain. *Un plant de mûriers. Un plant d'artichauts.* — Ce terrain lui-même.
HOM. — V. PLAN.

* **plantage,** n. m. Action de planter. ‖ Manière de planter. ‖ Plants de canne à sucre, de tabac.

plantaginacées ou * **plantaginées,** n. f. pl. [Bot.] Famille de plantes dicotylédones gamopétales, ayant pour type le *plantain.*

plantain, n. m. [Bot.] Genre de plantes herbacées, de la famille des *plantaginées.*

plantaire, adj. Qui appartient à la plante du pied. *Verrue plantaire.*
HOM. — *Plantèrent,* du v. planter.

* **plantard,** n. m. V. PLANÇON.

plantation [*sion*], n. f. [Agri.] Opération qui consiste à planter ou à repiquer des sujets issus de semis. *Le temps de la plantation.* ‖ Surface occupée par des sujets d'une même espèce. *Arroser ses plantations.* ‖ Groupe d'arbres plantés dans un même terrain. ‖ Aux colonies, toute exploitation rurale.

plante, n. f. (lat. *planta,* m. s.). [Bot.] Tout végétal, soit arbre, soit arbrisseau, soit herbe. *Plante ligneuse, herbacée. Plante exotiques indigène.* — Par ext. Végétal non arborescent par opposition aux arbres. *Plantes vivaces; plantes potagères, médicinales.* V. tabl. VÉGÉTAUX (*Idées suggérées par le mot*). V. pl. BOTANIQUE. ‖ Fig. Se dit de certaines qualités que l'on cultive en soi, de certains états ou sentiments agréables, etc. *Le bonheur, cette plante fragile et délicate.*
Plante du pied, face inférieure du pied de l'homme et de quelques animaux.
SYN. — V. VÉGÉTAL.

> VOCAB. — *Famille de mots.* — *Plante :* plant, planter, plantation, planteur; déplanter, déplantation, replanter, replantation; transplanter, transplantation, supplanter, plantigrade, plantain, planton, etc.

planter, v. tr. (lat. *plantare,* m. s., de *planta,* plante). Mettre une plante, une graine, en terre pour qu'elle prenne racine et qu'elle croisse. *Planter un arbre. Planter des fleurs, des haricots.* — *Planter un bois, une avenue, une allée,* planter des arbres de manière qu'ils forment un bois, etc. — Enfoncer quelque chose en terre et en laisser paraître une partie en dehors. *Planter un poteau.* ‖ *Planter un étendard, un drapeau,* l'arborer sur les remparts d'une ville prise d'assaut, au moment où l'on y entre. — Fig. *Planter sa tente quelque part,* s'y installer. ‖ Fig. et fam. *Planter une personne en quelque endroit,* l'y aposter pour qu'elle n'en bouge pas, l'y mettre en observation. — *Planter là quelqu'un ou quelque chose,* le quitter, l'abandonner brusquement. = SE PLANTER, v. pron. Être planté. *Les arbres se plantent à l'automne.* ‖ Fig. et fam. *Se planter devant quelqu'un,* se mettre devant lui et y rester gauchement immobile.
SYN. — V. ENSEMENCER.
CTR. — *Arracher.*

planteur, euse, n. Celui, celle qui plante des arbres, etc. ‖ Partic. Possesseur d'une vaste exploitation rurale aux colonies.

* **plantier,** n. m. Nouveau plant de vigne.

plantigrade, adj. (lat. *planta,* plante du pied; *gradi,* marcher). [Zool.] Nom donné aux mammifères carnivores qui marchent en appuyant toute la plante du pied sur le sol.

* **plantis,** n. m. Action de planter. ‖ Lieu planté.

plantoir, n. m. Outil de bois pointu dont on se sert pour faire des trous en terre afin de planter. V. pl. OUTILS usuels.

planton, n. m. Soldat de service auprès d'un officier supérieur pour porter ses ordres, ses dépêches. ‖ Soldat de service à la porte des casernes, dans les gares, etc. ‖ Service que fait ce soldat. *Être de planton.*
SYN. — V. ESTAFETTE.
HOM. — *Plantons,* du v. planter.
PAR. — *Plancton,* matière organique dont se nourrissent beaucoup d'animaux marins.

plantule, n. f. [Bot.] Embryon qui commence à se développer.

plantureusement [*ze-man*], adv. D'une manière plantureuse, abondamment.

plantureux, euse, adj. (du lat. *plenus,* plein). Abondant, copieux. ‖ Fertile. *Un pays plantureux.* ‖ Plein d'idées, de richesse. *Style plantureux.*
CTR. — *Aride, stérile.*

planure, n. f. Bois, métal qui tombe des pièces que l'on plane.

plaque, n. f. (nom verbal de *plaquer*). Tablette, feuille de métal, de bois, d'ébonite ou de verre. *Plaque de fer, de cuivre, d'argent.* ‖ Par ext. Toute surface plate dans un ensemble. *Des plaques lumineuses, des plaques de végétation.* ‖ *Plaque de cheminée*, grande plaque de fer ou de fonte qu'on applique au fond d'une cheminée. [Mar.] *Plaque de blindage*, plaque d'acier appliquée sur la coque d'un cuirassé. ‖ *Plaque de couche*, plaque qui garnit la face inférieure de la crosse d'un fusil. ‖ *Plaque photographique* ou *plaque sensible*, plaque de verre recouverte d'une couche de matière impressionnable à la lumière et sur laquelle s'inscrit l'image photographique. [Ch. de fer] *Plaque tournante*, plaque de fonte de grand diamètre, mobile sur pivot, garnie de rails dans le prolongement des voies qui y aboutissent; elle permet de retourner une locomotive bout pour bout. V. pl. CHEMIN DE FER. ‖ *Plaque d'identité*, plaque portant les noms, classe et n° de recrutement d'un militaire, que celui-ci doit toujours porter à la guerre et qui permet d'identifier son corps s'il est tué. ‖ *Plaque indicatrice*, où sont inscrits les noms des rues, des villages, les distances où ils se trouvent, etc. — *Plaque de bicyclette*, plaque qu'on fixe sur une bicyclette en témoignage du paiement de l'impôt annuel.
Décoration que les dignitaires des différents ordres portent sur leur habit. *La plaque de grand croix de la Légion d'honneur.* ‖ Insigne de certaines fonctions. *Plaque de garde-champêtre.*

> VOCAB. — *Famille de mots.* — *Plaque* : plaquer, plaqué, contreplaqué, placage, plaquette, placard, placarder.

* **plaqué**, n. m. Métal vulgaire recouvert d'une feuille mince d'or ou d'argent; doublé. = Adj. *Métal plaqué.*

* **plaquemine**, n. f. Fruit du *plaqueminier*.

plaqueminier, n. m. [Bot.] Genre de plantes de la famille des *ébénacées*, arbres fournissant des bois d'ébénisterie. — Le *plaqueminier du Japon* ou *kaki* donne un fruit brun orangé de saveur douce.

plaquer, v. tr. Appliquer une chose mince et plate sur une autre. [Mus.] *Plaquer un accord*, faire entendre en même temps toutes les notes dont cet accord est formé. ‖ Pop. Abandonner.

plaquette, n. f. Petite plaque. ‖ Petit volume de peu d'épaisseur et simplement broché.
SYN. — V. VOLUME.

plaqueur, euse, n. Celui, celle qui fait des placages ou qui plaque des bijoux, de la vaisselle.

plasma, n. m. (gr. *plasma*, formation). [Anat.] Partie liquide de divers tissus organiques, en partic. du sang et de la lymphe.

* **plasmatique**, adj. Qui dérive du plasma.

plasticité, n. f. Aptitude de certaines matières à prendre une forme quelconque.

* **plastide**, n. m. [Hist. nat.] Masse protoplasmique dépourvue de membrane d'enveloppe.

plastique, adj. (gr. *plassô*, je façonne) Qui peut être façonné, modelé. ‖ Qui forme, qui a la puissance de former ou de prendre différentes formes. *Force plastique.* ‖ Qui sert à former les tissus vivants. *Aliments plastiques.* [Minér.] *Argile plastique*, celle qui peut servir à la céramique. [Bx-A.] *Arts plastiques*, ceux qui ont pour but de reproduire la forme, comme la sculpture, la statuaire, la peinture. — *Matières plastiques*, celles qui se modèlent facilement, qui servent à modeler : argile, cire, etc. = N. f. L'art plastique; le sentiment et l'intelligence de la forme. *La plastique de Phidias.* ‖ Par ext. et abusivement. Ensemble des formes d'une statue, d'une personne. *La plastique de la Vénus de Médicis.*

> VOCAB. — *Famille de mots.* — *Plastique* : plasticité, plastiquement, rhinoplastie, plastron, plastronner, emplâtre, emplâtrer, plâtres, plâtras, plâtreux, plâtrière, plâtrier, plâtrer, plâtrer, plâtrage, replâtrage, replâtrer; galvanoplastie; cataplasme, protoplasme.

* **plastiquement**, adv. Suivant les procédés de la plastique.

plastron, n. m. (ital. *piastrone*, m. s.). Pièce de cuir rembourrée et matelassée dont les maîtres d'armes se couvrent la poitrine, lorsqu'ils donnent une leçon à leurs élèves. — Fig. et fam. Personne en butte aux railleries et aux importunités d'une autre. *Cet homme est le plastron de tout le monde.* ‖ Sorte de cuirasse qui ne couvre que la poitrine. V. pl. ARMURE, GYMNASTIQUE et ESCRIME. [Techn.] Tablier de cuir que le cordonnier met devant lui. — Pièce d'étoffe qui s'applique sur le devant du corsage. — Devant de chemise d'homme. [Zool.] Carapace ventrale des tortues.

plastronner, v. tr. Garnir d'un plastron. = V. intr. Bomber la poitrine. ‖ Fig. Prendre une attitude fière, arrogante; faire le beau.

1. **plat, ate** [pla], adj. (lat. pop. *plattus*, m. s). Qui a la superficie plane, unie ou sans aspérités prononcées. *Plat comme une planche. Plat comme une limande, comme une punaise* (Fam.). — *Bâtiment plat, bateau plat*, navire, bateau dont le fond est plus ou moins plat. ‖ *A plat ventre.* V. VENTRE. — *Pied plat.* V. PIED. — *Cheveux plats*, cheveux qui ne sont ni frisés, ni bouclés. — *Poissons plats*, les pleuronectes. — *Teinte plate*, teinte uniforme, sans clairs ni ombres. ‖ *Bassin plat, assiette plate*, bassin, assiette qui a peu de profondeur, par oppos. à creux. — *Avoir la bourse plate*, vide d'argent. [Versific.] *Vers à rimes plates*, qui se suivent de deux en deux. V. tabl. VERSIFICATION. [Sport] *Course plate*, qui a lieu sur un terrain plat, par oppos. à course d'obstacles. — [Mar.] *Calme plat*, état de la mer, quand il ne souffle pas le moindre vent, et absence de vagues. — Fig. Se dit des affaires qui ne font aucun progrès, du manque de transactions financières. ‖ Fig. Dénué de saveur ou de force. *Un vin plat.* — En parlant des productions de l'esprit, insipide, sans élégance, sans agrément. *Un style plat.* — ‖ *Souliers plats*, souliers sans talons. ‖ Fig. Vilement flatteur. *Être plat devant les grands.*

PLAT — PLATINER 1454

= N. m. Partie plate de certaines choses. *Coups de plat de sabre, du plat de la main.* [Reliure] Feuille de papier, de toile, recouvrant les cartons d'un livre relié. V. pl. LIVRE. [Bouch.] *Plat de côtes*, haut de côtes du bœuf. On dit aussi, *plates côtes*. V. pl. BOUCHERIE. [Mar.] *Plat-bord*. V. ce mot. ‖ Pop. *Faire du plat*, flatter bassement; faire la cour. = À PLAT, TOUT À PLAT, loc. adv. Entièrement, tout à fait. *Sa pièce est tombée à plat, tout à plat.* — *Être à plat*, être dégonflé en parlant d'un pneumatique d'automobile ou de bicyclette. — Fig. Être sans force, sans volonté (Fam.). = À PLATE COUTURE. V. COUTURE. = TOUT PLAT, loc. adv. Tout uniment.

INCORR. — Dites : *à plate couture* et non : *à plat de couture*, qui est absurde.

SYN. — V. FADE et ORDINAIRE.

CTR. — *Montagneux, accidenté. — Relevé, original.*

2. plat [pla], n. m. (de *plat*, adj.). Pièce de vaisselle plus ou moins creuse, plus grande que l'assiette, et sur laquelle on sert les mets. *Plat d'argent.* V. tabl. HABITATION (*Idées suggérées par le mot*). ‖ Mets qui est contenu dans le plat. *Un plat de viande.* — *Œufs sur le plat*, œufs qu'on casse dans du beurre chaud et qu'on fait cuire sans les brouiller. — *Plat du jour*, mets confectionné pour le jour même et renouvelé les jours suivants. V. tabl. NOURRITURE (*Idées suggérées par le mot*). ‖ *Mettre les petits plats dans les grands*, faire beaucoup de frais pour bien recevoir quelqu'un. — *Mettre les pieds dans le plat*, ne garder aucun ménagement, ou commettre des maladresses (Fam.). ‖ *Plat à barbe*, plat creux et échancré où les barbiers mettaient le savon.

SYN. — V. ALIMENT.

*****platanaie**, n. f. [Hortic.] Lieu planté de platanes.

platane, n. m. (lat. *platanus*, m. s.). [Bot.] Genre de plantes de la famille des *platanées*, comprenant de grands arbres ornementaux d'Europe.

*****platanées**, n. f. pl. [Bot.] Famille de végétaux dicotylédones apétales, renfermant les platanes.

*****plataniste**, n. m. [Antiq.] Lieu ombragé de platanes où les jeunes Spartiates se livraient à leurs exercices de gymnastique.

plat-bord, n. m. [Mar.] Bordage longitudinal situé en abord du pont. = Pl. *Des plats-bords.*

plate, n. f. [Mar.] Petite embarcation de pêche à fond plat.

HOM. — *Plate*, n. f., petit bateau de pêche; — *platte*, n. f., grand bateau de rivière; — *plate*, adj., fém. de plat.

plateau [to], n. m. (de *plat*). Sorte de tablette de bois, de métal, etc., quelquefois légèrement creuse, qui sert à diverses fins. *Les plateaux d'une balance*, les bassins d'une balance. V. pl. BALANCES. ‖ Fig. *Faire pencher le plateau de la balance*, provoquer une décision dans tel ou tel sens. ‖ Petit plat de bois, de porcelaine, de fer-blanc, de laque, etc., sur lequel on pose des verres, des tasses, etc. ‖ Disque de verre qui, dans une machine électrique à influence, sert à développer l'électricité par le frottement. ‖ Scène d'un théâtre.

[Géog.] Masse de terrain élevé et non plissé dont l'altitude au-dessus des contrées environnantes est plus ou moins considérable. V. pl. GÉOGRAPHIE.

plate-bande, n. f. Espace de terre étroit qui borde les compartiments d'un jardin, et qui est généralement garni de fleurs, d'arbustes. [Archit.] Moulure plate et carrée. V. pl. MOULURES.

platée, n. f. Ce que contient un plat. [Archi.] Massif de fondation de l'ensemble d'un bâtiment.

plate-forme, n. f. Couverture d'un bâtiment sans comble, plate et en forme de terrasse. *La plate-forme d'un observatoire.* ‖ Surface plate, plancher fixe ou mobile. — *Plate-forme d'une locomotive*, la partie en arrière du foyer où se tiennent le mécanicien et le chauffeur. — *Plate-forme d'un autobus*, la partie où se tiennent le receveur et des voyageurs debout. [Archit.] Assemblage de charpente, de bétonnage que l'on place parfois sous les fondations. [Artill.] Surface aménagée, aplanie et souvent bétonnée sur laquelle sont installés les canons de moyen et de gros calibre. [Ch. de fer] Wagon plat, truck. V. pl. CHEMIN DE FER. [Ponts et Chaussées] Infrastructure d'une route, d'une voie ferrée, qui reçoit le chargement ou le ballast. ‖ Fig. Programme, exposé de principes d'un parti politique. *La plate-forme électorale du parti libéral.* = Pl. *Des plates-formes.*

plate-longe, n. f. Longe pour maintenir les chevaux difficiles. ‖ Longe qu'on place sur la croupe des chevaux de trait pour les empêcher de ruer. = Pl. *Des plates-longes.*

platement, adv. Avec platitude. *Écrire platement.*

*****platerie**, n. f. Pièce de céramique plate.

*****plathelminthes**, n. m. pl. [Zool.] Groupe de vers au corps généralement aplati, et dépourvus de cavité générale (ténias, bothriocéphales), etc. V. pl. VERS.

*****platière**, n. f. Terrain plat au bas d'une colline.

PAR. — *Plâtrière*, carrière à plâtre; four à plâtre.

*****platinage**, n. m. Action de platiner.

PAR. — *Patinage*, action de patiner.

1. platine, n. m. (esp. *platina*, m. s.). [Chim.] Corps simple, métal précieux d'un blanc gris, très ductile, très pesant, inaltérable à l'air. V. tabl. MINÉRAUX (*Idées suggérées par le mot*).

HOM. — *Platine, es, ent*, du v. platiner.

PAR. — *Patine*, sorte de poli donné par le temps.

2. platine, n. f. (de *plat*). [Artill.] Plaque recouvrant autrefois la lumière d'un canon. [Horl.] Plaque soutenant le mécanisme d'une montre, d'une pendule. ‖ Pop. *Avoir une rude platine*, parler avec facilité, être bavard. [Techn.] Pièce plate dans divers instruments ou mécanismes. — Plaque de métal à laquelle adhère le mécanisme de percussion d'une arme à feu portative. — *Platine de machine pneumatique*, disque de verre rodé sur lequel on applique la cloche de verre.

HOM. et PAR. — V. PLATINE I.

platiner ou *****platiniser**, v. tr. Recouvrir un objet d'une couche de platine. ‖ Donner la teinte du platine.

Par. — *Patiner*, glisser avec des patins sur une surface unie.

* **platinifère,** adj. Qui contient du platine.

* **platinotypie,** n. f. Procédé de photographie utilisant des papiers aux sels de platine.

platitude, n. f. Caractère de ce qui est plat, vulgaire dans le langage, les sentiments, etc. ‖ Action, manière de se conduire basse et vile. ‖ Manque de force, de saveur. *Ce vin est d'une platitude extrême.*

platonicien, ienne, adj. Qui a rapport à Platon, à sa philosophie. = N. m. Partisan de cette philosophie.

platonique, adj. Qui a rapport aux doctrines de Platon (Vx). ‖ *Amour platonique*, affection pure et toute spirituelle. ‖ Purement idéal ; sans résultat pratique. *Démarche toute platonique.*

* **platoniser,** v. intr. Se ranger aux doctrines de Platon.

platonisme, n. m. Philosophie de Platon. ‖ Caractère de l'amour platonique, dégagé de tout désir sensuel.

plâtrage, n. m. Ouvrage fait de plâtre. ‖ Action de plâtrer une prairie. ‖ Action de plâtrer le vin.

plâtras [*tra*], n. m. Débris d'ouvrages de plâtre. ‖ Mauvais matériaux provenant de démolitions.

plâtre, n. m. (bas lat. *plastrum*, tiré de *emplastrum*, enduit). Sulfate de calcium calciné, réduit en poudre, qu'on emploie, délayé avec de l'eau, pour cimenter les pierres, les moellons, faire des enduits, mouler des statues, etc. *Carrière de plâtre.* ‖ Fig. *Battre quelqu'un comme plâtre*, très fort. ‖ Fig. et fam. Blanc dont se fardent les femmes. ‖ Ouvrage moulé en plâtre. — *Le plâtre d'une statue, d'un buste*, le modèle de plâtre de cette statue, etc. — *Un plâtre antique*, figure de plâtre moulée d'après l'antique. [Chir.] *Mettre dans le plâtre un membre fracturé*, l'entourer de ligaments de toile rendus rigides par du plâtre. ‖ Fig. et fam. *Essuyer les plâtres d'une maison*, habiter une maison nouvellement bâtie. V. tabl. MINÉRAUX et HABITATION (*Idées suggérées par les mots*).

plâtré, ée, adj. Enduit de plâtre. ‖ Clarifié à l'aide du plâtre. *Vin plâtré.* ‖ Fig. Non sincère ; qui ne saurait durer. *Paix plâtrée.* ‖ Très fardé.

plâtrer, v. tr. Couvrir, enduire de plâtre. [Agri.] *Plâtrer une prairie*, y répandre du plâtre comme amendement. — *Plâtrer du vin*, le clarifier à l'aide du plâtre. ‖ Fig. et fam. Couvrir, cacher quelque chose de mauvais sous de belles apparences. *On a plâtré cela du mieux qu'on a pu.* = SE PLÂTRER, v. pron. Fig. et fam. Se farder.

* **plâtrerie,** n. f. Ouvrage en plâtre.

plâtreux, euse, adj. Qui contient du plâtre. ‖ Qui a la couleur blafarde du plâtre.

plâtrier, n. m. Celui qui travaille ou vend le plâtre.

plâtrière, n. f. Carrière à plâtre. ‖ Four à plâtre.

Par. — *Platière*, terrain plat au bas d'une colline.

* **platte,** n. f. Grand bateau de rivière. ‖ Bateau lavoir, à Lyon.

Hom. — V. PLATE.

* **plature,** n. m. [Zool.] Serpent venimeux vivant dans les herbes côtières des mers chaudes.

D. L. F. — T. III

* **platy-** (gr. *platus*, large). Préfixe sign. *large*, usité en histoire naturelle (*platylobé, platypétale*, etc.).

plausibilité, n. f. Qualité de ce qui est plausible.

plausible, adj. (lat. *plausibilis*, qu'on doit approuver). Qui mérite d'être approuvé, ou semble devoir l'être.

Syn. — *Plausible*, qui semble devoir être approuvé : *Cette proposition me paraît plausible.* — *Acceptable*, que l'on peut admettre : *Votre explication est acceptable.* — *Possible*, qui peut se faire, se réaliser : *Votre hypothèse paraît possible.* — *Probable*, qui mérite plus la créance que le doute : *Un voyage du chef de l'État dans cette ville est probable.* — *Vraisemblable*, qui a toutes les apparences de la vérité : *Cette histoire me paraît fort peu vraisemblable.*

Ctr. — *Incroyable, inacceptable.*

> Vocab. — *Famille de mots.* — *Plausible :* applaudir, applaudi, applaudissement, explosif, exploser, explosion, exploseur, explosible, etc.

plausiblement, adv. D'une manière plausible.

plèbe, n. f. (lat. *plebs, plebis*, m. s.). [Antiq. rom.] Classe du peuple inférieure aux patriciens. ‖ Auj. Le menu peuple ; le bas peuple, la populace.

* **plébéianisme,** n. m. État, condition des plébéiens.

plébéien, ienne [*bé-i-in, i-ène*], n. [Antiq. rom.] Celui, celle qui était de l'ordre inférieur des citoyens. ‖ Auj. Celui, celle qui ne fait point partie de la noblesse. = Qui appartient aux plébéiens. *Il était de famille plébéienne.*

Ant. — *Patricien, noble.*

plébiscitaire, adj. Qui a rapport au plébiscite. = N. m. Partisan du plébiscite, de l'appel au peuple.

plébiscite, n. m. (lat. *plebs*, peuple ; *scitum*, décret). [Antiq. rom.] Décret rendu par le peuple convoqué par tribus. ‖ Auj. Vote direct par le peuple, faisant connaître la volonté de la nation entière sur tel ou tel point.

plébisciter, v. tr. Soumettre à un plébiscite.

* **plectognathes,** n. m. pl. [Zool.] Groupe de poissons téléostéens.

plectre, n. m. [Mus.] Espèce de petite corne d'ivoire ou de bois pour pincer les cordes de la lyre.

Pléiades, n. f. pl. [Myth.] Les sept filles d'Atlas et de Pléione, appelées aussi *Atlantides.* [Astro.] Groupe de sept étoiles dans le signe du Taureau. = N. f. [Litt.] Nom donné à un groupe de sept poètes grecs d'Alexandrie, et en France, au XVIᵉ s., à un groupe de sept poètes dont le plus célèbre est Ronsard. ‖ Groupe de sept personnes illustres.

plein, eine [*plin, plène*], adj. (lat. *plenus*, m. s.). Qui contient tout ce qu'il peut contenir. *Un tonneau plein de vin. Une pleine bourse de louis* (Quand *plein* précède le nom, comme dans le dernier exemple, il sert à donner plus d'énergie à ce qu'on dit). — *Plein comme un œuf*, aussi plein qu'il est possible. ‖ Qui contient une grande quantité. *La salle est pleine de monde.* — Fam. *Avoir le ventre plein*, être repu. — *Il est plein*, il est ivre (Pop.). ‖

94

Bête pleine, bête qui porte des petits. ‖ Qui abonde en quelque chose que ce soit, au propre et au fig. *Une rivière pleine de poissons*. — *Un homme plein de lui-même*, qui a une haute opinion de lui-même. — *Un jour plein*, vingt-quatre heures consécutives, de minuit au minuit suivant. — *Pleine lune*, la lune quand elle apparaît sous la forme d'un disque entier. [Mar.] *En pleine mer*, au large, en haute mer. — *Pleine mer*, marée haute.
Entier, complet, absolu. *Plein succès. Le gouvernement a demandé les pleins pouvoirs.* ‖ Gras, replet, rebondi. *Visage plein.* — Par anal. *Un son plein*, un son qui a du volume, qui est bien nourri. — *Un style plein et nourri*, un style ferme et abondant. ‖ *Mourir plein de jours*, mourir après une très longue vie. ‖ *En plein*, au milieu de. *Il a été volé en plein jour. En plein soleil*, là où il n'y a aucune ombre. — *En pleine mer*, loin des côtes. — *En plein champ*, au milieu des champs. — *En plein air*, dans un lieu non couvert. — *En plein vent*, non abrité. ‖ *Plein*, construit avec les prépos. *à* et *de*, sert à former plusieurs loc. adv. qui marquent l'intensité, l'abondance, le haut degré de la chose dont il s'agit. *Crier à pleine gorge. Voguer à pleines voiles. Il a fait cela de plein gré.* — *A pleines mains*, en abondance.
= PLEIN, adv., autant qu'il se peut. *Il a du vin plein sa cave*, autant que sa cave en peut contenir.
= PLEIN, n. m. *La lune est dans son plein*, elle est pleine. [Mar.] *Le plein*, la marée haute. ‖ *Faire le plein d'une chaudière, d'un réservoir*, les remplir. — On dit de même : *Faire son plein d'essence.* ‖ *Battre son plein*, être au moment de la plus grande animation, en parlant d'une fête, d'un bal; être haute, en parlant de la marée. [Calligr.] Partie d'une lettre, d'un caractère, qui est formée d'un trait plus gros que le reste; se dit par oppos. à *délié*. = EN PLEIN, loc. adv. Pleinement, complètement. *Le soleil donnait en plein sur nous.* = TOUT PLEIN, loc. adv. Beaucoup. *On trouve tout plein de gens qui pensent* (Pop. et incorr.). ‖ Très, tout à fait. *Vous êtes gentil tout plein* (Fam.).
INCORR. — Il ne faut pas dire : *J'ai rencontré tout plein de personnes; il m'a fait tout plein d'amitié;* mais : *beaucoup de personnes, beaucoup d'amitié.* Cependant l'expression fam. *gentil tout plein* est passée dans la langue. — Pour *battre son plein*, V. SON (n. m.).
CTR. — *Vide, creux.*
ANT. — *Délié.*
HOM. — V. PLAIN; et pour *pleine*, V. PLAINE.

VOCAB. — *Famille de mots.* — *Plein* (lat. *plenus* et gr. *pléthos*, m. s.) [rad. *plein, plet, pli, put*]: pleinement, plénier, plein-cintre, plein-vent, plénitude, plénipotentiaire, planureux, complet, compléter, complément, complémentaire, complétif, complètement, incomplet, incomplètement; compliment, complimenter, complimenteur, complies, accomplir, accomplissement, emplir, désemplir, remplir, remplissage; explétif; replet, réplétion, réplétif; suppléance, suppléer, suppléant, supplément, supplémentaire, supplémentairement; supplétif, supplétif; manipule, manipuler, manipulation; pléthore, pléthorique, pléonasme, pléonastique, etc.

---

* **plein-cintre**, n. m. [Archi.] Voûte formant demi-cercle. = Pl. *Des pleins-cintres*.
pleinement, adv. Entièrement, tout à fait.
* **plein-vent**, n. m. et adj. Se dit des arbres que l'on plante en pleine terre et non en espalier, et qu'on laisse pousser librement. = Pl. *Des plein-vent*.
pléistocène, adj. [Géol.] Qui appartient au commencement de l'ère quaternaire. = N. m. *Le pléistocène succède au néogène*.
plénier, ière, adj. (de *plein*). Entier, complet. — *Cour plénière*, assemblée générale tenue par les rois en certaines circonstances solennelles. — *Réunion plénière*, celle à laquelle tous les membres ont été convoqués. — *Indulgence plénière*, celle qui remet toute la peine temporelle due au péché.
CTR. — *Partiel.*
* **plénièrement**, adv. D'une manière plénière.
CTR. — *Partiellement.*
plénipotentiaire [*tan-si-ère*], adj. et n. (lat. *plenus*, plein; *potentia*, puissance). Agent diplomatique investi du maximum de pouvoirs, en vue d'une mission spéciale. — *Ministre plénipotentiaire*, agent diplomatique de grade inférieur à celui d'ambassadeur.
plénitude, n. f. (lat. *plenus*, plein). Très grande abondance. ‖ Totalité, intégrité. *Il a recouvré la plénitude de ses facultés.*
pléonasme, n. m. (gr. *pléonasmos*, surabondance). [Gram.] Emploi de mots en apparence superflus, mais qui donnent plus de force à la phrase. Ex. : *Je l'ai vu, dis-je, vu, de mes propres yeux vu, ce qui s'appelle vu* (Molière). ‖ Répétition inutile et vicieuse de termes différents qui ont le même sens : *Monter en haut*. — V. tabl. PLÉONASME.
SYN. — V. RÉPÉTITION.
* **pléonastique**, adj. Qui contient un pléonasme.
plésiosaure [*zio-sore*], n. m. [Paléont.] Grand reptile fossile aquatique du jurassique.
* **plesse**, n. f. Tige ramenée à l'intérieur d'une haie pour l'épaissir.
HOM. — *Plesse, es, ent*, du v. plesser.
* **plesser**, v. tr. Entrelacer les branches extérieures d'une haie vive à l'intérieur de celle-ci.
* **plessis**, n. m. Terrain enclos à l'aide de plesses, de haies vives.
* **plet**, n. m. [Mar.] Chacun des tours d'un câble enroulé sur lui-même.
HOM. — V. PLAID I.
pléthore, n. f. (gr. *pléthorê*, abondance). [Méd.] Surabondance d'une substance organique, en particulier du sang, des globules sanguins. ‖ Par ext. Surabondance en général, déterminant une gêne. *Pléthore de papier-monnaie.*
pléthorique, adj. Qui tient à la pléthore. = Adj. et n. [Méd.] Affecté de pléthore.
CTR. — *Exsangue.*
pleur, n. m. Larme, lamentation (Vx au sing.; s'emploie surtout au plur.). *Essuyer les pleurs de quelqu'un*, le consoler. ‖ *Pleurs de la vigne*, gouttes de sève qui en découlent après la taille. ‖ Fig. et poét. *Les pleurs de l'Aurore*, la rosée.

TABLEAU DES PRINCIPAUX PLÉONASMES

Le pléonasme, dont l'étymologie grecque signifie « ce qui est en plus qu'il ne faut » est la répétition de la même idée par des mots différents. Dans certains cas, le pléonasme est intentionnellement employé et constitue une figure de langage, comme dans l'exemple : *Je l'ai vu, dis-je*, VU, *de mes propres yeux* VU, *ce qui s'appelle* VU, qui insiste sur la pensée. Mais souvent il n'est que la répétition inconsciente de la même idée exprimée par deux termes différents : dans ce cas, le pléonasme est vicieux et doit être soigneusement évité.

Voici les principaux pléonasmes de cette seconde catégorie :

Ajouter en plus; ajouter une addition.
Allumer une lumière.
Assez satisfaisant.
Au grand maximum.
Au jour d'aujourd'hui (double pléonasme).
Avancer en avant.
Car en effet.
Comparer ensemble.
Dépêchez-vous vite.
Descendre en bas.
Disque rond.
Eau liquide.
Enfin, pour terminer.
Entr'aider (s') mutuellement les uns les autres (double pléonasme).
Entrer dedans.
Entretenir (s') réciproquement.
Hasard imprévu.
Inhumer en terre.
Jeune fillette.
Monter en haut.
Ne faire seulement que de...
Né natif de.
Outre (en) de cela.
Panacée universelle.
Percer un trou.
Petit nain.
Petite maisonnette.
Peut-être qu'il pourra.
Placer entre deux alternatives.

Pléonasme superflu.
Plus (le) extrême.
Plus inférieur, plus supérieur.
Poids pesant.
Précéder devant.
Préférer plutôt.
Premier en tête du classement.
Première initiative.
Prévoir d'avance.
Puis ensuite.
Qu'est-ce que c'est que cela ?
Rétrograder en arrière.
Redemander de nouveau.
Réciproque de part et d'autre.
Rien qu'un seul.
Se faire moquer de *soi*.
Se suicider soi-même (double pléonasme).
Seul représentant exclusif.
Seul et unique en son genre.
Si tellement habile.
Sortir dehors.
Successivement... et puis.
S'y connaître *en*.
Tâcher moyen que.
Tempête orageuse.
Tomber d'en haut.
Un certain quidam.
Voire même.
Voyons voir.

Nota. — Quand l'un des deux termes est déterminé, il n'y a plus pléonasme, une idée nouvelle étant introduite dans l'expression. Par exemple : *Monter en haut de l'escalier ; inhumer en terre sainte*, etc.

— *J'aimais jusqu'à ces pleurs que je faisais couler.* (RACINE.)
— *Pour me tirer des pleurs, il faut que vous pleuriez.* (BOILEAU.)
— *Ne cache point tes pleurs, cesse de t'en défendre ;
C'est de l'humanité la marque la plus tendre,
Malheur aux cœurs ingrats, et nés pour les forfaits,
Que les douleurs d'autrui n'ont attendris jamais !* (VOLTAIRE.)
— *Les moissons pour mûrir, ont besoin de rosée ;
Pour vivre et pour sentir, l'homme a besoin des pleurs.* (A. de MUSSET.)

SYN. — V. LARME.
ANT. — *Rires.*
HOM. — *Pleure, es, ent*, du v. pleurer.

pleural, ale, adj. [Anat.] Qui se rapporte à la plèvre.

pleurant, ante, adj. Qui pleure. = N. m. Figure de personnage désolé, placée sur un tombeau.

pleurard, arde [*ar*], adj. Qui pleure souvent et sans sujet.

* **pleure-misère,** n. m. invar. Avare qui se plaint toujours de sa misère.

pleurer, v. intr. (lat. *plorare*, m. s.). Répandre des larmes. *Pleurer de joie, d'attendrissement. — Pleurer sur quelqu'un,* déplorer ses fautes, ses malheurs, sa perte. *Pleurer sur ses péchés,* déplorer les péchés qu'on a commis. ‖ *On dirait qu'il a pleuré pour avoir un habit,* etc., se dit de quelqu'un qui a un habit étriqué. — *N'avoir plus que ses yeux pour pleurer,* être ruiné. ‖ *La vigne pleure* se dit quand la sève suinte par l'extrémité des rameaux qu'on a coupés. = V. tr. Déplorer par des larmes. *Pleurer la mort de son père.* ‖ Fig. et fam. *On ne l'a pleuré que d'un œil,* il n'a été regretté qu'en apparence.
— *On pleure pour avoir la réputation d'être tendre, on pleure pour être plaint, on pleure pour être pleuré, enfin on pleure pour éviter de ne pleurer pas.*
(LA ROCHEFOUCAULD.)
— *Les peuples ont différentes manières de rire, mais ils n'en ont qu'une de pleurer.*
(CHATEAUBRIAND.)

CTR. — *Rire.*

VOCAB. — *Famille de mots.* — Pleurer [rad. *pleu, plo*] : pleureur, pleureuse, pleurard, pleurnicher, pleurnicherie, pleurnicheur ; éploré ; déplorer, déplorable, déplorablement ; implorer, imploration.

---

pleurésie, n. f. [Méd.] Nom générique des inflammations de la plèvre, avec ou sans épanchement.

pleurétique, adj. Qui tient de la pleurésie ou qui est causé par elle. = Adj. et n. Atteint de pleurésie.

pleureur, euse, n. Celui, celle qui a l'habitude de pleurer. = N. f. [Antiq.] Femme payée pour pleurer aux funérailles de quelqu'un. = Adj. Triste, larmoyant, qui pleure sans cesse. *Ton pleureur.* ‖ Se dit des arbres dont les branches pendent vers la terre. *Saule, frêne pleureur.*

* **pleureux, euse,** adj. Qui annonce qu'on est prêt à pleurer ou qu'on vient de pleurer.
pleurite, n. f. [Méd.] Pleurésie sèche.
pleurnicher, v. intr. Pleurer sans raison et fréquemment. ‖ Répandre des larmes feintes.
pleurnicherie, n. f., ***pleurnichement** ou ***pleurnichage,** n. m. Action de pleurnicher.
pleurnicheur, euse, adj. et n. Celui, celle qui a l'habitude de pleurnicher.
* **pleurodynie,** n. f. (gr. *pleuron,* côté; *odunê,* douleur). [Méd.] Douleur rhumatismale qui débute au niveau des muscles thoraciques.
pleuronecte, n. m. (gr. *pleuron,* côté; *nektês,* nageur). [Zool.] Nom donné aux poissons téléostéens de forme aplatie, qui vivent sur le sol, au fond des mers. Seuls de tous les vertébrés, ils ont les yeux du même côté (plies, turbots, soles).
pleuropneumonie, n. f. [Méd.] Inflammation simultanée de la plèvre et des poumons (pneumonie infectieuse).
pleutre, n. m. Homme sans courage, sans dignité, sans générosité.
SYN. — V. LÂCHE.
pleutrerie, n. f. Caractère, action de pleutre; action basse, indigne.
* **pleuviner,** v. intr. impers. Se dit de la pluie qui tombe à petites gouttes espacées.
pleuvoir, v. intr. imp. (lat. *pluere,* m. s.). Se dit de l'eau qui tombe des hauteurs de l'atmosphère. ‖ Par ext., se dit de ce qui tombe en grande quantité. *Il pleut des bombes, des balles. — Comme s'il en pleuvait,* en masse. = V. intr. Tomber en grande quantité. *Les bombes pleuvaient.* ‖ Fig. Arriver en abondance. *Les punitions pleuvaient.*

CONJUG. — V. intrans. 3ᵉ groupe (inf. en *oir*). Verbe défectif [rad. *pleuv, pleu*].
Indicatif. — *Présent :* il pleut. — *Imparfait :* il pleuvait. — *Passé simple :* il plut. — *Futur :* il pleuvra.
Impératif. — N'existe pas.
Conditionnel. — *Présent :* il pleuvrait.
Subjonctif. — *Présent :* qu'il pleuve. — *Imparfait :* qu'il plût.
Participe. — *Présent :* Pleuvant. — *Passé :* Plu (invar.).
S'emploie aussi à la 3ᵉ pers. du plur., mais au sens figuré seulement: *Les obus pleuvent. Les quolibets pleuvaient sur lui,* etc.

VOCAB. — *Famille de mots. — Pleuvoir* [rad. *pleu, plu*]: pleuviner, repleuvoir, pluie, pluvieux, pluvial, pluviatile, pluviomètre, pluviôse, pluviosité, pluvier; parapluie.

---

plèvre, n. f. (gr. *pleuron,* flanc). [Anat.] Enveloppe séreuse des poumons, en forme de sac fermé, à deux feuillets. V. pl. HOMME (viscères).
plexus [*plek-suss*], n. m. (mot lat.). [Anat.] Entrelacement de filets nerveux ou de vaisseaux qui s'anastomosent.
pleyon [*plé-ion*], n. m. (de *plier*). Brin d'osier qui sert de lien.
pli, n. m. (du v. *plier*). Double qu'on fait à une étoffe, à du linge, à du papier, etc. *J'ai fait un pli à telle page de ce livre.* ‖ Enveloppe de lettre. *Pli cacheté. — Pli chargé,* lettre chargée. ‖ *Cet habit ne fait pas un pli,* il est juste à la taille. — Fig. et prov. *C'est une affaire qui ne fera pas un pli,* elle ne doit pas souffrir de difficultés. ‖ Marque qui reste à une étoffe, à du linge, à du papier, etc., pour avoir été plié. *Cet habit a un faux pli.* — Fig. et fam. *Le pli est pris* se dit d'un homme qui n'est pas d'âge ou d'humeur à se corriger facilement, à changer d'habitude. ‖ Ce qui ressemble aux plis d'une étoffe. *Avoir des plis au front. — Le pli du bras, le pli du jarret,* l'endroit où le bras, où le jarret se plie. [A. mil.] *Pli de terrain,* dépression de terrain où une troupe peut se dissimuler. [Coiffure] *Mise en plis,* ondulation exécutée à froid par le coiffeur sur des cheveux mouillés qui seront séchés ensuite à l'air chaud. [Géol.] Déformation de couches horizontales de terrain soumises à une poussée tangentielle. [Jeu] Aux cartes, levée. *Ne pas faire un pli.*
HOM. — *Pli,* n. m., double, lettre : *Le pli d'une étoffe ; un pli cacheté ; — plie,* n. f., poisson du groupe des *pleuronectes; — plie, es, ent,* du v. plier.
pliable, adj. Flexible, aisé à plier. ‖ Fig. Docile, qui se laisse diriger.
pliage, n. m. Action, manière de plier; effet de cette action.
PAR. — *Pilage,* action de piler; — *pillage,* action de piller.
pliant, ante, adj. (ppr. de *plier*). Souple, flexible, facile à plier. ‖ Fig. Docile, souple. ‖ *Siège pliant,* ou *un pliant,* n. m., siège qu'on replie après usage.
SYN. — V. FLEXIBLE.
CTR. — *Rigide.*
plicatile, adj. [Bot.] Qui a tendance à se plier.
* **plicature,** n. f. Formation de plis.
plie, n. f. [Zool.] Poisson téléostéen, du groupe des *pleuronectes.*
HOM. — V. PLI.
plié, n. m. [Danse] Mouvement des genoux quand on les plie.
* **pliement** [*pli-man*], n. m. Action de plier.
plier, v. tr. (lat. *plicare,* m. s.; autre forme de *ployer*). Mettre en un ou plusieurs doubles, et avec un certain ordre. *Plier du linge, du papier. Plier en quatre. — Plier bagage,* décamper. ‖ Courber, fléchir. *Plier de l'osier. Plier le bras.* ‖ Resserrer un objet fait de parties articulées en les rabattant les unes sur les autres. *Plier un éventail.* ‖ Fig. Assujettir, faire céder, accoutumer. *Plier son esprit, son humeur aux volontés d'autrui.* = V. intr. Devenir courbé. *Une lame d'acier qui plie.* ‖ Fig. Céder, se soumettre. *Plier sous le joug.* ‖ Fléchir, s'affaisser, ne pas pouvoir porter. *La planche pliait sous notre poids.* [A. mil.] Reculer. *Les ennemis plièrent à la première charge.* = SE PLIER, V. pr. Fléchir, se courber. *L'endroit où le bras se plie.* ‖ Fig. Se soumettre, s'assujettir. *Se plier à la volonté de quelqu'un. Se plier aux circonstances.* = Conjug. V. GRAMMAIRE.
— *Je plie et ne romps pas.*
— *L'arbre tient bon, le roseau plie.*
(LA FONTAINE.)
SYN. — V. CÉDER.
CTR. — *Redresser.*
PAR. — *Plier,* disposer par plis; assujettir; — *plisser,* faire des plis réguliers; — *ployer,* courber, faire fléchir.

> VOCAB. — *Famille de mots.* — *Plier* [rad. *pli, plie, ploy, plex*] : pli, plisser, plissé, plissement, pliant, pliable, impliable, pliage, plieur, ployer, ployable; appliquer, application, applicable, appliqué, applique, inapplicable; compliquer, complication ; déplier, dépliable, déplissage, dépliant, déplisser; déployer, déploiement; employer, emploi, employeur, employé; expliquer, explication, explicatif, explicativement; éployé; explicite, explicitement; exploiter, exploitation, exploiteur, exploit; impliquer, implicite, implicitement; répliquer, réplique, replier, reployer; complexe, complexion, complexité; perplexité; plexus; complice, complicité; simple, simplicité, simplement, simplifier, simplification; double, duplicité; triple, quadruple, quintuple, centuple, etc., tripler, centupler, etc., multiple, multiplicité; supplier, suppliant, supplication, supplice, supplicier; souple, souplement, souplesse; assouplir, assouplissage, assouplissement, etc.

plieur, euse, n. Celui, celle qui plie des étoffes, du papier, etc. = N. f. Machine à plier le papier.

plinthe, n. f. (gr. *plinthos*, brique). [Archi.] Sorte de petite moulure ou table carrée supportant une statue, une colonne. ǁ Bande plate qui règne au pied d'un bâtiment, au bas d'un mur d'appartement, d'un lambris. V. pl. MAISON et MOULURE.

HOM. — *Plainte*, gémissement, lamentation.

pliocène, adj. [Géol.] Relatif au terrain qui contient les fossiles les plus récents. = N. m. Étage supérieur du tertiaire.

plioir, n. m. Petite lame de bois ou d'os qui sert à plier et à couper le papier.

plique, n. f. [Méd.] Maladie caractérisée par l'enchevêtrement et l'agglutination des cheveux, due à la malpropreté.

plissage, n. m. Action de plisser.

1. plissé, ée, adj. Qui forme des plis; où il y a des plis.

2. * plissé, n. m. Travail obtenu en plissant.

plissement, n. m. Action de plisser. ǁ État de ce qui est plissé. [Géol.] Déformation due à un mouvement de flexion, à une contraction de l'écorce terrestre.

plisser, v. tr. Faire des plis réguliers. *Plisser une étoffe.* = V. intr. Avoir, contracter des plis. *Ces rideaux plissent bien.* = SE PLISSER, v. pron. Faire des plis.

PAR. — V. PLIER.

* plisseur, euse, n. Celui, celle qui plisse. = N. f. Machine à plisser.

* plissure, n. f. Manière de faire des plis. ǁ Assemblage de plis.

pliure, n. f. Action, manière de plier une feuille de livre, lors de son brochage. V. pl. LIVRE.

ploc, n. m. (gr. *ploké*, tissu). Poil de vache employé comme matière textile. Bourre de laine de rebut. [Mar.] Mélange de poil et de goudron qu'on mettait sur la carène d'un navire, entre le franc-bord et le doublage.

* plocage, n. m. Action de carder les laines.

* ploiement, n. m. Action de ployer; résultat de cette action.

plomb [*lon*], n. m. (lat. *plumbum*, m. s.). Corps simple, métal d'un gris bleuâtre, mou, malléable, de forte densité. *Des tuyaux de plomb.* — Abusiv. *Mine de plomb*, plombagine. V. tabl. MINÉRAUX (*Idées suggérées par le mot*). ǁ Balle, lingot, petit grain de plomb qu'on emploie pour charger les armes à feu. *L'ennemi fut accueilli par une grêle de plomb.* ǁ Fig. et fam. *N'avoir pas de plomb dans la tête, dans la cervelle*, être étourdi, léger. — *Avoir du plomb dans l'aile*, être en mauvaise posture, aller sur son déclin. Fam. *C'est du plomb*, c'est extrêmement lourd. ǁ *Un ciel de plomb*, un ciel sans nuages, mais de teinte plombée au cours de lourdes chaleurs. ǁ Cuvette établie à chaque étage d'une maison ancienne, pour y jeter les eaux ménagères. [Pêche] Morceau de plomb maintenant au fond une ligne dont on tient l'autre extrémité. [Douane] Petit sceau de plomb que, à la douane, on attache aux ballots, coffres, etc., pour attester qu'ils ont payé les droits, ou dont on scelle un colis pour empêcher qu'il soit ouvert. [Maçonn.] *Fil à plomb*, instrument qui consiste en un morceau de plomb suspendu à une ficelle, et qui sert pour déterminer la verticale. [Mar.] *Plomb de sonde*, cône de plomb qui leste la ligne de sonde. [Typo.] *Le plomb*, la composition. ǁ *Colique de plomb*, colique causée par les sels de plomb contenus dans les couleurs à l'huile. [Électr.] Fil à base de plomb qui fond quand il se produit un court-circuit. *Faire sauter les plombs.* = À PLOMB, loc. adv. Perpendiculairement. *Le soleil donne à plomb sur les habitants de la zone torride.* — *Mettre à plomb, dresser à plomb une muraille, une charpente*, la rendre verticale. ǁ Fig. *Cette observation tombe à plomb*, à propos. Syn. de *à pic.*

— *Comment en un plomb vil l'or pur s'est-il changé ?* (RACINE.)

ÉPITHÈTES COURANTES : lourd, gris, blafard, blanc, gros, vil, friable, dense, etc.

> VOCAB. — *Famille de mots.* — *Plomb* [rad. *plomb, plong*] : plomber, plombage, plombagine, plombier ; surplomber, surplombement; plonger, plongeon, plongeur.

plombage, n. m. Action de plomber, de recouvrir ou garnir de plomb, de marquer avec un plomb. — Résultat de cette action.

plombagine, n. f. [Minér.] Anc. nom du graphite, carbone presque pur dont on fait des creusets, des crayons, etc. — On l'appelle aussi *mine de plomb.*

* plombaginées, n. f. pl. [Bot.] Famille de plantes dicotylédones gamopétales vivant sur les sols imprégnés de sel. Beaucoup sont ornementales.

plombé, ée, adj. Garni, recouvert de plomb. ǁ Fermé au moyen de plombs. ǁ Livide, qui a la couleur du plomb. *Teint plombé.*

plomber, v. tr. Mettre, attacher, appliquer du plomb, un plomb à quelque chose. *Plomber des filets pour qu'ils descendent au fond de l'eau.* [Douane] Apposer des plombs sur les marchandises. [Chir.] Abusiv. *Plomber une dent*, obturer une dent avec un alliage. [Maçonn. et Charp.] Juger de la position verticale d'un ouvrage à l'aide d'un fil à plomb. [Techn.] *Plomber de la vaisselle de terre*, la vernir avec de la plombagine. [Terrass.] Presser, fouler des terres pour les affermir. = SE PLOMBER, v. pron. Prendre une couleur de plomb. *Le ciel se plombe.*

plomberie, n. f. Art de fondre, de travailler le plomb. Ouvrage, atelier du plombier.

plombeur, n. m. Celui qui plombe les marchandises.

plombier, adj. et n. Ouvrier qui travaille le plomb, qui établit et répare les conduites de plomb (eau, gaz, etc.).

* **plombières**, n. f. Sorte de glace aux fruits confits.

* **plombifère**, adj. Qui contient du plomb.

plomée, n. f. Action du tailleur de pierre qui creuse une entaille sur une des faces de la pierre.
HOM. — *Plommée*, n. f., boulet, massue de plomb.

* **plommée**, n. f. Boulet de plomb. || Maillet, massue de plomb.
HOM. — *Plomée*, n. f., un des travaux du tailleur de pierre.

plongeant, ante [*jan*], adj. Qui plonge. || Qui est dirigé de haut en bas. *Tir plongeant.*

plongée, n. f. Talus supérieur du parapet d'une fortification, incliné vers l'extérieur. V. pl. FORTIFICATIONS. || Action de plonger. *La plongée d'un scaphandrier, d'un sous-marin.* || Augmentation brusque de profondeur, dans la mer.

* **plongement**, n. m. Action de plonger; partic., de plonger quelque chose dans un liquide.

1. **plongeon**, n. m. Action de plonger. — *Faire le plongeon*, plonger dans l'eau, et, fig., disparaître, s'éclipser. V. pl. STADE ET PISCINE.

2. **plongeon**, n. m. [Zool.] Genre d'oiseaux palmipèdes des régions froides.
HOM. — *Plongeons*, du v. plonger.

plonger, v. tr. (bas lat. *plumbicare*, de *plumbum*, plomb). Enfoncer quelque chose dans un corps liquide, pour l'en retirer ensuite. *Plonger une cruche dans la rivière.* || Fig. *Plonger un poignard dans le sein de quelqu'un*, lui enfoncer un poignard dans le sein, et, fig., lui causer un chagrin profond. || Fig. Jeter, précipiter dans. *Être plongé dans la douleur, dans le sommeil.* = V. intr. S'enfoncer entièrement dans l'eau, de sorte qu'elle passe par-dessus la tête. *Plonger dans la rivière.* || Avoir une direction de haut en bas. *D'ici, la vue plonge sur la vallée.* = SE PLONGER, v. pron. *Il s'était plongé dans l'eau jusqu'au cou.* || Fig. *Se plonger dans la douleur, dans le vice, dans les plaisirs*, s'abandonner entièrement à la douleur, au vice, etc. = Conjug. V. GRAMMAIRE.

plongeur, euse, n. Nageur, nageuse qui plonge. — Celui qui plonge dans la mer pour chercher des perles, des éponges, etc. Se dit aussi pour scaphandrier. || *Cloche à plongeur*, sorte de cloche plongée verticalement dans l'eau et y enfermant de l'air, dans laquelle on peut travailler au fond de l'eau. || Laveur de vaisselle. || Adj. *Oiseau plongeur.* = N. m. pl. [Zool.] Groupe de palmipèdes essentiellement aquatiques, excellents nageurs et plongeurs.

ploquer, v. tr. Garnir de ploc la carène d'un navire.

plot, n. m. [Électr.] Nom donné à différentes espèces de prises de contact métalliques en saillie.

ploutocrate, n. m. (gr. *ploutos*, richesse; *kratos*, pouvoir). Homme puissant du fait de ses richesses.

ploutocratie [*si*], n. f. Gouvernement des riches, des grands financiers. — Influence de l'argent sur le gouvernement.

* **ploutocratique**, adj. Qui concerne la ploutocratie.

ployable [*ploi-iable*], adj. Qui peut être ployé.

* **ployage**, n. m. Action de ployer; son résultat.

ployer [*ploi-ié*], v. tr. (lat. *plicare*, m. s., doublet de *plier*). Fléchir, courber. *Ployer une branche d'arbre. Ployer le genou.* || Fig. Courber, faire céder. *Ployer quelqu'un à sa volonté.* — *Ployer le dos, ployer l'échine*, se soumettre; filer doux. Ne pas confondre avec *plier* (V. ce mot). = V. intr. Fléchir sous un effort. *La poutre a ployé.* || Fig. Se soumettre, céder. *Rien ne peut faire ployer cet enfant.* = SE PLOYER, v. pr., au sens passif. Être courbé. *Le jonc se ploie facilement.* — Fig., au sens réfléchi. Se conformer, se prêter à. *Se ployer aux exigences de quelqu'un.* = Conjug. V. GRAMMAIRE. PAR. — V. PLIER.

pluche, n. f. V. PELUCHE.

plucheux, euse, adj. V. PELUCHEUX.

pluie, n. f. (lat. *pluvia*, m. s.). Eau qui tombe par gouttes de l'atmosphère. *Pluie d'orage. La saison des pluies.* || Prov. *Petite pluie abat grand vent*, ordinairement le vent s'apaise lorsqu'il vient à pleuvoir; et fig. : *Il suffit quelquefois de peu de chose pour faire cesser une grande querelle, un grand trouble.* || Fig. et fam. *Parler de la pluie et du beau temps*, parler de choses insignifiantes. — *Faire la pluie et le beau temps*, disposer de tout, régler tout par son influence. — *Après la pluie, le beau temps*, après les mauvais jours, il en vient de meilleurs; la joie succède à la tristesse. *Être ennuyeux comme la pluie*, être très ennuyeux. V. tabl. TEMPÉRATURE ET MÉTÉOROLOGIE (*Idées suggérées par les mots*). || Ce qui tombe ou qui semble tomber du ciel comme la pluie, *Pluie de cendres. Pluie de balles.* || Fig. *Une pluie de maux, de calamités*, une foule de maux qui s'abattent sur.

SYN. — *Pluie*, eau qui tombe des nuages : *Une pluie fine.* — *Averse*, pluie subite, violente et courte : *Entre deux coups de soleil, nous avons essuyé une grosse averse.* — *Bruine*, petite pluie fine et froide : *Une bruine glaciale de novembre.* — *Giboulée*, chute violente et courte de pluie ou de grêle : *Les giboulées de mars.* — *Grain*, averse violente amenée par le vent: *Les marins redoutent un grain.* — *Ondée*, pluie assez forte, mais de peu de durée : *Se mettre à l'abri durant une ondée.* — *Orage*, grosse pluie, souvent mêlée de grêle, accompagnée de vent, d'éclairs et de coups de tonnerre : *Un violent orage s'est abattu sur la contrée.* V. aussi ORAGE.

ANT. — *Soleil, beau temps.*

plumage, n. m. L'ensemble des plumes couvrant le corps d'un oiseau. || Fig. Dehors, apparence.

* **plumail** [*il*, mll.], n. m. Balai de plumes, plumeau. ‖ Plumet (Vx).

* **plumasseau**, n. m. Petit balai de plumes. ‖ Petit bout de plume dont on garnit les flèches. ‖ Tampon de charpie pour panser les plaies (Vx).

plumasserie, n. f. Commerce, métier de plumassier.

plumassier, ière, n. Celui, celle qui prépare et vend des plumes d'autruche, des plumets, des aigrettes, etc.

* **plombaginées**, n. f. pl. [Bot.] V. PLOMBAGINÉES.

plum-cake [*pleum-kêke*], n. m. (mot angl.). Gâteau anglais aux raisins de Corinthe et aux fruits confits. = Pl. *Des plum-cakes.*

plume, n. f. (lat. *pluma*, m. s.). Chacun des organes analogues aux poils, qui couvrent le corps des oiseaux. *Des plumes de coq, de paon.* V. pl. OISEAUX. — *Léger comme une plume*, très léger. ‖ *Lit de plumes*, matelas rempli de plumes. ‖ Plume d'oiseau préparée pour servir d'ornement, de parure. *Une aigrette de plumes.* ‖ *Chapeau à plumes*, chapeau de général, d'académicien. ‖ Fig. et fam. *Laisser des plumes, de ses plumes* se dit d'un homme qui a fait quelque perte d'argent. — V. tabl. VÊTEMENT ET PARURE (*Idées suggérées par les mots*). Gros tuyau de plume dont on se servait pour écrire. *Plume d'oie.* — Par anal. *Plumes métalliques*, petites pièces métalliques fendues et terminées en bec pointu qui servent à écrire et à dessiner. ‖ Fig. *Prendre la plume, mettre la main à la plume*, commencer à écrire une lettre, un ouvrage. ‖ *Homme de plume, gens de plume*, employés aux écritures, écrivains. ‖ *Écrire au courant de la plume*, écrire sa pensée telle qu'elle se présente, sans travail et presque sans attention. ‖ Fig. et fam. *Ce mot, cette lettre est restée au bout de ma plume*, j'ai oublié d'écrire ce mot, etc. ‖ Fig. Composition des ouvrages de l'esprit; génie particulier, style, manière d'un écrivain. *Vivre de sa plume. Une plume mordante.*
— *Comme la plume au vent
Femme varie souvent.*
(Attribué à FRANÇOIS Ier.)
— *Moi, la plume à la main, je gourmande les vices.* (BOILEAU.)
ÉPITHÈTES COURANTES : légère, fine, longue, courte, belle, jolie, colorée, blanche, noire, grise, bleue, rouge argentée, multicolore, etc.
HOM. — *Plume, es, ent*, du v. plumer.

> VOCAB. — *Famille de mots.* — *Plume :* plumer, plumage, plumier, plumitif, plumet, plumeté, plumetis, plumule, plumeau, plumassier; déplumer; emplumer, remplumer.

plumeau, n. m. Espèce de petit balai court, fait de plumes, pour épousseter.
PAR. — *Plumet*, plume, bouquet de plumes sur une coiffure.

plumée, n. f. Action d'ôter aux oies leur duvet. ‖ Quantité de plumes fournie par un oiseau qu'on a plumé. ‖ Ce qu'on prend d'encre avec une plume à écrire.
HOM. — *Plumer*, v. tr., arracher les plumes.

plumer, v. tr. Arracher les plumes d'un oiseau. ‖ Fig. et fam. Dépouiller quelqu'un de son argent, ou l'entraîner à de gros frais.
HOM. — *Plumée*, n. f., action de plumer.

plumet, n. m. Plume d'autruche mise autour d'un chapeau. ‖ Bouquet de plumes ornant une coiffure militaire.
HOM. — *Plumais, ait, ai, aient*, du v. plumer.
PAR. — *Plumeau*, sorte de balai pour épousseter, fait de plumes.

* **plumeté, ée**, adj. Qui imite la plume. ‖ Semé de petites plumes.

plumetis [*ti*], n. m. Broderie à l'aiguille recouvrant complètement le dessin.

* **plumeur, euse**, n. Personne qui plume les volailles.

plumeux, euse, adj. Couvert de plumes. ‖ Qui tient de la nature de la plume; qui ressemble à des plumes. *Antenne plumeuse.*

plumier, n. m. Boîte, étui où l'on met les plumes, les crayons, etc.
HOM. — *Plumiez*, du v. plumer.

plumitif, n. m. Minute originale des arrêts, des sentences. ‖ Fam. et par dénigr. Commis de bureau; mauvais écrivain.

plum-pudding. V. POUDING.

plumule, n. f. Chacune des petites plumes dont l'ensemble constitue le duvet. [Bot.] Partie de l'embryon végétal destinée à devenir la tige.

plupart (la), n. f., collect. (de *plus* et *part*). La plus grande partie, le plus grand nombre. *La plupart des hommes. La plupart des gens s'imaginent que.* ‖ Absol. *La plupart* sign. le plus grand nombre des hommes en général, ou le plus grand nombre de ceux dont on parle. = POUR LA PLUPART, loc. adv. Quant à la plus grande partie. *Ces gens sont pour la plupart fort paresseux.* = LA PLUPART DU TEMPS, loc. adv. Le plus souvent, le plus ordinairement.
GRAM. — Le nom *la plupart* étant collectif partitif demande que le verbe et les autres mots correspondants, comme adjectifs, participes et pronoms, s'accordent avec le nom exprimé ou sous-entendu après *la plupart* : *La plupart du monde pense; la plupart des sénateurs étaient mécontents et fatigués de la guerre; la plupart étaient d'avis que...* Dans le premier exemple, l'accord a lieu avec *monde*; dans le second, avec *sénateurs*, et dans le troisième, avec le mot sous-entendu *sénateurs*, comme s'il y avait : *La plupart (des sénateurs) étaient d'avis que...*

plural, ale, aux, adj. Qui contient plusieurs unités. — *Vote plural*, système de suffrage qui attribue, sous certaines conditions, plusieurs voix au même électeur.

* **pluralisation** [*sion*], n. f. Action de pluraliser.

* **pluraliser** [*zé*], v. tr. Mettre un mot au pluriel. = SE PLURALISER, v. pr. Prendre le pluriel.

* **pluralisme**, n. m. [Phil.] Doctrine selon laquelle il existe une pluralité d'êtres, si bien que tout dans le monde est différent de tout.
ANT. — *Monisme, panthéisme.*

pluralité, n. f. (lat. *plures*, plusieurs). La plus grande quantité, le plus grand nombre. *La pluralité des suffrages.* ‖ Quantité considérable, multiplicité. *La pluralité des mondes.*
ANT. — *Unité, unanimité.*

PLURI- — PLUS

* **pluri-**, préfixe sign. *plusieurs*, entrant dans la composition de divers mots scientifiques.

* **pluriarticulé**, adj. [Zool.] Composé de plusieurs articles.

pluriel, adj. (lat. *pluralis*, m. s.). [Gram.] Qui exprime la pluralité. = N. m. État des mots qui expriment une idée de pluralité; le nombre pluriel. Il se marque le plus généralement par une flexion dans le nom, les adj., les pronoms et les verbes. ‖ Mot qui est au pluriel.
   Ant. — *Singulier, duel.*
   Gram. — V. tableau grammaire.
   Tolér. orthogr. — *Pluriel des noms propres*. — La plus grande obscurité régnant dans les règles et les exceptions enseignées dans les grammaires, on tolérera dans tous les cas que les noms propres, précédés de l'article pluriel, prennent la marque du pluriel : *Les Corneilles* comme *les Gracques ; — des Virgiles* (exemplaires) comme *des Virgiles* (éditions). Il en sera de même pour les noms propres de personnes désignant les œuvres de ces personnes : *Des Meissoniers.* — *Pluriel des noms empruntés à d'autres langues.* — Lorsque ces mots sont tout à fait entrés dans la langue française, on tolèrera que le pluriel soit formé suivant la règle générale : *Des exeats*, comme *des déficits*.

* **pluriloculaire**, adj. [Bot.] Qui renferme plusieurs loges.

* **pluripartite**, adj. [Hist. nat.] Qui est divisé en plusieurs parties.

plus, adv. et n. V. tabl. plus.

PLUS, mot invariable [*plu* et *plusse* devant une voyelle].

Étymologie. — Lat. *plus*, adverbe m. s., existant à côté de la forme nominale *plus*, *pluris*, une plus grande quantité (d'où pluriel, pluralité). V. Plusieurs (tableau).
   Hom. — *Plus*, mot invar. ; *Plu*, pp. du v. pleuvoir ; *plus*, *plut*, *plût*, *plu*, du v. plaire.
   Ctr. — *Moins*.

Emplois grammaticaux de plus. — *Plus* se construit tantôt avec *que*, tantôt avec *de* après l'adjectif qu'il modifie. Il est suivi de *que*, quand il exprime une comparaison. *L'envie est plus irréconciliable que la haine*. Il est suivi de la prép. *de* : 1° Lorsqu'il forme un superlatif. *Démosthène fut le plus éloquent des orateurs de la Grèce*. — 2° Lorsqu'il est suivi de de quantité, c'est-à-dire lorsque le terme de comparaison énoncé après *plus* marque quelque mesure précise et positive de cette quantité. *Il est plus grand de toute la tête. Il a plus de vingt ans. Il a fait plus de dix lieues à pied.*
   Lorsque *plus* est suivi de *que* et d'un verbe à l'indicatif, on met *ne* avant le verbe : *Les richesses sont souvent plus funestes que la pauvreté n'est incommode*. S'il est suivi de *que* et d'un verbe à l'infinitif, on répète avant cet infinitif la préposition que demande l'adjectif qui précède : *Nous sommes plus portés à nous excuser qu'à reconnaître nos torts*.
   Devant un adverbe marquant une fraction, on emploie aussi *que*. *Une fiole plus qu'à moitié pleine*.
   plus d'un, loc. pronominale indéfinie, collectif partitif, demande le verbe qui suit au singulier. *Plus d'un témoin a déposé*. Toutefois le verbe se met au pluriel, quand il s'agit d'une action réciproque, et par conséquent exprime l'action de deux ou plusieurs sujets : *A Paris on voit plus d'un fripon qui se dupent l'un l'autre*.
   Plus a pour synonyme *davantage*. Cet adverbe sert aux comparaisons dont les deux termes ne sont pas exprimés dans l'ordre habituel; il s'emploie absolument, ne peut être suivi de *que* : *Pierre est intelligent, Paul l'est davantage*. Enfin *plus* marque l'extension et *mieux* la perfection : *L'abbé Delille a plus écrit que Virgile, mais Virgile a mieux écrit que l'abbé Delille*. V. tabl. grammaire.
   Article devant plus. V. au mot article.
   Vocab. — *Famille de mots.* — *Plus* [rad. *plu*, *plur*] : plus, plusieurs; pluriel, pluraliser, pluralisation, pluralisme, pluralité, plural, plupart, plutôt; surplus ; plus-payé, plus-pétition, plus-que-parfait, plus-value.

PLUS, adverbe.

1° Marque le comparatif devant un adj. ou un adv. Davantage, à un plus haut degré. *J'ai plus d'intérêt à cela qu'un autre. Il est plus content qu'un roi. Je vous dirai plus, bien plus.*
   — En dehors de ces locutions, n'est guère usité avec ce sens que dans les inventaires, les états de compte, etc. : *Plus une table d'acajou*, et en arithmétique : *Quatre plus deux font six.*
   le plus marque un superlatif relatif. *C'est le plus savant homme du monde. Les plus accommodants, ce sont les plus habiles.* (La Fontaine.) — Parfois employé avec un nom : *Le plus âne des trois n'est pas celui qu'on pense.* (La Fontaine.)

2° ne plus. plus, avec la négation, indique la cessation d'action, d'état, ou l'absence de quelque chose que l'on avait auparavant. *Je ne* peux *plus entendre parler. Je n'y pense plus. Il n'est guère plus le même homme.* — *Il n'est plus*, il a cessé d'exister. — Absol., sans négation et avec une nuance impérative. *Plus de larmes, plus de chagrin*, etc., désormais il ne faut plus verser de larmes, etc.

3° plus... plus répétés. D'autant plus que (mais avec la phrase renversée); marque la proportion quand deux termes sont comparés ou opposés. *Plus l'offenseur est cher et plus grande est l'offense*. (Corneille.) (= l'offense est d'autant plus grande que l'offenseur est plus cher).

4° plus. Davantage (Vx, conservé dans la locution : *N'en pouvoir plus*).

PLUS, nom masculin.

La plus grande quantité. *Le plus que je puisse faire. Le plus que je puisse espérer*. Prov. *Qui peut le plus peut le moins*. — Avec un complément de nom. *Le plus ou moins d'ardeur que l'on met à faire un travail*. V. moins.
   [Math.] Petite croix (+) qui est le signe de l'addition en arithmétique, du nombre positif en algèbre. *Remplacer un plus (+) par un moins (—) dans une équation*.
   Précédé de l'article et joint à un autre mot, devient avec celui-ci un seul et même nom. *La plus-value*. V. ce mot.

LOCUTIONS FORMÉES AVEC **PLUS**.

PLUS D'UN, loc. pron. indéfinie. Plusieurs (Vx). *Nous en savons plus d'un, dit-il en les croquant.* (LA FONTAINE.) V. ci-dessus.

DE PLUS, loc. adv. En surplus. *S'il avait fait un pas de plus, il était mort.* Par surcroît. *Cet élève est paresseux, de plus, il est menteur.*

IL Y A PLUS, BIEN PLUS, QUI PLUS EST, loc. adv. Outre ce qui a été déjà dit. *Il ne m'a pas obligé; bien plus, qui plus est, il m'a desservi.*

AU PLUS, TOUT AU PLUS, loc. adv. Au maximum. *Il n'a que trente ans au plus, tout au plus.*

DE PLUS, EN PLUS, loc. adv., marque du progrès en bien ou en mal. *Le malade s'affaiblit de plus en plus.*

D'AUTANT PLUS... QUE, loc. conj.; marque la force d'un motif. *Il est d'autant plus à craindre, qu'il a beaucoup de crédit.* Cette loc. est quelquefois précédée du pronom personnel en. *Il en est d'autant plus à craindre.* — Sert aussi à renchérir. *Je le crains fort, d'autant plus qu'il n'est pas seul à agir.*

PLUS OU MOINS, loc. adv. Un peu plus ou un peu moins. *Cela vous coûtera dix écus, plus ou moins. Plus ou moins grand.*

QUI PLUS, QUI MOINS, loc. adv. Les uns plus, les autres moins. *Ils y ont tous contribué, qui plus, qui moins* (Fam.).

NI PLUS NI MOINS QUE, loc. adv. comparative. Tout de même que. *Je ne vous aime ni plus ni moins que si j'étais votre frère* (Fam.).

NON PLUS, loc. adv. Aussi, pareillement, mais avec un sens négatif. *Vous ne le voulez pas, ni moi non plus.* — NON PLUS QUE, loc. comparative. Pas plus que. *On n'exige rien de vous, non plus que de votre ami.*

SANS PLUS, loc. adv. qui se construit avec le verbe à l'infinitif, ou avec un nom et la prép. de. *Sans plus différer,* sans différer davantage. — *Sans plus de façon,* sans faire plus longtemps des façons. *Sans plus de formalités.* — Absol. Sans rien ajouter. *Je jouerai encore une partie, sans plus.*

TANT ET PLUS, loc. adv. Beaucoup, abondamment. *Je m'y suis ennuyé tant et plus.*

PLUS TÔT, PLUS TARD, PLUS LOIN, PLUS PRÈS, loc. adv. de temps et de lieu, qui se construisent tantôt sans article, tantôt avec l'article, selon qu'elles jouent le rôle de comparatif ou celui de superlatif. *Arriver plus tôt, plus tard. Allez plus loin. Il faut regarder cela de plus près. C'est le plus loin qu'on puisse aller.*

Absol. PLUS TÔT. *Au plus tôt,* dans le plus court délai. *Partez au plus tôt.* = *Il n'eut pas plus tôt dit telle chose qu'il s'en repentit,* à peine eut-il dit telle chose qu'il s'en repentit.

Nom. *Le plus tôt, le plus tard, le plus près sera le mieux.* — PLUTÔT en un seul mot, avec retranchement de l's. V. PLUTÔT (tableau).

---

* **pluser,** v. tr. Éplucher de la laine à la main.

plusieurs, adj. pl. V. tabl. PLUSIEURS.

* **plus-payé,** n. m. Somme payée en plus de ce qui était dû. = Pl. *Des plus-payés.*

* **plus-pétition,** n. f. [Dr.] Demande qui excède ce qu'on a droit d'obtenir en justice. = Pl. *Des plus-pétitions.*

plus-que-parfait, n. m. [Gram.] Temps composé de l'indicatif et du subjonctif marquant le passé par rapport à un temps déjà passé. V. tabl. GRAMMAIRE. = Pl. *Des plus-que-parfaits.*

GRAM. — Le *plus-que-parfait* ne doit pas s'employer pour le passé composé, et on ne doit pas dire : *J'ai appris que vous aviez voyagé,* car ici il s'agit simplement d'exprimer une action faite dans un temps passé, sans marquer qu'elle soit antérieure à une autre action. Il faut dire : *J'ai appris que vous avez voyagé.*

plus-value, n. f. Augmentation de valeur acquise par un objet. *Ce terrain a acquis une plus-value du fait de l'établissement d'une route.* ‖ Excédent des recettes par raport aux prévisions. = Pl. *Des plus-values.*

ANT. — *Moins-value; déficit.*

plutonien, ienne, adj. (de *Pluton,* dieu mythol. des enfers). Qui a rapport à Pluton. [Géol.] Se dit des terrains formés par l'action volcanique.

PLUSIEURS, mot indéfini, toujours au pluriel, et des deux genres.

Étymologie et historique. — Du latin barbare *plusiores,* sorte de comparatif de *plus* formé par pléonasme. Le sens primitif semble avoir été *beaucoup* : Chanson de Roland : *Plusieurs choses à remembrer le prit* (il se prit à se rappeler beaucoup de choses).

SYN. — *Beaucoup, maint, moult.* — Ces termes marquent un nombre indéfini de personnes ou de choses. *Plusieurs* est le terme le plus général, il marque la pluralité, mais indique toujours une quantité assez restreinte, plus d'un, tandis que *beaucoup* indique un nombre indéfini mais considérable; *plusieurs* représente « quelques-uns », *beaucoup* marque « un grand nombre » : *Plusieurs pensent ainsi, mais beaucoup sont d'un avis contraire,* et le tour indique que ces derniers sont la majorité. — *Maint* a vieilli, il était fréquent au XVIIᵉ s., et surtout familier (fréquent dans La Fontaine : *mainte et mainte machine...*). *Maint* marquait une plus grande quantité que *plusieurs.* — *Moult* (la multitude), de nombreux, est aussi un archaïsme souvent repris dans le langage familier.

PLUSIEURS, adj. indéfini, masc. et fém.

En nombre indéterminé (généralement au-dessus de deux, mais non très nombreux). *Il est arrivé plusieurs navires. Il faudra plusieurs semaines pour terminer ce travail.* Se dit aussi d'un nombre plus ou moins considérable faisant partie d'un autre nombre plus grand. *Parmi les assiégés, plusieurs purent s'échapper.*

PLUSIEURS, pron. indéfini, toujours au pluriel, et du masc. ou du fém.

Plusieurs personnes ou plusieurs choses. *Il ne faut pas que plusieurs pâtissent pour un seul. Plusieurs prétendent que... Il est lâche de se mettre à plusieurs contre un seul.*

* **plutonisme,** n. m. [Géol.] Théorie attribuant au feu central la constitution de l'écorce terrestre.
* **plutonium,** [Chim.] Élément chimique récemment découvert.
plutôt, adv. V. tabl. PLUTÔT.
1. **pluvial,** n. m. [Liturg.] Grande chape que portent, aux offices, le chantre et le sous-diacre.
2. **pluvial, ale, aux,** adj. Qui a rapport à la pluie. || *Eau pluviale,* eau de pluie.
* **pluvian,** n. m. [Zool.] Genre de petits oiseaux échassiers d'Afrique.
* **pluviatile,** adj. Produit par la pluie; modifié par la pluie.
pluvier, n. m. [Zool.] Genre d'oiseaux échassiers migrateurs, vivant en troupe au bord des eaux.
pluvieux, euse, adj. Abondant en pluie. *Temps pluvieux. Climat pluvieux.* || Qui amène la pluie. *Vent pluvieux.*
* **pluviographe,** n. m. Syn. de *pluviomètre.*
pluviomètre, n. m. (lat. *pluvia,* pluie; gr. *métron,* mesure). Appareil servant à mesurer la quantité de pluie tombée dans un lieu donné, en un temps déterminé.
pluviôse [*ze*], n. m. (lat. *pluvia,* pluie). Cinquième mois du calendrier républicain (du 20 janvier au 18 février). V. tabl. TEMPS (*Idées suggérées par le mot*).
* **pluviosité,** n. f. Quantité de pluie tombée dans une région en un temps déterminé.
* **pneu,** n. m. Abrév. fam. pour *pneumatique* (bandage de roue ou télégramme).
pneumatique, adj. (lat. *pneumaticus,* m. s.). Qui est relatif à l'air et aux fluides aériformes. *Machine pneumatique.* || *Bandage pneumatique,* bandage d'une roue de bicyclette, d'automobile, etc., appliqué sur la jante et constitué par une chambre en caoutchouc, gonflée d'air et recouverte d'une enveloppe également en caoutchouc avec armature élastique et doublure en toile. V. pl. BICYCLETTE, MOTOCYCLETTE et CANON. || Qui est mû par l'air comprimé. *Horloge pneumatique. — Carte pneumatique,* mode de correspondance rapide, transmise dans certaines grandes villes par tubes souterrains, grâce à l'air comprimé. = N. m. *Un pneumatique* (*pneu,* par abrév. fam.).
pneumatocèle, n. f. (gr. *pneuma,* souffle; *kêlê,* tumeur). [Méd.] Tumeur déterminée par une accumulation de gaz.
* **pneumatologie,** n. f. (gr. *pneuma,* esprit; *logos,* discours). Traité des êtres intermédiaires entre Dieu ou les dieux et l'homme.
* **pneumatologique,** adj. Qui a rapport à la pneumatologie, ou aux essences spirituelles.
* **pneumatose** [*to-ze*], n. f. [Méd.] Accumulation de gaz dans une cavité du corps ou dans les tissus.
* **pneumo,** n. m. [Méd.] Abrév. de *pneumothorax.*
* **pneumoconiose,** n. f. [Méd.] Ensemble des troubles et lésions occasionnés par la présence de poussières dans l'appareil respiratoire.
pneumocoque, n. m. [Méd.] Microbe de la pneumonie, en forme de petit grain d'orge.
pneumogastrique, adj. [Anat.] Se dit d'un nerf se ramifiant vers la gorge, le cœur, les poumons et les intestins.
pneumonie, n. f. (gr. *pneumôn,* poumon). Inflammation du poumon, due au pneumocoque et évoluant en neuf jours.
pneumonique, adj. et n. [Méd.] Remède propre aux maladies du poumon. = Nom. Atteint de pneumonie.
pneumothorax, n. m. [Méd.] Épanchement d'air dans les plèvres. || Opération consistant à insuffler de l'azote dans la cavité pleurale d'une personne tuberculeuse, de façon à rendre momentanément inactif le poumon atteint et permettre la cicatrisation de ses lésions. || Fam. et par abréviation : *un pneumo.*
Pnyx, n. m. [Antiq.] Place publique d'Athènes, où se tenait l'assemblée générale du peuple.
* **poa,** n. m. [Bot.] Genre de *graminées,* herbe des prairies naturelles, vulg. *paturin.*
HOM. — V. POIDS.

PLUTOT, mot invariable.

Étymologie et historique. — *Plutôt* n'est qu'une autre forme orthographique de *plus tôt* où l' *s* a disparu et où les deux mots se sont soudés ensemble. Au XVIIe s. encore, la distinction entre *plus tôt* et *plutôt* reste incertaine; aujourd'hui la différence d'orthographe et celle de sens sont absolues : *plus tôt* est une locution adverbiale de temps qui marque l'antériorité, et *plutôt* un adverbe de manière indiquant la préférence.

PLUTOT, adverbe de manière.

1° De préférence à. *Je choisirais plutôt celui-ci que celui-là. Plutôt la mort que l'esclavage.* Absol. *Je ne le souffrirai point, je mourrai plutôt.*

2° Plus encore, pour exprimer plus exactement. *Ce travail est mauvais, ou plutôt exécrable. Le roi, ou plutôt ses ministres, en ont décidé ainsi.*

3° Dans le langage familier, *plutôt* se dit, devant un adjectif, par litote, pour *assez, très, tout à fait. Ce travail est plutôt mauvais. Il est plutôt mal en point.*

PLUTOT QUE, locution conjonctive.

Plutôt que avec l'indicatif. Sert à comparer deux affirmations. Il serait plus exact de dire *que... Il court plutôt qu'il ne marche. Il est érudit plutôt qu'il n'est savant.*
Nota. — Dans ces tournures, le *ne* est explétif et s'emploie quand le premier terme de la comparaison ne contient pas de négation.
Quand deux noms sont unis par *plutôt que,* c'est avec le premier que l'accord a lieu : *C'est la gloire plutôt que le bonheur qu'il a ambitionnée.*
Plutôt que avec l'infinitif. De préférence. *Plutôt souffrir que mourir, c'est la devise des hommes* (LA FONTAINE).

PLUTÔT QUE DE, avec l'infinitif. De préférence à. *Plutôt mourir que de se rendre.*

INCORR. — Il est incorrect de dire: J'aime mieux mourir *plutôt que de vivre ainsi.* Il faut dire : J'aime mieux mourir *que de vivre ainsi.*

NE... PAS PLUTÔT QUE, loc. conj. Aussitôt que. *Je ne fus pas plutôt parti qu'il arriva.*

pochade, n. f. Croquis, esquisse en couleurs exécuté rapidement. ‖ Œuvre littéraire de genre burlesque, exécutée à la hâte.
pochard, n. m. Ivrogne (Fam.).
Ling. — L'Acad. ne donne pas le fém. *pocharde.*
pocharder (se), v. pron. S'enivrer (Pop.).
* **pochardise,** n. f. État d'ivresse ou ivrognerie habituelle.
poche, n. f. (orig. germ.). Espèce de petit sac d'étoffe, etc., attaché à un vêtement pour y mettre ce qu'on veut porter ordinairement sur soi. *Avoir, mettre les mains dans ses poches.* ‖ Fig. et fam. *Payer de sa poche,* payer de ses propres deniers. *En être de sa poche,* être obligé de reverser de l'argent au lieu d'encaisser un bénéfice. — *L'argent de poche,* la somme qu'on destine à ses petites dépenses personnelles. — *Pistolet, dictionnaire,* etc., *de poche,* qui est assez petit pour pouvoir être mis dans une poche. — *Connaître quelque chose* ou *quelqu'un comme sa poche,* le connaître parfaitement. — *Tenir une affaire dans sa poche,* être assuré du succès de cette affaire. *Ne pas mettre son drapeau dans sa poche,* ne pas faire mystère de ses opinions. ‖ Locut. prov. *N'avoir pas sa langue dans sa poche,* n'être pas embarrassé pour parler. ‖ Grand sac de toile dont on se sert pour mettre du blé, de l'avoine. ‖ Endroit creux où s'accumule quelque chose. *Rencontrer une poche d'eau dans une mine.* ‖ Territoire où se trouve encerclée une troupe ennemie. [Hist. Nat.] Cavités naturelles ou non que présentent certains animaux ou végétaux. *La poche des marsupiaux.* ‖ Cavité, renflement de l'organisme. *Avoir des poches sous les yeux.* ‖ Sorte de filet de chasse. ‖ Louche pour servir le potage.
Hom. — *Poche, es, ent,* du v. pocher.

| Vocab. — *Famille de mots.* — Poche : pochette, pochetée, pochard, pochon, pocher, poché, pocheuse, pochoir, pochade, dépocher, empocher, rempocher. |

1. poché, ée, adj. *Œil poché,* œil meurtri avec extravasation de sang. *Œuf poché,* œuf cuit, hors de sa coquille, dans un liquide bouillant.
Hom. — *Poché, ée,* adj. Ex. : *Les yeux pochés, une écriture pochée ;* — *pochée,* n. f., contenu d'une poche ; — *pocher,* v., *pocher des œufs, pocher un œil ;* — *poché,* n. m., sorte d'encre de Chine.
2. poché, n. m. Variété d'encre de Chine.
* **pochée,** n. f. Ce que contient une poche.
Hom. — V. POCHÉ, ÉE.
Par. — *Pochetée,* grande quantité.
1. pocher, v. tr. (de *poche*). [Cuis.] *Pocher des œufs,* les faire cuire dans un liquide bouillant, de manière qu'ils soient recouverts d'une couche de blanc où le jaune se trouve renfermé comme dans une poche. ‖ Pop. *Pocher l'œil,* par un coup donné sur l'œil, déterminer une contusion des parties molles environnantes. = V. intr. Faire une poche, un faux pli, en parlant d'un vêtement.
Hom. — V. POCHÉ, ÉE.

2. pocher, v. tr. (de *pochade*). [Peint.] Jeter rapidement sur le papier, sur la toile, un croquis en quelques coups de pinceau.
* **pochetée,** n. f. Pop. Grande quantité.
Par. — *Pochée,* contenu d'une poche.
pocheter, v. tr. Porter dans sa poche certains comestibles pour les améliorer. *Pocheter des olives.* = Conjug. V. GRAMMAIRE.
pochette, n. f. Petite poche. ‖ Sorte de petit filet pour la chasse. ‖ Boîte de compas plate, facile à mettre en poche. ‖ Petit mouchoir fin que l'on porte dans la poche supérieure du veston. ‖ Petit paquet replié en forme de poche. ‖ Petit violon. V. pl. MUSIQUE.
pocheuse, n. f. Ustensile de cuisine pour pocher les œufs.
pochoir, n. m. Lamelle perforée suivant les contours d'une lettre ou d'un dessin, que l'on reproduit en frottant les parties en creux à l'aide d'une brosse enduite d'encre ou de couleur. ‖ Le dessin obtenu de cette façon.
* **pochon,** n. m. Cuiller à pot. ‖ Fam. Coup sur l'œil. ‖ Grosse tache d'encre.
Hom. — *Pochons,* du v. pocher.
* **poco a poco,** loc. ital. [Mus.] Peu à peu.
podagre, n. f. Goutte aux pieds. = Adj. = N. Qui a la goutte aux pieds.
podestat, n. m. Titre d'un magistrat chargé de la police, au Moyen âge, dans plusieurs villes d'Italie.
podium [*diomm*], n. m. [Antiq.] Mur formant l'enceinte d'un amphithéâtre romain. ‖ Tribune du cirque où se tenaient l'empereur, les hauts magistrats et les vestales.
podomètre, n. m. (gr. *pous, podos,* pied ; *métron,* mesure). Appareil destiné à mesurer le nombre de pas faits par un piéton.
* **podophylle,** n. m. [Bot.] Genre de *berbéridées* d'Asie et d'Amérique, à rhizome purgatif.
* **podure,** n. m. [Zool.] Genre d'insectes dépourvus d'ailes.
1. poêle ou **poile** [*poi-le*], n. m. (lat. pop. *pensilis,* chauffé par en dessous). Fourneau de terre, de faïence, de fonte, etc., qui sert pour le chauffage. *Poêle à charbon, à gaz.* ‖ Par ext. En Allemagne et dans le nord de la France, chambre commune où est le poêle. *Je demeurais tout le jour enfermé seul dans un poêle* (Descartes). ‖ Pop. *Tuyau de poêle,* chapeau haut de forme. — L'orth. *poile* correspond mieux à la prononc. du mot.
Hom. — V. POÊLE 3.
2. poêle [*poi-le*], n. f. (lat. *patella,* dimin. de *patena,* plat.). Ustensile de cuisine plat, de tôle, de fer battu, etc., avec une longue queue, qu'on met sur le feu pour faire de la friture, des fricassées, etc. *Poêle à frire.* V. tabl. HABITATION (*Idées suggérées par le mot*). ‖ Fig. et fam. *Tenir la queue de la poêle,* avoir la direction d'une affaire. ‖ Chaudière pour faire évaporer l'eau des salines.
Hom. — V. POÊLE 3.
3. poêle [*poi-le*], n. m. (lat. *pallium,* manteau). Grande pièce d'étoffe noire ou blanche dont on couvre le cercueil pendant les cérémonies funèbres. ‖ Voile qu'on tient sur la tête des mariés pendant la bénédiction nuptiale.
Hom. — *Poêle* ou *poile,* n. m., appareil de chauffage ; — *poêle,* n. f., instrument de

POÊLÉ — POÉSIE

cuisine ; — *poêle*, n. m., étoffe dont on recouvre les cercueils ; — *poil*, n. m., filament corné qui sort de la peau ; — *poêle*, *es*, *ent*, du v. poêler.

poêlé, ée [*poi*], adj. Sauté à la poêle, passé à la poêle à frire.

poêlée [*poi*], n. f. Contenu d'une poêle à frire.

poêler [*poi*], v. tr. Cuire, frire à la poêle, passer à la poêle.

Hom. — *Poêler*, v. tr., passer à la poêle ; — *poêlée*, n. f., contenu d'une poêle ; — *poêlé*, *ée*, adj., sauté à la poêle.

* **poêlerie** [*poi*], n. f. Ensemble des ouvrages de terre, de tôle ou de fer-blanc qui servent à chauffer ou à éclairer. ‖ Commerce, industrie de poêlier.

* **poêlette** [*poi*], n. f. Petite poêle. ‖ Petit vase destiné à recevoir le sang de la saignée.

poêlier [*poi*], n. m. Fabricant, marchand, poseur de poêles, d'appareils de chauffage.

Hom. — *Poêliez*, du v. poêler.

poêlon [*poi*], n. m. Petite poêle. ‖ Vase de terre allant au feu et ayant la forme d'une casserole.

Hom. — *Poêlons*, du v. poêler.

* **poêlonnée** [*poi-lo-né*], n. f. Contenu d'un poêlon.

poème, n. m. (gr. *poiêma*, m. s.). [Litt.] Ouvrage en vers, d'une certaine étendue en général. *Poème épique, didactique, dramatique*, etc. ‖ Titre de nombreux écrits en vers. ‖ Ouvrage en prose, mais qui emprunte le style et les fictions de la poésie. *Les « Martyrs » de Chateaubriand sont un poème en prose.* ‖ Fam. *Cette existence, cette histoire est tout un poème*, c'est une existence, une histoire invraisemblable, ou romanesque. ‖ Paroles en forme de vers sur lesquelles est écrite la musique d'un opéra, d'une pièce lyrique. [Mus.] *Poème symphonique*, composition instrumentale comportant exceptionnellement des chœurs. V. tableau LETTRES (*Idées suggérées par le mot*) et GENRES littéraires.

— *Un poème insipide et sottement flatteur, Déshonore à la fois le héros et l'auteur.*
(BOILEAU.)

poésie, n. f. (gr. *poiêsis*, création). La parole, quand elle exprime l'idée au moyen d'images et du langage rythmique. *La poésie vit d'images.* ‖ Art de composer des ouvrages en vers. *Cultiver la poésie.* — Le mot *poésie* est souvent accompagné d'une épithète qui sert à déterminer : 1° Le genre auquel appartient une œuvre poétique : *Poésie lyrique* (ode, hymne, chanson, chants nationaux, chœurs des tragédies, élégie, cantates, etc.), *épique, dramatique* (tragédie, comédie et drame), *didactique* (épître, satire, fable, ou apologue), *poésies fugitives* (idylle, églogue, sonnet, rondeau, triolet, ballade, madrigal, épigramme, etc.) ; 2° La nature du sujet : *Poésie sacrée, profane. Poésie morale, philosophique*, etc. ; 3° Le style que l'auteur a employé : *Poésie élevée, familière, badine*, etc. ; 4° Les qualités de la versification proprement dite : *Poésie nombreuse, harmonieuse, facile, dure*, etc. ‖ Caractère poétique. *Des vers dénués de poésie. La poésie de la peinture, de la mer*, etc. = Au plur. Ouvrages en vers. *Les poésies de Ronsard.* V. tabl. POÉSIE (langue de la), LETTRES (*Idées suggérées par le mot*) et GENRES littéraires.

— *La poésie est l'éloquence harmonieuse.*

— *Il est aisé d'être prosateur, très différent et très rare d'être poète. Rien n'est plus aisé que de faire de mauvais vers en français, rien de plus difficile que d'en faire de bons.*

— *On demande comment, la poésie étant si peu nécessaire au monde, elle occupe un si haut rang parmi les beaux-arts ; la poésie est la musique de l'âme, et surtout des âmes grandes et sensibles.* (VOLTAIRE.)

POÉSIE (Langue de la)

La langue de la poésie est, en principe, la même que celle de la prose. Elle s'en distingue surtout par ce qu'on appelle les *licences poétiques* (particularités d'orthographe) et par certaines constructions syntaxiques (*inversions*). Il y a toutefois un certain nombre de mots que la plupart des écoles poétiques ont eu l'habitude d'employer à l'exclusion de synonymes de la langue courante, jugés vulgaires. — Voici les principaux avec le terme « vulgaire » entre parenthèses :

Accents (parole, voix)	Guerrier (soldat)
Airain (cuivre, canon)	Haleine (brise)
Antique (ancien)	Homicide (meurtrier)
Chef (tête)	Humains (les hommes)
Climat (pays)	Immortels (les dieux)
Cœur (courage)	Lors (alors)
Coupe (verre à boire)	Las ! (hélas)
Courroux (colère)	Labeur (travail)
Coursier (cheval)	Lustre (espace de 5 ans)
Dard (flèche, trait)	Manie (folie)
Discorde (querelle)	Merveilles (belles choses)
Discours (paroles)	Mortel (homme)
Entrailles (ventre, sein)	Naguère (récemment)
Entraves (servitude)	Nef (navire)
Epoux, épouse (mari, femme)	Neveux (descendants)
Esclave (sujet)	Nocher, nautonier (matelot)
Esquif (bateau)	Nul (aucun)
Faix (fardeau)	Onde (eau)
Feux (passion amoureuse)	Penser (pensée)
Fange (boue)	Poudre (poussière)
Fer (armes, épée)	Rameau (branche)
Fers (chaînes)	Soudain (aussitôt)
Flanc (côté)	Tombe (la mort)
Forfait (crime)	Travaux (souffrance)
Génisse (vache)	Trépas (mort)
Glaive (épée)	Veilles (travail)
Guéret (champs)	

— *La poésie, c'est l'univers mis en musique par le cœur.* — *La poésie n'est souvent que l'art d'ajuster les pensées aux mots.*
(Sully Prudhomme.)
Ant. — *Prose.*

* **poétaillon** [*ill* mll.] ou * **poétastre**, n. m. Poète sans aucune valeur.
poète, n. m. Celui qui s'adonne à la poésie, qui fait des vers. *Poète lyrique. Une femme poète* (on dit aussi *poétesse*). ‖ Celui qui, composant ou non des vers, a les facultés poétiques, l'esprit poétique. *Ce peintre est un grand poète.*
— *Un bon poète n'est guère plus utile à l'État qu'un bon joueur de quilles.*
(Malherbe.)
— *Le poète s'égaie en mille inventions, Orne, élève, embellit, agrandit toutes choses, Et trouve sous sa main des fleurs toujours écloses.*
— *Soyez plutôt maçon si c'est votre talent, Ouvrier estimé dans un art nécessaire, Qu'écrivain du commun ou poète vulgaire.*
(Boileau.)
— *Le poète est semblable aux oiseaux de passage, Qui ne bâtissent point leurs nids sur le rivage, Qui ne se posent point sur les rameaux des bois; Nonchalamment bercés sur le courant de l'onde, Ils passent en chantant loin des bords, et le monde Ne connaît rien d'eux que leur voix.*
(Lamartine.)
— *Les poètes sont des oiseaux, tout bruit les fait chanter.* (Chateaubriand.)
— *Chanter, rire, pleurer, seul, sans but, au hasard; D'un sourire, d'un mot, d'un soupir, d'un regard, Faire un travail exquis, plein de crainte et de charme, Faire d'une perle une larme, Du poète, ici-bas, voilà la passion, Voilà son bien, sa vie et son ambition.*
(A. de Musset.)
Ant. — *Prosateur.* — *Versificateur.*

> Vocab. — *Famille de mots.* — **Poète** [rad. *poé, épo, opé*]: poétaillon, poétereau, poétique, poétesse, poétiser, poétiquement, poème, poésie, épopée, épique; onomatopée, mélopée, prosopopée; dépoétiser.

poétereau, n. m. Mauvais poète.
poétesse, n. f. Femme poète.
poétique, adj. (lat. *poeticus*, m. s.). Qui concerne la poésie, qui appartient à la poésie. *Expression, style, langage poétiques. Art poétique.* ‖ Qui incite à la poésie. *Paysage poétique.* = N. f. Traité qui trace les règles de la poésie. *La Poétique d'Aristote.*
Ctr. — *Prosaïque.*
poétiquement, adv. D'une manière poétique.
Ctr. — *Prosaïquement.*
poétiser [*zé*], v. tr. Rendre poétique; ennoblir, idéaliser. = V. intr. Faire des vers.
* **pogrom** ou * **pogrome**, n. m. (mot russe). Massacre de Juifs, dans les pays slaves, déclenché par des mouvements populaires encouragés parfois par la police.
poids [*poi*], n. m. (lat. *pensum*, ce qui est pesé). Force avec laquelle un corps tend à se rapprocher du centre de la terre, en vertu de sa pesanteur. *Le poids de l'air, de l'eau.* — *Tomber de tout son poids,* sans que rien n'amortisse la chute. [Phys.] *Poids spécifique,* le poids de l'unité de volume, par ex. le nombre de grammes que pèse 1 cm³ du corps envisagé. ‖ Mesure ou quantité déterminée d'une chose pesante. *Le poids de la pièce de cinq francs* (en argent) *était de vingt-cinq grammes.* ‖ *Poids brut,* ce que pèse une marchandise, y compris les déchets, l'emballage, etc. — *Poids net,* ce que pèse une marchandise, déduction faite des enveloppes, des déchets, etc.
Morceau de fer, de cuivre, de plomb, etc., d'une pesanteur réglée par la loi, et qui sert à évaluer la pesanteur des corps. *Un poids de cinq kilogrammes.* — *Faux poids,* ceux qui, n'ayant pas la valeur légale, sont employés frauduleusement. ‖ Fig. *Vendre, acheter au poids de l'or,* vendre, acheter très cher. — *Faire bon poids,* donner un peu plus que le poids demandé. *Faire le poids,* ajouter ce qui manque pour que les plateaux de la balance soient en équilibre. ‖ *Poids et mesures,* administration publique chargée de contrôler l'exactitude des poids, mesures et balances dont se servent les commerçants.
[Mécan.] *Poids mort.* Ce qui, dans les instruments, dans une machine, pèse, sans procurer un rendement utile. ‖ Fig. Se dit d'une chose, et même d'une personne inutile. [Sports] En terme de boxe, désignation de la catégorie des boxeurs: *poids mouche, poids coq, poids lourd,* etc. ‖ Objets que l'on soulève comme exercice de gymnastique. *Faire des poids.* ‖ Morceau de cuivre, de plomb, de pierre, etc., qu'on attache aux cordes de certains appareils mécaniques pour leur imprimer le mouvement. *Les poids d'une horloge.* ‖ Fig. Ce qui fatigue, chagrine, oppresse. *Le poids des soucis, des années, des impôts, de la guerre.* — *Ôter à quelqu'un un poids qu'il avait sur la poitrine,* le délivrer d'une grosse préoccupation. ‖ Fig. Importance, considération, force. *C'est une affaire de poids.* — V. tabl. poids (Idées suggérées par le mot).
Épithètes courantes: lourd, pénible, écrasant, intolérable, effrayant, mort, net, brut; bon, juste, faux, terrible, moyen, léger, supportable; spécifique, atomique, etc.
Syn. — V. pesanteur.
Hom. — *Poids*, n. m., pesanteur; mesure; autorité; — *pois*, n. m., plante légumineuse; — *poix*, n. f., matière résineuse; — *pouah!* interj., marque le dégoût; — *poa*, n. m., genre de graminées.
poignant, ante [*gn* mll.], adj. (ppr. de *poindre*). Fig. Qui pique, qui point. ‖ Qui cause une impression douloureuse et pénétrante.
Syn. — V. aigu, harassant et touchant.
poignard [*gn* mll.], n. m. (de *poing*). Arme de main, à lame aiguë et tranchante, beaucoup plus courte que l'épée. *Donner un coup de poignard.* ‖ Fig. *Coup de poignard,* vive douleur morale; ce qui blesse, afflige cruellement. — *Retourner à quelqu'un le poignard dans le cœur, dans la plaie,* s'appesantir sur quelque chose qui le blesse ou qui l'afflige vivement. —

POIDS

Étymologie. — Le mot *poids* vient par transformation phonétique du latin *pensum* qui, dans le bas latin, a eu le sens de notre mot *poids*, et provenait lui-même du supin du verbe *pendere*, être suspendu. Le sens étymologique est proprement : « ce qui est suspendu à la balance, ce qui est pesé, et ce qui est payé. » Le *d* que l'on trouve dans notre orthographe actuelle provient de la Renaissance qui a ajouté cette lettre par une fausse étymologie rattachant à tort « poids » à *pondus*, le mot latin classique signifiant *poids*. Il est à noter que *pensum* était aussi le supin du verbe *pendere*, de même racine probablement, et signifiant *pendre, suspendre* ; il y a eu mélange du sens de ces deux verbes et leurs dérivés ont parfois été confondus.

Définition. — Le poids est d'abord la force de traction ou de pression, proportionnelle à sa masse, qui est exercée par un corps sur ce qui le supporte. On l'appelle aussi *pesanteur* : *Succomber sous un poids trop lourd*. — C'est ensuite la mesure qui évalue cette pression en prenant pour base une unité déterminée : *Le poids de cet objet est de 2 kilogrammes*. Par extension, c'est une masse métallique fixe représentant cette unité de mesure ou ses multiples et sous-multiples : *Un poids de cuivre — un poids d'un gramme — d'un kilogramme — de 5 décigrammes*. Par analogie, en parlant d'une masse métallique agissant par sa pesanteur, on dira les *poids d'une horloge*. Au figuré « poids » se dit d'abord de tout ce qui pèse sur l'homme, de ce qui l'oppresse : *Le poids de la chaleur, des ans, des chagrins*. Il se dit aussi de ce qui a une valeur morale : *Un homme de poids, cet avis a eu un grand poids pour la décision prise*.

Quelques expressions. — *Faux poids* : ceux qui n'ont pas la valeur légale et sont employés frauduleusement. *Poids mort* : dans un organisme, ce qui pèse sans procurer un rendement, et dans une machine, la force de résistance à vaincre avant que le mécanisme puisse accomplir le moindre travail utile. *Poids vif* : poids de l'animal de boucherie vivant. *Poids brut* : poids d'un objet avec ce qui l'enveloppe ou le porte. *Poids net* : poids de l'objet indépendamment de tout accessoire. *Poids spécifique* : densité (V. IV). *Poids mouche, poids plume, poids coq, poids moyen, poids lourd* : termes de sport (boxe) ; *poids lourd* se dit aussi des véhicules automobiles de fort tonnage.

Mots à rapprocher. — Gravité — Pesanteur — Densité — Masse — Lourdeur — Pression — Poussée.

Gravité, du lat. *gravis*, lourd, est le terme scientifique désignant la propriété qu'ont les corps d'être pesants. — *Pesanteur* désigne la force avec laquelle le corps tombant librement tend à se rapprocher du centre de la terre. *Poids* est plus précis : il désigne la pesanteur susceptible d'être mesurée, et par extension ce que mesure cette pesanteur. — La *densité* d'un corps, c'est son poids spécifique, c'est-à-dire le rapport du poids de l'unité de volume de ce coprs à celui du même volume d'eau distillée. — *Masse* est un terme scientifique plus précis encore que *poids* : c'est le quotient du poids d'un corps par l'accélération qu'il peut subir du fait de la pesanteur. La *masse* est constante tandis que le *poids* peut varier s'il subit l'effet d'une accélération due à une autre force. — La *lourdeur* indique une idée de poids pénible à supporter, à soulever. Cette idée est relative à l'homme qui soulève l'objet et non à l'objet lui-même. — La *pression* est l'action d'un corps qui exerce une poussée sur un autre corps, et par suite qui peut le faire mouvoir. On dit également qu'elle est le quotient d'une force par la surface sur laquelle elle s'exerce. C'est ainsi que la *pression atmosphérique* est exercée par la force élastique de l'air en un point donné de l'atmosphère, que la *pression de la vapeur* dans la chaudière d'une machine peut mettre les organes de celle-ci en mouvement. — La *poussée* est un effort de pesanteur exercé sur un autre corps et qui tend à le déplacer. C'est pour contrebalancer la *poussée* exercée horizontalement par une voûte sur ses supports que les architectes les renforcent par des contreforts ou des arcs-boutants.

Mots de la même famille. V. PENDRE.

Principaux termes relatifs à l'idée de poids :

a) TERMES GÉNÉRAUX. — Peser, soupeser, être pesant ; charge, fardeau, faix, somme ; porter, lever, soulever, soutenir ; pondéreux, lourd, massif, compact, écrasant, dense, accablant ; avoir du poids ; poids atomique, poids moléculaire, masse, densité, densimètre, densimétrie ; massif, comprimé ; gravité, centre de gravité, pesanteur, lourdeur, charge, pesée, pesage ; alourdir, alléger ; léger, vide, impondérable, impondérabilité ; pression, pression atmosphérique ou barométrique, haute pression, basse pression, pression osmotique, pression critique, contrepoids, contre-peser ; poussée, répulsion ; incompressibilité, décompression, compression, comprimer, décomprimer ; machine pneumatique, presse hydraulique.

b) MESURE DU POIDS ET DE LA PRESSION. — Poids du système métrique, des systèmes C. G. S., H. P. S. ; poids en fonte, en laiton, en lamelles ; grenaille de plomb ; balances, fléau, bras, couteau, fourchette, cavalier, aiguille, arbre, plateau, balancier, faire l'équilibre ; balance romaine, balance Roberval, balance hydrostatique, automatique, balance de précision, trébuchet, peson, pèse-lettres, pèse-bébé ; dynamomètre, bascule, poids public ; balance juste, fausse, sensible au centigramme, au milligramme ; poinçon, vérification, vérificateur des poids et mesures, poids étalon ; unités de poids ; gramme, décigramme, centigramme, milligramme, décagramme, hectogramme, kilogramme, kilo, myriagramme, quintal, tonne ; anciens poids : livre, demi-livre, quart de livre, once, grain, marc, gros ; talent, mine, drachme, livre, as, scrupule, carat ; unités de pression : barye, bar, décibar, centibar, millibar ; sthène, pièze, hectopièze. Manomètre, baromètre à mercure, anéroïde, enregistreur, barographe. Appréciation de la densité : pèse-alcool, pèse-acide, pèse-sel, pèse-liquide, aréomètre, pèse-lait, pèse-sirop, pèse-vin, pèse-urine.

c) OPÉRATIONS CONCERNANT LE POIDS. — Pesée, double pesée ; faire bon poids, donner le poids, tare, charge, chargé, décharger, surcharger, recharger, lester, lest. Fardeau, fardier, faix, plier sous le faix ; s'affaisser, somme, bête de somme ; porter, transporter, porteur, fort de la halle. Alléger, délester, lever, soulever, élever ; enlever, retirer, supporter, soutenir ; imprimer, déprimer, comprimer, compressible, incompressible ; buter, contre-buter, support, contrefort, arc-boutant, arc de décharge ; s'écrouler, écraser, tomber de tout son poids sur, assommer, fouler, refouler. Matière pondéreuse, plomb, pierre, gravier, sable, charbon, etc. (V. pl. BALANCES).

Mettre, tenir à quelqu'un le poignard sur la gorge, le contraindre par la violence. — *Coup de poignard dans le dos*, attaque par trahison.

SYN. — *Poignard*, petite arme courte comprenant une lame pointue et un manche : *Henri IV périt sous le poignard de Ravaillac*. — *Couteau*, instrument tranchant et souvent pointu formé d'une lame d'acier emmanchée : *Une rixe au couteau*. — *Dague*, poignard à lame courte et large : *Les seigneurs du seizième siècle por-*

POIGNARDER — POINTAGE

taient la dague. — *Stylet,* poignard à lame triangulaire : *Le stylet est une arme traîtresse.*

poignarder [gn mll.], v. tr. Blesser, frapper, tuer avec un poignard. ‖ Fig. Causer une extrême affliction.
SYN. — V. ASSASSINER.

*****poignasser** [gn mll.], v. tr. [Techn.] Frotter le linge avec le poing pour le dégraisser.

poigne [*po* ou *poi, gn* mll.], n. f. Force du poignet. ‖ Fig. Énergie. *Un homme, un gouvernement à poigne.*

poignée [*po-gné* ou *poi, gn* mll.], n. f. (de *poing*). Action de serrer à pleine main. *Donner une poignée de main,* serrer la main de quelqu'un en signe d'amitié, en l'abordant ou en le quittant. ‖ Quantité que la main fermée peut contenir. *Une poignée de blé.* ‖ Ce qu'on empoigne avec la main. *Une poignée d'herbes.* ‖ Fig. Petite quantité, petit nombre, en parlant de personnes. *Une poignée d'émeutiers.*
Partie d'une chose par où on prend cette chose pour la tenir à la main. *La poignée d'un sabre, d'une portière.* = À POIGNÉE, locut. adv. En abondance, en grande quantité. *Jeter des fleurs à poignée.* ‖ *Prendre à poignée,* prendre à pleine main.

poignet [*poi-niè*], n. m. Point d'union de la main et de l'avant-bras. ‖ Partie inférieure et resserrée d'une manche, qui recouvre le poignet.

poil, n. m. (lat. *pilus,* m. s.). [Anat.] Filament corné qui sort de la peau des animaux et de plusieurs endroits du corps humain; se dit de chacun de ces filaments et de leur ensemble. *Poil de chèvre, de chameau.* ‖ Fig. et fam. *Un gaillard qui a du poil,* un homme très courageux. — *Un brave à trois poils,* un homme d'une bravoure éprouvée. ‖ *Monter un cheval à poil,* monter un cheval tout nu et sans selle. [Vén.] *Reprendre du poil de la bête,* serrer de près la bête, en parlant des chiens. ‖ Fig. Réagir, reprendre l'avantage sur l'ennemi. ‖ Loc. pop. *A poil,* tout nu. — *N'avoir pas un poil de sec,* être trempé de pluie, de sueur, ou avoir une grande frayeur. — *Avoir un poil dans la main,* être très paresseux. ‖ Poétiq. ou fam. Chevelure, barbe. *Il a le poil roux.* — *Poil de carotte,* loc. adj. pop. Roux. ‖ Couleur du pelage de certains animaux, et partic. du cheval. *Il a le poil bai, alezan.* ‖ Fig. et fam. *Des gens de tout poil,* de toute espèce. ‖ Pop. Réprimande. *Flanquer un poil à quelqu'un.* [Botan.] Filament très fin, pouvant servir de canal excréteur des glandes. ‖ *Les poils des orties.* ‖ Par anal. Partie velue de certaines étoffes (drap, velours, etc.) *Ce drap est trop chargé de poil.*
ÉPITHÈTES COURANTES : fin, rude, dru, épais, ténu, mince, sec, humide, ras, long, brun, blanc, blond, noir, gris, roux, bai, alezan, etc.
ANT. — *Plume.*
HOM. — V. POÊLE.

> VOCAB. — *Famille de mots.* — *Poil* [rad. *poil, pil, pel, plu*] : poilu, pelu, à contre-poil; épiler, épileur, épilation, épilatoire ; horripilation, horripiler, horripilant; pileux, pilosité, pilaire, pilifère, piliforme, pilou, pelage, pelade, pelletage, pelouse, peluche, pelucheux; peler, pelé, pelure, épluchure, éplucher, épluchage.

poilu, ue, adj. Velu, couvert de beaucoup de poils. = N. m. Brave, héros. ‖ Surnom familier donné aux soldats français de la guerre de 1914-1918.

poincillade [*pouin*], n. f. [Bot.] Genre de plantes de la famille des *légumineuses.* — Autre nom du *séné.*

1. poinçon [*pouin-son*], n. m. (lat. *punctio,* action de piquer). [Techn.] Instrument de fer ou d'acier qui a une pointe pour percer ou pour graver. V. pl. OUTILS usuels. ‖ Poutre verticale joignant le sommet d'un comble au tirant. V. pl. CHARPENTE. — Instrument dont on se sert pour marquer les objets d'argent et de platine; marque qui résulte de son application. *Poinçon de garantie.* ‖ Morceau d'acier gravé en relief avec lequel on fait les matrices des monnaies et des médailles, ou avec lequel on frappe les matrices des caractères d'imprimerie.

2. poinçon [*pouin-son*], n. m. (orig. inc.). Tonneau qui contenait à peu près les deux tiers du muid.

poinçonnage ou *****poinçonnement** [*pouin*], n. m. Action de poinçonner.

poinçonner [*pouin*], v. tr. Marquer, percer avec un poinçon ou une poinçonneuse.

*****poinçonneuse** [*pouin*], n. f. Machine à perforer; sorte d'emporte-pièce.

poindre [*pouin*], v. tr. (lat. *pungere,* piquer). Piquer, blesser, offenser. *Poignez vilain, il vous oindra* (Vx), rudoyez un rustre, il s'adoucira. V. intr. Commencer à paraître. *Le jour va poindre.*

> CONJUG. — Ce verbe a vieilli ; il ne s'emploie plus qu'au part. prés., *poignant,* et à l'infinitif.

poing [*pouin*], n. m. (lat. *pugnus,* m. s.). Main fermée. *Serrer le poing.* — *Faire le coup de poing,* se battre à coups de poing. — *Fermer le poing,* fermer la main, la tenir serrée. ‖ Fig. *Dormir à poings fermés,* de toute sa force. — *Se ronger les poings,* dominer avec peine une violente colère, une grande impatience. ‖ Main tout entière. *Mener quelqu'un pieds et poings liés,* le mener, après lui avoir lié les pieds et les mains. ‖ Fig. et fam. *Je vous livre cet homme pieds et poings liés,* je le mets à votre merci. — V. tabl. CORPS (*Idées suggérées par le mot*). ‖ *Coup de poing américain,* petite armature d'acier qui s'adapte à la main fermée et avec laquelle on peut porter des coups très durs.
HOM. — *Poing,* n. m., main fermée; — *point,* n. m., portion d'espace (sens variés); — *point,* adv., négation : *Je ne le verrai point.*

> VOCAB. — *Famille de mots.* — *Poing* [rad. *poing, pug*] : poigne, poignet, poignard, poignarder, poignée, empoignade, empoigner; pugiliste, pugilat; inexpugnable; répugner, répugnant, répugnance.

1. point [*pouin*], n. m. tabl. V. POINT 1.
2. point [*pouin*], adv. de nég. V. tabl. POINT 2.

pointage [*pouin*], n. m. Action de diriger une bouche à feu vers un but donné. V. pl. CANON. ‖ Marque en vue d'un contrôle,

POINT

1. POINT, nom masculin.

Étymologie. — Lat. *punctum*, piqûre, de *pungere*, piquer.
De *point* 1, vient *point* 2. V. ce tableau.

Syn. — V. bout et endroit.

POINT, nom masculin.

1° Sens général de piqûre.

Piqûre que l'on fait dans de l'étoffe, dans du cuir, etc., avec une aiguille enfilée de fil, de soie, etc. *Faire un point d'aiguille. Faire un point à une chemise.*
Manière de coudre. *Point croisé. Point de surjet.* — Nom de certains ouvrages de broderie, de dentelle ou de tapisserie faits à l'aiguille. *Point de chaînette. Point d'Angleterre*, etc.

[Méd.] Douleur aiguë, analogue à une piqûre, qu'on éprouve en divers endroits du corps, et particulièrement au côté. *Point pleurétique. Point de côté.*

Le point du jour, le moment où le jour commence à poindre.

2° Sens de très petite étendue.

[Géom.] La plus petite portion d'étendue qu'il soit possible de concevoir, ou bien que l'on conçoit comme n'ayant aucune étendue. *Le point n'a ni longueur, ni largeur, ni épaisseur.* — *Point d'intersection*. V. intersection. — *Point géométrique*, rencontre de deux lignes. — Endroit fixe et déterminé. *Point central. Point fixe. Point de départ, d'arrivée, de rassemblement. Point de repère. Rond-point* (V. ces mots). [A. mil.] *Point de mire.* V. mire. — *Point de chute*, l'endroit où la trajectoire d'un projectile rencontre le sol.

— Fureur d'accumuler, monstre de qui les yeux
Regardent comme un point tous les bienfaits des cieux... (La Fontaine.)

[Astro.] *Points équinoxiaux*, points d'intersection de l'écliptique avec l'équateur. — *Point culminant.* V. culminant. *Points cardinaux.* V. cardinaux.

[Géog. et Hydraul.] *Point culminant.* V. culminant.

[Mar.] Position occupée sur la carte par un navire qui fait route. *Faire le point*, déterminer la position du navire en mer. — Fig. *Faire le point*, voir au juste où l'on en est dans une situation, une affaire, en supputant ce qui est acquis et ce qui ne l'est pas.

[Mécan.] *Point mort.* V. mort. *Point d'appui.* V. levier. — Fig. *Point d'appui*. Ce sur quoi l'on s'appuie moralement. [Tactique] Place ou point fortifié qui sert de base d'opérations et de ravitaillement à une armée, à une flotte, particulièrement aux colonies.

— La terre n'est qu'un point dans la masse de l'univers. (Fénelon.)

[Perspect.] *Point de vue*, le point que le peintre ou le dessinateur choisit pour mettre les objets en perspective. — Le paysage même vu d'un endroit bien choisi. *On a d'ici un très joli point de vue.* — Fig. Aspect sous lequel on envisage une question. *Le point de vue politique, philosophique.*

Au point de vue de, loc. prép. En ce qui concerne. *Au point de vue de la moralité, il n'y a rien à dire contre cet homme.*

Incorr. — L'expression *au point de vue* ne doit jamais être suivie directement d'un nom. C'est une incorrection de dire : *au point de vue agriculture*. Il faut dire : *au point de vue de l'agriculture* ou *au point de vue agricole*.

[Opt.] *Mise au point*, action de régler un appareil photographique, une jumelle, un microscope, etc., de manière à avoir l'image nette. V. photographie. — Fig. Action de débarrasser une question, une affaire de toute obscurité, pour voir nettement où elle en est. *Remettre les choses au point*, rétablir un fait sous son vrai jour.

[Phys.] *Point fixe*, point invariable d'un phénomène physique ou chimique. *Point de fusion, point de solidification.*

3° Sens de petit signe de forme circulaire (au propre et au fig.).

Petite marque ronde qui se met dans un texte, manuscrit ou imprimé, pour marquer la fin d'une phrase, ou sur les lettres i et j. *Un point à la ligne. Point d'interrogation, d'exclamation. Deux points. Point et virgule.* V. tabl. grammaire et ponctuation. = Fig. et fam. *Mettre les points sur les i*, apporter des précisions, dire catégoriquement les choses.

Par anal. Ce qui n'occupe qu'une partie extrêmement petite de l'espace, ou qui est à peine visible par suite de sa petitesse ou de l'éloignement. *La terre n'est qu'un point dans l'univers.*

Petite tache. *Vous avez un point rouge à l'œil.* — *Point noir*, nuage orageux qui paraît à l'horizon. — Fig. Quelque chose qui est à craindre. *Mais, voilà le point noir de l'affaire.*

[Mus.] V. notation. *Point d'orgue*, signe indiquant un repos de l'orchestre. V. pl. musique.

Marque, chiffre dont se servent les professeurs pour noter la conduite ou les travaux de leurs élèves, ou pour apprécier les mérites relatifs des candidats dans un examen. *Il faut 60 points pour être reçu.* — *Bon point, mauvais point.* — Fig. *C'est un bon point pour lui*, c'est quelque chose qui doit être compté en sa faveur.

[Métrol.] La douzième partie d'une ligne. = Marque faite sur une espèce de règle dont les cordonniers, les chapeliers, etc., se servent pour prendre les mesures.

[Jeux] Nombre de points que composent ensemble plusieurs cartes de la même couleur. *Accusez votre point.* — *Avoir le point*, avoir en cartes d'une même couleur un plus grand nombre de points que son adversaire. — Aux jeux de cartes, de billard, etc., nombre que l'on marque à chaque coup, et celui dont on est convenu pour le gain de la partie. *Jouer en tant de points.* — *Rendre des points à quelqu'un*, supposer, en commençant la partie, qu'il a déjà tant de points. Fig. Être supérieur à quelqu'un. *Il vous rendrait des points sur cette matière.* || Prov. *Pour un point, Martin perdit son âne*, une très petite cause peut faire échouer une entreprise.

4° Sens figurés divers.

Division de certains discours, de certains ouvrages. *Traiter quelque chose point par point. Le premier point d'un sermon, d'un discours, d'une dissertation.* ‖ Question, difficulté particulière, en quelque genre que ce soit. *Approfondir, éclaircir un point de morale, d'histoire. Ils sont d'accord sur ce point.* ‖ Ce qu'il y a de principal, d'important dans une affaire, dans une question, dans une difficulté. *Le point capital. Voilà le point.* ‖ État, situation. *L'affaire est en bon point, en mauvais point.* — Sujet, matière. *Ce qui est en question. Voici les principaux points à traiter.* — *Le point faible d'un discours, d'une argumentation,* le passage, l'argument qu'il est facile de réfuter. — Degré, période. *Ce fruit est à son point de maturité. Son insolence est arrivée au dernier, au plus haut point.* ‖ Instant, moment, temps précis. *Sur le point de mourir, il déclara...* ‖ Marque, limite où peut arriver une chose.

— *Il est peureux au dernier point.*
— *Il est bon d'être charitable,*
Mais envers qui? C'est là le point. (LA FONTAINE.)

LOCUTIONS FORMÉES AVEC **POINT**.

MAL EN POINT, loc. adv. Fam. En mauvais état. V. MAL EN POINT.

À POINT, loc. adv. A propos. *Vous venez à point, fort à point.* — Prov. *Tout vient à point à qui sait attendre,* celui qui est patient arrive à ses fins. — *De la viande cuite à point,* de la viande cuite comme il faut.

À POINT NOMMÉ. V. NOMMER.

AU DERNIER POINT, loc. adv. Extrêmement, excessivement. *Il est brave au dernier point.*

DE POINT EN POINT, loc. adv. Exactement, sans rien omettre. *Il m'a tout raconté de point en point.*

DE TOUT POINT, EN TOUT POINT, loc. adv. Totalement, entièrement, parfaitement. *C'est un homme accompli de tout point.*

ÉPITHÈTES COURANTES : important, capital, culminant, crucial; principal, secondaire, essentiel, décisif, initial, médial, final, terminal, intermédiaire, central; mort; fixe, mobile; premier, second, dernier; bon, mauvais, etc.

SYN. — V. BOUT et ENDROIT. — HOM. — V. POING.

VOCAB. — *Famille de mots.* — *Point* [rad. *poin, pon*] : arrière-point, pointe-sèche, pointe, pointu, pointage, pointer, pointeur, pointure, pointiller, pointillé, pointille, pointillage, pointillerie, pointilleux, pointilleusement, pointillisme, pointilliste; poinçon, poinçonner, poinçonnage, poinçonneuse; poindre, poignant; ponction, ponctionner, ponctuer, ponctué, ponctuation, ponctualité, ponctuel, ponctuellement.

Appoint, appointer, appointage, appointeur, appointement, désappointer, désappointement; épointer, épointé, épointage, épointement; contrepoint, contre-pointe, contre-pointer, contre-pointiste; rapointir, rappointis, rappointer; embonpoint; strapontin.

---

2. POINT, mot négatif.

Étymologie. — 1 *Point*, nom masc.

Historique et emploi. — *Point,* comme *pas, rien, personne,* etc., est d'abord un nom commun destiné à renforcer la négation simple *ne* (V. tableaux NE et PAS), et employé comme terme de comparaison marquant une petite quantité, le *point* étant la portion d'étendue la plus faible que l'on puisse concevoir. *Point,* comme *pas,* a fini par devenir négatif par lui-même.

Point est aujourd'hui peu employé dans le langage ordinaire; sauf dans certains centres ruraux, il est réservé à la langue littéraire et au style oratoire. *Pas,* d'une façon générale, l'a supplanté. V. tabl. PAS

Dans l'usage classique, il semble que *point* soit une négation à valeur totale, *pas* pouvant souffrir une valeur plus restreinte. On dira sans addition possible : Il n'a *point* d'intelligence ; mais on pourra dire : Il n'a *pas* l'intelligence qu'il faut pour cet emploi. Par suite, *pas* est préféré devant *plus, moins, si, autant,* devant les *noms de nombre ;* il convient à ce qui est passager et accidentel; *point* est préféré pour ce qui est permanent et habituel.

V. NÉGATION et GRAMMAIRE (tableau).

SYN. — PAS, MIE. V. ces mots.

POINT, adverbe de négation.

1° Construit avec la négation *ne.* Nullement, pas. *N'avoir point d'argent. Va, je ne te hais point* (CORNEILLE).

2° Avec la particule négative sous-entendue. *Les gens peu ou point instruits. Point de travail qui le rebute.*
Point... point répétés. Nullement, aucun... *Point d'argent, point de Suisse, et ma porte était close* (RACINE).
Par ellipse, dans les réponses. *Le connaissez-vous?* — *Point. Viendra-t-il?* — *Point.*

LOCUTIONS FORMÉES AVEC **POINT**.

POINT DU TOUT, loc. adv. négative et exclamative. Absolument pas (Fam.). *Je vais me mettre en colère.* — *Point du tout !* (MOLIÈRE.)

POINT N'EST BESOIN. Il est préférable de dire : *Il n'est pas besoin.*

ce contrôle lui-même. *Le pointage d'une liste.* [Mar.] Action de faire le point, de déterminer la position du navire

pointal [*pouin*], n. m. Pièce de bois posée debout et servant d'étai.

point-arrière [*pouin*], n. m. V. ARRIÈRE-POINT.

pointe [*pouin-te*], n. f. (fém. de *point*, pp. de *poindre*). Bout piquant et aigu d'une chose. *La pointe d'une épine, d'une épée, d'une aiguille.* || Par ext. Extrémité d'une chose qui va en diminuant. *La pointe d'un rocher. Pointe d'asperge.* — *La pointe du pied*, l'extrémité du pied opposée au talon. *Marcher sur la pointe des pieds*, faire, en marchant ainsi, le moins de bruit possible. [Chorég.] *Faire des pointes*, se dit d'une danseuse qui danse et pivote sur l'extrémité des pieds, sans poser la plante sur le sol. || *La pointe du jour*, la première apparence du jour. On dit aussi *le point du jour*. || Saveur piquante et agréable. *Une pointe de vinaigre.* || Fig. et dans l'ordre des sentiments : *Sentir une pointe de jalousie.* || Fig. Trait d'esprit. *La pointe d'une épigramme*, le trait, la pensée piquante par laquelle se termine une épigramme. — *Décocher des pointes à quelqu'un*, diriger contre lui des traits malicieux. [Blas.] Partie inférieure de l'écu. — Triangle allongé montant en angle aigu vers le chef. || Morceau d'étoffe taillé en triangle aigu. — Sorte d'écharpe de forme triangulaire. — [Géog.] Langue de terre très effilée s'avançant dans la mer. *La pointe du Raz.* — Syn. en ce sens. V. PROMONTOIRE.

[Méd.] *Pointe de feu*, cautère en pointe, et, par ext., brûlure faite par cette pointe. [Techn.] Nom de certains instruments pointus de fer et d'acier qui servent à différents usages. || Espèce de clou, avec ou sans tête, mince et de grosseur égale jusque vers le bout. || *Pointe sèche.* V. POINTE-SÈCHE. = EN POINTE, loc. adv. En forme de pointe. *Une montagne qui s'élève en pointe.*

ÉPITHÈTES COURANTES : aiguë, acérée, pénétrante, fine, émoussée; cruelle, piquante, malicieuse, spirituelle, sèche, injuste, blessante, fine.

HOM. — *Pointe, es, ent*, du v. pointer.

pointeau [*pouin*], n. m. [Techn.] Outil d'acier constitué par une tige terminée par une pointe conique coudée. || Tige conique qui sert à obturer certains robinets.

* **pointement** [*pouin*], n. m. Syn. de *pointage*.

1. **pointer** [*pouin-té*], v. tr. (de *pointe*). Porter un coup avec la pointe d'une épée, d'un sabre. [Techn.] Marquer avec un pointeau. — *Pointer des aiguilles*, en former la pointe. || Dresser en pointe. *Pointer les oreilles.* — V. intr. Faire la pointe et s'élever vers le ciel, en parlant des oiseaux. || En parlant des herbes, des bourgeons, commencer à paraître, à pousser. || Se dit aussi de certains objets qui dirigent leur pointe verticalement ou dans une direction donnée. *La tour Eiffel pointe vers le ciel.* || Pousser une pointe. *Les tanks ennemis pointèrent sur nous.* || Fig. Se manifester. *Son génie pointa de bonne heure.*

2. **pointer** [*pouin-té*], v. tr. (de *point*). Diriger quelque chose vers un point en mirant. *Pointer un canon.* || Faire un point, une marque, avec la plume, le crayon ou autrement, à côté d'un article de compte, de chaque unité d'une liste, etc. *Pointer les entrées et les sorties.* [Mus.] *Pointer une note*, la faire suivre d'un point qui en augmente de moitié la valeur.

SYN. — V. MARQUER.

3. **pointer** [*pouin-teur*], n. m. Chien d'arrêt de race anglaise.

HOM. — V. POINTEUR 1.

pointe-sèche [*pouin*], n. f. Stylet d'acier pour graver directement sur cuivre. Procédé de gravure entaillant le métal sans le couper et refoulant les barbes sur le côté du trait. || Épreuve ainsi obtenue. || *Compas à pointes sèches*, dont les deux branches sont terminées par des pointes. = Pl. *Des pointes-sèches.*

1. **pointeur, euse** [*pouin*], adj. et n. Celui, celle qui fait le pointage d'une liste, etc. || Artilleur qui pointe le canon.

HOM. — *Pointeur, euse*, adj. et n., qui fait le pointage; — *pointeur, euse*, n., qui façonne en pointe; — *pointer*, n. m., chien d'arrêt.

2. * **pointeur, euse** [*pouin*], n. Celui, celle qui façonne en pointe.

HOM. — V. POINTEUR 1.

pointillage ou * **pointillement** [*poin-ti-ll* mll.], n. m. Action de pointiller.

* **pointille** [*poin-ti-ll* mll.], n. f. Minutie dans une contestation. || Sujet très léger, chose de rien.

HOM. — *Pointille, es, ent*, du v. pointiller.

pointillé [*poin-ti-ll* mll.], n. m. Ligne formée d'une série de points. || Manière de peindre, de dessiner, de graver en petits points, en pointillant. || Gravure faite au pointillé.

1. **pointiller** [*poin-ti-ll* mll.], v. tr. Marquer avec des points, marquer d'un pointillé. = V. intr. Faire des points avec le burin, le pinceau, le crayon.

2. **pointiller** [*poin-ti-ll* mll.], v. intr. (de *pointille*). Disputer pour des riens, se montrer pointilleux. = V. tr. Piquer par paroles; dire des choses désagréables.

pointillerie, [*poin-ti-ll* mll.], n. f. Contestation sur des choses insignifiantes.

* **pointilleusement** [*poin-ti-ll* mll.], adv. D'une manière pointilleuse.

pointilleux, euse [*poin-ti-ll* mll.], adj. Qui aime à contester à tous propos. || Susceptible, exigeant.

SYN. — V. CHICANIER.
CTR. — *Large, compréhensif.*

pointillisme [*poin-ti-ll* mll.], n. m. Procédé de peinture par petites touches séparées de couleurs pures, décomposant les tons.

pointilliste [*poin-ti-ll* mll.], n. m. et adj. Peintre adepte du pointillisme.

pointu, ue [*pouin*], adj. Qui a une pointe aiguë, qui se termine en pointe. || Fig. Qui subtilise sur tout, ou cherche des difficultés à tous propos.

SYN. — V. AIGU et AIGRE.

pointure [*pouin*], n. f. Dimension, mesurée par points, d'une chaussure, d'une coiffure, etc. [Typo.] Lame de fer pointue qui fixe la feuille à imprimer sur le tympan.

poire, n. f. (lat. *pirum*, m. s.). [Bot.] Fruit du poirier. || *Poire tapée*, poire pelée et à demi desséchée au four. || *Une poire molle*, celle qui commence à blettir, et fig., une personne sans volonté, sans

décision. — Fig. et prov. *Garder une poire pour la soif*, réserver quelque chose pour les besoins à venir. — *Entre la poire et le fromage*, sur la fin du repas. — *La poire est mûre*, l'occasion est favorable. V. tabl. NOURRITURE (*Idées suggérées par le mot*). ‖ Fig. et fam. Personne qui se laisse gruger ou exploiter par des gens plus habiles et peu scrupuleux. ‖ *En poire*, en forme de poire. *Il a la tête en poire.* ‖ Se dit d'objets divers en forme de poire. *Poire à poudre.* ‖ *Poire en caoutchouc*, récipient de caoutchouc creux, en forme de poire. ‖ Bouton ou commutateur électrique agencé dans une poignée en forme de poire.
ÉPITHÈTES COURANTES : verte, mûre, blette, rêche, âcre, sucrée, juteuse, fondante, succulente, bonne, délicieuse, précoce, hâtive, tardive; molle, crue, cuite, confite, tapée, séchée, etc.

> VOCAB. — *Famille de mots.* — *Poire* [rad. *poi, pir, per*] : poirier, poiré; piriforme; perle, perlé, perlière, emperlé.

poiré, n. m. Boisson provenant de la fermentation alcoolique du jus de poire.
HOM. — *Poirée*, autre nom de la bette.
poireau ou *****porreau**, n. m. [Bot.] (lat. *porrus*, m. s.). Plante potagère de la famille des *liliacées*, cultivée pour l'alimentation. [Méd.] Nom pop. des verrues. ‖ Fam. Décoration du Mérite agricole.
*****poireauter**, v. int. [Argot] Attendre longuement sur place.
poirée, n. f. [Bot.] Autre nom de la bette, plante potagère de la famille des *chénopodiacées*.
HOM. — *Poiré*, boisson faite avec des poires.
poirier, n. m. [Bot.] Arbre fruitier de la famille des *rosacées*, produisant les poires. ‖ Bois de cet arbre.
pois [*poi*], n. m. (lat. *pisum*, m. s.). [Bot.] Genre de plantes dicotylédones (*pisum*), de la famille des *légumineuses*. — Légume appelé aussi *petits pois, pois verts, pois secs.* — *Pois cassés*, le pois sec vendu décortiqué et séparé en deux. ‖ *Pois chiche.* V. CHICHE. — V. tabl. NOURRITURE (*Idées suggérées par le mot*). — *Pois de senteur*, espèce de pois aux fleurs multicolores, cultivé comme plante d'ornement. ‖ Fig. et fam. *La fleur des pois*, les personnes qui se piquent de supériorité en élégance, en distinction, etc.
HOM. — V. POIDS.
poison [*zon*], n. m. (lat. *potio*, breuvage). Substance qui, introduite dans un organisme vivant, est capable de détruire la vie ou d'altérer les fonctions vitales. *Poison mortel.* ‖ Par ext. Substance qui, sans être absolument toxique, est néanmoins préjudiciable à la santé, surtout prise en grande quantité. *L'alcool est un poison.* ‖ Fig. Aliment, boisson détestable au goût. *Ce vin est un vrai poison.* ‖ Fig. Maxime pernicieuse, discours, écrit qui corrompent le cœur ou l'esprit. *Le poison de la flatterie.* ‖ Fig. Ce qui trouble la tranquillité de l'âme, qui nuit au bonheur de la vie. *L'ennui est le poison de la vie.* ‖ Fig. et fam. Personne méchante ou malfaisante, et, au fém., femme de mauvaise vie (Pop.).

POIRÉ — POISSON

ÉPITHÈTES COURANTES : violent, mortel, foudroyant, lent, insidieux, subtil, fatal; criminel, préparé, versé, distillé, bu, etc.
GRAM. — *Poison* était féminin jusqu'au commencement du XVIIe s. : *Donner de la poison* (Malherbe). Cf. le doublet *potion*. Le féminin, parfois encore employé par plaisanterie, est aujourd'hui incorrect.
SYN. — *Poison*, breuvage ou substance qui produit dans l'organisme humain de grands désordres et amène souvent la mort: *Néron se débarrassa de Britannicus par le poison.* — *Alcaloïde*, principe tiré de nombreux végétaux, poison violent, mais utilisé en petites doses comme remède : *Les alcaloïdes de la belladone.* — *Toxine*, substance sécrétée par les bactéries et qui empoisonne l'organisme ou y cause des désordres graves : *La toxine de la fièvre typhoïde.* — *Toxique*, toute matière qui empoisonne : *Des champignons toxiques.* — *Venin*, poison sécrété par des glandes spéciales de certains serpents : *Le venin de la vipère.* — *Virus*, principe d'une maladie contagieuse : *Le virus de la rage.*
ANT. — *Antidote, contrepoison.*
poissard, arde, adj. Qui est propre aux poissardes. ‖ Qui imite le langage, les mœurs des femmes de la halle.
poissarde, n. f. Marchande de poisson; femme de la halle. ‖ Femme qui a des manières hardies, des expressions grossières.
*****poissement**, n. m. Action de poisser. ‖ Résultat de cette action.
poisser, v. tr. Enduire de poix. ‖ Salir avec quelque chose de gluant. ‖ Pop. *Cette histoire le poisse*, lui cause les pires ennuis. — *Il s'est fait poisser*, on l'a arrêté.
poisseux, euse, adj. Qui poisse, ou qui est poissé.
SYN. — V. GLUANT.
1. poisson, n. m. (lat. pop. *piscionem*, m. s.). [Zool.] Vertébré aquatique respirant par des branchies. *Poisson de mer, de rivière. Poisson d'eau douce. Poisson rouge.* V. tabl. ANIMAUX. = V. pl. POISSONS. ‖ Loc. prov. *Être comme un poisson dans l'eau* se dit de quelqu'un qui se trouve dans la situation qui lui convient le mieux. ‖ Loc. fig. et fam. *Il boirait la mer et les poissons* se dit de quelqu'un qui a grand soif. — *Être muet comme un poisson*, ne dire mot. ‖ Le poisson envisagé comme mets. *Servir le poisson.* V. tabl. NOURRITURE (*Idées suggérées par le mot*). — *Il n'est ni chair ni poisson*, il ne se décide dans aucun sens. — Prov. *La sauce fait manger le poisson*, des circonstances accessoires peuvent faire passer une chose désagréable. — *Finir en queue de poisson*, finir brusquement, tourner court, en parlant d'un discours, d'une œuvre littéraire, d'une affaire. ‖ *Poisson d'avril*, mensonge plaisant fait pour attraper quelqu'un le 1er avril. [Astro.] Constellation et signe du zodiaque.
ANT. — *Mammifère.*

> VOCAB. — *Famille de mots.* — *Poisson* : poissonnier, poissonnerie, poissonnaille, poissonnière (ustensile), poissonneux, poissarde, poissard; pisciculture, pisciculteur, pisciforme, piscicole, piscivore, piscine; pêche, pêcher, pêcheur, pêcherie, pêchette; repêcher, repêcheur, repêchage; poisson-chat.

2. poisson, n. m. (anc. fr. *poçon*). Anc. mesure de capacité pour les liquides, valant un demi-setier.
  * **poisson-chat,** n. m. [Zool.] Nom vulg. du *silure*, poisson des Etats-Unis. = Pl. *Des poissons-chats*.
  poissonnaille, n. f. Fam. Menu poisson; fretin.
  poissonnerie, n. f. Lieu, halle, magasin où l'on vend du poisson.
  poissonneux, euse, adj. Qui abonde en poisson. *Une rivière poissonneuse.*
  poissonnier, ière, n. Celui, celle qui vend du poisson.
  poissonnière, n. f. Ustensile de cuisine pour faire cuire le poisson.
  * **poitevin, ine,** adj. et n. Du Poitou ou de Poitiers.
  poitrail [*ill* mll.], n. m. La partie de devant du corps du cheval, entre les épaules et sous l'encolure. ‖ Harnachement qui se met sur le poitrail du cheval. ‖ Grosse poutre posée horizontalement et formant linteau au-dessus d'une grande baie. = Pl. *Des poitrails.*
  poitrinaire, adj. et n. [Méd.] Phtisique, tuberculeux.
  poitrine, n. f. [Anat.] Partie du tronc contenant les poumons et le cœur. ‖ Le devant de la poitrine et, partic., les seins de la femme. *Avoir une grosse poitrine.* ‖ Ce que renferme la poitrine; spécialement les poumons. *Maladie de poitrine.* — *Voix de poitrine,* qui vient en plein des poumons. V. pl. HOMME. V. tabl. CORPS (*Idées suggérées par le mot*). [Bouch.] Partie antérieure des côtes du veau et du mouton. V. pl. BOUCHERIE.
  * **poitrinière,** n. f. Pièce du métier à tisser placée contre la poitrine de l'ouvrier.

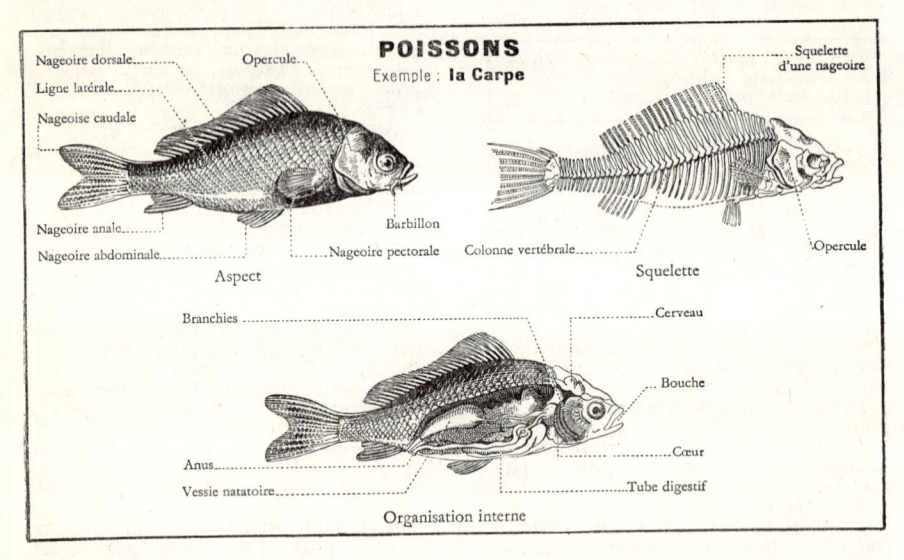

POISSONS
Exemple : la Carpe

Nageoire dorsale. Opercule. Squelette d'une nageoire
Ligne latérale.
Nageoise caudale
Nageoire anale. Barbillon
Nageoire abdominale. Nageoire pectorale. Colonne vertébrale. Opercule
Aspect — Squelette

Branchies. Cerveau
Bouche
Anus. Cœur
Vessie natatoire. Tube digestif
Organisation interne

poivrade, n. f. Sauce faite avec du poivre, du sel et du vinaigre. = Adj. *Sauce poivrade.*
poivre, n. m. (lat. *piper*, m. s.). [Bot.] Fruit du poivrier. ‖ Condiment fait avec ce fruit pulvérisé. ‖ Fig. Ce qui est piquant, mordant ou licencieux. ‖ Fig. *Poivre et sel,* grisonnant.
poivré, ée, adj. Assaisonné avec du poivre. ‖ Fig. D'un prix excessif (le poivre coûtait fort cher jadis). ‖ Caustique ou licencieux. *Une histoire très poivrée.*
poivrer, v. tr. Assaisonner de poivre. ‖ Rendre son style, ses paroles, ses écrits mordants ou licencieux.
poivrier, n. m. [Bot.] Genre de plantes de la famille des *pipéracées*, arbustes grimpants des régions tropicales. ‖ Vase où l'on met le poivre.
poivrière, n. f. Plantation de poivriers. ‖ Ustensile de table pour le poivre. [Fortif.] Guérite à toit conique, placée en encorbellement à l'angle d'un bastion. [Archi.] *Tour en poivrière,* tour ronde surmontée d'un toit pointu en forme de cône. V. pl. FORTIFICATIONS.
* **poivron,** n. m. Fruit du piment.
poivrot, n. m. Ivrogne (Pop.).

poix [*poua*], n. f. (lat. *pix*, m. s.). Nom de diverses matières résineuses ou bitumineuses fort gluantes, résidus de distillation.
HOM. — V. POIDS.
poker [*keur'* ou *kèr'*], n. m. (mot angl.). Barre de fer pour remuer la houille en combustion. ‖ Jeu de cartes d'origine américaine.
* **poker d'as** ou **poker dice,** n. m. Sorte de jeu de dés dont les règles se rapprochent de celles du poker.

pol, poll...

ORTH. — *Initiales.* — L'initiale *pol* s'écrit avec un seul *l* : polacre, polaire, polaque, polariser, polémique, poli, police, polichinelle, polir, politique, polo, polonais, polychrome, et tous les mots d'origine grecque commençant par poly, etc., sauf dans les mots pollen et ses dérivés, pollicitation, pollinisation, (dérivé de pollen), polluer et ses dérivés.

polacre ou * **polaque,** n. f. Petit bâtiment à voiles carrées et à rames, de la Méditerranée. ‖ Danse polonaise. = N. m. Cavalier polonais.

polaire [polè-re], adj. (bas lat. *polaris*, m. s.). Qui est auprès des pôles, qui appartient aux pôles. *Les glaces polaires. Mers polaires.* ‖ *Étoile polaire*, étoile de la Petite Ourse, la plus voisine du pôle céleste nord. — *Cercles polaires*, les deux parallèles terrestres qui séparent les zones tempérées des régions glaciales ou *régions polaires.* V. tabl. UNIVERS (*Idées suggérées par le mot*). [Électr.] Relatif aux pôles d'un aimant, d'un courant électrique. ‖ Relatif aux pôles d'une sphère, d'un cercle.
CTR. — *Tropical, équatorial, tempéré.*
* **polaque,** n. f. V. POLACRE.
* **polarimètre,** n. m. [Phys.] Appareil qui sert à constater qu'un corps est actif sur la lumière polarisée, ou à mesurer la polarisation.
* **polarisateur, trice,** adj. Qui polarise.
polarisation [sion], n. f. [Phys.] Modification que subissent les rayons lumineux en traversant certains milieux, en se réfléchissant sous un certain angle, et qui les rend incapables d'être de nouveau réfractés ou réfléchis. ‖ *Polarisation d'une pile*, diminution de sa force électromotrice par suite de réactions chimiques intérieures.
* **polariscope,** n. m. [Phys.] Appareil qui sert à étudier la lumière polarisée.
polarisé, ée, adj. Qui a subi le phénomène de la polarisation. ‖ *Pile polarisée*, dont le fonctionnement est arrêté par polarisation. ‖ Fig. Dirigé, tendu, tourné vers.
polariser, v. tr. Donner aux rayons lumineux la propriété appelée polarisation. ‖ Faire subir la polarisation à une pile. = SE POLARISER, v. pron. Subir la polarisation.
* **polariseur,** n. m. Appareil qui polarise la lumière.
polarité, n. f. [Phys.] Propriété des aiguilles aimantées de toujours se tourner vers le pôle magnétique. ‖ État d'un corps dans lequel il s'est manifesté deux pôles opposés.
* **polatouche,** n. m. [Zool.] Genre de petits rongeurs d'Asie, écureuils munis d'une membrane parachute.
polder [dèr], n. m. (mot holl.). Nom donné aux terres basses des côtes de Flandre et des Pays-Bas, conquises sur la mer, asséchées par le drainage et protégées par des digues puissantes.
pôle, n. m. (lat. *polus*, pivot). [Géog.] Nom donné à chacune des deux extrémités de l'axe idéal autour duquel le globe terrestre paraît tourner. *Pôle nord, pôle sud; pôle boréal, pôle austral.* V. tabl. UNIVERS (*Idées suggérées par le mot*). [Phys.] Chacune des deux extrémités d'un circuit, d'une pile ou d'un accumulateur chargées, l'une d'électricité positive (pôle positif), l'autre d'électricité négative (pôle négatif). ‖ Fig. *Être, se trouver aux deux pôles* se dit de deux personnes, de deux groupes, de deux doctrines dont les opinions ou les conclusions sont absolument opposées.
ORTH. — *Pôle* prend un accent circonflexe, mais ses dérivés : *polariser, polarisation, polarité*, etc., n'en prennent pas.
ANT. — *Équateur.*
* **polémarchie** [chi], n. f. Charge, fonction du polémarque.
* **polémarque,** n. m. (gr. *polémos*, guerre; *arkhô*, je commande). [Antiq. gr.] Nom donné, à Athènes, au troisième des neuf archontes, qui avait le commandement de l'armée.
PAR. — *Poliarque*, gouverneur d'une ville grecque.
polémique, adj. (gr. *polémos*, guerre). Qui appartient à la dispute, aux discussions par écrit. = N. f. Dispute, querelle par écrit ou par discours.
* **polémiquer,** v. intr. Faire de la polémique.
polémiste, n. m. Celui qui fait de la polémique.
* **polémoine,** n. f. [Bot.] Genre de *polémoniacées* ornementales.
* **polémoniacées,** n. f. pl. [Bot.] Famille de plantes dicotylédones gamopétales des régions tempérées, ayant pour type la polémoine.
polenta ou * **polente** [lin], n. f. (mot ital.). Mets italien; bouillie faite de farine de maïs, d'orge ou de châtaigne.
poli, ie, adj. (pp. du v. *polir*). Qui a une superficie unie et luisante. *Des corps polis.*
Fig. Civil, complaisant, qui observe avec attention toutes les convenances de la société. *Un homme poli.* — Qui exprime la politesse. *Un ton poli. Des manières polies.* ‖ Soigné, élégant. *Un style poli.*
N. m. Lustre, éclat des choses qui ont été polies. *Ces armes sont d'un beau poli.*
SYN. — V. NET et AIMABLE.
CTR. — *Rugueux.* — *Grossier, rustre, incivil, impoli, arrogant, malotru.*
* **poliarque,** n. m. (gr. *polis*, ville; *arkhô*, je commande). [Antiq.] Gouverneur d'une ville.
PAR. — *Polémarque*, archonte athénien qui commandait l'armée.
1. police, n. f. (bas lat. *politia*, administration de la cité). Forme de gouvernement établi (Vx). ‖ Ordre, règlement établi pour tout ce qui regarde la tranquillité, la sûreté et la commodité d'un État, des habitants d'une ville, d'une assemblée, d'un établissement particulier, etc. *Règlement, ordonnance de police. Police des rues, des marchés.* ‖ Administration chargée de la police. *Commissaire, agent de police.* ‖ *Police correctionnelle* ou *Tribunal de police correctionnelle*, tribunal qui juge les délits en première instance. ‖ *Salle de police*, lieu où l'on fait subir aux soldats de courtes détentions pour les fautes légères. ‖ *Bonnet de police*, bonnet de drap des militaires, qui est leur coiffure de cantonnement, de repos. V. tabl. ADMINISTRATION, LOI ET TRIBUNAL (*Idées suggérées par les mots*).
2. police, n. f. (ital. *polizza*, certificat). *Police d'assurance*, acte passé entre l'assureur et l'assuré, constatant leurs engagements réciproques. — Contrat d'abonnement pour l'eau, le gaz, l'électricité, etc. entre l'abonné et la compagnie concessionnaire.
HOM. — *Police*, n. f., ordre établi; contrat; — *police, es, ent*, du v. *policer*; — *polisse, es, ent*, du v. *polir*.

VOCAB. — *Famille de mots.* — *Police* : policer, policier, politique (adj. et n.), politiquement, politiquer, politicien, impolitique, impolitiquement, impolicé; cosmopolite, cosmopolitisme; acropole, métropole, métropolitain (n. et adj.), métropolite.

* **policeman** [*mann*], n. m. (mot anglais). Agent de la police anglaise ou américaine. = Pl. *Des policemen.*

policer, v. tr. Établir des lois pour la sécurité, la tranquillité d'un pays. ‖ Adoucir les mœurs par la civilisation. = SE POLICER, v. pr. Devenir policé. = Conjug. V. GRAMMAIRE.

polichinelle, n. m. (ital. *pulcinella*). Personnage bouffon de la comédie italienne, paysan qui dit aux gens leurs vérités. ‖ En France, marionnette bossue par devant et par derrière, à vêtements grotesques, à tricorne à claques et à gros sabots. Sa voix est aiguë et stridente, d'où l'expression : *Voix de polichinelle.* = N. m. Personnage ridicule, sans caractère, que l'on ne prend pas au sérieux. ‖ *Secret de polichinelle,* chose crue secrète, mais sue de tout le monde.

policier, ière, adj. Relatif à la police. — *Roman, film policier,* roman, film ayant pour thème les efforts d'un détective pour éclaircir un crime mystérieux. = N. m. Agent de police, détective.

HOM. — *Policier,* adj. et n., relatif à la police; agent de police; — *policiez,* du v. policer; — *polissiez,* du v. polir.

* **policlinique,** n. f. (gr. *polis,* ville, et *clinique*). Établissement où l'on donne des consultations médicales, mais où les malades ne sont pas hospitalisés.

HOM. — *Polyclinique,* clinique où l'on soigne plusieurs sortes de maladies.

* **polignac,** n. m. Jeu de cartes dans lequel le valet de pique (*polignac*) est la carte principale.

1. * **poliment,** n. m. V. POLISSAGE.

2. poliment, adv. D'une manière polie.

poliomyélite, n. f. [Méd.] Maladie infectieuse caractérisée par des lésions de la moelle épinière, entraînant des paralysies localisées.

* **poliorcétique,** n. f. [A. mil.] Art d'assiéger les villes.

polir, v. tr. (lat. *polire,* m. s.). Rendre uni et luisant à force de frotter. *Polir l'acier, le marbre.* ‖ Fig. Cultiver, orner, adoucir l'esprit et les mœurs. *La fréquentation des personnes bien élevées polit l'esprit.* — *Polir un discours, un écrit,* le revoir avec soin en corrigeant tout ce qui peut être défectueux. — *Polir une langue,* lui donner plus de régularité et d'élégance. = SE POLIR, v. pr. à sens passif. Devenir uni, luisant. ‖ Fig. S'adoucir, se cultiver, s'orner. *Les esprits se polissent par la culture des belles-lettres.*

— *Vingt fois sur le métier remettez votre ouvrage,*
Polissez-le sans cesse et le repolissez.
(BOILEAU.)

VOCAB. — *Famille de mots.* — *Polir :* poli, poliment, politesse, impoli, impolitesse, polissage, polisseur, polissoir; dépolir, etc.

* **polissable,** adj. Qui est susceptible de recevoir le poli.

polissage, n. m. Action de polir, de rendre lisse et brillant.

polisseur, euse, n. Celui, celle qui polit les glaces, les métaux, etc.

polissoir, n. m. Instrument, machine pour polir.

HOM. — *Polissoire.* V. mot suivant.

* **polissoire,** n. f. Brosse douce pour les chaussures.

HOM. — *Polissoir.* V. mot précédent.

polisson, onne, n. Enfant mal élevé, malpropre, vagabond, qui joue dans les rues. ‖ Enfant dissipé, trop espiègle. ‖ Personne méprisable; libertin, débauché.

SYN. — V. INCONVENANT.

HOM. — *Polisson,* n. m., enfant dissipé; adj., débauché; — *polissons,* du v. polir; — *poliçons,* du v. policer.

PAR. — *Palisson,* instrument de chamoiseur.

polissonner, v. intr. Faire le polisson; vagabonder, se dissiper.

PAR. — *Palissonner,* passer les peaux au palisson.

polissonnerie, n. f. Parole, action de polisson. ‖ Action, écrit trop libre.

polissure, n. f. Action de polir. ‖ Résultat de cette action.

politesse, n. f. (ital. *politezza,* m. s.). Culture civile ou intellectuelle. *La politesse des mœurs* (Vx). ‖ Manière de vivre, d'agir, de parler civile et honnête, acquise par l'usage du monde. *Manquer de politesse.* — Fam. *Brûler la politesse.* V. BRULER. ‖ Action conforme à la politesse. *Faire une politesse. Les formes de politesse.* V. tabl. SOCIÉTÉ (*Idées suggérées par le mot*).

— *La politesse n'inspire pas toujours la bonté, l'équité, la complaisance, la gratitude; elle en donne du moins les apparences, et fait paraître l'homme au dehors, comme il devrait être intérieurement.*
(LA BRUYÈRE.)

— *La politesse est à l'esprit*
Ce que la grâce est au visage ;
De la bonté du cœur elle est la douce
image.
Et c'est la bonté qu'on chérit.
(VOLTAIRE.)

— *La politesse est la fleur de l'humanité. Qui n'est pas assez poli n'est pas assez humain.* (J. JOUBERT.)

SYN. — V. CIVILITÉ.

politicien, ienne, adj. et n. Celui, celle qui s'occupe de politique (souvent péjor.).

1. politique, adj. (gr. *politikos,* m. s.). Qui a rapport au gouvernement d'un État, ou aux relations mutuelles des divers États. *Délit politique. Affaires, nouvelles politiques.* V. tabl. GOUVERNEMENT (*Idées suggérées par le mot*). ‖ Qui s'occupe des affaires politiques de son pays. *Les hommes politiques.* — *Économie politique.* V. ÉCONOMIE. ‖ Fig. Qui met du calcul et une prudence intéressée dans certaines choses pour parvenir à un but quelconque. *Il est trop politique pour se brouiller avec un homme en faveur.*

HOM. — *Politique,* adj., qui a rapport au gouvernement d'un État; — *politique,* n. f., art de gouverner un État; — *politique, es, ent,* du v. politiquer.

PAR. — *Polyptique,* registre, ouvrage d'art plié en plusieurs parties.

2. politique, n. f. (gr. *politikê,* art d'administrer la cité). Science ou art de gouverner un État; la connaissance et la conduite des affaires publiques. *Politique sage, prévoyante, tortueuse.* ‖ Manière de gouverner. *La politique étrangère de Louis XIV.* ‖ Ensemble des affaires publiques d'un État, des événements politiques; lutte des partis. *Parler politique.* ‖

Fig. Conduite calculée que suit quelqu'un pour arriver à un but particulier. *Ce courtisan a de la politique dans tout ce qu'il fait*
N. m. Celui qui s'applique à la connaissance des affaires publiques, du gouvernement des États. *Un profond politique.* || Fig. Homme fin, adroit, rusé.
— *La politique consiste surtout dans le mensonge, et l'habileté est de pénétrer le menteur.* (VOLTAIRE.)
HOM. et PAR. — V. POLITIQUE 1.

politiquement, adv. Selon les règles de la politique. || Fig. D'une manière fine et adroite.

politiquer, v. intr. Raisonner sur les affaires publiques (PÉJOR.).

polka, n. f. Danse d'origine polonaise. || Air sur lequel s'exécute cette danse.
HOM. — *Polkas, a,* du v. polker.

* **polker**, v. intr. Danser la polka.

* **polkeur, euse**, n. Celui, celle qui danse la polka.

pollen [lèn], n. m. (mot lat.). [Bot.] Matière pulvérulente, formée de cellules sexuelles mâles, qui s'échappe des loges de l'anthère pour aller féconder les ovules.

pollicitation [sion], n. f. [Droit] Offre de contracter faite par quelqu'un et qui n'est pas encore acceptée par un autre.
PAR. — *Sollicitation*, demande instante; démarche faite pour assurer le succès d'une affaire.

* **pollinie** ou **pollinide** [pol-li], n. f. [Bot.] Masse compacte de grains de pollen chez certaines orchidées.

* **pollinique**, adj. [Bot.] Qui est relatif au pollen.

* **pollinisation** [sion], n. f. [Bot.] Transport du pollen sur le stigmate, première phase de la fécondation des fleurs.

* **pollu, ue** (anc. pp. de *polluer*), adj. Souillé, profané (Vx).

pollué, ée (pp. de *polluer*). Souillé, sali. *Des eaux polluées.*

polluer, v. tr. (lat. *polluere*, m. s.). Souiller, ternir, profaner.

pollution [sion], n. f. Souillure, profanation. || État de ce qui est souillé, profané.

polo, n. m. (mot angl.). Sorte de coiffure en forme de toque. || Sorte de jeu de balle pratiqué par des joueurs à cheval, avec de longs maillets.

* **polonais, aise**, adj. et n. De la Pologne. = N. m. Langue parlée en Pologne.

polonaise [ze], n. f. Danse à trois temps. || Air sur lequel elle s'exécute. || Redingote à brandebourgs. V. pl. COSTUMES. || Robe de femme (XVIIIe s.).

polonium, n. m. [Chim.] Minéral radio-actif découvert par les Curie.

poltron, onne, adj. et n. (ital. *poltrone*, m. s.). Peureux, lâche, qui manque de courage, qui a peur du danger.
— *Il n'est, je le vois bien, si poltron sur la terre,*
Qui ne puisse trouver un plus poltron que soi. (LA FONTAINE.)
SYN. — V. LÂCHE.
CTR. — *Brave, courageux, hardi, intrépide, valeureux.*

* **poltronnement**, adv. D'une façon poltronne.

poltronnerie, n. f. Lâcheté, manque de courage. || Action qui dénote la lâcheté.

POLITIQUEMENT — POLYGAMIQUE

ANT. — *Bravoure, courage, hardiesse, intrépidité.*

poly-, préf. tiré du grec, qui signifie beaucoup.
CTR. — *Di-, mono-.*

* **polyacide**, n. m. [Chim.] Corps possédant plusieurs fois la fonction acide.

* **polyadelphe**, adj. (préf. *poly ;* gr. *adelphos*, frère). [Bot.] Se dit des plantes dont les étamines sont soudées en plusieurs faisceaux par leurs filets.

* **polyadelphie**, n. f. [Bot.] État d'une plante polyadelphe ; classe du système de Linné.

* **polyandre**, adj. (préf. *poly ;* gr. *anêr, andros*, homme). Qui a plusieurs maris. [Bot.] Se dit d'une plante dont les fleurs ont plus de dix étamines.

polyandrie, n. f. État d'une femme mariée à plusieurs hommes. [Bot.] Classe de plantes dans le système de Linné.
ANT. — *Polygamie.*

* **polyarchie**, n. f. Gouvernement exercé par plusieurs personnes à la fois.

* **polychètes** [kète], n. f. pl. (préf. *poly* et gr. *kaité*, poil). [Zool.] Groupe de vers dont chaque anneau porte plusieurs soies.

* **polychroïsme** [kro], n. m. [Opt.] Phénomène de colorations différentes offertes par un cristal selon la direction suivant laquelle on l'observe.

polychrome [kro], adj. (préf. *poly* et gr. *khrôma*, couleur). Qui est de plusieurs couleurs. *Statue polychrome.* || *Peinture polychrome,* polychromie.
CTR. — *Monochrome.*

polychromie [kro], n. f. État d'un objet qui présente diverses couleurs. || Art consistant à appliquer la couleur en sculpture et en architecture.

* **polyclinique**, n. f. Clinique où l'on soigne plusieurs sortes de maladies.
HOM. — *Policlinique*, clinique de consultation, où les malades ne sont pas hospitalisés.

* **polycopie**, n. f. Procédé consistant à reporter un texte, écrit avec une encre particulière, sur une couche de matière spéciale, dont on se sert ensuite pour tirer des copies.

* **polydactylie**, n. f. Monstruosité consistant en l'existence d'un ou plusieurs doigts en sus du nombre normal.

polyèdre, adj. et n. (préf. *poly ;* gr. *édra*, face). [Géom.] Corps solide à plusieurs faces planes.

* **polyédrique**, adj. Qui est en forme de polyèdre.

* **polygale** ou **polygala**, n. m. [Bot.] Genre de *polygalées* fourragères appelées vulg. *herbe à lait*.

* **polygalées**, n. f. pl. [Bot.] Famille de plantes dicotylédones dialypétales.

polygame, n. (préf. *poly* et gr. *gamos*, mariage). Celui qui est marié à plusieurs femmes à la fois. || Se dit parfois aussi pour *polyandre.* = Adj. [Bot.] Se dit des plantes qui portent, sur le même pied, des fleurs mâles et des fleurs femelles.
ANT. — *Monogame.*

polygamie, n. f. État d'un homme qui a plusieurs femmes. [Bot.] État des plantes polygames.
ANT. — *Monogamie. — Polyandrie.*

* **polygamique**, adj. Qui concerne la polygamie.

polyglotte, adj. (préf. *poly* ; *glôtta*, langue). Écrit en plusieurs langues. = Adj. et n. Qui sait, qui parle plusieurs langues.

* **polygonacées** ou * **polygonées**, n. f. pl. [Bot.] Famille de végétaux dicotylédones apétales, ayant pour type le genre *renoues*.

polygonal, ale, aux, adj. Qui a la forme d'un polygone.

polygone, n. m. (préf. *poly* ; *gônia*, angle). [Géom.] Figure plane, limitée par des lignes droites, qui a plusieurs angles et plusieurs côtés. V. pl. SURFACES. = Adj. *Figure polygone*. = N. m. [A. mil.] Lieu où les artilleurs s'exercent au tir aux bouches à feu.

polygraphe, n. m. (préf. *poly* ; gr. *graphein*, écrire). Auteur qui a écrit des œuvres des genres les plus variés.

polygraphie, n. f. Ensemble des ouvrages des auteurs dits polygraphes.

polymathie, n. f. (préf. *poly* ; gr. *mathien*, apprendre). Instruction étendue et variée, culture encyclopédique.

polymathique, adj. Qui a rapport à la polymathie.

* **polymère**, adj. et n. m. (préf. *poly*, et gr. *méros*, partie). [Chim.] Se dit des corps présentant le caractère de la polymérie.

* **polymérie**, n. f. [Chim.] Cas particulier d'isomérie présenté par deux substances dont l'une a un poids moléculaire multiple de celui de l'autre.

* **polymérisation** [*sion*], n. f. [Chim.] Transformation d'un corps qui devient polymère.

* **polymériser**, v. tr. [Chim.] Transformer un composé en un polymère.

polymorphe, adj. (préf. *poly* ; gr. *morphê*, forme). Qui se présente sous diverses formes.

polymorphisme, n. m. ou * **polymorphie**, n. f. [Minér. et Chim.] Propriété qu'ont certains corps de se présenter sous plusieurs formes d'aspect, de couleur, de propriétés physiques différents, leurs propriétés chimiques demeurant identiques.

* **polynésien, ienne**, adj. et n. Qui est de la Polynésie.

polynôme, n. m. (préf. *poly*, et gr. *nomos*, division). [Math.] Suite d'expressions algébriques séparées par les signes + et —.
ANT. — *Monôme*.

* **polynucléaire**, adj. [Biol.] Qui renferme plusieurs noyaux.

polype, n. m. (préf. *poly*, et gr. *pous*, pied). [Zool.] Zoophyte dépourvu de cavité générale dont la bouche est entourée de tentacules. [Méd.] Excroissance charnue sur une membrane muqueuse.

polypétale, adj. [Bot.] Qui a plusieurs pétales.

polypeux, euse, adj. [Méd.] De la nature du polype.

* **polyphage**, adj. (préf. *poly* ; gr. *phagein*, manger). Qui mange beaucoup. ‖ Qui mange de tout.

* **polyphagie**, n. f. (de *polyphage*). Faim insatiable, besoin exagéré de manger.

* **polyphasé, ée**, adj. [Électr.] Qui subit plusieurs phases. *Courant polyphasé*.

* **polyphone**, adj. [Phys.] Qui répète un son plusieurs fois. *Écho polyphone*. [Gram.] Se dit d'un signe qui représente plusieurs sons. *Lettre polyphone*.

polyphonie, n. f. (préf. *poly*, et gr. *phônê*, voix). [Mus.] Effet résultant de l'ensemble harmonique des instruments et des voix, ou de plusieurs instruments différents qui jouent simultanément. [Ling.] Pluralité de sons attachée à un même signe vocal.

polyphonique, adj. [Mus.] Qui utilise la polyphonie.

polypier, n. m. [Zool.] Partie solide cornée ou calcaire supportant les colonies d'anthozoaires ou de bryozoaires.

polypode, n. m. (préf. *poly*, et gr. *pous*, *podos*, pied). [Bot.] Genre de fougères qui croissent sur les murs et sur les troncs d'arbres.

polyptique, n. m. [Antiq.] Sorte de registre plié en plusieurs parties. = Adj. *Tablette polyptique*, tablette à écrire comportant plus de deux feuillets. [Bx-A.] Ouvrage de peinture ou de sculpture constitué par plusieurs panneaux se rabattant les uns sur les autres.
PAR. — *Politique*, qui a rapport au gouvernement d'un État ; art de gouverner un État.

* **polysépale**, adj. [Bot.] Composé de plusieurs sépales distincts.

* **polysoc**, n. m. [Agri.] Charrue à plusieurs socs.

* **polysperme**, adj. (préf. *poly* et gr. *sperma*, semence). [Bot.] Se dit des fruits qui renferment un grand nombre de graines.

polystyle, adj. (préf. *poly*, et gr. *stylos*, colonne). [Archi.] Qui a de nombreuses colonnes.

polysyllabe, adj. [Gram.] Se dit d'un mot qui a plusieurs syllabes. = N. m. *Un polysyllabe*.
CTR. — *Monosyllabe*.

polysyllabique, adj. Qui se compose de plusieurs syllabes.

polysynodie, n. f. (gr. *polys*, nombreux ; *sunodos*, assemblée). Système de gouvernement qui consiste à remplacer chaque ministre par un conseil ou un comité.

polytechnicien [tè-kni-si-in], n. m. Élève ou ancien élève de l'École polytechnique.

polytechnique, adj. (préf. *poly*, et gr. *tekhnê*, art). Qui embrasse, qui concerne plusieurs arts ou plusieurs sciences. ‖ *École polytechnique*, école fondée à Paris par la Convention, en 1794, pour former des ingénieurs civils et militaires (artillerie, génie, mines, ponts et chaussées, poudres, tabacs, etc.).

polythéisme, n. m. (préf. *poly*, et gr. *théos*, dieu). Système de religion qui admet la pluralité des dieux. V. tabl. RELIGIONS (*Idées suggérées par le mot*).
ANT. — *Monothéisme, athéisme*.

polythéiste, n. Celui, celle qui adore plusieurs dieux. = Adj. *Peuple polythéiste*.

* **polytric**, n. m. [Bot.] Genre de mousse du groupe des *bryacées*.

* **polytype**, adj. Obtenu par polytypie.

* **polytyper**, v. tr. [Impr.] Multiplier par le moyen de la polytypie.

* **polytypie**, n. f. Procédé consistant à reproduire sur des plaques métalliques des caractères mobiles ou des gravures.

polyurie, n. f. (préf. *poly* ; gr. *ouron*, urine). [Méd.] Émission exagérée des urine (diabètes, maladies nerveuses).
polyurique, adj. Qui tient à la polyurie. = Nom. Qui en est atteint.

pom, pomm...

> ORTH. — *Initiales.* — L'initiale *pom* s'écrit avec un seul *m* dans Pomone et dans les néologismes pomologie, pomologique, pomologue, conformément à l'étymologie ; avec deux *m* dans pomme et ses dérivés, sauf dans pomacées, pomaison, pomiculteur.

pomacées, n. f. pl. [Bot.] Groupe de *rosacées* comprenant les pommiers, poiriers, etc. — On dit aussi *pirées*.
pomaison, n. f. [Hortic.] Moment où les choux, salades, etc., se gonflent en pommes.
poméranien, ienne, adj. et n. De la Poméranie.
pomiculteur, n. m. Celui qui cultive les arbres à fruits à pépins.
pommade, n. f. [Pharm. et parfum.] Pâte onctueuse obtenue par le mélange d'une matière grasse avec un parfum ou une substance pharmaceutique. ‖ Fig. *Passer de la pommade à,* flatter.
pommader, v. tr. Enduire de pommade. ‖ Fig. Affadir par trop de recherche, trop d'ornements.
pommard ou **pommart,** n. m. Vin de Bourgogne très estimé.
pomme [*pome,*] n. f. (lat. *pomum,* fruit). Fruit du pommier, se mangeant cru ou en compote, marmelade, etc., et servant à faire le cidre. ‖ *Pomme cuite,* ce fruit cuit. — V. tabl. NOURRITURE (*Idées suggérées par le mot*). V. pl. BOTANIQUE. ‖ *Jeter des pommes cuites à quelqu'un,* lui marquer en public sa désapprobation. ‖ Par anal. *Pomme de pins* le fruit en forme de cône des pins, sapins, etc. — *Pomme de terre.* V. ce mot. [Anat.] *Pomme d'Adam,* saillie du cartilage thyroïde, à la partie antérieure du cou, qui n'existe que chez l'homme. ‖ Tête compacte formée par les feuilles intérieures de certains légumes. *Pomme de chou, de laitue,* etc. ‖ Ornement de bois, de métal, etc., fait en forme de pomme ou de boule. *Des pommes de lit.* [Techn.] *Pomme d'arrosoir,* tête de tuyau de l'arrosoir percée de trous par où s'échappe l'eau. [Mar.] Boule de bois, de forme aplatie, qui surmonte chaque mât d'un bâtiment.
ÉPITHÈTES COURANTES : verte, mûre, pourrie, crue, cuite, confite, tapée ; âcre, acide, acidulée, douce, sucrée, hâtive, tardive, etc.
HOM. — V. PAUME.

> VOCAB. — *Famille de mots.* — *Pomme :* pommier, pommette, pommer, pommé, pommelle, pommeraie, pommade, pommader, se pommeler, pommelé, pommeau.

pommé, ée, adj. Arrondi comme une pomme. *Un chou pommé.* ‖ Fig. et pop. Achevé, complet. *Une sottise pommée.* = N. m. Sorte de pâtisserie à la marmelade de pommes.
PAR. — *Pommelé,* marqué de taches arrondies.

pommeau [*po-mo*], n. m. Espèce de petite boule au bout de la poignée d'une épée. ‖ Extrémité renflée du fût d'un pistolet. ‖ Éminence arrondie au milieu de l'arçon de devant d'une selle.
pomme de terre, n. f. [Bot.] Plante de la famille des *solanées,* dont le tubercule est alimentaire. ‖ Ce tubercule lui-même. V. tabl. NOURRITURE (*Idées suggérées par le mot*). = Pl. *Des pommes de terre.*
pommelé, ée, adj. [Zool.] Qui a une robe à fond blanc avec taches grises et arrondies. ‖ *Ciel pommelé,* ciel couvert de petits nuages ronds, blancs ou grisâtres.
PAR. — *Pommé,* en forme de pomme.
pommeler (se), v. pr. Se dit du ciel quand il s'y forme de petits nuages arrondis blanc grisâtre. = Conjug. V. GRAMMAIRE.
pommelle, n. f. [Techn.] Plaque hémisphérique percée de petits trous, qu'on place à l'embouchure d'un tuyau pour empêcher les ordures de passer.
HOM. — V. PAUMELLE 1.
pommer, v. intr. En parlant des choux et des laitues, se former en pomme.
HOM. — V. PAUMÉE.
pommeraie, n. f. Lieu planté de pommiers.
pommette, n. f. [Anat.] Partie saillante que forme la joue au-dessous de l'œil. ‖ Ornement en forme de pomme ou de boule.
pommier, n. m. [Bot.] Arbre, de la famille des *rosacées,* qui produit les pommes.
HOM. — V. PAUMIER.
pomœrium ou **pomerium,** n. m. [Antiq.] Espace laissé libre, à l'intérieur et à l'extérieur des murs entourant les villes italiennes.
pomologie, n. f. Partie de l'arboriculture qui s'occupe des fruits à pépins.
ORTH. — V. POM, POMM...
pomologique, adj. Qui appartient à la pomologie.
pomologiste ou **pomologue,** n. m. Celui qui s'occupe de pomologie.
pompadour, adj. inv. Qui est dans le style mis à la mode par la marquise de Pompadour, en parlant des meubles, des étoffes ou rubans parsemés de petits bouquets roses ou bleus, etc. = N. m. Tissu orné de feuillage et de bouquets.
1. **pompe,** n. f. (lat. *pompa,* procession). Appareil magnifique, somptueux. *La pompe d'un triomphe romain.* ‖ *Pompe funèbre,* l'appareil d'un convoi funèbre. [Théol.] *Renoncer au monde et à ses pompes,* renoncer au monde et à ses vanités, à ses faux plaisirs. — On dit de même : *Renoncer à Satan, à ses pompes et à ses œuvres.* ‖ Fig. Manière de s'exprimer en termes recherchés, magnifiques. *La pompe du style, des expressions.*
SYN. — V. LUXE.
HOM. — *Pompe,* n. f., appareil magnifique, somptueux ; — *pompe,* n. f., machine destinée à élever l'eau ; — *pompe, es, ent,* du v. pomper.
2. **pompe** [*pon-pe*], n. f. (ital. *pompa,* d'orig. douteuse). [Phys.] Machine destinée à élever l'eau d'un lieu donné pour la déverser dans un autre lieu. ‖ *Pompe à incendie,* pompe aspirante et foulante destinée à projeter sur un édifice en flammes un jet d'eau puissant et continu. — *Moto-*

pompe. V. ce mot. ‖ *Pompe à pneumatiques*, petite pompe aspirante et foulante servant à gonfler les pneumatiques des bicyclettes, automobiles, etc., en y comprimant de l'air. ‖ *Serrure à pompe*, sorte de serrure de sûreté. ‖ Travail de retouche exécuté par les tailleurs. [Arg. scol.] Travail soutenu, aux approches des examens.
Hom. — V. POMPE 1.

pompéien, ienne, adj. et n. Qui appartient à Pompée. ‖ Qui appartient à l'anc. ville de Pompéi.

pomper, v. tr. Puiser, aspirer ou refouler avec une pompe. ‖ Fig. Attirer à soi, absorber. ‖ En parlant de l'évaporation : *Le soleil pompe les eaux*. = V. intr. Manœuvrer une pompe.

pompeusement [*ze-man*], adv. D'une manière pompeuse; avec pompe.

pompeux, euse, adj. Qui a de la pompe, de la magnificence. ‖ Recherché, emphatique. *Discours trop pompeux*. = N. m. Le genre pompeux.
SYN. — V. SOLENNEL.

pompier, n. m. [*pié*]. Celui qui fait des pompes. ‖ *Sapeur-pompier*, ou simpl. *pompier*, homme qui fait partie d'un corps organisé pour porter secours en cas d'incendie. V. tabl. VILLE (*Idées suggérées par le mot*). ‖ Nom, chez les tailleurs, des ouvriers qui font les retouches. ‖ Fig. et par dénigr. Artiste ou écrivain resté partisan des méthodes classiques. = Adj. Se dit de tout ce qui est conventionnel, solennel, banal et suranné. *Style, discours pompier* (Fam.).
Hom. — *Pompiez*, du v. pomper.

pompon, n. m. Nœuds de rubans, houppes et autres menus ornements féminins. ‖ Houppe de laine de certaines coiffures militaires. ‖ Ornements de passementerie, ajustés à des rideaux. ‖ Fig. et fam. *Avoir le pompon*, l'emporter sur les autres. — *Avoir son pompon* (Pop.), être un peu ivre.

pomponner, v. tr. Orner de pompons. ‖ Parer quelqu'un. ‖ Fig. *Pomponner son style*. = SE POMPONNER, v. pr. Se parer avec recherche.

ponant, n. m. (provenç. *ponent*, m. s.). Occident, couchant (Vx). ‖ Vent d'ouest, sur la Méditerranée. ‖ L'Océan, par opposition à la Méditerranée.

* **ponantais**, n. m. Marin de l'Océan (Vx).

ponçage, n. m. Action de poncer.

ponce, n. f. [Minér.] Roche poreuse et légère, d'origine volcanique, servant à polir. = Adj. *Pierre ponce*. ‖ Petit sachet rempli de poudre de couleur pour donner une certaine teinte à un dessin.
Hom. — *Ponce, es, ent*, du v. poncer.

1. **ponceau**, n. m. (de *pont*). Petit pont à arche unique.
PAR. — *Poncelet*, unité de puissance en physique.

2. **ponceau**, n. m. et adj. invar. (lat. *puniceus*, rouge). Rouge très vif et très foncé. [Bot.] Nom vulg. du coquelicot.
GRAM. — Le mot *ponceau*, employé comme adjectif, reste toujours invariable : *Des rubans ponceau*. C'est comme s'il y avait : *Des rubans couleur de ponceau*.

* **poncelet**, n. m. [Phys.] Unité de puissance (100 kilogrammètres à la seconde).
PAR. — *Ponceau*, petit pont.

poncer, v. tr. Rendre uni, polir avec la pierre ponce ou le papier de verre. ‖ Passer la ponce sur un dessin dont on a piqué le trait. = Conjug. V. GRAMMAIRE.

* **ponceux, euse**, adj. Qui est de la nature de la ponce.

* **poncho** [*pon-tcho*], n. m. (mot esp.). En Amérique du Sud, sorte de manteau de paysan fait d'une couverture percée d'un trou au centre pour y passer la tête.

poncif, n. m. Dessin piqué et poncé. ‖ Fig. Œuvre banale, sans nulle originalité. = Adj. Banal, convenu. — On dit aussi *poncis*.
PAR. — *Pensif*, occupé profondément d'une pensée.

poncire, n. m. [Bot.] Variété du citronnier de Médie, et son fruit, citron gros et odorant.

* **poncis**, n. m. V. PONCIF.

ponction [*sion*], n. f. (lat. *pungere*, piquer). [Chir.] Action de pratiquer, avec une aiguille creuse, une petite ouverture dans une cavité du corps pour donner issue à un liquide normal ou pathologique.

* **ponctionner**, v. tr. [Méd.] Opérer une ponction.

ponctualité, n. f. Régularité, exactitude à faire les choses dans le temps voulu.
SYN. — V. EXACTITUDE et ZÈLE.

ponctuation [*sion*], n. f. [Gram.] Art de distinguer, au moyen de signes convenus, les phrases entre elles, et les parties constituantes de ces phrases. ‖ Manière de ponctuer. ‖ Signes de la ponctuation. V. tabl. PONCTUATION.

ponctué, ée, adj. Relatif à la ponctuation; où la ponctuation a été mise. ‖ *Ligne ponctuée*, formée d'une suite de points. [Hist. Nat.] Qui présente des taches en forme de points.

ponctuel, elle, adj. Exact, régulier, qui fait à point nommé ce qu'il doit faire. ‖ Fait à point nommé. *Réponse ponctuelle*.
SYN. — V. ASSIDU.
CTR. — *Irrégulier, inexact*.

ponctuellement, adv. Avec ponctualité.

ponctuer, v. tr. (lat. *punctum*, point). Marquer de points. ‖ Indiquer par les signes convenus les pauses que l'on doit faire dans une lecture. ‖ Appuyer sur les mots, ou les accentuer par des gestes. [Mus.] Marquer les repos dans une composition musicale.

* **pondaison**, n. f. Action de pondre. ‖ Époque de la ponte.
PAR. — *Pendaison*, action d'attacher au gibet.

* **pondérabilité**, n. f. Qualité, caractère de ce qui est pondérable.

pondérable, adj. (lat. *pondus, ponderis*, poids). Dont le poids peut être déterminé.

* **pondéral, aux**, adj. (lat. *pondus, ponderis*, poids). Qui a rapport au poids.

pondérateur, trice, adj. Qui pondère, qui maintient l'équilibre.

pondération [*sion*], n. f. (lat. *pondus, ponderis*, poids). Action de pondérer. ‖ Relation entre les choses, poids ou forces, qui s'équilibrent mutuellement. ‖ Fig. Équilibre des choses entre elles. *La pondération des pouvoirs*. ‖ Bon équilibre moral, calme, sens de la mesure. *Un homme plein de pondération*.
SYN. — V. MESURE.

LA PONCTUATION

Définition. — La ponctuation est l'ensemble des *signes* qui, dans l'écriture, servent à marquer les séparations entre les différentes phrases d'un texte, entre les parties principales de chaque phrase et, par conséquent, les pauses et arrêts indispensables au lecteur.

C'est un des éléments des procédés de présentation graphique de la phrase phonétique. Elle correspond à des modulations, à des arrêts, à des suspensions de la voix, par suite aux différentes nuances de la pensée. Selon les cas, elle sépare ou elle unit les éléments de la phrase.

La ponctuation est la forme la plus importante de l'orthographe.

Un texte mal ponctué est difficile, sinon impossible, à lire et même à comprendre, car il peut prêter à des erreurs d'interprétation.

Cependant la ponctuation est, dans une certaine mesure, personnelle et varie selon les auteurs, au moins dans ses détails secondaires (dans ce cas, elle unit les éléments ainsi isolés plutôt qu'elle ne les sépare).

Les signes de ponctuation.

Les signes principaux
- Le point (.).
- Le point-virgule (;).
- Les deux-points (:)
- La virgule (,).
- Le point d'interrogation (?).
- Le point d'exclamation (!).
- Les points de suspension (...).

Les signes accessoires
- Le trait d'union (-).
- Les parenthèses (( )).
- Le tiret (—).
- Les guillemets (« ... »).
- Les crochets ([ ]).

Emploi des signes de ponctuation.

1° Le **point** sert à indiquer que la phrase est achevée, que le sens en est complet
> Autrefois le rat de ville,
> Invita le rat des champs,
> D'une façon fort civile,
> A des reliefs d'ortolans. (LA FONTAINE.)

2° La **virgule** marque une séparation faible. Elle sépare :

a) Les propositions juxtaposées d'une même phrase : *Colomba, sans répondre, serra le mezzalo autour de sa tête, appela le chien de garde et sortit suivie de son frère* (Mérimée) ;

b) Les propositions subordonnées de la principale : *Quand je vis l'Acropole, j'eus la révélation du divin* (Renan) ;

c) Les différents termes de toute énumération, noms, adjectifs, verbes, adverbes :
> *Femmes, moine, vieillards, tout était descendu.* (LA FONTAINE.)
> *Le lion a la figure imposante, le regard assuré,*
> *la démarche fière, la voix terrible.* (BUFFON.)
> *Dans un chemin montant, sablonneux, malaisé,*
> *L'attelage suait, soufflait, était rendu.* (LA FONTAINE.)

Les mots en apostrophe, les propositions incises, les membres de phrase purement explicatifs :
> *Tremble, m'a-t-elle dit, fille digne de moi !* (RACINE.)
> *Tartarin de Tarascon, en effet, avait cru de son devoir,*
> *allant en Algérie, de prendre le costume algérien.* (Alph. DAUDET.)

e) Tous les détails d'une même description, d'une même groupe de faits; toutes les nuances d'une même pensée, additions, restrictions, etc. :
> *C'était un beau garçon, la tête régulière, le front haut,*
> *barbiche et moustache d'un noir brillant sur ce teint basané,*
> *un de ces fiers paysans de la vallée du Rhône, qui n'ont*
> *rien de l'humilité finaude des villageois du Centre.* (Alph. DAUDET.)

f) Un sujet d'un complément quand le verbe est sous-entendu :
> *Antoine livra ses partisans, et Octave, les siens.*

3° Le **point-virgule** est une ponctuation plus faible que le point, mais plus forte que la virgule. Il sépare des expressions, différentes ou voisines, de la même idée ou des idées connexes :
> *Un seul genre de vie intéresse au XVIIe siècle,*
> *la vie de salon ; on n'en admet pas d'autres ;*
> *on ne peint que celle-là.* (TAINE.)

4° Les **deux-points** servent à annoncer :

a) Une citation, un discours :
> *Le monarque lui dit : « Chétif hôte des bois... »* (LA FONTAINE.)
> *Et je me dis : A quoi peuvent-ils donc rêver ?* (V. HUGO.)

b) Une explication, une énumération, une preuve, un exemple :
> *Batailles : Austerlitz, Eylau, Somno-Sierra,*
> *Eckmühl, Essling, Wagram, Smolensk, et cætera !*
> *Faits d'armes : trente-deux, blessures : quelques-unes...* (E. ROSTAND.)

PONDÉRÉ — PONGO

5° Le **point d'interrogation** se place à la fin des phrases interrogatives :
> *Que faisiez-vous au temps chaud ?*
> *Dit-elle à cette emprunteuse.* (LA FONTAINE.)

6° Le **point d'exclamation** se place après les interjections, en général, et à la fin des phrases exclamatives :
> *Comment ! des animaux qui tremblent devant moi !*
> *Je suis donc un foudre de guerre !* (LA FONTAINE.)

7° Les **points de suspension** se placent après le dernier mot exprimé d'une phrase volontairement inachevée :
> *Je devrais sur l'autel où ta main sacrifie*
> *Te.... Mais du prix qu'on m'offre, il me faut contenter.* (RACINE.)
> *Si je ne me retenais, je vous...*

8° Le **trait d'union** n'est pas, à proprement parler, un signe de ponctuation : c'est la marque d'un rattachement plus intime entre deux ou plusieurs mots. Il s'emploie, en principe :
- a) Pour réunir les éléments des **noms** et des **adjectifs composés** : *Timbre-poste ; porte-monnaie ; gallo-romain ; anglo-saxon ; rez-de-chaussée.*
- b) Pour joindre **deux noms placés en apposition** : *Radical-socialiste ; wagon-salon ;*
- c) Dans les **nombres composés** inférieurs à cent : *Quarante-quatre, quatre-vingt-quatorze.*
- d) Avec **contre** et **entre** joints à un autre mot : *Contre-attaque ; s'entre-tuer.*
- e) Avec **même** précédé d'un pronom : *Toi-même ; nous-mêmes.*
- f) Avec **ci** et **là** : *Celui-ci ; celle-là ; ces pays-là.*
- g) Entre les verbes marquant interrogation ou concession et le pronom sujet placé derrière : *Viendrez-vous ? Dussé-je y périr ?*
- h) Avec le **t** euphonique placé entre le verbe et le pronom sujet inversé : *Viendra-t-il ? parle-t-il ?* — Dans ce cas, il y a double trait d'union, avant et après le **t** euphonique.
- i) Avec **en** et **y** placés derrière un verbe : *Parlons-en ; allez-y.*
- j) Dans certaines autres locutions, telles que *peut-être.*
- k) A la fin d'une ligne d'écriture ou d'imprimerie, pour marquer que le dernier mot, coupé à cette ligne, est incomplet et sera terminé au début de la ligne suivante.

Observation. — Dans beaucoup de cas, et surtout pour les mots composés, on peut aujourd'hui, à volonté, employer ou supprimer ce trait d'union.

9° Les **parenthèses** consistent en deux signes entre lesquels on place un membre de phrase explicatif (appelé *parenthèse*) qui se détache nettement du reste du texte.
> *A ces mots, l'animal pervers*
> *(C'est le serpent que je veux dire,*
> *Et non l'homme : on pourrait aisément s'y tromper).* (LA FONTAINE.)

10° Les **crochets** sont une sorte de parenthèses en lignes droites. Dans cet ouvrage, nous avons indiqué la prononciation entre crochets.

11° Le **tiret** s'emploie :
- a) Pour séparer les propos de deux interlocuteurs :
> *Qu'est-ce là ? lui dit-il. — Rien. — Quoi ! rien ! — Peu de chose.*
> *— Mais encor ? — Le collier dont je suis attaché*
> *De ce que vous voyez est peut-être la cause.* (LA FONTAINE.)
- b) Pour détacher une explication, une remarque, un détail sur lesquels l'auteur veut attirer spécialement l'attention :
> *Les armes à feu, — prenez-y garde, — ne doivent jamais rester à la portée des enfants.*

12° Les **guillemets** sont deux paires de petits crochets qui encadrent une citation ; — souvent on rouvre les guillemets au commencement de chaque ligne de la citation :
> *Le renard s'en saisit, et dit : « Mon bon monsieur,*
> *« Apprenez que tout flatteur*
> *« Vit aux dépens de celui qui l'écoute ;*
> *« Cette leçon vaut bien un fromage, sans doute. »* (LA FONTAINE.)

---

pondéré, ée, adj. Bien équilibré. *Caractère pondéré.*
SYN. — V. GRAVE.

pondérer, v. tr. Établir la pondération, l'équilibre. = Conjug. V. GRAMMAIRE.

pondeur, euse, n. [Zool.] Se dit, au fém., d'une femelle d'oiseau qui donne des œufs, beaucoup d'œufs. ‖ Fig. et fam. Se dit de celui, de celle qui produit d'une manière excessive. *Cet auteur est un pondeur extraordinaire.* = Adj. *Poule pondeuse.*

* **pondoir,** n. m. Endroit, nid d'osier où l'on fait pondre les poules.

pondre, v. intr. et v. tr. (lat. *ponere*, déposer). Faire des œufs, en parlant des oiseaux, des insectes, des reptiles ovipares, etc. (en parlant des poissons on dit : *frayer*). ‖ Fig. et fam. Produire un ouvrage littéraire ou artistique. = Conjug. (comme *rendre*). V. VERBES. (Au sens pr., ne se conjugue guère qu'aux 3ᵉ pers. du sing. et du plur. de chaque temps).

poney, n. m. (mot angl.). Cheval de petite taille.
SYN. — V. CHEVAL.

pongé, n. m. Étoffe légère, faite d'un mélange de laine et de bourre de soie.

* **pongitif, ive,** adj. [Pathol.] Se dit d'une douleur qui semble causée par une piqûre.

* **pongo,** n. m. [Zool.] Autre nom de l'orang-outang.

pont [*pon*], n. m. (lat. *pons, pontis*). Construction de maçonnerie, de ciment armé, de métal ou de charpente de bois destinée à établir la communication entre les deux bords d'un cours d'eau, d'un fossé, d'une vallée, etc. V. pl. CHEMIN DE FER. [A. mil.] *Équipage de pont*, ensemble de tous les engins nécessaires pour établir des ponts sur les rivières que l'armée peut être obligée de traverser. *Pont de bateaux*, pont dont le tablier est supporté par des bateaux attachés côte à côte. ‖ *Pont-levis*, petit pont qui se lève et qui s'abaisse sur un fossé. V. pl. FORTIFICATIONS. ‖ Fig. *Pont aux ânes*, difficulté qui n'embarrasse que les ignorants et les sots. ‖ Fig. et prov. *Il passera d'ici à ce temps-là bien de l'eau sous les ponts*, cela n'arrivera pas de longtemps. *La foire n'est pas sur le pont*, rien ne presse. — *Faire le pont à quelqu'un*, lui faciliter quelque chose. — *Faire le pont*, se dit aussi au fig. du fait de ne pas reprendre le travail quand un jour ouvrable est intercalé entre deux jours fériés. — *Faire un pont d'or à quelqu'un*, lui faire de grands avantages pour le déterminer à se désister de certaines prétentions, à quitter une place, etc. ‖ Pop. *Couper dans le pont*, se laisser duper. ‖ *Ponts et chaussées*, administration, confiée à un corps d'ingénieurs, chargée de diriger l'exécution et l'entretien des travaux publics (routes, ponts, voies navigables, ports, etc.).

[Mar.] Chacun des planchers ou étages d'un navire de guerre, d'un paquebot, constitué par des bordages en bois ou par des plaques de fer. *Les grands vaisseaux de guerre avaient trois ponts*. V. pl. NAVIGATION. — Absol. *Le pont* sign. le tillac ou le pont supérieur, — *Entrepont*, pont situé en dessous du pont principal. — *Pont volant*, pont d'un petit bâtiment marchand, qu'on enlève par panneaux pour découvrir la cale au besoin. — Passerelle pour faire communiquer un navire avec le quai. — *Faux pont*, pont inférieur d'un vaisseau. [Ch. de fer] *Pont roulant*, chariot servant à transporter les wagons d'une voie à une autre voie parallèle. [Techn.] *Pont bascule*, bascule dont le tablier est au niveau du sol et permet de peser les voitures chargées. [Costume] Partie du devant du pantalon, qui se relève ou s'abaisse, remplaçant la braguette. [Anat.] *Pont de Varole*, renflement de l'isthme de l'encéphale.

IDÉES SUGGÉRÉES PAR LE MOT : fondation, pile, avant-bec, voûte, cintre, arc, culée, tablier, travée, chaussée, trottoir, parapet, garde-fou ; pont de bois, de pierre, de marbre, de fer, en ciment armé, pont à éléments démontables ; pont tubulaire, suspendu, ferroviaire, routier, pont-route, pont-canal, aqueduc, viaduc, passerelle, ponceau ; pont plat, en dos d'âne ; pont supérieur, pont inférieur ; pont démontable, pont tournant, pont roulant, pont-levis, pont à transbordeur ; pont de bateaux, pont de chevalets ; pont à péage, pont neuf, vieux, en ruines, grand, petit, monumental, colossal, beau, moderne, hardi, large, étroit, aérien, fréquenté, détruit, barré, interdit, sauté ; construire, lancer, établir, réparer, refaire, détruire, faire sauter, dynamiter, rompre, rétablir un pont, etc.

LING. — Quand on parcourt un pont dans le sens de sa longueur, on doit dire : *passer le pont*, et non : *traverser le pont*.

HOM. — *Pont*, n. m., communication entre les deux rives d'un cours d'eau ; — *Pont*, n. pr., ancienne région d'Asie Mineure ; — *Ponds*, *pond*, du v. pondre, donner des œufs.

> VOCAB. — *Famille de mots*. — *Pont* ; ponter, entrepont, faux-pont ; ponceau, pontet, pont-levis, ponton, pontonnier, pontife, pontifier, pontificat, pontifical, pontificalement.

1. ponte, n. f. Action de pondre. ‖ Saison de la ponte. ‖ Ensemble des œufs pondus par une même femelle.

HOM. — *Ponte*, n. f., action de pondre ; — *ponte*, n. m., celui qui joue contre le banquier ; — *ponte, es, ent*, des v. ponter 1 et 2.

2. ponte, n. m. A certains jeux de hasard, celui qui joue contre le banquier.
HOM. — V. PONTE I.

ponté, ée, adj. Se dit d'un navire muni d'un ou de plusieurs ponts, dont l'un le couvre de l'avant à l'arrière.

HOM. — *Ponté, ée*, adj., qui a un ou plusieurs ponts ; — *ponter*, v. tr., munir d'un pont ; — *ponter*, v. intr., miser contre le banquier.

1. ponter, v. tr. (de *pont*). [Mar.] Construire le pont d'un navire ; munir d'un pont.

2. ponter, v. intr. A certains jeux, mettre de l'argent contre le banquier.

pontet, n. m. Demi-cercle de fer qui forme la sous-garde d'une arme à feu et protège la détente. V. pl. ARMES.

HOM. — *Pontai, ais, ait*, des v. ponter 1 et 2.

* **ponticello**, n. m. [Mus.] Chevalet d'un instrument à cordes.

pontife, n. m. (lat. *pontifex*, m. s.). Personne revêtue d'un haut caractère sacré, et qui a juridiction en matière de religion ; évêque. — *Souverain pontife*, le pape. V. tabl. RELIGIONS (*Idées suggérées par le mot*). ‖ Fig. et fam. Homme qui se donne des airs d'importance.

SYN. — *Pontife*, ministre supérieur d'une religion : *Le pape est le souverain pontife*. — *Prélat*, haut dignitaire de l'Église : *Les principaux prélats sont les évêques et les archevêques*.

pontifical, n. m. Livre contenant les prières, les rites et les cérémonies qu'observent le pape et les évêques dans l'accomplissement de leurs fonctions.

pontifical, ale, aux, adj. Qui appartient à la dignité de pontife. *Ornements pontificaux*. ‖ *États pontificaux* ou *États de l'Église*, nom donné autref. à la partie de l'Italie qui était soumise à l'autorité temporelle des papes.

pontificalement, adv. Avec les cérémonies, les habits pontificaux.

pontificat [*ka*], n. m. Dignité de grand pontife sous les anc. Romains. ‖ Dignité de souverain pontife. ‖ Temps pendant lequel un pape occupe le Saint-Siège.

pontifier, v. intr. Officier pontificalement. ‖ Fam. Avoir des manières, des paroles, une intonation solennelles, emphatiques. = Conjug. V. GRAMMAIRE.

pontissalien, ienne, adj. et n. De Pontarlier.
pont-levis, n. m. V. PONT. = Pl. *Des ponts-levis.*
* **pont-neuf,** n. m. Chanson populaire sur un air connu, telle qu'on en vendait autrefois sur le Pont-Neuf. = Pl. *Des ponts-neufs.*
ponton, n. m. (lat. *ponto, onis,* m. s.). Pont flottant, formé de bateaux joints par des poutres. ‖ Ancien vaisseau dont le pont, dégarni de mâts, est couvert d'un toit, et qui sert de caserne, de prison, dans un port ou un arsenal. ‖ Bateau plat servant à radouber les navires. ‖ Coffre flottant à fond plat, auquel on amarre les bateaux de voyageurs, et qui sert de station.
HOM. — *Pontons,* des v. ponter 1 et 2.
* **pontonage,** n. m. Droit exigé pour le passage d'une rivière, sur un pont, ou dans un bac.
ORTH. — *Pontonage* ne prend qu'un n, mais *pontonnier* en prend *deux.*
pontonnier, n. m. Celui qui reçoit le droit de pontonage. [A. mil.] Soldat d'un corps spécial du génie, attaché au service des équipages de pont.
pontuseau [*zo*], n. m. [Techn.] Tringle ou liteau de bois qui soutient les vergeures dans les formes à papier. = Au pl. Raies que ces verges laissent sur le papier vergé à la forme.
* **pool** [*poul*], n. m. (mot anglais). Groupement de vendeurs dont les bénéfices vont à une caisse commune.
HOM. — *Poule,* la lie du coq.
pope, n. m. (gr. *pappas,* père). Prêtre de l'église schismatique. *Pope russe, grec, serbe.*
popeline, n. f. Étoffe unie dont la chaîne est de soie et la trame de laine lustrée.
poplité, ée, adj. (lat. *poples, poplitis,* jarret). [Anat.] Qui a rapport au jarret. — *Creux poplité,* région située derrière le genou.
popote, n. f. Fam. Soupe, cuisine. *Faire la popote.* ‖ Réunion de personnes, partic. de militaires, prenant leurs repas en commun. ‖ Table d'hôte d'étudiants. = Adj. Fam. *Femme popote,* qui ne se plaît que dans son ménage.
populace, n. f. (lat. *populago,* m. s.). Le bas peuple, la lie du peuple.
populacier, ière, adj. Qui appartient, qui est propre à la populace, à la lie du peuple.
* **populage,** n. m. [Bot.] Genre de renonculacées; le *populage* des marais est le souci d'eau.
populaire, adj. (lat. *popularis,* m. s.). Qui est propre au peuple. *Manières populaires. — Langage, expression populaire,* langage, expression qui n'est pas admis dans la bonne société. ‖ Qui est répandu parmi le peuple. *Opinion, préjugé populaire. — Rendre la science populaire,* la répandre parmi le peuple, la rendre accessible à tous les esprits. ‖ *Gouvernement populaire,* celui où l'autorité est entre les mains du peuple. ‖ *Les classes populaires,* les classes dont se compose le peuple.
Qui s'adresse au peuple, qui est fait pour le peuple. *Éloquence populaire.* ‖ Qui recherche, qui se concilie l'affection du peuple. *Henri IV fut un roi populaire. Une mesure populaire.* = N. m. *Le populaire,* le bas peuple, la foule.
populairement, adv. A la manière du peuple.
populariser, v. tr. Propager dans le peuple; rendre populaire, vulgariser. ‖ Attirer à quelqu'un la faveur du peuple. = SE POPULARISER, v. pron. Se répandre parmi le peuple, devenir commun.
popularité, n. f. Faveur du peuple. ‖ Caractère, conduite propre à plaire au peuple.
population [*sion*], n. f. Action de peupler un pays. ‖ Ensemble des individus habitant un territoire. ‖ Ensemble des membres d'une classe, d'une catégorie. *La population rurale.* ‖ Par ext. *La population d'une ruche.*
populéum [*ome*], n. m. (lat. *populus,* peuplier). [Pharm.] Onguent calmant à base de bourgeons de peuplier. = Adj. *Onguent populéum.*
populeux, euse, adj. Très peuplé. ‖ Habité par des gens du peuple. *Quartier populeux* (on dit mieux : *populaire*).
PAR. — *Papuleux, euse,* couvert de papules.
* **populisme,** n. m. École littéraire contemporaine, qui prend les gens du peuple pour sujet de romans.
* **populo,** n. m. Fam. Populace; foule.
* **poquer,** v. intr. [Jeu de boules] Jeter la boule en l'air de façon qu'elle retombe sans rouler.
* **poquet,** n. m. Trou dans lequel on dépose plusieurs semences.

por, porr...

ORTH. — *Initiales.* — L'initiale *por* s'écrit avec un seul *r* dans : pore, poreux, porion, porisme, porosité, etc.; avec deux *r* dans : porrigo, porrette, porrection.

* **poracé, ée,** adj. V. PORRACÉ.
porc [*por; pork* devant une voyelle], n. m. Genre de mammifères domestiques, dont la chair est excellente. On dit aussi : *cochon.* — Le mâle est appelé *verrat,* la femelle *truie,* les petits *porcelets.* ‖ Chair de cet animal. Fig. Homme malpropre, grossier ou débauché. V. pl. BOUCHERIE. — V. tabl. ANIMAUX, NOURRITURE (Idées suggérées par les mots).
SYN. — V. COCHON.
HOM. — *Porc,* n. m., mammifère de la famille des *suidés;* viande de porc; — *pore,* n. m., orifice à la surface de la peau; — *port,* n. m., abri pour les navires; — *port,* n. m., manière de se tenir.
porcelaine [*se-lè-ne*], n. f. (ital. *porcellana,* nom d'une coquille). [Zool.] Genre de mollusques gastéropodes à coquille univalve polie, aux brillantes couleurs, habitant les mers tropicales.
Sorte de poterie fine et très blanche. *Porcelaine de Saxe, de Sèvres, du Japon,* etc. ‖ Objet, vase, plat en porcelaine. *Vitrine remplie de porcelaines émaillées.*
porcelainier, ière, adj. Relatif à la porcelaine. *L'industrie porcelainière.* = N. m. Celui qui fabrique, qui vend de la porcelaine.
porcelet, n. m. Jeune porc.
SYN. — V. COCHON.

porc-épic [pork-épik], n. m. [Zool.] Genre de mammifères rongeurs dont le corps est armé de piquants. = Pl. Des *porcs-épics*.

porchaison [zon], n. f. [Vén.] Saison où le sanglier est bon à chasser.

porche, n. m. (lat. *porticus*, m. s.). Avant-corps d'un bâtiment, partic. d'une église, couvrant une porte et s'ouvrant vers l'extérieur. ‖ Embrasure d'une porte cochère.

porcher, ère, n. Celui, celle qui garde les pourceaux.

porcherie, n. f. Étable à porcs. ‖ Fig. Lieu très sale.

porcin, ine, adj. Qui appartient au porc.

LING. — L'Acad. ne donne pas le masc. *porcin*.

pore, n. m. (lat. *porus*, m. s.). [Anat.] Orifice des glandes sudoripares à la surface de la peau. [Bot.] Chacune des ouvertures appelées aussi *stomates* qui existent sur l'épiderme des végétaux. ‖ Interstice entre les molécules des corps poreux.

HOM. — V. PORC.

poreux, euse, adj. Qui a des pores. *Vase en terre poreuse.*

porion, n. m. Contremaître dans les mines de houille.

* **porisme**, n. m. [Géom.] Proposition mathématique par laquelle, une figure étant donnée, on demande de découvrir une propriété qui n'est pas énoncée.

* **pornocratie**, n. f. (gr. *pornê*, courtisane, *kratos*, puissance). Influence des courtisanes dans le gouvernement.

pornographe, n. m. Qui fait des écrits, des dessins pornographiques. ‖ Auteur qui traite de la prostitution.

pornographie, n. f. Production en public d'écrits, de dessins obscènes. ‖ Traité sur la prostitution.

pornographique, adj. Qui appartient à la pornographie; qui a un caractère obscène.

SYN. — V. INCONVENANT.

porosité [zi], n. f. État d'un corps qui présente des interstices entre ses molécules.

porphyre, n. m. (gr. *porphura*, pourpre). [Minér.] Sorte de roche colorée, granit très dur où manquent le quartz et le mica, formé d'une pâte feldspathique plus ou moins vitreuse. ‖ Molette de porphyre pour broyer certaines substances. — V. tabl. MINÉRAUX (*Idées suggérées par le mot*).

* **porphyrique**, adj. Qui tient du porphyre, qui en a l'apparence ou qui en contient.

* **porphyrisation** [sion], n. f. Action de porphyriser; état de ce qui est porphyrisé.

porphyriser, v. tr. [Pharm.] Réduire en poudre très fine en broyant avec une molette en porphyre.

porphyrogénète, adj. (mot gr. : *né dans la pourpre*). Nom qu'on donnait aux enfants des empereurs byzantins nés pendant le règne de leur père.

* **porque**, n. f. [Mar.] Couple intérieur établi sur la carlingue pour renforcer certains couples de levée.

* **porreau** ou **porreau**. V. POIREAU.

* **porracé, ée** ou **poracé, ée**, adj. [Méd.] Qui a la couleur verdâtre du poireau.

porrection [ksion], n. f. [Liturg.] Action de mettre dans la main des ordinands, pour les ordres mineurs, les objets relatifs à leurs nouvelles fonctions.

* **porrette**, n. f. Jeune plant de poireau.

* **porridge**, n. m. (mot angl.). Bouillie de farine d'avoine ou de maïs cuite à l'eau, puis additionnée de lait et de sucre.

* **porrigineux, euse**, adj. [Méd.] Qui tient du porrigo.

* **porrigo**, n. m. [Méd.] Maladie cutanée contagieuse (teigne, pelade, etc.) (Vx).

1. **port** [por], n. m. (lat. *portus*, m. s.). Lieu sur une côte, où la mer, s'enfonçant dans les terres, offre aux bâtiments un abri contre le vent et les tempêtes. *Cette côte offre plusieurs bons ports naturels.* ‖ Partic. Endroit aménagé par la main des hommes pour recevoir les vaisseaux. ‖ Lieu sur les cours d'eau et les canaux où les bateaux abordent, et où ils chargent et déchargent leurs marchandises. *Le port aux vins.* ‖ Ville bâtie auprès d'un port, autour d'un port. *Habiter un port de mer.* — V. pl. PORT. — V. tabl. EAU ET MER et NAVIGATION (*Idées suggérées par les mots*). Fig. Tout lieu où l'on se retire loin des embarras du monde, où l'on cherche à se mettre à couvert de quelque danger. Absol. Lieu de repos, situation tranquille. *Port de salut*, lieu où l'on se retire à l'abri d'une tempête. ‖ Refuge.

Dans les Pyrénées, passage à travers les montagnes.

HOM. — V. PORC.

2. **port** [por], n. m. (lat. *portare*, porter). Action de porter. ‖ *Port d'armes*, action de porter sur soi une arme. ‖ Prix qu'on paie pour le transport d'un objet voituré, d'une lettre envoyée par la poste. — *Port dû*, port que payera le destinataire. *Port payé*, port réglé par l'envoyeur. — *Envoyer un paquet franc de port*, le port payé d'avance.

Maintien d'une personne, manière dont elle marche, se présente, etc. *Un port noble et majestueux.* — Fig. *Être au port d'armes*, avoir l'attitude rigide du soldat sous les armes. [Mar.] Charge d'un bâtiment, poids qu'il peut porter. *Port en lourd*, la totalité du poids de marchandises que peut prendre un navire.

HOM. — V. PORC.

VOCAB. — *Famille de mots.* — Port; porter, portant, portement, portée, portable, porteur, portatif, port (de mer) portulan, porte, portier, portail, portique, portière, porche, passeport, apporter, apport, colporter, colportage, colporteur; comporter, comportement, déporter, déportement, déportation, emporter, emportement; remporter; exporter, exportation, exportateur; importer, importation, importateur; il importe, important, importante, rapporter, rapporteur, rapport; reporté, report; supporter, support, supportable, insupportable; transporter, transport, transporteur, transportable, intransportable; opportun, opportuniste, opportunité, inopportun, importun, importuner, importunément, importunité; porte (préfixe), portefeuille, porte-crayon, porte-mine, porte-drapeau, porte-avion, etc.; sport (ancien fr. desport), sportif.

---

portable, adj. Qui peut être porté. ‖ *Rente portable*, qui doit être acquittée en un lieu désigné.

PORT

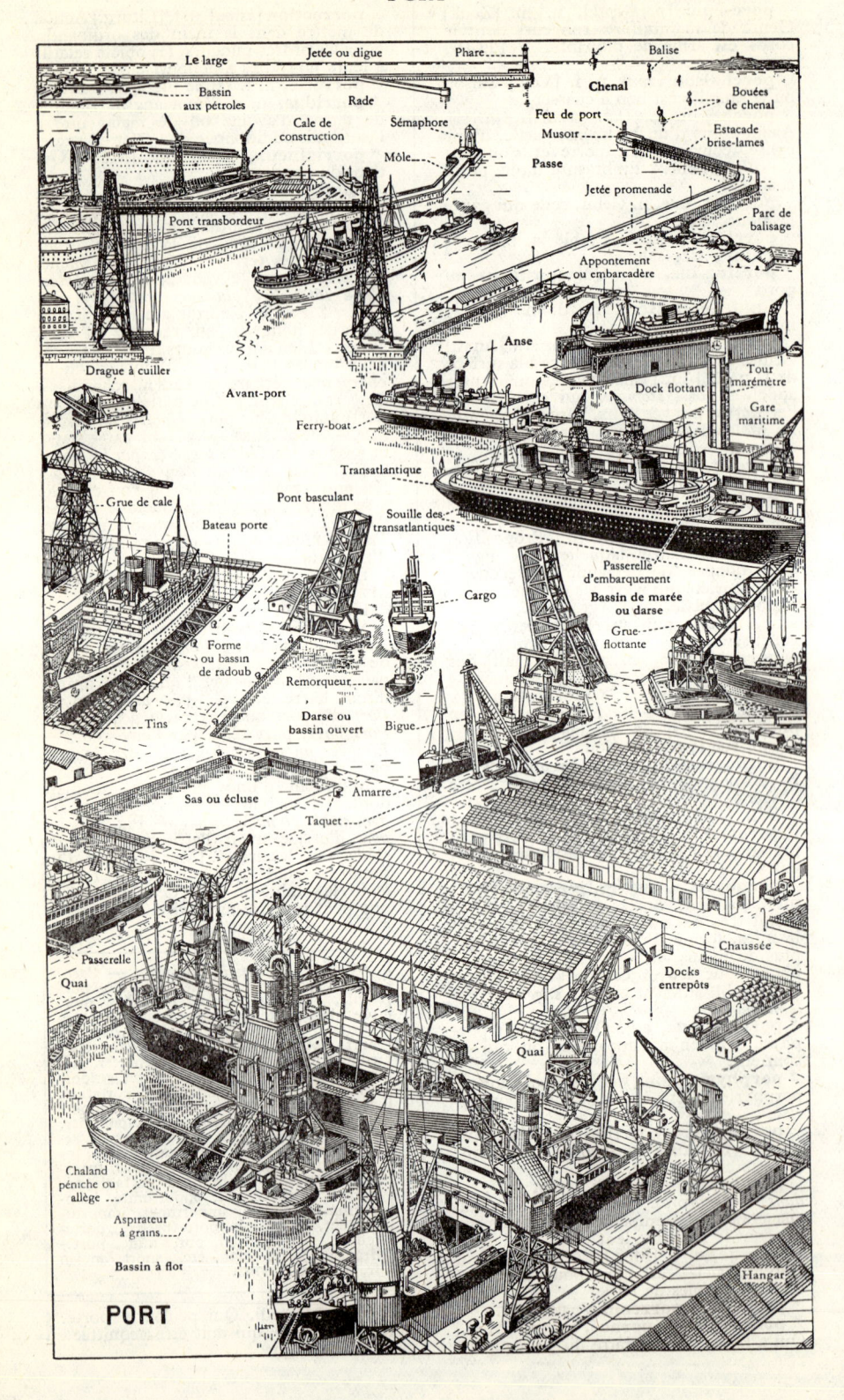

portage, n. m. Action de porter, de transporter. ‖ Action de transporter par terre une embarcation, pour lui faire éviter une chute, un rapide qui coupe le fleuve.

portail [il mll.], n. m. Entrée monumentale d'une église. ‖ Façade où est percée cette entrée. ‖ Grille d'entrée d'un jardin. = Pl. *Des portails.* V. pl. ÉGLISE et VOUTE.

1. portant, n. m. Chacun des anneaux d'une chaise à porteurs, où l'on passait les bâtons. Anse en fer fixée aux deux côtés opposés d'une malle. ‖ Châssis vertical fixe qui soutient les coulisses dans un théâtre.

2. portant, ante, adj. (ppr. de *porter*). Qui porte. ‖ *Être bien, être mal portant,* être en bonne, en mauvaise santé. = À BOUT PORTANT, loc. adv. De tout près. — Fig. En face, en pleine figure.

portatif, ive, adj. Qu'on peut porter aisément; fabriqué spécialement pour être porté. *Fourneau portatif.*

1. porte, n. f. (lat. *porta,* m. s.). Ouverture pratiquée dans l'enceinte d'une ville forte, pour y entrer ou en sortir. V. FORTIFICATIONS. ‖ Ensemble des constructions en maçonnerie, avec tours, pont-levis, etc., qui entourent cette ouverture. ‖ Parfois, arc de triomphe. *La porte St-Denis.* ‖ Endroit d'une ville où était autrefois une porte d'enceinte. *La porte Dauphine.* ‖ Ouverture faite pour entrer dans un lieu fermé et pour en sortir. *La porte d'une église, d'une maison.* Assemblage de bois ou de métal qui tourne sur des gonds, et qui sert à fermer l'entrée d'un édifice, d'une maison, d'une chambre, etc. *Porte à deux battants.* ‖ Fig. Entrée, introduction. *La géométrie est la porte des sciences mathématiques.* ‖ Ce qui ferme certains meubles ou certaines constructions servant à divers usages. *Les portes d'une armoire, d'une écluse.* ‖ Loc. fig. : *Défendre sa porte, faire défendre sa porte,* défendre de laisser entrer personne chez soi. — *Fermer sa porte,* ne plus recevoir de visites. — Fig. *Fermer la porte, les portes d'un pays aux étrangers,* ne pas leur en permettre l'entrée. — Fig. *Forcer la porte de quelqu'un,* entrer chez quelqu'un, quoique sa porte soit défendue. — *Mettre quelqu'un à la porte,* le chasser de chez soi, de sa présence. ‖ Fig. et fam. *Enfoncer une porte ouverte,* faire un grand effort pour vaincre un obstacle inexistant. — *Frapper, heurter à toutes les portes,* solliciter de tous les côtés. — *Mettre la clef sous la porte,* s'en aller furtivement. ‖ Fig. et fam. *Prendre la porte,* se retirer, s'échapper d'un lieu où l'on est, par quelque motif de crainte. — *Prendre la porte,* sortir. — *Trouver porte close,* ne trouver personne, ou n'être pas reçu dans la maison où l'on va. — *L'ennemi est à nos portes,* l'ennemi est tout près de notre ville. — Fam. *Écouter aux portes,* être aux aguets pour surprendre un secret. — Fig. et fam. *Chassez-le par la porte, il rentrera par la fenêtre,* se dit d'un importun dont on ne peut se débarrasser. — *Gracieux comme une porte de prison,* maussade, bourru. ‖ *La Porte Ottomane, la Sublime Porte,* ou simpl. *la Porte,* autrefois, le gouvernement du sultan des Turcs. [Géog.] Au plur. Défilés qui forment la principale ou l'unique communication entre deux pays. = DE PORTE EN PORTE, loc. adv. De maison en maison. *Aller de porte en porte.* = À PORTE CLOSE, loc. adv. En secret, sans témoin. — V. tabl. HABITATION (*Idées suggérées par le mot*).

ÉPITHÈTES COURANTES : grande, haute, basse; fermée, close, entr'ouverte, ouverte, battante, épaisse, murée, cadenassée, bouclée; fortifiée, bastionnée, blindée, pleine, vitrée; cochère, charretière; secrète, cachée, dérobée; fausse, brisée, ouvrante, fermante; triomphale, monumentale, artistique, sculptée, peinte, décorée, etc.

HOM. — *Porte, es, ent,* du v. *porter.*

2. porte, adj. f. [Anat.] *Veine porte,* grosse veine qui conduit au foie les matériaux qu'il doit élaborer.

3. porte-, préf. tiré du v. *porter* servant à former un certain nombre de mots composés désignant des personnes et des objets employés à porter quelque chose.

ORTH. — Dans tous les mots composés avec le préfixe *porte,* celui-ci reste invariable.

porté, ée, adj. *Ombre portée,* toute ombre qu'un corps projette sur une surface. ‖ Imitation de cette ombre par le dessin, la peinture. ‖ *Être porté à,* avoir de l'inclination à, des dispositions pour.

HOM. — *Porté, ée,* adj. *Ombre portée; — portée,* n. f., petits que les mammifères femelles mettent bas en une fois; distance à laquelle un projectile peut être lancé, etc.; — *porter,* v. tr., soutenir une charge.

porte-à-faux, n. m. inv. [Archi.] Partie d'une construction, d'un mécanisme qui ne repose pas directement sur son point d'appui.

porte-affiches, n. m. inv. Cadre, souvent protégé par un grillage, dans lequel on met des affiches.

* **porte-aigle,** n. m. inv. Officier porte-drapeau sous le premier Empire.

porte-aiguille, n. m. inv. [Chir.] Sorte de pince d'acier pour tenir plus solidement l'aiguille à sutures.

porte-aiguilles, n. m inv. Sorte de petit portefeuille, de petit tube renfermant un assortiment d'aiguilles.

* **porte-aiguillon,** n. m. inv. [Zool.] Groupe d'insectes hyménoptères armés d'un aiguillon rétractile (guêpes, abeilles, fourmis).

porte-allumettes, n. m. inv. Petite boîte où l'on met des allumettes.

porte-amarre, n. m. inv. [Mar.] Appareil (canon, fusée) pour lancer des amarres aux navires. = Adj. *Canon porte-amarre.*

porte-avions, n. m. inv. [Mar.] Navire de guerre aménagé spécialement pour le transport des avions, ainsi que pour leur départ et leur atterrissage à bord.

porte-bagages, n. m. inv. Agencement permettant de placer des bagages sur une automobile, une bicyclette, etc.

* **porte-baguette,** n. m. inv. Rainure dans laquelle se loge la baguette d'un fusil ou d'un pistolet. — On dit mieux *embouchoir.*

* **porte-baïonnette,** n. m. inv. Pièce de cuir attachée au ceinturon, dans laquelle est passé le fourreau de la baïonnette.

porteballe, n. m. Petit marchand ambulant qui parcourt le pays en portant ses marchandises sur le dos. = Pl. *Des porteballes.*

porte-bannière, n. Celui, celle qui porte une bannière. = Pl. *Des porte-bannière.*

* **porte-bât,** n. m. inv. Bête de charge.

porte-billets, n. m. inv. Sorte de petit portefeuille dans lequel on met des billets de banque.

* **porte-bobèche,** n. m. Partie supérieure et élargie d'un flambeau. = Pl. *Des porte-bobèches.*

porte-bonheur n. m. inv. Sorte de bracelet. ‖ Objet auquel on attribue la propriété de porter bonheur; bijou fétiche.

porte-bouquet, n. m. Petit vase à fleurs. = Pl. *Des porte-bouquets.*

* **porte-bourdon,** n. m. inv. Pèlerin (Vx).

porte-bouteille, n. m. Dessous de bouteilles pour préserver la nappe. = Pl. *Des porte-bouteilles.*

porte-bouteilles, n. m. inv. Casier en fer destiné à ranger des bouteilles dans une cave.

porte-carnier, n. m. inv. Celui qui porte le carnier d'un chasseur.

porte-cartes, n. m. inv. Petit portefeuille pour mettre des cartes de visite.

* **porte-cartons,** n. m. inv. Meuble en X contenant des cartons à dessin que l'on peut ouvrir sans les déplacer.

* **portechape,** n. m. [Liturg.] Celui qui porte ordinairement la chape dans une église.

* **porte-charbon** ou * **porte-charbons,** n. m. Pièce d'une lampe à arc d'un moteur électrique qui porte les charbons. = Pl. *Des porte-charbons.*

porte-cigare, n. m. inv. Petit tuyau dans lequel on place un cigare pour le fumer.

porte-cigares, n. m. inv. Étui, boîte à cigares.

porte-cigarette, n. m. inv. Petit tuyau dans lequel on place une cigarette pour la fumer.

porte-cigarettes, n. m. inv. Étui, boîte à cigarettes.

porte-clefs, n. m. inv. Gardien de prison qui porte les clefs. ‖ Anneau pour porter les clefs. — On écrit aussi *porte-clés.*

porte-couteau, n. m. inv. Ustensile de table sur lequel on place la lame du couteau pour l'empêcher de salir la nappe.

porte crayon [krè-ion], n. m. inv. Petit instrument dans lequel on met un crayon.

porte-croix, n. m. inv. [Liturg.] Celui qui porte la croix dans une cérémonie religieuse.

porte-crosse, n. m. inv. [Liturg.] Porteur de la crosse d'un évêque. ‖ Fourreau de cuir, dans lequel entre le bout du mousqueton, sur les selles de cavalerie.

* **porte-dais,** n. m. Celui qui porte un dais dans une procession.

porte-drapeau, n. m. inv. Officier qui porte le drapeau.

portée, n. f. (du v. *porter*). Ventrée, nombre de petits que les femelles des mammifères portent et mettent bas en une fois. ‖ Durée de la gestation. ‖ Distance à laquelle un canon, un fusil, un arc, etc., peut lancer un projectile. ‖ Fam. *Cette maison est à une portée de fusil,* elle est à peu de distance. ‖ Distance à laquelle on peut voir, entendre, toucher quelque chose. *Être à la portée de la vue.* ‖ Fig. Puissance d'une personne, relativement à sa fortune, à son intelligence, à sa capacité. *Se mettre à la portée de l'intelligence des élèves.* ‖ Fig. Force, valeur, efficacité d'un raisonnement, d'une expression. *Il n'a pas senti la portée de ce qu'il disait.* [Archi.] Étendue libre d'une pierre, d'une pièce de bois, etc., placée horizontalement dans une construction et soutenue seulement à ses extrémités. *Cette poutre a huit mètres de portée.* [Mécan.] Distance séparant les points d'appui d'une pièce. [Mus.] Rangée de cinq lignes parallèles sur lesquelles on écrit les notes. V. pl. MUSIQUE.

Hom. — V. PORTÉ, ÉE.

porte-enseigne, n. m. inv. Ancien nom du porte-drapeau.

porte-épée, n. m. inv. Morceau d'étoffe ou de cuir attaché à la ceinture pour porter l'épée.

porte-étendard, n. m. inv. Officier qui porte l'étendard, dans un corps de cavalerie. ‖ Pièce de cuir fixée à la selle pour supporter le bout de la hampe de l'étendard.

* **porte-étriers,** n. m. inv. Courroie qui sert à relever les étriers quand on a mis pied à terre.

porte-étrivières, n. m. inv. Anneaux de fer carrés, placés aux deux côtés de la selle, et où passent les étrivières.

portefaix, n. m. Homme dont le métier est de porter des fardeaux. ‖ Fig. Homme grossier et brutal.

porte-fanion, n. m. inv. Militaire qui porte le fanion d'un officier général.

porte-fenêtre, n. f. (de *porte* 1, et *fenêtre*). Fenêtre qui descend jusqu'au sol et sert en même temps de porte. = Pl. *Des portes-fenêtres.*

* **porte-fer,** n. m. inv. Étui contenant un fer de rechange, sur le côté des selles de cavalerie.

portefeuille, n. m. Carton plié en deux, ou pochette de peau ou d'étoffe, servant à renfermer des papiers, des dessins, etc. ‖ Contenu du portefeuille. ‖ Ensemble des valeurs mobilières constituant tout ou partie d'un capital. ‖ Ensemble des effets à recevoir d'un commerçant. ‖ Fonction de ministre; département ministériel. *Le portefeuille des Finances.*

* **porte-flambeau,** n. m. inv. Celui qui porte un flambeau, une torche.

* **porte-foret,** n. m. inv. [Techn.] Outil ou manche auquel on adapte un foret.

* **porte-fort,** n. m. inv. [Droit] Celui qui, dans un acte, une convention, se porte garant pour un tiers.

* **porte-fouet,** n. m. inv. Gaine cylindrique dans laquelle les cochers placent le gros bout de leur fouet.

* **porte-glaive,** n. m. inv. Membre d'un anc. ordre religieux et militaire, fondé à Riga en 1201.

* **porte-graine,** n. m. inv. Pied d'une plante que l'on réserve pour obtenir de la graine.

* **porte-greffe** ou **porte-greffes**, n. m. Sujet sur lequel on fixe des greffons. = Pl. *Des porte-greffes.*

* **porte-guidon**, n. m. inv. Gradé qui porte le guidon.

porte-hache, n. m. inv. Étui d'une hache de sapeur ou de cavalier.

* **porte-haubans**, n. m. inv. [Mar.] Partie renforcée du flanc d'un navire où sont fixés les haubans d'un mât.

* **porte-isolateur** ou * **porte-isolateurs**, n. m. Support des isolateurs soutenant les fils télégraphiques ou électriques. = Pl. *Des porte-isolateurs.*

* **porte-jupe**, adj. Qui porte une jupe. = N. m. inv. Pince suspendue à la ceinture servant autrefois à tenir la jupe relevée.

* **porte-lance**, n. m. inv. [A. mil.] Pièce du harnachement des cavaliers armés de la lance, permettant de la soutenir.

porte-liqueurs, n. m. inv. Coffret ou petit meuble à compartiments contenant flacons et verres à liqueurs. ‖ Plateau de cristal où sont disposés flacons et verres à liqueurs.

porte-malheur, n. m. inv. Personne ou chose qu'on regarde superstitieusement comme une cause de malheur.

portemanteau, n. m. Morceau de bois ou de fer fixé à la muraille pour suspendre des habits. ‖ Sorte de valise de cuir ou d'étoffe. [Mar.] Dispositif en forme de potence, muni de poulies, pour suspendre et mettre à la mer les embarcations de sauvetage. V. pl. NAVIGATION. = Pl. *Des portemanteaux.*

portement, n. m. Action de porter; se dit partic. de Jésus-Christ portant sa croix. — *Portement de croix*, tableau représentant Jésus portant sa croix.

porte-mine ou * **porte-mines**, n. m. Petit instrument de métal dans lequel on met une mine de plomb, qu'un dispositif fait sortir à la longueur voulue. — Pl. *Des porte-mine* ou *porte-mines.*

porte-monnaie, n. m. inv. Petit sac, petite pochette de cuir où l'on met l'argent de poche.

SYN. — V. BOURSE.

porte-montre, n. m. inv. Petit support contre lequel on accroche une montre.

porte-mors, n. m. inv. Cuir de la bride qui soutient le mors.

* **porte-mouchettes**, n. m. inv. Plateau de métal sur lequel on pose des mouchettes.

porte-mousqueton, n. m. inv. Agrafe attachée aux chaînes de montre, pour porter les breloques. ‖ Crochet, agrafe au bas de la bandoulière d'un cavalier, pour supporter son mousqueton.

porte-musc, n. m. inv. [Zool.] Autre nom du *chevrotin* d'Asie.

porte-musique, n. m. inv. Feuille de cuir, repliée, servant à porter des feuilles de musique.

* **porte-objet**, n. m. inv. Dans un microscope, pièce qui supporte la lame sur laquelle est disposé l'objet à observer.

* **porte-or**, n. m. inv. [Minér.] V. PORTOR. ‖ Étui à pièces d'or.

* **porte-outil**, n. m inv. Support maintenant l'outil qui est la pièce travaillante de diverses machines.

porte-parapluies, n. m. inv. Meuble, ustensile où l'on dépose les parapluies et les cannes.

porte-parole, n. m. inv. Celui qui parle au nom d'une autre personne, d'une société, etc.

* **porte-plat**, n. m. inv. Petit plateau sur lequel on dépose les plats; dessous de plat. = Pl. *Des porte-plats.*

porte-plume, n. m. inv. Petite tige de bois, de métal, etc., dans laquelle on fixe une plume à écrire ou à dessiner. *Porte-plume réservoir.* V. STYLOGRAPHE. — On écrit aussi *porteplume*, en un seul mot. = Pl. *Des porte-plumes.*

porte-queue, n. m. inv. Celui qui, dans les cérémonies, porte la queue de la robe d'un grand personnage, d'une grande dame.

* **porter** [*terr*], n. m. (mot anglais). Bière brune anglaise, très forte.

porter, v. tr. (lat. *portare*, m. s.). Soutenir quelque chose, être chargé de quelque fardeau. *Porter du bois, de l'eau. Des colonnes qui portent une galerie. — Cette rivière porte bateau*, elle est navigable. — *Porter tout le poids des affaires*, en être chargé seul. — *Porter le joug*, être dominé par quelqu'un. — *Chacun porte sa croix en ce monde*, il n'y a personne qui n'ait ses afflictions particulières (allusion au *portement* de croix du Christ). — *Il en portera la peine*, il en sera puni. — *L'un portant l'autre*, ou *le fort portant le faible*, en compensant l'un avec l'autre, de manière à former une quantité moyenne. — *Porter quelqu'un dans son cœur*, le chérir extrêmement.

Nommer, élire. *Cicéron fut porté au consulat.* — *Porter quelqu'un*, mettre en avant, soutenir sa candidature. ‖ En parlant des femmes et des femelles de mammifères, avoir dans son sein. ‖ Transporter une chose d'un lieu dans un autre. — *Porter quelqu'un en terre*, le porter pour l'enterrer. ‖ Fig. *Porter la guerre dans un pays.* — *Porter plainte au parquet*, y déposer une plainte. ‖ *Porter aux nues*, louer excessivement. ‖ Inscrire. *Porter en recette, en dépense. Porter sur une liste.* ‖ Mettre sur soi, être vêtu de. *Porter un habit déchiré.* — *Porter l'épée, la robe, la soutane*, être officier, magistrat, ecclésiastique. ‖ Fig. *Porter un beau nom*, avoir hérité d'un nom illustre. ‖ Avoir des marques, des empreintes qui restent après le contact, la pression. *Il porte encore la marque des coups qu'il a reçus.* — Fig. *Ses œuvres portent l'empreinte du génie.*

Tenir de telle ou telle manière. *Porter la tête haute, le bras en écharpe.* ‖ Pousser, étendre, faire aller, conduire, élever. *La tempête porta le vaisseau contre un écueil. Porter sa main à la bouche.* ‖ Fig. *Porter au loin la terreur de ses armes.* — *Porter la main sur quelqu'un*, le frapper. — *Porter un coup à quelqu'un*, donner ou tenter de donner un coup à quelqu'un. — Fig. *Cette affaire a porté un coup mortel à son crédit, à sa réputation*, elle a ruiné son crédit, sa réputation. — *Porter ses pas en quelque lieu*, s'y transporter. — *Porter ses regards, sa vue vers quelque endroit*, regarder, diriger ses regards, les arrêter en quelque endroit. — Fig. *Porter sa vue bien loin*, prévoir de loin les choses à venir. *Porter ses vues bien haut*, former de grands desseins. — *Porter la santé de quelqu'un*, boire à la santé de quelqu'un. On dira de même : *Porter un toast.* — *Porter affection, porter* amitié à quelqu'un, et être porté d'amitié pour quelqu'un, avoir pour lui de l'affection, etc. ‖ *Porter le deuil*, manifester par ses vêtements sombres, son genre de vie, et, au moral, par des sentiments, le chagrin que l'on ressent de la perte d'un parent, d'un ami. ‖ Fig. *Porter le deuil de ses espérances*. ‖ *Porter bonheur, porter malheur à quelqu'un*, influer ou être censé influer sur le bonheur, sur le malheur de quelqu'un. — *Porter préjudice, un préjudice*, nuire. — *Son bonheur lui porte ombrage*, il est jaloux de son bonheur, il en a pris ombrage.

Supporter, souffrir, endurer. *Il a porté son malheur avec fermeté.* ‖ Produire. *Des terres qui portent du froment*. — *Cette somme porte intérêt*, elle produit intérêt. ‖ Manifester, montrer, exprimer. *Il porte la tristesse peinte sur son visage*. ‖ Déclarer, dire, exprimer. *L'ordonnance porte que...* — *Porter témoignage*, témoigner qu'une chose est ou n'est pas. — *Porter un jugement de quelque chose, sur quelque chose*, juger de quelque chose.

Exciter, induire, engager à quelque chose. *Ses amis l'ont porté à cette démarche.* ‖ Élever. *Porter haut ses prétentions.* ‖ Évaluer. *Porter à deux cents le nombre des naufragés.* ‖ Faire honneur à. *Porter bien son âge.* — *Porter bien son âge* signifie aussi, par ironie, bien faire voir qu'on a cet âge.

V. intr. Être soutenu par. Être posé sur. *Tout l'édifice porte sur ces colonnes.* — *Porter à faux*, se dit d'une partie de construction qui est mal posée ou qui ne porte pas directement sur son support. — Nom. *Ce mur est en porte-à-faux*. ‖ Fig. *Ce raisonnement porte à faux*, ce raisonnement n'est pas concluant. — Fig. *Cette observation, cette critique porte sur tel objet*, elle a tel point pour objet. ‖ Atteindre, toucher au but. *Le canon de la place ne saurait porter jusqu'ici.* — *Le coup a porté juste.* Au fig. se dit de ce qui a fait impression. ‖ Heurter en tombant. *La tête, le genou a porté.* ‖ *Sa vue porte loin*, il voit de très loin, au propre et au fig. ‖ Fig. *Porter à la tête*, étourdir. *Cette boisson porte à la tête.* — *Porter sur les nerfs*, irriter. [Blas.] *Un tel porte d'azur au lion d'argent*, un tel a dans ses armes un lion d'argent en champ d'azur.

SE PORTER, v. pron. Aller, se transporter. *La foule se porte en tel endroit.* — Par analogie. *Le sang s'est porté à la tête*, et fig., *l'intérêt se portait principalement sur lui.* ‖ Être porté, en parlant d'un vêtement. *La soie se porte beaucoup cette année.* ‖ *Se porter à une élection*, s'y présenter comme candidat. — Fig. *Leur fanatisme se porta à des excès incroyables.* ‖ *Se porter à la dernière extrémité, à des extrémités contre quelqu'un*, traiter quelqu'un avec la dernière sévérité, exercer sur lui des actes de violence. *Se porter à des excès, à des voies de fait*, se livrer à des excès, etc. [Droit] *Se porter contre quelqu'un*, se rendre partie, intervenir contre lui dans un procès. *Se porter fort pour quelqu'un. Se porter partie civile.* — *Se porter bien, se porter mal*, être en bonne ou en mauvaise santé. V. tabl. MOUVEMENT et POIDS (Idées suggérées par le mot).

SYN. — *Porter*, soutenir quelque chose de pesant : *La charpente porte le toit.* —

Charrier, transporter, dans une charrette, un chariot, un camion, un tombereau, etc. : *Charrier des pierres, du fumier.* — *Soutenir*, tenir par en dessous : *Les piles soutiennent le tablier du pont.* — *Transporter*, porter d'un lieu à un autre : *Les trains transportent les produits industriels et agricoles.* — *Véhiculer*, transporter par un moyen de transport quelconque : *Véhiculer des marchandises par voie de mer, par chemin de fer.*

HOM. — *Portée*, ensemble des petits d'une femelle.

* **portereau**, n. m. Palis de bois barrant une rivière pour en hausser le niveau.

porte-respect, n. m. inv. Arme, fort bâton que l'on porte pour sa défense. ‖ Personne grave et posée dont la présence impose la retenue.

* **porte-scie**, n. m. pl. inv. [Zool.] Groupe d'insectes hyménoptères à tarière, appelés aussi *térébrants*.

porte-serviettes, n. m. inv. Support servant à faire sécher les serviettes de toilette.

porte-tapisserie, n. m. inv. Cadre de bois supportant une tapisserie servant de portière.

* **porte-trait**, n. m. inv. Courroie qui soutient les traits des chevaux attelés.

porteur, euse, n. Celui, celle dont le métier est de porter quelque fardeau. *Une porteuse de pain.* ‖ Celui qui, dans une gare, porte les bagages des voyageurs. — N. m. Personne chargée de remettre une lettre. *Donner la réponse au porteur.* [Comm.] *Le porteur d'une traite, d'un effet de commerce*, celui qui est chargé d'en recouvrer l'argent. — *Valeur au porteur*, remboursable à celui qui la présente, par oppos. à *valeur nominative*. ‖ *Porteur de bonnes, de mauvaises nouvelles*, celui qui annonce une bonne, une mauvaise nouvelle.

porte-vent, n. m. inv. Tuyau qui conduit le vent des soufflets au sommier d'un orgue. ‖ Tuyau qui conduit dans le foyer le vent d'une soufflerie.

* **porte-verge**, n. m. inv. Bedeau qui porte une baguette ou verge devant le curé.

porte-vis, n. m. inv. Pièce qui reçoit les vis de la platine d'un fusil. — Syn. : *Contre-platine*.

porte-voix, n. m. invar. Tube de métal s'évasant en pavillon, pour se faire entendre de loin.

portier, ière, n. Celui, celle qui garde, ouvre, ferme la porte d'une maison. = N. m. [Liturg.] Le moindre des ordres mineurs. — Adj. *Le frère portier*, le religieux qui garde la porte.

1. portière, n. f. Tenture, rideau placé devant une porte pour garantir du vent. ‖ Ouverture d'une voiture, d'un wagon par où l'on monte et l'on descend; la porte qui sert à fermer cette ouverture.

2. portière, adj. Sert à désigner les animaux : vache, jument, brebis, truie qui sont en âge de porter des petits ou qui en ont déjà porté. *Une vache portière.*

portillon [*ll* mll.], n. m. Petite porte, petite poterne, placée souvent à côté d'une porte principale. V. pl. CHEMIN DE FER.

portion [*sion*], n. f. (lat. *portio* m. s.). Partie d'un tout divisé ou considéré comme tel. ‖ Quantité de pain, de viande, etc., qu'on donne à chacun dans les repas.

Syn. — V. part.
Par. — *Potion*, médicament liquide à prendre par petites doses.
portioncule, n. f. Petite portion.
* **portionnaire**, adj. et n. Qui a droit à une portion d'héritage.
portique, n. m. (lat. *porticus*, m. s.). [Archi.] Galerie à l'air libre, couverte et soutenue par des colonnes, des arcades. V. pl. ARC. ‖ Poutre horizontale, reposant sur des poteaux, à laquelle sont accrochés des appareils de gymnastique. V. pl. GYMNASTIQUE. [Ch. de fer] Construction métallique horizontale portant une série de signaux au-dessus des voies ferrées. V. pl. CHEMIN DE FER.
Par. — *Parthique*, relatif aux Parthes.
* **portland**, n. m. Espèce de ciment hydraulique.
* **portlandien, ienne**, adj. et n. [Géol.] Se dit d'une époque du jurassique supérieur.
* **porto**, n. m. Vin liquoreux, rouge ou blanc, originaire du Portugal.
portor ou **porte-or**, n. m. [Minér.] Marbre noir veiné de jaune.
* **portraicturer** ou * **portraiturer**, v. tr. Faire le portrait de, au pr. et au fig.
portraire, v. tr. (de *pour*, et *traire* du lat. *trahere*, tirer). Faire le portrait de (Vx.) = Conjug. (comme *traire*). V. VERBES.
portrait [trè], n. m. (n. verb. de *portraire*). Image d'une personne faite à l'aide du dessin, de la peinture, de la photographie, etc. *Portrait à l'huile*. — *Portraits de famille*, portraits des aïeux. — *Portrait en pieds* portrait qui représente une personne entière, debout ou assise. — Fig. *C'est son portrait, tout son portrait*, se dit, au physique et au moral, de toute personne qui ressemble beaucoup à une autre.
Par anal. Description, soit de l'extérieur ou du caractère d'une personne, soit d'une chose quelconque. *Portraits littéraires*.
ÉPITHÈTES COURANTES : fidèle, ressemblant, frappant, vivant, parlant, expressif, magistral, beau, admirable, célèbre, fameux, joli, fin, délicat, distingué, brillant, étudié, flatté, ridicule, grotesque, peu flatteur, manqué, etc.
Syn. — V. EFFIGIE et TABLEAU.
portraitiste, n. m. Peintre spécialisé dans le portrait.
portraiture, n. f. Portrait (Vx).
* **portraiturer**, v. tr. V. PORTRAICTURER.
* **port-salut**, n. m. inv. Fromage du Perche, à pâte ferme et compacte.
* **portugais, aise**, adj. et n. Du Portugal. = N. m. La langue parlée au Portugal et au Brésil. = N. f. [Zool.] Nom vulg. d'un mollusque gastéropode, très voisin de l'huître. = Adj. et abusiv. *Huître portugaise*.
* **portulacées**, n. f. pl. [Bot.] Famille de plantes dicotylédones dialypétales, ayant pour type le pourpier.
portulan, n. m. (ital. *portolano*, m. s.) [Mar.] Autrefois, livre à l'usage des navigateurs contenant la description des ports de mer et des côtes, l'indication des marées, des courants, etc.
* **portune**, n. f. [Zool.] Genre de crustacés décapodes comprenant les crabes appelés vulg. *étrilles*.

* **porure**, n. f. Défaut dans la dorure, l'orfèvrerie.
* **posada**, n. f. Mot espagn. sign. *auberge*.
posage [za], n. m. Action de poser. ‖ Le travail et la dépense qu'il faut faire pour mettre certains ouvrages en place. — On dit mieux *pose*.
pose, n. f. Action de poser. *La pose d'une tenture, d'une sonnette*. [Archi.] Action de poser une pierre, de la mettre en place dans une construction. *La pose de la première pierre d'un monument*. [A. mil.] Mise en faction d'un certain nombre de soldats. *Caporal de pose*.
Attitude. *Elle était assise dans une pose fort gracieuse*. ‖ Attitude que prend un modèle devant un peintre, un sculpteur, qui travaille d'après lui. — Attitude, air que prend une personne que l'on photographie. *Prendre plusieurs poses d'une même personne*. ‖ Fig. Attitude affectée, désir de produire de l'effet. *Il y a bien de la pose dans sa façon de s'exprimer*. [Photo.] Temps nécessaire pour que la plaque photographique soit impressionnée. — Par oppos. à *instantané*, exposition supérieure à une seconde. [Ch. de fer] Établissement d'une voie ferrée.
Hom. — V. PAUSE.
Syn. — V. PARADE et POSTURE.
posé, ée, adj. Grave, sérieux, pondéré, plein de calme. *Un homme posé*. — *Homme bien posé*, qui a une belle situation. ‖ *Écrire à main posée*, lentement, avec application. ‖ *Question bien posée*, formulée de façon précise.
Syn. — V. GRAVE.
Ctr. — *Brusque, vif, emporté*.
* **posée**, n. f. [Mar.] Endroit aménagé pour l'échouage des navires.
Hom. — V. PAUSER.
posément, adv. Doucement, modérément, sans se presser.
poser [po-zè], v. tr. (lat. *pausare*, cesser). Placer, mettre sur. *Poser un vase sur un buffet*. ‖ Arranger, disposer. *Poser une sonnette*. [Archi.] Mettre, fixer une pierre, une poutre, une colonne, etc., à la place qu'elle doit occuper. *Poser la première pierre d'un édifice*. ‖ Établir solidement. *Poser une voie ferrée*. ‖ Enlever, déposer, en parlant d'un vêtement ou de quelque autre chose que l'on porte sur soi. [Peint.] *Poser une figure, poser le modèle*, mettre une figure, placer le modèle dans l'attitude la plus convenable pour la représentation qu'on en veut faire. — En parlant du modèle: *Poser le nu. Poser l'ensemble*. [Arith.] *Poser des chiffres*, les mettre dans un certain ordre suivant la règle de l'opération à faire. *Poser un chiffre*, l'écrire. *Je pose 4 et retiens 3*.
Fig. Établir nettement. *Poser en principe. Poser en fait*. — *Poser une question*, la fixer, la préciser. — *Poser une question*, signifie aussi *la formuler*. ‖ Supposer. *Posons la chose comme vous la dites*. ‖ Fig. Établir la réputation de... *Ce succès pose cet auteur*.
V. intr. Être appuyé, porter sur quelque chose. *Cette poutre pose sur le mur*. ‖ Prendre une certaine attitude pour se faire peindre ou photographier. *Poser chez le photographe*. — Fig. Étudier ses attitudes, ses gestes, ses regards, etc., pour produire de l'effet. *Cette femme pose toujours*. Faire le poseur. — *Poser pour*, se

faire passer pour, avoir des prétentions à... *Il pose pour le galant homme*. [Phot.] Faire une pose, en démasquant l'objectif, puis en le recouvrant. ‖ Fig. et pop. *Faire poser quelqu'un*, le faire attendre longtemps, ou l'amuser par de vaines promesses. — *Poser un lapin*. V. LAPIN. = SE POSER, v. pron. Se placer. ‖ Fig. S'établir, se présenter comme. *Se poser en réformateur*. V. tabl. MOUVEMENT et POSITION (*Idées suggérées par les mots*).
HOM. — V. PAUSER.
SYN. — V. METTRE.

poseur, euse, n. Celui, celle qui pose ou dirige la pose de quelque chose que ce soit. *Poseur de rideaux, de tapis*, etc. ‖ Partic., ouvrier qui pose une voie ferrée. ‖ Fig. Celui ou celle qui a une attitude, une manière d'être affectée et prétentieuse. *Quel poseur!*

positif, ive, adj. (lat. *positivus*, m. s.). Certain, constant, assuré. *Les données positives de l'expérience*. ‖ *Un esprit positif*, un esprit qui recherche en tout l'exactitude et la justesse. ‖ *Homme positif*, homme qui s'attache aux choses d'une application pratique. — Par ext. Qui est exclusivement attaché aux intérêts matériels. = N. m. Ce qui est réel, solide, ce qui constitue les avantages matériels de la vie. *Il tient avant tout au positif*. ‖ Par oppos. à *naturel. Le droit positif, les lois positives*. ‖ *Sciences positives*, sciences qui s'appuient sur des faits, qui sont fondées sur l'observation et l'expérimentation. ‖ *Philosophie positive*, le positivisme. ‖ Par opp. à *négatif*. Qui exprime une affirmation. *Preuves positives*. [Math.] *Quantités positives*. En algèbre une expression précédée du signe + (plus) est dite positive, celle qui est précédée du signe — (moins) est dite négative. [Phys.] *Électricité positive*, celle qui se développe sur le verre frotté. *Pôle positif*. [Phot.] Se dit d'une épreuve où les blancs et les noirs figurent tels qu'ils sont dans la nature, par opposition à l'épreuve négative où les blancs sont représentés par des noirs et inversement. = N. m. Ce qui est positif. *Confronter le positif et le négatif*. [Gram.] Le premier degré de comparaison, celui où l'adjectif exprime simplement la qualité. [Mus.] Petit orgue adapté au grand. Le petit clavier des grandes orgues.
CTR. — *Chimérique, douteux, évasif. — Négatif.*
ANT. — *Comparatif, superlatif. — Négatif* (cliché).

position [*sion*], n. f. (lat. *positio*, m. s.). Situation d'une chose en un lieu, considérée relativement à la manière dont cette chose y est placée, ou à certain but. *La position de sa maison est riante*. ‖ Attitude, posture. *Position incommode. Changer de position.* ‖ *Être dans une position intéressante*, être enceinte (Fam.). ‖ Fig. Situation, état de fortune, condition, circonstances où l'on se trouve. *Sa position est critique.* [A. mil.] Lieu choisi pour y placer un corps de troupes destiné à quelque opération militaire. *Prendre position. Guerre de positions*, guerre dans laquelle les deux armées adverses se stabilisent et se fortifient l'une en face de l'autre.
Profession, emploi, situation sociale. *Changer de position*. ‖ Rang que l'on assigne à certaines choses, ordre dans lequel elles se suivent. *La valeur relative des chiffres dépend de leur position à la droite ou à la gauche les uns des autres*. [Mar.] *Feux de position*, feux de couleurs et d'emplacement déterminés que doit porter tout navire au large, et qui signalent, la nuit, sa position. [Métr.] *Voyelle longue par position*, voyelle brève qui devient longue parce qu'elle est suivie de deux consonnes, soit dans le même mot, soit à la fin d'un mot terminé par une consonne, quand le suivant commence aussi par une consonne. [Mus.] Manière dont la main est posée sur un instrument. *Les six positions du violon*. V. tabl. POSITION (*Idées suggérées par le mot*).
SYN. — V. ASSIETTE, POSTURE et EMPLOI.

positivement, adv. D'une manière sûre, certaine. ‖ Avec de l'électricité positive.

positivisme, n. m. Tendance à n'envisager que les avantages matériels des choses. [Phil.] Système fondé par Auguste Comte, qui rejette l'absolu comme matière de la connaissance et ne veut étudier que les faits constatés scientifiquement.

positiviste, adj. Relatif au positivisme. = N. m. Adepte du positivisme.

* **positron**, n. m. [Phys.] Électron positif.

posologie, n. f. (gr. *posos*, combien grand, et *logos*, discours). [Pharm.] Indication des doses auxquelles les médicaments doivent être administrés, eu égard à l'âge, à la constitution, etc.

* **posologique**, adj. Relatif à la posologie.

* **possédable**, adj. Susceptible d'être possédé.

possédé, ée, adj. Dominé, obsédé. *Possédé de la passion du jeu.* ‖ *Un homme possédé du démon*, dont le démon s'est emparé. = Nom. Personne tourmentée du démon. *Exorciser une possédée.* ‖ Fig. Personne violente, passionnée, extravagante.

posséder [*po-sé*], v. tr. (lat. *possidere*, m. s.). Avoir en propriété, tenir en son pouvoir. *Posséder une maison.* ‖ Par ext., se dit des emplois, des honneurs, des bonnes qualités. *Posséder des vertus.* ‖ Fam. *Posséder quelqu'un*, l'avoir chez soi, dans sa maison, jouir de sa présence. — *Posséder une femme*, jouir de ses faveurs. ‖ Fig. *Posséder l'esprit de quelqu'un*, en être maître, le gouverner à son gré. — *Posséder les bonnes grâces d'une personne*, en être favorisé. — *Posséder le cœur d'une personne*, en être aimé.
Fig. Savoir bien une chose, en avoir une parfaite connaissance. *Posséder plusieurs langues étrangères.* — *Posséder son sujet*, le connaître à fond. ‖ Contenir, renfermer, être doué de. *Cette plante possède telle propriété.* ‖ Fig. Dominer, maîtriser. *L'ambition le possède.* [Liturgie cathol.] *Le démon le possède*, le démon s'est emparé de son corps. = SE POSSÉDER, v. pron. Être maître de son esprit, de ses passions ; ne se laisser émouvoir, troubler par quoi que ce soit. *Il faut qu'un orateur sache se posséder.* ‖ Fig. *Il ne se possède pas de joie*, sa joie est si excessive qu'il en est hors de lui-même. = Conjug. V. GRAMMAIRE.
SYN. — V. AVOIR.

possesseur, n. m. Celui qui possède. GRAM. — Ce mot n'a pas de fém. correspondant.

POSITION

Étymologie. — Le mot *position* est tiré du latin *positio*, même sens. Ce terme vient lui-même du supin *positum*, du verbe *pono, ponere*, placer, tiré du participe *situs*, placé, qui a donné *site*.

Définition. — La *position* est la place où une personne, un objet se trouvent dans une certaine attitude : *La position de Marseille sur la Méditerranée*. C'est aussi la manière dont une personne ou une chose sont placées : *Une position dangereuse, incommode*. C'est parfois une attitude définie : *Prendre la position du tireur couché*. Au pluriel, le mot s'applique au lieu occupé par les troupes en guerre : *Coucher sur ses positions, déloger l'ennemi de ses positions*. *Position* est parfois aussi l'action de proposer : *La position d'une question, d'un problème*. — Le mot signifie encore le rang social, la profession. *Être dans une haute position, chercher une position sociale*.

Mots à rapprocher. — *Position — place — emplacement — situation — site.*
Position, c'est surtout la manière dont on occupe un lieu, l'action de l'occuper.
Place, c'est le lieu même, l'endroit qu'occupe la personne ou la chose.
Emplacement se dit plus spécialement de la place occupée par une ville, par un édifice au point de vue topographique ou géographique.
Situation, c'est l'endroit même, généralement assez étendu, et considéré par rapport aux éléments qui l'entourent, aux points cardinaux, etc., d'un pays, d'une ville, d'un édifice, etc.
Site, c'est un paysage, une fraction de paysage dont la position est envisagée au point de vue artistique ou touristique.

Mots de la même famille. V. SITE.

Principaux termes relatifs à l'idée de *position* :

a) POSITION, POSITION DU CORPS. — Position stable, sûre, assurée, solide, fixe, durable, avantageuse, instable, précaire, pénible, dangereuse, périlleuse. Être posé, placé, situé à telle place, à tel endroit, à tel emplacement, en tel point, en tel lieu, à telle altitude, à telle profondeur, à telle distance, en telle longueur, largeur, etc. Placer, poser, situer, déplacer, replacer, localiser, mettre, colloquer, transporter, transposer, installer, fixer, fourrer, ficher, planter, camper, remuer, stabiliser. Attitude, avoir, prendre, garder, affecter, conserver telle attitude; prendre une pose, une posture, poser. Contenance, maintien, démarche, allure, port. — Être debout, se tenir droit, se dresser, se redresser, se camper, se carrer, se poser, être assis, penché, incliné, accroupi, à croupetons, se baisser, s'agenouiller, être à genoux, se prosterner, se coucher, s'étaler, s'étendre de tout son long, s'allonger, se vautrer, être à plat ventre, couché sur le dos, s'adosser, s'appuyer, s'affaisser, s'affaler, s'engoncer, se renverser, se ramasser, se déhancher, se crisper, se raidir, se suspendre; être à cheval, à califourchon; avoir la tête haute, faire le beau, porter beau, avoir la tête basse, le nez au vent, la bouche en cœur, les bras croisés, levés, étendus, ballants; se tenir les poings sur les hanches, le torse bombé, les jambes croisées, écartées, les talons joints; se tenir au port d'arme, au garde à vous; marcher à cloche-pied, sur la pointe des pieds, se coucher en chien de fusil, etc.

b) POSITIONS PAR RAPPORT À L'ESPACE. — Être ici, là, là-bas, ailleurs, quelque part, de ce côté-ci ou là, d'un autre côté, en plein air, à découvert, à ciel ouvert, à couvert, à la belle étoile, à l'abri, au chaud, au froid, au soleil, à l'ombre; être en haut, tout en haut, au sommet, au faîte, en l'air; en bas, tout en bas, ici-bas, à côté, au-dessus, au-dessous, par-dessus; être sur ou sous quelque chose, à la surface; en amont, en aval; au nord, au sud, à l'est, à l'ouest, au levant, au couchant; être tout au fond; être en long, en large, en pente, à pic, en surplomb; à terre, par terre, sous terre; suspendre, accrocher, superposer l'un à l'autre, être au-dessus; être dedans, dans, au dedans, à l'intérieur de, interne, intime, l'un dans l'autre, entremêlé, entrecroisé, inclus, l'un sur l'autre, être en face l'un de l'autre, vis-à-vis, antagoniste; l'un contre l'autre, l'un à côté de l'autre, parallèlement, côte à côte; droit, courbe, oblique, en diagonale, de côté, de flanc, de biais; au bord, à plat, horizontalement, verticalement, obliquement; contigu, voisin, proche, juxtaposé, coordonné, aligné, adjacent, en contact, limitrophe, sous-jacent, superposé; dehors, au dehors, du dehors, extérieur, en l'extérieur, extérieurement, externe; en tête, en saillie, en façade, sur le front, sur le flanc, à côté, à droite, à gauche, à l'aile droite, à l'aile gauche, à tribord, à bâbord; en avant, en arrière, devant, derrière, au premier, au second, à l'arrière-plan, au milieu, au fond; en tête, en queue, l'un derrière l'autre, en file, à la queue leu leu, en colonne, en rang, antérieur, postérieur; à l'entour, aux environs, à la ronde; cerner, entourer, englober, embrasser, enclaver; près, tout près de; auprès de; se trouver par échelons, par paliers, par couches superposées, par étages; au loin, à distance, dans le lointain, à l'horizon, au zénith. Être ensemble, uni, réuni, joint, lié, fixé; en ordre arrangé, ordonné; en désordre, en pagaïe, en vrac, en tas, entassé; en rond, en carré, en triangle, en losange, en cercle; à la suite, en ordre serré, dispersé; au centre, au milieu, à la périphérie, à la circonférence; aux environs, aux alentours, aux abords; être en équilibre, en porte-à-faux, en contre-bas, etc.

---

possessif, adj. m. Qui indique la possession. *Pronom possessif.* = N. m. *Un possessif, un mot possessif.* V. ci-après et GRAMMAIRE.

GRAM. — Les possessifs ne s'emploient pas lorsque le pronom personnel qui précède empêche toute équivoque ; ainsi l'on dit : *J'ai mal à la tête.* Mais lorsque la relation d'appartenance n'est pas aussi strictement marquée par la phrase, le possessif reparaît : *Je vois que ma main enfle.* — Cependant la langue courante rétablit souvent le possessif, mais avec une nuance fréquentative. On dira donc : *Je souffre de ma jambe,* pour désigner la jambe qui est habituellement malade. —

Les verbes réfléchis ne demandent pas le possessif : *Je me suis blessé au genou.*

possession [po-sè-sion], n. f. (lat. *possessio,* m. s., de *possidere,* posséder). Faculté de disposer et de jouir d'un bien. *Prendre possession d'une charge, d'un héritage.* ǁ Terre que possède un État ou un particulier. *Les possessions de la France aux Antilles.* ǁ *Être en possession de,* suivi d'un nom, signifie : jouir de. *Être en possession de l'estime publique.* — *Être en possession de,* suivi d'un verbe à l'infinitif, signifie : avoir la liberté, l'habitude de. *Il est en possession de leur dire, sans ménagement, leurs vérités.* — *La possession de soi,* la maîtrise, la domination de soi. ǁ Absol.

Jouissance de certains plaisirs, de certaines choses qu'on a recherchés avec ardeur. [Liturgie cathol.] État d'un homme qu'on dit possédé par le démon. *Possession démoniaque.*
Syn. — V. JOUISSANCE.
Par. — *Procession,* défilé religieux avec accompagnement de chants et de prières.
* **possessionnel, elle,** adj. [Droit] Qui marque la possession.
Par. — *Processionnel, elle,* qui concerne la procession.
possessoire, adj. [Droit] Relatif à la possession. = *Action possessoire,* par laquelle on tend à être maintenu ou réintégré dans la possession d'un immeuble ou d'un droit réel. = N. m. Possession d'un bien immobilier. *Il a gagné le possessoire.*
* **possessoirement,** adv. [Droit] D'une manière possessoire.
* **possibilisme,** n. m. Doctrine socialiste qui préconisait des réformes successives, sans révolution.
possibilité, n. f. Caractère, qualité de ce qui est possible.
Ant. — *Impossibilité.*
possible, adj. (lat. *possibilis,* m. s.). Qui peut être ou qui peut se faire. *La chose ne semble guère possible.* = N. m. Ce qui est possible. *Les bornes du possible.* ‖ *Faire son possible, tout son possible,* faire tout ce que l'on peut. = Adv. Peut-être (Fam.). = AU POSSIBLE, loc. adv. Le plus qu'il est possible, extrêmement.
Gram. — Il est des cas où, selon le point de vue, l'adjectif *possible* doit prendre ou rejeter la marque du pluriel : *Je vous paierai par tous les moyens possibles; je vous paierai aux plus courtes échéances possible,* c'est-à-dire *qu'il me sera possible.* Dans le premier exemple, *possible* est en rapport avec le nom pluriel *moyens;* dans le second, avec le pronom *il.* — *Possible,* joint au verbe *pouvoir,* forme un pléonasme qu'on doit éviter. Ne dites donc pas : *Il est possible qu'il puisse venir;* dites : *Il est possible qu'il vienne.*
Syn. — V. PLAUSIBLE.
* **possiblement,** adv. D'une manière possible.
* **post-,** préfixe tiré du latin *post,* après, ajoutant au radical une idée de postériorité.
Ctr. — *Anté.*
* **postage,** n. m. Action de poster, d'expédier par la poste.
postal, ale, aux, adj. Relatif à la poste, au courrier, aux lettres. ‖ *Colis postal,* colis transporté d'un bout à l'autre du territoire suivant un tarif unique. — *Carte postale,* carte destinée à la correspondance et affranchie à prix réduit. — *Convention postale,* convention entre États, relative à la poste.
postcommunion, n. f. [Liturg.] Oraison que le prêtre récite après la communion.
postdate, n. f. Date fausse et postérieure à la date véritable.
postdater, v. tr. Dater une lettre, un acte, d'un temps postérieur à la vraie date.
Ctr. — *Antidater.*
1. poste, n. f. (bas lat. *posta,* dépôt). Autref., établissement de chevaux placé de distance en distance le long des grandes routes pour le service des dépêches et des personnes qui devaient voyager avec célérité. *Chevaux de poste. Chaise de poste.* ‖ Manière de voyager avec des chevaux de poste. *Prendre la poste.* — *Courir la poste,* courir sur des chevaux de poste, ou en chaise avec des chevaux de poste. — Fig. et fam. *Courir la poste,* faire trop vite ce que l'on fait. ‖ Distance entre deux relais (environ 8 km.).
Administration publique chargée du transport des lettres, des dépêches. *Faire une réclamation à la poste.* ‖ Courrier qui porte les lettres. *La poste va partir.* ‖ Maison, bureau où l'on porte les lettres qui doivent être envoyées, et où sont distribuées celles qui arrivent. *Mettre une lettre à la poste.* — *Poste restante,* indication que la correspondance est adressée à la poste même, et que le destinataire doit venir la chercher au bureau indiqué. ‖ *Timbre-poste.* V. TIMBRE. — *Train-poste, paquebot-poste,* train, paquebot qui emporte le courrier postal. — *Poste aérienne,* transport des lettres, parfois spécialement affranchies, par avion. — V. tabl. P. T. T. (*Idées suggérées par le mot*).
Hom. — V. POSTE 2.
2. poste, n. m. (ital. *posto,* m. s.). [A. mil.] Lieu où un militaire est placé par son chef; lieu où l'on a placé des troupes pour une opération militaire. *Quitter, garder, défendre son poste.* — *Avant-postes,* l'ensemble du réseau de surveillance (sentinelles, petits postes, grand-gardes, etc.) qui couvrent une armée en présence de l'ennemi. — *Petit poste,* groupe de soldats détachés pour surveiller, accrocher l'ennemi en avant d'une grand-garde. — *Poste de commandement* (P. C.), point où se tient un chef pendant le combat. ‖ Soldats placés ou destinés à être placés dans un poste. *Relever un poste.* ‖ Corps de garde. *Le poste de la mairie.* ‖ *Poste de police,* corps de garde à l'entrée d'une caserne, d'un camp. — *Corps de garde de police dans une ville.* V. tabl. GUERRE (*Idées suggérées par le mot*). Endroit où l'on dépose les individus arrêtés sur la voie publique. *Il a été emmené au poste.* [Mar.] Logement. *Poste d'équipage.*
Emploi, fonction, et lieu où s'exerce cette fonction. *Se rendre à son poste.* — *Être à son poste,* être où le devoir exige que l'on soit. — Endroit où se trouvent établis divers appareils. *Poste d'aiguillage.* — Ces appareils eux-mêmes, prêts à fonctionner. *Poste de T. S. F.*
— *Les postes éminents rendent les grands hommes encore plus grands, et les petits beaucoup plus petits.* (LA BRUYÈRE.)
Syn. — V. EMPLOI.
Hom. — *Poste,* n. m., emploi, place; — *poste,* n. f., service public transmettant la correspondance; — *postes,* n. f. pl., ornements d'architectures; — *poste, es, ent,* du v. *poster.*
3. poste, n. f. [Archi.] V. POSTES.
1. poster, v. tr. (de *poste* 1). Mettre à la poste. *Poster le courrier.*
2. poster, v. tr. Placer quelqu'un, quelque chose dans un endroit. ‖ Placer un homme ou un corps dans un lieu pour le garder, pour le défendre. = SE POSTER, v. pr. Se mettre, se placer en un lieu pour observer.

postérieur, eure, adj. (lat. *posterior*, m. s.). Qui suit, qui est après dans l'ordre du temps. *A une date postérieure.* ‖ Qui est derrière. *La partie postérieure de la tête.* = POSTÉRIEUR, n. m. Le derrière, les fesses (Fam.).
GRAM. — *Postérieur* étant déjà un comparatif n'admet pas de degrés de comparaison. On ne doit donc pas dire qu'une chose est *plus postérieure qu'une autre.*
CTR. — *Antérieur, antécédent, précédent.*
postérieurement, adv. Plus tard, après.
CTR. — *Antérieurement, auparavant, précédemment.*
posteriori (a), loc. adv. (mots lat.). [Log.] En partant de la conséquence, en remontant de l'effet à la cause. *Raisonnement a posteriori.*
ANT. — *A priori.*
postériorité, n. f. État d'une chose postérieure à une autre.
CTR. — *Antériorité.*
PAR. — Ne pas confondre avec le mot suivant.
postérité, n. f. Suite de ceux qui descendent d'une même origine. *La postérité d'Adam.* ‖ Tous ceux qui viendront dans la suite; les générations à venir. *Transmettre son nom à la postérité.*
— *Le juge sans reproche est la postérité, Le temps qui tout découvre en fait la vérité, Puis la montre à nos yeux.*
(Math. RÉGNIER.)
SYN. — V. RACE.
ANT. — *Ancêtres.*
PAR. — Ne pas confondre avec le mot précédent.
postes, n. f. pl. [Archi.] Ornements qu'on place sur une plinthe, en forme d'enroulement courant, de succession de volutes. — On dit aussi *flots.* V. pl. ORNEMENTS.
HOM. — V. POSTE 2.
postface, n. f. Avertissement placé à la fin d'un livre.
ANT. — *Préface.*
posthume, adj. (lat. *postumus*, celui qui vient après les autres; l'*h* provient d'une fausse étymologie). Né après la mort de son père. ‖ Se dit d'un ouvrage ne paraissant qu'après la mort de l'auteur.
postiche, adj. (lat. *posticus*, qui est derrière). Fait et ajouté après coup. *Les ornements de ce portrait sont postiches.* ‖ Faux, factice, feint, simulé, artificiel. *Des cheveux postiches. Des sentiments postiches.* = N. m. Fausse barbe, perruque.
SYN. — V. FAUX.
PAR. — *Pastiche,* imitation de la manière d'un peintre, d'un écrivain, etc.
* **posticheur, euse,** n. Celui, celle qui fabrique des perruques, des nattes, etc.
PAR. — *Pasticheur, euse,* qui pastiche, qui imite.
postier, ière, n. Employé, employée des postes. ‖ Cheval de poste.
postillon [*ll* mll.], n. m. Homme qui conduit une voiture de poste. ‖ Homme qui monte sur un des chevaux de devant d'un attelage à quatre ou six chevaux. = Au pl. Projection de salive faite en parlant (Fam.).
* **postillonner,** v. intr. Projeter de la salive en parlant.

* **postliminie,** n. f. ou * **postilinium,** n. m. [Dr.] Annulation des actes de l'administration ennemie pendant l'occupation.
* **postopératoire,** adj. [Méd.] Qui se produit après une opération chirurgicale. *Choc postopératoire.*
* **postposer,** v. tr. Attacher moins de valeur, d'importance à.
* **postpositif, ive,** adj. [Gram.] Placé après un autre mot. *Ci* est postpositif dans *celui-ci.*
* **postposition,** n. f. Condition des mots postpositifs.
* **postscénium** [*ni-omm*], n. m. [Antiq.] La partie du théâtre située derrière la scène.
* **post-scolaire,** adj. Qui a lieu après l'école, après les études.
post-scriptum [*post-skript-tome*], n. m. inv. (mots lat. : *chose écrite après*). Ce qu'on ajoute à une lettre après la signature (en abrégé : P.-S.).
CTR. — *Préambule.*
postulant, ante, n. (ppr. de *postuler*). Celui, celle qui postule un emploi. ‖ Celui, celle qui demande à être admis dans un ordre religieux.
postulat [*la*], n. m. Proposition donnée comme vraie, que l'on demande d'admettre sans démonstration. ‖ Période qui précède le noviciat dans un ordre religieux.
HOM. — *Postulas, a,* du v. *postuler.*
postulation [*sion*], n. f. Action de postuler.
postuler, v. tr. (lat. *postulare*, m. s.). Demander, solliciter pour obtenir quelque chose. = V. intr. Se dit d'un avoué qui occupe pour une partie.
posture, n. f. Position, attitude du corps. *Posture commode.* ‖ Fig. Situation. *Se trouver en mauvaise posture.* — *Être en posture de,* être dans une situation qui permet de. V. tabl. POSITION (*Idées suggérées par le mot*).
SYN. — *Posture,* situation du corps d'un être vivant : *Une posture incommode.* — *Attitude,* manière de tenir son corps : *Prendre des attitudes langoureuses.* — *Pose,* attitude, manière de se tenir : *Une personne assise dans une pose gracieuse.* — *Position,* la façon dont est placée une chose : *Pour écrire, la position de votre tête est trop penchée.* — *Situation,* la manière dont une personne ou une chose est placée en tel ou tel endroit : *La situation de cette maison au bord de la mer est très heureuse.*
pot [*po*], n. m. (lat. pop. *pottum*, m. s.). Vase de terre ou de métal qui sert à différents usages. *Pot d'étain. Pot à deux anses.* ‖ *Pot,* suivi de la préposition *à,* exprime en général la destination du vase; et, suivi de la préposition *de,* il en exprime l'usage actuel. *Pot à eau, pot au lait, pot à mettre de l'eau, du lait,* etc. — *Pot d'eau, pot de lait,* etc., pot rempli d'eau, etc.
[Archi.] Ornement représentant un vase d'où sortent des flammes. ‖ En poésie bachique, la bouteille, le vin. *Noyer ses soucis dans les pots.* ‖ Contenu d'un pot. *Manger un pot de confitures.* ‖ *Pot de chambre,* vase de nuit. ‖ Fam. *Bête comme un pot, sourd comme un pot,* extrêmement bête, sourd. ‖ Fig. et prov. *Payer les pots*

cassés, supporter les frais d'un dommage que l'on a causé, les conséquences d'une faute que l'on a commise. — *Mettre les petits pots dans les grands*, faire de l'apparat, de la cérémonie pour donner à dîner. — *Découvrir le pot aux roses*, découvrir la fin, le mystère d'une affaire secrète, d'une intrigue. — Pop. *Pot à tabac*, personne grosse et courte.
Marmite où l'on met bouillir la viande. *Écumer le pot.* — *Pot-au-feu.* V. ce mot. — Fam. *Recevoir à la fortune du pot*, recevoir à dîner sans apprêts spéciaux. — Fig. et fam. *Cela fera bouillir le pot*, cela contribuera aux dépenses du ménage. — *Tourner autour du pot*, ne pas aborder nettement un sujet. — *Pot-de-vin.* V. ce mot. = Adj. *Papier pot*, sorte de papier employé pour la fabrication des cartes à jouer. — V. tabl. HABITATION (*Idées suggérées par le mot*).
HOM. — V. PEAU.

> VOCAB. — *Famille de mots.* Pot : potiche, potier, poterie, potée, potage, potager; dépotage, dépoter, dépotoir; empotage, empoter, empoté, rempoter; potasse, potassium; potasser (argot); pot-au-feu, pot-bouille, pot-de-vin, pot-pourri.

* **potabilité**, n. f. Qualité de l'eau potable.

potable, adj. (lat. *potare*, boire). Qu'on peut boire sans danger ni inconvénient. *Eau potable.* ‖ Fig. et fam. Passable. *Un roman potable.*
CTR. — *Imbuvable, contaminé.*

potache, n. m. Fam. Collégien, lycéen.

potage, n. m. (de *pot*). Aliment demi-liquide fait de bouillon, gras ou maigre, et de tranches de pain, de légumes écrasés ou de pâtes alimentaires. ‖ Début du dîner où l'on sert le potage. = Loc. adv. *Pour tout potage*, en tout et pour tout. *Il n'a que sa retraite pour tout potage.* V. tabl. NOURRITURE (*Idées suggérées par le mot*).
SYN. — *Potage*, aliment constitué avec du bouillon, auquel on ajoute du pain, des pâtes alimentaires, etc. : *Un potage au vermicelle.* — *Bouillon*, aliment liquide constitué par de l'eau dans laquelle on a fait bouillir de la viande avec des légumes et divers condiments : *Un bouillon de poulet.* — *Consommé*, bouillon dans lequel on a fait cuire la viande très longtemps : *Consommé au tapioca.* — *Soupe*, aliment constitué par un liquide dans lequel on a fait cuire divers légumes, du lard, etc. : *De la soupe aux choux.*

potager, n. m. Jardin destiné à la culture des légumes et des fruits. ‖ Foyer élevé, dans une cuisine, pour la cuisson des potages et des ragoûts. = POTAGER, ÈRE, adj. Où l'on cultive des légumes. *Jardin potager.* — *Herbes, plantes potagères*, dont on se sert pour les potages, pour la cuisine.
SYN. — V. JARDIN.

potasse, n. f. (all. *Pott*, pot, et *Asche*, cendre). [Chim.] Hydroxyde de potassium. [Agric.] Nom donné à divers sels de potassium utilisés comme engrais.
* **potassé, ée**, adj. Qui contient de la potasse. *Engrais potassé.*
* **potasser**, v. tr. et intr. [Arg. scol.] Travailler, étudier avec ardeur.
* **potassique**, adj. [Chim.] Qui contient du potassium.

potassium [*omm*], n. m. [Chim.] Corps simple, blanc, mou, très léger, très oxydable, extrait de la potasse caustique. Très répandu dans la nature sous forme de sels. V. tabl. MINÉRAUX (*Idées suggérées par le mot*).
* **pot-au-feu**, n. m. inv. Mets composé de bœuf bouilli dans l'eau avec des légumes. ‖ Viande destinée à être cuite ainsi. ‖ La marmite où l'on fait bouillir la viande. = Adj. Attaché avec excès à son ménage, aux soins du ménage. *Femme pot-au-feu.*
* **pot-bouille** [*ill* mll.], n. f. Pop. Menu ordinaire du ménage.
* **pot-de-vin**, n. m. Ce qui se donne comme présent au delà du prix convenu dans un marché. ‖ Cadeau offert pour se concilier la personne dont on attend un service (Se dit toujours en mauvaise part). = Pl. *Des pots-de-vin.*
* **pote**, adj. f. (vx franç. *pot*, arrondi). *Main pote*, main grosse, bouffie et maladroite. = N. m. (Argot) Compagnon, ami.

poteau, n. m. (lat. *postis*, jambage de porte). Pièce de bois de charpente posée debout. V. pl. CHARPENTE. ‖ Grosse et longue pièce de bois fichée droit en terre et servant à divers usages. *Le poteau d'exécution. Poteau télégraphique. Poteau indicateur.* [Turf] Point d'arrivée dans un champ de course. [Arg. pop.] Ami, camarade.

1. **potée**, n. f. Ce que contient un pot. — Fam. *Une potée d'enfants*, un grand nombre d'enfants. — Mets composé de choux et légumes cuits à feu doux avec du lard, des saucisses.

2. **potée**, n. f. [Chim.] *Potée d'étain*, mélange d'oxydes de plomb et d'étain, pour le polissage des métaux. ‖ *Potée d'émeri*, poudre qui se trouve sur les meules qui ont servi à tailler les pierres. ‖ *Potée de fondeur*, composition qui sert à former un moule.

potelé, ée, adj. (vx franç. *pot*, arrondi). Grassouillet, arrondi, rebondi. *Un enfant, un bras potelé.*

potelet, n. m. Petit poteau qui soutient l'appui d'un escalier.

potence [*tan-se*], n. f. (lat. *potentia*, puissance). Sorte de béquille en forme de T dont un estropié se sert pour marcher, en la mettant sous son aisselle. *Marcher avec des potences* (Vx). ‖ *En potence*, en équerre. ‖ Instrument qui sert au supplice de la pendaison, et ce supplice lui-même. *Il mérite la potence.* ‖ Fig. et fam. *Gibier de potence*, individu dont les actions semblent mériter d'être punies en justice. ‖ Assemblage de trois pièces de bois ou de fer formant triangle et servant de support. *La lanterne était suspendue à une potence.* [Blas.] Meuble de l'écu en forme de T. V. pl. BLASON.

potentat, n. m. (lat. *potens*, puissant). Souverain d'un grand État. ‖ Fig. *Prendre des airs de potentat*, affecter une importance que l'on n'a pas.
SYN. — V. ROI.

* **potentialité**, n. f. Caractère de ce qui est potentiel, en puissance.

potentiel, elle [*tan-siel*], adj. (lat. *potentialis*, m. s.). [Phil.] Qui existe en puissance. Se dit par oppos. à *actuel*. [Méd.] Se dit des caustiques qui n'agissent pas tout de suite après leur application. [Phys.] *Énergie potentielle*, genre

d'énergie que possède un corps capable de fournir un travail extérieur, en passant à un potentiel moins élevé. *Énergie potentielle d'un ressort tendu.* = N. m. Ce qui existe en puissance. [Électr.] *Potentiel électrique*, niveau électrique, par analogie avec *niveau hydraulique*. ‖ Fig. Niveau de la puissance matérielle ou morale d'une nation, d'un individu. *Potentiel de guerre.* [Gram.] *Potentiel* ou *mode potentiel*, mode impliquant une idée plus précise que celle de conditionnel; manière de présenter une chose hypothétique, mais susceptible de se réaliser si les circonstances qui la conditionnent se réalisent elles-mêmes. Ex. *J'achèterais cette maison, si on la mettait en vente.*
ANT. — *Irréel; réel.*
* **potentille,** n. f. [Bot.] Genre de *rosacées* à propriétés astringentes, des régions tempérées.
* **potentiomètre** [*tan-sio*], n. m. [Électr.] Appareil pour mesurer les différences de potentiel. V. pl. T. S. F.
poterie, n. f. Art du potier appelé aussi *céramique*. ‖ Lieu où il exerce cet art. ‖ Objet usuel ou d'art en terre cuite, en fonte, en étain, etc. ‖ Tuyau en terre cuite, en forme de cheminée, servant de canalisation. — V. tabl. ARTS (*Idées suggérées par le mot*).
poterne, n. f. (bas lat. *posterula*, porte de derrière). [A. Mil.] Galerie souterraine qui fait communiquer une fortification avec l'extérieur. ‖ Porte qui ferme cette galerie. V. pl. FORTIFICATIONS.
potiche, n. f. Vase et, partic., vase en porcelaine de Chine ou du Japon. ‖ Fig. et fam. Personne inerte et sans conversation.
potier, n. m. Fabricant ou marchand de poterie en terre ou en métal.
1. potin, n. m. Nom de différents alliages de cuivre, étain et plomb.
2. potin, n. m. Bruit. ‖ Commérage, cancan (Fam.).
SYN. — V. BAVARDAGE.
* **potinage,** n. m. Action de potiner.
potiner, v. intr. Fam. Faire des commérages.
potinier, ière, adj. Fam. Qui fait des potins, des commérages.
potinière, n. f. Lieu où l'on potine (Fam.).
potion [*sion*], n. f. (lat. *potio*, boisson). [Méd.] Médicament liquide à prendre par petites doses.
SYN. — V. BOISSON.
PAR. — *Portion*, partie d'un tout divisé; part de chacun dans un repas.
potiron, n. m. [Bot.] Un des noms vulg. de la grosse courge.
* **pot-pourri,** n. m. Ragoût composé de diverses sortes de viandes et de légumes. ‖ Fig. Morceau de musique composé de différents airs connus. ‖ Mélange confus de toutes sortes de choses.
potron-jaquet ou **potron-minet** (*dès le*), loc. adv. Dès la pointe du jour.
INCORR. — Ne pas dire : *patron-minet* ou *patron-jaquet*, mais bien: *potron-minet, potron-jaquet*. Dire: *poltron-minet, poltron-jaquet* est encore plus absurde.
pou, n. m. (lat. *pediculus*, m. s.). [Zool.] Insecte anoploure, aptère, qui vit sur le corps de plusieurs animaux et de l'homme. *Pou de la tête; pou du corps.* — Fam. *Laid comme un pou*, extrêmement laid.
HOM. — *Pou,* n. m., insecte parasite; — *pouls,* n. m., battement des artères; — *pouh!* interj., pour exprimer le dédain, l'indifférence.
pouacre, adj. et n. Sale, malpropre. — Avare, vilain.
* **pouacrerie,** n. f. Saleté. ‖ Avarice sordide.
pouah ! Interj. Onomatopée qui exprime le dégoût.
HOM. — V. POIDS.
* **poubelle,** n. f. (de *Poubelle*, anc. Préfet de la Seine). Caisse métallique, rectangulaire ou cylindrique, destinée à recevoir les ordures ménagères.
pouce, n. m. (lat. *pollex*, m. s.). Le plus gros et le plus court des doigts de la main, seul opposable aux autres doigts. ‖ Par ext. Gros orteil. ‖ Doigt d'oiseau; pince des crustacés. ‖ Fam. *Manger, déjeuner sur le pouce*, à la hâte et sans s'asseoir. ‖ Fig. et fam. *Mettre les pouces*, se rendre, céder après une résistance plus ou moins longue. — *Se mordre les pouces*, avoir des regrets. — *Donner le coup de pouce à un tableau, à une opération quelconque*, y mettre la dernière main; et aussi, faire osciller frauduleusement le plateau d'une balance portant la marchandise pour qu'il l'emporte sur celui des poids. — *Tourner ses pouces*, ou *se tourner les pouces*, ne rien faire. — V. tabl. CORPS (*Idées suggérées par le mot*).
[Métrol.] La douzième partie du pied (0 m. 027), anc. mesure de longueur. ‖ Fig. Très petite quantité. — POUCE ! interj. Terme de jeu d'enfant, indiquant qu'un joueur demande un arrêt du jeu.
HOM. — *Pouce,* n. m., le plus gros doigt de la main; — *pousse,* n. f., action de pousser; maladie des chevaux; — *pousse, es, ent*, du v. pousser.
poucettes, n. f. pl. Double anneau de fer, ou pièce métallique à deux trous pour attacher ensemble les pouces d'un prisonnier.
HOM. — *Poussette*, voiture d'enfant.
poucier, n. m. Doigtier de cuir, de corne ou de métal que certains ouvriers se mettent autour du pouce. ‖ Pièce du loquet où appuie le pouce.
HOM. — *Poucier,* n. m., doigtier pour le pouce; — *poussier,* n. m., poussière de charbon; — *poussiez*, du v. pousser.
pou-de-soie, pout-de-soie ou **poult-de-soie,** n. m. Étoffe de soie unie et sans lustre, à gros grain. = Pl. *Des pous, pouts* ou *poults-de-soie.*
pouding [*pou-di-ng*], n. m. Mets angl. fait de mie de pain, de moelle ou de graisse de bœuf, de raisin de Corinthe, etc. — On dit aussi *plum pudding (pleum-poud-di-ng').*
poudingue, n. m. [Minér.] Pierre formée de galets agglomérés par un ciment.
poudre, n. f. (lat. *pulvis, pulveris*, m. s.). Poussière, petites particules de terre desséchée, qui s'élèvent en l'air au moindre vent. — *Des souliers blancs de poudre.* — Par exag. *Réduire en poudre une ville, un château*, etc., les ruiner, les abattre, les détruire. — Poét. *Faire mordre la poudre à ses ennemis*, les tuer dans un combat. — Fig. et fam. *Jeter de la poudre aux*

yeux, vouloir éblouir par des apparences, des promesses trompeuses. ‖ Par ext. Substance solide, broyée, pilée ou réduite en petites parcelles. *Du café, du sucre en poudre, Poudre d'or.* ‖ Médicament simple ou composé, sous forme pulvérulente. *Poudre purgative. Poudre insecticide.* — *Poudre de riz* ou simpl. *poudre*, poudre à base d'amidon pulvérisé et aromatisé que l'on répand sur les cheveux ou sur la peau. ‖ *Poudre à écrire*, poudre qu'on met sur l'écriture fraîche pour sécher l'encre.

Poudre de guerre, poudre à canon, ou simpl. *poudre*, mélange de salpêtre, de soufre et de charbon, qui s'enflamme en détonant et sert à lancer des projectiles. ‖ Par ext. Composé dont l'action est analogue à celle de la poudre à canon. *Poudre sans fumée. Coton-poudre.* ‖ *Faire parler la poudre*, tirer des coups de canon, de fusil; commencer à livrer bataille. ‖ Fig. *Être vif comme la poudre*, être prompt à prendre feu, à s'emporter. ‖ Fig. et fam. *Tirer sa poudre aux moineaux*, se mettre en frais, prendre beaucoup de peine pour une chose qui ne le mérite pas. — *N'avoir pas inventé la poudre*, être fort niais. — V. tabl. GUERRE (*Idées suggérées par le mot*).

VOCAB. — *Famille de mots.* — *Poudre* [rad. *poud, pulv*]: poudrer, poudrer, poudrière, poudrerie, poudrette, poudroiement, poudroyer, saupoudrer, saupoudrer, poussière, poussier, poussiéreux, dépoussiérer; pulvérulent, pulvérisation, pulvériser, pulvérisateur, etc.

---

* **poudrement,** n. m. Action de poudrer.

poudrer, v. tr. Couvrir légèrement de poudre. = SE POUDRER, v. pron. Se couvrir de poudre les joues ou les cheveux.

poudrerie, n. f. Établissement où l'on fabrique de la poudre à canon, des explosifs.

poudrette, n. f. Vidanges desséchées et mises en poudre, employées comme engrais.

* **poudreuse,** n. f. Petite table pour la toilette, munie d'un miroir; coiffeuse.

poudreux, euse, adj. Couvert de poussière, de poudre.

1. **poudrier,** n. m. Celui qui fabrique de la poudre à canon.

2. **poudrier,** n. m. Petite boîte à couvercle percé de petits trous, pour mettre de la poudre à sécher l'encre. ‖ Boîte à poudre de riz.

poudrière, n. f. Magasin à poudre, à explosifs, isolé et gardé. ‖ Boîte ou sac à poudre.

poudroiement [droi-man], n. m. État, caractère de ce qui poudroie.

poudroyer [droi-ié], v. intr. S'élever en fine poussière. ‖ Rendre visible la poussière qui flotte dans l'air. *Le soleil poudroie.* = V. tr. Remplir de poussière. = Conjug. V. GRAMMAIRE.

1. **pouf !** interj. Onomatopée exprimant le bruit que fait un corps lourd en tombant, ou tout autre bruit sourd.

2. **pouf,** adj. inv. Se dit de la pierre qui s'égrène et tombe en poussière quand on la travaille. *Ce grès, cette pierre est pouf.*

3. **pouf,** n. m. Coiffure de femme formée de rubans et de fleurs. Coussin de crin pour faire bouffer une jupe par derrière (Vx). ‖ Tabouret, canapé cylindrique et rembourré. ‖ Fam. Annonce, réclame de charlatan.

HOM. — *Pouffe, es, ent,* du v. pouffer; — *puff,* n. m., réclame charlatanesque.

pouffer, v. intr. Éclater de rire involontairement.

* **pouh !** interj. Onomatopée qui marque le dédain, l'indifférence.

HOM. — V. POU.

pouillard [*ill* mll.], n. m. Jeune perdreau, jeune faisan.

pouille [*ill* mll.], n. f. V. POUILLES.

pouillé [*ill* mll.], n. m. Dénombrement, état des domaines et bénéfices d'une abbaye, d'un diocèse. ‖ Livre terrier d'un évêché, d'une abbaye.

HOM. — *Pouillé,* état de biens, de revenus ecclésiastiques; — *pouillier,* n. m., auberge malpropre; — *pouiller,* v. tr., chercher les poux; — *pouiller,* v. tr., insulter.

1. * **pouiller** [*ill* mll.], v. tr. (de *pou*). Chercher les poux à quelqu'un. = SE POUILLER, v. pron. Se chercher les poux à soi-même ou l'un à l'autre.

HOM. — V. POUILLÉ.

2. **pouiller** [*ill* mll.], v. tr. (de *pouilles*). Faire à quelqu'un des reproches bruyants et injurieux. = SE POUILLER, v. pron. S'insulter mutuellement.

HOM. — V. POUILLÉ.

pouillerie [*ill* mll.], n. f. Extrême pauvreté. ‖ Avarice sordide. ‖ Lieu très malpropre.

pouilles [*ill* mll.], n. f. pl. Reproches bruyants et injurieux. ‖ *Chanter pouilles à quelqu'un*, le quereller. (Vx.)

HOM. — *Pouille, es, ent,* des v. pouiller 1 et 2.

pouilleux, euse [*ill* mll.], adj. et n. Qui a des poux. ‖ Fam. Homme de condition basse et misérable.

* **pouillier** ou **pouillis** [*ill* mll.], n. m. Auberge malpropre (Fam.).

HOM. — V. POUILLÉ.

* **pouillot** [*ill* mll.], n. m. [Zool.] Sorte de fauvette gris verdâtre, appelée aussi *rossignol bâtard.*

* **poulaille,** n. f. Volaille (Vx).

poulailler [*ill* mll.], n. m. Abri construit pour les poules, où elles juchent, pondent et couvent. ‖ La partie la plus élevée d'un théâtre, où sont les places les moins chères. ‖ Marchand de volailles.

* **poulaillerie** [*ill* mll.], n. f. Boutique ou marché à volaille.

poulain, n. m. (lat. *pullus*, m. s.). Jeune cheval de moins de 30 mois. ‖ Bubon inguinal (Pop.). ‖ Échelle à montants épais pour encaver les barriques. ‖ Fig. et fam. Élève, débutant que l'on pousse et dans lequel on place son espoir.

poulaine, n. f. (vx fr. *poulonne*, peau de Pologne). *Souliers à la poulaine,* sorte de chaussures à bout long et recourbé (XIVe et XVe s.). V. pl. COSTUMES et CHAUSSURES. [Mar.] Partie de l'avant d'un vaisseau. ‖ Latrines de l'équipage placées dans cette partie.

* **poulard,** n. m. [Bot.] Nom commun du froment renflé. — Adj. *Blé poulard.*

poularde, n. f. Jeune poule engraissée.

poule, n. f. (lat. *pulla,* fém. de *pullus,* petit d'un animal). Femelle du coq. *Mettre la poule au pot.* ‖ Loc. et fam. *Poule mouillée,* homme qui manque de résolution

et de courage. — *Tuer la poule aux œufs d'or*, tarir la source des bénéfices en les réalisant trop vite (allusion à une fable de La Fontaine). — *Être comme une poule qui a couvé des œufs de cane*, se trouver en présence de résultats imprévus et inquiétants. ‖ Fam. *Faire le cul de poule*, faire une espèce de moue en avançant et arrondissant les lèvres. ‖ *Chair de poule*, peau présentant, sous l'impression du froid ou de la frayeur, des élevures pareilles à celles qui sont sur la peau d'une poule plumée. — Fig. *Cela fait venir la chair de poule*, cela fait frissonner. — *Lait de poule*. V. LAIT. Par anal. Femelle de plusieurs espèces d'oiseaux. *Poule faisane*. — V. tabl. ANIMAUX (*Idées suggérées par le mot*). Pop. Terme d'affection, en s'adressant à une personne du sexe féminin. — Jeune fille ou jeune femme quelconque. — Fille facile. ‖ Enjeu total, mise de chacun des joueurs qui appartiendra au gagnant. *Gagner la poule*. [Danse] Troisième figure du quadrille.
ANT. — *Coq*.
HOM. — *Pool*, sorte de groupement de vendeurs.

VOCAB. — *Famille de mots.* — *Poule* [rad. *pou, pol, pul*] : poularde, poulaille, poulailler, poulaillerie, poulet, poulot, poulette, poussin, poulain, poussinière, pouliche, poulinière, poutre, poutrelle, poutrage; poltron, poltronnement, poltronnerie, pulluler, pullulant, pullulement, pullulation, pourpier.

poulet, n. m. Petit d'une poule. — *Poulet de grain*, poulet nourri de grain. ‖ Terme caressant. *Mon poulet.* ‖ Fig. Billet galant. [Arg. pop.] Policier en civil.
poulette, n. f. Jeune poule. ‖ Fam. Jeune fille ou jeune femme. ‖ Adj. *Sauce poulette*, sauce faite avec un jaune d'œuf, du beurre, des épices.
* **pouliage**, n. m. [Mar.] Ensemble des poulies d'un navire.
pouliche, n. f. Jument âgée de moins de trois ans.
poulie, n. f. Roue à gorge sur laquelle passe une corde ou une chaîne, et qui sert d'engin de levage. ‖ Disque circulaire mobile autour d'un axe, servant d'organe de transmission. V. pl. BÂTIMENT.
HOM. — *Poulie, es, ent*, du v. poulier.
* **poulier**, v. tr. Élever un fardeau avec une poulie. = Conjug. V. GRAMMAIRE.
* **poulin, ine**, n. Poulain, pouliche (Vx).
* **poulinement**, n. m. Action de pouliner.
pouliner, v. intr. Mettre bas, en parlant de la jument.
poulinière, adj. et n. f. Jument destinée particulièrement à la reproduction.
1. **pouliot**, n. m. [Bot.] Plante aromatique du genre des menthes (labiées).
2. * **pouliot**, n. m. Rouet de poulie. ‖ Treuil horizontal à l'arrière d'une voiture.
poulot, otte, n. Terme d'affection, pour parler à un enfant.
poulpe, n. m. (lat. *polypus*, du gr. *polys* nombreux; *pous, podos*, pied). [Zool.] Nom vulg. d'un genre de mollusques céphalopodes appelés aussi *pieuvres*, à longs tentacules armés de ventouses.
PAR. — *Poupe*, arrière d'un navire.

pouls [*pou*], n. m. (lat. *pulsus*, battement). [Méd.] Battement du sang dans les artères. *Tâter le pouls*, chercher à percevoir les battements artériels, généralement au poignet. ‖ Fig. et fam. *Le pouls lui bat* se dit d'un homme qui a peur. — *Tâter le pouls à quelqu'un*, le pressentir sur quelque chose. — *Se tâter le pouls*, consulter ses forces, ses moyens avant de faire une entreprise, une démarche.
HOM. — V. POU.

VOCAB. — *Famille de mots.* — *Pouls* [rad. *poul, puls*] : pulsation, pulsateur, pousser, pousse, poussif, poussée, pousse-pousse; compulser; expulser, expulsion, impulsion, impulsif, impulsivité, propulsion, propulseur, repousser, repoussant, repoussoir, répulsif, répulsion, etc.

poumon, n. m. (lat. *pulmo*, m. s.). [Anat.] Organe essentiel de la respiration chez les mammifères et les oiseaux, ainsi que chez la plupart des reptiles et quelques invertébrés. V. pl. HOMME (viscères). ‖ Fam. *Avoir de bons poumons*, avoir la voix forte et sonore. *Crier à pleins poumons*, crier très fort.
* **pound**, n. m. [Métrol.] Mot angl. sign. *poids, livre* ou *monnaie*.
poupard, arde, n. (vx fr. *poupe*, mamelle). Enfant en maillot. ‖ Par ext. Enfant gros et gras ou personne grasse et joufflue. = Adj. *Figure pouparde*. = N. m. Poupée de carton-pâte représentant un enfant au maillot.
HOM. — *Poupart*, sorte de crabe.
* **poupart**, n. m. [Zool.] Nom vulg. du crabe tourteau.
HOM. — *Poupard*, enfant au maillot.
poupe, n. f. (lat. *puppis*, m. s.). L'arrière d'un vaisseau. ‖ *Avoir le vent en poupe*, avoir vent arrière. — Fig. Être favorisé par les circonstances.
ANT. — *Proue*.
PAR. — *Poulpe*, mollusque céphalopode appelé aussi *pieuvre*.
poupée, n. f. (lat. *pupa*, petite fille et poupée). Petite figure humaine faite de bois, de porcelaine, de carton, etc., qui sert de jouet aux enfants. — Fig. et fam. *C'est une vraie poupée* se dit d'une petite personne qui est fort parée, et, par ext., d'une femme galante. — *Visage de poupée*, visage mignon et coloré, ou qui manque d'expression. ‖ Petite figure qui sert de but dans les tirs. ‖ Mannequin sur lequel les modistes et les tailleurs essayent les chapeaux, les vêtements. ‖ Chiffon entourant un doigt malade. [Hortic.] Masse de terre glaise mêlée de mousse ou de foin, disposée autour d'une greffe et serrée avec des liens de paille. *Enter en poupée*. [Techn.] Dispositif placé sur un banc de machine-outil pour supporter ou maintenir les pièces à travailler.
poupin, ine, adj. et n. Qui ressemble à une poupée. *Figure poupine*. ‖ Se dit aussi de l'air, des manières. ‖ Qui a une toilette recherchée. — S'emploie aussi, à tort, comme syn. de *gras* et *joufflu*.
poupon, onne, n. (lat. *puppus*, bébé). Jeune bébé. ‖ Jeune enfant bien potelé. *Une grosse pouponne*.
pouponner, v. tr. Dorloter un petit enfant.

pouponnière, n. f. Lieu où l'on garde et soigne les petits enfants dont les mères ne peuvent s'occuper. ‖ Crèche pour les tout petits. ‖ Appareil pour apprendre à marcher aux petits enfants.

pour, mot invar. V. tabl. POUR.

pourana ou * **purana**, n. m. Recueil de poèmes sacrés de la théologie brahmanique.

pourboire, n. m. (de *pour*, prép., et *boire*). Gratification pour un service rendu. ‖ Gratification donnée en plus du prix convenu.

pourceau, n. m. (lat. *porcellus*, dim. de *porcus*). Cochon, porc. ‖ Homme sale ou glouton. *Un vrai pourceau.* ‖ Fig. *Pourceau du troupeau d'Épicure*, homme voluptueux.
SYN. — V. COCHON.

* **pour-cent** [*san*], n. m. Taux de l'intérêt calculé sur la base de cent francs. ‖ Proportion par rapport à cent. = CENT POUR CENT, loc. adv., complètement, entièrement (Néol.).

pourcentage, n. m. Fixation du taux de l'intérêt ou de la commission à tant pour cent. ‖ Détermination, par rapport à cent, des parties composant un ensemble et de leur importance réciproque. *Établir le pourcentage des voix.*

* **pour ce que**, loc. conj. V. tabl. POUR.

pourchas [*châ*], n. m. ou * **pourchasse**, n. f. Action de pourchasser; poursuite (Vx).

pourchasser, v. tr. Poursuivre, rechercher avec persévérance et ténacité.

* **pourchasseur**, n. m. Celui qui pourchasse, qui poursuit.

pourfendeur, n. m. Qui pourfend. ‖ Fam. Fanfaron, faux brave. On dit aussi : *pourfendeur de géants*.

pourfendre, v. tr. Fendre de haut en bas d'un seul coup de sabre. = Conjug. (comme *rendre*). V. VERBES.
PAR. — *Parfondre*, faire fondre uniformément.

* **pourim**, n. m. Fête juive commémorant le triomphe d'Esther sur Aman.

* **pourlèchement**, n. m. Action de pourlécher.

pourlécher (se), v. pron. Se passer la langue sur les lèvres. ‖ Fig. Se délecter à la pensée d'une chose succulente ou fort plaisante. = Conjug. V. GRAMMAIRE.

pourparlers, n. m. pl. Conférence pour traiter d'affaires publiques ou privées.
LING. — Ce mot ne s'emploie plus au sing.

* **pourpenser**, v. tr. Méditer longuement (Vx).

pourpier, n. m. Genre de plantes herbacées de la famille des *portulacées*, à feuilles comestibles.

pourpoint, n. m. Partie de l'anc. habillement masculin français, qui couvrait le corps, du cou à la ceinture. V. pl. COSTUMES. = À BRULE-POURPOINT, loc. adv. *Tirer à brûle-pourpoint*, à bout portant. — *Dire quelque chose à brûle-pourpoint*, dire brutalement, en face, le plus souvent inopinément, quelque chose de dur, de désobligeant.

pourpre, n. f. (lat. *purpura*, m. s.). Matière colorante d'un rouge foncé que les anciens tiraient d'un coquillage, le *murex*, et qu'ils employaient pour la teinture. *Pourpre de Tyr.* ‖ Fig. et Poét. Couleur rouge; sang; rougeur. *Je sens la pourpre me monter au visage.* [Blas.] Couleur héraldique tirant sur le violet. V. pl. BLASON. ‖ Par ext. Étoffe teinte en pourpre qui était en usage chez les anciens. *Manteau de pourpre.* ‖ Fig. Dignité impériale dans l'ancienne Rome. *Revêtir la pourpre*, se faire proclamer empereur. ‖ *La pourpre romaine, la pourpre cardinalice*, et abs. *la pourpre*, la dignité de cardinal. = N. m. Rouge foncé qui tire sur le violet. *Un œillet tacheté de pourpre.* ‖ Rougeur. *Le pourpre de la colère.* [Méd.] Autre nom du *purpura*. [Zool.] Nom vulgaire d'un genre de mollusques gastéropodes. = Adj. *La couleur pourpre.*

> VOCAB. — *Famille de mots.* — *Pourpre* : purpurin, pourpré, empourpré, porphyre, porphyriser.

pourpré, ée, adj. De couleur de pourpre. ‖ *Fièvre pourprée*, la scarlatine (Vx).

pourprier, n. m. [Zool.] Nom vulg. du *murex*, mollusque qui donne la pourpre.

pourpris, n. m. (pp. de l'anc. v. *pourprendre*). Enceinte, enclos. — *Les célestes pourpris*, les cieux (Vx).

pourquoi, mot invar. V. tabl. POURQUOI.

pourri, ie, adj. (pp. de *pourrir*). Qui est en pourriture; gâté, corrompu. — N. m. Ce qui est pourri. *Oter le pourri d'un fruit. Une odeur de pourri.* ‖ Fig. *Cœur pourri*, homme bas et corrompu. ‖ *Un temps pourri*, un temps humide et malsain.

* **pourridié**, n. m. [Bot.] Nom vulg. de divers petits champignons qui provoquent la pourriture des organes végétaux vivants.

pourrir, v. intr. (lat. pop. *putrire*, m. s.). S'altérer, se corrompre, tomber en décomposition, en putréfaction. *Les fruits pourrissent tous cette année.* ‖ Fig. et fam. Croupir. — *Pourrir dans le vice*, persister dans ses habitudes vicieuses. = V. tr. Altérer, gâter, corrompre. *L'eau pourrit le bois.* ‖ Fig. Corrompre. *L'oisiveté pourrit les nations.* = SE POURRIR, v. pron. Se corrompre.
ORTH. — L'orthographe *pourir* n'est plus en usage.

> VOCAB. — *Famille de mots.* — *Pourrir* [rad. *pou, putr.*] : pourrissoir, pourriture, putride, putréfier, putréfaction, putrescent, putrescible, imputrescible, imputrescibilité, pus, purulent, purulence; pustule, pustuleux, suppurer, suppuration, puer, puant, puamment, puantise, puanteur, empuantir; putois, punais, punaise.

* **pourrissable**, adj. Qui est susceptible de pourrir.
ORTH. — L'orthographe *pourissable* n'est plus en usage.

pourrissage, n. m. [Techn.] Macération des chiffons dans l'eau pour la fabrication du papier.

* **pourrissoir**, n. m. [Techn.] Lieu où l'on opérait le pourrissage des chiffons. ‖ Lieu où pourrissent les cadavres.

pourriture, n. f. État de ce qui est pourri; décomposition, corruption. Fig. Décadence, corruption morale. ‖ *Pourriture*

POUR, mot invariable.

Étymologie. — Latin *pro*, devenu *por*, puis *pour*.
　　CTR. — *Contre*.

POUR, préposition.

Pour a deux acceptions principales : il marque d'abord l'idée étymologique de *à la place de*, et, par extension, il indique les rapports de cause, de destination, avec l'idée de *par rapport à*.

1º En vue de, à destination de. *Il fait de l'exercice pour sa santé. Ils semblent faits l'un pour l'autre. Il y en a pour tout le monde. J'avais dit cela pour rire. Partir pour Rome. Pour vous parler net. Pour ainsi dire.* — *Un remède bon pour la fièvre, pour faire tomber la fièvre.*

2º À cause de, en considération de, en vue de. *Je ne le ferai que pour vous. Il est estimé pour sa probité.* — *Puni pour ses crimes.* — Fam. *Et pour cause*, sans rien ajouter, se dit quand on veut taire le motif de quelque chose. — *Pour Dieu*, pour l'amour de Dieu. = En guise de, en manière de. *N'avoir pour toute arme qu'un bâton.*

3º Eu égard à, par rapport à, quant à, en ce qui concerne. *Cet habit est bien chaud pour la saison. Il est bien grand pour son âge. Il a trop vécu pour sa gloire. Cet habit est trop court pour ma taille.*

　　Avec un pronom sujet, en tête de la phrase, et pour le mettre en valeur : En ce qui me (te, le) concerne. D'après mon (ton, son) dire. *Pour moi, je n'en ferai jamais rien. Pour lui, tout est toujours facile.*

4º *Pour,* **suivi d'un verbe à l'infinitif,** signifie :
　　a) Avec un comparatif. Eu égard à, quant au fait de. *Il est assez jeune pour s'instruire. Il est trop franc pour vous tromper.*
　　b) En vue de. *Il faut manger pour vivre, et non pas vivre pour manger* (MOLIÈRE).
　　c) Avec un infinitif passé. Parce que. *Il a échoué pour avoir voulu trop bien faire.*
　　d) À cause de, pour le fait de. *Pour dormir dans la rue, on n'offense personne* (RACINE).
　　e) Quoique (Vx). *Ah ! pour être dévot, je n'en suis pas moins homme* (MOLIÈRE).

5º Envers, à l'égard de. *La tendresse d'une mère pour ses enfants. Être bon pour les animaux.* = En faveur de, dans l'intérêt de. *Plaider pour un tel. Mourir pour la patrie.*
　　Être pour. Être partisan de. *Être pour le roi, pour la république.*
　　Être pour est employé, dans la langue populaire, comme une sorte d'auxiliaire de mode, et signifie : être sur le point de. *Il était pour partir hier.*
　　En être pour. Avoir fait quelque chose en pure perte. *En être pour ses frais.*
　　Ellipt. et fam., avec valeur d'adverbe. *Il y a de bons arguments pour ; il y en a aussi de puissants contre.*

　　POUR, n. m. *Il y a du pour et du contre.* V. CONTRE.

6º En la place de, au nom de. *Être puni pour un autre.* — *Pour le préfet, le secrétaire général,* etc., formule indiquant qu'un fonctionnaire, un officier signe pour son chef, par ordre ou par délégation de celui-ci.
　　Comme, de même que, en qualité de (construit avec un attribut). *Vous me prenez pour un autre. Il fut laissé pour mort. Il se donne pour savant. Demander pour récompense. J'ai pour principe de... Je me tiendrai pour dit.* — *Être pour beaucoup, pour peu dans une affaire,* n'y être pour rien, y avoir beaucoup, peu de part, n'y en avoir point du tout.

7º En échange de. *J'ai cédé mon cheval pour cent mille francs. Je ne ferais pas cela pour un empire, pour tout l'or du monde.* = *Pour tout* indique qu'il n'y a rien de plus. *Pour tout salaire il eut des remerciements.*
　　Avec sens distributif et par rapport à une quantité. *Placer son argent à cinq pour cent.*

8º Précédé et suivi du même mot, marque : *a)* Comparaison. *Mourir pour mourir, il vaut mieux que ce soit en faisant son devoir. b)* Action réciproque. *Œil pour œil, dent pour dent. c)* Correspondance exacte entre deux choses. *Traduire mot pour mot. Jour pour jour.*

9º Joint à une expression qui marque le temps, indique : *a)* Un rapport de durée : *Je n'en ai que pour un moment. Partir pour huit jours. b)* Un rapport d'époque : *Ce sera pour demain.*

LOCUTIONS DIVERSES FORMÉES AVEC **POUR**.

POUR TOUJOURS, POUR JAMAIS, loc. adv., *pour un temps qui ne doit pas avoir de fin. Adieu pour toujours ! Il* (Turenne) *ouvre deux fois deux grands yeux et la bouche, et demeure tranquille pour jamais* (Mme DE SÉVIGNÉ).

POUR LORS, loc. adv., alors. *Vous dites que cela arrivera ; pour lors nous verrons ce qu'il y aura à faire.* — POUR LORS, excl. familière, marque l'indignation. *Pour lors, c'est trop fort !*

POUR AINSI DIRE, loc. adv. V. DIRE.

POUR... QUE (avec un adjectif entre les deux mots), loc. conj. construite avec le subjonctif. Quelque... que. *Pour grands que soient les rois, ils sont ce que nous sommes* (CORNEILLE) (et non *pour si grands que,* qui est un pléonasme).

POUR QUE, loc. conj. construite avec le subjonctif. Afin que, en vue de. *Je suis venu vous voir pour que nous parlions de nos affaires.*

　　OBS. GRAM. — La locution *pour que,* si usitée aujourd'hui, est née seulement au XVIIᵉ siècle. *Pour que* marque plus faiblement l'intention que *afin que,* selon certains grammairiens.

POUR QUE... NE PAS, loc. conj. construite avec le subjonctif, marquant l'intention négative, la mise en garde. *Je vous en préviens pour que vous n'ayez pas d'illusions à cet égard.*

POUR CE QUE, loc. conj. construite avec l'indicatif. Parce que (Vx).

POUR AUTANT, QUE. Parce que (Vx).

POUR PEU QUE, loc. conj. V. PEU.

POURSUITE — POURVOI 1502

POURQUOI, mot invariable,

Étymologie. — Locution composée d'origine française, formée de la prép. *pour* et du pronom interrogatif neutre *quoi*, réunis en un seul mot.

Observation grammaticale. — Malgré l'étymologie commune, *pourquoi*, mot invariable, ne doit pas être confondu avec la locution *pour quoi*, écrite en deux mots, et dans laquelle *quoi* est nettement resté le pronom interrogatif précédé de la prép. *pour*. *Pour quoi faire est-il venu dans cette ville?*

POURQUOI, adj. d'interrogation.

Pour quelle cause, pour quel motif, pour quelle chose; s'emploie comme interrogatif, dans l'interrogation directe comme dans interrogation indirecte. *Je ne sais pourquoi il n'est pas venu. Il est parti sans dire pourquoi. Pourquoi cela? Pourquoi non?* — *On naît sans savoir comment, on meurt sans savoir pourquoi* (Th. Gautier).
Fam. *Vous ferez telle chose ou vous direz pourquoi*, se dit sous la forme d'un ordre accompagné d'une menace, pour faire entendre à quelqu'un qu'il ne peut se dispenser de faire la chose dont il s'agit.
Pourquoi, pron. relatif neutre (Vx; incorrect auj.). Pour lequel, laquelle. *Les raisons pourquoi elle est belle* (La Bruyère). Cette tournure est sortie de l'usage.

POURQUOI, n. m. inv. Cause, raison. *Savoir le pourquoi d'une affaire. Le pourquoi et le comment* (Fam.).

LOCUTIONS FORMÉES AVEC POURQUOI.

C'est pourquoi, loc. conj. de coordination, marquant la cause, la conséquence. Pour cette cause, pour ce motif, pour cette chose, pour cette raison. *C'est pourquoi il ne vous a pas répondu.*

C'est pourquoi. — Syn. : *Ainsi* — *aussi* — *par conséquent* — *partant*. Conjonctions ou loc. conj. indroduisant une conséquence résultant de la cause exprimée dans la proposition précédente. — *C'est pourquoi* marque un rapport de cause à effet; il a fait des excès, *c'est pourquoi* il est tombé malade; cette locution, comme *aussi* qui a le même emploi, marque l'ordre des faits, quand le second est le résultant naturel du premier. La nuance d'emploi entre les deux tours consiste en ce que *aussi*, plus bref, marque la conséquence comme toute logique et inévitable. — *Par conséquent* et *partant* marquent surtout un raisonnement, une déduction logique, et ne s'emploient que dans l'ordre des idées, dans les déductions scientifiques : 2 et 2 font 4, *par conséquent* 4 et 4 font 8; *partant* est plus du langage familier, et indique une conséquence; on peut en rapprocher la locution *par suite* : Plus d'amour, *partant* plus de joie (La Fontaine). — *Ainsi* marque souvent aussi la conséquence, mais d'une façon plus vague et qui marque moins une suite inéluctable qu'une simple induction tirée du fait qui vient d'être exprimé. V. ainsi (tableau).

Pourquoi pas? loc. interrogative elliptique (Fam.). Marque la résolution de tenter ce qui semble impossible ou très périlleux. *Vous oseriez entreprendre cela?* — *Pourquoi pas?*

---

d'hôpital, sorte de gangrène qui ravageait jadis les hôpitaux de blessés.
Orth. — L'orthographe *pouriture* est aujourd'hui inusitée.

poursuite, n. f. (du v. *poursuivre*). Action de courir après quelqu'un pour l'atteindre, pour le prendre; de le rechercher pour l'arrêter. *Se mettre à la poursuite des ennemis, d'un criminel.* — Se dit aussi des animaux. *Chien ardent à la poursuite du gibier.* ‖ Soins qu'on prend, démarches qu'on fait pour obtenir quelque chose. *La poursuite des honneurs.* ‖ Démarches pour obtenir l'amour, la main d'une femme. *Être obsédé des poursuites de quelqu'un.* [Droit] Action en justice engagée contre quelqu'un pour faire valoir un droit, obtenir réparation d'un préjudice ou punition d'une infraction pénale, etc. *Exercer des poursuites contre quelqu'un.*

poursuivant, n. m. (ppr. de *poursuivre*). Celui qui brigue pour obtenir un emploi, une charge. ‖ Celui qui recherche une femme en mariage. [Dr.] Celui qui exerce des poursuites en justice. = POURSUIVANT, ANTE, adj. *La partie poursuivante.*

poursuivre, v. tr. (de *pour*, et *suivre*). Suivre quelqu'un rapidement, courir après lui pour l'atteindre. *Poursuivre l'ennemi l'épée dans les reins.* ‖ En parlant des animaux : *Le chien poursuit le gibier.* — *Poursuivre de ses acclamations, de ses menaces,* suivre en acclamant, en menaçant. ‖ Fig. Tourmenter, obséder. *La calomnie le poursuit.* ‖ Fig. Employer ses soins, faire diligence pour obtenir une chose. *Poursuivre une dignité, le paiement d'une pension.* [Dr.] Intenter contre quelqu'un une action en justice. *Poursuivre devant les tribunaux.* — Continuer ce qu'on a commencé. *Il poursuivit son chemin.* — Absol. *Vous avez bien commencé, poursuivez.* = SE POURSUIVRE, v. pron. à sens passif. Être continué, suivre son cours. = Conjug. (comme *suivre*). V. VERBES.
Syn. — V. CONTINUER.
Ctr. — *Interrompre, discontinuer.*

pourtant, adv. (de *pour*, et *tant*). Néanmoins, cependant, malgré cela. Pour tout cela (Vx).
Syn. — *Pourtant,* terme indiquant que, après avoir admis l'ensemble d'une idée, d'une proposition, on fait une objection, une addition, etc. : *Je suis de votre avis, pourtant on pourrait vous objecter que...* — *Cependant,* marque une objection plus forte : *Vous paraissez satisfait, cependant je crois que c'est à tort.* — *Néanmoins,* malgré ce que vous pensez : *Vous avez peut-être en partie raison, néanmoins je persiste dans ma manière de voir.* — *Toutefois,* malgré cela : *Il semble triompher, toutefois attendons la fin.* V. aussi CONTRE.

pourtour, n. m. (de *pour*, et *tour*). Tour, circuit, contour. *Le pourtour d'une enceinte.*
Syn. — V. CIRCONFÉRENCE.

pourvoi, n. m. (n. verbal de *pourvoir*). [Dr.] Acte par lequel on demande à une autorité supérieure la réformation ou l'annulation d'une décision judiciaire.

Pourvoi devant le conseil d'État; pourvoi en cassation. V. LOI et TRIBUNAL (Idées suggérées par les mots).

pourvoir, v. intr. (lat. *providere*, prévoir). Mettre ordre à quelque chose; avoir soin de; fournir ce qui est nécessaire; suppléer à ce qui manque. *Il a pourvu à tous nos besoins.* = V. tr. Nommer à un office, à un emploi, etc. *On l'a pourvu de cette charge, de ce bénéfice.* ‖ Munir, garnir. *Pourvoir une place de vivres.* ‖ Orner, douer. *Les grâces dont elle est pourvue.* ‖ Fig. Établir par un mariage, par un emploi, par une charge. *Ce père a bien pourvu tous ses enfants.* = SE POURVOIR, v. pron. Se munir, s'approvisionner. *Je me suis pourvu de bois pour l'hiver.* [Droit] Intenter une action devant un juge, recourir à un tribunal. *Se pourvoir en cassation.*

SYN. — V. FOURNIR.
PAR. — *Pouvoir*, v., avoir la faculté, être en état de : *Il ne suffit pas de vouloir, il faut pouvoir.*

CONJUG. — V. trans. 3ᵉ groupe (inf. en oir) [rad. *pourvoy, pourvoi*].
Se conjugue comme VOIR, excepté :
Indicatif. — *Passé simple :* je pourvus, tu pourvus, il pourvut, nous pourvûmes, vous pourvûtes, ils pourvurent. — *Futur :* je pourvoirai..., nous pourvoirons, vous pourvoirez...
Conditionnel. — *Présent :* je pourvoirais..., nous pourvoirions, vous pourvoiriez...
Subjonctif. — *Imparfait :* que je pourvusse..., qu'il pourvût, que nous pourvussions...

*****pourvoirie,** n. f. Lieu où l'on gardait les provisions.

pourvoyeur, euse, n. Celui, celle qui fournit, procure (surtout en parlant de provisions). = N. m. Canonnier qui apporte les munitions; soldat qui alimente en cartouches une arme automatique.

pourvu, ue, adj. (p. de *pourvoir*). Garni, orné. ‖ Qui a obtenu une place, une situation. ‖ Établi, marié.
CTR. — *Dépourvu.*

pourvu que, loc. conj. En cas que, à condition que. = Interj. Puisse-t-il se faire que ! *Pourvu qu'il vienne !*

poussah ou *****poussa,** n. m. Magot, figurine grotesque montée sur une boule lestée à sa partie inférieure, de façon à toujours retrouver son équilibre. ‖ Fig. Homme très gros.
HOM. — *Poussas, poussa,* du v. *pousser.*

1. pousse, n. f. Action de pousser, de croître. *La pousse des feuilles, des cheveux.* ‖ Petite branche que les arbres poussent chaque année. ‖ Altération du vin, due à une seconde fermentation.
HOM. — V. POUCE.

2. pousse, n. f. [Méd. vét.] Maladie des chevaux caractérisée par l'essoufflement et une interruption dans le mouvement de l'inspiration.
HOM. — V. POUCE.

poussé, ée, adj. Amené à un haut degré d'intensité, de perfection; achevé dans tous les détails.
HOM. — *Poussé,* adj., fait minutieusement ; — *poussée,* n. f., action de pousser; — *pousser,* v. tr., s'efforcer de déplacer, de faire avancer.

pousse-café, n. m. inv. Fam. Verre d'alcool pris après le café.

pousse-cailloux, n. m. inv. Fantassin (Pop.).

poussée, n. f. (du v. *pousser*). Action de pousser et résultat de cette action. *Donner une poussée à un véhicule.* ‖ Pression qu'un corps pesant exerce sur un autre corps, par laquelle il tend à le déplacer. *Poussée verticale, horizontale.* [Archi.] Effort de pesanteur exercé horizontalement par une voûte sur ses supports, ses piédroits, et qui tend à les renverser. *Les arcs-boutants ont pour effet de contrebuter une poussée.* ‖ *Donner une poussée à quelqu'un*, le pousser brusquement pour lui faire quitter la place. [Phys.] Force de pression qu'exerce un fluide sur un objet immergé en son sein. ‖ Fig. Élan, inspiration. *Une poussée d'enthousiasme.* [Méd.] Brusque accès; éruption cutanée soudaine. *Une poussée de fièvre. Une poussée d'herpès.*
HOM. — V. POUSSÉ, ÉE.

pousse-pousse, n. m. En Extrême-Orient, voiture légère à deux roues, tirée ou poussée par un homme. V. pl. VOITURES. = Pl. *Des pousse-pousse.*

pousser, v. tr. (lat. *pulsare*, m. s.). Faire effort contre, pour déplacer, pour ôter, pour faire avancer. *Pousser un fauteuil. Pousser quelqu'un du coude, du genou,* le toucher doucement avec le coude, avec le genou, pour l'avertir de quelque chose. — *Pousser les ennemis,* les faire reculer. ‖ Imprimer un mouvement à un corps, soit en le jetant, soit en le frappant. *Pousser une balle. Pousser la porte.* ‖ Étendre, avancer, prolonger, porter plus loin. *La Révolution poussa jusqu'au Rhin les frontières de la France.* — Fig. *Il pousse la libéralité jusqu'à la profusion.* — *Pousser les choses au noir,* exagérer dans le sens du pire. — *Pousser ses succès,* les augmenter, les continuer. — *Pousser son travail,* s'en occuper avec ardeur, avec continuité, de manière à le faire avancer vers sa fin. — *Pousser des travaux,* les activer, les faire avancer. — *Pousser un dessin,* en accentuer les détails.

Fig. *Pousser quelqu'un,* le faire avancer dans une carrière quelconque. — *Pousser un écolier, un élève,* lui faire faire des progrès en stimulant sans cesse son zèle. ‖ Fig. Attaquer, offenser, presser. *Pousser quelqu'un à bout.* ‖ Faire agir. *La haine seule l'a poussé.* ‖ Engager fortement, exciter. *On l'a poussé à se battre.* ‖ *Pousser un cheval,* l'exciter à avancer promptement.

Émettre, produire, en parlant des plantes, des arbres. *Les arbres commencent à pousser des boutons, des feuilles.* ‖ Proférer, exhaler. *Pousser des cris, des soupirs, des gémissements,* crier, soupirer, etc.

V. intr. Exercer une pression sur quelque chose, peser. *Ce mur pousse en dehors.* ‖ *Pousser jusqu'à tel endroit,* continuer sa route jusqu'à tel endroit. ‖ Croître, se développer. *Ses cheveux ont beaucoup poussé.* ‖ Par anal. Grandir. *Voyez comme cet enfant a poussé depuis six mois.* ‖ Porter à l'excès. *Plaisanterie trop poussée.* ‖ *Pousser à la roue,* aider à. = SE POUSSER, v. pron. Se heurter mutuellement. ‖ Avancer dans une carrière. *Se pousser dans le monde.* ‖ Se soutenir réciproquement, se prêter un appui mutuel pour avancer. *Ils se sont*

POUSSETTE — PRASÉODYME

poussés dans la carrière des honneurs. ‖ *Être porté. La plaisanterie ne doit pas se pousser jusqu'à l'offense.*
Syn. — V. jeter.
Ctr. — *Tirer, retenir, entraver.*
Hom. — V. poussé, ée.

poussette, n. f. Jeu d'enfant se pratiquant avec deux épingles en croix. ‖ Petite voiture d'enfant, ou petite voiture pour porter de menues charges.
Hom. — *Poucettes,* sorte de double anneau pour emprisonner les pouces des malfaiteurs.

* **pousseur, euse**, n. Celui, celle qui pousse.

poussier, n. m. Poussière de charbon.
Hom. — V. poucier.

poussière, n. f. (anc. fr. *pous,* du lat. pop. *pulvus,* m. s.). Terre réduite en poudre très fine, qui voltige en l'air et se dépose sur les objets. *Un nuage de poussière.* — *Mordre la poussière,* être tué en combattant. ‖ Fig. Néant. *L'homme n'est que poussière et retournera en poussière.* ‖ Fig. État vil et misérable. *Tirer quelqu'un de la poussière.* ‖ Fig. Ce qui est en nombre infini, comme les grains de poussière. *La voie lactée est une poussière d'étoiles.* — Ce qui est divisé en fines particules. *De la poussière d'eau.*

— *Ont-ils rendu l'esprit, ce n'est plus que poussière,*
Que cette majesté si pompeuse et si fière,
Dont l'éclat orgueilleux étonnait l'univers.
(Malherbe.)

— *De l'esclave et du roi la poussière est la même.* (Corneille.)

Épithètes courantes : épaisse, drue, tenace, affreuse, âcre, asphyxiante; fine, légère, transparente, dorée, impalpable, etc.

poussiéreux, euse, adj. Couvert de poussière. ‖ Qui a l'aspect de la poussière. *Teint poussiéreux.*

poussif, ive, adj. Qui a la pousse, en parlant des chevaux. ‖ Par ext. Qui a de la peine à respirer. ‖ Fig. Qui manque de souffle, d'inspiration.

poussin, n. m. Poulet nouvellement éclos, dont les plumes ne sont pas encore développées.

poussinière, n. f. Cage pour abriter les poussins. ‖ Éleveuse artificielle.

poussoir, n. m. Bouton qu'on pousse pour déclencher le fonctionnement de certains appareils.

pout-de-soie, V. pou-de-soie.

* **poutrage**, n. m. ou * **poutraison**, n. f. Assemblage de poutres.

poutre, n. f. (bas lat. *pullitra,* pouliche). Grosse pièce de bois équarrie servant à faire la charpente d'une maison, d'un pont de bois, etc. *Poutre de chêne, de sapin.* — *Maîtresse poutre,* la poutre principale d'un assemblage. V. pl. charpente et gymnase. ‖ Grosse pièce carrée et allongée de certaines matières. *Poutre d'acier, de tôle,* etc. ‖ Fig. *C'est la paille et la poutre.* V. paille.

poutrelle, n. f. Petite poutre. ‖ Poutre d'acier allongée et mince.

* **pouture**, n. f. Nourriture des animaux engraissés à l'étable.

1. **pouvoir**, v. tr. V. tabl. pouvoir.
2. **pouvoir**, n. m. (du v. *pouvoir*). Faculté, puissance. *Le feu a le pouvoir de dissoudre tous les corps.* — *Avoir une personne* ou *une chose en son pouvoir,* en avoir la possession, pouvoir en disposer à son

gré. *Être, tomber au pouvoir de quelqu'un, en son pouvoir,* être, tomber sous sa dépendance. ‖ Droit, faculté d'agir pour un autre, en vertu de l'ordre, du mandat qu'on en a reçu. *Agir en vertu de pouvoir. Outrepasser ses pouvoirs.* — *Fondé de pouvoir, de pouvoirs,* celui qui a reçu pouvoir d'agir pour un autre.

Puissance, autorité, droit de commander. *Les dépositaires du pouvoir.* — *Le pouvoir temporel,* l'autorité civile. — *Le pouvoir spirituel,* l'autorité ecclésiastique. — *Le pouvoir législatif,* celui qui est chargé de faire les lois; *le pouvoir exécutif,* celui qui est chargé de les faire exécuter; *le pouvoir judiciaire,* celui qui est chargé de poursuivre les infractions aux lois; *les pouvoirs publics,* les autorités constituées. [Dr.] *Excès de pouvoir,* acte qui est en dehors ou au delà des attributions de celui qui l'accomplit. ‖ Personne même qui est investie du pouvoir, de l'autorité. *Flatter, encenser le pouvoir.* — Crédit, empire, influence, ascendant (ne se dit qu'au sing.). *Il a beaucoup de pouvoir dans cette maison.*
Syn. — V. empire.
Par. — *Pourvoir,* fournir ce qui est nécessaire, ce qui manque.

pouzzolane, n. f. [Minér.] Lave volcanique rougeâtre qui se trouve à l'état naturel à Pouzzoles (Italie) et dans divers autres terrains d'origine volcanique.

* **P. P. C.**, initiales des mots : *pour prendre congé.*

* **P. P. C. M.**, abrév. de : *plus petit commun multiple.*

* **prâcrit** ou * **prâkrit**, n. m. Série de dialectes de l'Inde, dérivés du sanscrit.

pragmatique, adj. f. (gr. *pragmatikos,* pratique). *Histoire pragmatique,* celle qui cherche à tirer des faits, des conclusions pratiques et immédiatement applicables. — *Pragmatique sanction,* acte d'un souverain, d'une assemblée, réglant des questions de succession, d'organisation religieuse, etc.

pragmatisme, n. m. [Phil.] Doctrine qui, considérant que la pensée est subordonnée à l'action, prend pour critère de la vérité la valeur pratique.

prairial, n. m. (de *prairie*). Neuvième mois du calendrier républicain (20 ou 21 mai au 18 ou 19 juin. V. tabl. temps (*Idées suggérées par le mot*).

prairie, n. f. (de *pré*). [Agric.] Terre couverte de plantes herbacées propres à la nourriture des bestiaux. *Prairie naturelle, artificielle.*

* **pralin**, n. m. [Agric.] Terre mélangée d'engrais pour opérer le pralinage.

* **pralinage**, n. m. Action de praliner. ‖ Enrobage de graines ou de racines dans une substance fertilisante (*pralin*).

praline, n. f. (de *Plessis-Pralin,* n. pr.) Amande rissolée dans du sucre.

* **praliné**, n. m. Mélange de pralines pilées et de chocolat.

praliner, v. tr. Faire rissoler dans le sucre, à la manière des pralines. ‖ Remplir, saupoudrer de pralines pilées.

* **prame**, n. f. [Mar.] Bâtiment à fond plat, pour la défense des côtes, à voiles et à rames.

* **praséodyme**, n. m. [Chim.] Corps simple, métal jaune clair, élément des terres rares.

POUVOIR, verbe,

Étymologie. — Du bas latin *potere* (forme refaite sur le latin classique *posse*, m. s.).

LING. — Je *puis* est plus usité que je *peux*. On ne dit pas *peux-je?*, mais *puis-je?* — Avec *pouvoir*, on peut supprimer *pas* et *point*. *Je ne puis, je ne peux sortir.* — Il en est de même avec les verbes *cesser*, *oser* et *savoir* ; dans ce cas, la négative est moins forte. — *Pouvoir*, construit avec *peut-être*, *possible*, *impossible*, forme un pléonasme vicieux. Ne dites donc pas : *Peut-être pourra-t-il réussir ; il est possible qu'il puisse réussir.* Dites : *Peut-être réussira-t-il ; il est possible qu'il réussisse.*

POUVOIR, n. m. V. ce mot.

PAR. — *Pourvoir*, fournir ce qui est nécessaire.

CONJ. — V. trans. 3ᵉ groupe (inf. en *oir*) [rad. *pouv*, *pou*, *puiss*, *pui*].
Indicatif.—*Présent* : je peux, ou je puis, tu peux, il peut, nous pouvons, vous pouvez, ils peuvent.— *Imparfait* : je pouvais..., nous pouvions, vous pouviez... — *Passé simple* : je pus, tu pus, il put, nous pûmes, vous pûtes, ils purent. — *Futur* : je pourrai..., nous pourrons, vous pourrez...
Impératif : N'existe pas.
Conditionnel — Présent : je pourrais..., nous pourrions, vous pourriez...
Subjonctif. — *Présent* : que je puisse, que tu puisses, qu'il puisse, que nous puissions, que vous puissiez... — *Imparfait* : que je pusse, que tu pusses, qu'il pût, que nous pussions, que vous pussiez...
Participe. — *Présent* : pouvant. — *Passé* : pu (sans féminin ni pluriel).

POUVOIR, verbe transitif (construit surtout avec un infinitif, avec un pronom indéfini ou avec un adverbe de quantité).

1º Avoir la faculté, le moyen, être en état de. *Il ne peut pas marcher. Je ne puis vous répondre. Puis-je vous être utile?*
Employé absol. *Si je pouvais.* Prov. *Si jeunesse savait, si vieillesse pouvait.* Prov. *Fais ce que tu dois, advienne que pourra.* V. ADVENIR. Prov. *Qui veut, peut*, celui qui a la volonté d'agir en a le pouvoir.

2º Avoir la permission de. *Le malade pourra sortir dans quelques jours. Vous pouvez vous retirer.*

3º Avoir l'autorité, le crédit, la puissance, la force, etc., de faire. *Vous pouvez tout sur lui, sur son esprit.* Prov. *Qui peut le plus, peut le moins*, qui est capable de faire ce qui est difficile, peut, à plus forte raison, faire ce qui est facile.

4º LOCUTIONS DIVERSES.
N'EN POUVOIR PLUS, être à bout de forces. *Je n'en puis* ou *je n'en peux plus.*
N'EN POUVOIR MAIS. N'y être pour rien. *Le malheureux lion... bat l'air qui n'en peut mais.* (LA FONTAINE.)

ON NE PEUT PLUS, ON NE PEUT MIEUX, loc. adv. Le plus, le mieux qu'il est possible. *Il s'est montré on ne peut plus indulgent. Il nous a reçus on ne peut mieux.*
V. impers. Être possible. *Il peut se faire qu'il ne vienne pas.* — *Il peut être midi*, il est probablement midi. V. ci-dessous, 2º b) — Peut-être. V. ce tableau.

— *Ta fortune est bien haute, tu peux ce que tu veux.* (CORNEILLE.)
— *Je peux faire les rois, je les peux déposer,*
Cependant de mon cœur je ne puis disposer. (RACINE.)
— *Que peuvent contre lui tous les rois de la terre?*
— *Il faut, autant qu'on peut, obliger tout le monde.* (LA FONTAINE.)

Emplois particuliers du verbe POUVOIR.

1º Employé au *subjonctif*, en tête d'une phrase, avec inversion du sujet et suivi de l'infinitif : **Marque le souhait ou exprime un vœu.** — *Puisses-tu réussir! Puisse le ciel vous donner de longs jours!*

2º **Sert d'auxiliaire de mode,** suivi d'un autre verbe à l'infinitif, et marque dans ce cas :
 a) La possibilité, l'approximation. *Cette maison peut bien coûter dans les 800.000 francs. Il pouvait y avoir deux ou trois cents personnes.*
 b) Une affirmation atténuée. *Il pouvait être six heures du matin* (il était vraisemblablement 6 heures).

3º Aux temps passés de l'indicatif, suivi d'un infinitif, il marque le conditionnel passé. *Je pouvais le faire arrêter sur l'heure* (= j'aurais pu).

SE POUVOIR, v. pr. Être possible, être susceptible de réalisation. *Cela ne se peut pas. Il se peut que l'affaire tourne bien.* — *Cela se peut.* C'est possible, loc. interj. marquant un acquiescement de condescendance plus que de conviction.

VOCAB. — *Famille de mots.* — *Pouvoir* [rad. *pu*, *pot*, *pos*, *puis*] : potentialité, potentiel, potentiomètre ; potentat, plénipotentiaire, impotent, impotence, potence, podestat ; possible, possibilité, possibilisme, possiblement, impossible, impossibilité, puissant, puissance, puissamment, impuissance, impuissant.

---

* praticabilité, n. f. État, nature d'une chose praticable.

praticable, adj. Qui peut être pratiqué, employé ; dont on peut se servir. ‖ Où l'on peut passer. *Ces chemins sont praticables.* = N. m. [Théâtre] Fragment de décor sur lequel on peut monter. = Objet réel (maison, pont, banc, etc.) qui, au lieu d'être peint sur les décors, est figuré en bois, en toile, etc.

praticien, ienne, n. Celui qui entend la manière de procéder en justice. ‖ Celui, celle qui a une grande expérience de son art, l'ayant longtemps pratiqué. ‖ Celui qui dégrossit l'ouvrage que terminera le sculpteur.
PAR. — *Patricien*, citoyen du premier des trois ordres romains.

* praticulture, n. f. Culture des prés, des prairies.

pratiquant, ante, adj. et n. (ppr. de *pratiquer*). Qui pratique exactement sa religion.

1. pratique, n. f. (lat. *practicus*, m. s.). Application des règles et des principes

PRATIQUE — PRÉCAIRE

d'un art ou d'une science, par opposition à *théorie. Joindre la pratique à la théorie.* ‖ Exécution, par opposition à la simple conception, en parlant de projets, de plans, etc. *Ce projet est difficile dans la pratique.* ‖ Exercice, accomplissement des vertus, des devoirs, etc. *Cette vertu est d'une pratique difficile.* — *Mettre en pratique,* mettre à exécution des préceptes, des règles, des idées, etc. ‖ Méthode, procédé, manière de faire certaines choses. *Cette pratique n'est pas sans danger.* ‖ Expérience, habitude des choses. *Avoir la pratique des affaires.*
Partic. Connaissance de la manière de procéder devant les tribunaux. *Cet avoué entend bien la pratique.* ‖ Commerce, fréquentation, relation. *La pratique des hommes rend souvent misanthrope.* = Au plur. Acte extérieur du culte. *Pratiques de dévotion, de piété.* ‖ Menées, intelligences secrètes avec des personnes d'un parti contraire. *Entretenir des pratiques avec l'ennemi.* ‖ Exercice, emploi que les avoués et les médecins ont dans leur profession. *Ce médecin a beaucoup de pratique.*
Par ext. Clientèle, clients. *Ce boucher a perdu beaucoup de ses pratiques.* [Mar.] *Pratique* ou *libre pratique,* liberté d'aborder et de débarquer accordée à un navire par le service sanitaire ou après remise de sa patente nette.
Ling. — Le mot *pratique* s'emploie généralement au singulier, sauf lorsqu'il désigne les actes extérieurs du culte, les menées entretenues avec l'ennemi et les clients d'un commerçant.
Syn. — V. MACHINATION.
Ant. — *Théorie, spéculation.*
Hom. — *Pratique,* n. f., application des principes d'un art, d'une science; — *pratique,* adj. qui conduit à l'action, à la réalisation; — *pratique, es, ent,* du v. pratiquer.

> Vocab. — *Famille de mots.* — *Pratique :* pratiquement, pratiquer, pratiquant, praticien, praticable, praticabilité, impraticable, impraticabilité, pragmatique, pragmatisme.

2. pratique, adj. (lat. *practicus*). Qui tend, qui conduit à l'action, à la réalisation; se dit par opposition à *théorique* et à *spéculatif. Leçons de morale pratique.* ‖ Qui ne s'arrête pas à la pure spéculation, qui agit, qui réalise. *C'est un homme pratique avant tout.* ‖ Commode, profitable, ingénieux. *Un outil pratique.* [Mar.] *Pilote pratique,* qui a longtemps navigué dans un parage et le connaît par pratique.
Hom. — V. PRATIQUE I.
pratiquement, adv. Dans la pratique; au point de vue de l'application. ‖ D'une façon pratique, commode.
Ctr. — *Théoriquement.*
pratiquer, v. tr. (de *pratique*). Mettre en pratique. *Pour devenir habile dans un art il faut pratiquer.* ‖ En parlant de certaines professions, exercer. *Pratiquer la médecine, la chirurgie.* ‖ Absol. Suivre exactement les pratiques de la religion. *Il se dit croyant ; mais pratique-t-il ?* ‖ Exécuter, ouvrir, frayer. *J'ai fait pratiquer une porte dans ce mur.* = Se PRATIQUER, v. pron. Être en usage, en pratique. *Cela ne se pratique plus.*

* **praxinoscope,** n. m. Espèce de phénakisticope, appareil d'optique qui donne l'illusion du mouvement.
* **1. pré-,** préfixe tiré du lat. *prae,* avant, qui ajoute au sens du mot qui le suit une idée d'antériorité ou de supériorité hiérarchique. Ex. : *Prépondérant, précurseur.*
2. pré, n. m. (lat. *pratum*). Terre où l'on récolte du fourrage, ou qui sert au pâturage. *La verdure, les fleurs des prés.* ‖ *Pré-salé,* pré voisin de la mer où l'herbe imprégnée de sel rend la chair des bestiaux plus savoureuse. ‖ *Aller sur le pré,* aller, se trouver au lieu assigné pour un duel.

> Vocab. — *Famille de mots.* — *Pré* : préau ; prairie, prairial, pré-salé, prégazon.

* **préachat** [*cha*], n. m. Payement d'une marchandise avant sa livraison.
* **préacheter,** v. tr. Payer une marchandise avant sa livraison. = Conjug. V. GRAMMAIRE.
* **préadamisme,** n. m. Doctrine des préadamites.
* **préadamite,** adj. Qui a précédé l'existence d'Adam. = N. m. pl. Membres d'une secte affirmant l'existence de races humaines avant Adam.
préalable, adj. Qui doit être dit, examiné, fait avant qu'on passe outre. ‖ *Question préalable,* débat pour savoir s'il y a lieu ou non de délibérer sur une proposition. = AU PRÉALABLE, loc. adv., préalablement.
Orth. — *Préalable* ne prend qu'un *l,* bien que ce mot soit dérivé du verbe *aller.*
préalablement, adv. Auparavant, avant toute autre chose.
* **préambulaire,** adj. Qui a rapport à un préambule.
préambule, n. m. (lat. *prae,* avant; *ambulare,* aller). Ce qui se dit ou s'écrit avant de commencer quelque chose; introduction, exorde, avant-propos. ‖ Fam. Discours vague, qui ne va pas au fait. ‖ *Le préambule d'une loi,* sa partie préliminaire, exposant son utilité.
Ant. — *Post-scriptum, conclusion, épilogue.*
préau, n. m. Espace découvert au milieu du cloître d'un couvent. ‖ Cour d'une prison. ‖ Salle de jeux dans une école. ‖ Partie couverte d'une cour de récréation, formée d'un toit sur piliers.
* **préavertir,** v. tr. Avertir préalablement.
préavis, n. m. Avis donné d'avance.
* **préaviser,** v. tr. Donner un préavis.
prébende, n. f. (lat. *praebere,* fournir). Revenu ecclésiastique attaché à un canonicat. — *Le canonicat lui-même.* ‖ Fig. *Grasse prébende,* poste fort rémunérateur et peu absorbant.
prébendé, ée, adj. Qui jouit d'une prébende.
prébendier, n. m. Ecclésiastique qui participe aux offices après les chanoines.
précaire, adj. (lat. *precarius,* obtenu par prière). Qui est sujet à révocation. *Posséder à titre précaire.* ‖ Fig. Qui est incertain, qui n'a pas de base solide, assurée. *État de santé précaire.* = N. m. Jouissance, usage qu'on possède par une concession toujours révocable.
Ctr. — *Définitif, fixe.* — *Solide, assuré.*

précairement, adv. D'une manière précaire.
précarité, n. f. État, qualité de ce qui est précaire.
précaution [*sion*], n. f. Ce qu'on fait par prévoyance pour éviter un danger, des inconvénients prévus. ‖ Circonspection, ménagement. — *Précautions oratoires*, ménagements que prend l'orateur pour se concilier la bienveillance de ses auditeurs.
Syn. — *Précaution*, mesure prise d'avance pour conjurer un danger, pour prendre garde : *Prendre ses précautions contre les voleurs*. — *Assurance*, précaution contre un événement fortuit : *Police d'assurance contre l'incendie*. — *Prévoyance*, disposition d'esprit qui consiste à prendre des soins en vue d'éviter certains inconvénients : *La prévoyance sociale, la prévoyance contre le chômage*. V. aussi DOUTE, DÉFIANCE, ÉCONOMIE, SAGESSE, MESURE.
* **précautionné, ée**, adj. Prudent, circonspect.
précautionner [*sio-né*], v. tr. Prémunir contre, mettre en garde. = SE PRÉCAUTIONNER, v. pr. (Néol.). Se mettre en garde, prendre ses précautions.
Syn. — V. PRÉMUNIR (SE).
précautionneux, euse [*sio-neu*], adj. Qui agit avec beaucoup de précautions.
précédemment [*da-man*], adv. Auparavant, antérieurement.
Syn. — V. AVANT.
Ctr. — *Postérieurement*.
précédent, ente [*dan*], adj. Qui précède, qui est immédiatement avant. = N. m. Fait, exemple antérieur qu'on invoque comme autorité, comme pratique établie.
Orth. et Hom. — Ne pas confondre ce mot avec *précédant*, participe présent du verbe précéder.
Syn. — V. ANTÉRIEUR.
Ctr. — *Suivant*.
précéder, v. tr. (lat. *praecedere*, m. s.). Aller, marcher devant. *Les gardes précédaient le roi*. ‖ Aller, venir, arriver avant ; devancer. ‖ Être immédiatement avant, par rapport au temps, à l'ordre. *Le jour qui précéda son arrivée*. = V. intr. Tenir le premier rang. = Conjug. V. GRAMMAIRE.
Syn. — V. DEVANCER.
Ctr. — *Suivre, succéder*.
Par. — *Procéder*, provenir, dériver ; opérer d'une certaine manière.
préceinte, n. f. [Mar.] Bordage épais qui forme ceinture au-dessous de chaque rangée de sabords d'un navire.
précellence, n. f. (lat. *praecellere*, l'emporter sur). Supériorité, excellence sans comparaison possible.
Syn. — V. PRÉPONDÉRANCE.
* **précelles**, n. f. pl. [Techn.] Autre nom des brucelles.
précepte, n. m. (lat. *praecipere*, commander). Règle, ou plutôt formule contenant certains enseignements, certains ordres. *Se conformer aux préceptes de l'art, de la morale*. ‖ Partic. Commandements de Dieu ou de l'Église. V. tabl. MORALE (*Idées suggérées par le mot*).
Syn. — V. COMMANDEMENT.
précepteur, n. m. Celui qui est chargé de l'éducation et de l'instruction d'un enfant. ‖ Personne ou événement qui instruit. V. tabl. ÉDUCATION et INSTRUCTION (*Idées suggérées par les mots*).

Ling. — Le féminin *préceptrice* est inusité.
Syn. — V. MAITRE.
Par. — *Percepteur*, qui perçoit, qui recouvre les impôts.
* **préceptif, ive**, adj. Renfermant des préceptes.
préceptoral, ale, aux, adj. Qui appartient, qui convient au précepteur.
préceptorat [*ra*], n. m. État, fonctions de précepteur.
précession, n. f. [Astro.] *Précession des équinoxes*, phénomène qui fait que les saisons reviennent avant que le soleil ait accompli sa révolution apparente par rapport aux étoiles fixes.
Par. — *Procession*, sorte de marche solennelle, conduite par le clergé.
prêche, n. m. Sermon que les ministres protestants font au temple. ‖ Par ext. Le culte protestant. ‖ Iron. Discours qui prend le ton d'un sermon.
Syn. — V. PRÉDICATION.
Hom. — *Prêche, es, ent*, du v. prêcher.
prêcher, v. tr. (lat. *praedicare*, annoncer). Annoncer la parole de Dieu. ‖ Instruire les fidèles par des sermons. ‖ Fig. et absol. *Prêcher d'exemple*, être le premier à pratiquer ce que l'on conseille à autrui. — *Prêcher dans le désert*, n'être pas écouté. — *Prêcher pour son saint*, parler dans son propre intérêt. ‖ Par ext. Publier, recommander, vanter. *Prêcher l'économie*. ‖ Fam. Faire des remontrances.
prêcheur, n. m. Celui qui prêche ; prédicateur (se dit par dérision). ‖ Celui qui fait des remontrances, qui aime à faire la leçon. = Adj. *Les frères prêcheurs*, les dominicains.
* **prêchi, prêcha**, n. m. Pop. Admonestation oiseuse ; verbiage de sermonneur.
* **précieuse**, n. f. Femme pédante, affectée dans son langage, ses manières.
précieusement, adv. Avec le plus grand soin, comme une chose précieuse. ‖ Avec préciosité.
précieux, euse, adj. (lat. *pretiosus*, m. s., de *pretium*, prix). Qui est de grand prix. *Les pierres précieuses*. — *Métaux précieux*, l'argent, l'or, le platine. ‖ Par ext. Ce qui est d'une grande utilité, d'une haute importance, d'un grand prix au point de vue moral. *Cet encouragement m'est précieux. Perdre un temps précieux*. — *Mon temps est précieux*, il n'y a pas un moment à perdre.
‖ Affecté. *Langage, style précieux*. = Nom. *Le langage précieux. Le précieux de son style fatigue*. ‖ Celui, celle qui verse dans la préciosité.
Ctr. — *Vil ; simple ; négligeable*.
préciosité [*zi*], n. f. Affectation dans les manières, dans le langage.
Ant. — *Naturel*.
précipice, n. m. Abîme, lieu très profond et à bords abrupts. ‖ Fig. Grand malheur, grand danger où l'on est tombé.
Syn. — V. ABIME.
précipitamment, adv. Avec précipitation, à la hâte.
Ctr. — *Lentement*.
précipitant, n. m. [Chim.] Corps qui, ajouté à une solution, en opère la précipitation.
précipitation [*sion*], n. f. (lat. *praecipitatio*, m. s.). Action de précipiter. ‖ Extrême vitesse, grande hâte. ‖ Fig. Excès

de hâte dans les actes, les paroles, etc. *La précipitation gâte la plupart des affaires.* — [Météor.] *Précipitations atmosphériques,* la pluie, la neige, la grêle, les brouillards. [Chim.] Phénomène par lequel un corps en dissolution dans un liquide s'en sépare sous forme de composé insoluble, sous l'action d'un autre corps.
CTR. — *Pondération ; lenteur.*
1. **précipité,** n. m. [Chim.] Corps séparé, par précipitation, de la dissolution dans laquelle il était suspendu.
HOM. — *Précipité,* n. m., corps séparé d'une dissolution ; — *précipité,* adj., fait à la hâte ; — *précipiter,* v. tr., jeter dans un précipice ; hâter, accélérer.
2. **précipité, ée,** adj. Fait à la hâte. ‖ Qui agit avec trop de hâte, à la légère. ‖ Qui a subi la précipitation.
HOM. — V. PRÉCIPITÉ 1.
précipiter, v. tr. (lat. *praecipitare,* m. s.). Jeter dans un précipice ou d'un lieu élevé dans un autre beaucoup plus bas. *Précipiter un homme du haut des murailles.* ‖ Fig. Faire tomber dans un grand malheur, dans une grande disgrâce. *Une révolution l'a précipité du trône.* ‖ Hâter, accélérer. *Précipiter ses pas. Il précipite trop son débit.* [Chim.] Subir la précipitation. = SE PRÉCIPITER, v. pr. Se jeter dans un précipice, dans un lieu beaucoup plus bas. *Il s'est précipité dans la mer.* ‖ *Se précipiter sur quelqu'un,* s'élancer sur lui. — *Ils se sont précipités dans les bras l'un de l'autre,* ils se sont embrassés avec empressement. — *Le peuple, la foule se précipitait au-devant de lui,* la foule se portait avec empressement au-devant de lui. ‖ Se hâter. *Ne vous précipitez pas.* [Chim.] Se déposer au fond du vase par précipitation.
CTR. — *Différer, retarder.*
HOM. — V. PRÉCIPITÉ 1.
préciput [*pu*], n. m. (lat. *praecipuus,* supérieur). [Dr.] Avantage que le testateur ou la loi donne à un des cohéritiers, et, partic., au conjoint survivant.
* **précipitoire,** adj. Qui a rapport au préciput.
précis, ise [*si, size*], adj. (lat. *praecisus,* coupé tout autour). Fixe, déterminé, arrêté, exact. *Temps, jour précis. A trois heures précises.* — *Dire quelque chose de précis,* de formel. — *Prendre des mesures précises,* des mesures justes et qui vont au but. ‖ *Style précis,* qui dit exactement tout ce qu'il faut et rien que ce qu'il faut. ‖ Méthodique, clair, concis. *Un écrivain précis. Un esprit précis.* = N. m. Sommaire, résumé de ce qu'il y a de principal, d'essentiel. *Il nous a donné le précis de cette affaire.* ‖ Livre d'enseignement qui contient les éléments essentiels d'une matière. *Un précis d'histoire.*
SYN. — V. ABRÉGÉ, CATÉGORIQUE, CONCIS et RÉGLÉ.
CTR. — *Vague, indéterminé.* — *Confus, diffus.* — *Équivoque, ambigu, douteux, approximatif.*
HOM. — *Pressis,* n. m., jus de viandes ou d'herbes pressées.
précisément [*zé-man*], adv. Avec précision, exactement, au juste. ‖ Ellipt. Oui, c'est cela même.
préciser [*zé*], v. tr. Exprimer, fixer d'une manière nette et précise. ‖ Marquer plus nettement.

précision [*zion*], n. f. (lat. *praecisio,* m. s.). Exactitude rigoureuse. *La précision d'un calcul.* ‖ Brièveté, justesse, qui fait que l'on exprime tout ce qu'il faut dire avec les termes propres, en évitant ce qui est superflu. *S'exprimer, écrire avec précision.* ‖ Exactitude, régularité dans l'exécution. *Les manœuvres furent exécutées avec une remarquable précision.* ‖ *Instrument, balance, montre de précision,* etc., instruments scientifiques donnant des résultats minutieusement exacts. = N. f. pl. [Néol.] Données précises. *Apporter, demander des précisions.*
ÉPITHÈTES COURANTES : grande, extrême, minutieuse, scrupuleuse, absolue, rigoureuse, etc.
SYN. — V. EXACTITUDE.
ANT. — *Ambiguïté, confusion, diffusion ; indétermination, approximation.*
précité, ée, adj. Cité précédemment.
précoce, adj. (lat. *prae,* avant, et *coctus,* cuit). Mûr avant la saison. *Fruit précoce.* ‖ Se dit de l'arbre qui porte des fruits précoces ou des animaux dont la croissance est très rapide. ‖ *Saison précoce,* qui devance l'époque ordinaire. ‖ Fig. Développé avant l'âge, au physique et au moral. *Enfant, esprit précoce.*
SYN. — V. HÂTIF.
CTR. — *Tardif, attardé.*
* **précocement,** adv. D'une manière précoce.
CTR. — *Tardivement.*
précocité, n. f. Caractère, nature de ce qui est précoce.
* **précolombien, ienne,** adj. Qui existait en Amérique avant l'arrivée des Européens. *Art précolombien.*
* **précompte** [*kon-te*], n. m. Compte avec déduction par avance.
précompter [*kon-té*], v. tr. Compter par avance les sommes qui sont à déduire.
* **préconceptif, ive,** adj. [Phil.] Fondé sur les idées préconçues ; conçu en dehors de toute expérience.
* **préconception** [*sèp-sion*], n. f. Préjugé, idée préconçue.
* **préconcevoir,** v. tr. Concevoir avant tout examen, antérieurement à toute expérience. = Conjug. (comme *recevoir*). V. VERBES.
préconçu, ue, adj. (pp. de *préconcevoir*). Se dit d'idées, d'opinions adoptées avant tout examen ou toute expérience.
préconisation [*sion*], n. f. Action de préconiser.
préconiser, v. tr. (lat. *praeco,* crieur public). Louer extrêmement, vanter l'excellence de. ‖ Déclarer en plein consistoire qu'un prêtre, nommé à un évêché, a toutes les qualités requises.
SYN. — V. PRÔNER.
CTR. — *Censurer, décrier, dénigrer.*
* **préconiseur,** n. m. Celui qui préconise un évêque. — On dit aussi *préconisateur.*
* **préconnaissance,** n. f. Connaissance anticipée ou innée.
* **préconnaître,** v. tr. Connaître d'avance ; connaître par intuition. = Conjug. (comme *connaître*). V. VERBES.
précordial, ale, aux, adj. [Anat.] Qui a rapport à la région située en avant du cœur.
précurseur, n. m. Celui qui vient avant quelqu'un pour en annoncer la venue. — *Le Précurseur,* saint Jean-Baptiste

‖ Homme célèbre qui en a immédiatement précédé un autre plus grand que lui, dont il a ouvert la voie ou fait pressentir la venue. ‖ Ce qui précède, annonce ou produit quelque chose. = Adj. Qui précède, qui annonce. *Signes précurseurs d'un orage, d'une maladie.*
Ant. — *Successeur.*
prédécédé, ée, adj. et n. (pp. de *prédécéder*). [Dr.] Décédé avant.
prédécéder, v. intr. Mourir avant un autre. = Conjug. V. GRAMMAIRE.
prédécès, n. m. Mort de quelqu'un avant celle d'un autre.
prédécesseur, n. m. Celui qui a précédé quelqu'un dans un emploi, dans une dignité. = Au plur. Ceux qui ont vécu avant nous dans notre pays.
Ctr. — *Successeur.*
* **prédelle,** n. f. (ital. *predella*, gradin). [Bx-A.] Série de sujets représentés en bordure d'un tableau.
* **prédénommé, ée,** adj. et n. Qui vient d'être dénommé dans un écrit.
prédestination [*sion*], n. f. [Théol.] Décret de Dieu en vue de conduire les élus à la vie éternelle. ‖ Thèse selon laquelle chaque homme, dès sa naissance, est désigné par la volonté divine pour être sauvé ou pour être réprouvé.
prédestiné, ée, adj. et n. Destiné par Dieu, de toute éternité, au bonheur éternel ou à l'accomplissement de grandes choses. ‖ Destiné par avance à. *Prédestiné au malheur.*
prédestiner, v. tr. [Théol.] Destiner de toute éternité au salut, à de grandes choses. ‖ Destiner d'avance à certaines choses, qui ne sauraient être évitées. ‖ Décider, réserver d'avance.
prédéterminant, ante, adj. [Théol.] Qui prédétermine.
prédétermination [*sion*], n. f. [Théol.] Action par laquelle Dieu meut et détermine la volonté humaine, sans porter atteinte au libre arbitre.
prédéterminer, v. tr. [Théol.] Déterminer la volonté humaine, en parlant de Dieu.
prédicable, adj. [Log.] Se dit d'une qualité qui peut être appliquée à différents sujets. *Le mot « vivant » est prédicable à l'animal et à la plante.*
prédicament, n. m. Ordre dans lequel les philosophes scolastiques rangeaient les êtres, d'après leur genre et leur espèce (Vx).
prédicant, n. m. Ministre protestant (Péjor.).
prédicat [*ka*], n. m. [Log.] Attribut (dans une proposition ou dans un jugement).
prédicateur, n. m. Celui qui prêche, qui annonce en chaire la parole de Dieu. ‖ Celui qui répand une religion ou, par ext., une doctrine quelconque. V. tabl. RELIGIONS (*Idées suggérées par le mot*).
— *Ce sont les auditeurs qui font les prédicateurs.* (Bossuet.)
prédication [*sion*], n. f. Action de prêcher. ‖ Le discours lui-même.
Syn. — *Prédication,* l'action de prêcher une doctrine religieuse : *La prédication de saint Paul.* — *Prêche,* sermon protestant : *Les prêches des pasteurs au seizième siècle.* — *Prône,* prières, instruction et annonces faites à la grand'messe des dimanches : *Il n'y a pas eu de prône aujourd'hui.* — *Sermon,* discours en style noble prononcé par un prédicateur en chaire pour instruire les fidèles : *Les sermons de Bossuet, de Bourdaloue.* — *Station,* suite de sermons prononcés par le même prédicateur à certaines époques : *Station de l'Avent, du Carême.*
Par. — V. PRÉDICTION.
prédiction [*sion*], n. f. Déclaration de ce qui doit arriver plus tard. ‖ Faculté d'annoncer les choses futures. ‖ Ces choses elles-mêmes.
Syn. — V. PROPHÉTIE.
Par. — *Prédiction,* n. f., déclaration de ce qui doit arriver : *Les prédictions de ce charlatan;* — *prédication,* n. f., action de prêcher ; le discours lui-même : *La prédication de l'Évangile.* — *Prédilection,* n. f., préférence marquée : *C'est son livre de prédilection.*
prédilection [*sion*], n. f. Préférence d'affection, d'amitié, de goût.
Par. — V. PRÉDICTION.
prédire, v. tr. Prophétiser, annoncer ce qui doit arriver, soit par divination, soit par raisonnement, conjecture ou calculs. *Prédire une éclipse.*

Conjug. — V. trans. 3ᵉ groupe (inf. en *ire*) [rad. *prédis*]. Se conjugue comme DIRE, sauf les formes de la 2ᵉ personne du pluriel de l'*indicatif présent :* vous prédisez, et de l'*impératif :* prédisez.

prédisposant, ante, adj. Qui prédispose.
prédisposer, v. tr. Préparer à recevoir une impression. [Méd.] Favoriser les dispositions à contracter une maladie.
prédisposition [*sion*], n. f. Disposition, penchant naturel à quelque chose. [Méd.] Disposition à contracter une maladie.
prédominance, n. f. Action, caractère de ce qui prédomine.
Syn. — V. PRÉPONDÉRANCE.
Par. — *Prédominance,* n. f., qualité de ce qui l'emporte sur : *La prédominance des vents d'ouest.* — *Prééminence,* n. f., supériorité de droit, de dignité ou de rang : *Avoir la prééminence sur quelqu'un.* — *Proéminence,* n. f., ce qui dépasse, fait saillie : *La proéminence du nez.*
prédominant, ante, adj. Qui prédomine.
prédominer, v. intr. L'emporter, avoir plus de force, se faire sentir le plus ou le plus souvent.
prééminence, n. f. Avantage, supériorité de droit, de dignité ou de rang.
Syn. — V. AVANTAGE, PRÉPONDÉRANCE et SUPRÉMATIE.
Par. — V. PRÉDOMINANCE.
prééminent, ente, adj. Supérieur en dignité, en qualité, aux choses du même genre.
* **préemptif, ive** [*anp*], adj. Qui présente le caractère de la préemption. *Droit préemptif.*
préemption [*anp'sion*], n. f. (lat. *prae*, avant; *emptio*, achat). Action d'acheter d'avance. ‖ *Droit de préemption,* droit d'acheter ou d'être pourvu de certaines choses avant tout autre.
Par. — *Péremption,* anéantissement d'une procédure.

préétabli, ie, adj. Établi, fixé par avance. — *Harmonie préétablie,* accord établi par Dieu entre les substances créées.
préétablir, v. tr. Établir par avance.
*** préexcellence,** n. f. Qualité de ce qui l'emporte sur tout.
Syn. — V. PRÉPONDÉRANCE.
préexistant, ante, adj. Qui préexiste, qui existe avant.
préexistence, n. f. Existence antérieure.
préexister, v. intr. Exister avant.
préface, n. f. (lat. *praefatio,* m. s.). Avant-propos, discours préliminaire en tête d'un livre, pour donner quelques indications nécessaires au lecteur ou pour le prévenir favorablement. — Fam. Préambule que l'on fait avant d'entrer en matière. *Point de préface, venons au fait.* [Liturgie] Partie de la messe qui précède le canon.
ANT. — *Postface.*
*** préfacer,** v. tr. Écrire une préface pour. = Conjug. V. GRAMMAIRE.
*** préfacier,** n. m. Auteur d'une préface.
préfectoral, ale, aux, adj. Qui a rapport au préfet; qui émane du préfet.
préfecture, n. f. (lat. *praefectura,* m. s.). Titre de plusieurs charges importantes dans l'empire romain. Dans l'organisation administrative actuelle de la France, charge du préfet. *Conseil de préfecture.* — *Préfecture maritime,* arrondissement maritime. ∥ Par ext. Fonctions d'un préfet et durée de ces fonctions. ∥ Étendue de territoire qu'un préfet administre. *Cette préfecture comprend quatre arrondissements.* ∥ Ville où réside un préfet; hôtel où il demeure et où sont établis ses bureaux. *Aller à la préfecture.* ∥ *Sous-préfecture,* se dit dans les diverses acceptions qui précèdent. ∥ V. tableaux ADMINISTRATION, GOUVERNEMENT, MARINE *(Idées suggérées par les mots).*
préférable, adj. Digne d'être préféré. ∥ Qui est plus indiqué.
préférablement, adv. Par préférence.
préféré, ée, adj. et n. Que l'on aime mieux que les autres. *Ami préféré.*
préférence [*ran-se*], n. f. Action de préférer une personne, une chose à une autre. ∥ Droit d'être préféré. = Au pl. Marques particulières d'affection, d'honneurs qu'on accorde. = DE PRÉFÉRENCE, loc. adv. Plutôt.
*** préférentiel, elle,** adj. Qui crée une préférence au profit de.
préférer, v. tr. (lat. *prae,* avant; *ferre,* porter). Se déterminer en faveur d'une personne, d'une chose plutôt que d'une autre; aimer mieux. *Préférer l'honneur à l'argent.* = Conjug. V. GRAMMAIRE.
GRAM. — L'usage permet de dire : *préférer lire* ou *préférer de lire.* Quoique les écrivains ne consultent ce sujet que le goût et l'oreille, voici la règle que donne Laveaux sur le choix à faire : suivi de l'infinitif, *préférer* n'admet aucune préposition, quand l'infinitif n'a point de régime : *il préfère lire, il préfère écrire;* il prend la préposition *de,* lorsque l'infinitif a un régime quelconque ou est modifié par un adverbe : *il préfère de lire cet ouvrage; il préfère de vous écrire; il préfère de travailler toujours.* — Modifié par l'adverbe *plutôt, préférer* forme un pléonasme; ne dites donc pas : *je préfère plutôt mourir;* dites : *je préfère mourir.* — On ne doit pas dire *préférer... que;* il faut dire : *aimer mieux... que.*

SYN. — V. OPTER.
PAR. — *Proférer,* prononcer, dire. *Proférer des menaces.*
préfet, n. m. (lat. *praefectus,* préposé à). [Antiq. rom.] Titre donné à un grand nombre de fonctionnaires d'ordre plus ou moins élevé et de fonctions très diverses. ∥ *Préfet des études,* celui qui, dans certaines maisons d'éducation, a la surveillance de la discipline et des études. ∥ Dans l'organisation administrative actuelle de la France, fonctionnaire qui administre un département. — [Mar.] *Préfet maritime,* l'officier général qui est à la tête d'un arrondissement maritime. — *Préfet de police,* haut fonctionnaire qui est à la tête des services de la police du département de la Seine. — V. tabl. ADMINISTRATION *(Idées suggérées par le mot).*
*** préfète,** n. f. Fam. Femme d'un préfet.
préfiguration [*sion*], n. f. [Théol.] Action de préfigurer. ∥ Ce qui préfigure.
préfigurer, v. tr. [Théol.] Figurer à l'avance, être d'avance la figure.
préfinir, v. tr. [Dr.] Fixer un délai dans lequel une chose doit être faite (Peu us.).
préfix, ixe, adj. [Dr.] Fixé d'avance.
PAR. — Ne pas confondre avec le mot suivant.
préfixe, n. m. Élément invariable qui, entrant dans la formation d'un mot composé, se place avant le radical pour en modifier le sens. Ex.: *Amoral, immortel, défaire, refaire.* V. tabl. PRÉFIXES.
ANT. — *Suffixe, affixe.*
PAR. — Ne pas confondre avec le mot précédent.
*** préfixer,** v. tr. Fixer par avance un terme, des délais.
préfixion [*ksion*], n. f. [Dr.] Détermination d'un temps, d'un délai. ∥ Ce temps, ce délai.
*** préfloraison,** n. f. [Bot.] Agencement des différentes parties de la fleur avant leur épanouissement.
*** préfoliation** [*sion*], n. f. [Bot.] Disposition et arrangement de la feuille dans le bourgeon.
*** pré-gazon,** n. m. [Agric.] Prairie artificielle.
*** prégnante,** adj. f. Se dit d'une femelle qui est pleine.
préhenseur, adj. m. (lat. *préhendere,* prendre). [Hist. Nat.] Qui sert à la préhension.
*** préhensible,** adj. Que l'on peut saisir.
*** préhensile,** adj. Qui a la faculté de saisir; qui sert à la préhension.
préhension [*an-sion*], n. f. Action de prendre, de saisir un objet.
préhistoire, n. f. Science qui étudie le développement de l'humanité depuis ses origines jusqu'à la période historique. Les temps préhistoriques sont divisés en deux périodes :
1º *la période paléolithique,* qui comprend les époques *chelléenne, acheuléenne, moustérienne, aurignacienne, solutréenne* et *magdalénienne.*
2º *la période néolithique,* qui comprend les trois âges de la *pierre polie,* du *bronze* et du *fer.*
préhistorique, adj. Antérieur aux temps historiques. ∥ Fam. et par exag. Qui est désuet, archaïque, démodé. *Un véhicule préhistorique.*

* **preignant, ante,** adj. Pressant (Vx).
préjudice, n. m. (lat. *praejudicium*, jugement anticipé). Tort, dommage. ‖ *Au préjudice de,* contre l'intérêt de. ‖ *Sans préjudice de,* sans faire tort à, sans renoncer à, sous réserve de.
Syn. — *Préjudice,* dommage causé à quelqu'un : *Il a obtenu cette succession au préjudice des héritiers naturels.* — *Dam, dommage* (Vx) : *Cela s'est fait à mon grand dam.* — *Désavantage,* ce qui est nuisible à quelqu'un ou le frustre de ce qui lui serait utile : *Le procès qu'il avait soulevé a tourné à son désavantage.* — *Détriment,* préjudice ou dommage qui affecte quelqu'un ou quelque chose au profit d'un autre : *Il s'est enrichi au détriment de ses associés.* — *Dommage,* pertes matérielles subies par quelqu'un du fait de quelque chose : *Cette inondation a causé de grands dommages dans toute la région.* — *Tort,* dommage causé indûment à quelqu'un : *Ces calomnies lui ont fait beaucoup de tort.*
Ant. — *Avantage, bénéfice.*
préjudiciable, adj. Nuisible, qui fait tort.
Syn. — V. MALFAISANT.
Ctr. — *Avantageux, profitable.*
Par. — *Préjudiciel,* adj. Qui doit être jugé d'abord. *Question préjudicielle.*
préjudiciaux, adj. m. pl. Se dit des frais de procédure payables d'avance par qui veut se pourvoir contre un jugement.
* **préjudicié, ée,** adj. Se dit d'une traite qui arrive après la date d'échéance.
préjudiciel, elle, adj. [Droit] *Question préjudicielle,* question qui doit être jugée avant la contestation principale. — *Moyens préjudiciels,* moyens par lesquels on soutient cette question.
Par. — *Préjudiciable,* qui fait tort, qui nuit.
préjudicier, v. intr. Porter préjudice à, faire tort à. = Conjug. V. GRAMMAIRE.
préjugé, n. m. (préf. *pré,* et *juger*). [Droit] Ce qui a été jugé auparavant dans un cas semblable ou analogue. ‖ Opinion formée ou adoptée sans examen. *Un esprit plein de préjugés.* ‖ *Personnage exempt de préjugés,* se dit iron. de quelqu'un qui en prend à son aise avec la morale ou l'intégrité.
Syn. — *Préjugé,* circonstance qui peut faire espérer ou craindre un résultat : *Cette démarche est un préjugé en faveur de l'accusé.* — *Indice,* signe, détail qui marque la probabilité d'une chose : *Il y a des indices de mieux dans l'état de ce malade.* — *Présomption,* opinion qui se forme sans preuves formelles, mais d'après des indices : *Il y a de sérieuses présomptions de la culpabilité de l'accusé.*
Préjugé, opinion adoptée sans examen, sans raison, et qui suscite de vives réactions : *Les préjugés de la noblesse amenèrent en partie la Révolution de* 1789. — *Prévention,* opinion faite d'avance et sans raison logique contre quelqu'un ou quelque chose : *Avoir des préventions contre une invention nouvelle.*
préjuger, v. tr. (préf., *pré,* et *juger*). [Droit] Rendre un jugement interlocutoire qui implique la décision à intervenir ultérieurement. ‖ Juger, décider sans examen préalable de la question. *Je ne veux rien préjuger.* ‖ Conjecturer. *A ce qu'on peut préjuger, les choses vont se passer de la sorte.* = Conjug. V. GRAMMAIRE.
prélart, n. m. [Mar.] Grosse toile goudronnée qui se tend pour abriter certains objets.
prélasser (se), v. pr. (de *prélat*). Prendre un air de dignité fastueuse, de nonchalance satisfaite.
prélat [*la*], n. m. Dignitaire ecclésiastique ayant une juridiction spirituelle; évêque. ‖ A la cour de Rome, ecclésiastique ayant le droit de porter le violet.
Syn. — V. PONTIFE.
* **prélation** [*sion*], n. f. [Droit féod.] Droit de préférence du seigneur sur le fief vendu par le vassal.
prélature, n. f. Dignité de prélat. ‖ Ensemble des prélats.
prêle, n. f. [Bot.] Genre de plantes cryptogames vasculaires, fréquentes dans les prés humides.
prélegs [*pré-lè*], n. m. [Droit] Legs particulier qui doit être pris sur la masse avant le partage.
préléguer, v. tr. Faire un ou plusieurs prélegs, à prélever avant le partage de la succession. = Conjug. V. GRAMMAIRE.
prélèvement, n. m. Action de prélever. ‖ Matière prélevée.
prélever, v. tr. Lever préalablement une certaine partie sur un total. = Conjug. V. GRAMMAIRE.
* **prélibation** [*sion*], n. f. [Droit] Action de jouir d'avance. ‖ *Prélibation d'hérédité,* prélèvement sur un héritage.
* **préliber,** v. tr. Lever avant emploi une certaine somme sur un héritage, une recette, etc.
préliminaire, adj. (lat. *prae,* devant; *limen,* seuil, entrée). Qui précède la matière principale et sert à l'éclaircir, à en faciliter l'intelligence. *Le discours préliminaire de l'Encyclopédie.* = N. m. Ce qui précède l'objet principal; préambule, entrée en matière. ‖ Essai de conciliation. = N. m. pl. Actes qui précèdent un traité de paix.
Syn. — V. COMMENCEMENT.
Ant. — *Conclusion.*
* **préliminairement,** adv. Avant d'entrer en matière, préalablement.
prélude, n. m. (lat. *praeludium,* m. s.). [Mus.] Série de notes jouées sur un instrument ou émises par un chanteur pour essayer l'intrument ou la voix. — Par ext. Introduction musicale précédant un morceau. — Morceau d'apparence improvisée précédant une fugue. ‖ Fig. Ce qui précède un événement, l'annonce ou le prépare. *Le mécontentement populaire fut le prélude de la Révolution.*
Syn. — V. COMMENCEMENT.
préluder, v. intr. [Mus.] Exécuter quelques accords ou quelques phrases préalables pour essayer son instrument, sa voix. ‖ Improviser au piano, à l'orgue. ‖ Fig. *Préluder à,* se préparer à une chose en en faisant une autre plus facile.
prématuré, ée, adj. (lat. *prae,* avant; *maturus,* mûr). Qui mûrit avant le temps ordinaire; précoce. *Fruits prématurés.* Fig. Qui vient, qui est fait avant le temps ordinaire ou trop tôt. *Une mort prématurée.* ‖ Fig. Qu'il n'est pas encore temps d'entreprendre; qui a été entrepris avant le temps. *Cette entreprise est prématurée.* ‖ Annoncé trop tôt. *Nouvelle prématurée.*
Syn. — V. HÂTIF.

PRÉ-
Entrant dans la compo-
a) PRÉFIXES
(Préfixes populaires et savants;

PRÉF. FRANC.	PRÉF. LAT.	SENS	EXEMPLES
en anc. fr. **a**, puis **ad** (*d* rétabli), et avec assimilation **ac, af, ag, al, an, ap, ar, as, at**	ad — — — — — — — — —	direction vers — — — — — — — — —	*abaisser, abattre, alourdir ; adopter, admettre, adverbe ; accomplir, accumuler ; affaiblir, affiner ; aggraver, agglutiner ; alléger, allonger ; annoter, annuler ; apporter, approuver ; arranger, arrondir ; assaillir, asservir ; attendre, attirer.*
ab, abs, av	ab	éloignement séparation	*abject, abstenir. avorter.*
anté, *anti*	ante	avant	*antécédent, antédiluvien ; antichambre, antidater.*
avant	abante	avant	*avant-coureur, avant-train.*
béné, **bien**	bene	bien	*bénédiction, bénévole ; bienséant, bienvenu.*
bis, bi jadis **bes, be**	bis	deux fois	*bisaïeul, biscuit ; bicycle, bigame ; besace* (double sac), *bévue* (vue double); *brouette* (pour *berouette*, à deux roues).
circum, circom, **circon**	circum	autour	*circumnavigation, circompolaire* ou *circumpolaire ; circonstance, circonvenir.*
cis	cis	en deçà	*cisalpin, cisrhénan.*
con, com, devant *m, p, b*. **col, cor,** } p. assimilation **co**	cum	avec, idée d'ensemble, de simultanéité	*confrère, conjoint, contenir ; commère, compère, combattre ; collaborer, collatéral ; correspondre, corroborer ; codétenu, cohéritier.*
contra, **contre**	contra	contre, en face de	*contradiction, contravention, contrefaire ; contre-allée, contredanse*
dis, **dés** (dev. voy ou h), **dé** (devant cons.)	dis	séparation, puis négation, achèvement de l'action, accentuation de l'idée	*disposer, distraire, disgracieux ; désarmer, déshabiller, désagréable, dégarnir, dételer, détrôner. détenir, dessécher.*
é, **ex,** **es,** par assimilation **ef,** par assimilation	e ou ex	extraction, éloignement, privation, intensité de l'action	*éclore, édenter, égrener ; exclure, expatrier, exsangue ; essoriller, essouffler ; effacer, effleurer, effondrer.*
for(s), **four, fau**(r), **hor**	foris	hors de	*forban, forcené, forfaire ; fourvoyer ; faubourg, faufiler ; hormis.*
extra	extra	hors de	*extraordinaire, extravagant.*

b) PRÉFIXES
(Préfixes savants formant

PRÉF. FRANC.	PRÉF. GRECS	SENS	EXEMPLES
a, an	ἀ ἀν,	privé de	*acéphale, apode, anarchie.*
amphi	ἀμφί	autour double	*amphithéâtre ; amphibie.*
anti (anté)	ἀντί	contre	*antidote, antiseptique, antéchrist*
ana	ἀνά	en arrière	*anachronisme, anagramme.*
archi (arch)	ἀρχί	la supériorité le superlatif	*archiduc, archiprêtre, archevêque ; archifou, archimillionnaire.*
dys	δυς	sens péjor. difficulté	*dyssymétrie, dysphagie,*

FIXES
sition des mots français
TIRÉS DU LATIN
les *préfixes savants* sont en italiques).

PRÉF. FRANC.	PRÉF. LAT.	SENS	EXEMPLES
en, em,	in / inde	dans / loin de	*encarter, enchâsser, emmancher;* enlever, emmener, emporter.
entre, entr' *inter*	inter	réciprocité, action incomplète, au milieu de	entr'aide, entrecôte, entrecouper, entrebâiller, entr'ouvrir; *interdire, intermède, interrompre.*
intro, intra	intro, intra	dedans	*introduire.*
in, et par assimil. il, im, ir,	in	sens négatif	*inapte, indigne, inouï; illégal, illettré, illisible; imbattable, immoral, imberbe; irréel, irrégulier, irrésolu.*
in, im, il	in	dans	injecter, innover, incarcérer; immerger, illuminer.
mal, *male*, mau	male	mal	malaise, malappris, malechance; maudire, maugréer.
més, mé mi	minus medius	mal à moitié	mésalliance, médire, mépriser. midi, minuit, milieu.
ob, oc, op	ob	opposition	objection, occiput, opposer.
outre, *ultra*	ultra	au delà de	outrecuidance, outrepasser; *ultramontain.*
par, per	per	à travers, tout à fait	parcourir, permettre; parachever, parfaire.
pén(e)	pæne	presque	*péninsule, pénombre, pénultième, pénéplaine.*
pré,	præ	devant, d'avance	préavis, préconçu, prédestiner.
pour, pro,	pro	en avant, à la place de	poursuivre, pourvoir; promettre, proposer; pronom, proconsul.
post	post	après	*postdater, postposer.*
ré, re, r, ra	re	de nouveau, en arrière, en retour, tout à fait, explétif	redire, refaire, réparer; retourner, revenir; réagir, rémunérer; refuser; rafraîchir, ramasser.
sous, sou, sub (par ass. sup)	sub	sous, dessous	soussigner, soustraire; souligner, soumettre, souvenir; subalterne, supporter, supposer.
sur, sour, *super, supra* sus	super, supra susum	sur, dessus dessus	surajouter, survoler, sourcil; *superfin, superposer, supraterrestre.* susdit, suspendre.
tra, très, tré, *trans*	trans	au delà	traduire, tressaillir, trépasser; *transatlantique, transborder.*
tri, tris	ter	trois	tricycle, tripode, trisaïeul.
vi, *vice*	vice	à la place de	vicomte, vidame, vice-consul.

TIRÉS DU GREC
surtout des mots scientifiques.)

PRÉF. FRANC.	PRÉF. GRECS	SENS	EXEMPLES
épi,	ἐπί	sur	épizootie.
hyper	ὑπέρ	beaucoup, trop	hypertension, hypertrophie.
hypo	ὑπό	au-dessous de	hypotension, hyposulfite.
méta (méth)	μετά	le changement	métamorphisme, méthyle.
para	παρά	auprès, contre	paradoxe, paraphrase.
péri	περί	autour	périanthe, périhélie.
syn, sym	σύν	avec	synonyme, syntonie; symbiose, sympathie.

PRÉMATURÉMENT — PRENDRE

prématurément, adv. Avant le temps convenable.
*****prématurité,** n. f. Qualité, état de ce qui est prématuré. — On dit mieux *précocité.*
préméditation [sion], n. f. Action de préméditer; délibération faite en soi-même avant d'exécuter. ‖ Dessein réfléchi avant d'exécuter un crime.
prémédité, ée, adj. Résolu d'avance; fait après réflexion, avec intention expresse.
préméditer, v. tr. (lat. *prae,* avant; *meditari,* méditer). Délibérer en soi-même avant d'exécuter une chose. *Préméditer une action, un crime.*
prémices, n. f. pl. (lat. *primus,* premier). Premiers fruits, premiers produits de la terre ou du bétail.‖ Offrande de ces produits, faite à la divinité. ‖ Fig. Premières productions de l'esprit; premiers mouvements du cœur. ‖ Fig. Début, commencement.
Hom. — *Prémisses,* n. f. pl., la majeure et la mineure d'un syllogisme, précédant la conclusion.
premier, ière, adj. (lat. *primarius,* de *primus,* m. s.). Qui précède tous les autres par rapport au temps, au lieu, à l'autre, à la dignité, au mérite, etc. *Les premiers temps du monde.* [Phi!.] *Cause première,* cause qui se suffit à elle-même, par opposition à *cause seconde,* qui est l'effet d'une autre cause; chez la plupart des philosophes, la cause première est Dieu. — *Principes premiers,* principes qui forment la base de notre connaissance. ‖ Fam. *La tête la première,* la tête en avant. — *Le premier venu,* celui qui se présente le premier, et, par ext., une personne quelconque. ‖ Joint à un titre de charge, indique le rang, supérieur aux autres, de cette charge et de celui qui l'occupe. *Premier ministre. Premier président.* ‖ *En premier,* qui est dans la première catégorie d'un grade, d'une charge. *Capitaine en premier.* ‖ Qui excelle en quelque chose; qui est le plus important dans telle ou telle catégorie. *Démosthène, Cicéron étaient les premiers orateurs de leur temps.* ‖ Indispensable, nécessaire avant tout. *Matières premières.* ‖ Urgent. *Les premiers secours.* Qui avait été auparavant, qu'on avait déjà eu. *Remettre les choses dans leur premier état.* ‖ Se dit aussi du commencement de l'ébauche de certaines choses. *Il n'a pas la première notion de cette science.* [Arith.] *Nombre premier,* nombre qui n'admet pas d'autres diviseurs que lui-même et l'unité. = Nom. Celui, celle qui précède tous les autres, par rapport à l'ordre, au temps, au rang, etc. *Les premiers et les derniers.* = N. m. *Le premier,* le premier étage d'une maison. — *Le premier de l'an,* le premier jour de l'année. [Théâtre] *Jeune premier, jeune première,* acteur, actrice, qui jouent les rôles d'amoureux. = N. f. PREMIÈRE, compartiment, wagon de première classe d'un train. ‖ Cabine de première classe sur un paquebot. ‖ Première représentation d'une pièce au théâtre. [Couture] Employée qui est à la tête d'un atelier de mode, de couture et en dirige le travail. ‖ Classe d'un lycée ou collège appelée autref. rhétorique.
PLÉON. — *Premier en tête du classement* (celui qui est en tête est nécessairement le premier). *Premier promoteur* (le radical *pro-* indique assez la première place). *Premier protagoniste* (même observation).
ANT. — *Dernier.*

> VOCAB. — *Famille de mots.* — Premier (lat. *primus,* comparatif *prior,* le premier des deux) [rad. *prim, prior*] : premièrement, prime, de prime abord, primevère, primesautier, primo, primer, primeur, primat, primatial, primate, primauté, primaire, primitif, primitivement, primicier, primidi, primipare, primogéniture, primordial; princeps, prince, principe, principal, principauté, princier, printemps, printanier, prieur, prieure, prieuré, priorat, priorité, a priori, etc.

premièrement, adv. En premier lieu.
premier-né, n. m. Premier fils d'une famille. = Pl. *Des premiers-nés.*
*****premier-Paris,** n. m. Nom donné à l'article de tête dans la presse parisienne. = Pl. *Des premiers-Paris.*
prémisses, n. f. pl. (lat. *praemissus,* envoyé en avant). [Log.] La majeure et la mineure d'un syllogisme, qui précèdent la conclusion.
ANT. — *Conclusion.*
PAR. — *Prémices,* premiers fruits, offrande; débuts.
*****prémolaire,** n. f. [Anat.] Dent située entre les canines et les molaires.
*****prémonition,** n. f. Sensation préalable, avertissement intuitif de ce qui va se passer.
PAR. — *Prémunition,* figure de rhétorique.
prémonitoire, adj. [Méd.] Qui avertit d'avance. *Symptômes prémonitoires d'une maladie.*
prémontré, n. m. Membre d'un ordre de chanoines réguliers, ordre fondé en 1120 par saint Norbert.
prémotion [sion], n. f. [Théol.] Action de Dieu déterminant la créature à agir.
*****prémourant,** n. m. [Droit] Celui qui meurt le premier.
prémunir, v. tr. Garantir par avance; prévenir par des précautions. *Prémunir quelqu'un contre un danger.* = SE PRÉMUNIR, v. pr. Prendre des précautions.
SYN. — *Prémunir (se),* prendre des précautions pour se défendre contre : *Se prémunir contre une attaque.* — *Garantir (se),* prendre des précautions contre quelqu'un ou quelque chose : *Se garantir des voleurs, de la pluie.* — *Garder (se),* prendre le soin de ne pas faire : *Gardez-vous de juger les gens sur la mine.* — *Garer (se),* se tenir en garde par rapport à : *Se garer contre les coups du sort.* — *Précautionner (se)* prendre des mesures contre un mal : *Se précautionner contre le froid.* V. aussi PRÉSERVER.
*****prémunition** [sion], n. f. Figure de rhétorique pour préparer l'auditoire à une idée hardie.
PAR. — *Prémonition,* sorte d'intuition.
prenable, adj. Qui peut être pris.
LING. — *Prenable* ne s'emploie guère qu'avec la négation.
prenant, ante, adj. Qui prend, qui est susceptible de prendre, de saisir. *Singe à queue prenante.* ‖ Néol. Qui s'empare de l'esprit; saisissant. *Une pièce prenante.*
*****prénatal, ale,** adj. Antérieur à la naissance.
prendre, v. tr. V. tabl. PRENDRE.

PRENDRE, verbe.

Étymologie. — Latin *prehendere*, saisir, devenu en bas latin *prendere*.
P. p. et n. f. *pris, prise*. V. ces mots.
P. pr. *prenant*. V. ce mot.

Conjug. — V. trans. 3ᵉ groupe (inf. en *re*) [rad. *pren, prend, prenn*].
Indicatif. — *Présent :* je prends, tu prends, il prend, nous prenons, vous prenez, ils prennent. — *Imparfait :* je prenais..., nous prenions, vous preniez... — *Passé simple :* je pris, tu pris, il prit, nous prîmes, vous prîtes, ils prirent. — *Futur :* je prendrai..., nous prendrons, vous prendrez...
Impératif. — Prends, prenons, prenez.
Conditionnel. — *Présent :* je prendrais..., nous prendrions, vous prendriez...
Subjonctif. — *Présent :* que je prenne..., que nous prenions, que vous preniez, qu'ils prennent. — *Imparfait :* que je prisse, que tu prisses, qu'il prît, que nous prissions, que vous prissiez, qu'ils prissent.
Participe. — *Présent :* prenant. — *Passé :* pris, prise.

Observation. — Le verbe *prendre*, comme les verbes *faire, mettre, rendre* et quelques autres est un des mots qui ont la plus grande variété de sens dans notre langue; il forme surtout beaucoup de locutions, avec un nom complément, qui sont pour ainsi dire inséparables, et où *prendre* n'est plus guère qu'un mot-outil donnant à l'expression l'idée de l'action verbale.

PRENDRE, verbe transitif.

1º Saisir, mettre dans sa main. *Prendre un livre, un bâton. Prendre les armes. Prendre quelqu'un par la main.* — Fam. *On ne sait par où le prendre,* se dit d'un homme très susceptible, ou, au contraire, d'un homme qui ne paraît sensible à rien, touché de rien. — Fig. et fam. *Cette mère n'a pas su prendre son enfant,* elle n'a pas su de quelle manière le diriger et s'en faire obéir. — *C'est à prendre ou à laisser,* formule pour inviter un acheteur hésitant à se décider immédiatement. — Fig. *Prendre à pleines mains, à toutes mains, de toutes mains,* se dit des gens avides qui ne laissent échapper aucune occasion de s'enrichir. — *Prendre une affaire en main,* s'en charger pour la diriger, pour la conduire. — *Prendre en main les intérêts de quelqu'un,* soutenir ses intérêts, s'en occuper activement. ‖ Saisir une chose, l'enlever, la tirer à soi d'une façon quelconque. *Prendre la corde avec ses dents. Prendre de l'eau à la rivière.* ‖ Loc. fam. *Il n'est pas à prendre avec des pincettes,* il est insociable d'habitude, ou il est de très mauvaise humeur, ou il est extrêmement sale. ‖ Fam. Rejoindre une personne pour se rendre ailleurs avec elle. *Je vous prendrai en passant.* — *Prendre quelqu'un à part,* le tirer à l'écart pour l'entretenir.

2º S'emparer, se saisir par adresse ou par force d'une chose ou d'une personne. *Prendre quelqu'un par les cheveux.* — Fig. *Prendre le taureau par les cornes,* entamer une affaire par le côté le plus difficile, aborder de front une difficulté. — *Prendre de force, par force, une fille, une femme,* la violer. — Prov. *Aussitôt pris, aussitôt pendu.* — Fig. et fam. *Prendre la balle au bond.* — *Prendre l'occasion aux cheveux.* ‖ Faire des prisonniers à la guerre. Se rendre maître d'une place, d'une ville. *Prendre une ville d'assaut.* ‖ Arrêter. *Prendre un voleur.* ‖ Prov. *Pas vu, pas pris.* Se dit de quelqu'un qui a fait un mauvais coup, mais n'a pas été surpris, donc pas inquiété. ‖ En parlant de chasse, de pêche, etc. *Prendre un lièvre au gîte. Prendre des poissons à la ligne.* — Fig. et fam. *Se laisser prendre au piège, à l'hameçon,* se laisser tromper. — *Cette femme l'a pris dans ses filets,* elle l'a séduit. — Absol. et prov. *Est bien pris qui croyait prendre.* — *Prendre la mouche,* se mettre tout à coup en colère pour une chose insignifiante. ‖ Attaquer. *Prendre les ennemis en flanc, par derrière.* — Fig. *Prendre quelqu'un par son faible,* toucher, flatter son inclination favorite, afin d'arriver à le faire consentir à ce qu'on désire de lui. — *Prendre quelqu'un en traître,* agir vis à vis de lui avec perfidie, avec déloyauté.

3º Surprendre. *Je l'ai pris à voler des fruits. Je l'ai pris au dépourvu.* — *Prendre quelqu'un la main dans le sac,* le surprendre au moment où il commet un vol ou quelque infidélité en affaire d'intérêt. — *Prendre quelqu'un sur le fait.* V. FAIT. *Prendre en flagrant délit,* V. FLAGRANT. — Prov. *Prendre quelqu'un au pied levé.* V. PIED. — *Prendre quelqu'un sans vert,* le prendre au dépourvu. — *Prendre quelqu'un au mot.* V. MOT. ‖ Fig. *La fièvre l'a pris tel jour,* il a commencé tel jour d'avoir la fièvre.

4º En parlant des habits, des vêtements, mettre sur soi. *Vous avez pris un habit bien léger.* — *Prendre le deuil,* s'habiller de noir à l'occasion de la mort d'une personne. — *Prendre l'habit de religieux, de religieuse,* ou simpl., *prendre l'habit, prendre le voile.* V. HABIT, VOILE. ‖ Emporter avec soi certaines choses, par besoin ou par précaution. *Prendre sa canne, son revolver.* — *Il a pris son chien avec lui,* il l'a emmené.

5º S'attribuer, avec ou sans droit. *Prendre un titre, une qualité,* se donner un titre, une qualité, l'employer en parlant de. ‖ *Prendre la liberté de, prendre des libertés.* V. LIBERTÉ. ‖ Manger, boire, ingérer. *Je n'ai rien pris de la journée.* ‖ Faire usage pour sa santé, pour son agrément, etc. *Prendre un remède. Prendre un bain.* — *Prendre du tabac,* priser. — *Prendre l'air.* V. AIR. — *Prendre du repos,* se reposer.

6º Contracter. *Prendre un rhume. Prendre froid,* être saisi d'un frisson. *Prendre de mauvaises habitudes.* ‖ Fig. *Prendre feu,* s'enflammer. Se mettre subitement en colère. ‖ Se pénétrer de. *Ces chaussures prennent l'eau.*

7º Ôter, retrancher une partie d'un tout. *Il a pris sa part de la récolte.* — Fig. *Prendre part à,* participer. *Je prends part à votre joie, à votre deuil.*
Absol. *Prendre sur,* retrancher une partie de quelque chose. *Il prend sur son nécessaire pour donner aux pauvres.*
Emprunter, tirer de. *Il a pris cela dans Cicéron.* — Fam. *Où avez-vous pris cela ? Qui vous a dit cette nouvelle ou qui vous a fait avoir cette pensée ?* ‖ Recueillir, réunir. *Prendre des notes.*

8º Engager ou s'engager sous certaines conditions. *Prendre un domestique, un associé, un secrétaire.* — *Prendre femme, prendre un mari,* se marier.

PRENDRE

9° Exiger un certain prix pour une marchandise, un travail, etc. *Ce marchand prend trois cents francs du mètre de ce drap.* || Acheter. *Je prendrai cela pour tant. Prendre un billet de chemin de fer.*

10° Recevoir, accepter. *Prenez ce petit présent. Prendre des leçons. Prendre les ordres de quelqu'un.* || Fig. et fam. *Dans ce qu'il dit, il faut en prendre et en laisser,* il ne faut pas croire tout ce qu'il dit. || Fam. *Prendre les choses comme elles viennent,* les recevoir avec indifférence, sans se mettre en peine des suites qu'elles peuvent avoir. — *Prendre les hommes comme ils sont,* s'en accommoder, quels que soient leur humeur, leur caractère, leurs opinions. || *Prendre congé de quelqu'un.* V. CONGÉ. || Fam. *Prenez que, prenons que :,* admettez, supposons que. || Se charger d'une personne, d'une chose, entreprendre une chose. *Prendre une somme en dépôt. Prendre des passagers. Le train ne prend pas de voyageurs à cette gare. Prendre un enfant en nourrice.* — *Prendre une affaire en mains,* s'en occuper. — *Prendre un engagement,* contracter un engagement. || *Prendre quelqu'un sous sa protection,* le protéger. || Employer une chose, s'en servir d'une certaine façon. *Prendre une étoffe du bon, du mauvais côté.* — *Prendre bien, prendre mal une affaire,* la conduire bien, la conduire mal. || *Prendre une chose du bon, du mauvais côté,* la voir, l'entendre, la considérer comme il convient, comme il ne convient pas. — *Prendre mal les paroles de quelqu'un,* s'en offenser.

11° Choisir, préférer, se décider pour. *Vous prenez le bon parti.* — *Prendre quelqu'un pour exemple* ou *prendre exemple sur quelqu'un,* se le proposer comme un modèle à imiter. || *Prendre une résolution, une détermination,* se résoudre, se décider à quelque chose. — *Prendre son parti.* V. PARTI. || Choisir un chemin, une route, un mode de locomotion. *Prendre la route d'Italie. Prendre la voie des airs. Prendre le chemin de fer, le paquebot, l'avion, une voiture.* — *Prendre le plus long* ou *le plus court,* prendre le chemin le plus long ou le plus court. — Absol. *Prendre à droite, à gauche,* s'engager dans le chemin qui est à droite, à gauche. || Fig. *Prendre la bonne, la mauvaise voie,* se porter au bien, au mal, ou se servir de bons ou de mauvais moyens pour faire réussir quelque affaire. — *Prendre les devants, le devant.* V. DEVANT. — *Prendre le pas sur quelqu'un,* passer devant lui pour le précéder, et, fig., le supplanter. — *Prendre sa droite,* se mettre à droite. — *Prendre la porte,* se retirer, s'en aller. || Fig. Embrasser, adopter, soutenir. *Prendre parti. Prendre fait et cause pour quelqu'un.*

12° Éprouver des sentiments, des passions, des affections. *Prendre plaisir à quelque chose. Prendre goût à quelque chose. Prendre en dégoût. Prendre de l'intérêt à quelque chose. Prendre une chose à cœur. Prendre patience. Prendre courage. Prendre peur.* — *Prendre en grippe, en pitié,* etc. || Avoir, en parlant des vues de l'esprit. *Prendre une idée juste de quelque chose.* || Entendre, comprendre, concevoir, expliquer, etc. *Vous prenez mal mes paroles.* — *Comment le prenez-vous ?* Comment prenez-vous ce qu'on vient de vous dire ? — Par ext., avoir telle ou telle attitude. *Le prendre de haut avec quelqu'un,* le traiter avec une attitude hautaine, avec hauteur. — *Prendre en riant quelque chose,* ne s'en point fâcher. — *Prendre sérieusement une chose,* l'entendre comme si elle avait été dite sérieusement. — *Prendre une chose en mauvaise part, à la lettre, au pied de la lettre.* — *A le bien prendre,* à considérer, à juger sagement les choses.

13° Employer certains moyens. *Prendre des mesures de défense, de sécurité. Prendre mesure à quelqu'un pour lui faire un habit. Prendre des précautions contre le froid.* || *Prendre garde à quelqu'un, à quelque chose,* veiller pour n'en pas recevoir de mal, de dommage. — *Prendre garde à une chose, à une personne,* signifie aussi, veiller à sa conservation. — *Prendre garde à soi,* ou simplement, *prendre garde,* se tenir sur ses gardes.

GRAM. — Après *prendre garde que,* on emploie *ne* devant le verbe suivant : *prenez garde que l'on ne vous trompe ;* excepté quand il est accompagné d'une négation ou employé interrogativement.

Prendre soin d'une personne, d'une chose, veiller à la conservation, au bien-être, etc., d'une personne ; veiller à ce qu'une chose n'éprouve aucun dommage. || *Prendre des renseignements, des informations,* recueillir des renseignements. = *Prendre de la peine,* faire des efforts, travailler avec soin. = *Prendre prétexte d'une chose,* ou *sur quelque chose,* se servir d'un prétexte pour motiver une entreprise, pour colorer une prétention. — *Prendre occasion d'une chose,* profiter d'une occasion qui se présente, s'en prévaloir pour. || *Prendre du temps,* retarder l'exécution de quelque chose. — Se dit aussi des choses dont l'exécution exige de temps. *Ce travail m'a pris beaucoup de temps.* On dit, parfois, mais incorrectement : *L'idée lui a pris de faire telle chose* (lui est venue).

14° Changer, se transformer. *Voilà un ouvrage qui commence à prendre forme. Ces fruits ont pris de l'amertume.* || Se présenter d'une certaine manière, affecter un certain air, etc. *Prendre une posture suppliante. Prendre un ton plaintif.* — Fig. *Cette affaire prend un bon, un mauvais tour, une mauvaise tournure,* à la manière dont elle va, il y a lieu de présumer qu'elle réussira, qu'elle ne réussira pas. || Se dit encore du mouvement, de l'allure, et surtout du commencement de l'action. *Prendre le trot, le galop. Prendre son élan. Prendre son essor.* || Fig. *Prendre la fuite.* || *Prendre de l'âge,* vieillir. — *Prendre de l'embonpoint,* grossir. || Commencer. *Cette rivière prend sa source au pied de telle montagne.* — *Prendre fin,* finir, cesser. — *Prendre le dessus,* commencer à rétablir sa santé, ses affaires. — *Prendre la parole,* commencer à parler.

15° Considérer. Regarder comme. *Prendre quelqu'un pour un sot.* — *Prendre une personne, une chose pour une autre,* croire qu'une personne ou une chose en est une autre. — Fam. *Prendre quelqu'un pour un autre,* en juger autrement qu'il ne faut. — *Pour qui me prenez-vous ?* Me croyez-vous donc assez bête pour. || *Prendre pour bon,* croire. *Il prend pour bon tout ce qu'on lui débite.*

16° Sens et locutions divers : *Prendre quelque chose sur soi,* s'en déclarer responsable, ou faire quelque chose de son chef sans y être autorisé. || *Prendre sur soi de,* prendre la responsabilité de, ou se contraindre à. || Absol. *Prendre sur soi, prendre beaucoup sur soi,* se retenir, se contraindre. || *Prendre ses inscriptions, ses grades,* obtenir les titres que confèrent les facultés. [Jeu] *Prendre sa revanche.* V. REVANCHE. [Droit] *Prendre acte,* demander un témoignage authentique de ce qu'on vient de dire ou d'entendre. || *Prendre possession,* entrer en jouissance. — *Prendre à témoin.* V. TÉMOIN. [Mar.] *Prendre la mer,* commencer un voyage en mer. *Prendre le large.* || *Prendre terre,* y aborder, y débarquer. || *Prendre la hauteur du soleil,* observer avec un instrument principalement à midi, l'élévation du soleil au-dessus de l'horizon. || *Prendre de la hauteur,* s'élever dans les couches supérieures de l'air au moyen d'un ballon, d'un avion.

PRENDRE, verbe intransitif.

Produire un effet, une impression. *Le feu prendra tout seul.* — Fam. *Cette odeur prend au nez,* cette odeur produit une impression forte et désagréable. ‖ En parlant de végétaux transplantés, prendre racine, continuer à vivre. ‖ En parlant d'un ouvrage d'esprit, d'une doctrine, d'une proposition, d'une coutume, etc., réussir. *Cette mode a pris très vite.* ‖ En parlant d'une mauvaise raison, d'une farce, d'une mystification qui réussit ou non. *Cela prend. Cela n'a pas pris.* — Pop. *Ça ne prend pas !* à d'autres !
Geler, se coaguler, s'épaissir. *La rivière prendra cette nuit. Votre gelée a mal pris.*

Tours impersonnels. — Arriver subitement. *Il lui prit une sueur froide, un mal de dents,* etc. *Il lui a pris une fantaisie, un dégoût,* etc., la fantaisie, etc., lui est venue. En parlant de maladie, on dit aussi à la forme personnelle : *La fièvre, la goutte lui a pris,* il est attaqué de la goutte, de la fièvre.

EN PRENDRE — Locution verbale formant un gallicisme où *en* est de sens vague : de cela, à propos de cela, et où *prendre* signifie arriver, survenir. *S'il ne se corrige pas, il lui en prendra mal. Il en prit aux uns comme aux autres* (La Fontaine). — *En prendre à son aise.* V. AISE. ‖ Pop. *En prendre pour son grade, pour son rhume,* être vivement pris à parti, copieusement injurié, parfois recevoir une volée de coups. — Parfois *prendre* est aussi pris absolument dans ce sens. *Qu'est-ce qu'il a pris !*

SE PRENDRE, verbe pronominal.

1° Sens passif. — Être pris, être saisi, être absorbé. *Ce remède se prend à jeun.* Être employé, Ce terme est pris en mauvaise part.

2° Sens réciproque. — *Se prendre par la main,* se saisir l'un l'autre par la main. = *Se prendre aux cheveux,* se saisir l'un l'autre par les cheveux, et fig., se quereller. On dit aussi, dans ce dernier sens : *Se prendre de querelle.* — *Se prendre de paroles.* V. PAROLE.

3° Sens réfléchi. — S'attacher, s'accrocher. *Il s'est pris à un arbre,* etc. — Fig. *Ne savoir où se prendre,* ne savoir à quoi recourir. ‖ *Se prendre à quelqu'un,* le provoquer, l'attaquer.

4° Sens intrans. — *S'en prendre à quelqu'un,* lui attribuer quelque faute, vouloir l'en rendre responsable. — *S'y prendre bien, mal, comme il faut ; savoir s'y prendre,* mettre plus ou moins d'adresse à ce qu'on fait, employer de bons, de mauvais moyens pour réussir dans une affaire.
Fig. *Se prendre à,* suivi d'un infinitif, commencer, se mettre à (avec la valeur d'un auxiliaire de mode à sens inchoatif). *Elle se prit à rire.* ‖ *Se prendre d'amitié, d'aversion pour quelqu'un,* concevoir de l'amitié, etc., pour quelqu'un. — Se figer. *L'huile se prend quand on la met dans un endroit frais.* Être entièrement gelé, en parlant d'un cours d'eau : *La Seine s'est prise dans la nuit.* — En parlant du temps, se couvrir de nuages. *Le ciel se prend au couchant, il pleuvra demain.*

LOCUTION ADVERBIALE FORMÉE AVEC **PRENDRE**.

A TOUT PRENDRE, loc. adv. Tout bien considéré, en pesant le bien et le mal. *Il est brusque, mais à tout prendre c'est un homme fort estimable.*

SYN. — *Prendre,* saisir avec la main ou de toute autre façon : *Prendre de l'eau dans un puits, avec un seau.* — *Accaparer,* prendre pour soi seul ce qui revient partiellement à autrui : *Accaparer toutes les places.* — *Emparer (s'),* prendre de vive force : *S'emparer d'une ville ennemie.* — *Saisir,* prendre avec vivacité : *Saisir quelqu'un par le bras. Saisir une bonne occasion.* — *Octroyer (s'),* prendre pour soi, de sa seule autorité : *S'octroyer la meilleure part.* — *Tenir,* avoir en mains, être en possession de : *Tenir un fusil, tenir une place.* V. aussi ATTRAPER, HAPPER.

CTR. — *Jeter, repousser, rejeter, lâcher.*

VOCAB. — *Famille de mots.* — *Prendre* [rad. *pren, pré, pris*] : preneur, préhension, prenant prenable, imprenable; prise, priser, priseur; prison, prisonnier, emprisonner, emprisonnement; présure; appréhender, appréhension, appréhensible, appréhensif; apprendre, désapprendre, malappris, apprenti, apprentissage, comprendre, compréhension, compréhensible, incompréhensible, incompréhension, incompris; entreprendre, entrepreneur, entreprise, emprise, impresario, déprendre, s'éprendre, épris, se méprendre, méprise, pourpris, reprendre, répréhension, répréhensif, repris, reprise, repriser, représailles, surprendre, surpris, surprise.

preneur, euse, n. Celui, celle qui prend, qui a coutume de prendre. ‖ Celui, celle qui use de. ‖ Celui, celle qui prend à loyer. ‖ Celui, celle qui est disposée à acheter à un certain prix. *Cette marchandise n'a pas trouvé preneur.* ‖ Celui au profit de qui sont faits ou endossés un mandat, une lettre de change, etc.
LING. — Le fém. *preneuse* est rare.
ANT. — *Bailleur.*

prénom, n. m. Nom de baptême, *petit nom,* particulier à chaque personne, qui précède le nom de famille.
SYN. — V. NOM.
PAR. — *Pronom,* mot qui tient la place d'un nom, comme *je, tu, lui, on,* etc.

prénommé, ée, adj. et n. Qui a été nommé précédemment. ‖ Fam. Qui a pour prénom.

* **prénommer,** v. tr. Donner pour prénom. ‖ Nommer auparavent.

* **prénotion** [sion], n. f. Connaissance première et superficielle qu'on a d'une chose avant examen sérieux. [Phil.] Idée première, idée innée.

* **prénuptial, ale,** adj. Antérieur au mariage. *Examen médical prénuptial.*

préoccupation [sion], n. f. (lat. *praeoccupatio,* m. s.). Disposition d'un esprit tellement occupé d'un objet, qu'il ne fait attention à aucun autre. ‖ Inquiétude. *Avoir des préoccupations sur la santé de quelqu'un.*
ÉPITHÈTES COURANTES : grosse, grave, obsédante, pénible, douloureuse, angoissante, justifiée, injustifiée, etc.

préoccupé, ée, adj. Occupé fortement; absorbé, obsédé par quelque chose.

préoccuper, v. tr. Occuper fortement l'esprit, l'absorber tout entier. ‖ Inquiéter. *Sa santé me préoccupe.* ‖ Agir sur l'esprit de quelqu'un, le prévenir pour ou contre

= SE PRÉOCCUPER, v. pron. Être préoccupé; s'inquiéter.

préopinant, n. m. Celui qui a opiné, qui a donné son avis avant un autre.

* **préopiner,** v. intr. Opiner, donner son avis avant un autre.

préordination [sion], n. f. [Théol.] Ordre établi à l'avance.

préordonner, v. tr. Ordonner, disposer les choses d'avance.

* **préorganiser,** v. tr. Organiser d'avance.

préparateur, trice, n. Celui, celle qui prépare quelque chose. ‖ Physicien, chimiste, biologiste, qui prépare les expériences d'un professeur et dirige les travaux pratiques des étudiants.

préparatif, n. m. Action de préparer; apprêts, arrangements en vue de quelque chose.

LING. — *Préparatifs* ne s'emploie guère qu'au pluriel.

Syn. — *Préparatifs,* ensemble de ce que l'on fait en vue de quelque chose : *Il a fait ses préparatifs de départ.* — *Apprêts,* préparatifs particuliers d'un festin, d'une fête : *Faire les apprêts d'une noce.* — *Dispositions,* mesures prises en vue de quelque chose : *Prendre toutes ses dispositions en vue d'un voyage.* — *Mesures,* préparatifs et précautions en vue des éventualités : *Prendre ses mesures contre un danger.* V. aussi PRÉCAUTION.

(Nota. — Tous ces mots s'emploient surtout au pluriel dans ce sens).

préparation [sion], n. f. (lat. *praeparatio,* m. s.). Action par laquelle on prépare, ou on se prépare à une cérémonie, à un travail, etc. *Plaider sans préparation.* — *Préparation à un examen.* ‖ Travail préparatoire fait par des élèves, des étudiants avant l'explication ou le commentaire d'un auteur. ‖ Action de préparer l'esprit de quelqu'un avant de lui déclarer ouvertement ce qu'on a à lui annoncer, à lui proposer. *On lui a annoncé sans préparation la mort de sa mère.* ‖ Action, manière de préparer certaines choses pour les employer ou les garder. *La préparation des aliments.* ‖ Manière de composer un médicament, un produit chimique, d'apprêter une pièce d'anatomie. ‖ L'objet préparé. *Préparations pharmaceutiques.* ‖ *Préparation d'artillerie,* tir de destruction des positions ennemies préparant une attaque d'infanterie.

ÉPITHÈTES COURANTES : sérieuse, rigoureuse, minutieuse, morale, intellectuelle, littéraire, latine; militaire, pharmaceutique, chimique, etc.

préparatoire, adj. (lat. *praeparatorius,* m. s.). Qui prépare. *Cours préparatoire au baccalauréat.* = N. m. Ce qui prépare. *C'est un préparatoire indispensable.*

préparer, v. tr. (lat. *praeparare,* m. s.). Apprêter, organiser, disposer, mettre une chose dans l'état convenable à l'usage auquel on la destine. *Préparer une maison, un dîner.* — *Préparer un discours,* méditer, disposer dans son esprit un discours qu'on doit prononcer. ‖ Fig. Ménager, réserver. *Cela nous prépare de grands malheurs.* ‖ Machiner, combiner. *Préparer un mauvais coup.* ‖ Faire précéder une chose de quelques précautions pour en assurer l'effet. *Il fallait préparer ce coup de théâtre.* ‖ *Préparer quelqu'un,* le mettre dans la disposition d'esprit qu'on veut lui donner en vue d'un but à atteindre; le prédisposer. — *Préparer un élève à un examen,* lui faire faire les études nécessaires pour subir un examen. ‖ Faire une préparation chimique, microscopique ou anatomique. *Préparer du chlore.* = SE PRÉPARER, v. pron. Se disposer à, se mettre en état de. *Se préparer pour un voyage. Se préparer à un examen.* ‖ Être imminent. *Un orage se prépare.*

INCORR. — *Préparer d'avance* est un pléonasme, le préfixe *pré* signifiant *avant.*

SYN. — V. APPRÊTER.

prépondérance, n. f. Supériorité d'autorité, d'influence, de crédit, de considération d'une nation, d'un art, etc.

SYN. — *Prépondérance,* supériorité d'autorité, d'influence, etc. : *La prépondérance de la France en Europe au* XVIIe *siècle.* — *Omnipotence,* toute-puissance, pouvoir absolu : *L'omnipotence du jury.* — *Précellence,* supériorité, excellence sans comparaison possible : *La précellence du langage français.* — *Prééminence,* supériorité de droit, de dignité ou de rang : *Athènes et Sparte se disputèrent la prééminence en Grèce.* — *Prédominance,* caractère de ce qui prédomine : *La prédominance de l'hérédité.* — *Préexcellence,* qualité de ce qui l'emporte sur tout : *La préexcellence divine.* — *Prépotence,* autorité prépondérante : *La prépotence de l'Angleterre sur les Dominions.* V. aussi SUPRÉMATIE.

prépondérant, ante, adj. (préf. *pré,* et lat. *pondus, ponderis,* poids). Supérieur en poids, en autorité, en influence. ‖ Qui l'emporte en cas de partage. *Voix prépondérante.*

préposé, ée, adj. et n. Chargé d'une fonction, d'un service spécial.

HOM. — *Préposer,* v. tr., mettre à la tête.

préposer, v. tr. Mettre à la tête, commettre au soin, à la surveillance de.

HOM. — *Préposé,* n. et adj., chargé d'une fonction.

PAR. — *Proposer,* faire une proposition.

prépositif, ive, adj. [Gram.] Qui se met au-devant. *Lettre prépositive.* ‖ Qui est de la nature de la préposition. *Locution prépositive.*

préposition [sion], n. f. (lat. *prae,* devant; *ponere,* placer). [Gram.] Mot invariable indiquant un rapport entre deux termes qu'il relie, comme : *à, de, pour, dans,* etc.; le second terme précédé d'une préposition, est dit son régime ou son complément. V. GRAMMAIRE et tabl. PRÉPOSITIONS CLASSÉES D'APRÈS LEUR SENS.

PAR. — *Proposition,* énonciation d'un jugement. *Proposition subordonnée.*

* **prépositionnel, elle,** adj. Qui concerne la préposition.

* **prépositivement,** adv. En forme de préposition.

prépotence, n. f. Pouvoir supérieur, autorité prépondérante.

SYN. — V. PRÉPONDÉRANCE.

prépuce, n. m. [Anat.] Repli libre formé par la peau et la couche celluleuse, qui vient recouvrir le gland de la verge.

* **préraphaélite,** adj. Relatif au préraphaélitisme. = N. m. Partisan de cette école.

* **préraphaélitisme** ou * **préraphaélisme,** n. m. (préf. *pré,* et *Raphaël*). [Bx-A.] Mouvement esthétique et littéraire

Tableau des prépositions classées d'après leur sens.

PRÉPOSITIONS	LIEU	TEMPS	TENDANCE	ÉLOIGNEMENT, OPPOSITION, RESTRICTION	CAUSE, ORIGINE, PROPRIÉTÉ	MANIÈRE, MOYEN
À	Je suis à Paris (situat.) Je vais à Lyon (direct.) Être à la porte (proximité)	Je viendrai à deux heures (date) Ajourner à huitaine (espace de temps)	Donner l'aumône à un pauvre (attribution) Exhorter au travail (but) Un verre à boire (destination) Passer à la postérité (direction) Nuire à quelqu'un (objet)	Dérober de l'argent à quelqu'un (privation)	C'est un livre à moi (propriété)	Aller à cheval (moyen) Donner à pleines mains (manière) Une canne à épée (concomitance) Un homme au cœur généreux (qualité) Condamner à mort (prix)
Après	Grimper après un arbre (dialectal)	Après la pluie, le beau temps	Attendre après quelqu'un (objet) (dial.)			
Attendu					Attendu l'état indigent De la république attaquée. (LA FONTAINE) (cause)	
Avant	Avant Paris, il y a sa banlieue	Travailler avant la promenade Avant-hier				
Avec			Lutter avec quelqu'un (objet)	Avec tout son travail, il n'a pas réussi (opposition)	Avec tant de travail tu réussiras (cause)	Il est venu avec son père (accompagnem.) Frapper avec l'épée (instrument) Écouter avec attention (manière) Bâtir avec du fer (matière)
Chez	Être chez un ami (situation) Aller chez un ami (direction)					
Contre	Se placer contre un mur	Contre la Pâque (Vx)	Marcher contre les ennemis (destination)	Envers et contre tous (opposition)	Des armes qui resplendissent contre le soleil (Vx) (cause)	Échanger son mobilier contre un autre (prix)
Dans	Habiter dans un quartier neuf	Rentrer dans une heure			Dans votre ignorance, vous vous êtes trompé (cause)	

Tableau des prépositions classées d'après leur sens (suite).

PRÉPOSITIONS	LIEU	TEMPS	TENDANCE	ÉLOIGNEMENT, OPPOSITION, RESTRICTION	CAUSE, ORIGINE, PROPRIÉTÉ	MANIÈRE, MOYEN
De (V. Remarque a)	S'approcher de la rivière	Partir de bon matin (date) Je ne l'ai pas vu de l'année (durée)	Conseiller à quelqu'un de travailler Parler de ses amis Se venger de ses ennemis (objet) Être forcé de parler (but) Une robe de bal (destination)	Je viens de Paris (éloignement) Il voulait de souris dépeupler tout le monde. (LA FONTAINE) (privation)	Être aimé de ses élèves (agent) Mourir de faim (cause) Une chaîne d'or (matière) Un vin de Bordeaux (origine) Le livre de l'élève (propriété)	Frapper de l'épée (instrument) Manger de bon appétit (manière) Avancer d'un pas (mesure) Prendre une ville de vive force (moyen) Punir de mort (prix) Un homme d'esprit (qualité)
Depuis		Il est malheureux depuis sa naissance		Depuis Lyon jusqu'à Paris (éloignement)		
Derrière	Du vin de derrière les fagots					
Dès		Partir dès le matin				
Devant	Il mit le siège devant Paris	On le faisait lever devant l'aurore. (LA FONTAINE)			Devant ce refus, il ne sut que devenir (cause)	
Devers		Il s'est devers la fin levé longtemps d'avance. (MOLIÈRE)				
Durant		Durant l'hiver Sa vie durant				
En	Il vit en France (situation) Il erre de ville en ville (direction)	En hiver			Une chaîne en argent (matière)	Être en rage (manière) Aller en voiture (moyen)
Entre	Entre Lyon et Paris	Entre le 1ᵉʳ et le 14 juillet				
Envers			Son ingratitude envers vous (objet)			
Ès					Docteur ès lettres (matière)	
Excepté				Tous les habitants, excepté les vieillards (restriction)		

Tableau des prépositions classées d'après leur sens (suite).

PRÉPOSITIONS	LIEU	TEMPS	TENDANCE	ÉLOIGNEMENT, OPPOSITION, RESTRICTION	CAUSE, ORIGINE, PROPRIÉTÉ	MANIÈRE, MOYEN
Fors				Tout est perdu, *fors* l'honneur et la vie (restriction)		
Hormis				Personne *hormis* vous ne peut le faire (restriction)		
Hors	Il se jeta *hors* la ville Mettre *hors* concours			Nul n'aura de l'esprit, *hors* nous et nos amis. (MOLIÈRE) (restriction)		
Joignant	[On m'a pris mon trésor] Tout *joignant* cette pierre. (LA FONTAINE)					
Lez ou lès	Plessis-*lès*-Tours					
Malgré				*Malgré* leur insolence (opposition)		
Moyennant						*Moyennant* ce salaire (prix)
Nonobstant				L'aigle fondant sur lui *nonobstant* cet asile. (LA FONTAINE) (opposition)		
Outre	*Outre* Rhin Mémoires d'*Outre*-tombe					
Par	Passer *par* Paris Se trouver *par* dix degrés de latitude	Toucher tant *par* mois			Être blessé *par* quelqu'un (agent) Agir *par* orgueil (cause) Un banquet à cent francs *par* tête (distribution)	Être atteint *par* une flèche (instrument) Voyager *par* tous les temps (manière) Réussir *par* ruse (moyen) Prendre *par* la main (partie)
Parmi	Force moutons *parmi* la plaine. (LA FONTAINE) On le trouva *parmi* vos ennemis					
Passé	Il y a du danger *passé* cet endroit					

Tableau des prépositions classées d'après leur sens (suite).

PRÉPOSITIONS	LIEU	TEMPS	TENDANCE	ÉLOIGNEMENT, OPPOSITION, RESTRICTION	CAUSE, ORIGINE, PROPRIÉTÉ	MANIÈRE, MOYEN
Pendant		*Pendant* l'été				
Pour (V. Remarque a)	Partir *pour* l'Afrique (direction)	Ce sera *pour* ce soir (date) Partir *pour* toujours (durée)	Travailler *pour* ses enfants (attribution) Travailler *pour* la gloire (but) Un manteau *pour* la pluie (destination)		Condamner *pour* trahison (cause) Être grand *pour* son âge (relation)	Tant *pour* les coups de fouet qu'il reçut à la porte. (HUGO) (prix)
Sans				Il est venu *sans* son père (restriction)		
Sauf				*Sauf* erreur ou omission (restriction)		
Selon					L'Évangile *selon* saint Jean (origine)	
Sous	Loger *sous* les toits	*Sous* le règne de Louis XIV			*Sous* les caresses de sa mère, il reprenait courage (cause)	
Suivant	Se déplacer *suivant* telle direction					Agir *suivant* sa conscience (manière)
Sur	Marcher *sur* le gazon (situation) Marcher *sur* Rome (direction)	*Sur* le matin, il s'éveilla	L'emporter *sur* ses ennemis (objet)		Écrire un livre *sur* la poésie (matière)	Marcher *sur* les mains (manière)
Touchant					Le discours... *touchant* la méthode. (DESCARTES) (matière)	
Vers	Se diriger *vers* la ville (direction)	*Vers* la même époque				
Via	Aller de Paris à Lyon *via* Dijon					
Voici, voilà	*Voici*, *voilà* la maison que j'habite	*Voici* l'hiver venu *Voilà* huit jours que cela a eu lieu				
Vu					*Vu* le prix des denrées (cause)	

Voir, à leur ordre alphabétique, les tableaux de la plupart de ces prépositions.

Tableau des principales locutions prépositives classées d'après leur sens.

LIEU	TEMPS	TENDANCE, BUT	ÉLOIGNEMENT, OPPOSITION	CAUSE, ORIGINE	MANIÈRE, MOYEN, CONDITION
A côté de	A compter de	Afin de	A défaut de	A cause de	A charge de
A droite de	A dater de	A l'effet de	A l'encontre de	A partir de	A condition de
A gauche de	A partir de	A l'égard de	A l'exception de	Au nom de	A force de
A partir de	A l'occasion de	A seule fin de	A moins de	Au sujet de	A la faveur de
A travers	Au cours de	Dans le but de (à éviter)	Au lieu de	D'après	A l'aide de
Au (en) bas de	Au long de	Dans l'intention de	Auprès de	En présence de	A raison de
Au (en) dedans de	Avant de	De façon à	Au prix de	En raison de	Au moyen de
Au (en) dehors de	En attendant de	De manière à	D'avec	Etant donné	Au nom de
Au delà de	Lors de	De peur de	D'entre	En égard à	Au prix de
Au-(en) dessous de	Jusqu'à	En faveur de	En dépit de	Faute de	En présence de
Au-(en) dessus de		En vue de	Loin de	Par suite de	En vertu de
Au-devant de	En deçà de	Histoire de (Fam.)	Quant à	Pour l'amour de (Vx)	Faute de
Au (en) haut de	En face de	Jusqu'à	Par rapport à	Pour raison de	Grâce à
Au long de	Hors de		Sauf à	Sous ombre de	
Au milieu de	Jusqu'à			Sous prétexte de	
Au pied de	Le long de				
Auprès de	Loin de				
Autour de	Par delà				
Au travers de	Par derrière				
Aux environs de	Par-dessus				
Ci-inclus	Par devant				
Ci-joint	Par devers				
Dans les parages de	Près de				
Du côté de	Proche de				
En arrière de	Vis-à-vis de				

Voir, à leur ordre alphabétique, les tableaux de la plupart de ces locutions prépositives.

Remarques : Sur l'emploi des prépositions et locutions prépositives.

a) Les prépositions **de** et **pour** peuvent avoir un emploi explétif.
  de : devant une apposition : *La ville de Paris* ; devant un attribut : *On le traita de menteur* ; devant un infinitif : *C'est laid (que) de mentir.*
  pour : devant un attribut : *On le prit pour roi* ; devant un mot que l'on veut détacher : *Ah! pour de l'esprit, elle en a!* (MOLIÈRE).

b) Certains mots employés comme *prépositions* quand ils sont suivis d'un nom deviennent *adverbes* quand ils sont pris absolument. Tels sont : *avant, après, depuis, derrière,* etc.
  Ainsi, *avant* est préposition dans *avant le jour,* adverbe dans *le jour d'avant. Après* est préposition dans *après le dîner,* adverbe dans *un moment après,* etc.

c) L'ancienne langue employait comme prépositions : *auparavant, dedans, dehors dessus, dessous, environ,* etc., qui ne sont plus aujourd'hui qu'adverbes. *Dedans la sépulture* ; *environ le temps,* dit La Fontaine. Aujourd'hui la plupart de ces mots peuvent encore former des *locutions prépositives* s'ils sont précédés ou suivis de prépositions : **Par-dessus** le mur, **en dessous** du buffet.

d) Ne pas confondre la locution prépositive *quant à,* toujours suivie d'un nom, d'un pronom, d'un infinitif et signifiant *relativement à,* avec la conjonction *quand,* toujours suivie d'un mode personnel et signifiant *lorsque.* **Quant à** *mon père* ; **quant à** *moi.* **Quand** *vous voudrez.*

e) Ne pas abuser de **à** pour désigner la possession : *Le livre à Pierre.*

f) En **ne** s'emploie devant un article que dans les expressions : **En** *l'honneur* ; **en** *l'absence* ; **en** *l'an* ; etc.

g) Quelques grammairiens ajoutent **voici, voilà** (V. ces mots) à la liste des prépositions.

Répétition des prépositions. — En général, les prépositions se répètent devant tous les compléments, à moins que ces compléments ne forment qu'une personne, un même groupe, une locution courante. C'est affaire d'usage. On dira : *Il se plaît à manger et à dormir ; à tort et à travers.* Mais : *Il est bon pour ses père et mère ; à ses risques et périls.*

anglais de la seconde moitié du XIXe siècle, qui préconisait l'imitation des peintres italiens antérieurs à Raphaël.

prérogative, n. f. (lat. *prae*, avant; *rogare*, demander). [Antiq. rom.] Centurie qui, dans les comices, donnait la première son suffrage. ‖ Autorité, privilège, avantage attaché à certaines fonctions, certaines dignités, etc. ‖ Faculté, avantage dont certains êtres jouissent exclusivement. *La raison est une des prérogatives de l'homme.*

SYN. — *Prérogative*, privilèges ou avantages particuliers et exclusifs attribués à certaines fonctions, à certaines situations : *Les prérogatives de l'âge.* — *Avantage*, ce dont on jouit comme utile ou profitable : *En dehors de son traitement, ce fonctionnaire a certains avantages particuliers.* — *Faveur*, ce qu'on tient de la protection d'un personnage puissant plus que de sa valeur propre : *La faveur l'a pu faire autant que le mérite* (CORNEILLE). — *Passe-droit*, place, faveur accordée contre le droit, au détriment de celui qui devait l'obtenir : *Protester contre les passe-droits.* — *Privilège*, avantage ou droit particulier concédé par la loi, par la coutume, à certains individus, à certaines collectivités : *Les privilèges de l'ancienne noblesse.*

* **préromantisme,** n. m. Période de l'histoire littéraire où prirent naissance les grandes tendances du romantisme, avec Rousseau, Mme de Staël, Chateaubriand (1770-1830 environ).

près, mot invar. V. tabl. PRÈS.

présage [za-je], n. m. Signe heureux ou malheureux par lequel on juge de l'avenir. ‖ Conjecture qu'on tire de ce signe. ‖ Conjecture qu'on tire d'un fait quelconque.

SYN. — *Présage*, prétendue indication pour l'avenir tirée de quelque événement fortuit : *La superstition romaine voyait partout des présages.* — *Augure*, présage que les Romains croyaient tirer du vol des oiseaux, par suite, présage en général : *Vous m'apportez une nouvelle de bon augure.* V. aussi SYMPTÔME et PROPHÉTIE.

présager, v. tr. Indiquer, annoncer une chose à venir. ‖ Conjecturer ce qui doit arriver dans l'avenir; prévoir. = Conjug. V. GRAMMAIRE.

pré-salé, n. m. Pâturage voisin de la mer. ‖ Mouton qu'on y a fait pâturer. ‖ Viande de ce mouton, à saveur spéciale. = Pl. *Des prés-salés.*

présanctifié, iée, adj. Consacré d'avance. ‖ *Messe des présanctifiés*, office célébré le Vendredi-Saint avec une hostie consacrée la veille.

* **présanctifier,** v. tr. [Liturg.] Consacrer d'avance. = Conjug. V. GRAMMAIRE.

presbyte, adj. et n. (gr. *presbutês*, vieillard). Qui ne voit nettement que de loin, à cause de l'aplatissement du cristallin.

CTR. — *Myope.*

presbytéral, ale, aux, adj. Relatif à la prêtrise, au prêtre.

presbytère, n. m. Maison du curé dans une paroisse.

presbytérianisme, n. m. Doctrine, secte des presbytériens.

presbytérien, ienne, adj. et n. Membre d'une secte protestante prépondérante en Écosse et répandue en Angleterre, en Irlande, en Allemagne, en Suisse, aux Pays-Bas et surtout aux États-Unis. Elle prône une parfaite égalité de rang entre les ministres du culte et n'admet pas d'évêques.

ANT. — *Épiscopalien.*

presbytie [tî], n. f. (gr. *presbutês*, vieillard). [Méd.] Défaut de l'œil, fréquent chez les personnes âgées, consistant dans la diminution de sa faculté d'accommodation.

ANT. — *Myopie.*

prescience, n. f. Connaissance des choses à venir, et en particulier connaissance que Dieu a de l'avenir. ‖ Savoir inné.

* **prescient, ente** [sian], adj. Qui a la prescience de choses futures.

* **prescriptibilité,** n. f. [Droit] Qualité de ce qui est sujet à la prescription.

prescriptible, adj. [Droit] Qui peut être prescrit.

prescription [sion], n. f. (lat. *praescriptio*, m. s.). Ordonnance, ordre formel, précepte. *Les prescriptions de la morale.* — *Prescription médicale*, ordonnance de médecin. ‖ [Droit] Temps au bout duquel on ne peut plus, soit contester la propriété d'un possesseur, soit poursuivre l'exécution d'une obligation ou la répression d'une infraction.

SYN. — V. COMMANDEMENT.

PAR. — *Proscription*, condamnation au bannissement ou à la mort.

prescrire, v. tr. (lat. *praescribere*, m. s.). Ordonner, marquer précisément ce qu'on veut qui soit fait. *J'ai exécuté ce que vous m'aviez prescrit.* ‖ En parlant d'un médecin, ordonner un remède, un régime. ‖ [Droit] Acquérir, se libérer par prescription. *Prescrire une dette.* = SE PRESCRIRE, v. pron. *Je me suis prescrit de me taire.* ‖ Au sens passif : Se perdre par prescription. *Les droits des mineurs ne se prescrivent pas.* = Conjug. (comme *écrire*). V. VERBES.

PAR. — *Proscrire*, bannir, chasser, condamner à disparaître.

préséance, n. f. Droit de prendre place au-dessus de quelqu'un ou de le précéder dans les cérémonies.

SYN. — V. SUPRÉMATIE.

présence [zan-se], n. f. (lat. *praesentia*, m. s.). Le fait, pour une personne ou une chose, d'être dans un lieu déterminé. *Il a dit cela en ma présence. Faire acte de présence.* — *Jeton de présence.* V. JETON. — *Feuille de présence*, feuille sur laquelle signent les membres d'une assemblée ou les employés d'un bureau pour signaler leur présence. ‖ Fig. *Présence d'esprit*, vivacité, promptitude d'esprit qui fait faire ou dire sur-le-champ ce qu'il y a de mieux à faire ou à dire, surtout dans les circonstances difficiles et pressantes.

EN PRÉSENCE, loc. adv. Face à face, en vue l'un de l'autre. *Les deux armées étaient en présence.* = EN PRÉSENCE DE, loc. prép. En ayant en face de soi, devant soi. *Abandon de poste en présence de l'ennemi.*

ANT. — *Absence.*

1. **présent, ente** [pré-zan, ante], adj. (lat. *praesens*, m. s.). Qui est dans le lieu où l'on est soi-même ou dont on parle; se dit par opposition à *absent. J'étais présent quand la chose arriva.* — *Être présent à*

PRÈS, mot invariable.

Étymologie. — Du latin *pressum*, pressé contre, participe passé passif de *premere*, presser, employé adverbialement avec le sens : d'une manière serrée, tout contre, proche de. Cf. APRÈS (V. tableau) et PRESQUE.

Observations grammaticales. — *Près de* et *prêt à* ne doivent pas être confondus : *près de* (avec l'infinitif) indique un fait qui se produira ou peut se produire prochainement, mais sans que ce fait dépende de la volonté de celui qui parle. *La pluie était près de tomber quand il arriva. Prêt à*, au contraire, indique un fait voulu, accepté par celui qui parle : *Je suis prêt à vous obéir en tout point.* — Ces tours sont aujourd'hui nettement distincts; il n'en était pas de même au XVIIe s.; Racine a pu écrire : *Sur eux quelque orage est tout prêt d'éclater*, et Molière : *Vous n'avez qu'à parler, je suis près d'obéir.*
Pour *près de* et *auprès de*, V. AUPRÈS (tableau).

PRÈS, préposition.

Marque la proximité dans le temps et dans l'espace :
a) *Près* employé seul, marque proximité de lieu. *Il demeure près le Palais-Royal. Ambassadeur près la cour d'Espagne. Greffier près la Cour d'Appel.*
b) PRÈS DE, loc. prép., marque soit la proximité de lieu, soit celle de temps. *Il s'assit près de moi. Il loge près d'ici. Cette rue est près de l'église.* — *Il est près de midi. Quand elle se vit près de mourir.* — *Avoir la tête près du bonnet.* V. BONNET. — Fig. *Cet ouvrage est bien près de la perfection*, il s'en faut de peu qu'il ne soit parfait.
Presque, environ. *Il y a près de vingt ans que cela est arrivé.*
Il est près de six heures. Ils étaient près de six cents à ce congrès.

OBS. — C'est un archaïsme de dire: *J'habite près de l'église*. On doit dire: *près **de** l'église*. Seule, la langue du Palais dit, archaïquement : expert *près* les tribunaux.

PRÈS, adverbe.

Proche, au voisinage de. *La ville est tout près. Il loge près d'ici.*
[Mar.] *Le vent est près, bien près*, on peut gouverner juste à l'aire de vent de la route désignée. *Faire route au plus près*, dans la direction la plus rapprochée du vent (45° env.).
DE PRÈS, loc. adv. qui exprime la proximité de lieu. *Mettez-vous là pour voir de près, de plus près.* Prov. *De loin c'est quelque chose, et de près ce n'est rien* (La Fontaine). — *Serrer quelqu'un de près*, le poursuivre vivement. — *Tenir quelqu'un de près*, le surveiller, lui laisser peu de liberté. — *Surveiller ses affaires de près*, les suivre avec grand soin.
Fig. *Cette chose le touche de près*, elle est pour lui d'un grand intérêt. — *Cette chose ne le touche ni de près, ni de loin*, elle ne le touche absolument pas. *Ils se touchent de près, ils sont parents de fort près*, ils sont proches parents. — *Il y regarde de près*, il fait attention aux moindres dépenses. — *Il n'y regarde pas de si près*, il n'est pas si attentif aux minuties. — *Se raser de près*, en coupant le poil au ras de la peau.

LOCUTIONS FORMÉES AVEC **PRÈS**.

À CELA PRÈS, loc. adv. Excepté cela. *Il est un peu bourru, mais à cela près, c'est un excellent homme.* = Sans s'arrêter à cela. *Ne laissez pas de conclure votre marché, à cela près.* — *Il n'est pas, il n'en est pas à cela près*, il ne se laissera pas arrêter par cette considération ou par cette dépense.
À BEAUCOUP PRÈS, loc. adv. Il s'en faut de beaucoup. *Je ne suis pas aussi riche que lui à beaucoup près.*
À PEU PRÈS, loc. adv. Presque, environ. *Mon travail est à peu près fini. Cela s'entend à peu près dans le sens que vous dites.* = N. m. *L'à peu près*, ce qui manque de précision. *Dans les choses qui n'exigent pas une grande précision, on se contente de l'à peu près.* — *Un à peu près*, jeu de mots portant sur la ressemblance approximative de deux termes.
À PEU DE CHOSE PRÈS, loc. adv. Presque complètement, peu s'en faut. *Il a recouvré ce qu'il avait perdu, à peu de chose près.*

SYN. — *Près, proche, auprès* : ces trois mots marquent la proximité; toutefois *près*, qui a l'emploi le plus étendu, se dit du temps et du lieu. *Proche*, adjectif pris comme préposition ne se dit que du lieu et marque plutôt l'état de séjour: on est *proche* d'un endroit, on arrive *près* de lui. *Auprès* marque une proximité plus directe que *près* : une colline peut être *près* de la rivière, mais à une certaine distance; un établissement de bains qui lui est contigu, sera *auprès* de cette rivière; *auprès* s'emploie aussi avec les noms de personnes que l'on fréquente assidûment : *Alexandre avait auprès de lui son ami Héphestion.*

CTR. — *Loin.*

HOM. — *Près*, adv. et prép.; — *prêt*, adj., préparé; — *prêt*, n. m., action de prêter; ce qu'on prête.

VOCAB. — *Famille de mots.* — *Près* [rad. *pré, prim*]: après, presque, presse, presser, pression, pressoir, pressurer, s'empresser, empressé, empressement, compresser, compresse, compression, incompressible; déprimer, dépression; exprimer, expression, expressif, expressément, exprès, express, inexprimable; imprimer, imprimerie, imprimeur, impression, impressionnable, impressionner, impressionniste; empreinte, oppresseur, oppression, oppressif, opprimer, réprimer, réprimande, réprimander, répression, répressif, irrépressible, supprimer, suppression.

---

tout, voir, surveiller tout soi-même. ‖ *Le présent acte*, l'acte qu'on dresse, qu'on rédige actuellement. — *La présente lettre*, ou n. f. *La présente*, la lettre qu'on écrit.
Qui existe actuellement, qui est dans le temps où nous sommes, par opposition à passé, à futur. *Le temps présent. Cette idée m'est toujours présente.* ‖ Fig., se dit des choses auxquelles on songe, que l'on croit voir encore. *J'ai toujours ce spectacle présent à l'esprit.*
PRÉSENT, n. m. Le temps présent. *Cet homme ne songe qu'au présent.* V. tabl. TEMPS (Idées suggérées par le mot). [Gram.] Temps qui exprime que l'action se fait actuellement. V. GRAMMAIRE (*verbe*). = N. m. pl. Les personnes présentes. *Noter les présents et les absents.* = À PRÉSENT,

loc. adv. Maintenant, actuellement, dans le temps présent. *Cela n'est plus en usage à présent.* = À PRÉSENT QUE, loc. conj. Maintenant que. = POUR LE PRÉSENT, loc. adv. et fam. Maintenant, dans le moment actuel.
SYN. — *(A présent).* V. ACTUELLEMENT.
CTR. — *Absent, excusé.* — *Éventuel.*
ANT. — *Passé, futur, avenir.*

2. présent [pré-zan], n. m. (de *présenter*). Ce qu'on donne par pure libéralité, don, cadeau (généralement fait de la main à la main). *Donner, offrir quelque chose en présent à quelqu'un.* — Prov. *Les petits présents entretiennent l'amitié.*
SYN. — V. DON.

présentable [zan], adj. Qu'on peut présenter, qui peut se présenter. ‖ Qui a de bonnes manières, qui sait se conduire. ‖ Correct, de bon aspect.

présentation [zan-ta-sion], n. f. Action de présenter. *La présentation d'une lettre de change.* ‖ Action de présenter une personne à une autre ou de l'introduire dans une société. ‖ Droit de présenter à une place, à un emploi, à un bénéfice. *Cette place est à la nomination du ministre sur la présentation du préfet.* [Comm.] Production d'une traite au tiré ou au souscripteur, pour son acceptation ou son payement à échéance.

présentement, adv. Actuellement, maintenant, en ce moment.
SYN. — V. ACTUELLEMENT.

présenter, v. tr. (lat. *praesentare*, m. s., propr. rendre présent). Offrir quelque chose à quelqu'un. *Présenter un fauteuil. Présenter à boire.* — *Présenter à quelqu'un ses respects, ses remerciements,* etc., l'assurer de son respect, etc. ‖ *Présenter une pétition, une requête à quelqu'un,* la lui remettre ou la lui faire remettre. ‖ *Présenter les armes,* exécuter un mouvement spécial de maniement d'armes pour rendre les honneurs. ‖ *Présenter une personne à une autre,* l'introduire auprès d'elle et la lui faire connaître par son nom. ‖ *Présenter à un emploi, à un bénéfice,* pour un emploi, etc., désigner celui à qui un emploi, un bénéfice doit ou peut être donné. ‖ Montrer, mettre sous les yeux, donner à choisir; exposer, expliquer. *Présenter une chose sous son véritable jour.* ‖ Tourner vers, diriger vers. *Présenter le flanc à l'ennemi.* ‖ Produire un certain effet, offrir. *Cette affaire présente de grands avantages.*

SE PRÉSENTER, v. pron. Paraître devant quelqu'un. *Il leur a défendu de se présenter devant lui.* — *Cet homme se présente bien,* il n'est point embarrassé de sa personne, il a de la grâce dans le maintien, dans les manières. ‖ *Se présenter chez quelqu'un,* et absol., *se présenter,* aller chez quelqu'un pour lui faire une visite. ‖ En parlant du fœtus lors de l'accouchement. *L'enfant se présente normalement par la tête.* ‖ *Se présenter pour une place,* se proposer pour la remplir. ‖ Apparaître, survenir. *Dès que l'occasion s'en présentera.* ‖ *Se présenter bien, se présenter mal,* se dit de certaines choses dont on juge avantageusement ou désavantageusement au premier coup d'œil. *Voilà un jardin qui se présente bien.* — *Cette affaire se présente bien, se présente mal.* son succès est vraisemblable ou peu probable. ‖ *Une chose qui se présente à l'esprit,* une chose qui vient à l'esprit, à la pensée.

SYN. — V. OFFRIR.
CTR. — *Agréer, accepter,* — *Refuser.*

*★ **présenteur**, n. m. Celui qui présente.

préservateur, trice [zèr], adj. Qui préserve. *Vaccin préservateur.*

préservatif, ive, adj. [Méd.] Qui a la vertu de préserver. = N. m. Ce qui préserve; remède préservatif.

préservation [zèr-va-sion], n. f. Action, moyen de préserver; son résultat.

préserver [zèr], v. tr. (lat. *praeservare,* m. s.). Mettre à l'abri, garantir de quelque mal.
SYN. — *Préserver,* mettre à l'abri de, garantir contre : *Un capuchon préserve de la pluie.* — *Abriter,* garantir de, préserver de: *Une serrure de sûreté abrite contre les vols.* — *Garantir,* sauver de, prémunir contre : *Un paratonnerre garantit un immeuble de la foudre.* — *Immuniser,* rendre inaccessible à la contagion : *La vaccination immunise de la variole.* — *Prémunir,* garantir par des précautions : *Prémunir un enfant contre un accident.* — *Protéger,* défendre de : *Un auvent protège contre la pluie ou le soleil.* — *Sauvegarder,* mettre en sûreté contre : *L'hygiène sauvegarde des maladies.* — *Sauver,* tirer du péril: *Cette intervention chirurgicale a sauvé le malade.* V. aussi AFFERMIR.
CTR. — *Détruire, anéantir.*

préside, n. m. Possession espagnole, sur la côte méditerranéenne du Maroc, servant de lieu de déportation.
HOM. — *Présidé, es, ent,* du v. présider.

présidence [zi-dan-se], n. f. Action, fait de présider. ‖ Fonction, dignité de président; sa durée. ‖ Lieu où réside un président. ‖ Division administrative dans l'Inde anglaise.

président [zi-dan], n. m. (lat. *praesidens,* m. s.). Celui qui préside une assemblée, un tribunal, une société, etc. *Le président du Sénat.* ‖ *Premier président,* dans une cour, magistrat qui est le chef de cette cour. ‖ *Président de la République,* titre du chef de l'État dans la plupart des gouvernements républicains. ‖ *Président du Conseil des ministres,* ou absol. *Président du Conseil,* le chef du gouvernement, le premier ministre. ‖ Celui qui préside à un acte, à une soutenance de thèse, à un examen, etc. V. GOUVERNEMENT (*Idées suggérées par le mot*).
HOM. — *Présidant,* ppr. du v. présider.

présidente [zi-dante], n. f. Celle qui préside une assemblée, une réunion. ‖ Femme d'un président.

présidentiel, ielle [dan-siel], adj. Qui a rapport à la présidence. ‖ Qui émane d'un président.

présider, v. tr. (lat. *prae,* devant; *sedere,* être assis). Occuper la première place dans une assemblée, un tribunal, etc.; avoir le droit d'y maintenir l'ordre, d'en diriger les débats, d'y recueillir les voix, etc. ‖ *Présider un concours,* le diriger. = V. intr. Se dit dans le même sens. *Présider à une assemblée, à un concours.* Avoir le soin, la direction de; veiller à. *La sottise qui préside trop souvent aux choses humaines.* — *Minerve présidait aux sciences.*
GRAM. — *Présider,* dans le sens de *diriger, veiller sur,* est intransitif et se construit avec la préposition *à. Apollon présidait aux beaux arts.* — Dans le sens de *remplir*

les fonctions de président, il est transitif et se construit sans préposition. *Présider la séance de rentrée*.
Syn. — V. gérer.

présidial, présidiaux [*zi*], n. m. Tribunaux institués par Henri II (1551) et supprimés en 1791; inférieurs aux parlements, ils étaient chargés des affaires civiles et criminelles secondaires.

présidial, ale, aux, adj. Qui a rapport à un présidial.

* **présidialement,** adv. Selon la compétence présidiale.

présidialité, n. f. Juridiction d'un présidial.

présomptif, ive [*zonp*], adj. (lat. *praesumptus*, désigné d'avance). Présumé. || *Héritier présomptif*, le plus proche parent, appelé à hériter *ab intestat*, ou destiné à régner, par l'ordre de sa naissance.
Par. — *Présomptueux*, qui a une trop haute opinion de soi.

présomption [*zonp-sion*], n. f. Conjecture, jugement fondé sur des apparences et non sur des preuves certaines. || Opinion trop avantageuse de soi-même.
Syn. — V. préjugé et orgueil.

présomptueusement [*zonp, man*], adv. d'une manière présomptueuse.

présomptueux, euse, adj. et n. Qui a une trop grande opinion de lui-même. || Qui annonce de la présomption. *Projets présomptueux.*
Syn. — V. avantageux.
Ctr. — *Modeste, timide.*
Par. — *Présomptif*, désigné d'avance par la parenté. *Héritier présomptif.*

presque, adv. A peu près, peu s'en faut.
Gram. — L'*e* de *presque* ne s'élide que dans *presqu'île.*
Syn. — V. quasi et approximativement.

presqu'île, n. f. Terre que les eaux de la mer entourent de tous les côtés, hormis une langue de terrain qui la lie à la terre ferme. Si cette terre est d'une grande étendue, on dit mieux *péninsule*. V. pl. géographie.
Syn. — V. promontoire.
Ant. — *Golfe.*

* **pressage,** n. m. Action de presser.

pressant, ante, adj. Qui insiste vivement, qui presse sans relâche. *Une recommandation pressante.* || Urgent, qui ne permet pas de différer. *Besoin pressant.*
Syn. — *Pressant*, qui ne peut être retardé : *Je vous quitte, une affaire pressante m'appelle.* — *Impérieux*, à qui on ne peut résister : *Un besoin impérieux de respirer de l'air pur.* — *Irrésistible*, que l'on ne peut contraindre : *Une envie irrésistible d'éclater de rire.* — *Urgent*, très pressé, qui ne souffre aucun retard : *Ce blessé a un besoin urgent de secours.*
Hom. — *Pressens, ent*, du v. pressentir.

1. * **presse,** n. f. Sorte de pêche à chair adhérente au noyau.

2. **presse** [*près-se*], n. f. (de *presser*). Foule, multitude de personnes qui se serrent les unes contre les autres. *Fendre la presse.* || Fam. *Il n'y aura pas grande presse ou grand'presse à faire telle chose,* peu de gens voudront s'en charger. || Nécessité de se hâter ou de hâter le travail. *Dans les moments de presse.* || Enrôlement forcé des matelots dans la marine militaire (Vx).
Syn. — V. concours.

3. 4. **presse** [*prè-se*], n. f. (de *presser*). Toute machine destinée à comprimer les corps, ou à y laisser une empreinte. *Presse à viande, presse hydraulique,* etc. V. pl. outils usuels. || Partic. Presse à imprimer. — *Mettre un ouvrage sous presse,* le faire imprimer. || Fig. Ensemble des produits de la typographie ou de certaines catégories d'imprimés. || Le journalisme. *La liberté de la presse.* || *Avoir une bonne presse,* être bien traité par les articles de journaux et, fig., avoir une bonne réputation. V. tabl. lettres (*Idées suggérées par le mot*).
Syn. — V. crédit et revue.

pressé, ée, adj. Comprimé. *Citron pressé.* || Empressé, qui a désir, hâte de. *Pressé d'en finir.* || Urgent, qu'il faut faire sans retard. *Affaire, lettre pressée.* || *Être pressé d'argent,* en avoir grand besoin. || Attaqué vivement. *Pressé par l'ennemi.* || Tourmenté. *Pressé par la soif.*
Hom. — *Pressé, ée,* adj., comprimé; urgent; — *pressée,* n. f., action de presser; — *presser,* v. tr., serrer plus ou moins fort; hâter, précipiter.

* **presse-artère,** n. m. inv. [Chir.] Sortes de pinces pour comprimer les artères.

presse-citron, n. m. inv. Appareil servant à exprimer le jus des citrons.

* **pressée,** n. f. Action de presser. || Masse de matière soumise à la pression en une seule fois. || Masse de fruits dont on exprime le suc à la fois. || Suc ainsi exprimé.

* **presse-étoffe,** n. m. invar. Patte qui, dans les machines à coudre, maintient l'étoffe.

* **presse-étoupe,** n. m. inv. Dispositif adapté autour d'un axe mobile pénétrant dans un récipient pour assurer l'étanchéité.

pressentiment [*prè-san-timan*], n. m. Sentiment instinctif et confus d'un événement à venir.

pressentir [*prè-santir*], v. tr. (lat. *praesentire, m. s.*). Prévoir confusément une chose. || *Il avait pressenti sa fin.* || Sentir l'approche de. *Certains animaux pressentent les tremblements de terre.* || Sonder, tâcher de découvrir les dispositions, les sentiments de quelqu'un sur quelque chose. *Pressentir un juge sur une affaire.* = Conjug. (comme *mentir*) V. verbes.

presse-papiers, n. m. inv. Petit objet pesant qu'on pose sur des papiers pour les empêcher de se disperser.

* **presse-purée,** n. m. inv. Sorte de passoire munie d'une presse, pour faire des purées de légumes.

presser, v. tr. (lat. pop. *pressare, m. s.*). Serrer avec plus ou moins de force. *Presser un citron. Presser quelqu'un dans ses bras.* || Soumettre à l'action de la presse ou du pressoir. *Presser des raisins, des olives.* || Rapprocher des choses ou des personnes les unes contre les autres. *Pressez un peu les rangs.* || Fig. Poursuivre sans relâche et avec ardeur. *Presser l'ennemi en déroute.* || Fig. Insister auprès de quelqu'un. *Il me pressait de conclure le marché.* — *Presser quelqu'un de questions,* l'interroger vivement et fréquemment. || Hâter, précipiter, ne donner point de relâche. *Presser son départ.* — *Presser le pas,* accélérer son allure. [Mus.] *Presser la mesure,* accélérer le mouvement, et fig., se hâter, suivre une affaire de près.

la faire marcher. ‖ *Le besoin, la faim le presse*, il éprouve un grand besoin, une grande faim.
V. intr. Être urgent, ne souffrir aucun délai. *L'affaire, le temps, le danger pressent.* ‖ = SE PRESSER, v. pron. Se serrer. *La foule se pressait autour de lui.* ‖ Se hâter. Se presser de faire une chose.
SYN. — V. ACCÉLÉRER et BROYER.
CTR. — *Retarder, ralentir.* — *Desserrer.*
HOM. — V. PRESSÉ.

* **presseur, euse,** adj. Qui sert à exercer une pression. *Cylindre presseur.*
pressier, n. m. Ouvrier qui manœuvre une presse à imprimer.
HOM. — *Pressiez,* du v. presser.
pression, n. f. (lat. *pressio*, m. s.). Action de presser. [Phys.] Action d'un corps qui fait effort pour en mouvoir un autre, qui exerce sur lui une poussée. *Pression atmosphérique. Machine à vapeur à haute pression.* ‖ Fig. Violence, contrainte morale, mise en œuvre d'influences illégales. *La pression exercée sur les électeurs.*
HOM. — *Pressions*, du v. presser.
* **pressis,** n. m. Jus de viande, suc d'herbes pressées.
HOM. — *Précis*, petit manuel d'enseignement; exact, fixe.
pressoir, n. m. (lat. pop. *pressorium*, m. s.). Presse qui sert à écraser le raisin, les pommes, les olives, etc., pour faire du vin, du cidre, de l'huile, etc.‖ Lieu où cette machine est établie. ‖ Fig. Ce qui sert à tirer de l'argent. V. AGRICULTURE (*Idées suggérées par le mot*).
pressurage, n. m. Action de pressurer, d'écraser au pressoir. ‖ Vin obtenu en comprimant fortement le marc. — On dit aussi : *Vin de pressurage.* ‖ Action de presser certaines matières peu denses pour en diminuer le volume.
* **pressure,** n. f. [Techn.] Action d'empointer les aiguilles, les épingles.
PAR. — *Présure,* liqueur acide qui sert à faire cailler le lait.
* **pressurement,** n. m. ou * **pressuration,** n. f. Syn. de *pressurage.*
pressurer, v. tr. Serrer fortement, écraser au pressoir pour exprimer le jus. ‖ Fig. Tirer des gens tout l'argent possible; épuiser par des impôts, des taxes, etc.
pressureur, euse, n. Ouvrier, ouvrière qui fait mouvoir un pressoir. ‖ Fig. Personne qui cherche à tirer d'autrui tout l'argent possible.
prestance, n. f. Maintien noble et imposant.
prestant, n. m. Jeu de l'orgue, sur lequel s'accordent tous les autres jeux.
* **prestataire,** n. m. Celui qui est assujetti à une prestation.
prestation [*sion*], n. f. (lat. *praestare,* fournir). Action de prêter, de fournir. ‖ Action de prêter serment, en parlant de certains fonctionnaires ou magistrats. ‖ Redevance pour l'entretien des chemins vicinaux, payable soit en argent, soit en journées de travail. ‖ Fourniture due aux militaires ou à certains fonctionnaires. ‖ *Prestations en nature,* fournitures en marchandises dues en vertu d'un traité de paix.
PAR. — *Prostration*, affaiblissement extrême ou abattement profond.

preste, adj. Prompt, agile avec adresse. ‖ *Vivement fait.* = Adv. Vite, promptement.
CTR. — *Lent, gauche, lourd.*
PAR. et SYN. — *Leste,* qui a de la légèreté dans ses mouvements.
prestement, adv. D'une manière preste; vivement.
CTR. — *Lentement, péniblement.*
PAR. et SYN. — *Lestement,* d'une manière leste.
prestesse, n. f. Agilité, subtilité, vivacité des mouvements.
prestidigitateur, n. m. (de *preste*; lat. *digitus,* doigt). Escamoteur, faiseur de tours d'adresse avec les doigts.
prestidigitation [*sion*], n. f. Art du prestidigitateur, de l'illusionniste.
prestige, n. m. (lat. *praestigium,* m. s.). Illusion attribuée à une cause supranaturelle. *Il y a du prestige à cela.* ‖ Fig. Effet surprenant opéré sur l'âme, sur l'esprit, sur l'imagination, par les productions de la littérature et des arts. *Les prestiges de l'art, de l'éloquence.* ‖ Influence morale ou intellectuelle que certains hommes exercent sur leur entourage. *Le prestige de Napoléon, de Pasteur.*
SYN. — V. SORTILÈGE.
* **prestigieusement,** adv. D'une manière prestigieuse; magiquement.
prestigieux, ieuse, adj. Qui opère des prestiges. ‖ Qui tient du prestige.
* **prestimonie,** n. f. (lat. *praestare,* fournir). Revenu affecté par un fondateur à l'entretien d'un ecclésiastique.
presto, prestissimo, adv. (mots ital.). [Mus.] Vite, très vite.
prestolet, n. m. Fam. Prêtre peu considéré.
présumable [*zu*], adj. Qui peut être présumé; qu'on peut conjecturer.
présumé, ée, adj. Cru par supposition; censé, réputé.
SYN. — V. APOCRYPHE.
présumer [*zumé*], v. tr. (lat. *praesumere,* m. s.). Conjecturer, juger d'après certaines probabilités. *Il n'est pas à présumer qu'il y consente.* ‖ Réputer, regarder comme. *La loi présume innocent l'accusé aussi longtemps qu'il n'a pas été convaincu.*
V. intr. Présumer de, avoir une opinion avantageuse de. *Présumer trop de ses forces. Présumer trop d'un ami.*
présupposer, v. tr. Supposer préalablement. ‖ Nécessiter au préalable.
présupposition [*zi-sion*], n. f. Supposition préalable.
présure [*zu-re*], n. f. Liqueur acide, extraite de la caillette du veau, qui sert à faire cailler le lait.
PAR. — *Pressure,* n. f., action d'empointer les aiguilles, les épingles.
* **présurer** [*zu*], v. tr. Cailler avec de la présure.
* **présystolique,** adj. [Physiol.] Qui a lieu avant la systole cardiaque.
1. **prêt** [*prè*], n. m. (n. verbal de *prêter*). Action par laquelle on prête une chose quelconque. *Ce n'est pas une vente, c'est un prêt.* ‖ La chose prêtée; se dit surtout d'une somme d'argent. *Le prêt est considérable.*
[A. mil.] Solde donnée aux sous-officiers non rengagés et aux soldats ‖ Acompte sur le salaire des ouvriers.
SYN. — V. GAGES.
HOM. — V. PRÈS.

2. prêt, ête, adj. Tout disposé, tout préparé. *Le dîner est prêt.* ‖ Préparé à, en état de faire, de subir. *Les armées étaient prêtes à combattre.*
INCORR. — Ne pas dire : *une étiquette prête à poser,* mais : *prête à être posée.*
HOM. — V. PRÈS.
* **prêtable,** adj. Susceptible d'être prêté.
prétantaine ou **prétentaine,** n. f. *Courir la prétentaine,* courir çà et là sans nécessité, sans sujet ; vagabonder. ‖ Se promener en galante compagnie.
prêté, n. m. Chose prêtée. ‖ *C'est un prêté rendu,* c'est une juste représaille.
INCORR. — L'expression si souvent employée : *c'est un prêté pour un rendu* est dénuée de tout sens ; il faut dire : *c'est un prêté rendu.*
* **prétendance,** n. f. État, qualité de prétendant.
prétendant, ante [*tan-dan*], n. m. Celui, celle qui prétend, qui aspire à une chose. ‖ Absol. Celui qui aspire à la main d'une femme. *Les prétendants de Pénélope.* ‖ Descendant d'une famille ayant régné et qui prétend avoir des droits à un trône supprimé ou occupé par un autre.
prétendre, v. tr. (lat. *praetendere,* propr. tendre devant). Demander, réclamer comme un droit. *Il prétendait commander ici. Je prétends qu'il me cède.* ‖ Vouloir, exiger quelque chose de quelqu'un. *Que prétendait-il de nous ?* ‖ Soutenir affirmativement, être persuadé. *Je prétends que mon droit est incontestable.* ‖ Avoir intention, avoir dessein. *Il prétend faire ce voyage à telle époque.* = V. intr. Aspirer à une chose. *Il prétend au trône.* ‖ Se flatter d'être en possession de. *Il prétend à la science.* = Conjug. (comme *rendre*) V. VERBES.
SYN. — V. ASPIRER.
prétendu, ue, adj. Se dit des choses dont on ne veut pas convenir, qu'on regarde comme fausses ou douteuses. *Un prétendu bel esprit.* = Nom. Celui, celle avec qui on doit se marier.
* **prétendument,** adv. Faussement, à tort.
prête-nom, n. m. Celui qui prête son nom dans quelque acte où le véritable contractant ne veut point paraître. = Pl. *Des prête-noms.*
prétentaine. V. PRÉTANTAINE.
* **prétentieusement** [*sieu-ze-man*], adv. D'une manière prétentieuse.
prétentieux, euse, adj. Où il y a de la prétention, de l'affectation, de la recherche, *Style prétentieux.* ‖ Affecté dans son ton, dans ses manières. *Femme prétentieuse.* = Nom. *Un jeune prétentieux.*
SYN. — V. AVANTAGEUX.
CTR. — *Simple, modeste.*
prétention [*sion*], n. f. (lat. *praetentum,* supin de *praetendere,* prétendre). Droit que l'on a ou que l'on croit avoir de prétendre, d'aspirer à une chose. *Se désister, rabattre de ses prétentions.* ‖ Dessein, visée, espérance. *Savoir borner ses prétentions.* ‖ Fam. *Avoir des prétentions,* prétendre à l'esprit, aux talents, à la naissance, à la considération.
ÉPITHÈTES COURANTES : excessive, exagérée, inacceptable, insoutenable, ridicule, illégitime, injustifiée ; justifiée, légitime, modérée, raisonnable, etc.

prêter, v. tr. (lat. *praestare,* fournir). Fournir une chose à quelqu'un à la condition qu'il la rendra. *Prêter de l'argent, des meubles.* ‖ Absol. Prêter de l'argent. *Il n'aime pas à prêter.* — Prov. *On ne prête qu'aux riches,* on attribue volontiers de bonnes ou de mauvaises qualités, des traits d'esprit ou des sottises à certaines personnes, d'après la réputation qu'elles se sont faite. ‖ Fig. *Prêter la main à quelqu'un,* l'aider à porter, à soulever quelque chose, ou l'aider à réussir dans une entreprise. — *Prêter la main à une chose,* aider à l'exécuter. — *Prêter main-forte,* aider par la force à faire exécuter les ordres de la justice. ‖ *Prêter le flanc à,* donner prise à. ‖ *Prêter l'oreille, prêter l'attention, prêter silence,* écouter, donner son attention, faire silence. — *Prêter son nom,* autoriser quelqu'un à se servir de son nom en quelque occasion. — *Prêter sa voix, prêter son ministère à quelqu'un,* parler pour lui, s'employer pour lui. — *Prêter sa plume,* écrire pour quelqu'un. ‖ *Prêter serment,* faire serment devant quelqu'un, devant un tribunal, etc.
Attribuer. *Prêter à quelqu'un des torts.*
V. intr. S'étendre aisément, en parlant des choses qu'on étire. *Du cuir qui prête.* — Fig. et fam. *Prêter à la critique, au ridicule,* y donner prise.
SE PRÊTER, v. pron. Être prêté. *L'argent se prête.* ‖ Être disposé à, s'accommoder à. *Son souple talent se prête à tous les sujets.* ‖ Consentir par complaisance à une chose. *Prêtez-vous à cet accommodement.*
— *Prête, sans me troubler, l'oreille à mes discours.* (CORNEILLE.)
CTR. — *Emprunter ; rendre.*
prétérit, n. m. (lat. *praeter,* au delà ; *ire,* aller). [Gram.] Temps passé, parfait. V. GRAMMAIRE (*verbe*).
prétérition [*sion*], n. f. (lat. *praeteritio,* m. s.). Action de taire, de passer sous silence. [Rhét.] Figure qui consiste à dire une chose tout en déclarant qu'on se gardera bien de la dire.
prétermission, n. f. [Rhét.] Figure par laquelle on rappelle des faits qu'on annonce ne pas vouloir exposer.
préteur, n. m. (lat. *praetor,* m. s.). [Antiq. rom.] Magistrat curule chez les Romains, dont le rang était immédiatement inférieur à celui de consul, qui était spécialement chargé de rendre la justice ou qui commandait des armées.
prêteur, euse, n. Celui, celle qui prête quelque chose à quelqu'un. = Adj. Qui prête volontiers. *La fourmi n'est pas prêteuse.* (LA FONTAINE.)
ANT. — *Emprunteur.*
1. prétexte, n. m. (lat. *praetextus,* m. s.). Raison apparente dont on se sert pour cacher le véritable motif d'un dessein, d'une action. *Servir de prétexte.* ‖ SOUS PRÉTEXTE DE, loc. prép. En alléguant comme prétexte. *Sous prétexte de commerce, il fait de la contrebande.* ‖ SOUS PRÉTEXTE QUE, loc. conj. En prétendant que. *Socrate fut condamné sous prétexte qu'il corrompait la jeunesse.*
ÉPITHÈTES COURANTES : faux, fallacieux, mensonger, trompeur, futile, absurde, ridicule, allégué, invoqué, etc.
INCORR. — *Faux prétexte* est un pléonasme, l'idée de fausseté étant implicitement contenue dans *prétexte.*

Syn. — V. motif.
Hom. — *Prétexte* 2. *Prétexte, es, ent*, du v. prétexter.
2. prétexte, n. f. (lat. *praetexta*, m. s.). [Antiq. rom.] Toge blanche bordée d'une bande de pourpre, portée par les magistrats romains et par les jeunes patriciens. = Adj. *Robe prétexte*.
prétexter, v. tr. Prendre, donner pour prétexte.
Par. — *Protester*, prendre publiquement à témoin.
pretintaille [*ill* mll.], n. f. Ornement en découpure, qui se mettait sur les robes des dames. V. pl. costumes. ‖ Fig. Futilité (Vx).
prétoire, n. m. (lat. *praetorium*, m. s.). [Antiq.] Tente que le général occupait au milieu d'un camp. ‖ Tribunal du préteur. ‖ Camp de la cohorte prétorienne. *Préfet du prétoire*. ‖ Tribunal. Enceinte réservée d'un tribunal.
* **prétorianisme**, n. m. Influence prédominante des prétoriens, des militaires dans un État.
prétorien, ienne, adj. Qui appartient au préteur ou au prétoire. ‖ *Garde prétorienne* ou, comme nom, *prétoriens*, soldats de la garde des empereurs romains. ‖ Fig. Officier trop militariste.
prêtraille [*ill* mll.], n. f. Terme de dénigrement : le clergé, les ecclésiastiques.
prêtre, n. m. (lat. *presbyter*, du gr. *presbus*, vieillard). Celui qui exerce un ministère sacré, qui préside aux cérémonies d'un culte. ‖ Dans l'Église catholique, celui qui a reçu le sacerdoce. — V. tabl. religions (*Idées suggérées par le mot*).

Vocab. — *Famille de mots.* — *Prêtre* [rad. *prêtr, presbyt*] : prêtresse, prestolet, prêtraille; presbyte, presbytie, presbytère, presbytérien, presbytéral, presbytérianisme.
---

prêtresse, n. f. Femme attachée au culte d'une divinité païenne. ‖ Fig. *Prêtresse de Vénus*, courtisane.
prêtrise, n. f. Sacerdoce, dignité de prêtre de l'Église catholique. ‖ Sacrement de l'ordre *Recevoir la prêtrise*.
Syn. — *Prêtrise*, caractère ou état du prêtre, ordre conféré au diacre qui devient prêtre : *Prétendre à la prêtrise*. — *Ministère*, la fonction sacerdotale exercée par les ministres du culte : *Exercer son ministère dans une paroisse de campagne*. — *Sacerdoce*, l'état et le ministère du prêtre : *Exercer le sacerdoce*.
préture, n. f. [Antiq rom.] Magistrature, charge de préteur. ‖ Durée de cette fonction.
preuve, n. f. (du v. *prouver*). Ce qui établit ou tend à établir la vérité d'une proposition, d'un fait. *Il a été acquitté faute de preuves*. ‖ *Faire preuve de noblesse*, ou absol., *faire ses preuves*, justifier par titre qu'on est de noble extraction. ‖ Fig. *C'est un homme qui a fait ses preuves*, dans plusieurs occasions, il s'est fait reconnaître pour un homme de courage, pour un honnête homme, un savant, etc. — On dit de même : *Faire preuve de courage, de savoir*, etc.

[Arithm.] Opération par laquelle on vérifie l'exactitude des résultats d'un calcul. *Faire la preuve par 9*.
Épithètes courantes : vraie, formelle, péremptoire, irréfutable, définitive, discutable, fausse, douteuse, sujette à caution, invérifiable, etc.
— *Les preuves ne convainquent que l'esprit ; la coutume fait nos preuves les plus fortes et les plus crues ; elle incline l'automate qui entraîne l'esprit sans qu'il y pense.*
(Pascal.)
preux, n. m. (lat. *prodesse*, être utile). Chevalier, au Moyen Age. ‖ Chevalier brave et vaillant. = Adj. Brave, courageux.
Syn. — V. brave.
Ctr. — *Lâche, couard*.
prévaloir, v. intr. (lat. *praevalere*, m. s.). Avoir l'avantage, l'emporter sur. *La faveur prévaut souvent sur le mérite*. = se prévaloir, v. pron. Tirer avantage, tirer vanité. *Se prévaloir de sa naissance*.
Syn. — *Prévaloir*, avoir le dessus sur une chose : *Son opinion a prévalu contre la mienne*. — *Dominer*, tenir sous son autorité, être le plus apparent : *L'homme domine les animaux. La couleur verte domine dans la nature*. — *Emporter (l')*. avoir l'avantage, la supériorité sur quelqu'un : *Vous l'avez emporté sur moi*. — *Surpasser*, être supérieur à : *La force de certains animaux surpasse celle de l'homme*. — *Supplanter*, remplacer quelqu'un dans la faveur d'un autre, prendre la place d'un autre : *Sparte supplanta Athènes après la guerre du Péloponèse*. — *Prévaloir (se)*, tirer avantage de quelque chose : *Se prévaloir de son ancienneté*. — *Enorgueillir (s')*, tirer vanité de : *S'enorgueillir de ses succès*. — *Glorifier (se)*, considérer comme une marque glorieuse : *Se glorifier des blessures reçues en combattant*. — *Targuer (se)*, tirer avantage ou tirer vanité de : *Il se targue de ses belles relations*. — *Vanter (se)*, tirer vanité de quelque chose : *Se vanter de prouesses imaginaires*.

Conjug. — V. intrans. 3ᵉ groupe (inf. en *oir*) [rad. *préval, prévau, prévaill*].
Se conjugue comme valoir, sauf au *subjonctif présent* : Que je prévale, que tu prévales, qu'il prévale, que nous prévalions, que vous prévaliez, qu'ils prévalent.
---

prévaricateur, trice, adj. et n. Celui, celle qui prévarique.
Ctr. — *Intègre*.
prévarication [*sion*], n. f. Action de prévariquer.
Ant. — *Intégrité*.
prévariquer, v. intr. (lat. *praevaricari*, dévier). Manquer par mauvaise foi, par intérêt, aux devoirs de sa charge, aux obligations de son ministère.
prévenance, n. f. Action de prévenir les désirs de quelqu'un; empressement à offrir ses bons offices. = Au plur. Ces bons offices.
prévenant, ante, adj. Qui prévient, qui va au-devant de ce qui peut plaire. ‖ Qui prévient favorablement, qui dispose en sa faveur.
Syn. — V. aimable.

prévenir, v. tr. (lat. *praevenire*, m. s.). Venir le premier, arriver avant. *Cette nouvelle a prévenu le courrier.* ‖ Être le premier à faire ce qu'un autre voulait faire. *Les ennemis comptaient nous attaquer, nous les avons prévenus.* ‖ Prendre d'avance des précautions pour empêcher ou détourner quelque chose de fâcheux. *Prévenir un malheur, un danger.* — *Prévenir les objections, les difficultés,* aller au-devant des objections, et y répondre par avance. — *Prévenir les désirs de quelqu'un,* satisfaire ses désirs avant qu'il les ait fait connaître.
Disposer l'esprit de quelqu'un d'une manière favorable ou contraire. *Je suis bien aise que vous le préveniez en ma faveur.* — Instruire, avertir quelqu'un d'une chose par avance, informer, aviser. *Prévenir la police, les pompiers.* = SE PRÉVENIR, v. pron. récipr. S'avertir l'un l'autre. = Conjug. (comme tenir) V. VERBES.
INCORR. — C'est un pléonasme de dire : *Prévenir d'avance,* le préf. *pré* signifiant avant.
SYN. — V. DEVANCER.
PAR.— *Provenir,* procéder ou résulter de.
préventif, ive [*van*], adj. Qui a pour but de prévenir, d'empêcher. *Système préventif.* [Méd.] *Traitement préventif,* qui se fait pour empêcher une maladie de se déclarer. [Droit] *Détention préventive,* emprisonnement des prévenus ou accusés pour éviter qu'ils ne s'enfuient.
prévention [*sion*], n. f. Opinion favorable ou défavorable avant tout examen; préjugé. [Droit] État d'une personne prévenue d'un délit ou d'un crime. ‖ Temps passé en prison par un accusé avant son jugement.
SYN. — V. PRÉJUGÉ.
préventivement [*van*], adv. D'une manière préventive. ‖ En qualité de prévenu.
* **préventorium** [*van, ri-ome*], n. m. Maison de santé où l'on traite préventivement par l'hygiène ceux qui ont une prédisposition à une maladie, partic. à la tuberculose.
prévenu, ue, adj. (du part. p. de *prévenir*). Informé, devancé, influencé; bien ou mal disposé. ‖ Présumé coupable, inculpé, accusé. — *Un homme prévenu de crime.* = Nom. Celui, celle que l'on présume coupable d'un délit, d'un crime.
SYN. — V. ACCUSÉ.
* **prévisible,** adj. Qui peut être prévu.
prévision, n. f. Action de prévoir; vue des choses futures. ‖ Conjecture.
prévoir, v. tr. (lat. *praevidere*, m. s.). Juger par avance qu'une chose doit arriver; savoir à l'avance. *Prévoir un événement.* ‖ Prendre toutes les précautions, faire tous les préparatifs nécessaires. *On ne peut tout prévoir. Gouverner, c'est prévoir.*
INCORR. — *Prévoir d'avance* est un pléonasme, le préf. *pré* signifiant *avant.*

CONJ. — V. trans. 3ᵉ groupe (inf. en *oir*) [rad. *prévoy, prévoi*].
Se conjugue comme VOIR, sauf :
Indicatif. — *Futur :* je prévoirai, tu prévoiras, il prévoira, nous prévoirons, vous prévoirez...
Conditionnel. — *Présent :* je prévoirais..., nous prévoirions, vous prévoiriez, ils prévoiraient.

---

prévôt [*vô*], n. m. (lat. *praepositus,* préposé). Autrefois, titre de certains magistrats. *Prévôt des marchands.* ‖ *Prévôt de salle,* second d'un maître d'armes. *Prévôt d'escrime,* sous-officier qui, dans un corps de troupes, enseigne l'escrime. [A. mil.] Officier de gendarmerie attaché à un quartier général.
prévôtal, ale, aux, adj. Qui concerne la juridiction du prévôt. ‖ *Cour prévôtale,* tribunal exceptionnel de l'Empire et de la Restauration, composé de juges civils et présidé par un juge militaire.
* **prévôtalement,** adv. Selon la justice prévôtale; sans appel ni recours en grâce.
prévôté, n. f. Dignité, fonction, juridiction, résidence de prévôt. ‖ Corps de militaires de la gendarmerie chargé de la police dans une armée en campagne.
prévoyance [*voi-iance*], n. f. Faculté de prévoir. ‖ Action de prévoir, de prendre des précautions pour l'avenir; esprit d'épargne, en vue d'assurer son avenir, celui des siens. *Sociétés de prévoyance. Prévoyance sociale.*
— *Si la nature s'appelle « Providence », la Société doit s'appeler « Prévoyance ».*
(V. HUGO.)
SYN. — V. ÉCONOMIE et PRÉCAUTION.
ANT. — *Imprévoyance, insouciance.*
prévoyant, ante, adj. Qui juge bien de ce qui doit arriver et prend des mesures en conséquence. ‖ Qui est inspiré par la prévoyance. = Nom. Celui, celle qui a de la prévoyance.
INCORR. — *Prévoyant de l'avenir* est un pléonasme, le fait de prévoir ne pouvant s'appliquer qu'à l'avenir.
prévu, ue, adj. Su, attendu à l'avance.
CTR. — *Imprévu, soudain, fortuit.*
priapée, n. f. Poésie obscène. ‖ Peinture licencieuse. = Au pl. Fêtes données en l'honneur de Priape, dieu de la fécondité et de la génération.
* **priapique,** adj. Qui appartient à Priape, à son culte. ‖ Obscène, licencieux.
prié, ée, adj. Invité, convié. = N. m. Celui qu'on a convié.
prie-dieu, n. m. inv. Sorte de chaise très basse dont le dossier s'achève en accoudoir et où l'on s'agenouille pour prier. [Zool.] Nom vulg. des *mantes.*
prier, v. tr. (lat. pop. *precare,* m. s.). S'adresser à Dieu pour l'adorer ou pour lui demander quelque grâce. = Absol. *Prier pour les morts.* ‖ Fam. *Je prie Dieu qu'il vous ramène en bonne santé,* etc., se dit par forme de souhait.
Solliciter une chose qu'on regarde comme une grâce (souvent simple formule de politesse, ayant un sens très affaibli). *Je vous prie de le protéger. Priez-le de ma part de venir me voir.* ‖ Fam. *Aimer à se faire prier,* différer d'accorder une chose facile qu'on demande. — *Il ne s'est pas fait prier,* il a tout de suite fait ce qu'on lui demandait. ‖ Absol. *Prier pour quelqu'un,* intercéder pour quelqu'un. ‖ *Je vous prie,* formule de civilité, même sens que « s'il vous plaît ». *Donnez-moi cela, je vous prie.* — Se dit aussi par forme de menace. *Ne recommencez pas, je vous prie.* On dit de même : *Je vous en prie.* ‖ Inviter, convier. *On l'a prié à dîner.* = Conjug. V. GRAMMAIRE.
GRAM. — Il y a une différence à observer entre *prier à dîner* et *prier de dîner.*

PRIÈRE — PRIMER

Si l'on a l'intention de réunir ses amis dans un dîner *on les prie d'avance* à *dîner*. S'il survient quelqu'un au moment de se mettre à table, *on prie cette personne de dîner avec soi*. Ainsi, *prier de* est une invitation fortuite, *prier à* une invitation de cérémonie. *Inviter à dîner*, suppose encore plus de cérémonie que *prier de dîner* et *prier à dîner*.

Syn. — *Prier*, demander humblement quelque chose à quelqu'un : *Je vous prie de m'écouter un instant seulement*. — *Exhorter*, persuader par des discours, par des prières de faire quelque chose : *Exhorter des soldats à se défendre héroïquement*. — *Intercéder*, prier en faveur d'une autre personne : *J'intercéderai pour lui auprès de son chef*. — *Supplier*, prier avec instance et humilité : *Je vous supplie de ne pas faire cela*. V. aussi DEMANDER, SOLLICITER.

VOCAB. — *Famille de mots*. — *Prier* [rad. *pri, prê*] : prié, prière, prie-Dieu; précaire, précairement, précarité ; déprécation, imprécation, etc.
---

prière, n. f. (lat. pop. *precaria*, m. s.). Acte de religion par lequel on s'adresse à Dieu pour l'adorer, pour lui demander des grâces ou le remercier des grâces reçues. V. tabl. RELIGIONS (*Idées suggérées par le mot*). ǁ Demande faite avec respect et instance. ǁ Formule de commandement ou de défense polie. *Prière de ne pas fumer*.
— *La prière est l'acte tout-puissant qui met les forces du ciel à la disposition de l'homme. Le ciel est inaccessible à la violence ; la prière le fait descendre jusqu'à nous*. (LACORDAIRE.)
Hom. — *Prièrent* (ils), du v. prier.
prieur, n. m. (lat. *prior*, premier). Celui qui a la supériorité et la direction dans certains monastères de religieux (*prieurés*). = Adj. *Père prieur*. — *Sous-prieur*, celui qui vient immédiatement après le prieur. = Fém. *Prieure*. V. ce mot. — V. tabl. RELIGIONS (*Idées suggérées par le mot*).
* **prieural, ale**, adj. Qui appartient à un prieur, à un prieuré.
prieure, n. f. Religieuse qui a la direction d'un monastère de femmes. = Adj. *Mère prieure*.
prieuré, n. m. Communauté religieuse dirigée par un prieur ou par une prieure. ǁ Dignité charge de prieur, de prieure. ǁ Maison du prieur.
Syn. — V. ABBAYE.
* **prima donna**, n. f. (mot ital. : *première dame*). Première cantatrice qui chante le rôle principal dans un opéra. = Pl. *Des prime donne [primé donné]*.
* **primage**, n. m. [Mar.] Bonification accordée parfois au capitaine sur le fret du navire qu'il commande.
primaire, adj. (lat. *primarius*, m. s.). Qui est au premier degré. *École primaire. Instituteur primaire*. V. tabl. ÉDUCATION et INSTRUCTION (*Idées suggérées par les mots*). — *Assemblée primaire*, assemblée qui forme le premier degré d'un système d'élection. [Géol.] Se dit de la première ère de l'époque sédimentaire et des terrains qui s'y sont formés. [Peint.] *Couleurs primaires*, celles qui servent à former toutes les autres. [Électr.] *Circuit primaire*, circuit d'un transformateur dans lequel on dirige un courant alternatif à transformer. = N. m. *Le primaire*, celui qui a reçu une instruction primaire, et, par dénigrement, celui qui sait les choses pour les avoir apprises par cœur, et sans en raisonner suffisamment. = N. f. [Astro.] Étoile de première magnitude.
Ant. — *Secondaire, supérieur* (enseignements).
Hom. — *Primèrent* (ils), du v. primer.
primat [*ma*], n. m. Nom donné aux archevêques qui avaient une autorité supérieure; titre purement honorifique aujourd'hui.
Hom. — *Primas, a, ât*, du v. primer.
primates, n. m. pl. [Zool.] Groupe de mammifères dont l'organisation est la plus parfaite, comprenant l'homme, les singes et les lémuriens. V. pl. MAMMIFÈRES.
Hom. — *Primâtes* (vous), du v. primer.
primatial, ale, aux [*sial*]. adj. Qui appartient à un primat. = N. f. *Primatiale*, cathédrale où siège un primat.
primatie [*si*], n. f. Dignité du primat. ǁ Juridiction du primat. ǁ Siège de cette juridiction.
primauté, n. f. Prééminence, premier rang. ǁ Avantage de jouer le premier.
Syn. — V. SUPRÉMATIE.
Par. — *Primauté*, n. f., prééminence, premier rang : *La primauté du spirituel*; — *priorité*, n. f., antériorité : *Priorité de date, actions de priorité*; — *privauté*, n. f. familiarité exagérée : *Prendre des privautés*.
1. prime, adj. (lat. *primus*, premier). Premier. *Prime jeunesse* (Vx). ǁ Loc. adv. *De prime abord*, au premier abord. — *De prime face*, à première vue. — *De prime saut*, subitement. [Alg.] Petit signe (') qui désigne le premier degré d'une lettre prise à plusieurs degrés : *a'* (a prime).
2. prime, n. f. [Liturgie] Prière qui se dit à la première heure.
3. prime, n. f. [Escrime] La première garde ou position.
4. prime, n. f. (lat. *praemium*, récompense). Somme donnée pour le prix d'une assurance à forfait. ǁ Somme accordée par les pouvoirs publics à titre d'encouragement au commerce, à l'industrie, à l'agriculture, à la natalité, etc. ǁ Don offert aux abonnés d'un journal, aux acheteurs d'un article de commerce, etc., pour s'attacher leur clientèle. ǁ Plus-value acquise par une valeur en Bourse. ǁ Somme donnée au militaire engagé ou rengagé. ǁ Fig. *Faire prime*, être très recherché. — *Donner une prime à la paresse*, l'encourager.
5. prime, n. f. (de *prisme*). [Minér.] Cristal de roche coloré qui ressemble aux pierres précieuses.
Hom. — *Prime, es, ent*, des v. primer 1 et 2.
primé, ée, adj. Qui a reçu, pour lequel on a reçu une prime, une récompense.
1. primer, v. intr. Tenir la première place, avoir l'avantage, l'emporter. *C'est son avis qui prime*. = V. tr. Surpasser, l'emporter sur. *Primer ses concurrents*. [Droit] *Primer quelqu'un en hypothèque*, avoir une hypothèque antérieure à la sienne.

2. primer, v. tr. Gratifier d'une prime, d'une récompense.

prime-sautier ou **primesautier, ière,** adj. Qui saisit promptement, qui se détermine du premier mouvement, sans réflexion préalable. *Des esprits prime-sautiers.*

primeur, n. f. (lat. *primus,* premier). Première saison des fruits et des légumes. = Au plur. Fruits ou légumes précoces, provenant d'une région plus chaude ou de forceries, et vendus tandis que les produits indigènes analogues ne sont pas encore consommables. ‖ Par ext. Nouveauté d'une chose. *Avoir la primeur d'un livre, d'une audition.*

*****primeuriste,** n. m. Cultivateur de primeurs.

primevère, n. f. (lat. *primus,* premier; *ver,* printemps). [Bot.] Genre de *primulacées* qui fleurissent dès les premiers jours du printemps.

primicier, n. m. Celui qui a la première dignité dans certains chapitres ecclésiastiques.

primidi, n. m. (lat. *primus,* premier; *dies,* jour). Premier jour de la décade, dans le calendrier républicain.

primipare, adj. [Méd. et Zool.] Se dit d'une femme, d'une femelle qui enfante pour la première fois. = N. f. *Une primipare.*

primipilaire ou **primipile,** n. m. [Antiq.] Le premier centurion d'une légion romaine.

primitif, ive, adj. (lat. *primitivus,* m. s. de *primus,* premier). Qui est le premier, le plus ancien. *La forme primitive d'une chose.* — *Le monde primitif,* le monde tel qu'on suppose qu'il était dans les temps les plus anciens. — *La primitive Église,* l'Église des premiers siècles du christianisme. ‖ Fig. Qui a le caractère fruste, rudimentaire d'une chose très ancienne. *Un peuple primitif.* = N. m. Peuple de civilisation arriérée. *Il y a encore de nombreux primitifs en Australie.* [Gram.] *Mot primitif,* le radical dont se forment les mots dérivés. ‖ *Temps primitifs,* les cinq temps du verbe d'où dérivent tous les autres temps et qui sont, en français, le présent de l'infinitif, le participe présent, le participe passé, le présent de l'indicatif et le passé simple. ‖ *Couleurs primitives,* les sept couleurs du prisme. [Math.] *Fonction primitive* ou simplement *primitive* d'une fonction *f (x)* donnée, fonction dont *f (x)* est la dérivée. [Géol.] *Terrains primitifs,* terrains non fossilifères, antérieurs aux terrains sédimentaires. [Bx-A.] Nom donné aux artistes, partic. aux peintres, qui ont précédé l'époque de la Renaissance. = N. m. *Les primitifs italiens.*

ANT. — *Dérivé* (Gram.).

PAR. — *Primordial,* adj., qui sert d'origine, qui est essentiel.

primitivement, adv. Originairement.

*****primitivisme,** n. m. [Bx-A.] Manière, style s'inspirant des primitifs.

primo, adv. (mot lat.). Premièrement, en premier lieu.

primogéniture, n. f. (lat. *primus,* premier; *gignere,* *genitum,* engendrer). Titre, qualité d'aîné; aînesse.

primordial, ale, aux, adj. Qui est le plus ancien. ‖ Qui est à l'origine, qui sert d'origine. ‖ Essentiel.

PAR. — *Primitif,* qui est à l'origine; qui a gardé le caractère d'une chose très ancienne.

primordialement, adv. D'une façon primordiale; originairement.

*****primordialité,** n. f. Qualité, état de ce qui est primordial.

primulacées, n. f. pl. [Bot.] Famille de plantes dicotylédones gamopétales herbacées, qui a pour type la *primevère.*

prince, n. m. (lat. *princeps,* premier). Celui qui possède une souveraineté en titre ou qui est d'une maison souveraine. *Prince souverain.* — Absol. Le souverain dont on parle. *Le prince veut être obéi.* ‖ Héritier de la couronne. *Le prince royal, impérial.* ‖ *Le fait du prince,* acte arbitraire du souverain. ‖ Celui qui, sans être souverain, ni de maison souveraine, possède des terres qui ont le titre de principautés. — Loc. prov. *Vivre, être vêtu comme un prince,* vivre splendidement, avoir un grand équipage, etc. — Fig. et prov. *Ce sont jeux de prince,* se dit des amusements et des jeux dans lesquels on se met peu en peine du mal qui peut en résulter pour autrui. — Fam. *Il est bon prince,* il a un caractère et des manières faciles. ‖ *Princes de l'Église,* les cardinaux, les archevêques et les évêques. — *Le prince des apôtres,* saint Pierre. — *Le prince des ténèbres,* le démon. ‖ Dans le style oratoire, le premier en ordre de mérite, de talent. *Homère, le prince des poètes.* — V. tabl. GOUVERNEMENT et SOCIÉTÉ (*Idées suggérées par les mots*)

— *Je ne puis comprendre comment les princes croient si aisément qu'ils sont tout, et comment les peuples sont si prêts à croire qu'il ne sont rien.* (MONTESQUIEU.)

— *Le prince est un personnage public, qui doit croire que quelque chose lui manque à lui-même quand quelque chose manque au peuple et à l'État.* (BOSSUET.)

ÉPITHÈTES COURANTES : souverain, régnant, impérial, royal, héritier, héréditaire, feudataire; grand, bon, charmant, magnifique, magnanime, auguste, libéral, généreux, habile; mauvais, méchant, tyrannique, altier, cruel, barbare, orgueilleux, vaniteux, frivole, avare, soupçonneux, méfiant, etc.

princeps [seps], adj. inv. (mot lat.). Se dit de la première édition d'un ouvrage.

princesse, n. f. Fille ou femme d'un prince. ‖ Femme souveraine d'un État. ‖ Fig. et fam. *Faire la princesse,* prendre des airs dédaigneux et superbes.

princier, ière, adj. De prince, de princesse. *Maison, famille princière.* ‖ Digne d'un prince, somptueux, magnifique. *Un appartement princier.*

princièrement, adv. D'une façon princière.

1. principal, ale, adj. (lat. *principalis,* m. s.). Qui est le premier, le plus considérable, le plus remarquable en son genre. *L'idée principale d'un ouvrage.* ‖ *La somme principale,* le capital, par oppos. aux intérêts. [Gram.] *Proposition principale,* celle qui ne dépend d'aucune autre, et qui est accompagnée de subordonnées. = N. f. *La principale et les subordonnées.* — V. GRAMMAIRE et tabl. PROPOSITIONS.

CTR. — *Accessoire, secondaire.* — *Subordonnée* (Gram.).

2. principal, n. m. (de *principal* 1). Ce qui est le fond d'une chose, d'une affaire, par rapport aux accessoires; ce qu'il y a de plus important, de plus considérable. *Le principal, c'est que vous soyez sain et sauf.* ‖ *Les principaux du pays, de la ville, de l'assemblée,* les personnages les plus importants de la ville, etc. ‖ Celui qui dirige un collège communal. ‖ Le principal clerc d'une étude de notaire. ‖ La somme capitale d'une dette, le capital par rapport aux intérêts : *Je vous paierai... avant l'août, intérêt et principal.* (LA FONTAINE.)
* **principalat,** n. m. Fonction de principal d'un collège. — Autrefois on disait *principalité.*
principalement, adv. Particulièrement, par-dessus tout.
CTR. — *Accessoirement, secondairement.*
* **principalité.** V. PRINCIPALAT.
principat [*pa*], n. m. [Antiq.] Dignité de prince. ‖ Dignité d'empereur romain. ‖ Règne d'un empereur romain. *Le principat de Trajan.*
principauté, n. f. Dignité de prince. ‖ Terre, seigneurie qui donne qualité de prince. ‖ Petit État gouverné par un prince. *La principauté de Monaco.*
principe, n. m. (lat. *principium,* commencement). Commencement, origine, source première. *Remonter au principe des choses.* — *Dans le principe, dès le principe,* au commencement, dès le commencement. Base, fondement, source. *Le principe de toute souveraineté est dans le peuple.*
Vérité première, cause naturelle, fait général, au delà desquels nous ne pouvons remonter. *Le principe d'Archimède.* ‖ Proposition vraie ou fausse, mais que l'on tient pour vraie et dont on déduit des conséquences. *Établir un principe.* — *Pétition de principe,* le fait d'admettre ce qu'on veut démontrer. ‖ Premier précepte, première règle d'un art, d'une science. *Les principes de la géométrie.* — Maxime, règle de conduite. *Principe de morale.* = Au plur. Point de vue, opinion. *Fidèle à ses principes.* — Pop. *Être à cheval sur les principes.* [Techn.] Explication, base théorique du fonctionnement d'un appareil, rapportés aux lois physiques. *Principe de la machine à vapeur.* = EN PRINCIPE, loc. adv. Théoriquement. *Cette loi est acceptée en principe.*
ÉPITHÈTES COURANTES : bon, mauvais, sérieux, grand, immortel, solide, religieux, moral, social, politique, scientifique, artistique, littéraire.
SYN. — V. COMMENCEMENT.
principicule, n. m. Prince d'un État minuscule.
printanier, ière, adj. Qui est du printemps. ‖ Fig. Jeune, juvénile, plein de fraîcheur. ‖ Qui convient au printemps, clair, gai. *Robe printanière.*
printemps [*tan*], n. m. (lat. *primus,* premier; *tempus,* temps). Première des quatre saisons de l'année. — *Il fait printemps,* il fait un joli temps de printemps. ‖ Fig. La jeunesse. Année de jeunesse. *Compter vingt printemps.* — V. tabl. TEMPÉRATURE et MÉTÉOROLOGIE (*Idées suggérées par les mots*).
ANT. — *Automne.*
* **priorat,** n. m. Fonction de prieur. Durée de ces fonctions.

priori (a) loc. adv. (mots lat.). [Log.] D'après un principe antérieurement admis. ‖ Sans tenir compte des faits, de la réalité. = Nom. *Un a priori,* raisonnement a priori.
ANT. — *Postériori (a).*
priorité, n. f. (lat. scolast. *prioritas,* m. s.). Antériorité, primauté de temps ou de rang. *Priorité de date.* ‖ En style parlementaire. *Réclamer la priorité,* réclamer le droit de parler avant un autre orateur. ‖ Privilège de passer, d'être servi avant les autres.
SYN. — V. SUPRÉMATIE.
PAR. — V. PRIMAUTÉ.
pris, ise, adj. (pp. du v. *prendre*). Atteint de. *Pris de fièvre.* ‖ Tiré, emprunté. *Mot pris du grec.* ‖ Caillé. *Lait pris.* ‖ Gelé, en parlant d'un cours d'eau. *Rivière prise.* ‖ Ivre. *Pris de vin.* ‖ Trompé, séduit. *Pris pour dupe.* — *Tout le monde y avait été pris.* ‖ *Avoir la taille bien prise,* être bien fait.
HOM. — V. PRIX.
* **prisable,** adj. Digne d'être prisé; estimable.
CTR. — *Méprisable.*
prise, n. f. (pp. de *prendre*). Action de prendre, de s'emparer. *La prise d'une place de guerre.* — *Être de bonne prise,* se dit d'une chose qui peut être ou qui a été justement prise. ‖ Ce qui a été pris, capturé. *Il amena sa prise dans le port.* ‖ Moyen, facilité de prendre, de saisir. *Avoir prise.* — Fig. *Le remords n'a aucune prise sur ce cœur endurci.* — *Avoir prise, trouver prise sur quelqu'un,* avoir sujet, trouver occasion de le reprendre, de le critiquer. — *Donner prise à la critique, à la médisance,* s'exposer à être repris, critiqué. — *Lâcher prise.* V. LÂCHER. ‖ Fam. *Une prise de bec,* dispute dans laquelle on s'attaque par des paroles. ‖ *Prise de vues,* action de photographier, de filmer.
[A. mil.] *Prise d'armes.* V. ARME. [Droit] *Prise de corps,* action par laquelle on saisit un homme au corps en vertu d'un acte du juge; arrêt ou sentence qui ordonne la prise de corps. — *Prise de possession,* acte par lequel on est mis en possession de quelque chose. ‖ Concession accordée pour détourner l'eau. — L'eau même qui est détournée. — *Bouche,* robinet donnant issue à cette eau. — On dit de même, dans l'industrie : *Une prise d'air, une prise de vapeur, une prise de courant.* [Jeu] Action de prendre une carte, un pion, une pièce à un adversaire. *La reine est en prise.* [Liturgie] *Prise d'habit, prise de voile,* cérémonie qui se pratique quand on donne l'habit religieux ou de religieuse. [Méd.] *Prise de sang,* prélèvement de sang fait sur un malade en vue d'une analyse chimique ou bactériologique. [Pharm.] Dose qu'on prend en une fois. *Une prise de rhubarbe.* — *Une prise de tabac,* une pincée de tabac. [Techn.] Action de se prendre, de se solidifier. *Ciment à prise rapide.*
Au pl. Action de combattre ou de disputer. *Nos joueurs sont aux prises, en sont aux prises.* ‖ Fig. *Être aux prises avec la mort, avec la mauvaise fortune, avec des difficultés,* etc., lutter contre elles.
SYN. — V. BUTIN.
HOM. — *Prise, es, ent,* des v. priser 1 et 2.

prisée [zé], n. f. Action de mettre un prix aux choses qui sont vendues aux enchères. ‖ Estimation ainsi faite.
Hom. — *Priser*, v. tr., estimer le prix d'une chose; prendre une poudre en l'aspirant par le nez.

1. priser [pri-zé], v. tr. (lat. *pretiare*, m. s., de *pretium*, prix). Mettre le prix à une chose, en faire l'estimation. — Fig. et fam. *Il prise trop sa marchandise*, se dit d'un homme qui veut trop faire valoir ce qui lui appartient. ‖ Estimer. *On prise beaucoup cet orateur.*
Syn. — V. APPRÉCIER.
Ctr. — *Mépriser, dénigrer, mésestimer, déprécier.*

2. priser, v. tr. (de *prise*). Prendre une poudre, en l'aspirant par le nez. *Priser du tabac.* ‖ Absol. Priser du tabac. *Il a l'habitude de priser.*

1. priseur, n. m. Celui qui fixe le prix. ‖ *Commissaire-priseur*, celui qui fait la prisée, l'estimation des choses mises aux enchères.

2. priseur, euse, n. Celui, celle qui a l'habitude de priser du tabac.

prismatique, adj. Qui a la forme d'un prisme. ‖ Se dit des couleurs qu'on aperçoit en regardant à travers un prisme.

prisme, n. m. (gr. *prisma*, m. s.). [Géom.] Solide résultant de la section par deux plans parallèles d'une surface prismatique. On a un *tronc de prisme* si les deux plans sécants ne sont pas parallèles. V. pl. VOLUMES. ‖ Fig. *Voir dans un prisme, regarder à travers un prisme*, considérer les choses à travers les préjugés et des passions qui les colorent à leur gré. *Le prisme de la vanité.*

prison [zon], n. f. (lat. *prehensio*, prise). Lieu où l'on enferme les accusés, les condamnés, etc. ‖ Fig. Maison sombre et triste. ‖ Emprisonnement. *Condamné à la prison.* ‖ Fig. Ce qui gêne, opprime, retient comme une prison. — V. tabl. LOI et TRIBUNAL (*Idées exprimées par les mots*).
Hom. — *Prisons* (nous), des v. priser 1 et 2.

prisonnier, ière, n. Celui, celle qui est arrêté pour être mis en prison, qui y est détenu. — *Prisonnier de guerre*, celui qui a été pris à la guerre. — *Prisonnier sur parole*, prisonnier qu'on laisse libre, sur sa promesse de ne pas sortir d'un lieu désigné.
Syn. — V. CAPTIF.

* **privable**, adj. Qui peut être privé.

* **privatdocent** ou * **privat-docent** [*dosint*], n. m. Professeur enseignant, à titre privé, dans les universités, et rétribué par ses élèves (Allemagne, Suisse). = Pl. *Des privadocents ou privat-docents.*

privatif, ive, adj. (de *priver*). [Gram.] Se dit d'un préfixe ou d'une particule qui, précédant un mot simple, forme un mot nouveau marquant la privation, la non-participation, le contraire. Les particules privatives sont surtout *in* (orig. latine), ex. *injuste, inapte,* et *a* (orig. grecque), ex. *anormal, acéphale.* [Droit] Qui enlève à une personne la jouissance ou l'exercice d'un droit.

privation [sion], n. f. Perte, suppression, manque d'un bien, d'un avantage qu'on avait, ou qu'on devait avoir. = Au pl. Besoin non satisfaits. ‖ Abstention volontaire de quelque chose. *S'imposer des privations.* ‖ *Vivre de privations,* manquer des choses nécessaires.
Syn. — V. DÉNUEMENT et ABSTINENCE.

privativement, adv. A l'exclusion de.

privauté, n. f. Familiarité excessive, trop grandes libertés que l'on se permet.
Par. — V. PRIMAUTÉ.

privé, ée, adj. (lat. *privatus*, particulier). Qui est simple particulier, qui n'a aucune charge publique. *Vivre en homme privé.* ‖ Personnel, intime, particulier, par opposition à public. *La vie privée. L'intérêt privé. — Acte sous seing privé. — École privée.* = N. m. Endroit retiré où sont les lieux d'aisance. ‖ Intimité. *Il est charmant dans le privé.*
Syn. — V. PARTICULIER.
Ctr. — *Public.*

privément, adv. Familièrement. ‖ En qualité de simple particulier.

priver, v. tr. (lat. *privare*, m. s.). Enlever à quelqu'un ce qu'il a, ce qu'il possède, l'empêcher de jouir de quelque avantage. *Priver quelqu'un de ses droits civils.* ‖ Apprivoiser. *Oiseau difficile à priver* (Vx). = SE PRIVER, v. pron. S'ôter ce qu'on possède, se dépouiller d'un avantage, d'un droit. ‖ S'abstenir, s'imposer des privations. *Se priver du nécessaire pour avoir le superflu.*

Vocab. — *Famille de mots.* — *Priver:* privatif, privation, privé, privauté, privilège, privilégié, apprivoiser.

---

privilège, n. m. (lat. *privilegium*, m. s.). Faculté accordée à quelqu'un de faire une chose ou de jouir d'un avantage qui n'est pas de droit commun. *Obtenir, accorder un privilège.* ‖ Se dit également des droits, des prérogatives, des avantages attachés aux charges, aux emplois, etc. *Les privilèges de la noblesse.* ‖ Acte qui contient la concession d'un privilège. ‖ Fig. Don naturel du corps ou de l'esprit. *La raison est le privilège de l'homme.* ‖ Fig. Liberté, licence que l'on s'attribue dans la société ou que les autres vous accordent. *La vieillesse donne des privilèges.* [Droit] Droit que la qualité de la créance donne à un créancier d'être payé par préférence aux autres créanciers. ‖ *Privilège du roi*, autorisation obligatoire de publier un ouvrage, qui, autrefois, était accordée par le pouvoir royal.
Syn. — V. PRÉROGATIVE.

privilégié, ée, adj. et n. Qui jouit d'un privilège. ‖ Fig. Qui a reçu de la nature quelque don particulier. ‖ *Créancier privilégié*, créancier qui jouit d'un privilège.

privilégier, v. tr. Accorder un privilège, un avantage. = Conjug. V. GRAMMAIRE.

prix [prî], n. m. (lat. *pretium*, m. s.). Valeur d'une chose exprimée en monnaie. *Un objet de prix. Vendre à vil prix, à prix coûtant. — Acheter à prix d'or*, très cher — *Vendre à bon prix*, vendre assez cher pour faire un bénéfice. — *Vendre à juste prix*, vendre avec un bénéfice convenable, modéré. — *Prix fixe*, prix fixé d'avance par le marchand, et dont il n'y a rien à rabattre. — *Prix courant*, prix auquel une marchandise trouve acheteur.

PRIX-FIXE — PROBITÉ

— *Vendre à tout prix,* vendre à quelque prix qui soit offert. — *Une chose hors de prix,* une chose excessivement chère. — *Une chose qui n'a point de prix, qui est sans prix,* une chose d'une très grande valeur. — *Mettre à prix la tête d'un homme,* promettre une somme à celui qui le tuera ou le livrera à la justice.

Fig. Mérite d'une personne, excellence, valeur d'une chose, cas qu'on en fait. *J'attache beaucoup de prix à son amitié.* ‖ Fig. Rétribution; se dit soit d'une récompense, soit d'un châtiment. *Il a reçu le prix de ses forfaits.* ‖ Ce qui est proposé pour être donné à celui qui réussira le mieux dans un exercice, dans un ouvrage, dans un concours, etc. *Le prix d'éloquence. Remporter, mériter le prix.* ‖ Récompense scolaire, consistant en distributions de livres, de médailles, etc., aux lauréats d'un concours, de compositions. *Prix d'excellence, prix d'honneur.* ‖ Récompense en argent, en médailles, etc., attribuée par une académie, un jury littéraire ou scientifique. *Prix Nobel. Prix de Rome.* ‖ L'épreuve au cours de laquelle un prix est disputé. — *Grand Prix de Paris,* épreuve d'apparat, courue par les chevaux, chaque année, en juin, au champ de course de Longchamp. ‖ Personne qui a obtenu un prix. *Ce musicien est un prix de Rome.* ‖ Livre donné en prix. *Des prix dorés sur tranche.* ‖ Fig. *Remporter le prix,* surpasser les autres en quelque chose. *Elle remporte partout le prix de beauté.* = AU PRIX DE, loc. prép. Moyennant ce qu'il en coûte pour obtenir quelque avantage. *Il a acheté la victoire au prix de sa vie.*

— *Laissez dire les sots, le savoir a son prix.* (LA FONTAINE.)
— *Le prix que nous valons, qui le sait mieux que nous?* (CORNEILLE.)

En comparaison de. *Ce service n'est rien au prix de celui qu'il m'a déjà rendu.* ‖ ‖ A la condition de. *La richesse sociale ne se développe qu'au prix d'un travail incessant.* = A TOUT PRIX, loc. adv. Coûte que coûte. *A tout prix, il faut faire ce sacrifice.*

ÉPITHÈTES COURANTES : haut, excessif, énorme, démesuré, fabuleux, astronomique, exorbitant, moyen, raisonnable, bon, modéré; bas, vil; brut, net; fixe, variable; fictif, marqué, courant, unique; fort.

SYN. — *Prix,* ce qui est payé pour un service rendu. *Il a reçu le prix de sa trahison.* = *Rançon,* le prix donné pour racheter, compenser quelque chose. — *Les accidents sont souvent la rançon du progrès.* — *Récompense,* prix d'un service, d'une bonne action : *Il a reçu la juste récompense de ses loyaux services.* — *Salaire,* ce qui est dû pour une action bonne ou mauvaise : *Il a reçu le salaire de ses forfaits.* — *Tribut,* ce que nous sommes obligés de faire ou de subir : *Payer tribut à la maladie.*

HOM. — *Prix,* valeur d'une chose en monnaie, récompense scolaire; — *pris, prit,* du v. prendre; — *prie, es, ent,* du v. prier.

* **prix-fixe**, n. m. Magasin où l'on vend à prix fixe. = Pl. *Des prix-fixes.*

* **prix-unique**, n. m. Magasin où l'on vend à un nombre restreint de prix. —

On dit aussi *uniprix.* = Pl. *Des prix-uniques.*

probabilisme, n. m. [Phil.] Doctrine qui, renonçant à la certitude, s'en tient à ce qui est le plus probable. [Théol.] Doctrine soutenant qu'une opinion peut être hardiment adoptée quand elle a été soutenue par un auteur grave.

* **probabiliste**, n. Partisan du probabilisme. = Adj. Relatif au probabilisme.

probabilité, n. f. Caractère de ce qui est probable. ‖ Apparence de vérité, vraisemblance. [Math.] *Calcul des probabilités,* calcul ayant pour objet de déterminer le nombre de cas dans lequel un événement futur peut se produire ou non.

ANT. — *Improbabilité, incertitude.*

probable, adj. (lat. *probabilis,* qui peut être approuvé). Qui a une apparence de vérité, qui paraît fondé en raison. *Il est peu probable qu'il ait agi ainsi.* ‖ Qu'il est raisonnable de supposer, de conjecturer; qui a beaucoup de chances de se produire. *Cela est plus que probable.* = N. m. Ce qui est probable. *Préférer le certain au probable.*

SYN. — V. PLAUSIBLE.
CTR. — *Douteux, incertain, improbable.*

probablement, adv. Vraisemblablement.

probant, ante, adj. (lat. *probare,* prouver). Qui prouve; qui sert de preuve. *Pièce probante.* — *Raison probante,* raison démonstrative convaincante.

probation [sion], n. f. [Théol.] Temps d'épreuve qui précède le noviciat. ‖ Le noviciat lui-même.

probatique, adj. f. Se disait, à Jérusalem, d'une piscine où l'on purifiait les animaux destinés au sacrifice.

probatoire, adj. Propre à prouver, à constater la capacité de.

probe, adj. (lat. *probus*). Qui a de la probité.

SYN. — *Probe,* qui observe strictement les devoirs de la justice et de la morale : *Un comptable probe.* — *Désintéressé,* qui accomplit quelque chose sans faire entrer son intérêt en ligne de compte : *Un homme très désintéressé.* — *Équitable,* qui est naturellement juste : *Un juge équitable.* — *Incorruptible,* qui ne se laisse pas corrompre : *Robespierre était surnommé «l'Incorruptible».* — *Intègre,* qui est d'une grande probité : *Turgot fut un ministre intègre.* — *Loyal,* qui est honnête, franc et fidèle à ses engagements : *Un bon et loyal inventaire.* — *Juste,* qui est conforme au droit, à la justice : *Une juste punition.* V. aussi CONSCIENCIEUX et SINCÈRE.

CTR. — *Frauduleux, malhonnête, corruptible, déloyal.*

VOCAB. — *Famille de mots.* — Probe [rad. *prob., prouv*] : probité, improbité, prouver, prouvable, probatoire, probant, probable, probabilité, probablement, probation, improbable; preuve; approuver, approuvable, approbation, approbatif, approbateur, éprouver, épreuve, éprouvé, éprouvette; contre-épreuve, improuver, improuvable, désapprouver, désapprobation, désapprobateur, réprouver, réprobation, réprouvé, réprobateur, etc.

---

probité, n. f. (lat. *probitas,* m. s.). Droiture de cœur qui porte à l'observation stricte des devoirs de la justice et de la morale. *Il est d'une probité à toute épreuve.* ‖ Respect du bien d'autrui, intégrité. *Acte contraire à la probité.* — V. tabl. MORALE *(Idées suggérées par le mot).*

— La principale partie de l'orateur, c'est la probité; sans elle, il dégénère en déclamateur, il déguise ou il exagère les faits, il cite faux, il calomnie, il épouse la passion et les haines de ceux pour qui il parle; et il est de la classe de ces avocats dont le proverbe dit qu'ils sont payés pour dire des injures. (LA BRUYÈRE.)

SYN. — *Probité,* attention scrupuleuse à ne léser personne et à réparer tout dommage : *Un bel acte de probité chez un enfant.* — *Désintéressement,* état d'esprit de celui qui fait quelque chose sans faire entrer son intérêt en ligne de compte : *Ce ministre a toujours fait preuve du plus grand désintéressement.* — *Honnêteté,* conformité au devoir qui respecte les biens et les droits d'autrui : *Il a eu l'honnêteté de me prévenir de mon erreur.* — *Incorruptibilité,* vertu de celui qui ne se laisse pas corrompre : *L'incorruptibilité est le premier devoir des juges.* — *Intégrité,* probité incorruptible : *L'intégrité de la magistrature.* — *Loyauté,* qualité de celui qui est honnête, franc et fidèle à ses engagements : *Se fier à la loyauté de ses adversaires.* V. aussi JUSTICE, RECTITUDE.

ANT. — *Fraude;* malhonnêteté, corruption, déloyauté.

problématique, adj. Dont on peut soutenir aussi bien l'affirmative que la négative. ‖ Douteux, dont l'issue est incertaine. ‖ *Conduite problématique,* conduite équivoque.

SYN. — V. APOCRYPHE.
CTR. — *Assuré, certain.*

* **problématiquement,** adv. D'une manière problématique.

problème, n. m. (gr. *problema,* m. s.). Question à résoudre, question découlant d'un ou de plusieurs théorèmes et dont la solution doit être cherchée par le calcul. ‖ Question dont on peut soutenir le pour et le contre. *Problème de morale.* ‖ Question d'actualité à résoudre. *Le problème du ravitaillement.* ‖ Chose difficile à concevoir, à expliquer.

ANT. — *Solution.*

ÉPITHÈTES COURANTES : facile, difficile, aride, ardu, résolu; insoluble, mathématique, physique, moral, religieux, métaphysique, social, politique, etc.

proboscide, n. f. Trompe d'un éléphant, d'un insecte, d'un ver.

proboscidiens, n. m. pl. (gr. *proboskis,* trompe). [Zool.] Ordre de mammifères de grande taille, aux formes lourdes, au nez allongé en *trompe* et soudé à la lèvre supérieure (dinothérium, mastodontes, éléphants, mammouths). V. pl. MAMMIFÈRES.

procédé, n. m. (de *procéder*). Dans les arts et dans les sciences, méthode à suivre dans une opération, dans l'exécution d'une œuvre. *Il emploie un procédé nouveau.* ‖ Manière d'agir d'une personne à l'égard d'une autre. *Se plaindre des procédés de quelqu'un* ‖ Rondelle de cuir au bout d'une queue de billard.

HOM. — *Procéder.* v. intr. *provenir, dériver.*

PROBLÉMATIQUE — PROCESSION

ÉPITHÈTES COURANTES : correct, bon; mauvais, discourtois, nouveau, ancien, périmé, habile, secret, tortueux, mystérieux, discutable, répréhensible, etc.

SYN. — V. VOIE.

procéder, v. intr. (lat. *procedere,* s'avancer). Provenir, dériver, tirer son origine de. *Sa maladie ne procède que de son intempérance.* [Théol.] On dit des trois personnes divines: *le Fils est engendré par le Père, et le Saint-Esprit procède du Père et du Fils.* ‖ Se développer, marcher, avancer. *L'humanité ne procède pas par un mouvement continu.* ‖ Agir selon une certaine méthode, opérer d'une certaine manière. *Il faut procéder avec méthode.* — *Procéder à,* se mettre à. *Procéder à l'extinction d'un incendie.* ‖ Se comporter d'une certaine manière à l'égard des autres. *Il a procédé avec moi en homme d'honneur.* [Droit et Admin.] Agir, faire certains actes avec les formalités requises. *Procéder juridiquement. Procéder à un inventaire.* = Conjug. V. GRAMMAIRE.

SYN. — V. ÉMANER.
PAR. — *Précéder,* aller devant, arriver avant; — *posséder,* avoir en sa possession.

procédure, n. f. (de *procéder*). Manière, forme de procéder en justice (intenter, défendre, instruire, juger, se pourvoir). *Procédure criminelle.* ‖ Instruction judiciaire d'un procès. *Il faut recommencer la procédure.* ‖ Actes qui ont été faits dans une instance civile ou criminelle. — V. tabl. LOI et TRIBUNAL *(Idées suggérées par les mots).*

procédurier, ière, adj. et n. Qui entend la procédure. ‖ Qui allonge les procédures. ‖ Qui aime la chicane.

* **procéleusmatique,** adj. [Métr. anc.] Se dit d'un pied composé de quatre brèves.

procès [pro-sè], n. m. (lat. *processus,* action d'avancer). Instance devant un juge, devant un tribunal, sur un différend entre deux ou plusieurs parties. *Gagner, perdre un procès.* — *Procès civil,* procès dans lequel le demandeur poursuit la reconnaissance d'un droit contesté ou violé. — *Procès criminel,* celui qui a pour but de faire prononcer une peine contre l'auteur d'une infraction à la loi. — *Faire le procès d'une chose,* la critiquer, la condamner, soutenir qu'elle est mauvaise. — Fig. et fam. *Sans autre forme de procès.* sans aucun préambule, sans aucune façon. ‖ Grande affaire civile ou criminelle. *Le procès de Jeanne d'Arc.* V. tabl. LOI et TRIBUNAL *(Idées suggérées par les mots).* [Anat.] Prolongement qui se rattache à une partie principale. *Procès ciliaire.*

— Là-dessus, au fond des forêts,
Le loup l'emporte et puis le mange
Sans autre forme de procès.
(LA FONTAINE.)

SYN. — V. LITIGE.
processif, ive, adj. Qui aime les procès.
SYN. — V. CHICANIER.

procession, n. f. Cérémonie religieuse, conduite par le clergé, où l'on marche en récitant des prières ou en chantant. ‖ Fig. Longue suite de personnes ou de choses allant à la file. [Théol.] Acte par lequel, de toute éternité, le Saint-Esprit procède du Père et du Fils. V. tabl. RELIGIONS *(Idées suggérées par le mot).*

PAR. — *Précession,* mouvement rétrograde des points équinoxiaux.

* **processionnaire**, adj. Qui va en procession. ‖ *Chenilles processionnaires*, qui vont en longue file.
processionnal, n. m. [Liturg.] Livre d'église contenant les prières que l'on chante aux processions.
processionnel, elle, adj. Qui a rapport, qui est relatif à une procession.
processionnellement, adv. En procession.
* **processionner**, v. intr. Marcher en procession.
processus [*suss*], n. m. (mot lat.). Marche, évolution, développement [Anat.] Prolongement de telle ou telle partie. [Méd.] Développement progressif d'une maladie.
procès-verbal, n. m. Acte par lequel un officier public constate ce qu'il a vu ou fait dans l'exercice de ses fonctions. ‖ Compte rendu écrit des délibérations, des travaux d'une assemblée. = Pl. *Des procès-verbaux*.

1. prochain, aine [*chin*, *chène*], adj. (de *proche*). Qui est le plus proche. *Au prochain village*. ‖ Qui est près ou le plus près d'arriver. *Le mois prochain*. [Méd. et Phil.] *Cause prochaine*, la cause immédiate d'une maladie ou d'un phénomène.
SYN. — V. PROCHE.
CTR. — *Lointain*, *ancien*.

2. prochain [*chin*], n. m. (de prochain 1). Chaque homme en particulier, ou l'ensemble des hommes considérés par rapport à chacun de nous. *Aimer son prochain comme soi-même*.
prochainement, adv. Bientôt.
proche, adj. (lat. *propius*, plus près). Voisin, qui est près de quelqu'un de quelque chose. *La ville la plus proche*. ‖ Qui est près d'arriver. *Sa dernière heure est proche*. ‖ Se dit encore de la parenté. *Proche parent*. = N. m. pl. *Il fut regretté de tous ses proches*. = Adv. Près. *Il demeure ici proche*. = Prép. *Il demeure proche le Palais-Royal*. = DE PROCHE EN PROCHE, loc. adv. En s'étendant, en avançant graduellement. *La contagion s'étendit de proche en proche*. ‖ Fig. Peu à peu et par degrés. *De proche en proche, il est parvenu à une grande fortune*.
SYN. — *Proche*, qui est à une petite distance de : *Le bureau de poste est tout proche d'ici*. — *Prochain*, qui est dans le voisinage : *On s'arrêtera au prochain village*. ‖ Qui viendra le premier : *Vous descendrez à la prochaine station*. — *Rapproché*, qui n'est pas loin : *Courez à la pharmacie la plus proche*. — *Voisin*, qui se trouve à proximité : *Je vais jusqu'au village voisin*. V. aussi CONTIGU.
CTR. — *Éloigné*, *distant*.

VOCAB. — *Famille de mots*. — Proche [rad. *proc*, *prox*] : prochain, prochainement, approcher, approchant, approche, rapprocher, rapprochement, reprocher, reproche, reprochable, irréprochable, approximatif, approximation, approximativement; propice, propitiateur, propitiation, propitiatoire.

* **prochronisme**, [*kro*], n. m. (gr. *pro*, avant; *khronos*, temps). Erreur de chronologie qui consiste à placer trop tôt la date d'un événement.
CTR. — *Parachronisme*.

* **procidence**, n. f. [Méd.] Sortie d'une partie du vagin, du rectum par la vulve ou l'anus.
* **proclamateur, trice**, n. Celui, celle qui proclame.
proclamation [*sion*], n. f. Action de proclamer, d'annoncer à haute voix; publication solennelle. ‖ Écrit qui contient ce que l'on veut proclamer.
SYN. — V. ALLOCUTION.
proclamer, v. tr. (lat. *proclamare*, crier en public). Annoncer une chose à haute voix et avec solennité. *Proclamer un édit*. ‖ Reconnaître publiquement pour. *Être proclamé vainqueur aux Jeux olympiques*. ‖ Fig. Publier, divulguer. *La renommée a proclamé ses grandes actions*. = SE PROCLAMER, v. pron. Se déclarer publiquement, ouvertement. *Se proclamer le réformateur de la société*.
SYN. — V. ANNONCER.
CTR. — *Taire*, *cacher*.
proclitique, adj. et n. m. [Gram.] Se dit des mots monosyllabiques qui s'articulent avec le mot suivant, perdant ainsi tout accent particulier (adverbe, préposition).
ANT. — *Enclitique*.
* **proclive**, adj. (lat. *pro*, en avant; *clivus*, pente). [Hist. nat.] Dirigé en avant.
* **proclivité**, n. f. État de ce qui penche en avant.
* **procœle** [*sè-le*] ou **procœlique**, adj. [Anat.] Se dit d'une vertèbre formée par la soudure d'un corps vertébral avec la pièce intercalaire qui suit.
* **procombant, ante**, adj. (lat. *procumbere*, être couché). [Bot.] Se dit d'une tige couchée sur le sol.
proconsul, n. m. [Antiq.] Magistrat qui, sans avoir le titre de consul, en remplissait les fonctions dans une province. ‖ Fig. Personnage qui exerce le pouvoir en maître absolu, surtout dans une colonie.
proconsulaire, adj. [Antiq.] Qui concerne le proconsul, qui émane d'un proconsul. ‖ *Province proconsulaire*, province gouvernée par un proconsul.
proconsulat, n. m. Dignité de proconsul. ‖ Durée de ses fonctions.
procrastination [*sion*], n. f. (rac. lat. *cras*, demain). Défaut qui porte à tout remettre à plus tard.
procréateur, trice, adj. et n. Qui procrée.
procréation [*sion*], n. f. Action de procréer; génération, engendrement.
procréer, v. tr. Engendrer, donner vie. = Conjug. V. GRAMMAIRE.
SYN. — V. ENGENDRER.
* **proctite**, n. f. [Méd.] Inflammation de l'anus.
* **procurable**, adj. Qui peut être procuré.
procurateur, n. m. [Antiq.] Magistrat provincial romain chargé d'administrer les affaires du Trésor, et remplissant parfois les fonctions de propréteur ou de proconsul dans les provinces peu importantes. ‖ Autref. Une des principales dignités des républiques de Gênes, de Venise.
PAR. — *Procureur*, magistrat chargé du ministère public.
procuratie [*si*], n. f. Charge, dignité de procurateur à Venise. ‖ *La Procuratie*, palais des procurateurs.

procuration [sion], n. f. Pouvoir donné par quelqu'un à un autre d'agir en son nom. ‖ L'acte notarié ou sous seing privé, qui fait foi de cette délégation.

* **procuratoire**, adj. Qui concerne une procuration.

* **procuratrice**, n. f. Celle qui sert d'intermédiaire, qui agit pour autrui. On dit aussi *procureuse*.

procure, n. f. Office de procureur, bureau du procureur dans une communauté.

Hom. — *Procure, es, ent,* du v. procurer.

procurer, v. tr. (lat. *procurare*, avoir soin). Faire en sorte par son crédit, par ses bons offices, qu'une personne obtienne quelque avantage, ait ce dont elle a besoin, etc. *Il lui a procuré cet emploi.* ‖ Être la cause de. *Cela peut vous procurer bien des ennuis.* = SE PROCURER, v. pron., obtenir, non sans peine. *Se procurer de l'argent.*

Syn. — V. FOURNIR.

procureur, n. m. Celui qui a pouvoir d'agir pour autrui. ‖ Ancien titre de l'officier établi pour agir en justice au nom de ceux qui plaident, appelé aujourd'hui *avoué*. — *Procureur de la République*, chef du parquet dans un tribunal de première instance. — *Procureur général*, chef de parquet d'une cour d'appel, de la Cour des comptes, de la Cour de cassation. V. LOI et TRIBUNAL (*Idées suggérées par les mots*). ‖ Religieux chargé des intérêts matériels d'une communauté.

Syn. — V. MAGISTRAT.

Par. — *Procurateur*, n. m. magistrat de l'ancienne Rome.

procureuse, n. f. Celle qui a le pouvoir d'agir pour autrui. ‖ Femme d'un procureur (Fam.). ‖ Entremetteuse (Fam.).

Procuste, n. pr. [Myth.] Brigand de l'Attique qui étendait sur le lit les voyageurs qu'il prenait, leur coupait les longueurs de jambes qui dépassait le lit ou, si la victime était moins longue que le lit, lui étirait les jambes pour les mettre à longueur; il fut tué par Thésée. ‖ Fig. *Lit de Procuste*, règle étroite, gênante, tyrannique.

* **prodictateur**, n. m. [Antiq. rom.] Magistrat à autorité dictatoriale, créé une fois à Rome faute de pouvoir faire désigner un dictateur régulier par les consuls.

prodigalement, adv. Avec prodigalité.

Ctr. — *Avaricieusement, parcimonieusement.*

prodigalité, n. f. Caractère, manière d'être du prodige.

Ant. — *Avarice, ladrerie, parcimonie.*

prodige, n. m. (lat. *prodigium*, m. s.). Phénomène surprenant qui sort du cours ordinaire des choses. *Les anciens Romains croyaient beaucoup aux prodiges.* ‖ Par exag. Personne ou chose qui excelle en son genre à un point extraordinaire. *Cet homme est un prodige de science, de valeur. Un petit prodige*, un enfant très avancé pour son âge. = Adj. Construit en apposition à un nom : *Un enfant prodige.*

Épithètes courantes : grand, petit, favorable, défavorable, étrange, inquiétant, fâcheux, extraordinaire, terrifiant, etc.

Syn. — *Prodige*, chose extraordinaire: *Les Romains notaient soigneusement les prodiges dans leurs fastes.* — *Merveille,*

chose qui frappe d'étonnement par sa beauté, par sa grandeur : *Les sept merveilles du monde.* — *Miracle*, fait inexplicable par des causes naturelles : *Les miracles de Jésus-Christ dans l'Évangile.*

Par. — *Prodige*, dissipateur.

prodigieusement, adv. D'une manière excessive, étonnante.

prodigieux, euse, adj. Qui tient du prodige; extraordinaire. ‖ Considérable, énorme. *Bêtise prodigieuse.*

Syn. — V. MERVEILLEUX.

prodigue [g dur], adj. (lat. *pro*, devant; *agere*, jeter). Qui dissipe son bien en dépenses excessives et folles. = Nom. *Un, une prodigue.* ‖ Qui donne volontiers, qui donne avec profusion. *Il n'est pas prodigue de louanges.* ‖ *Enfant prodigue*, fils de famille qui, après une fugue, de l'inconduite, revient à la maison paternelle.

Syn. — V. DÉPENSIER et LIBÉRAL.

Ctr. — *Avare, ladre, parcimonieux, économe, ménager.*

Par. — *Prodige*, chose extraordinaire.

Hom. — *Prodigue, es, ent,* du v. prodiguer.

* **prodiguement**, adv. D'une façon prodigue. — On dit aujourd. *prodigalement.*

prodiguer [g dur], v. tr. (de *prodigue*), Donner avec profusion; se dit en bonne et en mauvaise part. *Prodiguer sa santé. La nature lui a prodigué ses dons.* = SE PRODIGUER, v. pr. Être prodigue. ‖ Se vouer, se donner sans ménagement. *Ce médecin se prodigue pour ses malades.*

Ctr. — *Économiser, épargner, ménager.*

* **prodigueur, euse**, n. Celui, celle qui prodigue. *Prodigueur de conseils* (Fam.).

prodrome, n. m. (gr. *pro*, en avant; *dromos*, course). [Méd.] État de malaise, avant-coureur d'une maladie. ‖ Introduction à l'étude d'une science; sorte de préface.

* **producteur, trice**, adj. Qui produit, qui engendre. = Nom. Celui, ou ce qui produit. — Partic. Celui, celle qui crée par son travail les produits agricoles ou industriels.

Ant. — *Consommateur.*

* **productible**, adj. Qui peut être produit.

productif, ive, adj. Qui produit, qui rapporte. ‖ Qui est d'un bon rapport. *Travail productif. Terre productive.*

Ctr. — *Stérile.*

production [sion], n. f. Action de produire, de donner naissance. ‖ Ce qui est produit; ouvrage. *Les productions de la nature, de l'art.* [Physiol.] Développement, apparition de tissus. — *Ces tissus eux-mêmes. Production morbide.* [Droit] Action d'exhiber, de déposer des titres, des pièces. — *Ces titres et pièces.*

Ant. — *Consommation, destruction, dissolution.*

* **productivité**, n. f. Faculté de produire.

produire, v. tr. (lat. *producere*, m. s.). Créer, engendrer, faire naître, causer, déterminer. *Ce pays produit de l'or. Ce remède a produit des effets merveilleux.* Absol. *Ces arbres commencent à produire.* ‖ Fig. *Ce pays a produit des grands hommes.* ‖ Exhiber, soumettre à la connaissance, à l'examen. *Produire des titres, des pièces*

PRODUIT — PROFIL

justificatives. — Fig. *Produire des raisons,* mettre en avant des raisons. *Produire des témoins,* faire entendre des témoins en justice. ‖ Introduire, faire connaître, présenter. *Produire une jeune fille dans le monde.*
= SE PRODUIRE, v. pron. Être produit. ‖ Avoir lieu. *Ce phénomène se produit fréquemment en été.* = Conjug. (comme *cuire*). V. VERBES.
SYN. — V. CAUSER.
CTR. — *Consommer, détruire.*

produit [*pro-dui*], n. m. (pp. du v. *produire*). Ce que rapporte une charge, une ferme, une maison, etc., en argent, en denrées, etc. *Les produits du sol.* [Écon. pol.] Résultat du travail, et surtout objet matériel auquel le travail a ajouté une valeur nouvelle. *Les produits de l'industrie. Manufactures de produits chimiques.* — *Produit brut,* celui dont on n'a pas déduit les frais. *Produit net,* celui d'où les frais ont été déduits; bénéfice réel. ‖ Par anal. Ce qui résulte d'une opération naturelle. *Produits volcaniques.* [Math.] Résultat d'une multiplication.

proéminence [*nan-se*], n. f. Caractère, état de ce qui est proéminent. — La saillie elle-même.
PAR. — V. PRÉDOMINANCE.

proéminent, ente, adj. Qui fait saillie, est en relief sur ce qui l'environne.

profanateur, trice, n. Celui, celle qui profane les choses saintes.

profanation [*sion*], n. f. Action de profaner les choses saintes. ‖ Abus, mauvais emploi des choses rares et précieuses.

profane, n. (lat. *profanus,* m. s.). [Antiq.] Celui qui n'était pas initié aux mystères, et qui, par conséquent, ne pouvait entrer dans l'enceinte sacrée. ‖ Celui qui manque de respect pour les choses de la religion. ‖ Fig. Celui qui n'est pas initié à une science, à un art. *En musique, je ne suis qu'un profane.* = Adj. Qui est contre le respect qu'on doit aux choses de la religion. *Une action profane et impie.* ‖ Se dit aussi de tout ce qui n'appartient pas à la religion, par oppos. à sacré. *Les auteurs profanes.* = N. m. Chose profane. *Mêler le sacré au profane.*
CTR. — *Sacré.*
HOM. — *Profane, es, ent,* du v. profaner.
ANT. — *Initié, affilié.*

profaner, v. tr. Souiller les choses sacrées; traiter avec irrévérence les choses de la religion. ‖ Fig. Dégrader, avilir une chose rare et précieuse; en faire mauvais usage. *Profaner son génie.*

*****profectif, ive,** adj. [Droit] Se dit des biens qui viennent à quelqu'un des successions de ses père, mère ou ascendants.

proférer, v. tr. (lat. *proferre,* porter en avant). Prononcer, dire, articuler. *Proférer des injures.* = Conjug. V. GRAMMAIRE.
SYN. — *Proférer,* faire entendre à voix forte : *Proférer des menaces contre quelqu'un.* — *Articuler,* prononcer distinctement : *Articuler lentement ses mots.* — *Débiter,* réciter, dire avec volubilité : *Débiter des injures, des sornettes.* — *Invectiver,* proférer des discours violents et injurieux : *Invectiver contre les repré-* *sentants de l'ordre.* — *Prononcer,* débiter en mettant un certain ton : *Prononcer un pompeux discours.*
PAR. — *Préférer,* aimer mieux, avoir une préférence pour.

profès [*fè*], **esse,** adj. et n. [Théol.] Qui s'est engagé dans un ordre religieux par des vœux solennels.

professer [*fè-sé*], v. tr. (lat. *profiteri, professum,* m. s.). Déclarer ouvertement, avouer publiquement, reconnaître hautement une chose. *Professer la religion chrétienne. Professer une doctrine.* ‖ Enseigner publiquement. *Professer la chimie.* — Absol. *Il professe dans l'université.* ‖ Exercer. *Professer un art.*

professeur, n. m. Celui qui enseigne une science, un art. ‖ Fig. Ce qui instruit. V. tabl. ÉDUCATION ET INSTRUCTION (*Idées suggérées par les mots*).
ÉPITHÈTES COURANTES : bon, mauvais, médiocre; savant, docte, érudit, éminent, réputé, couru; sérieux, grave, écouté, dévoué, consciencieux, méthodique, précis; sévère, difficile, indulgent, intéressant, ennuyeux, pédant, superficiel, etc.
LING. — Ce mot n'a pas de féminin. *Une dame professeur.*
SYN. — V. MAITRE.
ANT. — *Élève.*

profession, n. f. (lat. *professio,* m. s.). Déclaration publique. *Faire une profession de foi politique.* ‖ Pratique ouverte, publique. *Faire profession d'une religion.* ‖ Acte par lequel un religieux ou une religieuse fait les vœux de religion, après son noviciat. *Il a fait profession dans tel ordre.* ‖ Fam. *Faire profession d'une chose,* y mettre de la prétention, s'en piquer particulièrement. *Il fait profession d'être sincère.*
Genre d'état auquel on se dévoue, métier, carrière, emploi qu'on exerce. *Les professions libérales. La profession de médecin.* — Fam. *Un savant un érudit de profession,* un homme qui se consacre à l'étude des sciences, à l'érudition. *Un joueur, un ivrogne de profession,* un homme qui a l'habitude de se livrer au jeu, etc. V. tabl. MÉTIERS et PROFESSIONS (*Idées suggérées par les mots*).
SYN. — V. MÉTIER et EMPLOI.
HOM. — *Professions* (nous), du v. professer.

professionnel, elle [*fé-sio-nel*], adj. Qui a rapport à une profession. — *Enseignement professionnel,* cours, établissement où l'on prépare à différents métiers. — *Déformation professionnelle,* manière d'apprécier les choses sous un jour particulier, de par sa profession. = Nom. Celui, celle qui fait métier d'un art, d'un sport, par opp. à celui qui l'exerce en amateur.
ANT. — *Amateur.*

professo (ex), loc. empruntée du lat., sign. : En homme instruit, qui connaît à fond son sujet.

professoral, ale, aux, adj. Qui convient à un professeur, à son état. *Un ton professoral.* ‖ Par dénigr. Doctoral, pédant.

professorat, n. m. Fonctions, carrière de professeur. ‖ Durée de ces fonctions.

profil [*fil*], n. m. (ital. *profilo,* n. verbal de *profilare,* profiler). Le contour que

présente un objet vu de côté ; se dit surtout du visage, par opposition à face. *Tête, figure vue de profil.* [Archi.] Coupe ou section perpendiculaire d'un bâtiment, d'un ouvrage de maçonnerie. *Le profil d'une forteresse.* — Part. Contour d'un membre d'architecture. *Le profil d'une corniche,* le modèle, à grandeur réelle, d'une moulure à exécuter. ‖ Coupe verticale d'un objet en général. *Le profil d'un navire.* [Géol.] Coupe d'un terrain montrant la configuration du sol.
Ant. — *Face.*
profilé, ée, adj. Laminé selon un profil déterminé. *Fer profilé.*
* **profilée,** n. f. Vue de profil. ‖ Suite d'objets vus de profil.
profiler, v. tr. Représenter en profil *Profiler une colonne.* ‖ Dessiner, inscrire le profil de. ‖ Donner à un objet un profil déterminé. = se profiler, v. pr. Se présenter de profil, en silhouette. *Les collines se profilent au loin.*
Hom. — *Profiler,* v tr. représenter en profil ; — *profilé, ée,* adj., laminé selon un profil déterminé ; — *profilée,* n. f., vue de profil .
profit [*pro-fi*], n. m. (lat. *profectus,* gagné). Gain, bénéfice. *Tirer profit d'une affaire. Il fait profit de tout.* [Comm.] *Compte des profits et pertes,* compte où sont passés les profits et les pertes qui ne sauraient figurer sous une des différentes rubriques habituelles. — *Passer par profits et pertes,* juger une créance perdue. ‖ Utilité, avantage que l'on retire de certaines choses. *Il a tiré beaucoup de profit de ses lectures. Mettre une chose à profit,* l'employer utilement. *Mettre à profit son temps. Faites-en votre profit,* se dit d'une chose qu'on abandonne à quelqu'un, ou d'un avis qu'on lui donne. ‖ Petite gratification que reçoivent, en plus de leurs gages, des domestiques, des employés. *Ce sont les petits profits du métier.* ‖ Fig. Progrès qu'on fait dans ses études, instruction qu'on acquiert par ses lectures, etc. *Il a fait beaucoup de profits depuis qu'il est sous tel maître.* On dit mieux : *Il a fait beaucoup de progrès.*
Épithètes courantes : grand, énorme, considérable, petit, gros, large, exagéré, exorbitant, scandaleux ; assuré, incertain, douteux, escompté, espéré ; licite, illicite, etc.
Syn. — V. bénéfice.
Ant. — *Perte.*
profitable, adj. Utile, avantageux.
Syn. — V. utile.
Ctr. — *Préjudiciable.*
* **profitablement,** adv. D'une manière profitable.
* **profitant, ante,** adj. Pop. Qui donne du profit, qui est d'un bon usage.
profiter, v. intr. Tirer du profit, du gain. ‖ Tirer de l'avantage d'une chose quelconque. *Profiter du temps, des exemples d'autrui.* ‖ Rapporter du profit, procurer du gain. *Ce commerce lui a bien profité.* ‖ Être utile, servir. *Les avis qu'on lui a donnés ne lui ont profité de rien.* — Absol. Croître, se fortifier, venir bien. *Les arbres profitent dans ce terrain.* ‖ Impers. Être profitable. *Il profite toujours d'être économe.*

Incorr. — Ne dites pas : *occasion à profiter,* mais : *occasion à saisir* ou *dont il faut profiter.* — *Profiter de suite ; Je profite que* (au lieu de : *je profite de ce que*) sont également de graves incorrections.
Ctr. — *Perdre.* — *Dépérir.*
profiterole, n. f. [Pâtiss.] Petit chou glacé qui accompagne les crèmes, mousses, etc.
profond, onde [*pro-fon*], adj. (lat. *profundus,* m. s.). Dont le fond est éloigné de la surface, de l'ouverture, du bord. *Mer, grotte profonde.* — Fig. *Solitude, retraite profonde,* solitude, retraite fort éloignée de la fréquentation des hommes. — Fig. Qui est difficile à pénétrer, à connaître. *Le plus profond mystère règne sur cette affaire.* ‖ Qui pénètre fort avant. *Des racines profondes.* — Fig. *Une érudition, une science profonde.* ‖ Très grand, complet, absolu. *Obscurité profonde. Profond respect. Douleur profonde.* [Anat.] Se dit de muscles, artères, par opp. à d'autres, plus superficiels. = N. m. *Tomber au plus profond d'un gouffre.* — *Le plus profond de notre être,* ce qu'il y a de plus secret ou de plus inconscient en nous.
Ctr. — *Superficiel.* — *Élevé.*
profondément, adv. Bien avant ; d'une manière profonde. ‖ A un haut degré.
Ctr. — *Superficiellement.*
profondeur, n. f. (de *profond*). Étendue d'une chose considérée depuis la surface, le bord ou l'entrée jusqu'au fond. *La profondeur d'un puits, d'un lac, des mers.* ‖ Étendue en longueur. *Cette cour a tant de profondeur.* [A. mil.] Épaisseur. *Formations en profondeur.* ‖ Fig. Chose difficile à pénétrer, à comprendre. *La profondeur des mystères.* ‖ Étendue, pénétration. *La profondeur de son savoir.* = Au plur. Ce qu'il y a de plus profond, de plus impénétrable. *Les profondeurs de la mer, du cœur humain.* — V. tabl. espace et dimension (*Idées suggérées par les mots*).
Ant. — *Hauteur, altitude.*
profus, use, adj. Qui coule abondamment, avec profusion.
profusément, adv. Avec profusion.
profusion [*zion*], n. f. Excès de libéralité ou de dépense. ‖ Grande abondance. = à profusion, loc. adv. En grande quantité, sans compter. *Donner des louanges à profusion.*
Ant. — *Parcimonie, insuffisance.*
progéniture, n. f. (lat. *progenitus,* engendré). Tout ce qu'un homme, un animal mâle a engendré.
Syn. — V. race.
prognathe [*prog-na*], adj. (gr. *pro,* en avant ; *gnathos,* mâchoire). Qui a les mâchoires proéminentes, allongées en avant.
prognathisme [*prog-na*], n. m. Disposition allongée et proéminente des os maxillaires.
* **prognostic** [*prog-nos*], n. m. [Méd.] V. pronostic.
* **prognostique,** [*prog-no*], adj. (gr. *prognostikos,* prévisible). [Méd.] Se dit des signes caractéristiques d'une affection.
programme [*pro-gra-me*], n. m. (gr. *programma,* m. s.). Placard écrit qu'on affiche ou qu'on distribue, pour annoncer

un exercice, une représentation, en fixer les détails, pour donner la distribution d'une pièce de théâtre, etc. *Le programme d'un concert.* ‖ Ensemble des matières d'un cours, d'un examen, d'un concours. *Le programme du baccalauréat.* ‖ Exposé des vues politiques d'un parti, d'un candidat à une assemblée élective. *Le programme socialiste.* ‖ Ligne de conduite ou d'action qu'on s'est tracée. *Suivre de point en point son programme.*

ÉPITHÈTES COURANTES : grand, vaste, immense, démesuré; restreint, mesquin, limité; intéressant, ennuyeux, difficile; précis, vague, incertain, provisoire, définitif. chargé, etc.

progrès [pro-grè], n. m. (lat. *progressus*, avancement). Avancement, mouvement en avant. *Arrêter les progrès de l'ennemi.* ‖ Fig. Accroissement, augmentation, soit en bien, soit en mal. *Les progrès d'un mal.* ‖ Faire des progrès, acquérir des connaissances ou des aptitudes nouvelles dans une activité déterminée. ‖ Développement de l'humanité dans le sens des connaissances scientifiques, des améliorations industrielles, des institutions sociales, de la vie morale, etc.
— *Non seulement chacun des hommes s'avance de jour en jour dans les sciences, mais tous les hommes ensemble y sont en continuel progrès, à mesure que l'univers vieillit.* (PASCAL.)
ANT. — *Déclin, décadence, rétrogression.*

ÉPITHÈTES COURANTES : rapide, foudroyant, grand, considérable, notable, appréciable, lent, moyen, faible, imperceptible, nul; apparent, manifeste, certain, etc.

progresser [pro-grè-sé], v. intr. Faire du progrès, des progrès. [A. mil.] Avancer dans les positions ennemies.
INCORR. — *Progresser en avant* est un pléonasme (on ne peut progresser qu'en avant).
CTR. — *Rétrograder, déchoir.*

* **progressibilité**, n. f. État, caractère de ce qui peut progresser.

progressif, ive, adj. Qui se fait, qui va en avant. *Le mouvement progressif des animaux.* ‖ Fig. Qui fait des progrès. *La marche progressive des idées.* ‖ Qui suit une progression, qui augmente ou diminue peu à peu. *Impôt progressif.*
CTR. — *Dégressif, rétrograde. — Soudain.*

progression [progrè-sion], n. f. (lat. *progressio*, m. s.). Mouvement progressif. *La progression d'une troupe qui avance en combattant.* ‖ Fig. Marche, suite non interrompue. *La progression naturelle de l'esprit humain.* [Mus.] Succession de sons suivant une loi déterminée. [A. mil.] Pénétration dans les positions ennemies.
HOM. — *Progressions* (nous), du v. progresser.

* **progressiste**, adj. et n. Qui est ami, partisan du progrès, qui croit au progrès politique et social. = Adj. Se dit d'un parti politique qui veut réaliser graduellement les améliorations.
CTR. — *Réactionnaire.*

progressivement, adv. D'une manière progressive, par degrés insensibles.

prohibé, ée, adj. Défendu, interdit. ‖ *Armes prohibées*, armes dont le port et l'usage sont interdits. ‖ *Degré prohibé*, le degré de parenté où la loi défend de se marier. ‖ *Chasser en temps prohibé*, en temps où la chasse est fermée.
CTR. — *Permis, licite, autorisé.*

prohiber, v. tr. (lat. *prohibere*, m. s.). Défendre, interdire.
CTR. — *Autoriser, permettre.*

prohibitif, ive, adj. Qui interdit, défend, empêche, restreint. — *Droits prohibitifs*, taxes si élevées, frappant une transaction, qu'elles équivalent à une prohibition.
SYN. — V. COUTEUX.

prohibition [sion], n. f. Action de prohiber; défense, interdiction. ‖ Loi, décret interdisant l'entrée ou la sortie de telle marchandise, l'exercice de certains commerces, la vente de certains produits, etc.
* ANT. — *Autorisation, permission.*

* **prohibitionnisme**, n. m. Système économique qui préconise la prohibition. (Néol.).

prohibitionniste, adj. et n. Relatif à la prohibition; partisan de la prohibition.

proie, n. f. (lat. *præda*, m. s.). Être vivant dont un animal carnassier s'empare pour le manger. *Le lion se jeta sur sa proie.* — *Oiseau de proie*, oiseau qui donne la chasse au gibier et qui s'en nourrit. — Par anal. *Homme de proie*, personne rapace et cruelle. ‖ Fig. Butin, tout ce dont on s'empare avec violence, avec rapacité, etc. *Ces richesses furent la proie du vainqueur.* ‖ Fig. Personne, chose tourmentée, ravagée, dévorée par d'autres. *Ce navire a été la proie des flammes.* — *Être en proie à*, être victime de, être tourmenté par. *Il est en proie à la calomnie, à la douleur.*
SYN. — V. BUTIN.

projecteur, n. m. (lat. *projectum*, sup. de *projicere*, projeter). Appareil destiné à projeter au loin un puissant faisceau de rayons lumineux. — *Projecteurs de motocyclettes et d'automobiles*, petits phares.

* **projectif, ive**, adj. Qui a le pouvoir, la force de projeter, de lancer. *Force projective.*

projectile, n. m. (lat. *projectus*, lancé en avant). Tout corps solide et pesant susceptible d'être lancé par une force quelconque. ‖ Corps lancé par une arme, une bouche à feu (flèche, javelot, balle, obus, bombe, fusée, etc.). V. tabl. GUERRE (Idées suggérées par le mot). = Adj. *Mouvement, force projectile*, mouvement, force de projection.

projection [sion], n. f. (lat. *projectio*, m. s.). Action de projeter. *La projection de la boue par un véhicule.* [Mécan.] Action d'imprimer un mouvement à un corps solide et pesant qui continue ensuite ce mouvement. *Projection verticale.* [Techn.] Action de jeter le métal fondu dans un moule. [Phys.] Action de former, sur un écran, une image (cliché positif, film), à l'aide d'un foyer lumineux. *Lanterne à projection.* ‖ Image obtenue ainsi sur l'écran. [Géom.] Représentation d'une figure sur un plan ou sur une surface, d'après certaines données géométriques.

* **projecture**, n. f. [Archi.] Saillie en avance horizontale des divers membres d'architecture.

projet [pro-jè], n. m. (lat. *projectus*, lancé en avant). Dessein, entreprise,

arrangement de moyens pour l'exécution d'un dessein. *Former, concevoir, exécuter un projet. Ceci n'est encore qu'en projet.* ‖ Première idée, première rédaction d'une chose que l'on a dessein d'exécuter ou que l'on propose pour être exécutée. *Rédiger un projet de loi.* [Archi. et indust.] *Projet d'une construction, d'une machine, d'une installation d'usine, d'un chemin de fer,* etc., ensemble de tous les détails nécessaires à l'exécution de l'œuvre, avec dessins, calculs, etc., et le devis des dépenses.
ÉPITHÈTES COURANTES : grand, vaste, grandiose, ambitieux, hasardeux, hardi, secret, hostile, vain, inutile; abandonné, manqué, réussi, réalisé, etc.
SYN. — V. ÉBAUCHE.
projeter, v. tr. (de *projet*). Former un projet. *Projeter une entreprise, un voyage.* — Absol. *C'est un homme qui projette sans cesse et n'exécute jamais.* [Géom.] Représenter, d'après certaines règles géométriques, sur un plan ou sur une surface quelconque, la figure d'un corps situé dans l'espace hors de ce plan ou de cette surface. *Projeter une sphère sur un plan.* ‖ Jeter, diriger, étendre en avant. *Un corps qui projette son ombre sur un autre.* = SE PROJETER, v. pron. Faire saillie, se prolonger, paraître saillant. *Ce corps de logis se projette trop sur la façade de l'édifice. L'ombre qui se projette au loin.* = Conjug. V. GRAMMAIRE.
SYN. — V. JETER.
* **prolabé, ée**, adj. [Méd.] Atteint de prolapsus.
* **prolapsus** [*lap-suss*], n. m. (mot lat. sign. *chute*). [Méd]. Relâchement anormal et descente d'un organe. *Prolapsus du rectum.*
* **prolégat**, n. m. [Antiq. rom]. Magistrat qui aidait ou remplaçait un légat.
prolégomènes, n. pl. m. (gr. *prolégomena,* choses dites en avant). Ample préface en tête d'un livre pour donner les notions nécessaires à l'intelligence des matières qui y sont traitées. ‖ Notions préliminaires.
prolepse, n. f. (gr. *prolêpsis,* m. s.). [Rhét.] Figure de pensée qui consiste à prévoir une objection et à la réduire par avance. [Phil.] Anticipation de l'expérience.
* **proleptique**, adj. Qui anticipe. [Méd.] Se dit d'une fièvre dont chaque accès empiète sur le précédent.
prolétaire, n. m. (lat. *proles*, rejeton). [Antiq. rom.] Citoyen de la dernière classe. ‖ Auj. Membre de la classe la plus pauvre et la plus nombreuse. ‖ Tout homme qui ne vit que du produit de son travail, par opp. à *capitaliste.*
ANT. — *Capitaliste, possédant.*
prolétariat [*ria*], n. m. Condition du prolétaire. ‖ Ensemble des prolétaires, par opp. à la classe capitaliste.
ANT. — *Capitalisme.*
prolétarien, ienne, adj. Qui concerne les prolétaires, le prolétariat.
prolifération [*sion*], n. f. (lat. *proles*, rejeton; *fero*, je porte). [Biol.] Multiplication normale ou anormale de cellules isolées ou de tissus cellulaires. [Bot.] Formation d'un bouton à fleurs sur une partie qui n'en porte pas habituellement.

prolifère, adj. Qui se multiplie, qui donne naissance à de nombreux rejetons.
HOM. — *Prolifère, es, ent,* du v. proliférer.
proliférer, v. intr. Se multiplier. ‖ Se reproduire par prolifération. = Conjug. V. GRAMMAIRE.
prolifique, adj. (lat. *proles*, lignée; *facere*, faire). Qui a la faculté d'engendrer. ‖ Qui se multiplie rapidement. *Race prolifique.*
CTR. — *Stérile.*
* **proligère**, adj. (lat. *proles*, lignée; *ero*, je porte). [Hist. ant.] Qui contient des germes.
prolixe, adj. (lat. *prolixus*, m. s.). Qui emploie, qui contient trop de mots, de détails.
SYN. — V. DIFFUS.
CTR. — *Bref, court, concis, sec, laconique, précis, succinct.*
* **prolixement**, adv. D'une manière prolixe.
CTR. — *Brièvement, laconiquement, succinctement, sèchement.*
prolixité, n. f. Défaut de celui qui est ou de ce qui est prolixe, plein de longueurs, de détails inutiles.
ANT. — *Concision, laconisme; sécheresse, brièveté.*
prologue, n. m. (gr. *pro*, avant; *logos*, discours). Préface, avant-propos. [Litt.] Ouvrage qui sert d'introduction à une pièce de théâtre. [Mus.] Petit morceau lyrique qui précède un grand opéra.
ANT. — *Épilogue, conclusion, postface.*
* **prolongatif, ive**, adj. [Gram.] Qui marque la prolongation de la durée du son d'une voyelle. *L's prolongatif de beste, feste est aujourd'hui remplacé par l'accent circonflexe sur l'e.*
prolongation [*sion*], n. f. Action de prolonger. *Prolongation d'un chemin.* ‖ Temps qu'on ajoute à une durée déjà fixée. *La prolongation d'un congé.*
PAR. — *Prolongation,* n. f., action de prolonger un temps, un congé : *Prolongation de loyer;* — *prorogation,* n. f., délai, prolongement du temps. *La prorogation des Chambres;* — *prolongement,* n. m., extension, continuation : *Le prolongement d'une avenue;* — *prolonge,* n. f., chariot militaire : *Prolonge d'artillerie.*
prolonge, n. f. Cordage pour la manœuvre des anciennes bouches à feu. ‖ Chariot à munitions d'artillerie. ‖ Cordage pour assujettir des bâches sur les wagons.
PAR. — V. PROLONGATION.
prolongement, n. m. Accroissement en longueur; extension. ‖ Extension d'une action.
PAR. — V. PROLONGATION.
prolonger, v. tr. Étendre, continuer, faire aller plus loin. *Prolonger une avenue.* ‖ Faire durer plus longtemps, rendre de plus longue durée. *Prolonger une permission.* [Mar.] Longer parallèlement. = SE PROLONGER, v. pr. S'étendre plus loin, durer plus longtemps. = Conjug. V. GRAMMAIRE.
CTR. — *Raccourcir, restreindre.*
SYN. — V. ALLONGER.
PAR. — *Proroger,* prolonger le temps qui avait été donné ou pris. *Proroger un délai.*

promenade, n. f. Action de se promener. ‖ Lieu où l'on se promène.
promener, v. tr. (lat. *prominare*, pousser en avant). Mener, conduire quelqu'un d'un endroit à un autre pour l'amuser ou lui faire prendre de l'exercice. *Promener un enfant.* ‖ Fig. Faire passer, conduire çà et là. *Promener les yeux sur...* — *Promener son imagination sur des objets divers*, l'y laisser errer. = SE PROMENER, v. pron. Aller à pied, en voiture, etc., pour prendre de l'exercice ou pour se distraire. ‖ *Allez vous promener*, se dit, par impatience, à celui dont on veut se débarrasser. = Conjug. V. GRAMMAIRE.
INCORR. — On ne doit pas dire : *nous irons promener*, mais : *nous irons nous promener*.
promeneur, euse, n. Celui, celle qui promène quelqu'un. ‖ Celui, celle qui se promène, qui aime se promener.
promenoir, n. m. Lieu couvert pour la promenade. ‖ Lieu où les spectateurs se tiennent debout dans une salle de spectacle.
promesse, n. f. (lat. *promissa*, m. s.). Assurance verbale ou écrite de faire ou de dire quelque chose. *Tenir, remplir, violer sa promesse.* — Fig. et fam. *Se ruiner en promesses*, faire beaucoup de promesses qu'on n'a pas l'intention de tenir. ‖ Fig. Belle espérance que l'on conçoit de quelqu'un, de quelque chose. *Les promesses de la récolte.*
ÉPITHÈTES COURANTES : belle, fallacieuse, trompeuse, alléchante, séduisante, sérieuse, futile, mensongère, vague, incertaine, irréalisable, sincère, hypocrite, tenue, éludée, etc.
SYN. — V. SERMENT.
prometteur, euse, n. Celui, celle qui promet à la légère ou sans intention de tenir sa promesse. = Adj. Plein de promesses, d'espérances.

promettre, v. tr. V. tabl. PROMETTRE.
promis, ise, adj. (pp. de *promettre*). Dont on a fait la promesse. ‖ *Terre promise*, la terre de Chanaan que Jéhovah avait promis au peuple hébreu. — Fig. *Espérer une chose comme la terre promise*, la désirer vivement, mais en vain. = Nom. Fiancé, fiancée.
* **promiscue,** adj. f. Qui a le caractère de la promiscuité (Très rare).
promiscuité, n. f. (lat. *promiscere*, mêler). Mélange confus, choquant ou fâcheux. *La promiscuité des sexes.*
promission, n. f. *Terre de promission*, la terre de Chanaan, promise aux Hébreux. ‖ Fig. Pays très fertile.
PAR. — *Permission*, autorisation; congé accordé à un soldat.
promontoire, n. m. (lat. *pro*, en avant; *mons, montis*, mont). Pointe de terre élevée qui s'avance dans la mer ou au-dessus d'une plaine. V. pl. GÉOGRAPHIE.
SYN. — *Promontoire*, pointe de terre dominant la mer ou une plaine : *Du haut de ce promontoire, la vue est magnifique.* — *Cap*, pointe de terre, souvent élevée qui s'avance dans la mer : *Ce cap est dominé par un phare.* — *Pointe*, langue de terre qui s'avance dans la mer. *La pointe de Corsen est la plus occidentale de la France.* — *Presqu'île*, terre entourée d'eau de toutes côtés, sauf un : *La presqu'île de Quiberon.*
promoteur, trice, n. (lat. *promotor*, m. s.). Celui, celle qui donne la première impulsion. ‖ Celui qui prend le soin principal d'une affaire.
promotion [*sion*], n. f. (lat. *promotio*, m. s.). Action par laquelle on élève à la fois plusieurs personnes à un même grade, à une même dignité. *Faire des promotions dans l'armée.* ‖ Admission simultanée de candidats à une école du gouvernement; ensemble des candidats admis. *La pro-*

PROMETTRE, verbe.

Étymologie. — Latin *promittere*, m. s., de *pro*, en avant, et *mittere*, envoyer.
CONJUG. — Comme *mettre*. V. VERBES. *Promis, ise*, pp. — Adj. et n. V. ce mot.
PAR. — *Permettre*, donner l'autorisation, accorder, tolérer.
CTR. — *Refuser*.

PROMETTRE, verbe transitif.

S'engager à faire, à donner, à dire, etc. *Il a promis de changer de conduite. Il a tenu plus qu'il n'avait promis. Promettre une fille en mariage.* — Prov. *Promettre et tenir sont deux.* Il y a une grande différence entre promettre et tenir.
Fig. Annoncer, prédire, faire espérer. *Voilà un ciel qui nous promet du beau temps. Cela promet beaucoup.*
Absolument. Donner de belles espérances. *Ce jeune homme promet beaucoup.* Au sens ironique. *Voilà un début qui promet.*
— Celui qui promet quelque chose s'est déjà, en quelque sorte, dessaisi lui-même, en s'ôtant la liberté d'en disposer d'une autre manière. (BOSSUET.)
— *Le plus lent à promettre est toujours le plus fidèle à tenir.* (J.-J.ROUSSEAU.)
— *On promet beaucoup pour se dispenser de donner peu.* (VAUVENARGUES.)
Fam. Assurer qu'une chose sera. *Je vous promets que je ne le ménagerai pas.*
OBSERVATION. — *Promettre* indiquant, dans ce sens, quelque chose de futur, il est incorrect d'employer le présent ou un temps du passé dans la proposition subordonnée. On ne doit donc pas dire : *Je vous promets que je ne suis pas sorti de chez moi hier*, mais : *Je vous assure, je vous garantis que...*

SE PROMETTRE, verbe pronominal.

1° Réfléchi direct : S'engager au mariage. *Elle s'est promise à Pâques dernier.*
2° Réfléchi indirect :
  a) Espérer. *Qui peut se promettre d'être heureux ?*
  b) Faire le projet d'une chose qui vous est agréable. *Je me suis promis de lui jouer un bon tour.*
  c) Prendre une ferme résolution. *Je me suis promis de ne jamais le revoir.*

motion de Saint-Cyr, de l'École normale. ǁ Nomination, élévation d'une ou de plusieurs personnes à une dignité, à un emploi supérieur, à une classe plus élevée. *Promotion au choix ; promotion à l'ancienneté.* ǁ L'ensemble des personnes qui ont fait l'objet d'une promotion. *La promotion tout entière se réunit dans un banquet.*

promouvoir, v. tr. (lat. *promovere,* pousser en avant). Avancer, élever à une dignité. ǁ Faire passer à un grade plus élevé. = Conjug. (comme *mouvoir,* mais le pp., *promu,* ne prend pas d'accent circonflexe sur l'*u*). V. VERBES (s'emploie surtout à l'infinitif, au part. passé et aux temps composés).
CTR. — *Rétrograder.*

prompt, prompte [*pron, pron-te*], adj. (lat. *promptus,* m. s.). Qui se fait en peu de temps, rapide, qui ne tarde pas. *Avoir la répartie prompte.* ǁ Vif, actif, diligent. *Il est prompt à servir ses amis.* ǁ Absol. *Avoir l'esprit prompt, la conception prompte,* avoir un esprit qui conçoit, qui comprend vite, aisément. ǁ Qui s'emporte facilement. *Il a l'humeur prompte.*
SYN. — V. DILIGENT.
CTR. — *Lent, tardif.*

promptement [*pron-te*], adv. Avec diligence, avec promptitude ; vite, tôt.
CTR. — *Lentement.*

promptitude [*pron-ti*], n. f. Caractère de ce qui est prompt ; rapidité, diligence. *Agir avec promptitude.* ǁ Vivacité, activité. *Promptitude d'esprit,* facilité à comprendre, à concevoir.
SYN. — V. ACTIVITÉ.

promu, ue, adj. (pp. de *promouvoir*). Élevé à une dignité, à un grade.

*** promulgateur,** n. m. Celui qui promulgue.

promulgation [*sion*], n. f. Action de promulguer ; publication officielle d'une loi.

promulguer, v. tr. Publier dans les formes requises pour rendre exécutoire. *Promulguer une loi.*

pronaos [*na-oss*], n. m. (mot gr.). [Archi.] Partie antérieure des temples anciens, précédant le naos. — V. pl. TEMPLE.

pronateur, trice, adj. et n. [Anat.] Qui sert aux mouvements de pronation. *Muscle rond pronateur.*

pronation [*sion*], n. f. [Physiol.] Rotation de la main de manière que la paume soit tournée vers la terre. Position de la main qui a effectué ce mouvement.

prône, n. m. Instruction chrétienne faite chaque dimanche à la messe paroissiale et accompagnée des annonces et avis de la semaine. ǁ Fam. Gronderie, remontrance importune.
SYN. — V. PRÉDICATION.
HOM. — *Prône, es, ent,* du v. *prôner.*

prôner, v. tr. Faire le prône. ǁ Fig. Vanter, louer à l'excès. *Il prône cette action comme un trait héroïque. Prôner un produit commercial.* = V. tr. et intr. Faire de longues et ennuyeuses remontrances.
SYN. — *Prôner,* publier au prône ; faire connaître avec ardeur : *Prôner un remède nouveau.* — *Divulguer,* publier quelque chose qui était secret : *Divulguer des secrets d'État.* — *Lancer,* faire connaître à l'aide d'une forte réclame. *Lancer une affaire financière.* — *Préconiser,* louer publiquement, recommander particulièrement : *Préconiser un produit pharmaceutique.* — *Publier,* faire connaître au grand jour, particulièrement par la presse : *Publier une nouvelle sensationnelle.* — *Vanter,* louer beaucoup : *Vanter une drogue.* V. aussi ANNONCER, DÉCELER, LOUER
CTR. — *Décrier.*

prôneur, euse, n. Celui qui fait le prône (Rare). ǁ Celui, celle qui loue avec excès ou qui fait d'ennuyeuses remontrances.

pronom, n. m. (préf. *pro,* à la place de, et *nom*). [Gram.] Mot variable qui tient la place d'un nom, pour en éviter la répétition. Parfois il représente une phrase entière : *Viendra-t-il ? Je le crois.* Il s'accorde en genre et en nombre avec le mot qu'il représente. On distingue six espèces de pronoms : *personnels, possessifs, démonstratifs, relatifs, interrogatifs* et *indéfinis.* V. GRAMMAIRE.
GRAM. — Les pronoms personnels employés comme sujets se répètent : 1° quand les verbes ne sont pas au même temps, ou quand l'un des verbes est accompagné d'un complément ou d'un adverbe qui ne convient qu'à lui : *J'étais venu vous voir, mais je ne vous ai pas trouvé ; vous critiquez votre frère parce que vous le jugez sans indulgence ;* 2° lorsqu'on passe d'une proposition négative à une proposition affirmative : *Je ne plie pas et je romps.* Hors ces deux cas, c'est l'oreille et surtout le besoin d'être clair qu'il faut consulter. — Les pronoms personnels employés comme régimes se répètent avant chaque verbe : *Il m'afflige et me contrarie ; je le connais, l'aime et l'estime.*
Dans certaines locutions toutes faites, le *pronom sujet* est parfois sous entendu : *Fais ce que dois ; soit dit entre nous ; mieux vaut se taire ; reste à savoir ; si bon me semble ; si besoin est ; suffit ; tant s'en faut ; à Dieu ne plaise ; m'est avis ; qu'importe,* etc.
PAR. — *Prénom,* petit nom, nom de baptême d'une personne.

pronominal, ale, aux, adj. Qui appartient au pronom, qui comporte un pronom. [Gram.] *Verbe pronominal* ou *réfléchi,* verbe qui se conjugue avec deux pronoms de la même personne, l'un sujet, l'autre régime. V. GRAMMAIRE.

pronominalement, adv. A la façon du pronom. ǁ Comme verbe pronominal.

*** pronominaliser,** v. tr. [Gram.] Donner à un verbe la forme pronominale.

prononçable, adj. Qui peut se prononcer.

prononcé, ée, adj. Marqué, accusé fortement. *Des traits prononcés.* ǁ Exprimé, marqué nettement. *Une intention bien prononcée.* ǁ Fig. *Caractère prononcé,* caractère ferme et décidé. [Droit] Action de prononcer l'arrêt, la sentence, le jugement.

prononcer, v. tr. (lat. *pronuntiare,* m. s.). Articuler distinctement tous les sons qui entrent dans l'expression des mots d'une langue. *Prononcer distinctement.* ǁ Réciter, débiter. *Prononcer un discours.* ǁ Déclarer en vertu de son autorité. *Prononcer une décision, un arrêt, un jugement.* ǁ Fig. *Il a prononcé lui-même sa*

condamnation il s'est condamné par ses propres paroles, par son propre témoignage.
V. intr. Décider, déclarer avec autorité. *La loi, le sort a prononcé.* ‖ Déclarer son sentiment, décider. *J'attends que vous ayez prononcé.* = SE PRONONCER, v. pron. Faire voir, manifester son avis, son intention en quelque affaire. *Le médecin ne s'est pas encore prononcé sur ce cas.* ‖ Au sens passif. Se dessiner plus nettement, au propre et au fig. *Des traits qui se prononcent; un défaut qui se prononce.* = Conjug. V. GRAMMAIRE.
SYN. — V. PROFÉRER.
* **prononciatif, ive**, adj. Qui a rapport à la prononciation.
prononciation [*sion*], n. f. Manière de prononcer, d'articuler, de faire entendre les mots. ‖ Manière de réciter, de débiter. ‖ Action de prononcer un jugement.
ÉPITHÈTES COURANTES : bonne, correcte, mauvaise, régulière; incorrecte, fautive, défectueuse, vicieuse; claire, agréable, nette; déplaisante, confuse, campagnarde, régionale, dialectale, etc.
pronostic, n. m. (gr. *prognôstikon*, indice). Jugement que l'on porte sur ce qui doit arriver. [Méd.] Prévisions quant à l'évolution d'une maladie. ‖ Signe, indice, permettant de conjecturer de l'avenir.
* **pronosticateur**, n. m. Celui qui pronostique.
* **pronostication** [*sion*], n. f. Action de pronostiquer. — On dit mieux: *pronostic.*
* **pronostique**, adj. Qui a trait au pronostic. *Signes pronostiques.*
pronostiquer, v. tr. Faire un pronostic.
* **pronostiqueur, euse**, n. Celui, celle qui se mêle de pronostiquer.
pronunciamiento [*pronoun-sia-mi-into*], n. m. (mot esp.). En Espagne et dans les républiques américaines de langue espagnole, acte d'un chef, d'une assemblée, d'une ville, d'une province qui se révolte contre le gouvernement. ‖ Manifeste insurrectionnel qui précède cet acte. = Pl. *Des pronunciamientos.*
propagande, n. f. (lat. *propaganda*, qui doit être propagé). Congrégation, établie à Rome en 1597, qui s'occupe spécialement des affaires relatives à la propagation de la foi. ‖ Par anal. Association, organisme qui a pour but de propager certaines opinions. *Ministère de la Propagande.* ‖ Activité d'un individu, d'un groupe, d'un gouvernement, qui cherche à propager des doctrines, des idées, des opinions. *Propagande antialcoolique.* ‖ *Faire de la propagande*, essayer de rallier des partisans à son opinion.
ÉPITHÈTES COURANTES : officielle, secrète, sournoise, insidieuse, énorme, effrayante, belliciste, révolutionnaire, étrangère, sociale, nationale; pour ou contre quelque chose, etc.
* **propagandisme**, n. m. Esprit de propagande.
propagandiste, adj. et n. Celui, celle qui fait de la propagande.
propagateur, trice, adj. et n. Qui propage.
propagation [*sion*], n. f. Action de se propager; multiplication par voie de génération, de reproduction. *Propagation des espèces.* ‖ Fig. Extension, progrès, accroissement, augmentation. *La propagation de la foi.* [Phys.] Manière dont la lumière, la chaleur, etc., se répandent, dont certains mouvements naissent les uns des autres. *La propagation du son.*
propager, v. tr. (lat. *propagare*, m. s.). Multiplication par voie de reproduction, de génération. ‖ Fig. Répandre, étendre, faire croître. *Propager la vérité.* = SE PROPAGER, v. pron. Se multiplier, s'étendre de proche en proche. = Conjug. V. GRAMMAIRE.
CTR. — Borner, limiter, restreindre, arrêter.
* **propane**, n. m. [Chim.] Hydrocarbure saturé, gaz incolore qui se dégage des puits de pétrole.
proparoxyton, n. m. [Gram.] Mot qui a l'accent tonique sur l'antépénultième syllabe.
* **propédeutique**, n. f. Enseignement préparatoire, partic. en médecine.
propension [*pan*], n. f. Tendance naturelle d'un corps vers un autre. ‖ Fig. Penchant, inclination de l'âme.
ANT. — *Répulsion.*
PAR. — V. PROPULSION.
propérispomène, n. m. [Gram.] Mot où l'accent circonflexe, partic. en grec, est sur l'avant-dernière syllabe.
prophète [*fète*], n. m. (lat. *propheta*, m. s.). Celui qui annonce l'avenir. — Partic., chez les Hébreux, celui qui, par inspiration divine, révélait une vérité cachée aux hommes. *Les prophètes ont annoncé le Messie.* — *Le Prophète-roi* ou *le Roi-prophète*, David. ‖ Devin adonné au culte des faux dieux. *Faux prophète.* ‖ *Prophète* (avec une majuscule), titre que les Musulmans donnent à Mahomet. *L'étendard du Prophète.* ‖ Fig. et proverb. *Nul n'est prophète en son pays*, on a ordinairement moins de succès dans son pays qu'ailleurs. — *Voici la loi et les prophètes*, se dit des livres, des écrits, qui font autorité dans la question dont il s'agit (souvent par plaisant.). ‖ Fig. et fam. Celui qui, par conjecture ou par hasard, annonce ce qui doit arriver. *Vous avez été bon prophète.* — *Prophète de malheur*, celui qui prédit des choses désagréables.
ÉPITHÈTES COURANTES : divin, inspiré, sacré, faux, imposteur, menteur; bon, mauvais, etc.
prophétesse, n. f. Femme prophète; celle qui annonce l'avenir par inspiration divine.
prophétie [*si*], n. f. Révélation de choses cachées par inspiration divine. ‖ Prédiction faite par un devin, par un charlatan. ‖ Annonce d'un événement futur.
SYN. — *Prophétie*, prédiction de l'avenir faite par un personnage inspiré : *Les prophéties de Daniel.* — *Divination*, art prétendu de prédire l'avenir d'après divers moyens : *Les Romains, pour la plupart, croyaient à la divination.* — *Oracle*, prétendue réponse apportée par les dieux païens aux demandes des hommes : *L'oracle d'Apollon à Delphes.* — *Prédiction*, chose annoncée que l'on avance : *Croire aux prédictions de Nostradamus.*
LING. — Le *t* de *prophétie* se prononce *s*, mais celui de *prophétique, prophétiquement, prophétiser, prophétisme*, se prononce *t*.

prophétique, adj. Qui tient du prophète. ‖ Qui a le don de lire dans l'avenir. ‖ Dont les prévisions se sont réalisées.
prophétiquement, adv. D'une manière prophétique; en prophète.
prophétiser [zé], v. tr. Prédire, annoncer l'avenir par inspiration divine. ‖ Fig. Prévoir et dire d'avance ce qui doit arriver.
* **prophétisme,** n. m. Système religieux des prophètes, dans l'Ancien Testament.
prophylactique, adj. [Méd.] Qui a rapport à la prophylaxie.
prophylaxie, n. f. (gr. *pro,* avant; *phylassein,* garantir). [Méd.] Étude et emploi des précautions propres à préserver d'une maladie déterminée.
propice, adj. Favorable, en parlant de la divinité ou d'une puissance supérieure et indépendante de nous. ‖ Par ext. Se dit du temps, de l'occasion, etc. *Choisir l'instant propice.* Ctr. — *Défavorable, contraire, néfaste, funeste.*
* **propionique,** adj. [Chim.] Se dit d'un acide qui se produit dans diverses fermentations ou putréfactions.
propitiateur, trice [sia], n. Celui, celle qui rend propice.
propitiation [sia-sion], n. f. *Sacrifice, victime de propitiation,* sacrifice, victime offerts à Dieu pour le rendre propice.
propitiatoire [sia], adj. Qui a la vertu de rendre propice. = N. m. Table d'or qui était posée au-dessus de l'arche des Hébreux.
propolis [liss], n. f. (mot gr.). [Apic.] Matière résineuse, rougeâtre et odorante, dont les abeilles se servent pour boucher les fentes de leurs ruches.
proportion [sion], n. f. (lat. *proportio,* m. s.). Convenance et rapport des parties entre elles et avec leur tout. *Les proportions sont bien observées dans cet édifice.* ‖ Au pl. Dimensions. *Cette industrie a pris des proportions énormes.* ‖ Intensité d'action. *L'incendie prit rapidement de grandes proportions.* ‖ Au sens moral, convenance que les choses ont les unes avec les autres. *Son emploi n'est pas en proportion avec son mérite.* [Math.] Égalité de deux rapports. = A proportion, loc. adv. proportionnellement. A proportion de, en proportion de, loc. prép. Par rapport à, eu égard à. *Il sera récompensé en proportion de ses services.* = A proportion que, loc. conj. A mesure que. ‖ *Proportion gardée, toute proportion gardée,* en tenant compte de l'inégalité, de la différence relative des deux personnes, des deux choses dont il s'agit.
Ant. — *Disproportion.*
Épithètes courantes : juste, régulière, considérable, grande, belle, forte, égale, faible, inexacte.
* **proportionnable** [sio-na], adj. Que l'on peut proportionner.
* **proportionnaliste** [sio-na], adj. et n. Partisan de la représentation proportionnelle dans les élections.
proportionnalité [sio-na], n. f. Caractère des choses et, partic., des quantités proportionnelles entre elles.
proportionné, ée [sio-né], adj. Qui convient à. *Situation proportionnée au mérite.* ‖ Dont toutes les parties ont entre elles un rapport convenable ou non. *Un corps, un homme bien, mal proportionné.*
Ctr. — *Disproportionné.*
proportionnel, elle [sio-nel], adj. Qui est en proportion, en rapport de convenance ou de quantité avec quelque chose. [Math.] *Moyenne proportionnelle,* valeur commune des deux moyens égaux d'une proportion.
proportionnellement [sio-nel-le-man], adv. D'une manière proportionnelle; en proportion, à proportion.
* **proportionnément** [sio-né-man], adv. D'une manière proportionnée.
proportionner [sio-né], v. tr. Mettre en juste rapport, en juste proportion; garder la convenance nécessaire. *Proportionner le châtiment au crime.* = se proportionner à, v. pr. Se mettre à la portée de, au niveau de.
Ctr. — *Disproportionner.*
propos [po], n. m. (lat. *propositum,* chose avancée). Discours qu'on tient dans la conversation. *Propos de table.* — *Propos interrompus,* discours, conversation sans suite, sans liaison, semés de coq-à-l'âne en manière de plaisanterie. *Ferme propos,* résolution bien arrêtée. A propos, loc. adv. Conformément au sujet, au lieu, au temps, aux personnes; opportunément, etc. *Arriver à propos.* — *Mal à propos,* à contretemps, par opp. à *à propos.* — *Sans raison. C'est mal à propos qu'on vous a dit cela.* = Adj. Convenable, opportun. *On n'a pas jugé à propos de vous mander cette nouvelle.* = A-propos, n. m. Opportunité, caractère d'une chose dite ou faite au moment convenable. *Il ne manque pas d'à-propos.* ‖ Par rapport à (souvent employé comme simple transition). *A propos, j'oubliais de vous dire...* — *A quel propos? à propos de quoi?* Pour quel sujet? pour quelle cause? = A propos de, loc. prép. Au sujet de. *A propos de rien,* et pop. *A propos de bottes,* sans motif raisonnable. = A tout propos, loc. adv. En toute occasion, à chaque instant. *Il se met en colère à tout propos.* = mal à propos, hors de propos, loc. adv. Sans raison, sans sujet. *Il a parlé de cela hors de propos.* = De propos délibéré, loc. adv., à dessein. *Il a fait cela de propos délibéré.*
proposable [za], adj. Qui peut être proposé.
* **proposant, ante** [zan], n. Celui, celle qui propose quelque chose. ‖ Chez les protestants, celui qui étudie pour être pasteur.
proposer, v. tr. (lat. *proponere,* placer en avant). Mettre chose en avant pour qu'on en délibère. *Proposer un plan, un arrangement.* — Prov. *L'homme propose et Dieu dispose.* — *Proposer un sujet,* mettre un sujet au concours, donner une matière à traiter. ‖ Offrir. *Proposer un prix.* ‖ *Proposer une personne pour un emploi, pour une dignité,* indiquer une personne comme capable de remplir cet emploi, comme méritant cette dignité. — *Proposer quelqu'un pour modèle,* donner quelqu'un pour modèle. = se proposer, v. pr. S'offrir. *Plusieurs personnes se sont proposées pour cet emploi.* ‖ Se donner pour. *Elle s'était proposée comme un modèle de douceur.* ‖ Avoir en vue une certaine fin.

PROPOSITION — PROPRIÉTÉ

Se proposer un but. ∥ *Former un dessein. Il se propose de partir sous peu.*
— *On n'exécute pas tout ce qu'on se propose,*
   Et le chemin est long du projet à la chose. (MOLIÈRE.)
Syn. — V. OFFRIR.
Par. — *Préposer,* mettre à la tête.

proposition [*sion*], n. f. (lat. *propositio*, m. s.). L'énonciation d'un jugement. *Avancer, soutenir, condamner une proposition.* ∥ Action de présenter à l'opinion ou à la délibération un projet, une offre, etc. ∥ Chose proposée pour qu'on l'examine ou qu'on en délibère. *Débattre, discuter, appuyer, combattre, rejeter une proposition.* ∥ Chose proposée pour arriver à la conclusion d'une affaire, à un arrangement, etc. *Proposition de paix.* [Log.] Série de mots exprimant une idée. [Gram.] Groupe de mots comprenant essentiellement un sujet, un verbe, un attribut et parfois des compléments. *Proposition principale, subordonnée.* V. GRAMMAIRE et tabl. PROPOSITIONS. [Math.] Théorème ou problème, énonciation d'une vérité à démontrer ou d'une question à résoudre. *Démontrer une proposition.* [Théol.] Affirmation dogmatique. *Les cinq propositions de Jansénius.*
Par. — *Préposition,* mot invariable indiquant un rapport.

propre, adj. (lat. *proprius,* m. s.).
1° Qui appartient à quelqu'un, à quelque chose, exclusivement. *C'est son propre fils. Le caractère propre, les qualités propres d'une chose.* ∥ *Amour-propre.* V. ce mot. [Gram.] *Nom propre.* V. NOM. *Le sens, la signification propre d'un mot,* le sens naturel et primitif d'un mot, par opp. à *sens figuré. Le mot* feu *veut dire* combustion *au sens propre, et* ardeur *ou* décédé, *au sens figuré.* ∥ Identique, exactement semblable. *Il m'a dit cela en propres termes.*
Qui est apte à faire une chose, à produire un effet. *Ce remède est propre à telle maladie.* — Prov. *Celui qui est propre à tout n'est propre à rien,* celui qui ne s'est pas spécialisé dans quelque branche est incapable de mener quoi que ce soit à perfection. ∥ *Le mot propre,* le mot qui, seul, rend exactement l'idée. = Nom. *Un propre à rien,* un incapable. (Fam.). = N. m. *Prendre un mot au propre.* = EN MAINS PROPRES, loc. adv. A la personne elle-même. *Remettre une lettre en mains propres.*
— *Un enfant est peu propre à trahir sa pensée.* (RACINE.)
2° Net, par opp. à *sale. Cette chambre, cette table n'est pas propre.* ∥ Correct, bien arrangé. *Il est toujours fort propre dans sa tenue.* ∥ Fig. Décent, de moralité incontestable. *Ce sont des gens propres en affaires. Avoir les mains propres,* être intègre. ∥ Fig. En fâcheuse posture. *Me voilà propre !*
N. m. Fig. et par iron. Ce qui est malséant, mal fait, gâché. *Vous en avez fait du propre !* ∥ Qualité particulière qui appartient exclusivement à un sujet et qui le distingue de tous les autres. *C'est le propre de l'homme de penser et de parler.* — Par ext. Qualité qu'on rencontre généralement ou habituellement dans une personne ou dans une chose. *Le propre des oiseaux est de voler.* ∥ *Avoir, posséder en propre,* avoir, posséder quelque chose en propriété. [Liturgie cath.] *Propre du temps,* ce qui ne se dit qu'en certains temps de l'année.
GRAM. — La signification de *propre,* adjectif, change avec la place qu'il occupe dans la phrase. *Les propres termes d'une lettre* sont les mêmes mots, sans y rien changer, rapportés fidèlement. *Des termes propres* sont des mots qui expriment nettement la pensée, conformément aux règles de la langue.
Syn. — V. NET et PARTICULIER. — *Propre à,* V. CAPABLE.
Ctr. — *Sale, malpropre, sordide.* — *Commun.*
Ant. — *Figuré.*

VOCAB. — *Famille de mots.* — *Propre* : propreté, proprement, propret, malpropre, malpropreté, malproprement, impropre, impropriété, improprement, propriété, propriétaire, exproprier, expropriation, approprier, appropriation.

---

proprement, adv. D'une manière propre, particulière, exclusive. ∥ Précisément, exactement. = A PROPREMENT PARLER, loc. adv. Pour parler en termes exacts. — *Proprement dit,* se dit d'un terme pris dans sa signification expresse et particulière. [Gram.] Au sens propre. *Avec propreté. Manger proprement.* ∥ Avec régularité et netteté. *Du travail proprement fait.* ∥ Avec intégrité, probité.
Ctr. — *Malproprement, salement.* — *Improprement, figurément.*

propret, ette, adj. et n. Fam. D'une propreté minutieuse, où il entre de la simplicité et de la coquetterie.

propreté, n. f. Netteté, qualité de ce qui est propre, exempt de saleté, de négligé. ∥ Fig. Qualité de ce qui est exempt de souillure. *Propreté morale.*
ÉPITHÈTES COURANTES : grande, irréprochable, remarquable, extrême, rigoureuse, méticuleuse; douteuse, insuffisante, relative.
Ctr. — *Malpropreté, saleté.*

propréteur, n. m. [Antiq. rom.] Celui qui commandait dans les provinces ou à la tête d'une armée, avec l'autorité de préteur ou au titre d'ancien préteur.

* **propréture,** n. f. [Antiq. rom.] Dignité, charge de propréteur. — Durée de cette charge.

propriétaire, n. Celui, celle qui possède un bien en propre. ∥ Partic. Celui, celle à qui appartient une maison louée à un ou à des locataires. = Adj. *La société propriétaire.*
Ant. — *Locataire, fermier.*

propriété, n. f. (lat. *proprietas,* m. s.).
1° Droit de jouir et de disposer d'une chose qui vous appartient en propre. *La propriété est le fondement de la société.* — *La grande propriété,* biens-fonds très considérables appartenant à une seule personne. ∥ La chose même qui fait l'objet du droit de propriété. *Respecter la propriété d'autrui.* — Abs. Bien-fonds, terre ou maison. *Une belle propriété à vendre.* [Droit] *Nue propriété,* propriété d'un bien dont un autre est usufruitier. V. tabl. SOCIÉTÉ (*Idées suggérées par le mot*).

PROPOSITIONS

DÉSIGNÉES D'APRÈS LEUR VALEUR	DÉSIGNÉES D'APRÈS LEUR VOISINAGE		DÉSIGNÉES D'APRÈS LE MOT QUI LES INTRODUIT		DÉSIGNÉES D'APRÈS LEUR NATURE OU LEUR FONCTION.

1° **Affirmatives**
Deux et deux font quatre.
 	
2° **Négatives**
Les jours de l'année ne sont pas tous égaux.
 	
3° **Interrogatives**
Quand viendrez-vous ?
 	
4° **Exclamatives**
Qu'il fait froid !
 	
5° **Optatives** (souhait)
Puissiez-vous réussir !
	Isolées et indépendantes
	Le soleil éclaire les planètes.
	
	Coordonnées (introduites par une conj. de coordination, ainsi introduite ayant toujours même nature que celle qui précède). Les ennemis furent défaits, et s'enfuirent.
	
	Juxtaposées, placées, sans liaison, l'une à côté de l'autre. *Le soleil éclaire le jour ; la lune illumine la nuit.*
	
	Intercalées (autref. dites *incises*), au milieu d'une autre, qu'elles introduisent sans la subordonner. *Mon ami, me dit-il, travaillez mieux désormais.*
			Relatives (subordonnées introduites par un pronom relatif.
			
			Conjonctives (ou *conjonctionnelles*) (Brunot). Introduites par une conjonction, particulièrement par une conjonction de subordination.
			
			Interrogatives, introduites par un mot interrogatif.
				Subordonnées complétant le sens de la principale, ou d'une subordonnée voisine.	A. **Indépendantes** (isolées et possédant par elles-mêmes un sens complet) ou **principales** (ne dépendant pas d'une autre, mais ayant besoin d'avoir leur sens complété par une subordonnée).
					Le soleil éclaire les planètes. Le tout est plus grand que la partie.
					Elles peuvent être :
					à l'*indicatif* : Fait, affirmation. *Le tout est plus grand que la partie.*
					au *subjonctif* : Doute, souhait. *Puisse cela arriver !*
					à l'*impératif* : Obéissez aux lois.
					à l'*infinitif* : Interrogatif. *Que faire ?*
					Narratif. *Grenouilles aussitôt de sauter dans les ondes.*
					
					B. *a)* **Complétives d'objet**, jouant le rôle de complément d'objet (Parfois de sujet réel : Il faut, il importe *que vous obéissiez aux lois*).
					  1° Introduites par une conjonction (*que*, le plus souvent en français). — *Je crois qu'il arrivera bientôt.*
					  2° Infinitives (Sujet en principe toujours exprimé). — *Nous voyons le vaisseau s'éloigner à l'horizon.*
					  3° Interrogatives indirectes. — *Je demande qui est venu ; j'ignore s'il viendra.*
					
					b) **Relatives** (autref. dites *incidentes*), déterminent un *mot* d'une proposition voisine (antécédent), et jouent le rôle de compl. de nom, d'épithète, d'apposition, etc. *Le soleil, qui est une étoile, éclaire les planètes.*
					
					c) **Circonstancielles**
					Jouent le rôle de complément circonstanciel par rapport à la principale ou par rapport à une proposition voisine.
					  1° De temps (*temporelles*). — *Elle se trouva fort dépourvue, quand la bise fut venue.*
					  2° De cause (ou *causales*). — *Il a échoué parce qu'il avait trop présumé de ses forces.*
					  3° De but (ou *finales*). — *J'insiste là-dessus afin que vous ne fassiez pas erreur.*
					  4° De concession, de restriction ou d'opposition (*concessives, restrictives* ou *oppositives*). — *Il ne travailla soit bien tard, je passerai chez vous. — Quoiqu'il ne travailla pas, de sorte qu'il échoua à ses examens.*
					  5° De conséquence (ou *consécutives*). — *Il ne travailla pas, de sorte qu'il échoua à ses examens.*
					  6° De comparaison (ou *comparatives*). — *Comme on fait son lit, on se couche. Il est plus habile que je ne le pensais.*
					  7° De condition ou de supposition (ou *conditionnelles*, parfois dites *hypothétiques*). — *S'il avait réussi, tous l'eussent acclamé.*
					
					C. **Participes absolues** (sujet exprimé qui n'a aucun rôle grammatical dans les propositions voisines). — Les propositions participes absolues ont le même rôle que les prop. sub. circonstancielles.
					La Gaule ayant été pacifiée, César passa en Italie. Eux partis (= étant partis), *il ne resta plus personne.*

2º Qualité essentielle d'une chose. *Les propriétés physiques des corps.* ǁ Qualité particulière qui rend une chose applicable à tel usage. *La propriété de l'aimant.* ǁ Ce qui distingue particulièrement une chose d'une autre du même genre ; caractère spécifique. *La propriété de cette machine est de produire tel effet.* ǁ Emploi du mot, du terme convenant exactement à l'idée exprimée. *Observer la propriété des termes.* V. tabl. SOCIÉTÉ (*Idées suggérées par le mot*).

ÉPITHÈTES COURANTES : grande, petite, moyenne, foncière, mobilière, immobilière, urbaine, rurale, industrielle, commerciale ; physique, chimique, naturelle, acquise, morale, grammaticale, etc.

SYN. — V. BIEN et HABITATION.

propulseur, adj. et n. m. [Mécan.] Qui pousse en avant, qui donne un mouvement de propulsion.

* **propulsif, ive**, adj. Qui fait avancer.

propulsion, n. f. Action de pousser en avant. — Mouvement qui porte en avant. *Le problème de la propulsion des navires.*

PAR. — Propulsion, n. f., action de pousser en avant : *La propulsion des navires* ; — impulsion, n. f., mouvement imprimé à un corps ; force qui fait agir : *Force d'impulsion* ; — propension, n. f., tendance naturelle d'un corps vers un autre : *Les corps pesants ont une propension naturelle à descendre* ; — répulsion, n. f., mouvement qui porte deux corps à se repousser ; mouvement d'aversion : *Il éprouve de la répulsion pour le mensonge.*

propylée, n. m. (gr. *propylaion*, qui est devant les portes). [Antiq. gr.] Porte monumentale. ǁ Vestibule à colonnes d'un temple ou d'un palais. = N. pr. f. pl. portique en marbre de l'Acropole d'Athènes (437-433 av. J.-C.).

* **propylène**, n. m. [Chim.] Hydrocarbure dérivant du propane.

* **proquesteur** [*kues-teur*], n. m. [Antiq.] Questeur sorti de charge et prorogé dans ses fonctions, dans une province.

* **proquesture** [*kues-ture*], n. f. Dignité, fonction de proquesteur.

prorata, n. m. (mot lat.). Quote-part, part respective, proportionnelle. = AU PRORATA, loc. adv. A proportion.

prorogatif, ive, adj. Qui proroge.

prorogation [*sion*], n. f. [Droit] Action de proroger. ǁ Prolongement de temps, ou de pouvoir, pendant un certain temps.

PAR. — V. PROLONGATION.

proroger, v. tr. (lat. *prorogare*, étendre). Prolonger le temps qui avait été pris, donné pour quelque chose. *Proroger un traité, une loi.* ǁ Suspendre les séances des Chambres par un acte du pouvoir exécutif, et en remettre la reprise à un certain jour. = Conjug. V. GRAMMAIRE.

CTR. — *Convoquer.*

PAR. — Prolonger, étendre, continuer, faire durer plus longtemps. *Prolonger une avenue, une permission.*

prosaïque [*za-i-que*], adj. Qui tient de la prose, qui appartient à la prose. ǁ Vulgaire, terre à terre, commun, dépourvu de toute poésie.

CTR. — *Poétique.*

prosaïquement [*ke-man*], adv. D'une manière prosaïque, terre à terre.

CTR. — *Poétiquement.*

prosaïser [*za-i-zé*], v. intr. Écrire en prose. = V. tr. Rendre prosaïque, commun, vulgaire.

prosaïsme [*za-isme*], n. m. Défaut des vers qui manquent de poésie, qui renferment des mots, des tournures vulgaires. ǁ Défaut de ce qui est commun, vulgaire, sans idéal.

prosateur, n. m. Auteur qui écrit en prose. V. tabl. LETTRES (*Idées suggérées par le mot*).

GRAM. — Ce mot n'a pas de féminin correspondant.

ANT. — *Poète.*

proscenium, n. m. (gr. *proskénion*, m. s.). L'avant-scène du théâtre antique, où jouaient les acteurs. V. pl. THÉÂTRE.

proscripteur, n. m. Celui qui proscrit.

proscription [*sion*], n. f. (lat. *proscriptio*, m. s.). [Antiq.] Procédé de condamnation, sans formes judiciaires, à la mort ou au bannissement dont usaient les gouvernements pour se défaire d'adversaires politiques. ǁ Fig. Action de rejeter, d'abolir. *Proscription d'un usage.*

PAR. — Prescription, ordre formel, ordonnance médicale ; moyen légal d'acquérir une propriété.

proscrire, v. tr. (lat. *proscribere*, m. s.). Condamner à mort sans forme judiciaire, et en publiant par simple voie d'affiche le nom de ceux qui sont condamnés. ǁ Par ext. Appliquer certaines mesures violentes, telles que le bannissement, dans les temps de troubles civils. ǁ Fig. Éloigner, chasser. *C'est un dangereux individu à proscrire de notre société.* — En parlant des choses, rejeter, abolir, prohiber. *Ce mot n'est pas français, il faut le proscrire.* = Conjug. (comme *écrire*). V. VERBES.

SYN. — V. BANNIR.

CTR. — *Permettre.*

PAR. — Prescrire, ordonner, marquer, ce qu'on veut qui soit fait.

proscrit, ite, adj. Frappé de proscription. ǁ Fig. Banni, écarté de l'usage. = N. m. Celui qui a été proscrit.

prose, n. f. (lat. *prosa*, m. s.). Discours, langage qui n'est pas soumis aux lois de la versification, au rythme ou à la rime, par opp. à la poésie. *Comédie en prose*, V. tabl. LETTRES (*Idées suggérées par le mot*) et GENRES LITTÉRAIRES. ǁ Fam. *J'ai reçu de sa prose*, il m'a écrit. [Liturg.] Sorte d'hymne latine rimée et fortement rythmée que l'on chante aux messes solennelles immédiatement avant l'évangile. *La prose des morts* (le *Dies irae*).

— *Il se tue à rimer, que n'écrit-il en prose ?* (BOILEAU.)

— *La prose est le nu de la pensée ; il n'est pas possible d'être faible avec elle,* (RIVAROL.)

ANT. — *Vers, poésie.*

HOM. — *Prose, es, ent,* du v. *proser.*

prosecteur [*pro-sèk*], n. m. [Méd.]. Celui qui prépare les pièces d'anatomie nécessaires à un cours.

prosélyte [*zé-li-te*], n. (gr. *proselytos*, étranger). Chez les anc. Juifs, idolâtre converti au judaïsme. ǁ Personne nouvellement convertie à une religion et, par ext., à un parti, à une opinion.

* **prosélytique**, adj. Qui appartient aux prosélytes, au prosélytisme.

prosélytisme, n. m. Zèle qu'on met à faire des prosélytes.
* **proser,** v. tr. Mettre en prose. = V. intr. Écrire en prose (Vx).
* **prosit** [*sit'*], interj. (mot lat., subj. de *prodesse*, être utile) sign. : *Que cela vous soit utile*, formule équivalant à la loc. : *A votre santé*.
* **prosobranches,** n. m. pl. [Zool.] Ordre de mollusques gastéropodes, caractérisés par la position des branchies.
prosodie [*zo*], n. f. (lat. *prosodia*, m. s.). Prononciation régulière des mots relativement à l'*accent* et à la *quantité*, c.-à-d. à l'intonation et à la durée des syllabes. ‖ Connaissance des règles d'après lesquelles les syllabes sont brèves ou longues, et ensemble de ces règles. *Prosodie grecque, latine.*
prosodique [*zo*], adj. Qui appartient à la prosodie.
* **prosodiquement,** adv. Selon les règles de la prosodie.
prosopopée [*zo*], n. f. (gr. *prosôpon*, visage, personne; *poiein*, faire). [Rhét.] Figure par laquelle l'orateur apostrophe, fait parler et agir une personne absente, morte ou feinte, ou même une chose qu'il personnifie. V. tabl. FIGURES. ‖ Fig. Discours véhément et emphatique.
* **prospect,** n. m. (lat. *prospectus*, regard en avant). Manière de regarder un objet. ‖ Aspect.
prospecter, v. tr. (lat. *prospicere*, regarder attentivement). Faire de la prospection.
prospecteur, n. m. Celui qui fait de la prospection.
prospection [*sion*], n. f. Recherche des terrains contenant des métaux précieux, des diamants, du pétrole, etc. [Comm.] Action de démarcher systématiquement une localité, une région.
prospectus [*tuss*], n. m. (mot lat., sign. *vue*). Annonce imprimée donnant un aperçu de ce que sera un ouvrage, une entreprise, une marchandise, etc.
prospère, adj. Favorable au succès d'une entreprise. ‖ Qui réussit; florissant, heureux. *Santé prospère.*
HOM. — *Prospère*, adj., heureux qui réussit; — *prospère, es, ent*, du v. prospérer; avoir la fortune favorable; — *Prosper*, n. pr.
prospérer, v. tr. Avoir la fortune favorable; être heureux. ‖ Se développer, croître, prendre de la vigueur. ‖ Réussir, avoir du succès. = Conjug. V. GRAMMAIRE.
prospérité, n. f. (lat. *prosperitas*, m. s.). État prospère, heureuse situation, activité fructueuse.
SYN. — V. BONHEUR.
ANT. — *Détresse, adversité, malheur.*
prostate, n. f. (gr. *prostatês*, placé devant). [Anat.] Glande en grappes composées, qui engaine la portion initiale de l'urètre chez le mâle.
prostatique, adj. Qui concerne la prostate. = N. m. Homme atteint d'une affection de la prostate.
PAR. — *Protatique*, qui fait l'exposé d'une pièce de théâtre.
prostatite, n. f. [Méd.] Inflammation de la prostate.
prosternation [*sion*], n. f. Action de se prosterner.

prostermement, n. m. Posture de celui qui est prosterné.
prosterner, v. tr. (lat. *pro*, devant; *sternere*, étendre). Abaisser jusqu'à terre, devant quelqu'un, en signe de respect. = SE PROSTERNER, v. pr. S'abaisser, s'incliner jusqu'à terre.
* **prosthèse,** n. f. [Gram.] Addition d'une lettre au commencement d'un mot, et qui n'en modifie pas le sens. Ex. : *e* ajouté au latin *sperare* a donné *espérer*.
PAR. — *Prothèse*, remplacement d'un organe par une pièce artificielle.
* **prosthétique,** adj. [Gram.] Ajouté par prosthèse. *E prosthétique*.
prostituée, n. f. Femme de mauvaise vie, qui fait trafic de son corps; fille publique.
prostituer, v. tr. Engager une femme, une fille à trafiquer de son corps; livrer à la débauche. ‖ Fig. Déshonorer, avilir. *Prostituer son talent.* = SE PROSTITUER, v. pr. Se livrer à l'impudicité d'autrui et trafiquer de son corps. ‖ Fig. Se déshonorer par une lâche complaisance.
prostitution [*sion*], n. f. (lat. *prostitutio*, m. s.). Action de prostituer, de se prostituer, de trafiquer de son corps. ‖ État dans lequel vivent les personnes qui trafiquent ainsi d'elles-mêmes. ‖ Fig. Usage avilissant d'une chose respectable, par corruption.
prostration [*sion*], n. f. (lat. *prosternere*, abattre). Affaiblissement extrême, anéantissement des forces musculaires qui accompagne certaines maladies aiguës. ‖ Fig. Accablement, abattement profond.
SYN. — V. ABATTEMENT et CHAGRIN.
PAR. — *Prestation*, action de fournir; impôt payable en nature.
prostré, ée, adj. [Méd.] Abattu, sans force.
prostyle, n. m. (gr. *pro*, en avant; *stylos*, colonne). [Archi.] Édifice qui n'a de colonnes que sur sa façade antérieure. ‖ Vestibule formé par ces colonnes. = Adj. *Temple prostyle*.
protagoniste, n. (gr. *prôtos*, premier; *agônistês*, combattant). Personnage principal d'une pièce de théâtre. ‖ Fig. Celui qui joue le premier rôle dans une affaire quelconque; créateur, animateur.
INCORR. — C'est un pléonasme de dire : *le premier protagoniste*.
protase, n. f. (gr. *protasis*, proposition). Partie d'un drame antique qui forme l'exposition du sujet.
protatique, adj. Ne s'emploie guère que dans l'expression : *Personnage protatique*, personnage qui, au théâtre, fait l'exposé du sujet d'une pièce.
PAR. — *Prostatique*, qui concerne la prostate.
prote, n. m. (gr. *prôtos*, premier). [Typo.] Celui qui, dans une imprimerie, dirige et conduit tous les travaux. ‖ Abusiv. Typographe qui corrige les épreuves.
protecteur, trice, n. (lat. *protector*, m. s.). Celui, celle qui protège. *Louis XIV fut le protecteur des lettres.* ‖ Titre donné à certains personnages. ‖ *Cromwell a gouverné l'Angleterre sous le nom de Lord Protecteur.* = Adj. Qui protège, qui garantit. *Les lois protectrices de la liberté.* [Éc. pol.] *Système protecteur*, système qui consiste, soit à frapper de droits élevés

ou à prohiber l'importation de marchandises qui font concurrence à l'industrie nationale, soit à donner des primes pour encourager certaines industries. ‖ Fam. *Prendre un air protecteur, un ton protecteur*, prendre l'air, le ton d'un homme qui fait sentir sa supériorité à celui qu'il protège.
— *Nos plus riches protecteurs sont nos talents.* (VAUVENARGUES.)
ANT. — *Protégé; oppresseur.*

protection [sion], n. f. (lat. *protectio*, m. s.). Action de protéger, de défendre. *Mettre quelqu'un, quelque chose sous sa protection.* ‖ Personne qui en protège, qui en favorise d'autres. *Avoir des protections.* — *Par protection*, grâce à ses protections, par faveur, par passe-droit, grâce à de puissantes influences. [Éc. pol.] Système qui prétend protéger le commerce et l'industrie nationale par l'effet des droits de douane.
SYN. — V. APPUI.
ANT. — *Oppression.*

protectionnisme [sio], n. m. [Éc. pol.] Système de protection commerciale par l'effet des droits de douane.
ANT. — *Libre-échange.*

protectionniste [sio], adj. et n. Partisan du protectionnisme.

* **protectoral, ale**, adj. Qui a rapport au protecteur ou au protectorat.

protectorat [ra], n. m. Appui qu'une grande puissance impose à un petit État pour le mettre sous sa dépendance. ‖ Dignité ou gouvernement de protecteur; durée de ce gouvernement.

Protée, n. pr. [Myth.] Dieu marin qui avait le don de prophétie et qui revêtait à volonté les formes les plus diverses. = N. m. Homme qui change sans cesse d'opinion, qui joue les rôles les plus divers. [Zool.] Genre de batraciens urodèles à branchies persistantes des eaux souterraines.

protégé, ée, adj. et n. Celui, celle qu'on protège.
ANT. — *Protecteur; opprimé.*

* **protège-cahier**, n. m. Couverture mobile en carton ou en étoffe pour garantir un cahier. = Pl. *Des protège-cahiers.*

* **protège-livre**, n. m. Couverture mobile en papier fort, en cuir mince et souple, etc., pour garantir un livre. = Pl. *Des protège-livres.*

* **protège-pointe** ou * **protège-pointes**, n. m. Dispositif de protection s'adaptant à la pointe d'un instrument. = Pl. *Des protège-pointe* ou *pointes.*

protéger, v. tr. (lat. *protegere*, m. s.). Prendre la défense; prêter secours, appui; garantir. Favoriser, encourager. *Protéger le faible, les opprimés. Protéger les arts.* ‖ Garantir, mettre à l'abri, empêcher toute atteinte. *Ce mur nous protège du froid.* = Conjug. V. GRAMMAIRE.
SYN. — PRÉSERVER.
CTR. — *Attaquer, molester, persécuter, opprimer.*

protéiforme, adj. (de *Protée*) Qui change à chaque instant de forme.

* **protéine**, n. f. [Chim.] Matières protéiques.

* **protéique**, adj. [Chim.] *Matières protéiques*, substances composées de carbone, hydrogène, oxygène, azote et soufre, existant dans les tissus vivants.

* **protèle**, n. m. [Zool.] Genre de carnivores d'Afrique, voisins des hyènes.

* **protestable**, adj. [Comm.] Qui peut être protesté. *Traite protestable.*

protestant, ante, adj. et n. Celui qui proteste. ‖ Nom donné d'abord aux luthériens et que l'on a étendu depuis à toutes les sectes issues de la Réforme.

protestantisme, n. m. Croyances, doctrines des sectes protestantes, dans tous les points où elles s'écartent de la foi catholique. ‖ Ensemble de protestants. V. tabl. RELIGIONS (*Idées suggérées par le mot*).

protestataire, adj. et n. Qui fait entendre une protestation. — Partic. Alsacien ou Lorrain qui, après 1871, protestait contre l'annexion à l'Allemagne.

protestation [sion], n. f. (lat. *protestatio*, m. s.). Déclaration publique que l'on fait de ses dispositions, de sa volonté. *Protestation de fidélité.* ‖ Promesse, assurance positive. *Faire des protestations d'amitié.* ‖ Déclaration en forme par laquelle on s'élève contre quelque chose. *Rédiger une protestation.* ‖ Écrit contenant cette déclaration. *Envoyer une protestation.* ‖ Action de dresser un protêt : *protestation de billet à ordre.*
ÉPITHÈTES COURANTES : énergique, véhémente, indignée, motivée, solennelle, publique, sincère, hypocrite, etc.
SYN. — V. FAÇON.
ANT. — *Résignation, acquiescement.*

* **protestatoire**, adj. Qui a le caractère d'une protestation.

protester, v. tr. (lat. *protestari*, prendre publiquement à témoin). Promettre fortement, assurer positivement, publiquement. *Protester de son innocence.* [Comm.] Faire un protêt. *Protester une lettre de change.* = V. intr. Donner l'assurance de. *Protester de son dévouement, de sa bonne foi.* — Faire une protestation, réclamer contre. *Protester contre un acte arbitraire.* — Absol. *Je proteste !*
SYN. — V. RÉCLAMER.
PAR. — *Prétexter*, prendre, donner pour prétexte.

protêt, n. m. [Droit] Acte légal, dressé par un huissier, constatant le refus de payer un effet échu.

* **prothalle**, n. m. [Bot.] Petit corps lamelliforme sur lequel se développent, chez les cryptogames vasculaires, les anthéridies et les archégones.

prothèse [tèze], n. f. (gr. *prothésis*, remplacement). [Chir.] Remplacement par une pièce artificielle d'un organe ou d'une partie d'organe. *Prothèse dentaire.*
PAR. — *Prosthèse*, addition d'une lettre au commencement d'un mot.

* **prothétique**, adj. Se dit des appareils servant à remplacer une partie du corps qui manque.

* **protiste**, n. m. (gr. *prôtistos*, le premier de tous). [Biol.] Être vivant unicellulaire qui ne saurait être classé dans le règne animal plutôt que dans le règne végétal.

proto- ou **prot-**, préfixe grec sign. *premier.*

* **protocanonique**, adj. [Théol.] Se dit des livres sacrés qui étaient reconnus pour tels avant même qu'on eût fait des canons.

* **protocarboné, ée**, adj. [Chim.] Qui est combiné avec la plus petite quantité possible de carbone. *Hydrogène protocarboné.*
protocarbure, n. m. [Chim.] Combinaison carburée contenant la plus petite quantité possible de carbone.
* **protocarburé, ée**, adj. [Chim.] Qui est à l'état de protocarbure.
protochlorure, n. m. [Chim.] Combinaison d'un corps simple avec la plus petite quantité possible de chlore.
* **protochloruré, ée**, adj. [Chim.] Qui est à l'état de protochlorure.
* **protochordés** [kor-dé], n. m. pl. [Zool.] Groupe de chordés inférieurs caractérisés par la présence d'une notocorde et de fentes branchiales persistantes (*tuniciers* et *amphioxus*).
* **protococcacées**, n. f. pl. [Bot.] Famille d'algues chlorophycées à thalle unicellulaire.
protocolaire, adj. Conforme aux règles du protocole.
protocole, n. m. (lat. *protocollum*, m. s.). Formulaire qui contient les modèles des actes publics, à l'usage des officiers ministériels (notaires, huissiers, etc.). ‖ Dans les chancelleries, formulaire qui contient la manière dont les chefs d'État et les chefs d'administration traitent, dans leurs lettres, ceux à qui ils écrivent. ‖ Service chargé de faire observer le cérémonial à suivre dans les rapports avec les chefs d'États étrangers ou les représentants de ces États. ‖ Procès-verbal de déclarations d'une conférence internationale. ‖ Fig. Règles de savoir-vivre.
* **protogyne**, adj. [Bot.] Où les ovules sont développés avant les étamines.
* **protohistoire**, n. f. Période intermédiaire entre l'époque préhistorique et l'époque historique.
* **protohistorique**, adj. Qui a rapport à la protohistoire.
* **protoiodure**, n. m. [Chim.] Combinaison d'un corps simple avec une quantité minimum d'iode.
* **protomartyr**, n. m. Nom donné à saint Étienne, regardé comme le premier martyr.
* **proton**, n. m. [Phys.] Particule entrant dans la composition du noyau atomique.
* **protonéma**, n. m. [Bot.] Chez les mousses, ensemble de filaments issus de la spore, sur lesquels se forment des bourgeons.
protonotaire, n. m. Officier de la cour de Rome ayant prééminence sur les autres notaires apostoliques.
* **protophosphoré, ée**, adj. [Chim.] A l'état de protophosphure.
* **protophosphure**, n. m. Combinaison d'un corps simple avec le minimum de phosphore.
protoplasma ou **protoplasme**, n. m. [Biol.] Substance complexe, douée de vie, qui forme le corps des cellules vivantes et qui contient le noyau.
* **protoplasmique**, adj. Relatif au protoplasma.
* **protosulfure**, n. m. Combinaison d'un corps simple avec la plus petite quantité possible de soufre.
* **protothorax**, n. m. [Zool.] Segment antérieur du thorax d'un insecte.

prototype, n. m. (gr. *prôtotypos*, m. s.). Original, modèle, premier type, premier exemplaire d'une chose qui se moule ou se grave et, par ext., d'une chose quelconque. ‖ Exemplaire type. *Prototype d'avion.* ‖ Fig. Exemplaire parfait, modèle.
SYN. — V. SPÉCIMEN.
ANT. — *Copie, reproduction.*
protoxyde, n. m. [Chim.] L'oxyde le moins oxygéné, ou le premier degré d'oxydation d'un corps simple.
protozoaires, n. m. pl. (gr. *prôtos*, primitif; *zôon*, animal). [Zool.] Premier degré d'organisation du règne animal, comprenant des animaux unicellulaires microscopiques, parfois groupés en colonies, vivant dans les eaux, dans les liquides des corps vivants.
* **protraction** [sion], n. f. Traction en avant.
protubérance, n. f. (lat. *pro*, en avant; *tuber*, bosse). Éminence, saillie. ‖ Fig. Ce qui fait saillie.
ANT. — *Creux, cavité.*
protubérant, ante, adj. Qui forme une saillie, une protubérance.
protuteur, n. m. [Droit] Celui qui, sans avoir été nommé tuteur, est fondé à gérer les affaires d'un mineur.
prou, adv. Fam. Assez, beaucoup. ‖ *Ni peu ni prou*, ni peu ni beaucoup, nullement.
HOM. — *Proue*, avant d'un navire.
proue, n. f. (lat. *prora*, m. s.). [Mar.] Partie avant d'un navire, entre les écubiers et l'étrave.
ANT. — *Poupe.*
HOM. — *Prou*, beaucoup.
prouesse, n. f. Action de preux, acte de valeur. ‖ Fig. Se dit de certains excès.
SYN. — *Prouesse*, acte de courage guerrier : *Les prouesses des chevaliers du Moyen Age.* — *Exploit*, haut fait de valeur guerrière : *Les exploits du chevalier Bayard.* — *Haut fait*, action d'éclat : *Les hauts faits des armées de Napoléon.* — *Action d'éclat*, haut fait militaire : *Les actions d'éclat des troupes coloniales.*
* **prouvable**, adj. Qui peut être prouvé.
prouver, v. tr. (lat. *probare*, m. s.). Établir la vérité, la réalité d'une chose par le raisonnement, le témoignage, des pièces à conviction. ‖ Montrer, marquer, donner lieu de connaître. *Prouver son désintéressement.*
provéditeur, n. m. Dans la république de Venise, gouverneur d'une province, ou commandant d'une flotte, d'une place de guerre.
provenance, n. f. Pays d'où vient un objet. ‖ Origine, source. ‖ Marchandise provenant d'un lieu déterminé. *Les provenances des colonies.*
SYN. — V. EXTRACTION.
ANT. — *Destination.*
provenant, ante, adj. Qui provient.
* **provençal, ale, aux**, adj. et n. De la Provence. = N. m. langue parlée en Provence.
provende, n. f. (lat. *præbenda*, m. s.). Provision de vivres (Vx). ‖ Mélange de divers grains pour engraisser les moutons.
provenir, v. intr. Venir de, tirer son origine de; procéder, dériver, résulter. = Conjug. (comme *tenir*). V. VERBES.
SYN. — V. ÉMANER.
PAR. — *Prévenir*, avertir par avance; devancer.

proverbe, n. m. (lat. *proverbium*, m. s.). Sentence, maxime exprimée en peu de mots et devenue commune et vulgaire. *Ne t'attends qu'à toi seul, c'est un commun proverbe* (LA FONTAINE). V. tabl. PROVERBES. || *Passer en proverbe*, devenir proverbe ou proverbial. || Sorte de petite comédie où l'on développe la morale d'un proverbe. *Les proverbes de Musset.*
— *Les proverbes sont le fruit de l'expérience de tous les peuples, et comme le bon sens de tous les siècles réduit en formules.* (RIVAROL.)
SYN. — V. ADAGE.
proverbial, ale, aux, adj. Qui tient du proverbe. || Qui a passé ou est digne de passer en proverbe.
proverbialement, adv. D'une manière proverbiale.
providence [*danse*], n. f. (lat. *providentia*, m. s.). Sagesse divine qui gouverne tout (s'écrit dans ce sens avec une majuscule). *S'en remettre à la Providence*, s'en remettre à Dieu. || Fam. *Être la providence de quelqu'un*, être son aide, son appui constant.
providentiel, elle [*dan-siel*], adj. Qui émane de la Providence. || Qui a reçu, ou semble avoir reçu une mission de la Providence. || Qui arrive par un heureux hasard.
providentiellement [*sièl*], adv. D'une manière providentielle.
provignement ou *provignage, n. m. Action de provigner.
provigner, v. tr. Coucher en terre les jeunes pousses non détachées d'un cep de vigne, afin qu'elles prennent racine. = V. intr. Se multiplier.
provin, n. m. (lat. *propaginem*, m. s.). [Vitic.] Rejeton d'un cep de vigne qu'on couche en terre pour qu'il prenne racine et forme un nouveau cep. || Fosse où le sarment est ainsi fixé.
HOM. — *Provin*, n. m., rejeton d'un rameau de vigne; — *provins, provint, provînt*, du v. provenir; — *Provins*, ville de France.
province, n. f. (lat. *provincia*, m. s.). [Antiq. rom.] Pays conquis hors de l'Italie, assujetti aux lois romaines et administré par un gouvernement romain. || Division territoriale, étendue de pays qui fait partie d'un État. *La province de Normandie.* — Par ext. Ensemble des habitants d'une province. || S'emploie par opposition à capitale. *Partir pour la province.* || Ensemble des habitants des provinces. *Toute la province en parle.* || Étendue de la juridiction ecclésiastique d'un archevêque métropolitain. || Ensemble de monastères soumis à la direction d'un supérieur appelé *provincial*.
ANT. — *Capitale.*
HOM. — *Provinsse, es, ent*, du v. provenir.
provincial, ale, adj. (alt. *provincialis*, m. s.). Qui appartient à la province, qui concerne une province. *Administration provinciale. Langage provincial.* || Par dénigrement, se dit de l'air un peu gauche de certaines personnes de province. || Nom. Habitant de la province (se dit parfois, dans la capitale, par moquerie). || Dans certains ordres religieux, supérieur général qui exerce une surveillance sur les maisons de son ordre situées dans un certain territoire. = Adj. *Mère provinciale.*

ANT. — *Parisien, Bruxellois*, etc.
*** provincialat**, n. m. Dignité du provincial d'un ordre religieux. || Temps pendant lequel elle est exercée.
*** provincialement**, adv. A la manière de la province.
provincialisme, n. m. Manière d'être, de s'exprimer, d'agir, de comprendre, particulière à une province, par opposition aux manières de la capitale. || Locution provinciale.
proviseur, n. m. Fonctionnaire universitaire qui administre et dirige un lycée. V. tabl. ÉDUCATION et INSTRUCTION (*Idées suggérées par les mots*).
provision [*zi-on*], n. f. (lat. *provisio*, action de pourvoir). Amas de choses nécessaires ou utiles, soit pour la subsistance d'une maison, d'une ville, d'une province, soit pour la défense d'une place de guerre. *Faire des provisions.* [Fin.] Somme qui, dans les mains ou au compte en banque de celui sur lequel une lettre de change est tirée, doit servir au paiement de cet effet; couverture. *Chèque sans provision.* || Somme que les clients des gens de loi leur versent à titre d'acompte. = PAR PROVISION, loc. adv. [Droit] En attendant et préalablement. *Il a été ordonné par provision que...*
provisionnel, elle, adj. [Droit] Qui se fait par provision, en attendant le règlement définitif.
*** provisionnellement**, adv. [Droit] Par provision.
provisoire, adj. (lat. *provisorius*, m. s.). [Droit] Se dit d'une décision judiciaire qui est rendue par provision. *Jugement provisoire.* || Qui se fait en attendant une autre chose. *Être désigné à titre provisoire. Gouvernement provisoire.* || Qui remplit momentanément une fonction. *Liquidateur provisoire.* = N. m. *Généralement, le provisoire dure longtemps.*
CTR. — *Définitif.*
provisoirement, adv. Par provision. || En attendant.
CTR. — *Définitivement.*
provisorat [*zo-ra*], n. m. Fonction, dignité de proviseur. || Durée de cet emploi.
provocant, ante, adj. Qui provoque, qui vise à provoquer. || Qui a quelque chose d'agressif. || Qui excite le désir.
provocateur, trice, adj. et n. Qui provoque. — *Agent provocateur*, individu payé pour causer des troubles, commettre certains délits, qui donneront à la police, à l'autorité, une raison d'intervenir.
provocation [*sion*], n. f. Action de provoquer. || Excitation.
provoquer, v. tr. (lat. *provocare*, m. s.). Inciter, exciter, défier. *Provoquer quelqu'un au combat.* || Appeler à se battre en duel. *Rodrigue provoqua le comte.* || Causer, déterminer subitement. *Un court-circuit provoqua un incendie.* [Méd.] *Provoquer le sommeil*, faire dormir. = SE PROVOQUER, v. pr. Se défier mutuellement.
SYN. — V. AGACER.
*** proxène**, n. m. [Antiq. gr.] Celui qui recevait et protégeait au nom de l'État les ambassadeurs et les étrangers.
proxénète, n. Entremetteur, entremetteuse qui incite les femmes à la prostitution.
proxénétisme, n. m. Métier de proxénète.

PRINCIPAUX PROVERBES

Nota. — On trouvera aussi la plupart des proverbes au mot le plus important de ces expressions. Ex. : *Contentement passe richesse.* V. CONTENTEMENT, etc.

A

A beau mentir qui vient de loin.
A bon chat, bon rat.
Abondance de biens ne nuit pas.
A bon entendeur, salut.
A bon vin point d'enseigne.
Absent le chat, les souris dansent.
A chaque jour suffit sa peine.
A cheval donné, on ne regarde pas à la bride.
A force de forger on devient forgeron.
Aide-toi, le ciel t'aidera.
A la Chandeleur l'hiver cesse ou reprend vigueur.
A la guerre comme à la guerre.
A l'impossible nul n'est tenu.
A l'œuvre on connaît l'artisan.
A menteur, menteur et demi.
Ami au prêter, ennemi au rendre.
A père avare, fils prodigue.
A père prodigue, fils avare.
Après la pluie, le beau temps.
A quelque chose malheur est bon.
A sotte demande, point de réponse.
A tout péché miséricorde.
A tout seigneur tout honneur.
A trompeur, trompeur et demi.
Au besoin on connaît l'ami.
Au bout du fossé la culbute...
Au chant on connaît l'oiseau.
Au danger on connaît les braves.
Au royaume des aveugles les borgnes sont rois.
Autant de têtes, autant d'avis.
Autant de trous, autant de chevilles.
Autres temps, autres mœurs.
Aux derniers, les bons.
Aux grands maux, les grands remèdes.
Aux innocents, les mains pleines.
Avec des *Si*, on mettrait Paris dans une bouteille.

B

Bien mal acquis ne profite jamais.
Bon chien chasse de race.
Bonne renommée vaut mieux que ceinture dorée.
Bon sang ne peut mentir.

C

Ce que femme veut Dieu le veut.
Ce qui abonde ne nuit pas.
Ce qui est amer à la bouche est doux au cœur.
Ce qui est différé n'est pas perdu.
Ce qui est fait est fait.
Ce qui est fait n'est pas à faire.
C'est au pied du mur qu'on connaît le maçon.
C'est la sauce qui fait le poisson.
C'est le ton qui fait la musique (ou la chanson).
Chacun est le fils de ses œuvres.
Chacun le sien n'est pas trop.
Chacun pour soi et Dieu pour tous.
Chacun prend son plaisir où il le trouve.
Chacun son métier, les vaches seront bien gardées.
Chaque chose en son temps.
Charbonnier est maître chez soi.
Charité bien ordonnée commence par soi-même.
Chassez le naturel, il revient au galop.
Chat échaudé craint l'eau froide.
Chien qui aboie ne mord pas.
Chose défendue, chose désirée.
Chose promise, chose due.
Comme on connaît les saints, on les honore.
Comme on fait son lit, on se couche.
Connais-toi toi-même.
Contentement passe richesse.

D

Dans le doute, abstiens-toi.
De deux maux, il faut choisir le moindre.
Des goûts et des couleurs, il ne faut pas discuter
Deux avis valent mieux qu'un.
Deux sûretés valent mieux qu'une.
Dis-moi qui tu hantes et je te dirai qui tu es.
Donner l'aumône n'appauvrit personne.

E

En avril n'ôte pas un fil, en mai fais comme il te plaît.
En petite tête gît grand sens.
En toute chose, il faut considérer la fin.
Entre l'arbre et l'écorce, il ne faut pas mettre le doigt.
Erreur n'est pas compte.

F

Fais ce que dois, advienne que pourra.
Faute avouée est à moitié pardonnée.
Faute de grives, on prend des merles.
Faute d'un moine, l'abbaye ne chôme pas.

G

Grande fortune, grande servitude.

I

Il faut apprendre à obéir pour savoir commander.
Il faut battre le fer pendant qu'il est chaud.
Il faut faire ce qu'on fait.
Il faut faire contre mauvais sort bon cœur.
Il faut garder une poire pour la soif.
Il faut hurler avec les loups.
Il faut laver son linge sale en famille.
Il faut manger pour vivre et non pas vivre pour manger.
Il faut placer le clocher au milieu de la paroisse.
Il faut prendre le bénéfice avec les charges.
Il faut prendre le temps comme il vient.
Il faut que jeunesse se passe.
Il faut que tout le monde vive.
Il faut qu'une porte soit ouverte ou fermée
Il faut rendre à César ce qui est à César, et à Dieu ce qui est à Dieu.
Il faut saisir l'occasion par les cheveux.
Il faut savoir se prêter.
Il faut semer pour recueillir.
Il faut tondre la brebis et non pas l'écorcher.
Il faut tourner sept fois sa langue dans sa bouche avant de parler.
Il faut vouloir ce qu'on ne peut empêcher.
Il ne faut jurer de rien.
Il ne faut pas acheter chat en poche.
Il ne faut pas courir deux lièvres à la fois.
Il ne faut pas jeter de l'huile sur le feu.
Il ne faut pas jeter le manche après la cognée.
Il ne faut pas juger des gens sur les apparences.
Il ne faut pas manger son blé en herbe.
Il ne faut pas mesurer les autres à son aune.
Il ne faut pas mettre la charrue devant les bœufs.
Il ne faut pas mettre la lumière sous le boisseau.
Il ne faut pas mettre la main entre l'arbre et l'écorce.
Il ne faut pas mettre tous les œufs dans le même panier.
Il ne faut pas vendre la peau de l'ours avant qu'on l'ait pris.
Il ne faut point parler de corde dans la maison d'un pendu.
Il ne faut qu'une brebis galeuse pour gâter tout un troupeau.
Il n'est pas tous les jours fête.
Il n'est pire eau que l'eau qui dort.
Il n'est pire sourd que celui qui ne veut pas entendre.
Il n'est point de rose sans épine.
Il n'est point de sot métier, il n'est que de sottes gens.

Il n'est rien de tel que le plancher des vaches.
Il n'est si petit métier qui ne nourrisse son maître.
Il n'y a guère que la vérité qui offense.
Il n'y a pas de bonne fête sans lendemain.
Il n'y a point de fumée sans feu.
Il n'y a point de règle sans exception.
Il n'y a que le premier pas qui coûte.
Il n'y a que les honteux qui perdent.
Il vaut mieux être seul qu'en mauvaise compagnie.
Il vaut mieux faire envie que pitié.
Il vaut mieux plier que rompre.
Il vaut mieux tuer le diable que le diable nous tue.
Il y a fagots et fagots.
Il y a loin de la coupe aux lèvres.
Il y a temps pour tout.

J

Jeux de main, jeux de vilain.

L

La belle cage ne nourrit pas l'oiseau.
La critique est aisée, et l'art est difficile.
La façon de donner vaut mieux que ce qu'on donne.
La faim chasse le loup du bois.
La fortune est aveugle.
La fortune vient en dormant.
La langue est la meilleure et la pire des choses.
La nuit porte conseil.
La nuit, tous les chats sont gris.
La parole est d'argent, mais le silence est d'or.
La patience vient à bout de tout.
La pelle se moque du fourgon.
La plus belle fille du monde ne peut donner que ce qu'elle a.
L'appétit vient en mangeant.
La prudence est mère de la sûreté.
La raison du plus fort est toujours la meilleure.
L'argent est le nerf de la guerre.
La sauce fait manger le poisson.
La vérité est au fond d'un puits.
L'eau va toujours à la rivière.
Le mieux est l'ennemi du bien.
L'enfer est pavé de bonnes intentions.
Les absents ont toujours tort.
Les affaires sont les affaires.
Les bons comptes font les bons amis.
Les bons maîtres font les bons valets.
Les conseilleurs ne sont pas les payeurs.
Les cordonniers sont les plus mal chaussés.
Les extrêmes se touchent.
Les grandes douleurs sont muettes.
Les grands esprits se rencontrent.
Les grands événements procèdent de petites causes.
Les gros poissons mangent les petits.
Les injures s'inscrivent sur l'airain et les bienfaits sur le sable.
Les jours se suivent et ne se ressemblent pas.
Les loups ne se mangent pas entre eux.
Les murs ont des oreilles.
Le soleil luit pour tout le monde.
Les paroles s'envolent, les écrits restent.
L'espérance fait vivre.
Les petits présents entretiennent l'amitié.
Les petits ruisseaux font les grandes rivières.
Les pots fêlés sont ceux qui durent le plus longtemps.
Le temps est un grand maître.
Le temps perdu ne se mesure point.
L'exception confirme la règle.
L'habit ne fait pas le moine.
L'habitude est une seconde nature.
L'homme propose et Dieu dispose.
L'homme récoltera ce qu'il aura semé.
L'occasion fait le larron.
L'oisiveté est la mère de tous les vices.
L'union fait la force.

M

Mauvaise herbe croît toujours.
Mieux vaut avoir affaire à Dieu qu'à ses saints.
Mieux vaut être aimé qu'admiré.
Mieux vaut tard que jamais.
Mieux vaut tenir que courir.

N

Nécessité n'a pas de loi.
Ne forçons point notre talent.
Ne remets pas à demain ce que tu peux faire aujourd'hui.
Ne réveillez pas le chat qui dort.
Ne t'attends qu'à toi seul.
Noblesse oblige.
Nous qui voulons raison garder (*Devise des Capétiens*).
Nul bien sans peine.
Nul n'est prophète en son pays.

O

On a souvent besoin d'un plus petit que soi.
On est puni souvent par où l'on a péché.
On fait de bonne soupe dans de vieux pots.
On ne fait rien pour rien.
On ne peut contenter tout le monde et son père.
On ne peut être à la fois juge et partie.
On ne peut être et avoir été.
On ne peut être partout.
On ne peut pas sonner et aller à la procession.
On ne prête qu'aux riches.
On ne sait qui meurt ni qui vit.
On ne saurait faire une omelette sans casser les œufs.
On n'est jamais mieux servi que par soi-même.
On n'est jamais trahi que par les siens.
On n'est pas louis d'or.
On prend plus de mouches avec du miel qu'avec du vinaigre.
On recule pour mieux sauter.
Où il n'y a rien, le roi perd ses droits.
Où il y a de la gêne, il n'y a pas de plaisir.
Où la chèvre est attachée, il faut qu'elle broute.

P

Paris n'a pas été bâti en un jour.
Pas d'argent, pas de suisse.
Pas de nouvelles, bonnes nouvelles.
Pauvreté n'est pas vice.
Péché avoué est à moitié pardonné.
Petit à petit, l'oiseau fait son nid.
Petite pluie abat grand vent.
Pierre qui roule n'amasse pas mousse.
Plaie d'argent n'est pas mortelle.
Plus fait douceur que violence.
Plus on est de fous, plus on rit.
Pour un moine, l'abbaye ne faut pas.
Pour un point, Martin perdit son âne.
Promettre et tenir sont deux.
Prudence est mère de sûreté.

Q

Quand il pleut pour Saint-Médard, il pleut quarante jours plus tard.
Quand le diable fut vieux, il se fit ermite.
Quand le vase est trop plein, il faut bien qu'il déborde.
Quand le vin est tiré, il faut le boire.
Quand on n'a pas de tête, il faut avoir des jambes.
Quand on parle du loup, on en voit la queue.
Quand on quitte un maréchal, il faut payer les vieux fers.
Quand on veut tuer son chien, on dit qu'il a la rage.
Qui a bu, boira.
Qui aime bien, châtie bien.
Qui casse les verres, les paie.
Qui cherche, trouve.
Qui donne aux pauvres, prête à Dieu.
Qui dort, dîne.
Qui ne dit mot, consent.
Qui n'entend qu'une cloche, n'entend qu'un son.
Qui ne risque rien, n'a rien.
Qui oblige, fait des ingrats.
Qui paie ses dettes s'enrichit.

Qui répond, paye.
Qui se fait brebis, le loup le mange.
Qui sème le vent, récolte la tempête.
Qui se ressemble, s'assemble.
Qui se sent morveux, qu'il se mouche.
Qui s'y frotte, s'y pique.
Qui terre a, guerre a.
Qui trop embrasse, mal étreint.
Qui va à la chasse, perd sa place.
Qui veut aller loin, ménage sa monture.
Qui veut faire l'ange, fait la bête.
Qui veut la fin, veut les moyens.
Qui veut trop prouver, ne prouve rien.
Qui vivra, verra.
Qui voit ses veines, voit ses peines.

R

Rien ne sert de courir, il faut partir à point.
Rira bien qui rira le dernier.

S

Si jeunesse savait, si vieillesse pouvait.
Si le ciel tombait, il y aurait bien des alouettes prises.
Si tu veux qu'on t'épargne, épargne aussi les autres.

T

Tant va la cruche à l'eau qu'à la fin elle se casse.
Tant vaut l'homme, tant vaut la terre.

Tel père, tel fils.
Tel qui rit vendredi, dimanche pleurera.
Tous chemins vont à Rome.
Tous mauvais cas sont niables.
Tout ce qui reluit, n'est pas or.
Toute médaille a son revers.
Tout est bien qui finit bien.
Toutes vérités ne sont pas bonnes à dire.
Tout flatteur vit aux dépens de celui qui l'écoute.
Tout nouveau, tout beau.
Tout passe, tout casse, tout lasse.
Tout vient à point qui sait attendre.
Trop gratter cuit, trop parler nuit.

U

Un bon tiens vaut mieux que deux tu l'auras.
Un coup de langue est pire qu'un coup de lance.
Une fois n'est pas coutume.
Une hirondelle ne fait pas le printemps.
Un homme averti en vaut deux.
Un malheur ne vient jamais seul.
Un mauvais accommodement vaut mieux qu'un bon procès.
Un peu d'aide fait grand bien.

V

Va où tu peux, meurs où tu dois.
Ventre affamé n'a point d'oreilles.
Vouloir c'est pouvoir.

---

proximité, n. f. (lat. *proximus*, le plus proche). Voisinage d'une chose à l'égard d'une autre. *La proximité de la ville.* = À PROXIMITÉ, loc. adv. Tout près.
CTR. — *Éloignement.*
* **proyer,** n. m. [Zool.] Nom vulg. du bruant.
* **prozoïque,** adj. Antérieur à l'apparition des êtres vivants.
prude, adj. Qui affecte un air de sagesse, une pudeur farouche. = N. f. *Femme frivole qui affecte la pruderie.*
SYN. — *Prude,* qui affecte une attitude de sagesse ou de vertu: *Molière, dans Tartufe, ridiculise les prudes.* — *Affecté,* qui, dans ses manières d'agir, manque de sincérité: *La douceur affectée d'un méchant.* — *Bégueule,* qui affecte de se choquer des défauts des autres, en étant lui-même vicieux: *Une vieille bégueule.* — *Compassé,* guindé et affecté: *Une démarche compassée.* — *Pudibond,* qui affecte une pudeur exagérée: *Un jeune homme pudibond.* — *Puritain,* qui affecte une grande austérité. *Le rigorisme puritain.* — *Tartufe,* faux dévot, hypocrite: *Je saurai bien démasquer ce tartufe!*
prudemment, adv. D'une manière prudente.
CTR. — *Imprudemment, étourdiment, témérairement, aventureusement.*
prudence [*danse*], n. f. (lat. *prudentia,* m. s.). Vertu qui fait apercevoir et éviter les dangers et les fautes. *Agir, se conduire avec prudence.* ‖ Circonspection: *La prudence est mère de la sûreté.* [Droit] *S'en remettre à la prudence du tribunal, de la cour,* s'en remettre à la sagesse, aux lumières du tribunal. ‖ Habileté mêlée de ruse. *La prudence du serpent.* V. tabl. INTELLIGENCE (*Idées suggérées par le mot*).
LING. — *Prudence* ne s'emploie qu'au singulier.
SYN. — V. SAGESSE.
ANT. — *Témérité, imprudence, étourderie.*

prudent, ente [*dan*], adj. Doué de prudence; prévoyant. *Homme prudent.* ‖ Déterminé par la prudence. *Conduite prudente.*
SYN. — V. AVISÉ.
CTR. — *Imprudent, téméraire, aventureux, étourdi.*
pruderie, n. f. Affectation de sagesse, de pudeur, de vertu.
prud'homie, n. f. Probité, sagesse dans la conduite de la vie, des affaires (Vx).
prud'homme, n. m. Homme sage et probe; homme d'honneur (Vx). ‖ Homme expert et versé dans la connaissance de certaines choses. ‖ *Conseil des prud'hommes,* conseil composé d'ouvriers et de patrons, qui prononce dans les contestations entre employeurs et employés.
ORTH. — *Prud'homme* prend deux *m,* mais *prud'homie* n'en prend qu'un.
* **prud'hommerie,** n. f. (de M. Prud-homme, personnage de H. Monnier). Niaiserie pédante et sentencieuse.
prud'hommesque, adj. Niais et pédant; médiocre, solennel et banal.
* **pruine,** n. f. Poussière blanche formée de cire, qui recouvre les prunes, les feuilles de choux, etc.
prune, n. f. (lat. *prunum,* m. s.). [Bot.] Le fruit du prunier, comestible et sucré. V. tabl. NOURRITURE (*Idées suggérées par le mot*).

VOCAB. — *Famille de mots.* — *Prune:* prunier, pruneau, prunelée, prunelaie, prunelle, prunellier, prunus; brugnonier, brugnon; nerprun.

---

pruneau, n. m. Prune séchée au four ou au soleil. ‖ Pop. Projectile d'arme à feu.
prunelaie, n. f. Lieu planté de pruniers.
* **prunelée,** n. f. Confiture de prunes.

1. prunelle, n. f. Sorte de prune sauvage, fruit du prunellier. ‖ Liqueur faite avec ce fruit. [Anat.] Ouverture qui paraît noire dans le milieu de l'œil, appelée aussi *pupille*.
ORTH. — *Prunelle* prend deux *l*, mais *prunelaie* et *prunelée* n'en prennent qu'un.

2. prunelle, n. f. Étoffe de laine rase, souvent mêlée de soie.

prunellier, n. m. [Bot.]. Nom vulg. du prunier sauvage ou *épine noire* (*rosacées*).

prunier, n. m. [Bot.] Genre de plantes de la famille des *rosacées*, renfermant les arbres et arbustes qui produisent les prunes.

* **prunus,** n. m. [Bot.] Nom scientifique du genre prunier. ‖ Arbre d'ornement à feuillage rouge brun.

prurigineux, euse, adj. [Méd.] Qui cause de la démangeaison.

prurigo, n. m. (lat. *prurire*, démanger). [Méd.] Affection de la peau, causant de vives démangeaisons, caractérisée par des papules recouvertes de croûtelles.

prurit, n. m. [Méd.] État caractérisé par de vives démangeaisons cutanées, sans lésions préalables, d'origine purement nerveuse.

prussiate, n. m. [Chim.] Terme impropre pour *cyanure* ou *cyanhydrate*.

* **prussien, ienne,** adj. et n. Qui habite la Prusse; qui a rapport à ce pays. = À LA PRUSSIENNE, loc. adv. Avec la raideur, la discipline aveugle des Prussiens. — *Cheminée à la prussienne*, sorte de cheminée-poêle.

prussique, adj. [Chim.] Terme impropre, pour *cyanhydrique*.

prytane, n. m. [Antiq.] Premier magistrat dans certaines cités grecques. — A Athènes, un des cinquante délégués choisis chaque année par chacune des dix tribus et qui avaient alternativement la préséance dans le Conseil des Cinq-Cents.

prytanée, n. m. [Antiq.] A Athènes, édifice public, renfermant l'autel de la cité, et où étaient entretenus les ambassadeurs étrangers, les prytanes en fonction et les citoyens qui avaient bien mérité de la patrie. ‖ En France, établissement où étaient instruits gratuitement les fils de ceux qui avaient rendu service à l'État. ‖ *Prytanée militaire de la Flèche*, école militaire pour les fils d'officiers sans fortune.

* **prytanie,** n. f. [Antiq. gr.] Durée du pouvoir des prytanes à Athènes.

* **psallette,** n. f. Maîtrise d'une église. ‖ Lieu où l'on élève et instruit les enfants de chœur (Vx).

* **psalmique,** adj. (lat. *psalmus*, psaume). Qui a trait aux psaumes.

psalmiste, n. m. Auteur de psaumes. ‖ *Le Psalmiste*, ou, adjectiv., *le Roi psalmiste*, le roi David.

psalmodie, n. f. (gr. *psalmos*, psaume; *ôdè*, chant). Manière de chanter ou de réciter les psaumes sans inflexion de voix. ‖ Fig. Manière monotone de débiter des vers ou de la prose.

psalmodier, v. tr. et intr. Chanter des psaumes sur une même note et sans inflexion de voix. ‖ Fig. Parler, lire, déclamer d'une façon monotone. = Conjug. V. GRAMMAIRE.

psaltérion, n. m. Ancien instrument de musique à cordes pincées, sorte de harpe.

psaume [psôme], n. m. (lat. eccl. *psalmus*, m. s.). Cantique ou chant sacré du peuple hébreu. *Le plus grand nombre des psaumes furent composés par le roi David*.

> VOCAB. — *Famille de mots*. — *Psaume* [rad. *psau*, *psal*]: psalmique, psalmiste, psaltérion, psautier, psalmodie, psalmodier.

psautier, n. m. Collection, recueil des psaumes de la Bible. ‖ Voile porté par les religieuses de certains ordres.

* **pschent** [pskennt], n. m. Coiffure en forme de mitre des pharaons et de certaines divinités égyptiennes.

* **psélion** ou * **psellion,** n. m. [Antiq.] Bracelet et, parfois, anneau pour les jambes.

* **pseudarthrose** [ar-tro-ze], n. f. [Chir.] État définitif d'une fracture qui ne se consolide pas.

pseudo- (gr. *pseudos*, mensonge), préfixe qui, mis devant un nom, a le sens de l'adjectif *faux*, et, devant un adjectif, le sens de l'adverbe *faussement*.

* **pseudo-membraneux, euse,** adj. [Méd.] Qui s'accompagne de la production de fausses membranes.

pseudonyme, adj. (gr. *pseudos*, mensonge, et *onoma*, nom). Se dit des auteurs qui publient des livres, des écrits sous un nom supposé. — Se dit aussi des livres, des écrits. *Un écrit pseudonyme*. = N. m. Nom supposé pris par un auteur. *Molière est le pseudonyme de Poquelin*. ‖ Ouvrage publié sous un nom supposé.
ANT. — *Anonyme*.

* **pseudonymie,** n. f. Caractère d'un ouvrage pseudonyme.

* **pseudopodes,** n. m. pl. (préf. *pseudo*, et gr. *pous, podos*, pied). [Zool.] Prolongements rétractiles du protoplasme qu'émettent, pour se mouvoir, les leucocytes, les amibes, etc.

* **psi,** n. m. Vingt-troisième lettre de l'alphabet grec ancien (ψ), prononcée *ps*. V. pl. ALPHABET GREC.

* **psit,** * **psitt** ou * **pst,** interj. Petit sifflement destiné à attirer l'attention.

* **psittacidés,** n. m. pl. [Zool.] Famille d'oiseaux grimpeurs comprenant les perroquets et perruches.

psittacisme, n. m. (lat. *psittacus*, perroquet). Vain bavardage de celui qui, comme le perroquet, ignore le sens des mots qu'il répète.

psittacose, n. f. (lat. *psittacus*, perroquet). [Méd.] Maladie infectieuse des perroquets, transmissible à l'homme.

* **psoas** [ass], n. m. [Anat.] Nom de deux muscles pairs intra-abdominaux. V. pl. HOMME (viscères).

* **psoque,** n. m. [Zool.] Genre d'insectes archiptères, vulg. *poux de bois*.

psora ou **psore,** n. f. [Méd.] Éruption cutanée; gale.

* **psoralie,** n. f. ou * **psoralier,** n. m. [Bot.] Genre de *légumineuses* dont une espèce a des racines comestibles.

psoriasis [ziss], n. m. [Méd.] Affection de la peau caractérisée par de petites plaques rouges couvertes de squames nacrées.

psorique, adj. [Méd.] De la nature de la psore, de la gale, ou qui s'y rapporte.

psychagogie [psi-ka], n. f. [Antiq. gr.] Cérémonie religieuse pour apaiser les âmes des morts.
* **psychagogue** [psi-ka], n. m. Magicien qui évoquait les ombres. = Adj. *Hermès psychagogue*, Hermès conducteur d'âmes.
PAR. — *Psychologue*, personne apte à comprendre les états d'âme d'autrui.
psychanalyse [ka], n. f. (gr. *psykhê*, âme; et *analyse*). [Méd.] Système du psychiatre autrichien Freud, qui consiste à déceler, par une exploration de l'inconscient, les « complexes » (systèmes d'images et d'idées) formés par des tendances, des besoins instinctifs qui y ont été refoulés, et dont la présence à l'état latent détermine des troubles psychiques.
psychasthénie [kas-té], n. f. [Méd.] Affection mentale caractérisée par l'indécision de l'esprit, la tendance au doute, l'affaiblissement des fonctions mentales.
psyché [ché], n. f. Grand miroir mobile, autour d'un axe horizontal.
psychiatre [kia], n. m. (gr. *psykhê*, âme; *iatros*, médecin). Médecin spécialiste des maladies mentales.
psychiatrie [kia], n. f. Partie de la médecine qui étudie les maladies de l'esprit.
psychique [chi], adj. (gr. *psykhê*, âme). Relatif à l'âme, aux facultés mentales. ∥ Relatif au spiritisme, aux facultés anormales.

> VOCAB. — *Famille de mots.* — *Psychique:* psychisme, psychologie, psychologique, psychologue, psychose, psychiatre, psychiatrie, psychophysiologie; métempsychose.

* **psychisme** [chi], n. m. Ensemble des phénomènes psychiques.
psychologie [ko], n. f. (gr. *psykhê*, âme; *logos*, traité). Partie de la philosophie qui traite des phénomènes psychiques et de leurs lois. ∥ Aptitude à comprendre l'état d'âme d'autrui; connaissance, expérience de l'esprit humain. V. tabl. INTELLIGENCE et SENSIBILITÉ (*Idées suggérées par les mots*).
ANT. — *Physiologie*.
psychologique [ko], adj. Qui appartient, qui a rapport à la psychologie. ∥ *Moment psychologique*, le moment où l'esprit est dans les dispositions les plus favorables; le moment opportun.
* **psychologiquement** [ko], adv. Au point de vue psychologique.
psychologue [ko], n. m. Spécialiste de la psychologie. ∥ Personne apte à comprendre les états d'âme d'autrui.
PAR. — *Psychagogue*, magicien qui évoquait les ombres.
* **psychopathie** [ko], n. f. [Méd.] État morbide caractérisé par des troubles psychiques.
* **psychopathologie** [ko], n. f. [Méd.] Étude psychologique des maladies mentales.
* **psychophysiologie** [ko-fi-zio], n. f. Étude scientifique des phénomènes psychiques dans leurs rapports avec les phénomènes physiologiques.
psychophysique [ko], n. f. Étude des rapports entre la sensation et l'excitation qui la fait naître.

* **psychopompe** [ko], adj. [Myth.] Qui conduit aux enfers les âmes des morts. *Hermès psychopompe*.
psychose [koze], n. f. [Méd.] Maladie mentale en général.
* **psychotechnique** [ko-tèk], n. f. Examen méthodique de l'état psychique d'un sujet pour connaître ses aptitudes à une profession.
* **psychothérapie** [ko] n. f. [Méd.] Traitement des psychoses et de certaines autres maladies par des moyens moraux.
* **psychromètre** [kro], n. m. [Phys.] Appareil servant à déterminer l'état hygrométrique de l'air.
* **psychrométrie** [kro], n. f. (gr. *psykros*. froid et *métron*, mesure) [Phys.] Détermination de l'état hygrométrique de l'air.
psylle, n. m. Charmeur de serpents. — Fakir hindou charmeur de serpents.
* **ptéride** ou **ptéris**, n. f. [Bot.] Nom vulg. d'une fougère, très commune en France, dite aussi *fougère à l'aigle*.
* **ptéro-** (gr. *ptéron*, aile), préfixe qui renferme l'idée d'*aile* ou de *nageoire*.
ptérodactyle, n. m. (gr. *ptéron*, aile; *daktylos*, doigt). [Paléont.] Genre de petits reptiles fossiles analogues aux chauves-souris actuelles.
* **ptéropodes**, n. m. pl. [Zool.] Groupe de mollusques gastéropodes opisthobranches.
* **ptérygoïde**, adj. [Anat.] Se dit d'une apophyse de l'os sphénoïde, en forme d'aile.
* **ptéryle**, n. f. (gr. *ptéryks*, aile, et *eidos*, apparence). [Zool.] Surface du tissu cutané des oiseaux où s'implantent les plumes.
* **ptolémaïque**, adj. [Antiq.] Relatif à Ptolémaïs ou aux Ptolémées.
ptomaïne, n. f. [Physiol.] Alcaloïde qui se produit au cours de la putréfaction des matières organiques ou que sécrètent certains microbes pathogènes.
ptose [ze], n. f. [Méd.] Déplacement, chute d'un viscère par suite du relâchement de ses moyens de fixité.
* **P. T. T.** Abrév. de Postes, télégraphe, téléphone. V. tabl. P. T. T. (*Idées suggérées par le mot*).
* **ptyaline**, n. f. (gr. *ptyalon*, crachat). Ferment soluble contenu dans la salive, solubilisant l'amidon et les féculents.
* **ptyalisme**, n. m. (gr. *ptyalon*, salive). Salivation excessive.
* **puamment**, adv. Avec puanteur. ∥ Fig. Avec grossièreté et impudence (Peu us).
puant, ante, adj. Qui sent mauvais, qui a une mauvaise odeur. ∥ Fig. Grossier et impudent. *Menteur puant*. ∥ Dédaigneux, vaniteux. ∥ *Bêtes puantes*, certaines bêtes, comme les renards, les blaireaux. = N. m. Personne vaniteuse et dédaigneuse.
CTR. — *Odoriférant, parfumé, suave*.
puanteur, n. f. Mauvaise odeur; odeur de ce qui pue.
* **puantise**, n. f. Chose puante.
pubère, adj. (lat. *pubis*, duvet). Qui a atteint l'âge de puberté.
puberté, n. f. Époque où le jeune homme, la jeune fille sont formés et devenus aptes à la procréation. — Modifications physiques correspondant à cette aptitude.
OBS. — Ne pas confondre avec *nubilité*, état de l'individu apte à la reproduction normale, et qui n'apparaît que quelques années plus tard.

P. T. T. et T. S. F.
(Abréviations de Poste, Télégraphe, Téléphone et de Télégraphie ou Téléphonie sans fil).

Étymologie. — On retrouve l'origine du mot *poste* dans *positus* (V. POSITION), participe passé du verbe latin *ponere*, mettre, déposer. A l'origine, la *poste* était un relais où les courriers transportant les ordres de l'autorité ou les personnes trouvaient des chevaux frais *placés* là pour remplacer ceux qui venaient de fournir l'étape.
Télégraphe est formé de deux mots grecs : *télé*, loin, *graphein*, écrire. Littéralement : instrument qui permet d'écrire au loin, à longue distance.
Téléphone est de formation identique : *télé*, loin, *phonê*, voix. Littéralement : appareil qui permet de porter la voix au loin, à une longue distance.

Définition. — *Poste*, mot féminin, eut d'abord son sens étymologique de position puis celui d'emplacement des relais où l'on changeait les chevaux de voitures affectées au transport des voyageurs et des correspondances ou dépêches, royales d'abord, puis publiques : *Prendre la poste, la chaise de poste*. Plus récemment, le mot prit le sens de transport public des correspondances : *Envoyer une lettre par la poste, train-poste, paquebot-poste, timbre-poste*; puis d'Administration publique chargée de ce service : *poste, bureau de poste, ministère des postes, poste restante*.
Le mot se dit même du bureau où le public peut porter sa correspondance et effectuer les opérations postales. *Aller toucher un mandat à la poste*. On désigne en France ce service par l'abréviation familière P. T. T.

Principaux termes relatifs aux P. T. T. et à la T. S. F. :

a) ORGANISATION ET POSTE. — Administration des Postes et Télégraphes. Service postal, Hôtel des postes, bureau central, bureau de poste, poste auxiliaire, bureau de triage, bureau de gare, guichet. Chaise de poste, postillon, courir la poste, maître de poste. Ministère des Postes et Télégraphes, secrétariat d'État des transmissions, des communications. Directeur général, régional, départemental des Postes ; ingénieur, directeur, inspecteur des bureaux ambulants, inspecteur, contrôleur, rédacteur, receveur, receveuse, agent des postes, commis principal, employé, auxiliaire, surnuméraire, gardien de bureau, agent ambulant, brigadier facteur, facteur receveur, facteur rural, facteur local, vaguemestre. Télégraphiste, téléphoniste. Expédition, envoi postal ; destinataire, expéditeur, envoyeur, réception ; lettre, lettre missive, paquet-lettre, dépêche, message, correspondance. Boîte aux lettres, levée, triage des lettres, bureau de triage ; distribution, oblitération des timbres, cachet de la poste au départ, à l'arrivée ; sac postal, sac plombé ; courrier, convoyeur de courrier, fourgon postal ; bureau-gare, bureau ambulant, wagon-poste, train-poste, paquebot-poste, avion postal, malle des Indes, courrier international. Lettre cachetée, ouverte, enveloppe, bande, pli, paquet clos, carte de correspondance, carte postale, carte postale illustrée, carte-lettre, carte de visite, billet de faire-part, imprimé, livre, brochure, journal, périodique, prospectus, facture, échantillon sans valeur, échantillon recommandé, lettre ou paquet recommandé ; lettre, boîte chargée, valeur déclarée, correspondance par avion, colis postal. Adresse, adresse de l'expéditeur, suscription, retour à l'envoyeur, lettre tombée au rebut, faire suivre. Poids, dimensions maxima. Fermer, clore, cacheter ; coller une lettre, un paquet. Récépissé, reçu. Taxe, affranchissement, surtaxe, franchise postale, franchise militaire ; vignette, figurine, timbre-poste ; cachet de la poste, timbre en surtaxes, avec surcharge, timbre oblitéré d'avance pour envois collectifs, timbre à percevoir, machine à timbrer à domicile ; collection de timbres, philatélie, philatéliste, bourse aux timbres, album de timbres. Recouvrement postal, valeur à recouvrer, effets de commerce, réponse payée. Poste restante, bureau restant. Envoi d'argent, mandat-poste, mandat-lettre, mandat-carte, mandat-contributions, talon, mandat-chèque, chèque-postal, compte postal, chèque de virement. Caisse d'épargne postale, livret, intérêt, mise à jour des livrets, versement, retrait, remboursement partiel, total. Cabinet noir, censure postale, etc. Poste aux armées, secteur postal.

b) LE TÉLÉGRAPHE. — Télégraphe, télégramme, dépêche télégraphique, bureau télégraphique, envoyer, recevoir une dépêche, un télégramme ; ligne télégraphique aérienne, souterraine, télégraphe sous-marin, câble, câblogramme, câbler ; fil, poteau télégraphique, isolateur, support, herse aérienne ; télégraphe Morse, alphabet Morse, système Baudot, Bréguet, à cadran, etc., bélinogramme, appareil télégraphique, émetteur, isolateur, fil à la terre, pile, parafoudre, manipulateur, récepteur, cadran, manivelle, bande à imprimer, transmission télégraphique, réception, taxe, tarif télégraphique, télégramme avec réponse payée, télégramme international, exprès, correspondance pneumatique, appareil d'envoi, tube pneumatique, pneu, carte, lettre pneumatique, petit bleu. — Télégraphie militaire, télégraphie optique, etc.

c) LE TÉLÉPHONE. — Téléphoner, passer un coup de fil, appareil téléphonique, sonnerie d'appel, poste téléphonique ; téléphone automatique, taxiphone, émetteur, cornet amplificateur, parleur, microphone, récepteur, fiche ; être à l'écoute, décrocher, raccrocher l'appareil, allô, communication téléphonique, sonner, couper la communication, être en communication, conversation téléphonique, abonné au téléphone, numéro d'abonné, annuaire du téléphone ; réseau téléphonique, central téléphonique, standard, poste particulier, dame téléphoniste, téléphoniste militaire, téléphone urbain, interurbain, régional ; message téléphoné, appel téléphonique, relevé des communications, jeton pour appareil automatique, etc. Service téléphonique militaire, etc.

d) TÉLÉGRAPHIE ET TÉLÉPHONIE SANS FIL. — Poste émetteur, émission, relai, diffusion, radio-diffusion, poste émetteur, d'État, poste particulier, indicatif, longueur d'ondes, ondes hertziennes, machine émettrice d'ondes, pylône, antenne, fil de terre, grandes ondes, ondes moyennes ou petites ondes, ondes courtes et ultra-courtes, propagation des ondes, couche d'Heaviside ; courant de haute fréquence, oscillateur, détecteur, détecteur à galène, à limaille de fer, lampe détectrice, lampe à deux, trois électrodes, cohéreur, cadran, self ; synchronisation, décharge, circuit oscillant, ondes entretenues, ondes amorties, train d'ondes, microphone, parler au micro, auditorium, studio, poste récepteur, amplificateur, condensateur, grille, diffuseur, haut parleur, casque, écouteur, mise au point, sélection, bouton d'allumage, de règlement de longueur d'onde, de changement d'ondes, d'intensité ; prendre, quitter l'écoute, parasites, fading, friture, bonne, mauvaise émission, brouillage ; émission audible, panne, interruption, incident technique ; pick-up, télévision, téléviseur, bélinogramme, écran. Speaker, speakerine, informations, annonces, message radiophonique, marconigramme, S. O. S., publicité par T. S. F., audition musicale, théâtrale, scientifique, littéraire, artistique, sportive, etc., musique enregistrée, discours, avis officiels diffusés, chronique, disque, bande métallique d'enregistrement, bande sonorisée. La radio, radio-concert, radio-journal, radio-reportage, conférence radiodiffusée, pièce de théâtre. Mise en ondes. Journal radiophonique, etc. Radio à bord des navires, des avions, radio militaire, etc.

pubescence [*bes-san-se*], n. f. [Hist. nat.] État d'une surface qui se couvre de poils.
pubescent, ente [*bes-san*], adj. [Bot.] Garni d'un duvet fin, court et peu serré. *Feuilles pubescentes.*
pubien, ienne, adj. Qui se rapporte au pubis.
pubis, n. m. [Anat.] Éminence triangulaire située à l'extrémité du bas-ventre, qui se couvre de poils à la puberté. — Portion antérieure des os iliaques.
* **publiable,** adj. Digne d'être publié; ou qui peut l'être sans inconvénient.
public, ique, adj. (lat. *publicus*, m. s.). Qui appartient à tout le peuple, qui concerne la nation. *L'intérêt public. Droit public.* — *Chose publique,* État, gouvernement. — *Charges publiques,* les impositions et taxes — *Trésor public,* actif détenu par l'État dans ses caisses. — *Services publics,* l'administration d'un État. — *Autorité publique,* l'ensemble des magistrats, des fonctionnaires chargés des services publics. — *Édifices publics,* ceux qui sont employés aux différents services publics. ǁ *Vie publique,* les actions d'un homme revêtu de quelque dignité, ou chargé de quelque emploi, en tant qu'elles se rapportent à ses fonctions; se dit par opp. à *vie privée,* vie particulière et domestique. ǁ *Ministère public.* V. MINISTÈRE.
Qui est commun à l'usage de tous. *La voie publique.* — *Femmes, filles publiques,* prostituées. ǁ Qui est manifeste, connu de tout le monde, répandu parmi le peuple. *C'est un bruit public.* — *Rumeur publique,* opinion de la foule. ǁ Qui a lieu en présence de tout le monde, auquel tout le monde peut assister ou prendre part. *Cours public.* = N. m. *L'intérêt public* (Vx). ǁ Peuple en général. *L'intérêt du public.* ǁ Tout le monde, sans distinction. *Entrée interdite au public.* ǁ Personnes réunies pour assister à un spectacle, à une exposition. *Le public siffla la pièce.* = EN PUBLIC, loc. adv. En présence, à la vue de tout le monde. *Paraître en public.*
CTR. — *Privé, particulier, individuel.* — *Clandestin, furtif.*
publicain [*kin*], n. m. [Antiq. rom.] Fermier des revenus publics. ǁ Fig. et péjor. Celui qui perçoit les deniers publics; financier avide. *Les malversations des publicains.*
publication [*sion*], n. f. Action de publier, de rendre public, notoire. *La publication des bans du mariage.* ǁ Ordonnance publiée. ǁ Action d'éditer, de faire paraître, de mettre en vente. *La publication d'un livre, d'un journal.* ǁ L'ouvrage même. *Publication hebdomadaire.*
SYN. — V. VOLUME.
publiciste, n. m. Celui qui écrit sur le droit public, sur la politique, l'économie sociale. ǁ Journaliste.
publicitaire, adj. Qui se rapporte à la publicité. = N. m. Celui qui s'occupe de publicité; agent de publicité.
publicité, n. f. Notoriété publique. ǁ Annonce par la presse. ǁ Ensemble des procédés mis en œuvre pour faire connaître et apprécier quelque chose du public; réclame. *Publicité tapageuse.* ǁ Caractère d'une chose à laquelle tout le monde peut ou a pu assister. *La publicité des débats judiciaires.*
PAR. — *Pudicité,* caractère d'une personne pudique.
publier, v. tr. (lat. *publicare,* m. s.). Rendre public et notoire. ǁ Porter à la connaissance de tous; vanter, divulguer. ǁ Déclarer hautement. ǁ Éditer, faire paraître. *Publier un livre.* = Conjug. V. GRAMMAIRE.
SYN. — *Publier,* rendre public, en parlant d'un auteur : *Publier un volume de vers.* — *Éditer,* faire paraître, mettre dans le commerce, en parlant d'un libraire-éditeur ou d'un commentateur : *Cet érudit, ce libraire, viennent d'éditer à nouveau les œuvres d'Homère.* — *Imprimer,* publier au moyen de l'imprimerie : *Imprimer une nouvelle édition d'un poème.* V. aussi LOUER, PRÔNER et ANNONCER.
CTR. — *Taire.*
publiquement, adv. En public.
* **puccinia** ou * **puccinie,** n. f. [Bot.] Genre de champignons parasites produisant les maladies des végétaux appelées *rouilles.*
puce, n. f. (du lat. *pulex, pulicis,* m. s.). Insecte diptère parasite, sauteur, de très petite taille, vivant sur le corps de l'homme et des animaux. ǁ Fig. et prov. *Mettre à quelqu'un la puce à l'oreille,* lui inspirer des inquiétudes. — *Secouer les puces à quelqu'un,* le morigéner vigoureusement. = Adj. invar. Qui est d'un brun semblable à celui de la puce. *Des habits puce.*
HOM. — *Pusse, es, ent,* du v. pouvoir.
puceau, n. m. et adj. (lat. *pucellinus,* jeune garçon). Garçon qui n'a pas encore eu de rapports avec une femme (Triv.).
pucelage, n. m. État de celui ou de celle qui n'a jamais eu de rapport avec un individu de sexe différent du sien. *Perdre son pucelage.* (Triv.).
1. **pucelle,** n. f. et adj. (lat. *pucellina,* jeune fille). Fille vierge. — *La Pucelle d'Orléans,* Jeanne d'Arc. = Adj. *Je la tiens pour pucelle.*
2. **pucelle,** n. f. [Ichtyol.] Poisson du genre de l'alose, mais moins estimé.
puceron, n. m. (de *puce*). [Zool.] Petit insecte hémiptère aphidien, très nuisible aux végétaux dont il suce la sève.
* **puche,** n. f. Filet à manche pour pêcher la crevette.
HOM. — *Puche, es, ent,* du v. pucher.
* **pucher,** v. tr. (de *puiser*). Puiser avec le pucheux.
* **pucheux,** n. m. [Techn.] Sorte de cuillère à pot.
pudding, n. m. V. POUDING.
puddlage, n. m. Action de puddler; son résultat.
puddler, v. tr. [Techn.] Affiner la fonte pour la transformer en fer ou en acier.
puddleur, n. m. Ouvrier travaillant au puddlage.
pudeur, n. f. (lat. *pudor,* m. s.). Mouvement de honte dû à l'appréhension de ce qui blesse la modestie, la chasteté. ǁ Retenue, modestie, timidité qui empêche de dire, d'entendre, de faire certaines choses. ǁ *Attentat à la pudeur,* acte immoral de violence commis sur une personne. ǁ *Outrage public à la pudeur,* acte immoral commis en public. V. tabl. MORALE (*Idées suggérées par le mot*).
SYN. — V. RÉSERVÉ.

> VOCAB. — *Famille de mots.* — *Pudeur :* pudique, pudiquement, pudibond, pudibonderie, pudicité; impudique, impudiquement, impudicité, impudeur, impudent, impudence, impudemment.

pudibond, onde, adj. et n. Dont la pudeur est excessive, ou qui affecte une pudeur exagérée.
SYN. — V. PRUDE.
pudibonderie, n. f. Affectation de pudeur; pudeur excessive.
pudicité, n. f. Caractère d'une personne pudique; chasteté.
PAR. — *Publicité*, ensemble des moyens employés pour faire connaître un produit au public.
pudique, adj. Qui a ou dénote de la pudeur; chaste et modeste.
CTR. — *Impudique*, lubrique.
pudiquement, adv. D'une manière pudique.
puer, v. intr. (lat. *putere*, m. s.). Sentir très mauvais (Fam.). = V. tr. Exhaler une odeur incommode. *Il pue le vin.*
puériculture, n. f. (lat. *puer*, enfant, et *culture*). Art de soigner et d'élever les nouveau-nés, les enfants, selon les exigences de l'hygiène.
puéril, ile, adj. (lat. *puerilis*, m. s.). Qui concerne l'enfance. *Respiration puérile.* ‖ *La civilité puérile.* V. CIVILITÉ. ‖ Par ext. Frivole, qui tient de l'enfance, soit dans le raisonnement, soit dans les actions. *Discussion puérile.*
puérilement, adv. D'une manière puérile.
puérilité, n. f. Caractère de ce qui est puéril. ‖ Action, parole, sentiment enfantins chez une grande personne.
puerpéral, ale, aux, adj. (lat. *puerpera*, femme en couches). [Méd.] Qui a rapport à l'accouchement ou aux femmes en couches. ‖ *Fièvre puerpérale*, maladie infectieuse qui attaque les femmes nouvellement accouchées.

* **puerpéralité**, n. f. État d'une femme en couches.
* **puff** [*pouff*], n. m. (mot angl. sign. *bouffée de vent*). Invention, annonce destinée à tromper le public; réclame charlatanesque.
HOM. — V. POUF.
* **puffisme** [*pou*], n. m. Réclame éhontée, tapageuse.
* **puffiste** [*pou*], n. m. Charlatan, faiseur de réclame tapageuse.
pugilat, n. m. (lat. *pugilatus*, m. s.). [Antiq.] Combat à coups de poings [Sport] Syn. de boxe. ‖ Rixe où des coups violents sont échangés.
pugiliste, n. m. Celui qui pratiquait le pugilat, qui pratique la boxe.
pugnace [*pug-nasse*], adj. Qui est combatif, qui aime la lutte.
puine, n. m. Arbrisseau assimilé au mort-bois.
puîné, née, adj. (de *puis* et *né*). Qui est né après un de ses frères ou une de ses sœurs; cadet, cadette. = Adj. *C'est mon puîné.*
ANT. — *Aîné.*
puis, adv. V. tabl. PUIS.
puisage [*za*] ou * **puisement**, n. m. Action de puiser.
puisard [*zar*], n. m. Sorte de puits creusé pour recevoir et faire absorber par le sol les eaux d'égout, les résidus liquides.
puisatier [*za*], n. m. Ouvrier qui creuse, qui répare des puits.
* **puisement**, n. m. V. PUISAGE.
puiser, v. tr. (de *puits*). Prendre de l'eau dans un puits, et, par ext., prendre un liquide quelconque à l'aide d'un vase qu'on y plonge. *Puiser de l'eau à la rivière.* ‖ Fig. Tirer, extraire. — *Puiser dans la bourse de quelqu'un*, lui emprunter librement de l'argent quand on en a besoin. — *Cet auteur a puisé dans les anciens ce qu'il y a de mieux.* — *Puiser aux sources*, lire, consulter les auteurs originaux sur les matières dont on traite.

PUIS, adv. de temps.

Étymologie. — Latin pop. *postius*, de *post*, après.
Ensuite, après. *Il dit quelques mots, puis disparut.* — *Il envoya en renfort dix bataillons, puis dix autres.*
Dans le langage familier, avec *et*, sous forme interrogative ou exclamative : *Et puis ? Et puis après ? et ensuite; qu'en arriva-t-il ? que s'ensuivit-il ?* — *Et puis, au reste. Il n'y consentira pas ; et puis, à quoi cela servirait-il ?*
Puis... que. V. PUISQUE, ci-dessous.
INCORR. — *Puis après* est un pléonasme, les deux mots ayant le même sens.
HOM. — *Puis*, adv., ensuite, après; — *puits*, n. m., excavation profonde où l'on puise de l'eau; — *puy*, n. m., montagne volcanique d'Auvergne; — *puy* ou *pui*, n. m., petite société littéraire du Moyen Age; — *Le Puy*, n. pr., ville de France.
VOCAB. — *Famille de mots.* — *Puis* [rad. *pui*, *post*] : depuis, puisque, post dater, post-scriptum, post poser, etc.; postérité, postérieur, postérieurement, a posteriori, posthume, poterne.

PUISQUE, conjonction de subordination.

Étymologie. — En réalité *puisque* est une locution conj. formée de *puis* (V. tabl. PUIS) et de la conjonction *que*, écrite arbitrairement en un seul mot.

Observation grammaticale. — L'e de *puisque* s'élide devant il, ils, elle, elles, on, en, un, une, ou devant un mot avec lequel la conj. est immédiatement liée. *Puisqu'il le désire, puisqu'ainsi.*

Emploi grammatical. — *Puisque* se construit avec l'indicatif ou avec le conditionnel, il sert à amener une cause que l'on sait connue de celui à qui l'on parle ou de qui l'on parle; il marque le motif de la chose dont l'action ou l'état indiqués dans la proposition principale sont la conséquence.
Du moment que, étant donné que, en conséquence de ce que. Puisqu'il en est ainsi, j'irai. — *Puisque vous le voulez, je le ferai.*

* **puiseur, euse,** n. Celui, celle qui puise.
* **puisoir,** n. m. Sorte de vase, de cuillère qui sert à puiser.
puisque, conj. V. tabl. PUIS, PUISQUE.
puissamment, adv. D'une manière puissante; avec force; avec autorité. ‖ Extrêmement. *Puissamment riche* (Fam.).
puissance [*pui-sanss*], n. f. (de *puissant*). Force ou ensemble de forces qui produisent un effet. *La puissance de l'imagination, de l'habitude.* ‖ Efficacité qu'on attribue à certains remèdes, à certaines substances; vertu, propriété. *Le quinquina a la puissance de guérir la fièvre.* ‖ Force qui, appliquée à une machine, produit un effet. *La puissance d'une locomotive.* [Math.] Chaque degré auquel un nombre est élevé quand on le multiplie par lui-même. *Quatre est la seconde puissance de deux, et huit, la troisième.* [Droit] *Puissance paternelle, maritale,* autorité que la loi attribue au père sur ses enfants, au mari sur sa femme. ‖ Pouvoir de faire une chose. *Il a envie de vous obliger, mais il n'en a pas la puissance.* — *Toute-puissance,* puissance sans limites. *Dieu a créé le monde par sa toute-puissance.* ‖ Domination, empire. *Cyrus soumit à sa puissance une grande partie de l'Asie.* ‖ État souverain. *Grande, petite puissance.* Fig. *Traiter de puissance à puissance,* traiter d'égal à égal. ‖ Celui qui possède une haute dignité ou qui jouit d'une grande influence, d'un grand crédit. *Avoir accès auprès des puissances.* [Phil.] Facultés de l'âme. ‖ Faculté d'agir considérée comme étant en repos, par opp. à *acte.* = EN PUISSANCE, loc. adv. Virtuellement. *Un gland est un chêne en puissance.*
Pouvoir d'imposer sa volonté, son autorité. *User, abuser de sa puissance, de la puissance de ses charmes.* ‖ *Avoir une personne, une chose en sa puissance,* en être le maître, pouvoir en disposer. [Théol.] Un des neuf chœurs des anges.
— *Si c'est une grande puissance de pouvoir exécuter son dessein, la grande et la véritable, c'est de régner sur ses volontés.*
(BOSSUET.)
— *Toute puissance est faible à moins que d'être unie.* (LA FONTAINE.)
— *Dieu fait dans la faiblesse éclater sa puissance.* (RACINE.)
— *Toutes les grandes puissances ont commencé par des hameaux, et les puissances maritimes par des barques de pêcheurs.*
(VOLTAIRE.)
ÉPITHÈTES COURANTES : divine, humaine, politique, morale, matérielle, mécanique; toute-, grande, immense, formidable, extraordinaire, extrême; destructive, dévastatrice; petite, faible, décisive, nulle; paternelle, maritale, seigneuriale, légale économique, sociale, industrielle, financière, etc.
SYN. — V. EMPIRE.
ANT. — *Impuissance, faiblesse, débilité.*
puissant, ante [*pui-san*], adj. (d'après les formes en *puis* du verbe pouvoir). Qui est capable de produire de grands effets. *Un vent, un moteur puissant.* ‖ Qui a beaucoup de crédit, de grandes ressources. *Une famille puissante.* ‖ Qui a de l'influence, de l'autorité. *Un roi puissant.* ‖ *Tout-puissant,* qui peut tout. — Par ext. Qui a un très grand pouvoir, un très grand crédit. ‖ Extrêmement riche. *Un puissant capitaliste.* ‖ Qui montre de la force et de l'habileté. *Un puissant calculateur, un puissant logicien.* ‖ Fort, robuste, de grande taille. *Un homme puissant.* = N. m. pl. *Les puissants de la terre,* les grands, les princes, les rois. = N. m. *Le Tout-Puissant,* Dieu.
CTR. — *Impuissant.* — *Faible, petit, débile.*
puits [*pui*], n. m. (lat. *puteus,* m. s.). Excavation profonde, creusée de main d'homme, destinée à recueillir l'eau d'infiltration. — *Puits artésien.* V. ARTÉSIEN. ‖ Fig. et prov. *La vérité est au fond d'un puits,* en toutes choses, on a beaucoup de peine à découvrir la vérité. — *Cela est tombé dans le puits,* dans l'oubli. ‖ Fig. et fam. *Un puits de science,* un homme extrêmement savant. [Mines] Excavation pratiquée pour l'exploitation d'une mine, d'une carrière. [Pâtiss.] *Puits d'amour,* sorte de gâteau creux renfermant de la crème. [Techn.] *Puits perdu,* puits creusé dans un terrain perméable et où vont se perdre les eaux du voisinage.
HOM. — V. PUIS.

> VOCAB. — *Famille de mots.* — *Puits :* puisatier, puisard, puiser, épuiser, épuisette, épuisement; inépuisable, etc.

* **pull-over** [*poul-oveur*] ou **pull,** n. m. (mot angl.). Chandail de laine.
pullulant, ante, adj. Qui pullule.
pullulation [*sion*], n. f. Multiplication rapide et abondante.
pullulement, n. m. Syn. de *pullulation.*
pulluler, v. intr. (lat. *pullulare,* m. s.). Se multiplier abondamment et en peu de temps. ‖ Fig. Être nombreux. *Les mauvais romans pullulent.*
1. **pulmonaire,** adj. (lat. *pulmo, pulmonis,* poumon). Qui appartient au poumon; qui intéresse le poumon. *Artère pulmonaire. Congestion pulmonaire.*
2. * **pulmonaire,** n. f. [Bot.] Genre de plantes de la famille des *borraginées.*
* **pulmonés,** n. m. pl. [Zool.] Groupe de mollusques gastéropodes à organe respiratoire aérien.
* **pulmonie,** n. f. [Méd.] Maladie du poumon (Vx.).
pulmonique, adj. et n. Atteint de pulmonie (Vx.).
pulpation, n. f. [Pharm.] Réduction en pulpe d'une substance végétale médicamenteuse.
pulpe, n. f. (lat. *pulpa,* m. s.). Partie charnue ou molle des fruits et des légumes, qui est gorgée de sucs. [Pharm.] Partie molle et charnue des végétaux, réduite en pâte, en bouillie. [Anat.] *Pulpe cérébrale,* la substance blanche du cerveau. ‖ *Pulpe dentaire,* le tissu conjonctif contenu dans la cavité dentaire.
HOM. — *Pulpe, es, ent,* du v. pulper.
pulper, v. tr. [Pharm.] Réduire en pulpe.
pulpeux, euse, adj. De la nature, de la consistance de la pulpe. ‖ Qui contient de la pulpe, qui en est formé.
* **pulpoire,** n. f. [Pharm.] Large spatule qui sert à pulper.
* **pulque,** n. m. Boisson mexicaine obtenue par fermentation du suc d'un aloès.

pulsateur, trice, adj. Qui produit des battements, des pulsations.
* **pulsatif, ive,** adj. [Méd.] Qui provoque des pulsations, des battements.
* **pulsatile,** adj. [Méd.] Animé de pulsations.
* **pulsatille** [*ill mll.*], n. f. [Bot.] Nom vulg. de l'anémone pulsatille ou *herbe au vent*.
pulsation [*sion*], n. f. (lat. *pulsare*, battre). Battement des artères, du pouls. [Méd.] Battement douloureux dans une partie malade. [Phys.] Grandeur inversement proportionnelle à la fréquence d'un mouvement vibratoire.
* **pulsion,** n. f. Action de pousser.
* **pultacé,** adj. (lat. *puls, pultis,* bouillie). Qui a l'aspect, la consistance de la bouillie.
pulvérin, n. m. Poudre à canon écrasée et tamisée, pour amorcer les pièces d'artifice, les armes à feu.
* **pulvérisable,** adj. Qu'on peut pulvériser.
pulvérisateur, n. m. Instrument pour réduire en poudre. ǁ Instrument pour projeter une matière réduite en poudre ou un liquide en fines gouttelettes. V. pl. AGRICULTURE.
pulvérisation [*sion*], n. f. Action de pulvériser; résultat de cette action.
pulvériser, v. tr. (lat. *pulvis, pulveris,* poussière). Réduire en poudre. ǁ Réduire un liquide en gouttelettes et le projeter ainsi. ǁ Fig. Détruire, réduire à néant. Mettre en miettes.
SYN. — V. BROYER.
* **pulvérulence,** n. f. État de ce qui est pulvérulent.
pulvérulent, ente, adj. Qui est réduit en poudre plus ou moins fine. ǁ Couvert d'une poudre fine.
puma, n. m. [Zool.] Genre de mammifères carnassiers appelés aussi *couguars* et *lions d'Amérique,* du groupe des félins.
* **pumicin,** n. m. Huile de palme (Vx).
* **pumicite** ou * **pumite,** n. f. [Minér.] Pierre ponce.
punais, aise, adj. et n. (lat. *putidus,* puant; *nasus,* nez). Qui exhale une odeur infecte, principalement par le nez.
1. punaise, n. f. (de *punais*). [Techn.] Clou à large tête plate et à pointe fine, qui sert à fixer des dessins, des plans, etc.
2. punaise, n. f. [Zool.] Nom donné à divers insectes hémiptères à odeur fétide : *punaises des bois; punaises des lits,* qui sucent le sang de l'homme; *punaise d'eau.* — Pop. *Plat comme une punaise,* d'une extrême platitude morale.
punaisie [*zi*], n. f. [Méd.] Maladie caractérisée par une mauvaise odeur venant du nez; ozène.
punch [*ponch'*], n. m. (mot angl.). Boisson faite avec du citron, du sucre, de la cannelle, du thé infusé et du rhum ou de l'eau-de-vie qu'on fait brûler.
* **punctiforme** [*ponk*], adj. En forme de point.
puni, ie, adj. et n. (pp. du v. *punir*). Qui est frappé de punition.
* **punica,** n. m. [Bot.] Genre de plantes dicotylédones (vulg. *grenadiers*), de la famille des *myrtacées,* ou, selon certains, type de la famille dite des *punicacées*.

punique, adj. Qui a rapport, qui est propre aux Carthaginois. ǁ Fig. *Foi punique,* mauvaise foi. — *Guerres puniques,* nom de trois guerres entre Rome et Carthage : la première, de 264 à 241 av. J.-C.; la deuxième, de 219 à 201, conduite contre Rome par Hannibal; la troisième, de 149 à 146, se termina par la ruine de Carthage.
punir, v. tr. (lat. *punire,* m. s.). Infliger un châtiment à quelqu'un. ǁ *Punir de,* infliger la peine de. ǁ *Être puni de quelque chose,* en être mal récompensé. ǁ Se dit encore des choses quand elles se retournent contre celui qui en a mésusé. *Être puni par où l'on a péché.*
SYN. — V. CHÂTIER.
CTR. — *Récompenser.*
punissable, adj. Qui mérite punition.
punisseur, euse, adj. et n. Qui punit fréquemment.
* **punitif, ive,** adj. Dont le but est de punir. *Expédition punitive.*
punition [*sion*], n. f. Action de punir. ǁ Châtiment, peine qu'on inflige pour quelque faute.
ÉPITHÈTES COURANTES : sévère, terrible, exemplaire, impitoyable, dure, légère, indulgente; méritée, imméritée; juste, injuste, coupable, morale.
SYN. — *Punition,* le fait d'infliger ou de recevoir quelque désagrément comme sanction d'une faute : *On lui a infligé une punition légère pour son étourderie.* — *Châtiment,* punition sévère, généralement corporelle, pour des fautes graves ou des crimes : *Cet assassin a reçu le juste châtiment de son crime.* — *Corrections* punition corporelle : *Cet enfant a reçu une bonne correction pour avoir menti.* — *Peine,* châtiment infligé par les lois à celui qui les a violées : *Il a été condamné à la peine des travaux forcés.*
ANT. — *Récompense.*
HOM. — *Punissions* (nous), du v. *punir.*
* **puntarelle,** n. f. Fragment de corail employé en bimbeloterie.
pupazzo [*pou-pa-dzo*], n. m. Nom des marionnettes italiennes. = Pl. *Des pupazzi.*
* **pupe,** n. f. (lat. *pupa,* petite fille). [Zool.] Nymphe des diptères, des lépidoptères.
pupillaire [*pil-lè-re*], adj. [Droit] Relatif au pupille. [Anat.] Relatif à la pupille de l'œil.
pupillarité [*pil-la*], n. f. [Droit] Temps pendant lequel un enfant est pupille.
1. pupille [*pil*], n. [Droit] Personne mineure qui est sous l'autorité d'un tuteur. — *Pupilles de la Nation,* orphelins de la Guerre de 1914—1918, qui furent adoptés par la Nation.
ANT. — *Tuteur.*
2. pupille, n. f. (lat. *pupilla*). Ouverture située au centre de l'iris de l'œil; prunelle. V. pl. ŒIL.
PAR. — *Papille,* chacune des petites éminences de la langue.
* **pupipare,** adj. [Zool.] Se dit des insectes diptères qui mettent au monde des petits à l'état de nymphes.
pupitre, n. m. (lat. *pulpitum,* estrade). Meuble composé essentiellement d'une ou deux planchettes inclinées, servant à écrire, à poser des livres, des cahiers de musique, etc. [Mus.] *Être au pupitre,* diriger l'orchestre.

* **pupivores,** n. m. pl. [Zool.] Groupe d'hyménoptères térébrants utiles, appelés aussi *entomophages*.

* **puppy** [*peu-pi*], n. m. (mot angl.). Très jeune chien; chiot. = Pl. *Des puppies*.

pur, ure, adj. (lat. *purus*, m. s.). Qui est sans mélange, qui n'est pas altéré, souillé, obscurci. *Boire de l'eau pure. Le ciel est pur et serein.* || Fig. Sans altération, sans souillure. *Jouir d'un bonheur pur.* || Chaste. *Elle s'est toujours conservée pure.* || Fig. Correct, exact, net, régulier. *Style, langage pur.* || Qui est absolument, sans aucune restriction ni modification. *C'est la pure vérité. Agir par bonté pure.* [Droit] *Obligation, promesse pure et simple*, sans aucune condition, sans aucune restriction ni réserve. || Se dit de certaines sciences envisagées d'une façon abstraite ou théorique, sans rapport avec les applications dont elles sont susceptibles. *Mathématiques pures. Chimie pure.* [Phil.] *L'esprit pur*, l'esprit considéré sans égard à son union avec la matière. || *Pur sang*, se dit d'un animal de race pure. = N. m. pl. *Les purs*, ceux qui acceptent la doctrine officielle d'une religion, d'un parti politique, dans son intégralité. || Au sing. *Un pur*, un partisan farouche.

Syn. — V. net. — Pour *pur sang*, V. cheval.

Ctr. — *Impur, corrompu, souillé.* — *Trouble, louche.* — *Incorrect.*

Vocab. — *Famille de mots.* — *Pur:* pureté, purement, purifier, purificateur, purification; impur, impureté; purisme, puriste, puritain; épurer, épuration, épuré, apurer, apurement; dépuratif, purger, purgatif, purgation, purgatoire, expurger, etc.

---

* **puranas,** n. m. pl., V. pouranas.

pureau, n. m. [Techn.] La partie d'une tuile ou d'une ardoise d'un toit qui n'est pas recouverte par la tuile ou l'ardoise supérieure.

purée, n. f. (de l'anc. franç. *purer*, presser des légumes). Sorte de bouillie qu'on tire de divers légumes cuits dans l'eau et écrasés ou tamisés. *Purée de pois, de lentilles.* || *Purée de pois*, brouillard épais (traduction de l'anglais *pea-soup*). || Pop. Misère, manque d'argent. *Être dans la purée*.

purement, adv. D'une manière pure, chaste. || Avec une grande correction. *Écrire très purement.* || Uniquement, exclusivement. *Un motif purement humain.* || *Purement et simplement*, sans réserve et sans condition.

pureté, n. f. Qualité de ce qui est pur et sans mélange. *La pureté de l'air, des eaux.* || Fig. Intégrité, droiture, innocence, absence de corruption, de souillure. *La pureté du cœur, de l'âme.* || *La pureté du goût*, la justesse et la délicatesse du goût dans la littérature et dans les arts. || Absol. Chasteté. *Conserver sa pureté.* || Par ext. Correction, netteté. *Pureté de style, de langage. La pureté d'un son.* [Chim.] État d'un corps où l'on ne décèle pas de substances étrangères à l'aide d'un réactif donné.

purgatif, ive, adj. [Méd.] Qui a la propriété de purger. || *Vie purgative*, vie de pénitence. = N. m. Médicament destiné à purger.

purgation [*sion*], n. f. (lat. *purgatio*, m. s.). Action de nettoyer (Vx). [Méd.] Action de purger. || Médicament pris pour se purger; purgatif. V. tabl. maladie et médecine (*Idées suggérées par les mots*).

purgatoire, n. m. [Théol.] Lieu ou état d'expiation temporaire dans lequel les âmes des justes en état de péché véniel se purifient de leurs fautes avant d'entrer dans le paradis. || Par ext. Lieu, état où l'on souffre. — *Faire son purgatoire en ce monde*, y beaucoup souffrir.

purge, n. f. Action de nettoyer, de désinfecter. [Droit] Levée des hypothèques qui grevaient un immeuble. || Purgatif. Action de purger. [Techn.] Nettoyage des fils de soie. || *Robinet de purge*, robinet pour extraire l'eau de condensation accumulée dans un cylindre.

Hom. — *Purge, es, ent*, du v. purger.

* **purgeoir** [*joir*], n. m. Bassin rempli de sable par lequel on fait passer l'eau pour la filtrer.

purger, v. tr. (lat. *purgare*, m. s.). Purifier, nettoyer; débarrasser une chose de ce qui l'altère, la salit. *Purger le sucre*. [Méd.] Provoquer des évacuations alvines. *Purger un malade.* — Par anal. *Purger le cerveau*, dégager le cerveau. || Délivrer, chasser, faire disparaître. *Hercule purgea la terre des monstres qui la désolaient.* || Fig. Purifier. *Purger sa conscience.* — *Purger son esprit d'erreurs, de préjugés*, se défaire de ses erreurs, de ses préjugés. — *Purger les passions*, modérer, épurer les passions.

[Droit] *Purger la contumace*, se constituer prisonnier pour répondre du crime pour lequel on a été condamné par contumace. || *Purger une peine*, subir la peine à laquelle on a été condamné. = se purger, v. pron. Se dit au propre et au figuré. || *Se purger d'une accusation, d'un crime*, s'en justifier, prouver qu'on est innocent. = Conjug. V. grammaire.

Syn. — V. laver.

* **purgeur,** n. m. [Techn.] Robinet ou soupape servant à l'évacuation de l'eau de condensation d'un tuyau, d'un cylindre.

purifiant, ante, adj. Qui purifie.

purificateur, trice, n. Celui, celle qui purifie.

purification [*sion*], n. f. Action de purifier, et résultat de cette action. || Moment de la messe où le célébrant lave le calice et se lave les doigts. || *Purification de la Vierge*, fête commémorant la purification rituelle de la Vierge, au temple, après la naissance de Jésus (2 février).

purificatoire, n. m. [Liturg.] Linge avec lequel le prêtre essuie le calice après la communion.

purifier, v. tr. (lat. *purificare* m. s.). Rendre pur; ôter ce qu'il y a d'impur. d'étranger. || Enlever une souillure par une cérémonie religieuse. = se purifier, v. pron. Devenir pur, plus pur. = Conjug. V. grammaire.

Syn. — V. laver.

Ctr. — *Contaminer, infecter, souiller, corrompre, salir, vicier.*

* **puriforme,** adj. [Méd.] Qui ressemble à du pus. *Crachats puriformes.*

purin, n. m. Partie liquide du fumier, composée des urines et des eaux.

purisme, n. m. Défaut du puriste.

puriste, adj. et n. Celui, celle qui affecte une excessive pureté de langage, qui s'y attache trop scrupuleusement.
PAR. — Ne pas confondre avec le mot suivant.
puritain, aine [tin, tène], n. Membre de la secte presbytérienne la plus rigide d'Angleterre et d'Écosse, appelé aussi *non-conformiste*. ‖ Fig. Celui, celle qui affecte une grande austérité, une sévérité exagérée de mœurs et de principes. = Adj. *Rigorisme puritain.*
SYN. — V. PRUDE.
PAR. — Ne pas confondre avec le mot précédent.
puritanisme, n. m. Doctrine des puritains. ‖ Rigorisme des mœurs.
* **puron**, n. m. Petit lait épuré.
* **purot**, n. m. Citerne, fosse à purin.
* **purpura**, n. m. (mot lat. sign. *pourpre*). [Méd.] Apparition sur la peau de taches rouges dues à une hémorragie cutanée.
purpurin, ine, adj. D'une couleur voisine de la pourpre.
purpurine, n. f. Principe colorant de la garance. ‖ Bronze moulu qu'on applique à l'huile ou au vernis.
purulence [lan-se], n. f. [Méd.] État caractérisé par la présence du pus.
purulent, ente, adj. [Méd.] Qui a la nature, l'aspect du pus; qui produit du pus.
pus [pus], n. m. (lat. *pus*, m. s.). [Méd.] Exsudat liquide pathologique tenant en suspension des leucocytes et des cellules venant des tissus environnants.
HOM. — *Pus*, n. m., exsudat pathologique; humeur; — *pu*, part. passé du v. pouvoir; — *pus, put, pût*, du v. pouvoir; *pue, es, ent*, du v. puer.
pusillanime [zil-la], adj. (lat. *pusillus*, petit; *animus*, âme). Qui manque de courage, qui a l'âme faible, lâche, timide. *Un homme pusillanime.* ‖ Qui annonce de la pusillanimité. *Un caractère pusillanime.*
SYN. — V. CRAINTIF et LÂCHE.
CTR. — *Brave, hardi, téméraire.*
* **pusillanimement**, adv. D'une manière pusillanime.
pusillanimité [zil-la], n. f. Faiblesse d'âme, de caractère; manque de courage, de hardiesse. ‖ Action marquant le manque de courage.
* **pustulation** [sion], n. f. Développement de pustules sur le corps.
pustule, n. f. [Méd.] Petite tumeur circonscrite qui se forme sur l'épiderme et contient du pus.
pustuleux, euse, adj. Qui a la forme d'une pustule; accompagné de pustules.
putain, n. f. (de *pute*). Femme, fille de mauvaise vie, prostituée. ‖ Femme, fille débauchée [Pop. et trivial].
putassier, ière, adj. Qui concerne les prostituées. = N. m. Celui qui court les putains (Bas).
putatif, ive, adj. (lat. *putare*, penser). Réputé pour être ce qu'il n'est pas. *Père putatif.*
* **putativement**, adv. D'une manière putative.
* **pute**, n. f. (lat. *putidus*, puant). Putain (Vx ou dialectal).
* **putiet** ou **putier** [ti-é], n. m. [Bot.] Nom vulg. du merisier à grappes.

putois, n. m. (Vx fr. *put*, puant). [Zool.] Mammifère carnassier nuisible de la famille des *mustélidés*, à odeur fétide. ‖ Sa fourrure. ‖ Brosse courte et douce d'émailleur pour étendre les couleurs.
* **putréfactif, ive**, adj. Qui crée la putréfaction.
putréfaction [sion], n. f. Décomposition que les corps organisés privés de vie subissent sous l'influence des agents extérieurs. ‖ État de ce qui subit cette décomposition.
* **putréfiable**, adj. Qui peut se putréfier.
* **putréfié, ée**, adj. Qui est en putréfaction.
putréfier, v. tr. (lat. *putris*, pourri; *facere*, faire). Faire tomber en putréfaction; corrompre. = SE PUTRÉFIER, v. pron. Tomber en putréfaction. = Conjug. V. GRAMMAIRE.
PAR. — *Pétrifier*, changer en pierre, incruster de calcaire.
* **putrescence** [tres-san-ce], n. f. État d'un corps en putréfaction.
* **putrescent, ente** [tres-san], adj. En train de se putréfier.
* **putrescibilité**, n. f. Qualité de ce qui est putrescible.
putrescible, adj. Qui peut se putréfier facilement.
CTR. — *Imputrescible.*
putride, adj. Corrompu et fétide. ‖ Produit par la putréfaction.
putridité, n. f. État de ce qui est putride.
* **putrilage**, n. m. [Méd.] Produit résultant de la décomposition gangréneuse.
* **putsch** [poutsch], n. m. (mot allem.). Échauffourée politique.
1. **puy**, n. m. (gr. *podion*, base). [Géog.] Nom des montagnes volcaniques dans le Massif Central.
HOM. — V. PUIS.
2. **puy** ou * **pui**, n. m. Nom de petites sociétés littéraires au Moyen Age, placées sous le patronage de la Vierge.
HOM. — V. PUIS.
* **puzzle** [peuzzl'], n. m. (mot angl.). Jeu de patience formé d'une quantité de petites pièces à encastrer les unes dans les autres, de manière à former une surface continue.
* **pycnide**, n. f. [Bot.] Organe reproducteur des champignons pyrénomycètes, qui contient les spores.
* **pyélite**, n. f. [Méd.] Inflammation aiguë de la muqueuse qui tapisse le bassinet et les calices du rein.
pygargue, n. m. [Zool.] Genre d'oiseaux rapaces du groupe des aigles, appelés vulg. *orfraies* et *aigles pêcheurs*.
pygmée, n. m. (gr. *pygmê*, coudée). [Myth.] Homme appartenant à une nation fabuleuse, qui n'avait que la hauteur d'une coudée. ‖ Personne de très petite taille. ‖ Fig. Homme sans mérite, sans crédit, sans talent, qui se mesure à plus fort que lui.
ANT. — *Géant.*
* **pygméen, enne**, adj. Qui a rapport qui appartient aux pygmées. ‖ Fig. De mince importance.
pyjama, n. m. (mot indien). Large pantalon des femmes hindoues. ‖ Vêtement léger d'intérieur ou de nuit, ample et flottant, composé d'un pantalon et d'une veste.

pylône, n. m. (gr. *pylôn*, portail). [Antiq.] Tour massive, en forme de pyramide tronquée, qui flanquait la porte des temples égyptiens. [Construc.] Charpente en forme de tour. ‖ Support en charpente métallique ou en béton armé pour câbles électriques, antennes de T. S. F., etc.

pylore, n. m. (lat. *pylorus*, m. s.). [Anat.] Orifice inférieur de l'estomac, communiquant avec le duodénum.

pylorique, adj. [Anat.] Qui appartient, qui se rapporte au pylore.

* **pyogène**, adj. (gr. *pyon*, pus; *genos*, naissance). [Méd.] Qui forme du pus ou qui active la suppuration.

* **pyogénie** ou * **pyogénèse**, n. f. [Méd.] Processus de la formation du pus.

pyorrhée, n. f. État de suppuration.

pyracanthe, n. f. [Bot.] Plante de la famille des *rosacées*, appelée aussi *buisson ardent*, à bouquets de fruits rouge vif.

pyrale, n. f. [Zool.] Genre d'insectes lépidoptères. Les chenilles de la *pyrale de la vigne* dévorent les bourgeons et les feuilles de vigne.

* **pyralé, ée**, adj. [Vitic.] Envahi par les pyrales.

pyramidal, ale, aux, adj. Qui a la forme d'une pyramide. ‖ Fig. Colossal, formidable, étonnant (Pop.). [Anat.] *Cellules pyramidales*, cellules nerveuses de la substance grise du cerveau. — *Faisceaux pyramidaux*, groupement de fibres de la substance blanche de la moelle épinière.

pyramidale, n. f. [Bot.] Campanule à fleurs bleues qui s'élèvent en pyramide.

* **pyramidalement**, adv. En forme de pyramide.

pyramide, n. f. (gr. *pyramis, idos*), m. s. Monument à quatre faces triangulaires et à base rectangulaire qui servait de tombeau aux anciens pharaons d'Égypte. [Géom.] Solide qui a pour base un polygone quelconque et pour faces latérales des triangles ayant pour bases les côtés de ce polygone et dont les sommets se réunissent tous en un même point. ‖ Objet, entassement ayant la forme d'une pyramide. *Une pyramide de fruits*. ‖ *En pyramide*, en forme de pyramide. V. pl. VOLUMES.

pyramider, v. intr. [Bx.-A.] Être disposé en pyramide (Rare). ‖ Fig. Prendre de grands airs, se pavaner.

* **pyramidion**, n. m. Petite pyramide quadrangulaire qui termine les obélisques.

pyramidon, n. m. [Pharm.] Antithermique et analgésique dérivé de l'antipyrine.

* **pyrénéen, enne**, adj. et n. Des Pyrénées.

* **pyrénomycètes**, n. m. pl. [Bot.] Groupe de champignons ascomycètes, parasites ou saprophytes.

pyrèthre, n. m. [Bot.] Genre de plantes de la famille des *composées*. ‖ *Poudre de pyrèthre*, poudre insecticide que donnent les capitules de certains pyrèthres.

* **pyrétique**, adj. (gr. *pyretos*, fièvre). Qui concerne, qui détermine la fièvre.

* **pyrexie**, n. f. [Méd.] Nom donné à toutes les maladies fébriles.

* **pyridine**, n. f. [Chim.] Base organique qui se rencontre dans les huiles provenant de la distillation des os.

* **pyrique**, adj. (gr. *pyr*, *pyros*, feu). Qui concerne le feu, les feux d'artifice.

pyrite, n. f. [Minér.] Sulfure naturel de fer ou de cuivre.

pyriteux, euse, adj. Qui est de la nature de la pyrite; qui contient de la pyrite.

pyro- ou * **pyr**, préfixe (gr. *pyr*, *pyros*, feu) indiquant l'idée de feu dans le mot composé.

* **pyrobalistique**, n. f. Art, science de lancer des projectiles au moyen des armes à feu.

* **pyrogallate**, n. m. [Chim.] Nom générique des sels du pyrogallol.

* **pyrogallique**, adj. [Chim.] *Acide pyrogallique*, syn. de *pyrogallol*.

* **pyrogallol**, n. m. [Chim.] Triphénol dérivé du benzène, produit par distillation sèche de l'acide gallique.

* **pyrogéné, ée**, adj. Produit par l'action du feu.

* **pyrognostique** [*gn* dur], adj. [Chim.] Se dit des analyses et essais effectués sous l'action de la chaleur.

* **pyrographique**, adj. Se dit des procédés permettant l'étude de la production et de la propagation de l'onde explosive.

pyrograver, v. tr. Graver au moyen d'une pointe portée au rouge vif.

* **pyrograveur, euse**, n. Celui, celle qui fait de la pyrogravure.

pyrogravure, n. f. Gravure sur bois, cuir ou étoffe au moyen d'une pointe métallique chauffée au rouge.

* **pyrolacées**, n. f. pl. [Bot.] Petite famille de plantes dicotylédones, souvent rattachée aux *éricacées*.

* **pyrole**, n. f. [Bot.] Genre de plantes, type de la famille des *pyrolacées*.

pyroligneux, adj. m. [Chim.] *Acide pyroligneux*, acide acétique impur obtenu par distillation sèche du bois.

* **pyromancie**, n. f. Divination par l'observation d'un feu ou d'une flamme.

pyromètre, n. m. (gr. *pyr*, *pyros*, feu, *métron*, mesure). [Phys.] Instrument destiné à mesurer les températures très élevées.

* **pyrométrie**, n. f. Art de mesurer les hautes températures.

* **pyrométrique**, adj. Qui se rapporte à la pyrométrie.

pyrophore, n. m. Composition chimique qui a la propriété de s'enflammer au simple contact de l'air. [Zool.] Genre d'insectes coléoptères phosphorescents. ‖ Porte-allumettes.

* **pyrophorique**, adj. Qui jouit des propriétés des pyrophores.

* **pyrophosphate**, n. m. [Chim.] Sel ou éther de l'acide pyrophosphorique.

* **pyrophosphorique**, adj. [Chim.] *Acide pyrophosphorique*, acide dérivé de l'acide phosphorique par l'action de la chaleur.

pyroscaphe, n. m. [Mar.] Nom des premiers bateaux à vapeur (Vx).

* **pyroscope**, n. m. (gr. *pyr*, *pyros*, feu; *skopein*, examiner). Instrument servant à indiquer que la température a atteint un degré déterminé.

* **pyrosis** [*ziss*], n. m. (gr. *pyrôsis*, brûlure). [Méd.] Brûlure douloureuse au niveau de l'estomac ou de l'œsophage.
* **pyrosphère**, n. f. [Géol.] Nappe de fusion ignée qui sépare le noyau central rigide du globe (*barysphère*) de l'écorce terrestre (*lithosphère*) sur laquelle nous vivons.
* **pyrostat**, n. m. Appareil servant à régler la chaleur; thermostat.
pyrotechnie [*tèk-ni*], n. f. (gr. *pyr*, *pyros*, feu; *tekhnê*, art). Art d'employer le feu. ‖ Art de fabriquer des pièces d'artifice, des fusées paragrêles, des pétards, etc.
pyrotechnique [*tèk*], adj. Qui a rapport à la pyrotechnie.
* **pyrotique**, adj. Qui cautérise.
pyroxène, n. m. Minerai très dur qui constitue les éléments essentiels des roches basiques.
* **pyroxyle**, n. m. ou **pyroxyline**, n. f. (préf. *pyro*; gr. *xylon*, bois). [Chim.] Anc. nom de la cellulose nitrée ou *coton poudre*.
* **pyroxylé, ée**, adj. Se dit des poudres sans fumée à base de cellulose nitrée.
1. **pyrrhique**, n. f. [Antiq.] Danse guerrière des Spartiates et des Crétois, sur un mode rapide.
2. **pyrrhique**, n. m. [Métr.] Pied composé de deux brèves dans la versification grecque et latine.
pyrrhonien, ienne, adj. et n. [Phil.] Qui est de l'école sceptique de Pyrrhon. ‖ Par ext. Qui affecte de douter de tout.
* **pyrrhoniser**, v. intr. Être pyrrhonien, douter de tout.
pyrrhonisme, n. m. [Phil.] Doctrine de Pyrrhon, qui enseignait le doute universel ou scepticisme, et la suspension du jugement. ‖ Habitude ou affectation de douter de tout.
* **pyrrol**, n. m. [Chim.] Corps neutre extrait des huiles fournies par la distillation des os.
pythagoricien, ienne, adj. Qui appartient à l'école, à la doctrine de Pythagore, philosophe de la théorie des nombres et créateur des mathématiques. = N. m. Partisan du pythagorisme.
pythagorique, adj. Qui a rapport à Pythagore, à son école ou à ses doctrines.
* **pythagoriser**, v. intr. Suivre la doctrine de Pythagore.
pythagorisme, n. m. Doctrine philosophique de Pythagore, considérant le nombre (l'Harmonie) comme principe de tout.
pythie, n. f. [Antiq. gr.] Prêtresse d'Apollon qui rendait des oracles à Delphes, en Grèce.
pythien, ienne, adj. Qui a rapport à Delphes, à son temple ou à la pythie. = Adj. et n. m. Surnom d'Apollon adoré à Delphes.
pythique ou **pythien**, adj. m. [Antiq.] Nom donné aux jeux célébrés tous les quatre ans à Delphes, en l'honneur d'Apollon Pythien. Ils étaient les plus importants après ceux d'Olympie. = N. f. pl. *Les Pythiques*, odes de Pindare, célébrant les vainqueurs des jeux pythiques.
python, n. m. (serpent mythol. tué par Apollon). [Zool.] Genre de serpents des régions chaudes, non venimeux, de très grande taille, du groupe des boas.
Hom. — *Piton*, sorte de clou; pointe de montagne élevée.
pythonisse [*pi-to*] (lat. *pythonissa*, m. s.). [Antiq.] Femme qui annonçait l'avenir. ‖ Devineresse, diseuse de bonne aventure.
pyurie, n. f. (gr. *pyon*, pus; *ouron*, urine). [Méd.] Émission de pus avec l'urine.
pyxide, n. f. (gr. *pyxis*, boîte en buis). Petit coffret pour les remèdes, les objets précieux. [Bot.] Nom donné à toute capsule s'ouvrant par une fente circulaire. V. pl. BOTANIQUE. [Zool.] Genre de reptiles chéloniens, tortues de Madagascar.

Q

q [*ku* et parfois *ke*], n. m., dix-septième lettre de l'alphabet et la treizième des consonnes. [Méd.] Q. S. Abrév. de : quantité suffisante.

Ling. — La consonne *q* a le son du *k* ou du *c* dur. Elle s'emploie seule à la fin d'un petit nombre de mots, tels que *coq* et *cinq* et parfois dans la transcription de mots sémitiques : *Qoran*. Partout ailleurs, elle est suivie de la voyelle *u*. Cette voyelle disparaît ordinairement dans la prononciation, comme dans *qualifier, acquérir, liquide, qui, que*, etc., qui se prononcent *kalifier*, etc. Quand elle se fait sentir, elle se prononce de deux manières différentes : *ku* dans *questure, équilatéral*, (*kuesture*, etc.), *kou* dans *aquarelle, équation, quadragésime*, etc. (*akoua-relle*, etc.). Les mots *quinquagésime, quinquagénaire* (*kuin-koua-*) offrent les deux prononciations.

quadra-, quadri- et * **quadru-**, préf. tirés du latin *quatuor*, quatre, et indiquant le nombre des parties, ou la quatrième partie d'une chose.

quadragénaire [*koua*], adj. Qui contient quarante unités. = Adj. et n. Qui est âgé de quarante ans environ.

quadragésimal, ale, aux [*koua*], adj. Qui appartient au carême. *Jeûne quadragésimal*.

quadragésime [*kou-a, zi-me*], n. f. (lat. *quadragesimus*, carême). Le carême, parce qu'il dure quarante jours. — Dimanche de la *Quadragésime* et, par abrév. *la Quadragésime*, premier dimanche de carême.

* **quadragésimo** [*koua*], adv. Quarantièmement.

* **quadrangle**, n. m. [Géom.] Figure à quatre côtés et à quatre angles.

quadrangulaire [*koua*], adj. (lat. *quatuor*, quatre; *angulus*, angle). Qui a quatre angles. ‖ Qui a pour base un quadrilatère.

quadrant [*koua*], n. m. [Géom.] Quart de la circonférence; arc de 90°.

Par. — *Cadran*, surface dont le tour est divisé en parties égales.

* 1. **quadrat**, n. m. V. CADRAT.

* 2. **quadrat** [*koua*], adj. m. [Astro.] *Quadrat aspect*, position de deux astres éloignés l'un de l'autre d'un quadrant.

* **quadratin**, n. m. V. CADRATIN.

* **quadratique** [*koua*], adj. [Math.] Qui est du second degré. *Équation quadratique*, dont l'inconnue est au carré. [Minér.] Dont la base est carrée.

quadratrice [*koua*] n. f. [Géom.] Nom de diverses courbes servant à déterminer la quadrature d'une surface curviligne.

1. **quadrature** [*koua*], n. f. (lat. *quadratus*, carré). [Géom.] Réduction d'une surface curviligne à une figure carrée de surface égale. — *Chercher la quadrature du cercle*, chercher à construire le côté d'un carré équivalent à un cercle donné, problème impossible à résoudre, d'où sens fig. : chercher l'impossible.

2. **quadrature** [*ka*], n. f. V. CADRATURE.

* **quadriceps** [*koua*], n. m. [Anat.] Muscle formé de quatre faisceaux, situé sur la face antérieure de la cuisse.

* **quadridenté, ée**, adj. Qui a quatre dents, pointes ou divisions.

quadriennal ou **quatriennal, ale, aux,** adj. Qui dure quatre ans. ‖ Qui a lieu ou se pratique tous les quatre ans.

quadrifide [*koua*], adj. [Bot.] Qui est divisé en quatre parties. *Feuille quadrifide*.

quadriflore [*koua*], adj. [Bot.] Qui a quatre fleurs; qui est composé de quatre fleurs.

quadrifolié, ée [*koua*], adj. [Bot.] Qui a des feuilles disposées par groupes de quatre.

quadrige [*koua*], n. m. [Antiq.] Char à deux roues, ouvert par derrière, attelé de quatre chevaux de front. V. pl. VOITURES.

quadrijumeaux, adj. m. pl. [Anat.] Qui vont par quatre. ‖ *Tubercules quadrijumeaux*, petites masses nerveuses placées symétriquement, deux à deux, en avant du bulbe rachidien.

quadrilatéral, ale, aux [*koua*], adj. Qui a quatre côtés. ‖ Relatif à un quadrilatère.

quadrilatère [*koua*], n. m. (lat. *quatuor*, quatre; *latus, lateris*, côté). [Géom.] Polygone qui a quatre côtés et quatre angles. V. pl. SURFACES PLANES. [A. milit.] Espace limité par quatre côtés dont quatre forteresses occupent les angles.

quadrillage [*ka, ll mll.*], n. m. Disposition qui figure un assemblage de carrés.

quadrille [*ka, ll mll.*], n. f. Troupe de cavaliers d'un même parti, dans un carrousel. = N. m. Groupe de quatre danseurs et de quatre danseuses. ‖ Réunion de couples de danseurs et de danseuses en nombre pair, dans une contredanse. ‖ Contredanse comprenant cinq figures. ‖ Musique sur laquelle s'exécute la contredanse. V. tabl. MUSIQUE et CHANT (*Idées suggérées par les mots*).

quadrillé, ée [*ka, ll mll.*], adj. Qui présente un grand nombre de carrés contigus. *Papier quadrillé*.

* **quadriller** [*ka, ll mll.*], v. tr. Disposer, diviser en carrés nombreux et continus.

quadrillion ou **quatrillion** [*koua*], n. m. Mille trillions.

quadrilobé, ée [*koua*], adj. [Bot.] Partagé en quatre lobes.

* **quadriloculaire** [*koua*], adj. [Bot.] A quatre loges.

quadrinôme [*koua*], n. m. [Math.] Expression algébrique composée de quatre termes.

quadripartite ou *** quadriparti, ie** [*koua*], adj. Divisé en quatre parties.
*** quadripartition** [*koua... sion*], n. f. Partage, division en quatre parties.
*** quadripétale** [*koua*], adj. [Bot.] Qui a quatre pétales.
*** quadrique** [*koua*], n. f. [Géom.] Surface représentée en coordonnées cartésiennes par une équation du second degré (*sphère; ellipsoïde; cône; paraboloïde; cylindres circulaires, elliptiques, hyperboliques, paraboliques*).
*** quadrirème** [*koua*], n. f. [Antiq.] Galère à quatre rangs de rames, ou à quatre rameurs par rame.
quadrisaïeul, eule [*koua*], n. Père ou mère du trisaïeul ou de la trisaïeule.
*** quadrisyllabe** [*koua*], n. m. Mot composé de quatre syllabes.
*** quadrisyllabique** [*koua*], adj. Qui est composé de quatre syllabes.
quadrivium [*koua-dri-viomm*], n. m. Au Moyen Âge, division des arts libéraux qui comprenait les quatre arts mathématiques : arithmétique, musique, géométrie et astronomie.
ANT. — *Trivium.*
quadrumane [*koua*], adj. et n. (lat. *quatuor*, quatre; *manus*, main). Qui a quatre mains. *Les singes sont quadrumanes.*
ANT. — *Bimane.*
quadrupède [*koua*], n. m. et adj. (lat. *quatuor*, quatre; *pes, pedis*, pied). Qui a quatre pieds ou quatre pattes.
ANT. — *Bipède.*
quadruple [*koua*], adj. Qui vaut quatre fois autant. = N. m. Quantité quatre fois aussi grande. *Seize est le quadruple de quatre.* ǁ Anc. monnaie d'or qui valait quatre écus de six livres.
1. *** quadruplement** [*koua*], n. m. Action de quadrupler.
2. *** quadruplement** [*koua-man*], adv. D'une manière quadruple.
quadrupler [*koua*], v. tr. Rendre quatre fois plus grand. *Quadrupler une somme.* = V. intr. Devenir quadruple. *Sa fortune a quadruplé.*
*** quadruplex** [*koua*], n. m. [Télégr.] Système permettant de transmettre quatre télégrammes à la fois par le même fil.
***quadruplication** [*koua.. sion*], n. f. Action de quadrupler.

...quai, quais

ORTH. — *Finales*. — Le son final *quai* s'écrit le plus souvent sous la forme *quet*: banquet, bilboquet, biquet, bosquet, bouquet, mousquet, roquet, etc. Exceptions : quai, laquais.

quai [*ké*], n. m. (bas lat. *caium*, d'orig. celtique). Levée, ordinairement revêtue de pierres de taille, faite le long d'une rivière, d'un fleuve, pour rendre le chemin plus commode et pour empêcher les eaux de déborder. ǁ Voie publique, entre l'eau et les maisons. ǁ Dans un port de mer, un bassin, aménagement du rivage, pourvu de constructions verticales en maçonnerie, et qui permet de charger ou de décharger directement les marchandises, d'embarquer les voyageurs. *Aborder à quai.* V. pl. PORT. ǁ Trottoir qui, dans les gares, longe les voies ferrées. V. pl. CHEMIN DE FER.
SYN. — V. RUE.
quaiage, n. m. V. QUAYAGE.

quaiche, *** quaitch** [*kètch*] ou **ketch**, n. m. [Mar.] Petit bateau des mers du Nord.
*** quaker, eresse** [*kouè-keur... keress*], n. (angl. *quaker*, trembleur). Membre d'une secte religieuse organisée en 1647 par George Fox, appelée aussi *Société chrétienne des Amis*, répandue en Angleterre et aux États-Unis.
*** quakerisme** [*koua*], n. m. Doctrine des quakers.
qualifiable [*ka*], adj. Qui peut être qualifié.
qualificateur [*ka*], n. m. Théologien attaché au Saint-Office, chargé d'examiner les questions déférées à ce tribunal et d'examiner les livres mis à l'Index.
qualificatif, ive [*ka*], adj. Qui qualifie, qui exprime la qualité. = N. m. Mot qui qualifie. *Il lui décerna un qualificatif peu agréable.* V. tabl. QUALITÉ (*Idées suggérées par le mot*). [Gram.] *L'adjectif qualificatif* indique la manière d'être, la nature, le caractère particulier, la qualité de la personne ou de la chose exprimée par le nom (ou pronom) auquel il est joint. Il peut être l'épithète, l'apposition ou l'attribut de ce nom, et s'accorde avec lui en genre et en nombre. V. GRAMMAIRE (adjectif).
PAR. — *Qualitatif*, relatif à la qualité.
qualification [*ka-sion*], n. f. Attribution d'une qualité, d'un titre. [Sport] Ensemble des conditions imposées à un concurrent pour qu'il puisse prendre part à une épreuve.
*** qualificativement** [*kali*], adv. D'une manière qualificative.
qualifié, ée [*ka*], adj. Qui a les qualités requises pour. *Il n'est pas qualifié pour prendre cette décision.* ǁ *Personne qualifiée* personne noble, de qualité. ǁ *Ouvrier qualifié*, spécialisé et habile dans sa partie [Jurisp.] *Crime qualifié*, commis avec les circonstances aggravantes déterminées par la loi.
SYN. — V. CAPABLE.
qualifier [*ka*], v. tr. (lat. scol. *qualificare*, de *qualis*, quel, et de *facere*, faire) Attribuer une qualité, marquer la qualité d'une chose ou d'une personne. *Qualifier quelqu'un de fourbe.* [Gram.] Exprimer la qualité, la manière d'être de. *L'adjectif qualifie le nom.* = SE QUALIFIER, v. pron. S'attribuer, s'arroger un titre. [Sport] Montrer les qualités nécessaires pour. *Se qualifier pour un championnat.* = Conjug. V. GRAMMAIRE.
CTR. — *Disqualifier.*
qualitatif, ive [*ka*], adj. Qui a rapport à la qualité. [Chim.] *Analyse qualitative* celle qui cherche à déterminer la nature des éléments d'un composé ou d'un mélange.
ANT. — *Quantitatif*, qui a rapport à la quantité.
PAR. — *Qualificatif*, qui exprime la qualité.
qualitativement [*ka*], adv. En ce qui concerne la qualité.
qualité [*ka*], n. f. (lat. *qualitas*, m. s.). Manière d'être (bonne ou mauvaise) d'une chose; ce qui fait qu'elle est telle, ou la rend propre à tel usage. *Une étoffe de mauvaise qualité.* ǁ Bonne manière d'être. *Les qualités de son style sont la précision et la clarté.* ǁ Aptitude, inclination, disposition. *Qualités naturelles, acquises.* ǁ Dans ce sens, *qualité*, employé absol., signifie

1570

ordinairement: bonne qualité. *Il a beaucoup de qualités.* ‖ Bon ton, distinction, supériorité. *Une femme de qualité.* — Se disait autref. des gens de la noblesse. ‖ Titre que prend, que reçoit une personne à cause de sa naissance, de sa charge, de sa dignité, de sa profession, etc. *La qualité de préfet, de magistrat.* ‖ Décliner ses qualités, donner son nom, son état-civil, sa profession, etc., pour se présenter, ou quand on y est invité par l'autorité. ‖ *Avoir qualité pour faire une chose,* être autorisé à la faire. = EN QUALITÉ DE, loc. prép. A titre de. *Il procède en qualité de tuteur.* V. tabl. QUALITÉ (*Idées suggérées par le mot*).

SYN. — V. CONDITION.
ANT. — *Défaut.*

QUALITÉ ET MANIÈRE D'ÊTRE

Étymologie. — *Qualité* vient du mot latin *qualitas,* même sens, tiré de l'adjectif interrogatif et relatif *qualis* : quel, de quelle nature, tel quel, et qui a donné *quel* en français.

Définition. — La *qualité* est la *manière d'être,* bonne ou mauvaise, d'une personne ou d'une chose, ce qui fait que la personne ou la chose est ce qu'elle est. La désignation de la qualité répond à la question : quel (de quelle nature) est-il? quelle est-elle? — Dans un sens restreint, c'est la manière d'être, bonne, belle, valeureuse, etc., la manière d'être estimable ou vertueuse opposée aux *défauts* contraires.
On distingue les qualités *naturelles* ou *innées* et les qualités *acquises,* les qualités *physiques* et les qualités *morales,* les qualités *premières* (essentielles) des corps (l'étendue, le poids) et les qualités *secondes* non essentielles (la couleur, l'odeur, etc.).
On entend aussi par *qualité* un *titre personnel* qui indique l'état-civil, la profession, la charge, la possession d'un droit : *La qualité de citoyen, de magistrat,* etc. *Décliner ses qualités.*
Au XVIIe s. et au XVIIIe s., le mot s'appliquait à une *condition relevée : Les gens de qualité.*

Mots à rapprocher : Vertu, talent, génie : quantité (V. ce mot).
La *qualité* s'oppose à la *quantité.* — Plus particulièrement, la *qualité* s'oppose au *défaut,* qui implique manque, lacune, défectuosité ; au *travers,* défaut léger qui n'altère pas la nature ; au *vice,* qui implique défaut grave, perversion, corruption. — La *vertu* est la haute qualité de l'âme, de la conscience. — Le mot *talent* s'applique à l'habileté physique ou intellectuelle ; le mot *génie* à une aptitude d'intelligence tout à fait extraordinaire.
CTR. — *Défaut, travers, vice.*

Mots de la même famille. V. QUEL.

Principaux termes relatifs à la qualité.

a) LA QUALITÉ EN GÉNÉRAL : bonne qualité, bonté, le bien, bon, meilleur, excellent ; amendement, correction, amélioration ; éminent, souverain, suprême ; perfection, imperfection, mauvaise qualité, médiocrité, méchanceté ; empirer, s'altérer, se corrompre. V. MORALE.

b) QUALITÉS PHYSIQUES : force, robustesse, énergie, fermeté, vigueur, verdeur ; faiblesse, infirmité, débilité, fragilité, langueur ; frêle, chétif ; corpulence, embonpoint, grosseur, gras, obèse, replet, rebondi, dodu, potelé, rondelet, joufflu, mafflu ; maigre, chétif, malade, émacié ; beauté, joliesse, mignardise ; laid, affreux. V. CORPS.

c) QUALITÉS EXTÉRIEURES : grâce, gracieux, disgracieux ; élégance, inélégance ; lourdeur, délicatesse, finesse, raffinement, distinction ; aristocratique, commun, vulgaire, trivial, populacier ; correction, bienséance, décence, convenance ; incorrection, inconvenance ; normal, anormal, singulier, bizarre, étrange, excentrique, ridicule, grotesque ; bon ton, bonnes manières, mauvais ton, mauvaises manières ; bonne, mauvaise tenue, avoir de la tenue ; soigné, négligé, manque de tenue, se négliger, être bien, mal mis ; propreté, netteté, élégance ; malpropreté, saleté, négligence ; grandeur, noblesse, majesté, port majestueux, allure ; politesse, impolitesse, grossièreté ; attrayant, avenant, sympathique ; séduction, charme, attirance, grâce, gracieux ; antipathie, répulsion, aversion, répugnance, etc. V. CARACTÈRE.

d) QUALITÉS INTELLECTUELLES. V. INTELLIGENCE. — QUALITÉS MORALES. V. MORALE. — Autres qualités concernant l'être humain. V. ACTIVITÉ, CARACTÈRE.

e) QUALITÉS D'ORDRE PRATIQUE CONCERNANT LES CHOSES. — *Nécessité et manière d'être :* fatalité, contingence, nécessaire, possible, fatal, éventuel, réalisable, impossible, inapplicable ; facilité, difficulté ; facile, faisable ; malaisé, difficile, ardu, pénible, épineux, laborieux, raide, scabreux, commode, aisé.
Opportunité ; arriver, se produire à propos ; occasion favorable, saisir l'occasion, en profiter ; importunité, gêne, embarras ; simplicité, multiplicité, complexité, complication, impliquer, imbroglio, utilité, inutilité ; intérêt, avantage, profit ; désintéressement, désavantage, préjudice ; gain, bénéfice, lucre ; perte, dommage ; nocivité, innocuité, nuisible, dommageable, funeste, désastreux, préjudiciable ; indemne, indemnité, tort, faire tort ; bienfaisant, malfaisant ; réparable, irréparable, porter remède, remédier, irrémédiable ; important, insignifiant ; capital, primordial ; principal, essentiel, particulier, secondaire, subsidiaire, négligeable. — Richesse, opulence, luxe, fortune, splendeur, magnificence, faste, éclat, abondance ; le superflu, le nécessaire ; aisance, bien-être, confort ; suffisance, insuffisance, gêne, besoin, privation, pauvreté, indigence, pénurie, misère, famine, disette ; difficultés pécuniaires, appauvrissement, paupérisme, dénuement, mendicité. — *Ordre, convenance et rapport :* ordonner, ordonnance, coordonner, coordination, subordonner, désordre, désordonné ; règle, régler, réglementer ; dérégler, dérèglement ; régularité, irrégularité ; méthode, méthodique, classe, classer, rang, ranger ; place, placer, ordre chronologique, alphabétique, analytique, etc. ; série, sérier, catégorie, système, systématique ; organiser, organisation, disposer, disposition, monter, assembler, réunir ; construire, harmoniser, enchaîner ; cohérence, incohérence, désorganisation, confusion, mélange ; brouillage, embrouillement, fouillis, capharnaüm, fatras, tohu-bohu ; convenance, congruité, incongruité, pertinence ; accord, raccord, concordance ; désaccord, discordance, convergence, divergence, dissonance ; détonner, faire une fausse note ; affinité, compatibilité, sympathie ; incompatibilité, antipathie, hostilité ; assortir, réassortir ; propriété, appropriation ; aptitude ; apte, idoine, adapté ; justesse, exactitude, ajustement, réajuster, faire cadrer ; apparier, déparier, accoupler, désaccoupler ; relation, relatif, relativité ; corrélation, absolu ; avoir du rapport, se rapporter ; se référer, concerner,

regarder ; à l'égard de, par rapport à, vis à vis de ; réciprocité, mutualité, mutuellement, réciproquement ; conformité, analogie, ressemblance, similitude, assimilation ; différence, dissemblance, contraste ; homogénéité, hétérogénéité ; pareil, appareiller, réappareiller, égal. V. QUANTITÉ. — Identique, même, autre, distinct; distinction, discernement, différence, différenciation ; diversité, diversifier, variété, variation, variable, invariable, immuable ; changement, mutation, transformation ; opposition, contraire, contradiction, antinomie, antithèse ; unité, complexité. — *L'honneur et le pouvoir* : ambition, suprématie, primauté, prédominance, hégémonie, domination, puissance, pouvoir, autorité, souveraineté, omnipotence. V. GOUVERNEMENT et ADMINISTRATION. — Maîtrise, influence, faveur, popularité, impopularité, disgrâce ; protection, protecteur, protégé ; dignité, dignitaire ; honneur, distinction, décoration, croix, médaille, titre de noblesse, distinction honorifique ; gloire, renommée, immortalité, apothéose, triomphe ; illustration, célébrité, notabilité ; mémorable, commémoration ; louange, éloge, panégyrique ; réputation, considération, influence ; être quelqu'un, être quelque chose ; être à la mode, avoir de la notoriété, être fameux, bien ou mal famé ; déshonneur, discrédit, déconsidération, mépris, ignominie, infamie, déchéance, dégradation, opprobre ; dénigrement, diffamation, calomnie ; orgueil, superbe, fatuité, vanité ; modestie, obscurité, vie cachée, inconnue. — *Destin heureux ou malheureux* : destinée, fatalité, sort, fortune, hasard, aléa, risque, aventure, mésaventure, infortune, rencontre, éventualité, occurrence, circonstance, cas, occasion, accident, chance, bonne chance, malchance ; tomber bien ou mal ; à la bonne heure, à la male heure, veine, déveine (pop.), guigne (fam.) ; lot, ce qui nous échoit, arriver en partage, être bien, mal partagé ; avantage, désavantage, réussite, succès, échec, insuccès ; victoire, défaite, revers, traverse, déconvenue, mécompte, déception ; prospérité, adversité, bonheur, béatitude, félicité ; calamité, désastre, catastrophe, sinistre ; désir, souhait, vœu, réalisation, espérance, rêve, désespoir, désespérance ; contentement, satisfaction, insatiabilité ; joie, jubilation, réjouissance, allégresse, délices, tranquillité, calme, sérénité, serein, rasséréné, sécurité, rassurer, confiance, défiance, crainte, appréhension, inquiétude, quiétude, anxiété, angoisse, tristesse, appréhension, mélancolie, neurasthénie, hypocondrie ; affliction, tourment ; soulagement, réconfort ; lamentation, larmes, pleurs, gémissement, plainte, sanglot, etc.

quand, mot invar. V. tabl. QUAND.
★ **quanquam** [kouankouam], n. m. (mot lat.). Harangue latine que prononçait un écolier à l'ouverture de certaines thèses.
★ **quant, quantes** [kan], adj. V. tabl. QUANT.
quant, mot invar. V. tabl. QUANT.
★ **quanta** [kouan-ta], n. m. pl. (mot lat., plur. de *quantum*, une aussi grande quantité que). [Phys.] *Théorie des quanta*, théorie fondée sur l'hypothèse que l'énergie n'est pas une réalité continue, mais qu'elle se répartit en *grains* extrêmement ténus ou *quanta*.
quant à, loc. prép. V. tabl. QUANT.
quant-à-moi, quant-à-soi [kan-ta], n. m. inv. Réserve plus ou moins affectée. *Tenir son quant-à-moi ; se tenir sur son quant-à-soi*, prendre un air réservé ou hautain (Fam.).

quantième [kan], adj. Se dit pour désigner l'ordre, le rang numérique. *Le quantième êtes-vous à passer* (Vx). = N. m. Jour du mois désigné par son numéro d'ordre.
LING. — *Quel quantième ?* est une incorrection, *quantième* étant déjà un interrogatif. Il faut dire : *Le quantième du mois sommes-nous aujourd'hui ?* — Notons que la langue populaire a remplacé cet adjectif interrogatif tombé en désuétude par le barbarisme : « le combientième » *du mois sommes-nous ?*
PAR. — *Tantième*, pourcentage sur une somme à distribuer.

quantitatif, ive, adj. Qui a rapport à la quantité. [Chim.] *Analyse quantitative*, celle qui fait connaître suivant quels poids ou quels volumes des corps sont mélangés ou combinés.

QUAND, mot invariable.

Étymologie. — Lat. *quando*, m. s.

Observations grammaticales. — La finale de *quand* ne se prononce (avec le son *t*) que devant une voyelle : *Quant (t) il sera temps*. — *Quand* ayant le sens de *quand bien même* se construit toujours avec le conditionnel : *Quand il le voudrait, il ne le pourrait pas*. V. aussi tabl. QUANT.

QUAND, adv. de temps.

Employé interrogativement : *dans quel temps, à quel moment*. Dans les interrogations directes : *Quand viendra-t-il ?* Dans les interrogations indirectes : *Je voudrais savoir quand il viendra. Il reviendra je ne sais quand*. — JUSQU'À QUAND, JUSQUES À QUAND, loc. adv. interrogatives. Jusqu'à quel moment. *Jusqu'à quand attendrez-vous pour vous décider ?* Avec une préposition (Fam.). *A quand la fin ? De quand est cette loi ?*

QUAND, conj. de subordination.

Unissant la proposition circonstancielle à la principale : remplacée par *que* dans une seconde prop. circonst. coordonnée à la précédente : *Quand le moment sera venu, et que chacun aura donné son avis, on passera au vote*.
1° Marque le *temps*. — Lorsque, dans le temps que, au moment où, toutes les fois que. *Quand il viendra, je partirai. Je le ferai quand il vous plaira*.
2° Marque la *cause*. — Alors que, du moment que. *On ne se trompe pas quand on attribue tout à la prière*. (BOSSUET.)
3° Marque la *concession*, l'*opposition*. — Encore que, quoique, alors même que. *Quand il pleuvrait, nous sortirions*. — Même si. *Quand tu serais sac, je n'approcherais pas*. (LA FONTAINE.)

LOCUTIONS FORMÉES AVEC **QUAND**.

QUAND MÊME, loc. adv. Néanmoins, tout de même, malgré tout. *On lui avait interdit de sortir, il l'a fait quand même*. — Comme interjection, marquant la résolution inébranlable. *Quand même !*
QUAND MÊME, QUAND BIEN MÊME, loc. conj. de subord. marquant l'opposition et construite avec le conditionnel. *Quand même, quand bien même je le saurais, je ne vous le dirais pas*.

QUANT, QUANTE [kan], adjectif.

Étymologie. — Latin *quantus, quanta*, combien grand, combien grande.
  Adjectif indéfini — Combien grand (Vx). Fam. *Toutes et quantes fois* ou *Toutes fois et quantes que*, toutes les fois que, autant de fois que.
  LING. — L'Acad. ne donne plus le masc. *quant*.

QUANT [kan], mot invariable.

Étymologie. — Latin *quantum*, combien, et autant que, — cf. les mots français *quantité*, etc.
Observation grammaticale. — Bien que *quand* se soit longtemps écrit aussi *quant*, on ne doit plus les confondre aujourd'hui : *Quant à* est toujours une locution prépositive suivie d'un nom ou d'un pronom régime, et *quand* est toujours adverbe de temps ou conjonction. V. tableau QUAND.

QUANT, adverbe.

Quant à, loc. prépositive qui sert à mettre un mot en valeur. Pour, pour ce qui est de, en ce qui concerne. *Quant à lui, il en usera comme il lui plaira.*
Quant-à-moi, quant-à-soi, n. inv. V. ces mots.
  HOM. — V. CAMP.
  VOCAB. — *Famille de mots*. — *Quant à*, quantum, quanta; quantité, quantitatif, quantitativement, quantième.

ANT. et PAR. — *Qualitatif*, qui a rapport à la qualité, à la nature des objets, des éléments composants.
* **quantitativement** [kan], adv. Au point de vue de la quantité.
quantité [kan], n. f. (lat. *quantitas*, m. s.). Ce qui peut être mesuré ou nombré, ce qui est susceptible d'accroissement ou de diminution. ‖ Multitude, abondance. *La qualité vaut mieux que la quantité.* — *Quantité de gens, de personnes*, un grand nombre de personnes. ‖ Nombre (sans idée de grandeur) : *Une petite quantité d'objets*. [Gram. et Prosod.] Mesure des syllabes longues et des syllabes brèves qu'il faut observer dans la prononciation. [Mus.] Durée relative des notes ou des syllabes. — V. tabl. QUANTITÉ (*Idées suggérées par le mot*).
  SYN. — V. MULTITUDE.

quantum [kouan], n. m. (neutre du mot lat. *quantus*, combien grand). Quantité fixée, somme déterminée. *Le quantum des dommages a été fixé par jugement.* ‖ Se dit parfois pour *quorum*. [Phys.] V. QUANTA.
quarantaine [ka], n. f. Nombre de quarante ou environ. ‖ Age de quarante ans. ‖ Le carême. [Mar.] Isolement (jadis de 40 jours) imposé aux personnes et aux marchandises venant d'un pays infecté par le choléra, la peste, etc., ou soupçonné de l'être. ‖ Isolement infligé à quelqu'un. *Lycéen mis en quarantaine.* [Bot.] Variété de pomme de terre, de matthiole (*crucifères*).
quarante [ka], adj. numéral cardinal (lat. *quadraginta*, m. s.). Quatre dizaines; quatre fois dix. ‖ Pris comme adj. ordinal : Quarantième. *La page quarante d'un livre.*
= N. m. Nombre quarante. ‖ Fam. S'en

QUANTITÉ

Étymologie. — *Quantité* a été tiré de *quantitas*, mot latin de l'époque impériale ayant le même sens, tiré lui-même soit de l'adverbe *quantum*, combien? soit de l'adjectif interrogatif *quantus*, combien grand?

Définition. — Les mathématiques définissent la *quantité* : ce qui, étant composé de parties homogènes, est susceptible d'augmentation ou de diminution, de mesure et de numération.
  Dans le langage courant, le mot se dit d'un *nombre* plus ou moins grand, d'une *masse* ou d'une *étendue* plus ou moins grande : *Une grande quantité de soldats, une quantité médiocre de blé, une petite quantité d'eau.* Il s'emploie aussi dans le sens particulier de nombre, d'étendue ou de masse assez grande. — *Quantité d'aventures, quantité de gens :* c'est dans ce sens qu'il s'oppose à la *qualité*.
  L'expression *quantité industrielle* s'applique vulgairement à une quantité considérable d'objets, comme celle que peut produire le machinisme industriel.
  En prosodie, la *quantité* (longues, brèves), désigne la durée du temps employé à prononcer une lettre, une syllabe.
  Le mot *quotité* s'applique seulement à ce qui se compte et peut se partager : *impôt de quotité :*
Expressions particulières concernant la quantité. — La *géométrie* a pour objet la *quantité* ou la grandeur *continue*, celle qui s'étend en longueur, largeur, hauteur ou profondeur. L'*arithmétique* a pour objet la quantité ou la grandeur *discontinue*, celle qui concerne un groupe de choses distinctes les unes des autres, comme les grains d'un tas de blé, les personnes formant une réunion, etc. Une quantité *positive* est celle qui est précédée du signe plus (+) ; une quantité *négative* est celle qui est précédée du signe moins (—). Des quantités ou grandeurs *incommensurables* sont celles qui n'ont pas de commune mesure ; une quantité *imaginaire*, celle qui n'existe pas et ne peut être ni réalisée, ni conçue.

Mots à rapprocher : *quantité, qualité, mesure, poids*.
  La *quantité* apprécie le nombre ou l'étendue des choses; la *qualité* apprécie leur nature, leur manière d'être, leur valeur; la *mesure* apprécie la quantité des dimensions; le *poids*, la quantité des masses. — V. QUALITÉS et POIDS.

Mots de la même famille. — V. QUANT.

Principaux termes relatifs à la quantité.
  a) QUANTITÉS EN GÉNÉRAL: tout, total, totalité; entier, intégralité, complet, complément, supplément; incomplet, tronqué, mutilé; partie, partiel, part, partage, répartition, participation, quote-part, parcelle, particule, portion, ration; section, morceau, tronçon, fragment, segment, proportion, quantum; un peu, peu, très peu, guère, moins plus, tant, autant;

beaucoup, moult, très, fort, davantage, extrêmement; assez, trop, excessivement, trop peu, insuffisamment; à l'excès, combien, environ seulement; augmentation, croissance, accroissement, diminution, décroissance, amoindrissement, réduction, déperdition, égalité, inégalité, gradation, dégradation, abondance, exubérance, luxuriance, redondance, foule, foison; copieux, plantureux, moyen, modique, médiocre.

b) LE NOMBRE : nombreux, numéral, dénombrer; numération, numérateur, numéro, numéroter; chiffre romain, arabe, chiffrer (V. SCIENCES, *mathématiques*); unité, singulier, duel, pluriel, pluralité, plusieurs, maint, nombreux, quelque; dualité, couple, paire, majorité, minorité; simple, double, triple, quadruple, quintuple, sextuple, décuple, centuple, multiple; duplicata; moitié, demi, mi, tiers, quart; dizaine, vingtaine, trentaine, centaine, millier, myriade; trentenaire, quarantenaire, quinquagénaire, cinquantenaire, sexagénaire, septuagénaire, octogénaire, centenaire, millénaire; quartenier, dizainier, centenier; quadragésime, quinquagésime, sexagésime, septuagésime; noms de nombres cardinaux, numéraux; bis, ter, quater, quinquies, sexies; doubler, bisser, trisser; primaire, secondaire, tertiaire, ternaire, quaternaire, sénaire, septénaire; terne, quaterne; solo, duo, duetto, trio, quatuor, quintette, sextuor, septuor; monostique, distique, tercet, quatrain, sixain ou sizain, septain, dizain, douzain; primo, secundo, tertio, quarto, quinto (rare), sexto, septimo, decimo, centesimo, millesimo.
Préfixes : *uni, mono* (1); *bi* ou *bis, di* (2); *tri* (3); *quadra* (4); *quinq, pent, penta* (5); *se, sex, hexa* (6); *sept, hepta* (7); *octa, octo* (8); *non, novem, ennea* (9); *déca, déci* (10); *hendéka* (11); *duodeci, dodéca* (12); *cent, hécato, hecto* (100); *kilo* (1000); *myria* (10.000); *multi, poly* (nombreux); *olig* (peu nombreux); *pan* ou *panto* (tout). — Rareté, fréquence, quelquefois, parfois, souvent, une fois, plusieurs fois, mille fois. — Infinité, masse, multitude; mots collectifs : foule, presse, masse, cohue, nuée, essaim, kyrielle, ribambelle; collection, collectivité, amas, tas, pile, entassement, paquet; gerbe, botte; file, agglomération, accumulation, groupe, réunion, assemblée. — *Étendue*. V. ESPACE.

c) MESURE : mesurer, mensuration, démesuré, commensurable, incommensurable; juste, exact, précis, approchant; inexact, faux; coïncider, correspondre; symétrie, symétrique, dissymétrique; rythme, cadence, excessif, exagéré, exorbitant, outré, énorme, monstrueux, colossal; modéré, tempéré. — *Mesure*. V. ESPACE et DIMENSION, et POIDS.

d) MESURES DIVERSES : thermométrie, thermomètre, calorimètre, baromètre, électromètre, hygromètre, aéromètre, anémomètre, aéromètrie, densimétrie, pluviomètre, photométrie; métronome; chronomètre, pendule, horloge, graphomètre, manomètre, dynamomètre, compteur, indicateur de vitesse, taximètre; anthropométrie; métrologie, métrique, repère, degré, graduation, échelle, étiage, module, canon, calibre, gabarit, toise; nombre, numérotage; aloi, titre, étalon, unité de mesure, multiple, sous-multiple; mètre linéaire, carré, cube, are, litre, mesure de capacité, kilogramme, stère, franc, centime; watt, ampère, ohm, volt, bougie, lux, lumen, sthène, bar, pièze, cheval-vapeur, angström, dyne; titre, carat; seconde, minute, heure, jour, semaine, mois, trimestre, semestre, année, lustre, siècle, ère, période, année lumière, etc.

moquer comme de l'an quarante, ne faire aucun cas de, se désintéresser absolument de. [Liturg.] *Quarante heures*, prières faites pendant trois jours consécutifs. ‖ *Les Quarante*, les quarante membres de l'Académie Française.

quarantenaire, adj. De quarante ans, d'une durée de quarante ans. *Prescription quarantenaire*. [Mar.] Relatif à une quarantaine sanitaire.

* **quarantenier** [ka... nié], n. m. Petite corde pour raccommoder les cordages.

quarantième, adj. num. ord. de quarante. Qui se trouve au rang déterminé par le nombre quarante. = Nom. Qui occupe le quarantième rang. *Être le (la) quarantième*. = N. m. Quarantième partie d'un tout.

* **quarantièmement**, adv. En quarantième lieu.

* **quarderonner** [kar], v. tr. [Archi.] Arrondir par un quart de rond l'angle d'une pierre, d'une solive, les marches d'un perron, etc.

* **quarré**, * **quarrément**, * **quarrer**, * **quarrure**. V. CARRÉ, etc.

1. **quart, arte** [kar], adj. (lat. *quartus*, m. s.). Quatrième (Vx). *Le quart livre de Rabelais*. [Méd.] *Fièvre quarte*, fièvre qui revient tous les quatre jours. ‖ *Le tiers et le quart*, toutes sortes de personnes, indifféremment et sans choix.

2. **quart** [kar], n. m. (lat. *quartus*, m. s.). Quatrième partie d'un tout. *Un quart de lieue*. *Un quart d'heure*, la quatrième partie de l'heure. *Cette horloge sonne les quarts et les demies*. ‖ Fig. et fam. *Passer un mauvais quart d'heure*, subir quelque chose de désagréable pendant un court

espace de temps. — *Le quart d'heure de Rabelais*, le moment où il faut payer, lorsqu'on n'a pas d'argent. ‖ Quatrième partie d'une mesure. — Partic. Quart de livre (125 gr.). *Un quart de beurre*. ‖ *Demi-quart*, moitié d'un quart, ou un huitième. ‖ *Les trois quarts*, la plus grande partie, presque la totalité. ‖ *Aux trois quarts*, presque entièrement. *Il est aux trois quarts sourd*. [A. milit.] Petit gobelet de fer blanc ou d'aluminium, contenant un quart de litre environ. ‖ Sa contenance: *Un quart de vin*. — [Archi.] *Quart de rond*, sorte de moulure convexe. V. pl. MOULURES. ‖ *Portrait de trois quarts*, portrait d'une personne vue dans une position intermédiaire entre la face et le profil et représentant à peu près les trois quarts de la figure. [Droit] *Quart de réserve*, quart de bois appartenant aux communes, aux hospices, qui doit être réservé pour croître en futaie. [Mar.] Temps pendant lequel une partie de l'équipage est de service, généralement quatre heures consécutives. *L'officier, les hommes de quart*. ‖ *Quatre-quarts*. V. ce mot.

INCORR. — On ne dit pas: *Il est 8 heures et quart*, mais : *8 heures un quart*.

ANT. — *Demi, entier*.

HOM. — V. CAR.

* **quartager** [kar], v. tr. Donner un quatrième labour. = Conjug. V. GRAMMAIRE.

quartaine [kar], adj. f. N'est plus usité que dans la locution populaire : *fièvre quartaine*, fièvre quarte.

quartan [kar], n. m. [Chasse] La quatrième année d'un sanglier.

quartanier, n. m. Sanglier de quatre ans.

quartation [kar... sion], n. f. [Métall.] Composition d'un alliage dans lequel il y a trois parties d'argent pour une partie d'or.

quartaut [kar-tô], n. m. Anc. mesure de capacité valant 72 pintes. ‖ Petit fût de contenance variable selon les provinces (57 à 137 litres).

quarte [kar], n. f. (lat. *quartus*, quatrième). Anc. mesure de capacité qui contenait deux pintes. [Escr.] Manière de porter un coup d'épée en tournant le poignet en dehors. [Mus.] Intervalle musical caractérisé par le rapport $4/3$ des fréquences.
Hom. — V. CARTE.

* **quarte-feuille** [kar], n. f. [Blas.] Fleur héraldique à quatre pétales. = Pl. Des *quarte-feuilles*.

* **quartelette** [kar], n. f. Quart d'une tonne de savon noir, dans certaines contrées de la France.

quartenier [kar], n. m. Officier de ville préposé à la garde d'un quartier, dans l'anc. Paris.

1. **quarteron** [kar], n. m. Quatrième partie d'une livre (125 gr.) ou quatrième partie d'un cent (25). *Un quarteron de beurre. Un quarteron de pommes.*

2. **quarteron, onne** [kar], n. et adj. (esp. *cuarto*, quart). Métis né d'un blanc et d'une mulâtresse, ou d'un mulâtre et d'une blanche, et ayant un quart de sang nègre ou indien. — On dit aussi *carteron*.

* **quartetto** [kouar], n. m. (mot italien). [Mus.] Petit morceau de musique à quatre parties.

quartidi [kouar], n. m. Le quatrième jour de la décade dans le calendrier républicain.

quartier [kar-tié], n. m. (de *quart*). Quatrième partie d'un tout. *Couper une pomme en quatre quartiers.* ‖ Portion assez considérable d'une chose, bien que cette chose ne soit pas divisée exactement en quatre parties. *Un quartier de lard.* ‖ *Mettre en quartiers*, mettre en pièces. [Astro.] Chacune des quatre phases de la lune. *Premier, dernier quartier.* [Blas.] Une des quatre parties de l'écu, écartelé en croix ou en sautoir. [Généalogie] Chacun des degrés de filiation. *Avoir seize quartiers de noblesse.*
Division, partie d'une ville. *Le quartier de la gare.* ‖ Le voisinage de l'habitation de la personne qui parle ou dont on parle. *J'habite un quartier fort tranquille.* — Tous ceux qui demeurent dans un quartier. *Tout le quartier était en rumeur.* V. tabl. VILLE (*Idées suggérées par le mot*).
[A. milit.] Bâtiment d'une ville ou d'une place forte dans lequel une troupe est casernée. *Quartier de cavalerie.* ‖ Campement ou cantonnement d'un corps de troupes, et le corps de troupes lui-même. ‖ *Quartiers d'hiver*, lieu où l'on loge les troupes pendant l'hiver. ‖ *Quartier général* (Q. G.), lieu où sont établis le logement et les bureaux du commandant de l'armée. ‖ *Faire, ne pas faire quartier*, accorder, ou ne pas accorder, à des ennemis vaincus la vie sauve ou des conditions humaines. — Fig. *Demander quartier*, demander grâce. [Mar.] Circonscription dont un marin fait partie.
Dans les collèges, salles où les élèves étudient et font leurs devoirs. *Quartier des grands.*

Espace de trois mois, trimestre. ‖ Paiement qui se fait de trois mois en trois mois. = À QUARTIER, loc. adv. A part, à l'écart.
SYN. — V. FRAGMENT.
HOM. — *Cartier*, celui qui fait ou vend des cartes à jouer.

quartier-maître [kar], n. m. [A. milit.] Officier d'état-major chargé de la comptabilité et des subsistances (Vx). ‖ *Quartier-maître général*, officier général adjoint au chef d'état-major général, dans certaines nations. [Mar.] Premier grade au-dessus de celui de matelot, équivalent à celui de caporal. = Plur. *Des quartiers-maîtres*.

quarto [kouar], adv. (mot lat.). Quatrièmement.

quarto (in). V. IN QUARTO.

quartz [kouartz], n. m. [Minér.] Silice cristallisée, très dure, fort répandue dans la nature et présentant de nombreuses variétés.

quartzeux, euse [kouar], adj. De la nature du quartz; formé de quartz.

* **quartzifère** [kouar], adj. Qui contient du quartz.

1. **quasi** [ka-zi], adv. (mot lat.). Fam. Presque, en quelque sorte, peu s'en faut. *Il est quasi mort.*
LING. — Dans la langue actuelle, *quasi* s'emploie devant un autre mot, (nom, adjectif ou verbe), pour indiquer que ce mot est pris dans un sens approximatif. *Quasi-sourd.*
SYN. — *Quasi*, à peu près, peu s'en faut (vieilli) : *Il était quasi mort de fatigue.* — *Presque*, pas tout à fait, mais peu s'en faut : *Il est presque l'heure du train.* — *Quasiment*, presque, pour ainsi dire (vx et dialectal) : *Il est quasiment mon cousin.*

2. **quasi** [ka-zi], n. m. Morceau de veau ou de bœuf, au-dessous du gîte à la noix.

quasi-contrat [ka], n. m. [Droit]. Engagement envers un tiers, qui oblige son auteur comme s'il y avait eu contrat, sans qu'il y ait eu convention. = Pl. *Des quasi-contrats.*

quasi-délit [ka], n. m. [Droit] Dommage causé par imprudence ou par négligence. = Pl. *Des quasi-délits.*

quasiment [ka-zi], adv. Pop. Presque, en quelque sorte. *Être quasiment de la famille* (Pop.).
SYN. — V. QUASI.

quasimodo [ka-zi], n. f. Le premier dimanche après Pâques.

quassia [koua ou ka-sia], n. m. [Bot.] Genre de plantes de la famille des *simarubées*. L'écorce du *quassia amara* renferme un principe amer et tonique. ‖ Cette écorce.

quassier [koua], n. m. [Bot.] Le *quassia amara*, arbuste de la Guyane.

* **quassine** [koua], n. f. [Pharm.] Principe amer du *quassia amara*.

* **quater** [koua-tèr], adv. (mot lat.). Pour la quatrième fois.

quaternaire [kou-a], adj. Qui vaut quatre; qui vient en quatrième lieu; qui est divisible par quatre. [Géol.] *Ère quaternaire*, période géologique actuelle, qui a succédé à l'ère tertiaire. = N. m. *Le quaternaire.*

quaterne [koua], n. m. A la loterie, quatre numéros pris ensemble et sortis

QUATERNÉ — QUATRIÈME

au même tirage. ‖ Au jeu de loto, quatre numéros sortis sur la même ligne dans le sens de la longueur.

* **quaterné, ée** [*koua*], adj. [Bot.] Disposé quatre par quatre autour du même point d'intersection.

* **quaternion** [*koua*], n. m. [Alg.] Système de quantités complexes à quatre unités.

* **quatorzaine**, n. f. Espace de quatorze jours.

quatorze [*ka*], adj. num. Nombre pair composé de dix plus quatre. ‖ *Chercher midi à quatorze heures*, chercher des difficultés là où il n'y en a pas. ‖ Se dit souvent pour quatorzième. *Page quatorze.* = N. m. Le nombre, le numéro quatorze. ‖ *Le quatorzième jour du mois.* ‖ Au jeu de piquet, réunion de quatre hautes cartes pareilles. *Quatorze de rois*.

quatorzième, adj. Adjectif ordinal de quatorze. = Nom. Qui occupe le quatorzième rang, qui vient en quatorzième lieu. = N. m. La quatorzième partie d'un tout.

quatorzièmement, adv. En quatorzième lieu.

quatrain [*ka-trin*], n. m. (de *quatre*). Petite pièce de poésie ne comportant que quatre vers. ‖ Strophe de quatre vers formant un tout complet quant au sens et à la forme rythmique. V. tabl. VERSIFICATION.

quatre [*ka*], adj. numéral cardinal (lat. *quatuor*, m. s.). Nombre composé de deux fois deux. *Deux et deux font quatre.* ‖ Fig. fam. et elliptiq. *Se mettre en quatre*, s'employer de tout son pouvoir à rendre service. — *Aller à quatre pattes*, marcher sur les mains et les genoux. — *Il n'y va pas par quatre chemins*, il va droit à son but. — *Couper un cheveu, les cheveux en quatre*, faire des raisonnements d'une extrême subtilité. — *Monter, descendre un escalier quatre à quatre*, le monter, le descendre précipitamment. — *Se tenir à quatre*, faire un grand effort sur soi-même pour maîtriser sa colère, sa mauvaise humeur. — *Diable à quatre.* V. DIABLE. — [Arithm.] *Les quatre règles*, addition, soustraction, multiplication et division. — *Morceau de musique à quatre mains*, que deux personnes jouent ensemble sur le même piano. ‖ Se dit souvent pour quatrième. *Henri quatre.*

[Pharm.] *Les quatre fleurs*, mauve, coquelicot, bouillon blanc et violette.

= N. m. Le nombre quatre. *Quatre multiplié par huit, donne trente-deux.* ‖ *Le quatre du mois*, le quatrième jour du mois. ‖ Caractère qui exprime le nombre quatre. *Le chiffre quatre.* [Jeu]. Carte marquée de quatre piques, quatre cœurs, etc.

VOCAB. — *Famille de mots.* — Quatre [rad. *quat, quad, car, cadr*] : quater, quaternaire, quaterne, quaterné, quaternion; quatrain, quatre-épices, quatre-feuilles, quatre-quarts, quatre-saisons, quatre-temps; quatrième, quatrièmement, quatrocentiste, quattrocento, quatuor; quatre-vingts, quatre-vingtième; quatrillion; quatorze, quatorzième, quatorzièmement, quatorzaine; quarante, quarantaine, quarantième, quarantièmement, quarantenaire, quarantenier;
quart, quartager, quartaine, quartan, quartanier, quartation, quartaut, quarte,

---

quarte-feuille, quartelette, quartenier, quarteron, quartetto, quartidi, quartier, quartier-maître, quarto, in-quarto; quarderonner;

quadragénaire, quadragésime, quadragésimo, quadragésimal, carême, carême-prenant; quadrangle, quadrangulaire, quadrant, quadrat, quadratique, quadrature, quadriceps, quadridenté, quadriennal, quadrifide, quadriflore, quadrifolié, quadrige, quadrijumeaux, quadrilatéral, quadrilatère, quadrillage, quadrillé, quadriller, quadrille, quadrilobé, quadriloculaire, quadrinôme, quadripartite, quadripartition, quadripétale, quadrique, quadrirème quadrisaïeul, quadrisyllabe, quadrisyllabique, quadrivium, quadrumane, quadrupède, quadruple, quadrupler, quadruplement, quadruplex, quadruplication;

écarter, écart, écartement, écarteur; écarquiller, écarquillement; écarteler, écartelé, écarteleur, écartèlement; équerre, équerrer, équerrage, équarrir, équarrisseur, équarrissage, équarrissoir; escadre, escadron, escadronner, escadrille, escouade; carré, carrément, se carrer, square; carrure; carrière, carrier; carrefour; cadre, cadrer, cadran, encadrer, encadreur, encadrement; carreau, carreler, carrelet, carreleur, carrelage.

---

* **quatre-épices**, n. f. invar. Nom vulg. de la *nigelle cultivée*.

* **quatre-feuilles**, n. m. invar. [Archi.] Ornement à quatre lobes encadrés dans un cercle ou, parfois, dans un carré.

quatre-quarts, n. m. invar. Gâteau dans la fabrication duquel le beurre, la farine, le sucre, les œufs entrent pour un poids égal.

quatre-saisons, n. f. [Bot.] Variété de fraisiers donnant presque toute l'année. ‖ *Marchand des quatre-saisons*, marchand qui colporte et vend dans la rue des fruits et des légumes sur une voiturette à bras.

quatre-temps, n. m. pl. [Liturg.] Série de trois jours de jeûne et d'abstinence (mercredi, vendredi et samedi) ordonnés par l'Église au commencement de chaque saison.

quatre-vingtième, adj. num. ord. Qui occupe le rang marqué par le nombre quatre-vingts. = N. m. La quatre-vingtième partie d'un tout. = Nom. Celui, celle qui occupe la quatre-vingtième place.

quatre-vingts ou **quatre-vingt**, adj. num. cardinal. Quatre fois vingt. ‖ Se dit souvent pour quatre-vingtième. *Page quatre-vingt.*

GRAM. — Jusqu'au XVIIIe s., *quatre-vingts* prenait régulièrement l'*s* du pluriel, même quand il était suivi par addition d'un autre nombre. — Selon les grammairiens du XVIIIe s., on doit écrire *quatre-vingt* sans *s* quand il est suivi d'un autre adjectif numéral : *quatre-vingt-dix, quatre-vingt mille.* — On peut actuellement écrire *quatre-vingts-dix, quatre-vingts millions* (million étant un nom). Toutefois on écrit *la page quatre-vingt, le numéro quatre-vingt, l'an mil huit cent quatre-vingt.* — Après *quatre-vingt* on supprime la conjonction *et* devant *un* : *quatre-vingt-un*, bien que l'on dise *vingt-et-un.*

quatrième [*ka*], adj. num. ord. Qui occupe dans une énumération la place marquée par le nombre quatre. = Nom. Personne ou chose qui occupe la quatrième place. = N. m. Le quatrième étage d'une maison. N. f. La quatrième classe dans un lycée.

quatrièmement [ka], adv. En quatrième lieu.
quatriennal, ale, adj. V. QUADRIENNAL.
quatrillion [koua] ou **quadrillion**, n. m. Mille trillions.
* **quattrocentiste** [koua... san], n. m. (ital.). Artiste, écrivain du XVᵉ s., en Italie.
quattrocento [koua... san], n. m. (mot sign. *quatre cents*, les Italiens supprimant le mot *mil* dans l'énonciation des dates). Le XVᵉ s. italien, ses écrivains et ses artistes.
quatuor [kou-a], n. m. (mot lat. signif. *quatre*). [Mus.] Morceau de musique à quatre parties. *Quatuor vocal, instrumental. Quatuor à cordes.* ∥ Ensemble des instruments à cordes constituant la base fondamentale d'un orchestre. Groupe de quatre musiciens jouant ensemble. = Pl. *Des quatuors.*

quayage ou **quaiage** [ké-ia-je], n. m. (de *quai*). [Mar.] Droit qu'on paie pour se servir du quai d'un port et y placer des marchandises.
1. **que**, pron. relat. V. tabl. QUE 1.
2. **que**, pron. interrog. V. tabl. QUE 1.
3. **que**, conjonct. V. tabl. QUE 2.
4. **que**, adv. V. tabl. QUE 3.
quel, quelle, quels, quelles, adj. et pron. interrog. V. tabl. QUEL, QUELLE.
quelconque, adj. V. tabl. QUELCONQUE.
quellement [kel-man], adv. Usité dans la loc. *Tellement quellement*, d'une façon quelconque, ni bien ni mal (Vx).
1. **quelque**, adj. indéf. V. tabl. QUELQUE.
2. **quelque**, adv. V. tabl. QUELQUE.
quel que, quelle que, adj. V. tabl. QUEL, QUELLE.
quelque chose, loc. pronom. indéf. V. tabl. QUELQUE.

---

1. QUE [ke], QU' [ke], QU [k'], devant une voyelle, **pronom invariable**.

Étymologie. — Du lat. *quem*, m. s., accusatif, m. de *qui*, m. s., mais employé aux trois genres et aux deux nombres. V. QUI (tableau).

QUE, pronom relatif.

S'emploie généralement précédé d'un antécédent. Pour la place de cet antécédent, V. tableau QUI. Lequel, laquelle, — lesquels, lesquelles.

A. **QUE, pronom masc. et fém.** Ne peut s'employer que comme :
  a) Compl. d'objet : (V. néanmoins plus bas, c). *Celui que vous avez vu. La personne que vous connaissez. Les livres qu'il a lus.*
  b) Attribut. *L'homme que je suis. Tout roi qu'il était.*
  c) Compl. d'attribution. *C'est à vous que je parle, ma sœur.* (MOLIÈRE.)

B. **QUE, pronom neutre,** Employé comme :
  a) Compl. d'objet. *Fais ce que dois.*
  b) Comme attribut. *Voilà ce que c'est... Il se montre tel qu'il était.*
  c) Comme sujet (généralement sujet réel, sans antécédent, et dans des locutions anciennes aujourd'hui figées). *Faites ce que bon vous semblera. Advienne que pourra.*

C. **QUE, pronom adverbial neutre.** à valeur conjonctive, employé comme complément circonstanciel de temps, de manière, de lieu, etc. (tour très fréquent au XVIIᵉ s. chez les classiques).
  a) Sens de : où. *Le temps n'est plus que ce m'était une grande consolation de recevoir vos lettres.* (Mme DE SÉVIGNÉ.) Cf. dans la langue actuelle : *Un jour qu'il faisait beau.*
  b) Sens de : avec lequel, laquelle. *Me voyait-il de l'œil qu'il me voit aujourd'hui ?* (MOLIÈRE.)
  c) Avec la prop. précédente tout entière prise comme antécédent. *Vous êtes fou, mon frère, que je crois* (MOLIÈRE.).

D. Gallicisme familier. *Si j'étais que de vous*, si j'étais à votre place.

Observation grammaticale. — *Que*, pronom, est le neutre des pronoms relatif et interrogatif; il se décline par les formes *dont, à quoi, par quoi*. On ne saurait donc dire : *Je vous donnerai tout ce que vous aurez besoin*; dites : *tout ce dont vous aurez besoin.*
  INCORR. — Rejeter certaines locutions vicieuses comme : *Le jour que je lui ai parlé* (pour : *le jour où...*); *La personne qu'on m'a parlé* (pour: *la personne dont...*); *Le livre que tu m'as fait cadeau* (pour *le livre dont...*).

QUE, pronom interrogatif.

Toujours du neutre (V. tableau QUOI). Laquelle chose ? Quelle chose ?

A. Dans *l'interrogation directe :* employé comme :
  Sujet réel. *Que va-t-il se passer ?*
  Attribut. *Que devenez-vous ? Que serait-ce si vous portiez une maison ?* (LA FONTAINE.)
  Compl. d'objet. *Que faites-vous là ? Que sais-je ?* (MONTAIGNE.)
  Compl. circonstanciel (Vx). *Que vous sert cette vertu sauvage ?* (RACINE.)

B. Avec sens de :
  A quoi ? (valeur adverbiale). *Que sert de courir ?*
  En quoi ? *Qu'importe ?* (en quoi cela importe-t-il ?)

C. Comme complément d'objet. *Il ne savait que répondre. Il ne sait que faire de ses dix doigts.*
  Comme attribut. *Je ne sais que devenir.*

D. Gallicismes formés avec *que* pronom interrogatif.
  Que renforcé par un juron. *Que diable, que diantre faites-vous là ?*
  N'avoir que faire, loc. fam. *Je n'ai que faire*, je n'ai aucune affaire. *Je n'ai que faire de lui*, je n'ai aucun besoin de lui. *Je n'ai que faire à cela*, je n'ai aucun intérêt à cela. *Je ne puis que faire à cela, je n'y puis que faire*, il ne dépend pas de moi d'y rien faire, d'y remédier.

E. Locutions interrogatives composées formées avec *que*.
  Dans le langage familier courant, *que* interrogatif est très souvent remplacé par des locutions composées formant des gallicismes.
  QU'EST-CE QUI (seule forme qui puisse être un sujet neutre dans l'interrogation). Comme sujet. *Qu'est-ce qui brille là-bas ? Qu'est-ce qui prend de parler ainsi ?*
  QU'EST-CE QUE et même QU'EST-CE QUE C'EST QUE (comme attribut ou comme objet). *Après tout qu'est-ce que cet individu ? Qu'est-ce que je vois ? Qu'est-ce que c'est que vous faites-là ? A quoi est-ce que cela vous sert ?*

QUE　　　　　　　　　　　　　　　　　　　　　　　　　　　　　　　　　　　　　1578

2. QUE [*ke*] et **QU'** [*k'*], devant une voyelle, **conjonction de subordination.**

Étymologie. — Latin *quid* atone, neutre du pronom interrogatif *quis*.

GRAM. — *Que* est devenu la conjonction de subordination par excellence en français. Elle introduit la plupart des propositions subordonnées, soit directement, soit à l'aide de nombreuses locutions conjonctives formées par elle ; elle accompagne presque toujours le subjonctif, elle introduit le complément des mots comparatifs, enfin elle entre dans un certain nombre de gallicismes où sa nature et sa fonction précise sont parfois difficiles à déterminer.

A. La conjonction Que employée seule.

1º QUE *introduisant une proposition subordonnée*. V. GRAMMAIRE (tableau) et PROPOSITION (tabl.).

    a) QUE introduit toutes les propositions subordonnées compl. d'objet qui ne sont ni infinitives ni interrogatives indirectes. *Je dis qu'il est deux heures. Je crois que vous avez raison. Je sais que tu réussiras. Il faut que je le paie.*

    b) QUE introduit de nombreuses propositions subordonnées circonstancielles.
        Cause. — *Je me repens que ma main t'ait fait grâce* (MOLIÈRE). (On emploie aujourd'hui de préférence *de ce que*, dans ce cas).
        But. — *Laissez-moi un instant, que je lui dise son fait* (Fam.).
        Comparaison. — *Elle est plus malade que je ne le croyais. C'est bien un autre homme que vous ne le disiez.*
        Conséquence (QUE dans ces propositions est toujours en corrélation avec des mots comme *si, tel, tout, de façon,* etc.). — *Il est si éloquent que tous en sont charmés. Cela est tellement invraisemblable que l'on ne peut y croire.*
        Temps. — *Il était à peine sorti que tous éclatèrent de rire.*

Observations grammaticales. — Souvent le verbe ou le membre de phrase qui devrait précéder *que* est sous-entendu ; mais en général, il est facile de le suppléer. *Qu'il parle, tout se tait* : (quand il arrive) qu'il parle, tout le monde se tait. — *Que cela soit, j'y consens* (supposons que cela soit, etc. — On dit quelquefois, dans le titre d'un chapitre : *Que la vertu est le plus grand des biens* ; *Qu'un prince ne doit pas faire de commerce,* etc., pour signifier : chapitre où l'on prouve, où l'on établit que la vertu, la vérité, le principe, etc.

    c) QUE introduit toutes les *propositions subordonnées circonstancielles coordonnées à une première subordonnée circonstancielle* commençant soit par une conjonction de subordination simple : *quand, comme, si,* soit par une locution conjonctive : *après que, afin que,* etc. *Si vous êtes libre et que le temps le permette, nous ferons une promenade* (et si). *Quand le moment sera venu et que les circonstances le permettront, nous révélerons ces faits* (et quand). *Parce qu'on est jeune et qu'on manque d'expérience* (et parce qu'on manque.) etc.).

2º QUE, simple « outil grammatical » accompagnant le subjonctif (dès le XIVe s. pour distinguer les formes du subjonctif des formes homonymes du même verbe.) On le trouve ainsi employé dans des propositions indépendantes ou principales marquant :
        Souhait, imprécation. Qu'il s'en aille au diable ! Que je meure si cela n'est pas vrai ! Commandement. Qu'on m'amène cet homme ! Qu'il fasse ce qui lui plaira ! Exclamation, blâme, etc. *Que je sois tout ensemble idolâtre et chrétien !* (CORNEILLE.)

3º QUE introduisant le complément d'un comparatif, d'un adverbe de comparaison, de *rien, tout, autre,* etc. *Pierre est plus savant que Jean. Il est plus heureux que sage. Si peu que rien. Il ne peut rien résulter de ce projet que sa ruine. Tout riches qu'ils sont. Son manteau est de la même étoffe que le vôtre.*

4º QUE EXPLÉTIF. *Que,* conjonction, employé seul, entre encore dans une série de *gallicismes* où il n'a guère d'autre rôle que de mettre un mot en valeur. Telles sont les expressions : *Que si ! Que non ! Peut-être que oui. Qu'est-ce que c'est que cet individu ? Si j'étais que vous. Ne voilà-t-il pas que...* (Fam.). Il s'emploie particulièrement dans la plupart des phrases qui commencent par la tournure expressive : *C'est..., c'était..., ce sera,* etc. *C'est à vous que je m'adresse. C'est pour lui qu'on fait cela : Que* est parfois explétif et peut être supprimé, lorsqu'il est suivi de la préposition *de* et d'un infinitif. *C'est se tromper que de croire* ou *C'est se tromper de croire.*

B. La conjonction QUE groupée avec d'autres mots.

Ne... que, pas autre chose que, seulement. Il ne fait (autre chose) *que boire et manger. Je ne veux que lui dire deux mots.* — Fam. *Ne faire que,* ne pas cesser de. *Il ne fait que répéter toujours la même chose.*
Que si (en tête d'une phrase). Insiste d'une façon oratoire sur le mot *si*. *Que si vous considérez l'univers entier...*

QUE formant des locutions conjonctives.

Que forme en composition avec des prépositions, conjonctions ou adverbes, un grand nombre de locutions conjonctives ; telles sont : *afin que, ainsi que, à moins que, attendu que, avant que, après que, bien que, d'autant que, de façon que, de manière que, depuis que, dès que, encore que, en sorte que, loin que, lorsque, outre que, parce que, pendant que, pourvu que, puisque, quoique, sans que, tandis que,* etc. Mais il arrive fréquemment qu'on fasse ellipse du premier mot, et dans ce cas, la conj. *que* restant toute seule doit le faire sous-entendre. *Approchez* (afin) *que je vous parle. Il y a dix ans* (depuis) *qu'il est parti. A peine était-il sorti,* (lors) *que la maison s'écroula. Il ne fait point de voyage* (sans) *qu'il ne lui arrive quelque accident. — De façon que, de manière que* sont préférables *à de façon à ce que, de manière à ce que.*

Voir pour ces locutions conjonctives le *premier* mot de ces locutions soit à leur ordre alphabétique, soit dans les tableaux qui leur sont consacrés.

Observations grammaticales. — La conjonction *que* ne doit pas être remplacée par *comme* pour unir les deux termes d'une comparaison. Ne dites donc pas : *Il est aussi modeste comme habile* ; dites : *qu'habile*. — La conjonction *que* remplace toute autre conjonction ou locution conjonctive dans une deuxième proposition subordonnée coordonnée à une précédente : V. ci-dessus : *Obs. gram.*

3. QUE [ke] et **QU'** [k'], devant une voyelle, **adverbe**.

Étymologie. — La même que *que* conjonction. V. ce tableau.

A. — *Adverbe de quantité exclamatif*, employé seul ou avec un nom complément. Combien. *Qu'elle est belle! Que de chagrins il m'a causés! Qu'il a agi sagement! Que c'est vilain!*

Observations grammaticales. — *Que*, étant employé pour *combien*, l'accord a lieu avec le nom qui suit *que* : *Que d'amitié il m'a témoignée.* — *Que*, signifiant *combien*, ne doit pas modifier les adverbes *fort, bien, extrêmement*, et autres équivalents; dites donc : *Que ce souvenir doit vous être doux*, ou *Ce souvenir doit vous être bien doux*, afin d'éviter un pléonasme.

B. *Adverbe d'interrogation*, demandant la cause. Pourquoi? *Que tardez-vous?* (RACINE.)

C. *Adverbe de lieu*, mis pour *où* après : c'est ici, c'est là. *C'est là que je demeure.*

D. *Ne... que*, loc. adv. de manière, à sens restrictif. Seulement. Si ce n'est. *Un loup n'avait que les os et la peau.* (LA FONTAINE.) *Il n'a pas écrit que des vers.*
   a) *Ne faire que*, avec un infinitif. Faire sans cesse. *Il ne fait que crier, que se plaindre.*
   b) *Ne faire que de*, avec infinitif. Tout récemment. *Il ne fait que de sortir* (il vient de sortir) (Fam.).
   c) *Ne pas faire que*. Faire aussi autre chose que. *Il n'a pas fait que composer des tragédies* (c'est-à-dire : il a fait autre chose que). Ce tour est peu correct, mais il est fréquent dans le langage familier.

E. **Que... ne**, loc. adverbiale interrogative ou exclamative, marquant le regret, le reproche. *Que ne le disiez-vous? Que n'attendez-vous? Que n'est-il parmi nous!*
   Marque un souhait non réalisé, un regret. *Que ne suis-je assise à l'ombre des forêts!*

F. **Est-ce que**, loc. adverbiale interrogative. Gallicisme remplaçant très souvent dans la langue moderne familière le tour interrogatif par inversion du pronom sujet. *Est-ce que vous venez avec moi? Est-ce que vous vous moquez du monde?* V. ÊTRE (tableau).

QUEL — QUELLE, pluriel QUELS — QUELLES, mots interrogatifs.

Étymologie. — Latin *qualis*, de quelle nature.
   GRAM. — Sur la confusion qu'il ne faut pas faire de *quel... que* et de *quelque*, V. QUELQUE. (tableau).

QUEL, QUELLE, adjectifs interrogatifs :
   Précèdent le nom ou le verbe s'ils sont attributs.
   1º Dans l'interrogation directe, cet adjectif placé en tête de la proposition s'emploie pour interroger :
      a) sur la qualité : *Quel temps fait-il?*
      b) sur l'identité : *Quel homme est-ce?*
      c) sur la quantité ou le quantième : *Quelle heure est-il? Quel jour sommes nous?*
      d) sur la nature, l'espèce : *Quels sont donc vos plaisirs?* (RACINE.)
   2º Dans les interrogations indirectes : *Dites-moi quel temps il fait, quel homme c'est, quelle heure il est.*

QUEL, QUELLE, adj. exclamatif, marque l'admiration, l'étonnement, le dédain. — *Quel malheur! Quelle folie! Quel imbécile!*
   Tel... quel. V. TEL.

QUEL, QUELLE, pronoms interrogatifs.
   L'anc. langue et même le XVIIᵉ s. employaient *quel* pronom là où nous mettons aujourd'hui *lequel*.
   QUEL... QUE, QUELLE... QUE, locution pronominale indéfinie formée de *quel*, pronom attribut, et de *que*, conj.; joue le rôle d'attribut devant le verbe *être* ou devant un verbe d'état, comme *paraître, sembler*; se construit avec le subjonctif et marque une supposition ou une concession. *De quelque nature que, de quelque grandeur que. Quelles que soient vos intentions, je m'y conformerai.*
   VOCAB. — *Famille de mots.* — *Quel* : lequel; qualité, qualitatif, qualitativement, qualification, qualificatif, qualifier; inqualifiable; disqualifier; quelque, quelconque, quelqu'un.

QUELCONQUE, adjectif.

Étymologie. — Latin *qualiscumque*, m. s.

   GRAM. — *Quelconque* se place toujours après le nom. Il s'emploie souvent dans une phrase négative ; dans ce cas, le nom auquel il se rapporte se met toujours au sing., et, en outre, ne prend pas l'article. *Il ne lui est demeuré chose quelconque. Il n'y a pouvoir quelconque qui m'oblige à cela.*

QUELCONQUE, adj. indéfini des deux genres.
   Quel qu'il soit, n'importe lequel. *D'une manière quelconque. Prendre un prétexte quelconque.*

QUELCONQUE, adj. qualificatif.
   Avec un sens péjoratif : banal, médiocre, sans personnalité. *Il a prononcé un discours quelconque. Cet individu est quelconque.*
   S'emploie même, dans ce sens, à des degrés de comparaison. *Ce poème est très quelconque.*
   SYN. — V. ORDINAIRE.
   ANT. — *Bien, mal, remarquable, détestable ; magnifique, horrible.*

QUELQUE [kel-ke], mot indéfini.

Étymologie. — *Quelque* est un composé français de *quel* (V. ce tableau) et de *que* (V. ce tableau). Sa formation est très ancienne dans la langue, et on le trouve déjà au XIIe s.

Observations grammaticales.
  a) QUELQUE et QUEL QUE. — *Quelque* s'écrit en un seul mot lorsqu'il est placé immédiatement avant un nom, un adjectif ou un adverbe ; et *quel que* (m.) ou *quelle que* (f.) lorsque cette locution est immédiatement suivie d'un verbe d'état : être, sembler, paraître, etc.) V. tabl. QUEL.
  b) Distinction générale de *quelque* adj. et de *quelque* adverbe. — *Quelque*, employé comme adj., s'accorde avec le nom auquel il se rapporte. — Adverbe, il est construit avec un adjectif, un participe ou un adverbe, et reste aujourd'hui invariable.
  Suivi d'un adjectif qui est lui-même accompagné d'un nom, *quelque* doit être considéré soit comme adjectif, soit comme adverbe, et par suite varie ou est invariable, selon qu'il modifie le nom ou l'adjectif. *Quelques bons écrivains ont traité ce sujet. Quelque bons écrivains qu'aient été Racine et Boileau, ils ont eu leurs détracteurs.*
  QUELQU'UN — QUELQUES-UNS. V. ce tableau.

Quelquefois, adv. V. ce mot.

QUELQUE, QUELQUES, adj. indéf. masc. et fém.

Détermine un nom seul ou accompagné d'un adjectif :
  1° Au singulier, exprime le nombre ou la quantité d'une manière vague et indéterminée. Un, certain. *Connaissez-vous quelque personne qui soit de cet avis ? Cette affaire souffre quelque difficulté.*
    Une certaine quantité. *Il avait quelque argent.*
    Fam. *Quelque part*, V. tableau PART.
  2° Au pluriel. Un certain nombre de. *Quelques écrivains ont traité ce sujet.* Un petit nombre de. *Il a quelques arpents de terre.*
    Au pluriel indéterminé (Fam.). *Ils étaient trois cents et quelques.*
  3° *Quelque sot !* Loc. familière elliptique (Vx). Il faut être un sot pour agir ainsi.
    Quelque... que, locution où *quelque* est employé devant un nom et suivi de *que*, le verbe est alors toujours au subjonctif. Elle marque la concession. *Quel que soit le... que, quelle que soit la... que, de quelque nature ou grandeur que soit le (la)... que. Quelque raison qu'on ait à faire valoir. Quelques efforts que vous fassiez. Quelques grandes peines qu'il ait eues. Quelques grandes qu'aient été ses précautions.* (V. ci-dessus : Obs. gram. *b.*)

QUELQUE, adverbe.

S'écrit toujours *quelque* auj., mais on trouve fréquemment encore au XVIIe s. *quelques*, là où il est manifestement adverbe. *Quelques ardents qu'ils soient* (CORNEILLE).
  a) Indique une quantité ou un degré de qualité indéterminés. *Un loup quelque peu clerc* (LA FONTAINE). *Cette locution a quelque peu vieilli* (s'emploie surtout devant *peu*).
  b) Devant un adjectif numéral : environ, approximativement. *Il y a quelque soixante ans. Ils étaient quelque deux cents soldats qui furent tous faits prisonniers.*

Quelque... que, loc. conjonctive devant un adjectif ou un adverbe que *quelque* modifie, toujours suivie du subjonctif. A quelque point que, à quelque degré que, si. *Quelque riche qu'il soit. Quelque adroitement qu'il ait agi.* (V. ci-dessus : Obs. gram. *b.*)

Quelque chose, locution pronominale indéfinie neutre.
  QUELQUE CHOSE doit être considéré comme une locution inséparable, dans laquelle le genre du nom *chose* a disparu. Cette locution se construit en effet avec l'adjectif épithète ou attribut au neutre, et elle est généralement rattachée à cet attribut par la préposition explétive *de*. *C'est quelque chose de beau, de joli.*
  Cette expression a pris une valeur indéfinie et sert de neutre à *quelqu'un*.
  Quelque chose, une chose quelconque. *Dites-nous quelque chose. Vous me cachez quelque chose.* Prov. *A quelque chose malheur est bon*, le malheur apporte parfois une leçon utile. *Être quelque chose*, avoir une certaine importance. *Cela me fait quelque chose*, j'en éprouve une grande impression. Fam. *Se croire quelque chose*, être pénétré de son importance.

Observations grammaticales. — Il ne faut pas confondre *quelque chose*, locution indéfinie neutre, avec *quelque chose*, composé de l'adjectif *quelque* et du nom féminin *chose. Quelque chose* est neutre quand il signifie une chose indéterminée : *il a fait quelque chose qui mérite d'être blâmé ;* mais on dira : *Quelque chose qu'il ait dite, il est sûr d'être blâmé.* On voit que dans ce cas l'adjectif ou le participe accompagnant *chose* est au féminin.

quelquefois, adv. (de *quelque* et *fois*). De temps en temps, pas toujours, parfois.
  CTR. — *Souvent, rarement, jamais, toujours.*

quelqu'un, quelqu'une, pron. V. tabl. QUELQU'UN.

quémander, v. tr. Mendier, solliciter avec insistance. *Quémander un emploi.* ‖ Absol. *Il passe son temps à quémander.*
  SYN. — V. DEMANDER et SOLLICITER.

quémandeur, euse, n. Celui, celle qui quémande. = Adj. *Femme quémandeuse.*

qu'en-dira-t-on, n. m. inv. Rumeur publique, cancans. *Se moquer du qu'en-dira-t-on, des qu'en-dira-t-on.*

quenelle, n. f. Boulette de viande ou de poisson haché et pilé, mélangé de mie de pain, d'œufs, d'assaisonnements, et dont on garnit des bouchées, des vol-au-vent.

quenotte, n. f. Fam. Dent d'enfant.

quenouille, n. f. (bas lat. *conucla*, m. s.). Petit bâton que l'on entoure vers le haut de chanvre, de lin, de laine, etc., pour filer. ‖ Chanvre, lin, laine, etc., dont une quenouille est chargée. ‖ Fig. *Tomber en quenouille*, passer, par succession, entre les mains d'une femme. [Arbor.] Forme qu'on impose aux arbres fruitiers, rappelant celle d'une quenouille. [Métal.] Syn. de *quenouillère*.

quenouillée [ill mll.], n. f. La quantité de chanvre, lin, etc., dont on garnit une quenouille.

* **quenouillère** [ke], n. f. [Métall.] Instrument de fondeur pour boucher

QUELQU'UN, QUELQU'UNE [kel-kun, kune], mot indéfini.

Étymologie. — Formé de *quelque*, adj. ind. et de *un*, pronom indéfini, littéralement : un entre plusieurs.
Le neutre de *quelqu'un* est *quelque chose*. V. tableau QUELQUE (fin).

Observations grammaticales. — *Quelqu'un, quelqu'une*, pronom indéfini se rattachant à un antécédent exprimé, s'emploie aux deux genres : *De ces diverses solutions, j'en adopterai quelqu'une*. Mais s'il est pris absolument, il reste invariable : *quelqu'un m'a dit; j'attends quelqu'un* (même s'il s'agit nettement d'une femme). — Accompagné d'un adjectif, *quelqu'un* en est généralement séparé par la préposition de : *c'est quelqu'un d'important*. — On peut dire indifféremment : *aider quelqu'un* ou *aider à quelqu'un*.

QUELQU'UN, QUELQU'UNE, pronom indéfini singulier.

1º Employé d'une manière absolue :
Une personne. — *Quelqu'un m'a dit. J'attends ici quelqu'un*. — Dans ce sens, *quelqu'un* ne se dit que des personnes, et ne s'emploie au fém. et au plur. que lorsqu'il est sujet, tandis que le m. s. s'emploie comme complément : *J'ai vu quelqu'un*. On ne peut pas dire : *J'ai vu quelqu'une* ou : *j'ai vu quelques-uns*, à moins que le pronom ne soit accompagné d'une détermination : *J'en ai vu quelques-uns*.
Une personne indéterminée — *Il est venu quelqu'un qui m'a dit son nom*.

2º Employé d'une manière relative, *quelqu'un* peut être déterminé par un nom complément, et dans ce cas, il prend le genre et le nombre de ce complément.
Un, un certain, certain. — *Parmi ces critiques, il y en avait quelques-unes de fondées*.
Locution. — Un personnage important : *Il se croit quelqu'un*. — *Être quelqu'un* (Fam.), avoir une forte personnalité, être un homme de valeur. Pour appeler un serviteur, ou pour appeler à l'aide. *Holà, quelqu'un!*
Employé comme nom masculin : une personne. *Qui vous a dit cette infamie! Quelqu'un. Eh bien! ce quelqu'un est menteur*.

QUELQUES-UNS, QUELQUES-UNES, pronom indéfini pluriel.

Quelques personnes, plusieurs personnes indéterminées. Un petit nombre, certaines. *Quelques-uns assurent le contraire*.
Plusieurs personnes, plusieurs choses faisant partie d'un groupe, d'une collection.

Observation grammaticale. — *Quelques-uns* dans cet emploi signifie *plusieurs*, mais il renvoie à un nom précis et exprime, ce qui n'est pas le cas de *plusieurs*. On dira : *Plusieurs assiégés purent s'enfuir*, mais : *Parmi les assiégés quelques-uns purent s'enfuir*.

---

l'ouverture par laquelle coule le métal en fusion.
* **quérabilité**, n. f. Caractère de ce qui est quérable.
quérable [ké], adj. (de *quérir*). [Droit]. Se dit d'une rente, d'une redevance que le créancier doit aller chercher chez le débiteur.
CTR. — *Portable*.
* **quercicole** [ku-èr], adj. [Zool.] Qui vit sur le chêne.
* **querciné, ée** [ku-èrsi], adj. (lat. *quercus*, chêne). Qui ressemble, qui se rapporte au chêne.
* **quercitrine** [kèr-si], n. f. Matière colorante jaune extraite du quercitron.
* **quercitron**, n. m. [Bot.] Nom vulg. d'un chêne de l'Amérique du Nord, dont l'écorce fournit la quercitrine.
querelle [ke-rèle], n. f. (lat. *querela*, plainte). Cause, parti. *Embrasser, épouser la querelle de quelqu'un*. ‖ Contestation amenant échange de plaintes, de mots violents; dispute. *Une querelle de ménage*. — *Querelle d'Allemand*, querelle sans motif. — *Se prendre de querelle*, commencer à se quereller. ‖ Par ext. Lutte entre rois, entre États.
— *Les querelles ne dureraient pas longtemps si le tort n'était que d'un côté*.
(LA ROCHEFOUCAULD.)
— *Le temps guérit les douleurs et les querelles : parce qu'on change, on n'est plus la même personne*. (PASCAL.)
— *C'est une maladresse de ne savoir pas prévenir une querelle*. (J.-J. ROUSSEAU.)
ÉPITHÈTES COURANTES : sérieuse, violente, futile, absurde, inattendue, sans motif, fâcheuse, funeste, perpétuelle, d'Allemand, etc.
SYN. — V. ALTERCATION.

quereller [ke], v. tr. Chercher querelle à, s'en prendre à, s'emporter contre. ‖ Gronder, réprimander. = SE QUERELLER, v. pr. Se disputer.
SYN. — V. BLÂMER et GRONDER.
querelleur, euse, adj. et n. Qui se plaît à chercher querelle.
* **quérimonie** [kué], n. f. (lat. *querimonia*, m. s.). Plainte en justice (Vx). [Dr. can.] Requête présentée au juge d'Église, pour faire publier un monitoire.
quérir [ké] ou **querir** [ke], v. tr. anc. fr. *querre*, m. s.). Chercher une personne pour l'amener, une chose pour l'apporter.
GRAM. — Ce verbe est peu usité et ne s'emploie plus auj. qu'à l'infinitif présent.

VOCAB. — *Famille de mots*. — *Quérir* [rad. *qué, quil*] : querre (Vx), quête, quêter, quêteur; question, questionner, questionneur, questionnaire; quester, questure; acquérir, acquisition, acquéreur, acquêt, acquit; conquérir, conquérant, conquête, conquis; reconquérir; exquis; enquérir, enquête, enquêteur; inquisition, inquisiteur, inquisitorial; perquisition, perquisitionner; requérir, requérant, réquisitoire, réquisition, réquisitionner, etc.

1. * **querre** [kèrr], v. tr. (lat. *quaerere*, m. s.). Forme anc. du v. quérir.
2. * **querre** [kèrr], n. f. (lat. *quadra*, forme carrée). Coin à angle droit (Vx).
questeur [kuès], n. m. (lat. *quaestor*, de *quaerere*, rechercher). [Antiq.] Dans l'ancienne Rome, magistrat qui s'occupait des finances publiques. ‖ *Questeur de la Chambre, du Sénat*, membre de ces assemblées chargé d'administrer leur budget particulier.
* **qu'ès-aco (à la)**, loc. adv. *Bonnet à la qu'ès-aco*. Bonnet à la mode à la fin du XVIIIᵉ s. V. pl. COSTUMES.

question [kès-tion], n. f. (lat. *quaestio*, m. s., de *quaerere*, chercher). Interrogation, demande que l'on fait pour obtenir un renseignement. *Répondez à ma question.* ‖ Interrogation adressée à un candidat par l'examinateur. ‖ Proposition qui est à examiner, à discuter. *Une question de logique, d'histoire.* — Problème économique et financier qui n'est pas encore résolu. *Question sociale,* question *financière.* — *Il est question, il n'est pas question de,* il s'agit, il ne s'agit pas de. Dans le même sens : *La chose, la personne en question.* ‖ *Être en question,* être soumis à discussion. *Mettre en question,* soumettre à discussion. ‖ Torture appliquée autref. aux accusés, aux condamnés pour leur arracher des aveux.

ÉPITHÈTES COURANTES : épineuse, insoluble, facile, difficile à résoudre, insidieuse, inopportune, sotte, futile, oiseuse, indiscrète, imprévue, préalable, etc; sociale, politique, judiciaire, financière, militaire, etc.

INCORR. — La locution *il est question* ne doit pas être suivie de *que,* mais de l'*infinitif* précédé de *de.* On ne dira donc pas : *Il est question qu'on reprenne cette pièce,* mais : *Il est question de reprendre cette pièce.*

ANT. — *Réponse.*

1. questionnaire [kès], n.m. Recueil de questions d'examen. ‖ Série de questions adressées à une personne qu'on soumet à une enquête, et auxquelles elle doit répondre. *Remplir un questionnaire.*

2. questionnaire, n. m. (lat. *quaestionarius,* m. s.). Bourreau chargé de donner la question.

questionner [kès-tio], v. tr. Interroger quelqu'un, lui poser des questions.

SYN. — *Questionner,* interroger quelqu'un en lui demandant des renseignements successifs : *On a questionné le prisonnier sur tout ce qu'il pouvait savoir.* — *Demander,* s'adresser à quelqu'un pour obtenir de lui quelque renseignement : *Il nous a demandé le chemin de la gare.* — *Enquérir (s'),* prendre des renseignements : *S'enquérir d'un hôtel.* — *Informer (s'),* rechercher des renseignements : *S'informer auprès de témoins.* — *Interroger,* adresser une ou plusieurs questions à quelqu'un : *Le juge a interrogé le prisonnier sur tous ses antécédents.*

questionneur, euse [kès], n. Celui, celle qui questionne, qui aime à questionner.

*** questorien, ienne** [ku-ès], adj. Qui appartient au questeur.

questure [ku-ès], n. f. [Antiq. rom.] Charge, dignité de questeur. ‖ Auj. Fonction, bureau des questeurs d'une assemblée délibérante.

...quête, quette.

ORTH. — *Finales.* — Le son final *quette* s'écrit le plus souvent sous cette forme : banquette, blanquette, casquette, jaquette, maquette, roquette, socquette, trinquette, etc. Exceptions : quête et ses composés : conquête, enquête, requête.

quête [kètt], n. f. (de *queste,* pp. de l'anc. v. *querre*). Action de chercher. *Se mettre en quête de quelqu'un.* ‖ Action de demander et de recueillir des aumônes pour les pauvres ou pour quelque œuvre. *Faire la quête.* ‖ Aumônes recueillies.

SYN. — *Quête,* action de recueillir des aumônes en s'adressant à toutes les personnes présentes dans une église, une assemblée : *On a fait une quête pour les prisonniers de guerre.* — *Collecte,* recueil de dons fait auprès de quelques personnes au profit de quelqu'un, de quelque œuvre : *On a fait une collecte parmi les assistants au profit des victimes de l'accident.*

quêter [kè-té], v. tr. Chercher, être à la recherche de. *Quêter un gîte.* ‖ Suivre la piste du gibier. ‖ Absol. Demander et recueillir des aumônes. *Quêter pour les sinistrés.*

quêteur, euse [kè], n. Celui, celle qui quête. — Adj. *Frère quêteur.*

quetsche [kouè-tche], n. f. (mot allem.). Variété de prune à chair violacée. ‖ Eau-de-vie extraite de ce fruit. — On dirait aussi ce sens, *quetsche-wasser.*

1. queue [keu], n. f. (lat. *cauda,* m. s.) Prolongement qui termine postérieurement le tronc d'un très grand nombre d'animaux. *Queue de chien, de cheval.* ‖ Fig. et prov. *Brider son cheval par la queue. Tirer le diable par la queue. Quand on parle, du loup on en voit la queue. Finir en queue de poisson.*

Par anal. Queue se dit d'un grand nombre de choses qui ont quelque rapport avec la queue des animaux. ‖ Partie par laquelle les fleurs, les feuilles, les fruits tiennent à la plante. *La queue d'une rose, d'une poire.* ‖ *La queue d'un p, d'un q,* etc., ce qui dépasse par en bas du corps de ces différentes lettres. — *La queue d'une note,* le trait qui tient au corps de la note. ‖ *La queue d'une poêle, d'une casserole,* etc., la partie allongée par laquelle on tient ces ustensiles. — Fig. *Tenir la queue de la poêle,* avoir à diriger les choses. ‖ *La queue d'un manteau, d'une robe,* son extrémité lorsqu'elle traîne par derrière. *Robe à queue.* ‖ Fig. Bout, fin de quelque chose. *La queue du bois, la queue de l'hiver.* ‖ Fig. Dernière partie, derniers rangs, d'un corps, d'une troupe ; les dernières parmi certaines choses rangées en ligne. *La queue d'un cortège, d'un régiment. Prendre la queue.* — Fam. *Faire queue,* se ranger les uns derrière les autres en file d'attente. ‖ *A la queue, en queue,* à la suite, à l'extrémité. *Le bagage suivait en queue.* — *A la queue leu leu,* à la suite les uns des autres. [Astro.] *Queue d'une comète,* longue traînée lumineuse qui accompagne la tête. ‖ Au billard, sorte de bâton dont on se sert pour pousser les billes. [Mus.] *Piano à queue,* dont les cordes sont tendues horizontalement dans le sens de leur longueur.

SYN. — V. RANG.

HOM. — *Queue,* n. f., appendice ; — *queux,* n. m. cuisinier (maître-queux) Vx.; — *queux* ou *queue,* n. f., pierre à aiguiser.

VOCAB. — *Famille de mots.* — *Queue :* queutage, queuter ; queue de pie, queue d'aronde, de cheval, de cochon, etc., caudal, caudataire ; couard, couardise, etc.

2. queue, n. f. Futaille qui contient environ un muid et demi (400 l.). ‖ *Demi-queue bordelaise,* 209, l. *Demi-queue de Mâcon,* 220 l.

3. queue ou **queux** [keu], n. f. Sorte de pierre à aiguiser.

QUEUE-D'ARONDE — QUI

queue-d'aronde [*keu*], n. f. [Techn.] Sorte de tenon. V. pl. CHARPENTE. = Pl. *Des queues-d'aronde.*
* **queue-de-cheval**, n. f. [Bot.] Nom vulg. de la *prêle des marais.* = Pl. *Des queues-de-cheval.*
queue-de-cochon, n. f. [Techn.] Sorte de tarière terminée en vrille. = Pl. *Des queues-de-cochon.*
queue-de-lion, n. f. [Bot.] Nom vulg. d'une plante africaine, famille des *labiées,* appelée aussi *léonure.* = Pl. *Des queues-de-lion.*
1. **queue-de-morue**, n. f. Large pinceau plat servant aux peintres. = Pl. *Des queues-de-morue.*
2. **queue-de-morue**, n. f. Habit de cérémonie à longues basques étroites. — On dit aussi *queue-de-pie.* = Pl. *Des queues-de-morue.*
queue-de-pourceau, n. f. [Bot.] Plante de la famille des ombellifères dont la grosse racine sécrète un suc fétide. = Pl. *Des queues-de-pourceau.*
queue-de-rat [*keu*], n. f. [Techn.]. Petite lime à section ronde. V. pl. OUTILS USUELS. || Tabatière en écorce qui s'ouvre à l'aide d'une petite lanière de cuir. = Pl. *Des queues-de-rat.*
* **queue-de-renard**, n. f. [Bot.] Nom vulg. de l'amarante, du vulpin, de l'érigéron du Canada. || Sorte de ciseau à deux biseaux. = Plur. *Des queues-de-renard.*
queue-de-souris, n. f. [Bot.] Nom vulg. du *myosure,* plante des champs dont le pédoncule des fleurs s'allonge en forme de queue de souris après la floraison. = Pl. *Des queues-de-souris.*
queue leu leu, n. f. V. QUEUE et LEU.
queue-rouge, n. m. Clown à perruque nouée d'un ruban rouge. = Pl. *Des queues-rouges.*
* **queusot** [*keu-zo*], n. m. [Techn.] Embout à l'extrémité des ampoules électriques, des tubes à gaz raréfiés, servant à y faire le vide, et soudé ensuite au chalumeau.
* **queussi-queumi** [*keu-si-keu-mi*], loc. adv. Absolument de même (Fam. et vx).
* **queutage** [*keu*], n. m. Au billard, action de queuter.
queuter [*keu*], v. intr. Au billard, pousser du même coup avec la queue les deux billes quand elles sont très rapprochées.
1. **queux** [*keu*], n. m. (lat. *coquus,* cuisinier). Cuisinier (Vx). On dit encore *maître-queux.*
HOM. — V. QUEUE.
2. * **queux** [*keu*], n. f. V. QUEUE 3.
HOM. — V. QUEUE.
qui, pron. rel. et interrog. V. tabl. QUI.

---

1. QUI, pronom relatif.

QUI, [*ki*] forme invariable, masc., fém. et neutre, singulier et pluriel. Pronom relatif.

Étymologie. — Du latin *qui,* même sens. Le pluriel latin était également *qui.*

Histoire et grammaire. — *Qui* est proprement la forme du relatif quand il est employé comme cas sujet. Le pronom relatif a gardé, en effet, en français, une véritable déclinaison : *qui,* cas sujet, *que,* cas sujet neutre et cas régime direct, *dont,* cas régime indirect marquant le complément de nom ou le complément d'origine, *quoi,* cas régime neutre, sans parler des formes où *qui* est accompagné d'une préposition *de, à, par,* etc. — *Qui,* dans plusieurs de ses emplois, est souvent remplacé par *lequel, laquelle, duquel, auquel,* etc. V. tabl. QUE, QUOI, DONT, LEQUEL.

ACCORD DE QUI. — Le pronom relatif *qui* est toujours du même genre, du même nombre et de la même personne que son antécédent ; on doit donc dire : *Moi qui suis votre guide* (et non : *moi qui est*) ; *toi qui es* (et non : *qui est*) ; *nous qui sommes* (et non : *qui sont*), etc. Il convient de ne pas oublier de faire cet accord après les locutions *c'est moi qui, c'est toi qui, c'est nous qui,* etc. — On ne devra de même pas dire : *Il n'y a que moi seul qui s'intéresse à,* mais : *qui m'intéresse à,* ou mieux : *moi seul m'intéresse à,* ou : *je suis le seul qui s'intéresse à,* (l'antécédent dans ce dernier cas étant le nom *seul*). La langue populaire a tendance à prendre le pron. *qui* pour un pron. exclusivement de la 3ᵉ personne, et à faire l'accord d'après cette idée. Bien qu'on trouve des tours analogues dans l'ancienne langue, c'est aujourd'hui une grosse faute de dire : *c'est moi qui est, c'est nous qui sont,* etc.

PLACE DE QUI. — Aujourd'hui il est de règle que le relatif *qui* soit immédiatement précédé de son antécédent. *Il est venu un messager qui nous a conté le fait.* Vaugelas a préconisé cette règle qui a définitivement prévalu, mais tout le XVIIᵉ s. a jugé élégant d'écarter le relatif de son antécédent : *Une tortue était, à la tête légère, qui, lasse de son trou, voulut voir du pays.*
(LA FONTAINE.)

Emplois et sens de QUI.

Qui introduit toujours une proposition subordonnée relative. Lequel, laquelle, lesquels, lesquelles.

A. Qui précédé d'un antécédent.

Peut s'employer soit seul, soit avec une préposition. *Celui qui règne dans les cieux et de qui relèvent tous les empires, à qui seul appartient la gloire, la majesté et l'indépendance, est aussi le seul qui se glorifie de faire la loi aux rois* (BOSSUET).

1° Employé sans préposition, et presque toujours *sujet,* aux trois genres, au sing. et au pluriel. *L'homme qui travaille. La femme qui coud. Les enfants qui jouent.*

2° Sert de complément, précédé d'une préposition, lorsque l'antécédent est un être animé ou personnifié.

Avec *à* — Compl. d'attribution. *L'homme à qui l'on a nui. La personne à qui je m'adressais était fort en colère.*

Avec *de* — Compl. de nom. *Celui de qui la tête au ciel était voisine* (LA FONTAINE). — Compl. d'origine : *L'ancêtre de qui il descendait.* — Compl. d'objet indirect ou de point de vue : *Celui de qui je vais parler.*

Avec *pour* — Compl. d'intérêt. *Celui pour qui je plaide* (RACINE).

Avec *par* — Compl. d'agent de verbe passif. *Toi, par qui j'ai été averti du danger.*

Avec *par, contre,* etc. — Divers compl. circonstanciels. *Celui par qui je le sais, contre qui je lutte,* etc.

Observation grammaticale. — *De qui, à qui*, etc., s'emploient pour les personnes et pour les idées personnifiées, mais non pour les animaux, sauf s'ils sont personnifiés. Il faut *dont, auquel*, dans le cas contraire, mais le xvii⁰ s. souvent ne suit pas encore cette règle.

B. **Qui sans antécédent exprimé.**
L'antécédent sous-entendu est presque toujours *celui*, parfois *ce*, et signifie : celui qui, ceux qui, ce qui, celui, quel qu'il soit, qui. *Sauve qui peut. Qui vivra verra. Qui veut la fin veut les moyens*, etc. (Très fréquent dans les sentences.)
Comme qui dirait (Fam.), loc. adv. Pour ainsi dire.
Avec valeur neutre (s.-ent. *ce*). *Qui plus est, qui pis est. Voilà qui est bien.*
Comme attribut. *Qui que vous soyez.*
Employé comme compl. d'objet. *Choisis qui tu voudras.*

C. **Qui employé comme relatif indéfini dans certaines locutions.**
QUI QUE CE SOIT, loc. pron. indéfinie. Une personne quelconque. *J'ai suivi la rue sans rencontrer qui que ce soit* (la locution peut se trouver sous la forme *qui que ce fût*).
QUI QUE SOIT QUI, loc. pron. indéfinie contenant à la fois un interrogatif et un relatif, se construit avec le subjonctif et introduit une prop. concessive ou restrictive. Quelque personne que. Quel que soit celui qui. Quiconque. *Contre qui que ce soit que mon pays m'emploie* (CORNEILLE).
Avec le sens de *si on* (Vx), si quelqu'un. *Bonne chasse, dit-il, qui l'aurait à son croc* (LA FONTAINE). *Tout vient à point qui sait attendre.* (Proverbe — et non *à qui...* comme il se dit fréquemment à tort.)
Qui répété, en apposition à un pluriel, sign. ceux-ci, ceux-là, les uns, les autres. *Ils s'enfuient qui d'un côté, qui d'un autre.*

2. QUI, pronom interrogatif.

Qui [*ki*], forme invariable, sing. et pluriel. Pronom interrogatif.

Étymologie. — Du latin *qui*, confondu avec le pronom interrogatif classique *quis*, m. s.

EMPLOI GRAMMATICAL. — Le pronom interrogatif *qui* interroge surtout sur l'identité, l'adjectif *quel* interrogeant plutôt sur la qualité (V. tableau QUEL). Il n'a pas d'antécédent, contrairement à *qui* relatif.
Qui ne s'emploie plus aujourd'hui qu'en parlant des personnes, et la même forme sert pour le masculin et le féminin, pour le sing. et le pluriel. *Qui va là ? Qui êtes-vous, Messieurs ? Qui de vous, Mesdames, a donné cet avis ?*

Histoire grammaticale. — *Qui*, encore au xvii⁰ s., s'est employé pour interroger sur des choses avec le sens de : Quelle chose ? *Qui te rend si hardi de troubler mon breuvage ?* (quelle chose...) (LA FONTAINE.)
La langue parlée familière moderne a une tendance très marquée à remplacer le simple interrogatif *qui* par des tournures interrogatives renforcées. *Qui est-ce qui a fait cela ?* pour : *Qui a fait cela ?* V. ci-dessus : C et tableaux QUE (interrogatif) et QUOI.

Sens et emplois de Qui interrogatif. Quelle personne ?

A. **Dans l'interrogation directe.**
1⁰ Seul.
Employé comme sujet. — Dans ce cas il n'a jamais le sens du pluriel. *Qui vous a dit cela ? Qui va là ? Qui vive ?*
Comme attribut. — *Qui êtes-vous ? Qui sont-ils pour oser parler ainsi ?*
Comme complément d'objet. — *Qui avez-vous désigné ? Qui croirez-vous de préférence ?*

2⁰ Avec des prépositions.
a) Avec *de*. Complément de nom. *De qui Charlemagne était-il fils ?*
Complément de provenance ou d'origine. *De qui descendait Louis XIV ?*
Complément de point de vue. *De qui parliez-vous ?*
Complément d'adjectif. *De qui est-il donc si jaloux ?*
b) Avec *à*. Compl. d'attribution ou d'intérêt. *A qui faut-il demander avis ?*
Compl. d'adjectif. *A qui cela peut-il être utile ?* Forme des gallicismes. *C'est à qui arrivera le premier. A qui mieux mieux.*
c) Avec *pour*. Compl. d'intérêt. *Pour qui allez-vous plaider ?*
d) Avec *par*. Compl. d'agent. *Par qui Vercingétorix fut-il vaincu ?*
Compl. de moyen. *Par qui avez-vous appris cette nouvelle ?*
e) Avec d'autres prép., *chez, contre*, etc. Compl. circonstanciels divers. *Chez qui irez-vous aujourd'hui ? Contre qui sera dirigée cette mesure ?* etc.

3⁰ Dans des propositions elliptiques. — *L'un de vous a trouvé juste ; devinez qui ? Il tient cela de je ne sais qui.*

B. **Dans l'interrogation indirecte.**
Sert à introduire une prop. subordonnée complétive interrogative indirecte, avec le même sens et les mêmes emplois que dans l'interrogation directe. *Dites-moi qui vous êtes. Je ne sais qui est venu en mon absence. J'ignore à qui il pensait. Faites-moi connaître de qui vous tenez cela.* etc.

C. **Qui dans des tournures interrogatives renforcées.**
QUI, interrogatif est souvent remplacé dans le langage parlé par les formes composées. *Qui est-ce qui* (sujet), *Qui est-ce que* (objet direct et attribut) et *A* (pour, de, etc.) *qui est-ce que* (autres compléments). *Qui est-ce qui vient ? Qui est-ce que je vois ? A qui est-ce que je m'adresse ?* Ces formes sont plus claires, mais lourdes. V. tabl. QUI I. *Obs. gram.* C.

QUIA — QUILLON

QUICONQUE [ki-kon-k'], **pronom relatif indéfini masc. et fém. sans pluriel.**
Étymologie. — Du latin *quicumque*, m.s. et même emploi.
Emploi grammatical. — *Quiconque* est un mot relatif sans antécédent, et comme tel indéfini. Il est toujours pronom. V. QUELCONQUE (tableau). Il équivaut, avec plus d'indétermination, au relatif *qui* employé sans antécédent (V. tabl. QUI). Liant toujours deux propositions, il a une fonction dans chacune d'elle; il est toujours sujet dans l'une des deux (V. ci-dessous).
    Quand *quiconque* est sujet dans les deux prop., il ne doit pas être remplacé par le pronom *il* en tête de la 2ᵉ prop., sauf quand le second verbe est à la 3ᵉ pers. du sing. du subjonctif mise pour un impératif, comme dans cet exemple : *Quiconque ne sait pas dérober un affront... Loin de l'aspect des rois qu'il s'écarte, qu'il fuie!* (RACINE.)
Observation. — L'emploi, qui tend de plus en plus à se répandre, de *quiconque* comme sujet d'une prop. elliptique après un comparatif : *Il est plus qualifié que quiconque*, est incorrect. On doit dire : *que qui que ce soit, que n'importe qui.*
Sens et emplois de quiconque.
Genre. — Invariable dans sa forme, *quiconque* est féminin lorsque, de toute évidence, il représente une femme. *Quiconque de vous, mesdames, sera assez hardie pour.*
    Celui quel qu'il soit qui, quelque personne que ce soit qui.
1º QUICONQUE sujet dans les 2 propositions. *Quiconque n'observera pas cette loi sera puni.*
2º QUICONQUE sujet dans une propos. et compl. d'objet dans l'autre. *Il pourchassait quiconque entrait dans son domaine...*
3º QUICONQUE sujet dans une propos. et compl. d'attribution indirect dans l'autre (avec préposition). *Je donnerai une récompense à quiconque m'apportera un exemple.*
4º QUICONQUE, sujet d'une proposition et compl. de nom dans l'autre. *Les flatteurs vivent aux dépens de quiconque les écoute.*
Nota. — Dans ces derniers cas, il vaut toujours mieux employer un autre tour : *à celui (contre celui) quel qu'il soit qui... n'importe qui.*

quia [kui-a], loc. adv. (lat. *quia*, parce que). *Être à quia, mettre à quia,* être réduit ou réduire quelqu'un à ne pouvoir répondre. ‖ Fam. *Être à quia,* être dénué de tout.
    quibus [kui], n. m. (lat. *quibus*, de quoi). Argent. *Avoir du quibus* (Pop.).
    quiche [ki-che], n. f. Sorte de flan qu'on fait en Lorraine avec de la crème, du lait, du fromage et de menus lardons.
    quiconque [ki-kon], pr. relat. V. tabl. QUICONQUE.
    * **quid** [ku-id], pron. interr. (mot lat., m. s.). Quoi? Pose une interrogation à la suite d'une hypothèse.
    quidam [ki-dan] * **quidane**, n. (lat. *quidam*, un certain). Personne dont on ignore le nom ou qu'on ne veut pas nommer. = Plur. *Quidams* et *quidanes*.
    INCORR. — Ne dites pas : *un certain quidam.* Ce pléonasme reviendrait à dire : *un certain quelqu'un.*
    quiddité [ku-id], n. f. [Philo.] Ce qui fait qu'une chose est ce qu'elle est; ce qui constitue l'essence de l'être.
    * **quiescence** [kui-ès], n. f. (bas lat. *quiescentia*, calme, repos). [Gram.] Qualité de lettres quiescentes.
    quiescent, ente [kui-ès-san], adj. Qui n'est pas en action, qui est à l'état de repos, de non-manifestation. [Gram.] Dans les langues sémitiques, se dit des lettres qui ne se prononcent pas.
    quiet, ète [kuiè], adj. Tranquille, calme.
    * **quiètement** [kui-è-te-man], adv. D'une façon quiète; tranquillement.
    quiétisme [ku-ié], n. m. (lat. *quies, etis*, repos). [Théol.] Doctrine de certains mystiques qui font consister la perfection chrétienne dans un état de contemplation passive, sans œuvres extérieures.
    quiétiste [ku-i], adj. et n. Partisan du quiétisme.
    quiétude, n. f. Douce et sereine tranquillité. ‖ Anéantissement de la volonté en Dieu.
    SYN. — V. REPOS.

ANT. — *Inquiétude.*
    quignon [ki-gnon], n. m. Gros morceau de pain (Fam.).
    * **quillage** [ki-ll mll.], n. m. [Mar.] Droit payé autrefois par un navire étranger la première fois qu'il entrait dans un port français.
    * **quillaja** [kil-la-ia], n. m. [Bot.] Genre de *rosacées*, arbres d'Amérique fournissant le *bois de panama*.
    1. **quille** [ki- ll mll.], n. f. (orig. germ.). [Jeu] Morceau de bois de forme plus ou moins conique que l'on dresse sur le sol et que l'on s'amuse à renverser avec une boule. *Le jeu comprend neuf quilles.* ‖ Locut. diverses. *Être planté là comme une quille,* se tenir debout, immobile. *Être reçu comme un chien dans un jeu de quilles,* recevoir un accueil glacial, être rabroué. ‖ Pop. Jambe. *Être solide sur ses quilles.* [Techn.] Tige de bois, de métal à l'arrière d'une voiture à deux roues, pour la tenir horizontale quand elle est dételée.
    2. **quille** [ki, ll mll.], n. f. (néerl. *kiel* m. s.). [Mar.] Longue pièce de bois ou de métal allant de la proue à la poupe d'un navire, terminée en avant par l'étrave, en arrière par l'étambot, et supportant les varangues. V. pl. NAVIGATION. — *Fausse quille,* pièce de bois qu'on applique à la quille afin de la prolonger en profondeur ou de la préserver dans les échouages.
    * **quillé, ée**, adj. [Mar.] Muni d'une quille.
    quiller [ki-ié], v. intr. Lancer une quille le plus près possible de la boule pour décider qui jouera le premier. — V. tr. Pop. Lancer, avec la main, des projectiles sur.
    quillette [ki, ll mll.], n. f. Rejeton d'osier enterré pour qu'il prenne racine.
    quillier [ki], n. m. L'espace carré dans lequel on dresse les neuf quilles d'un jeu. ‖ Les neuf quilles prises ensemble.
    quillon [ki, ll mll.], n. m. [A. milit.] Chacune des deux branches qui partent de l'assise centrale de la garde d'une épée. ‖

Pièce adaptée à l'embouchoir d'un fusil de guerre pour permettre de former les faisceaux.

* **quina** [*ki*], n. m. V. QUINQUINA.

1. quinaire, adj. Qui a pour base le nombre cinq. || Qui est divisible par cinq.

2. quinaire, n. m. Pièces de monnaies de l'antiquité fabriquées soit en or, soit en argent.

quinaud, aude [*ki-no*], adj. Confus, honteux d'avoir eu le dessous dans une discussion.

quincaille [*kin-ka-ill* mll.], n. f. (vx franc. *clinquer*, faire du bruit). Vieux mot sign. quincaillerie. || Toute espèce d'objets de fer, de cuivre, d'étain.

quincaillerie [*kin-ka-ill* mll.], n. f. Nom d'un grand nombre d'objets de métal, d'ustensiles de ménage, d'ouvrages de serrurerie, de poêlerie, de clouterie, etc. || Commerce, magasin du quincaillier.

quincaillier, ière [*kin*], n. Marchand, marchande de quincaillerie. V. tabl. MÉTIERS et PROFESSIONS (*Idées suggérées par les mots*).

ORTH. — Remarquer dans ce mot la forme *illi*.

quinconce [*kin-konsse*] (lat. *quincunx*, monnaie où cinq boules étaient figurées). Réunion de cinq objets disposés quatre aux quatre angles d'un carré, l'autre au milieu. || Plantation d'arbres disposés en quinconce. || Promenade où les arbres sont ainsi disposés.

* **quinconcial, ale**, adj. Qui est disposé en quinconce.

* **quindécagone** [*ku-in*], n. m. [Géom.] Polygone qui a quinze côtés et quinze angles. On dit plutôt *pentédécagone*.

* **quindécemvir** ou * **quindecimvir** [*kuin*], n. m. (mot lat. : *quinze hommes*). [Antiq. rom.] Chacun des quinze officiers chargés de la garde des livres sybillins, à Rome, et de l'accomplissement de certaines cérémonies religieuses.

quine [*ki*], n. m. (lat. *quini*, cinq à la fois). Coup de dés qui amène deux 5 au tric-trac. || Cinq numéros gagnant ensemble sur une même ligne horizontale, au jeu de loto. || Cinq numéros pris ensemble et sortis ensemble à la loterie.

* **quiné, ée**, adj. [Bot.] Disposé cinq par cinq.

quinine [*ki*], n. f. (de *quina*). [Chim.] Principal alcaloïde extrait des écorces de quinquina, utilisé pour combattre la fièvre.

quinola [*ki*], n. m. Valet de cœur, au jeu de reversi.

* **quinoléine** [*ki*], n. f. Composé isolé du goudron de houille et des produits de pyrogénation de la quinine.

quinquagénaire [*kuin-koua*], adj. Agé de cinquante ans ou environ.

quinquagésime [*kuin-koua*], n. f. (lat. *quinquagesimus*, cinquantième). Le dimanche qui précède l'entrée en carême, ou *Dimanche gras* (cinquantième jour avant Pâques).

* **quinquagésimo** [*kuin-koa*], adv. Cinquantièmement.

* **quinquangulaire** [*kuin-kuan*], adj. Qui a cinq angles.

* **quinque** ou **quinqué** [*kuin-kué*], préf. Mot latin sign. *cinq*, qui entre dans la composition de nombreux mots.

quinquennal, ale [*kuin-kuenn*], adj. Qui dure cinq ans, qui se reproduit tous les cinq ans, qui est fait pour cinq ans. *Plan quinquennal*.

* **quinquennium** [*kuin-kué-ni-omm*], n. m. Cours d'études de cinq ans (Vx).

* **quinquérème** [*ku-inkué*], n. f. [Antiq. rom.] Galère à cinq rangs de rames.

quinquet [*kin-kè*], n. m. (de *Quinquet*, nom de l'inventeur). Lampe à huile où la mèche cylindrique est dans un double courant d'air. || Pop. Œil.

* **quinquies** [*kuin-ku-i-èss*] (mot latin), adv. Cinq fois.

quinquina [*kin-ki*], n. m. (péruv. *quinaquina*). Écorce fébrifuge, tonique et amère fournie par diverses espèces du genre *cinchona*, fam. des *rubiacées*, arbres toujours verts de la Cordillère des Andes. || Arbre produisant cette écorce.

quint, quinte [*kin*], adj. Cinquième. *Charles Quint*. || Qui revient tous les cinq jours. *Fièvre quinte*. = N. m. Cinquième partie d'un tout. = N. f. V. QUINTE.

quintaine, n. f. Dans les anciens manèges, poteau fiché en terre, contre lequel on s'exerçait à courir avec la lance. Une sorte de mannequin mobile y était souvent adapté. || Fig. Plastron, cible des railleries.

quintal [*kin*], n. m. Poids de cent livres. || *Quintal métrique*, 100 kgr.

quintane [*kin*], adj. [Méd.] Se dit d'une fièvre dont les accès reviennent tous les cinq jours.

quinte [*kin*], n. f. (lat. *quinta*, cinquième.) [Mus.] Intervalle musical 3/2, l'intervalle musical de deux sons étant le rapport de leurs fréquences. [Jeu] Au piquet, suite non interrompue de cinq cartes de la même couleur. *Quinte majeure*. || Fig. et fam. *Avoir quinte et quatorze*, avoir dans une affaire une grande probabilité de succès. [Escrime] La cinquième garde. [Méd.] Accès de toux violent et prolongé. *Quinte de la coqueluche*. || Fig. et fam. Caprice, mauvaise humeur qu'on prend tout d'un coup. *Quelle quinte vous a pris?*

quintefeuille [*kin*] n. f. [Bot.] Nom vulg. de la potentille (*rosacées*). [Blas.] Fleur héraldique à cinq pétales. V. pl. BLASON. = N. m. [Archi.] Ornement d'architecture à cinq lobes.

* **quintelage**, n. m. [Mar.] Lest d'un navire.

quinter [*kin*], v. tr. Diviser en cinq parts.

quintessence [*kin-tès-san-se*], n. f. [Philos.] L'éther, cinquième élément ou essence, admis par certains philosophes. || Fig. Ce qu'il y a d'essentiel, de principal, de plus précieux, de plus subtil, de plus raffiné dans une science, dans un ouvrage, etc. *Ce livre contient la quintessence de son esprit*.

quintessencié, ée, adj. Trop subtil.

quintessencier [*kin-tès-san-sié*], v. tr. Amener à la quintessence. || Raffiner, subtiliser. = Conjug. V. GRAMMAIRE.

quintette [*kuin-tè-te*], n. m. [Mus.] Morceau de musique à cinq parties concertantes. || Petit orchestre de cinq musiciens.

quinteux, euse [*kin*], adj. et n. Fantasque, contrariant, sujet à des caprices, des accès d'humeur. [Méd.] Qui se produit par quintes. *Toux quinteuse*.

quintidi [*ku-in*], n. m. Le cinquième jour de la décade, dans le calendrier républicain.

*** quintil** [*kuin-til*], adj. m. [Astro.] *Aspect quintil*, position de deux planètes éloignées de la cinquième partie du zodiaque (72°). = N. m. [Versif.] Strophe de cinq vers sur deux rimes.

quintillion [*kuin-ti-lion*], n. m. Mille quadrillions.

quinto [*ku-in*], adv. Cinquièmement.

quintuple [*ku-in*], adj. et n. Qui vaut cinq fois autant. = N. m. Nombre, quantité quintuple. *Le quintuple de 5 est 25.*

quintupler [*ku-in*], v. tr. Multiplier par cinq, rendre cinq fois plus grand. = V. intr. Devenir cinq fois plus grand.

quinzaine [*kin*], n. f. Nombre de quinze ou environ. ǁ Laps de temps de deux semaines ou environ.

quinze [*kin*], adj. num. inv. Trois fois cinq ou dix et cinq. ǁ Se dit pour quinzième, *Louis quinze.* = N. m. Le nombre quinze. ǁ *Le quinzième jour d'une période.* = LES QUINZE-VINGTS, n. m. pl. Hospice fondé à Paris par saint Louis pour recevoir trois cents (15 fois 20) aveugles.

quinzième [*kin*], adj. num. ord. Qui occupe le rang marqué par le nombre 15. = N. m. Quinzième partie ou portion. ǁ *Quinzième jour.* = Nom. Personne, chose qui tient la quinzième place.

*** quiosse**, n. f. Sorte de pierre pour frotter le cuir.

quinzièmement, adv. En quinzième lieu.

*** quipo** [*ki-po*], n. m. Ensemble de cordes de laine coloriées et nouées de diverses manières, qui servaient aux anciens Péruviens et Mexicains, soit à calculer, soit à se transmettre des messages.

quiproquo [*ki-pro-ko*], n. m. (mot lat. : *qui, au lieu de quoi*). Méprise consistant à prendre une personne, une chose pour une autre. = Pl. *Des quiproquos.*

SYN. — V. ERREUR.

*** quirat** [*ki-ra*], n. m. [Mar.] Part que possède chaque copropriétaire ou *quirataire* d'un navire.

quirite [*kui*], n. m. [Antiq.] Citoyen romain électeur à Rome, par oppos. à ceux qui étaient aux armées.

quittance [*ki*], n. f. Déclaration écrite que l'on donne pour constater un paiement. ǁ *Timbre de quittance*, timbre fiscal apposé sur les quittances.

ORTH. — *Quittance* prend deux *t*, mais *quitus* n'en prend qu'un.

SYN. — *Quittance*, écrit par lequel on reconnaît quelqu'un quitte d'une somme qu'il devait payer : *L'encaisseur m'a remis la quittance.* — *Acquit*, formule qu'on signe pour constater un paiement : *J'ai gardé soigneusement l'acquit.* — *Décharge*, déclaration qu'une personne a fourni ou payé ce qu'elle devait, et cesse d'en être tenue redevable : *Donner décharge à un comptable.* — *Reçu*, écrit par lequel on reconnaît avoir reçu de quelqu'un une somme ou un objet : *Réclamez bien le reçu de cette somme.*

quittancer [*ki-tan*], v. tr. Donner quittance. = Conjug. V. GRAMMAIRE.

quitte [*ki*], adj. (lat. *quietus*, tranquille). Libéré d'une obligation pécuniaire. ǁ

Fig. Libéré d'une dette morale; délivré, exempté, débarrassé. ǁ *En être quitte pour*, n'avoir eu à supporter que. ǁ *Quitte à*, au risque de, à charge de.

HOM. — *Quitte, es, ent*, du v. quitter.

quitter [*ki*], v. tr. (de *quitte*). Exempter, tenir quitte d'une obligation matérielle ou morale. *Je vous quitte de tout ce que vous me devez.*

En parlant des personnes, laisser quelqu'un en quelque endroit, se séparer de lui. *Il ne le quitte ni jour ni nuit.* ǁ En parlant d'un lieu, se retirer, abandonner. *Il a quitté son domicile.* — Fig. *Quitter le droit chemin*, s'écarter de son devoir. — *Quitter la vie*, mourir.

En parlant des vêtements, s'en dépouiller, s'en débarrasser. *Quitter sa veste, ses gants.* ǁ Renoncer à. *Quitter une profession, un métier, un emploi.* — Au jeu. *Quitter la partie*, renoncer à la disputer davantage; et fig., se désister de quelque chose. — Se séparer de quelqu'un. *Je le quitte à l'instant.* ǁ Lâcher, laisser aller. *Quitter prise.* — *Son souvenir ne me quitte pas*, il m'est toujours présent à l'esprit. = SE QUITTER, v. pr. Se séparer. *Ils se quittèrent bons amis.*

SYN. — V. ABANDONNER.

CTR. — *Aborder ; retrouver. — Mettre, revêtir, remettre.*

quitus [*kui-tuss*], n. m. Quittance définitive accordée à un comptable, à un caissier.

qui-va-là? interj. Cri d'une personne qui entend du bruit et qui craint une surprise.

qui-vive? interj. Cri d'un soldat en faction qui entend un bruit, qui voit une personne, une troupe, etc. = N. m. inv. *Être sur le qui-vive*, être sur ses gardes; être continuellement en alerte.

*** quoailler** [*kou-a-ill* mll.], v. intr. Se dit d'un cheval qui remue sans cesse la queue.

quoi, pron. invar. V. tabl. QUOI.

quoique, conjonct. V. tabl. QUOIQUE.

quolibet [*ko-li-bè*], n. m. (lat. *quod libet*, ce qui plaît). [Scolast.] Question mise en discussion. ǁ Façon de parler qui renferme une plaisanterie.

SYN. — V. RAILLERIE.

quorum [*ko-romm*], n. m. (mot lat. signif. *desquels*). Minimum de membres dont la présence est nécessaire pour que les décisions d'une assemblée soient valables.

quote-part, n. f. [Droit]. La part que chacun doit payer ou recevoir dans la répartition d'une somme totale. = Pl. *Des quotes-parts.*

HOM. — V. COTE.

quotidien, enne [*ko*], adj. (lat. *quotidianus*, m. s.). Qui a lieu, qui paraît chaque jour. *Journal quotidien. Nos besoins quotidiens.* = N. m. Journal qui paraît tous les jours.

SYN. — *Quotidien*, qui se manifeste ou s'emploie tous les jours : *Le travail quotidien.* — *Diurne*, qui a lieu en un jour : *Le mouvement diurne de la terre autour de son axe en vingt-quatre heures.* — *Journalier*, qui se fait chaque jour : *Vaquer à ses occupations.*

ANT. — *Périodique, hebdomadaire, mensuel, annuel.*

quotidiennement [*ko-ti-diè-ne-man*], adv. Tous les jours.

QUOI — QUOIQUE

QUOI [*houa*], pronom neutre et adverbe.

Étymologie. — Le mot *quoi* vient de *quid* latin, neutre du pronom interrogatif *quis*, devenu, sous sa forme tonique *quoi*, tandis que sous sa forme atone il devenait *que*, neutre (V. tabl. QUE).
Quoi interrogatif n'a jamais d'antécédent. C'est la forme tonique et expressive du pronom interrogatif. Dans bien des cas, *quoi* et *que* peuvent s'employer l'un pour l'autre.
Observation. — Les formes composées *de quoi est-ce que, en quoi est-ce que*, sont lourdes et n'appartiennent qu'au langage parlé.
Quoi que et *quoique* (distinction). V. QUOIQUE (tabl.)
HOM. — *Coi*, tranquille, silencieux.

QUOI, pronom relatif neutre.

1° *Avec antécédent.*
  a) Auj. cet antécédent est *toujours indéterminé* : ce doit être un pronom neutre (*ce, rien*) ou parfois toute une proposition ou une idée précédemment énoncée. *Il est toujours précédé d'une préposition et est compl. indirect d'objet d'attribution ou compl. circonstanciel.*
    Lequel, laquelle, laquelle chose. *Ce à quoi nous songions. Il n'y a rien à quoi il n'ait pensé. C'est ce pour quoi je vous ai mandé. Accourez vite, sans quoi il sera trop tard.*
  b) Autrefois, cet antécédent pouvait être un nom de chose exprimé, de tous genres. Lequel, laquelle. *Le bonheur après quoi je soupire* (CORNEILLE).

2° *Sans antécédent*, et après une forte ponctuation : *quoi* a parfois une valeur démonstrative. *En foi de quoi j'ai signé. Quoi faisant, vous rendrez justice. Voilà sur quoi je vous laisse.* (Mme DE SÉVIGNÉ.)
  Particulièrement : *De quoi*. Ce qui est nécessaire ou suffisant pour. *Donnez-moi de quoi écrire. Il n'a pas de quoi se vêtir. Il n'y a pas de quoi*, formule pop. de politesse qui répond à un remerciement.

QUOI, pron. relatif indéfini neutre.

Se construit avec le subjonctif et introduit une proposition concessive : *Quelle que soit la chose que. Quoi que vous disiez, il admire de confiance. Quoi qu'il arrive, soyez prudents. — Quoi qu'il en soit :* Quelle que soit la situation, en tout état de cause.
Quelque quantité que. *Quoi que l'heure présente ait de trouble et d'ennui, Je ne veux pas mourir encore* (André CHÉNIER).
  QUOI QUE CE SOIT, loc. de concession employée avec le subjonctif. *Quoi que ce soit que vous affirmiez, je ne saurais vous croire.* (Ce tour, du langage familier, est lourd.)

QUOI, pronom interrogatif neutre.

Ne s'emploie que pour interroger sur les choses.
1° *Dans le style direct.*
  a) Sans préposition. Quelle chose ?
    Comme sujet. *Quoi de plus riant qu'un riant paysage ensoleillé ? Quoi de vrai dans tout cela ?*
    Sans verbe. *Quoi donc ?*
    Comme complément d'objet. *Vous disiez quoi ?* (Fam.). *Quoi dire ? Quoi faire ? (Que serait meilleur). Devinez quoi ?*
  b) Avec préposition. De, à, sur quelle chose ?
    Comme régime indirect d'objet ou complément circonstanciel. *A quoi pensez-vous ? Sur quoi repose cette hypothèse ? Par quoi voyez-vous cela ? De quoi est-il question ? De quoi s'agit-il ? De quoi vous mêlez-vous ?*
2° *Dans le style indirect.*
  Je ne sais quoi. Je ne sais pas de quoi vous parlez.
    Fam. *Je ne sais pas quoi faire. Il ne sait quoi faire de ses dix doigts. Comme quoi :* Comment. *Prouvez-lui comme quoi il se trompe.*

Nota. — Placé devant un adjectif épithète (nécessairement au neutre) *quoi* est suivi de la préposition explétive *de. Quoi de plus beau qu'un acte d'héroïsme ?*
Quoi interrogatif est souvent, dans le langage parlé familier, renforcé par *est-ce que ? De quoi est-ce que vous parliez ?*

QUOI, exclamation.

A la valeur d'une interjection marquant la surprise, l'étonnement, l'indignation : *Quoi ! vous ne trouvez pas ce crime impardonnable ?* (MOLIÈRE.)
Souvent renforcé par *hé* ou *mais. Hé quoi ! Mathan, d'un prêtre est-ce là le langage ?* (RACINE.)

QUOIQUE [*kouak*] (l'e s'élide devant une voyelle), conjonction de subordination.

Étymologie et histoire. — *Quoique* est en réalité une locution conjonctive formée de *quoi* (V. ce tableau) et de *que* (forme atone de *quoi* relatif). L'assemblage de ces deux mots, un interrogatif et un mot conjonctif, a passé peu à peu à une valeur d'opposition : du sens de *quelle que soit la chose que* (*quoi que vous disiez*) la locution est passée à celui de *quelque façon que, bien que. Quoique vous pensiez autrement, je dirai.*

Observation grammaticale. — *Quoique* ne doit pas être confondu avec *quoi que* (en deux mots), pron. indéf., suivi du pronom neutre *que.* V. QUOI (tableau).
Pratiquement *quoique*, conj. de subordination, se distingue de *quoi que* pronom et pronom neutre, en ce que le premier peut être remplacé par *bien que*, tandis que le second ne peut être remplacé que par *quelque chose que. Quoiqu'il fût* (bien qu'il fût) *malade, il vint à l'assemblée ;* mais : *Quoi qu'il dise* (quelque chose qu'il dise) *on ne croit plus un menteur.*

Sens et emplois de QUOIQUE :

Quoique sert à introduire une prop. subordonnée de concession (ou d'opposition) — et marque l'obstacle malgré lequel la chose a eu lieu.
  Encore que. — Bien que.
Il se construit :
1° Le plus souvent, avec le *subjonctif. Quoiqu'il soit pauvre, il est resté honnête.*
    Il arrive souvent quand la prop. principale et la prop. subordonnée ont le même sujet, que le verbe être ne soit pas exprimé dans la proposition concessive : *Quoique peu riche, il est très charitable.*
2° Parfois *avec le participe* dans la prop. concessive *Tous les règlements de Sylla, quoique tyranniquement exécutés, tendent toujours à une certaine forme de république.* (MONTESQUIEU.)
3° *Quoique ça* est une locution populaire incorrecte ; dites : *malgré cela. A quoi est-ce que* est une locution lourde et seulement du style familier. Au lieu de dire : *A quoi est-ce que vous pensez ?* dites : *A quoi pensez-vous ?*

* **quotidienneté** [ko-ti-diè-ne-té], n. f. État de ce qui se fait chaque jour (Peu us.).

quotient [ko-sian], n. m. (lat. *quotiens*, combien de fois). [Arith.] Résultat d'une division, exprimant combien de fois le nombre appelé *diviseur* est contenu dans le nombre appelé *dividende*.

quotité [ko], n. f. (lat. *quotus*, combien). Partie aliquote d'un tout; montant d'une quote-part; somme déterminée par une répartition. ∥ *Quotité disponible*, part des biens d'une personne dont elle peut légalement disposer par donation ou par testament.

* **quouette**, n. f. (de *queue*). V. COUETTE.

R

r [èrre], n. f. ou [re], n. m. Dix-huitième lettre de notre alphabet et la quatorzième de nos consonnes. R. F., abrév. de République française. — R. P., abrév. de Révérend Père ou de réponse payée. — R°, abrév. de recto.

La lettre *r* a toujours le son *re*, comme dans *ragoût, règle, rivage, Rome, ruine*. Au commencement et au milieu de mots, cette lettre conserve la prononciation qui lui est propre; à la fin des mots, au contraire, il arrive souvent qu'elle ne se prononce pas; mais l'usage seul peut faire connaître les cas où cette consonne est muette. C'est ainsi qu'on ne la fait pas entendre à la fin des adjectifs et des noms en *ier* comme *coutelier, officier, pionnier, entier, singulier*, qu'on prononce *coutelié, officié*, etc., comme s'il y avait un accent aigu sur l'*e*. On excepte l'adjectif *fier*, qu'on prononce *fièrr*, en articulant l'*r*. Elle ne se prononce pas non plus à la fin des verbes en *er*, tels que *aimer, aller, chanter, danser, entrer*, etc., qu'on prononce comme s'il y avait *aimé, allé*, etc. Cependant, en liaison, on fait sentir l'*r* dans la lecture, ainsi que dans le débit oratoire et la déclamation. En outre, quand on articule l'*r* final, on prononce l'*e* qui précède comme s'il était surmonté d'un accent aigu (*aimer à jouer, folâtrer et rire*, se prononcent *aimé-rajoué, folâtré-rérire*), et, dans la déclamation emphatique, comme s'il y avait un accent ouvert (*aller au combat, allè-rau-combat*). La prononciation de l'*r* est également nulle à la fin de la plupart des noms et adjectifs terminés en *er*, comme *berger, danger, passager, léger*, etc., qu'on prononce *bergé, légé*, etc., comme s'il y avait un accent aigu sur l'*e*. Dans ce cas encore, en liaison, on fait sentir l'*r* dans le débit oratoire, comme pour les infinitifs de la première conjugaison. Toutefois, l'*r* se prononce dans beaucoup de mots de cette classe, ex. : *Amer, cancer, enfer, hiver, magister*; dans les mots monosyllabes: *fer, mer, cher*, etc.; et dans certains noms propres, soit de personnes, soit de lieux: *Cher, Esther, Jupiter, Saint-Omer, Niger*, etc. Enfin, l'*r* finale est muette dans *monsieur, messieurs*, etc. — La lettre *r* se redouble quelquefois, mais le plus souvent on la prononce comme si elle était simple; ex. : *parrain, barricade, carrosse*. Toutefois les deux *r* rendent la voyelle précédente plus longue, et si cette voyelle est un *e*, on la prononce plus ouverte. Au contraire, on fait sentir ce doublement dans *errer* et ses dérivés. *abhorrer, concurrent, interrègne, narration, terreur, torrent*, et quelques autres; dans tous les mots qui commencent par *irr*, tels que *irrégulier, irritation*, etc.; dans les futurs et les conditionnels des verbes *acquérir, mourir, courir* et ses dérivés. *Je pourrai* se prononce *je pourai*. — Quant à la lettre *h*, que l'on trouve dans certains mots après *r*, c'est une simple lettre étymologique indiquant que ces mots viennent du grec, de l'hébreu ou de l'arabe.

* **ra**, n. m. (Onomat.). Roulement bref produit par le battement des baguettes sur un tambour. = Pl. *Des ra*.

rab, rabb...

> ORTH. — *Initiales.* — L'initiale *rab* s'écrit avec un seul *b* : rabais, rabat, rabatteur, rabattre, rabiole, rabiot, rabique, rabot, etc., sauf dans rabbin et ses dérivés. — Le même son se rend également par *rhab* dans rhabiller.

rabâchage ou * **rabâchement**, n. m. Action de rabâcher. ∥ Défaut de celui qui rabâche. ∥ Répétitions, redites continuelles et fastidieuses.

rabâcher, v. tr. (orig. incert.). Redire sans cesse et sans utilité les mêmes choses.

rabâcherie, n. f. Redite fastidieuse des mêmes choses. ∥ Discours de celui qui rabâche.

rabâcheur, euse, n. Celui, celle qui rabâche.

rabais [bè], n. m. (du v. *rabaisser*). Diminution du prix, de la valeur primitive d'une chose. *Vendre, mettre des marchandises au rabais*. ∥ Différence en moins dans la valeur présumée d'une chose. ∥ Mode d'adjudication publique suivant lequel les travaux, les fournitures sont adjugés à celui des concurrents qui s'en est chargé au moindre prix. ∥ Fam. *Au rabais*, au moindre prix, mal payé. *C'est du travail au rabais*.

rabaissement, n. m. Action de rabaisser. ∥ Diminution, dépréciation.

rabaisser, v. tr. (préf. *re*, et *abaisser*). Mettre plus bas, placer une chose au-dessous du lieu où elle était. *Il faudrait rabaisser cette corniche.* — Fig. et fam. *Rabaisser, rabattre le caquet de quelqu'un, à quelqu'un*, forcer quelqu'un qui parle avec orgueil ou avec insolence, à se taire, ou à parler avec plus de modération. — Fig. *Rabaisser l'orgueil de quelqu'un*, réprimer son orgueil, sa vanité; l'humilier. ∥ Diminuer. *Rabaisser le taux de l'escompte.* ∥ Déprécier, estimer au-dessous de sa valeur; dénigrer. *Rabaisser une marchandise.* = SE RABAISSER, v. pr. S'abaisser, s'humilier, s'avilir.
SYN. — V. ABAISSER.
CTR. — *Exalter, glorifier.* — *Exhausser.*
PAR. — *Rebaisser*, baisser de nouveau. *Rebaisser un store.*

* **rabaisseur**, n. m. Celui qui rabaisse.

* **raban**, n. m. (néerl. *raaband*, m. s.). [Mar.] Filin employé pour saisir ou amarrer des objets.

* **rabane**, n. f. [Techn.] Tissu de fibres végétales, partic. de raphia.

rabat [ba], n. m. (du v. *rabattre*). Action de rabattre. *Le rabat des prix.* ‖ Action de rabattre le gibier. ‖ Autref. Sorte de col qui se rabattait sur la poitrine. ‖ Morceau d'étoffe, cravate de dentelle que portent sur la poitrine les ecclésiastiques, les magistrats, etc.
rabat-joie, n. m. Sujet de chagrin qui trouble la joie. ‖ Personne triste, grondeuse, ennemie de la joie. = Pl. *Des rabat-joie.*
rabattage, n. m. Action de rabattre. [Techn.] Action de débarrasser la laine de ses nœuds ou bourrons. ‖ Action de rabattre le gibier.
rabattement [*man*], n. m. [Géom.] Action de rabattre une figure sur elle-même, un plan sur un autre plan.
rabatteur, n. m. [Vén.] Celui qui rabat le gibier. = RABATTEUR, EUSE, n. Personne qui procure des clients.
* **rabattoir**, n. m. Instrument pour rabattre les bords d'une pièce quelconque.
rabattre, v. tr. (préf. *re*, et *abattre*). Rabaisser, faire descendre. *Le vent rabat la fumée.* — *Rabattre la fumée*, ou, absol., *rabattre*, se dit d'une cheminée qui tire mal, laissant de la fumée se dégager dans l'appartement. ‖ Fig. Abaisser, réprimer. *Rabattre l'orgueil, le ton, la fierté de quelqu'un.* ‖ Fam. *Il lui a bien rabattu son caquet*, il l'a bien contraint à se taire. ‖ Rabaisser, diminuer, retrancher du prix qu'on demande d'une chose. *Il faut rabattre beaucoup du prix que vous demandez.* — *Rabattre une branche*, la tailler pour qu'elle produise un rameau plus vigoureux. [Géom.] *Rabattre un plan sur un autre*, le faire tourner autour de l'intersection des deux plans jusqu'à ce qu'il s'applique sur le second. On dit de même, *rabattre une droite, un point*, etc. [Techn.] Faire disparaître de la surface d'un objet les inégalités, les saillies qu'il présente; aplanir, aplatir. *Il faut rabattre ces arêtes. Rabattre les plis, les coutures d'un habit.* [Vén.] *Rabattre le gibier*, battre la campagne pour amener le gibier vers l'endroit où sont les chasseurs. = V. intr. Quitter un chemin pour passer dans un autre. = SE RABATTRE, v. pr. Descendre, retomber. *La fumée se rabat.* ‖ Au sens moral. Changer tout d'un coup de propos après avoir parlé de quelque matière. *Se rabattre sur la politique.* ‖ Se borner, se restreindre. = Conjug. (comme *battre*). V. VERBES.
PAR. — *Rebattre*, battre de nouveau, battre continuellement. *Rebattre les oreilles des mêmes histoires.*

rabbin ou **rabbi**, n. m. (hébr. *rabbi*, mon maître). Docteur de la loi juive. ‖ Ministre du culte chez les Juifs. V. tabl. RELIGIONS *(Idées suggérées par le mot).*
* **rabbinage**, n. m. Étude des livres rabbiniques (Péjor.).
* **rabbinat** [*na*], n. m. Dignité, fonction de rabbin.
rabbinique, adj. Propre aux rabbins. ‖ Composé par les rabbins.
rabbinisme, n. m. Doctrine des rabbins.
rabbiniste, n. m. Celui qui suit la doctrine ou qui étudie la littérature des rabbins.
* **rabdologie** ou * **rhabdologie**, n. f. (gr. *rhabdos*, baguette; *logos*, calcul). Méthode de calcul à l'aide de petites baguettes sur lesquelles sont écrits les nombres simples.
* **rabdomancie** ou * **rhabdomancie**, n. f. (gr. *rhabdos*, baguette; *mantéia*, divination). Divination à l'aide d'une baguette. ‖ Pouvoir de déceler l'existence des sources, des gisements de métaux à l'aide d'une baguette de coudrier.
* **rabdomancien** ou * **rhabdomancien, ienne**, adj. et n. Qui pratique la rhabdomancie, ou qui s'y rapporte.
* **rabelaiserie**, n. f. Grosse plaisanterie, gauloiserie dans le style de Rabelais.
rabelaisien, ienne, adj. Propre à Rabelais. ‖ Qui rappelle le genre de Rabelais par sa grosse gaieté, sa verve grasse. = N. m. Critique qui étudie Rabelais.
rabibocher, v. tr. Pop. Raccommoder. ‖ Réconcilier.
* **rabiole** ou * **rabioule**, n. f. (lat. *rapa*, rave). [Bot.] Le chou-rave ou la rave.
rabiot ou * **rabiau**, n. m. [Arg. milit.] Ce qui reste de vin, de vivres après que la distribution a été faite. ‖ Temps pendant lequel un militaire, qui a fait de la prison, est retenu au régiment après la libération de sa classe. ‖ Profit supplémentaire ou prélèvement frauduleux.
* **rabioter** ou * **rabiauter**, v. tr. et intr. Pop. Faire des profits supplémentaires ou s'approprier le rabiot.
rabique, adj. (lat. *rabies*, rage). Qui est produit par la rage, ou qui s'y rapporte.
1. râble, n. m. (lat. *rutabulum*, pelle à feu). Instrument de fer coudé à long manche ou sorte de râteau, pour remuer dans le four, la braise, les matières qu'on calcine, etc. ‖ Râteau de bois.
2. râble, n. m. (orig. inc.). La partie du lièvre, du lapin, qui va du bas des épaules à la queue.
râblé, ée, adj. Qui a le râble épais. ‖ Fam. Solide, trapu, bien musclé.
* **râbler**, v. tr. Remuer avec un rable.
rabonnir, v. tr. (de *bon*). Rendre meilleur. = V. intr. Devenir meilleur (Vx).
rabot [*bo*], n. m. (orig. inc.). [Techn.] Outil dont se servent les menuisiers pour redresser et aplanir la surface du bois. V. pl. OUTILS USUELS et BÂTIMENT ‖ Morceau de bois très dur pour le polissage des glaces. ‖ Sorte de râteau servant à gâcher le mortier.
* **rabotage** ou * **rabotement**, n. m. Action de raboter. ‖ Résultat de cette action.
raboter, v. tr. Aplanir avec le rabot. ‖ Fig. Polir, corriger un ouvrage.
ORTH. — *Raboter* ne prend qu'un *t*. Éviter la faute fréquente : *je rabotte, nous rabottons*, etc.
raboteur, n. m. Ouvrier qui rabote.
* **raboteuse**, n. f. [Techn.] Machine-outil servant à raboter.
raboteux, euse, adj. (de *rabot*). En parlant du bois, noueux, inégal, couvert d'aspérités. *Ce bois est raboteux.* ‖ En parlant d'une superficie quelconque, inégal. *Un chemin raboteux.* ‖ En parlant du style, grossier, rude, mal poli. *Vers raboteux.*
SYN. — V. RUDE.
CTR. — *Uni, lisse, égal.*
rabougri, ie, adj. Petit, chétif, malingre, mal venu. ‖ Qui croît difficilement.
CTR. — *Vigoureux, sain.*
rabougrir, v. tr. (Vx franç. *bougre*, chétif). Arrêter ou ralentir la croissance. =

RABOUGRISSEMENT — RACE

v. intr. Ne pas profiter, avoir le tronc court, noueux et raboteux. = SE RABOUGRIR, v. Devenir rabougri. ‖ Se recroqueviller.
* **rabougrissement,** n. m. État d'une personne, d'une chose rabougrie.
* **rabouillage,** n. m. Action de rabouiller.
rabouiller [*ill* mll.], v. tr. (de *bouiller*, agiter l'eau). Troubler l'eau en remuant la vase avec une perche, pour pêcher plus facilement.
rabouillère [*ill* mll.], n. f. (fr. dialect. *rabot*, lapin). Terrier peu profond que les lapins creusent pour se réfugier ou déposer leurs petits.
rabouilleur, euse [*ill* mll.], n. Celui, celle qui rabouille.
rabouter ou **raboutir**, v. tr. (de *bout*). Mettre ou assembler bout à bout. *Rabouter deux morceaux de drap.*
* **raboutissage,** n. m. Action de rabouter.
rabrouer, v. tr. (anc. fr. *brouer*, écumer, être furieux). Repousser durement, reprendre, traiter avec rudesse.
* **rabroueur, euse,** n. Celui, celle qui rabroue.

rac, racc...

> ORTH. — *Initiales.* — L'initiale *rac* s'écrit avec un seul *c* dans racahout, racaille, race, racine, racoler, raconter, racornir, etc.; avec deux *c* dans raccommoder, raccord, raccourcir, raccroc, etc. — Le même son se rend également par *raq* dans raquette.

racahout [*hou*], n. m. (mot arabe). Mélange très nourrissant composé de fécules de pomme de terre et de riz, de glands doux, de sucre, de cacao, etc.
racaille [*ill* mll.], n. f. Lie et rebut du peuple. ‖ Chose bonne à mettre au rebut (Fam.).
* **raccastillage** [*ll* mll.], n. m. [Mar.] Action de raccastiller.
* **raccastiller** [*ll* mll.], v. tr. [Mar.] Radouber les œuvres mortes d'un navire, ou faire la refonte de ses hauts.
* **raccommodable,** adj. Que l'on peut raccommoder.
raccommodage, n. m. Action de raccommoder, de remettre en état. ‖ Résultat de cette action.
raccommodement, n. m. Réconciliation après une brouille.
raccommoder [*rako-modé*], v. tr. (préf. *re*, et *accommoder*). Réparer, remettre en bon état. *Raccommoder un meuble, un habit.* ‖ Fam. Remettre d'accord des personnes qui s'étaient brouillées. = SE RACCOMMODER, v. pr. Être réparé, se remettre en bon état. *Cette paire de bottes ne peut se raccommoder.* ‖ Fam. Se remettre d'accord. *Se raccommoder avec quelqu'un.*
SYN. — V. ACCORDER.
CTR. — *Casser, rompre, briser, détruire.* — *Brouiller.*
raccommodeur, euse, n. Celui, celle qui raccommode.
* **raccompagner,** v. tr. Néol. fâcheux pour : accompagner (à éviter).
raccord [*rak-or*], n. m. (préf. *re*, et *accord*). Liaison qu'on établit entre deux parties contiguës d'un ouvrage qui offrent ensemble quelque inégalité de niveau, de surface, etc. *Faire un raccord de peinture.* ‖ Fig. *Faire un raccord dans un roman.*

[Techn.] Pièce métallique munie à ses deux bouts d'un manchon et servant à raccorder deux tuyaux.
PAR. — *Record,* exploit sportif. *Battre tous les records.*
raccordement, n. m. Action de raccorder. ‖ Jonction de deux tuyaux, de deux pièces de terre, etc.
raccorder, v. tr. Faire un raccord, des raccords. ‖ Faire raccord entre deux choses.
* **raccoupler,** v. tr. Accoupler de nouveau.
1. **raccourci, ie** [*ra-kour-si*], adj. (pp. du v. *raccourcir*). Rendu plus court. *Un manteau raccourci.* — *A bras raccourcis.* V. BRAS. ‖ Abrégé, résumé.
2. **raccourci** [*rakour-si*], n. m. (de *raccourci* 1). Travers qui raccourcit le chemin. *Prendre un raccourci.* ‖ Abrégé. [Peint.] Aspect que présente une figure ou une partie de figure qu'on ne voit pas dans tout son développement. *Tout objet que l'on regarde de bas en haut est vu en raccourci.* = EN RACCOURCI, loc. adv. En petit, en abrégé. *Voici, en raccourci, ce qui s'est passé.*
SYN. — V. CHEMIN.
raccourcir [*ra-kour-sir*], v. tr. (préf. *re*, et *accourcir*). Rendre plus court. *Raccourcir une jupe.* ‖ Pop. *Raccourcir quelqu'un,* le décapiter. = V. intr. Devenir plus court. *Les jours commencent à raccourcir.* = SE RACCOURCIR, v. pr. Devenir plus court. *Cette robe s'est raccourcie au lavage.*
SYN. — V. ABRÉGER.
CTR. — *Allonger, rallonger.*
raccourcissement, n. m. Action de raccourcir. ‖ Résultat de cette action.
* **raccoutrement,** n. m. Action de raccoutrer.
raccoutrer, v. tr. Raccommoder (Vx).
raccoutreuse, n. f. Femme qui raccoutre.
raccoutumer (se), v. pr. Reprendre une habitude. = V. tr. Redonner une habitude.
raccroc [*kro*], n. m. Coup de chance, succès où il y a plus de bonheur que d'adresse. ‖ *Par raccroc,* d'une manière heureuse et inattendue.
raccrocher, v. tr. Accrocher de nouveau. ‖ Pop. En parlant des prostituées, accoster les hommes sur la voie publique. ‖ Fig. et fam. Rattraper, reprendre, recouvrer une chose perdue. = SE RACCROCHER, v. pr. Saisir une chose pour échapper à un danger, pour se tirer d'embarras. ‖ Fig. et fam. S'attacher à une chose pour regagner d'un côté ce qu'on avait perdu de l'autre.
* **raccrocheur,** n. m. Celui qui fait des raccrocs.
raccrocheuse, n. f. Prostituée.
race, n. f. (ital. *razza,* d'orig. inc.). Lignée, tous ceux qui sont issus d'une même famille, d'un même peuple. *La race d'Abraham.* ‖ Fig. et péjor. Groupe d'hommes de même profession, ou ayant des inclinations, des habitudes communes. *La race odieuse des pédants, des usuriers.* [Hist. Nat.] Variété constante d'une même espèce, qui se conserve par la génération. *La race noire. Les races chevalines.* — Absol. *Un cheval de race,* de bonne race. ‖ Fig. et prov. *Bon chien chasse de race,* les

enfants tiennent leurs qualités, leurs défauts de leurs parents.

SYN. — *Race,* l'ensemble des êtres qui remontent à une même origine : *La race de Japhet.* — *Descendance,* tous ceux qui remontent à un même ancêtre : *Les Juifs sont la descendance d'Abraham.* — *Postérité,* les générations sorties d'un même ancêtre : *Toute la postérité d'Adam.* — *Progéniture,* l'ensemble des enfants : *Léguer un bel exemple à toute sa progéniture.* — *Sang,* l'ensemble de ceux qui sont de même race, de même famille : *Les princes du sang.* V. aussi LIGNÉE et NATION.

ÉPITHÈTES COURANTES : humaine, animale ; blanche, jaune, noire, rouge, nègre, européenne, asiatique, américaine, africaine, océanique, malaise, aryenne, sémitique, indo-européenne, arabe, française, anglaise, espagnole, allemande, etc. ; pure, impure, mêlée ; policée, civilisée, cultivée ; barbare, sauvage, inculte, féroce, brutale, cruelle ; pacifique, guerrière ; généreuse, noble, fière, énergique, vigoureuse, résistante ; jeune, vieille, faible, dégénérée, bâtarde ; sympathique, antipathique ; bonne, illustre, royale, princière ; odieuse, mauvaise, méchante, maudite ; prolifique, stérile, etc.

racé, ée, adj. Qui a les caractéristiques d'une bonne race. ‖ Fig. Se dit des personnes d'une distinction aristocratique.

* **racème,** n. m. (lat. *racemus,* m. s.). [Bot.] Grappe.

racémique, adj. et n. [Chim.] Se dit d'une variété d'acide tartrique, inactive sur la lumière polarisée.

* **racer** [*rè-seur*], n. m. [Turf] Cheval dressé pour les courses plates. ‖ Yacht de course. V. pl. NAVIGATION. ‖ Canot automobile rapide.

* **rachalander,** v. tr. Faire revenir les chalands en renouvelant la marchandise. *Rachalander un magasin.*

rachat [*cha*], n. m. Action par laquelle on rachète ce qu'on avait vendu. ‖ *Rachat d'une rente, d'une pension,* payement d'un capital pour éteindre une rente, une pension. ‖ Délivrance, rédemption. ‖ Au sens moral. Relèvement.

* **rache,** n. f. [Méd.] Nom de diverses maladies éruptives de la tête, partic. de la teigne.

* **rachée,** n. f. Souche sur laquelle des branches repoussent.

rachetable, adj. Qui peut être racheté.

racheter, v. tr. (préf. *re,* et *acheter*). Acheter ce qu'on a vendu. — Acheter des choses de même espèce pour remplacer celles qu'on n'a plus. *Il avait vendu ses tableaux, il en a racheté d'autres.* ‖ Se libérer d'une obligation par le versement d'une somme. ‖ Délivrer à prix d'argent un captif, un prisonnier. ‖ Compenser, balancer, faire pardonner, faire oublier. *Sa bonté rachète ses ridicules.* ‖ Corriger, rendre moins sensible une irrégularité, un défaut de construction. *On a racheté la forme irrégulière de cette pièce par des pans coupés.* = SE RACHETER, v. pr. Se délivrer à prix d'argent. ‖ Se relever moralement. ‖ Être compensé. *Ces défauts se rachètent en lui par de précieuses qualités.* ‖ Se disait du conscrit qui, en versant une somme d'argent, était dispensé du service militaire. = Conjug. V. GRAMMAIRE.

ORTH. — Ce verbe ne double jamais le *t.*

* **rachever,** v. tr. Donner la dernière façon à un ouvrage. = Conjug. V. GRAMMAIRE.

rachidien, ienne [*chi*], adj. (de *rachis*). [Anat.] Qui appartient à la colonne vertébrale. *Canal rachidien,* canal formé par les vertèbres et qui contient la moelle épinière. — *Nerfs rachidiens,* ceux qui naissent de la moelle épinière. *Bulbe rachidien,* partie de l'axe cérébro-spinal, entre la moelle épinière et le cerveau.

rachis [*chiss*], n. m. (gr. *rakhis,* épine dorsale). [Anat.] Colonne vertébrale. [Bot. et Zool.] Axe central de l'épi des graminées, des folioles, d'une plume etc. V. pl. OISEAUX.

rachitique, adj. et n. Affecté de rachitisme. ‖ Qui a rapport au rachitisme. [Bot.] Rabougri.

SYN. — V. VALÉTUDINAIRE.

rachitisme, n. m. (gr. *rakhis,* épine dorsale). [Méd.] Maladie propre à l'enfance, qui se manifeste par des déformations variables du squelette, accompagnées de troubles gastro-intestinaux.

* **racial, ale, aux,** adj. Qui est relatif à la race. *Préjugés raciaux.*

* **racinage,** n. m. Ensemble des racines servant à l'alimentation. ‖ Décoction d'écorce de noyer, de coques de noix, pour la teinture. ‖ Dessins imitant les sinuosités des racines, sur les couvertures des livres.

* **racinal,** n. m. [Archi.] Grosse pièce de bois qui sert de soutien à d'autres dans une charpente.

racine [*si*], n. f. (bas lat. *radicina,* dim. du lat. *radix, radicis,* m. s.). Partie des végétaux par laquelle ils sont fixés au sol et y puisent les matières nécessaires à leur nutrition. *Cet arbre jette de profondes racines.* V. pl. BOTANIQUE. Partie des dents, des ongles, des cheveux, des poils, par où ils sont implantés. — Par ext. *Les racines d'une verrue.* — Fig. *Prendre racine,* s'implanter quelque part, y demeurer. — *Racine charnue,* telle que navet, carotte, etc., qu'on utilise comme légumes. [Droit] *Fruits pendants par racines,* fruits qui, n'étant pas encore récoltés, sont considérés comme dépendant du fonds. [Gram.] Forme primitive monosyllabique d'où dérivent les mots d'une même famille par l'addition de suffixes, préfixes, flexions, etc. [Techn.] Bois pris dans les racines d'un arbre. *Pipe en racine de bruyère.* ‖ Fig. *Il faut couper le mal dans sa racine.* [Math.] *Racine d'un nombre,* nombre qui, multiplié par lui-même une ou plusieurs fois, reproduit ce nombre. *Racine carrée. Racine cubique.* Se dit aussi des expressions algébriques.

GRAM. — Il faut distinguer *racine* et *radical,* le radical étant le mot dépourvu de ses désinences de genre, de nombre, de temps, de mode, etc. Ainsi, dans finir, *fin* est à la fois racine et radical, mais dans *définissons, fin* est racine, tandis que *définis* est le radical.

VOCAB. — *Famille de mots.* — *Racine* [rad. *rac, rai*] : raciner, racineux ; radicelle, radicellaire, radication, radicule, radiculaire, radicivore, radicant, radical, radicalisme, radicalement ; radis, raifort ; déraciner, déraciné, déracinement, déracineur, enraciner, enracinement, enracination, indéracinable, déracinable.

raciner, v. tr. [Agri.] Commencer à pousser des racines. = V. tr. Faire un racinage sur la couverture d'un livre. ‖ Teindre en couleur fauve.

racineux, euse, adj. Qui a l'aspect d'une racine.

racing-club [*ré-singh-kleub*], n. m. (mot angl. sign. *club de course à pied*). Association ayant pour but l'organisation des courses à pied, et de tous les sports en général.

racinien, ienne, adj. Qui ressemble au style pur et harmonieux de Racine; qui est dans le style de Racine.

racisme, n. m. Doctrine du parti national-socialiste allemand, qui voulait exclure du Reich tous ceux qui ne sont pas de pure race dite aryenne, pour épurer celle-ci.

raciste, adj. et n. Qui se rapporte au racisme. ‖ Partisan du racisme.

rack, n. m. V. ARACK.

raclage, n. m. Action de racler.

racle, n. f. Ustensile, instrument pour racler.

raclée, n. f. Pop. Volée de coups.

HOM. — *Racler*, v. tr., enlever les aspérités.

raclement, n. m. Action de racler.

racler, v. tr. (provenç. *rascla*, m. s.). Ratisser, enlever les aspérités, les impuretés que présente la surface d'un corps. ‖ En parlant d'un breuvage, produire une sensation d'âpreté. *Ce vin racle le gosier.* ‖ *Racler du violon,* mal jouer du violon. — *Racler un air,* m. s.

HOM. — *Raclée*, n. f., volée de coups.

raclette, n. f. Petit outil servant à racler.

racleur, euse, n. Celui, celle qui racle. ‖ Mauvais joueur de violon.

racloir, n. m. Instrument servant à racler. V. pl. BÂTIMENT et OUTILS USUELS.

racloire, n. f. Planchette pour racler une mesure de grains et faire tomber l'excédent de son contenu.

raclure, n. f. Menus déchets qu'on enlève en raclant.

racolage, n. m. Action de racoler. ‖ Métier de racoleur.

racoler, v. tr. (de *accoler*). Enrôler des gens, soit de gré, soit par ruse, pour le service militaire ou pour une entreprise quelconque. ‖ Fig. Ramasser, recruter n'importe comment. *Racoler des partisans.*

ORTH. — *Racoler* ne doit qu'un *c*, alors qu'*accoler* en prend deux. Éviter la faute fréquente : *raccoler, raccoleur*.

racoleur, n. m. Celui qui racole.

LING. — L'Acad. ne donne pas le fém. *racoleuse.*

racontar ou **racontage**, n. m. Bavardage, commérage, cancans. — Faux bruit.

raconter, v. tr. (de *conter*). Faire le récit de ; narrer. ‖ *En raconter,* faire des récits longs ou exagérés.

SYN. — V. CONTER et DÉPEINDRE.

PAR. — *Reconter,* conter de nouveau.

raconteur, euse, n. Celui, celle qui a la manie de raconter.

racornir, v. tr. (de *corne*). Donner à quelque chose la consistance de la corne. ‖ Rendre dur, coriace; dessécher. = SE RACORNIR, v. pr. Devenir dur et coriace. *Le cuir se racornit au feu.*

racornissement, n. m. Action de racornir. ‖ État de ce qui est racorni.

racquit, n. m. Action de se racquitter.

racquitter, v. tr. Faire regagner ce qui avait été perdu. = SE RACQUITTER, v. pr. Regagner ce qu'on a perdu au jeu.

LING. — L'Acad. ne donne que le v. pr.

rade, n. f. (anc. angl. *rad*, m. s.). Étendue de mer enfermée en partie dans les terres ou par des digues, et où les vaisseaux au mouillage sont abrités des vents et des lames. V. pl. GÉOGRAPHIE et PORT. ‖ Pop. *Laisser en rade,* abandonner.

radeau, n. m. (provenç. *radel*, m. s.). Assemblage de pièces de bois liées ensemble de façon à former une sorte de plate-forme flottante ou de bateau plat. ‖ Train de bois descendant par flottage sur une rivière.

SYN. — V. BATEAU.

1. **rader**, v. tr. Passer la radoire sur une mesure pleine pour faire tomber ce qui dépasse les bords.

2. **rader**, v. tr. [Mar.] *Rader un navire,* le mettre en rade.

radiable, adj. Qui peut être radié.

radiaire, adj. (lat. *radius*, rayon).[Zool.] Qui est disposé en rayons. = N. m. pl. Terme qui désignait autref. tous les animaux à symétrie rayonnée.

HOM. — *Radièrent,* du v. radier.

PAR. — *Radial,* qui concerne l'os radius.

radial, ale, adj. [Anat.] Qui a rapport à l'os radius. [Techn.] Qui rayonne, qui se déplace en tous sens.

PAR. — *Radiaire,* disposé en rayons.

radian, n. m. [Math.] Arc dont la longueur est égale au rayon.

radiance, n. f. Épanouissement, rayonnement. [Phys.] Flux lumineux émis par unité de surface.

radiant, ante, adj. Qui émet un rayonnement; qui s'étend en rayonnant.

radiateur, n. m. Appareil à grande surface rayonnante, qui restitue par l'irradiant une partie de la chaleur qu'il reçoit. *Radiateur à eau chaude.* V. pl. MAISON. ‖ Appareil pour refroidir, par rayonnement, un moteur à explosion. V. pl. MOTEUR.

1. **radiation** [*sion*], n. f. Action de rayer un nom d'une liste, de biffer quelque partie d'un écrit.

2. **radiation** [*sion*], n. f. (lat. *radiatio*, rayonnement). Mouvement oscillatoire qui, se propageant dans un milieu, est la cause directe de phénomènes lumineux, magnétiques, calorifiques, électriques, etc.

radical, ale [*kal*], adj. (lat. *radicalis*, m. s., de *radix, icis,* racine). [Bot.] Qui appartient à la racine, ou qui naît de la racine. ‖ Fig. Qui est regardé comme le principe, l'origine d'une chose, ou qui a rapport à ce principe, etc. — *Vice radical,* vice duquel dérivent nécessairement d'autres vices. [Méd.] *Cure radicale,* intervention chirurgicale, qui détruit le mal dans son principe. ‖ D'une efficacité certaine, totale. *Un moyen radical.*

N. m. [Gram.] *Radical d'un mot,* dans les langues à flexion, forme nue, dépouillée de ses flexions. Ainsi dans le v. lat. *amare,* le radical est *ama.* V. RACINE. [Chim.] Groupement d'atomes, susceptible de se séparer d'une molécule en un bloc pour passer dans une autre de structure différente. [Math.] Signe $\sqrt{}$ qui sert à désigner l'opération de l'extraction de la racine.

[Polit.] Se dit de ceux qui réclament les réformes les plus complètes et qui veulent extirper tout abus jusqu'à la racine. = Adj. Le parti radical.
Ctr. — Modéré.
Ant. — Terminaison. — Réactionnaire.
radicalement, adv. D'une façon radicale; dans le principe, dans la source.
radicalisme, n. m. Système politique des radicaux.
radicant, ante, adj. [Bot.] Se dit des plantes qui émettent des racines accessoires sur tout ou partie de leur longueur (lierre, fraisier).
* **radication** [*sion*], n. f. [Bot.] Ensemble ou disposition des racines d'une plante.
* **radicellaire,** adj. Relatif à la radicelle.
radicelle, n. f. [Bot.] Ramifications secondaires d'une racine principale.
Par. — *Radicule*, partie inférieure de l'axe de l'embryon d'une plante.
* **radicivore,** adj. Qui se nourrit de racines.
* **radiculaire,** adj. Qui a rapport à la racine ou à la radicule.
radicule, n. f. [Bot.] Partie inférieure de l'axe de l'embryon, qui deviendra la racine de la plante.
Par. — *Radicelle*, ramification secondaire de la racine d'une plante.
radié, ée, adj. (lat. *radius*, rayon). Qui est disposé en rayons partant d'un centre commun. [Bot.] Se dit de fleurs composées formées de fleurs tubuleuses au centre et ligulées à la circonférence. = N. f. pl. Tribu de plantes de la famille des *composées*, dont les fleurs sont radiées.
Hom. — *Radié*, adj., disposé en rayons; — *radiées*, n. f. pl., plantes de la famille des composées; — *radier*, v., rayer d'une liste; briller de joie, rayonner; — *radier*, n. m., revêtement contre le travail des eaux.
1. **radier,** v. tr. Rayer d'une liste, d'un compte. = Conjug. V. Grammaire.
2. * **radier,** v. intr. Briller de joie; rayonner. = Conjug. V. Grammaire.
3. **radier,** n. m. [Techn.] Revêtement qui garantit une construction contre le travail des eaux. — Soubassement sous-marin en charpente ou en maçonnerie des barrages, écluses, piles de pont, etc.
Hom. — V. radié.
* **radiesthésie,** n. f. (lat. *radius* rayon, gr. *aisthésis*, sensation). Propriété qu'ont certaines personnes de percevoir certaines ondes électromagnétiques. *La radiesthésie permet la découverte des sources souterraines.*
radieux, euse, adj. (lat. *radiosus*, m. s., de *radius*, rayon). Qui émet des rayons de lumière. *Corps radieux.* ǁ Fig. et fam. *Avoir l'air radieux, être radieux*, avoir un air de satisfaction, de joie intense.
Syn. — *Radieux*, qui brille de tout son éclat, où la lumière abonde : *Il faisait un temps radieux.* — *Brillant*, qui jette un vif éclat : *Un diamant brillant de mille feux.* — *Éblouissant*, qui frappe les yeux d'un éclat trop vif : *Une lumière éblouissante.* — *Éclatant*, qui répand une lumière brillante : *Il fait un soleil éclatant.* — *Rayonnant*, qui jette de tous côtés des rayons de lumière : *Une clarté rayonnante.* — *Reluisant*, qui brille en réfléchissant de la lumière : *Des cuivres reluisants.* — *Rutilant*, qui projette une vive lumière rouge : *Des pierres précieuses rutilantes.* — La plupart des mêmes mots s'emploient au figuré : *Un visage radieux.* — *Un style brillant.* — *Une fantaisie éblouissante.* — *Un mérite éclatant.* — *Une joie rayonnante.* — *Ce travail n'est pas reluisant.* V. aussi aise.
Ctr. — *Sombre, triste, terne.*
* **radifère,** adj. Qui contient du radium.
* **radin,** adj. et n. m. Avare (Pop.).
Syn. — V. avare.
radio, préf. tiré du lat. et sign. rayon. = N. f. Abrév. de T. S. F., de radiographie, de radioscopie. V. pl. T. S. F. = N. m. Abrév. de radiotélégramme.
radioactif ou * **radio-actif, ive,** adj. Doué de radioactivité.
radioactivité ou * **radio-activité,** n. f. [Phys.] Propriété de certains éléments lourds (radium, uranium, etc.), et de leurs composés, qui émettent spontanément des radiations diverses, comparables aux rayons X ou aux rayons cathodiques.
* **radioconducteur,** n. m. [Phys.] Corps devenant conducteur de l'électricité sous l'influence des ondes hertziennes.
* **radiodiagnostic** [*diag-nos-tic*], n. m. [Méd.] Méthode de diagnostic par les rayons X.
* **radiodiffuser,** v. tr. Faire connaître par T. S. F.
* **radiodiffusion,** n. f. Communication d'une nouvelle, d'un discours, d'une conférence, d'un concert, etc., par T. S. F.
* **radioélectricité,** n. f. [Phys.] Émission ou réception des ondes hertziennes au moyen de dispositifs électriques.
* **radioélectrique,** adj. Relatif à la radio-électricité.
* **radioélément,** n. m. [Chim.] Corps simple, à propriétés radioactives.
* **radiogoniomètre,** n. m. [Phys.] Appareil récepteur d'ondes hertziennes qui permet de repérer la direction des postes émetteurs.
* **radiogoniométrie,** n. f. [Phys.] Procédé permettant de déterminer, en faisant varier l'orientation du cadre de réception, la direction d'un poste émetteur d'ondes.
radiogramme, n. m. [Phys.] Photographie obtenue au moyen des rayons X. ǁ Radiotélégramme.
* **radiographe,** n. m. Médecin, physicien qui s'occupe de radiographie.
radiographie, n. f. [Phys. et Méd.] Ensemble des procédés permettant d'obtenir des épreuves photographiques par l'emploi des rayons X. ǁ Épreuve ainsi obtenue.
Par. — *Radioscopie*, observation directe à l'aide des rayons X et d'un écran fluorescent.
radiographier, v. tr. Photographier au moyen des rayons X. = Conjug. V. Grammaire.
radiographique, adj. Qui se rapporte à la radiographie.
* **radiolaires,** n. m. pl. [Zool.] Classe de protozoaires qui possèdent, au sein de leur protoplasme, une membrane chitineuse sphérique et percée de trous.
* **radiologie,** n. f. [Phys.] Étude des rayons X et de leurs diverses applications. [Méd.] Application de ces rayons au radiodiagnostic et à la thérapeutique.
* **radiologique,** adj. Qui se rapporte à la radiologie.
* **radiologue** ou * **radiologiste,** n. m. et adj. Celui qui s'occupe de radiologie.

* **radiomètre**, n. m. [Phys.] Instrument servant à comparer l'énergie des diverses radiations.
* **radiométrie**, n. f. [Phys.] Comparaison de l'énergie des radiations au moyen du radiomètre.
* **radiophonie**, n. f. [Phys.] Utilisation, pour la transmission des sons, des ondes électromagnétiques. ‖ Syn. de *radiotéléphonie* et de T. S. F.
* **radiophonique**, adj. Qui se rapporte à la radiophonie.

radioscopie, n. f. [Phys. et Méd.] Observation sur un écran fluorescent d'un objet ordinairement invisible en faisant tomber sur lui un faisceau de rayons X.
PAR. — *Radiographie*, épreuve photographique obtenue au moyen des rayons X.
* **radioscopique**, adj. Relatif à la radioscopie. *Examen radioscopique*.
* **radiosignalisation** [*sion*], n. f. Signalisation par ondes hertziennes des routes aériennes ou maritimes.
* **radiotélégramme**, n. m. Télégramme transmis par T. S. F.

radiotélégraphie, n. f. Télégraphie sans fil. Abrév.: T. S. F.
* **radiotélégraphique**, adj. Qui se rapporte à la radiotélégraphie.
* **radiotélégraphiste**, n. m. Opérateur de télégraphie sans fil.

radiotéléphonie, n. f. V. RADIOPHONIE.
radiothérapie, n. f. [Méd.] Traitement des maladies par les rayons X et certaines autres radiations.
* **radiothérapique**, adj. Relatif à la radiothérapie.

radis [*di*], n. m. [Bot.] Genre de plantes, famille des *crucifères*, à racine alimentaire de saveur piquante. ‖ Pop. *N'avoir plus un radis*, n'avoir plus un sou.

radium, n. m. [Chim.] Corps simple, très rare, métal du groupe des corps radioactifs, susceptible, par sa radioactivité intense, de très importantes applications en physique et en médecine.
* **radiumthérapie**, n. f. [Méd.] Méthode de traitement fondée sur l'emploi du radium.

radius [*di-uss*], n. m. [Anat.] Os long, articulé avec le carpe et l'humérus, qui occupe le côté interne de l'avant-bras et tourne sur le cubitus. V. pl. HOMME (squelette).

radoire, n. f. [Techn.] Instrument en bois plat, pour racler (*rader*) le sel.

radotage, n. m. Discours sans suite, dénué de bon sens. ‖ État de celui qui radote. ‖ Répétition fatigante, inutile.
* **radotement**, n. m. Action de radoter.
radoter, v. intr. Tenir des propos qui prouvent un affaiblissement de l'esprit. = V. tr. Répéter sans cesse les mêmes choses.
* **radoterie**, n. f. Habitude de radoter. ‖ Discours, paroles de celui qui radote.
radoteur, euse, n. Celui, celle qui radote.

radoub [*dou* ou *doub*], n. m. [Mar.] Réparation à la coque ou à la mâture d'un navire. ‖ *Bassin de radoub*, bassin dans lequel est mis le navire à radouber. — On dit aussi *cale sèche*. V. pl. PORT.
HOM. — *Radoube, es, ent*, du v. radouber.
radouber, v. tr. (préf. *re*, et *douber*). [Mar.] Faire des réparations au corps d'un navire.
* **radoubeur**, n. m. Celui qui radoube.

radoucir, vr. tr. Rendre plus doux. ‖ Fig. Apaiser, rendre moins rude. = SE RADOUCIR, v. pr. Devenir plus doux.
CTR. — *Aigrir, exaspérer, irriter, exacerber*.
radoucissement, n. m. Action de radoucir. ‖ État de ce qui est radouci. ‖ Fig. Amélioration.

rafale, n. f. (orig. inc.). [Mar.] Coup de vent soudain, violent, mais de peu de durée. [A. mil.] Ensemble des coups d'une batterie d'artillerie, d'un groupe de mitrailleuses, ou de fusils, tirés avec rapidité, dans un temps assez court et par intervalles. — Fig. Accident brusque et inattendu. *Les rafales de l'existence*.
* **rafalé, ée**, adj. [Mar.] Qui a subi une rafale. ‖ Fig. Qui a subi de grands revers.

raffe, n. f. V. RAFLE 2.
raffermir, v. tr. Rendre plus ferme ce qui n'avait pas ou n'avait plus une solidité suffisante. ‖ Fig. Remettre dans un état meilleur, plus ferme. = SE RAFFERMIR, v. pr. Devenir plus ferme, plus stable.
SYN. — V. RASSURER.
CTR. — *Ramollir, ébranler*.
raffermissement, n. m. Action de raffermir. ‖ État d'une chose raffermie.

raffinage, n. m. Action de raffiner, de rendre plus pur.
raffiné, ée, adj. Purifié. ‖ Fin, subtil, délicat, recherché, et parfois trop recherché, trop délicat. = Nom. Personne de goût fin, délicat.
SYN. — V. AIMABLE et DÉLICAT.
CTR. — *Grossier*.
raffinement, n. m. Qualité, état de ce qui est raffiné. ‖ Extrême subtilité, extrême finesse. ‖ Excès de recherche. *Raffinement de luxe, de cruauté*.
raffiner, v. tr. (préf. *re*, et *affiner*). Rendre plus fin, plus pur. *Raffiner du sucre*. ‖ Fig. Rendre plus subtil, plus délicat. = V. intr. Subtiliser, mettre une recherche excessive. *Il raffine sur tout*. = SE RAFFINER, v. pr. Se purifier, être raffiné. *Le sucre se raffine avec le noir animal*. ‖ Devenir plus fin, moins fruste. *Ce garçon a besoin de se raffiner*.
raffinerie, n. f. Établissement où l'on raffine le sucre, le pétrole. ‖ Industrie du raffinage.
raffineur, euse, n. Celui, celle qui raffine le sucre, le pétrole, etc.
LING. — L'Acad. ne donne pas le fém. *raffineuse*.
* **rafflésiacées**, n. f. pl. [Bot.] Famille de plantes dicotylédones, sans tige et à fleur énorme, parasites d'autres plantes.
* **raffolement**, n. m. Action, fait de raffoler.
raffoler, v. intr. Se passionner follement pour quelqu'un, pour quelque chose.
* **raffûtage**, n. m. Action de raffûter.
* **raffûter**, v. tr. Redonner le fil à un outil. ‖ Remettre à neuf.

rafiot ou * **rafiau**, n. m. [Mar.] Canot à rames, gréé d'une seule voile. ‖ Par ext. Mauvais bateau, mauvaise embarcation.
rafistolage, n. m. Action de rafistoler.
rafistoler, v. tr. Fam. Remettre en état tant bien que mal.

1. **rafle**, n. f. (orig. inc.). [Chasse et Pêche] Espèce de filet à plusieurs ouvertures. [Jeu] Coup des dés amenant chacun le même point. *Amener, faire rafle*. — Fig. et prov. *Faire rafle*, enlever tout sans

rien laisser. ‖ Action de tout rafler, de tout emporter. — Arrestation en masse, faite à l'improviste par la police.
Hom. — *Rafle, es, ent,* du v. rafler.
2. rafle, * **raffe** ou * **râpe,** n. f. (orig. inc.). [Bot.] Pédoncule central (avec ses ramifications) d'une grappe de raisin ou de groseille, d'un épi de maïs, etc.
rafler, v. tr. Enlever avec promptitude; emporter tout rapidement.
rafraîchir, v. tr. (préf. *re*, et *frais*). Rendre frais, donner de la fraîcheur. *Rafraîchir le vin.* — *Rafraîchir le sang*, le rendre plus calme par les remèdes ou par le régime. — Absol. Calmer la soif et diminuer la température du corps. *Les boissons acidulées rafraîchissent.* ‖ Réparer, redonner de la fraîcheur, mettre en meilleur état. *Rafraîchir un mur, un manteau.* — *Rafraîchir les cheveux*, les couper légèrement. ‖ Fig. *Rafraîchir la mémoire à quelqu'un*, lui rappeler quelque chose qu'il feint d'avoir oublié.
V. intr. Devenir frais. *Le vent rafraîchit.* ‖ Boire un coup, manger quelque chose. *Faites rafraîchir vos gens, vos chevaux.* = SE RAFRAÎCHIR, v. pr. Devenir frais. *Le temps s'est rafraîchi ce soir.* ‖ Se rétablir par la bonne nourriture et le repos. ‖ Boire.
Ctr. — *Échauffer, réchauffer.*
rafraîchissant, ante, adj. Qui diminue la chaleur de l'atmosphère. *Brise rafraîchissante.* [Méd.] Propre à rafraîchir le corps, à en éteindre la trop grande chaleur, à relâcher le ventre. = N. m. *Donner des rafraîchissants à un malade*, donner des substances propres à relâcher le ventre ou à purifier le sang.
Ctr. — *Échauffant.*
rafraîchissement, n. m. Action de rendre, de devenir plus frais. *Le rafraîchissement de la température.* — Ce qui rafraîchit. *Prendre un rafraîchissement.* [Méd.] Remède qui enlève l'irritation. ‖ Aliments frais embarqués à bord d'un navire. = N. m. pl. Dans les fêtes, les soirées : Boissons fraîches, fruits et autres choses semblables, offertes aux personnes présentes.
* **rafraîchissoir** ou * **rafraîchisseur,** n. m. Vase dans lequel on fait rafraîchir les boissons et les aliments. ‖ Appareil à rafraîchir.
ragaillardir [*ill* mll.], v. tr. Rendre plus gaillard, redonner des forces et de la gaieté.
Incorr. — Ne dites pas : *Je me sens regaillardi* ou *rengaillardi*; dites bien : *ragaillardi.*
rage, n. f. (lat. *rabies*, m. s.). [Méd.] Maladie virulente, commune à l'homme, au chien, au chat, etc., qui s'accompagne de délire furieux, puis de paralysie, et qui se termine par la mort. ‖ Prov. *Qui veut noyer son chien l'accuse de rage.* ‖ Par exagér. Douleur extrêmement violente. *Rage de dents.* ‖ Fig. Excès de certaines passions, penchant outré, goût excessif. *Il a la rage du jeu. Il a la rage d'écrire.* — Absol. Haine, colère portée au plus haut degré, cruauté extrême. *Étouffer, écumer de rage. La rage alors se trouve à son faîte montée.* (La Fontaine.) ‖ Fig. *Faire rage*, s'exercer avec une grande violence. *La tempête, l'incendie fait rage.* = À LA RAGE, loc. adv. Avec une extrême violence, avec dérèglement. *Aimer à la rage.*
Syn. — V. colère.
Hom. — *Rage, es, ent,* du v. rager.

> Vocab. — *Famille de mots.* — *Rare* [rad. *rag, rab*]: rager, rageur, rageusement; enrager, enragé, enrageant, enragement; dérager; rabique, antirabique.

rager, v. intr. Se fâcher, s'irriter, être en proie à la colère. ‖ Être fort en colère sans vouloir le manifester. = Conjug. V. GRAMMAIRE.
Incorr. — Ne dites pas : *faire rager ses camarades;* dites : *faire enrager...*
Par. — *Enrager.*, v. intr. éprouver un violent dépit.
rageur, euse, adj. et n. Celui, celle qui se fâche, qui s'irrite aisément.
rageusement, adv. Avec rage.
raglan, n. m. Anc. manteau d'homme, à pèlerine. ‖ Sorte de pardessus ample, dont les manches partent du col. V. pl. costumes.
* **ragondin,** n. m. Fourrure faite avec diverses peaux de rongeurs.
1. ragot, ote, adj. et n. De petite taille, court et gros. = N. m. Sanglier qui n'a pas encore trois ans.
2. ragot, n. m. Pop. Commérage, cancan.
Syn. — V. bavardage.
ragoter, v. int. Pop. Faire des ragots. Murmurer, grogner.
* **ragotin,** n. m. Homme grotesque et contrefait.
ragoût, n. m. (n. verb. de *ragoûter*). Plat de viande, de légumes ou de poissons, coupés en morceaux et cuits dans une sauce très épicée, pour exciter l'appétit. *Ragoût de mouton, ragoût de veau*, etc. ‖ Fig. et fam. Ce qui irrite, excite les désirs.
ragoûtant, ante, adj. Qui plaît au goût, qui excite l'appétit. ‖ Fig. Attrayant, plein d'agrément. *Figure ragoûtante.* — *Peu ragoûtant*, qui inspire de la répugnance.
Ctr. — *Dégoûtant.*
ragoûter, v. tr. Remettre en goût, en appétit. ‖ Fig. Réveiller, stimuler le goût, le désir.
Ctr. — *Dégoûter.*
ragrafer, v. tr. Agrafer de nouveau.
Ctr. — *Dégrafer.*
ragrandir, v. tr. Rendre plus grand ce qui avait déjà été agrandi. = SE RAGRANDIR, v. pr. Devenir plus grand.
Incorr. — Ne doit pas s'employer pour *agrandir.*
ragréer, v. tr. [Archi.] Mettre la dernière main à une construction, en corriger les petits défauts. — Remettre à neuf. = SE RAGRÉER, v. pr. [Mar.] Se pourvoir de ce qui manque = Conjug. V. GRAMMAIRE.
ragrément, n. m. Action de ragréer. ‖ Résultat de cette opération.
* **ragret** [*grè*], n. m. Finissage d'une reliure.
raguer, v. tr. [Mar.] User, détériorer par le frottement. = SE RAGUER, v. pr. s'user par frottement.

...rai, raie, rais, ret

> Orth. — *Finales.* — Le son final *rai* se présente sous cette forme dans minerai. Il s'écrit *raie* dans châtaigneraie, oseraie, pommeraie, roseraie; *rais* dans marais; *ret* dans banneret, béret, cabaret, chardonneret, couperet, fleuret, furet, guéret, guilleret, jarret, lazaret, minaret, tabouret, tiret, etc.

rai, n. m. (lat. *radius*, rayon). Chacun des rayons qui relient les moyeux à la jante d'une roue. V. pl. CHARRETTE. ∥ Rayon lumineux. *Un rai de lumière.* [Blas.] Pointe d'étoile ou dent de molette. [Archi.] *Rai de cœur*, ornement en forme de cœur. V. pl. ORNEMENTS.

ORTH. — Noter que l'Acad. a rétabli l'orthogr. *rai* (et non plus *rais*) au singulier.

HOM. — *Rai*, n. m. rayon (de roue); — *raie*, n. f., trait, ligne; poisson de la famille des rajidés; — *rets*, n. m., filet.

* **raia** ou * **raya**, n. m. (mot turc sign. *troupeau*). Nom méprisant donné aux chrétiens par les musulmans de Turquie.

raid, n. m. (mot angl.). Incursion ou reconnaissance rapide en pays ennemi. ∥ Longue course, épreuve d'endurance. [Aviat.] Vol de vitesse et de durée.

raide, adj. (lat. *rigidus*, m. s.). Qui est très tendu, qui manque de flexibilité, de souplesse. *Être raide comme un piquet.* — *Corde raide*, corde fortement tendue, sur laquelle évoluent les danseurs de corde. — Fig. et fam. *Danser sur la corde raide*, être dans une situation dangereuse. ∥ Qui manque ou paraît manquer de souplesse, de grâce. *Des mouvements raides.* — Fig. Dur, opiniâtre, inflexible. *Caractère raide.* — *Se tenir raide*, ne pas fléchir, persister dans sa résolution. ∥ Qui est difficile à monter, abrupt. *Pente, escalier raide.* ∥ Fig. Difficile à accepter. *Un dénouement raide.* — Pop. *C'est raide*, se dit d'une chose difficile à admettre = RAIDE, adv. Vite. ∥ Fam. *Tomber raide mort*, être tué raide, tomber mort tout d'un coup.

OBS. GRAM. — Ce mot et ses dérivés sont encore écrits quelquefois *roide*, *roideur*, etc. L'orthographe *raide* a été adoptée par l'Académie dans l'édition de 1877.

CTR. — *Doux, souple, flexible.*

* **raidement**, adv. D'une manière raide; sans souplesse. ∥ Avec fermeté.

raideur, n. f. Caractère de ce qui est raide. ∥ Manque de souplesse, de grâce. *Cette femme marche avec raideur.* — Fig. Fermeté excessive, extrême sévérité. *Avoir de la raideur dans le caractère.*

raidillon [*ll* mll.], n. m. Petite pente rapide dans un petit chemin. ∥ Sentier court et rapide.

raidir, v. tr. (de *raide*). Tendre avec force, rendre raide. *Raidir le bras.* [Mar.] *Raidir un cordage*, le tendre. = SE RAIDIR, v. pr. Devenir raide. *Ses membres se raidissent.* ∥ Fig. Tenir ferme, résister avec effort, opiniâtreté. *Se raidir contre l'adversité, contre la douleur.*

CTR. — *Assouplir.*

* **raidissement**, n. m. Action de raidir ou de se raidir.

* **raidisseur**, n. m. Appareil servant à tendre les fils de fer, les treillages.

1. **raie** [*rè*], n. f. (lat. pop. *riga*, m. s.). Trait tiré avec une plume, un crayon, un instrument pointu, etc. *Faire une raie sur une feuille de papier.* ∥ Toute ligne beaucoup plus longue que large, naturelle ou artificielle. *Ce cheval a une raie noire sur le dos.* [Phys.] *Les raies du spectre*, images produites par des radiations monochromatiques sur une plaque photographique impressionnée dans un spectrographe. [Agri.] L'entre-deux des sillons. *Une raie de champ.* ∥ Séparation des cheveux qui se fait, naturellement ou avec le peigne, sur le haut de la tête.

SYN. — *Raie*, ligne tracée à la plume ou au crayon : *Tracer des raies sur une feuille de papier.* — *Barre*, trait à l'encre, au crayon : *Mettre une barre à la fin d'un article.* — *Ligne*, toute marque, toute série de points joints longue et sans épaisseur : *Lignes droites, ligne courbe.* — *Trait*, ligne tracée à la main ou à la règle : *Souligner d'un trait.*

HOM. — V. RAI.

VOCAB. — *Famille de mots.* — *Raie* [rad. *rai, ray, rad*] : rayer, rayé, rayage, rayement, rayeur, rayère, rayure, rayon (de semailles), rayonnage, rayonneur ; radiation (action de rayer), radier, radiant, dérayer, dérayure.

---

2. **raie**, n. f. (lat. *raia*, m. s.). [Zool.] Genre de poissons sélaciens au corps aplati; plusieurs espèces comestibles sont communes dans les mers de nos régions. V. pl. POISSONS.

* **raieton**, n. m. [Zool.] Petite raie.

raifort, n. m. [Bot.] Genre de plantes crucifères dont la racine est employée comme condiment et comme antiscorbutique.

* **raiguiser**, v. tr. Aiguiser de nouveau.

rail [*rèl* ou *raill*, *il* mll.]. n. m. (mot angl. sign. *barreau*). Bande d'acier dur destinée à être parcourue par des roues de véhicules (trains ou tramways). — Absol. Chemin de fer. *Le rail et la route.* V. pl. CHEMIN DE FER.

HOM. — *Raille, es, ent*, du v. railler.

railler [*ill* mll.], v. tr. (orig. provençale). Plaisanter quelqu'un, le tourner en ridicule. *Il raille ses meilleurs amis.* ∥ Tourner quelque chose en dérision. *Il raille ma douleur.* = V. intr. Badiner, ne pas parler sérieusement. *Je ne raille point.* = SE RAILLER, v. pr. Se moquer. *Il se raille de tout ce qu'on peut dire.*

— *Il y a de petits défauts qu'on abandonne volontiers à la censure, et dont nous ne haïssons pas à être raillés : ce sont de pareils défauts que nous devons choisir pour railler les autres.* (LA BRUYÈRE.)

* **raillère** [*ill* mll.], n. f. Dans les Pyrénées, versant à pente très raide.

raillerie [*ill* mll.], n. f. Action de railler, plaisanterie. ∥ *Raillerie à part*, sérieusement, tout de bon. ∥ *Cela passe la raillerie, cette raillerie dépasse les bornes.* ∥ *C'est plaisante raillerie*, c'est peu vraisemblable.

— *La raillerie est un air de gaieté qui remplit l'imagination, et qui lui fait voir en ridicule les objets qui se présentent : l'humeur y mêle plus ou moins de douceur ou d'âpreté.* (LA ROCHEFOUCAULD.)

ÉPITHÈTES COURANTES : fine, plaisante, vive, spirituelle, agréable, légère, inoffensive, lourde, grossière, méchante, cruelle, blessante, mordante, injuste, déplacée, intempestive, inconvenante, etc.

SYN. — *Raillerie*, action de tourner en ridicule : *Ne pas entendre raillerie.* — *Caricature*, représentation grotesque d'un personnage ou d'une chose : *Ce portrait manqué est une véritable caricature.* — *Charge*, dessin ou description grotesque de quelqu'un ou de quelque chose : *Faire la charge d'un personnage connu.* — *Parodie*, imitation d'un texte célèbre que l'on tourne en

raillerie : *Richelieu aurait fait jouer une parodie du Cid.* — *Plaisanterie,* amusement, parfois au détriment d'un autre : *Il n'aimait pas qu'on fît des plaisanteries à son sujet.* — *Quolibet,* méchante plaisanterie : *Accabler un rival de ses quolibets.* — *Sarcasme,* raillerie amère et blessante : *Les sarcasmes de Voltaire contre le christianisme.* — *Trait,* attaque isolée de raillerie satirique : *Lancer des traits mordants contre quelqu'un.* V. aussi BADIN, CAUSTIQUE, COMIQUE, FACÉTIEUX, MOQUERIE.
railleur, euse [*ill* mll.], adj. et n. Qui raille, qui est porté à la raillerie.
* **railleusement** [*ill* mll.], adv. D'une manière railleuse; en raillant.
* **railway** [*rèl-ouè*], n. m. (mot angl.). Chemin de fer, voie ferrée.
* **rain** [*rin*], n. m. Lisière d'un bois.
HOM. — V. REIN.
* **rainceau**, n. m. V. RINCEAU.
raine, n. f. (lat. *rana*, grenouille). Vx mot sign. grenouille.
HOM. — *Raine,* n. f., vieux mot signifiant grenouille; — *reine,* n. f., femme de roi; — *rêne,* n. f., courroie de la bride; — *renne,* n. m., ruminant des régions boréales; — *Rennes,* n. pr., ville de France.
* **rainer**, v. tr. Faire une rainure avec un rabot spécial appelé *bouvet.*
HOM. — *Rêner,* assujettir avec des rênes.
rainette, n. f. [Zool.]. Genre de batraciens anoures comprenant de petites grenouilles vertes.
HOM. — *Rainette,* n. f., genre de batraciens; — *rénette,* n. f., outil de charpentier, de maréchal; — *reinette,* n. f., variété de pomme.
rainure, n. f. Longue entaille dans une pièce de bois, de métal, pour recevoir une languette saillante ou servir de coulisse.
raiponce, n. f. [Bot.]. Plante comestible de la famille des *campanulacées.*
HOM. — *Réponse,* action de répondre.
raire ou **réer**, v. intr. Crier, en parlant du cerf. — Bramer. = Conjug. (comme *traire*) V. VERBES. Pour *réer,* V. GRAMMAIRE.
raisin [*rè-zin*], n.m. (lat. *racemus,* m. s.). Fruit de la vigne, en grappe. — *Raisin de Corinthe,* raisin sec en très petits grains. ‖ Fig. et fam. *Mi-figue, mi-raisin,* mi-sérieux, mi-plaisant. [Bot.] *Raisin des bois,* l'airelle myrtille; *raisin de loup,* la morelle noire; *raisin d'ours,* la busserole. [Papeterie] Format de papier (50 × 64 cm.).
raisiné, n. m. Marmelade liquide faite avec du raisin doux, des poires ou des coings. ‖ Pop. Sang.
HOM. — *Résiné,* enduit de résine.
raison [*rè-zon*], n. f. (lat. *ratio,* m. s.). Intelligence en général, faculté de connaître, de comprendre et de juger. *Les lumières de la raison.* — *Perdre la raison,* tomber en démence. *Recouvrer la raison,* cesser d'être fou. ‖ Faculté de percevoir les rapports des choses et l'ordre qui en dérive, et, par suite, de distinguer le vrai du faux, de discerner le bien du mal, et de régler ainsi sa conduite. *L'homme est pourvu de raison.* ‖ Bon usage des facultés intellectuelles, justesse d'esprit, bon sens, sagesse, modération. *Cela choque la raison.* — *Parler raison,* parler sagement, raisonnablement. V. tabl. INTELLIGENCE (*Idées suggérées par le mot*). — *Mariage de raison,* mariage où les convenances de position et de fortune ont été plus consultées que l'inclination. — Fig. et fam. *Il n'y a ni rime ni raison,* se dit d'un raisonnement faux, d'un discours dénué de sens, d'un ouvrage d'esprit très mal fait, etc.
— *La raison nous commande bien plus impérieusement qu'un maître ; car en désobéissant à l'un, on est malheureux, et, en désobéissant à l'autre, on est un sot.*
— *Deux excès : exclure la raison, n'admettre que la raison.* (PASCAL.)
— *Aimez donc la raison, que toujours vos écrits,*
Empruntent d'elle seule et leur lustre et leur prix. (BOILEAU.)
— *La raison est de l'homme et le guide et l'appui ;*
Il l'apporte en naissant, elle croît avec lui.
C'est elle qui, des traits de sa divine flamme,
Purifiant son cœur, illuminant son âme,
Montre à ce malheureux, par le vice abattu,
Que la félicité n'est que dans la vertu.
(VOLTAIRE.)
Ce qui est de devoir, de droit, d'équité, de justice. *Se rendre à la raison.* — *Avoir raison,* être fondé dans ce qu'on dit, dans ce qu'on fait. *Vous avez tort, c'est lui qui a raison.* — *Donner raison à quelqu'un,* prononcer en sa faveur, décider qu'il est fondé en ce qu'il fait. — *Se faire une raison,* accepter l'inévitable, ce qui ne peut être changé. ‖ Fam. *Mettre quelqu'un à la raison,* réduire par la force. — *Comme de raison,* comme il est juste, comme il est raisonnable de faire. — *Plus que de raison,* plus qu'il n'est raisonnable.
Satisfaction, contentement sur une chose qu'on prétend, qu'on demande. — Partic. Réparation d'un outrage, d'un affront. *J'en aurai raison.* — *Avoir raison de quelqu'un,* avoir l'avantage sur lui. — *Demander à quelqu'un raison de quelque chose,* demander à quelqu'un qu'il rende compte d'une chose qu'il a faite ou dite. *Demander raison,* signifie aussi provoquer en duel. — *Rendre raison de quelque chose,* en rendre compte, en expliquer les motifs. — Dans toutes les acceptions qui précèdent, *raison* n'a pas de pluriel.
Sujet, cause, motif. *J'ai de bonnes raisons pour agir ainsi. S'absenter pour raison de santé.* — *Raison d'État, raison de famille,* les considérations par lesquelles on se conduit dans un État, dans une famille et qui priment souvent la justice ou les intérêts particuliers. — *A plus forte raison,* avec d'autant plus de sujet, par un motif d'autant plus fort.
Argument, discours tendant à prouver ou à justifier une chose. *Donnez-moi de bonnes raisons.*
— *La raison du plus fort est toujours la meilleure.* (LA FONTAINE.)
[Comm.] *Raison sociale,* ou simpl., *raison,* se dit des noms des associés, rangés et énoncés de la manière que la société a déterminée pour signer les lettres, billets et lettres de change. — *Livre de raison,* anc. nom du grand-livre de comptabilité. — Autrefois, le livre de ménage que tenait le chef de famille. [Math.] Rapport de deux quantités, soit littérales, soit numériques. — *Raison directe,* rapport de deux choses qui augmentent ou diminuent dans la même proportion; et *raison inverse,*

rapport de deux choses dont l'une diminue dans la même proportion que l'autre augmente.
À RAISON DE, EN RAISON DE, loc. prép. à proportion de, sur le pied de. *On paya cet ouvrier à raison de l'ouvrage qu'il avait fait. Il doit être payé en raison du temps qu'il y a mis.* || En considération de. *En raison de son extrême jeunesse.*
ÉPITHÈTES COURANTES (Sens ayant un pluriel) : bonnes, mauvaises, fortes, sérieuses, subtiles, plausibles, acceptables, curieuses, vraisemblables, fausses, irrecevables, convaincantes; mensongères, futiles, etc.
INCORR. — Ne dites pas : *chercher des raisons à quelqu'un*; dites : *chercher des motifs de querelle*, ou : *chercher noise.*
SYN. — *Raison*, possibilité, pour l'esprit humain, de connaître et de juger : *Par la raison, l'homme est supérieur aux animaux.* Preuve apportée pour appuyer une opinion : *Donner de mauvaises raisons.* — *Bon sens*, qualité d'un esprit qui juge sainement de toutes choses : *Ceci est une simple affaire de bons sens.* — *Connaissance*, faculté de connaître, de se rendre compte de ce que sont exactement les phénomènes, les idées, etc. : *Kant a fait une théorie célèbre de la connaissance.* — *Jugement*, faculté de l'esprit qui lui permet de comparer les faits, les diverses solutions possibles et de se prononcer : *Cette personne manque de jugement.* — *Logique*, qualité de l'esprit qui lui permet de se prononcer d'après les lois de la raison : *Le manque de logique amène bien des erreurs.* — *Raisonnement*, faculté de faire usage de sa raison : *Faire le raisonnement d'un problème.* Allégation de raisons, bonnes ou mauvaises, pour justifier son opinion : *Des raisonnements captieux.* — *Sens commun*, l'ensemble des jugements primitifs et spontanés qui semblent le partage de tous les hommes : *Ce que vous dites n'a pas le sens commun.* V. aussi ÂME, ESPRIT, INTELLIGENCE et MOTIF.
ANT. — *Folie, déraison, illogisme, absurdité, sottise.*

VOCAB. — *Famille de mots.* — *Raison* [rad. *rai, rat*] : raisonner, raisonné, raisonnant, raisonnement, raisonneur, raisonnable, raisonnablement; déraison, déraisonnable, déraisonner, déraisonnement, déraisonnablement; ration, rationner, rationnement, rationnaire, rationnel, rationnellement, rationalisme, rationaliste, rationaliser, rationalisation, rationalité; ratiociner, ratiocination; irrationnel, irrationnellement.

---

raisonnable [zo], adj. Doué de raison, de la faculté de raisonner. || Qui se gouverne, qui agit selon la raison. *Il ne serait pas raisonnable d'exiger cela.* || Conforme à la raison, à l'équité. || Modéré, suffisant, convenable.
CTR. — *Absurde, déraisonnable, insensé, extravagant.* — *Exorbitant.*
raisonnablement [zo-na], adv. D'une manière raisonnable. || Avec mesure et pondération. || Suffisamment.
raisonnant, ante, adj. Qui raisonne.
HOM. — *Résonnant*, qui résonne, qui retentit.
raisonné, ée, adj. Fondé sur le raisonnement; méthodique, calculé, prémédité.

|| Qui s'accompagne de critiques, de réflexions.
raisonnement, n. m. Faculté, action, manière de raisonner. || Suite des arguments divers qu'on emploie en raisonnant, des raisons dont on se sert, et leur enchaînement. *Raisonnement clair, juste, faux, captieux.* || Fam. Objection à un ordre reçu.
SYN. — V. RAISON.
HOM. — *Résonnement*, retentissement, renvoi d'un son.
raisonner [rè-zo-né], v. intr. Se servir de sa raison pour chercher à connaître le vrai, pour juger des rapports des choses, pour démontrer, etc. *Raisonner faux, juste.* || Discuter. *La loi ne raisonne pas, elle commande.* || Répliquer, alléguer des raisons pour s'excuser. *Les maîtres veulent qu'on ne raisonne pas et qu'on obéisse.* — V. tr. Soumettre au raisonnement. *C'est un homme qui raisonne toutes ses actions.* || Chercher à amener quelqu'un à la raison. *J'ai eu beau le raisonner, il n'a rien voulu entendre.* = SE RAISONNER, v. pr. Se soumettre, obéir à la raison. || Au sens passif. Être discuté. *Un ordre militaire ne se raisonne pas.*
— *Raisonner est l'emploi de toute ma maison*
Et le raisonnement en bannit la raison.
(MOLIÈRE.)
— *C'est une très méchante manière de raisonner que de rejeter ce qu'on ne peut comprendre.* (CHATEAUBRIAND.)
CTR. — *Déraisonner.*
HOM. — *Résonner*, retentir, rendre un son.
raisonneur, euse [zo], adj. et n. Celui, celle qui raisonne. || Celui, celle qui fatigue, qui importune par de longs raisonnements. || Celui, celle qui réplique, qui discute au lieu d'obéir. [Théâtre] Personnage qui tient le langage de la morale et du raisonnement.
rajah ou *radjah, n. m. Mot hindou signifiant roi, prince.
rajeunir, v. tr. Faire redevenir jeune, ou rendre l'air de la jeunesse. || Attribuer un âge moindre que l'âge véritable. || Donner une fraîcheur nouvelle. = V. intr. Redevenir jeune. = SE RAJEUNIR, v. pr. Se donner l'air jeune. || Se dire plus jeune qu'on ne l'est.
GRAM. — Aux temps composés, rajeunir prend l'aux. *avoir* pour marquer l'action et l'aux. *être* pour marquer l'état.
rajeunissant, ante, adj. Qui a la propriété de rajeunir.
rajeunissement, n. m. Action de rajeunir, de donner une vigueur, une fraîcheur nouvelles. || État de ce qui est rajeuni.
*** rajout**, n. m. Action de rajouter. || Partie, pièce rajoutée.
*** rajouter**, v. tr. Ajouter de nouveau; mettre en plus. (Emploi peu correct.)
rajustement, n. m. Action de rajuster. || Son résultat.
INCORR. Ne pas dire *réajustement.*
rajuster, v. tr. Ajuster de nouveau. || Remettre en bon état. || Fig. Apaiser, réconcilier. = SE RAJUSTER, v. pr. Remettre de l'ordre dans sa tenue. || Se réconcilier après une brouille.
*** rajusteur, euse**, n. Celui celle qui rajuste.

* **raki**, n. m. Liqueur spiritueuse à l'anis.
1. râle, n. m. [Zool.] Genre d'oiseaux échassiers.
2. râle, n. m. Action de râler. [Méd.] Bruits anormaux qui se font dans les voies respiratoires au passage de l'air, chez certains malades du poumon et chez les moribonds.
Hom. — *Râle*, n. m., bruit anormal des voies respiratoires; — *râle*, n. m., genre d'échassiers; — *râle, es, ent*, du v. râler.
* **râlement**, n. m. Action de râler.
ralenti, n. m. Marche plus lente d'un moteur. ‖ *Film au ralenti*, film dont la vitesse de projection est inférieure à celle de la prise de vue.
ralentir, v. tr. (préf. *re*, et *lent*). Rendre plus lent. ‖ Fig. Diminuer, modérer. = V. intr. Devenir plus lent ou moins actif. = SE RALENTIR, v. pr. Devenir plus lent.
Syn. — V. AMORTIR.
Ctr. — *Accélérer, hâter, presser.*
ralentissement, n. m. Diminution de vitesse dans un mouvement. ‖ Fig. Diminution d'activité.
Syn. — V. RELÂCHEMENT.
râler, v. intr. Faire entendre, en respirant, un son anormal; se dit partic. des agonisants et de certains malades du poumon. ‖ Pop. Grogner, protester.
* **râleur, euse**, n. Celui, celle qui râle, qui grogne, proteste (Pop.).
ralingue, n. f. [Mar.] Cordage cousu sur les côtés des voiles pour les renforcer. [Aéron.] Cordages retenant le filet d'un ballon. V. pl. AÉRONAUTIQUE.
ralinguer, v. tr. [Mar.] Coudre des ralingues à. = V. intr. En parlant des voiles, ne plus prendre le vent et battre.
* **rallidés**, n. m. pl. [Zool.] Famille d'oiseaux échassiers comprenant les râles.
rallié, ée, adj. et n. Qui adhère pour la première fois à un parti, à une cause. — Partic. Partisan des anciens régimes, rallié à la République.
ralliement ou * **ralliment**, n. m. (de *lier*). Action de se rallier, de se rassembler après dispersion. — *Point de ralliement*, endroit fixé d'avance pour se rallier à une troupe, aux membres d'un parti. etc. — *Mot de ralliement*, mot donné aux troupes pour se reconnaître lors du ralliement. — *Mot, signe de ralliement*, mot, signe par lequel une secte, un parti se reconnaît.
rallier [*rali*], v. tr. (préf. *re*, et *allier*). [A. mil.] Rassembler, remettre ensemble. *Rallier des troupes*. — Gagner à un parti, à une opinion. *Rallier les dissidents.* ‖ Fig. *Cette proposition rallia tous les suffrages.* ‖ Rejoindre. *Rallier son poste*, aller le reprendre. = SE RALLIER, v. pr. Se réunir, se remettre ensemble. *Ils se rallièrent derrière l'infanterie.* ‖ Adhérer à un parti, à une cause, à l'opinion d'un autre. = Conjug. V. GRAMMAIRE.
rallonge, n. f. Ce qui sert à rallonger une chose. *Mettre une rallonge à une table.* — *Table à rallonge*, table à coulisse dans laquelle on peut insérer des rallonges.
rallongement, n. m. Action de rallonger. ‖ Résultat de cette action.
Ctr. — *Raccourcissement.*
rallonger, v. tr. Rendre une chose plus longue en y ajoutant quelque pièce. = SE RALLONGER, v. pr. Devenir plus long. = Conjug. V. GRAMMAIRE.

rallumer, v. tr. Allumer de nouveau. ‖ Fig. Donner une nouvelle ardeur, une nouvelle force à. *Rallumer la guerre*. = SE RALLUMER, v. pr. S'allumer de nouveau.
* **rally-paper** [*ra-li-pè-peur*], n. m. (angl. *to rally*, rallier, et *paper*, papier). Jeu sportif consistant à suivre un cavalier qui sème des petits papiers sur sa route pour tracer la voie. ‖ On écrit aussi *rallye-papier* qu'on prononce *rali-papir*.
ramadan ou * **ramazan**, n. m. Neuvième mois de l'année lunaire musulmane, pendant lequel il est prescrit de jeûner.
1. ramage, n. m. (bas lat. *ramaticum*, m. s.). Représentation de rameaux, de fleurs sur une étoffe. *Velours à ramages*.
2. ramage, n. m. Chant de petits oiseaux. ‖ Babil des enfants.
3. * **ramage**, n. m. (de *rame*). Action d'effacer les plis des draps et de donner une largeur uniforme à la pièce.
1. ramager, v. tr. Couvrir de ramages. *Ramager du velours*.
2. ramager, v. intr. Se dit des oiseaux, des petits enfants qui font entendre leur ramage. = Conjug. V. GRAMMAIRE.
* **ramaigrir**, v. tr. Rendre maigre de nouveau. = V. intr. Redevenir maigre.
* **ramaigrissement**, n. m. Action de ramaigrir. ‖ État de celui qui est ramaigri.
* **ramaire**, adj. [Bot.] Qui naît sur les rameaux.
* **ramarder**, v. tr. [Pêche] Réparer un filet de pêche.
ramas, n. m. Action de ramasser. ‖ Assemblage de diverses choses, de divers individus. *Un ramas de toutes sortes de vieux livres. Un ramas de bandits, de vagabonds* (Toujours péjor.).
ramassage, n. m. Action de ramasser. ‖ Son résultat.
* **ramasse**, n. f. Espèce de traîneau pour descendre les pentes neigeuses des montagnes.
* **ramassé, ée**, adj. Épais, trapu, vigoureux.
ramasse-miettes, n. m. inv. Instruments de formes diverses avec lesquels on ramasse les miettes éparses sur une table.
1. ramasser, v. tr. (préf. *re*, et *amasser*). Faire un assemblage, une collection de plusieurs choses, une masse. *Il a ramassé tous les passages des anciens sur ce sujet.* ‖ Réunir toutes ses forces, pour un effort extraordinaire. ‖ Prendre, relever ce qui est à terre. *Ramasser ses gants.* ‖ Fig. et fam. *Où avez-vous ramassé cet homme-là ?* où avez-vous été le chercher ? ‖ Pop. *Se faire ramasser*, se faire réprimander. — *Ramasser une pelle*, faire une chute (Très fam.). = SE RAMASSER, v. pr. Se réunir. ‖ Se replier sur soi-même, se pelotonner. *Le hérisson se ramasse dès qu'on le touche.* ‖ Pop. Se relever après une chute.
Syn. — *Ramasser*, recueillir ce qui était tombé sur le sol : *Nous avons ramassé les noix mûres*. — *Relever*, remettre debout ce qui avait glissé par terre : *Relever une échelle renversée.* — *Recueillir*, récolter et mettre de côté : *Recueillir les fruits d'un verger*. V. aussi ACCUMULER, CAPITALISER.
Ctr. — *Disséminer, éparpiller.*
* **ramassette**, n. f. Clayonnage adapté aux faux.
ramasseur, euse, n. Celui, celle qui ramasse, qui collectionne. ‖ Mécanisme

RAMASSIS — RAMOLLIR

pour assembler, amener. ‖ Conducteur d'une ramasse.

ramassis [si], n. m. Assemblage de choses ramassées sans choix. ‖ Rassemblement de gens peu estimables.

* **ramazan**, n. m. V. RAMADAN.

rambarde ou * **rambade**, n. f. [Mar.] Balustrade des passerelles et gaillards. — Montant de garde-corps.

* **ramberge**, n. f. [Mar.] Anc. vaisseau anglais, très long et à rames.

rambour [ran], n. m. [Hortic.] Variété de grosses pommes et de pommiers.

1. **rame**, n. f. (anc. haut allem. *rama*, support). [Hortic.] Rameau de bois sec qu'on met en terre pour servir d'appui à des plantes : pois, haricots, etc.

2. **rame**, n. f. (esp. *resma*, m. s.). Vingt mains de papier ou 500 feuilles mises ensemble. ‖ Convoi de bateaux naviguant ensemble. ‖ Attelage de plusieurs wagons.

3. **rame**, n. f. (n. verb. de *ramer*). Aviron, pièce de bois plate à un bout, arrondie à l'autre, et dont on se sert pour faire voguer une embarcation légère. *Faire force de rames.*

HOM. — *Rame, es, ent*, du v. ramer.

1. **ramé, ée**, adj. (pp. du v. ramer 1). Soutenu par des rames, des tuteurs. *Pois ramés*. ‖ *Boulets ramés*, réunis par une chaîne ou une barre, projetés jadis pour démâter les navires.

HOM. — *Ramé, ée*, adj., et p. passé du v. ramer ; — *ramée*, n. f., branches coupées avec les feuilles ; — *ramer*, v., manœuvrer les rames d'une embarcation ; — *ramer*, v., munir de rames (ramer des pois).

2. **ramé, ée**, adj. (pp. du v. ramer 2). *Vol ramé*, se dit du vol des grands oiseaux migrateurs qui agitent leurs ailes comme des rames.

rameau, n. m. (lat. *ramus*, m. s.). Division d'une branche d'arbre ou branche, de faible dimension. *Un rameau d'olivier.* — *Le dimanche, le jour des Rameaux*, le dimanche d'avant Pâques, qui commémore l'entrée du Christ à Jérusalem. ‖ Division et subdivision d'une chose principale, celle-ci étant comparée à un tronc. *Les rameaux d'une artère, d'une veine. La branche aînée de cette famille a donné naissance à plusieurs rameaux.* — Se dit aussi des massifs qui rayonnent des montagnes.

> VOCAB. — *Famille de mots.* — *Rameau* : ramée, ramilles, ramer, ramule, ramure, ramage, ramager, ramifier, ramification ; ramier ; ramon, ramonette, ramoner, ramoneur, ramonage, rinceau.

ramée, n. f. Assemblage de branches entrelacées naturellement ou non. ‖ Branches coupées avec leurs feuilles vertes.
SYN. — V. VERDURE.

* **ramenable**, adj. Qui peut être corrigé, ramené.

* **ramender**, v. tr. Amender une seconde fois la terre. ‖ Redorer un cadre dans les parties détériorées. ‖ Retoucher un ouvrage pour en corriger les défauts. = V. intr. Diminuer de prix, en parlant des denrées.

ramener, v. tr. Amener de nouveau. ‖ Mener quelqu'un dans le lieu d'où il était parti. ‖ Fig. Faire revenir. *Ramener à la raison.* ‖ Replacer, rétablir. ‖ Faire renaître, rétablir. *Ramener l'abondance.* ‖ Réduire. *Ramener à sa plus simple expression.* = SE RAMENER, v. pr. Être ramené. ‖ Fig. Se résumer. = Conjug. V. GRAMMAIRE.

* **ramentacé, ée**, adj. [Bot.] Couvert de petites écailles éparses.

ramentevoir, v. tr. Rappeler à la mémoire. = SE RAMENTEVOIR, v. pr. Se souvenir (Vx). = Conjug. (comme *voir*) V. VERBES.

ramequin, n. m. Sorte de pâtisserie faite avec du fromage. ‖ Récipient pour faire ce plat.

1. **ramer**, v. tr. Soutenir des plantes grimpantes au moyen de rames. ‖ Étendre une pièce de drap pour en effacer les plis.

2. **ramer**, v. intr. Manœuvrer la rame, agir sur les avirons pour manœuvrer une embarcation. ‖ Fig. Prendre bien de la peine, avoir beaucoup de fatigue.
HOM. — V. RAMÉ.

ramereau ou * **ramerot**, n. m. Jeune ramier. [Cuis.] Galantine de pigeon.

* **ramescence**, n. f. [Bot.] Disposition en forme de rameaux.

* **ramescent, ente**, adj. [Bot.] Qui se ramifie.

ramette, n. f. Rame de papier à lettres ou de papier de petit format. [Impr.] Châssis sans barre pour les travaux typographiques d'une seule page.

rameur, euse, n. Celui, celle qui rame.

rameuter, v. tr. Regrouper les chiens d'une meute.

rameux, euse, adj. Qui a de nombreux rameaux. *Tige rameuse.*

ramie, n. f. [Bot.] Nom vulg. d'une plante d'Extrême-Orient, famille des *urticacées*, fournissant des fibres textiles.

1. **ramier**, n. m. [Zool.] Pigeon sauvage, appelé aussi *palombe*.

2. * **ramier**, n. m. Amas de branches dont on fera des fagots.

ramification [sion], n. f. (lat. *ramus*, branche). [Bot.] Production de rameaux ; division des branches en rameaux. ‖ Ce qui se subdivise à la manière des rameaux ; des arbres. *La ramification des artères, des nerfs.* ‖ Fig. Subdivision d'une science. ‖ Se dit aussi des divers centres constitués par une société, par une conspiration, etc.

ramifier, v. tr. Diviser en plusieurs branches, en plusieurs rameaux. = SE RAMIFIER, v. pr. Se diviser en plusieurs branches, en parlant des arbres, des veines, des conduits, etc. et, au fig., se subdiviser. — Conjug. V. GRAMMAIRE.

ramilles [ill mll.], n. f. pl. Les plus petites divisions des rameaux.

* **ramingue**, adj. (ital. *ramingo*, de *ramo*, branche). Se dit d'un cheval qui ne se tient pas tranquille ou qui se défend de l'éperon.

* **ramoindrir**, v. tr. et intr. Amoindrir ou s'amoindrir de nouveau.

* **ramoir**, n. m. Rabot d'ébéniste.

* **ramoitir**, v. tr. Rendre moite de nouveau.

ramolli, ie, adj. et n. Celui, celle dont le cerveau a subi un ramollissement et qui apparaît faible d'esprit.

ramollir, v. tr. Amollir, rendre mou, diminuer la cohésion des parties. *La chaleur ramollit la cire.* ‖ Fig. Affaiblir, relâcher. *L'oisiveté ramollit le courage.* = SE RAMOLLIR, v. pr. Devenir mou. ‖ Perdre

sa force, son énergie. ‖ Devenir imbécile.
CTR. — *Durcir, affermir, raffermir.*
* **ramollissable**, adj. Qui peut se ramollir.
* **ramollissant, ante**, adj. et n. [Méd.] Qui ramollit, relâche.
ramollissement, n. m. Action de se ramollir. ‖ État de ce qui est ramolli. ‖ [Méd.] *Ramollissement du cerveau*, lésion du cerveau caractérisée par l'altération des facultés intellectuelles.
* **ramon**, n. m. Balai de rameaux (Vx).
ramonage, n. m. Action de ramoner. ‖ Résultat de cette action.
ramoner, v. tr. (de *ramon*). Nettoyer le tuyau d'une cheminée; ôter la suie qui s'y est accumulée.
ramoneur, n. m. Celui dont le métier est de ramoner les cheminées.
* **ramonette**, n. f. Sorte de brosse.
rampant, ante [ran], adj. Qui rampe. ‖ Fig. Qui s'abaisse, qui se soumet devant les puissants pour se les concilier; obséquieux. — *Style rampant*, style bas et plat. [Bot.] Se dit des tiges qui restent couchées sur le sol. [Blas.] Se dit d'un animal dressé sur ses pieds de derrière et prêt à bondir. [Archi.] Qui se prolonge en s'abaissant en une ligne ininterrompue. *Arc rampant.* V. pl. ARCS. = N. m. Partie inclinée. *Le rampant d'un comble.*
rampe, n. f. (n. verb. de *ramper*). [Archi.] Balustrade de fer, de pierre ou de bois qu'on met le long d'un escalier pour empêcher de tomber ou pour servir d'appui. ‖ Fig et pop. *Lâcher la rampe*, mourir. ‖ Volée d'escalier, ou suite de degrés entre deux paliers. ‖ Plan incliné par lequel on monte et l'on descend, et qui tient lieu d'escalier dans les jardins, les places fortes, etc. [Ponts et Chaussées] Partie d'une route ou d'une voie ferrée inclinée. ‖ Dans les théâtres, rangée de lumières placées au bord de la scène. *Allumer la rampe.* ‖ *Rampe à gaz*, tube métallique percé d'une rangée de petits trous, par où le feu brûler un gaz.
* **rampeau**, n. m. Au jeu, coup que l'on joue avec revanche. ‖ *Faire rampeau*, faire coup nul, parce qu'égal à celui de l'adversaire.
rampement, n. m. Action de ramper.
ramper, v. intr. (angl. *to ramp*, grimper). Se traîner sur le ventre; se dit propr. des reptiles et d'une foule d'animaux invertébrés. [Bot.] Se coucher sur le sol ou s'accrocher aux arbres, aux murailles, comme la vigne, le lierre, etc. ‖ Fig. S'abaisser, s'humilier devant la puissance; flatter bassement. ‖ Manquer d'élévation. ‖ Être bas et plat, en parlant du style.
CTR. — *Voler, planer.*
* **rampin**, adj. m. Se dit d'un cheval dont les pieds de derrière ne s'appuient que sur la pince. — On dit aussi *pinçard*.
* **rampiste**, n. m. et adj. [Techn.] Ouvrier qui fait les rampes, les balustrades et les mains courantes des escaliers.
rams, n. m. Sorte de jeu de cartes, analogue à l'écarté.
* **ramule**, n. m. [Bot.] Rameau modifié des asperges.
ramure, n. f. Bois d'un cerf, d'un daim. ‖ Ensemble des branches d'un arbre.

...**ran, rang, rand, rant**

> ORTH. — *Finales.* — Le son final *ran* s'écrit sous de nombreuses formes : *ran* dans alcoran ou coran, cormoran, tyran, vétéran; *rand* dans tisserand; *rang* dans rang, orang; *rant* dans aspirant, belligérant, colorant, durant, garant, tempérant, etc.; *rend* dans différend (n.), révérend; *reng* dans hareng; *rent* dans adhérent, afférent, apparent, cohérent, concurrent, différent (adj.), inhérent, occurrent, parent, torrent, transparent.

* **ranatre**, n. f. [Zool.] Genre d'insectes hémiptères aquatiques, du groupe des nèpes.
rancart [*kart*], n. m. Rebut. *Mettre une chose au rancart.* [Argot] Rendez-vous.

... **rance, rence**

> ORTH. — *Finales.* — Le son final *rance* s'écrit, tantôt *rance* : assurance, espérance, exubérance, garance, ignorance, persévérance, prépondérance, protubérance, tempérance, tolérance, etc., tantôt *rence* : adhérence, apparence, cohérence, conférence, concurrence, déférence, deshérence, inhérence, occurence, préférence, révérence, transparence, etc.

1. rance, adj. Qui a contracté de l'âcreté, une odeur forte, une saveur désagréable, en parlant des corps gras. *Ce lard est rance.* ‖ Fig. et fam. Passé, fané, vieilli. = N. m. Odeur, goût de ce qui est rance. *Cette huile a pris un goût de rance.*
CTR. — *Frais.*

> VOCAB. — *Famille de mots.* — *Rance* : rancir, ranci, rancidité, rancissure, rancescible, rancio, rancœur; rancune, rancunier.

2. * **rance**, n. f. Pièce de bois servant de chantier pour les futailles. [Mar.] Pièces de bois consolidant les bordages d'un vieux bâtiment.
HOM. — *Rance*, adj. et n. m., âcre, passé; — *rance*, n. f., chantier de bois pour futailles; — *ranz*, n. m., air de cornemuse suisse; — *rance, es, ent*, du verbe rancer.
* **rancer**, v. tr. [Mar.] Consolider avec des rances. = Conjug. V. GRAMMAIRE.
* **rancescible**, adj. Susceptible de devenir rance (Peu us).
* **ranch** [*rantch*], n. m. Aux États-Unis, construction dans un lieu désert. ‖ Se dit pour *rancho*.
* **ranche**, n. f. Chacune des chevilles de fer ou de bois formant échelons de chaque côté d'une poutre. ‖ Barre, pieu, V. pl. CHARRETTE.
rancher, n. m. Sorte d'échelle à un seul montant, composée d'une pièce de bois garnie de chevilles appelées ranches.
* **ranchier**, n. m. [Blas.] Daim ou cerf pourvu d'une ramure.
* **rancho**, n. m. Ferme de l'Amérique du Sud, avec grands parcs d'élevage clos.
ranci,ie, adj. Devenu rance. *Beurre ranci.*
rancidité, n. f. État d'un corps gras qui est devenu rance.
* **rancio**, n. m. Vin vieux, liquoreux, doré, qui a pris le goût particulier des vins d'Espagne.
rancir, v. intr. Devenir rance. ‖ Fig. S'altérer en vieillissant. = SE RANCIR, v. pr. Devenir rance.

rancissure, n. f. ou * **rancissement,** n. m. État de ce qui devient rance.

rancœur, n. f. (bas lat. *rancor*, rancissure). Ressentiment tenace, haine, rancune mêlée d'acrimonie.
Syn. — V. REGRET.

rançon, n. f. (lat. *redemptio*, rachat). Somme d'argent qu'on donne pour délivrer un captif, un prisonnier de guerre. *Payer rançon.* || *Mettre à la rançon,* rançonner. || Fig. Prix, contre-partie. *Les ennemis sont la rançon de la gloire.*
Syn. — V. PRIX.

rançonnement, n. m. Action de rançonner.

rançonner, v. tr. Relâcher moyennant une certaine somme. || Exiger des sommes ou des choses qui ne sont pas dues. || Exiger plus qu'il ne faut. *Cet aubergiste rançonne les voyageurs.*

* **rançonneur, euse,** n. Celui, celle qui rançonne.

rancune, n. f. (bas lat. *rancuna*, rancœur). Ressentiment caché qu'on garde d'une offense. — *Sans rancune,* en oubliant les torts passés.
ÉPITHÈTES COURANTES : tenace, féroce, farouche, inexpiable, mortelle, inflexible, inexorable, etc.

rancunier, ière, adj. Qui garde sa rancune.
LING. — Dites *rancunier* et non pas *rancuneux*.

* **randon,** n. m. Mouvement rapide, impétueux.

randonnée, n. f. [Vén.] Tour ou circuit qu'une bête lancée fait autour du même lieu. || *Faire une grande randonnée,* marcher longtemps sans s'arrêter.

rang [*ran*], n. m. (orig. germ.). Ordre, disposition de plusieurs personnes ou de plusieurs choses sur une même ligne. *Un rang d'hommes, de colonnes.* [A. mil.] Suite de soldats placés les uns à côté des autres. — *Sortir du rang,* obtenir le grade d'officier sans être passé par les écoles militaires. — *Rentrer dans le rang,* redevenir simple soldat, et, par ext., redevenir simple citoyen après avoir exercé une haute charge. || Fig. *Être, se mettre sur les rangs,* être en état, prêt à concourir pour parvenir à quelque charge, etc. || *Prendre rang,* s'inscrire ou se mettre en file pour atteindre son but, et aussi entrer dans une catégorie, y avoir une place assignée. *Il a pris rang parmi les mécontents.* — *Serrer les rangs,* se rapprocher les uns des autres, et, fig., s'unir plus étroitement contre tout ce qui peut arriver. || Place occupée par quelqu'un ou par quelque chose parmi d'autres. *Rang de taille, d'ancienneté.* || Fig. Degré d'honneur qui est attribué à certains hommes en raison de leur naissance, de leur dignité, de leur emploi. *Être déchu de son rang.* — *Avoir rang,* avoir, par assimilation, le grade, les prérogatives de. *Il a rang de colonel.* — Classe de la société. *La Révolution a effacé la distinction des rangs.*
Fig. Degré où est une personne ou une chose dans l'estime, dans l'opinion des hommes. *Platon tient le premier rang parmi les philosophes de l'antiquité.* || Fig. *Mettre au rang,* mettre au nombre. = EN RANG D'OIGNONS, loc. adv. Les uns derrière les autres.
ÉPITHÈTES COURANTES : premier, second, dernier, suprême, éminent, important,
honorable, distingué, supérieur, inférieur, infime, subalterne, etc.
Syn. — *Rang,* place attribuée à quelqu'un : *Connaître son rang d'ancienneté.* — *Ordre,* disposition des objets d'après la place qui leur convient : *Mettre à leur ordre des fiches, des noms dans l'ordre alphabétique.* — *Place,* lieu qu'occupe ou que doit occuper une personne, une chose : *Une place pour chaque chose, et chaque chose à sa place.*
Rang, suite de personnes ou de choses disposées sur une même ligne : *Un soldat sur les rangs.* — *Colonne,* troupe disposée en profondeur : *Des colonnes d'infanterie marchant sur les routes.* — *Queue,* suite de personnes qui attendent leur tour à un guichet, devant un magasin, etc. : *Faire longuement la queue.* — *Rangée,* suite de choses disposées sur une même ligne : *Une rangée de colonnes ruinées.* V. aussi SUITE et CONDITION.
HOM. — *Rend, rends,* du v. rendre.

VOCAB. — *Famille de mots.* — *Rang* : rangée, ranger, rangé, rangeant, range, rangeur ; arranger, arrangé, arrangeant, arrangeur, arrangeable, arrangement ; déranger, dérangement.
---

* **range,** n. f. Rang, ligne de pavés.

rangé, ée, adj. Mis en rang. || Disposé selon un certain ordre. || *Un homme rangé,* qui a beaucoup d'ordre dans sa conduite, dans ses affaires. || *Bataille rangée,* livrée par deux armées disposées selon les règles.
CTR. — *Désordonné, dissolu, dissipé.*

rangée, n. f. Suite de plusieurs choses sur une même ligne. *Une rangée d'arbres. Une rangée de sièges.*
Syn. — V. RANG.
HOM. — *Ranger,* v. tr. Mettre en rang.

rangement, n. m. Action de ranger. || Résultat de cette action.

ranger, v. tr. (de *rang*). Mettre dans un certain ordre, dans un certain rang. *Ranger des livres, des meubles. Ranger des troupes en bataille.* — *Ranger ses affaires,* les mettre en ordre. || Mettre au nombre, mettre au rang de. *Ranger un poète parmi les classiques.* || Mettre de côté, détourner pour rendre le passage libre. *Rangez cette table.* || Fig. *Ranger sous sa domination un peuple, un pays,* en faire la conquête et le soumettre. [Mar.] Longer de près. *Ranger la côte.* = SE RANGER, v. pr. Se mettre en rang, se placer. *Se ranger autour d'une table.* || S'écarter pour faire place. *On se rangea pour laisser passer le cortège.* || Fig. *Se ranger à l'obéissance,* se résoudre à obéir, à se soumettre. || Fig. *Se ranger du côté, du parti, à l'avis de quelqu'un,* embrasser le parti, l'avis de quelqu'un. || Fam., et absol. Adopter une manière de vivre mieux ordonnée, plus régulière. = Conjug. V. GRAMMAIRE.
INCORR. — Ne dites pas : *ranger un salon, une bibliothèque,* dites : *mettre en ordre.*
Syn. — V. ARRANGER.
CTR. — *Déranger, brouiller.*
HOM. — *Rangée,* n. f., suite de plusieurs choses.

* **rangeur, euse,** n. Celui, celle qui range, qui aime à ranger.

* **ranguillon,** n. m. Petit crochet pointu opposé à la pointe d'un hameçon.

* **rani**, n. f. Princesse hindoue ou femme de rajah.
* **ranidés**, n. m. pl. [Zool.] Famille de batraciens anoures ayant pour type la grenouille.
* **ranimable**, adj. Que l'on peut ranimer.
ranimer, v. tr. (préf. *re*, et *animer*). Rendre la vie, redonner la vie. *Ranimer un noyé.* || Par ext., et fig. Rendre l'activité, le courage, l'ardeur, la vigueur et l'éclat. *Ranimer par des frictions un membre engourdi. Ranimer les couleurs d'un tableau.* = SE RANIMER, v. pr. Reprendre de la vie, de nouvelles forces. *La nature se ranime.* Revenir à la vie après un évanouissement, une syncope.
* **ranine**, adj. f. [Anat.] Se dit d'une artère et d'une veine de la langue.
* **ranule**, n. f. [Méd.] Tumeur de la partie inférieure de la langue. Syn. de *grenouillette*.
ranz [ranss], n. m. Air pastoral. — *Le ranz des vaches*, mélodie nationale de la Suisse que chantent et jouent les pâtres sur la cornemuse.
Hom. — V. RANCE.
* **raout** [ra-out], n. m. (angl. *rout*). Assemblée nombreuse de personnes du grand monde.

rap, rapp..,

> ORTH. — *Initiales*. — L'initiale *rap* s'écrit avec un seul *p* dans : rapace, rapatrier, rapide, rapière, rapine, etc. — Lorsqu'on trouve deux *p*, c'est qu'il s'agit d'un mot composé du préfixe de redoublement *re* et d'un mot commençant lui-même par *app* : rappareiller, rappel, rapport, rapprocher, etc.

rapace, adj. (lat. *rapax, acis*, m. s., de *rapere*, ravir). Se dit des oiseaux de proie qui ravissent d'autres animaux pour se nourrir de leur chair. || Fig. et fam. Avide et enclin à la rapine. *Un homme très rapace.* = N. m. pl. Groupe d'oiseaux de proie, à bec fort, à ongles puissants, se nourrissant de chair. V. pl. OISEAUX.
rapacité, n. f. Avidité d'un animal qui se jette sur sa proie, d'une personne âpre au gain, avide du bien d'autrui.
* **râpage**, n. m. Action de râper.
* **rapaiser**, v. tr. Ramener la paix.
rapatelle, n. f. Sorte de toile claire en crins de cheval dont on fait des sacs, des tamis.
rapatriage, n. m. Fam. Réconciliation (Vx).
rapatriement, n. m. Action de faire rentrer dans sa patrie une personne, un soldat, un marin se trouvant à l'étranger.
rapatrier, v. tr. Rendre quelqu'un à sa patrie. || Réconcilier des personnes qui étaient brouillées. — Conjug. V. GRAMMAIRE
CTR. — *Expatrier*.
* **rapatronnage**, n. m. Réunion à une souche du tronc d'un arbre coupé pour vérifier si l'un vient de l'autre.
1. râpe, n. f. (anc. haut allem. *raspion*, gratter). Ustensile qui consiste essentiellement en une plaque métallique hérissée d'aspérités et percée de trous, qui sert à réduire certaines substances en poudre ou en menus fragments. *Râpe à fromage, à tabac.* [Techn.] Lime à grosses aspérités servant dans le travail du bois. V. pl. OUTILS USUELS.

2. rape, n.f. [Bot.] Syn. de *rafle*.|| Partie d'un épi qui soutient les graines. — Pulpe de pommes ou de poires, disposée dans le pressoir afin d'en extraire le jus. Marc de raisin.
Hom. — *Râpe*, n. f. ustensile pour râper; grosse lime; — *râpe, es, ent*, du v. râper, mettre en poudre avec la râpe; — *râpes*, n. f. pl., crevasses du pli du genou du cheval.
3. râpe, n. f. [Méd. Vét.] Crevasse affectant le pli du genou du cheval.
1. râpé, n. m. Raisin nouveau qu'on met dans un tonneau pour améliorer le vin quand il se gâte. || Vin ainsi obtenu. || Boisson obtenue en mettant de l'eau sur du marc de raisin. || Fromage râpé (Pop.).
2. râpé, ée, adj. Usé jusqu'à la corde. *Habit râpé.*
râper, v. tr. (de *râpe*). Mettre en poudre avec la râpe. *Râper du sucre, du tabac.* || User la surface d'un corps avec la grosse lime appelée râpe. *Râper un bloc de buis.* = SE RÂPER, v. pr. S'user par le frottement. *Le coude de ma veste se râpe.*
* **râperie**, n. f. Endroit où l'on râpe des betteraves à sucre.
râpes, n. f. pl. V. RÂPE 3.
* **rapetassage**, n. m. Action de rapetasser. || Ouvrage rapetassé.
rapetasser, v. tr. Raccommoder grossièrement de vieux meubles, de vieilles hardes, y mettre des pièces. *Rapetasser une robe.*
PAR. — *Rapetisser*, rendre ou devenir plus petit.
* **rapetasseur, euse**, adj. et n. Celui, celle qui rapetasse.
* **rapetissement** [man], n. m. Action de rapetisser quelque chose, de se rapetisser. || Son résultat.
rapetisser, v. tr. Rendre ou faire paraître plus petit. = V. intr. Devenir plus petit. = SE RAPETISSER, v. pr. Devenir plus petit; rétrécir. || Fig. S'amoindrir.
SYN. — V. DIMINUER.
CTR. — *Grandir, agrandir, développer, grossir, enfler.*
PAR. — *Rapetasser*, raccommoder sommairement.
râpeux, euse, adj. Qui est rugueux comme une râpe.
* **raphaëlesque**, adj. Qui rappelle les œuvres de Raphaël, qui en a les qualités.
* **raphanie**, n. f. [Méd.] Maladie analogue à l'ergotisme.
* **raphé**, n. m. (gr. *raphê*, couture). [Anat. et Bot.] Ligne saillante qui ressemble à une couture.
raphia, n. m. [Bot.] Genre de plantes de la famille des palmiers, dont les fibres sont employées pour faire des liens, des cordages, des tissus.
* **rapiat, ate**, adj. et n. Avare (Pop.).
SYN. — V. AVARE.
rapide, adj. (lat. *rapidus*, m. s.). Qui va extrêmement vite. *Le vol rapide d'un avion.* || Fig. Qui se fait avec célérité. *Des conquêtes rapides.* || Qui entraîne vivement. *Pente rapide.*
— N. m. [Géol.] Tourbillon violent provoqué par une brusque variation de niveau dans le lit d'un fleuve ou par son étranglement entre des roches.
[Ch. de fer] Train à plus grande vitesse que l'express et qui ne s'arrête que dans les villes très importantes. *Le rapide de Bordeaux.*

Syn. — V. cascade et diligent.
Ctr. — *Lent, traînant. — Tardif.*
Ant. — *Omnibus* (train).
rapidement, adv. Avec rapidité, d'une manière rapide.
Ctr. *Lentement.*
rapidité, n. f. Célérité, grande vitesse.
Syn. — V. activité.
rapiéçage ou *** rapiècement**, n. m. Action de rapiécer. ‖ Résultat de cette action.
rapiécer, v. tr. Mettre des pièces à du linge, à des habits, à des meubles pour les réparer. = Conjug. V. grammaire.
*** rapiécetage**, n. m. Action de rapiéceter (Vx).
*** rapiéceter**, v. tr. Mettre beaucoup de petites pièces à une chose pour la raccommoder (Vx). = Conjug. V. grammaire.
rapière, n. f. Sorte d'épée à lame longue et effilée, pour donner des coups d'estoc (XVIIe s.). V. pl. armes.
rapin, n. m. Fam. Élève dans les ateliers, les académies de peinture. ‖ Peintre dépourvu de talent.
rapine, n. f. (lat. *rapina* m. s.). Action de ravir quelque chose par violence. ‖ Ce qui est ravi par violence. ‖ Pillage, volerie, concussion.
Syn. — V. larcin.
rapiner, v. intr. Prendre injustement, en abusant de l'emploi dont on est chargé. = V. tr. Commettre du pillage, des voleries. *Il rapine toujours quelque chose* (Fam.).
*** rapinerie**, n. f. Syn. de *rapine*. Action de rapiner; actes de rapine.
*** rapineur, euse**, n. Celui, celle qui rapine.
*** rapointir**, v. tr. Refaire une pointe à un outil.
*** rappareillement** [*ill* mll.], n. m. Fait, action de rappareiller.
rappareiller [*ill* mll.], v. tr. Joindre de nouveau, à une série devenue incomplète une ou plusieurs choses semblables; réassortir.
*** rappariement**, n. m. Le fait de rapparier; son résultat.
rapparier, v. tr. Joindre, à une chose, une autre chose qui fasse la paire. = Conjug. V. grammaire.
rappel [*ra-pèl*], n. m. (préf. *re*, et *appel*). Action par laquelle on fait revenir ceux qu'on avait envoyés en quelque endroit; se dit partic. des ambassadeurs, des exilés, etc. *Cet ambassadeur a obtenu son rappel.* — *Rappel à l'ordre*, réprimande du président d'une assemblée adressée à un orateur, à un interrupteur qui s'est écarté des convenances. [Admin.] Mesure par laquelle on alloue à un fonctionnaire une portion d'appointements qui était restée en suspens ou en arrière.
[A. mil.] Batterie de tambour ou sonnerie de clairon qui a pour objet d'avertir les troupes de se rassembler immédiatement, de revenir au drapeau. *Battre le rappel.* ‖ Fig. *Battre le rappel*, réunir tous les gens, toutes les ressources nécessaires. [Théâtre] Retour de l'acteur devant le public pour de nouveaux applaudissements.
Hom. — *Rappelle, es, ent*, du v. rappeler.
*** rappelable**, adj. Qui peut ou doit être rappelé.
rappeler, v. tr. (préf. *re*, et *appeler*) Appeler de nouveau. ‖ Faire revenir en l'appelant une personne qui s'en va. — Fig. *Mes affaires me rappellent à la ville*, mes affaires m'obligent à y retourner. ‖ Fig. *Rappeler quelqu'un à la vie*, le faire revenir à la vie. *Dieu l'a rappelé à lui*, il est mort. — *Rappeler ses esprits, rappeler ses sens, rappeler son courage*, reprendre ses sens, ses esprits, son courage. — *Rappeler la mémoire, le souvenir d'une chose*, la faire revenir à l'esprit. *Sa présence me rappelle bien des souvenirs.* — *Rappeler quelqu'un à son devoir*, le faire rentrer dans son devoir. — Dans le langage parlementaire, *rappeler à l'ordre un orateur*, un membre de l'assemblée, le réprimander pour s'être écarté du bon ordre, des bienséances.
Faire revenir quelqu'un d'un lieu où on l'avait envoyé pour exercer certaines fonctions, pour remplir un emploi. *Rappeler un ambassadeur.* ‖ Absol. [A. mil.] Battre le tambour ou sonner du clairon pour rassembler les soldats. = SE RAPPELER, avec le pron. *se* pour *à* soi. Se ressouvenir de. *Vous rappelez-vous ce fait? Je me le rappelle parfaitement. Je me rappelle qu'il m'a raconté cette histoire.* = Conjug. V. grammaire.
Gram. — Le verbe *se rappeler* étant un verbe transitif direct, on ne saurait en aucun cas le construire, comme le verbe *souvenir*, avec un complément indirect de chose. En conséquence, c'est une faute grossière de dire : *Je me rappelle de cet événement; je m'en rappelle.* Il faut dire : *Je me rappelle cet événement; je le rappelle*, ou *je m'en souviens*, ou *il m'en souvient*. Toutefois, si *se rappeler de quelque chose* est une faute, l'usage tolère qu'on dise : *Se rappeler d'avoir fait quelque chose.* Dans ce cas, la préposition *de* est employée, soit par euphonie, soit par analogie avec les constructions : *espérer de, désirer de*, etc.
Syn. — *Rappeler (se)*, ramener volontairement dans le champ clair de la conscience une chose passée : *Se rappeler ses jeunes années.* — *Remémorer (se)*, se remettre dans la mémoire : *Se remémorer des faits anciens.* — *Souvenir (se)*, revoir dans sa mémoire, à un moment donné et sans effort de volonté, quelque chose de passé : *Se souvenir d'une mésaventure ridicule.*
*** rappliquer**, v. tr. Appliquer de nouveau. = V. intr. Pop. Revenir, arriver.
*** rappointis** [*ti*], n. m. [Construc.] Pointe à large tête qu'on enfonce dans un bois pour retenir un enduit. = N. m. pl. Menus objets de serrurerie (clous, vis, patères, etc.).
rapport [*ra-port*], n. m. (n. verb. de *rapporter*). Action de rapporter. Résultat de cette action. — *Pièce de rapport*, pièces rapportées que l'on assemble et qu'on ajuste de manière à former un tout. *Une table de pièces de rapport.* [Dr.] Action par laquelle celui qui a reçu une somme, une valeur la rapporte à la masse de la succession, de la communauté, etc., pour qu'elle soit comptée au partage.
Court exposé d'une affaire, fait par le juge. — *Le rapport d'un expert, d'un médecin légiste*, le témoignage qu'il rend par ordre de justice. ‖ Compte rendu que l'on fait sur une affaire quelconque dont on a été chargé, sur un fait observé, etc.
Épithètes courantes : long, circonstancié, complet, diffus, étendu; bref,

sommaire, net, précis, concluant; écrit, verbal, etc.
Revenu, produit d'une terre, d'une maison, d'un emploi, etc. *Ce pré est d'un bon rapport.* — *Maison de rapport,* maison qu'on loue pour en tirer des revenus.
Récit, témoignage. *Voilà le rapport de ce que j'ai vu. Au rapport de tel historien.*
Relation que l'esprit conçoit entre deux choses. *Rapports logiques, moraux ; rapports d'origine, de convenance, d'analogie, d'ordre,* etc. ‖ Conformité, ressemblance, analogie, convenance, accord. *Le style de cet ouvrage n'est pas en rapport avec le sujet.* ‖ Connexions, relations sociales qui existent entre les hommes. *Rapports de parenté, d'amitié.* — *Mettre une personne en rapport avec une autre,* les mettre en relation l'une avec l'autre. V. tabl. FAMILLE et SOCIÉTÉ (*Idées suggérées par les mots*).
[Gram.] Relation que les mots ont les uns avec les autres, dans la construction de la phrase. *Le rapport de l'adjectif au substantif. Rapport vicieux.* [Math.] *Rapport de deux nombres,* le quotient de l'un de ces nombres divisé par l'autre. [Chim.] Affinité. — PAR RAPPORT À, loc. prép. Pour ce qui est de. *Par rapport à cela.* ‖ Par comparaison, en proportion de. *La terre est très petite par rapport au soleil.* — SOUS LE RAPPORT DE, loc. prép. En ce qui concerne, du point de vue de. *Il est irréprochable sous le rapport de l'honnêteté.*
Il faut distinguer les constructions *avoir rapport à* et *avoir rapport avec*. La première marque que la chose envisagée conduit à l'autre ou en dépend parce qu'elle en vient ou la rappelle : *Cette lettre a rapport à notre précédente conversation.* La tournure *avoir rapport avec* marque que la seconde chose est semblable, conforme ou analogue à la première : *Nos meilleures tragédies ont beaucoup de rapport avec celles des Grecs.*
INCORR. — Ne dites pas : je ne dois pas sortir, *rapport* à ma maladie. C'est une expression populaire et incorrecte pour : *à cause de* ma maladie. De même il est abusif de dire : *sous le rapport de,* pour : *au point de vue de.*
SYN. — V. ANALOGIE.
ANT. — *Désaccord, disproportion, disconvenance.*
PAR. — *Report,* action de reporter une somme, un total; cette somme elle-même.

rapportable, adj. Se dit des choses sujettes à être rapportées dans un partage, une répartition.

rapporter, v. tr. (préf. *re,* et *apporter*). Apporter une chose du lieu où elle est au lieu où elle était auparavant. *Rapportez-moi le livre que je vous ai prêté.* ‖ Apporter quelque chose en revenant d'un lieu. *Les soldats rapportèrent au camp le butin qu'ils avaient fait.* — *Cette action lui a rapporté beaucoup de gloire,* il a acquis beaucoup de gloire en agissant ainsi. [Chasse] Se dit d'un chien qui apporte au chasseur le gibier que celui-ci a tué, ou qui apporte l'objet qu'on lui a jeté. — Absol. *Ce chien rapporte bien.* ‖ *Rapporter des terres,* les aller prendre dans un lieu afin de les porter dans un autre. ‖ Joindre, ajouter quelque chose à ce qui ne paraît pas complet. *Il a fallu rapporter une bordure à ce châle.* ‖ Rendre. *Rapporter un objet trouvé à son propriétaire.* [Dr.] Remettre dans la masse les biens qui font partie d'une succession, ce qu'on a reçu d'avance, etc.
Produire, soit en fruits, soit en argent; donner un certain revenu. *Des arbres qui rapportent de beaux fruits. Cette terre rapporte tant par an.* — Fig. *Cette mauvaise action ne lui rapportera rien,* il n'en tirera aucun profit, aucun avantage.
Faire le récit de ce qu'on a vu, entendu ou appris. *Rapporter un fait comme il s'est passé.* ‖ Dire, faire connaître. *On m'a rapporté qu'ils étaient brouillés.* ‖ Redire par légèreté ou par malice ce qu'on a entendu dire. *On n'ose rien dire devant lui, il rapporte tout.* ‖ Faire l'exposition d'une affaire, au nom d'un comité, d'une commission, etc. *Rapporter un projet de loi.* ‖ Alléguer, citer. *L'exemple qu'il rapporte ne prouve rien.* ‖ Référer, diriger vers une fin, vers un but. *L'égoïste rapporte tout à soi.* ‖ Attribuer, faire remonter. *On rapporte à tel prince la fondation de.* [Dr. et Admin.] Révoquer, abroger, annuler. *Rapporter une loi, un arrêté.*
= SE RAPPORTER, v. pr. Avoir de la conformité, de la convenance, de la ressemblance. *Leurs caractères se rapportent en toutes choses.* ‖ Avoir relation, rapport à. *Cela se rapporte à des événements bien antérieurs.* [Gram.] Avoir rapport à, se rattacher à. *Ce pronom doit s'accorder avec le nom auquel il se rapporte.* ‖ *Se rapporter à quelqu'un de quelque chose,* ou absol., *S'en rapporter à quelqu'un,* s'en remettre à sa décision sur quelque chose. ‖ *S'en rapporter à quelqu'un, à quelque chose,* avoir confiance dans cette personne, ajouter foi à cette chose. *Je m'en rapporte à vous, à votre témoignage.*
SYN. — V. CONTER et REMETTRE (s'en).

rapporteur, euse, n. Celui, celle qui, par légèreté ou par malice, a coutume de rapporter ce qu'il a vu ou entendu. *Les collégiens appellent les rapporteurs des cafards.* [Dr.] Celui qui fait le rapport d'un procès, d'une affaire. *Conseiller, juge rapporteur.* ‖ Celui qui est chargé par un comité, etc., d'exposer l'opinion de ce comité sur une question, sur une affaire. *Le rapporteur général du budget.* [Géom.] Instrument pour mesurer les angles et pour les reproduire, constitué par un demi-cercle gradué. V. pl. DESSIN.

rapprendre, v. tr. Apprendre de nouveau. = Conjug. (comme *prendre*). V. VERBES.

* **rapprêter,** v. tr. Donner un nouvel apprêt à du drap, à une étoffe.

* **rapprivoiser,** v. tr. Apprivoiser de nouveau un animal. = SE RAPPRIVOISER, v. pr. Reprendre d'anciennes habitudes.

* **rapprochage,** n. m. Action de tailler une bordure, une haie.

rapproché, ée, adj. Placé, situé non loin l'un de l'autre. ‖ Qui se ressemblent beaucoup. ‖ Peu éloigné dans le temps.
SYN. — V. PROCHE.
CTR. — *Éloigné.*

rapprochement, n. m. Action de rapprocher. ‖ Résultat de cette action. ‖ Fig. Essai de réconciliation, d'accommodement entre personnes brouillées. ‖ Action de comparer, de mettre en parallèle des idées, des faits. Résultat de cette action.

rapprocher [ra-pro], v. tr. Approcher de nouveau. ‖ Approcher de plus près. *Les lunettes à longue vue rapprochent les objets*

elles les font paraître plus proches. — Au sens moral. *L'amour rapproche les distances*, les personnes qui s'aiment ne considèrent pas l'inégalité des conditions. ‖ Fig. *Rapprocher deux personnes*, les mettre sur la voie d'une réconciliation. ‖ Disposer à l'union, à la bienveillance. *L'intérêt divise les hommes, et c'est encore lui qui les rapproche.* ‖ Fig. Mettre des idées, des faits en regard les uns des autres, pour les comparer et en mieux saisir les rapports. *Rapprocher toutes les circonstances de la conduite de quelqu'un.* = SE RAPPROCHER, v. pr. S'approcher de nouveau, de plus près dans le temps ou dans l'espace. ‖ Fig. Être disposé à un raccommodement, à un accord.
CTR. — *Écarter, éloigner, disperser.*
PAR. — *Reprocher*, faire des reproches, exprimer son mécontentement.
rapproprier, v. tr. Remettre en état de propreté. = Conjug. V. GRAMMAIRE.
* **rapprovisionner**, v. tr. Approvisionner de nouveau.
* **rapsode**, n. m.; * **rapsoder**, v. tr.;
* **rapsodie**, n. f.; * **rapsodiste**, n. m. V. RHAPSODE, RHAPSODER, etc.
rapt, n. m. (lat. *raptus*, ravi). Enlèvement d'une personne par violence ou par séduction.
SYN. — V. PILLAGE.

> VOCAB. — *Famille de mots.* — *Rapt* [rad. *rap, rav*] : ravir, ravi, ravissant, ravissable, ravissement, ravissamment, ravisseur ; ravage, ravager, ravagé, ravagement, ravageur ; rapine, rapineur, rapinerie, rapiner, rapiat ; raviner, raviné, ravinée, ravin, ravine, ravineux, ravinement ; rapace, rapacité ; rapide, rapidement, rapidité, subreptice, subrepticement, subreption ; arracher, arraché, arrachis, arrachoir, arrachage, arrachement, arracheur, d'arrache-pied, arrache-clou, arrache-pieux, etc ; usurper, usurpateur, usurpation, usurpatoire.

râpure, n. f. Ce qu'on enlève avec la râpe ou en grattant.
raquetier, n. m. Fabricant, marchand de raquettes.
raquette, n. f. Instrument fait d'une tige courbée, garnie de cordes à boyau et adaptée à un manche, pour jouer à la paume, au tennis, etc. ‖ Appareil de forme analogue qui s'adapte aux chaussures pour marcher sur la neige sans enfoncer. [Bot.] Nom vulg. de l'*opuntia*, de la famille des *cactées*.
rare, adj. (lat. *rarus*, m. s.). Qui n'est pas commun, pas ordinaire ; qui se trouve difficilement. *Un livre rare.* ‖ Fam. *Se faire rare*, aller moins souvent dans les sociétés qu'on avait l'habitude de fréquenter. ‖ Clairsemé. *Cheveux rares.* ‖ Extraordinaire. *Homme d'un rare mérite.* = N. m. Ce qui est rare.
INCORR. — N'employez pas la tournure populaire : *C'est bien rare qu'il soit à l'heure.* Dites : *Il est rarement à l'heure.*
SYN. — V. BIZARRE.
CTR. — *Ordinaire, habituel, commun, fréquent, abondant, usuel, banal.*

> VOCAB. — *Famille de mots.* — *Rare* : raréfactif, raréfiable, rareté, rarement, rarissime, raréfier, raréfiant, rarescence, rarescent, raréfaction.

* **raréfactif, ive**, adj. Qui raréfie.

raréfaction [*sion*], n. f. [Phys.] Diminution de la densité d'un corps et augmentation de son volume par l'écartement de ses molécules. [Comm.] Diminution de l'offre d'une marchandise.
ANT. — *Condensation.*
raréfiable, adj. Qui est susceptible de se raréfier ou d'être raréfié.
raréfiant, ante, adj. Qui raréfie (Vx). ‖ Qui produit la raréfaction.
raréfié, ée, adj. Rendu moins dense. *Air raréfié.*
CTR. — *Dense, concentré, comprimé.*
raréfier, v. tr. (lat. *rarus*, rare, *facere*, faire). Augmenter le volume d'un corps sans augmenter sa masse. *La chaleur raréfie l'air.* = SE RARÉFIER, v. pr. Devenir moins dense, diminuer de pression. ‖ Devenir plus rare. = Conjug. V. GRAMMAIRE.
CTR. — *Condenser.*
rarement, adv. Peu souvent, peu fréquemment.
CTR. — *Fréquemment, constamment, souvent.*
* **rarescence**, n. f. État de ce qui se raréfie.
* **rarescent, ente** [*rèss-san, ant*'], adj. Qui se raréfie. Qui devient rare.
rareté, n. f. Qualité de ce qui est peu abondant, peu commun. ‖ Se dit aussi des choses, des événements qui n'arrivent pas souvent. ‖ État d'un corps qui a subi une diminution de densité. = RARETÉS, n. f. pl. Objets, bibelots rares, curieux, singuliers.
ANT. — *Affluence, abondance.*
rarissime, adj. Extrêmement rare.
rarranger, v. tr. Arranger de nouveau. = Conjug. V. GRAMMAIRE.
1. ras, ase [*ra, ra-ze*], adj. (lat. *rasus*, rasé). Qui a le poil coupé jusqu'à la peau. *Tête rase.* ‖ Qui a le poil fort court. *Un chien à poil ras.* ‖ *Mesure rase*, mesure remplie de manière que ce qu'elle contient soit bien de niveau avec les bords ; se dit par oppos. à *comble*. ‖ *Rase campagne*, campagne fort plate, fort unie. [A. mil.] *Rase campagne*, terrain non fortifié. = N. m. Étoffe dont le poil ne paraît pas. = RAS, adv. De tout près. *Cheveux coupés ras.* = AU RAS DE, loc. adv. Presque au niveau de. *Au ras de l'eau.*
HOM. — *Ras*, adj., qui a le poil coupé jusqu'à la peau ; peu élevé ; — *ras*, n. m., sorte de petit radeau ; — *ras* ou *raz*, n. m., courant marin : *Raz de marée* ; — *rat*, n. m., petit rongeur.

> VOCAB. — *Famille de mots.* — *Ras* [rad. *ras, rad, rat, rez*] : rader, radin ; raser, rasoir, raseur, rasade, rasure, rasage, rasant, rasement, rase-mottes ; râteau, râteler, râtelée, râtelures, râtelage, râteleur, râtelier, ratisser, ratissette, ratissoire, ratissure, ratissage ; rature, raturer, raturage ; rez, rez-de-chaussée.

2. ras [*râ*], n. m. V. RAZ.
3. * **ras** [*râ*], n. m. [Mar.] Petit radeau servant à l'entretien des carènes des navires.
4. * **ras** [*râss*], n. m. Nom des grands chefs féodaux en Abyssinie.
rasade [*za*], n. f. Le contenu d'un verre à boire plein jusqu'aux bords.
* **rasage** [*za*], n. m. Action de raser. ‖ Action d'égaliser tous les poils des peaux et des étoffes.
rasant, ante [*zan*], adj. Qui rase, qui effleure. ‖ *Tir rasant*, tir au niveau du sol.

— *Fortification rasante*, établie au ras du sol. ‖ Pop. Ennuyeux, fastidieux.
CTR. — *Intéressant, passionnant.*
rascasse, n. f. [Zool.] Nom vulgaire de la *scorpène*, que l'on pêche dans la Méditerranée et qui entre dans la confection de la bouillabaisse.
rascette ou **rassette,** n. f. [Chiromancie] Bas de la paume de la main, à la naissance du poignet.
rasement, n. m. Action de raser, de tondre. ‖ Action de raser une fortification, une place. ‖ Usure progressive des incisives des herbivores.
* **rase-mottes,** n. m. [Aviat.] Vol d'un avion au ras du sol.
raser, v. tr. (lat. pop. *rasare*, m. s.).Couper le poil tout près de la peau. ‖ Absol. Couper la barbe. *Se faire raser par un barbier.* ‖ Pop. *Raser quelqu'un*, le fatiguer par de longs discours, par des visites importunes. ‖ En parlant d'un bâtiment, d'un édifice, abattre au ras de terre. *Raser une maison.* — *Raser un vaisseau*, ôter à un vaisseau la partie supérieure de ses œuvres mortes. ‖ Fig. Passer tout auprès avec rapidité, ou encore, toucher légèrement, effleurer. *Une balle lui rasa le visage.* [Techn.] Enlever les poils qui dépassent des peaux. — Dans l'établissement d'une route ou d'une voie ferrée, suivre le niveau du sol. = SE RASER, v. pr. Se couper la barbe avec un rasoir. *Il ne sait pas se raser.* ‖ S'ennuyer. *On se rase ici* (Pop.).
SYN. — V. ABATTRE ET DÉMANTELER.
* **rasette,** n. m. [Mus.] Petite tige d'acier réglant la partie vibrante de l'anche d'un instrument à vent.
raseur, euse, n. Celui, celle qui rase. ‖ Celui, celle qui importune (Fam.).
LING. — L'Acad. ne donne pas le fém. *raseuse.*
* **rash** [*rach*], n. m. (mot angl.). [Méd.] Éruption fugace annonciatrice de la fièvre dans certaines maladies éruptives.
rasibus [*zi-buss*], adv. Tout contre, tout près (Pop.).
* **rasière,** n. f. Anc. mesure de capacité pour les matières sèches (50 l. environ).
* **raskolnik** ou * **rakolnik,** n. m. Nom donné aux dissidents de l'Église russe qui s'élèvent contre la révision de la Bible.
rasoir [*zoir*], n. m. (bas lat. *rasorium*, m. s.). Instrument d'acier qui a le tranchant très fin et dont on se sert pour raser la barbe. — Fam. *Couper comme un rasoir*, couper fort bien. ‖ Fig. et pop. Personne, chose ennuyeuse. Souvent pris adj. dans ce sens. *Un roman rasoir.*
* **rassade,** n. f. [Techn.] Ensemble de petits grains de verre ou d'émail de diverses couleurs.
rassasiant, ante [*zian*], adj. Qui rassasie; qui est propre à rassasier.
rassasiement [*zi-man*], n.m. État d'une personne dont la faim est satisfaite, ou au fig., dont les désirs sont assouvis.
rassasier, v. tr. (lat. *satiare*, m. s.). Apaiser la faim, satisfaire l'appétit. — Par anal., se dit des désirs, des passions. *L'homme a des désirs qu'il ne peut rassasier.* ‖ Satisfaire jusqu'à la satiété, le dégoût. *Être rassasié de lecture.* = SE RASSASIER, v. pr. Contenter sa faim, ses désirs, ses goûts. = Conjug. V. GRAMMAIRE.
rasse, n. f. Panier servant, dans une forge, à mesurer le charbon.

rassemblement [*san-ble-man*], n. m. Action de rassembler ce qui est épars. ‖ Action de rassembler des troupes. ‖ Concours, attroupement de gens.
SYN. — V. CONCOURS.
rassembler [*ra-san-blé*], v. tr. (préf. *re*, et *assembler*). Assembler de nouveau des personnes ou des choses qui étaient dispersées. *Rassembler les débris d'une armée.* ‖ Mettre ensemble, réunir des personnes ou des choses qui étaient isolées. *Rassembler des troupes.* ‖ Fig. Concentrer, combiner, accorder. *Rassembler ses forces, ses idées.* ‖ Remettre dans l'état où elles étaient des pièces désassemblées. = SE RASSEMBLER, v. pr. Se réunir. *Tous les soldats dispersés se rassemblèrent autour du drapeau.*
CTR. — *Disséminer, éparpiller, disperser, parsemer.*
PAR. — *Ressembler*, avoir de la ressemblance avec.
rasseoir, v. tr. Asseoir de nouveau, replacer. *Rasseoir une pierre.* ‖ Reposer, calmer. *Rasseoir son esprit.* = SE RASSEOIR, v. pr. Se remettre sur son siège. ‖ Se calmer, se remettre. ‖ S'épurer en se reposant. = Conjug. (comme *asseoir*). V. VERBES.
* **rassérènement,** n. m. Action de redevenir serein ou de redonner la sérénité.
rasséréner, v. tr. Rendre serein, rendre le calme, la tranquillité. = SE RASSÉRÉNER, v. pr. Devenir serein; reprendre, retrouver son calme. = Conjug. V. GRAMMAIRE.
SYN. — V. RASSURER.
* **rassette,** V. RASCETTE.
rassis, ise, adj. (pp. de *rasseoir*). Assis de nouveau. ‖ *Pain rassis*, qui n'est plus frais, ‖ Fig. *Esprit rassis*, calme et posé. ‖ *De sens rassis*, sans être ému, troublé.
ORTH. — Dites, au fém., *rassise* et non pas *rassie.*
rassortiment ou **réassortiment,** n.m. Action de rassortir. ‖ Nouvel assortiment de marchandises.
rassortir ou **réassortir,** v. tr. Assortir de nouveau. *Rassortir un ruban.*
rassoter, v. tr. Fam. Rendre sot, toqué, épris de façon déraisonnable.
rassurant, ante, adj. Qui est propre à rassurer, à rendre la confiance.
CTR. — *Inquiétant.*
rassurer, v. tr. (préf. *re*, et *assurer*). Raffermir, rendre stable. *Rassurer une muraille qui menace ruine.* — Au sens moral. *Il rassura ma foi chancelante.* ‖ Redonner l'assurance, rendre la confiance, la tranquillité. *Vos raisons me rassurent.* — *Rassurer le crédit*, rendre confiance aux capitalistes. = SE RASSURER, v. pr. Reprendre l'assurance, la confiance. *Rassurez-vous, il n'y a pas de danger.* — *Le temps se rassure*, il se remet au beau.
SYN. — *Rassurer*, rendre confiance à des gens qui craignaient quelque chose : *Rassurer les soldats ébranlés par un bombardement.* — *Raffermir*, rendre la fermeté à qui l'avait perdue : *Raffermir la confiance du public.* — *Rasséréner*, rétablir la tranquillité de l'esprit : *Ces nouvelles nous ont rassérénés.* — *Réconforter*, relever le courage et la confiance : *Ces succès ont réconforté les troupes.* — *Tranquilliser*, rendre le calme, la sérénité : *Tranquilliser une mère inquiète sur le sort de son fils.* V. aussi APAISER.
CTR. — *Effrayer, épouvanter, alarmer, inquiéter, ébranler.*

rastaquouère, n. m. (esp. *rastacuero*, traîne-cuir) Personnage exotique étalant un luxe exagéré et suspect. ‖ Chevalier d'industrie.

* **rastel**, n. m. Grand festin, grande beuverie, dans le Midi.

* **rasure** [zu], n. f. Action de raser les cheveux ou la barbe. ‖ Résultat de cette action (Vx).

rat, n. m. (orig. inc.). Petit quadrupède très nuisible, de l'ordre des rongeurs. — *Rat des champs*, le mulot, le campagnol. — *Rat d'eau*, espèce de campagnol. — *Rat musqué*, le desman. — *Rat de Pharaon*, la mangouste. — Fig. et fam. *Il est gueux comme un rat d'église*, ou, simpl., *comme un rat*, se dit d'un homme très pauvre. ‖ *C'est un rat*, se dit d'une personne très avare. ‖ Surnom des commis de régie.

— *Autrefois le rat de ville*
Invita le rat des champs
D'une façon fort civile
A des reliefs d'ortolans.
— *Quelqu'un aurait-il jamais cru*
Qu'un lion d'un rat eût affaire ?
(LA FONTAINE.)

[Mar.] *Queue-de-rat*, cordage plus gros d'un bout que de l'autre. [Techn.] *Rat de cave*, petite bougie flexible et repliée qu'on tient à la main pour s'éclairer. ‖ *Queue-de-rat*, lime à section ronde. — *Mort aux rats*, substance toxique employée pour la destruction des rats; partic. anhydride arsénieux. [Théâtre] Élève de la classe de danse de l'Opéra. ‖ *Rat d'hôtel*, voleur qui visite les chambres d'hôtel. ‖ Fig. et fam. *Avoir des rats dans la tête*, ou simpl. *Avoir des rats*, avoir des caprices, des bizarreries, des fantaisies. — *Prendre un rat*, se dit d'une arme à feu quand le coup ne part pas.
HOM. — V. RAS.

* **rata**, n. m. Ragoût de pommes de terre ou de haricots, dans l'argot milit. ‖ Mets grossièrement préparé.

ratafia, n, m. Liqueur alcoolique très sucrée faite avec des sucs de fruits.

* **ratage**, n. m. Pop. Action de rater; échec.

ratanhia, n. m. [Bot.] Nom vulgaire d'arbrisseaux du Pérou, famille des *légumineuses*, à propriétés astringentes.

rataplan, interj. Onomatopée qui s'emploie pour imiter le bruit du tambour.

ratatiné, ée, adj. Qui est ridé, flétri, desséché, ou rapetissé par l'âge.

ratatiner (se), v. pr. Se raccourcir, se resserrer en se plissant, se rider, se dessécher.

ratatouille [ill mll.], n. f. Pop. Ragoût peu appétissant.

1. **rate**, n. f. [Zool.] Femelle du rat.
2. **rate**, n. f. (holl. *raat*, rayon). [Anat.] Viscère du corps humain, glande vasculaire située dans l'hypocondre gauche. V. pl. HOMME (viscères). — Fig. et fam. *Se décharger la rate*, donner libre cours à sa colère. — *Se dilater la rate*, rire fort et longtemps. — *Il ne se foule pas la rate*, il ne travaille que le moins possible.

raté, ée, adj. Manqué. *Une affaire ratée.* = N. m. Coup d'une arme à feu qui n'est pas parti. [Techn.] Se dit de tout incident empêchant un instant une machine, un appareil de produire son effet. *Moteur qui a des ratés.* ‖ Artiste, individu sans talent ou desservi par la chance.

râteau, n. m. (lat. *restellum*, dimin. de *rastrum*, m. s.). Instrument à dents de fer ou de bois fixées à une traverse munie d'un long manche. V. pl. OUTILS USUELS. ‖ Nom de diverses sortes de fourches ou de racles.

* **ratel**, n. m. [Zool.] Genre de mammifères carnassiers de l'Ancien monde.
HOM. — *Ratel*, n. m., genre de mammifères carnassiers; — *râtelle*, *es*, *ent*, du v. râteler, ramasser au râteau; — *rattelle es*, *ent*, du v. ratteler, atteler à nouveau; — *ratelle*, n. f., maladie du porc.

râtelage, n. m. Action de râteler. ‖ Résultat de cette action.

râtelée, n. f. Ce qu'on peut ramasser en un seul coup de râteau. ‖ Fig. *Dire sa râtelée*, dire librement sa pensée.

râteler, v. tr. Amasser avec le râteau, ratisser. *Râteler des foins.* = Conjug. V. GRAMMAIRE.

râteleur, euse, n. Celui, celle qui râtelle des foins, des avoines, etc. = N. f. Machine agricole pour ramasser les foins.

râtelier [*i-é*], n. m. (de *râteau*). Sorte de balustrade qui ressemble à une échelle posée horizontalement et qu'on attache au-dessus de la mangeoire dans les écuries dans les étables, pour contenir le foin ou la paille que mangent les chevaux, les bestiaux. — Fig. et fam. *Manger à plusieurs râteliers*, tirer profit de plusieurs emplois différents; servir deux partis opposés. ‖ Montants garnis de crochets sur lesquels on pose des fusils. [Techn.] Fente dans un établi pour ranger verticalement des outils. V. pl. OUTILS USUELS. ‖ Fig. et fam. Se dit des deux rangées de dents et principalement de fausses dents; dans ce cas est syn. de *dentier*.

ratelle, n. f. [Méd. Vét.] Charbon du porc. ‖ En boucherie, péritoine des animaux.
HOM. — V. RATEL.

râtelures, n. f. pl. Mauvaises herbes feuilles qu'on ramasse avec le râteau.

rater, v. intr. (de *rat*, dans le sens de (caprice). Se dit d'une arme à feu dont le coup ne part pas quand on appuie sur la gâchette. — Par ext. *L'affaire a raté.* = V. tr. Manquer par suite d'un mauvais fonctionnement de l'arme ou par maladresse. *Rater un lièvre.* Fig. *Rater une place, une affaire*, etc., ne pas réussir dans la recherche d'une place, etc.
CTR. — *Réussir.*

* **ratiboiser** [*zé*], v. tr. Pop. Prendre, rafler, s'emparer frauduleusement. *Ratiboiser l'argent des autres.* — *Être ratiboisé*, être ruiné.

ratier, adj. Se dit d'un chien qui chasse les rats. *Chien ratier.* = N. m. *Un ratier.*

ratière, n. f. Piège à rats. ‖ Métier de rubanier.

* **ratificatif, ive**, adj. Qui ratifie. *Acte ratificatif.*

ratification [*sion*], n. f. Action de ratifier; confirmation d'une chose dans la forme requise. ‖ Acte, écrit dans lequel la ratification est contenue.
SYN. — V. APPROBATION.
PAR. — *Rectification*, action de rectifier.

ratifier, v. tr. (lat. *ratus*, certain; *facere*, faire). Approuver, confirmer dans la forme requise ce qui a été fait ou promis. *Ratifier un contrat, un traité.* = Conjug. V. GRAMMAIRE.

Ctr. — *Repousser, rejeter, désapprouver, combattre.*
Syn. — *Ratifier,* confirmer, approuver ce qui avait été conclu : *Le gouvernement n'a pas ratifié les conventions conclues à l'étranger.* — *Acquiescer,* adhérer à un acte, à une délégation : *Acquiescer à une demande.* — *Approuver,* donner son consentement à un acte : *Approuver une opération financière.* — *Confirmer,* sanctionner de son autorité : *Le chef de l'État a confirmé la décision de ses ministres.* — *Enregistrer,* donner force de loi en inscrivant sur un registre : *Le Parlement enregistrait les édits royaux.* — *Homologuer,* confirmer par autorité judiciaire ou administrative un acte particulier, une mesure prise par une compagnie : *Le ministère a homologué le nouveau tarif des chemins de fer.* — *Sanctionner,* donner à une loi sa force exécutoire : *L'autorité a sanctionné cet accord.* — *Sceller,* appliquer le sceau sur un acte pour lui donner le caractère d'authenticité : *Lettres scellées du sceau royal.*
* **ratinage**, n. m. Frisure donnée à certains draps, ratines, peluches, etc.
ratine, n. f. Drap croisé dont le poil, tiré au dehors et frisé, forme comme de petits grains.
ratiner, v. tr. Soumettre un drap ou une étoffe à l'opération du ratinage.
* **ratineuse**, n. f. Machine dont on se sert pour ratiner.
ratiocination [sio-si-na-sion], n. f. Action de ratiociner, de raisonner (Vx et iron.).
ratiociner [sio], v. intr. Faire des raisonnements (Vx et iron.).
ration [sion], n. f. (lat. *ratio,* mesure). Portion journalière de vivres distribuée aux militaires, aux marins, etc. — De même, en parlant des chevaux : *une ration de foin.* ǁ Quantité limitée d'aliments. *Ce malade est mis à la ration.* ǁ *Ration alimentaire,* quantité et nature des aliments nécessaires pour compenser les pertes de l'organisme. *Ration d'entretien, de travail, de croissance.*
Épithètes courantes : normale, forte, faible, suffisante, insuffisante, copieuse, abondante, quotidienne, journalière, mensuelle, alimentaire, etc.
rational [sio], n. m. [Antiq. judaïque] Morceau carré d'étoffe précieuse, orné de douze pierres fines, que le grand-prêtre portait sur la poitrine.
* **rationalisation** [sio-na-li-za-sion], n. f. Action de rendre rationnel. ǁ Exploitation intensive et rationnelle d'une entreprise industrielle, commerciale, etc.
* **rationaliser** [sio], v. tr. Rendre conforme à la raison. *Rationaliser la production,* éviter les pertes de temps, le gaspillage.
rationalisme, n. m. [Philos.] Doctrine qui fait de l'esprit une activité dont les idées préexistent à toute expérience. ǁ Doctrine de ceux qui n'admettent d'autre autorité que celle de la raison, et veulent tout expliquer par elle. V. tabl. intelligence (*Idées suggérées par le mot*).
Ant. — *Empirisme, traditionalisme, mysticisme, dogmatisme.*
rationaliste [sio], adj. Qui se rapporte au rationalisme. = Adj. et n. Qui est partisan du rationalisme et croit à la valeur absolue de la raison.

* **rationalité** [sio], n. f. Qualité de ce qui est rationnel.
* **rationnaire** [sio], adj. et n. Qui a droit à une ration, qui reçoit une ration.
rationnel, elle [sio], adj. (lat. *ratio,* raison). Qui est fondé sur le raisonnement, qui est conforme à la raison, par oppos. à *empirique.* [Astr.] *Horizon rationnel,* plan perpendiculaire à la verticale et tangent à la surface de la terre. [Math.] *Nombre rationnel,* nombre commensurable, entier ou fractionnaire.
Orth. — *Rationnel, irrationnel, rationner, rationnement* s'écrivent avec *deux n;* mais *rationalisme* et *rationaliste* n'en prennent qu'*un.*
Ctr. — *Empirique, irrationnel, illogique.*
rationnellement [sio], adv. D'une manière rationnelle.
rationnement [sio], n. m. Action de rationner. ǁ Résultat de cette action.
rationner [sio], v. tr. Distribuer par rations. *Rationner les vivres.* ǁ Mettre à la ration. ǁ Restreindre la quantité des aliments allouée à chacun. = se rationner, v. pr. S'imposer une ration. ǁ Fig. Restreindre ses besoins, ses dépenses.
ratissage, n. m. Action de ratisser.
ratisser, v. tr. Enlever, emporter, en raclant sa surface, ce qui salit une chose. *Ratisser un cuir.* ǁ Nettoyer et égaliser avec le râteau. *Ratisser des allées.*
* **ratissette**, n. f. Sorte de racle dont se servent les briquetiers, les forgerons.
* **ratissoire**, n. f. Instrument de fer pour ratisser. V. pl. outils usuels.
ratissure, n. f. Ce qu'on ôte en ratissant.
* **ratites**, n. m. pl. (lat. *ratis,* radeau). [Zool.] Groupe d'oiseaux coureurs dont les membres antérieurs sont atrophiés et impropres au vol (autruches et mandous, casoar, émeu, kiwi).
1. * **raton**, n. m. Tartelette garnie de fromage mou.
2. **raton**, n. m. Petit rat. [Zool.] Genre de mammifères carnivores d'Amérique, de naturel craintif.
rattachement ou * **rattachage**, n. m. Action de rattacher. ǁ État de ce qui est rattaché.
Syn. — V. liaison.
rattacher, v. tr. Attacher de nouveau. ǁ Fig. Établir un lien entre, faire dépendre de. *Rattacher une question à une autre.* = se rattacher, v. pr. Être rattaché, être en connexion. ǁ Fig. S'unir, se lier. ǁ S'accrocher à.
* **rattaquer**, v. tr. Attaquer de nouveau.
* **rattaindre**, v. tr. Rattraper, rejoindre, saisir de nouveau. = Conjug. (comme *peindre*). V. verbes.
* **rattrapage**, n. m. Action de rattraper ou de se rattraper.
rattraper, v. tr. Reprendre, ressaisir. ǁ Rejoindre quelqu'un ayant pris les devants. ǁ Regagner, recouvrer ce qu'on avait perdu. ǁ Attraper de nouveau. — Fig. *On ne m'y rattrapera plus,* on ne me trompera plus, je ne me laisserai plus prendre. = se rattraper, v. pr. Se retenir. ǁ Fig. Regagner, se dédommager.
* **raturage**, n. m. [Techn.] Action d'enlever le dessus des peaux pour faire du parchemin.
rature, n. f. Annulation faite par traits de plume sur ce qu'on a écrit. ǁ Ce qu'on enlève par raturage.

raturer, v. tr. Effacer, annuler par des ratures. ‖ Faire subir le raturage.
Syn. — V. biffer.
Ctr. — Rétablir, ajouter.

* **raucheur**, n. m. [Techn.] Ouvrier qui, dans les mines, surveille et entretient les boisages.

* **raucité**, n. f. Caractère d'un son rauque. — *Raucité de la voix*, son de voix âpre ou voilé.

rauque [ro'k], adj. (lat. *raucus*, m. s.). Rude, âpre, et comme enroué, en parlant du son de la voix. *Des cris rauques.*
Hom. — V. roc.

* **rauquement** [man], n. m. Cri du tigre.

* **rauquer**, v. intr. Crier, en parlant du tigre.

ravage, n. m. (du v. *ravir*). Dégât fait avec violence et rapidité. *Les ennemis firent de grands ravages.* ‖ Dommage causé par les tempêtes, les orages, les pluies, etc. — Se dit aussi des maladies. *Cette épidémie a fait de grands ravages.* ‖ Fig. Désordre causé par les passions.

ravagé, ée, adj. *Un visage ravagé*, un visage abîmé, flétri, stigmatisé (par la maladie, le chagrin, le vice).

* **ravagement**, n. m. Action de ravager.

ravager, v. tr. Faire du ravage. *Les sangliers ont ravagé ce champ.* = Conjug. V. grammaire.
Syn. — *Ravager*, causer un violent dommage : *La grêle a ravagé les récoltes*. — *Désoler*, faire d'une région habitée un désert : *Cette guerre sauvage a désolé tout le pays*. — *Détruire*, jeter à bas ce qui était construit : *Le bombardement a détruit tout un quartier de la ville.* — *Dévaster*, rendre désert, ruiner entièrement : *Un cyclone a dévasté la région.* — *Ruiner*, faire écrouler, jeter à terre : *La ville a été ruinée par un tremblement de terre.* — *Saccager*, piller une ville, une région entière : *L'ennemi a saccagé toute la province.*

ravageur, n. m. Celui qui ravage. ‖ Celui qui fouille les ruisseaux, la vase, pour en retirer les objets, la ferraille, etc., entraînés par les eaux.
Ling. — L'Acad. ne donne pas le fém. *ravageuse.*

ravalement, n. m. Travail des maçons qui mettent la dernière main à un édifice. ‖ Travail fait à la façade d'une maison soit par un nouveau crépissage, soit par un grattage de la pierre. ‖ Fig. Action de ravaler, de déprimer quelqu'un. Abaissement, avilissement dans lequel est tombée une personne.

ravaler, v. tr. Avaler de nouveau. *Ravaler sa salive.* ‖ Fig. Déprécier, rabaisser. *Ravaler la gloire d'une belle action.* [Archi.] Faire un ravalement. *Ravaler une façade.* = se ravaler, v. pr. Fig. S'avilir, s'abaisser. *Se ravaler au niveau de la bête.*
Syn. — V. abaisser.
Ctr. — *Exalter.*

ravaleur, n. m. Ouvrier maçon qui ravale les murs. = ravaleur, euse, n. Celui, celle qui ravale.

ravaudage, n. m. Raccommodage à l'aiguille de mauvaises hardes. ‖ Fig. Tout travail grossièrement fait, ou fait de pièces et de morceaux. ‖ Fam. Bavardage.

ravauder, v. tr. Raccommoder de méchantes hardes à l'aiguille. ‖ Fig. Compiler. = V. intr. S'occuper à ranger des hardes, des meubles. ‖ Fig. Écrire ou raconter des sornettes.

* **ravauderie**, n. f. Discours plein de niaiseries. ‖ Œuvre oiseuse, ou faite de pièces et de morceaux.

ravaudeur, euse, n. Celui, celle dont le métier est de ravauder de vieilles hardes. ‖ Rabâcheur, diseur de balivernes. ‖ Celui qui compile.

rave, n. f. Variété de navet à racines aplaties ou arrondies (*crucifères*).

* **ravelin**, n. m. [Fortif.] Syn. de demi-lune.

* **ravenala**, n. m. [Bot.] Genre de *musacées* de Madagascar; dans les engainements de ses feuilles s'accumule de l'eau.

ravenelle, n. f. [Bot.] Nom vulgaire de la *giroflée jaune* et du *raphanus raphanistrum* ou radis sauvage, plante adventice nuisible.

* **ravet**, n. m. [Zool.] Nom vulg. des blattes.

ravi, ie, adj. Transporté de joie, d'étonnement, d'admiration, etc. ‖ *Être ravi en extase*, être transporté hors de soi par la contemplation mystique et, par ext., par l'admiration, l'amour, etc. ‖ Par exag. *Être ravi de*, être très content, très heureux de. ‖ Enlevé de force, emporté avec violence.
Syn. — V. aise.
Ctr. — *Navré, déçu.*

ravier, n. m. (de *rave*). Petit plat, généralement en forme de bateau, dans lequel on sert des hors-d'œuvre.

* **ravière**, n. f. Champ semé de raves.

ravigote, n. f. Sauce verte et piquante composée de civette, d'estragon, de pimprenelle, de cerfeuil, etc.

ravigoter, v. tr. Fam. Redonner de la vigueur, de la force à une personne, à un animal faible.

* **ravilir**, v. tr. Rabaisser, rendre vil et méprisable. = se ravilir, v. pr. Devenir vil.

ravin, n. m. Lit creusé par les ravines, les eaux de ruissellement. ‖ Chemin creux.

ravine, n. f. Torrent passager et impétueux formé subitement après une grande de pluie. ‖ Lieu creusé par la ravine.

* **ravinée**, n. f. Creux que forme le passage d'une ravine.

ravinement, n. m. Action de raviner. ‖ Creusement des roches tendres par les eaux de ruissellement.

raviner, v. tr. Creuser le sol de ravins.

* **ravineux, euse**, adj. Coupé de ravins; creusé par les torrents.

ravioli, n. m. pl. (mot ital.). [Cuis.] Petits carrés de pâte farcis de viande hachée, recouverts de fromage, qu'on fait gratiner. — On dit aussi *ravioles.*

ravir, v. tr. (lat. *rapere*, m. s.). Enlever de force, emporter avec violence. *Ravir une femme.* [Théol.] Transporter hors de soi dans la contemplation. ‖ Fig. Charmer le cœur ou l'esprit de quelqu'un, faire éprouver un transport d'admiration, de plaisir, etc. *Cet orateur a ravi son auditoire.* = à ravir, loc. adv. Admirablement bien. *Elle chante, elle danse à ravir* (Fam.).
Syn. — V. arracher et enchanter.

ravisement [ze], n. m. Action de se raviser.
Par. — *Ravissement*, action de ravir; enlèvement; transport de l'esprit.

raviser (se), v. pr. Changer d'avis. ‖ Revenir à un avis qui semble meilleur.
* **ravissable**, adj. Que l'on peut ravir.
* **ravissamment**, adv. D'une façon ravissante.
ravissant, ante, adj. Qui ravit, qui enlève par force. *Loup ravissant.* ‖ Fig. Qui charme, qui transporte d'admiration, de joie. ‖ Extrêmement joli. *Une femme ravissante.*
ravissement, n. m. Action de ravir. ‖ Enlèvement fait avec violence. ‖ État de l'esprit transporté d'admiration, de joie. ‖ État d'un contemplatif en extase.
Syn. — V. ENTHOUSIASME.
Par. — *Ravisement*, action de se raviser.
ravisseur, euse, adj. et n. Celui, celle qui ravit, qui enlève avec violence.
Ling. — L'Acad. ne donne pas le fém. *ravisseuse.*
ravitaillement [*ill* mll.], n. m. Action de ravitailler. ‖ Services militaires ou civils qui s'occupent de ravitailler. ‖ Fam. Action de se procurer les aliments nécessaires à la consommation journalière. *Ravitaillement quotidien.*
Syn. — V. SUBSISTANCE.
ravitailler [*ill* mll.], v. tr. (préf. *re*, et *avitailler*, v. mot tiré du lat. *victualia*). Pourvoir de nouveaux vivres, de matériel, de nouvelles munitions, de renforts, une armée en campagne, une ville, une région.
* **ravivage**, n. m. Action de raviver.
raviver, v. tr. Rendre plus vif, plus actif. *Raviver le feu.* ‖ Fig. Ranimer, réveiller, exciter de nouveau. *Raviver un souvenir.* [Techn.] Décaper. = SE RAVIVER, v. pr. Devenir plus vif, plus actif.
ravoir, v. tr. (préf. *re*, et *avoir*) Avoir de nouveau. ‖ Recouvrer, rentrer en possession de.
Gram. — *Ravoir* ne s'emploie qu'à l'infinitif.
* **rayage** [*ré-ia-je*], n. m. Action de rayer (partic. un canon, une arme à feu). ‖ Résultat de cette action.
rayé, ée, adj. Qui a des raies, des stries. ‖ *Canon rayé*, canon qui a de petites cannelures en dedans, qui donneront aux projectiles un mouvement de rotation. ‖ Effacé, raturé. *Trois mots rayés nuls.*
Ctr. — *Lisse, poli.*
* **rayement** [*ré-ie-man*], n. m. Action de rayer.
rayer [*rè-ié*], v. tr. (de *raie*). Faire des raies. *Rayer du papier.* ‖ Faire les rayures qui se forment à l'intérieur du canon des armes à feu. ‖ Effacer par un trait de plume ce qui est écrit. *Il faut rayer ce mot.* = SE RAYER, v. pr. Devenir rayé. = Conjug. V. GRAMMAIRE.
Syn. — V. BIFFER.
Ctr. — *Inscrire, ajouter. — Polir.*
* **rayère** [*ré-iè-re*], n. m. Ouverture étroite, verticale, pratiquée dans le mur d'un tour pour éclairer l'intérieur. ‖ Conduite qui amène l'eau sur les aubes d'une roue.
Hom. — *Rayère*, n. f., ouverture verticale dans un mur; — *rayèrent* (ils), du v. rayer; — *reillère*, n. f., conduit amenant l'eau sur la roue d'un moulin.
* **rayeur**, n. m. Instrument pour rayer le papier à musique.
* **ray-grass** [*rè-gra*], n. m. (mot angl.). [Bot.] Nom de plusieurs espèces d'ivraie, partic. de l'ivraie vivace (*graminées*).

1. rayon [*ré-ion*], n. m. (Vx fr. *rai*, du lat. *radius*, m. s.). Trait de lumière qu'on imagine parti d'un corps lumineux. *Les rayons du soleil.* [Phys.] *Rayons lumineux, caloriques*, etc. Lignes droites suivant lesquelles se propagent les vibrations de la lumière, etc. *Rayons X*, voir X. ‖ Fig. au sens moral, émanation, lueur, apparence. *Un rayon d'espérance.* [Géom.] Segment de droite joignant le centre d'un cercle à un point quelconque de la circonférence. V. pl. LIGNES. ‖ Par ext. Espace qui s'étend en tous sens à partir d'un lieu. *Dans un rayon de tant de kilomètres.* — *Rayon d'action*, la zone sur laquelle s'étend l'action de quelque chose. ‖ Ce qui part d'un centre commun et va en divergeant. *Une étoile à cinq rayons. Les rayons d'une roue.*

> Vocab. — *Famille de mots.* — Rayon [*rad rai*, *rad*]: rai, rayonner, rayonnant, rayonné, rayonnage, rayonnement; radieux, radier, radiance, radié, radiation, radiateur, radiant, radian, radius, radium, radifère, radiumthérapie; radiesthésie; radiographie, radiographier, radioactif, radioactivité, radiotélégraphie, radiotéléphonie, radiodiffusion, radiodiffuser, etc,; enrayer, enrayement, enrayage, enrayeur, enrayoir, enrayure; irradiant, irradiateur, irradier, irradiation.

2. rayon [*ré-ion*], n. m. (de *raie*).[Agric.] Petit sillon tracé en ligne droite.
3. rayon [*rè-ion*], n. m. (anc. fr. *ree*, m. s.). Morceau de gâteau de cire fait par les abeilles, lorsque le miel y est encore. *Rayon de miel.* V. pl. APICULTURE. [Menuis.] Tablette posée dans les armoires, les bibliothèques, etc., et qui forme des séparations pour y ranger différents objets. *Mettre du linge sur un rayon.* [Comm.] Groupe des articles de même espèce dans les grands magasins. *Chef de rayon.*
* **rayonnage** [*ré-io-na-je*], n. m. Action de tracer des rayons dans un champ. ‖ Ensemble des rayons d'une bibliothèque, d'une armoire, etc.
Par. — *Rayonnement*, action de rayonner; expression qui anime les traits.
rayonnant, ante [*ré-io-nan*], adj. Qui rayonne. ‖ Fig. Se dit de celui dont le visage exprime une vive satisfaction. *Rayonnant de joie.* ‖ *Chaleur rayonnante*, nom donné improprement aux rayons infrarouges. [Archi.] *Gothique rayonnant*, style ogival plus compliqué qui régna à partir de la seconde moitié du XIIIe s.
Syn. — V. RADIEUX.
* **rayonne**, n. f. Dénomination officielle de la soie artificielle depuis le 10 janvier 1935.
rayonné, ée, adj. Disposé en rayons, orné de rayons. [Zool.] *Symétrie rayonnée*, disposition des organes des échinodermes placés comme les rayons d'une roue, autour d'un axe.
rayonnement [*ré-ione-man*], n. m. Action de rayonner. — Fig. et par ext. *Le rayonnement d'une idée.* ‖ Expression de grande satisfaction, de bonté, d'intelligence, qui anime les traits.
Par. — *Rayonnage*, action de tracer des rayons dans un champ; ensemble des rayons d'une bibliothèque.
1. rayonner [*ré-io-né*], v. intr. Émettre des rayons lumineux, ultra-violets, infra-

rouges, etc. ‖ Exprimer une très vive satisfaction, une grande joie. *Un visage qui rayonne.* ‖ Faire des excursions en partant toujours d'un même endroit.
2. **rayonner**, v. tr. Garnir d'un rayonnage.
* **rayonneur**, n. m. [Agri.] Instrument pour tracer les sillons où sera déposée la semence. V. pl. OUTILS USUELS.
rayure [*ré-iu*], n. f. Manière, façon dont une chose, une étoffe est rayée. ‖ Cannelures faites dans l'intérieur d'une arme à feu. ‖ Trace laissée sur un objet par un corps pointu ou coupant. ‖ Action de biffer, de rayer.
raz ou **ras**, n. m. [Mar.] Passage étroit où les courants sont violents. ‖ *Raz de marée*, énorme vague qui vient déferler sur la côte à la suite d'un séisme sous-marin ayant déterminé un effondrement dans une région voisine.
Hom. — V. RAS.
* **razeau**, n. m. Anc. bateau pour la navigation fluviale.
razzia, n. f. (mot arabe). Invasion faite sur le territoire ennemi pour enlever des troupeaux, des récoltes. ‖ Action de rafler toutes les marchandises.
SYN. — V. PILLAGE.
razzier, v. tr. Soumettre à une razzia. = V. intr. Exécuter une razzia. = Conjug. V. GRAMMAIRE.
re- ou **ré-**, préfixe qui entre dans la composition d'une multitude de mots, et qui sert ordinairement à indiquer un sens itératif (*redire*), adversatif (*repousser*), augmentatif (*retentir*); à marquer la réciprocité, etc.
Nota. — Comme on peut donner à une foule de verbes la signification itérative, en y ajoutant le préfixe re ou ré, nous n'enregistrons dans cet ouvrage que ceux qui sont d'un usage courant. Nous ne donnons d'autre part comme CONTRAIRES que des mots d'une autre racine.

...ré, rée

ORTH. — *Finales.* — Le son final *ré* s'écrit sous cette forme dans les mots masculins : carré, curé, juré, etc., et sous la forme *rée* dans les mots féminins : beurrée, centaurée, chicorée, denrée, marée, etc. ‖ Le même son se rend par *rhée* dans diarrhée.

ré, n. m. [Mus.] Deuxième note de la gamme de *do* ou *ut*. V. pl. MUSIQUE. ‖ Troisième corde du violon.
* **réa**, n. m. Roue à gorge de la poulie, sur laquelle s'engage la corde.
* **réabonnement**, n. m. Action de réabonner.
* **réabonner**, v. tr. Abonner de nouveau. = SE RÉABONNER, v. pr. S'abonner de nouveau.
* **réabsorber**, v. tr. Absorber de nouveau.
* **réaccoutumer**, v. tr. Accoutumer de nouveau. = SE RÉACCOUTUMER, v. pr. S'accoutumer de nouveau.
* **réacquérir**, v. tr. Acquérir de nouveau ce qu'on avait perdu. = Conjug. (comme *acquérir*). V. VERBES.
réacteur, trice, n. Personne qui contribue à une réaction. — On dit mieux *réactionnaire*.
réactif, ive, adj. Qui réagit, ou qui fait réagir, [Chim.] Se dit de toute substance connue dont on se sert pour découvrir la nature d'un corps inconnu. N. m. *Unréactif.*
réaction [*réak-sion*], n. f. (préf. *ré*, et *action*). Action de réagir. — Résultat de cette action. [Chim.] Manifestation des propriétés caractéristiques d'un corps déterminée par l'action d'un autre corps. [Techn.] *Moteur à réaction*, moteur mettant en application les principes de la fusée. [Physiol.] Action organique qui se manifeste à l'occasion d'une stimulation ou d'une influence morbide. ‖ Fig. Tout mouvement, toute action qui a lieu en sens inverse d'un mouvement précédent, d'une action antérieure. *Les réactions politiques.* — Acte d'un parti opprimé qui se venge lorsqu'il est le plus fort. — *La réaction*, le parti conservateur, qui s'oppose à toute innovation.
ANT. — *Révolution.*
réactionnaire [*sio-nè-re*], adj. et n. Qui est partisan d'une réaction politique, ou de la réaction.
ANT. — *Libéral, progressiste, radical, révolutionnaire.*
* **réactionner** [*sio-né*], v. tr. Actionner de nouveau. = V. intr. [Fin.] Réagir contre la hausse. ‖ Néol. Se dit pour *réagir*. — A éviter dans toutes ces acceptions.
* **réadaptation**, n. f. Action de réadapter.
* **réadapter**, v. tr. Adapter à nouveau.
* **réadjudication**, [*sion*] n. f. Adjudication nouvelle.
* **réadjuger**, v. tr. Adjuger une nouvelle fois; remettre en adjudication. = Conjug. V. GRAMMAIRE.
* **réadmettre**, v. tr. Admettre de nouveau. = Conjug. (comme *mettre*) V. VERBES.
* **réadopter**, v. tr. Adopter une nouvelle fois.
* **réaffirmer**, v. tr. Affirmer de nouveau.
* **réaggrave**, n. f. [Dr. can.] Dernier monitoire qu'on publie après trois monitions et après l'aggrave.
* **réaggraver**, v. tr. [Dr. can.] Déclarer que quelqu'un a encouru les censures portées par une aggrave.
réagir, v. intr. (préf. *re*, et *agir*). Exercer une action contraire, en parlant d'un corps qui agit sur un autre dont il a éprouvé l'action. *Un corps élastique réagit sur le corps qui le choque.* [Chim.] Se dit pour exprimer l'action réciproque que deux ou plusieurs corps exercent les uns sur les autres en se combinant. ‖ Fig. Au sens moral : *Réagir sur son auditoire.* ‖ Faire un effort pour résister. *Réagir contre la douleur.*
* **réaimanter**, v. tr. Aimanter de nouveau.
* **réajournement**, n. m. Ajournement réitéré.
* **réajourner**, v. tr. Ajourner une nouvelle fois.
1. **réal**, n. m. ou * **réale**, n. f. Anc. pièce de monnaie d'argent espagnole.
2. * **réal, ale**, adj. (de *royal*). *Galère réale*, autref., la principale galère d'une flotte, ou la galère du roi; *pavillon réal*, son pavillon.
réalgar, n. m. [Chim.] Sulfure naturel rouge d'arsenic.
réalisable [*za*], adj. Qui peut se réaliser.
CTR. — *Irréalisable, impossible.*
réalisateur, trice, adj. et n. Celui, celle qui réalise, qui a des aptitudes à réaliser.

réalisation [za-sion], n. f. Action de réaliser. ‖ Résultat de cette action. ‖ Conversion en espèces de marchandises, d'immeubles, de titres, etc.
réaliser, v. tr. (lat. *realis*, réel). Rendre réel et effectif. *Il ne put réaliser son projet.* ‖ *Réaliser sa fortune*, convertir en espèces les biens qu'on peut avoir en terres, en immeubles, en rentes, etc. [Comm.] *Réaliser ses stocks, ses marchandises*, les vendre. ‖ Admettre, comprendre. *Réalisez-vous complètement cette idée?* (Néol. peu heureux). = SE RÉALISER, v. pr. S'effectuer, devenir effectif. *Mes espérances se réalisent.*
réalisme, n. m. [Art. et Litt.] Tendance à représenter toutes choses sous leur aspect réel, beau ou laid. [Philos.] Doctrine selon laquelle le monde extérieur possède une existence indépendante de la pensée. — Doctrine attribuant aux universaux une existence indépendante des êtres individuels ou de l'esprit qui les conçoit. V. tableau INTELLIGENCE (*Idées suggérées par le mot*).
ANT. — *Idéalisme, nominalisme.*
réaliste, n. m. Partisan du réalisme littéraire, artistique ou philosophique. = Adj. Qui a rapport au réalisme. — Qui peint la réalité toute nue.
ANT. — *Nominaliste, idéaliste.*
réalité, n. f. (dérivé du lat. *res*, chose). Existence effective, chose réelle. = EN RÉALITÉ, loc. adv. Réellement, effectivement. — *Nous avons beau enfler nos conceptions au delà des espaces imaginables, nous n'enfantons que des atomes, au prix de la réalité des choses.* (PASCAL.)
ANT. — *Apparence, erreur, chimère, abstraction, légende.*
* **réamarrer**, v. tr. Amarrer de nouveau.
* **réanimer**, v. tr. Animer de nouveau.
* **réannexer**, v. tr. Annexer à nouveau.
réapparaître, v. intr. Apparaître de nouveau. = Conjug. (comme *connaître*). V. VERBES.
réapparition [sion], n. f. Action de réapparaître, d'apparaître de nouveau.
SYN. — V. RENAISSANCE.
* **réappel**, n. m. Appel qui se fait après le ou les premiers.
* **réappeler**, v. tr. Appeler de nouveau. = Conjug. V. GRAMMAIRE.
réapposer, v. tr. Apposer de nouveau.
réapposition [zi-sion], n. f. Action de réapposer. ‖ Résultat de cette action.
* **réapprendre**, v. tr. Apprendre de nouveau. = Conjug. (comme *prendre*). V. VERBES.
* **réapprovisionnement**, n. m. Action de réapprovisionner.
* **réapprovisionner**, v. tr. Approvisonner de nouveau.
* **réargenter**, v. tr. Argenter de nouveau.
réarmement, n. m. Action de réarmer. ‖ Nouvel armement.
réarmer, v. tr. Armer de nouveau.
réassignation [gna-sion, gn mll.], n. f. Seconde assignation devant un juge.
réassigner, v. tr. Assigner une seconde fois.
réassortiment, n. m. V. RASSORTIMENT.
réassortir, v. tr. V. RASSORTIR.
réassurance, n. f. Assurance par laquelle un assureur s'assure à son tour à une autre compagnie, pour se couvrir d'une partie des risques.

réassurer, v. tr. Assurer un assureur contre les risques dont il s'est chargé.
* **réattaquer**, v. tr. Attaquer une nouvelle fois.
* **réatteler**, v. tr. Atteler de nouveau. = Conjug. V. GRAMMAIRE.
* **réaux**, n. m. pl. Nom donné, au Moyen Age, aux *réalistes.*
* **rebadigeonner**, v. tr. Badigeonner une nouvelle fois.
* **rebaisser**, v. tr. Baisser de nouveau.
PAR. — *Rabaisser*, mettre plus bas, humilier.
* **rébalade**, n. f. Chasse nocturne, en barque, des oiseaux aquatiques.
* **rebander**, v. tr. Bander de nouveau.
* **rebaptisants** [ba-ti-zan], n. m. pl. Chrétiens du IIIe s. qui procédaient à un second baptême, quand le premier avait été donné par un hérétique.
* **rebaptisation** [za-sion], n. f. Action de rebaptiser.
rebaptiser, v. tr. Baptiser une seconde fois.
rébarbatif, ive, adj. Rude et rebutant. *Un visage rébarbatif.*
SYN. — V. RÉTIF.
CTR. — *Attrayant, avenant, accueillant.*
* **rebat**, n. m. [Fauc.] Action de lancer une deuxième fois l'oiseau chasseur.
rebâtir, v. tr. Bâtir de nouveau, reconstruire.
* **rebattage**, n. m. Action de rebattre.
* **rebattement**, n. m. [Blas.] Division extraordinaire de l'écu où les figures sont opposées.
rebattre, v. tr. Battre de nouveau. ‖ Resserrer les douves d'un tonneau en frappant sur les cerceaux pour les faire avancer. ‖ *Rebattre un matelas*, le refaire après avoir battu la laine. ‖ Fig. et fam. Répéter inutilement et d'une manière ennuyeuse; importuner. *Vous me rebattez les oreilles des mêmes choses.* = Conjug. (comme *battre*). V. VERBES.
PAR. — *Rabattre*, abaisser, réprimer.
rebattu, ue, adj. Qui a été souvent dit, souvent répété. ‖ *Chemin rebattu*, où l'on passe souvent.
SYN. — V. ORDINAIRE.
INCORR. — Dites bien : *avoir les oreilles rebattues*, et non *rabattues*, qui indiquerait une malformation du pavillon auditif.
rebaudir, v. tr. [Chasse] Caresser les chiens de chasse pour les exciter.
rebec, n. m. (mot arabe). [Mus.] Sorte de violon à trois cordes, d'origine arabe. V. pl. MUSIQUE.
rebelle, adj. (lat. *rebellis*, m. s.). Qui désobéit à une autorité légitime, qui se révolte, se soulève contre elle. *C'est un esprit rebelle.* = Nom. *C'est un rebelle.* ‖ Fig., se dit de tout ce qui résiste à l'action qu'on veut exercer. — *Métal rebelle*, qui fond difficilement. — *Une fièvre, un ulcère*, etc., *rebelle*, une fièvre, etc., qui ne cède point aux remèdes.
SYN. — V. MUTIN.
HOM. — *Rebelle, es, ent*, du v. se rebeller.
CTR. — *Obéissant, soumis, docile.*
rebeller (se,) v. pr. Devenir rebelle, se soulever contre l'autorité légitime. ‖ Fig. *Les sens se rebellent contre la raison.*
rébellion, n. f. Révolte, résistance ouverte aux ordres de l'autorité légitime. ‖

Ensemble des rebelles. ‖ Fig. *La rébellion des passions*, la résistance qu'elles opposent. [Dr.] Action d'empêcher par violence et voies de fait l'exécution des ordres de la justice.
Syn. — V. insurrection.
* **rebénir**, v. tr. Bénir de nouveau.
* **rebéquer (se)**, v. pr. Répondre avec arrogance à une personne à qui l'on doit du respect. = Conjug. V. grammaire.
rebiffer (se), v. pr. Fam. Se mettre en état de résistance; regimber. = V. tr. Relever en l'air. ‖ Rabrouer.
reblanchir, v. tr. Blanchir de nouveau. = V. intr. Redevenir blanc.
* **reblochon**, n. m. Fromage gras fait en Savoie.
* **reboire**, v. tr. Boire à nouveau. — Absol. Reprendre des habitudes d'ivrognerie. = Conjug. (comme *boire*). V. verbes.
reboisement, n. m. Action de reboiser. *Le reboisement des montagnes rend les inondations moins fréquentes*.
reboiser, v. tr. Planter des arbres, recouvrir de bois un terrain déboisé.
Ctr. — *Déboiser*.
* **rebond**, n. m. Action de rebondir. ‖ Saut que fait une balle après avoir touché le sol ou un mur. ‖ Bond en arrière.
rebondi, ie, adj. Se dit de parties charnues que la graisse fait paraître plus arrondies. *Des joues rebondies*.
Ctr. — *Plat, maigre*.
rebondir, v. intr. Faire un ou plusieurs bonds. ‖ Se dit de ce qui, après avoir diminué, redevient plus fort. *Succès qui rebondit*.
rebondissant, ante, adj. Qui rebondit.
rebondissement, n. m. Action d'un corps qui rebondit.
rebord [*bord*], n. m. Bord naturel ou ajouté, le plus souvent en saillie. *Rebord d'un fossé. Rebord d'une fenêtre.* ‖ Bord replié, renversé. *Rebord d'un manteau*.
reborder, v. tr. Mettre un nouveau bord. *Reborder une jupe.* ‖ Border de nouveau.
* **rebotter (se,)** v. pr. Remettre ses bottes.
reboucher, v. tr. Boucher de nouveau.
* **rebouillir** [*ill* mll.], v. intr. Bouillir de nouveau. = Conjug. (comme *bouillir*). V. verbes.
* **rebouisage**, n. m. Réparation grossière.
* **rebouiser** [*zé*], v. tr. Nettoyer et lustrer un chapeau (Vx). ‖ Mettre des pièces à de vieilles chaussures (Vx).
rebours [*bour*], **ourse**, adj. (lat. pop. *reburrus*, retourné). Revêche, peu traitable, bourru. — *Cheval rebours*, cheval rétif. ‖ *Bois rebours*, bois noueux. = N. m. Sens contraire de ce qui est ou de ce qui doit être; partic., le contre-poil des étoffes. ‖ Fig. et fam. Contre-pied, tout le contraire de ce qu'il faut. *C'est tout le rebours de ce que vous dites.* = à rebours, au rebours, loc. adv. En sens contraire, tout au contraire de ce qu'il faut. A contre-poil. *Vous brossez mon chapeau à rebours.* = Au rebours de, loc. prép. Contrairement à. *Au rebours de ce que vous croyez, il vit encore* (Fam.).
* **reboutement**, n. m. Action de rebouter. ‖ Résultat de cette action.

* **rebouter**, v. tr. Remettre, par des procédés empiriques, un membre luxé.
rebouteur, euse ou **rebouteux, euse**, n. Celui, celle qui fait métier de rebouter.
reboutonner, v. tr. Boutonner de nouveau. = se reboutonner, v. pr. Reboutonner son vêtement.
* **rebras**, n. m. Bord retroussé d'une manche. ‖ Partie du gant qui recouvre le bras (Vx). [Blas.] Doublure ou envers d'un vêtement.
* **rebrassé, ée**, adj. Qui a un rebras. *Robe rebrassée d'hermine*.
* **rebrider**, v. tr. Brider de nouveau.
* **rebrocher**, v. tr. Brocher de nouveau.
rebroder, v. tr. Broder sur ce qui est déjà brodé. *Rebroder du point de Venise.* ‖ Refaire une broderie.
* **rebrouiller**, v. tr. Brouiller de nouveau.
* **rebroussement**, n. m. Action de rebrousser. ‖ État de ce qui est rebroussé.
rebrousse-poil (à,) loc. adv. En rebroussant; dans le sens opposé à celui des poils. ‖ Fig. A contresens.
rebrousser, v. tr. (de *rebours*). Relever les cheveux, le poil, en sens contraire ou à contre-poil. ‖ Parcourir à nouveau dans le sens opposé. *Rebrousser chemin.* = V. intr. Revenir sur ses pas.
* **rebrunir**, v. tr. et intr. Brunir de nouveau.
rebuffade, n. f. (ital. *ribuffo*, m. s.). Mauvais accueil, refus accompagné de paroles hautaines. *Recevoir une rebuffade*.
Incorr. — Dites : *rebuffade*, ne dites pas : *rebiffade* (faute provenant d'une confusion avec le verbe se *rebiffer*).
* **rebuffer**, v. tr. Faire subir une rebuffade.
rébus [*buss*], n. m. (lat. *rebus*, ablatif plur. de *res*, chose). Jeu d'esprit qui consiste à exprimer des mots ou des phrases par une suite de lettres, de figures, etc. dont le nom rappelle par sa consonance les syllabes ou les mots que l'on veut évoquer. ‖ Fig. Énigme; écriture de lecture difficile.
rebut [*bu*], n. m. Action de rebuter. *Essuyer des rebuts.* ‖ Ce qu'on a rebuté, ce dont on n'a pas voulu. ‖ *Marchandises, choses rebutées ou méritant de l'être.* ‖ *De rebut*, sans valeur. *Marchandises de rebut.* ‖ *Au rebut*, à part, de côté, parmi les choses sans valeur. *Mettre une machine au rebut*.
Ant. — *Élite.* — *Qualité, choix*.
rebutant, ante, adj. Qui rebute, qui décourage. *Travail rebutant.* ‖ Choquant, déplaisant, repoussant.
Ctr. — *Tentant, plaisant, passionnant, entraînant, attirant*.
rebuter, v. tr. Rejeter avec dureté, avec rudesse. *Rebuter un solliciteur.* ‖ Décourager, fatiguer, dégoûter. ‖ Choquer, déplaire. *Il a un air qui rebute.* = se rebuter, v. pr. Se décourager, se dégoûter.
recacheter, v. tr. Cacheter de nouveau. = Conjug. V. grammaire.
récalcitrant, ante, adj. Qui résiste avec humeur, avec opiniâtreté.
Syn. — V. rétif.
Ctr. — *Docile, obéissant*.
récalcitrer, v. intr. (lat. *recalcitrare*, lancer les talons en arrière). Regimber (Peu us.). ‖ Fig. Résister avec opiniâtreté (Rare).

recalculer, v. tr. Calculer de nouveau.
recaler, v. tr. Caler de nouveau. [Argot scolaire] Refuser un candidat à un examen.
recalfater, v. tr. Calfater de nouveau.
récapitulatif, ive, adj. Qui sert à récapituler.
récapitulation [sion], n. f. Répétition sommaire, résumé de ce qui a été dit ou écrit.
récapituler, v. tr. (lat. *recapitulare*, m. s.). Reprendre article par article. ‖ Résumer.
recarder, v. tr. Carder de nouveau.
Par. — *Regarder,* porter le regard sur quelque chose.
recarrelage, n. m. Action de recarreler. ‖ Raccommodage de vieux souliers.
recarreler, v. tr. Carreler de nouveau. ‖ Ressemeler. = Conjug. V. GRAMMAIRE.
recasser, v. tr. Casser de nouveau.
recauser, v. intr. Causer de nouveau. *On en recausera.*
recéder, v. tr. Rendre, céder à quelqu'un ce qu'il avait cédé auparavant. ‖ Vendre à quelqu'un une chose achetée pour soi-même. = Conjug. V. GRAMMAIRE.
recel, n. m. (préf. *re,* et lat. *celare,* cacher). Action de recéler un objet constituant le produit d'une infraction, ou de cacher une personne coupable d'un crime.
Hom. — *Recel,* n. m., action de recéler ; — *recèle, es, ent,* du v. recéler ; — *ressèle, es, ent,* du v. resseller ; — *rescelle, es, ent,* du v. resceller.
recélé, n. m. [Droit] Recèlement des biens d'une société, d'une succession. *On informe du recélé.*
recèlement, n. m. [Dr.] Action de recéler.
receler, v. tr. Garder et cacher une chose vue ou connue par infraction à la loi. ‖ Fig. Contenir, renfermer. *Les trésors que recèle la terre.* = Conjug. V. GRAMMAIRE.
Syn. — V. CONTENIR.
Par. — *Déceler,* faire connaître, révéler.
receleur, euse, n. Celui, celle qui recèle.
récemment [sa-man], adv. Depuis peu de temps, nouvellement.
recens, n. m. Nouveau contrôle appliqué sur les pièces de bijouterie quand le fisc change le poinçon.
recensement [san-se-man], n. m. Action de dénombrer les habitants d'une ville, d'un État, les suffrages d'un vote, les animaux, voitures, automobiles d'une région, etc. [Comm.] Nouvelle vérification de marchandises.
recenser [san-sé], v. tr. Effectuer un recensement. ‖ Contrôler de nouveau des pièces de bijouterie.
recenseur, euse, n. Celui, celle qui prend part aux opérations du recensement.
recension [san-sion], n. f. Vérification du texte d'une édition nouvelle d'un auteur sur le texte des éditions antérieures ou des manuscrits. — Texte ainsi revu et corrigé.
récent, ente [san], adj. (lat. *recens, entis,* m. s.). Nouveau, nouvellement fait, nouvellement arrivé. *Un événement récent.* — *Mémoire récente, souvenir récent,* mémoire, souvenir d'une chose arrivée depuis peu.
Syn. — V. NEUF.
Ctr. — *Ancien, vieux, passé.*
Hom. — *Ressens, ressent,* du v. ressentir.

recépage, n. m. Action de recéper. ‖ Le résultat de cette action.
recépée, n. f. Partie d'un bois ou d'un arbre qu'on a recépée.
recéper, v. tr. (préf. *re* et *cep*). Tailler une vigne jusqu'au pied en coupant tous les sarments. ‖ Par ext. Couper près de terre certains arbres ou arbustes pour qu'ils poussent mieux. ‖ Couper sous l'eau, à fleur de sol, des pieux, des pilotis. = Conjug. V. GRAMMAIRE.
récépissé, n. m. (lat. *recepisse,* avoir reçu). Écrit par lequel on reconnaît avoir reçu des papiers, des pièces, de l'argent, un colis, etc. = Pl. *Des récépissés.*
Incorr. — Éviter de dire *recipissé.*
réceptacle, n. m. (lat. *receptaculum,* m. s.). Lieu où sont rassemblées plusieurs choses de provenances diverses ; se dit ordinair. en mauvaise part. *C'est le réceptacle de toutes les immondices de la ville.* ‖ Bassin destiné à rassembler des eaux qui y sont amenées par divers conduits. [Bot.] Partie de la fleur où s'insèrent le calice, la corolle, les étamines, le pistil, et les carpelles de l'ovaire.
1. récepteur, n. m. (lat. *receptor,* propre à recevoir). Nom générique de tout appareil destiné à recevoir quelque action. [Phys.] Partie de l'appareil téléphonique ou télégraphique permettant de faire entendre la voix ou d'enregistrer des signaux.
2. récepteur, trice, adj. Qui reçoit. *Poste récepteur.* ‖ *Machine réceptrice.* dynamo qui reçoit de l'énergie électrique transmise par une autre source appelée *génératrice.* = N. f. *Une réceptrice,* m. s.
Ctr. — *Émetteur.*
réceptif, ive, adj. Qui est à même de recevoir des impressions.
réception [sion], n. f. (lat. *receptio,* m. s., de *recipere,* recevoir). Action par laquelle on reçoit. *Accuser réception d'une lettre.* ‖ En parlant des personnes : Accueil, manière de recevoir. ‖ Action de recevoir plusieurs visites à la fois, avec un certain cérémonial. *Jour de réception d'une dame.* ‖ Cérémonie par laquelle quelqu'un est reçu dans une compagnie, ou installé dans une charge. *Réception à l'Académie.* ‖ Admission des ouvrages de l'esprit en vue du comité de lecture. *Réception d'une pièce de théâtre.* ‖ Suite d'épreuves auxquelles on soumet un ouvrage d'art avant son admission à l'emploi auquel il est destiné. *Réception d'un pont.*
Épithètes courantes : chaleureuse, chaude, enthousiaste, triomphale, solennelle, magnifique ; mauvaise, froide, glaciale ; correcte, polie, pincée, mitigée, piteuse, etc.
réceptionnaire [sio-nè-re], adj. Qui est chargé de recevoir. *Agent réceptionnaire.* = N. m. Celui qui reçoit une marchandise. ‖ Celui qui soumet un ouvrage aux épreuves, qui en fait la réception.
réceptivité, n. f. [Physiol.] Aptitude des organes à recevoir des impressions venues de l'extérieur ou de l'intérieur. [Méd.] Aptitude à contracter les maladies.
réceptrice, adj. *Machine réceptrice,* ou RÉCEPTRICE, n. f. V. RÉCEPTEUR.
recercelé, ée, adj. [Blas.] Se dit des croix dont les bras se terminent par deux volutes.

* **recerclage,** n. m. Action de recercler.
* **recercler,** v. tr. Cercler de nouveau, ou mettre de nouveaux cercles. *Recercler une cuve.*
* **récession,** n. f. Action de se retirer.
recette, n. f. (lat. *recepta,* chose reçue). Action et fonction de recevoir, de recouvrer ce qui est dû. — Bureau où l'on reçoit les taxes. *Recette particulière.* ‖ *Garçon de recette,* employé de banque ou de commerce chargé d'aller encaisser des valeurs. ‖ Formule de préparation médicamenteuse. ‖ Méthode, procédé usités dans les arts, dans l'économie domestique, etc. *Recette de cuisine.*
ANT. — *Dépense.*
ÉPITHÈTES COURANTES : nette, brute, belle, bonne, fructueuse, importante, satisfaisante, appréciable, inespérée; petite, faible, insuffisante, nulle; espérée, escomptée, etc.
recevabilité, n. f. Qualité de ce qui est recevable.
recevable, adj. Qui peut ou qui doit être reçu. [Dr.] Qui peut être admis à former une demande, à poursuivre en justice.
receveur, euse, n. Celui, celle qui a charge de faire une recette ou de gérer une recette. ‖ Personne chargée, dans les transports en commun, de percevoir le montant des places.
ANT. — *Payeur.*
recevoir, v. tr. (lat. *recipere,* m. s.). Prendre ce qui est donné, offert. *Recevoir un don, un legs.* ‖ Toucher ce qui est dû, être payé. *Recevoir des appointements.* ‖ Prendre ce qui est envoyé, adressé. *Recevoir une dépêche.* Fig. *Recevoir une nouvelle, des ordres.* ‖ Prendre, accueillir ce qui est conféré. *Recevoir le bâton de maréchal.* ‖ Prendre ce qui est transmis, communiqué. *Recevoir la vie, le baptême.* ‖ Prendre ce que l'on vous confie. *Recevoir de l'argent en dépôt.* Fig. *Recevoir une confidence.* ‖ Agréer, accepter. *Recevoir des offres.* ‖ Se voir imposer. *Recevoir un nom, un surnom.* ‖ Obtenir en partage, être gratifié de. *Recevoir des politesses, des compliments.* ‖ Éprouver, subir. *Recevoir des coups, une balle, un choc.* ‖ Laisser entrer une chose. *La mer reçoit l'eau des fleuves.* ‖ Recueillir. *Recevoir dans un vase le sang d'une saignée.* ‖ Admettre, accueillir. *Recevoir quelqu'un chez soi.* ‖ *Recevoir des visites,* admettre chez soi les personnes qui viennent vous voir. Absol. *Madame ne reçoit pas aujourd'hui.* [A. mil.] Soutenir l'attaque de. *Recevoir les ennemis à coups de fusil.* ‖ Admettre après épreuve. *Recevoir un candidat.* ‖ Faire la réception de. *Recevoir un pont.* ‖ Installer dans une charge, un emploi, une dignité. *Il a été reçu conseiller.* ‖ Emprunter, tirer de. *Nous avons reçu cet usage des Anglais.*
GRAM. — Le pp. *reçu,* placé au début d'une proposition et employé comme abréviat. de la loc. neutre impers. : *il a été reçu,* reste invariable. *Reçu les pièces énumérées ci-dessus.*
INCORR. — Dites : *il reçut* et non: *il receva; nous reçûmes, vous reçûtes* et non : *nous recevâmes, vous recevâtes,* fautes grossières d'illettré.
SYN. — V. ACCEPTER, ACCUEILLIR et ATTRAPER.
CTR. — *Refuser, donner, exclure.*

CONJUG. — V. tr. du 3ᵉ gr. (infin. en *oir*) [rad. *recev, rec.*].
INDICATIF. — *Présent* : je reçois, tu reçois, il reçoit, nous recevons, vous recevrez, il reçoivent. — *Imparfait* : je recevais... nous recevions... — *Passé simple* : Je reçus, tu reçus, il reçut, nous reçûmes, vous reçûtes, ils reçurent. — *Futur* : je recevrai,.. nous recevrons...
IMPÉRATIF. — Reçois, recevons, recevez,
CONDITIONNEL.— *Présent* : Je recevrais... nous recevrions...
SUBJONCTIF. — *Présent* : que je reçoive, que tu reçoives, qu'il reçoive, que nous recevions, que vous receviez, qu'ils reçoivent. — *Imparfait* : que je reçusse, que tu reçusses, qu'il reçût, que nous reçussions, que vous reçussiez, qu'ils reçussent.
PARTICIPE.— *Présent :* recevant.—*Passé:* reçu, ue.

réchampir, v. tr. [Peinture] Détacher d'un fond les objets peints, soit par une accentuation des contours, soit par un contraste des couleurs.
* **réchampissage,** n. m. Action de réchampir. ‖ Ouvrage réchampi.
rechange, n. m. Remplacement d'objets par d'autres, semblables, que l'on tient en réserve. *Des armes de rechange. — Linge de rechange,* linge de corps pour se changer.
***rechanger,** v. tr. Changer de nouveau. = Conjug. V. GRAMMAIRE.
INCORR. — *Se rechanger* pour dire changer de vêtements est populaire et incorrect.
* **rechanter,** v. tr. Chanter de nouveau, ou répéter le même air, la même chanson.
réchapper, v. intr. Être délivré, se tirer d'un grand péril.
* **recharge,** n. f. Action de recharger. ‖ Seconde charge d'explosif dans une arme à feu, un trou de mine, etc.
rechargement, n. m. Action de recharger des marchandises. ‖ Action d'empierrer à nouveau une route, un ballast de voie ferrée.
recharger, v. tr. Charger de nouveau. *Recharger une voiture.* ‖ Charger de nouveau une arme à feu. [Agri.] *Recharger un champ,* y ajouter de la terre arable. [Électr.] *Recharger une batterie d'accumulateurs,* la charger de nouveau. ‖ *Recharger une route,* l'empierrer de nouveau. ‖ SE RECHARGER, v. pr. reprendre son fardeau, sa charge. = Conjug. V. GRAMMAIRE.
* **rechasser,** v. tr. Chasser, expulser de nouveau. ‖ Repousser d'un lieu dans un autre. ‖ Pousser à nouveau un objet mobile. = V. intr. Chasser de nouveau.
réchaud [*chô*], n. m. (pour *réchauf,* n. verbal de *réchauffer*). Ustensile généralement portatif, faisant fonction de petit fourneau, et destiné à chauffer ou à réchauffer diverses choses, en partic. les mets. *Réchaud à alcool, à pétrole, à gaz, électrique,* etc. [Hortic.] Fumier nouveau qu'on applique sur les couches refroidies, afin de renouveler les fermentations et de redonner de la chaleur.
* **réchauffage,** n. m. Action de réchauffer. ‖ Résultat de cette action.
réchauffé, adj. Chauffé de nouveau. = N. m. Chose réchauffée. ‖ Fig. *C'est du réchauffé,* se dit de paroles déjà prononcées, d'idées déjà émises que l'on ressert.

réchauffement, n. m. Action de réchauffer. ‖ Résultat de cette action. [Hortic.] Fumier nouveau qu'on emploie pour réchauffer les couches refroidies.
ANT. — *Réfrigération.*
réchauffer, v. tr. Échauffer, chauffer de nouveau ce qui était refroidi. ‖ Fig. Ranimer, exciter de nouveau. *L'espoir du succès a réchauffé son zèle.* ‖ Aviver. *Réchauffer un ton.* [Hortic.] *Réchauffer une couche,* y mettre du fumier nouveau.
CTR. — *Refroidir, rafraîchir.*
* **réchauffeur,** n. m. Nom donné à divers appareils servant à faire chauffer l'eau avant son arrivée dans la chaudière, à échauffer des gaz ou des liquides avant de les faire réagir, etc. V. pl. LOCOMOTIVE.
* **réchauffoir,** n. m. Fourneau d'un poêle de salle à manger servant à réchauffer les plats ou à les maintenir chauds.
* **rechaussement,** n. m. [Agri.] Action de rechausser un arbre.
rechausser, v. tr. Chausser de nouveau. [Agric.] Remettre de la terre au pied d'un arbre, d'une plante. ‖ *Rechausser un mur, un pilier,* en refaire ou fortifier le pied avec de nouvelles pierres. = SE RECHAUSSER, v. pr. Se chausser de nouveau.
rêche, adj. Qui est rude au toucher. *Une étoffe rêche.* ‖ Par anal. Apre, rude au goût. *Cette pomme est rêche.* ‖ Fig. *Réponse rêche, caractère rêche,* peu aimables.
SYN. — V. RUDE.
recherche, n. f. (n. verb. de *rechercher*). Action de rechercher, de faire effort pour obtenir. *Travailler à la recherche de la vérité.* ‖ Perquisition. *Le coupable a échappé aux recherches.* ‖ Au pl. Travaux de science et d'érudition. *Recherches sur les fonctions de l'encéphale.* ‖ Examen, enquête sur la vie et les actions de quelqu'un; poursuite judiciaire. *La recherche des concussionnaires. Recherche de la paternité.* ‖ Soin, art, raffinement, affectation qu'on met en certaines choses. *Il y a trop de recherche dans son style.*
SYN. — V. EXAMEN et PERQUISITION.
ÉPITHÈTES COURANTES : exacte, précise, méthodique, minutieuse, délicate, difficile, pénible, embarrassante, habituelle, extraordinaire, effectuée, contrôlée, entreprise, prescrite, ordonnée, inspirée, commencée, terminée, couronnée de succès, infructueuse, etc.
recherché, ée, adj. Peu commun, rare. *Des meubles anciens, recherchés.* ‖ Qui manque de simplicité, de naturel; trop raffiné ou affecté. *Mise recherchée. Style recherché.*
CTR. — *Usuel, commun, banal, plat, convenu.*
rechercher, v. tr. Chercher de nouveau. ‖ Chercher avec soin. *Rechercher la cause d'un phénomène.* ‖ Tâcher de se procurer, d'obtenir. *Rechercher l'amitié de quelqu'un.* — Essayer de faire connaissance avec quelqu'un, de connaître, de fréquenter. *C'est un homme que tout le monde recherche.* — *Rechercher une jeune fille en mariage,* faire les démarches nécessaires pour obtenir sa main. = SE RECHERCHER, v. pr. Désirer se voir, se connaître.
rechigné, ée, adj. Qui a l'air de mauvaise humeur; maussade. *Une mine rechignée.*
* **rechignement,** n. m. Action de rechigner.
rechigner, v. intr. (préf. *re,* et germ. *kinan,* m. s.) Témoigner, par l'air revêche de son visage, la mauvaise humeur où l'on est, la répugnance qu'on éprouve.
* **rechoir,** v. intr. Tomber de nouveau. ‖ Fig. Retomber dans une même maladie, dans une même faute (Vx). = Conjug. (comme *choir*). V. VERBES.
rechute, n. f. Nouvelle chute. [Méd.] Réapparition d'une maladie au cours de la convalescence. ‖ Fig. Retour à la même habitude à la même faute.
SYN. — *Rechute,* retour à une faute déjà commise : *Cet ivrogne avait juré de se corriger, mais il a des rechutes.* — *Récidive,* action de retomber dans un crime ou un délit déjà condamnés : *La récidive aggrave la peine.*
PAR. — *Récidive,* réapparition d'une maladie après complète guérison (la *rechute* se produisant *avant* cette guérison).
* **rechuter,** v. intr. Faire une rechute (Fam.).
récidive, n. f. (lat. *recidere,* retomber). [Méd.] Réapparition d'une maladie, après complète guérison. [Dr.] Action de commettre de nouveau, un crime ou un délit de même nature. ‖ Se dit aussi d'une simple faute.
SYN. et PAR. — V. RECHUTE.
récidiver, v. intr. [Dr.] Commettre de nouveau le même délit, après une première condamnation définitive. [Méd.] Réapparaître, recommencer, en parlant d'une maladie.
récidiviste, adj. et n. Celui, celle qui se met en état de récidive.
* **récidivité,** n. f. [Méd.] Tendance à récidiver.
récif, n. m. (arabe *ar-rasîf,* m. s.) Chaîne de rochers, ou banc de coraux, à fleur d'eau.
* **récipé,** n. m. Ordonnance d'un médecin. ‖ Fam. Formule de remèdes (Vx).
récipiendaire [pi-an], n. m. Celui que l'on reçoit dans un corps, dans une compagnie, avec un certain cérémonial.
récipient [pi-an], n. m. (lat. *recipiens,* qui reçoit). Vase susceptible de recevoir un liquide ou un gaz. [Phys.] *Récipient d'une machine pneumatique,* cloche de verre sous laquelle on fait le vide. ‖ *Récipient florentin,* vase à tubulure courbe servant à la séparation de liquides de densités différentes.
réciprocité, n. f. État, caractère de ce qui est réciproque. *La réciprocité des services.*
réciproque, adj. (lat. *reciprocus,* m. s.). Mutuel, qui a lieu de part et d'autre, qui va de l'un à l'autre. *Amour, amitié, haine réciproque.* [Gram.] *Verbes réciproques,* verbes à la voix pronominale, indiquant que l'acte est fait simultanément par deux sujets agissant l'un contre l'autre. Ex. *Ils se battaient dans la rue.* [Log.] *Propositions réciproques,* propositions telles que le sujet de l'une peut devenir l'attribut de l'autre et réciproquement. Ces deux propositions : *l'homme est un animal raisonnable* et *un animal raisonnable est un homme,* sont réciproques. [Math.] *Raison réciproque,* syn. de raison inverse. — *Propositions ou théorèmes réciproques,* propositions, théorèmes tels que l'hypothèse de chacun est la conclusion de l'autre. — *Nombres réciproques* ou *inverses,* deux nombres dont le produit est égal à 1. = N. f. *Rendre la réciproque,* rendre la pareille. [Math.] *La réciproque est vraie,* l'inverse est vrai.

Incorr. — Éviter de dire : *un engagement réciproque de part et d'autre*, ce qui constitue un pléonasme. La réciprocité implique l'existence de deux parties.
Syn. — V. MUTUEL.

réciproquement, adv. Mutuellement, d'une manière réciproque. *S'aimer réciproquement*. ǁ Inversement.

* **réciproquer**, v. tr. et intr. Rendre la réciproque, la pareille à quelqu'un.

* **récision**, n. f. Action de couper; son résultat.

récit [*si*], n. m. Relation, narration d'une chose qui s'est passée. *Le récit d'une aventure.* [Théâtre] Narration détaillée d'un événement important qui vient de se passer. *Le récit de Théramène, dans Phèdre.* [Mus.] Tout morceau exécuté par une voix seule ou par un seul instrument.

— *Ce qu'on ne doit point voir, qu'un récit nous l'expose.* (BOILEAU.)
— *L'histoire des plus grands princes est souvent le récit des fautes des hommes.* (VOLTAIRE.)

ÉPITHÈTES COURANTES : beau, magnifique, vivant, vif, intéressant, animé, coloré, documenté, détaillé, circonstancié; naïf, naturel, sincère, terne, morne, ennuyeux, pénible, lamentable, effrayant, épouvantable, affreux, triste, émouvant, poignant, pitoyable; développé, long, bref, court, sec spirituel, malicieux, satirique, épique, tragique, comique, facétieux, bouffon, etc.
Syn. — V. ANECDOTE.

* **récital**, n. m. (mot angl.). [Mus.] Audition données par un artiste qui chante seul ou joue d'un seul instrument. ǁ Par ext. *Un récital de danse.* = Pl. *Des récitals.*

récitant, n. m. [Mus.] Se dit de la voix ou de l'instrument qui exécute seul, ou qui exécute la partie principale du morceau. = Nom. Celui, celle qui chante les récits (Rare). ǁ Celui qui récite ou présente un récit.
LING. — L'Acad. ne donne pas le fém. *récitante*.

* **récitateur**, n. m. Celui qui récite quelque chose par cœur (Rare).

récitatif, n. m. [Mus.] Sorte de chant qui, dans la musique dramatique, n'est guère qu'une déclamation notée.

récitation [*sion*], n. f. Action de réciter, partic., de réciter une chose qu'on sait par cœur. *La récitation d'une leçon.* ǁ Action de réciter en musique.

réciter, v. tr. Débiter, prononcer à voix haute de la prose, des vers, un discours que l'on sait par cœur. ǁ Raconter. ǁ Répéter en classe le texte ou le contenu d'une leçon étudiée. [Mus.] Exécuter un récit.
Syn. — V. DÉCLAMER.

réclamant, ante, adj. et n. Celui, celle qui réclame quelque chose.

* **réclamateur**, n. m. Celui qui demande.

réclamation [*sion*], n. f. Action de réclamer, de revendiquer, de s'opposer à, de revenir contre quelque chose. ǁ Écrit sur lequel est consignée la réclamation.

1. **réclame**, n. m. [Fauc.] Cri et signe que l'on fait à un oiseau pour le faire revenir sur le poing ou au leurre. ǁ Appeau d'oiseleur pour attirer les petits oiseaux.

2. **réclame**, n. f. (n. verb. de *réclamer*). Petit article de journal qui contient l'éloge, ordinairement payé, de toutes sortes d'objets ou de produits mis dans le commerce ou que l'on va y lancer. ǁ Appel à la publicité pour faire valoir une entreprise, recommander une marchandise, etc. *Faire de la réclame. Vente réclame.* — *Objets en réclame*, vendus à prix réduit pour attirer la clientèle. [Typo.] Mot qu'on imprimait autref. au-dessous de la dernière ligne d'une page d'impression, et qui était le premier de la page suivante. [Mus.] Dans le plain chant, partie du répons qu'on reprend après le verset.

réclamer, v. intr. (lat. *reclamare*, s'écrier). Protester, contredire, s'opposer par des paroles. *Je réclame contre cela.* = V. tr. Implorer, demander avec instance. *Réclamer la protection de la loi.* ǁ Nécessiter. *L'état de ce malade réclame mille précautions* ǁ Revendiquer une chose à laquelle on a des droits. *Réclamer son droit.* [Fauc.] *Réclamer un oiseau*, l'appeler pour le faire revenir sur le poing ou au leurre = SE RÉCLAMER, v. pr. Au sens passif. Être réclamé. = Au sens réfléchi. *Se réclamer de quelqu'un*, déclarer qu'on est à son service, qu'on est son parent, qu'on est connu de lui ou protégé par lui.

Syn. — *Réclamer*, se plaindre d'un tort qui vous a été fait : *Réclamer auprès de l'administration contre un abus.* — *Protester*, montrer par un acte que l'on s'élève contre une mesure abusive : *Protester par écrit contre une mesure arbitraire d'une administration.* — *Revendiquer*, réclamer une chose à laquelle on a droit : *Revendiquer ses droits à une propriété.* V. aussi DEMANDER, REDEMANDER et SOLLICITER.

reclassement, n. m. Classement nouveau, différent. ǁ Son résultat.

reclasser, v. tr. Classer de nouveau, ou selon une nouvelle méthode.

* **récliné, ée**, adj. [Bot.] Dont l'extrémité penche vers la terre.

* **reclouer**, v. tr. Clouer ce qui avait été décloué.

reclure, v. tr. (lat. *recludere*, m. s.). Renfermer dans une clôture étroite et rigoureuse. = SE RECLURE, v. pr. S'enfermer, s'isoler loin du monde.
CONJUG. — Ce verbe n'est guère usité qu'à l'infinitif et aux temps composés.

reclus, use, adj. et n. Qui vit renfermé, qui ne fréquente point le monde.
Syn. — V. RELIGIEUX.

réclusion ou * **reclusion**, n. f. État d'une personne recluse. ǁ Peine criminelle afflictive et infamante temporaire consistant dans l'internement dans une maison de force avec obligation au travail et interdiction de communiquer.

* **reclusionnaire**, n. Condamné à la réclusion.

* **recogner** [*gn* mll.], v. tr. Cogner de nouveau.

recognitif, ive [*kog-ni*], adj. Se dit d'un signe, d'une marque permettant de reconnaître (Rare). [Dr.] Se dit d'un acte par lequel on reconnaît ou ratifie une obligation, en rappelant le titre qui l'a créée.

* **recognition** [*cog-ni-sion*], n. f. [Dr.] Action de reconnaître une personne ou la qualité d'un objet.

recoiffer, v. tr. Coiffer une seconde fois, ou réparer le désordre d'une coiffure. = SE RECOIFFER, v. pr. Réparer le désordre de sa coiffure, ou remettre son chapeau.

recoin, n, m. Coin plus caché, moins en vue. ‖ Fig. *Les recoins du cœur*, ce qu'il y a en nous de plus intime.

récolement, n. m. Action de récoler. ‖ Action de vérifier si tous les objets qui ont été la matière d'un pointage, d'un inventaire figurent bien sur la liste, le procès-verbal. ‖ *Récolement des témoins*, action de les récoler. ‖ Vérification d'une coupe de bois par les agents forestiers.
PAR. — *Recollement*, n. m., action de recoller ce qui était décollé.

récoler, v. tr. (lat. *recolere*, passer en revue). Vérifier tout ce qui est contenu dans. ‖ *Récoler des témoins*, lire aux témoins les dépositions qu'ils ont faites, pour s'assurer qu'ils les maintiennent.

* **recollage** [*co-la*], n. m. Nouveau collage.

récollection [*sion*], n. f. Action par laquelle on se recueille en soi-même. ‖ Effort pour rappeler un souvenir.

recollement, n. m. Action de recoller.
PAR. — *Récolement*, action de récoler, de vérifier.

recoller, v. tr. Coller de nouveau ce qui était décollé.
PAR. — *Récolter*.

récollets, n. m. pl. Anciens religieux franciscains réformés, dits de « l'étroite observance ». — Il y eut aussi des religieuses franciscaines réformées, dites *Récollettes*.

recolliger, v. tr. Colliger de nouveau. = SE RECOLLIGER, v. pr. Se recueillir en soi-même (Vx). = Conjug. V. GRAMMAIRE.

* **recoloration** [*sion*], n. f. Action de recolorer. ‖ Résultat de cette action.

* **recolorer**, v. tr. Colorer de nouveau.

récolte, n. f. (ital. *ricolta*, m. s.). Action de recueillir les biens de la terre. — Produit en nature qui en résulte. *La récolte des blés, des fruits.* — *Récolte dérobée*, faite après une récolte principale. ‖ Temps, époque de la récolte. ‖ Fig. Se dit de choses qu'on reçoit ou qu'on rassemble. *Cette quêteuse a fait une bonne récolte.* ‖ Fig. Résultat, conséquence, profit.
ÉPITHÈTES COURANTES : belle, bonne, riche, abondante, maigre, pauvre, déficitaire, insignifiante; espérée, attendue, inespérée; hâtive, précoce, tardive; compromise, faite, coupée, cueillie, engrangée, vendue, mangée; saccagée, ravagée, dévastée, détruite, perdue, ruinée, etc.
CTR. — *Semailles, ensemencement.*

récolter, v. tr. (de *récolte*). Faire une récolte; recueillir. ‖ Fig. et prov. *Qui sème l'injustice récoltera la haine.* — *Qui sème le vent récolte la tempête.* = SE RÉCOLTER, v. pr. Être, devenir récolté.
CTR. — *Semer, ensemencer.*

* **recombiner**, v. tr. Procéder à une nouvelle combinaison.

recommandable, adj. Qui mérite d'être recommandé; digne d'estime. — *Individu peu recommandable*, escroc, scélérat.

recommandation [*co-man-da-sion*], n. f. Action de recommander quelqu'un. *Lettre de recommandation*, lettre par laquelle une personne en recommande une autre à la bienveillance d'un tiers. ‖ Estime qu'on a pour la vertu, pour le mérite. *Avoir quelque chose en recommandation.* ‖ Ce qui sert à recommander, en parlant d'une qualité. *Ses titres sont sa meilleure recommandation.* ‖ Avis, conseil, exhortation. *Faire des recommandations à ses enfants.* [Poste] Opération par laquelle l'administration s'engage, moyennant une taxe supplémentaire, à garantir la remise à destination, ou à verser une indemnité en cas de perte d'une lettre, d'un paquet expédié par elle.
ÉPITHÈTES COURANTES : expresse, pressante, utile, inutile, précise, formelle, explicite, répétée, écoutée, négligée, superflue, postale, etc.
SYN. — V. AVERTISSEMENT.

recommander [*ko-man*], v. tr. (préf. *re*, et *commander*). Ordonner à quelqu'un, charger quelqu'un de faire quelque chose, en insistant. *On m'a recommandé de veiller sur lui.* ‖ Exhorter une personne à quelque chose, conseiller fortement quelque chose. *On lui a recommandé d'être prudent.* ‖ Prier d'être favorable à, de faire attention à, d'avoir soin de. *Je vous recommande un tel. Recommander quelqu'un au prône.* ‖ Rendre recommandable. *Il n'a rien fait qui puisse recommander son nom.*
Recommander une lettre à la poste, obtenir, en payant une taxe supplémentaire, qu'elle soit remise contre signature, par le facteur. = SE RECOMMANDER, v. pr. Prier quelqu'un de nous être favorable, de nous protéger, en partic. dans une circonstance critique. *Se recommander à Dieu.* ‖ *Se recommander de quelqu'un*, invoquer son témoignage favorable. ‖ *Cette personne, cette chose se recommande d'elle-même*, elle a assez de mérite, de valeur, pour qu'il ne soit pas nécessaire de la vanter.

* **recommandeur**, n. m. Celui qui recommande.

recommencement, n. m. Action de recommencer.

recommencer, v. tr. Commencer de nouveau à faire ce qu'on a déjà fait. = V. intr. *La pluie recommence.* — *Recommencer de plus belle*, avec plus de violence, plus d'ardeur. = Conjug. V. GRAMMAIRE.

* **recommenceur, euse**, n. Celui, celle qui recommence quelque chose ou qui recommence toujours.

* **recommenter**, v. tr. Commenter de nouveau.

* **recomparaître**, v. intr. Comparaître de nouveau. = Conjug. (comme *connaître*). V. VERBES.

récompense, n. f. Ce qu'on donne à quelqu'un en reconnaissance d'un service, en témoignage de satisfaction. ‖ Compensation, dédommagement, indemnité. ‖ Par antiphrase. Châtiment, peine due. = EN RÉCOMPENSE, loc. adv. En revanche, en retour.
    — *Ton inpudence,*
    Téméraire vieillard, aura sa récompense.   (CORNEILLE).
ÉPITHÈTES COURANTES : grande, noble, belle, glorieuse, méritée, juste, promise, inespérée, sollicitée, accordée, obtenue, maigre, chiche, imméritée, drôle (ironique), etc.
SYN. — V. PRIX.
CTR. — *Punition, châtiment.*

récompenser, v. tr. Donner une récompense. *Récompenser une bonne action.* ‖ Dédommager. ‖ Par antiphrase, Punir, infliger la peine méritée.
CTR. — *Punir châtier.*

recomposer, v. tr. Composer une seconde fois. [Chim.] Reconstituer un corps

décomposé dans une réaction précédente. ‖ Refaire le plan d'un morceau littéraire.
recomposition [*zi-sion*], n. f. Action de recomposer. ‖ Résultat de cette action.
recompter [*kon-té*], v. tr. Compter de nouveau.
réconciliable, adj. Qui peut être réconcilié.
réconciliateur, trice, n. Celui, celle qui réconcilie des personnes brouillées.
réconciliation [*sion*], n. f. Action de réconcilier des personnes qui étaient mal ensemble. ‖ Résultat de cette action. [Liturg.] Cérémonie qu'on fait pour rebénir une église profanée. ‖ Action de réconcilier un hérétique.
ÉPITHÈTES COURANTES : sincère, formelle, durable, entière, cordiale, espérée, attendue, souhaitable, désirable; négociée, demandée, établie, solide, définitive, précaire, apparente, etc.
* **réconciliatoire**, adj. Propre à réconcilier.
réconcilier, v. tr. (lat. *reconciliare*, m. s.). Remettre d'accord des personnes qui étaient brouillées. — *Réconcilier un hérétique à l'Église*, lui donner l'absolution après qu'il a abjuré son hérésie. ‖ Fig. Concilier, accorder des choses qui semblent opposées. *Réconcilier la politique et la morale*. = SE RÉCONCILIER, v. pr. Se raccommoder. *Ils se sont réconciliés*. = Conjug. V. GRAMMAIRE.
SYN. — V. ACCORDER.
* **reconcourir**, v. intr. Concourir de nouveau. = Conjug. (comme *courir*). V. VERBES.
* **recondamner**, v. tr. Condamner de nouveau.
reconduction [*sion*], n. f. [Dr.] Renouvellement d'une location, d'un bail à ferme. — *Tacite reconduction*, celle qui résulte de la continuation de jouissance, par accord tacite entre bailleur et preneur, sans nouveau contrat.
reconduire, v. tr. Accompagner quelqu'un qui s'en retourne, soit pour sa sûreté, soit par civilité. = Conjug. (comme *cuire*). V. VERBES.
reconduite, n. f. Action de reconduire quelqu'un.
réconfort [*for*], n. m. Consolation, secours dans l'affliction ou le besoin. *Réconfort moral, matériel*.
réconfortant, ante, adj. Qui réconforte. = N. m. Médicament, aliment qui réconforte.
CTR. — *Débilitant*. — *Décourageant*.
réconforter, v. tr. Fortifier, donner de la vigueur, de l'entrain. ‖ Consoler dans l'affliction. ‖ Relever le courage, l'énergie (Vx). = SE RÉCONFORTER, v. pr. Reprendre de la force, du courage.
SYN. — V. RASSURER.
CTR. — *Affaiblir, décourager, débiliter*. — *Affliger, désoler*.
reconnaissable, adj. Que l'on peut reconnaître.
reconnaissance, n. f. Action de se remettre en mémoire une personne, une chose déjà vue ou connue antérieurement. ‖ Action d'examiner en détail et avec soin certains objets, pour en constater l'espèce, le nombre, etc. *Faire la reconnaissance des lieux, des meubles*. [A. mil.] Action d'examiner la position, la nature d'un terrain, les dispositions, le nombre des ennemis, etc. — *Détachement qui* effectue cette opération. *Envoyer une reconnaissance*.
[Dr.] Acte établi par écrit, pour reconnaître qu'on a reçu quelque chose, soit par emprunt, soit par dépôt, ou pour reconnaître une obligation quelconque. *Reconnaissance de dette*.
Action d'admettre, d'avouer une personne comme étant de sa famille. *Reconnaissance d'enfant naturel*. [Droit int.] Action de reconnaître un gouvernement étranger. *Reconnaissance de jure, de facto*.
Gratitude, souvenir des bienfaits reçus. *Je suis pénétré de reconnaissance pour toutes ses bontés*.
— *La reconnaissance dans la plupart des hommes n'est qu'une forte et secrète envie de recevoir des plus grands bienfaits*.
(LA ROCHEFOUCAULD.)
— *Il n'y a guère au monde un plus bel excès que celui de la reconnaissance*.
(LA BRUYÈRE.)
ÉPITHÈTES COURANTES : éternelle, profonde, durable, fidèle, grande, sincère, justifiée, brève, douteuse, rare, etc.
SYN. — *Reconnaissance*, sentiment de celui qui se proclame redevable à quelqu'un d'un service rendu : *Témoigner une profonde reconnaissance à son bienfaiteur*. — *Gratitude*, sentiment affectueux pour celui dont on est l'obligé : *Recevez l'assurance de ma bien vive gratitude*.
ANT. — *Ingratitude*. — *Dénégation*.
reconnaissant, ante, adj. Qui a de la reconnaissance, de la gratitude, ou qui a l'habitude d'en manifester.
GRAM. — L'adjectif *reconnaissant* s'appliquant à des personnes se construit avec la préposition *envers* : *Je suis reconnaissant envers lui* (et non *je lui suis reconnaissant*). S'il s'applique à des choses, la préposition à employer est *de* : *Je suis reconnaissant envers vous de vos bons soins*.
reconnaître [*reko-nêtre*], v. tr. (lat. *recognoscere*, m. s.). Se remettre dans l'esprit l'idée, l'image d'une chose, d'une personne, quand on la revoit ou qu'on l'entend. *J'ai reconnu sa voix*. — *Se faire reconnaître*, donner des indications pour prouver qui on est.
Distinguer à quelque signe, à quelque caractère, une personne ou une chose qu'on n'a jamais vue. *Je l'ai reconnu au portrait que vous m'en aviez fait*. ‖ Parvenir à apercevoir, à découvrir, à constater la vérité d'une chose. *On finit par reconnaître son innocence*.
Avoir des égards pour, écouter. *Il ne reconnaît ni parents ni amis*. ‖ Admettre, accepter, se soumettre à. *Reconnaître une autorité*. ‖ Admettre une chose comme vraie et incontestable. *Tous les philosophes reconnaissent ce principe*. ‖ Considérer, observer, examiner, remarquer. *Reconnaître les lieux*. — *Reconnaître une patrouille, une ronde*, etc., s'assurer qu'elle n'est point ennemie, ni suspecte.
Avouer, confesser. *Il a reconnu sa faute*. ‖ *Reconnaître un enfant*, déclarer authentiquement qu'on est le père ou la mère d'un enfant naturel. [Dr. int.] *Reconnaître un gouvernement*, déclarer, reconnaître d'une manière expresse ou tacite qu'il est régulièrement établi. ‖ *Reconnaître pour*, avouer pour, reconnaître en telle qualité. *Il l'a reconnu pour son fils*. [Mar.] *Reconnaître un bâtiment*, le découvrir, l'aper-

cevoir. *Reconnaître une terre, une île, une côte*, en observer la situation.
Avoir de la gratitude. *Reconnaître les bienfaits, les grâces qu'on a reçues.* — *Reconnaître un service*, le récompenser. = SE RECONNAÎTRE, v. pr. Retrouver son image, sa ressemblance dans un miroir, dans un portrait, une photographie. ǁ Se remettre dans l'esprit l'idée d'un lieu, d'un pays qu'on a quitté, et où l'on se retrouve. *Je me reconnais dans cet endroit.* = Conjug. (comme *connaître*). V. VERBES.
SYN. (pour *reconnu*). — V. AVÉRÉ, CERTAIN.
CTR. — *Méconnaître.* — *Refuser.* — *Nier, désavouer.*
reconquérir, v. tr. Conquérir de nouveau. ǁ Fig. *Reconquérir l'estime*, la recouvrer. = Conjug. (comme *acquérir*). V. VERBES.
* **reconsidérer**, v. tr. Considérer de nouveau. = Conjug. V. GRAMMAIRE.
* **reconsolidation** [sion], n. f. Action de reconsolider.
* **reconsolider**, v. tr. Consolider de nouveau.
reconstituant, ante, adj. [Méd.] Qui reconstitue, qui répare les forces. = N. m. *Prendre des reconstituants.*
ANT. — *Débilitant.*
reconstituer, v. tr. Constituer de nouveau. ǁ Rétablir dans sa situation primitive. *Reconstituer une société.* [Méd.] Fortifier (Rare).
reconstitution [sion], n. f. Action de constituer de nouveau. ǁ Résultat de cette action. ǁ Action de reproduire avec toutes les circonstances. *La reconstitution d'un crime.*
reconstruction [sion], n. f. Action de reconstruire. ǁ Résultat de cette action.
reconstruire, v. tr. Rebâtir, relever un édifice, un quartier, une ville. = Conjug. (comme *cuire*). V. VERBES.
* **reconter**, v. tr. Conter de nouveau.
PAR. — *Raconter*, faire le récit de.
* **recontinuer**, v. tr. Reprendre la continuation.
reconvention [sion], n. f. [Dr.] Demande que forme le défendeur contre le demandeur, et devant le même juge. — On dit mieux : *demande reconventionnelle.*
reconventionnel, elle [sio-nel], adj. [Dr.] Qui constitue une reconvention, qui en a la nature.
* **reconventionnellement**, adv. Par reconvention.
recopier, v. tr. Copier de nouveau, retranscrire. = Conjug. V. GRAMMAIRE.
* **recoquer**, v. tr. et intr. S'accoupler de nouveau, en parlant des perdrix.
* **recoquillement** [ll mll.], n. m. Action de recoquiller, de se recoquiller. ǁ État de ce qui est recoquillé.
recoquiller [ki-ié], v. tr. Retrousser en forme de coquille. *Recoquiller les feuilles d'un cahier.* = SE RECOQUILLER, v. pr. Prendre la forme d'une coquille en s'enroulant sur soi-même. *Les feuilles de cet arbre se recoquillent.*
1. record [kor], n. m. (angl. *record*, m. s., de l'anc. français *recorder*, rappeler). [Sport] Exploit sportif, constaté et enregistré, surpassant tout ce qui a été fait jusqu'alors dans le même genre. *Record de durée, de vitesse, de hauteur.* ǁ *Établir un record*, faire contrôler un exploit sportif constituant un record. — *Battre un record*, faire mieux que la personne qui détenait ce record.
PAR. — *Raccord*, liaison entre deux parties contiguës. *Faire un raccord de peinture.*
2. * record, n. m. (de *recorder*). Rappel (Vx).
* **recordage**, n. m. Action de recorder, de remettre des cordes. ǁ Son résultat.
1. recorder, v. tr. (lat. *recordari*, se souvenir). Répéter une chose pour l'apprendre par cœur. *Recorder sa leçon.* = SE RECORDER, v. pr. Se rappeler ce qu'on a à dire ou à faire. ǁ Se concerter.
2. recorder, v. tr. (de *corde*). Attacher de nouveau avec une corde. ǁ Munir de cordes nouvelles.
* **recordman** [mann], n. m. (mot angl.). [Sport] Celui qui détient un record. = Pl. *Des recordmen.* = Fém. *Recordwoman.* = Pl. *Des recordwomen.*
recorriger, v. tr. Corriger de nouveau. = Conjug. V. GRAMMAIRE.
recors [kor], n. m. Celui qui accompagne un huissier pour lui servir de témoin et, au besoin, lui prêter main-forte.
recoucher, v. tr. Coucher de nouveau. = SE RECOUCHER, v. pr. Se remettre au lit.
recoudre, v. tr. Coudre une chose qui est décousue ou déchirée. ǁ Fig. Réunir divers fragments dans un écrit. = Conjug. (comme *coudre*). V. VERBES.
CTR. — *Découdre.*
* **recouler**, v. tr. Couler une nouvelle fois. = V. intr. Couler de nouveau. *L'eau recoule.*
* **recoupage**, n. m. Action de recouper. ǁ Résultat de cette action.
recoupe, n. f. Morceau d'étoffe qui tombe quand on taille un vêtement. [Archi.] Éclat qui s'enlève des pierres quand on les taille. ǁ Seconde coupe de trèfle et de foin qu'on fait dans une année. ǁ Farine de qualité inférieure qu'on tire du son remis au moulin. ǁ Eau-de-vie faite d'alcool étendu d'eau. ǁ Rognures de métaux précieux.
recoupement, n. m. [Archi.] Retraite laissée à chaque assise de pierre pour donner plus de solidité à un bâtiment. [Topographie] Moyen de relever la position d'un point par l'intersection de lignes qui s'y coupent. ǁ Fig. Vérification d'un fait par confrontation de données ou témoignages provenant de sources différentes.
recouper, v. tr. Couper de nouveau. ǁ Mélanger des vins de divers crus avec le produit d'un premier coupage. ǁ Faire un recoupement.
recoupette, n. f. Troisième farine qu'on tire du son des recoupes mêmes.
* **recouponnement**, n. m. Action de recouponner; son résultat.
* **recouponner**, v. tr. Regarnir un titre de coupons, quand tous ses coupons ont été détachés.
* **recourbement**, n. m. Action de recourber. État de ce qui est recourbé.
recourber, v. tr. Courber une nouvelle fois. ǁ Courber, plier en rond. = SE RECOURBER, v. pr. Devenir courbe.
SYN. — V. COURBER.
* **recourbure**, n. f. Endroit recourbé. État d'une chose recourbée.
recourir, v. intr. Courir de nouveau. ǁ Retourner en courant. ǁ Fig. Avoir recours à, se servir de, demander aide à. *Recourir*

à la justice. = Conjug. (comme *courir*). V. VERBES.

recours [kour], n. m. (lat. *recursum*, m. s.). Action par laquelle on recherche de l'assistance, du secours. *Avoir recours aux armes.* ‖ Refuge, ressource. *Vous êtes mon unique recours.* [Dr.] Action qu'on a contre quelqu'un pour être garanti ou indemnisé. — *Voies de recours*, moyens d'obtenir la réformation d'un jugment. ‖ Pourvoi. *Recours en cassation.* — *Recours en grâce*, demande par laquelle on s'adresse au chef de l'État pour obtenir la remise ou la commutation d'une peine infligée par jugement.

* **recousse**, n. f. V. RESCOUSSE.

recouvrable, adj. [Fin.] Qui peut se recouvrer.
CTR. — *Irrécouvrable.*

* **recouvrage**, n. m. [Techn.] Opération par laquelle on recouvre. *Recouvrage d'un parapluie.*

recouvrance, n. f. Recouvrement, action de recouvrer (Vx). — *Notre-Dame de Recouvrance*, la Vierge qu'on implore pour recouvrer la santé.

1. recouvrement, [man], n. m. (du v. *recouvrir*). Action de recouvrir. ‖ Se dit de toute partie qui en recouvre une autre, et particul. d'une pierre, d'une tuile, etc., qui couvre un joint, une entaille, etc. [Géol.] Couche géologique venue en recouvrir une autre par renversement des plis.

2. recouvrement [man], n. m. (du v. *recouvrer*). Action de recouvrer ce qui est perdu. *Le recouvrement de la santé.* ‖ Perception des sommes qui sont dues et démarches qui se font pour les recouvrer. *Le recouvrement des impôts.*

recouvrer, v. tr. (lat. *recuperare*, m. s.). Retrouver, rentrer en possession de, récupérer. *Recouvrer la vue, la santé.* ‖ Recevoir le paiement de sommes dues, et particul. des impôts.
INCORR. et PAR. — Ne pas confondre *recouvrer* et *recouvrir.* — *Recouvrer* sign. rentrer en possession de, recevoir en paiement, et a pour pp. *recouvré*, et non *recouvert* ; — *recouvrir* sign. couvrir à nouveau, masquer, et a pour pp. *recouvert.*

recouvrir, v. tr. (préf. *re*, et lat. *cooperire*, m. s.). Couvrir de nouveau. *Recouvrir un toit.* ‖ Couvrir complètement. *La mer recouvre des espaces immenses.* ‖ Fig. Masquer, cacher avec soin, dissimuler sous des prétextes spécieux. *Il a recouvert cela de beaux prétextes.* = Conjug. (comme *souffrir*). V. VERBES.
INCORR. et PAR. — V. RECOUVRER.
CTR. — *Découvrir.*

recracher, v. tr. Cracher de nouveau. ‖ Rejeter de la bouche une chose qui excite le dégoût.
CTR. — *Ravaler.*

* **recréance**, n. f. [Dr. canon] Jouissance provisionnelle des fruits d'un bénéfice qui est en litige. [Dr. inter.] *Lettres de recréances*, lettres remises par un gouvernement à son ambassadeur pour être présentées par celui-ci au gouvernement auprès duquel il est rappelé.

récréatif, ive, adj. Qui récrée, amuse.
CTR. — *Ennuyeux, fastidieux.*

récréation [sion], n. f. (lat. *recreatio*, m. s.). Occupation reposante ; exercice qui fait diversion au travail et qui sert de délassement. *Il faut prendre un peu de récréation.* ‖ Temps accordé à des élèves pour se divertir. [Litt.] Titre de certains ouvrages traitant diverses questions sous une forme attrayante. *Récréations scientifiques.*
SYN. — V. AMUSEMENT.

recréer, v. tr. Donner une nouvelle existence ; rétablir.

récréer, v. tr. Ranimer, réjouir, divertir, détendre. — Fig. *Le vin récrée les esprits.* = SE RÉCRÉER, v. pr. Se divertir, se délasser.
CTR. — *Ennuyer, lasser.*

* **récrément**, n. m. (lat. *recrementum*, ordure). [Méd.] Syn. de *produit récrémentitiel.*

* **récrémenteux, euse** ou **récrémentitiel, elle**, adj. [Physiol.] Se dit des sécrétions qui ne sont pas destinées à être éliminées.

* **recrêper**, v. tr. Crêper de nouveau.
* **recrépiment**, n. m. V. RECRÉPISSAGE.

recrépir, v. tr. Crépir de nouveau. *Recrépir un vieux mur.* ‖ Fig. *Recrépir un conte, une histoire*, lui donner une nouvelle forme en conservant le fond. ‖ Fig. et fam. *Recrépir son visage*, mettre du fard pour cacher ses rides.

recrépissage, n. m. Action de recrépir. ‖ Résultat de cette action.

* **recreuser**, v. tr. Creuser de nouveau ; creuser davantage.

récrier (se), v. pr. Faire une exclamation d'étonnement ou de protestation à propos de quelque chose qui surprend, qui paraît extraordinaire, injuste, blessant, etc. = Conjug. V. GRAMMAIRE.

* **récriminateur, trice**, adj. Qui récrimine, qui aime récriminer.

récrimination [sion], n. f. Action de récriminer. ‖ Reproche répondant à un autre reproche. = Au plur. Plaintes, jérémiades incessantes.
SYN. — V. GÉMISSEMENT.

récriminatoire, adj. Qui contient une récrimination. ‖ Dont le caractère est porté à la récrimination.

récriminer, v. intr. (préf. *re* ; lat. *criminari*, accuser). Répondre à des reproches, à des injures, par d'autres reproches, d'autres injures, à des accusations par d'autres accusations.

récrire, v. tr. Écrire de nouveau ce qu'on a déjà écrit. ‖ Écrire une nouvelle lettre. ‖ Changer considérablement le style d'un ouvrage, d'un morceau. = Conjug. (comme *écrire*). V. VERBES.

* **recrobiller (se)**, v. pr. V. RECROQUEVILLER.

* **recroiser** [zé], v. tr. Croiser de nouveau ; faire un nouveau croisement.

recroître, v. intr. Croître de nouveau. ‖ S'agrandir de nouveau. = Conjug. (comme *croître*). V. VERBES.

recroquevillé, ée [ill mll.], adj. Tordu, replié par la chaleur.

recroqueviller (se) [ll mll.], v. pr. Se retirer et se replier ; se dit du parchemin, du cuir, etc., exposés à une chaleur trop vive ou à une dessiccation trop prolongée ; des feuilles brûlées par le soleil, etc.
SYN. — V. BLOTTIR.

recru, ue, adj. Harassé, épuisé. *Être recru de fatigue.*

recrû, n. m. Ce qui a recrû ; ce qui a repoussé après une coupe.

Hom. — *Recrû*, n. m., ce qui a repoussé après une coupe; *recru*, adj. (part. passé de l'ancien v. se recroire, se rendre), rendu, harassé; — *recrue*, n. f., jeune soldat.

recrudescence [*des-san-se*], n. f. [Méd.] Retour, avec une nouvelle intensité, des symptômes d'une maladie. ‖ Retour avec accroissement. *Nous avons eu une recrudescence de froid*. ‖ Fig. *Recrudescence de fanatisme*.
Syn. — V. renaissance.

* **recrudescent, ente**, adj. Qui reprend de l'intensité, de la force.

recrue, n. f. Se dit des jeunes soldats qu'on enrôle pour combler les vides. ‖ Jeune soldat, jeune officier, par rapport aux plus anciens. ‖ Nouveau membre d'une société, d'un groupement.

recrutement, n. m. Action de recruter. *Le recrutement de l'armée*. ‖ Service, bureaux qui assurent le recrutement.

recruter, v. tr. Faire des recrues pour combler les vides dans une compagnie, dans un régiment. ‖ Fig. Attirer dans une association, dans un parti. = SE RECRUTER, v. pr. Faire, trouver ses recrues.
Ctr. — *Licencier*.

recruteur, adj. et n. m. Celui qui fait des recrues. *Sergent recruteur*. ‖ Personne qui recherche des partisans.

recta, adv. (mot lat. signif. *tout droit*). Ponctuellement, exactement. *Il a payé recta à l'échéance* (Fam.).

rectal, ale, aux, adj. [Anat.] Qui se rapporte au rectum.

rectangle, adj. (de *rectus*, droit, *angulus*, angle). Dont les angles sont droits. [Géom.] *Triangle rectangle*, triangle qui a un angle droit. — *Parallélépipède rectangle*, parallélépipède dont les bases sont des rectangles. = N. m. Parallélogramme qui a ses angles droits. = V. pl. lignes et surfaces.

rectangulaire, adj. [Géom.] Se dit d'une figure en forme de rectangle. ‖ *Droites rectangulaires*, qui forment un angle droit.

1. **recteur, trice**, adj. (lat. *rector*, qui dirige). Qui dirige. [Zool.] *Pennes rectrices*, plumes de la queue, qui servent à diriger le vol des oiseaux.

2. **recteur**, n. m. (lat. *rector*, qui dirige). Titre que porte le chef d'une université. ‖ En France, chef d'une académie universitaire. *Le recteur de l'Académie de Paris*. V. tabl. éducation et instruction (*Idées suggérées par les mots*). ‖ Dans quelques provinces, curé ou desservant d'une paroisse. ‖ Supérieur de certains ordres religieux.

rectifiable, adj. Que l'on peut rectifier.

* **rectificateur**, n. m. Personne qui rectifie. ‖ Appareil servant à rectifier les liqueurs. V. pl. chimie.
Ling. — L'Acad. ne donne pas le fém. *rectificatrice*.

rectificatif, ive, adj. Qui sert à rectifier. = N. m. Ce qui rectifie. *Envoyer un rectificatif aux journaux*.

rectification [*sion*], n. f. Action de rectifier. ‖ Action de corriger ce qui est inexact. — Partic. Action de faire passer dans un journal un article modifiant le sens d'un article précédent. ‖ Distillation nouvelle d'un liquide pour l'obtenir à l'état le plus pur.
Par. — *Ratification*, action de ratifier.

rectifier, v. tr. (lat. *rectificare*, m. s.). Redresser une chose, la remettre dans l'état, dans l'ordre où elle doit être. *Rectifier une procédure*. ‖ Par ext. Améliorer. ‖ Distiller de nouveau une liqueur pour la rendre plus pure, plus concentrée. = SE RECTIFIER, v. pr. Etre rectifié. = Conjug. V. grammaire.
Syn. — V. corriger.

rectiligne, adj. (lat. *rectus*, droit; *linea*, ligne). [Géom.] Se dit de figures terminées par des lignes droites. *Triangle rectiligne*. ‖ *Mouvement rectiligne*, mouvement en ligne droite.

* **rectilinéaire**, adj. [Photo.] Se dit d'un objectif composé de façon à déformer très peu les images.

* **rectite**, n. f. [Méd.] Inflammation du rectum.

rectitude, n. f. (du lat. *rectus*, droit). Qualité de ce qui est droit ou en ligne droite. ‖ Conformité à la règle droite, à la saine raison. *Rectitude de jugement*.
Syn. — *Rectitude*, caractère de ce qui est conforme à la raison, au droit : *La rectitude du jugement, de l'esprit*. — *Droiture*, caractère d'une âme éprise de sincérité, de justice : *La droiture du cœur*. V. aussi probité.

recto, n. m. (mot lat.). Première page d'un feuillet; se dit par oppos. à *verso* ou seconde page. V. pl. livre.

rectoral, ale, aux, adj. Qui appartient au recteur.

rectorat [*ra*], n. m. Charge, dignité de recteur. ‖ Temps d'exercice de cette charge. ‖ Lieu où réside le recteur.

* **rectrices**, n. f. pl. [Zool.] Pennes de la queue des oiseaux.

rectum [*re-tomm*], n. m. (mot lat.). [Anat.] La dernière partie de l'intestin qui aboutit à l'anus.

1. **reçu, ue**, adj. Établi, admis, consacré *Les usages reçus*.

2. **reçu**, n. m. (pp. de *recevoir*). Écrit sous seing privé constatant qu'on a reçu quelque chose.
Syn. — V. quittance.

recueil [*keu-ill, il* mll.], n. m. Assemblage, réunion d'écrits, d'ouvrages en vers ou en prose, de pièces de musique de gravures, etc.
Syn. — *Recueil*, assemblage de textes, d'écrits de même nature : *Un recueil de lois, de bons mots*. — *Annuaire*, recueil publié chaque année et contenant des indications diverses : *L'annuaire du bureau des Longitudes*. — *Assemblage*, réunion de choses diverses : *Un bizarre assemblage d'objets*. — *Collection*, réunion d'objets de même nature : *Collection de coquillages, de timbres-poste*, etc. — *Réunion*, rapprochement en un même point d'objets séparés : *La réunion de tableaux célèbres dans un musée*. V. aussi dictionnaire.
Hom. — *Recueille, es, ent*, du v. recueillir.

recueillement [*keu, ill* mll.], n. m. Action de recueillir. ‖ Action de se recueillir. ‖ État d'une personne qui se recueille en portant intensément son esprit vers une seule idée.
Syn. — V. application.
Ant. — *Dissipation, distraction*.

recueilli, ie [*keu-ill* mll], adj. Qui est dans le recueillement, la méditation, la réflexion profonde.

recueillir [*keu-illir* mll.], v. tr. (lat. *recolligere*, m. s.). Amasser, réunir, recevoir comme profit. — Fig. *Recueillir le fruit d'une chose*, en tirer de l'utilité, du profit. ‖ Prov. *Il faut semer pour recueillir.* ‖ Rassembler, ramasser plusieurs choses dispersées ou éparses. *Recueillir les débris d'un naufrage.* ‖ *Recueillir une succession, un héritage*, les recevoir par voie d'hérédité. ‖ Recevoir ce qui tombe, ce qui coule. *Recueillir de la gomme, de la résine.* — Fig. au sens moral. *C'est moi qui ai recueilli son dernier soupir.* ‖ Recevoir chez soi les survenants, ceux qui sont dans le besoin. *Il recueillait les pèlerins.* = SE RECUEILLIR, v. pr. Être recueilli. ‖ Rassembler toute son attention pour ne s'occuper que d'une seule chose. *Se recueillir en soi-même* [Relig.] Se livrer à de pieuses méditations. = Conjug. (comme *cueillir*). V. VERBES.
SYN. — V. RAMASSER.
CTR. — *Dissiper.* — *Éconduire, chasser, renvoyer.*

recuire, v. tr. Cuire de nouveau. *Recuire du pain.* [Techn.] Soumettre de nouveau à l'action du feu. *Recuire des limes après la trempe. Recuire des cristaux pour les rendre moins fragiles.* = V. intr. Soumettre de nouveau à la cuisson. = Conjug. (comme *cuire*). V. VERBES.

* **recuisson**, n. f. Action de recuire, de faire recuire.

1. **recuit, uite**, adj. Extrêmement cuit. ‖ Fig. *Un teint recuit.*

2. * **recuit**, n. m. ou * **recuite**, n. f. Action de recuire. [Techn.] Action de remettre au feu le verre, la poterie, des pièces de métal; nouveau chauffage suivi d'un refroidissement très lent.

recul [*cul*], n. m. (n. verb. de *reculer*). Mouvement d'une chose qui recule. — Partic. Mouvement en arrière d'une arme à feu au moment où le coup part. ‖ Éloignement nécessaire pour bien voir l'ensemble d'une œuvre d'art. ‖ Éloignement dans le temps. *Voir un événement avec le recul des années.* ‖ Fig. Marche en sens opposé du progrès.
ANT. — *Avance.*
HOM. — *Recule, es, ent*, du v. reculer.

reculade, n. f. Action de reculer, de faire un mouvement en arrière. ‖ Fig. et péjor. Dérobade de celui qui s'est trop avancé et doit revenir honteusement en arrière.

reculé, ée, adj. Éloigné, écarté, lointain. *Temps reculé. Pays reculé.*
CTR. — *Proche, rapproché, voisin.*

reculée, n. f. Espace qui permet de reculer.
HOM. — *Reculer*, tirer, pousser, aller en arrière.

reculement, n. m. Action de reculer, de faire reculer, de faire un mouvement qui pousse en arrière. ‖ Pièce du harnais d'un cheval de trait qui sert à le soutenir quand il recule.

reculer, v. tr. (préf. *re*, et *cul*). Tirer ou pousser en arrière; porter plus loin. *Reculer un meuble.* — *Reculer les frontières d'un État*, l'agrandir. ‖ Fig. Éloigner quelqu'un du but qu'il se propose; retarder quelque affaire. = V. intr. Aller en arrière. *Reculez un peu.* — Fig. et fam. *Reculer pour mieux sauter*, céder, temporiser pour mieux prendre ses avantages. ‖ Fig. Se dit des affaires et des personnes. *Vos affaires reculent au lieu d'avancer.* ‖ Revenir sur une résolution. Renoncer à une entreprise, ou la différer. *Il n'est plus temps de reculer.* ‖ Fam. *Il ne recule devant rien*, se dit d'un homme que les difficultés ou les scrupules n'arrêtent pas. = SE RECULER, v. pr. Se porter en arrière. ‖ Être ajourné. *Sa décision ne saurait plus se reculer.*
INCORR. — *Reculer en arrière* est un pléonasme. On ne saurait reculer autrement.
SYN. — *Reculer*, quitter la position qu'on occupait pour aller en arrière : *Sous le choc ennemi, le régiment recula.* — *Replier* (se), faire un mouvement en arrière vers de nouvelles positions : *L'armée ennemie fut contrainte à se replier.* — *Retraite* (battre en), exécuter un mouvement de recul sous la pression ennemie : *Inférieure en nombre, l'armée dut battre en retraite.* — *Rétrograder*, revenir en arrière dans la direction d'où l'on était venu : *Faute de munitions, la division dut rétrograder.* V. aussi RETRAITE, DIFFÉRER et FUIR.
CTR. — *Avancer, approcher, rapprocher.*
HOM. — *Reculée*, n. f., espace permettant le recul.

reculons (à), loc. adv. En reculant, en allant en arrière. ‖ Fig. et fam. *Cette affaire va à reculons*, elle semble s'éloigner de son terme.

* **récupérable**, adj. Qui peut être récupéré.

* **récupérateur**, n. m. [Techn.] Nom de divers appareils servant à capter des matières ou de l'énergie qui, avant l'emploi de ces appareils, étaient considérées comme inutilisables.

* **récupération** [*sion*], n. f. Action de récupérer de l'énergie, des objets, des métaux mis au rebut, etc. ‖ Recherche et réunion de matériel abandonné, pour le faire resservir.

récupérer, v. tr. (lat. *recuperare*, m. s.). Recouvrer. ‖ Ramasser, pour l'utiliser, ce qui pourrait être perdu. = SE RÉCUPÉRER, v. pr. Se dédommager d'une perte. = Conjug. V. GRAMMAIRE.

récurage, n. m. Action de récurer.

récurer, v. tr. Nettoyer en frottant. *Récurer la vaisselle.* [Vitic.] Donner un troisième labour.
PAR. — V. CURER.

récurrence [*ran-se*], n. f. Caractère de ce qui est récurrent.

récurrent, ente [*ran, ante*], (préf. *re* et lat *currere*, courir). adj. [Anat.] Qui semble remonter vers la partie qui lui donne naissance. [Méd.] *Fièvre récurrente* ou *typhus récurrent*, maladie infectieuse, épidémique et contagieuse, sorte de typhus.
HOM. — *Récurant*, ppr. du v. récurer.

* **récursoire**, adj. [Dr.] Qui donne, ouvre un recours contre quelqu'un. *Action récursoire.*

récusable [*za*], adj. Qui peut être récusé. *Juré récusable.* ‖ *Témoignage récusable*, dont on peut douter.

* **récusant, ante**, n. Qui récuse, qui exerce le droit de récuser.

récusation [*za-sion*], n. f. Action par laquelle on récuse.

récuser, v. tr. (lat. *recusare*, m. s.). Décliner la compétence d'un juge, d'un juré, d'un expert, d'un témoin. *Il a récusé deux des jurés.* ‖ Par anal. Rejeter le témoignage, l'autorité; n'accorder aucune valeur à. *Je* récuse votre témoignage. = SE RÉCUSER, v. pr. Se déclarer soi-même incompétent.

rédacteur, trice, n. Celui, celle qui rédige. ‖ Fonctionnaire chargé de rédiger les pièces d'administration. ‖ Écrivain qui compose les articles d'un journal, d'une revue.

rédaction [*sion*], n. f. (lat. *redactum*, rédigé). Action par laquelle on rédige, et le résultat de cette action. *La rédaction d'un acte, d'un traité.* ‖ Ensemble des rédacteurs d'un journal, d'une publication. V. tabl. ADMINISTRATION (*Idées suggérées par le mot*). ‖ Lieu où travaillent les rédacteurs d'un journal, d'un ouvrage. ‖ En terme scolaire, devoir composé sur un sujet donné, en principe, d'après un cours ou des indications détaillées.

redan, n. m. [A. mil.] Ouvrage de retranchement formant angle aigu. [Archi.] Ressauts qu'on forme de distance en distance en construisant un mur sur un terrain en pente. [Techn.] Pièce métallique renforçant une armature. V. pl. AVION.

rédarguer [*gu-é*], v. tr. Reprendre, blâmer. ‖ Réfuter (Vx et inus.).

reddition [*red'-di-sion*], n. f. (lat. *redditio* m. s.). Action de rendre une place, après sommation ou siège, entre les mains de l'ennemi. *La reddition d'une forteresse.* ‖ Présentation d'un compte pour qu'il soit examiné, arrêté. *On jugera sa gestion après la reddition de ses comptes.*

PAR. — *Rédhibition*, acte judiciaire, sorte d'annulation d'une vente.

redéfaire, v. tr. Défaire de nouveau. = Conjug. (comme *faire*). V. VERBES.

redemander, v. tr. Demander de nouveau. ‖ Réclamer à quelqu'un ce qu'on lui a donné ou prêté.

SYN. — *Redemander*, demander qu'on restitue : *Redemander un objet confié.* — *Exiger*, réclamer d'une manière impérieuse : *Exiger son dû.* — *Réclamer*, exiger avec instance ce qui est dû : *Réclamer le paiement d'une dette.* — *Revendiquer*, réclamer comme nous appartenant ce qu'un autre détient : *Revendiquer une partie d'un héritage.*

* **redémolir**, v. tr. Démolir de nouveau.

rédempteur, trice [*danp'*], n. Celui, celle qui rachète. ‖ Se dit en partic. de Jésus-Christ qui a racheté les hommes par son sang.

rédemption [*danp'-sion*], n. f. (lat. *redemptio*, rachat). [Théol.] Rachat par J.-C. du genre humain. *L'Église a fait de la rédemption un mystère.* ‖ Rachat des chrétiens captifs par divers ordres spécialement créés dans cette intention.

rédemptoriste [*danp'*], n. m. Membre d'une congrégation fondée par saint Alphonse de Liguori, en 1732.

* **redentage**, n. m. Action de refaire les dents d'une scie.

redescendre [*san*], v. intr. Descendre de nouveau. ‖ Baisser, regagner un état inférieur. = V. tr. Ôter de nouveau d'un lieu élevé. *Redescendre un tableau.* = Conjug. (comme *rendre*). V. VERBES.

CTR. — *Remonter.*

* **redessiner**, v. tr. Dessiner de nouveau.

redevable, adj. et n. Qui n'a pas tout payé, qui reste devoir un reliquat. ‖ Fig. Se dit de celui qui a obligation à quelqu'un. *Je vous suis fort redevable pour ce service.*

redevance, n. f. Rente foncière ou autre charge à payer à termes fixes.

SYN. — V. CONTRIBUTION.

redevancier, ière, n. Qui est obligé à une redevance, à des redevances.

redevenir, v. intr. Devenir de nouveau, recommencer à être ce qu'on était auparavant. = Conjug. (comme *tenir*). V. VERBES.

redevoir, v. tr. Être en reste, devoir un reliquat après un compte fait. = Conjug. (comme *devoir*). V. VERBES.

rédhibition [*sion*], n. f. (lat. *redhibitio*, action de ravoir). [Dr.] Action attribuée, dans certains cas, à l'acheteur d'une chose mobilière défectueuse, pour faire annuler la vente.

PAR. — *Reddition*, action de rendre une place à l'ennemi.

rédhibitoire, adj. Qui peut opérer la rédhibition ou qui lui donne lieu. *Action rédhibitoire.* — *Vice rédhibitoire*, défaut caché de la chose vendue, qui la rend impropre à sa destination et entraîne l'annulation ou la révision du marché.

* **redicter**, v. tr. Dicter de nouveau.

rédiger, v. tr. (lat. *redigere*, m. s., de *re*, préf., et *agere*, faire). Mettre en ordre et par écrit. *Rédiger un procès-verbal, un arrêt, un contrat. Rédiger un journal.* ‖ Résumer en peu de paroles, un discours, un récit, etc., en conservant l'essentiel. *On peut rédiger en une page tout ce qu'il a dit sur ce sujet.* = Conjug. V. GRAMMAIRE.

rédimé, ée, adj. Racheté, délivré.

rédimer (se), v. pr. (lat. *redimere*, racheter). Se racheter, se libérer moyennant de l'argent. = V. tr. Racheter (Vx).

redingote, n. f. (angl. *riding*, allant à cheval ; *coat*, vêtement). Vêtement plus long et plus simple que l'habit, et qui entoure une partie des jambes. V. pl. COSTUME.

* **rediner**, v. intr. Dîner de nouveau.

redire, v. tr. Répéter, dire plusieurs fois la même chose. ‖ Répéter ce qu'un autre a dit. ‖ Pris absol., reprendre, blâmer, censurer ; en ce sens, il ne s'emploie qu'à l'infinitif et avec la préposition *à*. *Il trouve à redire à tout ce qu'on fait.* = SE REDIRE, v. pr. Être redit ; se répéter. *Les vérités ne sauraient trop se redire.* = Conjug. (comme *dire*). V. VERBES.

* **rediscuter**, v. tr. Discuter de nouveau; remettre en discussion.

* **rediseur, euse**, n. Celui, celle qui répète plusieurs fois les mêmes choses ; ou qui répète ce qu'il a entendu dire.

* **redistiller**, v. tr. et intr. Distiller de nouveau.

* **redit**, n. m. Cancan, commérage. *Des dits et des redits.* — S'emploie surtout au plur.

redite, n. f. Répétition fréquente et oiseuse d'une chose dite.

SYN. — V. RÉPÉTITION.

* **rediviser**, v. tr. Diviser de nouveau.

redondance, n. f. Superfluité emphatique de paroles dans un discours, de mots dans un écrit.

redondant, ante, adj. (ppr. de *redonder*). Superflu, plein d'emphase, dans un discours, dans un écrit. ‖ Où il y a beaucoup de redondance.

* **redonder**, v. intr. (lat. *redundare*, déborder). Être superflu, surabondant, dans un discours, dans un écrit.

redonner, v. tr. Donner de nouveau à quelqu'un la même chose. ‖ Restituer, rendre, fournir de nouveau ce qui avait été perdu. = V. intr. S'abandonner de nouveau à quelque chose. *Il redonne dans ce travers.* ‖ Revenir à la charge. *L'infanterie, ralliée, redonna avec courage.*

redorer, v. tr. Dorer de nouveau. ‖ Fig. *redorer son blason,* se dit d'un noble qui épousait une riche roturière.

* **redormir,** v. intr. Dormir de nouveau. = Conjug. (comme *dormir*). V. VERBES.

* **redorte,** n. f. [Blas.] Branche d'arbre tortillée ou tressée.

* **redoter,** v. tr. Donner une nouvelle dot à une femme qui se remarie.

redoublé, ée, adj. Réitéré, répété. *Frapper quelqu'un à coups redoublés.* ‖ *Pas redoublé,* pas deux fois plus rapide que le pas ordinaire. ‖ Air militaire qui accompagne ce pas. ‖ *Rimes redoublées,* se dit quand plus de deux vers riment ensemble.

redoublement, n. m. Action de redoubler. ‖ Accroissement, augmentation considérable. *Redoublement de peine.* [Gram.] Répétition d'une lettre ou d'une syllabe dans le cours d'un même mot.

redoubler, v. tr. Répéter une seconde fois. ‖ Réitérer, renouveler avec plus d'insistance. *Il faut redoubler vos instances.* ‖ Augmenter beaucoup. *Le froid a redoublé son mal de tête.* ‖ Remettre une doublure nouvelle. *Redoubler une robe.* ‖ Recommencer. *Un élève qui redouble une classe.* = V. intr. Augmenter. *Ma crainte redouble.* — On dit aussi : *Redoubler de soins, d'attention, de courage,* etc. = SE REDOUBLER, v. pr. Être, pouvoir être redoublé.

* **redoul,** n. m. [Bot.] Nom vulg. d'une plante de la famille des *géraniacées,* riche en tanin.

redoutable, adj. Qui est fort à craindre. SYN. — V. TERRIBLE.

redoute, n. f. (ital. *ridotto,* réduit). [A. mil.] Ouvrage de fortification isolé. ‖ Lieu public pour le jeu, la danse. ‖ Fête, bal paré et masqué.

redouter, v. tr. Craindre fort. *Redouter quelqu'un. Redouter le froid.* = SE REDOUTER, v. pr. Se craindre soi-même ou mutuellement.
SYN. — V. APPRÉHENDER.

* **redowa,** n. f. Danse à trois temps, qui tient de la polka et de la mazurka. ‖ Air sur lequel s'exécute cette danse.

redressement, ou * **redressage,** n. m. Action de redresser; effet de cette action. ‖ Fig. Action de réparer un tort, une injustice, une erreur.

redresser, v. tr. (préf. *re,* et *dresser*). Rendre droite une chose qui l'avait été auparavant, ou qui devrait l'être. *Redresser un arbre.* — Élever, ériger de nouveau. *Redresser une statue abattue.* ‖ Fig. et au sens moral : corriger, rectifier. *Redresser le jugement, l'esprit de quelqu'un.* ‖ *Redresser les abus,* réformer les abus. — *Redresser les torts,* secourir les opprimés, réparer les torts qui leur ont été faits. ‖ Remettre dans le droit chemin, dans la bonne voie. *Il faut redresser cet enfant.* = SE REDRESSER, v. pr. Se relever. ‖ Se tenir droit. ‖ Se mettre de nouveau debout. — Fig. Se corriger, s'amender.
CTR. — *Courber, plier.*

redresseur, euse, n. m. Celui, celle qui redresse. ‖ *Redresseur de torts,* celui qui défend les opprimés, ou, en mauvaise part, celui qui a la manie de blâmer tout ce qu'on fait, de vouloir réformer, corriger les autres. [Électr.] *Redresseur de courant,* appareil ne laissant passer le courant alternatif que dans un seul sens. = Adj. Qui redresse. *Valve redresseuse.* V. pl. T.S.F.

* **redruge,** n. m. [Hortic.] Pousse qui vient après le pincement.

* **redû,** n. m. Ce qui reste dû après un compte fait.

réducteur, trice, adj. et n. Qui réduit. [Chim.] Se dit des corps simples ou composés susceptibles de fonctionner comme agents de réduction. = N. m. *Un réducteur.*

* **réductibilité,** n. f. Qualité, état de ce qui est réductible.

réductible, adj. Qui peut ou doit être réduit. [Chir.] *Fracture réductible,* qui peut être remise en place. [Math.] *Fraction réductible,* dont les deux termes sont divisibles par un même nombre.

réductif, ive, adj. Qui réduit.

réduction [rédu-ksion], n. f. (lat. *reductio,* m. s., de *reducere,* réduire). Action de réduire, de diminuer; résultat de cette action. ‖ Action de soumettre, de subjuguer, et le résultat de cette action. *La réduction d'une ville.* [Math.] Conversion d'une expression en une autre équivalente, mais plus simple. *Réduction d'une fraction à sa plus simple expression.* — Conversion d'une quantité en une autre équivalente, mais de système différent. *Réduction de fractions au même dénominateur.* [Chim.] Phénomène inverse de l'oxydation, qu'il s'agisse d'une désoxygénation, d'une hydrogénation, etc. [Géom.] Opération par laquelle on construit une figure semblable à une autre, mais plus petite; et celle par laquelle on divise une figure en plusieurs parties. *La réduction d'un plan.* [Bx-A.] Copie d'un objet dans une grandeur moindre que celle de l'original, avec la même forme et les mêmes proportions. [Chir.] Opération par laquelle on remet en place les os luxés ou fracturés, ou les organes qui ont formé des hernies.
CTR. — *Agrandissement, amplification, accroissement, augmentation.*

réduire, v. tr. (lat. *reducere,* m. s.). Restreindre, diminuer ou faire diminuer. *Réduire une peine, une amende.* [Géom.] *Réduire une figure,* la changer en une autre semblable et plus petite. — *Réduire un plan, un dessin,* les copier, les mettre en petit avec les mêmes proportions. ‖ Résoudre une chose en une autre, changer, transformer la figure, l'état d'un corps. *On réduit le blé en farine.* — *Réduire des francs en centimes, des milles en lieues,* etc., évaluer les espèces de monnaie, les différentes mesures les unes par rapport aux autres. ‖ Rendre plus concentré. *Réduire une sauce.* [Math.] Amener à une forme plus simple. *Réduire une fraction à sa plus simple expression.*
Contraindre, obliger, *Réduire quelqu'un au silence. Réduire à la mendicité.* ‖ Soumettre, subjuguer, dompter, mater. *Alexandre réduisit l'Asie sous ses lois.* On dit aussi simpl. : *Réduire une place.* ‖ Organiser, régler d'une autre manière. *Réduire un État en province.* [Chim.] Effectuer la réduction d'un composé. [Chir.] *Réduire une luxation, une fracture, une hernie,*

remettre à leur place des os luxés ou fracturés, des organes qui font hernie.
V. intr. Devenir plus concentré par une longue ébullition. *Faire réduire une sauce.*
= SE RÉDUIRE, v. pr. Se dit dans la plupart des acceptions précédentes. ‖ Absol. *Se réduire,* diminuer son train de vie. — Conjug. (comme *cuire*). V. VERBES.

SYN. — *Réduire,* rendre moins considérable : *On a dû réduire les dépenses.* — *Amoindrir,* rendre plus petit : *Amoindrir les proportions d'un plan.* — *Diminuer,* réduire à une proportion, à un taux plus petits : *Diminuer les salaires.* — *Minimiser,* réduire à des proportions trop petites : *Minimiser à dessein l'importance d'un fait.* V. aussi ABAISSER, ABRÉGER, COUPER et DIMINUER.

CTR. — *Augmenter, accroître.* — *Diluer.*
réduit, n. m. Retraite, petit logement. [Fortif.] Petit ouvrage à l'intérieur d'un autre, et qui peut servir d'abri. V. pl. FORTIFICATIONS. [Mar.] Compartiment cuirassé renfermant de l'artillerie ou des organes de commandement.
HOM. — *Réduis, uit,* du v. réduire.
réduplicatif, ive, adj. [Gram.] Qui se rapporte à la réduplication ou qui l'exprime.
réduplication [*sion*], n. f. Redoublement. ‖ Répétition d'une syllabe ou d'une lettre. [Rhétor.] Figure consistant à répéter plusieurs fois un mot, dans la même phrase, pour mettre en éveil l'intérêt.
* **réduve,** n. m. [Zool.] Genre d'insectes hémiptères nocturnes chassant les araignées et certains insectes.
réédification [*sion*], n. f. Action de réédifier. ‖ Fig. Rétablissement.
réédifier, v. tr. Rebâtir, édifier de nouveau.
rééditer, v. tr. Éditer de nouveau. ‖ Fig. Remettre en circulation. *Rééditer une histoire scandaleuse.*
réédition [*sion*], n. f. Édition nouvelle.
rééducation [*sion*], n. f. Action de rééduquer. ‖ Ensemble de procédés qui permettent d'éduquer à nouveau, au point de vue musculaire ou psychique, des mutilés, des paralytiques, des aveugles, des amnésiques, etc.
rééduquer, v. tr. Donner une nouvelle éducation.
réel, elle, adj. (bas lat. *realis,* m. s., de *res,* chose). Qui existe, qui est véritablement, effectivement; se dit par opposition à feint, apparent, imaginaire. *La vie réelle.* [Dr.] Qui se rapporte aux choses et non aux personnes. *Action, saisie réelle.* [Phys.] *Image réelle, foyer réel,* où vont converger les rayons lumineux. [Math.] *Nombres réels,* les nombres algébriques. [Gram.] *Sujet réel,* sujet que le sens donne au verbe alors que celui-ci s'accorde avec le sujet apparent. = N. m. Ce qui est réel. *Le réel et l'imaginaire s'opposent.*

SYN. — *Réel,* tel qu'il existe véritablement : *Examiner l'état réel des finances.* — *Effectif,* qui existe de fait : *le nombre effectif et non approximatif des membres d'une société.* V. aussi AVÉRÉ, ÉVIDENT VÉRIDIQUE.

CTR. — *Virtuel, potentiel.* — *Figuré, idéal, fictif, irréel, imaginaire, apparent.* — *Faux, factice, illusoire, chimérique, fantastique.*
* **réélargir,** v. tr. Élargir de nouveau.

réélection [*sion*], n. f. Action d'élire de nouveau.
* **rééligibilité,** n. f. État d'une personne rééligible.
rééligible, adj. Qui peut être réélu.
réélire, v. tr. Élire de nouveau. = Conjug. (comme *lire*). V. VERBES.
réellement, adv. D'une manière réelle. Effectivement.
* **réembarquement,** n. m., * **réembarquer,** v. tr. et intr. V. REMBARQUEMENT, etc.
* **réembaucher,** v. tr. Embaucher de nouveau.
* **réemploi,** * **réemployer.** V. REMPLOI, REMPLOYER.
* **réemprisonner** ou * **remprisonner,** v. tr. Mettre de nouveau en prison.
* **réemption** [*an-psion*], n. f. [Dr.] Rachat, droit de racheter.
* **réengagement,** n. m. V. RENGAGEMENT.
* **réengager,** v. tr. V. RENGAGER.
* **réensemencement,** n. m. Action de réensemencer. ‖ Résultat de cette action.
* **réensemencer,** v. tr. Ensemencer de nouveau. = Conjug. V. GRAMMAIRE.
* **réentendre,** v. tr. Entendre de nouveau. = Conjug. (comme *rendre*). V. VERBES.
* **réenterrer,** v. tr. Enterrer de nouveau.
* **réenvahir,** v. tr. Envahir à nouveau.
réer, v. intr. V. RAIRE.
* **réescompte** [*ès-konte*], n. m. Nouvel escompte, par un second banquier, du papier escompté par un premier banquier.
réescompter, v. tr. Escompter de nouveau.
réexpédier, v. tr. Expédier de nouveau. = Conjug. V. GRAMMAIRE.
réexpédition [*sion*], n. f. Action de réexpédier. ‖ Résultat de cette action.
réexportation [*sion*], n. f. Action de réexporter.
réexporter, v. tr. Transporter hors d'un État des marchandises qui y avaient été importées.
* **réexposer,** v. tr. Exposer de nouveau.
* **réfaction** [*sion*], n. f. Réduction sur le prix des marchandises, au moment de la livraison, lorsqu'elles ne se trouvent pas de la qualité convenue.
refaire, v. tr. Faire ce qu'on a déjà fait. *Refaire un voyage.* ‖ Réparer, rajuster, raccommoder. *Refaire un habit.* ‖ Remettre en santé, en bon état. *Le bon air m'a refait.* ‖ Tromper, attraper quelqu'un. *Refaire un client* (Fam.). = V. intr. *Refaire,* redonner des cartes. = SE REFAIRE, v. pr. Se remettre en vigueur, en bon état. *Ce malade commence à se refaire.* ‖ Rétablir sa fortune. = Conjug. (comme *faire*). V. VERBES.

1. **refait,** n. m. [Jeu] Coup, partie qu'il faut recommencer. [Vén.] Nouveau bois du cerf.
2. **refait, aite,** adj. Fam. Trompé, dupé. *Me voilà refait.* ‖ Qui a repris sa bonne forme, sa santé.

refaucher, v. tr. Faucher de nouveau.
réfection [*sion*], n. f. (lat. *refectio,* m. s.). Action de refaire. Réparation, rétablissement d'un bâtiment. ‖ Action de se refaire, de rétablir ses forces. ‖ Repas, collation.

PAR. — *Réflexion,* retour de l'esprit pensant sur lui-même; renvoi, par une surface des ondes qui la frappent.

réfectionner, v. tr. Remettre en état (Néol. barbare et à proscrire).

réfectoire, n. m. Lieu où l'on se réunit pour prendre les repas en commun.

refend [*fan*], n. m. Action de fendre, de partager. ‖ *Bois de refend,* bois qui a été scié en long. [Archi.] *Mur de refend,* mur formant séparation dans l'intérieur d'un bâtiment. ‖ Ligne tracée sur les maçonneries pour marquer les assises des pierres.
Hom. — *Refend, refends,* du v. refendre.

refendre [*fan*], v. tr. Fendre de nouveau. ‖ Scier en long, fendre, diviser.

refente [*fan*], n. f. Action de refendre.

référé, n. m. Recours. [Dr.] Procédure sommaire ayant pour but de faire juger au plus vite et provisoirement une affaire urgente. La décision qui intervient est appelée *ordonnance de référé.*
Hom. — *Référer,* v., attribuer, faire rapport.

référence, n. f. (du v. *référer*). Action de rapporter une chose à un texte, à une autorité. = Ce rapport. *Les références du bas des pages.* ‖ Au plur. Témoignage de personnes pouvant renseigner sur quelqu'un qui demande un emploi, propose une affaire, etc. *Fournir de bonnes, de sérieuses références.*

référendaire, n. m. *Grand référendaire,* en France, officier de chancellerie qui décidait si les lettres royales devaient être signées et scellées (Vx). = Adj. Aujourd. *Conseiller référendaire à la cour des comptes,* magistrat chargé de vérifier les comptes des justiciables.

referendum [ré-fé-rin-domm]. n. m. (mot lat.).Vote par lequel les citoyens d'un pays se prononcent sur une question importante d'intérêt général. ‖ Avis demandé sur une question à un groupe d'individus. ‖ Demande de nouvelles instructions d'un agent diplomatique à son gouvernement.

référer, v. tr. (lat. *referre,* rapporter). Rapporter une chose à une autre. = V. intr. *En référer au juge,* avoir recours au juge qui, en cas d'urgence, peut statuer provisoirement. ‖ Faire rapport. *J'en référerai au chef.* = SE RÉFÉRER, v. pr. Avoir rapport ‖ S'en rapporter. *Se référer à l'avis de quelqu'un.* = Conjug. V. GRAMMAIRE.
Hom. — *Référé,* n. m., procédure sommaire.

refermer, v. tr. Fermer de nouveau.

referrer, v. tr. Ferrer de nouveau.

refeuilleter [*ill* mll.], v. tr. Feuilleter de nouveau.

refiltrer, v. tr. Filter de nouveau.

réfléchi, ie, adj. (pp. du v. *réfléchir*). Qui est fait ou dit avec réflexion. *Un devoir réfléchi.* ‖ *Homme, esprit réfléchi,* homme qui a l'habitude de réfléchir, de n'agir et de ne parler qu'après avoir réfléchi. [Gram.] *Verbe réfléchi.* V. GRAMMAIRE. — *Pronom réfléchi de la troisième personne,* le pronom *se, soi,* qui sert à la conjugaison des verbes pronominaux, qu'ils aient ou non le sens réfléchi.
Syn. — V. GRAVE.
Ctr. — *Irréfléchi, étourdi, léger, distrait, écervelé, dissipé. ‖ Machinal, téméraire.*

réfléchir, v. tr. (lat. *reflectere,* m. s.). Renvoyer, repousser dans une direction nouvelle. *Les miroirs réfléchissent les objets.* = V. intr. Penser mûrement à une chose. *Je vous prie de réfléchir sur cette affaire.* = SE RÉFLÉCHIR, v. pr. Être réfléchi. *Son image se réfléchit dans l'eau.* — Fig. *L'âme de cet auteur se réfléchit dans tous ses écrits.*
Incorr. — Ne dites pas : *C'est ce que j'étais en train de réfléchir,* mais *ce à quoi...*

réfléchissant, ante, adj. Qui réfléchit. *Surface réfléchissante.* ‖ Qui revient sur sa pensée pour l'approfondir.

réfléchissement, n. m. Action de faire rejaillir, de renvoyer par réverbération.

réflecteur, n. m. (lat. *reflectere,* réfléchir). [Phys.] Appareil destiné à réfléchir la lumière, les rayons infra-rouges ou ultra-violets, le son. ‖ Miroir concave, sphérique, qui réfléchit la lumière sur l'espace qu'on veut éclairer. = Adj. *Miroir réflecteur.*

reflet [*flè*], n. m. (ital. *riflesso,* m. s.). Réflexion lumineuse diffuse et souvent colorée. *Le reflet d'une étoffe.* — Jeu de lumière à la surface de certains objets. *Cette étoffe a de jolis reflets.* ‖ Fig. Reproduction affaiblie. *Sa réputation n'est qu'un reflet de la gloire de ses aïeux.*
Épithètes courantes : brillant, éclatant, éblouissant, long, court, chatoyant, joli, délicat, métallique, doré, argenté, vermeil, coloré (toutes couleurs). V. tabl. COULEURS.

refléter, v. tr. Réfléchir irrégulièrement la lumière, les couleurs. ‖ Fig. Être un reflet de. — SE REFLÉTER, v. pr. Être reflété. = Conjug. V. GRAMMAIRE.

refleurir, v. tr. et intr. Fleurir de nouveau. = V. intr. Fig. Redevenir florissant. *Les beaux-arts refleurissent.*

refleurissement, n. m. Action de refleurir dans la même année.

réflexe, adj. [Phys.] Qui est produit par la réflexion. = N. m. [Physiol.] Mouvement qui se produit dans l'organisme par une excitation quelconque venue de l'extérieur, sans intervention de la volonté.

réflexibilité, n. f. Qualité de ce qui peut être réfléchi.

réflexible, adj. Qui est susceptible de se réfléchir.

réflexif, ive, adj. Qui peut revenir sur lui-même. ‖ Qui est fondé sur la réflexion.

réflexion, n. f. (lat. *reflexio,* m. s., de *reflectere,* réfléchir). [Phys.] phénomène qui se produit quand un rayon lumineux, des ondes sonores, etc., sont renvoyés ou répercutés par un corps. [Philos.] Retour de l'esprit sur lui-même pour examiner ses propres idées.
Dans le langage ordinaire : Considération attentive, méditation sérieuse. *Il est incapable de réflexion.* ‖ Pensée qui résulte de cette action de l'esprit. *Voilà de sages réflexions.* — *Toute réflexion faite,* après mûre réflexion, tout bien examiné. [Litt.] Titres de certains ouvrages. V. tabl. INTELLIGENCE (Idées suggérées par le mot).
— *Dans l'enfance de tous les peuples, comme dans celle des particuliers, le sentiment a toujours précédé la réflexion et en a été le premier maître.* (VAUVENARGUES.)
— *Il est véritable que qui ôte à l'esprit la réflexion lui ôte toute sa force.*
(BOSSUET.)
Épithètes courantes : mûre, attentive, longue, interminable, profonde, sérieuse, concentrée, sage, pieuse, morale, philosophique, politique, sociale; pénible, amère, triste, douloureuse, angoissante; optimiste, pessimiste; judicieuse, déplacée,

intempestive, déplaisante, blessante, piquante, spirituelle, etc.
Syn. — V. application.
Par. — *Réfection,* action de refaire, de réparer.

* **réflexothérapie,** n. f. [Méd.] Méthode qui cherche à obtenir la guérison d'une maladie à l'aide de réflexes obtenus par l'excitation des centres nerveux.

* **refluement,** n. m. Action de refluer.
refluer, v. intr. (lat. *refluere,* m. s.). En parlant des fluides, retourner vers le lieu d'où ils ont coulé. ‖ Fig. Revenir vers le lieu d'où l'on est parti. ‖ Être repoussé dans une autre direction. *La foule, contenue, se mit à refluer.*

reflux [*flu*], n. m. Mouvement de la mer quand elle se retire du rivage après le flux. ‖ Fig. Retour en arrière; vicissitudes des choses humaines.
— *Le flux les apporta, le reflux les emporte.* (Corneille.)
Ant. — *Flux.*
Hom. — *Reflue, es, ent,* du v. refluer.

* **refonçage,** n. m. Action de remettre un fond à un tonneau.

* **refonder,** v. tr. Fonder de nouveau.
refondre, v. tr. Fondre de nouveau. ‖ Fig. Donner une meilleure forme à un ouvrage d'esprit, tout en en gardant les éléments. = Conjug. (comme *rendre*). V. verbes.

refonte, n. f. Action de refondre, de mettre à la fonte une seconde fois (se dit partic. de la monnaie). ‖ En parlant des vieux papiers, mettre au pilon. ‖ Fig. Changement dans la forme, dans l'ordre d'un ouvrage d'esprit.

* **reforger,** v. tr. Forger de nouveau, remettre à la forge. = Conjug. V. grammaire.

réformable, adj. Qui peut ou qui doit être réformé.
réformateur, trice, adj. et n. Celui, celle qui réforme. ‖ *Les réformateurs,* les chefs de la religion réformée.
réformation [*sion*], n. f. Rétablissement dans l'ancienne forme, ou dans une meilleure forme. ‖ *La Réformation,* changements que les protestants ont fait subir à la doctrine et à la discipline chrétiennes.
réforme, n. f. (du v. *réformer*). Rétablissement dans une forme meilleure, soit en revenant à une forme ancienne, soit en adoptant une forme nouvelle. *La réforme de la législation.* ‖ Réduction, suppression. *Faire des réformes dans le personnel d'une administration.* — *La réforme des abus,* la suppression des abus qui se sont introduits.* — *La réforme d'un ordre religieux,* le retour à l'ancienne discipline, à la règle primitive. ‖ Mouvement religieux d'où est né le protestantisme. ‖ Corps de doctrine adopté par les protestants, et communion formée par les églises chrétiennes. *Les opinions de la Réforme.* V. tabl. religions (Idées suggérées par le mot).
Retrait de leur emploi à des officiers, sans qu'ils aient droit à la retraite. ‖ Congé qu'on délivre à un soldat reconnu incapable de faire un service actif. ‖ Action de mettre hors de service les chevaux de l'armée ou le matériel qui ne peuvent plus être utilisés.
Épithètes courantes : grande, petite, profonde, radicale, sage, utile, bienfaisante, nécessaire, urgente, souhaitable,
désirable, réclamée, attendue, annoncée, faite, prématurée, hâtive, commencée, retardée, temporaire, provisoire, définitive, accordée, refusée, concédée; politique, religieuse, morale, sociale, judiciaire, économique, militaire, administrative, électorale, intellectuelle, éducative, insuffisante, inopérante, impopulaire, manquée, etc.

réformé, ée, adj. et n. (pp. du v. *réformer*). Qui a subi la réforme. *Officier, religieux réformé.* — Réformé, n. m., militaire retranché des cadres par décision des commissions de réforme. ‖ *La religion réformée, le culte réformé,* le protestantisme.
= N. m. pl. *Les réformés,* ceux qui suivent la religion réformée et que les catholiques appellent *les prétendus réformés.*

reformer, v. tr. Former de nouveau.
= se reformer, v. pr. Se former de nouveau. ‖ Se rallier et reprendre son ordre après dispersion, en parlant des troupes.
Par. — Ne pas confondre avec le mot suivant.

réformer, v. tr. (lat. *reformare,* m. s.). Établir dans une forme meilleure, soit en revenant à l'ancienne forme, soit en donnant une nouvelle forme ; améliorer, rectifier, corriger. *Réformer la justice, les lois.* ‖ Retrancher ce qui est nuisible ou de trop. *Réformer les abus.* ‖ *Réformer des troupes,* les réduire à un moindre nombre. — *Réformer un officier,* lui retirer son emploi. — *Réformer un soldat,* lui donner un congé de réforme. ‖ *Réformer des chevaux,* les retirer du service auquel ils étaient affectés comme n'y étant plus propres. Se dit aussi du matériel. = se réformer, v. pr. Renoncer à de mauvaises habitudes, suivre une conduite plus régulière.
Par. — Ne pas confondre avec le mot précédent.

réformiste, adj. Qui a rapport à la réforme. = N. m. Partisan d'une réforme politique ou religieuse.

refouillement [*ill* mll.], n. m. Action d'évider une pierre, une charpente. [Sculpt.] Action d'évider les creux pour faire ressortir les saillies dans certaines parties d'une sculpture.

refouiller [*ill* mll.], v. tr. Fouiller à nouveau. ‖ Évider, détacher nettement les saillies.

refoulement, n. m. Action de refouler; effet de cette action. [Psychol.] Action par laquelle une image, une tendance sont repoussées dans l'inconscient.

refouler, v. tr. Fouler de nouveau. ‖ Faire refluer, repousser. *Refouler des étrangers indésirables.* ‖ *Refouler ses pleurs,* les contenir avec peine. ‖ Bourrer une pièce de canon avec le refouloir. [Mar.] En parlant d'un navire, aller contre le cours de la marée. ‖ Faire refluer, repousser. = V. intr. Refluer, retourner en arrière.
Syn. — V. écarter.

refouloir, n. m. [Artill.] Tige munie d'une partie cylindrique, dont on se servait autrefois pour bourrer une pièce de canon.

* **refournir,** v. tr. Fournir de nouveau.

* **refourrer,** v. tr. Fourrer de nouveau.
réfractaire, adj. (lat. *refractarius,* m. s.). Rebelle, désobéissant, qui refuse de se soumettre. *Réfractaire aux ordres du roi.* [Chim. et Métal.] Se dit des substances qu'il est difficile ou impossible de fondre ou d'attaquer. [Minér.] *Argile réfractaire,*

RÉFRACTER — REFUSABLE

sorte d'argile dont on fait l'intérieur des poêles, des hauts fourneaux. *Briques réfractaires*, briques faites avec cette argile. [Hist.] *Prêtres réfractaires*, ceux qui, au début de la Révolution, refusèrent de prêter serment à la constitution civile du clergé. = N. m. Celui qui, appelé par la loi du recrutement, refuse de répondre à cet appel. *Arrêter un réfractaire*. ‖ Pendant l'occupation allemande (1940-1944), nom donné aux patriotes qui refusaient le travail obligatoire en Allemagne.
CTR. — *Soumis*. — *Fusible*.
réfracter, v. tr. Produire la réfraction. = SE RÉFRACTER, v. pr. Être réfracté.
réfractif, ive, adj. Qui produit, qui a rapport à la réfraction. *Pouvoir réfractif*.
réfraction [*sion*], n. f. (lat. *refringere*, briser). [Phys.] Changement de direction que subit la lumière passant d'un milieu dans un autre qui présente un *indice de réfraction* différent.
*** réfractomètre**, n. m. Appareil servant à mesurer les indices de réfraction.
refrain [*frin*], n. m. Reprise de quelques mots ou de quelques vers à la fin de chaque couplet d'une chanson, d'une ballade, etc. ‖ Fig. Ce qu'une personne répète toujours dans ses discours.
ÉPITHÈTES COURANTES : gai, joyeux, triste, mélancolique, éternel, perpétuel, habituel, le même, etc.
*** réfranger**, v. tr. Syn. de *réfracter*. = Conjug. V. GRAMMAIRE.
réfrangibilité, n. f. Propriété de ce qui est réfrangible, de ce qui peut se réfracter.
réfrangible, adj. Qui est susceptible de réfraction.
refrapper, v. tr. Frapper de nouveau.
*** refrènement**, n. m. Action de refréner.
refréner, v. tr. Réprimer, mettre un frein, freiner avec force. = Conjug. V. GRAMMAIRE.
réfrigérant, ante, adj. (ppr. du v. *réfrigérer*). [Phys.] Qui a la propriété de refroidir. *Mélange réfrigérant*, mélange déterminant un abaissement de la température. [Méd.] Qui est rafraîchissant. *Remèdes réfrigérants* (Peu us.). ‖ Fam. Se dit d'un orateur, d'un conférencier qui jette un froid sur son auditoire.
PAR. — *Réfringent*, qui réfracte les rayons lumineux.
*** réfrigératif, ive**, adj. [Méd.] Qui a la propriété de rafraîchir. = N. m. *Employer les réfrigératifs*.
réfrigération [*sion*], n. f. [Phys.] Action d'abaisser la température d'un corps par divers moyens (circulation d'eau froide, détente de gaz liquéfiés, etc.). ‖ Résultat de cette opération.
ANT. — *Réchauffement*.
*** réfrigérer**, v. tr. Refroidir, soumettre à la réfrigération. = Conjug. V. GRAMMAIRE.
*** réfringence** [*jan-se*], n. f. [Phys.] Propriété qu'ont les corps transparents de réfracter la lumière.
réfringent, ente [*jan*], adj. Qui a rapport à la réfraction. ‖ Qui a la propriété de réfracter les rayons lumineux.
PAR. — *Réfrigérant*, qui a la propriété de refroidir.
refriser, v. tr. Friser de nouveau. = V. intr. Redevenir frisé.

*** refrogné, ée**, adj. et n., **refrognement**, n. m., *** refrogner**, v. tr. V. RENFROGNÉ, RENFROGNEMENT, etc.
refroidir, v. tr. Rendre froid, abaisser la température de. ‖ Fig. Diminuer l'ardeur, l'activité, etc. = V. intr. Devenir froid. = SE REFROIDIR, v. pr. Devenir froid. ‖ Prendre froid, attraper un rhume. ‖ Fig. N'avoir plus le même zèle, le même enthousiasme.
*** refroidis**, n. m. [Agri.] Culture qui se fait pendant l'année de jachère.
refroidissement, n. m. Action de se refroidir. — Diminution de chaleur. *Le refroidissement du temps*. ‖ Fig. Diminution d'ardeur, d'activité dans les affections, dans les passions, etc. *Il y a du refroidissement dans leur amitié*. ‖ Indisposition causée par un froid subit, dans un moment où l'on avait chaud.
ANT. — *Réchauffement, échauffement*.
*** refrotter**, v. tr. Frotter de nouveau.
refuge, n. m. (lat. *refugium*, m. s.). Asile, retraite, lieu où l'on se retire pour être en sûreté. *Chercher un refuge*. ‖ *Maison de refuge*, ou simpl. *refuge*, maison servant d'asile aux indigents, aux filles repenties. ‖ Abri en montagne pour les excursionnistes. ‖ Trottoir placé au milieu d'une chaussée où les piétons se réfugient pour se garer des voitures. ‖ Personne ou être personnifié dont on attend, dont on implore la protection, le secours. *Vous êtes mon seul refuge. Les lois sont le refuge du faible*. ‖ Prétexte pour se mettre à couvert. *Quel misérable refuge que ce prétexte !*
ÉPITHÈTES COURANTES : sûr, assuré, tranquille, calme, caché ; à l'abri, champêtre, alpestre, agreste, solitaire, reposant, etc.
SYN. — *Refuge*, endroit où l'on peut se trouver en sûreté : *Chercher un refuge contre les bombardements aériens*. — *Retraite*, lieu où l'on se retire dans la solitude ou la tranquillité : *Chercher une retraite loin de la vie du monde*. V. aussi ABRI et ASILE.
réfugié, ée, adj. et n. Celui qui a quitté son pays d'origine pour échapper à la persécution, pour éviter l'envahisseur. = N. m. pl. Les protestants qui quittèrent la France à la révocation de l'édit de Nantes (1685).
réfugier (se), v. pr. Se retirer en quelque lieu ou auprès de quelqu'un pour être en sûreté. ‖ Fig. Avoir recours à, s'abriter derrière. = Conjug. V. GRAMMAIRE.
*** refui**, n. m. [Vén.] Retraite, gîte de bêtes sauvages.
refuir, v. intr. [Vén.] Se dit du gibier qui, poursuivi, revient sur ses pas pour donner le change. = Conjug. (comme *fuir*). V. VERBES.
refuite, n. f. [Vén.] Endroit où une bête a coutume de passer lorsqu'on la chasse. ‖ Se dit aussi des ruses d'une bête qu'on chasse et au fig., des retards voulus, des lenteurs affectées d'une personne.
refus [*fu*], n. m. Action de refuser une demande ou une offre.
ÉPITHÈTES COURANTES : net, formel, définitif, brutal, carré, brusque, impoli, injustifié, inexplicable.
ANT. — *Adhésion, acceptation, assentiment ; offre*.
*** refusable** [*za*], adj. Qui peut être refusé.
CTR. — *Acceptable*.

refuser, v. tr. (lat. *refutare*, réfuter). Ne pas accepter ce qui est offert. *Refuser un cadeau, un emploi.* ‖ Ne pas accorder ce qui est demandé; ne vouloir point se soumettre à ce qu'on exige de nous. *Refuser une grâce. Refuser d'obéir.* ‖ Ne pas recevoir, ne pas admettre. *On refusa de nombreux candidats.* ‖ Ne pas donner, ne pas accorder. *La nature lui a refusé la beauté.* ‖ Éviter d'engager, d'avancer. *L'ennemi refuse sa droite.* ‖ Ne pas reconnaître. *Je lui refuse toute compétence en la matière.* = SE REFUSER, v. pr. *Se refuser une chose,* s'en priver, ne pas se la permettre. *Se refuser à une chose,* ne pas vouloir la faire. *Il se refuse à travailler.* — *Se refuser à l'évidence,* ne pas vouloir la reconnaître. ‖ Avec un nom de chose pour sujet. Ne pas permettre. *Les circonstances s'y refusent.*
GRAM. — Le verbe transitif *refuser* doit être uni à l'infinitif qui lui sert de complément d'objet par la préposition *de* : *Il refuse d'obéir.* — Le verbe pronominal *se refuser* doit être uni à l'infinitif qui lui sert de complément par la préposition *à* : *Il se refuse à venir.*
CTR. — *Accepter, accorder, admettre, recevoir, accéder, agréer, concéder, consentir, offrir, présenter, promettre.*

réfutable, adj. Qui peut être réfuté avec succès.

* **réfutateur,** n. m. Celui qui réfute.

réfutation [sion], n. f. Action de réfuter. Discours ou écrit par lequel on réfute. ‖ Partie d'un discours qui consiste à détruire les arguments de l'adversaire.

* **réfutatoire,** adj. Qui concerne la réfutation; qui contient une réfutation.

réfuter, v. tr. (lat. *refutare,* m. s.). Combattre ce qu'un autre a avancé; prouver que ce qu'un autre a dit est mal fondé ou faux. *Réfuter un argument, un mensonge.*

regagner, v. tr. Gagner de nouveau ce qu'on avait perdu. ‖ *Regagner du terrain. Regagner l'avantage* (au pr. et au fig.). ‖ Rejoindre, rentrer dans un lieu d'où l'on avait été éloigné. *Regagner son domicile.* ‖ Fig. Ramener à soi. *Regagner la confiance, l'estime de quelqu'un.*

* **regaillardir,** v. tr. V. RAGAILLARDIR.

regain, n. m. [Agric.] Herbe qui repousse dans les prés après une première fauchaison. ‖ Fig. Renouvellement d'activité, de vigueur. *Un regain de jeunesse.*
SYN. — V. RENAISSANCE.

régal, n. m. (ital. *regalo,* m. s.). Festin, grand repas. ‖ Mets que l'on aime beaucoup. ‖ Fig. Grand plaisir.
HOM. — *Régal,* n. m. grand festin; — *régale,* n. f., droit du roi sur les revenus des évêchés vacants; — *régale,* n. m., instrument à vent; un des jeux de l'orgue; — *régale, es, ent,* du v. *régaler;* — *régale,* adj. : *eau régale.*

régalade, n. f. Action de se régaler ou de régaler quelqu'un. ‖ Manière de boire en versant la boisson dans la bouche, la tête étant renversée, sans que le vase touche les lèvres. ‖ Feu vif et clair.

régalant, ante, adj. Amusant, réjouissant.

1. régale, n. f. Avant la Révolution, droit qu'avait le roi de jouir des revenus des évêchés vacants et de disposer des bénéfices sans charge d'âmes qui en dépendaient.

2. régale, n. m. [Mus.] Un des jeux de l'orgue. ‖ Sorte d'orgue en miniature.

3. régale, adj. f. [Chim.] *Eau régale,* mélange d'acide chlorhydrique et d'acide nitrique, ayant la propriété de dissoudre l'or.

* **régalement** ou * **régalage,** n. m. (de *égal*). Travail qui se fait pour aplanir la surface d'un terrain. ‖ Répartition proportionnelle d'une taxe.

1. * régaler, v. tr. Aplanir la surface d'un terrain. ‖ Répartir proportionnellement une taxe.

2. régaler, v. tr. Donner un grand repas ou offrir quelque chose d'agréable à boire ou à manger. ‖ Par ext. Offrir une partie de plaisir. ‖ Payer de quoi régaler (Pop.). ‖ Iron. Maltraiter. *Régaler de coups.*

régalien, adj. (lat. *regalis,* royal). Qui appartient à la royauté. *Les droits régaliens,* les droits inhérents à la royauté.
LING. — L'Acad. ne donne pas le fém. *régalienne.*

* **régaliste,** n. m. [Hist.] Celui qui était pourvu, par le roi, d'un bénéfice vacant en régale.

regard [gar], n. m. (n. verb. de *regarder*) Action par laquelle on regarde. *Jeter un regard.* ‖ *Mauvais regard,* influence funeste attribuée au regard de certaines personnes. ‖ Fig. au pl. Attention. *Cette considération méritait d'arrêter les regards de l'assemblée.* [Techn.] Ouverture maçonnée et fermée par une plaque pratiquée pour faciliter la visite d'un aqueduc, d'un conduit, d'un four, d'un égout, etc. = EN REGARD, loc. adv. Vis-à-vis. *Traduction avec texte en regard.* = AU REGARD DE, loc. prép. Par rapport à, en comparaison de. *Il est pauvre au regard d'un tel.*
ÉPITHÈTES COURANTES : bon, mauvais, doux, aimable, bienveillant, accueillant, encourageant, perçant, vif; gai, triste, sévère, terrible, furieux, foudroyant, féroce; intelligent, droit, oblique, intrépide, soupçonneux, curieux, envieux; chargé de colère, de haine, de pitié, etc.

regardant, ante, adj. Celui, celle qui regarde à quelque chose, qui craint de donner trop, qui est d'une minutie exagérée. *Il est bien regardant.* = N. m. Celui qui regarde. *Il y a beaucoup de regardants devant ce magasin.*
SYN. — V. AVARE.

regarder, v. tr. (préf. *re,* et *garder*). Jeter la vue, porter ses regards sur quelque chose. *Regarder quelqu'un en face.* ‖ *Regarder les choses en face,* bien voir ce qui est, sans chercher à s'abuser. — De même : *Regarder la mort en face.* ‖ Fig. *Regarder quelqu'un de haut en bas, de travers, d'un mauvais œil,* le regarder avec mépris, avec dédain. — *Regarder quelqu'un favorablement, le regarder d'un bon œil,* témoigner à quelqu'un qu'on a de la bienveillance pour lui. ‖ En parlant des choses : Être vis-à-vis, à l'opposite. *Cette maison regarde l'orient.* ‖ Fig. Considérer, examiner avec attention. *En cela, il n'a regardé que le bien général.* — De même : *Regarder comme,* considérer comme, estimer, réputer. *On le regarde comme un honnête homme.* ‖ Concerner. *Ce soin vous regarde.*
V. intr. Prendre garde, faire attention à une chose. *Regardez bien à ce que vous allez dire.* — Fam. *Y regarder à deux fois,* faire bien attention à, tenir grand compte

REGARNIR — REGINGLETTE

de. — *Ne pas regarder à la dépense*, dépenser largement. = SE REGARDER, v. pr. Examiner ses traits. *Se regarder dans un miroir.* ‖ Prov. *Se regarder comme deux chiens de faïence*, ne pas vouloir s'adresser la parole. ‖ Être vis-à-vis. *Ces deux maisons se regardent.* ‖ *Se regarder comme*, se croire, s'estimer. *Il se regarde comme un grand homme.*

INCORR. — Ne dites pas : *regardez voir*, tournure populaire. Dites simplement : *regardez.*

SYN. — V. CONCERNER, CONSIDÉRER, VOIR.

PAR. — *Recarder*, carder de nouveau.

regarnir, v. tr. Garnir de nouveau.

régate, n. f. (ital. *regata*, m. s.). Course de bateaux, à la voile ou à l'aviron. ‖ Forme de cravate.

* **regayoir** [ghé-i-oir], n. m. [Techn.] Peigne servant à nettoyer le chanvre.

* **regazonnement**, n. m. Action de regazonner.

* **regazonner**, v. tr. Regarnir de gazon.

regel, n. m. Le fait de regeler. ‖ Phénomène par lequel deux morceaux de glace pressés l'un contre l'autre se soudent.

HOM. — (Il) *regèle*, du v. regeler.

régence, n. f. (*de régent*). Dignité qui donne pouvoir et autorité de gouverner un État pendant la minorité ou l'absence du souverain. — Temps que dure une régence. — Absol. *La Régence*, celle de Philippe d'Orléans pendant la minorité de Louis XV.

Administration politique de certaines villes, gouvernement de certains États. *La régence de Tunis.* = Adj. Qui rappelle les mœurs, le style de la régence de Philippe d'Orléans.

régénérateur, trice, adj. et n. Qui régénère; qui rend les forces.

régénération [*sion*], n. f. Reproduction d'un tissu, d'une partie qui a été détruite. *La régénération des chairs.* ‖ Fig. Réformation, renouvellement. *La régénération des mœurs.*

SYN. — V. RENAISSANCE.

régénérer, v. tr. (lat. *regenerare*, m. s.). Engendrer de nouveau, donner une nouvelle naissance. ‖ Reproduire, rétablir ce qui était détruit. ‖ Fig. Réformer, renouveler. *Régénérer les mœurs.* = SE RÉGÉNÉRER, v. pr. Être régénéré. ‖ Se reproduire. = Conjug. V. GRAMMAIRE.

CTR. — *Abâtardir.*

régénérescence [res-san-se], n. f. Action de ce qui se régénère. ‖ Résultat de cette action.

régent, ente [*jan, ante*], adj. (lat. *regens, entis*, gouvernant). Qui régit, qui gouverne l'État pendant la minorité ou l'absence du souverain. *La reine régente.* = Nom. *Le régent, la régente.* ‖ Titre porté par le premier magistrat de l'État hongrois, tel que l'avait organisé le traité de Trianon (1919). ‖ Celui qui enseignait dans un collège. *Régent de philosophie.* ‖ Membre d'un conseil d'administration. *Régent de la Banque de France.* ‖ Personne qui se mêle de surveiller, de gouverner les autres. ‖ En Suisse instituteur, institutrice.

SYN. — V. MAITRE.

régenter, v. tr. et intr. Enseigner en qualité de régent. ‖ Fig. Aimer à dominer, à faire prévaloir ses avis. *Vouloir régenter tout le monde.*

* **régenteur, euse**, n. Celui, celle qui régente, qui aime à régenter.

régeste, n. m. Chronologie du Moyen Age enregistrant les actes des rois, des papes, etc.

régicide, n. m. (lat. *rex, regis*, roi, et *cædere*, tuer). Celui qui assassine un roi. ‖ Assassinat d'un roi. = Adj. *Doctrine régicide.*

régie, n. f. (n. verb. de régir). Administration de biens ou gérance d'une affaire par une personne ou par une collectivité responsable. *On a mis cette succession en régie.* — *Mettre des travaux publics en régie*, les faire exécuter au compte de l'État, d'un département ou d'une municipalité et sous la surveillance de leurs agents. ‖ Administration chargée de la perception de certaines taxes indirectes, ou de certains services publics. *La régie des tabacs.* — Bureaux de cette administration. V. tabl. FINANCES (*Idées suggérées par le mot*).

* **regimbement** [*jin-be-man*], n. m. Action de regimber.

regimber, v. intr. Se dit des bêtes de monture qui ruent sur place au lieu d'avancer. ‖ Fig. Résister à un supérieur, refuser de lui obéir. = SE REGIMBER, v. pr. Se révolter, résister.

* **regimbeur, euse**, n. Celui, celle qui a l'habitude de regimber.

régime, n. m. (lat. *regimen*, conduite). Action de régir. Ordre, constitution, forme d'un État; manière de le gouverner, de l'administrer. — *Le nouveau régime*, la construction de la société et du gouvernement depuis 1789, par opp. au régime qui précéda la Révolution, l'*ancien régime.*

Règle, administration à laquelle sont soumis certains établissements publics et religieux. *Le régime des hôpitaux, des prisons.* Ensemble de la législation régissant certaines choses. *Le régime des vins et spiritueux.* ‖ Ordre, règle dans la manière de vivre, par rapport à la santé. *Les médecins lui ont prescrit un régime sévère.* — [Dr.] Convention matrimoniale. *Régime dotal.* [Bot.] Inflorescence, puis l'ensemble des fruits des palmiers, etc. *Un régime de dattes, de bananes.* [Techn.] Vitesse moyenne d'une machine; vitesse d'écoulement d'un fluide. *Le régime d'une rivière.* [Gram.] Mot dépendant grammaticalement d'un autre mot de la même phrase. *Régime direct, indirect.*

ÉPITHÈTES COURANTES : dur, sévère, austère, féroce, doux, bienveillant, facile; ancien, nouveau, établi; républicain, représentatif, monarchiste, socialiste, communiste, tyrannique, despotique, autoritaire, populaire; aimé, détesté, abhorré, subi, renversé, etc.

régiment [*réji-man*], n. m. (lat. *regimentum*, action de régir). [A. mil.] Corps de gens de guerre qui se compose de plusieurs compagnies et que commande un colonel. *Régiment d'infanterie, d'artillerie.* V. tabl. ARMÉE (*Idées suggérées par le mot.*) ‖ Fig. et fam. Se dit d'un grand nombre de personnes. *Il y a chez lui un régiment de valets.*

régimentaire, adj. Relatif au régiment. — *École régimentaire*, école établie dans un régiment pour l'instruction primaire des soldats illettrés.

reginglard, n. m. Fam. Petit vin aigrelet

* **reginglette**, n. f. Piège en baguettes de bois, pour petits oiseaux.

région, n. f. (lat. *regio,* m. s.). Grande étendue de pays (partic. au point de vue climatologique ou administratif). [Phys.] Partie de l'atmosphère considérée à différentes hauteurs. ‖ Fig. Degré, point où l'on s'élève, en parlant de la philosophie, de la science. [Anat.] Espace déterminé de la surface du corps ou d'un organe.
ÉPITHÈTES COURANTES : vaste, étendue, étroite, resserrée; chaude, tropicale, torride, tempérée, glacée, polaire, sèche, humide, sablonneuse, marécageuse, basse, plate, élevée, montagneuse, maritime; peuplée, populeuse, désertique, cultivée, riche, pauvre, ravagée, dévastée, dépeuplée; campagnarde, urbaine; politique, administrative, ecclésiastique, militaire, maritime, économique, industrielle, minière, etc.

régional, ale, aux, adj. (lat. *regionalis,* m. s.). Qui comprend une certaine région; qui s'y rapporte. ‖ Qui s'étend à plusieurs départements.

régionalisme, n. m. Système administratif tendant à diviser un pays en régions naturelles d'après leurs caractères économiques et historiques. ‖ Tendance à ne s'occuper que d'une région, à considérer comme exclusifs ses intérêts.

régionaliste, adj. Relatif au régionalisme. = N. m. Adepte du régionalisme.

régir, v. tr. (lat. *regere,* diriger). Gouverner, diriger, conduire. ‖ Administrer, gérer. *Ce ministre régit bien les finances de l'État.* [Gram.] Se construire avec tel complément, tel mode ou tel cas. ‖ Servir de règle à; déterminer la forme, le mouvement, l'action de. *Les lois qui régissent la nature.*
SYN. — V. GÉRER.

régisseur, n. m. Celui qui régit, qui gère par commission, à charge de rendre compte. ‖ *Régisseur de théâtre,* celui qui a la charge du service intérieur.

registre, n. m. (bas lat. *regesta,* m. s.). Livre où l'on écrit les actes, les affaires de chaque jour, pour y avoir recours au besoin. *Les registres de l'état civil.* ‖ *Tenir registre de quelque chose,* écrire quelque chose sur le livre, sur le registre. ‖ *Registre du commerce,* registre déposé au greffe de chaque tribunal civil sur lequel sont immatriculés obligatoirement tous les commerçants de l'arrondissement. [Impr.] Correspondance des lignes d'une page avec celles de l'autre page du même feuillet. [Mus.] Appareil qui sert à ouvrir ou à fermer les tuyaux de chacun des jeux d'un orgue. — Partie de l'échelle des sons qu'une voix peut parcourir sans changer son timbre. ‖ Étendue de l'échelle musicale d'un instrument. [Bx-A.] Bande ornementale peinte ou sculptée.

registrer, v. tr. Enregistrer, insérer dans le registre (Vx).

réglage, n. m. Action de régler. ‖ Action de régulariser la marche d'un mécanisme. ‖ *Réglage du tir,* correction des premières données d'un tir.

règle, n. f. (lat. *regula,* m. s.). Instrument long, droit et plat qui sert à guider la plume, le crayon, etc., avec lequel on veut tracer une ligne droite. *Règle de bois, de cuivre.* V. pl. DESSIN — *Règle à calcul,* instrument en forme de règle plate, destiné à effectuer rapidement divers calculs.
Fig. Principe, maxime, loi, enseignement; tout ce qui sert à conduire, à diriger.
Les règles du devoir, de la morale, de la politesse, etc. ‖ Ordre, bon ordre. *Il vit sans règle.* ‖ Exemple, modèle. *Il est la règle de tous les jeunes gens de son âge.* ‖ Prescription des lois humaines, des ordonnances, des coutumes, des usages. *Procéder selon les règles.* — *Il est de règle que...,* il est conforme à la loi, à l'usage, à la bienséance que... On dit de même: *Cela est de règle, c'est la règle.* — *Être en règle, se mettre en règle,* être, se mettre au point ou dans l'état que la loi, la coutume ou l'usage demande. — Avec un sens analogue. *Combat en règle. Sottise en règle.* — *En règle générale,* généralement, dans tous les cas.
Statuts que les religieux d'un ordre sont tenus d'observer. *La règle de saint Benoît.*
En parlant des sciences et des arts, principes et méthodes qui en rendent la connaissance plus facile et la pratique plus sûre. *Les règles de la grammaire, de la poésie.*
— Prov. *Il n'y a point de règle sans exception,* un précepte, une maxime, une loi ne sont point applicables à tous les cas particuliers. — *L'exception confirme la règle,* la nécessité où l'on est d'excepter les cas particuliers prouve que la règle doit s'appliquer dans tous les autres cas. — Se dit souvent par ironie. [Arithm.] Opération qui se fait sur des nombres donnés pour trouver des nombres inconnus. *Les quatre premières règles de l'arithmétique* ou, par abrév. *Les quatre règles.* — *Règle de trois,* problème sur des grandeurs proportionnelles. [Méd.] *Règles,* au plur., se dit pour *menstrues.*
— *Comme la première règle est de parler avec vérité, la seconde est de parler avec discrétion.* (PASCAL.)
— *On ne doit sortir de la règle qu'en suivant un fil qui tienne, pour ainsi dire, à la règle même.* (BOSSUET.)
ÉPITHÈTES COURANTES : établie, constituée, portée, fixée, convenue, adoptée, imposée, abrogée, commune, immuable, rigide, souple; formelle, impérative, rigoureuse, sévère, inflexible; générale, universelle, particulière; suivie, dure, vidée, négligée, faussée, ancienne, vénérable, nouvelle, habituelle, traditionnelle; politique, religieuse, morale, administrative, judiciaire, militaire, etc.
ORTH. — *Règle, règlement* s'écrivent avec un *accent grave,* mais *réglet, réglementaire, réglementairement, régler, réglementation,* etc., prennent un *accent aigu.*
SYN. — V. DEVOIR.

VOCAB. — *Famille de mots.* — Règle [rad. *reg, rec, roi, rig*] : régler, réglé, réglément, réglet, réglette, régloir, réglage, régleur, réglure, règlement, réglementaire, réglementairement, réglementer, réglementation; dérégler, déréglé, dérèglement, régir, régis, régent, régenter, régisseur, régime, régiment, régimentaire, enrégimenter; région, régional, régionalisme, régionaliste; régulateur, régulation, régulier, régulièrement, régularité, régulariser, régularisation; irrégulier, irrégulièrement, irrégularité.
Recteur, rectorat, rectoral; vice-recteur, vice-rectorat; rectum, recta, recto, rectitude, rectangle, rectangulaire, rectiligne, rectilinéaire, rectal, rectifier, rectificateur, rectification.
Roi, royal, royalement, royale, royaume, roitelet, royauté, royaliste, royalisme; reine, reinette, reine-claude, reine-des-prés,

reine-marguerite; règne, régner, régnant; régaliste, régal, régale, régalien; régicide, interroi, interrègne, vice-roi, vice-royauté.
Diriger, dirigeable, dirigeant, directeur, directorat, direction, directoire, directorial, directive, directrice (ligne).
Droit, droite, droitement, droitier, droiture; dresser, dressage, dresseur, dressoir; redresser, redresse, redresseur, redressement; adresse, adresser, adroit, adroitement; maladresse, maladroit, maladroitement, endroit; drisse.
Corriger, corrigé, corrigeur, corrigible, correcteur, correct, correction, correctif, correctement; incorrect, incorrection, incorrectement; correctionnel, correctionnellement, correctionnaliser, correctionnalisation; incorrigibilité, incorrigible, incorrigiblement; érectile, érectibilité, érection, s'ériger; surgir, surgissement, surrection; sourdre, source, sourcier; ressource; insurrection, s'insurger, insurgé, insurrectionnel; résurrection, résurgence.

réglé, ée, adj. Qui est couvert de lignes droites tirées ou imprimées. *Papier réglé.* ‖ Sage, régulier, soumis à des règles. *Un homme réglé dans sa conduite.* ‖ Décidé, ou terminé, arrêté, soldé. *Compte réglé.*
SYN. — *Réglé,* conforme à une règle donnée : *Son existence est minutieusement réglée.* — *Discipliné,* qui obéit ponctuellement aux règles établies : *Un subordonné discipliné.* — *Ordonné,* qui fait tout avec ordre et méthode : *Un employé ordonné.* — *Précis,* qui marque une grande régularité, une netteté parfaite : *Demander une réponse précise.* — *Régulier,* conforme à des règles générales, à des habitudes prises: *Le service de cet employé est extrêmement régulier.* V. aussi ASSIDU, NORMAL.
règlement, n. m. Action de régler, de terminer. *Le règlement d'une affaire.* ‖ Ensemble de mesures prescrites pour maintenir une certaine règle, un certain ordre. *Les règlements de police.* ‖ Statuts particuliers d'une société particulière. *Les règlements d'un collège, d'une communauté.* ‖ Action d'acquitter, de solder. ‖ Action de réduire à leur juste valeur les articles d'un mémoire.
ÉPITHÈTES COURANTES : V. RÈGLE.
SYN. — V. CONSTITUTION.
* **réglément,** adv. Avec règle, d'une manière réglée, mesurée.
réglementaire, adj. Qui appartient au règlement, qui concerne le règlement ou qui lui est conforme.
réglementairement, adv. D'une manière réglementaire.
réglementation [sion], n. f. Action de faire des règlements, de fixer par un règlement.
réglementer, v. tr. Établir des règles; soumettre à un règlement ce qui était libre jusqu'ici. *Réglementer la circulation.* = V. intr. Faire beaucoup de règlements.
régler, v. tr. (de *règle*). Tirer avec la règle des lignes sur du papier, du parchemin, etc.
Fig. Conduire, diriger suivant certaines règles. *Régler sa vie, ses actions.* — *Régler ses affaires,* les mettre en bon ordre. — *Régler sa dépense,* mettre un certain ordre dans la dépense de sa maison. ‖ Conformer. *Régler sa conduite sur ses convictions.* ‖ Déterminer, arrêter, décider une chose d'une façon ferme et stable. *Régler les salaires des ouvriers.* — *Régler un différend,* le terminer, soit par un jugement soit par un accommodement. — *Régler une affaire, un compte,* terminer une affaire, arrêter un compte, l'acquitter, le solder. — *Régler le mémoire d'un ouvrier,* en mettre tous les articles à leur juste valeur et en payer le montant.
Régler un mécanisme, le mettre en état de fonctionner correctement. *Régler une montre, une pendule.*
SE RÉGLER, v. pr. Être réglé, arrêté *L'affaire se réglera demain.* ‖ Devenir régulier. *La fièvre commence à se régler.* ‖ *Régler sa conduite,* adopter une manière de vivre régulière. — *Se régler sur quelqu'un, sur quelque chose,* se conduire d'après l'exemple de quelqu'un; prendre quelque chose pour modèle. = Conjug. V. GRAMMAIRE.

— *Quand sur une personne on prétend se régler,
C'est par les beaux côtés qu'il lui faut ressembler.* (MOLIÈRE.)
SYN. — V. ACQUITTER et PAYER.
PAR. — *Réglet,* petite règle; moulure.
réglet, n. m. [Typo.] Filet horizontal. [Archi.] Moulure rectiligne dans un panneau ou un caisson de plafond. [Techn.] Petite règle à main du mécanicien. — Petite règle flexible graduée pour mesurer de petites longueurs.
PAR. — *Régler,* tirer à la règle; conduire, diriger.
réglette, n. f. Petite règle à quatre faces égales. ‖ Sorte de règle employée par le typographe pour former les garnitures ‖ Instrument de pointage du canon de 75 mm.
régleur, euse, n. Ouvrier, ouvrière qui règle les papiers de musique, les registres, etc.
réglisse, n. f. [Bot.] Genre de *légumineuses* herbacées dont la racine et le suc servent à faire des boissons rafraîchissantes. ‖ *Jus de réglisse,* le suc que l'on tire de cette plante.
LING. — Noter que ce mot est du féminin.
* **régloir,** n. m. Instrument pour régler, pour tracer plusieurs lignes à la fois.
* **réglure,** n. f. Action de régler. ‖ Manière dont le papier est réglé.
régnant, ante, adj. Qui règne. *Maison, famille régnante.* ‖ Qui domine. *L'opinion régnante.* ‖ Qui se produit, qui existe actuellement. *Épidémie régnante.*
règne [gn mll.], n. m. (lat. *regnum,* m. s.). Gouvernement d'un prince souverain; durée de ce gouvernement. *Le règne de Louis XIV.* ‖ Part ext. *Le règne de la République, le règne d'un ministre, d'un favori.* — Fig. Autorité morale, influence, puissance. *Le règne des lois, de la justice.* ‖ *Le temps pendant lequel une chose règne, existe, prédomine. Le règne de la prospérité.* [Hist. nat.] Grandes divisions des êtres et corps de la nature. *Règne animal, végétal, minéral.*
ÉPITHÈTES COURANTES : long, court, bref, éphémère, brillant, glorieux, prestigieux, victorieux, fécond, heureux, néfaste, désastreux, abhorré, etc.
régner [gn mll.], v. intr. (lat. *regnare,* m. s., de *regnum,* règne). Régir, gouverner un État avec une autorité souveraine. ‖ Fig. Dominer, avoir de l'autorité, de l'influence; ou être en vogue, en crédit; ou se faire

remarquer, prédominer. *Le sage règne sur ses passions. Cette mode ne règne que depuis peu.* ‖ Fig. Résider, exister dans. *Le désordre régnait partout.* ‖ Durer, sévir, en parlant d'une maladie, d'une épidémie. [Archi.] S'étendre sans discontinuité. *Un balcon règne le long de ce bâtiment.* ‖ Exister, durer plus ou moins longtemps. *L'hiver règne presque toute l'année aux pôles.* = RÉGNER SUR, commander à. *Apprendre à régner sur ses passions.* = Conjug. V. GRAMMAIRE.
GRAM. — Le verbe *régner* étant intransitif, son participe est toujours invariable : Les dix années qu'il a *régné* (que = pendant lesquelles).
SYN. — V. GÉRER.
régnicole [reg-ni], n. m. Habitant indigène d'un État, par oppos. à *étranger*.
regonflement, n. m. Action de regonfler. ‖ Résultat de cette action. ‖ Élévation des eaux courantes devant un obstacle.
regonfler, v. tr. Gonfler de nouveau. *Regonfler un ballon.* = V. intr. Se gonfler, s'enfler de nouveau.
* **regorgeant, ante** [jan], adj. Qui regorge de.
regorgement, n. m. Action de ce qui regorge.
regorger, v. tr. Rendre gorge, rendre par force ce qu'on avait pris. *Regorger ce qu'on a escroqué.* = V. intr. S'épancher hors de ses limites; déborder; refluer. *Ce barrage a fait regorger la rivière.* ‖ Fig. Avoir une grande abondance de quelque chose. *Il regorge de biens.* ‖ Être très abondant. *Cette année, l'avoine regorge.* = Conjug. V. GRAMMAIRE.
* **regouler**, v. tr. Repousser quelqu'un avec des paroles rudes et désagréables (Vx).
* **regoûter**, v. tr. Goûter de nouveau. = V. intr. Faire un second goûter.
regrat [gra], n. m. Négoce qui consiste à vendre en détail et de seconde main certaines denrées.
regrattage, n. m. Action de regratter les murs d'une maison, d'un édifice.
regratter, v. tr. Gratter de nouveau. ‖ Racler, nettoyer un mur, un bâtiment de pierres de taille. = V. intr. Faire des réductions sur les plus petits articles d'un compte. ‖ Réaliser du bénéfice sur une vente au détail. ‖ Marchander.
* **regratterie**, n. f. Commerce du regrattier; marchandise de regrat.
regrattier, ière, n. Celui, celle qui fait le commerce de regrat. Revendeur. ‖ Fam. Celui qui, sur un compte, a l'habitude de rabattre de petites sommes.
* **regraver**, v. tr. Graver de nouveau.
* **regréer**, v. tr. [Mar.] Réparer le gréement d'un bâtiment.
* **regreffer**, v. tr. Greffer de nouveau.
régressif, ive, adj. Qui va, qui revient en arrière. ‖ Qui, après s'être développé, s'atrophie ou se résorbe.
CTR. — *Progressif.*
régression, n. f. Marche régressive. [Biol.] Retour d'un organisme à un état moins avancé, moins perfectionné, par adaptation ou sélection. ‖ Figure de rhétorique dans laquelle les mots d'une phrase se reconstruisent inversement dans la phrase suivante. *Boire et manger pour vivre, et non vivre pour boire et manger.*
* **régressivement**, adv. D'une façon régressive.

regret [grè], n. m. (n. verb. de *regretter*). Repentir; remords. *J'ai regret de la faute que j'ai commise.* ‖ Déplaisir, douleur d'avoir perdu un bien qu'on possédait ou de n'avoir pu obtenir celui qu'on désirait. — Chagrin que fait éprouver la perte d'un être cher. — Se dit souvent par politesse ou par exagération. *J'ai regret de ne pouvoir vous rendre service.* ‖ Regrets, au plur., signifie quelquefois lamentations, plaintes, doléances. *Regrets inutiles.* = À REGRET, loc. adv. Avec répugnance, contre son gré. *Il a fait cela à regret.*
ÉPITHÈTES COURANTES : éternel, durable, grand, vif, sincère, profond, cuisant, douloureux, passager, inutile, tardif, affecté.
SYN. — *Regret*, chagrin d'avoir fait ou de n'avoir pas fait quelque chose : *Le regret de ses erreurs passées.* — *Amertume*, sentiment de tristesse par rapport à des choses passées : *L'amertume des déceptions éprouvées.* — *Contrition*, regret d'un chrétien dont les fautes ont offensé Dieu : *Avoir la contrition parfaite.* — *Rancœur*, ressentiment tenace mêlé de dégoût : *La rancœur des injustices subies.* — *Remords*, reproche de la conscience : *Les remords d'un criminel.* — *Repentir*, regret d'une action, d'une résolution, d'une faute et désir de la réparer et de n'y plus retomber : *Témoigner d'un repentir sincère.* V. aussi CHAGRIN
ANT. — *Plaisir, espoir.*
regrettable, adj. Qui mérite d'être regretté; fâcheux, déplorable.
SYN. — V. DÉPLORABLE.
regretté, ée, adj. et n. Qui inspire des regrets. — *Notre regretté ami*, un ami défunt.
regretter, v. tr. Être fâché, affligé d'une perte, d'avoir manqué l'acquisition d'un bien, d'avoir fait ou de n'avoir pas fait une chose. ‖ Être fâché, éprouver de la contrariété.
* **regrimper**, v. tr. et intr. Grimper de nouveau.
* **regros**, n. m. Grosse écorce dont on fait du tan.
* **regrossir**, v. tr. et intr. Grossir de nouveau.
* **reguérir**, v. tr. et intr. Guérir de nouveau.
régularisation [za-sion], n. f. Action de régulariser, de sanctionner par les procédés légaux une situation de fait.
régulariser, v. tr. Rendre régulier, uniforme. ‖ Rendre régulier ce qui n'a point été fait dans les formes légales. = SE RÉGULARISER, v. pr. Devenir régulier.
régularité, n. f. État de ce qui est régulier. ‖ Conformité à des lois, à des règles. ‖ État d'une chose qui présente une certaine symétrie, une certaine périodicité. ‖ Observation des règles de la bienséance. ‖ Ponctualité, exactitude.
SYN. — V. EXACTITUDE.
1. **régulateur, trice**, adj. Qui régularise, qui établit la régularité d'un fonctionnement, d'un mouvement. *Gare régulatrice*, gare militaire chargée d'effectuer les transports stratégiques, d'envoyer sur les gares de ravitaillement des armées en opérations le personnel, le matériel et les vivres nécessaires, d'évacuer les blessés et le matériel hors de service. = Nom. Celui, celle qui règle, qui sert de règle.
2. **régulateur**, n. m. Toute pièce, tout appareil qui règle les mouvements ou la

vitesse d'une machine, assure la régularité d'une pression, du débit d'un fluide, etc. *Régulateur d'horloge.* V. pl. LOCOMOTIVE.

* **régulation** [*sion*], n. f. Action de régler. *Régulation des compas de navigation.*

régule, n. m. [Chim.] Substance métallique pure, non ductile. *Régule d'antimoine. Régule d'arsenic.*

régulier, ière, adj. (lat. *regularis*, m. s.). Qui est conforme aux lois, à des règles, soit naturelles, soit de convention. *Les mouvements réguliers des corps célestes. Une procédure régulière.* [Gram.] *Verbe régulier,* verbe qui se conjugue selon les règles générales. ǁ *Partic.* Qui se conforme avec exactitude aux préceptes de la religion, aux devoirs de la morale. *Sa conduite a toujours été fort régulière.* ǁ Qui a lieu constamment et à jour ou à heure fixe. *Train régulier.*
Exact, ponctuel. *Il a toujours été très régulier à tenir sa parole.* ǁ *Troupes régulières,* celles qui appartiennent à l'armée permanente. [Hist. nat.] Qui présente une certaine symétrie. *Corolle régulière.* ǁ Bien proportionné. *Traits réguliers.* [Géom.] Qui a tous ses côtés, ses faces, ses angles égaux. *Polygone, polyèdre régulier.* ǁ Par opposition à *séculier,* se dit des ordres religieux, ou de ce qui leur appartient, de ce qui leur est propre. *Le clergé régulier.*
SYN. — V. RÉGLÉ.
CTR. — *Irrégulier, anormal.*
ANT. — *Séculier,*

régulièrement, adv. D'une manière régulière, uniforme.

* **régurgitation,** [*sion*] n. f. [Physiol.] Action de rejeter par gorgées et sans effort des matières qui embarrassent l'estomac.

* **régurgiter,** v. tr. Rendre par régurgitation.

* **réhabilitable,** adj. Que l'on peut réhabiliter.

réhabilitation [*sion*], n. f. Action de réhabiliter. ǁ Résultat de cette action.

réhabilité, ée, adj. et n. Rétabli dans ses droits, dans ses prérogatives.

réhabiliter, v. tr. (préf. *re,* et lat. *habilis, apte,* propre à). Rétablir dans ses droits, dans ses prérogatives, etc., celui qui en était déchu par suite d'une condamnation. *Réhabiliter un failli.* ǁ *Fig.* Faire recouvrer l'estime publique, l'estime de quelqu'un. *Cette action l'a réhabilité dans l'opinion publique.* = SE RÉHABILITER, v. pr. Recouvrer l'estime, la considération, l'honneur.

* **réhabiter,** v. tr. Habiter de nouveau.

réhabituer, v. tr. Faire reprendre une habitude perdue. = SE RÉHABITUER, v. pr. Reprendre une habitude perdue.

* **rehaussage,** n. m. [Bx-A.] Action de relever par des rehauts.

rehaussé, ée, adj. Embelli, enrichi. — *Dessin rehaussé,* relevé de touches d'aquarelles de gouache, etc.

rehaussement, n. m. Action de rehausser.

rehausser, v. tr. (préf. *re,* et *hausser*). Hausser davantage ce qui se trouvait déjà à une certaine hauteur. *Il faut rehausser cette muraille d'un mètre.* ǁ *Fig. Rehausser le courage,* le ranimer, le porter à un plus haut degré. ǁ Augmenter le prix, la valeur des choses. *Le prix du blé est rehaussé.* ǁ Fig. Faire ressortir, faire paraître davantage. *Les ombres dans un tableau rehaussent l'éclat des couleurs.* — Au sens moral : Mettre en relief, faire valoir : *Cette circonstance rehausse beaucoup l'éclat de son action.* = SE REHAUSSER, v. pr. Gagner en valeur.
CTR. — *Rabaisser, rabattre.* — *Déprécier, avilir.*

rehauts, n. m. pl. [Peint.] Retouches, hachures, blancs servant à faire ressortir des ornements, des figures.

* **Reich** [*raï-ch*], n. m. (mot allemand sign. *empire*). Dénomination officielle de l'État allemand jusqu'en 1945.

* **reichsmark,** n. m. Monnaie allemande émise en 1924.

* **Reichstag** [*raïche-s-tag*], n. m. Ancien parlement de l'empire d'Allemagne.

* **Reichswehr,** n. f. (mot allem. signif. *garde de l'empire*). Armée régulière allemande telle que l'avait organisée le traité de Versailles (1919).

* **reillère,** n. f. Conduit qui amène l'eau sur la roue d'un moulin.
HOM. — V. RAYÈRE.

réimportation [*sion*], n. f. Action de réimporter.

réimporter, v. tr. Importer de nouveau.

réimposé, ée, adj. et n. [Typo.] Se dit des volumes tirés dans un nouveau format après une nouvelle imposition.

réimposer, v. tr. Imposer de nouveau. Faire une nouvelle imposition pour achever le paiement d'une taxe. [Typo.] Imposer de nouveau une feuille.

réimposition [*sion*], n. f. Nouvelle imposition.

réimpression, n. f. Action de réimprimer. ǁ Ouvrage réimprimé.

réimprimer, v. tr. Imprimer de nouveau.

rein [*rin*], n. m. (lat. *ren,* m. s.). [Anat.] Organe pair, glanduleux, de la région lombaire, sécréteur de l'urine. V. pl. VISCÈRES. = N. m. pl. Les lombes, le bas de l'épine dorsale et la région voisine. ǁ *Fig. Avoir les reins solides,* être riche, puissant. *Avoir les reins souples,* être habile à se glisser partout, à flatter, à ramper. [Archi.] *Les reins d'une voûte,* partie d'une voûte comprise entre la portée et le sommet.
HOM. — *Rein,* n. m., organe secréteur de l'urine; — *Rhin,* n. pr. fleuve; — *rain,* n. m., lisière d'un bois.

> VOCAB. — *Famille de mots.* — *Rein* : reinté, réniforme, rénal; rognon, éreinter, éreintement, éreintant, éreinteur.

réincarcération [*sion*], n. f. Action de réincarcérer. ǁ Résultat de cette action.

réincarcérer, v. tr. Incarcérer de nouveau. = Conjug. V. GRAMMAIRE.

réincarnation [*sion*], n. f. Action de se réincarner; incarnations successives de la même âme dans des corps différents.

réincarner (se), v. pr. S'incarner de nouveau, prendre un nouveau corps.

réincorporer, v. tr. Incorporer de nouveau.

reine [*rè-ne*], n. f. (lat. *regina,* m. s.). Femme de roi, ou princesse qui de son chef gouverne un royaume. *La reine douairière,* la veuve d'un roi. *La reine mère,* celle dont le fils est sur le trône, — *Avoir un port de reine,* un port majestueux. = Fig.

Le mot *reine* est très souvent employé, comme son masculin *roi*, pour indiquer une femme ou une chose du genre féminin qui est la première en son genre, qui l'emporte sur toutes les autres. *Elle fut la reine de la fête. L'infanterie est la reine des batailles.* [Jeu d'échecs] La seconde pièce du jeu. [Apic.] *Reine des abeilles*, femelle pondeuse de la ruche. V. pl. APICULTURE. [Myth.] *La reine des Enfers :* Proserpine. [Poét.] *La reine des nuits*, la lune. [Pâtiss.] *Bouchées à la reine*, sorte de petits vol-au-vent. ‖ Dans le vocab. religieux, *la Reine des anges, la Reine du ciel*, etc., la Vierge Marie.
Hom. — V. RAINE.

reine-claude, n. f. [Hortic.] Variété de prune. = pl. *Des reines-claude.*

* **reine-des-prés**, n. f. [Bot.] Nom vulg. de la *spirée ulmaire.* = Pl. *Des reines-des-prés.*

reine-marguerite, n. f. [Bot.] Nom commun de l'*aster de Chine* = Pl. *Des reines-marguerites.*

reinette ou * **rainette**, n. f. [Hortic.] Variété de pomme à couteau, à peau tachetée comme celle de la grenouille.
Hom. — V. RAINETTE.

* **réinfection**, [*sion*] n. f. [Méd.] Infection nouvelle survenant après guérison d'une infection antérieure.

* **réinoculer** [*ré-i-no*], v. tr. Inoculer de nouveau.

* **réinscription** [*sion*], n. f. Action de réinscrire. ‖ Résultat de cette action.

* **réinscrire**, v. tr. Inscrire à nouveau. = Conjug. (comme *écrire*). V. VERBES.

réinstallation [*sion*], n. f. Action de réinstaller. ‖ Résultat de cette action.

réinstaller, v. tr. Installer de nouveau. = SE RÉINSTALLER, v. pr. S'installer de nouveau.

reinté, ée, adj. Qui a les reins larges et forts. — On dit mieux *râblé.*

* **réintégrable**, adj. Que l'on peut réintégrer.

* **réintégrande**, n. f. [Dr.] Action possessoire par laquelle celui qui a été dépouillé par force de quelque droit demande sa réintégration dans ce droit.

réintégration [*sion*], n. f. Action de réintégrer. ‖ Résultat de cette action.

réintégrer, v. tr. (lat. *redintegrare*, m. s.). Remettre, rétablir quelqu'un dans la possession d'une chose dont il avait été dépouillé. *Réintégrer quelqu'un dans une fonction.* ‖ Rentrer dans. *Réintégrer le domicile conjugal.* = Conjug. V. GRAMMAIRE.
CTR. — *Déposséder, éliminer.*

* **réinterroger**, v. tr. Interroger de nouveau. = Conjug. V. GRAMMAIRE.

* **réintroduire**, v. tr. Introduire de nouveau. = Conjug. (comme *cuire*). V. VERBES.

réinventer, v. tr. Inventer de nouveau, ou retrouver une invention perdue.

* **réinviter**, v. tr. Inviter de nouveau.

1. * **reis** [*ré-iss*], n. m. (mot arabe sign. *chef*). Titre de plusieurs officiers ou dignitaires de l'empire ottoman.

2. * **reis** [*rèss*], n. m. Monnaie du Portugal et du Brésil.

* **réitérable**, adj. Qui peut ou doit être réitéré.

* **réitératif, ive**, adj. Qui réitère, qui est propre à réitérer.

réitération [*sion*], n. f. Action de réitérer. ‖ Résultat de cette action.

réitérer, v. tr. (préf. *re*, et lat. *iterare*, renouveler). Faire de nouveau une chose déjà faite. *Réitérer un ordre, une défense.* = Conjug. V. GRAMMAIRE.

reître [*rê*], n. m. Au XVIe s., soldat de cavalerie d'un corps formé d'aventuriers recrutés en Allemagne. ‖ De nos jours, homme grossier, soudard. ‖ Fam. et péjor. *Vieux reître*, homme qui a vu beaucoup de pays et qui a une grande expérience.

rejaillir [*ill* mll.], v. intr. Jaillir avec force de divers côtés. *Faire rejaillir de l'eau.* ‖ Rebondir, être repoussé, renvoyé. ‖ Fig. Retomber sur. *La honte de son crime rejaillit sur les siens.*

rejaillissant, ante [*ill* mll.], adj. Qui rejaillit.

rejaillissement [*ill* mll.], n. m. Action, mouvement de ce qui rejaillit (au pr. et au fig.).

rejet [*jè*], n. m. (n. verb. de *rejeter*). Action de rejeter une chose, de ne pas l'agréer, de ne pas l'admettre. *Le rejet d'un pourvoi.* [Hortic.] Nouvelle pousse d'une plante, d'un arbre. *Voilà le rejet de cette année.* [Versif.] *Rejet*, mots rejetés d'un vers sur le suivant et complétant nécessairement le vers précédent. V. tabl. VERSIFICATION.
ANT. — *Adhésion, admission, acceptation.*

rejetable, adj. Qui peut, qui doit être rejeté.

rejeter, v. tr. Jeter de nouveau. ‖ Jeter une chose qu'on vous a déjà jetée. *Rejeter une balle lancée.* ‖ Jeter une chose dans l'endroit d'où on l'avait tirée. *Rejeter dans l'eau un poisson trop petit.* ‖ Jeter dehors, pousser hors de soi, rendre. *La mer rejeta sur ses bords les débris du naufrage.* ‖ Fig. *Rejeter une faute, un tort sur quelqu'un*, l'en accuser pour se disculper. ‖ Fig. Rebuter, repousser, ne pas agréer, ne pas admettre *Il a rejeté les offres qu'on lui faisait.* ‖ Ne pas croire. *Rejeter un dogme.* ‖ Remettre, repousser, renvoyer. *Rejeter un débat à une date ultérieure.* [Arbor.] Pousser de nouveaux jets. *Cet arbre a rejeté beaucoup de branches.* = SE REJETER, v. pr. Porter vivement son corps en arrière. = Conjug. V. GRAMMAIRE.
SYN. — V. ÉCARTER.
CTR. — *Accueillir, accepter, accorder, accéder, exaucer, admettre, acquiescer, agréer, prendre.* — *Ratifier.*

rejeton, n. m. Nouveau jet que pousse une plante, un arbre, par le pied ou par la souche. ‖ Fig. Enfant, descendant.

rejoindre, v. tr. Réunir des parties qui avaient été séparées. ‖ Retrouver, atteindre des gens dont on était séparé ou qui étaient partis en avant. *Rejoindre ses amis.* = Conjug. (comme *joindre*). V. VERBES.
SYN. — V. ABORDER.
CTR. — *Disjoindre, séparer.*

* **rejointoiement** [*jouin-toi-man*], n. m. Action de rejointoyer. ‖ Résultat de cette action.

rejointoyer, v. tr. Remplir d'un nouveau mortier les joints des pierres d'un vieux bâtiment. = Conjug. V. GRAMMAIRE.

rejouer, v. tr. et intr. Jouer de nouveau ; se remettre à jouer.

réjoui, ie, adj. Qui exprime la joie, la gaieté. = Nom. Personne grasse, d'une physionomie gaie et de bonne humeur.

réjouir, v. tr. (préf. *re*, et vx franc. *esjouir*, de *jouir*). Donner de la joie. — Fig. et fam. *Cette couleur réjouit la vue*, elle est agréable, elle plaît aux yeux. ‖ Donner du divertissement à. — *Réjouir la compagnie aux dépens de quelqu'un*, l'amuser par des plaisanteries qui visent quelqu'un. = SE RÉJOUIR, v. pr. Se livrer à la joie, se divertir. ‖ *Se réjouir de quelque chose*, s'en faire un plaisir.
CTR. — *Attrister, contrister, désoler, peiner, affliger.*

réjouissance, n. f. Démonstration de joie. ‖ Portion d'os, de basse viande que le boucher oblige un acheteur à prendre avec la bonne viande. ‖ Divertissements, fête publique.
SYN. — V. AMUSEMENT et FÊTE.
CTR. — *Affliction, tristesse.*

réjouissant, ante, adj. Qui réjouit.
CTR. — *Affligeant, attristant.*

* **rejuger**, v. tr. Juger de nouveau. = Conjug. V. GRAMMAIRE.

relâchant, ante, adj. [Méd.] Se dit des remèdes propres à relâcher les intestins; laxatif.
CTR. — *Échauffant, astringent, constipant*

relâche, n. m. Interruption d'un travail; suspension, discontinuation, repos, détente. *Travailler, étudier, souffrir sans relâche.* ‖ Dans les théâtres, suspension momentanée des représentations. = N. f. [Mar.] Séjour momentané que fait un navire dans un port. ‖ Lieu propre pour y relâcher.
LING. — Le mot *relâche* est masculin, excepté en terme de marine dans le sens d'escale : Faire *une longue* relâche dans un port. On doit donc dire : Son mal ne lui laisse *aucun* relâche.
SYN. — *Relâche*, interruption momentanée d'un travil : *Travailler tout le jour sans relâche.* — *Interruption*, rupture de la continuité de quelque chose : *Une interruption dans la circulation des trains.* — *Repos*, temps pendant lequel un travail est suspendu : *Les soldats ont eu repos l'après-midi.* — *Suspension*, temps pendant lequel une chose en train est interrompue : *Le tribunal a décidé une suspension de séance.* — *Pause*, cessation momentanée d'une action : *Faire une pause entre deux exercices.* V. aussi ARRÊTER, VACANCE.
PAR. — *Relâchement*, état de ce qui se relâche, se détend.

relâché, ée, adj. Distendu, desserré. ‖ Fig. Qui manque de fermeté, de sévérité, de rigueur. *Morale, discipline relâchée.* ‖ Moins vigoureux, moins régulier; où l'on sent le laisser-aller. *Style relâché.*
CTR. — *Rigoureux, ferme.* — *Tendu, serré*

relâchement, n. m. État d'une chose qui se relâche, qui devient moins tendue. [Méd.] État de laxité des parties qui s'allongent et tendent à se déplacer. *Le relâchement des sphincters de la luette.* — Partic. État de faiblesse du tube intestinal, avec diarrhée. ‖ Fig. Diminution d'ardeur, d'activité, de zèle, etc. *Il y a bien du relâchement dans son travail.* ‖ Moindre sévérité des mœurs, laisser-aller dans l'accomplissement des devoirs. ‖ Délassement, état de repos, utile cessation de travail ou d'exercice.
SYN. — *Relâchement*, action de détendre, de laisser aller ce qui était strict : *Le relâchement de la discipline a toujours des* suites fâcheuses. — *Abandon*, manque de suite, de règles, de continuité dans les affaires : *Laisser les choses aller à l'abandon.* — *Détente*, période de répit, de calme : *S'accorder quelques jours de détente après un long travail.* — *Laisser-aller*, abandon ou négligence : *Il y a bien du laisser-aller dans cette administration.* — *Ralentissement*, allure trop lente dans un travail, dans les transactions commerciales : *Se plaindre du ralentissement des affaires.* V. aussi REPOS et VACANCES.
PAR. — *Relâche*, interruption, suspension, repos, escale.

relâcher, v. tr. (préf. *re*, et lat. *laxare*, lâcher). Faire qu'une chose soit moins tendue. *Relâcher un ressort.* — Fig. Se relâcher l'esprit, se délasser l'esprit; le détendre. — *Relâcher la discipline*, la rendre moins dure, moins stricte. ‖ Laisser aller; rendre la liberté à. *Relâcher un prisonnier.* ‖ Céder, abandonner, rabattre. V. intr. Diminuer de zèle, d'ardeur.
[Mar.] S'arrêter en un endroit par suite du mauvais temps, d'avaries ou pour s'approvisionner. *La tempête nous obligea à relâcher.* = SE RELÂCHER, v. pr. Se détendre, devenir moins fort, moins rude, moins rigoureux. *Son étreinte se relâche. Le froid se relâche.* ‖ Céder, abandonner quelque chose de. *Il faut vous relâcher un peu de vos prétentions.* ‖ Ne plus avoir la même ardeur. *Se relâcher de sa première ferveur.*
PAR. — *Relaxer*, mettre en liberté.

1. relais [*lè*], n. m. (n. verb. de *relaisser*) Espace qu'on réserve entre le pied du rempart et l'escarpe du fossé pour recevoir les terres qui s'éboulent. [Eaux et Forêts] Terrain qui est laissé à découvert à l'eau qui se porte sur la rive opposée.

2. relais [*lè*], n. m. (n. verb. de *relayer*). Chiens de chasse à courre destinés à remplacer ceux qui sont fatigués. ‖ Chevaux de selle ou d'attelage que l'on postait en un endroit déterminé pour remplacer ceux qui étaient fatigués et que l'on quittait. ‖ Lieu où l'on met les relais, soit pour le voyage, soit pour la chasse. ‖ Fig. et fam. *Être de relais*, être de loisir, ne pas travailler. [Télégr.] Appareil électrique placé à intervalles sur les longues lignes pour amplifier le courant de la ligne quand il devient insuffisamment intense.
SYN. — V. GARE.

relaissé, ée, adj. [Vén.] Se dit d'un animal qui, après avoir été longtemps couru, s'arrête par lassitude.

relance, n. f. [Jeu] Action de mettre un enjeu supérieur.

relancer, v. tr. Lancer de nouveau; lancer en sens inverse. [Vén.] Faire repartir une bête qui se repose après avoir été lancée une première fois. ‖ Fig. et fam. Rechercher, harceler quelqu'un pour en obtenir quelque chose. ‖ Absol. [Jeu] Mettre un enjeu supérieur. = Conjug. V. GRAMMAIRE.

* **relancis** [*si*], n. m. Remplacement, dans une construction, de matériaux anciens et usés par des neufs.

relaps, apse, adj. (lat. *relapsus*, retombé). Qui est retombé dans l'hérésie après l'avoir abjurée.

rélargir, v. tr. Rendre plus large.
CTR. — *Rétrécir.*

* **rélargissement**, n. m. Action de rélargir. ‖ Résultat de cette opération.

relater, v. tr. Rapporter, mentionner en détail.
Syn. — V. conter.
relatif, ive, adj. (bas lat. *relativus*, m. s.) Qui a rapport à quelque chose, qui sert à l'expression d'un rapport ou qui est lié par un rapport. *Le sens absolu et le sens relatif d'un mot.* — Comme n. *Le relatif est opposé à l'absolu.* — Par ext. Qui n'est pas valable en soi, mais qui est en corrélation avec d'autres choses, et dont on ne peut rien affirmer. *Ici bas, tout est relatif.* ‖ Incomplet, insuffisant, par oppos. à parfait, complet, absolu. *Jouir d'une tranquillité relative.* [Gram.] *Pronom relatif*, pronom qui sert à unir le mot dont il tient la place au reste de la phrase. V. grammaire. — *Proposition relative*, proposition subordonnée reliée à une proposition voisine par un pronom relatif. V. tabl. grammaire (*la proposition*).
Ctr. — *Absolu.* — *Parfait, complet.*
relation [*sion*], n. f. (lat. *relatio*, m. s.). Rapport d'une chose à une autre. *Ce que vous dites n'a aucune relation avec la chose dont il s'agit.* ‖ Commerce, liaison, correspondance. *Je suis depuis longtemps en relation avec lui.* — *Avoir des relations avec une femme*, avoir avec elle un commerce intime. ‖ Les personnes avec lesquelles on est en relation. *Il est brouillé avec toutes ses relations.* ‖ Rapports officiels avec un pays étranger. *Rompre les relations diplomatiques avec un État.* ‖ Récit, narration qu'on fait de ce qui s'est passé, de ce qu'on a vu, entendu. *Donner une relation de ses voyages.* [Biol.] *Fonctions de relation*, ensemble des fonctions qui établissent le contact entre un être vivant et le monde extérieur (locomotion, sens, voix, etc.).
relativement, adv. Par rapport à, d'une manière relative. ‖ Proportionnellement.
* **relativisme**, n. m. [Philos.] Théorie selon laquelle la connaissance humaine n'est pas une connaissance absolue, mais seulement une connaissance relative à la constitution de l'esprit et à ses rapports avec les choses.
Par. — *Relativité*, qualité de ce qui est relatif. — Doctrine physico-chimique d'Einstein.
relativité, n. f. Qualité de ce qui est relatif. ‖ Ensemble des théories physico-chimiques d'Einstein sur l'espace et le temps, la lumière et sa vitesse, etc., qui mettent en évidence l'interdépendance de tous les phénomènes et la relativité des mesures que nous en faisons.
Par. — *Relativisme*, doctrine selon laquelle la connaissance humaine est relative aux rapports de l'esprit et des choses.
relaver, v. tr. Laver de nouveau.
relavure, n. f. Nouvel emploi de ce qui a déjà servi. = Au plur. Eaux grasses.
relaxation [*sion*], n. f. [Méd.] Syn de relâchement, de détente musculaire. [Dr.] Mise en liberté d'un prisonnier.
Ant. — *Tension.*
* **relaxe**, n. f. Mise en liberté d'un prévenu.
relaxer, v. tr. Mettre en liberté. *Relaxer un prisonnier.* [Méd.] Détendre un muscle, tous ses muscles.
Ctr. — Emprisonner, incarcérer. — *Tendre.*
Par. — *Relâcher*, détendre, laisser aller.

relayer [*relè-ié*], v. intr. (préf. *re*, et vx fr. *layer*, laisser). Prendre des relais de chevaux frais. = V. tr. Remplacer quelqu'un qui est fatigué. = se relayer, v. pr. Être de service, travailler alternativement. = Conjug. V. grammaire.
* **relayeur**, n. m. Celui qui entretient des relais de chevaux; celui qui conduit un cheval de relais.
* **relecture**, n. f. Action de relire; seconde lecture.
relégation [*sion*], n. f. Action de reléguer. [Dr.] Peine consistant dans l'internement perpétuel de certains récidivistes sur le territoire des colonies.
* **relégué**, n. m. Celui qui est condamné à la relégation.
reléguer, v. tr. (lat. *relegare*, m. s.). Envoyer en exil dans un lieu déterminé. [Dr.] Condamner à l'internement perpétuel dans une colonie. ‖ Confiner dans un lieu retiré. ‖ Mettre une chose à l'écart.
Syn. — V. bannir.
relent [*lan*], n. m. Mauvais goût que contracte tout aliment enfermé dans un lieu humide. ‖ Mauvaise odeur quelconque.
Syn. — V. vapeur.
* **rêler (se)**, v. pr. Se fendre, se fendiller en se refroidissant.
relevage, n. m. Action de relever; résultat de cette action. [Mar.] Renflouage.
* **relevailles** [*ill* mll.], n. f. pl. Cérémonie qui se fait à l'église lorsqu'une accouchée y retourne pour la première fois et se fait bénir par le prêtre. ‖ Réjouissances faites à cette occasion.
relevant, ante, adj. Qui relève, qui dépend de.
relève, n. f. Action de relever des troupes, des ouvriers, etc. ‖ Troupe, équipe qui fait cette action.
relevé, ée, adj. Remis debout; rétabli. ‖ Haussé, rendu plus haut. ‖ Dirigé vers en haut. *Marcher la tête relevée.* ‖ Fig. Qui est au-dessus du commun, de l'ordinaire. *Une éducation relevée.* ‖ Élevé, noble généreux. *Une pensée relevée.* ‖ D'un haut goût, fortement épicé. *Une sauce d'un goût relevé.* = N. m. Extrait des articles d'un compte, d'un registre, etc. relatifs à un même objet *Voici le relevé de votre compte.* ‖ État, liste, tableau, statistique. *Faire le relevé des décès.* [Cuis.] Service ou mets qui en remplacent d'autres, et particul. ceux qui suivent le potage. [Mode] Pli fait à une robe.
Syn. — V. sublime.
Ctr. — *Bas, fade, plat.*
Hom. — *Relevé*, n. m. (pp. du v. relever), extrait d'un compte; — *relevée*, n. f., l'après-midi; — *relever*, v. tr., rétablir.
relevée, n. f. [Dr.] Temps de l'après-midi. *A deux heures de relevée.*
relèvement, n. m. Action par laquelle on relève une chose. ‖ Fig. *Le relèvement d'une nation.* ‖ Relevé, énumération exacte. [Mar.] Action de déterminer la position d'un point ou d'un lieu.
Ant. — *Chute, décadence, désagrégation, abaissement.*
relever, v. tr. Remettre debout ce qui était tombé; remettre une chose dans la situation où elle doit être, une personne dans son attitude naturelle. ‖ Rétablir ce qui est tombé en ruines, ce qui était dégradé. *Relever des murailles.* ‖ Porter à un taux plus élevé. *Relever les taxes.* — Fig. *Relever une maison de commerce*, ramener

la prospérité dans ses affaires. *Relever une maison, une famille*, la remettre dans l'opulence, dans l'éclat où elle a été. — Fig. Au sens moral : *Relever le courage, les espérances de quelqu'un*, ranimer, exciter son courage, faire revivre ses espérances.
Trousser, retrousser. *Relever les bords d'un chapeau.* ‖ Hausser, rendre plus haut. — *Relever la tête*, la lever, la hausser lorsqu'elle était baissée; et fig., reprendre du courage, de l'audace. ‖ Fig. Faire valoir, louer, exalter une chose. *Relever le mérite d'une bonne action.* — *Relever quelqu'un à ses propres yeux*, lui donner, sur lui-même et sur ses mérites, une meilleure opinion. Fig. Faire paraître davantage une chose, lui donner plus de relief, plus d'éclat. *Les ombres relèvent un tableau.* ‖ Noter, inscrire. *Relever les absents.* ‖ Faire remarquer, signaler. *Relever les fautes d'un écrivain.* — *Relever une inscription, un dessin*, etc., les copier ou en prendre l'empreinte. ‖ *Relever une épigramme, une injure*, y répondre vivement. ‖ *Relever le gant*, accepter le défi qu'on vous lance. ‖ Déterminer la position d'un point que l'on aperçoit. *Relever un cap.*
[A. mil.] Remplacer, mettre un nouveau corps de troupes à la place d'un autre. *Relever de garde une compagnie.* — *Relever une sentinelle, un factionnaire*, remplacer par un autre un soldat qui est en sentinelle. ‖ *Être relevé de ses fonctions*, être révoqué. — Par ext. Remplacer une autre personne dans une occupation, dans un travail. *Je suis fatigué de lire tout haut, relevez-moi.* [Dr.] Libérer d'un engagement, d'un contrat, déclaré nul ou cassé. ‖ Dégager. *Relever quelqu'un d'un serment, un religieux de ses vœux.* [Jeu] *Relever les cartes*, les remettre dans l'état où il faut qu'elles soient pour jouer un nouveau coup. [Cuis.] Donner à un mets un goût plus prononcé, plus piquant. *Relever une sauce d'une pointe de vinaigre.* [Mar.] *Relever un bâtiment*, le remettre à flot.
V. intr. Ne plus rester alité. *Relever de maladie*, commencer à se porter mieux. — *Cette femme relève de couches*, elle est rétablie de ses couches. — Par ext. Être dans une sorte de dépendance de quelqu'un, ressortir de. *Le bureau relève de telle administration.*
SE RELEVER, v. pr. Se remettre sur ses pieds, reprendre sa situation naturelle, se redresser. ‖ S'exhausser, remonter. *A partir de ce point, le terrain se relève brusquement.* ‖ Se remplacer mutuellement dans une occupation. *Nous nous relevions d'heure en heure.* ‖ Fig. Se relever, se remettre de quelque perte, de quelque échec, sortir d'un état d'abaissement, de décadence, etc. *Il aura bien de la peine à se relever de cette perte.* = Conjug. V. GRAMMAIRE.
Syn. — V. RAMASSER.
Hom. — V. RELEVÉ.
releveur, adj. et n. m. Celui qui relève. [Anat.] Se dit de différents muscles dont la fonction est de relever les parties auxquelles ils sont attachés. [Chir.] Sorte d'écarteur.
reliage, n. m. Action de relier des cuves, des tonneaux, etc.
relief [*li-èf*], n. m. (n. verb. de *relever*). Saillie réelle ou apparente que présentent certains ouvrages. *On grave en creux ou en relief sur les métaux et sur les pierres.* ‖ Ouvrage de sculpture ou de gravure, où les figures et les objets représentés font plus ou moins saillie, mais sont toujours en partie engagés dans le bloc. *Bas-relief, haut-relief.* ‖ Fig. Éclat que certaines choses reçoivent de l'opposition ou du voisinage de quelques autres. *La laideur d'une femme donne du relief à la beauté d'une autre.* ‖ Fig. Éclat, considération que donne une dignité, un emploi, etc. [Géog.] *Relief du sol*, toutes les inégalités de la surface du sol. = RELIEFS, n. m. pl. Ce qui reste des mets qu'on a servis. *Les reliefs d'un festin.* — Fig. *Les reliefs d'une fortune.*
Syn. — V. SAILLIE.
Ant. — *Creux.*
* **relien** [*li-in*], n. m. [Pyrotechnie] Poudre de qualité inférieure, qu'emploient les artificiers.
relier, v. tr. Lier de nouveau, refaire le nœud qui liait et qui est défait. *Relier une gerbe, une botte de foin.*
Relier un livre, coudre ensemble les feuilles d'un livre et y mettre une couverture. ‖ Fig. Joindre, rassembler. *Relier le présent au passé.* ‖ Unir, rapprocher, faire communiquer, mettre en relation. *Le chemin de fer relie entre eux les peuples les plus éloignés.* = SE RELIER, v. pr. Se rattacher. = Conjug. V. GRAMMAIRE.
relieur, euse, n. Celui, celle dont le métier est de relier les livres. = N. f. Genre de dossier combiné pour relier soi-même.
religieusement, adv. Avec religion. ‖ Exactement, scrupuleusement, ponctuellement.
religieux, euse, adj. (lat. *religiosus*, m. s.). Qui appartient à une religion. *Sentiments religieux.* Qui observe exactement les règles de la religion. *Mener une vie religieuse*, une vie conforme aux préceptes de la religion. ‖ Exact, ponctuel, scrupuleux. *Il est religieux observateur de sa parole.* ‖ Qui appartient à un ordre régulier. *L'habit religieux. Ordres religieux.* — *Costume religieux.* V. pl. COSTUMES. [Entom.] *Mante religieuse*, espèce d'insectes orthoptères ravisseurs.
Nom. Personne qui s'est engagée par des vœux à suivre une certaine règle autorisée par l'Église. *Les religieux de Saint-Benoît, de Saint-Augustin.* — V. tabl. RELIGIONS (*Idées suggérées par le mot*).
Syn. — *Religieux*, celui qui fait partie d'un ordre monastique : *Prendre l'habit de religieux.* — *Congréganiste*, celui qui fait partie d'une congrégation, d'une compagnie de religieux obéissant à une même règle : *Une école congréganiste.* — *Ermite*, solitaire qui s'est retiré dans un lieu désert par esprit de pénitence : *Les ermites du désert de la Thébaïde.* — *Moine*, religieux qui vit dans un couvent : *L'habit ne fait pas le moine* (Prov.). — *Père*, titre de certains religieux : *Les Pères blancs ; le Révérend Père Lacordaire.* — *Reclus*, ascète ou pénitent qui vivait isolé du monde dans une cellule. V. aussi comme adjectif DÉVOT.
Ctr. — *Irréligieux, athée, indifférent.*
Ant. — *Laïc, séculier.*
religion, n. f. (lat. *religio*, m. s.). Ensemble de doctrines et de pratiques qui constituent les rapports de l'homme avec la puissance divine. *Religion naturelle.*

Religion révélée. La religion juive, chrétienne. — *La religion réformée*, le protestantisme. ‖ Sentiment religieux ; foi, croyance, piété. *La religion des grands hommes.* ‖ État des personnes engagées par des vœux à suivre une certaine règle autorisée par l'Église. — *Entrer en religion*, se faire religieux ou religieuse. ‖ Fig. *Se faire une religion d'une chose*, s'en faire une obligation indispensable. — *Surprendre la religion du prince, d'un tribunal*, surprendre la justice, la bonne foi du prince, etc.; les tromper par un faux exposé. — *Éclairer la religion de quelqu'un*, le renseigner, le documenter. V. tabl. RELIGIONS (*Idées suggérées par le mot*).
— *Toute religion est fausse qui, dans sa foi, n'adore pas un Dieu comme principe de toutes choses; et qui, dans sa morale, n'aime pas un seul Dieu comme objet de toutes choses.* (PASCAL.)
— *J'entends par religion naturelle les principes de morale communs au genre humain.* (VOLTAIRE.)
ORTH.—Le composé *irréligion* s'écrit avec deux *r* et un *accent aigu;* mais *coreligionnaire* s'écrit avec un seul *r* et *sans accent*.
religionnaire [*jio-nè-re*], n. Autref., celui ou celle qui faisait profession de la religion réformée.
religiosité, n. f. Sentiment religieux, en général. ‖ Disposition vague et imprécise pour les sentiments religieux.
* **relimer**, v. tr. Limer de nouveau. ‖ Fig. Polir, retoucher.
reliquaire, n. m. Sorte de boîte, de coffret où l'on conserve des reliques.
reliquat [*ka*], n. m. Ce qui reste dû après la clôture et l'arrêté d'un compte. [Méd.] Suites d'une maladie mal guérie.

reliquataire, n. Celui ou celle qui doit un reliquat.
relique, n. f. (lat. *reliquiæ*, restes). Ce qui reste du corps d'un saint après sa mort, ou des instruments ayant servi à son martyre, de ses vêtements, etc. = Pl. Restes de quelque chose de grand.
relire, v. tr. Lire de nouveau. = SE RELIRE, v. pr. Lire ce qu'on a écrit soi-même. = Conjug. (comme *lire*). V. VERBES.
1. **reliure**, n. f. Travail qui consiste à coudre ensemble les feuillets d'un livre, à en consolider le dos et à y mettre une forte couverture. ‖ Manière dont un livre est relié. ‖ Couverture qui le recouvre. ‖ *Reliure pleine*, celle où la couverture entière est faite de peau; *demi-reliure*, celle où le dos et une faible partie des plats sont recouverts de peau. V. pl. LIVRE.
2. **reliure**, n. f. Art du relieur. ‖ Manière dont un livre est relié.
relocation [*sion*], n. f. Acte par lequel on reloue ou sous-loue une chose.
* **relouage**, n. m. [Pêche] Frai des harengs. ‖ Temps où le hareng fraye.
1. **relouer**, v. tr. Louer de nouveau; redonner ou reprendre à bail. ‖ Sous-louer.
2. * **relouer**, v. tr. Donner à nouveau des louanges.
* **reluctance**, n. f. (lat. *reluctare*, lutter avec force). [Phys.] Résistance magnétique dans un circuit magnétique.
reluire, v. intr. Briller, luire en réfléchissant la lumière. ‖ Fig. Se manifester, se montrer; paraître avec éclat. = Conjug. (comme *cuire*, mais le passé simple n'existe pas et le pp. est *relui* (sans *t*). V. VERBES.
SYN. — V. BRILLER.

RELIGIONS

Étymologie. — Le mot *religion* est tiré du latin *religio* ou *relligio*, scrupule religieux, pratique religieuse, religion et même superstition, formé de *re*, préfixe, et de *legere*, cueillir, choisir : proprement « ce que l'on recueille avec soin ». Une autre étymologie, faisant remonter ce mot à *religare*, rattacher, semble abandonnée.

Définition. — Une *religion* est un ensemble de *dogmes* et de *croyances* concernant la divinité, et de *pratiques* culturelles et rituelles établies pour lui rendre hommage. C'est aussi le *sentiment religieux* qui fait adhérer à ces dogmes et à ces croyances et observer ces pratiques (*avoir de la religion*). On applique le mot à l'état monastique (*entrer en religion*). Il sert aussi à désigner l'observation scrupuleuse, religieuse d'un devoir, d'un principe (*la religion de l'honneur*). On appelle *religion révélée* celle dont les dogmes ont été communiqués à un ou plusieurs hommes, d'une manière surnaturelle; *religion naturelle* (déisme) celle qui exclut la révélation et n'admet que les voies habituelles de la connaissance; *religion d'État* celle qu'un État reconnaît comme sienne, les autres étant tolérées ou non. Le protestantisme a reçu au XVIIe siècle les noms de *religion réformée* ou *prétendue réformée* ou, sans épithète, *religion*. Le mot *religieux* (adjectif) sert à qualifier celui qui est porté vers les idées, les sentiments, les choses de la religion, ou (nom) à désigner celui qui a embrassé l'état monastique. On applique le mot *irréligieux* à celui qui n'a pas, qui ne veut pas avoir de religion, et le mot *antireligieux* à celui qui est hostile à la religion et la combat.

Mots de sens voisins. — Religiosité. — Superstition. — Foi. — Piété. — Mysticisme. — Dévotion. — Croyance. — Culte. — Dogme. — Liturgie.
  La *religiosité* est une sorte de disposition religieuse qui peut manquer de fond et de solidité. La *superstition* est une déviation du sentiment religieux et de la pensée religieuse, qui mène à des croyances futiles et, parfois sans croyance, à des pratiques absurdes, ridicules, cruelles même. La *foi* (même racine que *fidélité* et *confiance*) est une adhésion totale de la conscience aux dogmes et aux pratiques de la religion. La *piété* est le sentiment qui porte à l'accomplissement scrupuleux et empressé des actes que commande la religion. Le *mysticisme* est une croyance religieuse ou philosophique qui admet des communications secrètes entre l'homme et la divinité. La *dévotion* (même racine que *vouer* et *dévouement*) est l'attachement minutieux à certaines pratiques religieuses, à certains cultes auxquels le croyant s'est en quelque sorte voué. La *croyance* est le fait simple de croire aux dogmes ou aux pratiques d'une religion et, au pluriel, l'ensemble des dogmes mêmes de cette religion. Le *culte* est l'ensemble des cérémonies domestiques ou extérieures que le fidèle d'une religion célèbre en l'honneur de la divinité, soit lui-même, soit par l'intermédiaire des prêtres de cette religion. Le *dogme*, ce sont les points de doctrine qu'une religion présente comme indiscutables et auxquels les croyants doivent appliquer leur foi. La *liturgie* est l'ensemble des rites, des règles selon lesquels doivent être célébrées les cérémonies et les pratiques extérieures d'une religion.

Mots de la même famille. V. LIER.

RELIGIONS

Principaux termes relatifs à l'idée de religion.

1° LA DIVINITÉ, LA CROYANCE. — Dieu, la Divinité, le divin, l'Être suprême, le Créateur, le Père éternel, la Providence, le Démiurge, l'Absolu; les dieux du paganisme, les déesses, les divinités, les héros ou demi-dieux. Apothéose, déification, diviniser, déifier; révélation, révélé. Doctrine, endoctriner, docteur, dogme, dogmatisme; théologie, théologien. — Catéchisme, instruction religieuse; initiation, conversion. Monothéisme, dualisme, polythéisme, panthéisme, paganisme, théisme, théosophisme, agnosticisme, athéisme. Croyant, dévot, fidèle, adepte, sectateur, séide, incrédule, mécréant, sceptique, agnostique, athée, négateur, infidèle, païen, indifférent. — Foi, acte de foi, piété, ferveur, dévotion; bigot, faux dévot, hypocrite, tartufe, cagot, cafard. — Ascèse, mysticisme, mystique, extase, extatique, voyant, visionnaire; fanatisme, fanatique, exalté, sectaire, sectarisme; tolérance, intolérance. Prosélytisme, prosélyte, apôtre, mission, missionnaire, propagation de la foi; zélateur, néophyte, catéchumène; prophète, prophétie, prophétiser. — Persécution, martyre, martyr, confesseur de la foi. Guerre sainte, guerre de religion. Exégèse, controverse, critique des textes sacrés, livre saint, Bible, Évangile, Ancien, Nouveau Testament, Coran, Talmud, livres sacrés de l'Inde, littérature religieuse. — Textes authentiques, suspects, apocryphes. — Sens vulgaire, sens profond des textes; doctrine ésotérique, exotérique; modernisme. — Récits religieux, allégories, paraboles, symbole; figuration, préfiguration. — Histoire des religions, musées des religions, des arts religieux, etc. — Observance de la foi, des dogmes, transgression, infraction. Obéissance, rébellion, rebelle, relaps; profanation, profaner, blasphème, blasphémer; simonie, simoniaque; péché, pécheur, offense, péché mortel, véniel. — Pénitence, pénitent; repentir, contrition, attrition; impénitence, impénitence finale. — Bonnes œuvres, les œuvres, les œuvres pies. — Orthodoxe, orthodoxie, hétérodoxe, hétérodoxie; hérésie, hérétique; schisme, schismatique, dissidence; reniement, renégat, apostat, apostasie, défroqué. Excommunication, interdit. — Sainteté, odeur de sainteté. Saint, bienheureux, élu.

2° LE CULTE ET LES PRÊTRES. — Clergé, cléricature, clerc, laïque, laïcité, laïcisme; clérical, cléricalisme, anticlérical, anticléricalisme. — Sacerdoce, prêtrise, prêtre, prêtresse, religieux, religieuse, ecclésiastique; pasteur, troupeau, ouailles, fidèles. — Cérémonies, cérémonial, cérémoniaire, rite, rituel, ritualiste; liturgie, liturgiste, liturgique. — Office, officiant, célébrant, célébration; sacrifice, sacrificateur; sacrement. — Victime, hostie, offrande, prémices, dîme; hécatombe, holocauste, libation, aspersion. — Vœu, ex-voto. — Prédication, discours sermon, homélie, panégyrique, prône, allocution, conférence, prêche, prédicateur, orateur sacré, sermonaire, frère prêcheur; station, carême, avent. — Éloquence de la chaire, docteur, père de l'Église. — Adoration, adorateur; bénédiction, objet bénit; culte, latrie, dulie, hyperdulie. Bénédiction nuptiale, office des morts; mystère, initié, profane, hiérophante.

3° RELIGIONS PRIMITIVES, ASIATIQUES, NORDIQUES, CELTIQUES.

a) *Peuplades primitives et sauvages* : Totémisme, totem, fétichisme, fétichiste; grigri, amulette, griot, sorcier, féticheur; démon, esprit; magie, tabou. — Sacrifices humains, anthropophagie rituelle.

b) *Asie* : Culte du Ciel, de la Terre; principe divin mâle et femelle; culte des ancêtres ; taoïsme; doctrine philosophique de Confucius; shintoïsme; temple, pagode, bonze, lamanisme.

c) *Inde* : Védas, védique; dieux du jour et de la lumière; incarnation des dieux, avatar; devas, asparas; serpent sacré. — Brahmanisme, brahmane, bramine, pandit; — Bouddhisme, le Bouddha; prêtre bouddhiste, grand Lama, lama, lamaserie; temple bouddhique. — Doctrine de l'expiation, du grand et du petit véhicule; transmigration des âmes; nirvâna.

d) *Iran* : Mazdéisme, culte du feu, dualisme, dieu du bien et du mal; Zend-Avesta, mages, parsis, guèbres; mithraïsme, le taurobole, le génie de la lumière, la purification et le rachat de l'humanité.

e) *Pays nordiques* : Géants, nains, elfes, ases, sylphides, gnomes; idoles forestières, sacrifices humains; magie, runes. Le Walhalla, Valkyries; dieux et déesses germaniques; légende des dieux.

f) *Religion celtique* : Druidisme, druides, eubages, dolmens, menhirs, alignements; culte des chênes, du gui, sacrifices humains, doctrine des druides, ovate, barde.

4° RELIGIONS ANTIQUES DU BASSIN DE LA MÉDITERRANÉE.

a) *Phénicie* : Adoration des arbres, des pierres sacrées; autels sur les hauts lieux; dieux et déesses féroces, Baal, Moloch, Astarté; sacrifices humains. — Culte d'Adonis.

b) *Assyrie, Perse* : Dieux et déesses, génies ailés, démons mauvais; temples à étages; culte des astres; astrologie, le zodiaque, les planètes. — Divination, mages, magie, sorciers; exorcisme; taureau à tête humaine.

c) *Égypte* : Dieux et mythes solaires égyptiens; la trinité osiriaque, Osiris, Isis, Horus; le dieu du mal et de la nuit (Thot); le Soleil (Râ, Ammon), le bœuf Apis, les animaux-dieux (chacal, crocodile, scarabée, ibis sacrés); le Nil; le culte, la barque sacrée du Soleil, le pharaon-dieu, la religion des morts; embaumement, rite funéraire, momies, jugement des morts, livre des morts; temples, hypogées, pyramides, sphinx, obélisques, etc.

d) *Grèce* : Anthropomorphisme, doctrine de l'évhémérisme, mythologie, la fable, la cosmogonie, théogonie; les douze grands dieux, dieux du ciel, de la mer, de la terre, des enfers, famille de dieux. — L'Olympe, les Immortels, les demi-dieux, héros, divinités secondaires de la mer, des eaux, de la nature; titans, géants, monstres; nymphes, océanides, naïades, oréades, néréides, tritons, chevaux marins; sirènes, monstres marins, hydres, gorgones, chimères, sphinx, centaures, griffons, dragons, etc., satyres, silènes, Pan; les Enfers, le Tartare, l'Achéron, le Styx; les juges des Enfers, le nocher, Cerbère; les Parques, les Furies, les Grâces, les Muses, etc. — Mythes, mystères, initiés; divination, oracles, pythie, pythonisse; trépied sacré, vapeurs prophétiques, sibylle, devins, corybantes; prêtres, hiérophante; amphictyon; temple, sanctuaires panhelléniques, jeux sacrés, trêve sacrée, palladium, etc.

e) *Rome* : Dieux champêtres primitifs; dieux de l'atrium, du foyer, lares, pénates; adoption des dieux grecs, dieux et déesses représentant les idées abstraites, justice, paix, force guerre, etc. — Formules rituelles du culte; sacrifices, libations, lustration, auspices, haruspices, augures, présages, livres sybillins, annales des pontifes, calendrier, jours fastes et néfastes. — Summus pontifex, prêtres, pontifes, flamine, arvale, salien, luperque, fécial, vestale; victimaire, sacrificateur. — Culte des morts, mânes, larves, lémures; lectisterne, supplication, vœux, ovation. — Victime, guirlande, bandelettes, eau lustrale, repas sacrés, encens, myrrhe. — Culte de Rome. — Apothéose des empereurs, etc.

5° JUDAÏSME. — Jehovah, Iahvé, le Très-Haut, Éloïm, Adonaï; judaïsme, judaïque, israélite, juif, hébreu, hébraïque; mosaïsme, le peuple de Dieu, le peuple élu, l'ancienne Alliance, — Bible, Ancien Testament, Talmud; la Loi, la Genèse, l'Exode, le Pentateuque, les Juges, les Lois, le Deutéronome, les Prophètes, les Psaumes, les Proverbes, le Livre de la Sagesse, l'Ecclésiaste, etc.; les Septantes, la Vulgate, la Massore, la Kabbale, cabaliste, talmudique; la création, les patriarches, le déluge, l'arche de Noé, la tour de Babel, la vocation d'Abraham, Isaac, les fils de Jacob, les douze tribus, l'esclavages en Égypte, Joseph, Moïse, l'exode, le Décalogue, la Terre promise; le Temple de Jérusalem, le Saint des Saints, le Lieu saint, l'arche d'alliance; le chandelier à sept branches, la table des pains de proposition; les prophètes, la captivité de Babylone, l'attente du Messie; le messianisme; le Sanhédrin, le Grand prêtre, les prêtres, lévites, scribes, pharisiens, le pharisaïsme, les Saducéens, les Esséniens. — La destruction de Jérusalem, la Diaspora (dispersion) la Thora, consistoire, synagogue; le Grand rabbin, rabbins, pectoral, phylactère, circoncision, ablutions, jeûne, sabbat, fête des Tabernacles, la pâque, pain azyme, viandes casher, etc.

6° L'ISLAM. — L'islamisme, le mahométisme, le musulmanisme, musulman, mahométan, croyant, infidèle, giaour; Allah; le Prophète; le Coran ou Alcoran, code, école coranique, surate, hadit, pèlerinage de la Mecque, hadji; la mission de Mahomet, l'hégire; fatalisme musulman (mektoub); le paradis des Croyants; la kasba, mosquée, minaret, marabout, medersa, biens Yakouf; commandeur des Croyants, calife, califat, émir, muphti, oulémas, muezzin, mollah, cadi, iman, derviche, fakir, mahdi; prière tourné vers l'Orient, jeûne, ramadan, ablutions rituelles, abstention de l'alcool, de la viande de porc. — Chiites, Sunnites, soufistes; guerre sainte.

7° LES RELIGIONS CHRÉTIENNES.

a) *Le dogme et la doctrine*. — Dieu, la Trinité, le Père, le Fils, le Saint-Esprit ou l'Esprit-saint. Jésus-Christ, le Christ, le Messie, le Sauveur, le Fils de Dieu, le Fils de l'Homme, le Rédempteur, Notre-Seigneur. — La Croix, le calvaire. — L'Écriture sainte, le Nouveau Testament, l'Évangile, les Évangélistes, les Évangiles, évangiles canoniques, évangiles synoptiques, évangiles apocryphes, les Actes des Apôtres, les Épîtres, l'Apocalypse. — Évangéliser. — Noël, la Nativité, Christmas, l'étoile, les Rois mages, la Sainte Famille, l'Épiphanie, la vie cachée de Jésus, la vie publique, la prédication, les apôtres, les disciples, les saintes femmes, la doctrine, les paraboles, l'enseignement du Christ, les miracles, la Cène, la Passion, le mont des Oliviers, le Golgotha, le calvaire, Vendredi saint, le crucifiement, la mise au tombeau, la résurrection, Pâques, les apparitions, l'Ascension, la Pentecôte. — La prédication des apôtres, la fondation de l'Église, les martyrs. — La théologie, théologien, les pères et docteurs, de l'Église grecque et latine, la tradition, la patristique. — Les conciles, conciles œcuméniques, généraux, nationaux, provinciaux; synode; décrets des conciles, constitutions des papes. — Catéchiste, catéchisme, catéchumène. — L'Église triomphante, militante. — L'Histoire de l'Église. — Les attributs de Dieu : l'Éternel, le Créateur. — Dieu incréé, éternel, un, immuable; l'infini, l'absolu, la perfection, l'omniscience, l'omnipotence; la bonté, la sagesse, la justice infinies, la Providence. — Les mystères : Dieu en trois personnes, coéternelles, consubtantielles, coégales. — Le Verbe, le Verbe incarné, l'Incarnation, la Rédemption. — La Vierge, la sainte Vierge, la Madone, l'Immaculée Conception, l'Annonciation, la Présentation, la Dormition, l'Assomption de la Vierge. — Le culte d'hyperdulie, les anges, les archanges, les chérubins, les séraphins, les Trônes, les Dominations, etc. — Les saints, la Communion des saints, la Toussaint, le culte, les fêtes des saints, le culte de dulie. — Légende dorée, les reliques. — La création, le Créateur, la créature, le monde, l'univers (V. ce mot), l'homme, le premier homme et la première femme, le paradis terrestre, la chute, le péché originel, le rachat, le Médiateur, le Rédempteur. — La grâce, le salut, le bien et le mal, la liberté humaine et la toute-puissance de Dieu. — La vie future, le Ciel, le Paradis, la vie éternelle, la béatitude, la félicité éternelle, les bienheureux. — Le purgatoire, les limbes, l'expiation. — L'Enfer, le démon, le diable, Satan, Lucifer, le Malin, le mauvais esprit, l'esprit du Mal, les démons, les anges déchus, la démonologie, les réprouvés, les damnés, la damnation, les peines éternelles. — Les sectes, les hérésies, hérétique; le schisme, schismatique, les églises dissidentes.

b) *L'Église catholique et sa hiérarchie*. — L'Église catholique, apostolique et romaine. — Unité de l'Église, Églises nationales unies au Saint-Siège. — Laïque, clergé, le sacerdoce, cléricature, prêtrise, diaconat, vœux, célibat; clergé régulier, séculier. — Hiérarchie ecclésiastique. — Papauté, Saint-Siège, Siège apostolique, le pape, le souverain pontife, le Saint-Père, le vicaire de Jésus-Christ, le successeur de saint Pierre. Patriarche, primat, métropolitain, archevêque, évêque, auxiliaire, coadjuteur, évêque in partibus, suffragant, vicaire apostolique, prélat, épiscopat, archiépiscopat, patriarcat. — Antipape. — Usurpateur de la papauté. — Le Conclave, l'élu du Conclave. — La tiare, les clefs, la soutane et la calotte blanches, la mosette, les mules. — Le Vatican, le Palais, la Cité du Vatican, l'État du Vatican. — Sa Sainteté. — Curie, Secrétariat d'État, cardinal secrétaire d'État, camerlingue, Cour pontificale, garde-noble, camérier, suisse pontifical, cardinal légat, légat pontifical, légat a latere, ablégat, nonce apostolique, internonce, nonciature, corps diplomatique. — Sacré Collège, secrétaire d'État, cardinaux, évêques, prêtres et diacres, cardinal vicaire, cardinal de curie, éminence; consistoire, prélat de la maison du pape, monsignore, protonotaire apostolique. — Congrégation romaine, index, rites, propagation de la foi. Saint-Office, chancellerie, daterie, notaire apostolique, consulteur, etc. — Bénédiction urbi et orbi, le pouvoir spirituel, le pouvoir temporel, séparation de l'Église et de l'État. Concordat. Lutte du Sacerdoce et de l'Empire, gallicanisme, ultramontanisme. — Clergé séculier : soutane rouge (cardinaux), violette (évêques), noire (prêtres), soutanelle, douillette, chapeau, barrette, calotte. — Mitre, crosse, pallium, anneau pastoral, gants croix pectorale, archidiocèse, diocèse officialité, mense épiscopale, mandement, visite ad limina. — Excellence, Sa Grandeur, Monseigneur, grand vicaire, vicaire général, vicaire capitulaire. — Chapitre, chanoine, canonicat, théologal, archiprêtre, archidiacre, chanoine honoraire, curé doyen, curé, vicaire, desservant, paroisse, paroissien, fabrique, conseil curial, marguillier, association diocésaine; chapelain, aumônier, abbé, diacre, sous-diacre. — Sacre des évêques, ordination, tonsure, prêtrise, diaconat, sous-diaconat, ordres majeurs, ordres mineurs, (acolyte, exorciste, lecteur, portier). — Sacristain, enfant de chœur, bedeau, suisse, sonneur, chaisière, cirière. — Clergé régulier : vœux, règle, postulat, novice, profès, père, révérend père, frère, sœur, mère, sœur converse, tourière, célérière. — Relever de ses vœux; vêture, prise de voile; ordre, congrégation, société, congréganiste, religieux, solitaire, ermite, anachorète, moine, monachisme, frère lai, cénobite. — Abbaye, monastère, cloître, couvent, cellule, chapelle, parloir, dortoir, chapitre, clôture. — Oratorien, sulpicien, carme, capucin, dominicain, franciscain, bénédictin, chartreux, cordelier, trappiste, cistercien, jacobin, feuillant, récollet, eudiste, mariste, lazariste, génovéfain, jésuite, oblat, etc. — Petite sœur des pauvres, fille de la Charité (sœur de St-Vincent-de-Paul), augustine, visitandine, carmélite, bernardine, ursuline, etc. — Abbé mitré et crossé, abbé, abbesse, supérieure, mère supérieure, prieur, prieure, général, provincial. — Ascétisme, ascète, cilice, haire, discipline, robe de bure, froc, corde, sandale, capuchon. — Ordre contemplatif, ordre charitable; congrégations enseignantes, savantes, etc. — Ordres militaires : templiers, chevaliers du Saint-Sépulcre, ordre de Malte, ordre teutonique, etc. — Congrégations missionnaires, pères blancs, missions, propagation de la foi, etc. — *Dogme, discipline, culte et liturgie*. — Commandements de Dieu et de l'Église, Canons de l'Église, droit canon, canoniste. — Bulle, encyclique, bref, constitution, décret, décrétale, proprio motu, censure, aggrave, indult, indulgence plénière, partielle, suspense, mettre en interdit, excommunication, fulminer, anathème, lever l'excommunication. — Appel au Métropolitain ou en Cour de Rome; béatification, canonisation. — Culte, lieu du culte, église, basilique, cathédrale, primatiale, église métropolitaine, collégiale, abbatiale, paroisse, chapelle, oratoire, succursale (V. BEAUX-ARTS), baptistère; chœur, nef, autel, tabernacle, chapelle latérale, nappe d'autel, cierges, retable, crédence, orgue, harmonium, jubé, ambon, tribune, chaire, abat-voix, banc d'œuvre, chaise, confessionnal, lutrin, banc, prie-Dieu, stalles, dais, trône épiscopal, tapis, grille du chœur, bénitier, chemin de croix, statue, pieta, fonts baptismaux, tronc, tableaux, chérubin, gloire, pendentifs, mater dolorosa, mise au tombeau. — Lustres, lampe, monuments funèbres, dalles, pierres tombales, ex-voto, sacristie, presbytère, etc. — Célébrant, officiant, maîtrise, manécanterie, chœur, organiste, maître de chapelle, chantre, musiciens, serpent. — Ornements d'église, aube, étole, manipule, chasuble, voile, gremium, pallium, gloire, nimbe, auréole, chape, rochet, camail, aumusse, rabat, dalmatique, surplis, cappa magna, barette, calotte, corporal, bourse, pale. V. pl. ÉGLISE ET COSTUMES ECCLÉSIASTIQUES. — Croix, croisillon, porte-croix, crucifix. — Calice, ciboire, pavillon, custode, patène, ostensoir, monstrance, lunule, hostie, Sainte Ampoule, burette, saintes huiles, chrême, encens, encensoir, navette. — Châsse, reliquaire, eau bénite, goupillon, aspersoir; chapelet, rosaire, grain, scapulaire, médaille bénite, pater, ave. — Cloche, bourdon, carillon, angelus, glas, tocsin, volée. — *Offices*. — Office commun, propre du jour, saint Sacrifice, messe, grand-messe, messe chantée, messe basse. — Hostie consacrée, vin de messe. — Fête solennelle, annuelle, double, semi-double, simple. — Obit, obituaire. Procession, introït, confiteor, kyrie, gloria, collecte, épître, graduel, trait, prose, évangile, credo, secrète, offertoire, lavabo, orate fratres, préface, sanctus, canon de la messe, consécration, élévation, mémento des vivants et des morts, pater, libera, agnus dei, communion, postcommunion, ite missa est, bénédiction, dernier évangile. — Office, heures, ténèbres, nocturne, matines et laudes, prime, tierce, sexte, nones, vêpres, complies, salut du Saint Sacrement; doxologie, capitule, répons, antienne; commémoraison, litanie, neuvaine, grâces, rogation, pèlerinage, pèlerin. — Procession, croix, bannière, dais, palmes, fleurs; bréviaire, ordo, messe des morts, requiem, libera, messe anniversaire, messe de mariage. — *Sacrements*. — Signer, administrer, fréquenter les sacrements, sacrements des morts, des vivants; baptême, baptiser, ondoyer; confirmation, imposition des mains, onction; eucharistie, saintes espèces, Saint Sacrement, pain et vin consacrés, communion sous les deux espèces, transsubstantiation, communion, première communion, viatique; pénitence, confession, confesser, contrition, attrition, absolution, pénitence, indulgences; extrême onction, administrer un mourant, recevoir les derniers sacrements; ordre, ordination, consécration, sacre, consécrateur, séminaire. — Mariage, bénédiction nuptiale. — *Prière*. — Oraison, faire oraison, oraison dominicale, pater, ave Maria, credo, confiteor, actes de foi, d'espérance, de charité, de contrition, etc. — Hymne, psaume, prose, cantique, verset, veni Creator, de profundis, dies irae, te Deum, stabat. — Bréviaire, missel, antiphonaire, canon d'autel, paroissien, livre de messe, livre d'heures, psautier. — *Fêtes*. — Vigile, fête solennelle, solennité, fête fixe, fête mobile, fête légale, fête chômée, dimanche, Circoncision, Noël, Épiphanie, Chandeleur, Jeudi Saint, Pâques, Rogations, Ascension, Pentecôte, Trinité, Fête-Dieu, Assomption, Toussaint, Commémoration des Morts. — Fêtes de la Vierge. — Fêtes des saints. — Avent, carême, temps pascal, jubilé, etc. — Denier du culte, quête, tronc, budget du culte, œuvres diocésaines, séminaires, Institut catholique, école paroissiale, dame patronesse, catéchiste, catéchisme, patronage, œuvre sociales, conférences de St-Vincent-de-Paul, enfants de Marie, bulletin, paroissial etc.

c) *Culte réformé*. — Réforme, protestantisme, luthérianisme, calvinisme, zwinglianisme, anglicanisme, conformisme, non-conformisme, puritanisme, épiscopalisme, presbytérianisme, protestant, huguenot, méthodiste, piétiste, quaker, mormon, salutiste, anabaptiste, sectes diverses. — Religionnaire, de la Religion, papisme. — Théologie protestante, controverse de la transsubstantiation; la Cène; trois sacrements : baptême, cène, pénitence; la prédestination; ministres du culte mariés. — Rejet de l'autorité et des conciles. — Pas de hiérarchie sacerdotale. Pasteur, ministre, révérend, prédicant, clergyman. — Archevêque, évêque anglican. — Temple, prêche, conseil presbytéral, consistoire local, général. — Conseil central de l'Église réformée de France. — Synode, synodal. — Direction de la Conférence d'Augsbourg. — Diaconesse, missionnaires protestants.

d) *Église d'Orient*. — Rite grec, patriarche, métropolite, évêque, église autocéphale, pope, archimandrite, staretz, moine, Saint Synode; Église orthodoxe russe, grecque, roumaine, serbe, bulgare. — Grecs uniates (unis au Saint-Siège). — Maronites, melchites, etc. — Icone; iconostase; rites arménien, syriaque, copte, abyssin, etc.

reluisant, ante [*zan*], adj. Qui reluit, qui a de l'éclat.
SYN. — V. RADIEUX.
reluquer, v. tr. Fam. Lorgner curieusement du coin de l'œil et avec convoitise. || Fig. Avoir des vues sur. *Reluquer une maison, un héritage.*
* **reluqueur** [*keur*], **euse**, n. Personne qui reluque.
* **relustrer**, v. tr. Donner un nouveau lustre.
* **remâchement**, n. m. Action de remâcher.
remâcher, v. tr. Mâcher une seconde fois. *Les ruminants remâchent ce qu'ils ont mâché.* || Fig. Repasser plusieurs fois dans son esprit. *Remâcher une phrase avant de l'écrire.*
* **remaigrir**, v. intr. Devenir maigre de nouveau.
ORTH. — Le pp. *remaigri* est invar.
* **remaillage**, n. m., **remailler**, v. tr. V. REMMAILLAGE, REMMAILLER.
* **remancipation** [*sion*], n. f. [Dr. Rom.] Formalité pour l'émancipation et l'adoption.
* **rémanent, ente**, adj. (lat. *remanere*, rester). Qui persiste. [Phys.] *Magnétisme rémanent*, qui survit à l'influence.
* **remanger**, v. tr. Manger de nouveau. = Conjug. V. GRAMMAIRE.
remaniement ou * **remanîment**, n. m. Action de remanier. || Résultat de cette action. || Changement considérable apporté à un ouvrage de l'esprit.
SYN. — V. CHANGEMENT.
remanier, v. tr. Manier à plusieurs reprises. || Raccommoder, changer, refaire certains ouvrages. || Retoucher, modifier. *Remanier un roman, un programme.* = Conjug. V. GRAMMAIRE.
SYN. — V. CORRIGER.
* **remanieur, euse**, n. Celui, celle qui remanie.
remariage, n. m. Action de se remarier; second mariage.
remarier, v. tr. Marier de nouveau. = SE REMARIER, v. pr. Se marier de nouveau. = Conjug. V. GRAMMAIRE.
remarquable, adj. Qui se fait remarquer, qui est digne d'être remarqué.
SYN. — V. NOTABLE.
CTR. — *Banal, quelconque.*
remarquablement, adv. D'une manière remarquable.
remarque, n. f. Action de remarquer, de noter. || Observation sur quelqu'un, sur quelque chose. || Notes écrites. [Bx-A.] Petit dessin dans les marges d'une planche gravée.
SYN. — V. OBSERVATION.
remarquer, v. tr. Marquer de nouveau. || Observer quelque chose, faire attention à quelque chose. *Remarquer la beauté d'un édifice.* || Distinguer parmi plusieurs autres personnes ou plusieurs autres choses. *Je l'ai remarqué dans la foule.*
* **remballage**, n. m. Action de remballer. || Nouvel emballage.
remballer, v. tr. Remettre ses marchandises en balle, en ballot. || Fam. Remettre en voiture.
rembarquement, n. m. Action de rembarquer ou de se rembarquer.
rembarquer, v. tr. et intr. Embarquer de nouveau. || Passer d'un navire sur un autre. = SE REMBARQUER, v. pr. Se mettre de nouveau sur mer. || Fig. et fam. Se hasarder de nouveau à une chose.
rembarrer, v. tr. Repousser vigoureusement (Peu us.). || Fig. et fam. *Rembarrer quelqu'un*, repousser, avec indignation, avec rudesse, ses propositions, ses discours, ou le contredire avec violence.
* **rembellir**, v. tr. et intr. Rendre ou devenir plus beau.
remblai, n. m. Action de remblayer. || Masse de terre rapportée pour surélever un terrain ou pour combler un creux. || Ouvrage fait au moyen de terres rapportées.
ANT. — *Déblai.*
remblaver, v. tr. (préf. *re* et *emblaver*). Semer de nouveau lorsque les premières semailles n'ont pas réussi.
PAR. — *Remblayer*, apporter des terres pour combler un creux.
* **remblavure**, n. f. Action de remblaver, son résultat.
* **remblayage**, n. m. Action de remblayer, de faire un remblai. || Résultat de cette action.
* **remblayer**, v. tr. Apporter des terres pour faire un terrassement ou pour combler un creux. = Conjug. V. GRAMMAIRE.
PAR. — *Remblaver*, semer de nouveau quand les premières semailles n'ont pas réussi.
remboîtage, n. m. Action de remplacer une reliure usagée par une neuve.
remboîtement, n. m. Action de remboîter. || Résultat de cette action.
remboîter, v. tr. Remettre en place ce qui était désemboîté.
* **rembouger**, v. tr. Tenir un tonneau plein en remplaçant son contenu à mesure qu'on soutire. = Conj. V. GRAMMAIRE.
rembourrage, n. m. Action de rembourrer. || Matière dont on rembourre.
* **rembourrement**, n. m. Action de rembourrer. || Résultat de cette action.
rembourrer, v. tr. Garnir de bourre, de laine, de crin, etc. *Rembourrer un fauteuil.*
remboursable, adj. Qui doit être remboursé, ou qui est susceptible d'être remboursé. *Un titre remboursable.*
remboursement, n. m. Action de rembourser. — *Paquet adressé contre remboursement*, paquet qui n'est délivré que contre payement de la valeur des marchandises qu'il contient.
rembourser, v. tr. Rendre à quelqu'un l'argent qu'il a déboursé ou avancé. || *Rembourser une rente*, en acquitter le principal. = SE REMBOURSER, v. pr. Se payer.
CTR. — *Débourser.*
* **rembranesque**, adj. Qui rappelle la manière de Rembrandt.
* **rembruni, ie**, adj. Devenu brun, plus brun. *Des tons rembrunis.* || Fig. Assombri, attristé. *Un front rembruni.*
rembrunir, v. tr. Rendre brun, rendre plus brun. || Fig. Attrister, assombrir. = SE REMBRUNIR, v. pr. Devenir sombre (au pr. et au fig.). || En parlant du ciel, se couvrir de nuages sombres.
* **rembrunissement**, n. m. État de ce qui est rembruni, de ce qui s'est rembruni (au pr. et au fig.).
rembuchement, n. m. [Vén.] Rentrée de la bête dans son fort ou dans la forêt.
rembucher (se), v. pr. Rentrer dans le bois, en parlant d'une bête sauvage.

remède, n. m. (lat. *remedium,* m. s.). Substance ou préparation employée pour combattre une maladie. *Prendre, appliquer un remède. — Remède de bonne femme,* remède simple et populaire. ‖ Partic. Lavement. *Prendre un remède.* ‖ Par ext. Tout moyen hygiénique qui peut concourir au traitement d'une maladie. *L'exercice, le bon air sont d'excellents remèdes.* V. tabl. MALADIE ET MÉDECINE *(Idées suggérées par les mots.)* ‖ Fig. Ce qui sert à guérir les maladies de l'âme. *Le travail est le meilleur remède contre l'ennui.* ‖ Fig. Ce qui sert à prévenir, à surmonter, à faire cesser quelque malheur, quelque disgrâce. *Son chagrin est sans remède.*
SYN. — *Remède,* ce qui a pour objet de guérir une maladie : *Chercher un remède à ses maux. — Drogue,* substance pharmaceutique : *Il ne faut pas abuser des drogues. — Médecine,* remède purgatif : *Au dix-septième siècle on prenait souvent médecine. — Médicament,* toute substance administrée à un malade pour le guérir : *Aller chercher des médicaments chez le pharmacien. — Panacée,* remède prétendu universel : *Un charlatan vendait une panacée à la foire.*

remédiable, adj. A quoi l'on peut remédier.
CTR. — *Irrémédiable.*

remédier, v. intr. Apporter remède, du remède. = Conjug. V. GRAMMAIRE.
SYN. — V. INDEMNISER.

*** remeil,** n. m. [Chasse] Pièce ou cours d'eau ne gelant pas en hiver, refuge des oiseaux aquatiques.

remêler, v. tr. Mêler de nouveau.

remembrance, n. f. Souvenir. ‖ Ressemblance qui suscite un souvenir (Vx).

remembrement, n. m. Reconstitution en un seul tenant, entre les mains d'un seul propriétaire, d'un domaine préalablement démembré. ‖ Série d'échanges de parcelles de terrain non contiguës entre différents propriétaires pour former des domaines d'un seul tenant.

*** remembrer,** v. tr. Remettre en mémoire. ‖ Restituer à un pays des territoires qui lui avaient été enlevés. ‖ Faire un remembrement.

*** remémoratif, ive,** adj. Qui sert à rappeler la mémoire. — On dit mieux *commémoratif.*

remémorer, v. tr. Remettre en mémoire. = SE REMÉMORER, v. pr. Rappeler une chose dans sa mémoire.
SYN. — V. RAPPELER (se).

*** remenée,** n. f. [Archi.] Petite voûte qui couronne l'embrasure des portes et des fenêtres.

remener, v. tr. Mener, conduire une personne, un animal au lieu où il était auparavant. — On dit mieux *ramener.* = Conjug. V. GRAMMAIRE.

remerciement ou *** remercîment,** n. m. Action de remercier, de rendre grâce. ‖ Paroles, écrits par lesquels on remercie.

remercier, v. tr. (préf. *re,* et l'anc. v. *mercier*). Rendre grâce à. *Je vous remercie de votre bonté.* ‖ Refuser, ne pas accepter. *On lui offrit à dîner ; il remercia.* ‖ Congédier, révoquer, destituer avec certaines formes. = Conjug. V. GRAMMAIRE.
SYN. — V. CONGÉDIER.

réméré, n. m. (lat. *redimere,* racheter). [Dr.] Clause d'une vente permettant au vendeur de racheter dans un certain délai la chose vendue, au prix de vente, plus les frais. *Vente à réméré.*

*** rémérer,** v. tr. Racheter, reprendre en vertu d'un pacte facultatif. = Conjug. V. GRAMMAIRE.

*** remesurer** [*zu*], v. tr. Mesurer de nouveau.

remettre, v. tr. (lat. *remittere,* m. s.). Mettre une chose à l'endroit où elle était auparavant. *Remettre un livre à sa place.* ‖ Mettre de nouveau. *Remettre une chose en question. — Remettre son chapeau, son manteau,* le replacer sur soi. ‖ Rétablir les personnes, les choses dans l'état où elles étaient auparavant. *L'arrêt l'a remis dans tous ses biens. — Remettre bien ensemble des personnes brouillées,* les réconcilier. — *Remettre quelqu'un à sa place,* lui donner une leçon quand il oublie sa position. — *Remettre quelqu'un au pas,* le ramener vivement à la règle, au devoir. — Rétablir la santé, redonner des forces. *L'hydrothérapie l'a tout à fait remis.* — Rassurer, faire revenir du trouble, de la frayeur où l'on était. *Ce que vous lui avez dit lui a un peu remis l'esprit.*

Rendre à quelqu'un une chose qui lui appartient ou qui lui est destinée. *Remettre une lettre à son destinataire.* ‖ Mettre en dépôt, confier au soin, à la garde de quelqu'un. *Je remets mes intérêts entre vos mains. — Remettre un criminel entre les mains de la justice,* le livrer aux tribunaux.

Différer, renvoyer à un autre temps. *On a remis la partie à demain.* — Prov. *Il ne faut pas remettre au lendemain ce que l'on peut faire le jour même.* — Fig. et fam. *La partie est remise,* il faut recommencer comme s'il n'y avait rien de fait. ‖ Faire grâce à une personne de quelque chose qu'on était en droit d'exiger d'elle. *Sur mille francs qu'il devait, on lui en a remis cinq cents.* ‖ Pardonner. *Je lui remets de bon cœur toutes les offenses qu'il m'a faites.* ‖ Fig. et pop. *Remettre ça,* recommencer. ‖ Pop. Reconnaître. *Je ne vous remettais pas.*

SE REMETTRE, v. pr. Se mettre de nouveau. — *Se remettre en selle,* remonter à cheval. ‖ *Se remettre bien avec quelqu'un,* se réconcilier avec lui. ‖ *Se remettre entre les mains de quelqu'un,* avoir recours à lui en se mettant à sa disposition. ‖ *Se remettre de quelque chose à quelqu'un,* et plus ordin. *s'en remettre à quelqu'un,* s'en rapporter à lui, à ce qu'il dira, à ce qu'il fera. ‖ *Se remettre quelqu'un, quelque chose,* le reconnaître (Pop.). ‖ Recouvrer la santé, les forces ; rétablir ses affaires ; se rassurer ; revenir de son trouble ; dans ces significations, il s'emploie souvent absol. : *Il a eu bien de la peine à se remettre de sa maladie, de son alarme.* ‖ *Le temps se remet,* il revient au beau. ‖ *Se remettre à,* recommencer à. *Se remettre à boire.* = Conjug. (comme *mettre*). V. VERBES.

SYN. — *Remettre (s'en),* se confier à, avoir foi en : *S'en remettre à la discrétion de quelqu'un. — Confier (se),* mettre sa confiance entière dans : *Vous pouvez vous confier à cet ami en toute sécurité. — Fier (se),* mettre sa confiance dans : *Ne vous fiez pas à cet homme taré. — Rapporter (s'en),* avoir confiance en, pour certaines choses secondaires : *S'en rapporter à l'avis d'un voisin.* V. aussi DIFFÉRER.

remeubler, v. tr. Regarnir de meubles.
rémige, n. f. (lat. *remex, igis,* qui sert de rame). Longue plume rigide de l'aile des oiseaux.
réminiscence [*inis-sanse*], n. f. (lat. *reminisci,* se souvenir). Rappel à la mémoire d'un souvenir, sans que celui-ci soit reconnu comme tel. ǁ Souvenir imparfait, effacé en partie. ǁ Pensée, expression de quelque auteur employée involontairement comme sienne.
remisage, n. m. Action de remiser.
remise, n. f. (de *remis,* pp. du v. *remettre*). Action de remettre au même endroit. *Remise en place.* ǁ Action de mettre entre les mains, de rendre, de livrer, etc. *La remise d'un gage.* ǁ Grâce accordée à un condamné. *Remise de peine.* ǁ Grâce que l'on fait à un débiteur, en lui remettant une partie de ce qu'il doit. *Remise de la moitié des intérêts.* ǁ Rabais qu'un marchand accorde à certaines personnes sur le prix indiqué. ǁ Somme que l'on abandonne à celui qui est chargé de faire une vente, une recette, un recouvrement, etc. ǁ Délai, renvoi à un autre temps. *La remise d'une audience.* ǁ Local aménagé dans une maison pour y mettre à couvert les voitures. ǁ Bouquet de taillis dans les champs, qui sert de retraite au gibier.
Hom. — *Remiz,* n. m., passereau voisin des mésanges; — *remise, es, ent,* du v. remiser.
remiser, v. tr. Placer sous une remise. ǁ Pop. *Se faire remiser,* se faire remettre à sa place. = SE REMISER, v. pr. Être remisé. [Chasse] S'abattre, se retirer.
remisier [*zié*], n. m. [Bourse] Celui qui, moyennant une remise, apporte à un agent de change ou à un coulissier des ordres d'achat et de vente.
*****remisse,** n. f. [Techn.]. Fils transversaux servant à distribuer les lices conformément aux dessins à réaliser. V. pl. TISSERAND.
*****rémissibilité,** n. f. Caractère de ce qui est susceptible de rémission.
rémissible, adj. Qui est pardonnable, qui est digne de rémission. *Faute rémissible.*
rémission, n. f. (lat. *remissio,* m. s., de *remittere,* remettre). Pardon. *La rémission des péchés.* [Dr. anc.] Grâce que le chef de l'État faisait à un criminel en le déchargeant de la peine qu'il avait encourue. *Lettres de rémission.* = SANS RÉMISSION, loc. adv. Sans délai, sans faute. *Cette fête est fixée, sans rémission, à dimanche prochain.* [Méd.] Diminution, relâchement, en parlant de la fièvre et des maladies aiguës.
rémissionnaire, n. Autref. Celui ou celle qui avait obtenu des lettres de rémission.
rémittence, n. f. [Méd.] Caractère des affections qui sont rémittentes.
rémittent, ente [*tan*], adj. [Méd.] Se dit des maladies qui présentent des rémissions, des fièvres dans lesquelles la température s'abaisse et se relève périodiquement.
*****remiz,** n. m. [Zool.] Nom vulg. d'un passereau voisin des mésanges, à nid en forme de bourse.
Hom. — *Remise,* n. f., action de remettre au même endroit; — *remise, es, ent,* du V. remiser.
remmaillage [*ran-ma, ill* mll.], n. m. Action de remmailler.

remmailler [*ran-ma, ill* mll.], v. tr. Relever des mailles; refaire des mailles usées ou rompues. *Remmailler un filet, un tricot.*
remmailloter [*ran-ma, ill* mll.], v. tr. Remettre dans son maillot.
remmancher [*ran*], v. tr. Emmancher de nouveau; mettre un nouveau manche.
remmener [*ran*], v. tr. Emmener ce qu'on avait amené. = Conjug. V. GRAMMAIRE.
*****remobiliser,** v. tr. Mobiliser de nouveau.
*****rémois, oise,** adj. et n. Habitant ou originaire de Reims.
*****rémolade,** n. f. V. RÉMOULADE.
*****remole,** n. f. [Mar.] Tournant d'eau; tourbillon.
*****remonétiser,** v. tr. Remettre en circulation une valeur démonétisée.
remontage, n. m. Action de remonter un cours d'eau, de retendre un mécanisme à ressort, de remettre des semelles neuves à des bottes, de rajuster ensemble les pièces d'un mécanisme démonté.
remontant, ante, adj. Qui remonte. ǁ Qui redonne des fleurs à l'arrière-saison. *Rosier remontant.* = N. m. Boisson qui redonne des forces.
remonte, n. f. Action de remonter. [A. mil.] Fourniture de chevaux pour l'armée. ǁ Achat des chevaux nécessaires pour la remonte. ǁ Groupe de chevaux ainsi achetés.
remontée, n. f. Action de remonter. *La remontée au jour dans les mines.*
remonter, v. intr. Monter de nouveau là où l'on était avant de descendre. *Remonter sur son cheval.* — Fig. *Remonter sur l'eau,* retrouver de l'aisance, le crédit. ǁ En parlant des choses, retourner vers le lieu, vers le point d'où elles étaient descendues. *Le baromètre remonte.* ǁ *Le soleil commence à remonter,* à s'élever plus haut sur l'horizon (lorsque les jours commencent à croître). — *La rente remonte,* son prix redevient plus élevé. — Fig. et fam. *Ses actions remontent,* se dit d'un homme qui commence à recouvrer du crédit, de la faveur, de l'aisance. — Se porter vers le haut. *Mon col remonte sans cesse.* — Fig. Reprendre les choses de plus loin. *Pour entendre cette question, il faut remonter plus haut.* — *Remonter au déluge,* reprendre les choses de trop loin. — Fig. *Remonter à la source, à l'origine, à la cause, au principe d'une chose,* la considérer dans son origine, etc. ǁ Fig. Être de telle époque. *La Sainte-Chapelle remonte à saint Louis.* [Hortic.] Fleurir une seconde fois à l'arrière-saison. [Mar.] *Le vent remonte,* du sud il passe au nord.
V. tr. Porter de nouveau à un niveau supérieur, ramener ce qui avait été descendu. *Remonter du vin de la cave.* — Monter une seconde fois, monter de nouveau. — *Remonter le cours d'un fleuve,* aller vers sa source, naviguer contre le courant. ǁ Pourvoir des choses nécessaires. *Remonter un peleton de cavalerie,* lui donner des chevaux. — De même, *remonter une maison, un magasin.* — *Remonter un violon, une guitare,* etc., les garnir de cordes neuves. ǁ *Remonter une pièce de théâtre,* en préparer de nouveau la mise en scène. ǁ *Remonter une machine,* rajuster ensemble les pièces d'une machine qui était démontée. — *Remonter une montre, une pendule,*

etc., les remettre en état de continuer à marcher en retendant le ressort. ‖ Rendre des forces à. *Le bon vin remonte les malades.* = SE REMONTER, v. pr. Se fournir de nouveau des choses nécessaires. ‖ Reprendre des forces, du courage; se ranimer. *Boire un verre de vin pour se remonter.*
CTR. — *Démonter, descendre, redescendre.*

remontoir, n. m. Appareil pour remonter sans clef et sans ouvrir le boîtier, une montre, une horloge. ‖ Montre munie de ce système.

remontrance, n. f. Observation, reproche à quelqu'un sur un acte répréhensible. = Pl. Discours adressés aux rois par les parlements, dans lesquels on exposait les inconvénients d'un édit, d'une loi, d'un abus d'autorité.
SYN. — *Remontrance,* observation critiquant quelque chose : *Le parlement de Paris avait droit de remontrance sur les édits royaux.* — *Blâme,* jugement public défavorable porté contre quelqu'un ou contre quelque chose : *Ce fonctionnaire irrégulier a reçu un blâme de ses chefs.* — *Objurgation,* vive réprimande : *Adresser des objurgations à son entourage.* — *Représentation,* observation ou blâme en termes mesurés faits à quelqu'un : *Une délégation est venue faire des représentations au maire.* — *Réprimande,* blâme infligé par une autorité : *Cet élève indiscipliné a reçu une sévère réprimande.* — *Reproche,* l'action de blâmer quelqu'un, de lui adresser des paroles de mécontentement : *Il a mal pris les justes reproches qu'on lui faisait.* V. aussi BLÂMER et OBSERVATION.

* **remontrant**, n. m. Celui qui fait des remontrances. [Hist.] Nom donné, en Hollande, aux partisans d'Arminius.

remontrer, v. tr. Montrer de nouveau. ‖ Représenter à quelqu'un le vice, les inconvénients d'une chose qu'il a faite ou veut faire. = V. intr. Faire des remontrances. ‖ *En remontrer à quelqu'un,* lui prouver qu'on est plus habile, plus intelligent, plus fort que lui. = SE REMONTRER, v. pr. Se montrer, se présenter de nouveau.

rémora, n. m. (lat. *remora,* retard). [Zool.] Échénéide, petit poisson qui se fixe par une ventouse aux corps flottants. — Les anciens le croyaient capable d'arrêter le navire auquel il s'attachait.

remordre, v. tr. et intr. Mordre de nouveau. ‖ Fig. *Remordre à quelque chose, s'y remettre.* = Conjug. (comme *rendre*). V. VERBES.

remords [*mor*], n. m. Reproche violent que le coupable reçoit de sa conscience. V. tabl. MORALE (*Idées suggérées par le mot*).
SYN. — V. REGRET.
ANT. — *Endurcissement.*
HOM. — *Remords,* ord, du v. remordre.

remorquage, n. m. Action de remorquer.

remorque, n. f. Entraînement d'un véhicule à l'aide d'un autre véhicule, d'une force animale ou d'appareils fixes. ‖ Câble qui relie le véhicule remorqueur au véhicule remorqué. ‖ Le véhicule remorqué. ‖ Fig. *Être, se mettre à la remorque de quelqu'un,* se laisser conduire par lui.

remorquer, v. tr. Traîner, tirer derrière soi au moyen d'une remorque.

remorqueur, euse, adj. Qui donne la remorque, qui traîne à la remorque. = N. m. Navire spécialisé dans la remorque des autres navires. V. pl. PORT. = N. f. Locomotive qui traîne à sa suite un convoi.

* **remoucher**, v. tr. Moucher de nouveau.

* **remoudre**, v. tr. Moudre de nouveau; moudre plus fin. = Conjug. (comme *moudre*). V. VERBES.
PAR. — Ne pas confondre avec le mot suivant.

* **rémoudre**, v. tr. Émoudre, aiguiser de nouveau. = Conjug. (comme *moudre*). V. VERBES.
PAR. — Ne pas confondre avec le mot précédent.

remouiller [*ill* mll.], v. tr. Mouiller de nouveau.

rémoulade ou **rémolade**, n. f. Espèce de sauce piquante faite avec de la moutarde, de l'huile, du vinaigre, du jaune d'œuf, etc.

* **remoulage**, n. m. Action de remoudre. ‖ Issue de la mouture du gruau.

* **remouler**, v. tr. Mouler de nouveau.
rémouleur, n. m. Ouvrier qui aiguise les outils tranchants ou pointus.

* **remoulin**, n. m. Marque blanche sur le front de certains chevaux.

remous [*mou*], n. m. Tournoiement de l'eau qui se produit dans le sillage d'un vaisseau marchant avec vitesse, ou en aval d'un corps solide formant obstacle à un cours d'eau rapide. ‖ Tourbillon résultant de la disposition du fond ou des bords d'un cours d'eau. ‖ Fig. *Les remous de la foule.*

rempaillage [*ill* mll.], n. m. Action de rempailler; son résultat.

rempailler [*ill* mll.], v. tr. Garnir d'une nouvelle paille. *Rempailler des chaises.*

rempailleur, euse [*ill* mll.], n. Celui, celle qui regarnit des sièges de paille.

* **rempaquer**, v. tr. Ranger les harengs en lits superposés dans les barils.

* **rempaqueter**, v. tr. Empaqueter de nouveau. = Conjug. V. GRAMMAIRE.

remparer (se), v. pr. Se faire une défense contre une attaque (peu us.). = V. tr. Munir d'un rempart.

rempart [*ran-par*], n. m. Levée de terre, muraille qui entourent et protègent une place. V. pl. FORTIFICATIONS. ‖ Fig. Ce qui sert de défense. *Il lui fit un rempart de son corps.*
SYN. — V. MUR.

* **rempiètement**, n. m. Reprise en sous-œuvre des fondations d'un mur, d'un édifice.

rempiéter [*ran*], v. tr. (de *pied*). Refaire le pied. *Rempiéter un bas, une table.* = Conjug. V. GRAMMAIRE.

* **rempiler**, v. intr. [Arg. Mil.] Signer un nouvel engagement. = REMPILÉ, n. m. *Un rempilé,* un rengagé.

* **remplaçable**, adj. Qui peut être remplacé.
CTR. — *Irremplaçable.*

remplaçant, ante, n. Celui, celle qui remplace une autre personne dans une occupation quelconque. = N. m. Autref. Volontaire qui remplaçait un jeune homme appelé au service militaire.
SYN. — V. SUCCESSEUR.
ANT. — *Titulaire.*

remplacement, n. m. Action de remplacer une personne ou une chose par une autre. ‖ Résultat de cette action.

remplacer, v. tr. Mettre une personne ou une chose à la place d'une autre. *Remplacer un employé. Remplacer un meuble.* ‖ Succéder à quelqu'un dans une place, une fonction. ‖ Faire quelque chose à la place de quelqu'un. ‖ Tenir la place d'une personne, de manière à ne pas la faire regretter. = Conjug. V. GRAMMAIRE.

remplage, n. m. Action de remplir une pièce de vin pas tout à fait pleine. ‖ Ce que l'on emploie pour remplir. ‖ Blocage de moellons ou de briques et de mortier pour remplir l'espace vide entre les deux parements d'un mur.

1. rempli, n. m. Pli que l'on fait à du linge, à de l'étoffe pour rétrécir ou raccourcir sans rien couper.

2. rempli, ie, adj. Plein, qui abonde. ‖ Fig. *Être rempli de soi-même*, avoir une très haute opinon de ses mérites. ‖ *Journée bien remplie*, bien occupée.

CTR. — *Vide, creux.*
SYN. — V. COMPLET.
HOM. — *Remplie, es, ent*, du v. remplier.

remplier, v. tr. Faire un rempli. *Remplier une robe.* = REMPLIÉ, ÉE, pp. et adj. [Techn.] *Couverture remplièe*, couverture de livre repliée sur trois côtés en un rempli de plusieurs centimètres. = Conjug. V. GRAMMAIRE.

PAR. — *Replier*, plier ce qui avait été déplié ou déployé.

remplir, v. tr. Emplir de nouveau. ‖ Emplir, rendre plein. *Il remplit son verre jusqu'au bord. — Remplir un fossé*, le combler. — Fig. et au sens moral. *Il nous a remplis d'admiration.* ‖ Ajouter à ce qui manque pour qu'une chose soit complète, parfaite. ‖ *Remplir une fiche, une notice*, etc., y porter les indications nécessaires. ‖ Faire des points pour couvrir. *Remplir un canevas. — Remplir du point, de la dentelle*, y refaire à l'aiguille les ornements rompus. ‖ Par exag. Abonder dans un lieu. *Les étrangers remplissent la ville.* — Fig. *Remplir l'univers de sa renommée.* — *Cette idée remplit son esprit*, elle l'absorbe entièrement. ‖ Fig. Occuper dignement. *Remplir une place, une charge*, etc. ‖ Fig. Accomplir, exécuter, réaliser. *Remplir un devoir. Remplir son attente. Remplir une tâche.* = SE REMPLIR, v. pr. Devenir plein. *La citerne s'est remplie d'eau.* — Fig. *Il se remplit d'espérances vaines.* ‖ Pop. Se gaver. *Se remplir de victuailles.*

INCORR. — La locution *remplir un but* est incorrecte, un but étant un point et non une étendue; il faut dire *atteindre un but*. — Évitez de dire *remplir* pour *emplir* (une première fois).

SYN. — V. OCCUPER.
CTR. — *Vider.*

remplissage, n. m. Action de remplir. ‖ Chose dont on remplit. — Partic. Choses inutiles, vagues ou étrangères au sujet, dans un ouvrage d'esprit. [Mus.] *Parties de remplissage*, celles qui sont entre la basse et le dessus.

remplisseuse, n. f. Ouvrière qui remplit et raccommode du point, de la dentelle.

remploi, n. m. [Dr.] Remplacement, nouvel emploi des deniers qui proviennent de la vente d'un bien dotal.

remployer, v. tr. Employer de nouveau. = Conjug. V. GRAMMAIRE.

remplumer, v. tr. Regarnir de plumes. = SE REMPLUMER, v. pr. Se couvrir de plumes nouvelles (en parlant des oiseaux). ‖ Fig. Se rétablir dans ses affaires, dans sa santé; reprendre de l'embonpoint.

rempocher, v. tr. Remettre dans sa poche.

* **rempoissonnement**, n. m. Action de rempoissonner. ‖ Résultat de cette action

rempoissonner, v. tr. Repeupler de poissons un vivier, un étang, une rivière.

remporter, v. tr. Reprendre et rapporter d'un lieu ce qu'on y avait apporté. ‖ Enlever d'un lieu. ‖ Gagner, obtenir. *Remporter un prix. Remporter la victoire.*

rempotage, n. m. Action de rempoter.

rempoter, v. tr. Remettre une plante dans un pot plus grand; la changer de pot. ‖ Changer la terre d'un pot.

* **remprisonner**, v. tr. Remettre en prison.

* **remprunter**, v. tr. Emprunter de nouveau.

remuage, n. m. Action de remuer une chose, partic. du vin ou du blé.

remuant, ante, adj. Qui est sans cesse en mouvement. *Cet enfant est très remuant.* ‖ Fig. *Esprit remuant*, esprit brouillon, qui ne peut fixer son attention. ‖ *Personnage remuant*, qui fomente des troubles.

CTR. — *Inerte, tranquille, languissant.*

remue-ménage, n. m. inv. Dérangement de meubles, de choses que l'on transporte avec bruit d'un lieu à un autre. ‖ Fig. Trouble, désordre dans les villes, les États, par des changements subits.

remuement ou * **remûment**, n. m. Action de ce qui remue. ‖ Action de remuer, de transporter. ‖ Fig. Mouvement, trouble.

remuer, v. tr. (préf. *re*, et *muer*). Mouvoir, mettre en mouvement. *Remuer la tête, les bras.* — Fam. *Il ne remue ni pied ni patte*, il reste sans mouvement. ‖ Changer quelque chose de place. *Remuer tous ses meubles. — Remuer de la terre*, transporter de la terre d'un lieu à un autre. *Remuer la terre*, labourer la terre, la creuser, etc. — Fig. et fam. *Remuer ciel et terre*, faire agir toutes sortes d'influences, employer toutes sortes de moyens. — *Remuer beaucoup d'argent*, faire beaucoup d'affaires d'argent. Fam. *Remuer l'argent à la pelle*, être extrêmement riche. ‖ Fig., au sens moral, émouvoir, exciter. *Les grands mouvements de l'éloquence remuent l'âme.*
V. intr. Bouger, faire quelque mouvement. *Il n'est pas mort, il remue encore.* ‖ Être ébranlé, manquer de solidité. *Une dent me remue.* ‖ Fig. S'agiter, provoquer du trouble, des désordres dans l'État. *Les provinces commençaient à remuer.* = SE REMUER, v. pr. Se mouvoir. *Il est si las, qu'il ne peut se remuer.* ‖ Se donner du mouvement, faire des démarches pour réussir à quelque chose. *Il s'est beaucoup remué pour cette affaire.*

SYN. — V. AGITER et CHANCELER.

remueur, euse, adj. Celui, celle qui remue. *Enfant remueur.* = N. f. Domestique attachée à un enfant pour le bercer, changer ses couches, etc.

* **remugle**, n. m. Odeur qu'exhale ce qui a été longtemps renfermé ou maintenu dans un mauvais air (Vx).

rémunérateur, trice, adj. et n. Qui récompense. ‖ Qui procure des bénéfices *Un travail rémunérateur.*

rémunération [sion], n. f. (lat. *remuneratio*, m. s.). Récompense. ‖ Payement d'un travail, d'un effort, d'un service.
Syn. — V. GAGES.
Par. — *Énumération*, action de dénombrer, d'énumérer.
rémunératoire, adj. Qui a un caractère de récompense.
rémunérer, v. tr. (préf. *re* et lat. *munus*, don). Récompenser. ‖ Payer, donner une rémurération. = Conjug. V. GRAMMAIRE.
Incorr. — *Rénumérer*, *rénumération*, etc. sont des barbarismes à éviter soigneusement.
Syn. — V. PAYER.
* **remunir**, v. tr. Munir de nouveau.
Ctr. — *Démunir*.
renâcler, v. intr. (préf. *re* et vx fr. *nasquer*, flairer). Faire un bruit sourd en retirant brusquement son haleine par le nez. *Cheval qui renâcle.* ‖ Renifler avec bruit (Pop.). ‖ Fig et fam. Témoigner de la répugnance pour quelque chose.
renaissance, n. f. Seconde, nouvelle naissance, renouvellement. ‖ Retour. *La renaissance du printemps.* ‖ Mouvement littéraire, artistique et scientifique, qui eut lieu au XVe s. en Italie et au XVIe s. dans toute l'Europe occidentale (s'écrit avec une majuscule). = Adj. Relatif à l'époque ou à l'art de la Renaissance. *Un meuble, une dentelle Renaissance.*
Syn. — *Renaissance*, réapparition de mœurs, de goûts qui avaient disparu : *La renaissance des humanités au seizième siècle.* — *Réapparition*, apparition nouvelle : *La réapparition d'une comète.* — *Regain*, retour de fraîcheur, de vigueur, de succès : *Un regain de popularité.* — *Recrudescence*, retour, accroissement de mouvement, d'activité : *Une recrudescence d'émeutes.* — *Régénération*, changement en bien de ce qui s'était altéré : *La régénération des mœurs.* — *Renouveau*, remise en vigueur de ce qui s'était effacé : *Un renouveau de patriotisme a paru dans la nation.* — *Renouvellement*, rétablissement d'une chose dans son état ancien ou dans un état meilleur : *Le renouvellement des institutions publiques.*
Ant. — *Gothique*, *moderne* (styles).
renaissant, ante, adj. Qui renaît, qui se renouvelle sans cesse.
renaître, v. intr. Naître de nouveau. ‖ En parlant des végétaux, repousser, croître de nouveau. ‖ Fig. *Renaître au bonheur*, redevenir heureux. — *Renaître à la vie*, recouvrer la santé. ‖ Reparaître se remontrer. *Le jour renaît.* — Au sens moral : *Faire renaître une occasion.* = Conjug. (comme *naître*). V. VERBES.
rénal, ale, aux, adj. (lat. *renalis*, m. s.; de *ren*, rein). [Anat.] Qui a rapport, qui appartient aux reins.
renard, n. m. (de *Renart*, n. pr. de cet animal, appelé jusque là *goupil*, dans le *Roman de Renart*). [Zool.] Genre de mammifères carnivores de la famille des *canidés*, connus pour leur ruse. ‖ Fourrure de cet animal. ‖ Fig. *Un vieux, un fin renard*, un homme fin, rusé, matois, parfois cauteleux. [Techn.] Fente, trou par lequel se perdent les eaux d'un réservoir. ‖ Sorte de crochet. ‖ Pop. et triv. Vomissement.
renarde, n. f. Renard femelle.
renardeau, n. m. Jeune renard.
* **renarder**, v. intr. Imiter la finesse du renard. ‖ Pop. et triv. Vomir.

renardier, n. m. Celui qui, dans une terre, est chargé de détruire les renards.
renardière, n. f. Tanière du renard.
rencaissage, n. m. Action de rencaisser.
rencaissement, n. m. Action de remettre en caisse une somme perçue en remboursement.
rencaisser, v. tr. Remettre dans sa caisse. [Hortic.] Remettre dans une nouvelle caisse.
* **renchaîner**, v. tr. Remettre à la chaîne, enchaîner de nouveau.
renchéri, ie, adj. Qui est devenu plus cher. = Nom. *Faire le renchéri, la renchérie*, faire le difficile, la difficile, le dédaigneux (Fig. et fam.).
renchérir, v. tr. (préf. *re*, et *enchérir*). Rendre plus cher. *Renchérir des denrées.* = V. intr. Augmenter de prix. *Le charbon renchérit à l'entrée de l'hiver.* ‖ *Renchérir sur quelqu'un*, dire ou faire plus que lui avec exagération.
renchérissement, n. m. Hausse de prix. ‖ Situation de ce qui devient plus cher.
* **renchérisseur, euse**, n. Celui, celle qui renchérit.
rencogner, v. tr. Pousser, serrer quelqu'un dans un coin. = SE RENCOGNER, v. pr. Se cacher dans un coin, s'enfermer chez soi.
rencontre, n. f. (n. verb. de *rencontrer*). Le fait de trouver fortuitement sur son chemin une personne ou une chose. — *Eviter la rencontre de quelqu'un*, éviter de le trouver et d'être vu par lui. ‖ Fait de se rencontrer, passer l'un au-devant l'un de l'autre. *Aller, venir à la rencontre de quelqu'un.* ‖ Choc de deux corps de troupes. — Combat singulier, duel. — Choc accidentel de deux objets. *La rencontre de deux trains a causé une catastrophe.*
Occasion, conjoncture. *Je vous servirai en toute rencontre.* ‖ Fig. Bon mot, trait d'esprit.
Épithètes courantes : heureuse, bonne, agréable ; mauvaise, malheureuse, funeste, fâcheuse, malencontreuse, indésirable, pénible, fortuite, etc.
rencontrer, v. tr. (préf. *re*, et anc. v. *encontrer*, m. s.). Trouver une personne, une chose, soit qu'on la cherche, soit qu'on ne la cherche pas. *Rencontrer quelqu'un dans la rue.* — *Rencontrer les yeux de quelqu'un*, le regarder au moment où l'on est regardé par lui. ‖ Heurter par hasard. *Le torrent entraîne tout ce qu'il rencontre sur son passage.* ‖ Heurter, donner dans. *Le navire rencontra un récif.* = V. intr. Trouver par hasard ; deviner juste. *Il a mal rencontré. Rencontrer juste.* = SE RENCONTRER, v. pr. Exister, être rencontré, être trouvé. *Cela peut se rencontrer.* ‖ Impersonnellement. *Il s'est rencontré des hommes qui...* ‖ Se trouver avec quelqu'un. *Nous nous sommes rencontrés en route.* ‖ Avoir les mêmes pensées qu'un autre sur un même sujet. *Les beaux esprits se rencontrent* (Fam.). ‖ Se heurter. *Les deux camions se sont rencontrés.*
* **rencorser**, v. tr. [Cout.] Rencorser une robe, y mettre un corsage neuf.
rendant, ante, adj. Qui rend. [Dr.] Celui, celle qui rend un compte.
rendement, n. m. (du v. *rendre*). Produit proportionnel que donne une chose.

Le rendement des terres est variable pour une même culture. ‖ Rapport entre les capitaux engagés dans une affaire et les capitaux qu'elle rapporte. [Agric.] Ce que produit une surface déterminée de terrain. *Rendement du blé à l'hectare.* ‖ Rapport entre le poids d'un animal vivant et son poids net en viande. [Mécan.] *Rendement d'une machine, d'une transmission,* etc., rapport entre le travail utile fourni par la machine et le travail qu'elle reçoit de l'agent moteur.

rendetter (se), v. pr. S'endetter de nouveau.

rendez-vous, n. m. inv. Assignation que des personnes se donnent pour se trouver à une certaine heure en un certain lieu. ‖ Lieu où l'on doit se rendre; lieu accoutumé de réunion.

LING. — On doit dire recevoir quelqu'un *sur rendez-vous* et non *par rendez-vous.*

* **rendition** [sion], n. f. *Salle de rendition,* salle des crédits municipaux où sont rendus les objets engagés.

rendormir, v. tr. Faire dormir de nouveau quelqu'un. = SE RENDORMIR, v. pr. Recommencer à dormir. = Conjug. (comme *dormir*). V. VERBES.

* **rendosser,** v. tr. Remettre sur soi. *Rendosser un habit.* ‖ Fig. Revenir à. *Rendosser le vieil homme,* reprendre ses anciennes habitudes.

* **rendoubler,** v. tr. Faire un pli à un vêtement pour le raccourcir sans rien en couper.

rendre, v. tr. V. tabl. RENDRE.

RENDRE, verbe.

Étymologie. — Lat. *reddere,* m. s. La forme *rendre* a été influencée par l'analogie du verbe *prendre.*

Emploi général. — Le verbe *rendre* est un des plus employés de la langue française. En effet, en plus de ses sens premiers, qui se rattachent à son étymologie « restituer, donner en retour, redonner », il a pris des nuances variées et son emploi s'est étendu aux dépens de sa signification, devenue assez vague dans certaines expressions; il a pris le rôle, en quelque sorte, d'un mot-outil, marquant d'une façon très générale l'idée d'*exprimer* ou de *manifester;* il s'est combiné, dans ces cas, avec son régime pour former des locutions, véritables gallicismes, dont le sens se tire plus de ce régime que du verbe.

C'est le cas des locutions comme *rendre grâce, rendre justice, rendre compte,* etc. On trouvera ici plusieurs de ces expressions; pour l'explication des autres, il conviendra de se reporter aux articles traitant des noms qui accompagnent *rendre* : Ex. : *Rendre justice.* V. JUSTICE, etc.

RENDRE, verbe transitif.

1° *Sens de restituer, de donner à quelqu'un son dû.* Restituer; remettre une chose entre les mains de celui à qui elle appartient. *Rendez-lui ce que vous lui avez pris.* — Prov. *Il faut rendre à César ce qui appartient à César et à Dieu ce qui appartient à Dieu,* il faut rendre à chacun ce qui lui est dû (tiré d'une parole de l'Évangile). — *Rendre la monnaie,* verser au payeur la différence existant entre le prix de ce qu'il achète et la somme qu'il présente. — *Rendre à quelqu'un la monnaie de sa pièce,* lui rendre le mal qu'il vous a fait (fam.). — Absol. *Je ne puis rendre sur mille francs.*

Remettre, porter, voiturer, faire tenir une chose à quelqu'un, en un certain lieu. *Vous rendrez ce paquet à telle adresse.*

Donner, renvoyer à quelqu'un ce qu'on en avait reçu. *Elle lui a rendu tous ses cadeaux de fiançailles.* — Fig. *Rendre à quelqu'un sa parole,* le dégager de l'obligation de la tenir. On dit de même : *Je vous rends votre promesse, vos serments.*

Livrer, céder. *Le gouverneur se vit obligé de rendre la place.* — Fig. *Rendre les armes,* s'avouer battu. [Man.] *Rendre la bride, rendre la main à un cheval,* lui tenir la bride moins haute, moins ferme. — *Rendre des points à quelqu'un.* V. POINT.

S'acquitter de certains devoirs, de certaines obligations; observer certaines règles de bienséance, de politesse, etc. *Rendre un culte à la Divinité. Rendre les derniers devoirs à son ami.* — *Rendre visite à quelqu'un.* — *Je rends justice à vos intentions.* ‖ S'acquitter de services, d'offices bons ou mauvais. *Il a rendu de grands services à son pays.* ‖ Faire à l'égard d'une personne ce qu'elle a fait à notre égard; payer de retour. *Rendre la pareille.* — *Rendre un dîner,* réinviter celui qui vous avait invité.

Faire recouvrer ce dont on était privé, ce qu'on avait perdu. *Ce régime lui rendra les forces.* ‖ Fig. *Vous me rendez la vie,* vous me tirez d'une peine extrême.

Redonner à quelqu'un ce qu'on lui avait retiré. *Je lui ai rendu mon amitié.* ‖ Faire rentrer une personne en possession d'une chose dont elle était privée et à laquelle elle avait renoncé. *On vient de le rendre à la liberté.* — *Ce remède peut le rendre à la vie.*

Ramener à. *Rendre quelqu'un à sa famille.*

2° *Sens de causer, de produire.* — Faire devenir; être cause qu'une personne, qu'une chose devient ce qu'elle n'était pas auparavant. Dans ce sens, se construit généralement avec un adjectif attribut du complément d'objet. — *Son invention le rendit célèbre.* — *Cette nouvelle l'a rendu malade.* — *Se rendre une chose aisée, familière,* s'y habituer.

Produire, rapporter. *Il y a des terres qui rendent trente pour un.* — *Cet instrument rend un son harmonieux, il en sort des sons harmonieux quand on en joue. Cette orange rend beaucoup de jus.*

Absol. — Avoir un rendement. *Ce moteur rend bien, rend mal.* ‖ Fam. *Cela n'a pas rendu,* le résultat escompté n'a pas été obtenu. — *L'abcès a rendu quantité de pus.* — *Rendre gorge.* V. GORGE. — Fig. *Rendre l'esprit, l'âme, le dernier soupir,* mourir.

Rejeter par les voies naturelles ou autrement. *Rendre son déjeuner,* et absol. *Rendre,* vomir.

3° *Sens d'exprimer de telle ou telle façon.* — Représenter, exprimer. *Votre copie ne rend pas bien l'original.* — *Bien rendre la pensée d'un auteur.*

Traduire. *Il a mal rendu le sens du passage qu'il a traduit.* ‖ Répéter. *L'écho rend les sons, rend les paroles.*

4° *Gallicismes formés avec rendre* (V. ci-dessus.)

Rendre s'emploie encore dans quelques idiotismes. *Rendre la justice,* administrer la justice. *Rendre justice.* V. JUSTICE. — *Rendre un arrêt, une sentence, un jugement, une décision,* etc., prononcer un arrêt, etc. — *Rendre témoignage,* témoigner. — *Rendre grâce,* remercier. — *Rendre des oracles,* prononcer des oracles. — *Rendre ses comptes.* — *Rendre compte.* V. COMPTE. — *Rendre raison.* V. RAISON.

SE RENDRE, verbe pronominal.

Sens passif. — Être rendu. *Une visite de digestion doit se rendre dans la huitaine.* ‖ Être traduit. *Cette expression ne saurait exactement se rendre en français.*
Sens intransitif. — Aller trouver. — *Se rendre à l'appel de quelqu'un. Se rendre à une invitation.*
V. RENDEZ-VOUS. — Aller, se porter. *Si vous voulez vous rendre en tel endroit, vous m'y trouverez.* — *Se rendre à son poste.* — Se diriger vers. *Se rendre à la ville.* — Aboutir. *Les fleuves se rendent à la mer.*
Avec un attribut. — Devenir, par son propre fait. *Il sut se rendre nécessaire.* — Se faire regarder comme. *Par son arrogance, il s'est rendu insupportable à tous.* — *Se rendre ridicule.* — Avec un adjectif ou un déterminatif. *Se rendre maître de,* s'emparer de. *Se rendre maître d'une place.* — *Se rendre coupable de,* être coupable de.
Sens réfléchi. — Céder, se soumettre. *Se rendre à la raison, à l'évidence.* ‖ Cesser toute résistance, se reconnaître prisonnier de guerre. *La place se rendit après quatre mois de siège.* — Accéder, déférer. *La majorité se rendit à mon avis.*
N'en pouvoir plus. *Je ne puis plus ni boire ni manger, je me rends.*
SYN. — Rendre, exprimer ce que l'on pense ou ce que l'on sent : *Ce peintre rend fort bien les ciels méditerranéens.* — Exprimer, manifester par la parole : *Ce philosophe sait fort bien exprimer sa pensée.* — Reproduire, imiter fidèlement : *Cet écrivain reproduit très exactement les sentiments qu'excite en lui la nature.* — Traduire, reproduire en l'exprimant : *J'ai peur que ma phrase ne traduise qu'imparfaitement ma pensée.* V. aussi CONTREFAIRE.
SYN. — (Rendre compte). V. AVISER. (Rendre l'âme, rendre le dernier soupir). V. MOURIR.
CTR. — Prêter.
INCORR. — Ne dites pas : *Soyez rendu chez moi à midi;* dites : *soyez arrivé...*
CONJUG. — V. tr. du 3ᵉ gr. (inf. en re) [rad. rend].
Indicatif. — *Présent* : je rends, tu rends, il rend, nous rendons, vous rendez, ils rendent. — *Imparfait* : je rendais,... nous rendions,... — *Passé simple* : je rendis,... nous rendîmes, vous rendîtes, ils rendirent. — *Futur* : je rendrai,... nous rendrons...
Impératif. — rends, rendons, rendez.
Conditionnel. — *Présent* : je rendrais,... nous rendrions...
Subjonctif. — *Présent* : que je rende,... que nous rendions... — *Imparfait* : que je rendisse,... qu'il rendît, que nous rendissions...
Participe. — *Présent* : rendant. — *Passé* : rendu, ue.

1. rendu, ue, adj. (pp. du v. *rendre*). Fatigué, exténué. ‖ Exprimé. *Portrait bien rendu.* ‖ *Ce vin coûte tant, rendu à Paris,* transporté, arrivé à Paris. ‖ *Nous voilà bientôt rendus,* nous serons bientôt arrivés.

2. rendu, n. m. Action de rendre, en usant du même procédé. ‖ *Mauvais tour fait à quelqu'un pour lui rendre la pareille.* — Dans le même sens : *C'est un prêté rendu* (ne pas dire : *C'est un prêté pour un rendu*). ‖ *Ce qui dans une œuvre d'art est bien exprimé.* [Comm.] Marchandise retournée par les clients ou renvoyée aux fournisseurs.

* **renduire,** v. tr. Enduire de nouveau. = Conjug. (comme *cuire*). V. VERBES.

rendurcir, v. tr. Rendre plus dur. = SE RENDURCIR, v. pr. Devenir plus dur, et, au fig., plus méchant, plus insensible.

* **rendurcissement,** n. m. Action de rendurcir, de se rendurcir.

rêne, n. f. (lat. *retinere,* retenir). Courroie de la bride d'un cheval, par laquelle on le conduit. ‖ Fig. *Les rênes de l'État,* la haute administration de l'État.
HOM. — V. RAINE.

renégat, ate, n. (lat. *renegatus,* renié). Celui, celle qui a renié la religion chrétienne pour embrasser une autre religion. ‖ Celui qui abandonne un parti pour passer dans un parti opposé.
SYN. — V. DÉSERTEUR.

* **reneiger,** v. impers. Neiger de nouveau. = Conjug. (comme *neiger*). V. VERBES.

* **rêner,** v. tr. Assujettir au moyen des rênes.
HOM. — *Rainer,* faire une rainure.

rénette ou * **rainette,** n. f. [Techn.] Instrument employé par les maréchaux pour couper la corne du sabot des chevaux. ‖ Outil pour tracer des lignes.
HOM. — V. RAINETTE.

rénetter, v. tr. Couper la corne du sabot d'un cheval avec la rénette.

* **renettoyer,** v. tr. Nettoyer de nouveau. = Conjug. V. GRAMMAIRE.

renfaîtage, n. m. Action de renfaîter, son résultat.

renfaîter, v. tr. *Renfaîter un toit,* en refaire ou raccommoder le faîte.

renfermé, ée, adj. Qui est peu communicatif. *Un homme renfermé.* = N. m. Mauvaise odeur des choses longtemps renfermées, des locaux non aérés depuis longtemps. *Sentir le renfermé.*
CTR. — Expansif, ouvert, communicatif.

renfermer, v. tr. Enfermer de nouveau. ‖ Garder enfermé; tenir sous clef. *C'est un fou qu'il faudrait renfermer.* ‖ Comprendre, contenir, au pr. et au fig. *Ce livre renferme de grandes vérités.* ‖ Fig. Restreindre, réduire dans de certaines bornes. = SE RENFERMER, v. pr. S'enfermer soigneusement. — Fig. *Se renfermer en soi-même,* se recueillir, se concentrer. ‖ Fig. Se restreindre dans certaines bornes. *Cet auteur s'est renfermé dans son sujet.*
SYN. — V. CONTENIR.

renfiler, v. tr. Enfiler de nouveau.

renflammer, v. tr. Enflammer de nouveau. = SE RENFLAMMER, v. pr. S'enflammer de nouveau.

renflé, ée, adj. Dont le diamètre est plus grand dans la partie du milieu. *Tige renflée, colonne renflée.*

renflement, n. m. État de ce qui est renflé. — Partie qui est renflée. *Le renflement d'une colonne.*

renfler, v. intr. Augmenter de volume. = V. tr. Augmenter la grosseur, dilater. *Renfler une sphère.* = SE RENFLER, v. pr. Augmenter de grosseur. *Les haricots se renflent dans l'eau.*

renflouage ou **renflouement,** n. m. Action de renflouer, au pr. et au fig.

renflouer, v. tr. Remettre à flot un bâtiment échoué. ‖ Fig. *Renflouer une banque,* lui fournir les fonds nécessaires pour rétablir sa situation financière.
CTR. — Échouer.

renfoncement, n. m. Action de renfoncer. ‖ Dépression, creux que présentent

certaines parties d'une chose. ‖ Pop. Coup de poing, coup. *Mon chapeau a reçu un renfoncement.*
renfoncer, v. tr. Enfoncer de nouveau, ou plus avant. ‖ Mettre un fond à. *Renfoncer un tonneau.* = Conjug. V. GRAMMAIRE.
* **renforçage,** n. m. Syn. de *renforcement.*
* **renforçateur,** n. m. [Photo.] Bain servant au renforcement.
renforcé, ée, adj. Plus épais, plus fort. ‖ Fig. *Un fat, un sot renforcé,* un homme extrêmement fat ou sot.
renforcement, n. m. Action de renforcer; effet de cette action. [Photo.] Action d'augmenter les contrastes de teintes, le jeu des valeurs d'un cliché.
renforcer, v. tr. (*re, en,* préf., et *force*). Rendre plus fort. *Renforcer une garnison.* ‖ Rendre plus solide, plus résistant. *Renforcer un mur.* ‖ Donner plus d'intensité, plus d'éclat. = SE RENFORCER, v. pr. Devenir plus fort, plus solide, plus intense. = Conjug. V. GRAMMAIRE.
SYN. — V. AFFERMIR.
CTR. — *Affaiblir annihiler.*
* **renforcir,** v. tr. Rendre plus fort. = V. intr. Devenir plus fort (Pop.).
* **renformir,** v. tr. Remettre des pierres à un vieux mur et le crépir pour le consolider.
* **renformis,** n. m. Action de renformir un vieux mur.
renfort [*for*], n. m. Augmentation de force. *La garnison a reçu du renfort.* ‖ Troupes supplémentaires venant renforcer celles qui sont engagées. *Amener des renforts.* [Techn.] Toute pièce qu'on ajoute à une autre pour en augmenter la solidité. ‖ *Chevaux de renfort,* ceux qu'on ajoute à un attelage dans les chemins montants ou difficiles. = A GRAND RENFORT DE, loc. prép., en se servant d'une grande quantité de.
renfrogné ou * **refrogné, ée,** adj. Qui est contracté par la mauvaise humeur. Qui laisse voir de la mauvaise humeur.
SYN. — V. SILENCIEUX.
CTR. — *Jovial, riant.*
renfrognement, n. m. Action de se renfrogner.
renfrogner (se), v. pr. Contracter la peau du front, du visage, de façon à prendre une expression de mécontentement. = V. tr. Contracter les traits par mauvaise humeur. *Cette nouvelle le renfrogna.*
rengagé, n. m. Militaire qui a contracté un rengagement.
rengagement, n. m. Acte par lequel un militaire, à l'expiration de son temps de service, s'engage librement à servir pour une nouvelle période.
rengager, v. tr. Engager de nouveau, remettre en gage. ‖ Embaucher de nouveau. = V. intr. Contracter un rengagement. = SE RENGAGER, v. pr. S'engager de nouveau. ‖ Être engagé une nouvelle fois. = Conjug. V. GRAMMAIRE.
rengaine, n. f. Banalité répétée à satiété. ‖ Chanson, refrain répétés par tous.
SYN. — V. RÉPÉTITION.
rengainer, v. tr. Remettre dans la gaine, dans le fourreau. ‖ Absol. *Rengainer son épée.* ‖ Fig. et fam. Ne pas achever ce qu'on avait envie de dire. *Rengainer son compliment.*

* **rengorgement,** n. m. Action de se rengorger.
rengorger (se), v. pr. Affecter un air de fierté en retirant un peu la tête en arrière. ‖ Fig. Faire l'important. = Conjug. V. GRAMMAIRE.
rengraisser, v. tr. Engraisser de nouveau. ‖ Faire redevenir gras. = V. intr. Redevenir gras.
* **rengrègement,** n. m. Augmentation, accroissement (Vx).
rengrènement, n. m. Action de rengréner.
rengréner, ou * **rengrener** v. tr. Engager de nouveau entre les dents d'une roue dentée, ou engrener dans une seconde roue. ‖ Remoudre le gruau. ‖ Remplir la trémie de nouveau grain. [Monnaies.] Remettre sous le balancier une pièce, une médaille qui n'a pas bien reçu l'empreinte = Conjug. V. GRAMMAIRE.
* **renhardir,** v. tr. Redonner de la hardiesse.
* **reniable,** adj. Qui peut être renié.
reniement ou * **renîment,** n. m. Action de renier.
renier, v. tr. Déclarer contre la vérité qu'on ne connaît point une personne, une chose. ‖ *Renier un parent, un ami,* refuser de le reconnaître pour tel. ‖ Désavouer une chose de fait. *Renier sa patrie.* ‖ Renoncer à une chose, abjurer. — *Renier Dieu,* blasphémer. = Conjug. V. GRAMMAIRE.
SYN. — V. RENONCER.
PAR. — *Dénier,* nier, refuser.
* **renieur, euse,** n. Celui, celle qui renie.
* **reniflard,** n. m. Soupape de chaudière à vapeur permettant la rentrée de l'air dans celle-ci.
reniflement, n. m. Action de renifler.
renifler, v. intr. Aspirer fortement par le nez, avec un certain bruit. ‖ Fig. et fam. *Renifler sur,* marquer de la répugnance pour. = V. tr. Aspirer avec le nez. *Renifler une prise de tabac.*
reniflerie, n. f. Action de renifler (Pop.).
renifleur, euse, n. Celui, celle qui renifle.
* **réniforme,** adj. Qui a la forme d'un rein.
rénitence [*tan-se*], n. f. [Méd.] État d'une tumeur qui est résistante à la palpation, bien que se laissant déprimer.
rénitent, ente, adj. [Méd.] Qui résiste à la pression.
* **reniveler,** v. tr. Niveler de nouveau. = Conjug. V. GRAMMAIRE.
renne, n. m. [Zool.] Espèce de mammifères ruminants du genre cerf, des régions boréales, à ramure à andouillers aplatis en palettes.
HOM. — V. RAINE.
* **renoircir,** v. tr. Noircir à nouveau.
renom, n. m. Excellente réputation; célébrité. *Un homme de renom, de grand renom.* ‖ Opinion répandue sur quelqu'un.
SYN. — *Renom,* bonne opinion que le public a de quelqu'un ou de quelque chose : *Le renom des vins de France.* — *Célébrité,* état d'un homme ou d'une chose dont la renommée est universelle : *La célébrité de Socrate, la célébrité du Parthénon.* — *Notoriété,* le fait d'être connu d'un grand nombre de gens : *La notoriété d'un acteur, d'un produit.* — *Renommée,* l'opinion que le public a de quelqu'un ou de

quelque chose : *Les habitants de ce village ont une mauvaise renommée.* — *Réputation,* l'opinion bonne ou mauvaise, que le public a de quelqu'un ou de quelque chose : *Cet individu a la réputation d'être un ivrogne.* — *Retentissement,* notoriété étendue : *Cette affaire a eu un grand retentissement.* — *Vogue,* faveur publique dont jouit un auteur, un artiste, une mode : *La vogue des robes à paniers fut très grande sous Louis XV.* V. aussi CRÉDIT.

renommé, ée, adj. Qui a une grande réputation; célèbre, fameux.
SYN. — V. ILLUSTRE.

renommée [reno-mé], n. f. (de *renommé,* pp. de *renommer*). Grand renom; réputation très étendue. Prov. *Bonne renommée vaut mieux que ceinture dorée.* ‖ Voix publique qui répand partout le bruit des actions, des événements remarquables. *J'ai appris cet événement par la renommée.* [Myth.] Divinité allégorique représentée sous les traits d'une femme ailée qui embouche la trompette.

— *Je ne dois qu'à moi seul toute ma renommée.* (CORNEILLE.)
— *Qu'heureux est le mortel qui, du monde ignoré,*
Vit content de soi-même en un coin retiré ;
Que l'amour de ce rien, qu'on nomme renommée,
N'a jamais enivré d'une vaine fumée !
(BOILEAU.)

ÉPITHÈTES COURANTES : bonne, mauvaise, fâcheuse, déplorable, détestable, grande, mondiale, universelle, justifiée, usurpée intacte, etc.
SYN. — V. RENOM et CRÉDIT.
HOM. — *Renommer,* nommer de nouveau.

renommer, v. tr. Nommer, élire de nouveau.
HOM. — *Renommée,* grand renom.

renonçant, ante, adj. et n. Qui renonce, qui fait une renonciation.

renonce, n. f. Aux cartes, manque d'une couleur ou action de ne pas fournir une couleur.
HOM. — *Renonce, es, ent,* du v. renoncer.

renoncement, n. m. Action de renoncer (au sens moral). ‖ Absol. Action de renoncer aux biens terrestres. *Vie de renoncement.*
SYN. — *Renoncement,* action de se désister, d'abandonner volontairement : *Une vie de renoncement et de sacrifice.* — *Délaissement,* action de laisser sans secours : *Le délaissement d'une région pauvre.* — *Désistement,* action de renoncer à un procès, à une candidature : *Solliciter le désistement d'un concurrent moins favorisé.* — *Renonciation,* acte par lequel on ne prétend plus à : *Acte de renonciation au trône.* V. aussi ABDICATION, ABNÉGATION.

renoncer, v. intr. (lat. *renuntiare,* m. s.). Se désister de. *Renoncer à la couronne.* ‖ Ne plus prétendre à quelque chose. *Renoncer aux honneurs, au monde.* — Formule relig. *Renoncer à Satan, à ses pompes et à ses œuvres,* délaisser les biens de ce monde. ‖ A certains jeux de cartes, mettre une carte d'une couleur autre que celle qui est jouée. = V. tr. Se refuser à reconnaître; renier, désavouer. *Je le renonce pour mon frère.* = Conjug. V. GRAMMAIRE.
GRAM. — *Renoncer,* signifiant abandonner, ne pas donner suite à…, est intransitif :

Nous renonçons à notre projet. Il a renoncé au baccalauréat. Dans le sens de désavouer, renier, on l'emploie transitivement : *Il l'a renoncé pour son fils.*
SYN. — *Renoncer,* rejeter, laisser de côté : *Renoncer à ses prétentions.* — *Abjurer,* déclarer publiquement que l'on renonce à une religion, à une doctrine : *Henri IV abjura le protestantisme pour devenir roi de France.* — *Renier,* feindre de ne pas connaître : *Saint Pierre renia son maître.* Abjurer, rejeter : *Renier sa conduite passée.*
V. aussi ABANDONNER.

* **renonciataire,** n. [Dr.] Celui, celle en faveur de qui on renonce.

* **renonciateur, trice,** n. Celui, celle qui renonce.

renonciation [sion], n. f. Action de renoncer à quelque chose. ‖ Acte par lequel on formule cet abandon.
SYN. — V. ABDICATION et RENONCEMENT.

renonculacées, n. f. pl. [Bot.] Famille de végétaux dicotylédones dialypétales, ordinairement herbacés.

renoncule, n. f. [Bot.] Genre de plantes dicotylédones, type de la famille des *renonculacées.*

renouée, n. f. [Bot.] Genre de plantes dicotylédones de la famille des *polygonacées,* à tige noueuse.

renouement ou * **renoûment,** n. m. Action de nouer de nouveau (Vx).

renouer, v. tr. Nouer une chose dénouée. *Renouer une ficelle.* ‖ Fig. Renouveler, reprendre une chose en état d'interruption. *Renouer des négociations. Renouer la conversation.* ‖ Absol. Se lier de nouveau avec quelqu'un. *Renouer avec une personne amie.*
CTR. — *Rompre, dénouer.*

renouveau, n. m. Le printemps, la saison nouvelle. ‖ Fig. Tout ce qui donne l'impression d'une renaissance.
SYN. — V. RENAISSANCE.

renouvelable, adj. Qui peut être renouvelé. *Une traite renouvelable.*

* **renouvelant, ante,** n. Enfant qui renouvelle sa première communion.

renouveler, v. tr. (lat. *renovellare,* de *re,* préf., et *novellus,* nouveau). Rendre nouveau, en substituant une chose à une autre de même espèce. *Renouveler les meubles d'une chambre.* ‖ Donner un nouvel aspect; régénérer. *Le retour du printemps renouvelle toutes choses.* ‖ Recommencer, faire de nouveau, réitérer. *Renouveler une querelle.* — *Renouveler un traité, une alliance, un bail,* faire un nouveau traité, etc., avec les mêmes États, les mêmes personnes, et à peu près aux mêmes conditions. ‖ Remettre en vigueur. *Renouveler une mode.* ‖ Ranimer. *Renouveler le chagrin de quelqu'un.* = SE RENOUVELER, v. pr. Être renouvelé. *La nature se renouvelle au printemps.* ‖ Se reproduire, revenir à nouveau, recommencer. *Le fait se renouvela plusieurs fois.* = Conjug. V. GRAMMAIRE.

renouvellement, n. m. Remplacement d'une chose usée par une chose neuve. *Le renouvellement d'une garde-robe.* ‖ Apparition nouvelle et périodique. *Le renouvellement de la lune.* ‖ Action de renouveler, de refaire, de réitérer. *Le renouvellement d'un bail.* ‖ Accroissement après une rémission, un relâchement. *Un renouvellement de*

fièvre. ‖ Prorogation de l'échéance d'une dette, d'un effet de commerce, etc.
Syn. — V. renaissance.
rénovateur, trice, adj. et n. Qui renouvelle, qui régénère, qui produit un grand changement.
rénovation [*sion*], n. f. Renouvellement, rétablissement d'une chose dans son premier état. ‖ Régénération, transformation en mieux. *La rénovation des mœurs.* [Physiol.] Régénérescence des tissus ou des organes.
rénover, v. tr. Donner une nouvelle vigueur, une nouvelle impulsion, une nouvelle forme. *Rénover les systèmes d'éducation.*
* **renseigné, ée,** adj. Qui a des renseignements.
renseignement [*gn* mll.], n. m. Indice, remarque, instruction pouvant fournir des éclaircissements sur un fait, une affaire, une personne.
renseigner [*gn* mll.], v. tr. Donner des renseignements. = SE RENSEIGNER, v. pr. Prendre des renseignements.
* **rensemencer,** v. tr. Ensemencer de nouveau. = Conjug. V. grammaire.
* **rentable,** adj. Qui peut produire un revenu.
* **rentamer,** v. tr. Entamer de nouveau.
* **rentasser,** v. tr. Entasser de nouveau.
rente, n. f. (lat. *reddita,* choses rendues). Ce qui est dû, ce qu'on rend chaque année au prêteur pour les fonds aliénés, cédés ou affermés. *Rente foncière, perpétuelle, viagère, en nature, sur l'État.* Absol. : Rente constituée par l'État. *Acheter de la rente.* ‖ Revenu annuel. *Vivre de ses rentes.*
Syn. — V. revenu.
renté, ée, adj. Qui a des rentes, du revenu. ‖ Fam. *Bien renté, riche.*
1. **renter,** v. tr. Servir une rente à. ‖ Assigner un certain revenu pour une fondation faite. *Renter un hôpital.*
2. * **renter,** v. tr. Rempiéter.
rentier, ière, n. Celui, celle qui a des rentes. ‖ Celui, celle qui vit de son revenu. ‖ Pop. *Faire le rentier,* ne plus travailler.
rentoilage, n. m. Action de rentoiler.
rentoiler, v. tr. Remettre de la toile neuve à la place de celle qui est usée. ‖ Coller la toile d'un vieux tableau sur une toile neuve, ou transporter une peinture d'une vieille toile sur une neuve.
* **rentoileur, euse,** n. Celui, celle qui fait les rentoilages.
* **rentrage,** n. m. Action de rentrer. *Le rentrage des foins.*
* **rentraîner,** v. tr. Entraîner de nouveau.
rentraire, v. tr. Coudre bord contre bord et de façon invisible deux morceaux d'étoffe qui ont été déchirés ou coupés. = Conjug. (comme *traire*). V. verbes.
rentraiture, n. f. Couture faite avec tant de soin qu'elle ne se voit pas.
rentrant, ante, adj. [Géom.] *Angle rentrant,* angle dont le sommet est tourné vers l'intérieur de la figure. [Fortif.] Angle dont le sommet est dirigé vers les défenseurs. = N. m. Au jeu, celui qui prend la place d'un joueur quittant la partie.
Ctr. — *Saillant.*
rentrayage, n. m. Action de rentraire.
rentrayeur, euse, n. Celui, celle qui sait rentraire.
rentré, ée, adj. Revenu à l'intérieur après être sorti ‖ Qui s'est porté en dans, caché. ‖ Obligé de se contraindre. *Colère rentrée.* ‖ Cave, creux. *Yeux rentrés.*
rentrée, n. f. Action de rentrer dans un lieu d'où l'on est sorti. ‖ Réapparition d'une personne dans un lieu après une absence un peu longue. *Cet acteur fera sa rentrée dans tel rôle.* ‖ Reprise par les tribunaux, les parlements, les écoles, etc., de leurs fonctions, de leurs exercices après les vacances. *La rentrée des classes.* ‖ En parlant des récoltes, leur enlèvement, leur mise en grange, en grenier. *La rentrée des foins.* ‖ Perception d'un revenu, recouvrement d'une somme. *La rentrée des contributions.* [Mus.] Reprise par un instrument, après un silence. — Retour du motif principal, dans une fugue, après quelques pauses de silence. [Théâtre] Réouverture des théâtres après la fermeture annuelle. [Jeu] Cartes que l'on prend au talon à la place de celles qu'on a écartées.
Ant. — *Sortie.* — *Vacances, fermeture.*
Hom. — *Rentrer,* v., entrer de nouveau.
rentrer, v. intr. Entrer de nouveau, entrer après être sorti. *Il était à peine sorti qu'on le vit rentrer.* ‖ Revenir chez soi. *Il est rentré à minuit.* — *Rentrer du travail.* ‖ Revenir à un état ancien. *Rentrer dans l'alignement,* se remettre sur l'alignement en reculant. ‖ Fig. Entrer de nouveau en possession de, revenir à. *Rentrer dans ses droits,* les recouvrer. — *Rentrer en grâce,* être pardonné. — *Rentrer dans l'ordre, dans son devoir,* se remettre dans l'ordre, etc. *Rentrer en soi-même,* faire réflexion sur soi-même, sur sa conduite. — *Les jambes me rentrent dans le corps,* ne peuvent plus me soutenir, par excès de fatigue. ‖ Recommencer, reprendre ses fonctions, son travail, etc. *Rentrer en charge, en exercice.* — Absol., en parlant des tribunaux, reprendre ses fonctions; en parlant des écoles, reprendre les études après les vacances.
Être compris, renfermé. *Cela rentre dans vos attributions.* ‖ En parlant de revenus : Arriver, être touché, perçu. *L'impôt rentre bien.* [Jeu de cartes] Échoir, en parlant des cartes que l'on prend au talon à la place de celles qu'on a écartées. ‖ S'emboîter. *Le pêne rentre mal dans la gâche.* [Théâtre] Faire une rentrée, reparaître sur une scène où l'on a déjà paru.
RENTRER, v. tr. Faire rentrer, porter, ou reporter à l'intérieur ce qui était à l'extérieur. *Rentrer ses moutons.* ‖ Fig. *Rentrer sa colère,* la dissimuler. [Typo.] *Rentrer, faire rentrer une ligne,* la renfoncer. = SE RENTRER, v. pr. Être rentré. *Certaines fleurs se rentrent avant novembre.*
Gram. — C'est une faute de langage fréquente de dire *rentrer* pour *entrer* : *rentrer* indique nécessairement une répétition de l'action, et ne peut s'employer pour ce qui a lieu une première fois. Des locutions comme : *Je ne suis jamais venu dans cette salle, je n'oserais y rentrer, car il y a trop de monde;* ou : *Rentrer dans les lignes ennemies* sont donc à proscrire comme incorrectes et illogiques.
Ctr. — *Sortir, ressortir.*
* **rentr'ouvrir,** v. tr. Entr'ouvrir de nouveau. = Conjug. (comme *souffrir*). V. verbes.
* **renvelopper,** v. tr. Envelopper de nouveau.

* **renverguer,** v. tr. [Mar.] Enverguer une voile de nouveau.

* **renversable,** adj. Qui peut être renversé.
CTR. — *Inversable.*

renversant, ante, adj. Fam. Qui produit un étonnement susceptible de faire tomber à la renverse. *Nouvelle renversante.*

renverse (à la), loc. adv. Sur le dos, le visage en haut. = N. f. [Mar.] Saute brusque de vent, de 180° environ.

renversé, ée, adj. Tombé sens dessus dessous. ∥ *C'est le monde renversé,* se dit d'une chose contre l'ordre naturel, contre la raison. ∥ Qui est ou qui paraît être dans une situation opposée à sa situation habituelle. *Un cône renversé.* [Phys.] *Image renversée,* en sens inverse de celle de l'objet. ∥ Fig. Altéré, bouleversé par une émotion violente. *Physionomie renversée.*

renversement, n. m. Action de renverser. ∥ État d'une chose renversée. ∥ Bouleversement, désordre. ∥ Fig. Ruine, décadence, destruction totale. [Chir.] Dérangement dans la situation d'un organe, la partie supérieure devenant l'inférieure, et l'interne l'externe. [Mus.] Interversion des rapports des sons. [Mar.] *Renversement de courant, de mousson,* etc., leur changement de sens.

renverser, v. tr. (préf. *re,* et anc. v. *enverser*). Retourner quelque chose de manière que ce qui était en haut soit en bas, et réciproquement. *Renverser un verre.* ∥ Jeter à terre, faire tomber une personne, une chose. *Le vent a renversé ces arbres.* ∥ Par ext. Détruire, anéantir. ∥ Troubler des choses, les bouleverser. *Il a renversé tous mes papiers.*

Fig., au sens moral. Troubler, bouleverser, détruire. *Renverser des desseins, des espérances.* ∥ *Renverser l'esprit de quelqu'un,* lui troubler l'esprit. ∥ Stupéfier, déconcerter violemment. *Cela me renverse.* [Polit.] *Renverser un ministère,* le mettre en minorité pour le forcer à se retirer. ∥ Transposer, intervertir l'ordre de. *Renverser une fraction.* ∥ *Renverser la vapeur,* la faire agir sur l'autre face du piston pour changer le sens de la marche d'une machine à vapeur. = V. intr. Être renversé, tomber. *L'essieu se rompit et tout renversa.* = SE RENVERSER. v. pr. Être renversé. ∥ *Se renverser sur le dos, se renverser en arrière,* ou simpl. *Se renverser,* se mettre, se coucher sur le dos.
SYN. — V. ABATTRE.
CTR. — *Établir, ériger, fonder.*

* **renvi,** n. m. [Jeu] Ce qu'on met par-dessus la vade ou l'enjeu. *Faire un renvi de dix louis.*

* **renvider,** v. tr. Enrouler sur les bobines l'aiguillée de fil obtenue par le métier à filer.

* **renvideur, euse,** n. Celui, celle qui renvide. = N. m. Métier mécanique à renvider.

renvoi, n. m. (n. verb. de *renvoyer*). Envoi, retour d'une chose à la personne qui l'avait envoyée. *Renvoi d'une lettre.* ∥ Action de destituer quelqu'un, congé qu'on lui donne. *Je lui ai signifié son renvoi.* ∥ Action de renvoyer une demande, une proposition, etc., à ceux qui doivent l'examiner, y faire droit, etc. [Dr.] Action de renvoyer une partie, un procès devant tel ou tel juge. *L'accusé demanda son renvoi*

par-devant le jury. ∥ Remise, ajournement. *Le renvoi d'une discussion.* ∥ Marque insérée dans le texte d'un livre, d'un manuscrit, qui renvoie le lecteur à une explication placée hors du texte. ∥ Cette explication elle-même. [Méd.] Mouvement qui ramène dans la bouche des matières contenues dans l'œsophage ou dans l'estomac. [Phys.] Réflexion, répercussion. *Le renvoi du son par l'écho, de la lumière par un miroir.* [Mus.] Signe qui indique une reprise. V. pl. MUSIQUE.
HOM. — *Renvoie, es, ent,* du v. renvoyer.

renvoyer [*voi-ié*], v. tr. Envoyer de nouveau. ∥ Faire reporter à une personne une chose qu'elle avait envoyée ou qui lui appartient. *On lui avait envoyé un présent, il l'a renvoyé.* ∥ Faire retourner quelqu'un ou quelque chose au lieu d'où il était envoyé, d'où il était parti. *On a renvoyé le courrier deux heures après son arrivée.* ∥ Congédier quelqu'un. *Renvoyer un domestique.* ∥ Adresser à quelqu'un d'autre une personne à la demande de laquelle on ne peut satisfaire. *On me renvoya au chef de bureau.* ∥ Transmettre à d'autres. *Renvoyer un projet à une commission.* ∥ Faire un renvoi dans le courant d'un texte. *Renvoyer le lecteur aux notes placées à la fin du volume.*

Libérer, décharger d'une accusation. *Renvoyer un accusé.* ∥ Repousser, réfléchir, répercuter. *L'écho renvoie les sons.* — Fig. *Renvoyer la balle,* riposter du tac au tac. ∥ Remettre à un autre temps. — *Renvoyer aux calendes grecques,* remettre à une date indéterminée. = SE RENVOYER, v. pr. Être renvoyé. *Se renvoyer l'un à l'autre, se renvoyer la balle,* se décharger l'un sur l'autre. = Conjug. (comme *envoyer*). V. VERBES.
SYN. — V. CONGÉDIER et DIFFÉRER.

réoccupation [*sion*], n. f. Action de réoccuper; nouvelle occupation.

réoccuper, v. tr. Occuper de nouveau.

réorchestrer [*kèss*], v. tr. Orchestrer de nouveau.

réordination [*sion*], n. f. [Liturg.] Action de réordonner, quand la première ordination est entachée de nullité.

* **réordonnancement,** n. m. Action de réordonnancer; son résultat.

* **réordonnancer,** v. tr. Ordonnancer de nouveau. = Conjug. V. GRAMMAIRE.

réordonner, v. tr. [Liturg.] Conférer pour la seconde fois les ordres sacrés à quelqu'un, quand la première ordination est nulle.

* **réorganisateur, trice,** adj. et n. Qui réorganise, qui sait réorganiser.

réorganisation [*za-sion*], n. f. Action d'organiser de nouveau. ∥ Résultat de cette action.

réorganiser, v. tr. Organiser de nouveau ou d'une autre façon. = SE RÉORGANISER, v. pr. Être, devenir réorganisé.

* **réorthe,** n. f. Lien de saule ou d'osier servant à attacher des fagots.

réouverture, n. f. Action de rouvrir ce qui était fermé. *Réouverture d'un théâtre.*

* **réoxydation** [*sion*], n. f. [Chim.] Nouvelle oxydation.

* **réoxyder,** v. tr. Oxyder de nouveau.

repaire, n. m. Lieu où se retirent des animaux malfaisants, des malfaiteurs. [Vén.] Fiente des loups, des lièvres, des lapins, etc.

ÉPITHÈTES COURANTES : profond, caché, secret, inaccessible, impénétrable, souterrain, fortifié, obscur, sinistre, affreux, horrible, etc.

HOM. — *Repaire*, n. m., retraite d'animaux sauvages; — *repère*, n. m., marque pour servir d'indice; — *repère, es, ent*, du v. repérer; — *reperds, erd*, du v. reperdre.

repaître, v. intr. (préf. *re*, et *paître*). Manger, en parlant des hommes et des animaux. *Ce cheval a fait trente lieues sans repaître.* = REPAÎTRE, v. tr. *Repaître ses yeux d'un spectacle*, le regarder avec avidité. — *Repaître quelqu'un de chimères*, l'amuser, le faire patienter par des choses fausses, vaines, frivoles. = SE REPAÎTRE, v. pr. Se nourrir, manger. ‖ Fig. *Il se repaît d'espérances vaines.* — On dit aussi d'un homme cruel et sanguinaire : *Il se repaît de sang*.

> CONJUG. — V. trans. 3ᵉ groupe (inf. en *re*) [rad. *repaiss, repai*]. Se conjug. comme PAITRE. Il a, en plus :
> *Indicatif.* — *Passé simple* : je repus, ... il reput, nous repûmes, vous repûtes...
> *Subjonctif.* — *Imparfait* : que je repusse, ... qu'il repût, que nous repussions...

répandre, v. tr. (préf. *re*, et *épandre*). Verser, épancher. *Répandre de l'eau par terre.* — *Répandre des larmes*, pleurer. — *Répandre du sang*, blesser ou tuer. *Répandre son sang*, être blessé. ‖ Répartir, distribuer à plusieurs personnes. *Répandre des aumônes.* ‖ Étendre au loin, disperser en plusieurs endroits. *Le soleil répand la lumière.* — Fig. Faire connaître au loin, propager. *Répandre des erreurs.* ‖ *Répandre des injures*, en dire à profusion. = SE RÉPANDRE, v. pr. S'épancher, s'écouler. ‖ Être distribué. *Ses bienfaits se répandent sur tous les malheureux.* ‖ Se disperser. *Les soldats se répandirent dans toute la province.* ‖ S'étendre, se propager. *Les eaux se répandirent dans la campagne.* ‖ Fig. *Se répandre en discours, en paroles, en louanges, en plaintes, en injures*, etc., tenir de longs discours, faire de longues plaintes, etc. — se dit aussi d'un homme qui cherche à faire le plus de connaissances possible, *qu'il cherche à se répandre dans le monde*, ou absol., *à se répandre.* = Conjug. (comme *rendre*) V. VERBES.

répandu, ue, adj. Admis communément. *Opinion répandue.* ‖ Propagé. ‖ *Être répandu dans le monde*, avoir beaucoup de relations, voir beaucoup de monde.

réparable, adj. Qui peut se réparer.
CTR. — *Irréparable*.

reparaître, v. intr. Paraître de nouveau. = Conjug. (comme *connaître*). V. VERBES.

réparateur, trice, adj. et n. Celui, celle qui répare. = Adj. Qui répare, qui rend des forces. *Sommeil réparateur.*

réparation [*sion*], n. f. Action de réparer. — Ouvrage qu'on fait afin de remettre une chose en bon état ou pour en prévenir la ruine. *Cette voiture, cette machine a besoin de réparations.* ‖ Action de corriger une injure, une offense, de se rétracter. *Réparation d'honneur.* — *Réparation par les armes*, duel. [Dr.] *Réparations civiles*, dommages-intérêts.

* **reparcourir**, v. tr. Parcourir de nouveau. = Conjug. (comme *courir*). V. VERBES.

réparer, v. tr. (lat. *reparare*, m. s.). Refaire, rétablir, restaurer ce qui a été endommagé; raccommoder. *Réparer une toiture.* — Fig. *Réparer ses affaires*, rétablir sa fortune ébranlée ou détruite. — *Réparer ses forces*, les rétablir. ‖ Fig., en parlant de défauts, de dommages, de maux, etc., en faire disparaître les effets, les compenser par des avantages équivalents ou supérieurs. *Il a bien réparé sa faute, sa faiblesse, sa perte.* — *Réparer une offense, une injure*, donner des satisfactions proportionnées à cette offense, à cette injure — *Réparer le temps perdu*, profiter mieux du temps que ce que l'on ne l'a fait par le passé. = SE RÉPARER, v. pr. Être réparé.

* **reparier**, v. tr. Parier de nouveau. = Conjug. V. GRAMMAIRE.

reparler, v. intr. Parler de nouveau. = SE REPARLER, v. pr. Se parler de nouveau (partic. après une brouille).

* **repartager**, v. tr. Partager de nouveau. = Conjug. V. GRAMMAIRE.

* **répartement**, n. m. Répartition de l'impôt entre les collectivités (les communes, par ex.) (Vx).

* **reparti**, adj. m. [Blas.] Se dit de l'écu parti dont les deux moitiés sont elles-mêmes partagées en deux.

repartie, n. f. Réplique, réponse prompte et vive.
SYN. — V. RÉPONSE.

repartir, v. intr. Partir de nouveau. ‖ Répliquer, répondre vivement et sur le champ. = Conjug. (comme *mentir*). V. VERBES.
GRAM. — Dans le sens de partir de nouveau, *repartir* prend aux temps composés l'aux. *être*. Dans le sens de répliquer, répondre sans retard, il prend aux temps composés l'aux. *avoir*. *Il est reparti aussitôt; il lui a reparti sur-le-champ.*
PAR. — Ne pas confondre avec le mot suivant.

répartir, v. tr. Partager, distribuer. *Répartir les biens d'une succession entre les héritiers.*
GRAM. — *Répartir* se conjugue comme *finir* (régulier, avec suffixe *iss*) à tous les temps. Il se distingue en cela de son paronyme *repartir*. (V. ce mot).
SYN. — V. ALLOUER et DIVISER.
CTR. — *Concentrer.*
PAR. Ne pas confondre avec le mot précédent.

répartiteur, n. m. Celui qui fait, qui est chargé de faire une répartition, principalement celle de l'impôt direct entre les contribuables, dans chaque commune.

répartition [*sion*], n. f. Partage, division, distribution. ‖ *Impôt de répartition*, impôt fixé d'année en année et réparti de degré en degré entre les départements, les arrondissements, les communes et enfin entre les contribuables. [Blas.] Subdivision de l'écu en figures composées de plusieurs partitions.
SYN. — V. PARTAGE.

repas [*pa*], n. m. Nourriture que l'on prend chaque jour à certaines heures réglées. *Les quatre repas* : le petit déjeuner, le déjeuner, le goûter et le dîner (appelé parfois *souper*). V. tabl. NOURRITURE (*Idées suggérées par le mot*).
— *Un repas sans fromage est une belle à qui il manque un œil.* (BRILLAT-SAVARIN.)

ÉPITHÈTES COURANTES : abondant, copieux, plantureux, somptueux, fastueux, maigre, léger, simple, frugal, improvisé, joyeux, funèbre, etc
SYN. — V. FESTIN.
repassage, n. m. Action de repasser, de traverser de nouveau. *Le repassage d'un fleuve* (Rare). ‖ Action d'aiguiser, d'émoudre un instrument tranchant. ‖ Action de repasser du linge. *Le repassage d'une chemise.*
* **repasse**, n. f. Grosse farine mêlée de son. [Distillerie] Mélange des produits du début et de la fin de la distillation, que l'on repasse dans l'alambic.
HOM. — *Repasse, es, ent*, du v. repasser.
repasser [sé], v. intr. Passer de nouveau; revenir. *Il repassera demain, il reviendra demain.* = V. tr. Traverser de nouveau. *Repasser la mer.* — Faire traverser de nouveau. *Le batelier qui vous a passé vous repassera.* ‖ Fig. Revenir sur. *Repasser quelque chose dans son esprit*, se remettre quelque chose dans l'esprit. — *Repasser un discours, un rôle, sa leçon, etc.*, répéter un discours, etc., appris par cœur, afin d'être plus sûr de sa mémoire.
Aiguiser, émoudre. *Repasser des couteaux, des ciseaux, etc.* ‖ *Repasser des cuirs*, leur donner un nouvel apprêt. ‖ *Repasser du linge, une étoffe*, etc., passer un fer chaud sur du linge, etc., pour le rendre plus uni, pour en ôter les mauvais plis.
SYN. — V. AIGUISER.
repasseur, n. m. Ouvrier qui repasse ou aiguise des lames, etc.; rémouleur.
repasseuse, n. f. Celle dont le métier est de repasser du linge. ‖ Machine à repasser le linge.
* **repatrier**, v. tr. V. RAPATRIER.
* **repavage** ou * **repavement**, n. m. Action de remplacer un pavage.
* **repaver**, v. tr. Paver de nouveau.
* **repayer**, v. tr. Payer de nouveau. = Conjug. V. GRAMMAIRE.
repêchage, n. m. Action de repêcher, au pr. et au fig.
repêcher, v. tr. Pêcher de nouveau. ‖ Retirer de l'eau ce qui y était tombé. ‖ Fig. Retirer quelqu'un d'une position difficile. ‖ *Repêcher un candidat*, le recevoir en majorant ses notes.
repeindre, v. tr. Peindre de nouveau. ‖ Fig. Retracer par l'imagination. = Conjug. (comme *peindre*). V. VERBES.
* **repeint** [*pin*], adj. Recouvert de nouvelles couches de peinture. = N. m. Endroit d'un tableau sur lequel on a appliqué de nouvelles couleurs.
* **rependre**, v. tr. Pendre de nouveau ce qui était tombé ou détaché. = Conjug. (comme *rendre*). V. VERBES.
repenser, v. intr. Penser de nouveau, réfléchir plus profondément sur une chose.
repentance, n. f. Regret, douleur qu'on éprouve d'une faute commise.
repentant, ante, adj. Qui se repent.
repenti, ie, adj. Qui se repent, qui s'est repenti. *Un pêcheur repenti.* ‖ *Filles repenties* ou, n. f. pl. *Repenties*, filles ayant vécu dans le désordre et qui se sont retirées ou ont été placées de force dans une maison religieuse. — *Maisons religieuses qui donnent asile à ces filles. Entrer aux Repenties, aux Filles repenties* (toujours avec une majuscule dans ce cas).

1. repentir (se), v. pr. (préf. *re*, et vx fr. *pentir*, du lat. *pœnitere*, se repentir). Éprouver une sincère douleur, un véritable regret. *Se repentir de ses fautes.* — Quelquefois par menace avec ellipse du pronom *se* : *Je l'en ferai bien repentir.* = Conjug. (comme *mentir*). V. VERBES.
— *Notre repentir n'est pas tant un regret du mal que nous avons fait, qu'une crainte de celui qui nous en peut arriver.*
(LA ROCHEFOUCAULD.)
— *Cette tristesse, que nos fautes nous causent, a un nom particulier, et s'appelle repentir.* (BOSSUET.)
GRAM. — Le participe passé du verbe *se repentir* s'accorde toujours avec le nom ou le pronom sujet du verbe qui le précède : *Elles se sont repenties de leur intervention.*
INCORR. — Dites : *nous nous repentons*, et non *nous nous repentissons*, grossier barbarisme.
2. repentir, n. m. (du v. *repentir* 1). Regret sincère d'avoir commis une faute, un péché. *Témoigner du repentir.* [Dessin et Peint.] Trace d'une première idée qu'on a voulu corriger. = N. m. pl. Boucles de cheveux roulées, pendant de chaque côté du visage.
ÉPITHÈTES COURANTES : profond, sincère, amer, touchant, salutaire, grand, immense, affecté, simulé, hypocrite, prompt, tardif, etc.
SYN. — V. REGRET.
repérage, n. m. Action de repérer. ‖ Action de mettre au point en se servant de repères. ‖ Action de déterminer la position de. *Repérage par le son.* ‖ Signes conventionnels sur des dessins ou des cartes en feuillets séparés, pour indiquer l'endroit où ces feuillets doivent s'ajuster.
repercer, v. tr. Percer de nouveau. = Conjug. V. GRAMMAIRE.
* **répercussif, ive**, adj. Qui produit la répercussion. ‖ Qui fait refluer à l'intérieur. = N. m. *La glace, l'eau très chaude sont des répercussifs.*
répercussion, n. f. [Méd.] Action de refluer à l'intérieur, en parlant des humeurs. ‖ Action de répercuter, de renvoyer. *La répercussion d'un son.* ‖ Fig. Conséquence, suites, contre-coup. *La répercussion d'un acte.*
répercuter, v. tr. (préf. *re*, et lat. *percutere*, frapper). Réfléchir, renvoyer. *Ce rocher répercute les sons.* [Méd.] Produire une répercussion.
reperdre, v. tr. Perdre de nouveau. ‖ Perdre ce qu'on vient de gagner. = Conjug. (comme *rendre*). V. VERBES.
repère, n. m. (lat. *reperire*, retrouver.) Toute marque faite sur une pièce quelconque pour servir d'indice en vue de l'ajuster, d'en retrouver la situation après démontage, etc. ‖ Fig. *Point de repère*, point qui sert à se retrouver. ‖ Marque faite sur un terrain, sur un mur, qui indique un niveau, un alignement et permet de le retrouver.
HOM. — V. REPAIRE.
repérer, v. tr. Poser, marquer des repères, des points de repère. ‖ Déterminer avec précision l'emplacement de quelque chose. *Repérer un nid de mitrailleuses.* ‖ Pop. *Se faire repérer*, se faire tenir à l'œil, ou simpl. se faire remarquer. = SE REPÉRER, v. pr. Se donner des points de repère. = Conjug. V. GRAMMAIRE.

répertoire, n. m. (lat. *repertorium*, m. s.). Inventaire, table, recueil où les choses, les matières sont rangées dans un ordre qui fait qu'on les trouve facilement. ‖ Livre de commerce permettant de retrouver rapidement un compte quelconque sur le grand livre. ‖ Fig. et fam. Ensemble de connaissances. [Théâtre] Liste des pièces restées au théâtre et qui s'y jouent encore. ‖ Titre de certains recueils. *Répertoire de jurisprudence.*
SYN. — V. CATALOGUE.
répertorier, v. tr. Établir un répertoire; porter sur un répertoire. = Conjug. V. GRAMMAIRE.
* **repeser** [zé], v. tr. Peser de nouveau. ‖ Fig. Examiner avec soin. = Conjug. V. GRAMMAIRE.
* **répétailler** [ill mll.], v. tr. Répéter la même chose jusqu'à satiété (Très fam.).
répéter, v. tr. (lat. *repetere,* m. s.). Redire, dire ce qu'on a déjà dit soi-même. *Il répète toujours la même chose.* ‖ Redire ce qu'un autre a dit. *Répéter un bon mot.* — Par anal. *L'écho répète les paroles.* ‖ Dire ou faire plusieurs fois une même chose, pour la mieux savoir, pour la mieux exécuter. *Répéter une comédie.* ‖ Refaire, recommencer. *Répéter une expérience.* Fig. Représenter, réfléchir l'image des objets. *L'eau du ruisseau répétait son image.* ‖ Fig. Adopter une disposition symétrique qui présente d'un côté l'équivalent, le pareil de ce qu'on voit de l'autre. *On a répété cet ornement à droite et à gauche.*
SE RÉPÉTER, v. pr. Recommencer ses ouvrages. — En parlant d'un auteur, d'un poète, d'un peintre, reproduire toujours les mêmes idées, les mêmes sujets, etc. ‖ Être répété, reproduit. *Le même vers se répète à la fin de chaque couplet.* ‖ Être réitéré. *Cette espièglerie ne doit pas se répéter.* ‖ Être disposé d'une manière symétrique. *Les mêmes ornements se répètent sur les autres faces de l'édifice.* = Conjug. V. GRAMMAIRE.
répétiteur, trice, n. Celui, celle qui fait profession de répéter les leçons données par le maître, de les expliquer. *Répétiteur de mathématiques.* [Mar.] Vaisseau d'une escadre qui répète les signaux de l'amiral. = RÉPÉTITEUR, n. m Maître d'étude dans un lycée ou collège. = RÉPÉTITRICE, n. f. Maîtresse d'étude dans un lycée ou un collège de filles.
répétition [sion], n. f. (lat. *repetitio,* m. s.). Redite, retour de la même idée, du même mot. *Son livre est plein de répétitions.* ‖ Réitération. *Leur vie est une répétition perpétuelle des mêmes choses.* ‖ Action d'essayer certaines choses pour les mieux exécuter en public. *Faire la répétition d'une pièce de théâtre.* — *La répétition générale d'une pièce,* la dernière répétition d'ensemble avant la première représentation. [Dr.] Action par laquelle on redemande en justice ce qu'on a payé en trop, ce qu'on a avancé pour un autre, etc. *Répétition de frais.* [Rhétor.] Figure qui consiste à employer plusieurs fois les mêmes mots ou le même tour pour donner plus d'énergie à la phrase. [Techn.] *Montre, pendule à répétition,* montre, pendule munie d'une sonnerie donnant les demies et les quarts. — *Armes à répétition,* armes permettant de tirer plusieurs coups tout en ne les chargeant qu'une seule fois.

Reproduction absolument semblable, d'un dessin, d'un tableau, d'une statue, faite par leur auteur lui-même. ‖ Leçon faite à un élève seul ou à un petit groupe d'élèves pour recommencer ou compléter une leçon collective faite en classe.
Répétition (de mots). — *Quand, dans un discours, se trouvent des mots répétés, et qu'essayant de les corriger, on les trouve si propres qu'on gâterait le discours, il faut les laisser, c'en est la marque, et c'est là la part de l'envie, qui est aveugle, et qui ne sait pas que cette répétition n'est pas faute en cet endroit, car il n'y a point de règle générale.*
(PASCAL.)
SYN. — *Répétition,* emploi abusif du même mot dans une phrase : *Il faut éviter les répétitions de mots.* — *Pléonasme,* redite inutile de la même idée en plusieurs mots : *De l'eau liquide est un pléonasme fâcheux.* — *Redite,* reprise inutile des mêmes idées dans un même chapitre, un même livre : *Il y a beaucoup trop de redites dans cet ouvrage.* — *Rengaine,* répétition d'une banalité : *Laissez cette vieille rengaine* (Fam.).
* **répétitorat,** n. m. Fonction de répétiteur dans un lycée, dans un collège.
* **repétrir,** v. tr. Pétrir de nouveau. ‖ Fig. Refaire, remanier, transformer, modifier.
repeuplement, n. m. Action de repeupler.
repeupler, v. tr. Peupler de nouveau un pays qui avait été dépeuplé. — *Repeupler un étang,* y remettre du poisson. — De même : *Repeupler une terre de gibier.* = SE REPEUPLER, v. pr. Être repeuplé.
CTR. — *Dépeupler.*
repic, n. m. Terme du jeu de piquet.
* **repincer,** v. tr. Pincer de nouveau. ‖ Fig. et fam. Prendre de nouveau en faute. = Conjug. V. GRAMMAIRE.
repiquage ou * **repiquement,** n. m. Action d'enlever les pavés détériorés, enfoncés, etc. d'une chaussée pour les remplacer par d'autres pavés. ‖ Transplantation d'une jeune plante venue de semis, en l'éloignant des plantes voisines.
repiquer, v. tr. Piquer de nouveau. *Repiquer un corps de jupe.* ‖ Faire un repiquage. ‖ Refaire un pavage. [Hortic.] Transplanter un jeune plant venu de semis.
SYN. — V. ENSEMENCER.
répit [*pi*], n. m. Délai, relâche; repos, détente.
* **replacement,** n. m. Le fait de replacer.
replacer, v. tr. Remettre en place, placer dans un autre endroit. ‖ Pourvoir d'un nouvel emploi. = SE REPLACER, v. pr. Se remettre en place. — Entrer dans un nouvel emploi. = Conjug. V. GRAMMAIRE.
* **replain,** n. m. Partie d'une montagne assez plate pour être cultivée.
* **replanir,** v. tr. [Techn.] Finir un ouvrage de menuiserie avec le rabot et la plane.
* **replanissage** ou * **replanissement,** n. m. Action de replanir. ‖ Résultat de cette action.
* **replantage** n. m. ou * **replantation** [sion], n. f. Action de replanter.
replanter, v. tr. Planter de nouveau.
replâtrage, n. m. Action de replâtrer. ‖Résultat de cette action. ‖ Réparation peu importante avec du plâtre. ‖ Fig. Réconciliation peu sincère et peu durable; modification plus ou moins heureuse.

replâtrer, v. tr. Enduire de plâtre à nouveau. ‖ Fig. Chercher à réparer, à couvrir, à masquer une faute.

replet, ète, adj. Qui a un peu trop d'embonpoint.

réplétion [*sion*], n. f. Excès d'embonpoint. ‖ Plénitude.

* **repleurer,** v. tr. et intr. Pleurer de nouveau.

repleuvoir, v. impers. Pleuvoir de nouveau. = Conjug. (comme *pleuvoir*). V. VERBES.

repli, n. m. État de ce qui est mis en double. *Le repli d'un papier.* ‖ Sinuosité, ondulation. *Le serpent se traînait en longs replis. Un repli de terrain.* ‖ Fig. Ce qu'il y a de plus secret, de plus intime. *Les plis et les replis du cœur humain.* [A. mil.] Recul, action de se replier en bon ordre. *Le repli des troupes.*

SYN. — V. RETRAITE.

* **replicatif, ive,** adj. [Bot.] Replié sur soi-même.

repliement, n. m. Action de replier, de se replier; son résultat.

replier, v. tr. Plier une chose qui avait été dépliée ou déployée. *Replier du linge. Replier ses ailes.* ‖ Courber, plier une ou plusieurs fois. [A. Mil.] *Replier un détachement, un poste,* l'obliger à se retirer, ou le rapprocher de l'armée. = SE REPLIER, v. pr. Se courber, se plier une ou plusieurs fois. ‖ Fig. *Se replier sur soi-même,* se recueillir, réfléchir. [A. mil.] Exécuter un mouvement en arrière et en bon ordre. = Conjug. V. GRAMMAIRE.

SYN. — V. RECULER et FUIR.

PAR. — *Remplier,* faire un rempli.

réplique, n. f. Réponse écrite ou verbale à une réponse faite par quelqu'un dans les discussions, les débats. ‖ Réponse à ce qui a été dit ou écrit. *Obéir sans réplique.* ‖ Repartie. *Une bonne réplique.* [Théâtre] Ce qu'un acteur a à dire au moment où l'autre a fini de parler. [Archéol.] Double d'une pièce. *La réplique d'une inscription.* [Bx.-A.] Nouvel exemplaire d'une œuvre d'art, identique à l'original.

ÉPITHÈTES COURANTES : bonne, vive, spirituelle, savoureuse, appropriée, immédiate, instantanée, foudroyante, spontanée, cruelle, cinglante, féroce, mordante; méritée, facile, inattendue, etc.

SYN. — V. RÉPONSE.

répliquer, v. tr. (lat. *replicare,* m. s.). Répondre par ce qui a été répondu par celui à qui l'on parle. *Il me répliqua rien.* = V. intr. Répondre, faire réplique. *Ne répliquez pas.*

* **replisser,** v. tr. Plisser de nouveau.

reploiement, n. m. Syn. de *repliement.*

replonger, v. tr. Plonger de nouveau, au pr. et au fig. = V. intr. Disparaître de nouveau sous l'eau. = SE REPLONGER, v. pr. Se jeter de nouveau à l'eau. ‖ Fig. Se livrer de nouveau entièrement à. *Se replonger dans le désespoir.* = Conjug. V. GRAMMAIRE.

reployer, v. tr. Syn. de *replier.* = Conjug. V. GRAMMAIRE.

repolir, v. tr. Polir de nouveau. ‖ Fig. Corriger et recorriger.

* **repolissage,** n. m. Action de repolir.

répondant, ante, n. Celui, celle qui répond. ‖ Celui qui répond la messe. ‖ Celui, celle qui subit un examen public, qui soutient une thèse. ‖ Celui, celle qui se porte garant, caution pour quelqu'un.

SYN. — V. CAUTION.

répondeur, euse, adj. Qui a le défaut de répondre à une observation (Fam.).

* **repondre,** v. tr. Pondre de nouveau. = Conjug. (comme *rendre*). V. VERBES.

répondre, v. tr.(lat. *respondere,* m. s.). Faire réponse à ce qui a été dit ou demandé. *Il ne me répondit que deux mots.* — *Répondre la messe,* faire à l'officiant les réponses liturgiques. = V. intr. *Répondre verbalement, par écrit.* — En parlant d'un examen. *Le candidat a bien, a mal répondu. L'écho répond,* il répète les sons. [Mus.] Se faire entendre alternativement. *Les instruments à cordes exécutent un chant, puis les intruments à vent leur répondent.*

Alléguer des prétextes, au lieu de reconnaître son tort; répliquer, raisonner, au lieu d'obéir promptement. *Je ne veux point d'un valet qui répond.* ‖ Se présenter, après y avoir été invité. *Répondre à une convocation.* ‖ Écrire à quelqu'un de qui l'on a reçu une lettre. ‖ Parler ou écrire pour réfuter. *Répondre à la partie adverse.*

Être symétrique, correspondre. *Ce pavillon répond à cet autre.* ‖ Être proportionné, en accord, conforme. *La seconde partie de ce discours ne répond pas à la première.* ‖ Satisfaire des désirs, des vœux, des espérances, les réaliser. *Répondre à des espérances.* ‖ Faire de son côté ce qu'on doit, rendre la pareille. *On lui a rendu de bons offices, mais il n'y a pas répondu.* ‖ Être caution, être garant pour quelqu'un, être garant de quelque chose. *Répondre pour quelqu'un.* — *Répondre d'un prisonnier,* en être responsable. — *Je vous réponds qu'il partira,* je vous en donne l'assurance. ‖ *En répondre sur sa tête,* sur sa vie. ‖ Fam. *Je vous en réponds,* se dit en matière d'affirmation, ou pour affirmer sa résolution. = SE RÉPONDRE, v. pr. Être symétrique l'un de l'autre. *Ces deux bâtiments se répondent.* [Mus.] On dit que *des chœurs se répondent,* lorsqu'ils se font entendre alternativement. = Conjug. (comme *rendre*). V. VERBES.

INCORR. — Ne dites pas : *j'ai des lettres à répondre*; dites : *j'ai des lettres auxquelles je dois répondre.*

> VOCAB. — *Famille de mots.* — *Répondre.* [rad. *répond, répons*] : répondant, répondeur, répons, réponse; responsif, responsable, responsabilité; irresponsable, irresponsabilité; riposte, riposter; correspondre, correspondance, correspondant.
> Époux, épouse, épousée, épouser, épouseur, épousailles.

répons [*pon*], n. m. [Liturg.] Paroles qui sont dites ou chantées dans l'office, alternativement par l'officiant et le chœur, après les leçons ou les chapitres.

HOM. — *Réponds, répond,* du v. *répondre.*

réponse, n. f. (de *répons*). Ce qu'on répond à la personne qui fait une demande, une question. — *Avoir réponse à tout,* ne s'embarrasser d'aucune objection. ‖ Lettre qu'on écrit pour répondre à une autre lettre. *J'ai reçu sa réponse.* ‖ Ce qui répond à quelque chose, soit pour l'approuver, soit pour le critiquer, soit pour le réfuter. *On attend sa réponse au livre qui a réfuté son système.* [Dr.] Décision de jurisconsulte sur une question de droit. [Mus.] L'une des parties de la fugue. [Poste] *Réponse payée*, taxe acquittée par l'expéditeur d'un objet de correspondance afin que le destinataire n'ait rien à payer lorsqu'il répondra.

Épithètes courantes : faite, donnée, demandée, envoyée, reçue, portée, payée, attendue, inattendue, immédiate, tardive; bonne, mauvaise, satisfaisante, affirmative, négative, précise, nette, catégorique, circonstanciée, franche, douteuse, incertaine, dilatoire, insuffisante hypocrite, mensongère, impolie, impertinente, insolente, inacceptable; polie, affectueuse, calme, modérée; orale, écrite, télégraphiée, etc.

Syn. — *Réponse*, ce qu'on dit ou écrit en retour à quelqu'un de qui on a reçu une demande, une question : *Il a tardé à m'envoyer sa réponse*. — *Boutade*, propos spirituel ou ironique décoché vivement : *Les boutades de Clemenceau étaient célèbres*. — *Repartie*, prompte réponse de vive voix : *Avoir la repartie facile*. — *Réplique*, action de répondre à ce que quelqu'un vient de dire : *Dans cette pièce, les répliques se succèdent à un rythme accéléré*. — *Riposte*, repartie vive et juste : *Ma riposte a démonté mon contradicteur*. — *Saillie*, réponse vive et brillante : *De vives saillies émaillaient sa conversation*.

Ant. — *Question, demande, interrogation*.

Hom. — *Raiponce*, n. f. plante comestible (*campanulacées*).

repopulation, n. f. Action de repeupler.

report [*por*], n. m. (n. verb. de *reporter*). [Bourse] Action de reporter à la liquidation suivante l'exécution d'une opération à terme. — La somme que l'on paye pour se faire reporter. [Comptab.] Action de reporter une somme, un total ; la somme, le total reporté. *Faire un report*. [Grav.] Transport sur pierre lithographique, de planches de musique, de dessins, etc.

Par. — *Rapport*, court exposé d'une affaire; revenu, relation.

reportage, n. m. Action de recueillir des renseignements sur un fait, un événement, pour le compte d'un journal.

1. reporter, v. tr. (préf. *re*, et *porter*). Porter une chose là où elle était auparavant. *Reportez ce livre à votre maître*. ‖ Transporter, placer dans un autre lieu. *Reporter une somme au haut de la page suivante*. ‖ Renvoyer à une date ultérieure. *Sa nomination est reportée*. [Bourse] *Se faire reporter*, obtenir le report à la liquidation suivante. [Fin.] Faire un report, des reports. = SE REPORTER, v. pr. Être transporté, être répété. *Cette somme doit se reporter à la page suivante*. ‖ Se référer. *Le lecteur se reportera à la préface*. ‖ Fig. Se transporter, par la pensée, à un temps antérieur. *Reportez-vous au temps des croisades*.

2. reporter [*teur*], n. m. (mot angl.). Journaliste chargé de s'informer sur place et d'apporter des renseignements, des nouvelles à son journal.

*****reporteur**, n. m. [Bourse et Lithogr.] Celui qui exécute les opérations de report.

repos [*pô*], n. m. Cessation, privation de mouvement. *Cet enfant ne peut demeurer en repos*. ‖ Cessation de travail. *Après ce long travail, prenez un peu de repos*. ‖ Tranquillité d'esprit, quiétude. — *Laissez-moi en repos*, cessez de m'importuner. — *Une affaire de tout repos*, une affaire sûre, prospère. ‖ Sommeil. *Perdre le repos*. ‖ *Le champ du repos*, le cimetière. — Fig. *Le repos éternel*, l'état où sont les âmes des bienheureux. ‖ Pause que l'on fait en lisant à haute voix, en déclamant, etc. [Archi.] Petit palier interrompant la suite des marches. ‖ État où est une arme lorsque le chien n'est ni abattu, ni bandé. [A. mil.] Position du soldat dans les rangs, lorsqu'il n'est pas en exercice, ni au garde-à-vous. [Versif.] Césure.

Épithètes courantes : complet, total, absolu; léger, long, définitif, éternel; calme, troublé, haché, interrompu, agité; matinal, journalier, dominical, hebdomadaire, annuel; tardif, mérité, espéré, escompté; doux, joyeux, agréable, champêtre, etc.

— *Notre nature est dans le mouvement; le repos entier est la mort.* (Pascal.)

Syn. — *Repos*, temps pendant lequel on ne travaille pas : *Prendre deux heures de repos au milieu de la journée*. — *Loisir*, période dont on peut disposer librement : *Occuper ses loisirs à la lecture*. — *Quiétude*, état de tranquillité complète : *Vivre dans une douce quiétude*. — *Tranquillité*, moment où l'on n'a ni travail ni préoccupations : *Ne pas trouver un moment de tranquillité*. V. aussi RELÂCHE, VACANCES.

Ant. — *Fatigue, travail, exercice*.

reposant, ante, adj. Qui repose, qui délasse. ‖ Qui apporte le calme, la quiétude

Ctr. — *Fatigant*.

reposé, ée, adj. Qui a joui de repos, de tranquillité. ‖ *Une figure reposée*, qui a retrouvé son calme, sa bonne mine. = À TÊTE REPOSÉE, loc. adv. Mûrement et avec réflexion.

reposée, n. f. [Vén.] Lieu où une bête fauve se repose.

reposer, v. tr. (préf. *re*, et *poser*). Poser de nouveau. Remettre, replacer une chose dans le lieu qu'elle occupait primitivement. *Reposer une vitre*. ‖ Mettre dans une situation tranquille. *Reposer sa tête sur un oreiller*. — Fig. *N'avoir pas où reposer sa tête*, être sans asile. — Au sens moral. *Reposer la tête, reposer l'esprit*, lui procurer du calme, du repos; le ou la soulager.

V. intr. Dormir. *Il n'a pas reposé de toute la nuit*. ‖ Être dans un état de repos, de tranquillité. *Il ne dort pas, il repose*. ‖ Par anal. En parlant d'un mort : Être étendu, gésir. *Ici repose un tel*.

Être établi, appuyé, fondé. *La base de l'édifice repose sur le roc*. — Fig., au sens moral : *Ce raisonnement ne repose sur rien*. ‖ Résider, exister dans. *La souveraineté repose dans la nation*. ‖ Cesser d'être agité, en parlant de liquides, de telle manière que les substances qui s'y trouvent en suspension tombent au fond. *Cette eau est trouble, il faut qu'elle repose quelque temps*.

SE REPOSER, v. pr. Cesser de travailler, d'agir, d'être en mouvement, d'être agité. *Il faut qu'il esprit se repose*. — Après les verbes *faire* et *laisser*, on fait souvent ellipse du pron. pers. *Ces soldats ont beaucoup souffert, il faut les laisser reposer*. — *Laisser reposer une terre*, la laisser en jachère. ‖ S'arrêter. *L'œil, la vue se repose avec plaisir sur ce riant paysage*. ‖ *Se reposer sur quelqu'un*, avoir confiance en lui.

— *Se reposer sur quelqu'un de quelque*

affaire, s'en remettre à lui de la conduite d'une affaire.
CTR. — *Fatiguer, lasser*.

reposoir [*zoir*], n. m. [Liturg.] Sorte d'autel qu'on élève dans les lieux où passe la procession du Saint Sacrement, pour y faire reposer celui-ci.

*****repossèder**, v. tr. Posséder de nouveau. = Conjug. V. GRAMMAIRE.

*****repoudrer**, v. tr. Poudrer de nouveau. = SE REPOUDRER, v. pr. Se remettre de la poudre.

*****repoussage**, n. m. Travail au marteau des métaux en feuilles, qui permet d'obtenir des pièces en relief.

repoussant, ante, adj. Qui inspire de l'aversion, du dégoût.
SYN. — V. AFFREUX, ODIEUX, SALE et VILAIN.
CTR. — *Attrayant, alléchant*.

repoussé, adj. Se dit d'une pièce de métal, de cuir, travaillée au marteau pour y faire apparaître des reliefs. *Vase, plat en cuivre repoussé*. = N. m. Métal repoussé.

repoussement, n. m. Action de repousser. ‖ Recul d'une arme à feu.

repousser, v. tr. (préf. *re*, et *pousser*). Pousser de nouveau. ‖ Rejeter, renvoyer. ‖ Pousser quelqu'un en le faisant reculer avec quelque effort. ‖ *Repousser une attaque*, y résister. — Fig. et fam. *Il a été repoussé avec perte*, il a subi quelque grave échec. ‖ Pousser en arrière. *Le vent repoussa notre navire*. ‖ Fig. *Repousser une injure*, s'en défendre avec force. — *Repousser la calomnie*, la réfuter hautement. — *Repousser une demande, une proposition*, l'écarter, la rejeter. — *Repousser la tentation, une mauvaise pensée*, la rejeter de son esprit.
[Hortic.] Émettre, pousser de nouveau. *Cet arbre a repoussé de plus belles branches*.
V. intr. Faire un effort pour écarter. *Ce ressort repousse trop*. ‖ *Ce fusil repousse*, la crosse, par l'effet de recul, donne rudement contre l'épaule de celui qui tire. — Fig. et fam. *Une figure qui repousse*, qui inspire de l'éloignement, de la répugnance. ‖ Pousser, croître de nouveau. *Il faut couper cet arbre, il repoussera du pied*. = SE REPOUSSER, v. pr. Être écarté. ‖ S'écarter mutuellement.
SYN. — V. BATTRE et ÉCARTER.
CTR. — *Attirer, accueillir, admettre, agréer, accéder; prendre, ratifier*.

repoussoir [*pou-soir*], n. m. (du v. *repousser*). [Techn.] Ciselet de bijoutier, de tourneur en métaux, pour repousser les reliefs qu'on a enfoncés en les ciselant. ‖ Cheville de fer pour faire sortir une autre cheville. [Peint.] Objet, très coloré ou très ombré, placé au premier plan d'un tableau pour faire paraître les autres objets plus éloignés. ‖ Fam. Chose ou personne qui, par opposition, en fait valoir une autre. *Sa laideur servit de repoussoir à sa sœur*.

répréhensible, adj. Qui mérite répréhension, qui est digne de blâme.
CTR. — *Louable, irréprochable*.

*****répréhensiblement**, adv. D'une manière répréhensible.

*****répréhensif, ive**, adj. Qui réprimande, qui blâme.

répréhension, n. f. Réprimande blâme, correction.

reprendre, v. tr. Prendre de nouveau. *Reprendre les armes*. — *Venir reprendre quelqu'un*, venir le rechercher. — Fam. *On ne m'y reprendra plus*, je ne m'exposerai plus à pareil désagrément. Par menace : *Que je vous y reprenne, que je ne vous y reprenne plus*. — Fig. *Reprendre le dessus*, regagner l'avantage qu'on avait perdu, ou fam., se rétablir après une longue maladie. ‖ Recouvrer. *Reprendre ses esprits. Reprendre courage*. — Fig. *Reprendre haleine*, se reposer un instant.
Retirer. *Reprendre sa parole*, se délier de sa promesse; se rétracter. ‖ Remettre en usage, en vigueur. *Reprendre d'anciens usages*. ‖ Continuer quelque chose, après une interruption plus ou moins longue. *Il a repris son travail*.
Absol., on dit : *Il reprit, reprit-il*, lorsqu'en rapportant une conversation, on fait parler de nouveau l'un des interlocuteurs, *Il reprit ainsi*. ‖ Recommencer; revenir sur, remonter plus haut. *Reprenons la chose depuis le début*. ‖ Récapituler. *Reprendre un à un les articles d'un compte*. [Théâtre] Remettre à la scène. *Reprendre une comédie* ‖ Dans les Arts et Métiers : Entreprendre de réparer. *Reprendre une étoffe, de la dentelle*, etc., rejoindre les parties, refaire les mailles qui sont rompues.
Réprimander, blâmer, censurer; souvent employé absol. dans ce sens. *Reprendre doucement, rudement*. — Se dit aussi des choses. *Je ne vois rien à reprendre à sa conduite*.
V. intr. [Hortic. et Arbor.] En parlant des arbres, des plantes, prendre racine de nouveau, après avoir été transplantés. *Ces ormes ont bien repris*. — En parlant d'une plaie, se refermer : *La plaie reprend*. ‖ Recommencer. *Le froid a repris*. = SE REPRENDRE, v. pr. Se corriger, rectifier ce qu'on a dit mal à propos avec ou sans intention. *Il laissa échapper un terme un peu vif, mais se reprit aussitôt*. ‖ Revenir de son trouble, retrouver son assurance, ses esprits. *Il se reprit très vite*. = Conjug. (comme *prendre*). V. VERBES.
SYN. — V. BLÂMER.
CTR. — *Donner, redonner*. — *Suspendre*.

représaille [*ill*mll.], n. f. Mesure de violence prise par un État à l'égard d'un autre pour réprimer une violation du droit des gens dont celui-ci s'est rendu coupable. ‖ *User de représailles*, repousser une injure par une injure, une raillerie par une autre raillerie, etc. — Ce mot s'emploie surtout au pluriel.

représentant, ante, n. Celui, celle qui représente quelqu'un, qui a reçu le pouvoir d'agir en son nom. ‖ *Représentant de commerce*, celui qui fait des affaires pour le compte d'une maison de commerce. ‖ Celui qui est nommé pour représenter des électeurs dans une assemblée parlementaire. *Représentant du peuple*.

représentatif, ive, adj. Qui représente. ‖ *Gouvernement représentatif*, celui dans lequel les représentants de la nation concourent à l'élaboration des lois. ‖ *Un homme représentatif*, de belle prestance.

représentation [*sion*], n. f. (du v. *représenter*). Action de représenter. Exhibition, action d'exposer à nouveau sous les yeux. ‖ Image, signe, peinture, sculpture, etc. qui sert à représenter l'idée d'une chose. ‖ Action de représenter des pièces

de théâtre. *La première représentation d'une tragédie.* ‖ Action de tenir brillamment un rang, etc. *Frais de représentation.*
[Comm.] Action de voyager pour le compte d'une maison de commerce, de faire des affaires pour elle. [Philos.] Image fournie à l'entendement par les sens ou par la mémoire.
[Polit.] Pouvoir législatif qu'exerce une assemblée élue; exercice de ce pouvoir. — *Représentation nationale*, assemblée dont les membres sont élus par la nation ou par une partie de la nation pour voter l'impôt et pour faire les lois ou concourir à leur élaboration. — *Représentation proportionnelle*, système électoral dans lequel les sièges sont attribués aux candidats, non pas en vertu du nombre absolu des voix que ceux-ci ont obtenu, mais selon l'importance proportionnelle que les voix accordent aux différents partis. ‖ Objection, remontrance qu'on fait à quelqu'un avec égards, avec mesure. *Permettez-moi de vous faire mes représentations.* — Au plur., protestation qu'un gouvernement adresse à un autre gouvernement.

Syn. — *Représentation*, action de jouer une pièce de théâtre : *Ce drame tomba à la première représentation.* — *Exhibition*, spectacle qui s'adresse seulement à la vue : *Une exhibition d'animaux savants.* — *Parade*, représentation comique à la porte d'un théâtre : *Parade de baraque de foire.* — *Séance*, représentation, conférence ou exécution de musique dans une salle en présence d'une réunion de personnes : *Une séance de prestidigitation.* — *Spectacle*, toute représentation théâtrale : *Aller le soir au spectacle.* V. aussi REMONTRANCE.

représenter, v. tr. (lat. *repræsentare*, m. s.). Présenter de nouveau. ‖ Exhiber, mettre devant les yeux, remettre entre les mains. *Représenter les originaux.* ‖ Mettre dans l'esprit, dans l'idée, rappeler le souvenir d'une personne, d'une chose. *L'imagination du poète lui représente vivement les objets.* ‖ Rendre présent à la vue au moyen d'images réelles ou artificielles. *Le théâtre représente une forêt.* ‖ Jouer une pièce sur une scène. *Demain on représente le Cid.* ‖ Exprimer, peindre par la parole seulement. *Dans son récit il nous a représenté les choses naïvement.* ‖ Personnifier, symboliser. *Voltaire représente l'esprit de son époque.*

Tenir la place d'une ou de plusieurs personnes, en vertu d'une délégation régulière. *Un ambassadeur représente la personne même du souverain.* ‖ En parlant des journaux, Être l'organe de certaines opinions. *Ce journal représente le parti radical.* ‖ Remplir, dans certaines cérémonies publiques, des fonctions à la place et au nom d'une autorité supérieure. *Le préfet chargea son secrétaire général de le représenter dans cette cérémonie.* [Comm.] Voyager pour le compte d'une maison de commerce, faire des affaires pour elle. ‖ Remontrer. *On lui représenta en vain les inconvénients de cette démarche.*

V. intr. Savoir tenir son rang lorsqu'on remplit ses fonctions. *C'est un ministre qui représente bien.* ‖ Savoir par son train, par sa dépense, faire dignement les honneurs de sa place ou de sa fortune. *Il est assez riche pour bien représenter.* = SE REPRÉSENTER, v. pr. Se présenter de nouveau.

Qu'il ne se représente plus devant moi. ‖ *Se représenter une chose*, se la figurer, se l'imaginer telle qu'elle doit être. ‖ S'imaginer. *Il se représentait déjà sa félicité future.*

* **répressible**, adj. Qui peut être réprimé.

répressif, ive, adj. Qui réprime, qui punit. *Lois répressives*, lois pénales.

répression, n. f. Action de réprimer.

* **reprêter**, v. tr. et intr. Prêter de nouveau.

* **reprier**, v. tr. Prier de nouveau. = Conjug. V. GRAMMAIRE.

réprimable, adj. Qui doit ou peut être réprimé.

* **réprimandable**, adj. Qui mérite une réprimande.

réprimande, n. f. (du v. *réprimer*). Répréhension, correction faite avec autorité. *Recevoir des réprimandes.* ‖ Peine prononcée par un conseil de discipline pour un léger manquement.

Syn. — V. REMONTRANCE.
Ant. — *Félicitation, louange, compliment, éloge.*

réprimander, v. tr. Reprendre quelqu'un avec autorité, lui reprocher sa faute.
Syn. — V. BLÂMER et GRONDER.
Ctr. — *Louer, complimenter, féliciter.*

* **réprimandeur, euse**, n. Celui, celle qui réprimande.

réprimant, ante, adj. Qui réprime, qui est capable de réprimer.

réprimer, v. tr. (lat. *reprimere*. m. s.). Arrêter l'action, l'effet, le progrès de quelque chose. *Réprimer une sédition.* ‖ Dominer. *Réprimer ses passions.* ‖ Punir. *Réprimer le mal.*
Syn. — V. CHÂTIER.

repris, ise, adj. (pp. de *reprendre*). Qui est rattrapé, ressaisi. = N. m. *Repris de justice*, celui qui a subi une condamnation pénale.

reprisage [za], n. m. Action de repriser.

reprise, n. f. (pp. du v. *reprendre*). Action de prendre de nouveau. *La reprise d'une ville, d'une place.* [Dr.] *Reprises*, au pl. Prélèvement que chacun des époux a droit de faire, avant partage, sur les biens de la communauté, à la dissolution de celle-ci. — *La reprise d'un procès*, continuation d'un procès interrompu. [Jeu] Partie qui est d'un certain nombre de coups limité. [Man.] Chaque leçon donnée au cavalier ou au cheval, et après laquelle ils se reposent. [Sport] Chacune des différentes parties d'un assaut d'escrime, d'un combat de boxe. ‖ Continuation de ce qui a été interrompu. *Ce travail a été fait à plusieurs reprises.* — *La reprise d'une pièce dramatique*, sa remise au théâtre. ‖ Partie d'une pièce de vers, d'un morceau de musique que l'on doit répéter. [Mus.] Seconde partie d'un air. *La reprise de cette cavatine est charmante.* ‖ Signe indiquant qu'un motif doit être joué deux foix. — V. pl. MUSIQUE.

Réparation qui se fait dans certaines parties d'un tout continu. *Il y a des reprises à faire à cette façade.* — Se dit principalement des réparations faites aux tissus. *Ses bas sont pleins de reprises.* = A PLUSIEURS REPRISES, loc. adv. A plusieurs fois. *Il dut y revenir à plusieurs reprises.*

1. **repriser** [zé], v. tr. Raccommoder en faisant des reprises.

REPRISER — RÉPUBLIQUE

2. * repriser, v. tr. Priser, estimer de nouveau. ‖ Reprendre du tabac à priser.
***repriseur, euse,** n. Celui, celle qui fait des reprises. *Un repriseur de tapisserie.*
réprobateur, trice, adj. Qui exprime la réprobation. *Accent réprobateur.*
Ctr. — *Approbateur.*
réprobation [*sion*], n. f. (lat. *reprobatio*, m. s.). Action de réprouver. ‖ Blâme très sévère répulsion.
Syn. — V. MALÉDICTION.
Ant. — *Approbation.*
reprochable, adj. Qui mérite reproche. *Action reprochable.* [Dr.] Qui peut être récusé. *Ce témoin est reprochable.*
Ctr. — *Irréprochable, irrépréhensible, louable.*
reproche, n. m. (n. verb. de *reprocher*). Censure, blâme formel que l'on adresse à quelqu'un. *Accabler quelqu'un de reproches.* — *Un homme sans reproche,* un homme à qui l'on ne peut rien reprocher. *Le chevalier sans peur et sans reproche,* Bayard. ‖ *Sans reproche,* sans prétendre faire des reproches.
ÉPITHÈTES COURANTES : gros, grave, sérieux, sévère, amer; vif, violent, sanglant, cruel, injurieux; léger, tendre, affectueux; juste, injuste, mérité, fondé, non fondé, immérité, etc.
Syn. — V. REMONTRANCE.
Ant. — *Compliment, félicitation, louange.*
reprocher, v. tr. (bas lat. *repropiare,* rendre proche). Faire des reproches. Dire à quelqu'un une chose qui doit le mécontenter, lui causer de la honte. *On lui reproche d'être très médisant.* — *Reprocher un bienfait à quelqu'un,* le lui rappeler avec aigreur pour l'accuser de l'avoir oublié. [Dr.] *Reprocher des témoins,* alléguer des raisons pour récuser des témoins. = SE REPROCHER, v. pr. S'en vouloir, se blâmer d'avoir fait quelque chose. ‖ Se faire mutuellement reproche de.
Par. — *Rapprocher,* approcher de plus près; disposer à l'union.
reproducteur, trice, adj. Qui reproduit; qui sert à la reproduction. = Nom. Animal spécialement destiné à la reproduction.
***reproductibilité,** n. f. Caractère de ce qui peut être reproduit. ‖ Faculté d'être reproduit.
reproductible, adj. Susceptible d'être reproduit.
reproductif, ive, adj. Qui produit de nouveau.
reproduction [*sion*], n. f. (du v. *reproduire*). Action de reproduire, d'imiter. *La reproduction d'un tableau.* ‖ Répétition des mêmes événements. [Hist. Nat.] Action par laquelle les êtres vivants perpétuent leur espèce. *La reproduction des êtres. Reproduction par bouture.* ‖ En parlant d'éléments anatomiques, formation d'éléments semblables et formation nouvelle de parties détruites; régénération. *La reproduction des tissus.*
Syn. — V. COPIE.
reproduire, v. tr. (préf. *re,* et *produire*). Répéter, montrer de nouveau. ‖ Imiter exactement. ‖ Produire, présenter de nouveau. *Reproduire sans cesse les mêmes raisons.*
Produire un être de même espèce. *Tous les êtres organisés ont la faculté de reproduire*

des êtres semblables à eux. ‖ Émettre, pousser de nouveau. *Il reproduira de nouvelles branches.* ‖ Multiplier un ouvrage, un tableau, etc., par des procédés photographiques, métalliques, etc. = SE REPRODUIRE, v. pr. Se perpétuer par la production de nouveaux êtres. *Les êtres vivants se reproduisent de diverses façons.* ‖ Au sens passif. Se répéter, avoir lieu de nouveau. *Les mêmes événements se sont reproduits.* = Conjug. (comme *cuire*). V. VERBES.
Syn. — V. RENDRE.
***repromettre,** v. tr. Promettre de nouveau. = Conjug. (comme *mettre*).V. VERBES.
***reproposer,** v. tr. Proposer de nouveau.
réprouvable, adj. Qui doit ou qui peut être réprouvé.
réprouvé, ée, adj. Désapprouvé, condamné. = Nom. Celui, celle que Dieu a condamné à l'enfer. ‖ Fig. Celui que rejette la société.
Ant. — *Élu, bienheureux.*
reprouver, v. tr. Prouver de nouveau.
réprouver, v. tr. (lat. *reprobare,* m. s.). Rejeter une chose, la désapprouver, la condamner. *Réprouver une doctrine.* [Théol.] Exclure du nombre des Élus.
Syn. — V. BLÂMER.
Ctr. — *Applaudir, approuver.*
reps [*rèpss*], n. m. Forte étoffe de soie, de laine ou de coton employée dans l'ameublement.
reptation [*sion*], n. f. (lat. *reptare,* ramper). Action de ramper.
reptile, adj. Qui rampe. = N. m. Animal qui rampe. = N. m. pl. [Zool.] Troisième classe de l'embranchement des *vertébrés,* comprenant des *chéloniens* ou *tortues,* les *crocodiliens,* les *sauriens* ou *lézards,* les *ophidiens* ou *serpents.* V. tabl. ANIMAUX (*Idées suggérées par le mot*) et pl. REPTILES. ‖ Fig. Personne de caractère rampant.
Ant. — *Mammifère, oiseau, poisson.*
repu, ue, adj. (pp. de *repaître*). Qui a satisfait son appétit. ‖ Fig. Rassasié de. = N. m. *Les repus,* les riches (Fam.).
Hom. — *Repue,* n. f., action de se repaître.
républicain, aine, adj. Qui appartient à la république. ‖ Qui affectionne, qui favorise le gouvernement républicain. *Esprit républicain.* = Nom. Qui est partisan de la république. [Zool.] Passereau d'Afrique, qui vit en groupe, dans un vaste nid édifié en commun.
Ant. — *Monarchiste, royaliste, bonapartiste, fasciste.*
***républicainement,** adv. D'une manière républicaine.
***républicaniser,** v. tr. Rendre républicain. ‖ Ériger en république.
républicanisme, n. m. Opinion, sentiments de celui qui est républicain. ‖ Affectation d'opinions républicaines.
***republier,** v. tr. Publier, éditer de nouveau. = Conjug. V. GRAMMAIRE.
république, n. f. (lat. *res publica,* chose publique). Chose publique, intérêt général. ‖ État, quelle que soit la forme de gouvernement. *Le mépris des lois est le fléau de toute république.* ‖ État où le gouvernement est exercé par des représentants de la nation, élus pour un temps et responsables. *Se former en république.* V. tabl. GOUVERNEMENT (*Idées suggérées par le mot*). ‖ Par anal. *La république des abeilles. Les fourmis vivent en république.* ‖ Fig. *La république des*

lettres, les gens de lettres en général, considérés comme s'ils formaient une nation.
SYN. — V. ÉTAT.
ANT. — *Monarchie, empire, royauté.*
— *J'appelle République tout État régi par les lois, sous quelque forme d'administration que ce puisse être ; car alors l'intérêt public gouverne, et la chose publique est quelque chose.* (J.-J. ROUSSEAU.)
— *Lorsque, dans la république, le peuple en corps a la souveraine puissance, c'est une démocratie ; lorsque la souveraine puissance est entre les mains d'une partie du peuple, cela s'appelle aristocratie.* (MONTESQUIEU.)
* **répudiable,** adj. Qui peut ou qui doit être répudié.

répudiation [sion], n. f. Action de répudier sa femme. [Dr.] Action de répudier une succession, c.-à-d. d'y renoncer.
répudier, v. tr. (lat. *repudiare*, m. s.). *Répudier sa femme*, la renvoyer suivant les formes légales. [Jurispr.] *Répudier une succession, un legs*, y renoncer. ‖ Fig. *Répudier la croyance de ses pères*, s'en détacher. = Conjug. V. GRAMMAIRE.
* **repue,** n. f. Action de se repaître (Vx). ‖ *Repue franche*, action de se procurer un bon repas sans bourse délier.
HOM. — *Repu, ue*, pp. de repaître.
répugnance, n. f. Aversion, dégoût pour quelque chose ou pour quelqu'un.
SYN. — V. HAINE.

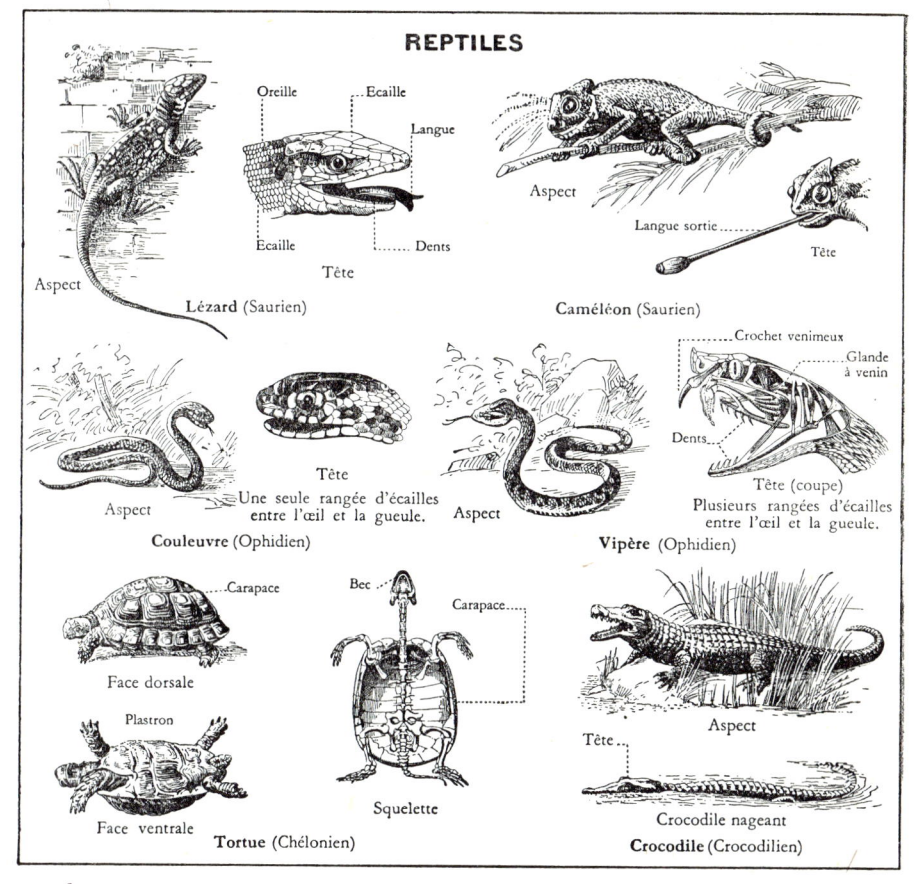

REPTILES

Aspect — **Lézard** (Saurien) — Oreille, Écaille, Langue, Écaille, Dents — Tête

Aspect — **Caméléon** (Saurien) — Langue sortie — Tête

Aspect — **Couleuvre** (Ophidien) — Tête — Une seule rangée d'écailles entre l'œil et la gueule.

Aspect — **Vipère** (Ophidien) — Crochet venimeux, Glande à venin, Dents — Tête (coupe) — Plusieurs rangées d'écailles entre l'œil et la gueule.

Carapace — Face dorsale — Plastron — Face ventrale — Bec, Carapace, Squelette — **Tortue** (Chélonien)

Aspect — Tête — Crocodile nageant — **Crocodile** (Crocodilien)

répugnant, ante, adj. Qui répugne, qui inspire le dégoût. *Spectacle répugnant.* ‖ Contraire, opposé. *Argument répugnant à la raison.* ‖ Fig. Très méprisable. *Un être répugnant.*
SYN. — V. ABJECT et SALE.
CTR. — *Séduisant, alléchant, attrayant, succulent.*
répugner, v. intr. (lat. *repugnare*, combattre). Être opposé. *Cette nouvelle proposition répugne à la première.* ‖ Éprouver un sentiment de répugnance. *Répugner à faire une chose.* ‖ Causer, inspirer de la répugnance. *Cet homme me répugne.*
* **repuiser,** v. tr. Puiser de nouveau.
* **repulluler** v. intr. Pulluler de nouveau ; se multiplier en grande quantité par voie de génération. *Les insectes repullulent pendant les grandes chaleurs.*
répulsif, ive, adj. Qui repousse. *Force répulsive.* ‖ Fig. Qui déplaît, repousse.
répulsion, n. f. (lat. *repulsio*, m. s.). Action de ce qui repousse ; état de ce qui est repoussé. [Phys.] Cas où deux corps chargés de même électricité se repoussent. ‖ Fig. Aversion, répugnance instinctive. *Cette doctrine m'a toujours inspiré une grande répulsion.*
SYN. — V. HAINE.
ANT. — *Attraction, attrait, engouement, propension, sympathie.*
PAR. — V. PROPULSION.

réputation [*sion*], n. f. Opinion que le public se fait d'une personne. ‖ Absol. *Réputation* se dit toujours en bonne part. ‖ Renom, estime. *Être en grande réputation.* — *Un homme qui néglige sa réputation est indigne d'en avoir.* (VOLTAIRE.) — *Les hommes sont encore plus sensibles à la réputation de leur pays, hors de leur pays, que sous le toit paternel.* (CHATEAUBRIAND.)
ÉPITHÈTES COURANTES : bonne, excellente, douteuse, fausse, mauvaise, détestable, déplorable; solide, légitime, justifiée, bien établie; surfaite, usurpée, etc.
SYN. — V. CRÉDIT, GLOIRE, RENOM.

réputé, ée, adj. Censé, considéré comme. ‖ Qui jouit d'un bon, d'un grand renom. *Un avocat réputé.*
SYN. — V. ILLUSTRE.

réputer, v. tr. (lat. *reputare*, évaluer). Présumer, tenir pour, estimer. *On le répute fort riche.*

requérable, adj. [Dr.] Que le créancier doit aller demander à son débiteur.

requérant, ante, adj. et n. [Dr.] Qui requiert, qui demande en justice. ‖ Solliciteur.

requérir, v. tr. (lat. *requirere*, m. s.). Mander, demander, réclamer. *Requérir le ministère d'un huissier.* ‖ Sommer. *Je vous requiers de publier ma réponse.* [Droit] Demander quelque chose en justice. *Requérir l'apposition des scellés.* ‖ Absol. Prononcer un réquisitoire. *Le procureur de la République a requis.* ‖ Fig. Exiger. *Cela requiert célérité, diligence.* = Conjug. (comme *acquérir*). V. VERBES.

* **requestionner**, v. tr. Questionner de nouveau.

requête, n. f. (de l'anc. pp. du v. *requérir*). [Vén.] Nouvelle quête, nouvelle chasse. [Dr.] Demande par écrit présentée à qui de droit, et suivant certaines formes établies. *Présenter requête au président du tribunal.* — *Chambre des requêtes*, une des chambres des anciens parlements et, auj., de la Cour de Cassation. *Maître des requêtes*, magistrat chargé de rapporter les requêtes au Conseil d'État. ‖ Demande verbale, simple prière. *Ayez égard à la requête que je vous fais.* = *A la requête de*, sur réquisition légale de.

requêter, v. tr. [Vén.] Quêter de nouveau. *Requêter le cerf.*

requiem [*kui-èmm*], n. m. inv. (mot lat. sign. *repos*). Prière que l'Église dit pour les morts. ‖ *Messe de requiem*, messe qui se dit pour le repos de l'âme des morts. ‖ Ensemble des morceaux de musique composés pour une messe des morts.

requin, n. m. (orig. incert.). [Zool.] Gros poisson sélacien de haute mer, très vorace, du genre squale. V. pl. POISSONS. ‖ Fig. Personne cupide ne reculant devant rien.

requinquer [*kin-ké*], v. tr. Vêtir de neuf; remettre à neuf. *Requinquer son logement.* ‖ Rendre la santé à; ragaillardir. *Cette nouvelle l'a requinqué.* = SE REQUINQUER, v. pr. Se vêtir de neuf. ‖ Se parer d'une manière affectée. ‖ Fam. Se remettre d'une indisposition.

requis, ise, adj. (pp. de *requérir*). Convenable, nécessaire. *Age requis, qualités requises.* = N. m. Personne ayant fait l'objet d'une réquisition.

réquisition [*ki-zi-sion*], n. f. Action de requérir. ‖ Demande que fait l'autorité, partic. l'autorité militaire, de mettre à sa disposition des vivres, des moyens de transport, des hommes, etc. [Dr.] Demande incidente de convocation d'une personne, de présentation d'une pièce, au cours d'une audience.
PAR. — *Réquisitoire*, acte de réquisition fait par le ministère public. V. aussi PERQUISITION.

* **réquisitionnaire** [*ki-zi-sio-nèrr*], n. m. Jeune soldat appelé autrefois par la réquisition.

réquisitionner [*ki-zi-sio-né*], v. tr. Procéder par réquisition. *Réquisitionner des chevaux.*

réquisitoire [*ki-zi*], n. m. [Dr.] Acte de réquisition que fait par écrit celui qui, dans un tribunal, remplit les fonctions du ministère public. — Discours par lequel le ministère public réclame, contre l'accusé l'application de la loi. ‖ Fig. Thèse, développée avec véhémence contre une mesure, une idée, etc.
SYN. — V. DISCOURS.
PAR. — *Réquisition*, action de requérir, en général.

* **réquisitorial, ale**, adj. Qui tient du réquisitoire.

* **resaler**, v. tr. Saler de nouveau.

* **resalir**, v. tr. Salir de nouveau.

* **resaluer**, v. tr. Saluer de nouveau. Rendre le salut.

* **resarcelé, ée**, adj. [Blas.] Qui est chargé d'un orle ou d'un filet conduit le long de ses bords.

* **resarcir**, v. tr. Raccommoder à l'aiguille le tissu d'une étoffe.

* **resarcler**, v. tr. Sarcler de nouveau.

rescapé, ée, adj. et n. (provincialisme pour *réchappé*). Celui, celle qui a échappé à un danger, à un accident.

* **rescindant, ante**, adj. [Dr.] Qui entraîne rescision. = N. m. Demande tendant à faire annuler un acte, un jugement.

* **rescinder**, v. tr. (lat. *rescindere*, m. s.). [Dr.] Annuler. *Rescinder un contrat, un partage.*

rescision [*rès-si-zion*], n. f. [Dr.] Annulation d'un acte, d'un partage, etc. [Chir.] Retranchement, ablation.

rescisoire [*rès-si-zoir*], adj. (bas lat. *rescisorius*, m. s.). Qui donne lieu à rescision. = N. m. Objet principal qui reste à juger quand a été annulé l'acte ou le jugement contre lequel on s'est pourvu.

rescousse [*rès-kouss*], n. f. Reprise d'une personne ou d'une chose emmenée, enlevée par force (Vx). = À LA RESCOUSSE, loc. adv. Cri par lequel, autrefois, on demandait secours. ‖ *Venir à la rescousse*, venir au secours, prêter main-forte.

rescription [*sion*], n. f. Ordre, mandement par écrit que l'on donne pour toucher une somme.

rescrit [*rès-kri*], n. m. (lat. *rescriptum*, m. s.). [Dr. rom.] Réponse juridique qu'un empereur faisait par écrit aux magistrats, aux corporations, etc., qui lui soumettaient quelque cas particulier à résoudre. ‖ Bulle ou monitoire des papes. ‖ Lettre d'ordre émanant de certains souverains. *Rescrit impérial.*

réseau [*ré-zo*], n. m. (anc. franç. *reseuil*, m. s.). Petits rets, petit filet. *Tendre un réseau.* ‖ Ouvrage de fil, de soie, etc., fait par petites mailles, en forme de rets. *Un réseau de soie et d'or.* — Fond de certaines dentelles. *Dentelle à fond de réseau.* ‖ Toile que tendent les araignées. [Anat.] Entrelacement de vaisseaux sanguins, de fibres, de nerfs, plus ou moins semblable aux mailles d'un filet. *Réseau artériel.* [A. mil.] Entrelacement de fils de fer barbelés tendus en divers sens en avant d'un ouvrage, d'une tranchée. [Techn.] Entrelacement de lignes de communication. *Le réseau des canaux, des lignes télégraphiques.* ‖ Ensemble des voies ferrées qui s'étendent sur une région et relèvent d'une même administration. ‖ Fig. Ensemble compliqué, enchevêtrement. *Un réseau d'intrigues.*

> VOCAB. — *Famille de mots.* — Réseau [rad. *rés*, *rét*]; résille; rets, rétiaire; rétine, rétinite, rétinien, réticule, réticulaire, réticulé, réticulation.

résection [*sek-sion*], n. f. [Chir.] Opération qui consiste à enlever, à retrancher un fragment ou la totalité d'un organe, d'un tissu.

réséda [*zé*], n. m. [Bot.] Genre de plantes herbacées dont les fleurs sont très odorantes. = Adj. *Couleur réséda*, couleur vert-gris pâle.

* **résédacées**, n. f. pl. [Bot.] Famille de plantes dicotylédones dont le type est le *réséda*.

réséquer [*sé-ké*], v. tr. (lat. *resecare*, couper). [Chir.] Faire la résection de. = Conjug. V. GRAMMAIRE.

réservataire [*zèr*], adj. et n. m. [Dr.] Celui qui a un droit de réserve.

réservation [*sion*], n. f. [Droit] Action par laquelle on se réserve des droits. ‖ *Droits qu'on s'est réservés.*

réserve, n. f. (n. verb. de *réserver*). Action de réserver. *Dans ce contrat, il a fait plusieurs réserves.* ‖ Choses réservées. [Admin. forest.] *Bois de réserve*, ou simpl. *réserve*, canton de bois qu'on laisse croître en futaie, et qu'on ne peut couper sans autorisation. [A. mil.] *Armée de réserve*, ou simplement, *réserve*, partie de l'armée qu'on laisse dans ses foyers et qu'on appelle sous les drapeaux quand les circonstances l'exigent. *Officier de réserve.* Troupes que le chef d'une armée, un commandant d'unité, un jour de bataille, laisse disponibles pour ne les engager que si la nécessité l'exige. [Comm. et Indust.] Lieu où l'on met à part certaines choses dont on ne se sert pas habituellement. *Ce livre est à la réserve.* [Dr.] *Réserve légale*, part d'héritage attribuée par la loi à certains héritiers, et dont le testateur ne peut disposer. ‖ Dans un débat, restriction, opposition faite par avance aux conséquences qu'on pourrait tirer d'une déclaration, d'une concession, etc. *Faire les plus expresses réserves.* — Par ext. Restriction. ‖ *Faire des réserves sur quelqu'un*, locution adoucie pour signifier qu'on ne pense pas grand bien de lui. [Physiol.] Substances alimentaires élaborées que les organismes vivants mettent de côté dans certains tissus, pour pouvoir les consommer au besoin.

Au sens moral. Discrétion, retenue, circonspection. *Se tenir sur la réserve*, rester sur ses gardes. ‖ Canton de chasse, de pêche où il est interdit de chasser, de pêcher.

À LA RÉSERVE DE, loc. prép. A l'exception de. *Il a vendu tous ses biens, à la réserve d'une petite maison.* = SANS RÉSERVE, loc. adv. Sans exception. *Il lui a laissé tous ses biens sans réserve.* = SOUS RÉSERVE DE... sans préjuger de... = SOUS TOUTES RÉSERVES, sans préjuger de tout ce qui pourrait ultérieurement survenir; sans garantie. *Nouvelle donnée sous toutes réserves.* = EN RÉSERVE, loc. adv. A part, de côté. *Il a toujours de l'argent en réserve.* = À LA RÉSERVE QUE, excepté que.

SYN. — *Réserve*, discrétion faite de manières à la fois déférentes et distantes : *Se tenir sur la réserve avec quelqu'un.* — *Décence*, honnêteté, bon ton gardé dans les discours, la tenue : *Être vêtu avec décence.* — *Discrétion*, qualité de qui sait agir ou intervenir seulement à propos, de qui sait par moments s'effacer : *Une personne d'une grande discrétion.* — *Humilité*, vertu de celui qui réprime tout mouvement d'orgueil a pleine conscience de sa faiblesse : *L'humilité d'un grand saint.* — *Modestie*, manière d'être faite de bonne tenue et de discrétion : *Montrer de la modestie dans tout son maintien.* — *Pudeur*, respect de la décence, de l'honnêteté physique et morale : *Respecter la pudeur de ses lecteurs.* — *Retenue*, modération gardée dans ses actes et dans ses paroles : *Parler avec retenue de choses scabreuses.* V. aussi DISCRÉTION.

réservé, ée, adj. (pp. du v. *réserver*). Circonspect, discret; qui ne se hâte pas trop de dire ni de faire connaître ce qu'il pense. *Il faut être fort réservé.* ‖ Conservé pour une certaine destination. *Tout droit réservé.* ‖ Gardé pour l'usage de certaines personnes à l'exclusion des autres. *Chasse, pêche réservées.* ‖ *Biens réservés*, biens constitués par les gains et salaires de la femme mariée et par les économies réalisées sur ceux-ci, dont elle a toujours la libre administration.

CTR. — *Cynique, effronté, éhonté.*

réserver, v. tr. Garder, retenir quelque chose d'un tout, ou une chose entre plusieurs autres. ‖ Garder une chose pour un autre temps, pour un autre usage, la ménager pour certaines occasions. ‖ Par ext. Destiner. *Cette célébrité était réservée à un tel.* = SE RÉSERVER, v. pr. Garder, mettre de côté pour soi. ‖ Attendre pour faire une chose qu'on le juge à propos. *Se réserver de faire quelque chose.*

réserviste, n. m. Soldat faisant partie de la réserve de l'armée active.

réservoir, n. m. Tout lieu dans lequel certaines choses sont tenues en réserve. ‖ Lieu, récipient destiné à tenir en réserve une quantité plus ou moins considérable de liquide. *Réservoir d'eau. Réservoir d'essence.* V. pl. AVIONS. ‖ Récipient, percé de trous, immergé pour conserver vivant du poisson. [Anat.] Cavité dans laquelle s'amasse un fluide.

résidant, ante [*zi*], adj. Qui réside, qui demeure. — *Membres résidants*, qui habitent au lieu où leur société a son siège.

résidence [*dan-se*], n. f. Demeure ordinaire en quelque lieu. ‖ Séjour actuel et obligé d'un fonctionnaire dans le lieu où il exerce ses fonctions. ‖ Lieu où réside ordinairement un prince. ‖ Fonction, habitation d'un résident.

SYN. — V. HABITATION et DOMICILE.

résident, ente, n. Titre de certains agents diplomatiques ou coloniaux auprès d'un prince, d'un chef d'État soumis au protectorat.
Hom. — *Résidant,* adj. et ppr. du v. résider.

résider, v. intr. (lat. *residere,* m. s.). Établir sa demeure en quelque endroit. *Résider à Lyon.* — Absol. *Cette fonction oblige à résider,* oblige à demeurer dans un lieu déterminé. ‖ Fig. Se trouver, exister dans; consister. *La difficulté réside en ceci.*
Orth. — Le pp. *résidé* est invar.

résidu [*zi*], n. m. [Chim.] Ce qui reste d'une ou de plusieurs substances soumises à l'action de divers agents. [Math.] Reste d'une division. [Comptab.] Syn. de *reliquat.*
Syn. — V. reste.

* **résiduaire** [*zi*], adj. Qui constitue le résidu.

* **résiduel, elle,** adj. Qui est de reste; qui appartient au résidu.

résignant [*zi*], n. m. Celui qui résigne un office ou un bénéfice.

résignataire, n. m. Celui en faveur de qui un bénéfice, un office est résigné.

* **résignateur,** n. m. Celui qui résigne un contrat, une rente.

résignation [*zi-gna-sion; gn* mll.], n. f. Soumission entière, sans nulle plainte à son sort, à la volonté de quelqu'un. *Il a subi sa disgrâce avec résignation.* ‖ Démission d'une charge ou abandon de ses droits en faveur de quelqu'un.
Ctr. — *Révolte, protestation.*

résigné, ée, adj. Qui se résigne, qui renonce volontairement à une chose ou se soumet au destin sans aucune plainte.

résigner [*zi*], v. tr. Se démettre en faveur de quelqu'un. *Résigner un office.* = se résigner, v. pr. S'abandonner, se soumettre sans plainte ni murmure. *Se résigner à son sort.*
Par. — *Résilier,* annuler un acte.

* **résiliable,** adj. Que l'on peut résilier.

résiliation [*sion*], n. f., * **résiliement,**
* **résilîment,** n. m. Action de mettre fin à l'exécution d'un contrat, d'un acte.

* **résilience,** n. f. Qualité de ce qui n'est pas fragile.

résilier, v. tr. (lat. *resilire,* se retirer). Annuler un acte. = Conjug. V. grammaire.
Par. — *Résigner,* se démettre d'une fonction.

résille [*ill* mll.], n. f. Espèce de filet dans lequel les femmes enveloppent parfois leurs cheveux. V. pl. costumes. Minces barres de plomb qui forment l'armature d'un vitrail.

* **résinage,** n. m. Exploitation et traitement de la résine.

résine [*zi*], n. f. (lat. *resina* m. s.). Produit dur, friable, très odorant, de saveur forte, très inflammable, sécrété par certains arbres tels que le pin, le sapin, et par divers autres végétaux.

* **résiné, ée,** adj. Qui contient de la résine. ‖ Enduit de résine.
Hom. — *Raisiné,* confiture faite avec du raisin.

* **résiner,** v. tr. Extraire la résine d'un pin. ‖ Enduire de résine.

résineux, euse, adj. Qui renferme, qui produit la résine. *Bois résineux.* ‖ Qui a rapport à la résine. *Odeur résineuse.* ‖ Qui a les propriétés de la résine. ‖ *Électricité résineuse,* électricité négative, prenant naissance quand on frotte un bâton de résine.

* **résingle,** n. f. Outil pour redresser les objets d'orfèvrerie bossués.

résinier, ière, n. Ouvrier, ouvrière qui recueille et travaille la résine. = Adj. Qui se rapporte à la résine.

* **résinifère,** adj. Qui produit ou renferme de la résine.

* **résinification** [*sion*], n. f. Production de résine; transformation en résine.

* **résinifier,** v. tr. Transformer en résine. = Conjug. V. grammaire.

résipiscence [*pis-san-se*], n. f. (lat. *resipiscere,* revenir à la sagesse). Reconnaissance de sa faute suivie d'amendement. *Venir à résipiscence.* — *Recevoir à résipiscence,* prendre en considération le repentir et pardonner.

résistance [*zi*], n. f. (lat. *resistentia,* m. s.). Force, propriété par laquelle un corps réagit contre l'action d'un autre corps. *La résistance de l'air. La résistance des matériaux soumis à certains efforts.* ‖ Obstacle, difficulté. *Sentir une résistance.* ‖ Défense que font les hommes, les animaux, contre ceux qui les attaquent. *Il s'est rendu sans résistance.* — Partic. *La Résistance,* mouvement de patriotes qui, de 1940 à 1944, se sont opposés aux occupants allemands et à la politique de collaboration. — Ensemble de ces patriotes. ‖ Fig. Opposition aux desseins, aux volontés, aux sentiments d'un autre. *Si vous proposez cela, vous trouverez bien de la résistance.* ‖ Fig. et fam. *Pièce de résistance,* principal plat d'un repas. — *Morceau de résistance,* partie principale d'un ensemble.
Syn. — *Résistance,* le fait de tenir tête à l'ennemi, à une autorité : *La résistance de ces troupes a été brillante, mais inutile.* — *Défense,* action de se protéger contre une attaque : *La défense de Belfort en 1870-1871.* — *Opposition,* l'action de mettre en avant des obstacles, des difficultés : *Triompher de l'opposition de son entourage.*
V. aussi bataille et solidité.
Ctr. — *Abandon, soumission.*
Par. — *Persistance,* caractère de ce qui continue avec force.

résistant, ante, adj. Qui présente de la résistance. ‖ Qui ne veut pas plier. = Nom. Membre de la Résistance.
Syn. — V. fort.
Ant. — *Collaborateur, collaborationniste.* — *Soumis.*
Ctr. — *Tendre, mou, flexible.*

résister, v. intr. (lat. *resistere,* m. s.). Ne pas céder ou céder difficilement au choc, à l'action ou à la pression d'une force. ‖ Se défendre, opposer la force à la force. ‖ Fig. S'opposer aux desseins, à la volonté de quelqu'un; tenir ferme contre. ‖ Supporter la peine, le travail, la maladie.
Ctr. — *Céder, succomber, acquiescer.*

résolu, ue [*zo*], adj. (pp. de *résoudre*). Déterminé, décidé, hardi. *Il ne craint rien, il est très résolu.* ‖ Tranché, réglé, arrêté. *Question résolue.* ‖ Réduit en ses éléments. [Méd.] Qui a disparu par résorption.
Syn. — V. brave.
Ctr. — *Irrésolu, indécis, perplexe.*

résoluble [*zo*], adj. Qui peut être résolu, annulé, cassé. ‖ Dont on peut trouver la solution. ‖ Qui peut se décomposer en ses éléments constituants.

résolument, adv. Avec une résolution déterminée. ‖ Hardiment, courageusement.

résolutif, ive, adj. [Méd.] Se dit des médicaments propres à déterminer la résolution des inflammations.
résolution [sion], n. f. (lat. resolutio, m. s., de resolvere, résoudre). Réduction d'un corps en ses éléments. ‖ Passage d'un corps solide à l'état liquide ou d'un liquide à l'état gazeux. La résolution de la glace en eau. [Alg.] La résolution d'une équation, la détermination des valeurs des quantités inconnues qu'elle renferme. [Dr.] La résolution d'un acte, d'un contrat. Mise à néant d'un acte, d'un contrat. [Méd.] Dissolution graduelle d'un abcès, d'une tumeur, d'un épanchement. ‖ Décision d'une question. d'une difficulté. Résolution d'un problème, d'un cas de conscience. ‖ Proposition adoptée, projet de loi ayant reçu l'assentiment des Chambres. Projet de résolution. ‖ Dessein que l'on forme, parti que l'on prend. Prendre une grande résolution. ‖ Par ext. Fermeté, courage. — Un homme de résolution, celui qui exécute avec courage et fermeté ce qu'il a entrepris.
ÉPITHÈTES COURANTES : ferme, absolue, destinée, inébranlable, intraitable, farouche, adorable, définitive, etc.
SYN. — V. VOLONTÉ et ARRÊT.
ANT. — Irrésolution.
résolutoire, adj. [Dr.] Qui a pour effet de résoudre un acte. Clause résolutoire.
résolvant, ante, adj. et n. (ppr. de résoudre). Qui résout, qui sert à résoudre.
résonance ou * **résonnance,** n. f. Propriété que possède un corps de résonner. ‖ Prolongation, renforcement du son par la persistance des vibrations du corps sonore ou par la réflexion du son. ‖ Renforcement du son de la voix, produit par la cage thoracique.
ORTH. — On n'est pas d'accord sur l'orth. de ce mot. Si les dérivés résonnant, résonnement, résonner sont partout écrits avec deux n, nous signalerons que l'Académie (1935) et le Dictionnaire Darmesteter-Hatzfeld-Thomas écrivent résonance, résonateur, tandis que Littré donne résonnance.
résonateur, n. m. [Phys.] Appareil capable de renforcer les sons. = RÉSONATEUR, TRICE, adj. Qui fait résonner.
résonnant, ante, adj. Qui résonne, qui réfléchit le son en le renforçant. ‖ Qui rend un son intense.
HOM. — Raisonnant, qui discute tout.
* **résonnement,** n. m. Action de résonner. ‖ Retentissement et renvoi du son.
HOM. — Raisonnement, action de raisonner; son résultat.
résonner, v. intr. Retentir, réfléchir le son en le renforçant. Faire résonner les échos. ‖ Rendre un son intense. Cette cloche résonne bien.
SYN. — Résonner, rendre un son musical : Une sonnerie de trompettes résonna au loin. — Carillonner, se dit lorsque plusieurs sources sonores agissent en même temps : Les cloches carillonnent gaiement pour un baptême. — Retentir, rendre un son puissant et sourd : On entendit retentir le canon. — Sonner, mettre en branle une cloche, une sonnette : Le facteur vient de sonner à la porte ; midi sonne au beffroi de la ville. — Tinter, sonner lentement, en parlant d'une cloche frappée par le battant d'un seul côté : La cloche tinte pour annoncer l'incendie. — Vibrer,

émettre de rapides mouvements de va-et-vient déterminant des ondes sonores : L'air en vibrant produit le son. V. aussi CRI, FRACAS, TON.
HOM. — Raisonner, se servir de sa raison.
résorber [zor], v. tr. [Méd.] Opérer la résorption. = SE RÉSORBER, v. pr. Disparaître par résorption, en parlant d'une humeur. ‖ Disparaître en se fondant dans une autre chose.
* **résorcine** [zor], n. f. Corps cristallisé, incolore, employé en thérapeutique comme antiseptique, et dans l'industrie.
résorption [sion], n. f. Action d'absorber de nouveau. [Méd.] Disparition d'une production de liquide pathologique absorbée par les tissus voisins. ‖ Fig. Action de se dissoudre dans...
résoudre [ré-zoudre], v. tr. (lat. resolvere, m. s.). Détruire la cohésion qui existe entre les parties d'un corps. Le feu résout le bois en cendre et en fumée. — Par ext., faire passer un corps d'un état à un autre. Le froid condense les nuages et le résout en pluie. [Dr.] Résoudre un contrat, un marché, un bail, etc., les casser, les mettre à néant et en détruire tous les effets. [Math.] Résoudre une équation, calculer les racines de cette équation. [Méd.] Résoudre une tumeur, un épanchement, les faire disparaître peu à peu.
Décider un cas douteux, une question; y apporter une solution. Il n'est pas aisé de résoudre cette question. ‖ Déterminer, décider une chose. Il ne sait que résoudre. ‖ Déterminer quelqu'un à faire quelque chose. On ne saurait le résoudre à partir. — Résoudre de, se décider à. — Résoudre que, décider que. = SE RÉSOUDRE, v. pr. Passer à un autre état, se décomposer, se diviser en ses éléments constitutifs. ‖ Fig. et fam. Tout ce que vous dites là se résout à rien, il n'en ressort, il n'en résulte rien. ‖ Se déterminer. Je me résolus à plaider.
GRAM. — Résoudre, lorsqu'on emploie, se construit avec la prép. de : Ses camarades ont résolu de le mettre en quarantaine. Mais, précédé du régime direct d'objet, il se construit avec à : Je ne puis me résoudre à vous quitter. Ce verbe a eu deux participes passés : résolu et résous, ce dernier étant employé seulement pour des choses qui se convertissent en d'autres, et au masculin. Le brouillard s'est résous en pluie. L'Académie a exclu cette forme de son dernier dictionnaire (1935).
SYN. — V. DÉCIDER.

CONJUG. — V. trans., 3ᵉ groupe (inf. en re) [rad. résolv, résou].
Indicatif. — *Présent* : je résous, tu résous, il résout, nous résolvons, vous résolvez, ils résolvent. — *Imparfait* : je résolvais, ... nous résolvions, vous résolviez... — *Passé simple* : je résolus, tu résolus, ... nous résolûmes, vous résolûtes, ils résolurent. — *Futur* : je résoudrai, ... nous résoudrons, vous résoudrez...
Impératif. — Résous, résolvons, résolvez.
Conditionnel. — *Présent* : je résoudrais, ... nous résoudrions, vous résoudriez...
Subjonctif. — *Présent* : que je résolve, ... qu'il résolve, que nous résolvions, que vous résolviez... — *Imparfait* : que je résolusse, ... qu'il résolût, que nous résolussions, que vous résolussiez...
Participe. — *Présent* : résolvant. — *Passé* : résolu, résolue.

* **résous,** adj. m. (2e forme du pp. de *résoudre*). Se dit des choses qui se changent, se convertissent en d'autres. V. RÉSOUDRE (*Gram.*).

respect [rés-pèc], n. m. (lat. *respectus*, égard). Vénération, déférence, considération qu'on a pour quelqu'un, pour quelque chose, à cause de son excellence, de sa qualité, de son âge, etc. *Le respect des lois. Inspirer du respect. Manquer de respect à quelqu'un.* ∥ Par forme de compliment. *Assurer quelqu'un de son respect.* ∥ *Respect humain,* la crainte qu'on a du jugement et des discours des hommes. ∥ *Tenir quelqu'un en respect,* le contenir, lui inspirer crainte. = Au plur. Hommages, civilités. *Recevez mes respects.*

ÉPITHÈTES COURANTES : grand, infini, absolu, profond, sincère, affecté; humain, etc.

SYN. — *Respect,* marque de considération pleine d'égards témoignée à une personne en vertu de son âge, de ses mérites, etc. : *Les enfants doivent le respect aux vieillards.* — *Déférence,* condescendance respectueuse : *Écouter avec déférence les critiques qui vous sont adressées.* — *Égards,* manières condescendantes mêlées de respect : *On doit avoir des égards pour les personnes âgées.* — *Estime,* opinion favorable que l'on a de quelqu'un à cause de son mérite, de sa vertu : *J'ai une très grande estime pour ce personnage.* — *Révérence,* respect profond : *Parler de quelqu'un avec révérence.* — *Vénération,* profond respect mêlé d'une sorte de culte : *Avoir une vénération pour la mémoire de ses parents.* V. aussi CIVILITÉ, ÉGARDS.

ANT. — Dédain, irrespect, mépris, insolence, irrévérence, impertinence.

respectabilité, n. f. Caractère respectacle d'une personne ou d'une chose.

respectable, adj. Qui mérite du respect. *Cette personne est respectable par son âge et par ses vertus.* ∥ Fig. Dont l'importance est à considérer.

CTR. — *Méprisable.*

* **respectablement,** adv. D'une façon respectable.

respecté, ée, adj. Honoré, révéré. ∥ Épargné.

respecter, v. tr. (de *respect*). Honorer, révérer, porter respect. *Respecter quelqu'un. Respecter la vertu.* ∥ Fig. Épargner, ne point porter atteinte à. *Le temps a respecté ces anciens monuments.* = SE RESPECTER, v. pr. Garder avec soin la décence et la bienséance convenables. *C'est une femme qui se respecte.*

SYN. — V. ADORER.

CTR. — *Enfreindre; mépriser.*

respectif, ive, adj. Qui a rapport à chacun en particulier, qui concerne réciproquement chaque personne, chaque chose. *Les chances respectives de chaque concurrent.*

PAR. — *Respectueux,* qui témoigne du respect.

respectivement, adv. D'une manière respective, d'une manière réciproque.

respectueusement, adv. Avec respect.

respectueux, euse, adj. Qui témoigne ou qui marque du respect. *Écrire en termes respectueux.* [Dr.] *Acte respectueux,* autrefois, démarche d'un enfant majeur auprès de ses parents qui refusaient leur consentement à son mariage.

SYN. — V. HUMBLE.

CTR. — *Irrespectueux, insolent, effronté, impertinent.*

PAR. — *Respectif,* qui a rapport à chacun en particulier.

respirable, adj. Qu'on peut respirer.

CTR. — *Délétère, irrespirable.*

respiration [sion], n. f. (lat. *respiratio*, m. s.). Action de respirer. [Physiol.] Fonction qui préside aux échanges gazeux (absorption d'oxygène, élimination de gaz carbonique) entre le milieu extérieur et les tissus vivants, animaux ou végétaux.

SYN. — V. HALEINE.

respiratoire, adj. Qui sert, qui a rapport à la respiration. — *Mouvements respiratoires,* destinés à ramener la respiration chez les noyés et asphyxiés. ∥ *Appareil respiratoire,* ensemble du système respiratoire du corps humain; appareil destiné à rétablir la respiration dans les cas d'asphyxie ou de noyade.

respirer, v. intr. (lat. *respirare*, m. s.). Absorber de l'oxygène et produire du gaz carbonique pour entretenir la vie, en parlant des animaux et des plantes. — *Tout ce qui respire,* tout ce qui vit. *Depuis que je respire,* depuis que je suis né. *Il ne respire plus,* il est mort. ∥ Fig. Prendre, avoir quelque relâche après de grandes peines, après un travail pénible. *Laissez-moi respirer un moment.* ∥ Fig., au sens moral, se manifester, éclater. *L'amour du bien public respire dans toutes ses paroles.* ∥ Fig. Éprouver un soulagement après une angoisse. *J'ai reçu de lui un télégramme, je respire enfin !* = V. tr. Absorber par les organes respiratoires. *Respirer un bon air.* ∥ Fig. Annoncer, exprimer, témoigner vivement. *Dans cette maison, tout respire la joie.* ∥ Fig. Désirer ardemment. *Il ne respire que la vengeance.*

resplendir, v. intr. Briller avec un grand éclat. ∥ Fig. *Resplendir de santé.*

SYN. — V. BRILLER.

resplendissant, ante, adj. (ppr. de *resplendir*). Qui resplendit. *Soleil resplendissant.* ∥ Fig. *Santé resplendissante.* ∥ Éclatant. *Beauté resplendissante.*

resplendissement, n. m. Grand éclat formé par le rayonnement, la réflexion de la lumière.

responsabilité, n. f. Obligation de répondre de sa conduite, des actions ou de celles des autres, ou d'être garant de quelque chose.

responsable, adj. (lat. *responsum,* de *respondere,* se porter garant). Qui est obligé de répondre de ses propres actions ou de celles des autres, ou d'être garant de quelque chose. *Je ne suis point responsable des fautes d'autrui.* — Qui doit rendre compte de sa gestion, de son administration. *Administrateur responsable.* = Nom. Celui, celle qui a la responsabilité de. *Les responsables d'un acte criminel.*

CTR. — *Irresponsable.*

responsif, ive, adj. [Dr.] Qui contient une réponse. *Mémoire responsif.*

* **resquille,** n. f. Pop. Art du resquilleur.

* **resquiller,** v. tr. Pop. Jouir de quelque chose par adresse et sans payer.

* **resquilleur, euse,** n. Celui, celle qui resquille. (Pop.)

ressac, n. m. [Mar.] Retour violent des vagues sur elles-mêmes après qu'elles ont frappé avec impétuosité un obstacle.

* **ressaigner**, v. tr. et intr. Saigner de nouveau.

ressaisir [sè-zir], v. tr. Saisir de nouveau. ‖ Reprendre, se remettre en possession de quelque chose. = SE RESSAISIR, v. pr. Reprendre possession de soi-même. ‖ *Se ressaisir de*, reprendre possession de quelque chose.

ressasser, v. tr. (de *sas*, tamis). Sasser de nouveau. *Ressassez cette farine.* ‖ Fig. Examiner avec soin et dans tous les détails. *Ressasser un compte, une affaire.* ‖ Revenir sans cesse sur les mêmes choses.

* **ressasseur, euse**, n. Celui, celle qui ressasse toujours les mêmes choses.

ressaut [re-sô], n. m. [Archi.] Effet produit par toute partie qui, au lieu d'être continue sur une même ligne, fait saillie. ‖ Fig. Passage soudain d'un sujet à un autre. *Les ressauts de la conversation.*

ressauter, v. tr. et intr. Sauter de nouveau. = V. intr. [Archi.] Se dit des parties qui forment ressaut.

* **ressayer**, v. tr. Essayer de nouveau. = Conjug. V. GRAMMAIRE.

* **resseller**, v. tr. Seller de nouveau.

ressemblance [re-san], n. f. Rapport, conformité entre des personnes, entre des choses. ‖ Conformité entre l'imitation d'un objet et l'objet imité.
SYN. - V. ANALOGIE et CONFORMITÉ.
CTR. - *Dissemblance, contraste, différence.*

ressemblant, ante, adj. Qui ressemble ou se ressemble. *Portrait ressemblant.*
SYN. — V. SEMBLABLE.

ressembler [re-san], v. intr. Avoir du rapport, de la conformité avec quelqu'un ou quelque chose. *Il ressemble à son père.* ‖ Offrir l'image, l'imitation exacte d'un objet. — *Cela ne vous ressemble pas*, cela n'est pas conforme à ce que l'on sait de vous. = SE RESSEMBLER, v. pr. Avoir mutuellement de la ressemblance, de la conformité. ‖ Présenter des traits, des caractères communs. *Ces deux objets se ressemblent.* — Prov. *Les jours se suivent et ne se ressemblent pas.*
INCORR. — Ne dites pas : *il ressemble à son frère comme deux gouttes d'eau*; dites : *les deux frères se ressemblent comme deux gouttes d'eau.*
CTR. — *Différer.*
PAR. — *Rassembler*, assembler de nouveau; mettre ensemble.

ressemelage [re-se], n. m. Action de ressemeler. ‖ Résultat de cette action.

ressemeler, v. tr. Mettre de nouvelles semelles à de vieilles chaussures. = Conjug. V. GRAMMAIRE.
ORTH. — *Ressemeler* ne prend qu'*un l*, bien que *semelle* en prenne *deux*.

ressemer [re-se], v. tr. Semer de nouveau. = Conjug. V. GRAMMAIRE.

ressenti, ie [re-san], adj. [Bx-A.] Se dit des formes, traits, touches auxquels l'artiste a donné force et caractère.

ressentiment, n. m. (du v. ressentir). Souvenir que l'on a d'un bienfait reçu (Vx). — Péjor. Souvenir qu'on garde d'une injure, avec désir de se venger. *Il conserva toute sa vie le ressentiment de cet affront.*

ressentir [re-san], v. tr. Sentir, éprouver plus ou moins vivement. *Ressentir du bien-être.* ‖ Être touché, ému par. *Ressentir vivement la perte d'un être cher.* = SE RESSENTIR, v. pr. Éprouver les suites, les conséquences de quelque chose. *Les récoltes se ressentent de la gelée.* — Fam. *Il s'en ressentira !* Je saurai bien me venger.
= Conjug. (comme *mentir*). V. VERBES.

resserre [re-sè-re], n. f. Endroit où l'on serre, où l'on range des outils, du bois, des fruits, etc.

resserré, ée, adj. Enfermé à l'étroit, ou dont les bords sont très rapprochés. *Vallon resserré.* ‖ Constipé.
SYN. — V. ÉTROIT et EXIGU.

resserrement, n. m. Action par laquelle une chose est resserrée. ‖ Constipation.

resserrer [re-sè-ré], v. tr. Serrer davantage ce qui s'est lâché. *Resserrez ce cordon, cette ceinture.* — Fig. *Resserrer les nœuds, les liens de l'amitié,* les rendre plus étroits. ‖ Déterminer une constriction, rétrécir. *Le froid resserre les pores.* ‖ *Ce médicament resserre le ventre,* ou absol., *resserre,* il rend le ventre moins libre, moins lâche. ‖ Donner des bornes plus étroites, rendre moins étendu. *Resserrer une rivière dans son lit. Resserrer ses dépenses. Resserrer l'action d'un drame.*
Remettre une chose dans le lieu d'où on l'avait retirée et où elle était enfermée. *Resserrez ce papier dans votre bureau.* = SE RESSERRER, v. pr. Perdre en étendue, se rétrécir. — Fig. *Dans un temps de disette, chacun se resserre,* chacun diminue sa dépense.
CTR. — *Relâcher, dilater, élargir.*

* **resservir** [re-serr], v. intr. Servir de nouveau, être de nouveau utile. = V. tr. Servir quelque chose une seconde fois. = Conjug. (comme *servir*). V. VERBES.

1. **ressort** [re-sor], n. m. (n. verb. de *ressortir 1*, sortir de nouveau). Élasticité, propriété d'un corps pressé, tendu ou plié de revenir à son premier état. — *Faire ressort,* se dit d'un corps qui, ayant été comprimé ou tiré, tend à se remettre dans son premier état. ‖ Fil, ruban ou morceau de métal, ou d'autre matière élastique, fait et posé de façon qu'il tende à revenir dans sa première situation, s'il cesse d'être comprimé. *Tendre, lâcher un ressort.* V. pl. CHARRETTE.
Fig. *L'intérêt est le plus puissant des ressorts qui font mouvoir les hommes.* ‖ Fig. Activité, force, énergie. *Donner du ressort à l'esprit, à l'âme.* — *Cette personne a du ressort,* cette personne est énergique et sait faire face aux difficultés. ‖ Fig. Moyen dont on se sert pour faire réussir un dessein, une affaire. *Il fait mouvoir toutes sortes de ressorts pour venir à ses fins.*
SYN. — V. pl. FOUGUE.
HOM. — *Ressort,* n. m., mécanisme qui se tend et se détend; — *ressort,* n. m., étendue d'une juridition; — *ressors, ort,* du v. ressortir.

2. **ressort** [re-sor], n. m. (de *ressortir 2*). [Dr.] Étendue de juridition. *Le ressort d'un tribunal.* ‖ Limite de compétence d'un corps judiciaire. *Cette affaire est du ressort du juge de paix.* — *Juger en dernier ressort,* juger souverainement et sans appel. ‖ Fig. Compétence. *Cela n'est pas de mon ressort,* il ne m'appartient pas d'en juger.

1. **ressortir** [re-sor-tir], v. intr. (préf. *re*, et *sortir*). Sortir de nouveau après être déjà sorti, ou sortir après être entré. ‖ Fig. Frapper la vue par opposition avec autre chose. — *Les ombres font ressortir les lumières. De légers défauts semblent faire ressortir davantage d'heureuses qualités.*

Fig. Résulter, apparaître. *Il ressort de vos dires que...*
CTR. — *Rentrer.*

> CONJUG. — V. intrans., 3ᵉ groupe (infinitif en *ir*) : Sortir de nouveau. — Se conjugue comme *mentir*. Temps composés avec l'auxiliaire *être.*

2. ressortir [*re-sortir*], v. intr. (lat. *re*, préf., et *sortiri*, obtenir). Être du ressort, de la dépendance de quelque juridiction. *Les tribunaux de première instance ressortissent à leurs cours d'appel respectives.*
OBS. — On dit : être du ressort DE et ressortir À.

> CONJUG. — V. intrans., 2ᵉ groupe (inf. en *ir*, imparf. *issait*) : Dépendre de [rad. *ressor, ressortiss*]. — Se conjugue comme *finir* (type normal des verbes du 2ᵉ groupe). Temps composés avec l'auxiliaire *avoir.*

ressortissant, ante, adj. et n. Qui ressortit à une juridiction.
ressouder [*re-sou*], v. tr. Souder de nouveau.
ressource [*re-sour*], n. f. (Vx franç. *ressourdre*, se relever). Moyen qu'on emploie pour se tirer d'embarras, pour vaincre des difficultés. ‖ La personne, la chose à laquelle on a ainsi recours. *Vous êtes ma dernière ressource.* ‖ *Homme de ressource*, qui n'est jamais à court de moyens. = Pl. se dit pour argent, richesses. *Les ressources d'un pays.* — *Être sans ressources, être dans la misère.* [Aviat.] Mouvement en boucle décrit par un avion qui, après avoir piqué, reprend de la hauteur ou une ligne de vol horizontale.
ÉPITHÈTES COURANTES : grandes, infinies, immenses, inépuisables, suffisantes, modestes, faibles, insuffisantes, aléatoires, précaires, nulles, etc.
SYN. — *Ressources* (au pl.), l'argent dont on dispose : *Trouver des ressources modestes, mais suffisantes.* — *Capital*, la fortune acquise en tant qu'elle produit des intérêts : *Être obligé d'entamer son capital.* — *Expédient*, moyen plus ou moins douteux pour arriver à subsister : *Ces gens-là vivent d'expédients.* — *Moyens* (au pl.), l'ensemble des ressources dont on dispose pour vivre : *Ses moyens étaient modestes.* V. aussi BIEN, REVENU.
* **ressouvenance** [*re-sou*], n. f. Syn. de *ressouvenir* (1) (Vx).
1. ressouvenir, n. m. Idée que l'on conserve d'une chose passée. ‖ Sentiment d'une douleur, d'une souffrance qui se renouvelle.
2. ressouvenir (se), v. pr. Se souvenir d'une chose, soit qu'on l'ait oubliée, soit qu'on en ait conservé la mémoire. ‖ Garder le ressentiment de. — *Je m'en ressouviendrai,* je m'en vengerai un jour. = Conjug. (comme *tenir*). V. VERBES.
ressuage [*re-su*], n. m. État d'un corps qui ressue. [Métal.] Action de faire ressuer un métal.
ressuer [*re-su*], v. intr. Suer une nouvelle fois. ‖ Se dit des corps qui laissent sortir leur humidité intérieure. ‖ [Techn.] Faire sortir du fer, par martelage, les substances hétérogènes interposées.

ressui [*ré-sui*], n. m. [Vén.] Lieu où les bêtes fauves et le gibier vont se sécher après la pluie ou la rosée du matin.
* **ressuiement** [*ré-sui-man*], n. m. Action de sécher, de perdre son humidité.
* **ressuivre,** v. tr. Suivre en revenant. ‖ Suivre de nouveau. = Conjug. (comme *suivre*). V. VERBES.
* **ressuscitement** [*ré-su-si*], n. m. Action de ressusciter. ‖ Résultat de cette action.
ressusciter [*ré-su-sité*], v. tr. Ramener de la mort à la vie. — Par ext. Ramener à la vie des frontières de la mort. ‖ Fig. Faire apparaître de nouveau, faire revivre : *Ressusciter une coutume.* = V. intr. Revenir de la mort à la vie ou, fam., guérir d'une très grave maladie.
* **ressuyage,** n. m. Action de ressuyer ; son résultat.
ressuyer, v. tr. Essuyer de nouveau. *Ressuyer ses mains.* ‖ Sécher. *Le soleil ressuya la route après l'orage.* = V. intr. Laisser sortir son humidité intérieure. *Faire ressuyer un mur.* = SE RESSUYER, v. pr. Se sécher. = Conjug. V. GRAMMAIRE.
restant, ante, adj. Qui reste. ‖ *Poste restante,* inscription qui, sur une lettre, un paquet, indique que le destinataire doit venir les chercher au bureau réceptionnaire. = N. m. Ce qui reste d'une somme, d'une quantité.
restaurant, ante, adj. Qui restaure, qui répare les forces. = N. m. Ce qui répare les forces. ‖ Établissement où l'on trouve à toute heure des aliments se servant par portions, à prix fixe ou à des prix indiqués sur la carte.
restaurateur, trice, n. Celui, celle qui restaure, qui répare, qui rétablit. *Un restaurateur de tableaux.* = N. m. Traiteur qui tient un restaurant.
restauration [*sion*], n. f. Action de restaurer ; réparation, rétablissement. *La restauration d'un mur, d'une cathédrale.* ‖ Fig. au sens moral. *La restauration des lettres et des arts.* ‖ Rétablissement sur le trône d'une ancienne dynastie. — Temps que dure ce rétablissement.
restauré, ée, adj. Remis en bon état. ‖ Remis en bonne forme par de la nourriture (Fam.).
restaurer, v. tr. Réparer, rétablir, remettre en bon état, en vigueur. *Restaurer une construction, un tableau. Restaurer sa santé. Restaurer une ancienne coutume.* = SE RESTAURER, v. pr. Rétablir ses forces en prenant de la nourriture.
PAR. — *Instaurer,* fonder, instituer.

> VOCAB. — *Famille de mots.* — *Restaurer :* restauré, restaurant, restauration, restaurateur ; instaurer, instauration, instaurateur.

reste, n. m. Ce qui demeure d'un tout quand on en a retranché une partie. *Les restes d'un festin.* — Fig. et fam. *Jouir de son reste,* employer ses dernières ressources ou remplir mal une place que l'on va quitter. — *S'en aller sans demander son reste. Ne pas attendre son reste,* se retirer promptement par crainte de quelque mauvais traitement. — Fig. *Être en reste avec quelqu'un des bons offices qu'il vous a rendus,* lui en rester redevable.
Parties d'une chose, d'un tout, qui ont échappé à la destruction (généralement au plur.). *Les restes d'un naufrage.* — *Les*

restes d'une personne, son cadavre, ses cendres. ‖ *Cette femme a de beaux restes*, elle est encore, malgré son âge, assez belle pour témoigner de sa beauté passée. — Mets qui n'ont pas été entièrement mangés pendant un repas. *L'art d'accommoder les restes.* — *Il n'a eu que vos restes*, il n'a eu que ce que vous avez refusé. ‖ En parlant du temps : Partie d'une certaine période qui n'est pas encore écoulée. *Le reste de la journée.* ‖ Partie d'une chose qui est encore à faire. *Je ferai le reste demain.* — Tout ce qui n'est pas la chose dont il est question. *Obéissez et ne vous occupez pas du reste.* ‖ *Le reste des hommes*, les autres hommes, par oppos. à ceux dont on parle. [Math.] *Soustraction* : la différence de deux nombres, ou *reste*, est un troisième nombre qui, ajouté au plus petit, donne le plus grand. — *Division* : le *reste* est la différence entre le dividende et le produit du diviseur par le quotient.
DE RESTE, loc. adv. Plus qu'il n'est nécessaire pour ce dont il s'agit. *Il a de l'argent de reste. Avoir de la bonté de reste.* = AU RESTE, DU RESTE, loc. adv. Au surplus, d'ailleurs, cependant, malgré cela. *Au reste, je vous dirai que... Il est capricieux, du reste il est honnête homme.*
SYN. — *Restes*, ce qui subsiste d'une chose après sa destruction : *Les restes de Pompéi.* — *Cendres*, les restes mortels : *Le retour des cendres de Napoléon à Paris.* — *Débris*, ce qui reste d'une chose mise en morceaux : *On a trouvé les débris d'une statue antique.* — *Détritus*, débris d'un corps, d'une substance quelconque : *Les chiens errants cherchent leur vie dans les détritus.* — *Résidu*, ce qui reste après une opération : *Les résidus de la distillation des marcs de raisin.* V. aussi DÉBRIS, FRAGMENT, MARQUE.
rester, v. intr. (lat. *restare*, m. s.). Être de reste. Exister après la suppression ou la disparition des autres choses. *Il est resté seul de sa famille.* — Avec ellipse du pronom : *reste à savoir si...* ‖ Demeurer après le départ de ceux avec qui l'on était. *La compagnie s'en alla, et je restai.*
Demeurer dans un lieu, ne pas changer de place. *Il ne peut rester nulle part*, il voyage sans cesse. *Il est resté sur la place*, et absol., *il y est resté*, il a été tué sur le champ de bataille. ‖ Demeurer près de quelqu'un, ne pas le quitter. *Je resterai auprès de vous.* ‖ Demeurer longtemps, persister. *Son souvenir restera dans toutes les mémoires.* Demeurer dans le même état, dans la même situation. *Rester tranquille. Il resta seul, sans parents.* ‖ *Rester court*, ne pas pouvoir continuer le discours, la phrase commencée. *Rester sur place*, ne pas avancer. — *Rester en route*, se dit de ce qui a été abandonné après avoir été commencé. — S'arrêter. *J'ai fait la moitié de mon travail, j'en resterai là pour aujourd'hui.* — *Restons-en là*, ne continuons pas sur ce sujet.
LING. — *Rester* ne doit pas s'employer pour *demeurer*. On ne doit pas dire : *il reste telle rue*, mais *il demeure telle rue*.
SYN. — *Rester*, continuer à être, persévérer dans sa manière d'être : *Un esprit faux reste toujours faux.* — *Demeurer*, être frappé d'une sorte d'immobilité : *Je demeure stupide* (CORNEILLE). V. aussi MAINTENIR.
restituable, adj. Que l'on doit rendre.

restituer [*rès'*], v. tr. (lat. *restituere*, m. s.). Rétablir, remettre une chose en son premier état ; se dit surtout de textes anciens. *Restituer un texte.* [Archi.] *Restituer un monument, un édifice*, faire la représentation d'un monument entièrement détruit.
Rendre ce qui a été pris ou ce qui est possédé indûment, injustement. *Il a été condamné à restituer cette somme.* ‖ *Restituer l'honneur à quelqu'un*, lui rendre l'honneur. ‖ Pop. Vomir. = SE RESTITUER, v. pr., Être restitué à soi-même. — Restituer l'un à l'autre.
* **restituteur,** n. m. Celui qui restitue, qui rétablit.
restitution [*rès...sion*], n. f. (lat. *restitutio*, m. s.). Action par laquelle on rétablit, on remet une chose dans son premier état. Résultat de cette action. *La restitution d'un texte.* [Archi.] *La restitution d'un monument*, la représentation dans son premier état d'un monument entièrement détruit. [Dr.] Action par laquelle on restitue, on rend ce qu'on détenait indûment ; ce qui est restitué. *Être obligé à restitution.*
* **restitutoire,** adj. [Dr.] Qui a pour objet de restituer.
restreindre [*rès-trin*], v. tr. (lat. *restringere*, resserrer). Réduire, diminuer, borner, limiter. *Restreindre un droit.* = SE RESTREINDRE, v. pr. Se borner, se réduire. *Se restreindre au strict nécessaire.* — Absol. Diminuer, réduire son train, sa dépense. = Conjug. (comme *peindre*). V. VERBES.
CTR. — *Augmenter, accroître, amplifier, étendre, élargir, propager.*
restreint, einte [*trin*], adj. Réduit, limité. *Espace restreint.*
SYN. — V. EXIGU.
CTR. — *Étendu, accru, amplifié.*
restrictif, ive, adj. Qui restreint, qui limite.
restriction [*sion*], n. f. Action de restreindre. ‖ Condition qui restreint ; modification. ‖ *Restriction mentale*, réserve faite à part soi d'une partie de ce que l'on pense, pour induire en erreur ceux à qui l'on parle.
* **restringent, ente** [*jan*], adj. et n. m. [Méd.] Syn. d'*astringent* (Rare).
résultant, ante, adj. Qui résulte de. = N. f. [Mécan.] La *résultante* de deux forces concourantes est la diagonale du parallélogramme construit sur les deux forces.
résultat [*ta*], n. m. Ce qui résulte, ce qui s'ensuit d'une ou plusieurs choses ; conséquence finale.
ÉPITHÈTES COURANTES : provisoire, définitif, cherché, marqué, escompté, espéré, obtenu, attendu, désiré, voulu ; bon, excellent, inespéré, remarquable, magnifique, moyen, passable, satisfaisant, médiocre, mauvais, détestable, exécrable ; nul ; encourageant, désespérant ; exact, vrai, faux, etc.
ANT. — *Cause, principe.*
résulter, v. intr. (lat. scol. *resultare*, propr. sauter en arrière). S'ensuivre ; être la conséquence, l'effet. *Que résultera-t-il de tous ces débats?*
CONJUG. — Ce verbe ne s'emploie qu'à l'infinitif et à la troisième personne des temps simples ou composés ; de plus, ces derniers se conjuguent soit avec l'auxiliaire *être*, soit avec l'auxiliaire *avoir*.
résumé, n. m. Sommaire, analyse succincte. ‖ Précis, abrégé. = AU ou EN

RÉSUMÉ, loc. adv. Pour résumer, en récapitulant.
ÉPITHÈTES COURANTES : sec, bref, concis, net, précis, incisif ; long, diffus, confus, médiocre ; solide, éloquent, habile, etc.
SYN. — V. ABRÉGÉ.
ANT. — *Amplification, développement.*
résumer, v. tr. (lat. *resumere*, reprendre). Reprendre sommairement les points les plus importants d'une discussion, d'un discours, d'un livre, etc. ‖ Fig. Être l'image en petit d'un modèle plus grand. = SE RÉSUMER, v. pr. Résumer un discours, un écrit qu'on a fait soi-même.
SYN. — V. ABRÉGER.
CTR. — *Amplifier, développer.*
* **résure**, n. f. [Pêche] Appât pour la sardine (œufs de morue salés).
* **résurgence**, n. f. (lat. *resurgere*, renaître [Géol.] Jaillissement d'eau provenant des pertes subies par un cours d'eau sur un terrain perméable fissuré.
résurrection [sion], n. f. Retour de la mort à la vie. ‖ Tableau, bas-relief, etc., représentant la résurrection du Christ. ‖ Fig. Guérison inespérée. ‖ Par ext. *La résurrection d'un usage.*
retable ou * **rétable**, n. m. (prov. *reiretaula*, table qui est en arrière). [Archi.] Ornement peint ou sculpté placé contre le mur, derrière et au-dessus de la table de l'autel d'une église.
rétablir, v. tr. Établir de nouveau. *Rétablir une loi.* — Remettre en son premier état, en bon état, en meilleur état. *Rétablir un édifice ruiné.* — *Rétablir sa santé*, acquérir une nouvelle vigueur. ‖ *Rétablir les faits*, rétablir la vérité sur ces faits. ‖ *Rétablir l'ordre*, faire régner de nouveau l'ordre. = SE RÉTABLIR, v. pr. Recouvrer la santé. ‖ *Le temps se rétablit*, il se remet au beau.
rétablissement, n. m. Action de rétablir ; état d'une personne, d'une chose rétablie. *Le rétablissement de la paix.* ‖ Retour à la santé. *Je vous souhaite un prompt rétablissement.* [Gymn.] Action de se redresser par la force des reins lorsqu'on est étendu, ou de se dresser à la force des poignets lorsqu'on est suspendu.
retaille [ill mll.], n. f. Morceau qu'on retranche d'une chose en la façonnant.
retailler [ill mll.], v. tr. Tailler de nouveau. ‖ *Retailler une lime, une meule*, en refaire les stries.
rétamage, n. m. Action de rétamer.
rétamer, v. tr. Étamer de nouveau les ustensiles de cuisine.
rétameur, adj. et n. m. Ouvrier qui rétame les ustensiles de fer-blanc.
retaper, v. tr. Fam. Remettre à neuf en tapant. — Par ext., remettre en état.
retard [tar], n. m. (n. verb. de *retarder*). Fait d'arriver, de se produire après le moment fixé, le moment habituel. *Le train a une heure de retard.* ‖ Retardement, délai, remise. *Un débiteur qui est en retard de payer.*
ÉPITHÈTES COURANTES : léger, court, long, considérable, inexplicable, pénible, fatal, funeste, inadmissible, etc.
ANT. — *Avance.*
retardataire, adj. et n. Qui est, qui arrive en retard.
retardateur, trice, adj. [Phys.] Qui provoque un ralentissement.
retardation [sion], n. f. [Phys.] Ralentissement d'un mouvement.

retardement, n. m. Action de retarder. ‖ État de ce qui est retardé. — *Bombe, obus à retardement*, engin dont l'explosion est retardée, durant un temps calculé, par un mécanisme spécial.
retarder, v. intr. (lat. *retardare*, m. s.). Être en retard. *Ma pendule retarde de dix minutes.* ‖ Fig. Être en arrière, en retard pour les idées modernes. = V. tr. Différer. *Je ne puis retarder davantage mon départ.* ‖ Empêcher de se produire au moment fixé ; suspendre. *Cela retarda son mariage.* ‖ Différer une heure fixée. *Retarder le départ d'un paquebot.*
SYN. — V. DIFFÉRER.
CTR. — *Avancer, accélérer, hâter, presser.*
retâter, v. tr. Tâter de nouveau.
* **retaxer**, v. tr. Taxer de nouveau.

...rête, rette

ORTH. — *Finales.* — La finale *rête* ne se trouve que dans *arête*. Elle s'écrit avec deux *t* dans les autres mots : *amourette, barrette, bergerette, burette, curette, lorette*, etc.

reteindre, v. tr. Teindre de nouveau. = Conjug. (comme *peindre*). V. VERBES.
* **retéléphoner**, v. tr. Téléphoner de nouveau.
retendre, v. tr. Tendre de nouveau. = Conjug. (comme *rendre*). V. VERBES.
retenir, v. tr. (lat. *retinere*, m. s.). Garder par devers soi ce qui est à un autre. *Retenir le bien d'autrui.* ‖ Conserver ce que l'on a, ne point s'en défaire. *Retenir l'accent de son pays.* ‖ Prov. *Donner et retenir ne vaut*, il ne faut pas garder en réalité ce qu'on donne en apparence. ‖ Prélever, déduire d'une somme. *En me payant, il m'a retenu la somme qu'il m'avait prêtée.* [Arith.] *Retenir un chiffre*, le réserver pour le joindre aux chiffres de la colonne suivante.
[Dr.] Garder un chef d'accusation contre quelqu'un. *Les juges ont retenu cette cause, ils s'en sont réservé la connaissance, en décidant qu'elle leur appartenait.* ‖ S'assurer par précaution de ce qu'un autre aurait pu prendre ; arrêter, engager. *Retenir sa place, un appartement.*
Arrêter, faire demeurer, faire séjourner, ne pas laisser aller, maintenir. *On l'a retenu plus longtemps qu'il ne pensait.* — *Retenir ses larmes*, les contenir. ‖ Empêcher l'effet d'une action qui est sur le point d'arriver et partic. une chute. *Il serait tombé dans le précipice, si je ne l'eusse retenu.* ‖ Réprimer, modérer, empêcher de s'emporter. *Retenir sa colère.*
Mettre, imprimer, garder quelque chose dans sa mémoire. *Retenir par cœur.* Fig. et fam. *Je vous retiens* ! Se dit aux gens pour leur signifier qu'on n'a pas goûté leurs procédés, qu'on leur en garde rancune.
SE RETENIR, v. pr. Être prélevé. *Les frais faits à un débiteur se retiennent sur les premiers payements.* ‖ Être pris par avance. *Les places doivent se retenir à l'avance.* ‖ S'attacher, se suspendre à quelque chose, afin de ne pas tomber. *Il se retint à une branche.* ‖ Se modérer, réprimer un mouvement instinctif. *Il allait le frapper, mais il s'est retenu.* ‖ Se graver, se conserver dans la mémoire. *Les vers se retiennent mieux que la prose.* = Conjug. (comme *tenir*). V. VERBES.
SYN. — V. ARRÊTER et ATTACHER.

* **retenteur, trice**, adj. Qui retient, qui exerce un effort pour retenir.
rétention [*tan-sion*], n. f. Action de retenir, de réserver. [Méd.] *Rétention d'urine*, difficulté ou impossibilité d'uriner.
* **rétentionnaire** [*tan-sio-nè-re*], n. [Dr.] Personne qui retient ce qui appartient à d'autres.
retentir, v. intr. (préf. *re*, lat. pop. *tinnitire*, sonner). Rendre, renvoyer un son éclatant; résonner. ‖ Faire ou produire un bruit éclatant. ‖ Fig. Faire une forte impression. *Cette nouvelle a retenti dans tout le pays.* ‖ Se faire sentir par contre-coup. ‖ Subir le retentissement, la répercussion.
SYN. — V. RÉSONNER.
retentissant, ante, adj. Qui retentit. ‖ Fig. Se dit d'un événement qui fait beaucoup de bruit.
retentissement, n. m. Action de retentir. ‖ Bruit, son renvoyé avec éclat. ‖ Contre-coup, répercussion violente. ‖ Renommée.
SYN. — V. RENOM.
retenu, ue, adj. Circonspect, sage, modéré.
retenue, n. f. Action de retenir, de garder. ‖ Modération, modestie, empire sur soi-même. *Il ne s'emporte jamais, j'admire sa retenue.* [Fin. et Compt.] Ce qu'on retient en vertu de la loi ou d'une stipulation convenue sur un traitement, un salaire, une rente. *Ses appointements montent à tant, sauf la retenue.* [Mar.] *Câble de retenue*, qui sert à retenir un navire à l'ancre. ‖ Espace compris entre deux écluses où l'eau se trouve retenue. *Bassin de retenue.* ‖ Punition scolaire qui consiste à empêcher l'écolier puni de sortir, ou à le priver de récréation. [Math.] Nombre qu'on retient d'une colonne à l'autre dans une opération.
SYN. — V. DISCRÉTION, RÉSERVE, SAGESSE.
reterçage ou **retersage**, n. m. Action de reterçer. ‖ Résultat de cette action.
retercer ou **reterser**, v. tr. Donner un second terçage, labourer une quatrième fois la vigne. = Conjug. V. GRAMMAIRE.
rétiaire [*si-è-re*], n. m. (lat. *retiarius*, porteur d'un filet). [Antiq. rom.] Gladiateur qui combattait armé d'un filet avec lequel il tâchait d'envelopper son adversaire.
réticence [*sans*], n. f. (lat. *reticentia*, de *tacere*, se taire). Suppression ou omission volontaire d'une chose qu'on devrait dire. — *Dans le récit qu'il m'a fait, il a mis beaucoup de réticence.* ‖ La chose même qu'on n'a pas dite.
réticulaire, adj. [Anat.] Qui ressemble à un réseau, aux mailles d'un filet.
* **réticulation** [*sion*], n. f. État d'une surface réticulée.
réticule, n. m. (lat. *reticulum*, petit réseau). [Phys.] Système de fils croisés à angle droit, tendus dans le plan focal d'un instrument d'optique pour servir de point de repère. ‖ Petit sac de dame (parfois déformé en *ridicule*). ‖ Filet dans lequel les femmes enfermaient leurs cheveux.
SYN. — V. BOURSE.
réticulé, ée, adj. Marqué de lignes, de nervures entrecroisées en réseau. [Archi.] *Appareil réticulé*, genre de maçonnerie où les pierres forment réseau. ‖ *Porcelaine réticulée*, dont l'enveloppe extérieure est découpée à jour.

rétif, ive, adj. (bas lat. *restivus*, m. s.). Qui s'arrête ou qui recule au lieu d'avancer. *Un cheval rétif.* ‖ Fig. Difficile à persuader, à conduire. *Homme d'un caractère rétif.*
SYN. — *Rétif*, très indocile : *Un enfant rétif.* — *Indiscipliné*, qui ne veut pas se plier à une règle : *Des troupes indisciplinées.* — *Indocile*, qui se laisse difficilement instruire ou gouverner : *Un élève, des peuples indociles.* — *Rébarbatif*, à l'aspect rebutant, au caractère rude : *Un caractère rébarbatif.* — *Récalcitrant*, qui résiste opiniâtrement : *Un débiteur récalcitrant.* — *Revêche*, difficile à manier, désagréable d'allures : *Une vieille femme revêche.* V. aussi ENTÊTÉ, FAROUCHE, MUTIN.
CTR. — *Docile, maniable, obéissant, facile.*
rétine, n. f. (lat. *rete*, réseau). [Anat.] Membrane sensible à la lumière, tapissant le fond de l'œil; elle est formée par l'épanouissement du nerf optique.
* **rétinien, ienne**, adj. Qui appartient à la rétine.
* **rétinite**, n. f. [Méd.] Inflammation de la rétine.
* **retirade**, n. f. Retranchement fait derrière un ouvrage de fortification, pour permettre de s'y replier.
retiration [*sion*], n. f. [Impr.] Action d'imprimer le verso d'une feuille après le recto. — *Presse à retiration*, qui imprime les deux côtés de la feuille.
retiré, ée, adj. Qui vit loin du monde. *Vie retirée.* ‖ Écarté, peu fréquenté. *Lieu retiré.* ‖ *Retiré des affaires*, qui vit sans plus rien faire.
retirement, n. m. [Méd.] Contraction, rétraction.
retirer, v. tr. Tirer de nouveau. ‖ Tirer en arrière, tirer à soi ce qu'on avait poussé dehors ou porté en avant. *Retirer la main.* — Fig. *Retirer sa parole*, se dégager de la parole qu'on avait donnée. ‖ Raccourcir, contracter. *L'humidité retire le cuir.* ‖ Tirer une chose, une personne d'un lieu où elle avait été mise, où elle était entrée. *Retirer un seau du puits. Retirer un homme de prison.* — Enlever de sur soi. *Retirer son manteau.* ‖ Extraire. ‖ Recueillir du profit, de l'avantage. *Il retira beaucoup de gloire de cette campagne.*
SE RETIRER, v. pr. Se reculer, se ranger. ‖ S'en aller, s'éloigner d'un lieu. Avec ellipse du pron. *Il fit retirer tout le monde.* ‖ Rentrer chez soi, dans sa chambre. ‖ Quitter un lieu où l'on était établi pour se fixer dans un autre. *Il se retira en province.* ‖ Se réfugier, se mettre en sûreté. *Se retirer en lieu sûr.* ‖ Quitter la profession qu'on exerçait, le genre de vie qu'on menait. *Il s'est retiré du barreau.* ‖ En parlant des eaux, rentrer dans leur lit après avoir débordé. — Se dit de la mer au moment du reflux. Les marins disent aussi *intrans. La mer retire.*
SYN. — V. ARRACHER.
CTR. — *Donner, rendre. — Avancer. — Mettre, remettre.*
* **retisser**, v. tr. Tisser de nouveau.
* **rétivité**, n. f. Humeur rétive.
retombée, n. f. [Archi.] Naissance d'une voûte, d'une arcade jusqu'au point où les voussoirs cessent de se pouvoir soutenir d'eux-mêmes.
retomber, v. intr. Tomber de nouveau. — Fig. Être atteint de nouveau d'une

maladie dont on croyait être guéri. — Fig., au sens moral, on dit : *Retomber dans une faute que l'on avait déjà commise*. ‖ *Pendre. La tenture retombait en plis gracieux.* ‖ Fig. *Retomber sur*, occasionner quelque perte, quelque dommage, quelque blâme, quelque responsabilité, etc. *Les frais du procès retombèrent sur lui.* — *Retomber sur ses pieds*, se tirer sans ennui d'un mauvais pas.

retondre, v. tr. Tondre de nouveau. [Archi.] Retrancher d'une surface les ornements inutiles. = Conjug. (comme *rendre*). V. VERBES.

retordage et **retordement**, n. m. Action de retordre du lin, du chanvre.

* **retorderie**, n. f. Atelier de retordage.

* **retordeur, euse**, n. Celui, celle qui retord les fils.

retordre, v. tr. Tordre de nouveau. ‖ Tordre ensemble plusieurs brins de fil ou de ficelle. ‖ Fig. *Donner du fil à retordre à quelqu'un*, lui donner du mal. = Conjug. (comme *rendre*). V. VERBES.

* **rétorquable**, adj. Susceptible d'être rétorqué.

rétorquer, v. tr. (lat. *retorquere*, m. s.). Employer contre son adversaire les arguments, les preuves dont il s'est lui-même servi.

retors, orse, adj. Qui a été tordu plusieurs fois. ‖ Fig. Rusé, artificieux.

PAR. — *Retords*, tord, du v. retordre.

* **rétorsif, ive**, adj. Qui rétorque.

rétorsion, n. f. Action de rétorquer. [Dr. internat.] Sorte de représailles opposant à un acte fait par un État un acte de même nature.

* **retorte**, n. f. [Chim.] Ancien nom de la cornue.

* **retortiller** [*ll* mll.], v. tr. Tortiller de nouveau.

retouche, n. f. Dernière façon donnée à une œuvre d'art pour la perfectionner, en corriger les défauts. ‖ Endroit retouché. [Photo.] Correction des défauts d'un cliché.

retoucher, v. tr. Toucher de nouveau. ‖ Apporter des retouches à, corriger, perfectionner une peinture, un livre. = V. intr. Toucher de nouveau à quelque chose.

SYN. — V. CORRIGER.

* **retoucheur, euse**, n. Qui fait de la retouche (partic. aux clichés photographiques).

retour, n. m. (n. verb. de *retourner*). Tour contraire ou presque contraire; ne se dit, en ce sens, qu'avec le mot *tour*. *Les tours et retours que fait une rivière.* [Archi.] Angle, coude formé par une partie de construction qui fait saillie en avant d'une autre. [A. mil.] *Retour offensif*, action de revenir attaquer l'ennemi devant lequel on se retirait. ‖ *Un cheval de retour*, un cheval qu'on ramène au lieu où il a été loué, et Fig., un criminel qui, après avoir fait sa peine, est ramené pour un nouveau crime devant la justice. ‖ Fig. Ruse, artifice. *Cet homme a des retours bien adroits.*

Action de revenir, de retourner à son point de départ. — Fig. *Être sur le retour, être sur son retour*, commencer à déchoir, à vieillir, à décliner. — *Retour d'âge*, âge critique. — *Faire un retour sur soi-même*, faire de sérieuses réflexions sur sa conduite. ‖ Arrivée au lieu d'où l'on était parti. *Je vous souhaite un prompt, un heureux retour.* — *Être de retour*, être revenu. ‖ Réapparition d'une chose qui revient périodiquement, ou qui succède naturellement à une autre. *Le retour du printemps.* ‖ Fig. Changement, vicissitude des choses. *La fortune a ses retours.* ‖ Ce qu'on joint à la chose qu'on troque contre une autre pour rendre le troc égal. *Combien me donnerez-vous en retour ?* — *Retour de bâton*, profit illicite qu'on se ménage adroitement (Fam.).

SANS RETOUR, loc. adv. Sans espoir de retour, pour jamais. *Ils sont perdus sans retour.* = EN RETOUR DE, loc. prép. En échange de, en récompense de.

ÉPITHÈTES COURANTES : attendu, espéré, souhaité, désiré, inattendu, inespéré; prompt, tardif, triomphal, lamentable, piteux, etc.

ANT. — *Aller ; départ.*

* **retournage**, n. m. Action de retourner ou de faire retourner. ‖ *Retournage de vêtements*, fait de les découdre et de les recoudre en mettant l'envers du tissu à l'endroit.

retourne, n. f. Carte qu'on retourne, à certains jeux, et qui décide de l'atout.

retournement, n. m. Action de retourner, de tourner en un autre sens.

retourner, v. tr. (préf. *re*, et *tourner*). Tourner de nouveau, tourner d'un autre côté, dans un autre sens. *Retourner du foin* — *Retourner le sol*, le travailler de manière à exposer à l'air une couche profonde. — *Retourner un habit, une robe*, les refaire en mettant l'envers au dehors au lieu de l'endroit qui est usé. — *Retourner une carte de jeu*, en faire voir la figure. — *Retourner la salade*, la remuer en tous sens pour que les feuilles prennent l'assaisonnement. ‖ Fig. et fam. *Retourner quelqu'un*, le faire changer d'avis, de parti. ‖ Pop. *Cette nouvelle l'a tout retourné*, l'a ému, troublé au plus haut point. — Fam. *Retourner sa veste*, changer de parti, d'opinion. ‖ *Faire retour*, renvoyer. *Retourner une lettre à l'envoyeur.*

RETOURNER, v. intr. Aller de nouveau en un lieu où l'on a déjà été. *Il est retourné dans son pays.* — *Retourner à Dieu*, se convertir. ‖ Revenir à, être rendu à. *Les biens confisqués finirent par lui retourner.* ‖ Recommencer à faire les mêmes choses, les mêmes actions. *Retourner à l'ouvrage.* ‖ Fig. et fam. *Vous ne savez pas de quoi il retourne*, vous ne savez pas ce qui se passe, quel est l'état des choses, de quoi il s'agit.

SE RETOURNER, v. pr. Être retourné. ‖ Regarder derrière soi. *Quand je l'appelai, il se retourna.* ‖ Changer de position. *Il est si faible, qu'il ne saurait se retourner dans son lit.* ‖ Fig. et fam. *Savoir se retourner*, savoir prendre d'autres mesures selon les circonstances. ‖ *S'en retourner*, s'en aller.

INCORR. — L'expression *retourner en arrière* forme pléonasme; il faut dire : *revenir en arrière.*

SYN. — V. AGITER.

* **retracement**, n. m. Action de retracer.

retracer, v. tr. Tracer de nouveau ou d'une manière nouvelle. ‖ Fig. Raconter, décrire, dépeindre; renouveler la mémoire de. = SE RETRACER, v. pr. Être rappelé dans la mémoire. = Conjug. V. GRAMMAIRE.

* **rétractable**, adj. Que l'on peut rétracter.

rétractation [sion], n. f. Action de rétracter ou de se rétracter, de désavouer de manière formelle.

PAR. — *Rétraction*, raccourcissement, contraction.

1. rétracter, v. tr. (lat. *retractare*, tirer en arrière). Se dédire d'une chose qu'on avait dite ou écrite, la désavouer. *Rétracter ses erreurs.* = SE RÉTRACTER, v. pr. Désavouer ce qu'on avait avancé, se dédire.
CTR. — *Confirmer, maintenir.*

2. rétracter, v. tr. (lat. *retractum*, sup. de *retrahere*, retirer). Retirer, raccourcir par la traction. = SE RÉTRACTER, v. pr. Se raccourcir, rentrer.

* **rétractif, ive**, adj. Qui exerce, tend à exercer une rétraction.

rétractile, adj. [Hist. Nat.] Qui a la faculté de se retirer, de se raccourcir, de rentrer vers l'intérieur. *Les ongles du chat sont rétractiles.*
CTR. — *Érectile.*

rétractilité, n. f. Qualité de ce qui est rétractile.
CTR. — *Érectilité.*

rétraction [*sion*], n. f. [Méd.] Raccourcissement, contraction sur soi-même.
CTR. — *Érection.*
PAR. — *Rétractation*, désaveu formel de ce qu'on a fait ou dit.

* **retraduire**, v. tr. Traduire de nouveau. ǁ Traduire une première traduction dans une seconde langue. = Conjug. (comme *cuire*). V. VERBES.

retraire, v. tr. [Dr.] Exercer un retrait. ǁ Traire de nouveau. = Conjug. (comme *traire*). V. VERBES.

retrait [*re-trè*], n. m. (pp. de *retraire*). Diminution de volume d'un corps humide lorsqu'il se dessèche, d'un métal lorsqu'il se refroidit. ǁ Action de retirer. *Le retrait d'un dépôt.* [Dr.] Action de reprendre un héritage aliéné. *Faire, exercer un retrait.* ǁ *Retrait d'emploi*, action de retirer son emploi à un fonctionnaire. ǁ *Lieux d'aisance.* [Archi.] *Construction en retrait*, qui est en arrière de l'alignement.

1. retraite, n. f. (du v. *retraire*). Action de se retirer. *Il est temps de faire retraite.* [A. mil.] Batterie ou sonnerie annonçant l'heure de la retraite. ǁ Mouvement que font des troupes pour s'éloigner de l'ennemi après un combat désavantageux, ou pour abandonner un pays où elles ne peuvent plus se maintenir. *Les ennemis ont battu en retraite.* V. tabl. GUERRE (Idées suggérées par le mot). Action de se retirer du monde, des affaires. *Il est temps de songer à la retraite.* ǁ État d'une personne retirée des affaires, éloignée du tumulte de la société. *Il vit dans une profonde retraite.* ǁ Éloignement où l'on se tient du commerce du monde pendant quelques jours pour mieux se recueillir et prier. *Le religieux est en retraite.* ǁ Série de conférences et d'exercices religieux à certaines époques. *Prêcher la retraite du carême.* ǁ Par ext. Lieu où l'on se retire. ǁ Lieu de refuge. *Donner retraite à quelqu'un.* ǁ *Pension de retraite*, ou simpl. *Retraite*, pension accordée à quelqu'un qui se retire d'un service, après un certain temps. État de celui qui s'est retiré d'une fonction, d'un emploi et touche une pension. *Être mis à la retraite.*
SYN. — *Retraite*, mouvement d'une armée qui recule : *Battre en retraite.* — *Débandade*, état d'une armée vaincue dont les troupes ne sont plus encadrées et refluent en désordre : *Après l'assaut, l'ennemi s'enfuit en débandade.* — *Déroute*, fuite en désordre d'une troupe vaincue : *La cavalerie transforma la retraite ennemie en déroute.* — *Dispersion*, le fait de s'en aller dans des endroits différents : *La dispersion des prédicateurs de l'Évangile.* — *Exode*, fuite en masse des populations devant l'ennemi, devant un danger : *L'exode des Hébreux quittant l'Égypte.* — *Fuite*, retraite rapide en désordre : *Prendre la fuite lors d'une éruption volcanique.* — *Panique*, frayeur qui pousse à fuir sans qu'on sache pourquoi : *La foule s'enfuit prise de panique.* — *Repli*, mouvement d'une armée qui recule en bon ordre : *Le repli s'est exécuté sans que l'ennemi inquiétât nos troupes.* V. aussi DÉFAITE et REFUGE.

2. retraite, n. f. Nouvelle traite qu'émet le porteur d'une traite impayée pour se rembourser. ǁ Traite tirée sur un banquier, un commerçant, qui tire lui-même une traite de même valeur sur le premier tireur.

retraité, ée, adj. et n. Qui reçoit une pension de retraite; qui est à la retraite.

1. retraiter, v. tr. Mettre à la retraite.

2. * retraiter, v. tr. Traiter une seconde fois une matière.

retranché, ée, adj. Défendu par des fortifications. *Camp retranché.*

retranchement, n. m. Suppression de quelque partie d'un tout. ǁ Suppression totale. *Le retranchement des abus.* [A. mil.] Obstacle naturel ou artificiel dont on se sert pour se mettre à couvert contre les attaques de l'ennemi. V. pl. FORTIFICATIONS. ǁ Fig. *Forcer quelqu'un dans ses retranchements, dans ses derniers retranchements*, détruire les dernières raisons, les plus fortes raisons de quelqu'un.

retrancher, v. tr. (préf. *re*, et *trancher*). Séparer une partie d'un tout, ôter quelque chose d'un tout. *On lui a retranché le tiers de ses appointements.* ǁ Soustraire. *Retrancher un nombre d'un autre.* [A. mil.] Faire des lignes, des tranchées et autres travaux, pour se mettre à couvert des attaques de l'ennemi. = SE RETRANCHER, v. pr. Se restreindre, se réduire. *Il s'est retranché à la moitié de sa dépense.* [A. mil.] Faire des tranchées, se fortifier contre les attaques de l'ennemi.
GRAM. — *Retrancher de*, ôter quelque chose dans un tout, soustraire : *retrancher de son revenu. Retrancher à*, priver quelqu'un de quelque chose : *retrancher le café à un malade.*
SYN. — *Retrancher*, supprimer une partie de quelque chose : *Retrancher les dépenses inutiles.* — *Déduire*, retrancher une somme d'une autre : *Déduire les impôts du montant d'un revenu.* — *Défalquer*, déduire une somme d'un compte : *Défalquer les frais de succession.* — *Rogner*, couper une extrémité, faire un retranchement mesquin : *Rogner le salaire d'un ouvrier.* — *Soustraire*, retrancher un nombre d'un nombre plus considérable : *Soustraire cinq cents de deux mille.* — *Supprimer*, faire disparaître complètement : *Supprimer les allocations supplémentaires injustifiées.* V. aussi ARRACHER, COUPER et ABRÉGER.
CTR. — *Ajouter, additionner.*

retranscrire, v. tr. Transcrire de nouveau. = Conjug. (comme *écrire*). V. VERBES.

retravailler [*ill mll.*], v. tr. et intr. Travailler de nouveau.

retraverser, v. tr. Traverser de nouveau.

* **retrayant, ante**, adj. et n. [Dr.] Qui exerce un retrait.

rétréci, ie, adj. Étroit et borné. = N. m. État de ce qui est rétréci.

rétrécir, v. tr. Rendre plus étroit, moins large. ‖ Donner moins de portée, moins d'étendue. = V. intr. Devenir plus étroit. = SE RÉTRÉCIR, v. pr. Devenir plus étroit, au pr. et au fig.
SYN. — V. DIMINUER.
CTR. — *Agrandir, élargir.*

rétrécissement, n. m. Action de rétrécir ou de se rétrécir. ‖ État d'une chose rétrécie. [Méd.] Diminution de calibre d'un canal, d'un orifice, etc.

* **rétreindre,** v. tr. Modeler une plaque de cuivre au marteau. = Conjug. (comme peindre). V. VERBES.

retrempe, n. f. [Techn.] Nouvelle trempe donnée à l'acier.

retremper, v. tr. Tremper de nouveau. ‖ Donner une nouvelle trempe. ‖ Fig. Donner une nouvelle force, une nouvelle vigueur. = SE RETREMPER, v. pr. Reprendre de la force, de l'énergie.

rétribuer, v. tr. (lat. *retribuere,* m. s.). Donner à quelqu'un le salaire, la récompense qu'il mérite.
SYN. — V. PAYER.

rétribution [*sion*], n. f. Salaire, récompense d'un travail, d'une peine, d'un service.
SYN. — V. GAGES.

* **rétro** (mot lat. *en arrière*), préf. qui exprime un mouvement en arrière, dans l'espace ou dans le temps. = N. m. Coup de billard dans lequel la bille, prise en dessous, revient en arrière après avoir frappé la bille visée.

rétroactif, ive, adj. Qui agit sur le passé. *Effet rétroactif.*

rétroaction [*sion*], n. f. Effet de ce qui est rétroactif.

* **rétroactivement,** adv. D'une manière rétroactive.

rétroactivité, n. f. Qualité de ce qui est rétroactif.

* **rétroagir,** v. intr. Produire un effet rétroactif; avoir une force rétroactive.

* **rétrocédant, ante,** n. Celui, celle qui fait une rétrocession.

rétrocéder, v. tr. (bas lat. *retrocedere,* m. s.). Céder à un autre ce qui vous a déjà été cédé; ou céder une chose achetée pour soi-même. [Dr.] Rendre à quelqu'un un droit qu'il vous avait cédé précédemment. = Conjug. V. GRAMMAIRE.

* **rétrocessif, ive,** adj. [Dr.] Qui a le caractère d'une rétrocession; par quoi on opère la rétrocession.

rétrocession, n. f. Action de rétrocéder. ‖ Acte par lequel on rétrocède.

* **rétrocessionnaire,** adj. et n. A qui on fait une rétrocession.

* **rétroflexion,** n. f. Flexion en arrière.

rétrogradation [*sion*], n. f. Mouvement en arrière. [Astr.] Mouvement d'un corps céleste qui paraît aller contre l'ordre des signes. ‖ Mesure disciplinaire consistant à faire redescendre à un grade inférieur.

rétrograde, adj. (lat. *retrogradus,* m. s.). Qui se fait en arrière. *Marche rétrograde.* ‖ Qui s'attache au passé, qui se défie du progrès. *Une politique rétrograde.* — S'emploie aussi comme n. dans ce sens pour désigner un ennemi du progrès.
CTR. — *Progressif.*

rétrograder, v. intr. (lat. *retro,* en arrière; *gradi,* aller). Retourner, revenir en arrière. [Astro.] Avoir un mouvement apparent contre l'ordre des signes. ‖ Descendre à un grade, à un emploi inférieur. = V. tr. Frapper un fonctionnaire, un gradé de rétrogradation.
INCORR. — *Rétrograder en arrière,* forme un pléonasme à éviter.
SYN. — V. RECULER.
CTR. — *Avancer, progresser.* — *Promouvoir.*

* **rétrogression,** n. f. Mouvement en arrière.

* **rétropédalage,** n. m. [Techn.] Système mécanique permettant la progression d'une bicyclette par le pédalage en arrière.

rétrospectif, ive, adj. (lat. *retro,* en arrière, *spicere,* regarder). Qui regarde en arrière. ‖ Qui se rapporte à des événements passés. — *Exposition rétrospective* ou *une rétrospective,* n. f., exposition des toiles anciennes d'un peintre ou de l'œuvre d'un artiste décédé.

* **rétrospection** [*sion*], n. f. Regard en arrière.

rétrospectivement, adv. D'une manière rétrospective.

retroussage, n. m. [Agric.] Quatrième façon de la vigne, peu avant la vendange. [Grav.] Procédé renforçant les teintes des gravures à l'eau-forte.

retroussé, ée, adj. Replié, relevé en haut. *Nez retroussé.*

retroussement, n. m. Action de retrousser, de se retrousser.

retrousser, v. tr. Relever en haut, replier. = SE RETROUSSER, v. pr. Relever son vêtement, et partic. sa robe.

retroussis [*si*], n. m. Partie retroussée d'un vêtement, du bord d'un chapeau, etc.

* **retrouvable,** adj. Qui peut être retrouvé.
CTR. — *Introuvable.*

retrouver, v. tr. Trouver de nouveau. *Venez me retrouver.* ‖ Trouver ce qu'on avait perdu, oublié. *Il a retrouvé son manteau.* ‖ Aller retrouver une personne, aller la rejoindre. ‖ Fig. Reconnaître. = SE RETROUVER, v. pr. Être retrouvé (dans les diverses acceptions qui précèdent). ‖ *Retrouver son chemin. Après bien des détours dans le bois, j'ai fini par me retrouver.* ‖ *S'y retrouver,* rentrer dans ses frais (Fam.).
CTR. — *Perdre, égarer.*

* **rétroversion,** n. f. [Méd.] Renversement en arrière (de l'utérus, partic.).
ANT. — *Antéversion.*

* **rétroviseur,** n. m. Miroir fixé sur le côté d'un véhicule, permettant au conducteur de voir la route derrière la voiture.

rets [*rè*], n. m. (lat. *rete,* filet). Filet, réseaux de cordes pour prendre des fauves, des oiseaux, des poissons, etc. ‖ Fig. Piège, embûche, ruse.
SYN. — V. AMORCE.
HOM. — V. RAI.

* **rétus, use,** adj. Obtus et plus ou moins déprimé.

* **reuchlinien, ienne** [*kli*], adj. Se dit du système de prononciation du grec ancien préconisé par Reuchlin.
CTR. — *Érasmien.*

réuni, ie, adj. Rassemblé, rapporté. ‖ *Droits réunis,* nom qu'on donnait, sous le premier Empire, aux contributions indirectes.

réunion, n. f. (du v. *réunir*). Action de réunir, de rapprocher des parties qui avaient été séparées ; effet qui en résulte. ‖ Fig. Réconciliation. *La réunion des esprits.* ‖ Action de joindre pour la première fois une chose à une autre. *La réunion de la Normandie à la couronne.* ‖ Action de rassembler ce qui est épars. — Résultat de cette action. ‖ Groupement, assemblée de personnes. *Une joyeuse réunion.* — *Réunion publique,* assemblée publique dans laquelle sont traitées des questions intéressant directement la collectivité des auditeurs.

ÉPITHÈTES COURANTES : publique, privée, autorisée, spontanée, secrète, nombreuse, restreinte, calme, digne, solennelle, recueillie, agitée, bruyante, tumultueuse, houleuse, mouvementée ; électorale, commerciale, financière, politique, joyeuse, gaie, sérieuse, triste, funèbre, etc.

SYN. — V. LIAISON et RECUEIL.
ANT. — *Dispersion, division, disjonction.*

réunir, v. tr. (préf. *re,* et *unir*). Rejoindre, rapprocher ce qui est désuni, séparé. ‖ Unir une chose avec une autre. *Cette galerie réunit les deux corps de logis.* — Fig. Réconcilier, remettre en bonne intelligence. *Travailler à réunir les esprits.* ‖ Rejoindre une chose démembrée au tout dont elle faisait partie. *Réunir un grand fief à la couronne.* ‖ Rassembler, grouper ce qui était épars. *Réunir des preuves.*

SE RÉUNIR, v. pr. S'unir, se grouper, tenir une assemblée. *Le bureau s'est réuni pour délibérer.*

GRAM. — *Réunir* et *unir,* signifiant posséder en même temps, sont suivis, le premier de *et* : *réunir la grandeur et la modestie,* le second de *à* : *unir la force à la sagesse.*

INCORR. — *Réunir ensemble,* constitue un pléonasme à éviter.

SYN. — V. ASSEMBLER et ACCORDER.
CTR. — *Diviser, séparer, disjoindre, disperser, éparpiller, parsemer.*

* **réunissage,** n. m. Assemblage des fils dans les filatures.

réussi, ie, adj. Exécuté avec succès. ‖ Brillant, parfait en son genre. *Fête très réussie.*

CTR. — *Manqué, raté.*

réussir, v. intr. (ital. *riuscire,* ressortir). Avoir un résultat bon ou mauvais. *L'affaire a mal réussi.* ‖ Avoir une issue heureuse. *Réussir à,* parvenir à, arriver à. ‖ En parlant des productions du sol, prospérer. ‖ Avoir du succès. *Réussir dans un concours.* = V. tr. Faire bien, avec succès. *Réussir un portrait.*

— *L'art d'être tantôt très audacieux et tantôt très prudent est l'art de réussir.*
(NAPOLÉON Ier.)

CTR. — *Manquer ; échouer, rater.*

réussite, n. f. (ital. *riuscita,* m. s.). Issue quelconque, bonne ou mauvaise. *Voir quelle sera la réussite d'une affaire.* ‖ Issue heureuse, succès final. ‖ Combinaison de cartes d'après laquelle on cherche à augurer du succès ou de l'insuccès d'une entreprise, etc.

SYN. — *Réussite,* issue, généralement heureuse, d'une affaire : *Cette entreprise a été une réussite complète.* — *Succès,* la façon dont une chose se termine : *De bons et de mauvais succès ont alterné.* Le plus souvent, issue heureuse : *Nous l'avons félicité de son succès.*

ANT. — *Échec, insuccès.*

* **revaccination** [*sion*], n. f. Action de revacciner.

revacciner, v. tr. Vacciner de nouveau.
* **revalidation** [*sion*], n. f. [Dr.] Action de revalider.

revalider, v. tr. [Dr.] Conférer une nouvelle validité.

revaloir, v. tr. Rendre la pareille, en bien ou en mal. *Je vous revaudrai cela.* = Conjug. (comme *valoir*). V. VERBES.

* **revalorisation** [*za-sion*], n. f. Opération financière ayant pour effet de rendre sa valeur à une monnaie dépréciée.

* **revaloriser** [*zé*], v. tr. Opérer la revalorisation.

revanche, n. f. Action par laquelle on rend le bien ou le mal qu'on a reçu. ‖ *Prendre sa revanche,* reprendre l'avantage. — *A charge de revanche,* sous condition de rendre la pareille. [Jeu] Seconde partie que joue le perdant pour se racquitter de la première. = EN REVANCHE, loc. adv. Pour rendre la pareille. ‖ En compensation.

revancher (se), v. pr. (préf. *re,* et *venger*). Se défendre. ‖ Rendre la pareille, en bien et surtout en mal. = V. tr. Défendre, secourir quelqu'un qui est attaqué.

INCORR. — Dites : *se revancher ;* ne dites pas : *se revenger.*

* **revancheur,** n. m. Celui qui revanche, qui défend quelqu'un.

rêvasser, v. intr. Avoir des rêves sans suite pendant un sommeil agité. ‖ Rêver, songer vaguement à quelque chose.

rêvasserie, n. f. Action de rêvasser. ‖ Rêverie inconsistante et utopique.

rêvasseur, euse, n. Celui, celle qui rêvasse.

rêve, n. m. (n. verb. de *rêver*). Combinaison involontaire d'images et d'idées, le plus ordinairement confuses, qui se présentent à l'esprit pendant le sommeil : *Avoir de mauvais rêves.* ‖ Fig. *Il a fait un beau rêve,* il a joui d'un bonheur fort bref, d'un avantage inespéré, ou encore, ce ne fut qu'une espérance trompeuse et vite déçue. ‖ Projet sans fondement, idée chimérique. ‖ Ce à quoi une personne pense toujours. *Il a enfin acheté la maison de ses rêves.*

SYN. — *Rêve,* assemblage d'idées, d'images plus ou moins cohérentes, qui se présentent à l'esprit pendant le sommeil : *Faire des rêves de bonheur.* — *Cauchemar,* rêve dramatique, terminé généralement par un brusque réveil : *J'ai eu plusieurs cauchemars cette nuit.* — *Hallucination,* trouble de l'imagination qui fait prendre pour des réalités des perceptions imaginaires : *Être victime d'une hallucination.* — *Obsession,* état d'une personne qui semble tourmentée par un esprit malin ; idée fixe : *Cette personne semble l'objet d'une obsession perpétuelle.* — *Rêverie,* état de l'esprit qui, se détachant des choses présentes, se porte, à l'état de veille, dans des projets, des souvenirs vagues : *Se livrer à de longues rêveries.* — *Songe,* rêve prophétique, auquel on attribue une origine surhumaine : *Le songe d'Athalie.* V. aussi FANTÔME et ILLUSION.

revêche, adj. Difficile à travailler. ‖ Rude, âpre au goût. *Poire revêche.* ‖ Fig. Peu traitable, rébarbatif. *Personne revêche.*

SYN. — V. RÉTIF.
CTR. — *Doux, aimable.*

réveil [vè, il mll.], n. m. (n. verb. de *réveiller*). Passage du sommeil à l'état de veille. ‖ Fig. Activité nouvelle que prend le règne végétal au retour du printemps. *Le réveil de la nature.* — Par ext. *Le réveil d'un peuple.* ‖ Fig. Fin, cessation d'une illusion. [Horlog.] *Un réveil,* V. RÉVEILLE-MATIN. ‖ *Battre, sonner le réveil,* faire une batterie de tambour, une sonnerie de clairon qui annonce aux soldats, aux collégiens l'heure de se lever. [Relig. protest.] Mouvement religieux dû à une nouvelle activité spirituelle.
HOM. — *Réveille, es, ent,* du v. réveiller.
* **réveillée,** n. f. [vè, ill mll.]. [Techn.] Temps pendant lequel on travaille sans interruption.
réveille-matin, n. m. Horloge dont la sonnerie réveille à une heure déterminée, fixée par la manœuvre d'une petite aiguille sur un cadran spécial. [Bot.] Nom vulg. d'une variété d'euphorbe. ‖ Bruit matinal qui réveille. = Pl. *Des réveille-matin.*
ORTH. — C'est une grosse faute d'écrire *réveil-matin,* bien qu'on dise, par abrév., *remonter son réveil* (et non *réveille*).
* **réveillement,** n. m. Action de réveiller.
réveiller [vè, ill mll.], v. tr. (préf. *re,* et *éveiller*). Faire cesser le sommeil de quelqu'un. ‖ Par anal. *Réveiller quelqu'un d'un assoupissement,* le tirer de l'assoupissement où il est plongé. ‖ Fig. Exciter de nouveau, ranimer, faire renaître. *Réveiller des souvenirs fâcheux.* ‖ Prov. *Il ne faut pas réveiller le chat qui dort,* il ne faut pas ranimer une passion, un ressentiment assoupi.
SE RÉVEILLER, v. pr. S'éveiller. ‖ Fig. Sortir de son indolence, de son inaction. ‖ Fig. Se ranimer, se renouveler. *Son intelligence paraît se réveiller.*
CTR. — *Endormir, engourdir, assoupir; éteindre.*
* **réveilleur,** n. m. Celui qui réveille. Religieux qui réveille les autres.
réveillon [ill mll.], n. m. Repas extraordinaire vers le milieu de la nuit, spécialement dans la nuit de Noël. [Peint.] Scintillation rompant la monotonie d'un coloris.
HOM. — *Réveillons* (nous), du v. réveiller.
réveillonner, v. intr. Faire réveillon.
révélateur, trice, n. (lat. *revelator,* m. s.). Celui, celle qui révèle une chose cachée. *Le révélateur d'une conspiration.* = Adj. *Un indice révélateur.* = RÉVÉLATEUR, n. m. Produit chimique destiné à rendre visible l'image latente d'un cliché photographique.
* **révélatif, ive,** adj. Qui a la vertu de révéler.
révélation [sion], n. f. (lat. *revelatio,* m. s.). Action de faire connaître des faits dont on a connaissance. *La révélation d'un secret.* [Théol.] Inspiration par laquelle Dieu a fait connaître surnaturellement certaines vérités à quelques hommes, pour qu'ils les enseignent aux autres. *La révélation divine.* ‖ Ce qui permet de connaître ce que l'on cherchait depuis longtemps. *Ce fait fut pour lui la révélation de l'étendue de son malheur.* ‖ *Chose révélée.* ‖ *Révélation,* au sing. et pris absol., signifie la révélation divine, la religion révélée.
révéler, v. tr. (lat. *revelare,* m. s.). Découvrir, rendre publique une chose qui était inconnue et secrète. ‖ Découvrir, dénoncer. *Révéler un complot.* ‖ Faire connaître par une inspiration céleste. *Les mystères que le Christ a révélés.* ‖ Manifester, faire connaître, mettre en relief. *Cette victoire révéla son génie militaire.* [Photo.] Faire apparaître, sous l'action du révélateur, l'image latente sur la plaque ou la pellicule photographique. = SE RÉVÉLER, v. pr. Se montrer, apparaître. = Conjug. V. GRAMMAIRE.
SYN. — V. DÉCELER.

1. * **revenant, ante,** adj. Qui revient, est reproduit. ‖ Fig. Qui plaît, qui revient (Vx).

2. **revenant,** n. m. Fantôme, esprit d'un mort qu'on suppose revenir pour se manifester aux vivants.
SYN. — V. FANTÔME.
revenant-bon, n. m. Profit casuel et éventuel provenant d'un marché, d'une charge, etc.; boni. = Pl. *Des revenants-bons.*
* **revendage,** n. m. Métier de revendeur. ‖ Action de revendre.
revendeur, euse, n. Celui, celle qui revend, qui achète pour revendre. ‖ *Revendeuse à la toilette,* femme qui achète et revend à domicile des objets de toilette féminine.
* **revendicateur,** n. m. Celui qui revendique.
revendication [sion], n. f. Action de revendiquer. ‖ Ce qu'on revendique. ‖ Réclamation d'un droit.
revendiquer [van-di-ké], v. tr. (préf. *re,* et lat. *vindicare,* réclamer). Réclamer une chose qui nous appartient et est entre les mains d'un autre. ‖ Réclamer comme sien ce qui est attribué à d'autres. ‖ *Revendiquer la responsabilité de,* assumer l'entière responsabilité de.
SYN. — V. REDEMANDER.
revendre, v. tr. Vendre ce qu'on a acheté. ‖ Vendre une nouvelle fois un objet déjà vendu. = À REVENDRE loc. adv. abondamment. = Conjug. (comme *vendre*). V. VERBES.
revenez-y, n. m. inv. Fam. Ensemble des qualités qui font que l'on revient avec plaisir à une chose, à un plat. *Ce gigot a un goût de revenez-y.* ‖ Retour, recommencement, regain. *Un revenez-y de tendresse.*
revenir, v. intr. (lat. *revenire,* m. s.). Venir de nouveau, venir une autre fois. *Il vint hier pour vous voir, il reviendra aujourd'hui.* ‖ Retourner au lieu d'où l'on était parti. *Il est revenu à la maison.* — Fam., on dit quelquefois, *S'en revenir. Il s'en est revenu tout courant.* — *Revenir sur ses pas,* revenir après s'être éloigné. Faire en sens inverse le chemin déjà fait, et fig., abandonner un sentiment. — *Revenir sur l'eau,* flotter, après s'être enfoncé dans l'eau, et fig., se dit d'une chose qui reparaît alors qu'on la croyait perdue ou abandonnée. *Cet ancien projet revient sur l'eau.* ‖ Fig. et fam. *Revenir à ses anciennes amours,* recommencer comme par le passé. ‖ En parlant d'aliments : Causer des renvois, des éructations après avoir été mangés. ‖ En parlant des morts, apparaître aux vivants.
Reparaître, se manifester de nouveau. *Le soleil revient sur l'horizon.* ‖ *Cela me revient à l'esprit, à la mémoire,* je m'en

ressouviens à l'instant même. — Absol. *Ce nom ne me revient point, je ne m'en ressouviens plus.* ∥ Croître de nouveau, repousser. *Ces taillis reviennent mal.* ∥ Se remettre à, recommencer une action, reprendre un travail suspendu. — *Revenir sur une affaire, sur une matière,* en reparler, la traiter de nouveau.

Se rétablir, se remettre, être remis dans l'état où l'on était auparavant. *Revenir en santé, en faveur.* ∥ *Revenir à soi,* reprendre ses esprits après un évanouissement ou une perte de conscience ∥ *Revenir d'une maladie,* recouvrer la santé. — Absol. *Il n'en reviendra pas,* il en mourra. — Fig. *Revenir d'une frayeur, d'un étonnement,* reprendre ses esprits, reprendre le courage que la frayeur avait ôté, etc. — Absol. *Je n'en reviens pas,* je ne reviens pas de mon étonnement. — Fig. *Revenir de loin,* échapper à de grandes erreurs, se tirer de grands égarements ; guérir d'une maladie très dangereuse, échapper à un grand péril, etc. — Fig. Abandonner une opinion pour se ranger à l'autre. *Je reviens à l'avis d'un tel.* — *Revenir de ses erreurs, de ses opinions,* s'apercevoir qu'on s'est trompé.

Revenir sur ce qu'on avait dit, promis, changer d'opinion, se dégager de ce qu'on avait promis. — *Revenir sur le compte de quelqu'un,* abandonner l'opinion qu'on s'était faite de lui, pour en adopter une opposée.

Échoir, résulter, soit à l'avantage, soit au désavantage de quelqu'un. *Le profit qui m'en revient est médiocre.* ∥ Appartenir en vertu de quelque droit. *Cela lui revient de droit.* ∥ Coûter quand on a fait le total des frais. *Cette maison me revient à trois cent mille francs.* — *Cela revient au même,* c'est la même chose. — *Cela revient à dire,* cela équivaut à dire...

Plaire, inspirer confiance. *Cet individu ne me revient pas.* ∥ Être rapporté. *La nouvelle m'en revint hier.*

Impers. *Il me revient, il m'est revenu que...* je viens d'apprendre, j'ai su que...

[Cuis.] *Faire revenir de la viande, des légumes,* les faire dorer dans du beurre, de l'huile, etc. = Conjug. (comme *venir*). V. VERBES.

CTR. — *Partir, repartir ; disparaître.*

* **revenoir**, n. m. Outil d'horloger pour donner des recuits à l'acier.

revente, n. f. Seconde vente, nouvelle vente.

revenu, n. m. (pp. du v. *revenir*). Ce qu'on retire annuellement d'une terre. ∥ *Revenus casuels,* profits qui ne sont point compris dans les revenus ordinaires. ∥ *Revenus publics* ou *revenus de l'État,* tout ce que l'État retire, soit des contributions, soit de ses propriétés. ∥ *Impôt sur le revenu,* impôt progressif ayant pour base le revenu de chaque citoyen.

SYN. — *Revenu,* tout ce que produit annuellement une fortune : *Vivre du revenu de ses terres.* — *Rente,* intérêt annuel de l'argent placé : *Il vit de ses rentes.* — V. aussi BÉNÉFICE, BIEN, GAGES.

ANT. — *Capital.*

revenue, n. f. Action de revenir. ∥ Jeune bois qui revient sur une coupe de taillis.

rêver, v. intr. (orig. inc.). Faire des songes, des rêves. *Rêver toute la nuit.* ∥ Dire des choses déraisonnables, extravagantes. *Vous rêvez quand vous dites telle chose.* ∥ Fig. Laisser aller son imagination sur des choses vagues, sans aucun objet fixe et certain. *Il rêve toujours, sans répondre à ce qu'on lui dit.* ∥ Concevoir des idées chimériques. ∥ Fam. *Cet homme rêve tout éveillé.* ∥ *Rêver à,* penser, méditer profondément sur quelque chose. *J'ai rêvé à tout cela.* = V. tr. Concevoir en songe. Fam. *Vous avez rêvé cela,* je me refuse à croire ce que vous racontez. ∥ Fig. Imaginer d'une façon chimérique. *Il rêve une république universelle.* ∥ Fig. Tenir son esprit presque exclusivement occupé. *Il ne rêve que plaies et bosses.*

GRAM. — Avec un nom, on peut employer, soit *rêver de : rêver d'honneurs et de richesses,* soit *rêver* verbe transitif direct : *rêver honneurs et richesses.* Devant un pronom personnel ou un nom qualifié par un adjectif on doit dire *rêver de : j'ai rêvé de vous* (et non *à vous*), *rêver de grands honneurs.* — Si *rêver* a le sens de *méditer,* il se construit avec les prépositions *à* ou *sur : rêver à un livre ; rêver sur des projets d'avenir.*

réverbération [*sion*], n. f. Réflexion diffuse de la lumière et de la chaleur.

réverbère, n. m. Miroir métallique adapté à une lampe, pour réunir et réfléchir les rayons lumineux dans une direction déterminée. ∥ Lanterne, appareil lumineux à gaz ou à électricité destiné à l'éclairage public. [Chim.] *Fourneau à réverbère,* fourneau muni d'un dôme qui rabat la flamme et la chaleur. — *Four à réverbère,* four analogue à celui du boulanger.

réverbérer, v. tr. (lat. *reverberare,* frapper en retour). Réfléchir, renvoyer la lumière ou la chaleur. = Conjug. V. GRAMMAIRE.

* **revercher**, v. tr. Réparer une poterie d'étain avec le fer à souder.

reverdir, v. tr. Redonner la couleur verte. *Reverdir des volets.* [Techn.] Mettre dans un bain une peau à tanner. = V. intr. Redevenir vert. *Les jardins reverdissent.* ∥ Fig. Reprendre des forces, en parlant d'un vieillard.

reverdissement, n. m. Action de reverdir.

* **reverdoir**, n. m. Petite cuve de brasseur, sous la cuve-matière.

révéremment [*ra-man*], adv. Avec respect, révérence.

révérence [*ran-se*], n. f. (lat. *reverentia,* m. s.). Respect, vénération. *Il parle de sa mère avec révérence.* — Pop. *Sauf révérence, révérence parler,* se dit quand on parle de quelque chose dont on craint que l'idée ou l'expression ne blesse. ∥ Titre d'honneur qu'on donnait aux religieux qui étaient prêtres. ∥ Mouvement du corps qu'on fait pour saluer. *Faire la révérence.* — Fam. *Tirer sa révérence à quelqu'un,* le saluer, et plus ordinairement s'en aller après avoir salué. — On dit aussi, au fig., pour marquer un refus, *Je vous tire ma révérence, ne comptez pas sur moi.*

SYN. — V. RESPECT et SALUT.

révérenciel, elle [*ran-siel*], adj. Plein de respect, de révérence. ∥ *Crainte révérencielle,* crainte mêlée de respect.

révérencieusement [*ran-sieu-ze-man*], adv. D'une manière humble et cérémonieuse.

révérencieux, ieuse [ran-sieu], adj. Qui exagère les marques de respect. ‖ Fig. Humble et cérémonieux.
CTR. — *Irrévérencieux.*
révérend, ende, adj. et n. Digne d'être respecté, révéré. ‖ Titre donné à certains religieux ou religieuses. ‖ Titre des pasteurs de l'église anglicane.
HOM. — *Révérant,* ppr. du v. révérer.
révérendissime [ran], adj. Titre d'honneur qu'on donne aux archevêques, aux évêques, aux abbés et aux généraux d'ordres religieux.
révérer, v. tr. (lat. *revereri,* m. s.). Honorer, respecter profondément. = Conjug. V. GRAMMAIRE.
SYN. — V. ADORER.
rêverie, n. f. État de l'esprit qui, à l'état de veille, s'abandonne au souvenir, à des pensées vagues qui l'absorbent plus ou moins. ‖ Ces pensées elles-mêmes. ‖ Idée vaine, chimérique.
SYN. — V. RÊVE.
* **revérifier,** v. tr. Vérifier une nouvelle fois. = Conjug. V. GRAMMAIRE.
* **revernir,** v. tr. Vernir de nouveau.
revers [vèr], n. m. (lat. *reversus,* retourné). Côté d'une chose opposé au côté le plus apparent, ou à celui qui se présente d'abord ou le plus normalement. *Le revers de la main,* le côté opposé à la paume. ‖ *Les revers d'un habit,* la partie d'un habit qui est ou semble repliée de dessous en dessus. ‖ *Le revers d'une médaille,* côté opposé à celui qui porte l'effigie ou la figure principale et, au fig., le mauvais côté, les mauvaises qualités d'une personne ou d'une chose. ‖ *Prendre, battre à revers une troupe, un ouvrage de fortification,* prendre, battre cette troupe ou cet ouvrage, soit en flanc, soit à dos. ‖ Fig. *Revers de fortune,* ou simpl. *Revers* changement de fortune en mal, vicissitude fâcheuse, disgrâce. ‖ Insuccès militaire. *Les revers du début de la campagne.*
SYN. — V. DÉFAITE et MALHEUR.
ANT. — *Face, avers.* — *Réussite, succès, victoire.*
PAR. — *Envers,* côté opposé à l'endroit.
* **réversal, ale,** adj. [Diplomatique] Se dit de certains actes qui confirment un ancien engagement, ou accordent une concession en retour d'une autre.
* **reverseau,** n. m. [Archi.] Pièce de bois formant saillie à la base d'un châssis pour protéger la feuillure des eaux de pluie.
* **reversement,** n. m. Action de reverser. [Mar.] Transbordement. — *Reversement de marée, de mousson,* etc., le changement de la marée, etc. (On dit aussi *renversement* dans ce sens.)
reverser, v. tr. Verser de nouveau. ‖ Verser d'un vase dans un autre. ‖ Fig. Porter d'un chapitre, d'un compte sur un autre. [Mar.] Transborder. = V. intr. *Le courant, la marée reversent,* leur direction est opposée à celle qu'ils avaient précédemment.
reversi ou **reversis,** n. m. Sorte de jeu de cartes, où gagne celui qui fait le moins de levées.
réversibilité, n. f. Qualité de ce qui est réversible. [Théol.] Application des mérites d'une personne à une autre.
réversible, adj. (lat. *revertere, reversum,* retourner). Qui doit faire retour. ‖ Qui peut être retourné de bout en bout ou de l'endroit à l'envers. [Dr.] Se dit des rentes, des pensions qui passent, au décès du titulaire, sur une ou plusieurs autres personnes. [Électr.] *Machine réversible,* susceptible de fonctionner comme génératrice ou comme réceptrice.
réversion, n. f. [Dr.] Droit en retour en vertu duquel les biens dont une personne a disposé à titre gratuit en faveur d'une autre lui reviennent quand celle-ci meurt sans enfants.
revêtement ou * **revêtissement,** n. m. Ce qui recouvre. ‖ Placage de plâtre, de bois, de mortier, de stuc, de pierre, etc., pour consolider ou orner une construction. [Fortif.] Ouvrage en maçonnerie ou en fascines soutenant les terres d'un talus, d'une terrasse.
revêtir, v. tr. (préf. *re,* et *vêtir*). Donner des habits à quelqu'un qui en a besoin. *Revêtir les pauvres.* ‖ Habiller quelqu'un; lui passer des habits de cérémonie ou les insignes d'une dignité. ‖ Fig. Investir d'un titre, d'une dignité, d'un pouvoir, d'une autorité. *Le roi le revêtit de la charge de connétable.* ‖ *Les poils qui revêtent les mammifères.* ‖ Mettre sur soi. *Revêtir un habit.* ‖ Fig. Prendre, se donner telle ou telle apparence, telle ou telle qualité. *Les formes que revêt la pensée.* [Archi.] Faire un revêtement, recouvrir. = SE REVÊTIR, v. pr. Mettre sur soi. *Se revêtir d'un habit.* = Conjug. (comme *vêtir*). V. VERBES.
revêtu, ue, adj. Habillé. ‖ Fig. Orné, décoré. ‖ Pourvu de. *Acte revêtu des signatures officielles.* ‖ Investi. *Être revêtu des plus hautes fonctions.*
SYN. — *Revêtu,* recouvert d'un vêtement, d'un harnachement : *Un chevalier revêtu de son armure.* — *Accoutré,* vêtu tant bien que mal : *Des gens accoutrés de guenilles.* — *Costumé,* revêtu de vêtements d'apparat ou de luxe : *Un acteur costumé de brillants oripeaux.* — *Habillé,* enveloppé de linge, de drap, etc. : *Les Arabes sont habillés de blanc.* — *Nippé,* vêtu, surtout d'une façon grossière : *Des enfants mal nippés.* — *Paré,* couvert de vêtements, habillé somptueusement : *Des seigneurs parés de velours et de soie.* — *Vêtu,* habillé par des vêtements : *Un enfant vêtu d'un costume de drap.*
rêveur, euse, adj. Se dit de celui, de celle qui rêve, qui s'entretient de ses imaginations. *Esprit rêveur.* ‖ Qui annonce, qui marque un état de rêverie. *Avoir l'air rêveur, préoccupé.* = Nom. *C'est un rêveur, une rêveuse,* c'est un méditatif. — Se dit parfois aussi pour distrait. ‖ Personne dont les idées sont hors du sens commun, ou inapplicables. *Ce livre est l'ouvrage d'un rêveur.*
* **rêveusement,** adv. D'un air rêveur, en rêvant.
* **revidage,** n. m. Action de revider. ‖ Échange entre brocanteurs de marchandises provenant de ventes publiques.
* **revider,** v. tr. Vider de nouveau. ‖ Faire le revidage entre revendeurs.
revient [vi-in], n. m. Frais de production, prix que les marchandises coûtent à fabriquer.
* **revif,** n. m. [Mar.] Flux des marées.
revigorer, v. tr. Donner une nouvelle vigueur.

revirade, n. f. Action de se retourner.
revirement, n. m. [Mar.] Action de revirer. ‖ Fig. Changement brusque et complet d'opinion, de fortune, etc. [Banque] Nouveau virement.
Syn. — V. CHANGEMENT.
* **revirer,** v. intr. [Mar.] Virer de nouveau. ‖ Fig. Changer de parti, d'opinion.
* **revisable** ou * **révisable** [za], adj. Qui peut être revisé.
reviser ou * **réviser,** v. tr. Revoir, examiner de nouveau pour mieux mettre au point ; apporter les dernières corrections.
reviseur ou * **réviseur** [zeur], n. m. Celui qui revise les comptes, les épreuves d'imprimerie.
* **revisible** ou * **révisible,** adj. Que l'on peut revoir.
revision ou * **révision** [zion], n. f. Action par laquelle on revoit, on revise. ‖ Action de soumettre un jugement à une nouvelle autorité. ‖ *Conseil de révision,* conseil chargé, lors du recrutement de l'armée, de décider de l'aptitude des conscrits au service militaire.
* **revisionnel, elle,** adj. Qui est relatif à la revision.
* **revisionniste** [zio-niste], adj. et n. Partisan d'une revision de la Constitution.
* **revisiter,** v. tr. Visiter de nouveau.
* **revival,** n. m. Mouvement religieux protestant appelé aussi *réveil.*
revivification [sion], n. f. Action de ranimer, de revivifier. [Chim.] Action de rendre son éclat naturel au mercure engagé dans une combinaison.
revivifier, v. tr. Vivifier de nouveau. ‖ Ranimer, redonner de la vitalité. [Chim.] *Revivifier le mercure,* le ramener à l'état métallique naturel. = Conjug. V. GRAMMAIRE.
reviviscence [vis-sansse], n. f. (lat. *reviviscere,* revenir à la vie). [Biol.] Propriété que présentent certains végétaux, certains animaux inférieurs de reprendre vie par humectation après avoir été desséchés jusqu'à présenter toutes les apparences de la mort.
* **reviviscent,** adj. [Biol.] Susceptible de reviviscence.
revivre, v. intr. Revenir à la vie. ‖ Fig. *Faire revivre,* rendre la santé, redonner l'espoir, le goût de vivre. ‖ Vivre pour ainsi dire de nouveau. *Père qui revit dans ses enfants.* ‖ En parlant des choses, renaître, se renouveler, réapparaître, revenir en usage. = Conjug. (comme *vivre*). V. VERBES.
* **révocabilité,** n. f. Caractère de ce qui est révocable.
révocable, adj. Qui peut être révoqué ; qui peut être destitué.
CTR. — *Irrévocable, inamovible.* — *Définitif.*
révocation [sion], n. f. (lat. *revocatio,* m. s.). [Dr.] Action de révoquer. *La révocation d'une donation.* ‖ Acte par lequel quelque chose est révoqué. ‖ *La révocation d'un fonctionnaire,* sa destitution.
révocatoire, adj. [Dr.] Qui révoque.
revoici, revoilà, prép. réduplicatives. Voici, voilà de nouveau.
revoir, v. tr. Voir de nouveau. *J'espère bientôt vous revoir.* = N. m. et fam. *Adieu jusqu'au revoir,* ou simpl. *Au revoir.* Formule de politesse en quittant quelqu'un.

— *Revoir sa patrie, son foyer,* y revenir. ‖ Examiner de nouveau. *Revoir un manuscrit.* = N. m. pl. Traces, empreintes laissées par le cerf. = SE REVOIR, v. pr. Se voir de nouveau mutuellement. = Conjug. (comme *voir*). V. VERBES.
INCORR. — Dites : *au revoir,* c.-à-d. au plaisir de vous revoir ; ne dites pas : *à revoir.*
SYN. — V. CORRIGER. — Pour *au revoir :* V. ADIEU.
revoler, v. intr. Voler de nouveau.
revolin, n. m. [Mar.] Effet du vent quand il est réfléchi, renvoyé par un obstacle.
révoltant, ante, adj. Qui révolte, qui choque vivement, qui indigne.
SYN. — V. ODIEUX.
révolte, n. f. Soulèvement, emploi de la force contre l'autorité établie. ‖ Rébellion d'un inférieur contre son supérieur. ‖ Fig. *La révolte des passions.*
ÉPITHÈTES COURANTES : soudaine, subite, locale, partielle, générale, spontanée, préparée, prêchée, déchaînée, soulevée, suscitée, prolongée, conjurée, calmée, matée, apaisée, avortée, etc.
SYN. — V. INSURRECTION.
ANT. — *Soumission, résignation.*
révolté, ée, adj. et n. Qui est en révolte. ‖ Par ext. Qui s'indigne.
SYN. — V. MUTIN.
CTR. — *Soumis.*
révolter, v. tr. (ital. *rivoltare,* m. s.). Porter à la révolte, soulever. ‖ Fig. Choquer, indigner. *Ses propos me révoltent.* = SE RÉVOLTER, v. pr. Se mettre en révolte, se soulever ; s'indigner contre.
CTR. — *Apaiser, soumettre ; se résigner.*
révolu, ue, adj. (lat. *revolutus,* déroulé). [Astr.] Se dit du cours des astres que leur mouvement périodique a ramené à leur point de départ. ‖ Achevé, complet, en parlant des périodes de temps. *Avoir quinze ans révolus.*
SYN. — V. SONNÉ.
révolutif, ive ou * **révoluté, ée,** adj. [Bot.] Roulé en dehors.
révolution [sion], n. f. (lat. *révolutio,* m. s.). [Géom.] Mouvement circulaire d'un corps autour d'une droite fixe. ‖ État de ce qui s'enroule. *Les révolutions du serpent autour de sa proie.* [Astron.] Mouvement périodique des corps célestes dans l'espace ; période de temps qu'ils emploient à parcourir leur orbite. ‖ Par analogie. *La révolution des siècles, des temps, des saisons,* etc., leur succession. [Géol.] *Les révolutions de la terre, du globe,* les événements naturels par lesquels la face du globe a été changée. [Mécan.] Tour complet d'une roue sur elle-même.
Fig. Changement qui se produit dans les opinions, etc. *Révolution dans les sciences, dans les mœurs.* ‖ Changement brusque et violent qui se produit dans le gouvernement d'un État. *La Révolution de 1789.*
ÉPITHÈTES COURANTES : nationale, politique, sociale, économique, industrielle, morale, partielle, totale, universelle ; sanglante, pacifique.
— *Il faut quelquefois bien des siècles pour préparer les changements, les événements mûrissent, et voilà les révolutions.*
(MONTESQUIEU.)
— *Dans les révolutions il y a deux sortes de gens : ceux qui les font et ceux qui en profitent.* (NAPOLÉON Ier.)

— La révolution est une transition entre un ordre ancien qui tombe en ruine et un ordre nouveau qui se fonde. (LITTRÉ.)
SYN. — V. CHANGEMENT et INSURRECTION.
ANT. — Réaction.
PAR. — Évolution, mouvement exécuté par des troupes; transformation progressive.
révolutionnaire [sio-nè-re], adj. Qui a trait aux révolutions politiques, qui en est issu ou qui leur est favorable. *Tribunal révolutionnaire.* = Nom. Partisan des révolutions.
CTR. — Réactionnaire.
HOM. — *Révolutionnèrent*, du v. révolutionner.
* **révolutionnairement** [sio-nè-re-man], adv. D'une manière révolutionnaire. — En dehors des lois et coutumes.
révolutionner [sio-né], v. tr. Mettre un pays en état de révolution. ‖ Causer un changement brusque et profond. ‖ Fig. Causer une vive émotion, un grand trouble.
revolver [ré-vol-vèr], n. m. (mot angl.). Pistolet à un seul canon et à culasse multiple tournante (*barillet*), avec lequel on peut tirer plusieurs coups sans recharger. V. pl. ARMES. [Mécan.] Mécanisme tournant qui permet de changer rapidement la pièce travaillante d'un appareil. *Microscope à revolver.*
revomir, v. tr. Vomir ce qu'on avait avalé. ‖ Vomir de nouveau. ‖ Fig. Rejeter.
révoquer, v. tr. (lat. *revocare*, m. s.). Destituer; retirer à quelqu'un l'emploi, les fonctions, les pouvoirs qu'on lui avait confiés. *Révoquer un préfet.* ‖ Annuler, déclarer de nulle valeur à l'avenir. *Révoquer un ordre, un mandat, un testament.* ‖ *Révoquer en doute*, mettre en doute.
SYN. — V. ABOLIR.
CTR. — Nommer.
* **revoter**, v. tr. et intr. Voter de nouveau.
revouloir, v. tr. Vouloir de nouveau. = Conjug. (comme *vouloir*). V. VERBES.
* **revoyeur**, n. m. Bateau dragueur des canaux et cours d'eau.
revue, n. f. (pp. du v. *revoir*). Action de revoir. ‖ Recherche, inspection exacte. *Faire une revue de ses actions.* [A. mil.] Inspection des troupes que l'on fait défiler, pour voir si elles sont en bon ordre. — *Revue de détail*, examen des détails de tenue, de couchage, etc. ‖ Fam. *Nous sommes gens de revue*, nous avons souvent occasion de nous revoir. ‖ *Être de la revue*, en être pour ses frais ou avoir été déçu (très fam.). Titre de certains écrits périodiques. *La revue des Deux Mondes.* [Théât.] Représentation où l'on passe en revue les choses du jour par l'intermédiaire d'un *compère* et d'une *commère*.
SYN. — *Revue*, publication périodique contenant des articles sur des questions diverses : *La Revue des Deux Mondes.* — *Annales*, titre de certaines revues d'actualités, de questions diverses : *Annales scientifiques.* — *Bulletin*, publication périodique tenant le public, les membres d'une société, etc., au courant des actes ou des nouvelles qui les concernent : *Bulletin municipal officiel de la Ville de Paris.* — *Feuille*, tout journal imprimé vendu en public : *Les feuilles publiques.* — *Gazette*, journal donnant des nouvelles politiques et diverses : *La Gazette de France fut fondée en 1631.* — *Hebdomadaire*, journal ou revue paraissant toutes les semaines : *S'abonner à un hebdomadaire.* — *Journal*, feuille publique paraissant tous les jours : *Le Journal Officiel de la République française.* — *Magazine*, revue illustrée contenant surtout des articles d'actualité ou de vulgarisation : *Des magazines luxueusement présentés.* — *Périodique*, revue qui paraît à des dates fixées d'avance : *Un périodique bimensuel.* — *Presse*, l'ensemble des journaux : *Revue de la presse étrangère.* — *Quotidien*, journal paraissant tous les jours : *Les grands quotidiens de Paris.*
* **revuiste**, n. m. Celui qui écrit des revues pour le théâtre.
révulsé, ée, adj. Retourné, bouleversé, contracté. *Yeux révulsés.*
* **révulser**, v. tr. [Méd.] Déplacer par une révulsion le foyer d'une maladie.
* **révulseur**, n. m. [Méd.] Instrument muni de fines aiguilles, servant à produire une révulsion.
révulsif, ive, adj. et n. m. [Méd.] Qui produit une révulsion.
révulsion, n. f. (lat. *revulsio*, action d'arracher). Action par laquelle on établit sur une autre partie que la partie malade une irritation artificielle en vue d'y attirer le sang.
* **rez**, prép. Au ras de, au niveau de (dans la seule expression : *à rez de terre*).
rez-de-chaussée, n. m. inv. Niveau de terrain. ‖ Partie d'une maison qui est au niveau du terrain ou à peu près. V. pl. MAISON.
* **rezzou**, n. m. (mot arabe). Troupe qui fait une razzia.
HOM. — *Résous*, *out*, du v. résoudre.
* **rhabdologie**, n. f. Syn. de *radiesthésie*.
rhabillage ou * **rhabillement** [*ll* mll.], n. m. Raccommodage, réparation. *Rhabillage d'une montre, d'une arme.*
rhabiller [*ll* mll.], v. tr. Raccommoder, remettre en état. ‖ Habiller une seconde fois. ‖ Fournir de nouveaux habits. ‖ Fig. Rectifier ce qu'il y a de défectueux, ou présenter sous de nouvelles formes. = SE RHABILLER, v. pr. Remettre ses habits, ou se fournir de vêtements neufs.
* **rhabilleur, euse** [*ll* mll.], n. Celui, celle qui rhabille, qui raccommode.
* **rhabituer**, v. tr. Habituer de nouveau.
rhagade, n. f. [Méd.] Gerçure, plaie se formant à l'origine des membranes muqueuses.
* **rhamnées** ou * **rhamnacées**, n. f. pl. [Bot.] Famille d'arbrisseaux dicotylédones dialypétales, ayant pour type le nerprun ou bourdaine.
rhapontic, n. m. [Bot.] Genre de plantes de la famille des *composées*. — Nom vulg. d'une rhubarbe (*polygonées*).
rhapsode ou * **rapsode**, n. m. [Ant. gr.] Chanteur qui allait de ville en ville en récitant des poèmes épiques, notamment ceux d'Homère.
rhapsoder ou * **rapsoder**, v. tr. (gr. *rhaptein*, coudre). Composer une œuvre de pièces et de morceaux, de parties disparates. *Rhapsoder une histoire de France.*
rhapsodie ou * **rapsodie**, n. f. Récitation d'un poème épique. ‖ Chant se rapportant à un épisode des poèmes homériques. ‖ Ouvrage fait de pièces et de morceaux disparates.

* **rhapsodiste** ou * **rapsodiste**, n. m. Spécialiste de rapsodies.
* **rhénan, ane,** adj. et n. Des bords du Rhin. *Pays rhénans.*
* **rhéomètre,** n. m. [Phys.] Anc. nom des galvanomètres et ampèremètres.
rhéostat, n. m. (gr. *rhéos,* courant; lat. *stare,* être immobile). [Phys.] Appareil permettant d'intercaler dans un circuit électrique des résistances qui en modifieront l'intensité.
* **rhéostatique,** adj. Relatif au rhéostat.
rhéteur, n. m. (gr. *rhêtôr,* m. s.). [Antiq.] Celui qui enseignait l'éloquence. ‖ Auj. Déclamateur sans sincérité et plein d'emphase.
SYN. — V. ORATEUR.
* **rhétien, ienne,** adj. De la Rhétie. = N. m. [Géol.] Étage inférieur du lias.
rhétoricien, n. m. Celui qui sait la rhétorique. ‖ Élève de rhétorique.
SYN. — V. ORATEUR.
rhétorique, n. f. (lat. *rhetorica,* m. s.). Art de bien dire. *Enseigner la rhétorique.— Figures de rhétorique,* figures de mots et figures de pensées. V. tabl. FIGURES DE PENSÉES. ‖ Titre de certains traités de rhétorique. *La rhétorique d'Aristote.* ‖ Dans les lycées, autrefois, classe où l'on enseignait la rhétorique (aujourd., classe de *Première*). ‖ Fig. et fam., on dit : *J'ai employé toute ma rhétorique pour essayer de le persuader,* j'ai fait tout ce que j'ai pu pour le persuader. ‖ Péjor. Discours pompeux, mais vide d'idées ou de faits. *Tout cela n'est que de la rhétorique.*
* **rhétoriqueurs** (Grands), n. m. Nom que s'attribuaient, au XV⁰ s., les écrivains de la cour de Bourgogne.
* **rhinalgie,** n. f. (gr. *rhis, rhinos,* nez; *algos,* douleur). [Méd.] Douleur qui siège dans le nez.
* **rhinanthe,** n. f. [Bot.] Genre de *scrofularinées* (crête-de-coq, plante adventice).
* **rhingrave,** n. m. (all. *Rhein,* Rhin, et *Graf,* comte). Titre que portaient autrefois plusieurs comtes rhénans de l'Empire, et que portèrent ensuite certains princes allemands.
* **rhingraviat,** n. m. Dignité de rhingrave.
* **rhinite,** n. f. (gr. *rhis, rhinos,* nez). [Méd.] Inflammation de la muqueuse nasale.
rhinocéros [*ross*], n. m. (gr. *rhis,* nez; *kéras,* corne). [Zool.] Grand mammifère pachyderme, puissant et massif, portant une ou deux cornes sur le nez.
rhinologie, n. f. [Méd.] Branche de la médecine qui traite les maladies de la région nasale.
* **rhinolophe,** n. m. [Zool.] Genre de mammifères chéiroptères comprenant des chauves-souris dites *fers à cheval.*
* **rhinopharynx,** n. m. [Anat.] Pharynx nasal.
rhinoplastie, n. f. [Chir.] Restauration du nez par la greffe animale.
* **rhinoscopie,** n. f. [Méd.] Examen des fosses nasales.
* **rhipiptères,** n. m. pl. [Zool.] Groupe d'insectes intermédiaires entre les coléoptères et les névroptères.
* **rhizocarpé, ée,** adj. [Bot.] Se dit des plantes dont les organes reproducteurs poussent sur les racines.

RHAPSODISTE — RHUME

rhizome, n. m. (gr. *rhizôma,* racine). [Bot.] Tige souterraine de certaines plantes, émettant des bourgeons au dehors. V. pl. BOTANIQUE.
* **rhizophage,** adj. [Zool.] Qui se nourrit de racines.
* **rhizophorées** ou * **rhizophoracées,** n. f. pl. [Bot.] Famille de plantes dicotylédones des rivages vaseux des régions tropicales.
* **rhizopodes,** n. m. pl. [Zool.] Groupe de protozoaires caractérisés par la présence de prolongements temporaires et mobiles du protoplasma.
* **rhizostome,** n. m. [Zool.] Genre de méduses acalèphes.
* **rho,** n. m. Dix-septième lettre de l'alphabet grec (P, ρ), correspondant à notre *r.*
* **rhodanien, ienne,** adj. Qui se rapporte au Rhône.
* **rhodien, ienne,** adj. et n. Qui est de l'île de Rhodes.
* **rhodite,** n. m. [Zool.] Genre d'insectes hyménoptères térébrants (cynips noirs des rosiers).
rhodium [*om*'], n. m. [Chim.] Corps simple, métallique, de couleur blanc-gris, très réfractaire, excellent catalyseur.
rhododendron [*din*], n. m. [Bot.] Genre d'arbrisseaux, famille des *éricacées,* à fleurs ornementales.
rhombe [*ron*], n. m. (gr. *rhombos,* m. s.). [Géom.] Losange.
* **rhombiforme,** adj. Syn. d'*orthorhombique.*
rhomboèdre [*ron*], n. m. [Géom.] Solide dont toutes les faces sont des rhombes (losanges).
* **rhomboédrique** [*ron*], adj. Qui a la forme d'un rhomboèdre, ou qui s'y rapporte.
rhomboïdal, ale, aux [*ron*], adj. En forme de rhomboïde.
* **rhomboïde** [*ron*], n. m. Figure plane dont la forme approche de celle du rhombe. = Adj. et n. m. [Anat.] Muscle élévateur de l'omoplate.
* **rhotacisme,** n. m. Prononciation vicieuse qui substitue le son de l'*r* (en grec ρ [*rho*]) à celui de l'*s.*
rhubarbe, n. f. [Bot.] Genre de *polygonées* dont la graine et les rhizomes sont employés en médecine.
rhum [*romm*], n. m. (angl. *rum,* m. s.). Liqueur alcoolique obtenue par la distillation de la mélasse de canne à sucre.
HOM. — *Rome,* capitale de l'Italie.
rhumatisant, ante [*zan*], adj. et n. Qui a des rhumatismes.
rhumatismal, ale, aux, adj. Qui appartient au rhumatisme.
rhumatisme, n. m. Nom donné à des affections très diverses, aiguës ou chroniques, ayant pour caractère commun des douleurs et la fluxion localisées surtout au niveau des articulations et des parties molles voisines. V. tabl. MALADIE et MÉDECINE (*Idées suggérées par les mots*).
rhumb [*rom-be*], n. m. Angle compris entre deux des 32 aires de vent de la boussole.
rhume, n. m. (gr. *rheuma,* écoulement). [Méd.] Nom vulg. de l'inflammation des fosses nasales (*rhume de cerveau*) et de la muqueuse des bronches (*rhume* proprement dit). ‖ Fig. et pop. *Prendre quelque*

chose pour son rhume, recevoir une sévère correction, de violents reproches.

> VOCAB. — *Famille de mots.* — *Rhume :* enrhumer, rhumatisme rhumatismal, rhumatisant; diarrhée, diarrhéique; catarrhe, catarrheux, catarrhal; désenrhumer.

* **rhumerie** [ro-me-ri], n. f. Distillerie de rhum.
* **rhus**, n. m. [Bot.] Nom scientif. du genre *sumac*.
* **rhynchite** [rin-kitt], n.m. [Zool.] Genre d'insectes coléoptères nuisibles du groupe des *curculionidés* (charançons).
* **rhynchophores** [rin-ko-for], n. m. pl. [Zool.] Groupe d'insectes coléoptères nuisibles, vulg. *charançons*.
rhyton, n. m. [Antiq. gr.] Vase à boire en forme de corne, et percé à son extrémité inférieure. V. pl. VASES GRECS.

...ri, rie, ris

> ORTH. — *Finales.* — Le son final *ri* s'écrit sous les formes suivantes : *ri* dans ahuri, amphigouri, bistouri, canari, céleri, charivari, émeri, favori, houri, hourvari, mari, pari, pilori, etc.; *rie* dans avarie, bain-marie, barbarie, carie, curie, minoterie, prairie, série, etc.; *ris* dans coloris, souris; *rix* dans perdrix, prix.

riant, ante, adj. (ppr. du v. *rire*). Qui annonce de la gaieté, de la joie. *Un visage riant.* ‖ Agréable à la vue, qui plaît aux yeux. *Un paysage riant.* ‖ Gracieux, agréable à l'esprit. *Je m'en fais une image riante.*
CTR. — *Triste, morose, chagrin; sombre, affreux, maussade.*
ribambelle, n. f. Fam. Longue suite, kyrielle. *Une ribambelle d'enfants.*
ribaud, aude, adj. et n. Luxurieux, débauché, sans retenue ni pudeur. = N. m. Soldat, aventurier prêt à tout d'une milice créée par Philippe-Auguste.
* **ribaudaille,** n. f. Troupe de ribauds.
* **ribaudequin** [kin], n. m. Anc. machine de guerre, sorte de grosse arbalète montée sur roues.
* **ribauder,** v. intr. Agir en ribaud.
* **ribauderie,** n. f. Action, habitudes de ribaud. ‖ Divertissement licencieux.
* **ribes** [bèss], n. m. [Bot.] Nom scientif. du *groseillier*.
* **ribésiées** ou * **ribésiacées,** n. f. pl. [Bot.] Famille de plantes dicotylédones ayant pour type le groseillier. On dit aussi *grossulariées*.
* **riblage,** n. m. Action de ribler; son résultat.
* **ribler,** v. tr. *Ribler une meule,* la frotter contre une autre meule pour en polir la surface.
riblette, n. f. Tranche de viande mince, cuite à la poêle ou sur le gril.
* **ribleur,** n. m. Celui qui court les rues la nuit.
* **riblon,** n. m. Déchet de fer bon pour la refonte.
* **ribord,** n. m. [Mar.] Partie du bordage.
ribordage, n. m. [Mar.] Dommage causé par le choc d'un bâtiment contre un autre, dans le port ou en rade. ‖ Indemnité payée dans ce cas.
* **ribot** [bo], n. m. Pilon des anc. barattes à beurre. — *Lait ribot,* partie liquide qui reste dans la baratte après la fabrication du beurre avec le lait entier.
ribote, n. f. Pop. Excès de table ou de boisson. ‖ État d'ivresse.
* **riboter,** v. intr. Faire ribote.
* **riboteur, euse,** n. Celui, celle qui aime à riboter.
ricanement, n. m. Action de ricaner. — Son résultat.
ricaner, v. intr. Rire à demi, avec intention, par sottise ou par moquerie insultante.
ricanerie, n. f. Rire moqueur, souvent injurieux.
ricaneur, euse, n. Celui, celle qui ricane.
ric-à-rac ou * **ric-à-ric** ou * **ric-rac** ou * **ric et rac,** loc. adv. Avec une exactitude rigoureuse ou parcimonieuse.
* **riccie** [rit-chi], n. f. [Bot.] Genre d'hépatiques, petites plantes des terrains inondés.
richard, arde n. Personne très riche; se dit partic. en province et dans les campagnes : *Un gros richard de l'endroit.*
riche, adj. (anc. allem. *riki*, puissant). Qui possède de grands biens. — Prov. *Être riche comme Crésus, comme un Crésus,* et fam., *être riche à millions,* être extrêmement riche. ‖ Qui possède en abondance. *Riche en mérite, en vertus.* — *Une bibliothèque riche en manuscrits,* etc. — *Langue riche,* abondante en mots et en tours. ‖ Fertile, qui produit beaucoup. *C'est un pays riche en blés, en vins,* etc. ‖ Somptueux, magnifique, de grand prix. *Un riche ameublement.* ‖ Au sens moral. *Une riche nature, une personne supérieure, excellente.* ‖ Fig. en parl. des ouvrages d'esprit, fécond en idées, en images. *Sujet, matière riche.* [Versif.] *Rimes riches,* rimes dans lesquelles la tonique finale est accompagnée d'une consonne d'appui. V. tabl. VERSIFICATION ET RIME. ‖ Pop. *Une riche idée,* une très bonne idée. — *Cela fait riche,* cela sent le parvenu. = N. m *Le riche et le pauvre.* — Prov. *On ne prête qu'aux riches.* — *Nouveau riche,* personne qui s'est enrichie et se fait remarquer par sa mauvaise éducation dans un rang qui n'est pas le sien.
— *S'il est vrai qu'on est riche de tout ce dont on n'a pas besoin, un homme fort riche, c'est un homme qui est sage.*
— *Celui-là est riche, qui reçoit plus qu'il ne consume : celui-là est pauvre, dont la dépense excède la recette.* (LA BRUYÈRE.)
— *Qui borne ses désirs est toujours assez riche.* (VOLTAIRE.)
CTR. — *Pauvre, misérable, gueux, indigent.* — *Mesquin.*
* **richelieu,** n. m. (de *Richelieu,* n. pr.) Sorte de chaussure de femme. V. pl. CHAUSSURES.
richement, adv. D'une manière riche; magnifiquement.
richesse, n. f. (de *riche*). Ensemble des moyens dont nous disposons pour satisfaire nos besoins, nos désirs, et aussi ceux des autres. ‖ Opulence, abondance de biens. *C'est le commerce qui fait la richesse de ce pays.* Prov. *Contentement passe richesse.* — *Richesses,* au pl. Grands biens, grand nombre de choses précieuses. *Les richesses du musée du Louvre.* ‖ Abondance des productions naturelles, fécondité et productivité du sol. *La richesse du sol.* —

Fig. *La richesse de l'imagination.* ‖ Abondance. *La richesse d'une langue*, l'abondance d'une langue en mots et en tours. ‖ Source de richesse, de revenu. *Son talent est sa seule richesse.* ‖ Splendeur, magnificence. *La richesse d'un ameublement.*
— *Moins on a de richesse et moins on a de peine,*
C'est posséder le bien que savoir s'en passer. (REGNARD.)
— *Il ne faut pas s'étonner si la passion des richesses est si violente, puisqu'elle ramasse en elle toutes les autres.* (BOSSUET.)
— *La richesse consiste dans le sol et dans le travail; le peuple le plus riche et le plus heureux est celui qui cultive le plus le meilleur terrain.* (VOLTAIRE.)
SYN. — V. ABONDANCE et BIENS.
CTR. — *Pauvreté, dénuement.* — *Stérilité, insuffisance.*
richissime, adj. Fam. Extrêmement riche.
ricin, n. m. [Bot.] Genre d'*euphorbiacées* d'Asie, dont les graines contiennent une huile lubrifiante et purgative.
* **riciné, ée**, adj. Imprégné d'huile de ricin.
ricocher, v. intr. Faire des ricochets. ‖ Fig. Revenir par une voie non prévue.
ricochet, n. m. Bond que fait une pierre plate et légère jetée obliquement sur la surface de l'eau. ‖ Bond oblique d'un projectile en touchant le sol. ‖ Fig. Suite d'événements amenés les uns par les autres.
rictus [*tuss*], n. m. (mot lat.). Grimace sarcastique qui ressemble au rire, due à la contraction des muscles de la bouche.
ride, n. f. Sillon ou pli de la peau qui se forme sur le visage, les mains, par l'effet de l'âge. ‖ Sillon qui se forme sur certains fruits, à la surface d'une eau calme, etc. [Mar.] Petit cordage en maintenant un plus gros.
ridé, ée, adj. Qui a des rides.
rideau, n. m. (du v. *rider*). Morceau d'étoffe, de cuir, etc., qu'on emploie pour couvrir, entourer ou conserver quelque chose, pour intercepter la lumière, etc. *Rideaux de fenêtre, de lit.* ‖ Fig. *Tirer le rideau sur une chose,* ou absol., *Tirer le rideau,* ne plus parler, ne plus s'occuper l'esprit d'une chose dont l'idée produit une impression pénible. — Fermeture métallique des devantures de magasin. — Plaque de tôle mobile fermant le devant d'une cheminée. [Théâtre] Toile qu'on lève ou qu'on baisse pour montrer ou pour cacher la scène aux spectateurs. *Lever, baisser le rideau.* V. pl. THÉÂTRE. — *Lever de rideau.* Petite pièce qu'on joue au commencement d'une soirée. — Fig. et prov. *Tirez le rideau, la farce est jouée,* tout est fini, il n'y a plus rien à attendre.
Par ext. Série d'objets qui cachent quelque chose. *Rideau d'arbres, de nuages.*
* **ridée**, n. f. Filet pour prendre les alouettes. ‖ Danse bretonne.
ridelle, n. f. Chacun des deux côtés d'une charrette, faits en forme de râtelier, pour maintenir la charge. V. pl. CHARRETTE.
1. **rider**, v. tr. (orig. inc.). Produire, faire des rides. [Mar.] Raidir un cordage à l'aide de ses ridoirs. = SE RIDER, v. pr. Devenir ridé, présenter des rides.
2. **rider** [*ra-i-deur*], n. m. (angl. *to ride,* monter à cheval). Cavalier. — *Gentleman rider,* jockey amateur prenant part à certaines courses.

1. **ridicule**, adj. (lat. *ridiculus,* m. s.). Digne de risée, de moquerie. *Un discours, une conduite ridicule.* = N. m. Personne digne de risée. *Cet homme est un ridicule.* ‖ Ce qui est ridicule, ce qu'il y a de ridicule dans une personne ou dans une chose. *Saisir les ridicules.* — *Tourner, traduire quelqu'un en ridicule,* se moquer de lui, s'efforcer de le rendre ridicule. ‖ Ce qui rend quelqu'un ou quelque chose ridicule. *Braver le ridicule.*
SYN. — V. COMIQUE.
PAR. — *Risible,* qui fait rire.
2. **ridicule**, n. m. (altér. de *réticule*). Petit sac avec fermeture à coulisse, que les femmes portaient autref. à la main.
SYN. — V. BOURSE.
ridiculement, adv. D'une manière ridicule.
ridiculiser [*zé*], v. tr. Rendre ridicule, tourner en ridicule. = SE RIDICULISER, v. pr. Se rendre ridicule.
SYN. — V. BAFOUER.
* **ridiculité**, n. f. Caractère de ce qui est ridicule.
rien, pronom et nom. V. tabl. RIEN.
rieur, euse, n. Celui, celle qui rit, qui aime rire. ‖ Celui, celle qui se moque. = Adj. Qui aime rire. = N. f. Nom vulg. d'une espèce de mouette.
SYN. — V. BADIN.
1. **riflard**, n. m. (de *rifler*). Grand rabot à fer un peu arrondi, pour dégrossir. V. pl. OUTILS MANUELS. ‖ Sorte de ciseau de maçon à lame très large. ‖ Grosse lime à métaux. ‖ Laine la plus grosse et la plus longue d'une toison.
2. **riflard**, n. m. (du nom d'un personnage de comédie). Pop. Grand parapluie.
* **rifle** [*raï-fl'*], n. m. (mot angl.). Carabine à long canon.
* **rifler**, v. tr. [Techn.] Enlever, dégrossir, aplanir avec le riflard ou le rifloir. ‖ Pop. Dérober.
* **rifloir**, n. m. Lime recourbée pour rifler.
* **rigaudon**, n. m. V. RIGODON.
rigide, adj. (lat. *rigidus,* m. s.). Raide, peu flexible. *Une barre rigide.* ‖ Fig. Sévère, austère, exact, inflexible. *C'est un homme rigide.* ‖ Qui soutient les dogmes d'une secte sans la moindre altération. *Un calviniste rigide.*
SYN. — V. AUSTÈRE.
CTR. — *Mou, flexible, souple, élastique, pliant.* — *Accommodant, malléable.*
rigidement, adv. D'une manière rigide.
rigidité, n. f. Qualité de ce qui est rigide. *La rigidité d'une barre de fer.* ‖ Fig. Grande sévérité, exactitude rigoureuse. [Physiol.] Raideur, défaut de souplesse. *Rigidité cadavérique.*
CTR. — *Flexibilité, souplesse, mollesse. malléabilité.* — *Indulgence.*
rigodon ou * **rigaudon**, n. m. Air de danse à deux temps, gai et animé. ‖ Danse exécutée sur cet air. [A. mil.] Batterie, sonnerie, mouvement d'un fanion ou du bras servant à signaler les balles bien placées lors d'un exercice de tir — Par ext. Balle bien placée.
* **rigolade**, n. f. Pop. Action de rigoler. de se divertir ou de se moquer.
* **rigolage**, n. m. Action de tracer un sillon, une rigole, ou d'y faire couler de l'eau.
* **rigolard**, n. m. Homme qui rigole souvent ou qui fait rigoler (Pop.).

RIGOLE — RIGORISTE

rigole, n. f. Petit fossé étroit qu'on fait dans la terre; petit canal creusé dans la pierre pour faire couler de l'eau. [Hortic.] Petit sillon où l'on plante en ligne de jeunes sujets.
 1. **rigoler,** v. intr. Pop. Se divertir d'une façon un peu vulgaire.
 2. * **rigoler,** v. tr. Couper par des rigoles.

* **rigoleur, euse,** n. Pop. Celui, celle qui aime rigoler.
* **rigolo, ote,** adj. et n. Qui amuse; qui aime à plaisanter, à s'amuser (Pop.).
rigorisme, n. m. Attachement aux principes moraux ou religieux poussé jusqu'à la rigueur; austérité.
rigoriste, adj. et n. Qui pousse trop loin la sévérité des principes.

RIEN, pronom et nom.

Étymologie. — Du latin *rem,* accusatif du nom féminin *res, rei,* la chose.
Hitorique et emploi. — Genre. — Le mot *rien* signifie à l'origine *chose* et comme le mot latin *res,* il est féminin dans les textes du Moyen Age. Puis employé sans déterminant, dans les tournures négatives, ou interrogatives, il a pu être considéré comme pronom indéfini. Comme tel, il est du genre neutre, qui, en français, a la même forme que le masculin. *Vit-on rien de pareil ?*
Emploi. — De bonne heure employé avec la négation *ne* pour renforcer l'idée négative par un terme de comparaison : *il n'a fait rien* (cf. *pas, point, personne,* etc.); il n'a pas fait (même) une chose. *Rien* a pris une valeur négative qui lui est restée dans la suite, même lorsqu'il est employé seul. *Cela vaut mieux que rien.* — On a un témoignage de la double valeur positive et négative de *rien* dans l'exemple suivant : *Je ne suis pas homme à donner rien* (quelque chose) *pour rien* (nulle chose). (MOLIÈRE.)
 On voit que le fréquent emploi de *rien* à côté d'une négation a fini par faire de lui un mot-outil négatif.
 INCORR. — Il ne faut pas dire : *rien qu'un seul,* ce qui constitue un pléonasme. Dites : *rien qu'un,* ou : *un seul.*
 SYN. — V. BAGATELLE.
 CTR. — *Tout.*

RIEN, pronom indéfini, neutre et invariable.

a) Indéterminé et employé seul, avec la construction d'un nom. Quelque chose. *Y a-t-il rien de si beau que la vertu ? Je voudrais savoir si personne a jamais rien dit de pareil.*
b) Indéterminé et construit avec un mot négatif, *ne* ou *sans.* Nulle chose, néant. *Il ne fait rien, il ne dit rien.* — *Elle est partie sans rien dire.* — Prov. *Qui ne risque rien n'a rien.* — *Ne dire rien,* ne rappeler aucun souvenir. *Ce nom-là ne me dit rien* (Fam.). — Ne causer aucun désir, aucun appétit. *Ce mets ne me dit rien.* — *Ne servir de rien, à rien,* n'avoir aucune utilité. — *Cela ne me fait rien,* je n'y attache aucune importance. — *Cet homme ne fait rien,* il n'a pas d'emploi, il ne travaille pas. — *Cet homme ne m'est rien,* il n'est pas mon parent. — *Ne savoir rien de rien,* ne savoir absolument rien.
 Généralement l'adjectif qui détermine *rien* (et qui est au neutre) est relié à ce mot par la préposition *de* qui a ici une valeur purement explétive. *Il n'est rien de plus vrai. Il n'y a rien de meilleur.*
c) Indéterminé, avec sens négatif, sans emploi de la négation. Nulle chose, néant. *Je compte cette chose pour rien. Je veux tout ou rien.* — *Jouer un coup pour rien,* qui ne compte pas dans la partie. — *Pour rien,* gratuitement. *Il a fait ce travail pour rien.* — Par exag. Peu de chose. *Il a eu cette maison pour rien.* — *Cela s'est réduit à rien,* il en est resté peu de chose, cette affaire a eu peu de succès. — *Fig. Cet homme est venu de rien, il s'est élevé de rien,* il est d'humble origine. On dit aussi *un homme de rien,* un individu de nulle valeur.
 Dans les réponses. *Qu'en reste-t-il ? Rien.* — *Rien qui vaille.* Une valeur nulle.
d) Avec un sens déterminé, et parfois adverbial. — Aucune chose.
 Rien ne sert de courir, il faut partir à point. (LA FONTAINE.)
 Prov. *On ne fait rien de rien,* on ne saurait réussir dans une affaire, dans aucune entreprise, si l'on n'a quelques moyens, quelques secours pour y parvenir. — *On ne fait rien pour rien,* il entre presque toujours quelques vues d'intérêt personnel dans les services que rendent les hommes.

RIEN, nom masculin.

Formé du pronom indéfini *rien.* Est toujours accompagné de l'article.
 Une chose de mince valeur, peu de chose. *Un rien le fâche. En un rien de temps,* en un temps très court.
 Au plur. : Bagatelles, choses de nulle importance. *S'amuser à des riens.* — *Il se fâche pour des riens.*
 SYN. — V. BAGATELLE.

LOCUTIONS FORMÉES AVEC RIEN.

RIEN DU TOUT, loc. pron. neutre (fam.). Renforce *rien :* absolument rien. *Il ne fait rien du tout. Vous vous êtes fait mal ? — Ce n'est rien du tout.*
EN MOINS DE RIEN, en très peu de temps, en ce moment très court. *Il nous quitta et en moins de rien il avait disparu.*
C'EST MOINS QUE RIEN (fam.). Cela n'a absolument aucune valeur. On dit même, comme nom masc. *C'est un moins que rien,* un individu sans aveu.
SI PEU QUE RIEN, une toute petite quantité (fam.). *Voulez-vous de ce vin ? Oh, si peu que rien.*
COMME SI DE RIEN N'ÉTAIT, loc. adv. Comme si la chose dont il s'agit n'était pas arrivée. *Après une vive querelle, ils se sont embrassés comme si de rien n'était.*
RIEN MOINS QUE. — Précédant un *adjectif,* signifie le contraire de cet adjectif : *Il n'est rien moins que sot,* il n'est pas sot du tout. — Devant un *nom,* peut avoir le sens positif ou négatif, indiqué plus ou moins clairement par le contexte, aussi ce tour est-il à éviter, à cause de son ambiguïté.
RIEN DE MOINS QUE. — Avec un *verbe impersonnel,* le sens est nettement négatif. *Il n'y a rien de moins certain que sa réussite* (elle n'est pas certaine du tout). — Avec un *verbe trans.* ou intrans., le sens, donné par le seul contexte, ne peut être déterminé que par la logique, aussi ce tour devenu obscur, est-il à proscrire. V. tabl. MOINS.
 VOCAB. — *Famille de mots.* — *Rien* [rad. *rie, réa, rép.*] : réel, réellement, réalité, réaliser, réalisable, réalisation, réalisateur, réalisme, réaliste; irréel, irréalisable, irréalité; république, républicain, républicaniser, républicanisme; rébus.

rigoureusement [ze-man], adv. D'une manière dure et sévère. ‖ D'une façon incontestable. ‖ Avec la plus grande exactitude.

rigoureux, euse, adj. Rude, âpre, dur à supporter. *Hiver rigoureux.* ‖ Sévère, cruel. *Arrêt rigoureux.* ‖ Rigide, très sévère, qu'on ne saurait fléchir. ‖ Très précis, très exact. *Démonstration rigoureuse.*
SYN. — V. AUSTÈRE, DOULOUREUX, INEXORABLE.
CTR. — Clément, indulgent, doux.

rigueur [ri-gheur, g dur], n. f. (lat. *rigor*, m. s.). Dureté, âpreté. *La rigueur du climat.* ‖ Sévérité, dureté, austérité. *Il traite ses enfants avec trop de rigueur.* ‖ Acte de sévérité. *Les rigueurs de l'hiver.* ‖ Grande exactitude, sévérité dans la justice. *La rigueur des lois, des règles.* ‖ *De rigueur*, imposé, exigé, rigoureusement nécessaire. *Une tenue correcte est de rigueur.* = À LA RIGUEUR, À LA DERNIÈRE RIGUEUR, À TOUTE RIGUEUR, EN RIGUEUR, locut. adv., très exactement, avec une extrême sévérité, sans faire aucune grâce. *Observer les lois à la rigueur, à la dernière rigueur.* = À LA RIGUEUR, à la lettre, sans modification, sans adoucissement. *Appliquer une loi à la rigueur.* — *A la rigueur*, signifie encore : Au pis aller, à tout prendre. *Cela passera à la rigueur.*

*****rikiki**, n. m. Fam. Liqueur alcoolisée quelconque. = Adj. Tout petit, un peu mesquin. *Ce bouquet est bien rikiki.*

rillettes [ll mll.], n. f. pl. Viande de porc hachée très menu et cuite longuement dans sa graisse.

rillon [ll mll.], n. m. Menus résidus de porc ou d'oie dont on a fait fondre la graisse.

rimailler [ll mll.], v. intr. Faire de mauvais vers.

*****rimaillerie**, n. f. Poésie très médiocre.

rimailleur [ll mll.], n. m. Celui qui rimaille.

*****rimasser**, v. intr. Faire de mauvais vers.

rime, n. f. (doublet de *rythme*). Retour du même son, dans la terminaison de deux ou plusieurs mots. ‖ Mots qui terminent les vers. V. tabl. VERSIFICATION et RIME. ‖ Fig. et fam. *Cela n'a ni rime ni raison*, c'est complètement absurde.
— *Quelque sujet qu'on traite, ou plaisant ou sublime*
— *Que toujours le bon sens s'accorde avec la rime.*
— *La rime n'est qu'une esclave et ne doit qu'obéir.* (BOILEAU.)

rimer, v. intr. En parlant des mots, avoir le même son final. *Réseau et roseau riment ensemble.* ‖ Fig. et fam. *Cela ne rime à rien*, cela est dépourvu de sens, de raison. ‖ En parlant du poète, employer les rimes et, par ext., faire des vers. = V. tr. Mettre en vers. *Rimer un conte.*

rimeur, n. m. Poète et, partic., mauvais poète.

*****rimule**, n. f. Petite fente, fissure.

...rin, rain, rein

ORTH. — *Finales.* — Le son final *rin* s'écrit sous cette forme dans adultérin, burin, florin, mandarin, marin, pèlerin, romarin, tambourin, etc.; sous la forme *rain* dans airain, contemporain, forain, parrain, riverain, souterrain, souverain, suzerain, terrain, etc.; sous la forme *rein* dans rein et serein.

rinçage, n. m. Action de rincer; son résultat.

rincé, ée, adj. Qui a subi le rinçage. — *Avoir été bien rincé*, avoir été fort mouillé, ou, fig., avoir été fortement réprimandé, ou avoir fait une grosse perte d'argent. = Comme nom, dans le même sens : *Recevoir une rincée.*

rinceau, n. m. [Archi.] Ornement sculpté ou peint, rapporté sur un fond, imitant des branchages infléchis ou enroulés. V. pl. ORNEMENTS.

rince-bouche, n. m. inv. Bol d'eau tiède aromatisée pour rincer la bouche après le repas.

*****rince-doigts**, n. m. inv. Petit récipient rempli d'eau tiède pour se rincer les doigts à la fin d'un repas.

*****rincée**, n. f. V. RINCÉ, ÉE.

rincer, v. tr. Nettoyer en lavant et en frottant. ‖ Passer dans l'eau claire une chose déjà lavée. *Rincer le linge*, le passer à plusieurs eaux après l'avoir savonné. ‖ *Se faire rincer*, se faire mouiller par la pluie et, fig., faire une grosse perte d'argent (Fam.). = Conjug. V. GRAMMAIRE.
SYN. — V. LAVER.

*****rincette**, n. f. Pop. Coup d'eau-de-vie qu'on verse dans la tasse quand on a bu le café.
PAR. — *Rinçure*, eau avec laquelle on a rincé.

*****rinceur, euse**, n. Celui, celle qui rince. = N. f. Machine à rincer.

*****rinçoir**, n. m. Récipient plein d'eau dans lequel on rince.

rinçure, n. f. Eau qui a servi à rincer. ‖ Vin coupé de beaucoup d'eau.
PAR. — *Rincette*, coup de liqueur forte pour rincer le verre où la tasse.

rinforzando, adv. (mot ital.). [Mus.] En renforçant, en passant progressivement du *piano* au *forte*. = N. m. *Faire un rinforzando.*

*****ring** [rign'], n. m. (mot angl. signif. *cercle*). Endroit où l'on parie aux courses de chevaux. ‖ Les parieurs. ‖ Estrade pour combat de boxe ou de lutte.

*****ringage**, n. m. Déchet de charbon (scories, mâchefer) que l'on enlève de la grille d'un foyer avec le ringard.

ringard, n. m. Barre de fer pour remuer le combustible dans les foyers, ou la matière en fusion dans les usines métallurgiques.

*****rio**, n. m. Fleuve ou rivière, en espagnol et en portugais.

rioter, v. intr. Rire à demi, par dédain.

*****rioteur, euse**, n. Celui, celle qui ne fait que rioter.

riotte, n. f. Légère dispute (Vx).

*****ripage** ou *****ripement**, n. m. Polissage fait avec la ripe.

ripaille [ll mll.], n. f. Bonne chère, débauche de table.

*****ripailler** [ll mll.], v. intr. Pop. Faire ripaille.

*****ripailleur** [ll mll.], n. m. Pop. Celui, celle qui aime à faire ripaille.

ripe, n. f. [Techn.] Outil de maçon, de sculpteur, qui sert à gratter une pierre, une figure. ‖ Auge sous une meule.

riper, v. tr. Gratter avec la ripe. [Mar.] Faire glisser deux cordages l'un sur l'autre. = V. intr. Glisser en frottant, patiner.

RIME

La rime a pour rôle d'indiquer à l'oreille la fin de la période rythmique qu'est le vers. Inconnue à la versification antique qui repose sur l'alternance des brèves et des longues, elle apparaît dans les hymnes et les proses de l'église, d'abord concurremment avec la mesure, puis seule (ex., le *Dies irae*).

Du point de vue de la *valeur*, la rime est dite *suffisante* quand l'articulation suivant la dernière voyelle accentuée est la même. Ex. : *table* et *sable* ; elle est dite *riche*, si l'articulation qui précède la dernière syllabe accentuée est la même. Ex. : *réseau, roseau ; contraindre, restreindre*. Certains poètes recherchent la rime riche, d'autre préfèrent les rimes expressives, soit par leur sonorité, soit par leur son étouffé, qu'elles soient riches ou seulement suffisantes. Ex. : *mort, sort*, asphod*èle*, solenn*elle*. Les rimes qui ne seraient ni riches ni suffisantes sont de mauvaises rimes. C'est à tort que l'on distinguait autrefois les *rimes pour l'œil* et les *rimes pour l'oreille ;* un poème étant destiné avant tout à être lu à haute voix ou déclamé, ces dernières seules sont des rimes. Certains vers des classiques, qui rimaient au moment où ils furent composés, peuvent ne plus rimer aujourd'hui, la prononciation ayant évolué (ex., au XVIIe s. on voit rimer *français* et *lois* [prononcés alors fran*çoués* et *loués*], *aimer* et *amer* (rimes dites normandes).

Du point de vue *acoustique*, on distingue deux espèces de rimes : celles qui sont formées par une syllabe sonore suivie d'un *e* muet, seul ou accompagné de *s* ou de *nt* (terres - ils aiment), ex. : jour*née*, don*née*, sont dites *rimes féminines ;* celles qui se terminent par une syllabe sonore : étern*el*, solenn*el*, sont dites *rimes masculines*. Les lois de la versification veulent que, sur 4 vers, deux soient à rimes masculines et deux à rimes féminines.

Du point de vue des *combinaisons de rimes*, on distingue : 1º les rimes *continues*, dans un morceau monorime, tout entier sur la même rime, combinaison très rare, en dehors des *laisses* en assonances du Moyen Age ; 2º les *rimes plates* ou *suivies*, se suivant de deux en deux (A = rime masc., B = rime fém.) selon la formule AA BB ou BB AA. Les rimes plates sont toujours employées dans l'épopée, la tragédie, la comédie, l'épître, la satire ; 3º les *rimes croisées*, les vers impairs puis les vers pairs rimant ensemble (formule A B A B ou B A B A) ; 4º les *rimes embrassées*, la 1re rimant avec la 4e, la 2e rimant avec la 3e (formule A B B A ou B A A B) ; 5º les rimes dites *redoublées* quand plus de 2 vers riment ensemble ; 6º elles sont dites *mêlées* quand les divers systèmes ci-dessus sont employés concurremment dans un même morceau, ce qui est fréquent dans les fables de La Fontaine.

Les poètes du XVIe s. ont inventé des combinaisons de rimes qui tiennent plus de l'acrobatie de la versification que de la poésie. Telles sont les *rimes couronnées, empérières, équivoquées*, etc. V. tabl. VERSIFICATION.

QUELQUES EXEMPLES DE RIMES

ace (bref) - *asse* (bref)
    race
    paperasse

ai - ais - è - et - ets
    délai
    jamais
    violet
    aguets

agne - *oigne*
    montagne
    éloigne

aim - ain - ein - in
    faim
    malsain
    serein
    pèlerin

aime - ème
    aime
    stratagème

aindre - eindre - indre
    craindre
    enfreindre
    cylindre

aine - eine - ène - enne
    surhumaine
    peine
    démène
    étrenne

aire - ère - erre
    repaire
    désespère
    guerre

aisse - esse
    paraisse
    caresse

aite - ète-ette
    retraite
    furète
    fleurette

ale - alle
    capitale
    installe

ame (bref) - *amme emme*
    diffame
    épigramme
    femme

amp - ant - and - ent end
    champ
    méchant
    répand
    serpent
    dépend

ance - anse - ence - ense
    chance
    danse
    évidence
    condense

andre - endre
    méandre
    détendre

ane - anne
    basane
    paysanne

ape - appe
    dérape
    trappe

are - arre
    égare
    bagarre

asse (long) - *ace*
    grasse
    disgrâce

aute - ote
    faute
    hôte

cable - quable
    vocable
    critiquable

çade - sade (dur)
    façade
    maussade

cure - qûre
    obscure
    piqûre

erse - erce
    herse
    perce

ève - aive
    soulève
    glaive

iage - yage
    mariage
    voyage

ice - isse
    malice
    déplisse

ille - ille (non mouillé)
    utile
    myrtille

oce - osse
    féroce
    crosse

oi - oie - oid
    effroi
    guerroie
    sang-froid

oir - oire
    pressoir
    accessoire

ompte - onte
    mécompte
    raconte

on - ond - ont
    larron
    rond
    affront

or - ord
    essor
    retord

ore - aure
    store
    restaure

osse - usse
    grosse
    chausse

ote - otte
    pilote
    ballotte

ouce - ousse
    douce
    mousse

ourse - ource
    rembourse
    ressource

sion - tion
    aversion
    solution

On trouvera de nombreux exemples de rimes aux tableaux, que nous donnons à leur ordre alphabétique, des FINALES AVEC CONSONNES PRONONCÉES.

ripopée, n. f. Mélange de divers restes de vin. ‖ Mélange de différentes sauces. ‖ Fig. Ouvrage, écrit composé d'idées communes, incohérentes ou mal liées (toujours péjor.).

riposte, n. f. (ital. *riposta,* m. s.). [Escr.] Coup porté immédiatement après avoir paré. ‖ Prompte repartie à une raillerie. [A. mil.] Contre-attaque.
ÉPITHÈTES COURANTES : V. RÉPLIQUE et RÉPONSE.
SYN. — V. RÉPONSE.

riposter, v. intr. (de *riposte*). [Escr.] Parer et porter la botte du même mouvement. ‖ Répondre, repartir vivement et sur-le-champ pour repousser une raillerie. ‖ Repousser vivement une attaque, une injure, un coup, etc. *On l'insulta, il riposta par des injures* (Fam.).

* **ripuaire,** adj. Se dit des Francs stationnés autour de Cologne au Ve s.

* **riquiqui** [*ki-ki*], adj. Autre orth. de *rikiki.*

1. **rire,** v. intr. (lat. *ridere,* m. s.). Marquer par un certain mouvement de la bouche, qui s'accompagne d'expirations saccadées plus ou moins sonores, que l'on éprouve un sentiment de gaieté. *Rire aux éclats, à gorge déployée.* — *Mourir de rire,* rire très fort et très longtemps. — *Il n'y a pas là de quoi rire,* ce n'est pas drôle du tout. — Fig. et fam. *Rire du bout des dents, ne rire que du bout des lèvres; rire jaune,* rire à contre-cœur. — *Pincer sans rire,* dire quelque chose de piquant contre quelqu'un sans paraître en avoir l'intention. On dit de même : *Un pince sans rire.* ‖ Fig. et prov. *Rira bien qui rira le dernier* se dit de quelqu'un qui se flatte du succès dans une affaire où l'on compte l'emporter sur lui. — *Tel qui rit vendredi, dimanche pleurera,* souvent la tristesse succède en peu de temps à la joie.
Plaire, être agréable. *Tout rit dans cette maison. Cela rit à l'imagination.* — Fig. *La fortune lui rit,* tout lui réussit. ‖ Fam. Se divertir, se réjouir. *C'est un bon garçon qui aime à rire.* ‖ Prov. *Plus on est de fous, plus on rit.* — Fam. *Rire de quelqu'un,* se moquer de quelqu'un. *Rire au nez de quelqu'un,* se moquer de lui en face. ‖ Railler, badiner, ne pas parler, ne pas agir sérieusement. *Dire quelque chose pour rire.* — Fam. *Vous voulez rire* se dit à quelqu'un qui fait une proposition peu acceptable, ou qui dit des choses peu croyables. ‖ Ne se point soucier d'une chose; témoigner qu'on n'en tient pas compte; s'en moquer. *Il rit de toutes les remontrances qu'on lui fait.* — Dans le même sens, on dit pronominalement: *Se rire de quelqu'un.*
— *Le rire et les pleurs sont des signes particuliers à l'espèce humaine pour exprimer le plaisir ou la douleur de l'âme.* (BUFFON.)
CTR. — *Pleurer, gémir.*

CONJUG. — V. intrans. 3e groupe (inf. en *re*) [rad. *ri*].
Indicatif — *Présent :* je ris, tu ris, il rit, nous rions, vous riez, ils rient. — *Imparfait :* je riais, ... nous riions, vous riiez... — *Passé simple :* je ris, tu ris, il rit, nous rîmes, vous rîtes, ils rirent.— *Futur :* je rirai, ... nous rirons, vous rirez...
Impératif — Ris, rions, riez.

Conditionnel — *Présent :* je rirais, ... nous ririons, vous ririez...
Subjonctif — *Présent :* que je rie, que tu ries, qu'il rie, que nous riions, que vous riiez, qu'ils rient. — *Imparfait :* que je risse, que tu risses, qu'il rît, que nous rissions, que vous rissiez, qu'ils rissent.
Participe — *Présent :* riant. — *Passé :* ri (sans féminin).
Temps composés conjugués avec l'auxiliaire AVOIR.

VOCAB. — *Famille de mots.* — Rire [rad. *ri, ris, rid*] : riant, rieur, risible, risiblement, risette, risibilité, ris, risorius risée; ricaner, ricanerie, ricaneur, ricanement; ridicule, ridiculiser, ridiculité, ridiculement; dérision, dérisoire, dérisoirement; souriant, souris (n. m.), sourire.

2. **rire,** n. m. Action de rire. *Des éclats de rire.* — *Un fou rire,* un rire impossible à dominer, prolongé et contagieux de l'un à l'autre.
ÉPITHÈTES COURANTES : gros, franc, aux éclats, joyeux, fou, sarcastique, malicieux, méchant, sardonique, contraint, forcé, jaune, intempestif, déplacé, etc.
ANT. — *Larmes, pleurs, gémissements.*

1. **ris** [*ri*], n. m. Action de rire. ‖ Façon de rire. = Au plur. Divinités personnifiant la joie.

2. **ris** [*ri*], n. m. (orig. scand.). [Mar.] Bande longitudinale à la partie inférieure d'une voile, que l'on peut serrer sur la vergue pour diminuer la surface de cette voile. Cette opération est dite : *prendre un ris.*

3. **ris** [*ri*], n. m. [Bouch.] Thymus du veau, de l'agneau, mets fin et apprécié.
HOM. — *Ris,* n. m., action de rire; — *ris,* n. m., partie d'une voile; — *ris,* n. m., thymus de veau, d'agneau; — *ris, rit, rient* du v. rire; — *riz,* n. m., plante de la famille des graminées.

* **risban,** n. m. Terre-plein garni de canons pour la défense d'un port.

* **risberme,** n. m. Espace en forme de talus contre la jetée d'un port pour en protéger la fondation.

* **risdale,** n. f. V. RIXDALE.

1. **risée** [*zé*], n. f. Grand éclat de rire général. ‖ Rire moqueur. ‖ Objet de moquerie. *Être la risée de tous.*

2. * **risée** [*zé*], n. f. [Mar.] Rafale d'assez longue durée; augmentation spontanée du vent.

risette [*zè-te*], n. f. Petit rire ou sourire gracieux. *Faire risette.*

* **risibilité** [*zi*], n. f. Faculté de rire. ‖ Qualité de ce qui est risible.

risible [*zi*], adj. Propre à faire rire. Digne de moquerie.
SYN. — V. COMIQUE.
CTR. — *Lamentable, pitoyable.*
PAR. — *Ridicule,* dont on se moque, qui est l'objet de risée.

risiblement [*zi*], adv. D'une manière risible.

* **risorius,** n. m. [Anat.] Muscle de la commissure des lèvres, permettant le rire.

* **risotto** [*zo-to*] ou * **rizotto,** n. m. (mot ital.). Mets ital., fait de riz, de beurre, de safran et de fromage râpé.

* **risquable,** adj. Où il y a des risques à courir. ‖ Qu'on peut risquer avec quelque chance de succès.

risque, n. m. (ital. *risco*, m. s.). Hasard qu'on court d'une perte, d'un dommage. *Courir le risque de...* Entreprendre une chose à ses risques et périls, en assumer tout le risque. ‖ *Risques locatifs,* responsabilité encourue par le locataire pour les dommages qu'il peut causer. — Fam. *A tout risque,* à tout hasard. — *Au risque de,* en s'exposant au danger de. ‖ Perte, préjudice, sinistre que les compagnies d'assurance garantissent moyennant le paiement d'une prime. *Assurance contre tous risques.*
Syn. — V. danger.
Par. — *Rixe,* querelle avec échange de coups.

risqué, ée, adj. Osé, trop libre.

risquer, v. tr. (de *risque*). Hasarder, mettre en danger. *Risquer sa vie, son honneur.* Prov. *Risquer le tout pour le tout. Qui ne risque rien n'a rien.* ‖ Courir le risque de, le hasard de. *Risquer le combat.* — *Risquer une plaisanterie,* faire une plaisanterie un peu osée. ‖ Courir le risque de. *Risquer de tomber.* = se risquer, v. pr. Se hasarder. *Se risquer dans une affaire.*
Incorr. — Il faut éviter de dire *risquer de gagner, de s'enrichir,* etc.; il faut dire *avoir des chances de.*
Syn. — V. aventurer et hasarder.

risque-tout, n. m. inv. Homme téméraire qui ne doute de rien, qu'aucun danger n'arrête.
Syn. — V. aventurier.

* **risse,** n. f. [Mar.] Cordage pour attacher sur le pont une embarcation.

rissole, n. f. Viande ou poisson haché, enveloppé dans de la pâte et mis à frire.

* **rissole,** n. f. Filet à mailles serrées pour la pêche aux anchois en Méditerranée.

rissolé, ée, adj. Doré par la cuisson.

rissoler, v. tr. Cuire, rôtir de manière à faire prendre une couleur dorée et appétissante.

ristourne ou * **ristorne,** n. f. (ital. *ristorno*, m. s.). Annulation d'une police d'assurance qui fait double emploi ou se trouve sans objet. ‖ Part des bénéfices revenant à certains associés en fin d'exercice. ‖ Bonification ou commission plus ou moins licite.

rite ou * **rit,** n. m. (lat. *ritus*, m. s.). Ordre prescrit pour les cérémonies qui se pratiquent dans une religion. = Au plur. (s'écrit alors toujours *rites*). Cérémonies mêmes d'un culte.

* **ritardando,** adv. (ital. *ritardare*, retarder). [Mus.] En retardant l'exécution. = N. m. *Un ritardando,* un ralentissement.

ritournelle, n. f. (ital. *ritornello*, m. s.). [Mus.] Trait de musique instrumentale qui précède, ou suit en le répétant, un morceau de chant. ‖ Fig. et fam. *C'est toujours la même ritournelle,* c'est toujours la même chose.

* **ritte,** n. f. [Agric.] Charrue sans oreille pour ameublir la terre.

* **ritter,** v. tr. [Agric.] Labourer avec la ritte.

* **ritton,** n. m. [Agric.] Soc de la ritte.

ritualisme, n. m. Ensemble des rites d'une église. — Science des rites. ‖ Dans l'église anglicane, tendance vers l'imitation des rites de l'église catholique.

* **ritualiste,** n. m. Auteur qui étudie les différents rites. ‖ Partisan du ritualisme anglican.

rituel, elle, adj. Qui se rapporte au rite. = N. m. Livre qui contient les rites d'un culte, avec les détails de la pratique.

rivage, n. m. (lat. *ripa*, rive). Bande de terre qui borde une étendue de mer, un fleuve, un lac. [Poét.] Contrée, pays voisins de la mer.
Syn. — V. berge.
Épithètes courantes : plat, abrupt, sablonneux, rocailleux, rocheux, accostable, inabordable, accessible, maritime, etc.

rival, ale, aux, adj. et n. Qui prétend au même but, aux mêmes succès qu'un autre; concurrent. ‖ Émule, qui rivalise en mérite, en talent avec un autre.
Syn. — V. adversaire et compétiteur.
Ant. — *Partenaire, associé.*

rivaliser [zé], v. intr. S'efforcer d'égaler ou de surpasser quelqu'un en talent, en mérite.

rivalité, n. f. Concurrence d'une ou plusieurs personnes qui s'efforcent vers le même but.
Syn. — V. émulation.

rive, n. f. (lat. *ripa*, m. s.). Bord d'un fleuve, d'un étang, d'un lac. *La rive droite, la rive gauche d'une rivière.* ‖ Les bords de la mer. *Les rives de la Manche.* ‖ Par anal. *La rive d'un bois,* le bord, la lisière d'un bois. ‖ Lieu où l'on aborde.
Syn. — V. berge.

> Vocab. — *Famille de mots.* — Rive : rivière, rivage, riverain; arrivée, arriver, arrivage, arriviste; dérivable, dérivation, dérive, dérivé, dériver, dériveur.

* **rivelaine,** n. f. Pic de mineur à deux pointes.

* **rivement,** n. m. Action de river.

river, v. tr. Rabattre la pointe d'un clou, d'un rivet de l'autre côté de l'objet qu'il perce, et l'aplatir pour la fixer. ‖ Fig. Fixer, assujettir à demeure, comme un clou rivé. ‖ Fig. et fam. *River à quelqu'un son clou,* lui répondre de telle façon qu'il ne puisse répliquer.
Par. — *Rivet,* sorte de clou pour assembler les plaques de métal.

riverain, aine, adj. et n. Qui a une habitation, une propriété le long d'une rivière. ‖ Qui habite le long d'une route, d'une forêt, d'une rue, etc.

rivet, n. m. Clou dont la pointe est refoulée sur elle-même, de manière à former un clou à deux têtes, pour assembler des plaques métalliques.
Par. — *River,* écraser ou rabattre la pointe du clou, du rivet.

* **rivetage,** n. m. Action de poser des rivets.

* **riveter,** v. tr. Fixer avec des rivets. = Conjug. V. grammaire.

* **riveur,** n. m. Ouvrier qui pose ou fait des rivets.

rivière, n. f. (lat. pop. *riparia*, fém. pris comme n., de l'adj. *riparius,* qui est sur la rive). Cours d'eau naturel qui coule dans un lit et qui se jette dans un fleuve ou dans une rivière plus importante. *Descendre, remonter, traverser la rivière.* ‖ Ellipt. *Cette ville est sur telle rivière,* elle est située sur le bord de telle rivière. ‖ Fig. et prov. *C'est porter de l'eau à la rivière. Il ne trouverait pas de l'eau à la rivière.* — Prov. *Les petits ruisseaux font les grandes rivières.* V.

tabl. EAU et MER (*Idées suggérées par les mots*). V. pl. GÉOGRAPHIE.
Fig. Se dit des choses liquides qui coulent en abondance. *Ce tyran a fait couler des rivières de larmes.* [Joaill.] *Rivière de diamants*, collier composé de chatons où sont enchâssés des diamants.
— *Les rivières sont des chemins qui marchent et qui portent où l'on veut aller.* (PASCAL.)
ÉPITHÈTES COURANTES : grande, grosse, considérable, large, étroite, petite, insignifiante; profonde, guéable, flottable, navigable; plate, encaissée, verdoyante, ombragée; lente, rapide, tumultueuse, sinueuse, débordée, étale, à eaux basses; jolie, charmante, délicieuse, poétique; bleue, verte, jaune, boueuse, claire, limpide, transparente, etc.
SYN. — V. FLEUVE.
* **rivoir**, n. m. Marteau léger pour river.
* **rivulaire**, adj. (lat. *rivulus*, petit ruisseau). Qui vit ou croît dans une eau courante ou sur ses bords. *Plantes rivulaires* [Bot.] Genre d'algues bleues des eaux courantes.
rivure, n. f. [Techn.] Action de riveter des tôles. ‖ Pointe d'un clou rabattue pour fixer celui-ci. ‖ Broche de fer qui entre dans les charnières des fiches pour en tenir jointes les deux ailes.
rixdale ou * **risdale**, n. f. Monnaie d'argent des pays germaniques et scandinaves.
rixe, n. f. (lat. *rixa* m. s.). Querelle accompagnée d'injures, de menaces, de coups.
SYN. — V. ALTERCATION.
PAR. — *Risque*, hasard qu'on court d'un dommage.
riz [*ri*], n. m. [Bot.] Genre de graminées qui croît dans les terrains humides et chauds. ‖ Graine comestible de cette plante. ‖ Mets préparé avec cette graine. ‖ *Eau de riz*, décoction de riz, calmante et adoucissante. ‖ *Poudre de riz*, produit de beauté pour le visage constitué par des poudres chimiques onctueuses (et ne contenant pas de riz le plus souvent).
HOM. — V. RIS.
* **rizerie**, n. f. Établissement où l'on travaille le riz.
* **rizier, ière**, adj. Qui est ralatif au riz.
rizière, n. f. Terrain inondable où l'on cultive le riz.
* **riziforme**, adj. En forme de grain de riz.
* **rizotto**, n. m. V. RISOTTO.
* **riz-pain-sel**, n. m. inv. Sobriquet donné aux officiers et sous-officiers du service du ravitaillement de l'armée.

...ro, roc, rot

ORTH. — *Finales*. — Le son final *ro* s'écrit sous de multiples formes : *ro* dans carbonaro, figaro, haro, numéro, zéro...; *roc* dans accroc, broc, croc, escroc; *ros* dans héros; *rot* dans garrot et pierrot; *rau* dans sarrau; *raud* dans maraud et noiraud; *raut* dans héraut; mais dans le plus grand nombre des mots, c'est la forme *reau* qui s'emploie : bandereau, barreau, bigarreau, blaireau, bordereau, bureau, carreau, fourreau, lapereau, maquereau, poireau, taureau, etc.

1. rob, n. m. [Pharm.] Tout suc de fruits épaissi à consistance de miel par l'évaporation.

2. rob ou **robz**, n. m. Partie liée au jeu de whist, de bridge.
HOM. — *Rob*, n. m., suc de fruit épaissi; — *robe*, n. f., vêtement : *robe de chambre, les gens de robe;* — poil de certains animaux; — *robe, es,* du v. rober.
* **robage** ou * **robelage**, n. m. Action de rober.
robe, n. f. (anc. all. *Rauba*, butin, dépouille). Sorte de vêtement long, à manches, que portaient les hommes chez les Anciens et qu'ils portent encore en Orient. *La robe des Perses.* ‖ Vêtement, parfois sans manches, que portent les femmes et les petits enfants. V. pl. COSTUMES et COSTUMES RELIGIEUX. — *Robe de chambre*, sorte de houppelande que portent les hommes et les femmes dans leurs appartements. — *Pommes de terre en robe de chambre*, pommes de terre servis cuites avec leur peau. (Peut-être déformation de pommes de terre en *robe des champs*). ‖ Long vêtement que portent les juges, les avocats, les professeurs, etc. dans l'exercice de leurs fonctions. ‖ Profession des gens de judicature ou celle des ecclésiastiques, des religieux *Les gens de robe.*
Poil de certains animaux par rapport à la couleur. *Deux chevaux de même robe.* V. CHEVAL. ‖ Enveloppe de certains légumes, de certains fruits. *La robe d'un oignon.* ‖ Ce qui enveloppe certaines choses. *La robe d'un cigare, d'une andouille.*
ÉPITHÈTES COURANTES : longue, courte, large, étroite, collante, bouffante, montante, échancrée, décolletée, plissée; foncée, claire, sombre, noire, blanche, etc. (V. COULEURS); élégante, jolie, fraîche, neuve, usée, démodée, vieille, usée; robe du matin, du soir, de soirée, de ville, de sport, etc. V. VÊTEMENT et PARURE (*Idées suggérées par les mots*).
HOM. — V. ROB.
* **rober**, v. tr. [Techn.] *Rober la garance*, enlever l'épiderme de sa racine. ‖ Entourer de leur robe les cigares.
* **roberie**, n. f. Dans les communautés de femmes, lieu où l'on conserve les effets d'habillement.
* **robeuse**, n. f. Ouvrière qui met la robe aux cigares.
* **robière**, n. f. Religieuse chargée de la roberie.
1. robin, n. m. Fam. et péjor. Homme de robe, homme de loi.
2. robin, n. m. Paysan plein de sottise. ‖ Mauvais plaisant.
* **robine**, n. f. Canal de communication d'un étang salé avec la mer.
robinet [*nè*], n. m. (orig. dout.). Pièce permettant d'ouvrir ou de fermer l'extrémité d'un tuyau et qui sert à retenir ou à faire couler à volonté un liquide ou un gaz. *Ouvrir, fermer le robinet.* ‖ Clef du robinet. *Tourner le robinet.* ‖ Fig. et fam. *C'est un robinet d'eau tiède*, c'est un grand diseur de fadaises, qui ne sait pas s'arrêter.
robinetier, n. m. Fabricant, marchand de robinets.
robinetterie, n. f. Commerce, industrie des robinets. ‖ Usine où l'on fabrique des robinets.
robinier, n. m. [Bot.] Genre d'arbres de la famille des *légumineuses*, auquel appartient le *faux acacia*.
* **roboratif, ive**, adj. (lat. *roborare*, fortifier). [Méd.] Fortifiant (Vx).

* **robot**, n. m. (mot slave sign. *travail*). Mécanique pouvant se substituer à l'homme pour l'exécution automatique de certaines tâches.
robre, n. m. [Jeu] V. ROB.
* **roburite**, n. f. (lat. *robur*, force). Explosif à base de benzènes nitrés.
robuste, adj. (lat. *robustus*, m. s.). Plein de vigueur, de force. *Enfant, arbre robuste*. || Fig. Inébranlable, ferme, à toute épreuve. *Santé, foi robuste*.
SYN. — V. FORT.
CTR. — *Débile, faible, chétif, délicat, frêle*.

> VOCAB. — *Famille de mots.* — *Robuste* : robustement, roburite, robustesse ; corroborer, corroborant, corroboratif, corroboration ; rouvre, rouvraie.

robustement, adv. D'une manière robuste.
robustesse, n. f. Qualité de ce qui est robuste.
1. roc [*rok*'], n. m. Masse de pierre très dure qui tient à la terre.
LING. — On fait sonner le *c* final dans *roc*, alors qu'on ne doit pas le prononcer dans *accroc, broc, croc, escroc*.
SYN. — *Roc*, masse de pierre dure qui adhère au sol : *Des cavernes taillées dans le roc*. — *Roche*, masse de pierre dure isolée et généralement taillée à pic : *La roche tarpéienne à Rome*. — *Rocher*, bloc ou masse de pierre généralement escarpé : *Les rochers de Bretagne*.
2. roc [*rok*], n. m. (persan *rokh*, m. s.). Anc. nom de la tour au jeu d'échecs. [Blas.] Meuble d'armoiries, sorte de pal.
HOM. — *Roc*, n. m., terme de blason ; masse de pierre dure ; — *Roch*, n. pr. ; — *roque*, n. f., coup du jeu d'échecs ; — *rock*, n. m., oiseau fabuleux des contes orientaux ; — *rauque*, adj., enroué.
rocade, n. f. Chemin de fer ou route stratégique parallèle à la ligne de feu, et établissant une liaison entre les divers secteurs de combat.
* **rocaillage** [*ill mll*.], n. m. Travail, décoration en rocaille.
rocaille [*ill mll*.], n. f. Amas de petites pierres. || Ouvrage de décoration rustique fait avec des coquillages et des cailloux incrustés dans des pierres brutes. || Ornementation caractéristique des styles Régence et Louis XV, usitée pour de petits meubles, des pendules, etc. = Adj. *Genre rocaille*.
rocailleur [*ill mll*.], n. m. Celui qui travaille en rocaille.
rocailleux, euse [*ill mll*.], adj. Plein de petits cailloux. || Fig. Dur, désagréable à l'oreille. *Style rocailleux*.
SYN. — V. ARIDE.
CTR. — *Moelleux*.
* **rocambeau** [*kan*], n. m. [Mar.] Cercle de fer garni de cuir pouvant courir librement le long d'un mât.
rocambole, n. f. Ail moins fort que l'ail ordinaire, nommé aussi *échalote d'Espagne*. || Fig. Objet sans valeur. — Plaisanterie ressassée.
* **rochage**, n. m. Action de rocher, en parlant de la bière, de l'argent fondu.
roche, n. f. (lat. pop. *rocca*, m. s.). Masse de pierre très dure qui entre moins avant dans la terre que le roc, et qui peut être isolée. *De l'eau de roche*. || Par allusion à la limpidité de l'eau qui sourd d'une roche, on dira : *clair comme de l'eau de roche*. || Matériaux qui constituent la partie solide du globe terrestre : *Roches cristallines, roches sédimentaires*. || Fig. et fam. *C'est un homme de la vieille roche*, c'est un homme d'une probité reconnue. || *Noblesse de vieille roche*, noblesse ancienne. V. tabl. MINÉRAUX (*Idées suggérées par le mot*). [Zool.] *Coq de roche*, espèce de passereau (*rupicole*).
SYN. — V. ROC.
1. rocher [*ro-ché*], n. m. (de *roche*). Masse de pierre dure, ordinairement élevée, escarpée. *Un rocher battu des flots*. || Fig. et fam. *Un cœur de rocher*, un cœur dur, insensible. [Anat.] Une des trois portions de l'os temporal, d'une très grande dureté. [Mar.] Petit îlot. [Zool.] Nom vulgaire d'un genre de mollusques gastéropodes, le *murex*.
SYN. — V. ROC.
2. rocher [*ro-ché*], v. intr. (de *roche*). En parlant de la bière, fermenter en produisant de la mousse. — En parlant de l'argent en fusion : se couvrir d'excroissances au moment de la solidification. = V. tr. [Techn.] Saupoudrer de borax les morceaux de métal à souder.
1. rochet [*chè*], n. m. (all. *Rock*, robe). Sorte de surplis à manches étroites que portent les évêques, les abbés, les chanoines. V. **pl.** COSTUMES RELIGIEUX.
2. rochet [*chè*], n. m. (all. *Rocken*, fuseau). [Techn.] Bobine pour enrouler les fils de soie. — Planchette à rebords autour de laquelle on enroule les rubans. — *Roue à rochet*, roue dentée à laquelle un cliquet, qui prend appui sur les dents, ne permet de tourner que dans un seul sens.
HOM. — *Rochet*, n. m., surplis des évêques, abbés, chanoines ; — *rochet*, n. m., bobine de roue ; — *rochais, ait, aient*, du v. rocher.
rocheux, euse, adj. Couvert de roches.
* **rochier**, n. [Zool.] Nom vulg. d'un poisson sélacien, la *petite roussette*.
rock ou * **rouc**, n. m. Oiseau fabuleux des contes orientaux, d'une force prodigieuse.
HOM. — V. ROC.
* **rocking-chair** [*roc-kinng'tchèrr*], n. m. (mot angl.). Grand et long fauteuil à bascule.
rococo, adj. inv. et n. m. Style d'architecture, d'ameublement, contourné et brisé, caractérisé par la profusion des ornements, des rocailles, des guirlandes de fleurs enlacées (XVIIIe s.). || Fig. Ce qui est suranné, passé de mode.
rocou ou * **roucou**, n. m. Matière colorante rouge jaune, tirée des graines du rocouyer.
* **rocouer**, v. tr. Teindre avec du rocou.
rocouyer, n. m. [Bot.] Genre de bixacées d'Amérique, arbres dont les graines donnent le rocou.
rodage, n. m. [Techn.] Action de roder. || Polissage mutuel des surfaces de frottement d'une machine que l'on fait fonctionner à vide, à vitesse réduite, avant sa mise en service.
roder, v. tr. (lat. *rodere*, ronger). [Techn.] User deux pièces en les frottant l'une contre l'autre pour qu'elles s'adaptent complètement.

rôder, v. intr. (orig. incert.). Aller et venir çà et là en examinant tout; se dit ordinairement en mauvaise part. *Il a vu des gens louches rôder autour de sa maison.* ‖ Chercher à nuire. *L'envie rôde autour du bonheur.*

rôdeur, euse, n. Celui, celle qui rôde. Syn. — V. BANDIT.

* **rodoir,** n. m. Instrument pour roder.

rodomont, n. m. (ital. *Rodomonte,* ronge-montagne, personnage du *Roland furieux* de l'Arioste). Fanfaron qui se vante de prétendus actes de bravoure.

rodomontade, n. f. Vanterie en fait de bravoure.

Syn. — *Rodomontade,* propos de faux brave, vantardise : *Tout cela n'est que rodomontades de charlatan.* — *Bluff,* manière de parler ou d'agir qui a pour but d'étonner ou d'intimider : *Les bluffs de la propagande ennemie.* — *Charlatanisme,* hâblerie de celui qui exploite la crédulité du public : *Le charlatanisme de prétendus philanthropes.* — *Fanfaronnade,* propos et gestes de celui qui vante ou exagère sa bravoure, sa hardiesse : *Les fanfaronnades d'un vulgaire intrigant.* — *Forfanterie,* action de se vanter d'exploits imaginaires ou scandaleux : *Les forfanteries d'un don Juan.* — *Vantardise,* paroles de celui qui a l'habitude d'exalter son propre mérite, vrai ou faux : *Les vantardises de ce fat nous agacent.* V. aussi HÂBLEUR.

* **roffrir,** v. tr. Offrir de nouveau. = Conjug. (comme *souffrir*). V. VERBES.

rogations [sion], n. f. pl. (lat. *rogare, rogatum,* prier). Prières publiques au cours de processions faites par l'Église, pendant les trois jours qui précèdent l'Ascension, pour demander la préservation des biens de la terre. = Au sing. [Ant. rom.] Projet de loi présenté à l'Assemblée du peuple.

VOCAB. — *Famille de mots.* — *Rogation* : rogatoire, rogaton; abroger, abrogation, abrogatif, abrogatoire, abrogeable; s'arroger, arrogant, arrogamment, arrogance ; surérogation, surérogatoire; déroger, dérogeant, dérogation, dérogatoire; interroger, interrogation, interrogatoire, interrogatif, interrogativement, interrogateur, prérogative; proroger, prorogatif, prorogation; subroger, subrogé, subrogateur, subrogation, subrogatif, subrogatoire; corvée, corvéable.

---

rogatoire, adj. (lat. *rogare,* demander). Qui concerne une demande. [Dr.] *Commission rogatoire,* commission donnée par un juge à un autre juge de faire quelque acte de procédure, d'instruction dans l'étendue de son ressort.

rogaton, n. m. Objet de rebut. ‖ Restes de viandes, de pain, etc.

* **rognage** ou * **rognement,** n. m. Action de rogner; son effet.

rogne [gn mll.], n. f. Nom pop. de la gale et de diverses maladies de la peau. ‖ (Pop.) Mauvaise humeur, colère. *Être en rogne.*

Syn. — V. COLÈRE.
Par. — *Rogue,* adj., arrogant.

rogne-pied, n. m. inv. Outil de maréchal, couteau pour rogner la corne du cheval.

rogner, v. tr. (lat. *rotundiare,* arrondir). Couper en rond (Vx). ‖ Retrancher sur la largeur, sur la longueur ou sur les extrémités. *Rogner du papier.* — Fig. *Rogner les ongles à quelqu'un,* diminuer ses profits ou son autorité. ‖ Couper les branches, des racines. — Fig. Retrancher à quelqu'un une partie de ce qui lui revient.

Syn. — V. COUPER et RETRANCHER.
Ctr. — *Allonger, augmenter.*

* **rogneur, euse,** n. Celui, celle qui rogne.

rogneux, euse, adj. et n. Qui a la rogne, la gale.

* **rognement,** n. m. V. ROGNAGE.

* **rognoir,** n. m. Instrument pour rogner le papier, les métaux, etc.

rognon, n. m. Le rein d'un animal, surtout en parlant de ceux dont les reins sont bons à manger. [Minér.] Petite portion de roche irrégulière arrondie, noyée dans une autre roche.

rognonner, v. intr. Pop. Gronder, grommeler, murmurer entre ses dents.

rognure, n. f. Ce qu'on a enlevé en rognant. ‖ Action de rogner.

rogomme, n. m. Pop. Eau-de-vie, liqueur forte. ‖ *Voix de rogomme,* voix que l'abus des liqueurs fortes a rendue rauque.

1. rogue, adj. Fier, arrogant, hautain, altier.

Par. — *Rogne,* sorte de gale; colère, mauvaise humeur.

2. rogue, n. f. [Pêche] Œufs salés de certains poissons, employés comme appât pour la pêche à la sardine.

* **rogué, ée,** adj. Qui a des œufs (en parlant du poisson).

Ctr. — *Laité.*

* **roguement,** adv. D'une manière rogue.

* **rogui,** n. m. Chef révolutionnaire, au Maroc.

* **rohart,** n. m. Ivoire de morse ou d'hippopotame (moins estimé que celui d'éléphant).

roi, n. m. (lat. *rex,* m. s.). Souverain d'un État indépendant. *Roi absolu, constitutionnel.* — *Le roi des rois,* Dieu. — *Le roi très chrétien,* le roi de France. — Prov. et fam., on dit d'un homme magnifique, *il vit en roi, il fait une dépense de roi;* d'un homme impérieux et hautain, *il parle en roi, il joue au roi;* d'un homme généreux et libéral, *il a un cœur de roi;* d'un homme extrêmement heureux, *il est heureux comme un roi;* d'un homme qui est très fier de sa position, *du succès obtenu, le roi n'est pas son cousin;* d'un très grand plaisir, *c'est un plaisir de roi;* d'un mets exquis, délicieux : *c'est un morceau de roi.* — *Travailler pour le roi de Prusse,* n'être pas payé de ses peines. — *Les rois mages,* ceux qui étaient venus pour visiter l'Enfant Jésus. — *Le jour des Rois,* l'Épiphanie. — *Tirer les rois,* partager un gâteau dans lequel il y a une fève (*gâteau des rois*). V. tabl. GOUVERNEMENT (*Idées suggérées par le mot*).

Celui qui est le premier de son espèce, qui domine les autres par sa puissance, sa force, ses vertus, etc. *L'homme est le roi de la création.* ‖ Autref. Chef de certaines corporations. *Le roi des merciers. Le roi d'armes,* le chef des hérauts d'armes. — Auj. *Le roi du pétrole,* le maître du marché du pétrole. — De même, *le roi des imbéciles.* [Zool.] *Le lion est le roi des animaux, l'aigle, le roi des oiseaux.* ‖ Prov. *Au royaume des aveugles les borgnes sont rois*

ROIDE — ROMAINE

se dit de celui qui, sans être fort, l'emporte sur de plus faibles. [Jeu] Aux échecs, principale pièce du jeu. — Aux cartes, principale figure de chaque couleur. *Roi de carreau, de trèfle*, etc.

— *Pour grands que soient les rois, ils sont
   ce que nous sommes,
Ils peuvent se tromper comme les autres
   hommes.* (CORNEILLE.)

— *Le métier de roi est grand, noble, flatteur quand on se sent digne de bien s'acquitter de toutes les choses auxquelles il engage; mais il n'est pas exempt de peines, de fatigues et d'inquiétudes.* (LOUIS XIV.)

— *Un roi est l'esclave de tous ceux auxquels il paraît commander. Il faut qu'il s'accommode à leurs faiblesses, qu'il les corrige en père, qu'il les rende sages et heureux. L'autorité qu'il paraît avoir n'est pas la sienne; il ne peut rien faire ni pour sa gloire ni pour son plaisir: son autorité est celle des lois; il faut qu'il leur obéisse pour en donner l'exemple à ses sujets.* (FÉNELON.)

— *Le premier qui fut roi fut un soldat
   heureux;
Qui sert bien son pays n'a pas besoin
   d'aïeux.* (VOLTAIRE.)

ÉPITHÈTES COURANTES : héréditaire, électif, absolu, constitutionnel, fort, faible, grand, puissant, généreux, bon, saint; heureux, glorieux, victorieux, magnifique, bienfaisant, obscur, malheureux, tyrannique, cruel, despotique, fourbe; élu, couronné, sacré, proclamé, déchu, détrôné, exilé, renversé, rétabli, populaire, impopulaire, flatté, adulé, etc.

SYN. — *Roi*, souverain d'un royaume : *Les rois de France de la branche des Bourbons.* — *Despote*, souverain qui règne sans contrôle : *Un despote oriental.* — *Dictateur*, magistrat romain, proclamé dans certaines circonstances et qui avait un pouvoir sans contrôle pour un temps limité : *Cincinnatus labourait son champ quand il fut proclamé dictateur.* — *Empereur*, souverain d'un empire : *Un empereur pouvait créer des rois.* — *Kaiser*, nom allemand des empereurs d'Allemagne : *Le kaiser Guillaume II.* — *Mikado*, empereur du Japon : *Le mikado Mutsu-Hito établit au Japon le régime constitutionnel.* — *Monarque*, celui qui règne avec pleins pouvoirs : *Louis XIV fut un grand monarque.* — *Négus*, souverain d'Abyssinie : *Le mot « négus » signifie roi des rois.* — *Pharaon*, souverain de l'ancienne Égypte : *Le pharaon Rhamsès II.* — *Potentat*, prince souverain d'un grand État : *Les grands potentats de l'Asie d'autrefois.* — *Souverain*, celui qui est investi de l'autorité suprême : *Attenter à la vie du souverain.* — *Sultan*, empereur des Turcs : *Le titre de sultan est aussi porté par le souverain du Maroc.* — *Tyran*, celui qui a usurpé le pouvoir dans un État libre : *Pisistrate, tyran d'Athènes, fut un chef éclairé.* — *Tzar*, empereur de Russie : *Le dernier tzar fut Nicolas II.*

HOM. — *Rouas, roua,* du v. rouer.

roide, adj., **roideur**, n. f., **roidir**, v. tr., * **roidissement**, n. m. V. RAIDE, etc.

roitelet, n. m. Petit roi, roi d'un très petit État (péjor.). [Zool.] Genre de passereaux, comprenant les plus petits des oiseaux d'Europe.

* **rôlage**, n. m. Action de mettre le tabac en rôles.

...role, rolle

ORTH. — *Finales.* — Le son final *role* s'écrit avec *deux l* dans : barcarolle, corolle, féverolle, moucherolle. Dans les autres mots il s'écrit *role* : banderole, casserole, escarole ou scarole, parole, vérole, virole.

---

rôle, n. m. (bas lat. *rotulus*, rouleau). Pièce de parchemin, roulée ou non, sur laquelle on écrivait des actes, des titres. ‖ Feuillet, registre officiel où l'on inscrit des noms, des états, etc. *Les rôles des contributions.* [Mar.] *Le rôle d'un équipage*, liste de l'état civil de l'équipage. ‖ Au Palais, liste sur laquelle on inscrit les causes dans l'ordre où elles doivent se plaider. *Votre cause est au rôle.* — Feuillet écrit comprenant le recto et le verso. ‖ Au théâtre, partie d'une pièce que chaque acteur doit jouer. ‖ Personnage représenté par l'acteur. *Jouer les premiers rôles.* ‖ Manière dont on se conduit dans le monde, fonction qu'on y tient, caractère qu'on y montre. *Jouer un rôle infâme.* [Techn.] Corde faite avec des feuilles de tabac roulées. = À TOUR DE RÔLE, loc. adv. L'un après l'autre, chacun à son tour.

ÉPITHÈTES COURANTES : grand, principal, important, considérable, décisif, remarquable, actif, heureux, utile, nuisible, malheureux, fâcheux, déplorable, funeste, désastreux, infâme, abominable; indéniable, petit, certain, secondaire, etc.

SYN. — V. CATALOGUE.

* **rôler**, v. tr. Mettre du tabac en rôles. = V. intr. Faire des rôles d'écriture.

rôlet, n. m. Petit rôle au théâtre. — Fig. *Être au bout de son rôlet*, ne plus savoir que dire, que faire.

* **rollier**, n. m. [Zool.] Genre de gros passereaux à livrée brillante.

* **romaïka**, n. f. Danse nationale des Grecs modernes.

* **romaillet** [*ill mll.*], n. m. [Mar.] Pièce de bois pour remplir un trou dans un bordage.

romain, aine, adj. (lat. *romanus*, de Rome). Qui appartenait à l'ancienne Rome. *Citoyen romain. Droit romain.* ‖ *Chiffres romains*, lettres capitales employées comme chiffres. ‖ Qui rappelle le patriotisme, la grandeur d'âme, l'austérité des anciens Romains. ‖ *Un travail de Romain*, un travail très dur. ‖ Qui appartient à la Rome actuelle, considérée surtout comme le siège de l'Église catholique. [Pyrot.] *Chandelle romaine*, fusée fine qui lance des étoiles lumineuses. = Nom. Personne née à Rome ou qui habite Rome. = Adj. et n. m. [Typo.] Caractère d'imprimerie à traits perpendiculaires, usité couramment pour les livres. V. ROMAINE.

ANT. (Typo.) — *Italique*.

VOCAB. — *Famille de mots.* — *Romain* : romaine (n.), romaniser; roman (adj. et n.); romancer, romancero, romanche, romand, romanesquement, romanisant, romaniser, romaniste, romantiquement, romanichel, romanesque, romancier, romantique, romantisme; romance.

---

1. **romaine**, n. f. (arabe *rommâna*, balance). Balance composée d'un fléau à bras inégaux; l'objet à peser est fixé à la branche la plus courte; sur la plus longue

branche, qui est graduée, on déplace une masse pesante jusqu'à ce que le fléau atteigne la position horizontale d'équilibre.
2. romaine, n. f. [Hortic.] Variété de laitue, à feuilles allongées. = Adj. *Laitue romaine.*

romaïque, n. m. La langue grecque moderne. = Adj. Qui se rapporte aux Grecs modernes.

1. roman, ane, adj. (lat. *romanus*, romain). Se dit de tout ce qui concerne la langue, la civilisation et l'art des pays latins depuis le Ve siècle jusque vers le XIIe siècle. *Pays romans.* || *Art roman* ou, comme nom, *le roman*, architecture des pays romans, entre le Ve et le XIIe s., caractérisé par les voûtes en plein cintre. || *Langues romanes*, les langues issues du latin populaire : français, provençal, espagnol, portugais, italien, romanche, roumain. = N. m. Nom donné à l'idiome, latin populaire déformé, qui se constitua lors des invasions barbares et donna naissance aux langues romanes, par le jeu des lois phonétiques. V. GRAMMAIRE.
ANT. — GOTHIQUE.
HOM. — *Roman*, adj., qui concerne les pays latins du Ve au XIIe siècle ; — *roman*, n. m., histoire imaginaire ; — *romand*, adj., se dit de la Suisse où l'on parle le français.

2. roman, n. m. Langue vulg., par oppos. au latin. || Composition littéraire anc. analogue aux chansons de geste. || Histoire imaginaire, le plus souvent en prose, où l'auteur cherche à exciter l'intérêt, soit par le développement des passions, soit par la peinture des mœurs, soit par la singularité des aventures. V. tabl. LETTRES (*Idées suggérées par le mot*). || Par ext. Aventures extraordinaires, récits dénués de vraisemblance.

1. romance, n. m. (esp. *romance*, m. s.). Poème espagnol en vers de huit syllabes. = N. f. Chanson en couplets sur un sujet tendre ou mélancolique. || Air composé pour cette chanson.
ORTH. — Noter que le premier sens de *romance* est du genre masc.

2. * romance, adj. f. Se dit parfois pour *romane*.
PAR. — *Romanche*, langue romane parlée en Suisse, etc.

romancer, v. tr. Déformer la réalité selon les procédés du roman. = Conjug. V. GRAMMAIRE.

romancero, n. m. Recueil de romances espagnols anciens, ayant pour thème une histoire héroïque.

* romanche, n. m. (lat. *romanicum*). Nom d'une langue romane parlée dans les Grisons, le Tyrol et le Frioul.

romancier, ière, n. Auteur de romans (en vieux langage ou en langue moderne).

romand, ande, adj. Se dit des parties de la Suisse où l'on parle le français et autres dialectes romans.
HOM. — V. ROMAN.

* romanée, n. m. Vin de Bourgogne supérieur.

romanesque, adj. (de *roman*). Qui tient du roman; qui est merveilleux comme les aventures de roman, ou exalté comme les personnages de roman. *Style romanesque. Une passion romanesque.* = Comme n. *Vous êtes une petite romanesque.* = N. m. Ce qui est romanesque. *Il y a du romanesque dans cette aventure.*

romanesquement, adv. D'une manière romanesque.

* roman-feuilleton, n. m. Roman publié en feuilleton dans un journal.

romanichel, elle ou *** romani,** n. Nom donné aux tziganes, aux bohémiens nomades.

* romanisant, ante, adj. et n. Celui, celle qui s'occupe des langues romanes.

* romaniser, v. tr. Transformer en roman. || Donner une apparence romanesque à.

romaniste, n. et adj. Philologue spécialisé dans l'étude des langues romanes. || Juriste versé dans le droit romain.

romantique, adj. (de *roman* 2). Romanesque (Vx). || Se dit des lieux, des paysages qui évoquent à l'imagination la description de poèmes et de romans. *Site romantique.* || Se dit d'une personne qui prétend s'élever au-dessus de la réalité terre à terre. *Un adolescent romantique.* || Se dit des auteurs et des artistes qui ont adopté le genre appelé *romantisme*, de ce genre littéraire lui-même et des œuvres qui en dérivent. *Poète romantique. Le genre romantique. Drame romantique.* = S'emploie dans ce sens comme nom : *Les romantiques et les classiques.*
ANT. — *Classique.*

* romantiquement, adv. D'une manière romantique.

romantisme, n. m. Doctrine, école d'écrivains et d'artistes qui, s'affranchissant des règles classiques, donna une place prépondérante à l'imagination et à la sensibilité individuelle (première moitié du XIXe s.). V. tabl. LETTRES (*Idées suggérées par le mot*).

romarin, n. m. (lat. *ros marinus*, rosée marine). [Bot.] Genre de *labiées* aromatiques, comprenant des arbustes du Midi de la France.

* romestecq [*mès-tek*], n. m. Jeu de cartes, dans le genre du rams.

* rompable, adj. Qui peut être rompu.

* rompement, n. m. Action de rompre. || *Rompement de tête*, fatigue que causent le bruit, les discussions oiseuses, une forte application de l'esprit, etc.

* rompeur, euse, n. Celui, celle qui rompt.

* rompis [*pi*], n. m. Arbres que les vents ont brisés.

rompre, v. tr. (lat. *rumpere*, m. s.). Briser, casser, mettre en pièces. *Rompre son pain.* || *Rompre une lance*, la briser au cours d'un tournoi. — Fig. Engager une discussion en général en faveur de quelqu'un, d'une idée. || *Rompre en visière*, briser sa lance sur la visière de son adversaire. — Au fig. Attaquer, contredire brusquement quelqu'un en face. || *Rompre ses fers, ses chaînes*, s'affranchir, s'évader, et au sens moral, se dégager d'une passion, d'un attachement. — *Rompre la tête, les oreilles à quelqu'un*, le fatiguer par un grand bruit, ou par des discours inutiles. — *Rompre les os à quelqu'un*, le rouer de coups. — *Se rompre les os*, se casser un ou plusieurs membres. — *Rompre le pas*, ne plus aller au pas avec quelqu'un.
[A. mil.] *Rompre un bataillon*, etc., enfoncer un bataillon, etc., le mettre en désordre. — *Rompre les faisceaux*, les défaire en reprenant les fusils. — *Rompre les rangs*, se disloquer, en parlant d'une troupe. — *Rompez !* commandement militaire ordon-

nant de rompre les rangs, ou de s'en aller sans réplique. [Chasse] *Rompre les chiens*, les arrêter, les empêcher de suivre une voie. Fig. et fam., Empêcher qu'un discours, qui pourrait avoir quelque inconvénient, ne continue.

Fig. Empêcher la continuation, la durée d'une chose, faire cesser. *Rompre la paix. Rompre la conversation.* ‖ Manquer à une obligation, cesser de la remplir, la violer. *Rompre ses engagements, ses vœux.* ‖ Fig. Styler, dresser, exercer, accoutumer. *Être rompu aux affaires.* [Man.] *Rompre un cheval,* l'assouplir. [Peint.] *Rompre un ton,* le couper par un autre ton. — *Rompre un enchantement,* en détruire l'effet, annuler sa puissance. — *Rompre un marché, un contrat,* l'annuler.

V. intr. Se casser, se briser. *Je plie et ne romps pas.* ‖ Fig. Renoncer à l'amitié, aux liaisons qu'on avait avec quelqu'un. *Ils ont rompu ensemble.*

SE ROMPRE, v. pr. Se briser, se casser; être rompu, brisé, séparé. *Cette poutre s'est rompue.* ‖ S'habituer, s'exercer à. *Se rompre à la fatigue, au travail, aux affaires.* = À TOUT ROMPRE, loc. adv. Se dit dans cette loc. *Applaudir à tout rompre,* applaudir avec transport.

SYN. — *Rompre,* mettre en plusieurs fragments : *Rompre du pain.* — *Briser,* mettre en pièces : *Briser une bouteille.* — *Casser,* mettre en plusieurs morceaux ce qui n'en formait qu'un seul : *Casser du bois.* — *Cisailler,* rompre en coupant avec un instrument tranchant : *Cisailler du fil de fer.* — *Fendre,* séparer dans le sens de la longueur : *Fendre du bois.* — *Mutiler,* priver d'un membre, d'une partie nécessaire : *Mutiler des œuvres d'art.* — *Scinder,* couper, diviser en plusieurs parties : *Scinder un livre en différents chapitres.* V. aussi ABATTRE, ABÎMER, ARRACHER, COUPER, DIVISER, EXTIRPER, RETRANCHER.

CTR. — *Maintenir ; réparer, rétablir.*

VOCAB. — *Famille de mots.* — Rompre [rad. *romp, rup, rou*] : rompu, rompure, rompable, rompis, rompement, rompeur; rupture, rupteur, ruptile; corrompre, corrompu, corruption, corrupteur, corruptible, corruptibilité; incorruptible, incorruptiblement, incorruptibilité; interrompre, interrompu, interruption, interruptif, interrupteur; route, router, routage, routier, routin, routine, routinier, routinièrement; déroute, dérouter, déroutant; roture, roturier roturièrement; raout; abrupt, abruptement, ex abrupto; courroux, courroucer, courroucé; éruption, éruptif; irruption.

CONJUG. — V. trans. du 3ᵉ groupe (infin. en *re*) [rad. *romp*].
Indicatif. — *Présent :* je romps, tu romps, il rompt, nous rompons, vous rompez, ils rompent. — *Imparfait :* je rompais... nous rompions... — *Passé simple :* je rompis... nous rompîmes, vous rompîtes, ils rompirent. — *Futur :* je romprai... nous romprons...
Impératif. — romps, rompons, rompez.
Conditionnel. — *Présent :* je romprais... nous romprions...
Subjonctif. — *Présent :* que je rompe... qu'il rompe, que nous rompions... — *Imparfait :* que je rompisse... qu'il rompît, que nous rompissions...
Participe. — *Présent :* rompant. — *Passé :* rompu, ue.

---

rompu, ue, adj. (pp. de *rompre*). Cassé, brisé. *Corde rompue.* ‖ Être rompu de fatigue, être extrêmement fatigué. ‖ *Être rompu à une chose,* y être très habile, très exercé, très expert. = À BÂTONS ROMPUS, loc. adv. A diverses reprises, avec des interruptions, sans suite ni liens.

* **rompure**, n. f. [Typo.] Endroit où une lettre, un signe est rompu.

* **romsteck** [*romms-teck*]. n. m. (déformation de l'angl. *rumsteak*). Morceau pris dans le haut de la culotte de bœuf. V. pl. BOUCHERIE.

ronce, n. f. (lat. *rumex icis,* m. s.). [Bot.] Genre de plantes, famille des *rosacées,* épineuse et rampante, qui a pour fruit la mûre sauvage. ‖ Fig. Difficulté, désagrément qu'on rencontre dans les études, dans les affaires. *Il trouve partout des ronces et des épines.* ‖ Veine arrondie dans certains bois d'ébénisterie. *Ronce de noyer.* — Ces bois eux-mêmes. ‖ *Ronce artificielle,* double fil de fer tordu, muni de pointes métalliques acérées, utilisé pour les clôtures. Syn. de *fil de fer barbelé.*

* **ronceraie**, n. f. Lieu couvert de ronces.
* **ronceux, euse**, adj. Plein de ronces. *Un chemin ronceux.* ‖ Se dit du bois plein de nœuds qui en arrondissent les veines.

ronchonner, v. intr. Pop. Grogner, maugréer, murmurer.

* **ronchonneur, euse**, n. Pop. Personne qui ronchonne à tout propos.

* **roncier**, n. m., ou * **roncière**, n. f. Touffe de ronces très épaisse.

* **roncin**, n. m. Au Moyen Age, cheval de charge.

1. rond, onde [*ron*], adj. (lat. *rotundus,* m. s., de *rota,* roue). Qui est de forme circulaire, sphérique ou cylindrique. *Un gâteau rond. Une boule ronde.* ‖ Dont la forme est presque circulaire, presque sphérique. *Rond comme une pomme.* — Fam. et par exagér., on dit d'un homme gros et court. *Il est tout rond, il est rond comme une boule ;* et, pop., on dit de celui qui a un peu trop bu : *il est rond.* — Fig. et fam. *Être rond en affaires,* agir sans façon, sans artifice. — *Somme ronde,* somme assez considérable. — *Chiffre rond* (en), total arrondi en supprimant les décimales. [Anat.] Nom de certains muscles, plus ou moins cylindriques. ‖ *Écriture ronde,* écriture à contours arrondis.

CTR. — *Carré, cubique, triangulaire, anguleux.*

HOM. — *Rond,* adj., de forme circulaire, sphérique ou cylindrique. — *rond,* n. m. figure circulaire ; — *romps, rompt,* du v. rompre.

2. rond, n. m. Figure circulaire, cercle. *Tracer un rond. S'asseoir, danser en rond. Faire des ronds dans l'eau.* ‖ Anneau de serviette. ‖ *Rond d'eau,* grand bassin rond rempli d'eau. [Danse] *Rond de jambe,* mouvement dans lequel l'une des jambes décrit un demi-cercle, tandis que l'autre repose à terre. ‖ *Rond-de-cuir.* V. ce mot. [Argot] Un sou. = EN ROND, loc. adv. Circulairement. *Tourner en rond.*

rondache, n. f. Sorte de bouclier circulaire des fantassins (XVᵉ-XVIᵉ s.). V. pl. ARMES.

rond-de-cuir, n. m. Coussin de cuir circulaire utilisé par les employés de bureau. ‖ Fam. et péjor. Employé d'administration. = Pl. *Des ronds-de-cuir.*

ronde, n. f. (de *rond*). Visite de nuit que fait un gradé, seul ou accompagné de soldats, dans une place, dans un camp, etc., pour observer si les hommes de garde et les sentinelles font leur devoir, si tout est en bon ordre. — Par ext. La personne même ou la troupe qui fait la ronde. *C'est la ronde qui passe.* ‖ *Chemin de ronde,* chemin ou galerie de pierre qui règne tout le long des remparts d'une ville, d'une forteresse, d'une prison. V. pl. FORTIFICATIONS. ‖ Fig. Visite qu'on fait dans une maison, autour d'un jardin, etc., pour s'assurer que tout est en ordre et en sûreté. *Il fait tous les soirs sa ronde de crainte des voleurs.*
Chanson qu'une personne chante seule, et dont le refrain est répété par tous en dansant en rond. ‖ Danse qui s'exécute en tournant en rond. *Entrer dans la ronde.* — Fig. *Entrer dans la ronde,* prendre part à une action collective. [Mus.] Note qui vaut deux blanches. V. pl. MUSIQUE. [Calligr.] Écriture à contours arrondis. = À LA RONDE, loc. adv. Alentour. *A une lieue à la ronde,* dans le rayon d'environ une lieue. ‖ *Boire à la ronde,* boire tour à tour, les uns après les autres.
rondeau ou **rondel,** n. m. Petit poème composé de treize vers répartis en trois couplets de 5, 3, 5 vers, dont huit sont sur une rime et cinq sur une autre. [Mus.] Air dont le thème principal se reprend une ou plusieurs fois. V. tabl. VERSIFICATION. ‖ Disque de bois, de plâtre, de métal, employé dans divers métiers. ‖ Rouleau de bois.
ronde-bosse, n. f. [Bx-A.] Sculpture en relief. = Pl. *Des rondes-bosses.*
ANT. — *Bas-relief.*
rondel, n. m. V. RONDEAU.
1. rondelet, n. m. Outil de bois du bourrelier.
2. rondelet, ette, adj. Fam. Assez rond. ‖ Potelé, qui a de l'embonpoint. ‖ *Fortune rondelette,* assez jolie fortune. ‖ *Soies rondelettes,* les plus communes des soies.
rondelette, n. f. Étoffe pour torchons. = Au plur. Toiles à voiles fabriquées en Bretagne.
rondelle, n. f. Petite plaque ronde de métal, de cuir, etc., souvent percée par le milieu. ‖ Ancien petit bouclier rond des gens de pied. ‖ Sorte de ciseau arrondi. ‖ Claie d'osier pour sécher les fruits.
rondement, adv. Promptement, avec vivacité, entrain. *Marcher rondement.* ‖ Avec diligence, activité. *Mener rondement une affaire.* ‖ Fig. Sincèrement, franchement, sans artifice, sans façon. *Parler rondement.*
SYN. — V. CARRÉMENT.
rondeur, n. m. Qualité de ce qui est rond, sphérique ou cylindrique. *La rondeur d'une épaule.* ‖ Chose ronde. ‖ Fig. Qui a de la franchise, qui est sans façon, plein de naturel, d'entrain. *Parler avec rondeur.*
* **rondier,** n. m. [Bot.] Nom vulg. d'un palmier qui fournit le vin de palme.
rondin, n. m. Morceau de bois de chauffage qui est rond. ‖ Gros bâton. [A. mil.] Tronc de sapin servant à couvrir les tranchées, les abris. V. pl. FORTIFICATIONS.
* **rondiner,** v. tr. Battre quelqu'un à coups de rondin.

* **rondir,** v. intr. Prendre une forme ronde.
* **rondo,** n. m. [Mus.] V. RONDEAU.
* **rondouillard, arde,** adj. Pop. Qui a de l'embonpoint.
rond-point, n. m. Place circulaire où aboutissent plusieurs avenues ou allées. = Pl. *Des ronds-points.*
ronflant, ante, adj. Sonore, bruyant. ‖ Fig. Emphatique, prétentieux et creux. *Phrases ronflantes.*
SYN. — V. AMPOULÉ.
ronflement, n. m. Action de ronfler; bruit que l'on fait en ronflant. ‖ Fig. Roulement sourd et prolongé.
ronfler, v. intr. (onom.). Respirer avec bruit en dormant par suite de la vibration du voile du palais. ‖ Faire entendre un roulement sourd et prolongé. *Le feu ronfle dans la forge.*
ronfleur, euse, n. Celui, celle qui ronfle, qui a l'habitude de ronfler en dormant.
ronge, n. m. Rumination du cerf.
rongeant, ante, adj. Qui ronge, qui détruit progressivement. ‖ Fig. Inquiétant, harcelant.
* **rongement,** n. m. Action de ronger. ‖ État de ce qui est rongé.
ronger, v. tr. (lat. *rumigare,* ruminer). Couper avec les dents, à plusieurs et à fréquentes reprises. *Un chien qui ronge un os. Il ronge ses ongles.* — Se dit aussi pour une foule d'animaux privés de dents. *Les chenilles rongent les feuilles.* ‖ Serrer entre les dents. — *Ronger son frein.* V. FREIN. — Fig. et fam. *Donner un os à ronger à quelqu'un,* lui donner quelque emploi qui l'aide à vivre ou quelque affaire qui l'occupe. ‖ Fig. Miner, corroder, consumer une chose. *La rouille ronge le fer.* ‖ Fig. Tourmenter, donner du souci. *Les soucis rongent l'esprit.* = SE RONGER, v. pr. Se tourmenter. *Je me ronge de chagrin.* = Conjug. V. GRAMMAIRE.
rongeur, euse, adj. Qui ronge. ‖ Qui détruit, corrode. ‖ Fig. Qui inquiète, tourmente. = N. m. pl. [Zool.] Ordre de la classe des mammifères, caractérisé par deux incisives longues et fortes à chaque mâchoire (écureuil, castor, rat, porc-épic, lièvre, etc.). V. pl. MAMMIFÈRES.
ronron, n. m. Ronflement de satisfaction que fait entendre le chat. ‖ Fig. Bruit sourd et monotone.
ronronnement, n. m. Action de ronronner.
ronronner, v. intr. Faire des ronrons.
* **ronsardiser,** v. intr. Écrire à la manière de Ronsard.
* **roof,** n. m. V. ROUF.
* **roque,** n. f. Aux échecs, action de roquer.
HOM. — V. ROC.
roquefort, n. m. Fromage de lait de brebis, fait à Roquefort (Aveyron).
* **roquelaure,** n. f. Ample vêtement d'homme s'arrêtant au genou (XVIIe s.).
roquentin, n. m. Vieillard ridicule qui veut se rajeunir. ‖ Chanson satirique.
roquer, v. intr. [Jeu] Aux échecs, placer la tour à côté du roi, puis faire passer celui-ci de l'autre côté de la tour.
roquet, n. m. Variété de chien, par croisement du doguin et du petit danois. ‖ Petit chien hargneux.
* **roquetin,** n. m. Petite bobine, petit rouleau de bois.

roquette, n. f. [Bot.] Genre de plantes de la famille des *crucifères*. ‖ *Roquette bâtarde*, nom vulg. de la *gaude*.

* **roquille** [*ill* mll.], n. f. Anc. mesure de vin valant un huitième de litre.

* **rorage**, n. m. (lat. *ros, roris*, rosée). Blanchissage des toiles neuves, sur prés, à la rosée du matin.

* **rorqual**, n. m. [Zool.] Genre de mammifères cétacés, baleines à nageoire dorsale courte.

* **ros** ou **rot** [*rô*], n. m. Peigne du métier du tisserand. V. pl. TISSERAND.

HOM. — *Ros* ou *rot*, n. m., peigne de tisserand ; — *rot*, n. m., émission par la bouche de gaz stomacaux ; — *rôt*, n. m., viande rôtie à la broche.

rosace, n. f. [Archi.] Ornement en forme de grande rose ou d'étoile à plusieurs branches, dans les compartiments des plafonds, des voûtes, etc. ‖ Vitrail d'église de même forme.

rosacées, n. f. pl. [Bot.] Famille de plantes dicotylédones dialypétales dont la rose est le type et qui renferme les amandiers, pêchers, pruniers, fraisiers, ronces, aubépines, pommiers, etc. = ROSACÉ, ÉE, adj. [Bot.] Qui a la disposition des pétales de la rose.

1. * **rosage** [*za*], n. m. [Bot.] Nom vulgaire du *rhododendron* et de l'*azalée*.

2. * **rosage**, n. m. Exposition du lin à la rosée pour le rouir à sec.

rosaire [*zè-re*], n. m. Grand chapelet à quinze dizaines de grains. ‖ Récitation de ce chapelet.

* **rosaniline**, n. f. [Chim.] Base organique d'où dérivent beaucoup de matières colorantes (fuchsine, etc.).

* **rosarium**, n. m. [Hortic.] Partie d'un jardin où l'on cultive les roses.

rosat [*za*], adj. Se dit des compositions dans lesquelles il entre des roses. *Miel rosat. Pommade rosat.*

* **rosâtre**, adj. Qui est d'un rose un peu terne.

rosbif, n. m. (angl. *roast*, rôti; *beef*, bœuf). Morceau de bœuf rôti (faux-filet, partic.).

1. **rose**, n. f. (lat. *rosa*, m. s.). Fleur odoriférante que porte le rosier. *La saison des roses*, le printemps. — Fig. Plaisirs, douceurs, agréments. *Cueillir les roses de la vie* (s'emploie généralement au plur. dans ce sens). — Prov. *Il n'y a point de roses sans épines. Découvrir le pot aux roses.* V. POT. — *Cela ne sent pas la rose*, cela a une odeur infecte (Fam.).

— *Une rose d'automne est plus qu'une autre, exquise.*   (D'AUBIGNÉ.)
— *Mais elle était du monde où les plus belles choses*
Ont le pire destin,
Et, rose, elle a vécu ce que vivent les roses,
L'espace d'un matin.(MALHERBE.)

Au propre et au fig. Teint mêlé de blanc et d'incarnat. *Elle a un teint de lis et de rose.*
— Poét. *L'aurore aux doigts de rose.* [Archi.] Ornement circulaire en forme de fleur. — Tout ornement renfermé dans un cercle, qui forme le point central d'un plafond, d'une corniche, etc. ‖ *Meuble de l'écu.* V. pl. BLASON. — Grande baie circulaire des cathédrales gothiques, ornée de vitraux. V. pl. ÉGLISE.

Nom de diverses fleurs, rappelant plus ou moins la rose. *Rose trémière, rose de Noël*, etc. ‖ *Bois de rose*, bois précieux d'ébénisterie, de couleur rose. [Joaill.] *Une rose de diamants, de rubis*, etc., des diamants, etc., qui sont montés en forme de rose. — Manière de tailler le diamant. [Mar.] *Rose des vents*, figure sur laquelle sont représentés et désignés les quatre points cardinaux et leurs graduations intermédiaires, pour repérer la direction du vent. [Pharm.] *Eau de rose*, eau préparée par distillation, avec des pétales frais et récemment cueillis de rose pâle. — Fig. *Une composition à l'eau de rose*, qui manque d'énergie.

> VOCAB. — *Famille de mots.* — *Rose* : rose-croix, rosière, rosir, roson, rosâtre, rosarium, rose (adj.), rosé, roser, rosace, rosacées, rosier, roseraie, rosiériste, rosaire, rosat, roséole, rosette, primerose.

2. **rose**, adj. Qui est de la couleur normale de la rose, intermédiaire entre le rouge et le blanc. = N. m. *Le rose plaît à l'œil.* — Fig. et fam. *Il voit tout en rose, couleur de rose*, il voit tout en beau. V. tabl. COULEURS (*Idées suggérées par le mot*).

rosé, ée, adj. Légèrement rose. *Vin rosé.*

roseau, n. m. (orig. germ.). [Bot.] Genre de plantes aquatiques de la famille des *graminées*, à longue tige droite. ‖ Nom vulg. de diverses autres plantes aquatiques. ‖ Fig. Personne, chose fragile, qui plie facilement.

— *L'homme n'est qu'un roseau, le plus faible de la nature ; mais c'est un roseau pensant. Il ne faut pas que l'univers entier s'arme pour l'écraser : une vapeur, une goutte d'eau suffit pour le tuer. Mais quand l'univers l'écraserait, l'homme serait encore plus noble que ce qui le tue, parce qu'il sait qu'il meurt et l'avantage que l'univers a sur lui ; l'univers n'en sait rien.*   (PASCAL.)

rose-croix, n. f. Secte d'illuminés, du XVIIe s., qui prétendaient pénétrer les mystères de la nature. = N. m. Membre de cette secte. = Pl. *Des rose-croix.*

rosée, n. f. (lat. *ros, roris*, m. s.). Petites gouttes d'eau formées par la condensation de la vapeur d'eau des couches inférieures de l'atmosphère, au contact des corps froids exposés à l'air. ‖ Fig. *Tendre comme rosée*, très tendre.

* **roselet** [*ze-lè*], n. m. [Zool.] Nom donné à l'hermine et à sa fourrure pendant l'hiver.

* **roselier, ière**, adj. Où il y a beaucoup de roseaux. *Marais roselier.* = ROSELIÈRE, n. f. Endroit où poussent les roseaux.

roséole, n. f. [Méd.] Éruption cutanée formée de petites taches rosées non saillantes, disséminées sur le corps.

* **roser**, v. tr. Donner une teinte rose. ‖ Opérer le rosage.

PAR. — *Rosir*, prendre une teinte rose.

roseraie, n. f. [Hortic.] Lieu planté de rosiers.

SYN. — V. JARDIN.

rosette, n. f. Petite rose, ornement, nœud de ruban, etc., en forme de rose. ‖ V. pl. ORNEMENTS. Insigne que portent à la boutonnière les officiers des divers ordres français (Légion d'honneur, Instruction publique, etc.). *Recevoir la rosette.* [Techn.] Sorte d'encre rouge faite avec du bois de Brésil. — *Cuivre rosette*, cuivre obtenu par la fusion, et possédant une couleur caractéristique.

rosier, n. m. Arbrisseau épineux, de la famille des *rosacées*, qui donne les roses.

rosière, n. f. Jeune fille qui, dans certaines localités, reçoit un prix de vertu. ‖ Jeune fille pure et candide.

rosiériste, n. m. Horticulteur qui s'adonne à la culture des rosiers.

rosir, v. intr. Prendre une teinte rose. = V. tr. Donner une teinte rose à.
Par. — *Roser*, donner une teinte rose.

* **rosny**, n. m. Orme planté le long de la route de France par Sully, marquis de Rosny.

* **roson**, n. m. [Archi.] Se dit pour rosace.

rossard, n. m. (de *rosse*). Rosse, mauvais cheval. — Fig. et fam. Paresseux, vaurien.

rosse, n. f. (allem. *Ross*, cheval). Cheval sans force, sans vigueur. ‖ Fig. et fam. Personne sans valeur. ‖ Personne méchante, *Cette femme est une petite rosse.* = Adj. Méchant. *Un homme, une femme rosse.* ‖ *Livre, chanson rosse*, livre, chanson d'un réalisme brutal ou d'une satire mordante.
Syn. — V. cheval.

rossée, n. f. Volée de coups.

rosser, v. tr. Fam. Battre violemment.
Syn. — V. battre.

rosserie, n. f. Fam. Discours, écrit malicieux, mordant, méchant. ‖ Fourberie méchante.

rossignol [gn mll.], n. m. (lat. *lusciniola*, m. s.). [Ornith.] Genre de passereaux dont le chant a un charme très poétique, appartenant au genre *luscinia*. — Fam., on dit d'une personne qui a la voix pure et très flexible : *Elle a une voix de rossignol.* [Charp.] Coin de bois qu'on met dans les mortaises qui sont trop longues, lorsqu'on veut serrer des pièces de bois. [Comm.] Marchandise qui n'est plus de vente (Fam.). [Serrurerie] Crochet dont on se sert pour ouvrir toutes sortes de serrures.

* **rossignole**, n. f. Femelle du rossignol.
* **rossignolement**, n. m. Action de rossignoler.
* **rossignoler**, v. intr. Imiter le chant du rossignol (Fam.).
* **rossignolet**, n. m. Diminutif poétique du mot *rossignol*.

Rossinante, nom du cheval maigre et efflanqué de don Quichotte. = N. f. Cheval efflanqué.

1. * **rossolis**, n. m. [Bot.] Nom vulg. des *droseras*, plantes dites carnivores.
2. **rossolis**, n. m. (lat. *ros solis*, rosée du soleil). Liqueur turque ou italienne composée d'eau-de-vie, de sucre et de substances aromatiques ou de jus de fruits.

* **rostelle**, n. f. Petit bec.

rostral, ale, aux, adj. [Antiq. rom.] Garni de rostres ou en forme de rostre. *Colonne rostrale.* ‖ V. pl. colonnes.

rostre, n. m. (lat. *rostrum*, bec). [Antiq. rom.] Éperon de galère. [Hist. Nat.] Prolongement en forme de bec. [Archi.] Ornement en forme de proue de navire. V. pl. colonnes. = N. m. pl. A Rome, la tribune aux harangues, qui était ornée de rostres.

* **rostré, ée**, adj. [Hist. Nat.] Allongé en forme de bec.

1. **rot** [*ro*], n. m. Pop. Éructation, émission sonore de gaz stomacaux.
Hom. — V. ros.

2. **rôt** [*ro*], n. m. Viande rôtie à la broche.
Hom. — V. ros.

* **rotang**, n. m. [Bot.] V. rotin.

* **rotary clubs** [*ro-ta-ré-kleubs*], n. m. pl. (mot angl.). Clubs dont l'insigne est une roue dorée portée à la boutonnière. Leur but est de développer la probité commerciale, la loyauté, les vertus sociales.

rotateur, trice, adj. Qui fait tourner, qui meut en rond. *Muscles rotateurs.* = N. m. pl. Classe d'animaux microscopiques. V. rotifères.

rotatif, ive, adj. (lat. *rotare*, tourner). Qui tourne, qui agit en tournant. = N. f. Machine d'imprimerie employée pour les impressions à grand tirage; la composition à imprimer étant reproduite sur des clichés cylindriques.

rotation [*sion*], n. f. (lat. *rotare*, tourner). Mouvement circulaire d'un corps autour d'un axe. *La rotation de la terre.* ‖ Assolement, succession méthodique des cultures sur un même sol.

rotatoire, adj. Qui tourne, qui accomplit un mouvement de rotation.

rote, n. f. (lat. *rota*, roue). Juridiction de la cour pontificale composée d'un président et de douze docteurs nommés *auditeurs de rote*. [Mus.] Instrument à cordes pincées, en usage au Moyen Age.

roter, v. intr. Pop. Faire un rot.

rôti, n. m. Viande rôtie au four ou à la broche.

rôti, ie, adj. (pp. du v. *rôtir*). Qui est rôti.
Hom. — *Rôti*, n. m., viande grillée; — *rôti, rôtis, rôtit*, du v. rôtir; — *rôtie*, n. f., tranche de pain grillée.

rôtie, n. f. Tranche de pain qu'on fait rôtir devant le feu.

rotifères, n. m. pl. [Zool.] Groupe de métazoaires comprenant des animalcules symétriques revêtus d'un tégument souple. — On dit aussi *rotateurs*.

rotin ou * **rotang**, n. m. [Bot.] Genre de *palmiers* dont la tige sert à faire des cannes, des meubles légers. ‖ Cette tige elle-même.

rôtir, v. tr. (germ. *rostjan*, faire griller). Faire cuire à la broche, sur le gril, etc., de manière que la chose exposée au feu prenne une couleur particulière. *Rôtir de la viande. Rôtir du pain sur le gril.* ‖ En parlant de la grande chaleur du soleil, brûler. *Le soleil a rôti toutes ces fleurs.* = Rôtir, v. intr. Être rôti. *La viande rôtit à la broche.* — Fig. Être exposé à une chaleur très vive. *On rôtissait littéralement au soleil.* ‖ = Se rôtir, v. pron. Être rôti. ‖ Fam. et par exag., se chauffer de trop près; être toujours auprès du feu. *Vous vous rôtissez.* — *Se rôtir au soleil.*

> Vocab. — *Famille de mots.* — Rôtir : rôt, rôti, rôtissage, rôtie, rôtissoire, rôtisserie, rôtisseur; rosbif.

* **rôtissage**, n. m. Action de rôtir ou de faire rôtir. ‖ Son résultat.

rôtisserie, n. f. Boutique de rôtisseur.

rôtisseur, euse, n. Celui, celle qui vend de la viande rôtie ou prête à rôtir.

rôtissoire, n. f. Ustensile qui sert à rôtir la viande à la broche.

* **rotogravure**, n. f. Procédé d'héliogravure permettant le tirage d'impressions en creux sur machines rotatives.

* **rotomagien, ienne**, adj. et n. (de *Rotomagus*, anc. nom de Rouen). Syn. de *rouennais*.

rotonde, n. f. (lat. *rotondus,* rond). [Archi.] Édifice de forme circulaire, ordinairement surmonté d'une coupole. ‖ Petite coupole, toit circulaire porté par des colonnes, servant d'abri dans un jardin. ‖ Remise en forme d'hémicycle pour les locomotives. V. pl. CHEMIN DE FER. ‖ Caisse arrière d'une diligence. ‖ V. pl. VOITURES. ‖ Long collet sans manches, taillé en rond.

rotondité, n. f. Qualité de ce qui est rond. ‖ Fam. Embonpoint, corpulence. ‖ Partie ronde du corps, de volume exagéré.

* **rotoquer,** v. tr. Rétablir la marque des futaies coupées.

* **rotor,** n. m. La partie mobile d'une turbine à vapeur, d'un moteur électrique à courant alternatif.
ANT. — *Stator.*

* **rotrouenge,** n. f. Pièce de poésie lyrique des XIe et XIIe s., à strophes et refrain final.

rotule, n. f. (lat. *rotula,* roulette). [Anat.] Petit os plat, triangulaire, situé à la partie antérieure de l'articulation du fémur avec le tibia. V. pl. HOMME (squelette).

* **rotulien, ienne,** adj. [Anat.] Qui a rapport à la rotule.

roture, n. f. (lat. *ruptura,* action de briser [la terre]). Terrain défriché (Vx). ‖ État d'une personne, d'un héritage qui n'est point noble. ‖ Collectiv. les roturiers.
ANT. — *Noblesse.*
PAR. — Ne pas confondre *roture* avec *rotule.*

roturier, ière, adj. et n. Qui n'est pas noble.
ANT. — *Noble.*

* **roturièrement,** adv. A la manière des roturiers.

1. * **rouable,** n. m. Outil de boulanger pour sortir la braise du four.

2. * **rouable,** adj. Digne d'être roué vif.

rouage, n. m. (de *roue*). Ensemble des roues et des diverses parties mobiles d'un mécanisme. ‖ Fig. Ensemble des moyens nécessaires au fonctionnement. *Les rouages de cette administration sont compliqués.*
LING. — Ce mot s'emploie en général au plur.

rouan, anne, adj. Se dit des chevaux ayant le poil mêlé de blanc, de gris, de bai. = N. m. *Un rouan foncé.*
HOM. — *Rouan,* adj. et n. m., se dit des chevaux de poil gris, blanc et bai; — *rouant,* part. prés. du v. rouer; terme de blason; — *Rouen,* n. pr., ville.

rouanne, n. f. Compas ayant une branche tranchante, dont se servent les employés des contributions indirectes. [Mar.] Tarière à longue tige. ‖ Instrument du sabotier.
HOM. — *Rouanne,* adj., féminin de rouan.

rouanner, v. tr. Marquer avec la rouanne. ‖ Percer, creuser avec la rouanne.

rouannette, n. f. Petite rouanne.

* **rouant,** adj. m. [Blas.] Se dit du paon, représenté de front et faisant la roue.
HOM. — V. ROUAN.

roublard, arde, adj. et n. Pop. Très habile, très malin, mais peu délicat.

roublardise, n. f. Pop. Ruse, habileté peu scrupuleuse du roublard.

rouble, n. m. Unité monétaire russe. *Rouble-argent, rouble-papier.*

* **rouche,** n. f. [Mar.] Carcasse d'un navire sur un chantier.

* **roucherolle,** n. f. [Zool.] Nom vulg. de la *grive.*

roucou, n. m. [Bot.] V. ROCOU.

roucoulant, ante, adj. Qui roucoule.

roucoulement, n. m. Bruit que font, en roucoulant, les pigeons et les tourterelles.

roucouler, v. intr. En parlant des pigeons et des tourterelles, faire entendre leur murmure triste et caressant. ‖ Tenir des propos tendres et langoureux. = V. tr. Chanter d'une façon langoureuse. *Roucouler une romance.*

roucouyer, n. m. V. ROCOUYER.

roudou ou * **redoul,** n. m. Nom vulg. d'une plante de la famille des *géraniacées* dont l'écorce, riche en tannin, est employée pour le tannage des cuirs fins.

roue, n. f. (lat. *rota,* m. s.). Pièce rigide, de forme circulaire qui, en tournant sur un axe, sert au mouvement d'un véhicule, d'une machine. *Roue de charrette, de locomotive. Roue dentée,* roue d'engrenage creusée de dents. V. pl. CHARRETTE. — *Roue hydraulique,* roue mue par le courant d'une rivière. ‖ Prov. On dit d'une personne, d'une chose tout à fait inutile *qu'elle sert comme une cinquième roue à un carrosse.* ‖ Fig. et fam. *Pousser à la roue,* aider quelqu'un à réussir dans une affaire. — *Mettre, jeter des bâtons dans les roues,* susciter des obstacles, entraver, retarder une affaire. — *Faire la roue,* faire le moulinet avec son corps, au moyen de ses mains et de ses pieds. ‖ *Le supplice de la roue,* supplice qui consistait à laisser mourir le condamné lié sur une roue, après qu'on lui avait rompu les bras et les jambes. ‖ *Faire la roue,* en parlant du paon, déployer en éventail les plumes de sa queue. — On dit aussi, fig. et fam., d'un homme qui se pavane, qui fait le beau, *il fait la roue.* [Loterie] *Roue de fortune,* le tambour en forme de roue, où l'on enferme les numéros pour les tirer au sort. ‖ Fig. *La roue de la fortune,* les révolutions et les vicissitudes dans la vie des humains.
HOM. — V. ROUX.

VOCAB. — *Famille de mots.* — *Roue* [rad. *rou, rol, rot*] : rouant, rouet, rouage, rouelle, roulette; rouler, roulement, rouleau, roulure, roulade, roulis, roulier; roulage, roulant, roulé, roulet, rouleur, rouleuse, rouloir, roulotte; dérouler, déroulement; enrouler, enroulement; rouer, roué, rouable, rouerie; crouler, croulant, croulement; écrouler, écroulement; rote, rotateur, rotatif, rotation, rotatoire; brouette, brouetter, brouetté, brouettage, brouetteur; rotule, rotulien, rôle, rôlet, rôlage; enrôler, enrôlé, enrôlement, enrôleur; contrôle, contrôler, contrôleur, contrôlable; rond, rond-de-cuir, rond-point, ronde-bosse, rondelet, ronde, rondement, rondeur, rondelette, rondelle, rondeau, rondin, rondache, rondir, rondiner; arrondir, arrondissement; rogneur, rognure, rogner, rognoir, rogne-pied; rotonde, rotondité.

---

roué, ée, adj. Qui a subi le supplice de la roue. ‖ Fig. *Roué de coups, roué de fatigue,* qui semble avoir les membres rompus par les coups reçus, par la fatigue. = Nom. Personne débauchée, sans principes et sans mœurs. ‖ Personne habile et sans scrupules.

rouelle, n. f. (dimin. de *roue*). Tranche coupée en rond. ‖ *Rouelle de veau*, partie de la cuisse du veau coupée en travers. V. pl. BOUCHERIE. ‖ Tache mêlée de gris et de blanc sur la robe de certains chevaux. [A. mil.] Pièce de métal circulaire qui renforçait l'armure des chevaliers au niveau des articulations. V. pl. ARMURES.
* **rouennais, aise**, adj. et n. De Rouen.
rouennerie, n. f. Toile de coton peinte, fabriquée d'abord à Rouen.
* **rouennier**, n. m. Fabricant, marchand de rouennerie.
rouer, v. tr. (de *roue*). Plier un cordage plusieurs fois sur lui-même, en rond. ‖ Infliger le supplice de la roue. ‖ *Rouer de coups*, battre longtemps et durement. ‖ Fig. *Être roué de fatigue*, être très fatigué.
SYN. — V. BATTRE.
rouerie [rou-ri], n. f. Action, tour, finesse de roué.
SYN. — V. PERFIDIE.
rouet, n. m. Nom de divers objets en forme de roue. *Rouet de puits*. ‖ *Rouet d'arquebuse*, petite roue d'acier qui frottait contre le silex. ‖ *Rouet à filer*, machine qui sert à tordre le chanvre et le lin, à le réduire en fil et à peloter ce fil. ‖ Gorge d'une poulie. ‖ Garde d'une serrure.
HOM. — *Rouais, ait, aient*, du v. rouer.
* **rouette**, n. f. Branche flexible dont on fait les liens.
rouf ou * **roof**, n. m. (mot anglais). [Mar.] Petit aménagement qui remplace la dunette sur les petits bâtiments. V. pl. NAVIGATION.
rouflaquette, n. f. Pop. Mèches de cheveux en forme de virgules, collées sur les deux tempes
1. **rouge**, adj. (lat. *rubeus*, m. s). Qui est d'une couleur semblable à celle du feu, du sang, etc. *Du vin rouge*. ‖ *Chapeau rouge*, chapeau de cardinal. — *Rouge bord*, verre de vin rouge rempli jusqu'au bord. — *Drapeau rouge*, signal, dans les chemins de fer, indiquant le danger et ordonnant l'arrêt immédiat. — Emblème des partis révolutionnaires. ‖ Qui a le visage vivement coloré par un afflux de sang dû à la colère, à la honte, etc. *Être rouge de colère, de confusion. Être rouge comme un coq.* ‖ Qui a pris la couleur du feu par élévation de température. *Fer rouge.* ‖ En parlant des cheveux, du poil, extrêmement roux. — Fig. et fam. *Méchant comme un âne rouge*, très méchant et vindicatif.
Dont la peau tire sur le rouge. *Race rouge*.
Adv. *Se fâcher tout rouge*, se fâcher sérieusement. ‖ *Voir rouge*, être au point de la fureur où l'on ne sait plus ce qu'on fait.
N. m. *Couleur rouge*, une des sept couleurs du spectre. V. tabl. COULEURS (*Idées suggérées par le mot*). *Un rouge foncé.* ‖ Coloration rouge du visage, due à un sentiment de pudeur, de honte, de colère. *Le rouge lui monte au visage.* [Chim.] Substance minérale ou végétale de couleur rouge servant à la teinture, à la peinture, au polissage, etc. ‖ Fard de couleur rouge que les femmes se mettent sur les joues, sur les lèvres. *Un bâton de rouge*. = N. m. pl. *Les rouges*, les révolutionnaires, les partisans du drapeau rouge.

ROUELLE — ROUILLE

> VOCAB. — *Famille de mots.* — *Rouge* [rad. *roug*, *rub*] : rougeur, rougir, rougi, rougissant, rougissure, rougeâtre, rougeoyer, rougeaud, rouget, rougeole, rougeoleux, rougette; dérougir.
> Rubicond, rubéole, rubis; rubigineux, rubéfaction, rubéfiant, rubellite; rubricateur rubrifique, rubriquer, rubrique, rubéfier, rubescent, érubescence, érubescent, rubiacée.
> Rouille, rouiller, rouillé, rouilleux, rouillure, dérouiller, dérouillement; roux, roussâtre, rousseau, rousset, roussette, rousselet, roussot, roussissage, rousseur, roussiller, roussir, roussi.

2. **rouge**, n. m. [Zool.] Nom vulg. du souchet commun, oiseau palmipède à pattes rouges.
rougeâtre, adj. Qui tire sur le rouge.
rougeaud, aude [jô], adj. et n. Fam. Qui a naturellement le visage très coloré.
rouge-gorge, n. m. [Zool.] Genre de passereaux de nos régions, à gorge rouge, insectivore et utile. = Pl. *Des rouges-gorges.*
* **rouge-noir**, n. m. [Zool.] Nom vulg. d'une variété de pinson. = *Des rouges-noirs.*
rougeole, n. f. [Méd.] Maladie infectieuse, épidémique et contagieuse, caractérisée par une éruption de petites taches rouges un peu saillantes, précédée par un catarrhe oculaire, nasal et laryngé.
* **rougeoleux, euse**, adj. et n. Malade atteint de rougeole.
rougeoyer [joi-iè], v. intr. Prendre une teinte rougeâtre. = Conjug. V. GRAMMAIRE.
rouge-queue, n. m. [Zool.] Genre de passereaux dentirostres appelés aussi *rossignols des murailles*. = Pl. *Des rouges-queues.*
1. **rouget** [jè], n. m. (de *rouge*). [Ichtyol.] Nom vulgaire de plusieurs genres de poissons téléostéens (mulets, grondins, etc.). [Zool.] Larve du trombidion, appelée aussi *aoûtat*. [Bot.] Nom de plusieurs sortes de champignons qui ont la calotte teintée de rouge. [Méd. Vét.] Maladie contagieuse du porc, caractérisée par des taches rouges de la peau.
2. * **rouget, ette**, adj. Un peu rouge.
rougette ou **roussette**, n. f. Espèce de chauve-souris de Madagascar.
rougeur, n. f. Couleur rouge ou rougeâtre. ‖ Coloration plus vive et fugitive du visage sous l'effet d'une émotion. ‖ Taches, élevures rouges sur le visage ou la peau.
rougi, ie, adj. Qui a la teinte rouge. — *Eau rougie*, mélange d'eau et de vin.
rougir, v. tr. Rendre rouge, peindre ou teindre en rouge. ‖ Fig. *Rougir ses mains de sang*, tuer, assassiner. = V. intr. Devenir rouge. ‖ Fig. Avoir honte, être confus.
rougissant, ante, adj. (ppr. de *rougir*). Qui rougit.
* **rougissure**, n. f. Rouille des feuilles du fraisier.
roui, ie, adj. Qui a subi le rouissage. = N. m. Action de rouir. ‖ Fig. *Cette viande sent le roui*, elle a mauvais goût.
rouille [ill mll.], n. f. (lat. pop. *rubicula*, m. s.). [Chim.] Substance pulvérulente de couleur rougeâtre dont se couvre le fer, par oxydation, quand il est exposé à

l'humidité. ‖ Fig. Au sens moral, cause de décadence, de mauvais fonctionnement. *La rouille des préjugés.* [Méd. Vét.] Clavelée des moutons. [Bot.] Nom générique d'un grand nombre de champignons microscopiques causant des affections diverses aux végétaux.

rouillé, ée [*ill* mll.], adj. Attaqué, rongé par la rouille. *Fer rouillé. Blé rouillé.* ‖ Raidi ou affaibli par manque d'exercice. *Mémoire rouillée.*

rouiller [*ill* mll.], v. tr. Produire de la rouille. ‖ Communiquer la rouille à une plante. ‖ Altérer faute d'exercice. *L'oisiveté rouille l'esprit.* = SE ROUILLER, v. pr. Devenir rouillé. ‖ Fig. Perdre son activité, sa force.

* **rouilleux, euse** [*ill* mll.], adj. Qui est couvert de rouille.

rouillure [*ill* mll.], n. f. Effet de la rouille.

rouir, v. tr. (germ. *rotjan*, pourrir). Faire tremper dans l'eau du chanvre, du lin, etc., afin que les fibres textiles se séparent de la partie ligneuse. = V. intr. Subir le rouissage dans l'eau. *Du chanvre qui rouit.*

rouissage, n. m. Immersion prolongée du lin, du chanvre dans l'eau, pour faciliter la séparation de leurs fibres.

* **rouisseur**, n. m. Celui qui s'occupe du rouissage.

* **rouissoir**, n. m. On dit mieux *routoir*.

roulade, n. f. Fam. Action de rouler du haut en bas. [Mus.] Gammes montantes ou descendantes sur une seule syllabe. ‖ Tranche de viande roulée autour d'une farce.

roulage, n. m. Action de rouler. ‖ Transport des marchandises sur des voitures à roues. ‖ Établissement où l'on se charge de ce transport. [Agric.] Action de passer le rouleau sur un terrain.

roulant, ante, adj. Qui roule aisément. ‖ *Trottoir roulant*, sorte de plate-forme montée sur des rouleaux et mue mécaniquement. ‖ *Escalier roulant*, escalier dont les marches, montées sur une chaîne sans fin, progressent mécaniquement vers les étages supérieurs. [A. mil.] *Feu roulant*, feu de mousqueterie continu. — Fig. *Un feu roulant de railleries.* [Ch. de fer] *Matériel roulant*, les locomotives, voitures et wagons.

* **roule**, n. m. Tronc d'arbre; cylindre de bois.

roulé, ée, adj. En forme de rouleau. — *Viande roulée*, viande désossée puis enroulée sur elle-même.

rouleau, n. m. (du v. *rouler*). Objet enroulé sur lui-même de manière à représenter un cylindre. *Un rouleau de papier, de ruban.* — Par anal. Pile cylindrique. *Un rouleau de louis d'or.* — Fig. et prov. *Être au bout de son rouleau*, avoir épuisé toutes ses ressources. ‖ Serviette roulée où l'on place des morceaux de musique. ‖ Cylindre de bois, de métal, de pierre, etc., servant à divers usages. *Rouleau de pâtissier, de lingère. Rouleau à écraser le macadam* ou *rouleau compresseur.* [Agric.] Machine agricole pour tasser la terre, écraser les mottes. [Archi.] Enroulement.

roulée, n. f. Pop. Volée de coups. ‖ Filet pour la pêche à la lamproie.

HOM. — *Roulée*, n. f., violente décharge de coups; sorte de filet de pêche; — *rouler*, v., faire avancer en tournant.

PAR. — *Roulet*, n. m., forme pour la confection des chapeaux.

roulement, n. m. (de *rouler*). Action de rouler; mouvement de ce qui roule. *Roulement d'une voiture.* ‖ Ensemble des pièces qui permettent à une machine de rouler. *Roulement d'une bicyclette.* ‖ Bruit produit par ce qui roule. *Le roulement de la voiture nous assourdissait.* ‖ Bruit analogue à celui que produit un objet qui roule. *Roulement de tonnerre.* ‖ Bruit du tambour frappé en cadence par les baguettes.

Déplacement, circulation d'argent. *Roulement de fonds.* — Succession alternative de ceux qui se remplacent à époques fixes dans certaines fonctions ou certains travaux. *Le roulement des équipes.* ‖ *Roulement d'yeux*, mouvement rapide des yeux qui tournent dans leurs orbites.

rouler, v. tr. (de *roue*). Faire avancer en tournant. *Rouler une boule, un tonneau.* — Pop. *Rouler carrosse*, avoir une voiture à soi. — Fig. et pop. *Rouler sa bosse*, courir le monde à l'aventure. — *Rouler les r*, en accentuer le son par un petit roulement. — Fam. *Rouler les yeux*, tourner les yeux de côté et d'autre avec violence, effort ou affectation. — Fig. *Rouler de grands projets dans sa tête*, méditer de grands desseins. ‖ Plier en rouleau. *Rouler une pièce d'étoffe.* ‖ *Rouler un champ*, y passer le rouleau. ‖ Jeter un adversaire à terre. — Fig. et fam. *Rouler quelqu'un*, le duper, le retourner à sa guise dans une affaire.

V. intr. Tourner ou avancer en tournant sur soi-même. *Une boule qui roule.* ‖ Avancer sur roues. *Le train roulait à 100 km à l'heure.* — Se trouver dans un véhicule qui roule. *Rouler en wagon, en automobile.*

Faire entendre un bruit sourd et prolongé. *Le tonnerre a roulé toute la nuit.* ‖ Fig et fam. *Rouler sur l'or*, être fort riche. — Fig. *La conversation roule sur telle matière*, cette matière en est le principal sujet. — *Tout roule là-dessus*, c'est la base, le point principal dont tout le reste dépend. ‖ Fig. Errer sans s'arrêter, sans se fixer en un lieu. *Il y a longtemps qu'il roule par le monde.* ‖ Prov. *Pierre qui roule n'amasse pas mousse*, celui qui change sans cesse de métier ne fait pas fortune. — Fig. *Mille projets lui roulent dans la tête*, lui passent et lui repassent dans l'esprit, sans qu'il s'arrête, sans qu'il s'attache à aucun. ‖ Dans un sens péjoratif : avoir une existence aventureuse, dévergondée. *Cette femme a beaucoup roulé.* [Mar.] Se dit d'un bâtiment qui, étant agité par les vagues, a du roulis. [Typo.] *La presse roule*, le tirage est en train. = SE ROULER, v. pr. *Se rouler sur l'herbe*, se tourner de côté et d'autre étant couché sur l'herbe, etc. ‖ Absol. *Se rouler*, rire à se tordre (Pop.).

SYN. — V. COULER.
CTR. — *Dérouler.*
HOM. — V. ROULÉE.

* **roulet** [è], n. m. Forme en bois employée en chapellerie.

PAR. — *Roulée*, volée de coups.

roulette, n. f. (pour *roulettte*, de *roue*). Petite roue, ou petite boule de bois, de fer, etc., qui sert à faire rouler la machine ou le meuble auquel elle est attachée. *Les roulettes d'un lit.* — Fig. et fam. *Cela va* *comme sur des roulettes*, se dit d'une affaire qui marche facilement, sans obstacle. [Techn.] Instrument de relieur, de cordonnier, etc., muni d'une petite roue dentée, coupante, traçante, etc. [Géom.] Courbe engendrée par un point relié à une courbe mobile qui roule sur une courbe fixe. [Jeu] Sorte de jeu de hasard où une petite boule d'ivoire, lancée dans un grand cercle divisé en cases numérotées en rouge et en noir, décide de la perte ou du gain, suivant la case et la couleur où elle s'arrête.

rouleur, n. m. Ouvrier qui roule des tonneaux. ‖ Ouvrier qui roule du minerai, brouette de la terre, etc. ‖ Charançon de la vigne, dont il roule les feuilles. [Mar.] Se dit d'un navire qui a beaucoup de roulis.

rouleuse, n. f. [Zool.] Chenille qui enroule les feuilles des plantes pour y faire son cocon. ‖ Femme de mauvaise vie (Fam.).

roulier, n. m. Voiturier qui fait le roulage, le transport des marchandises par terre.

* **roulière**, n. f. Blouse de voiturier.

roulis [*li*], n. m. [Mar.] Mouvement d'un vaisseau qui incline alternativement à droite et à gauche.
ANT. — *Tangage*.

rouloir, n. m. Outil de cirier pour rouler les bougies et les cierges.

* **roulon**, n. m. Barreau de bois d'un râtelier d'écurie, d'une ridelle de voiture.
HOM. — *Roulons* (nous), du v. rouler.

roulotte, n. f. Voiture où vivent les forains nomades.

roulure, n. f. État de ce qui est roulé sur soi-même. ‖ Maladie des arbres dont les couches ligneuses se séparent et se roulent. ‖ Pop. Prostituée.

* **roumain, aine**, adj. et n. De la Roumanie. = N. m. Langue parlée en Roumanie.

* **roumi**, n. m. Nom donné aux chrétiens par les musulmans.

* **round**, n. m. (mot angl.). Reprise, d'une durée de trois minutes, dans un combat de boxe.

* **roupe**, n. f. Blouse de berger, en gros drap.

1. **roupie**, n. f. Monnaie d'argent ou d'or de l'Inde.

2. **roupie**, n. f. Humeur sécrétée par la muqueuse nasale, qui pend au nez goutte à goutte.

* **roupille** [*ll* mll.], n. f. Sorte de casaque dont s'enveloppaient les Espagnols pour dormir.

roupiller [*ll* mll.], v. intr. (de *roupille*). Pop. Sommeiller plus ou moins.

* **roupilleur, euse** [*ll* mll.], n. Pop. Celui, celle qui roupille fréquemment.

* **roupillon** [*ll* mll.], n. m. Petit somme (Pop.).

rouquin, ine, adj. et n. Pop. Qui a les cheveux roux.

* **roure**, n. m. V. ROUVRE.

* **rouspéter**, v. intr. [Argot] Protester violemment. = Conjug. V. GRAMMAIRE.

* **rouspéteur, euse**, adj. et n. [Argot] Qui aime rouspéter.

* **roussable**, n. m. Local où l'on fume les harengs.

roussâtre, adj. Qui tire sur le roux.

rousseau, adj. et n. Qui a la barbe et les cheveux roux.

rousselet, n. m. Variété de poire d'été à peau roussâtre.

* **rousserolle**, n. f. [Zool.] Nom vulg. de la *fauvette des marais*.

* **rousset**, n. m., et * **roussette**, n. f. [Bot.] Nom vulg. de la chanterelle, champignon comestible, et du lactaire roux, champignon vénéneux.

roussette, n. f. [Zool.] Genre de mammifères chéiroptères, chauves-souris de grande taille. ‖ Nom vulg. d'un poisson du groupe des squales, appelé aussi *chien de mer*. ‖ Nom vulg. du bruant et de la fauvette des bois.

rousseur, n. f. Caractère de ce qui est roux. ‖ *Taches de rousseur*, taches rousses sur la figure ou sur les mains.

1. * **roussi**, n. m. Cuir de Russie, de couleur rouge ou brune.

2. * **roussi**, n. m. État de ce que le feu a commencé à brûler. ‖ Odeur d'une chose roussie. ‖ Fig. *Sentir le roussi*, émettre des propositions hérétiques.

* **roussiller** [*ll* mll.], v. intr. Brûler légèrement.

roussin, n. m. Cheval entier, un peu épais. ‖ Fam. *Un roussin d'Arcadie*, un âne.

roussir, v. tr. Faire devenir roux. ‖ Brûler superficiellement. — V. intr. Devenir roux. ‖ Brûler à la surface.

* **roussissage** ou * **roussissement**, n. m. Action de roussir. ‖ Résultat de cette action.

* **roussot, ote**, adj. et n. Syn. de *rouquin* (Fam.).

* **rouster**, v. tr. [Mar.] Opérer une rousture.

* **rousture**, n. f. [Mar.] Amarrage pour maintenir l'une contre l'autre des pièces de bois.

* **routage**, n. m. Groupage en liasse et par destination des lettres, des imprimés, etc., mis ou à mettre à la poste.

route, n. f. (lat. *rupta* [*via*], [chemin] frayé). Voie publique pratiquée pour aller, par terre, d'un lieu à un autre. *Routes nationales. La grande route* ou *la grand-route*. — Direction qu'on suit ou qu'on peut suivre pour aller en un lieu. *La route de terre, la route par mer. Rester en route.* — *Faire fausse route*, s'écarter de son droit chemin sans le vouloir. — Fig. Se tromper dans une affaire, employer des moyens contraires à la fin qu'on se propose. ‖ *Faire de la route*, aller très vite, en parlant d'une voiture, d'un piéton, d'un navire, etc. [A. mil.] *Feuille de route*, ou simpl. *route*, écrit qui indique la route que doit suivre une troupe ou un militaire isolé, ainsi que leurs logements. ‖ Espace que parcourent les astres, les eaux, etc., se dirigeant d'un point à un autre. *Ce fleuve se grossit sur sa route.* ‖ Fig. Conduite qu'on tient en vue d'arriver à quelque fin; moyens qui y mènent. *La route de la gloire, de la vertu.* [Mar.] Direction suivie par un navire en marche. V. tabl. TRANSPORTS; VILLE et VILLAGE (*Idées suggérées par les mots*).

ÉPITHÈTES COURANTES : large, étroite, droite, courbe, sinueuse, en lacets; directe, circulaire, détournée; nationale, départementale, internationale, stratégique, autostrade; gardée, interdite, réservée; pavée, macadamisée, bitumée, cimentée; bonne, belle, mauvaise, boueuse, cahotante, poussiéreuse, poudreuse, défoncée; fréquentée,

solitaire, bien ou mal entretenue, plate, montante, agréable, ombragée, ensoleillée, etc.
Syn. — V. chemin.
* **router,** v. tr. Faire le routage des lettres, imprimés, etc.
1. **routier, ère,** adj. (de *route*). Qui se rapporte aux routes. *Carte routière.* — *Machine ou locomotive routière,* machine pouvant rouler sur les routes et sans rails.
2. **routier,** n. m. (de *routier* 1). Celui qui sait bien les routes et les chemins pour les avoir longtemps parcourus. Fig et fam. *Un vieux routier,* un homme qui a beaucoup d'expérience, de pratique, et quelquefois un homme fin et cauteleux. [Sport] *Routier,* coureur cycliste spécialisé dans les épreuves sur route.
* **routin,** n. m. Petit sentier en ligne droite dans un bois.
routine, n. f. (de *route*). Usage, depuis longtemps consacré, de faire une chose toujours de la même manière et machinalement. *Être esclave de la routine.* ǁ Capacité, faculté acquise par une longue habitude, sans connaissance des principes et des règles. *Il sait, il fait cela par routine.*
Syn. — V. coutume.
* **routiner,** v. tr. Pratiquer, enseigner quelque chose par la routine.
routinier, ière, n. Celui, celle qui agit par routine. = Adj. Qui procède de la routine ; qui agit par routine, qui est acquis par routine.
* **routinièrement,** adv. Par routine.
routoir, n. m. [Techn.] Lieu où l'on fait rouir le chanvre.
rouverin, adj. Se dit d'un fer cassant, difficile à travailler.
rouvieux ou ***roux-vieux,** n. m. [Méd. Vét.] Sorte de gale qui attaque le cheval, l'âne, le mulet et le chien. = Adj. Atteint de rouvieux.
rouvraie, n. f. Endroit planté de rouvres.
rouvre ou * **roure,** n. m. (lat. *robur,* chêne). [Bot.] Gros chêne moins haut que le chêne commun. = Adj. *Chêne rouvre.*
rouvrir, v. tr. Ouvrir de nouveau. ǁ Fig. *Rouvrir une blessure,* renouveler un chagrin. = se rouvrir, v. pr. S'ouvrir de nouveau. = Conjug. (comme *souffrir*). V. verbes.
roux, rousse [rou, rouss], adj. (lat. *russus,* m. s.). Qui est d'une couleur entre le jaune et le rouge. *Poil roux. Barbe rousse.* ǁ Qui a les cheveux roux. *Un homme roux.* — Comme n. *Une belle rousse.* Fam. ǁ *Beurre roux,* beurre fondu de telle sorte qu'il devient roux. ǁ *Lune rousse,* lune qui commence en avril. = roux, n. m. Couleur rousse. *Un roux ardent.* ǁ Sauce faite avec du beurre ou de la graisse et de la farine qu'on a fait roussir. V. tabl. couleurs (*Idées suggérées par le mot*).
Hom. — *Roux,* adj., de couleur rouge tirant sur le jaune ; — *roux,* n. m., sauce au beurre roussi ; — *roue,* n. f., pièce rigide de forme circulaire ; *roue, es, ent,* du v. rouer.
* **rowing** [*rô-in'gh*], n. m. (mot angl.). Le sport de l'aviron.
royal, ale, adj. (lat. *regalis,* m. s.). Qui appartient, qui a rapport à un roi. — *Maison royale,* les princes et princesses de sang royal. — *Famille royale,* la famille du roi régnant. ǁ Qui émane du roi. *Ordre royal.* ǁ Qui est digne d'un roi. *Magnificence royale.* ǁ Qui relève du roi, qui est placé directement sous sa protection. *Académie royale.* [Zool.] *Tigre, aigle royal,* tigre, aigle de la plus grande espèce.
royale, n. f. Touffe de poils sous la lèvre inférieure.
royalement, adv. D'une manière royale, noblement, magnifiquement. ǁ Par plaisanterie : Totalement.
royalisme, n. m. Attachement à la royauté, au parti du roi.
royaliste, adj. et n. Partisan du roi, de la monarchie. ǁ Fig. *Être plus royaliste que le roi,* prendre à cœur les intérêts de quelqu'un plus qu'il ne le fait lui-même.
royaume, n. m. État gouverné par un roi. ǁ Fig. *Pas pour un royaume,* pour rien au monde. ǁ *Le royaume des cieux,* le paradis. [Myth.] *Le royaume des morts, le sombre royaume,* les enfers.
Syn. — V. état.
royauté, n. f. Dignité de roi, de reine, ǁ Régime monarchique. ǁ Fig. Domination, prééminence. V. tabl. gouvernement (*Idées suggérées par le mot*).
ru, n. m. Petit ruisseau.
Syn. — V. fleuve.
ruade, n. f. Action de ruer. ǁ Fig. et fam. Brutalité inattendue.
rubace ou **rubacelle,** n. f. Variété de quartz hyalin rose, pierre précieuse.
ruban, n. m. (orig. inc.). Tissu plat, mince et étroit. *Ruban de fil, de soie.* ǁ Pièce de tissu attachée à la croix d'une décoration. — Marque d'une décoration, formée d'un morceau de ruban qui se met à la boutonnière gauche d'un vêtement. *Le ruban rouge,* la Légion d'honneur. [Archi.] Ornement en forme de ruban enroulé ou tortillé. V. pl. ornements. ǁ Dans les arts et dans les sciences, *ruban* se dit de divers objets qui ont la forme ou présentent l'aspect d'une bandelette étroite. — Fig. *Un ruban de fumée.* — *Mètre ruban,* ruban divisé en centimètres, pouvant s'enrouler sur lui-même ou sur une sorte de bobine.
Épithètes courantes : large, étroit, uni, blanc, rouge, écossais, etc. (V. couleurs), moiré, satiné, enroulé, cousu, flottant, etc.
Orth. — Les dérivés *rubanerie, rubanier* s'écrivent avec *un seul n,* mais *enrubanner* en prend deux.
* **rubanaire,** adj. En forme de ruban.
* **rubané, ée,** adj. Couvert, orné de rubans. [Hist. Nat.] Marqué de bandes longitudinales. ǁ Aplati comme un ruban.
* **rubaner,** v. tr. Garnir de ruban. [Techn.] Aplatir, disposer, découper en ruban. ǁ Tordre un ruban d'acier pour en faire un canon de fusil.
rubanerie, n. f. Profession, commerce de rubanier.
rubanier, ière, adj. Qui concerne le commerce, la fabrication des rubans. = Nom. Celui, celle qui fabrique ou vend des rubans.
* **rubarbe,** n. f. [Bot.] V. rhubarbe.
rubéfaction [*sion*], n. f. [Méd.] Rougeur artificielle de la peau causée par une substance irritante pour provoquer l'afflux du sang.
rubéfiant, ante, adj. [Méd.] Qui irrite et rubéfie la peau. = N. m. *Un rubéfiant.*
rubéfier, v. tr. [Méd.] Rendre rouge, produire la rubéfaction. = Conjug. V. grammaire.

rubellite, n. f. [Minér.] Tourmaline de teinte rouge.
rubéole, n. f. (lat. *rubeus*, rouge). Maladie infectieuse, contagieuse et épidémique, fièvre éruptive semblable à une rougeole bénigne.
rubescent, ente, adj. Un peu rouge. || Qui commence à rougir.
rubiacées, n. f. pl. [Bot.] Famille de dicotylédones gamopétales (garance, caféier, quinquina, etc.).
rubican, adj. m. (*esp.*) Se dit d'un cheval noir, bai ou alezan dont la robe est semée de poils blancs.
Rubicon, petite rivière séparant l'Italie de la Gaule Cisalpine, que César franchit à la tête de son armée malgré un sénatus-consulte qui l'interdisait. || Fig. *Franchir le Rubicon,* prendre une décision suprême et irrévocable, qui doit mener au succès ou à la mort.
rubicond, onde, adj. (lat. *rubicundus,* de *ruber,* rouge). Rouge, en parlant du visage des gourmands, des bons vivants.
CTR. — *Pâle, anémique.*
HOM. — *Rubicon,* rivière d'Italie.
* **rubidium,** n. m. [Chim.] Corps simple, métal alcalin.
* **rubiette,** n. f. [Zool.] Nom vulg. du *rouge-gorge,* du *rouge-queue.*
* **rubigineux, euse,** adj. (lat. *rubigo,* rouille). Plein de rouille. || Qui est de la couleur de la rouille.
* **rubine,** n. f. [Chim.] Ancien nom de corps de teinte rouge.
rubis [*bi*], n. m. (lat. *ruber,* rouge). [Minér.] Nom donné à diverses pierres précieuses transparentes et de couleur rouge, partic. aux spinelles. V. tabl. MINÉRAUX et COULEURS (*Idées suggérées par les mots*). — Poét. La couleur rouge. *Les ors et les rubis des couchers de soleil.* || Fig. et pop. *Faire rubis sur l'ongle* se dit quand on vide si bien son verre, qu'en le penchant sur l'ongle on ne peut faire tomber qu'une petite goutte. — *Payer rubis sur l'ongle,* avec une exactitude scrupuleuse. || Pop. petit bouton, élevure rouge sur le nez, sur le visage.
* **rubricaire,** n. m. Celui qui sait bien les rubriques du bréviaire.
rubricateur, n. m. Artiste qui écrivait les lettres en couleur sur les chartes, les diplômes ou peignait les miniatures sur les manuscrits.
* **rubrifique,** adj. Qui rend rouge.
rubrique, n. f. (lat. *rubrica,* m. s.). Sorte de craie rouge dont se servent les charpentiers. || Titres des livres de droit civil, de droit canon, écrits autref. en rouge, et de certaines règles imprimées ordinairement en rouge dans le bréviaire, le missel. || Dans un journal, titre qui indique ce dont il est traité à telle page, dans telle colonne. *La rubrique « faits divers ».* || Fig. et fam. Ruse, détour, finesse.
* **rubriquer,** v. tr. Faire les rubriques. || Marquer à la couleur rouge.
ruche, n. f. (lat. *rusca,* m. s.). Habitation des abeilles. — Essaim habitant dans une ruche. V. pl. APICULTURE.
Par anal. Bande plissée de tulle, de dentelle, d'étoffe, qui sert d'ornement aux bonnets, collerettes, chapeaux, etc. [Pêche] Filet pour la pêche côtière. || Par anal. Groupement; lieu où vivent, s'agitent, travaillent un grand nombre d'hommes. *Une ruche humaine.*
* **ruché,** n. m. Étoffe froncée ou plissée.
* **ruchée,** n. f. Population entière d'une ruche. || Produit d'une ruche.
1. **rucher,** n. m. Groupe de ruches. — Endroit où il se trouve.
2. * **rucher,** v. tr. Plisser en ruche; garnir d'une ruche.
rudânier, ière, adj. (du prov. : *à rude âne, rude ânier*). Rude en paroles; qui rudoie (Vx).
* **rudbeckie,** n. f. [Bot.] Genre de *composées* à fleurs à grands capitules jaunes et bruns.
rude, adj. (lat. *rudis,* non poli). Apre au toucher et dont la surface est inégale et dure. *Avoir la peau rude. Une brosse rude.* || Apre au goût. *Vin rude.* || Raboteux, difficile. *Chemins rudes.* — *Une pente rude, une pente abrupte.* || Pénible, fatigant. *Être soumis à rude épreuve.* || Dur, grossier, pénible à voir, à entendre, etc. *Avoir l'air rude, la main rude.* || Violent, impétueux. *Un rude assaut.* || Rigoureux, difficile à supporter. *Un temps rude. — C'est un rude coup, une rude épreuve.* — Fig. *Les temps sont rudes* se dit des temps où l'on a beaucoup à souffrir, où il y a beaucoup de misère. — *Cela me paraît rude,* se dit d'une chose difficile à croire. || Rigide, austère, dur, sévère. *La règle de ces religieux est rude.* || Redoutable. *Vous avez là un rude adversaire.* || Pop. Extrême, très intense. *Avoir une rude chance.*
SYN. — *Rude,* désagréable à divers sens, au goût, à l'ouïe, au toucher : *Un vin rude, un son rude, une planche rude.* — *Acre,* qui pique l'odorat ou brûle la langue: *Une fumée âcre, des fruits âcres.* — *Apre,* rude au toucher ou au goût : *Une écorce âpre, une boisson âpre.* — *Dur,* difficile à entamer, qui ne cède pas à la pression des mains : *De la pierre dure.* — *Raboteux,* où il y a des aspérités, des inégalités : *Un chemin raboteux.* — *Rêche,* rude au toucher, âpre à la langue: *Une planche rêche ; une poire rêche*
Les mêmes mots au figuré : *Un personnage rude. — Un caractère âpre. — Des paroles âcres. — Un chef dur. — Un style raboteux.* V. aussi AMER et AUSTÈRE.
CTR. — *Mou, doux, moelleux, tendre.* — *Harmonieux.*

VOCAB. — *Famille de mots.* — Rude : rudesse, rudement, rudoyer, rudoiement; rudiment, rudimentaire, rudimentairement; érudit, érudition.

rudement, adv. D'une manière rude. || Vigoureusement et sans relâche. || Pop. Beaucoup, extrêmement.
rudenté, ée, adj. [Archi.] Dont les cannelures sont ornées de rudentures. *Colonne rudentée.*
* **rudenter,** v. tr. [Archi.] Orner de rudentures les cannelures d'une colonne.
rudenture, n. f. [Archi.] Ornement en forme de câble, de baguette remplissant la partie inférieure des cannelures d'une colonne.
rudéral, ale, aux, adj. (lat. *rudus, eris,* décombres). [Bot.] Qui croît sur les vieux murs, sur les décombres.
* **rudération** [*sion*], n. f. Enduit grossier sur le parement d'un mur. || Pavage en petites pierres.

rudesse, n. f. Qualité de ce qui est rude, âpre au toucher. ‖ Caractère de ce qui est désagréable, pénible, fâcheux.
ANT. — *Douceur, mollesse, tendresse.*

rudiment, n. m. (lat. *rudimentum*, m. s.). Au plur., principes élémentaires, premières notions d'un art, d'une science. *Apprendre les rudiments de la grammaire.* ‖ Au sing., petit livre qui contient les premiers principes d'une science, partic. de la langue latine. *Apprendre son rudiment.* [Physiol.] Premiers linéaments de la structure des organes. Organe normalement développé, mais de petite dimension.

rudimentaire, adj. Qui se rapporte aux premiers éléments d'une science, d'un art. ‖ Peu développé. [Physiol.] Se dit de parties qui ne sont que l'ébauche imparfaite d'un organe, ou qui sont très réduites de dimension.

* **rudimentairement**, adv. D'une façon rudimentaire.

* **rudoiement**, n. m. Action de rudoyer.

rudoyer, v. tr. Traiter, mener durement. = Conjug. V. GRAMMAIRE.
CTR. — *Caresser, câliner.*

1. **rue**, n. f. (lat. *ruga*, sillon). Chemin dans une ville, dans un bourg, dans un village, entre des maisons ou entre des murailles. V. tabl. TRANSPORT, VILLE et VILLAGE (*Idées suggérées par les mots*). ‖ Ceux qui habitent les maisons d'une rue. *Toute la rue se précipita aux fenêtres.* ‖ Fam. *Être vieux comme les rues*, être fort vieux. — *Fille des rues*, prostituée.
ÉPITHÈTES COURANTES : grande, petite, centrale, principale, latérale, écartée, large, étroite, longue, courte, pavée, dallée, cimentée, macadamisée; entretenue, balayée, propre, sale, boueuse; fréquentée, passagère, grouillante, animée, tumultueuse, commerçante, calme, déserte, solitaire; sombre, obscure, claire, ensoleillée, éclairée, illuminée, pavoisée, etc.
SYN. — *Rue*, chemin de ville ou de village, bordé de maisons et généralement pavé ou macadamisé : *La grande rue du bourg.*—*Avenue*, large rue plantée d'arbres ou bordée de bosquets : *L'avenue des Champs-Élysées à Paris.* — *Boulevard*, large rue, généralement plantée d'arbres, suivant souvent le tracé d'anciens remparts : *Les boulevards extérieurs d'une grande ville.* — *Chaussée*, partie centrale de la rue, par opposition aux trottoirs : *Traverser la chaussée.* — *Cours*, avenue servant de lieu de promenade : *Le cours de l'Intendance à Bordeaux.* — *Mail*, promenade publique dans certaines villes : *Le mail longeait souvent les remparts.* — *Quai*, rue ou avenue qui longe un cours d'eau : *Le quai d'Orsay à Paris.* — *Ruelle*, petite rue étroite bordée de maisons rapprochées ou de murs : *Une ruelle malsaine.* — *Venelle*, petite rue étroite (Vx) : *Enfiler la venelle.* — *Voie*, grand chemin menant à un point déterminé : *La Voie sacrée à Rome aboutissait au Capitole.* V. aussi CHEMIN.
HOM. — *Rue*, n. f., voie publique; — *rue*, n. f., plante de la famille des rutacées; — *rue*, *es*, *ent*, du v. *ruer*; — *ru*, n. m., petit ruisseau.

2. **rue**, n. f. [Bot.] Genre de plantes médicinales de la famille des *rutacées.* ‖ *Rue des murailles*, plante de la famille des *polypodiacées.*

ruée, n. f. Amas de paille qu'on fait pourrir pour le mêler au fumier. ‖ Action de se ruer, de se jeter sur. *La ruée de la foule.*

ruelle [ruèll], n. f. Petite rue. ‖ Fig. *La ruelle du lit*, ou simpl. *la ruelle*, l'espace qu'on laisse entre un des côtés du lit et la muraille. ‖ Autref. Réunion mondaine aux alcôves de grandes dames.
SYN. — V. RUE.

rueller, v. tr. [Vitic.] *Rueller la vigne*, y faire un petit chemin en relevant la terre contre les ceps.

* **ruement**, n. m. Action de ruer, de se ruer.

ruer, v. tr. (lat. *ruere*, pousser). Jeter avec impétuosité. *Ruer des pierres* (Vx). = V. intr. En parlant d'un cheval, d'un mulet, etc. Jeter le pied ou les pieds de derrière en l'air avec force et en appuyant sur ceux de devant. — Fig. *Ruer dans les brancards*, regimber vivement. = SE RUER, v. pr. *Se ruer sur quelqu'un, sur l'ennemi*, se jeter impétueusement sur lui. ‖ Fig. *Se ruer au plaisir*, s'y porter avec frénésie.

> VOCAB. — *Famille de mots.* — *Ruer* : rueur, ruement, ruade; ruine, ruiner, ruineux, ruiné, ruine-maison, ruineusement.

rueur, euse, adj. Qui a l'habitude de ruer.

rufian ou **ruffian**, n. m. Homme débauché qui vit avec les filles de mauvaise vie.

* **rugby** [reug-bê], n. m. (ville d'Angleterre). [Sport] Jeu de football, qui se joue avec un ballon ovale, entre deux équipes de quinze joueurs qui peuvent se servir de leurs mains comme de leurs pieds. V. pl. STADE.

* **rugbyman**, n. m. Joueur de rugby. = Pl. *Des rugbymen.*

rugine, n. f. [Chir.] Instrument pour racler les os et en détacher le périoste.

ruginer, v. tr. [Chir.] Racler un os avec la rugine.

rugir, v. intr. Crier, en parlant du lion. ‖ Fig. Pousser des cris de fureur, d'indignation. ‖ Faire un grand fracas. *La mer rugit.* = V. tr. Hurler, proférer comme dans un rugissement. *Rugir des injures.*

rugissant, ante, adj. Qui rugit.

rugissement, n. m. Cri du lion et d'autres animaux féroces. ‖ Fig. Cri de fureur, d'indignation.

rugosité, n. f. État d'une surface raboteuse, ou aspérités qui la rendent raboteuse.

rugueux, euse, adj. Qui a des aspérités, raboteux.
CTR. — *Poli, lisse.*

ruilée, n. f. [Archi.] Bordure de mortier qui sert à lier avec le mur la dernière rangée de tuiles d'un toit.

* **ruiler**, v. tr. [Archi.] Raccorder par une ruilée.

ruine, n. f. (lat. *ruina*, écroulement). Écroulement, destruction d'un bâtiment. *Ce bâtiment tombe en ruine, menace ruine.* ‖ Fig. Perte des biens, de la fortune, de la réputation, de l'autorité, de la puissance, etc. *Il court à sa ruine.* — *La ruine d'un État*, sa chute, son entière décadence. ‖ Fig. Ce qui est cause de la ruine de quelque chose, et particulièrement, ce qui entraîne une grande dépense. ‖ Débris, restes d'une ville ou d'un édifice détruits. Dans ce sens, il se dit le plus souvent au plur. *Les ruines de Carthage.* ‖ Fig. Personne qui a cessé d'être belle, d'être brillante ou bien portante. *Ce n'est plus qu'une ruine.*

— *Pour que les ruines soient belles, il faut qu'elles soient grandioses ou noircies par le temps.* (TAINE.)

ÉPITHÈTES COURANTES : tristes, affreuses, lamentables, effroyables; historiques, monumentales, grecques, romaines, romanes, gothiques, belles, grandioses, imposantes, pittoresques, etc.

SYN. — V. DÉBRIS et MALHEUR.
CTR. — *Prospérité, fortune, richesse.*

ruiné, ée, adj. Qui est en ruines. ‖ Fig. Qui a perdu ses biens, sa fortune, ses forces. *Santé ruinée.*

* **ruine-maison,** n. inv. Personne prodigue, dépensière.

ruiner, v. tr. Abattre, démolir, détruire. *La grêle a ruiné les moissons.* ‖ Fig. Causer la perte des biens, de la fortune, de l'honneur, etc., du crédit, de l'autorité, de la santé. *Son crédit est ruiné. La débauche a ruiné sa santé.* — *Ruiner une théorie, un argument,* infirmer cette théorie, réfuter cet argument. =. SE RUINER, v. pr. Tomber en ruine. *Cette maison se ruine.* ‖ Perdre son bien. *Il s'est ruiné au jeu.* ‖ Se détériorer. *La santé se ruine par les débauches.*

SYN. — V. ABATTRE, DÉMANTELER, RAVAGER.

* **ruineusement,** adv. D'une manière ruineuse.

ruineux, euse, adj. (lat. *ruinosus,* m. s.). Qui est en ruine. — Qui menace ruine. ‖ Qui cause la ruine de la fortune, qui entraîne à de grosses dépenses. *Des goûts ruineux.*

SYN. — V. MALFAISANT.
CTR. — *Économique.*

ruinure, n. f. [Charp.] Entaille sur le côté d'une solive pour que la maçonnerie ait plus de prise.

ruisseau, n. m. (lat. *rivus,* rivière). Cours d'eau très peu considérable. ‖ Fig. et prov. *Les petits ruisseaux font les grandes rivières,* plusieurs petites choses réunies en font une grande. ‖ Lit par où passe l'eau d'un ruisseau. ‖ Eau qui coule le long des trottoirs, dans les rues; canal par où elle coule. ‖ Fig. *Tomber dans le ruisseau,* se dégrader au dernier point, tomber dans l'abjection et, pour les femmes, devenir une fille des rues. ‖ Fig. Liquide qui coule en abondance. *Des ruisseaux de sang.* V. tabl. EAU et MER (*Idées suggérées par les mots*).

ÉPITHÈTES COURANTES : petit, mince, large, encaissé, serpentant, ombragé, rapide, lent, boueux, clair, limpide, tranquille, etc.

SYN. — V. FLEUVE.

ruisselant, ante, adj. Qui ruisselle, au pr. et au fig.

ruisseler, v. intr. Couler comme l'eau d'un ruisseau. ‖ Être couvert d'un liquide qui coule comme un ruisseau. *Ruisseler de sueur.* =. Conjug. V. GRAMMAIRE.

SYN. — V. COULER.

ruisselet, n. m. Petit ruisseau.

ruissellement, n. m. Action de ruisseler. ‖ État de ce qui ruisselle, imite par son éclat, son chatoiement, le ruissellement des eaux. [Géol.] Ensemble des phénomènes qui résultent de l'écoulement des eaux sur les pentes.

* **ruisson,** n. m. Petite rigole qui emmène les eaux.

rumb ou **rhumb** [*runbb*], n. m. [Mar.] Chacune des trente-deux divisions de la boussole, de la rose des vents.

* **rumen** [*mèn*], n. m. inv. (mot lat.) [Zool.] Panse ou premier estomac des ruminants.

rumeur, n. f. (lat. *rumor,* m. s.). Bruit sourd et général qui est le résultat du mécontentement, ou de la surprise que cause un événement imprévu. *Il s'éleva une grande rumeur.* ‖ Bruit confus de plusieurs voix qui paraissent animées. — Par ext. *La rumeur de la mer lointaine.* — *Rumeur publique,* ensemble des opinions ou des soupçons du public sur quelqu'un; bruit vague dont, généralement, personne ne veut accepter la responsabilité. = N. f. pl. Bruits qui circulent dans le public. *Ce sont d'infâmes rumeurs.*

* **rumex,** n. m. (mot lat.). [Bot.] Genre de *polygonacées,* appelées vulg. *patience.*

ruminant, ante, adj. Qui rumine. =. N. m. pl. Ordre de mammifères terrestres qui possèdent la faculté de mâcher une seconde fois les aliments qu'ils ramènent dans la bouche après une première déglutition. V. tabl. ANIMAUX (*Idées suggérées par le mot*). V. pl. MAMMIFÈRES.

rumination [*sion*], n. f. Action de ruminer.

ruminer, v. tr. (lat. *ruminare,* de *rumen, inis,* panse). Mâcher une seconde fois les aliments ramenés de l'estomac à la bouche. = V. tr. et intr. Penser et repenser sans cesse à une chose.

* **rumsteck,** n. m. V. ROMSTECK.

runes, n. f. pl. Caractère d'écritures dont se servaient les anciens Scandinaves et que l'on retrouve sur leurs inscriptions.

runique, adj. Qui a rapport aux runes; qui est écrit en runes.

* **runologue,** n. m. Savant qui étudie les runes.

ruolz, n. m. (du nom de l'inventeur). Métal argenté ou doré par électrolyse.

rupestre, adj. (lat. *rupestris,* m. s.). Qui croît sur les rochers. ‖ *Peintures rupestres,* peintures exécutées sur les parois des cavernes.

* **rupicole,** n. m. [Zool.] Genre de passereaux de l'Amérique tropicale, appelés vulg. *coqs de roche.*

* **rupin, ine,** adj. et n. Pop. Riche, élégant.

* **rupteur,** n. m. [Électr.] Appareil qui interrompt et rétablit successivement le courant primaire dans les bobines d'induction, les magnétos.

* **ruptile,** adj. (lat. *ruptus,* rompu). [Bot.] Qui s'ouvre en se déchirant d'une manière irrégulière.

rupture, n. f. (lat. *ruptura,* m. s.). Fracture, action par laquelle une chose est rompue; état d'une chose rompue. *La rupture d'une branche.* ‖ Fig. Division qui survient entre personnes unies par traité, par amitié, etc. *Ils en sont venus à une rupture.* — On dit, dans un sens analogue. *La rupture de la paix, d'un contrat, de fiançailles. Condamné en rupture de ban,* qui a quitté la résidence qui lui avait été assignée. [A. mil.] *Obus de rupture,* obus d'acier destiné à percer le béton, les cuirasses de navire, etc. [Chir.] Déchirure subite d'un vaisseau, d'un organe. *Rupture d'anévrisme.*

rural, ale, aux, adj. Qui concerne les champs, la campagne. = N. m. pl. *Les ruraux*, les campagnards.
Syn. — *Rural*, qui vit à la campagne, qui s'y trouve : *Des propriétaires ruraux. Les chemins ruraux.* — *Agreste*, qui présente les caractères de la rusticité : *Aimer les sites agrestes.* — *Campagnard*, qui est propre à la campagne : *Les mœurs campagnards.* — *Champêtre*, qui se trouve à la campagne : *Les mœurs champêtres.* — *Rustique*, qui appartient à la campagne, qui la concerne : *Une vie rustique. Des travaux rustiques.*
Ctr. — *Urbain, citadin.*

* **ruricole**, adj. Qui vit dans les champs.
ruse, n. f. Disposition d'esprit portant à tromper autrui dans son propre intérêt. ‖ Artifices, finesse dont on se sert pour tromper. — *Ruse de guerre*, stratagème, feinte pour tromper l'ennemi.
Épithètes courantes : profonde, méchante, fourbe, hypocrite, infernale, diabolique, perfide, adroite, maladroite, grossière, puérile, enfantine; habile, hardie, éventée, percée à jour, etc.
Syn. — V. perfidie.
— *La ruse la mieux ourdie
Peut nuire à son inventeur ;
Et souvent la perfidie
Retombe sur son auteur.* (La Fontaine.)

rusé, ée, adj. et n. Qui a de la ruse; fin, adroit. ‖ Qui annonce de la ruse.
Syn. — V. fourbe.
Ctr. — *Candide, crédule.*

ruser, v. intr. User de ruse.
* **ruseur**, n. m. Celui qui emploie la ruse.
* **rush** [*reuch*], n. m. (mot angl. sign. *élan*). Suprême effort à l'approche du but. ‖ Ruée en masse vers une région où a été découvert de l'or, des diamants.
* **russe**, adj. et n. De la Russie. = N. m. *La langue russe.*
* **russien, ienne**, adj. et n. Syn. de russe (Vx).
* **russification** [*sion*], n. f. Action de russifier; son résultat.
* **russifier**, v. tr. Faire adopter par contrainte les mœurs russes. = Conjug. V. grammaire.
* **russophile**, adj. et n. Qui aime, admire les Russes.
* **russule**, n. f. [Bot.] Genre de champignons voisins des lactaires.
rustaud, aude [*tô*], adj. et n. (lat. *rus*, campagne). Brutal et grossier à la manière d'un paysan.
Syn. — V. grossier.
* **rustauderie**, n. f. Manière, grossièreté de rustaud.
* **rusticage**, n. m. [Techn.] Mortier très clair servant à crépir. ‖ Crépissage d'un mur avec du mortier clair projeté à l'aide d'un balai. ‖ Dessin, pour orner les murs, fait avec d'étroites lattes de bois peintes.
rusticité, n. f. (lat. *rus*, campagne). Apparence rustique. ‖ Grossièreté, manque de raffinement; rudesse toute campagnarde de mœurs et de caractère. ‖ Qualité des animaux, des plantes rustiques.
Ant. — *Urbanité, politesse.*
rustique, adj. (lat. *rusticus*, m. s.). Champêtre, qui convient aux champs,

qui appartient aux manières de vivre de la campagne. *Vie rustique.* ‖ Qui prospère aux champs sans exiger de soins particuliers, et qui supporte bien les intempéries, en parlant des animaux domestiques, des plantes, etc. ‖ Fig. Grossier, dénué de politesse, d'une simplicité rude. *Des manières, un langage rustiques.* ‖ Fruste, façonné sans art, avec une grande simplicité. *Un banc rustique.*
Syn. — V. rural.

* **rustiqué, ée**, adj. Se dit des surfaces rugueuses et irrégulières.
* **rustiquement**, adv. D'une manière rustique. ‖ Fig. D'une manière grossière, ou simple et fruste.
rustiquer, v. tr. [Archi.] Travailler à crépir la surface d'une construction, d'un édifice, dans le genre rustique. ‖ Couvrir de rusticage. ‖ Tailler une pierre de manière à lui donner une apparence brute.
rustre, adj. Très grossier. = N. m. Gros paysan. — Homme brutal et grossier.
Syn. — V. grossier.
rut [*rutt*], n. m. (lat. *rugitus*, rugissement). État physiologique des mammifères quand ils sont entraînés par l'instinct de reproduction. ‖ Temps où les mammifères se recherchent ainsi.
rutabaga, n. m. [Bot.] Variété de gros navet à chair jaune.
* **rutacées**, n. f. pl. [Bot.] Famille de plantes dicotylédones dialypétales, ayant pour type la rue.
* **ruténois, oise**, adj. et n. Qui est de Rodez.
* **ruthénium**, n. m. [Chim.] Corps simple, métal très dur, très réfractaire.
* **rutilance**, n. f. Qualité de ce qui est rutilant.
rutilant, ante, adj. (lat. *rutilus*, rouge vif). ‖ Qui est d'un rouge ardent ou d'un roux vif. ‖ Par ext. Qui brille d'un vif éclat.
Incorr. — L'étymologie de ce mot rend absurdes des locutions comme « rutilant de blancheur ».
Syn. — V. radieux.
* **rutiler**, v. intr. (lat. *rutilare*, briller). Briller d'une façon éclatante.
rutoir, n. m. V. routoir.
rythme, n. m. (gr. *rythmos*, nombre, cadence). Distribution symétrique des temps forts (ou de syllabes accentuées) et des temps faibles (ou de syllabes non accentuées) revenant périodiquement dans une phrase musicale, un vers, etc. ‖ Fig. Alternance régulière. *Le rythme des saisons.* ‖ Nombre, cadence, mesure.
Épithètes courantes : vif, agité, pressé, saccadé, rapide, animé, accéléré, endiablé, violent, entraîné, marqué, scandé; lent, calme, égal, modéré, majestueux, grave, harmonique, régulier, varié, léger, ferme, belliqueux; poétique, musical, binaire, tertiaire..., grec, lydien, éolien, dorien, latin, français, etc.
rythmé, ée, adj. Qui présente un rythme régulier, une certaine cadence.
rythmer, v. tr. Soumettre à un rythme.
* **rythmicien**, n. m. Poète, musicien habile à user du rythme.
rythmique, adj. Qui appartient au rythme. = N. f. Partie de la grammaire ancienne qui étudie le rythme. ‖ Mouvements de gymnastique, de danse rythmés, par la musique.

S

s [*ès* ou *se*], n. m. ou f. Dix-neuvième lettre de l'alphabet et la quinzième des consonnes. — *Employée comme abréviation* : S (et plus souvent St, Ste), saint ou sainte; — S.S., Sa Sainteté (le pape), ou Sa Seigneurie; — S.M., Sa Majesté; — S.E., Son Excellence ou Son Éminence; — S.G., Sa Grandeur; — S. A. R., Son Altesse Royale. — S., sud; S.-E., sud-est; S.-S.-O., sud-ouest, etc. — S. O. S., signal radiotélégraphique de détresse. — S. V. P., s'il vous plaît. — S. E. O., sauf erreur ou omission. [Chim.] S, symbole du soufre.

LING. — La consonne *s* a un son naturellement dur. Cependant : 1° *entre deux voyelles*, le son s'adoucit à *z* ; 2° *à la finale*, utilisé ou non comme signe du pluriel, le son S devient muet et ne se prononce que lorsqu'il y a lieu de marquer la liaison avec un mot suivant à voyelle initiale. *Vous êtes assez* [*zète-za-ssez*] *avertis de ceci. Mais, vous êtes* [*zè-te*] *venus hier.*
— Comme toutes les consonnes, *s* double fait prendre à l'*e* non accentué qui le précède le son de l'é fermé ou de l'è ouvert, selon le cas, sauf dans les mots *dessus*, *dessous* et dans la plupart de ceux qui sont formés avec la particule *re*, tels que *resserrer*, *ressort*. S se joint, comme lettre euphonique, à l'impératif des verbes dont l'infinitif en est *er* lorsqu'il est suivi des particules *en* ou *y* : *Touches-y, vas-y, penses-y, manges-en la moitié.*

sa, adj. poss. f. de la 3ᵉ personne. V. tabl. SON.
HOM. — V. ÇA.

* **saâ**, n. m. Mesure algérienne pour le grain (48 l.).

* **sabaoth**, n. m. (mot hébr. sign. *armée*). *Jéhovah Sabaoth*, le Seigneur des armées.

* **sabaye** [*ba-i* ou *bè*], n. f. [Mar.] Cordage employé dans les embarcations pour leur servir d'amarre.

sabayon [*sa-ba-i-on*], ou **sambayon** [*san*], n. m. Entremets italien, composé de jaunes d'œufs, de sucre, de marasquin battus et cuits ensemble au bain-marie.

sabbat [*sa-ba*], n. m. (lat. *sabbatum*, samedi). Dernier jour de la semaine chez les Juifs, le samedi, consacré au Seigneur. ‖ Assemblée nocturne qu'auraient tenue les sorciers et les sorcières, le samedi soir, à minuit, sous la présidence du diable. ‖ Fig. et fam. Grand bruit accompagné de désordre; criailleries contre quelqu'un.
HOM. — *Saba*, anc. ville d'Arabie.

* **sabbataire**, n. m. Juif converti qui continuait à célébrer le sabbat.

* **sabbatin, ine** [*sa-ba*], adj. Qui se rapporte au samedi, jour du sabbat.

* **sabbatine** [*sa-ba*], n. f. Petite thèse de controverse que les étudiants en philosophie de première année soutenaient le samedi.

sabbatique [*sa-ba-ti-ke*], adj. Qui a rapport au sabbat. *Repos sabbatique. Année sabbatique*, chez les Hébreux, année revenant tous les sept ans, pendant laquelle on laissait les terres en jachère.

* **sabbatiser** [*sa-ba-ti-zé*], v. intr. Célébrer le sabbat.

* **sabbatisme**, n. m. Observation du sabbat.

sabéen, enne [*sa-bé-in*, *è-ne*], adj. Qui est du pays de Saba. ‖ Qui appartient, qui a rapport au sabéisme. = Nom. Qui professe le sabéisme.
PAR. — *Sabin*, qui se rapporte aux Sabins.

sabéisme, n. m. Culte du feu et particulièrement des astres, répandu autrefois chez les Chaldéens, les Perses, etc.

* **sabelle**, n. f. [Zool.] Genre de vers annélides tubicoles.

sabellianisme, n. m. Doctrine hérétique de Sabellius, condamnée en 261.

1. * **sabellien, ienne**, adj. Se dit des idiomes italiotes d'origine indo-européenne, autres que le latin, l'osque, l'ombrien.

2. **sabellien**, n. m. Adepte de la doctrine de Sabellius.
L'Acad. ne donne pas le fém. *sabellienne*.

* **sabin, ine**, adj. Qui se rapporte aux Sabins.
PAR. — *Sabéen*, adj. Du pays de Saba; adepte du sabéisme.

sabine, n. f. [Bot.] Nom vulg. d'un genévrier utilisé en médecine (*conifères*).

* **sabir**, n. m. (esp. *saber*, savoir). Mélange d'arabe, de français, d'italien, d'espagnol, parlé en Afrique du Nord et dans le Levant.

* **sablage**, n. m. Action de jeter du sable, de couvrir de sable.

1. **sable**, n. m. (lat. *sabulum*, gravier). Produit de la désagrégation lente des roches sous l'action des agents d'érosion, tels que l'air, la pluie, etc. *Sable de mer, de rivière.* — *Une mer de sable*, un désert de grande étendue. ‖ Fig. *Un édifice fondé sur le sable*, édifice qui paraît ne pas devoir durer longtemps; et, au fig., système qui n'a rien de solide. — On dit de même : *Bâtir sur le sable.* — *Des paroles écrites sur le sable*, bien vite oubliées. — Fig. et fam. *Avoir du sable dans les yeux*, avoir envie de dormir. ‖ Gravier qui se forme dans les reins et détermine la gravelle. ‖ Composition à base de sable dans laquelle on moule (on *jette en sable*) les médailles. ‖ *Jet de sable*, sable projeté violemment par de l'air comprimé, servant à graver, à décaper. V. MINÉRAUX (*Idées suggérées par le mot*).

ÉPITHÈTES COURANTES : gros, fin, gris, blanc, jaune, noir, rouge; gros, mou, mouillé, humide, sec, uni, mouvant, ferme, etc.

> VOCAB. — *Famille de mots.* — *Sable:* sabler, sablé, sablerie, sableur, sableux, sablier, sabline, sablon, sablonner, sablonneux, sablonnière, sablière; ensabler, ensablement.

2. sable, n. m. (russe *sobol*). [Zool.] Martre zibeline à pelage noir. [Blas.] Nom héraldique de la couleur noire. V. pl. BLASON.
HOM. — *Sable, es, ent,* du v. sabler.
1. sablé, ée, adj. Couvert de sable. ‖ Moucheté de très petits points.
2. sablé, n. m. Gâteau normand dont la pâte est très friable.
sabler, v. tr. Couvrir de sable. ‖ Couler dans un moule de sable. ‖ Fig. Boire d'un trait ou boire abondamment. *Sabler le champagne.*
* **sablerie,** n. f. Partie d'une fonderie où l'on prépare les matières qui servent à former les moules.
* **sableur,** n. m. Ouvrier qui fait les moules en sable ou décape par jet de sable.
* **sableux, euse,** adj. Qui est mêlé de sable. *De la farine sableuse.* — Qui a la nature du sable.
sablier [*sa-bli-é*], n. m. Petit vase contenant du sable pour sécher l'écriture. ‖ Petit vase en forme de double ampoule, contenant du sable et servant, par l'écoulement de celui-ci, à mesurer le temps (devenu le symbole du temps qui s'écoule).
1. sablière, n. f. (de *sable*). Carrière de sable. [Ch. de fer] Sur les locomotives, récipient contenant du sable qui peut être projeté sur le rail pour augmenter l'adhérence des roues motrices. V. pl. LOCOMOTIVE.
PAR. — *Sablonnière,* carrière de sablon, de sable fin.
2. sablière, n. f. (orig. inc.). [Techn.] Longue poutre horizontale dans laquelle viennent s'assembler les autres pièces d'une charpente. V. pl. CHARPENTE.
* **sabline,** n. f. [Bot.] Genre de plantes de la famille des *caryophyllées.*
sablon, n. m. Sable fin, très menu, pour récurer. = N. m. pl. Grande étendue de sable.
* **sablonner** [*sa-blo-né*], v. tr. *Sablonner de la vaisselle,* la nettoyer avec du sablon.
sablonneux, euse, adj. Où il y a beaucoup de sable.
sablonnier, ière, n. Celui, celle qui vend du sablon ou du sable.
sablonnière, n. f. Lieu d'où l'on tire du sablon.
PAR. — *Sablière,* carrière de gros sable.
sabord [*sa-bor*], n. m. (orig. inc.). [Mar.] Ouverture quadrangulaire pratiquée dans la muraille d'un bâtiment pour donner passage à la volée d'un canon. ‖ Par ext. Ouverture servant à l'aération. — Toute ouverture, même accidentelle, dans la muraille d'un navire. V. pl. NAVIGATION.
* **sabordement** ou * **sabordage,** n. m. Action de saborder.
saborder, v. tr. [Mar.] *Saborder un bâtiment,* pratiquer de grands trous dans sa muraille pour le faire couler.
sabot, n. m. (orig. inc.). Chaussure de bois (hêtre, charme, etc.), faite tout

d'une pièce ou d'une semelle de bois et d'un dessus rajouté de bois ou de cuir. — Fig. On dit d'un paysan riche ou enrichi, *Il a du foin dans ses sabots.* — *Je te vois venir avec tes gros sabots,* tes finesses, tes intentions sont faciles à deviner. V. pl. CHAUSSURES. ‖ *Sabot d'enrayage ou d'arrêt,* pièce généralement métallique que l'on place sous la roue d'un véhicule en mouvement pour en enrayer la marche. V. pl. LOCOMOTIVE. ‖ *Sabot-frein,* Pièce mobile que les organes d'un système de frein peuvent appliquer sur la jante d'une roue pour en enrayer ou en empêcher le mouvement. ‖ Fam. et par dénigr. Mauvais instrument de musique, mauvais outil, mauvaise voiture, mauvais navire, etc., et aussi mauvais musicien, mauvais ouvrier, etc. [Jeux] Toupie de forme cylindro-conique que l'on fait pirouetter sur sa pointe, en la fouettant avec une lanière. ‖ Fig. *Dormir comme un sabot.* d'un sommeil profond. [Zool.] L'ongle épais qui enveloppe la dernière phalange des doigts chez les pachydermes et les ruminants. V. pl. CHEVAL. ‖ Nom vulg. de certaines coquilles.
SYN. — V. GRIFFE.
* **sabotable,** adj. Qui peut servir à faire des sabots.
sabotage, n. m. Fabrication des sabots. ‖ Métier du sabotier. ‖ Action de saboter, de faire mal ou de détériorer à dessein.
saboter, v. tr. Fouler avec des sabots. ‖ Fig. Faire quelque chose sans goût, sans soin. — Détériorer par malveillance. *Saboter une machine.* — V. intr. Jouer au sabot. ‖ Faire du bruit en marchant avec ses sabots.
* **saboterie,** n. f. Endroit où l'on fabrique des sabots.
saboteur, euse, n. Celui, celle qui, par négligence ou malveillance, sabote son ouvrage, une machine, etc.
sabotier, ière, n. Celui, celle qui fait et vend des sabots. ‖ Fam. Celui, celle qui fait du bruit avec des sabots.
PAR. — *Sapotier,* plante tropicale.
HOM. — *Sabotiez,* du v. saboter.
sabotière, n. f. Sorte de danse qu'exécutent des gens en sabots. ‖ Baignoire en forme de sabot.
* **saboulage,** n. m. Action de sabouler. — On dit aussi *sabouladе*, n. f., *sabouleument* n. m., et *sabouléе,* n. f.
sabouler, v. tr. Tourmenter, tirailler, houspiller une personne de côté et d'autre. ‖ Réprimander avec véhémence.
sabre, n. m. (allem. *Säbel,* m. s., ou orig. hongroise). Glaive à lame large, plus ou moins courbe ou cambrée, tranchante d'un seul côté ou quelquefois des deux côtés. *Coup de sabre.* ‖ Fig., la force militaire (par dénigr.). *Le régime du sabre.* — *Traîneur de sabre,* matamore, bravache. ‖ Escrime au sabre. ‖ *Taillé en coup de sabre,* se dit d'une large bouche, d'une figure anguleuse.
* **sabrenas** [*na*], n. m. Artisan qui travaille grossièrement.
sabrer, v. tr. Donner des coups de sabre, tailler en pièces à coups de sabre. ‖ Fig. et fam. *Sabrer de la besogne,* la faire vite et mal. ‖ Fig. Effacer, biffer très largement, faire des coupes sombres. *Sabrer de longues tirades dans un discours.*

sabretache, n. f. Sorte de sac plat, attaché au ceinturon, qui pendait à côté du sabre des hussards et leur servait de poche.
sabreur, n. m. Militaire qui ne sait pas l'art de la guerre, mais qui est brave et qui se bat bien. ‖ Celui qui expédie la besogne à tort et à travers.
* **sabulaire,** adj. [Zool.] Qui vit dans le sable.
* **sabulicole,** adj. Qui croît ou qui vit dans le sable.
saburral, ale [sa-bu-ral], adj. [Méd.] *État saburral,* état caractérisé par l'enduit blanchâtre de la langue.
saburre, n. f. (lat. *saburra,* gravier). [Méd.] Enduit blanchâtre qui recouvre parfois la langue, surtout dans les maladies de l'estomac.
1. sac, n. m. (lat. *saccus,* m. s.). Sorte de poche faite de cuir, d'étoffe, etc., que l'on coud par le bas et par les côtés, laissant seulement le haut ouvert. *Sac de toile, de papier, de peau.* — *Sac à blé, à charbon,* etc., sac à mettre du blé, etc. *Sac de blé, de charbon, de terre,* etc., sac plein de blé, etc. — *Sac à ouvrage,* dans lequel les femmes mettent ce qu'elles tricotent, raccommodent, etc. — *Sac de nuit,* où l'on met le linge de nuit et ce qu'on emporte pour un court déplacement. — *Sac à main,* sac que les femmes portent à la main et qui renferme leur argent, leur mouchoir, leurs clefs, etc. ‖ Fig. et pop. *Un sac à vin,* un ivrogne. — *Le sac d'un soldat,* le havresac dans lequel le fantassin renferme les objets à son usage, et qu'il porte sur le dos à l'aide de deux bretelles. ‖ Sac de toile où le marin qui s'embarque met tous ses objets personnels. — *Mettre sac à terre,* refuser de s'embarquer, en parlant de l'équipage d'un navire marchand. — Fig. et prov. *Prendre quelqu'un la main dans le sac.* le prendre sur le fait, en train de voler, de faire quelque mauvaise action. — *Avoir le sac,* être riche (Pop.). — *Votre affaire est dans le sac,* on peut en tenir le succès pour assuré. — *Vider son sac,* dire tout ce qu'on a à dire sur tel sujet, dans telle occasion, sans rien dissimuler, et sans rien ménager. ‖ Fig. et fam. *Un homme de sac et de corde,* un vaurien, un scélérat. ‖ *Sac à papier !* jurement de bonne compagnie. ‖ *Sac à malice,* sac des escamoteurs. ‖ Grande robe dont se couvrent les pénitents. ‖ Pop. L'estomac, le ventre. [Anat.] Cavité entourée par une paroi membraneuse.
SYN. — V. BOURSE.

> VOCAB. — *Famille de mots.* — *Sac :* saccatier, sacciforme, saccule, sacculiforme, sacculine, sacquer, sachée, sachet, sacoche ; bissac, besace, besacier ; havresac ; ensacher, ensachement.

2. sac, n. m. (ital. *sacco,* m. s.). Pillage d'une ville, par les soldats qui viennent de la prendre, comportant souvent le meurtre des habitants. *Mettre une ville à sac.*
SYN. — V. PILLAGE.
saccade [sa-ka-de], n. f. (anc. fr. *saguer,* tirer). Secousse brusque et rude ; et, par ext., mouvement brusque et irrégulier. *Avancer par saccades.* ‖ Fig. Réprimande sévère, rude **correction.**
PAR. — *Saccage,* bouleversement, dévastation.

saccadé, ée, adj. Qui va par saccades. ‖ Fig. *Mouvement saccadé,* mouvement brusque et irrégulier. ‖ *Style saccadé,* style dont les phrases sont courtes et peu agréables à l'oreille.
CTR. — *Suivi, uniforme.*
* **saccader** [sa-ka-dé], v. tr. Donner des saccades à. *Saccader un cheval.*
saccage [sa-ka-je], n. m. Bouleversement, dégât, pillage, dévastation.
PAR. — *Saccade,* secousse brusque et violente.
* **saccagement,** n. m. Sac, pillage.
saccager [sa-ka], v. tr. Mettre à sac, au pillage ; mettre à feu et à sang. *Saccager une ville.* ‖ Fam. Bouleverser, mettre en désordre. = Conjug. V. GRAMMAIRE.
SYN. — V. RAVAGER.
* **saccageur, euse,** n. Celui, celle qui saccage.
* **saccatier,** n. m. Celui qui, dans les forges, transporte les sacs de charbon.
* **saccarate** [sak-ka], n. m. [Chim.] Sel de l'acide saccharique.
* **sacchareux, euse** [sak-ka], adj. (lat. *saccharum,* sucre). Qui renferme du sucre.
* **saccharifère** [sak-ka], adj. Qui donne, qui produit du sucre.
* **saccharifiable** [sak-ka], adj. Que l'on peut saccharifier.
saccharification [sak-ka-ri-fi-ka-sion], n. f. Conversion en sucre des matières amylacées ou cellulosiques.
* **saccharifier** [sak-ka], v. tr. Convertir en sucre. = Conjug. V. GRAMMAIRE.
* **saccharigène,** adj. [Chim.] Qui donne du sucre en s'hydratant.
saccharimètre, n. m. Instrument propre à déterminer la quantité de sucre contenue dans une solution.
* **saccharimétrie,** n. f. Dosage du sucre dans les liqueurs sucrées.
* **saccharimétrique,** adj. Qui a trait à la saccharimétrie.
saccharin, ine, adj. Qui est de la nature du sucre, qui en contient.
saccharine [sak-ka], n. f. (lat. *saccharum,* sucre). [Chim.] Substance blanche, azotée et sulfurée, au pouvoir sucrant très élevé. Peut être employée comme édulcorant à la place du sucre.
PAR. — *Saccharose,* nom chimique du sucre ordinaire.
* **saccharoïde,** adj. [Hist. nat.] Qui a l'apparence du sucre cristallisé.
* **saccharol,** n. m. [Pharm.] Sucre ordinaire employé comme excipient.
* **saccharolé,** n. m. [Pharm.] Médicament à base de sucre.
* **saccharomyces** [mi-sès], ou **saccharomycètes,** n. m. pl. (lat. *saccharum,* sucre ; grec *mykê,* champignon). [Bot.] Nom scientif. des levures.
* **saccharomycose,** n. f. [Méd.] Maladie causée par les saccharomyces.
saccharose [ka], n. m. Nom scientifique du sucre de canne ou de betterave.
PAR. — *Saccharine,* poudre blanche, succédané du sucre.
* **saccharure** [ka], n. m. [Pharm.] Mélange de sucre solide et d'une substance médicamenteuse.
* **sacciforme** [sak-si], adj. [Bot.] En forme de sac.
* **saccule** [sak-kule], n. m. (lat. *sacculus,* petit sac). [Anat.] L'une des vésicules de

l'oreille interne. [Bot.] Vésicule autour de la radicule de l'embryon.
* **sacculiforme**, adj. En forme de petit sac.
* **sacculine**, n. f. [Zool.] Genre de crustacés à organisation simple, parasites sur l'abdomen des crabes.

sacerdoce, n. m. (lat. *sacerdotium*, m. s., de *sacerdos*, prêtre). Dignité et fonctions des ministres du culte. || Dans l'Église catholique, prêtrise, dignité de celui qui a le pouvoir de dire la messe et d'administrer les sacrements. || Ensemble du clergé.
SYN. — V. PRÊTRISE.

sacerdotal, ale, adj. Qui appartient au sacerdoce, aux prêtres. *Ornements sacerdotaux. La puissance sacerdotale.*
* **sacerdotalisme**, n. m. Influence, puissance des prêtres (Rare).

sachée, n. f. Ce qu'un sac peut contenir.
* **sachem** [*sa-chème*], n. m. Vieillard, membre du Conseil de la tribu chez les peuplades sauvages de l'Amérique du Nord.

1. **sachet**, n. m. (de *sac*). Petit sac. || Sorte de petit coussin où l'on met des parfums, des aromates. || Petite pochette en étoffe.

2. * **sachet**, ette, n. Religieux, religieuse de l'Ordre de la Pénitence. || Au Moyen Age, reclus.

sacoche, n. f. Double bourse de cuir. || Sac de toile forte ou de peau à l'usage des porteurs d'argent des maisons de banque, de commerce, des receveurs de compagnies de transport, etc. || Sac d'écolier. || Poche de cuir fixée à la selle du cavalier, au cadre d'une bicyclette, etc.
SYN. — V. BOURSE.

* **sacolère** ou **sacolève**, n. m. [Mar.] Navire à trois mâts à pible, en usage chez les Turcs et les Grecs.

* **sacome**, n. m. [Arch.] Moulure en saillie.

* **sacquer**, v. tr. Pop. Congédier, révoquer.

sacramentaire, n. m. Livre de liturgie qui décrit certaines cérémonies. || Nom donné aux membres de certaines sectes protestantes qui niaient la présence réelle dans l'eucharistie.
PAR. — *Sacramentaire*, n. m., livre de liturgie; nom des membres de certaines sectes protestantes; — *sacramentaux*, n. m. pl., objets bénits, prières, etc. auxquels sont attachées des grâces particulières; — *sacramental* ou *sacramentel*, adj., qui appartient à un sacrement : *Paroles sacramentelles*.

sacramental, ale, adj. Syn. de *sacramentel*.
PAR. — V. SACRAMENTAIRE.

sacramentaux [*man-to*], n. m. pl. [Théol.] Objets bénits ou exercices de piété auxquels sont attachées des grâces spéciales. Ex. : l'Angelus, l'eau bénite.
PAR. — V. SACRAMENTAIRE.

sacramentel, elle [*man*], adj. Qui appartient à un sacrement. *Confession sacramentelle.* || Fig. et fam. *Mots sacramentels*, mots essentiels pour la conclusion d'une affaire, d'un traité.
PAR. — V. SACRAMENTAIRE.

sacramentellement, adv. D'une manière sacramentelle.

1. **sacre**, n. m. (lat. *sacrum*, chose sacrée). [Hist.] Cérémonie religieuse à laquelle se soumettaient les souverains, après leur avènement, pour témoigner qu'ils tenaient de Dieu leur couronne, et se revêtir d'un caractère sacré aux yeux de leurs peuples. *Le Sacre de Napoléon Ier à Notre-Dame.* || Consécration d'un pape, d'un évêque.

2. **sacre**, n. m. (lat. *sacer*, frappé d'anathème). Pop. Homme grossier, immoral. Ne se dit que dans cette loc. pop. *Jurer comme un sacre.* comme un maudit, un excommunié.

3. **sacre** ou **sacret**, n. m. (arabe *çaqr*, m. s.). Nom du gerfaut, du lanier en fauconnerie. *Sacre* se dit plutôt de la femelle, *sacret*, du mâle.

1. **sacré**, ée, adj. (pp. du v. *sacrer*). Se dit, par oppos. à profane, des choses qui concernent la religion, le culte de Dieu. *Les lieux sacrés. Les auteurs sacrés.* — *Les livres sacrés*, l'Ancien et le Nouveau Testament. — *Histoire sacrée*, l'histoire sainte. — *Le Sacré Collège*, le collège des cardinaux. || Consacré par une cérémonie religieuse. *Vases sacrés.* — Fig. Qui est digne de vénération, qui est inviolable par sa qualité, par sa dignité. *La personne d'un père doit être sacrée pour ses enfants.* || Qui ne doit pas être violé, enfreint, divulgué, touché. *Un devoir sacré.* = Nom. Ce qui est sacré. *Mêler le sacré et le profane.*

Dans le langage pop., *sacré*, dans le sens de *maudit*, est souvent joint à des termes d'injure pour leur donner plus de force; il constitue ainsi un juron. Dans ce sens, on le place toujours avant le nom.

— *Les dernières intentions des mourants, si sacrées parmi les hommes...* (MASSILLON.)
ANT. et CTR. — *Profane.*

VOCAB. — *Famille de mots.* — *Sacré* [rad. *sacr*, *ser*, *secr*] : sacre, sacrement, sacramentaire, sacramental, sacramentel, sacramentellement; serment, assermenté, assermenter, insermenté; sacro-saint, sacristain, sacristie; sacerdoce, sacerdotal, sacerdotalisme; sacrifice, sacrifier, sacrifiable, sacrificature, sacrificateur, sacrilège (n. et adj.); consacrer, consacré, consacrant, consécration, consécrateur; exécrer, exécration, exécrable, exécrablement; obsécration.

---

2. **sacré**, ée, adj. (de *sacrum*). [Anat.] Qui a rapport au sacrum. *Nerfs sacrés. Vertèbres sacrées.* V. pl. HOMME (squelette).

sacrement [*man*], n. m. (lat. *sacramentum*, m. s.). Acte religieux considéré comme moyen de salut pour les hommes. || *Recevoir les derniers sacrements*, se dit d'un malade en danger de mort qui a reçu les sacrements de la pénitence, de l'eucharistie et de l'extrême-onction. — L'Église catholique reconnaît sept sacrements : *le baptême, la pénitence, l'eucharistie, la confirmation, l'extrême-onction, l'ordre et le mariage.* || *Le Saint Sacrement*, l'eucharistie. V. tabl. RELIGIONS (*Idées suggérées par le mot*).

sacrer, v. tr. (lat. *sacrare*, m. s.). Conférer un caractère de sainteté au moyen de certaines cérémonies religieuses. *Sacrer un empereur, un évêque.* = V. intr. Blasphémer, proférer des imprécations. *Jurer et sacrer* (Fam.).
SYN. — V. CONSACRER.
PAR. — *Sacret*, n. m., oiseau de fauconnerie.

sacret, n. m. [Zool.] V. sacre 3.
Hom. — *Sacrais, ait, aient,* du v. sacrer.
* **sacrifiable,** adj. Que l'on peut ou que l'on doit sacrifier.
sacrificateur, trice, n. Dans l'antiquité, prêtre, prêtresse qui offrait les sacrifices sanglants.
* **sacrificatoire,** adj. Relatif au sacrifice.
sacrificature, n. f. La dignité, l'office, la fonction de sacrificateur.
sacrifice, n. m. (lat. *sacrificium,* m. s.). Culte rendu à une divinité par l'oblation d'une victime ou de tout autre présent. *Offrir un sacrifice. — Sacrifice humain,* immolation d'un être humain sur les autels d'une divinité. — *Le saint sacrifice de la messe,* chez les catholiques, le renouvellement sur l'autel, par le ministère du prêtre, du sacrifice de Jésus-Christ sur la croix. V. tabl. RELIGIONS (*Idées suggérées par le mot*). ‖ Fig. Renoncement à quelque chose de considérable, d'agréable, etc. *Faire le sacrifice de sa vie.* — Privation que l'on s'impose en considération d'une personne ou d'une chose, ou à laquelle on se résigne, lorsqu'elle est forcée. *C'est un sacrifice que l'honneur exige de vous.* ‖ Dépense importante et continuée. *Faire de grands sacrifices pour l'éducation de ses enfants.*
ÉPITHÈTES COURANTES : saint, solennel, rituel, pompeux, humain; volontaire, grand, pénible, douloureux, coûteux; subi, consenti, accepté; horrible, cruel, sanglant, affreux, abominable; symbolique, mystique, méritoire, etc.
SYN. — V. ABNÉGATION.
  Et moi, pour toute brigue et pour tout artifice
  De mes larmes, au ciel, j'offrais le sacrifice.
  — J'entre, le peuple fuit, le sacrifice cesse.   (RACINE.)
sacrifié, ée, adj. et n. Que l'on sacrifie ou qui se sacrifie.
sacrifier, v. tr. (lat. *sacrificare,* m. s.). Offrir en sacrifice à une divinité. *Sacrifier un taureau, un coq. — Sacrifier le corps et le sang de Jésus-Christ,* célébrer la sainte messe. — Absol. *Sacrifier à Dieu. Sacrifier aux idoles.* — Fig. *Sacrifier aux Grâces,* acquérir ou mettre de la grâce dans ses manières, dans ses discours, dans son style (souvent iron.). — *Sacrifier aux préjugés, à la mode,* etc., se conformer par faiblesse à ce que veulent les préjugés, la mode, etc. ‖ Fig. Renoncer à une chose, pour l'amour de Dieu, ou en considération d'une personne ou d'une chose. *Il a sacrifié sa vie pour son pays.* = *Sacrifier quelqu'un,* le rendre victime de quelque ressentiment ou de quelque intérêt. *Ce ministre a été sacrifié.* = SE SACRIFIER, v. pron. S'offrir en sacrifice comme victime. *Jésus-Christ se sacrifie chaque jour sur nos autels.* — Fig. et par exagér. *Je me sacrifierais pour vous.* ‖ Se dévouer sans réserve. *Les bons citoyens se sacrifient pour leur patrie.* = Conjug. V. GRAMMAIRE.
PAR. — V. SCARIFIER.
  1. **sacrilège,** n. m. (lat. *sacrilegium,* m. s.). Action impie par laquelle on profane les choses sacrées. *Commettre un sacrilège.* ‖ Fig. et fam. Profanation. *Ce serait un sacrilège d'abattre ce bel arbre.*
ÉPITHÈTES COURANTES : gros, affreux, horrible, abominable, criminel, odieux, détestable, exécrable, etc.

2. **sacrilège,** adj. (lat. *sacreligus,* adj.). Qui commet, qui a commis un sacrilège. *Homme, action, pensée sacrilège.* = Nom. Celui, celle qui est coupable de sacrilège.
SYN. — V. IMPIE.
sacripant, n. m. Individu capable de faire un mauvais coup.
sacristain, n. m. Celui qui a soin de la sacristie d'une église.
* **sacristi !** interj. Sorte de juron.
sacristie, n. f. (lat. *sacra,* choses sacrées). Lieu attenant à une église, destiné à serrer les vases sacrés, les ornements d'église, etc. V. pl. ÉGLISE.
Hom. — *Sacristi,* sorte de juron.
sacristine, n. f. Celle qui a soin de la sacristie dans un monastère de femmes.
  1. * **sacro-,** préf. tiré du lat. *sacer, cri,* apportant l'idée de saint, de sacré.
  2. * **sacro-,** préf. indiquant un rapport avec l'os *sacrum : sacro-coccygien, sacro-iliaque,* etc., relatif au sacrum et au coccyx, au sacrum et à l'os iliaque, etc.
sacro-saint, ainte, adj. Inviolable parce que saint et sacré.
* **sacro-vertébral, ale, aux,** adj. Qui appartient au sacrum et aux vertèbres.
sacrum [*sa-krom'*], n. m. [Anat.] Os symétrique et triangulaire, constitué par les cinq vertèbres sacrées, placé à la partie postérieure du bassin, et faisant suite à la colonne vertébrale. V. pl. HOMME (squelette).
* **sade,** adj. (lat. *sapidus,* m. s.). Savoureux, agréable (Vx).
* **sadinet, ette,** adj. Agréable, savoureux (Vx).
sadique, adj. Qui se rapporte au sadisme. = Nom. Qui s'adonne au sadisme.
PAR. — *Sodique,* qui contient de la soude.
sadisme, n. m. (de *Sade,* n. pr.). Dépravation où la luxure et la cruauté se mêlent et s'attisent l'une l'autre.
saducéens [*du-sé-in*], n. m. pl. Membres d'une secte juive qui niait l'immortalité de l'âme et la résurrection des corps.
ANT. — *Pharisiens.*
saducéisme, n. m. Doctrine des Saducéens.
  1. **safran,** n. m. Plante bulbeuse de la famille des *iridées.* ‖ poudre jaune provenant des stigmates de la fleur du safran, et qui sert de colorant et de condiments.
  2. * **safran,** n. m. [Mar.] Tige verticale du gouvernail, qui fend l'eau.
safrané, ée, adj. Qui est couleur safran.
safraner, v. tr. Apprêter du safran, jaunir avec du safran.
* **safranier,** n. m. Celui qui cultive le safran.
* **safranière,** n. f. Terre cultivée en safran.
  1. * **safre,** n. m. Oxyde bleu de cobalt grillé.
  2. * **safre,** adj. Goulu, glouton (Pop.).
saga, n. f. (mot scandin.). Ensemble des légendes et traditions propres aux anciens pays scandinaves.
sagace [*sa-gha-se,* g dur], adj. Doué d'une grande pénétration d'esprit.
* **sagacement,** adv. D'une manière sagace.
sagacité, n. f. Pénétration d'esprit.
SYN. — V. CLAIRVOYANCE.
sagaie, n. f. V. ZAGAIE.
* **sagamité,** n. f. Bouillie de maïs dans laquelle on cuit parfois de la viande dans l'extrême Nord de l'Amérique.

sagard, n. m. Ouvrier qui débite le bois en planches.

sage, adj. (bas lat. *sapius,* déformation de *sapiens,* m. s.). Qui parle et agit conformément aux lumières de la raison et aux règles de la morale; qui est conforme à ces lumières, à ces règles. *Un homme sage. De sages avis.* ‖ Modéré, retenu, maître de ses passions, réglé dans ses mœurs. *La vieillesse l'a rendu sage.* ‖ Prudent, circonspect, judicieux. *Un sage ministre.* ‖ Modeste, chaste, pudique. *Cette fille est sage.* ‖ Tranquille, qui ne fait pas de sottises. *Un enfant sage, sage comme une image.* ‖ En parlant d'auteurs, d'artistes et de leurs œuvres, dont les productions sont régulières, ne présentent ni exagération, ni extravagances. *Un dessinateur, une composition sage.* = N. m. Celui qui a la sagesse en partage. *Les sept sages de la Grèce.*
— *La mort ne surprend point le sage, Il est toujours prêt à partir.*
(LA FONTAINE.)
— *D'où vient que l'homme le moins sage Croit toujours seul avoir la sagesse en partage ?* (BOILEAU.)
— *Le seul bien capable de tenter le sage est cette sorte de gloire qui devrait naître de la vertu toute pure et toute simple ; mais les hommes ne l'accordent guère, et il s'en passe.* (LA BRUYÈRE.)
— *La raison fait des philosophes, et la gloire fait des héros ; la seule vertu fait des sages.* (VAUVENARGUES.)
SYN. — V. AVISÉ.
CTR. — *Fou, insensé, extravagant, sot, stupide, idiot.*

sage-femme, n. f. Femme dont la profession est de faire des accouchements. = Pl. *Des sages-femmes.*

sagement, adv. D'une manière sage, prudente, avisée, correcte.
CTR. — *Sottement, follement, imprudemment.*

sagène, n. f. Mesure de longueur usitée en Russie et valant environ 2 m 13.

sagesse, n. f. (de *sage*). Raison éclairée par la science, le discernement, qui fait qu'on apprécie le vrai, le bon et le juste; vertu qui fait qu'on y conforme ses paroles et ses actes. *Athéna-Minerve était la déesse de la sagesse.* ‖ Modération, prudence. *Il faut beaucoup de sagesse pour ne pas s'emporter.* ‖ Prudence, circonspection, bonne conduite dans le cours de la vie. *Il s'est toujours conduit avec une sagesse admirable.* ‖ Modestie, pudeur, chasteté, vertu. ‖ En parlant d'un enfant, docilité, tranquillité, amour de l'étude. *Prix de sagesse.* — Se dit aussi des choses, des actes. *La sagesse de sa conduite.* ‖ Prov. *La crainte du Seigneur est le commencement de la sagesse,* adage qui a son origine dans la Bible. ‖ *Dents de sagesse,* qui apparaissent à l'âge adulte.
— *Qu'est-ce que la sagesse ? Une égalité d'âme*
Que rien ne peut troubler, qu'aucun désir n'enflamme. (BOILEAU.)
— *Possédez la sagesse ; si vous la cherchez avec ardeur, elle vous élèvera et vous remplira de gloire.* (BOSSUET.)
— *La sagesse n'a rien d'austère ni d'affecté ; c'est elle qui donne les vrais plaisirs ; elle seule les sait assaisonner pour les rendre purs et durables : elle sait mêler les jeux et les ris avec les occupations graves et sérieuses ; elle prépare le plaisir par le travail,* *et elle délasse du travail par le plaisir. La sagesse n'a point de honte de paraître enjouée quand il le faut.* (FÉNELON.)
ÉPITHÈTES COURANTES : grande, immense, haute, infinie, consommée, divine, humaine, des nations; antique, prévoyante, clairvoyante; calme, réfléchie, sereine, bienfaisante, précieuse; ordinaire, habituelle, etc.
SYN. — *Sagesse,* manière d'être de celui qui agit avec prudence, en considérant bien les choses : *Dans cette circonstance, la sagesse nous conseille de nous abstenir.* — *Modération,* prudence qui consiste à fuir tout excès, à se ranger entre les extrêmes : *Mettre de la modération dans ses désirs.* — *Prudence,* qualité d'esprit de celui qui ne fait rien à l'aventure, qui prévoit les fautes et les dangers pour les éviter : *Prudence est mère de sûreté* (Prov.). — *Retenue,* modération dans les actions et les paroles : *User de beaucoup de retenue envers ses subordonnés.* V. aussi CLAIRVOYANCE et MESURE.
ANT. — *Folie, sottise, témérité, imprudence.*

sagette ou * **saette** [*sa-jète, saè-te*], n. f. (lat. *sagitta,* m. s.). Flèche (Vx.) [Bot.] Nom pop. de la *sagittaire.*

* **sagine,** n. f. [Bot.] Genre de *caryophyllées* des lieux humides.

1. **sagittaire,** n. m. Archer. [Astro.] Constellation et le 9e signe du zodiaque.

2. **sagittaire,** n. f. [Bot.] Genre de plantes aquatiques de la fam. des *alismacées.*

sagittal, ale [*sa-jit-tal*], adj. Qui est en forme de flèche. [Anat.] Se dit de la suture du crâne qui réunit les deux pariétaux.
LING. — L'Acad. ne donne que le féminin *sagittale.*

sagitté, ée, adj. [Bot.] En forme de fer de flèche.

sagou, n. m. Fécule alimentaire extraite de la moelle de certains arbres de la famille des *palmiers.*

sagouin, n. m. [Zool.] Genre de singes d'Amérique, de petite taille. ‖ Fam. Personne, enfant malpropre. Dans ce sens, on dit au fém. *sagouine.*

sagoutier ou **sagouier,** n. m. [Bot.] Palmier qui produit le sagou.

* **sagum** [*ghom'*], n. m., ou **saie,** n. f. [Antiq.] Court manteau de laine, relevé sur l'épaule, des soldats romains et gaulois, V. pl. COSTUME.

* **saharien, ienne,** adj. Du Sahara; propre à ce désert.

* **sahib,** n. m. Titre honorifique chez les Hindous.

* **saï,** n. m. [Zool.] Espèce de singe d'Amérique, du genre sajou dit *capucin.*

1. * **saie** [*sê*], n. f. [Antiq.] Forme française du mot *sagum.* V. ce mot.

2. **saie** [*sê*], n. f. [Techn.] Brosse d'orfèvre, formée d'un paquet de soies de porc.
HOM. — V. tabl. CE.

* **saïga,** n. m. [Zool.] Espèce de ruminants, antilopes de l'Europe orientale.

saignant, ante [*sè-gnan, gn* mll.], adj. Qui dégoutte de sang. ‖ Fig. *La plaie est encore saignante* V. SAIGNER. ‖ Se dit d'une viande rôtie peu cuite.
SYN. — V. SANGLANT.
HOM. — *Ceignant,* ppr. du v. ceindre.

saignée [*sè-gné, gn* mll.], n. f. (de *saigner*). [Méd.] Opération qui a pour

objet d'extraire des vaisseaux une certaine quantité de sang. *Pratiquer une saignée.* ‖ Quantité de sang tirée. ‖ Fig. *C'est une grande, une rude saignée faite à sa bourse* se dit quand on a tiré de quelqu'un une somme considérable. [Anat.] Pli formé par le bras et l'avant-bras et qui est l'endroit où l'on ouvre ordinairement la veine pour pratiquer la saignée. ‖ Par anal. Rigole, tranchée que l'on fait pour tirer de l'eau d'un terrain humide, pour établir un drainage. *Faire des saignées pour dessécher un marais.*
Hom. — *Saignée,* n. f., opération consistant à extraire du sang; — *saignez,* du v. saigner; — *ceignez,* du v. ceindre.
saignement, n. m. Épanchement de sang, principalement par le nez.
Par. — *Sainement* d'une manière saine.
saigner, v. tr. Tirer du sang en ouvrant la veine. *Saigner un malade.* ‖ Par anal. *Saigner un fossé, une rivière,* en faire écouler l'eau par une rigole, un canal. ‖ Fig. et fam. Exiger de quelqu'un une somme considérable. ‖ Égorger. *Saigner un porc.* = V. intr. Perdre du sang. *Saigner du nez.* ‖ *La plaie saigne encore* se dit au fig. d'une douleur morale encore vive. = SE SAIGNER, v. pr. *Ce médecin se saigne toujours lui-même.* ‖ Fig. et fam. Donner son bien jusqu'à se gêner. *Se saigner à blanc pour ses enfants.*
Hom. — *Ceignez, ceigniez* du v. ceindre.
* **saigneur, euse** [sé-gneur, eu-ze, gn mll.], n. Celui, celle qui saigne.
Hom. — *Seigneur,* possesseur d'une terre seigneuriale.
* **saigneux, euse,** adj. Taché de sang. [Boucherie] *Bout saigneux,* cou de mouton.
saillant, ante [ll mll.], adj. (ppr. du v. *saillir*). Qui avance qui déborde. *Corniche saillante.* [Fortif.] *Angle saillant,* dont le sommet est dirigé vers l'extérieur. ‖ Fig. Vif, brillant, remarquable, qui se présente en relief. *Il y a peu d'événements saillants cette année. — Qui est en évidence. Un défaut saillant.* = N. m. [Fortif.] Partie saillante d'un bastion. V. pl. FORTIFICATIONS.
Ctr. — *Rentrant.*
saillie [ll mll.] n. f. (du v. *saillir*). Sortie qui se fait avec impétuosité, mais avec interruption. *Ce jet d'eau ne vient que par saillie.* ‖ Fig. Trait brillant et imprévu qui semble échapper, soit dans la conversation, soit dans un ouvrage d'esprit. *Sa conversation abonde en saillies.* [Archi.] Avance que forme une corniche, un balcon, toute partie de l'édifice sur une autre. [Écon. rurale] Acte de l'animal mâle qui couvre la femelle. [Hist. Nat.] Éminence que présente la surface de certains objets. *L'os de la pommette forme saillie.*
Syn. — *Saillie,* sortie impétueuse mais irrégulière : *Son sang s'écoulait par saillies.* — *Jaillissement,* sortie impétueuse et ininterrompue : *Le jaillissement d'une nappe pétrolifère.* — *Saccade,* mouvement brusque et irrégulier : *Le torrent grossit par saccades, puis déborda.* V. aussi RÉPONSE. — *Saillie,* état d'une chose qui dépasse en dehors : *La saillie d'une corniche.* — *Bosse,* élévation, généralement à surface courbe, sur un objet : *Une bosse de terrain.* — *Éminence,* lieu qui s'élève au-dessus

SAIGNEMENT — SAINDOUX

d'un niveau moyen : *Cette vaste plaine est parsemée d'éminences.* — *Relief,* partie saillante d'un objet : *Le relief du sol. Les reliefs d'un vase sculpté.* — *Surplomb,* état d'un objet, d'une construction qui n'est pas d'aplomb et penche ou s'avance en avant : *Un balcon en surplomb.* V. aussi COLLINE, HAUTEUR.
Ant. — *Cavité, creux.*
Hom. — *Saillie,* n. f., sortie impétueuse; — *saillie,* pp. fém. du v. saillir; — *saillis, it,* du v. saillir.
saillir [ll mll.], v. intr. (lat. *salire,* m. s.). Jaillir, sortir avec impétuosité et par saccades. Ne se dit que des liquides. [Archi.] Être en saillie, déborder le nu du mur. [Bx-Arts] Avoir beaucoup de relief apparent. = V. tr. Se dit de quelques animaux lorsqu'ils couvrent leurs femelles.
Gram. — Dans le sens de *jaillir,* ce verbe n'est usité qu'à la 3ᵉ pers. du sing. et du plur.

Vocab. — *Famille de mots.* — *Saillir* [rad. *sail, saut, sil, sult*] : saillie, saillant; saut, sautage, saute, sauter, sautant, sauté, sautée, sauteur, sauteuse, sautoir; sauteler, sautelle, sautereau, sauterelle, saut-de-lit, saut de mouton, saute-mouton, saute-bouchon, saute-ruisseau, saute-en-barque; sursaut, sursauter, sautiller, sautillant, sautillage, sauterie, sautillement; assaillir, assaillant, assaut, tressaillir, tressailli, tressaillement; résilier, résiliable, résiliation; ressaut, ressauter, soubresaut; primesautier; exulter, exultation; insulte, insulter, insultant, insulté, insulteur; résulter, résultant, résultat, tressaut, tressauter, saltimbanque.

---

* **saïmiri,** n. m. [Zool.] Genre de singes de l'Amérique tropicale.
sain, aine, adj. (lat. *sanus,* m. s.). Qui est de bonne constitution, qui n'est pas sujet à être malade. *Sain de corps et d'esprit.* — *Revenir sain et sauf,* revenir sans accident, ou avec de rares blessures, de quelque affaire périlleuse. ‖ Qui n'est pas altéré, gâté, qui est en bon état. *Ce cheval a les jambes saines.* ‖ Fig. Juste, droit, bien équilibré. *Avoir le jugement sain, l'esprit sain.* — *La saine raison, la droite raison.* — Adage. *Un esprit sain dans un corps sain.* ‖ Salubre, salutaire, qui contribue à la santé. *L'air du pays est fort sain. L'exercice est sain.*
Syn. — *Sain,* qui conserve l'organisme en bon état : *Un climat sain.* — *Salubre,* qui a une action favorable sur l'organisme : *L'air salubre de la mer.* — *Salutaire,* propre à conserver ou à rétablir l'organisme : *Des remèdes salutaires.* — *Vivifiant,* qui donne plus de vigueur au corps, de force à la santé : *L'air vivifiant des montagnes boisées.*
Ctr. — *Malade, malsain.*
Hom. — V. CEINT. Pour *saine,* V. CÈNE.

Vocab. — *Famille de mots.* — *Sain* : sainement, malsain, santé, sanitaire, sanatorium; insanité; vésanie; sainfoin.

---

sain-bois [*sin*], n. m. [Bot.] Un des noms vulgaires du *daphne gnidium,* plante de la famille des *thyméléacées* ou *daphnoïdées.*
saindoux [*sin-dou*], n. m. Graisse de porc fondue à feu doux.

sainement [*sè-ne-men*], adv. D'une manière saine. Vivre sainement. ‖ Fig. *Juger sainement des choses*, en bien juger en juger selon la droite raison.
Par. — *Sainement*, avec sainteté ; — *saignement*, épanchement de sang.

sainfoin [*sin-fou-in*], n. m. [Bot.] Nom de diverses plantes fourragères de la famille des *légumineuses*.

saint, ainte [*sin, sinte*], adj. (lat. *sanctus*, m. s.). Essentiellement pur et parfait. *La Trinité Sainte*. ‖ Qui est conforme à la loi de Dieu, à la piété. *Mener une vie sainte.* ‖ Dont la vie est parfaite, exemplaire. *Un saint homme.* ‖ Qui a été canonisé par l'Église. *Saint Louis*. ‖ Qui appartient à la religion, qui est dédié, consacré à Dieu, ou qui sert à quelque usage sacré. *Le Saint Sacrement. La sainte table. — L'Écriture sainte*, la Bible. — *Le Saint-Père*, le pape. — *Le Saint-Siège*, la papauté. — *Le Saint-Office*, l'Inquisition. — *Les lieux saints*, les lieux où Jésus a vécu. — *Terre sainte*, la Palestine. — *Être inhumé en terre sainte*, dans un cimetière bénit. — *La semaine sainte*, la semaine qui précède le jour de Pâques. *Le jeudi, le vendredi saint*.
Par extens. Qui est digne d'un grand respect, d'une vénération particulière. *La sainte autorité des lois.* — Fig. et fam. *Toute la sainte journée*, du matin au soir.
= Nom. SAINT, SAINTE. Personnage pieux qui a été canonisé. *Les litanies des saints.* ‖ *La Saint-Jean, la Saint-Martin*, etc., le jour où l'on célèbre la fête de saint Jean, etc. ‖ Celui, celle dont la vie est pleine de sainteté. *Votre mère est une sainte.* ‖ Par iron. *Un petit saint*, un personnage hypocrite. ‖ Fig. et prov. *Le saint du jour*, celui qui est à la mode, en faveur. — *Il lasserait la patience d'un saint*, se dit d'une personne insupportable. — *Comme on connaît les saints, on les honore*, on traite un homme selon son mérite. — *Il vaut mieux s'adresser à Dieu qu'à ses saints*, il vaut mieux s'adresser au chef qu'à ses subalternes. — *Découvrir saint Paul pour couvrir saint Pierre*, remédier à un inconvénient en en amenant un autre. — *Ne pas* ou *ne plus savoir à quel saint se vouer*, ne pas savoir à qui avoir recours. — *La fête passée, adieu le saint*, ou *après la fête adieu le saint*, le plaisir passé, on oublie celui qui l'a procuré. = N. f. *Une sainte-nitouche*, une personne hypocrite qui affecte la vertu, la pruderie, le désintéressement, etc. et à qui il ne faut pas se fier.
Gram. — Le mot *saint* s'écrit par une minuscule devant le nom du saint, qu'on ne fait pas précéder d'un trait d'union : *saint Pierre, saint Paul* ; mais lorsque le mot *saint* ne sert pas à qualifier simplement un personnage auquel on attribue le caractère de sainteté, et qu'il se trouve joint à un nom pour servir de dénomination à une chose ou à une personne, on doit écrire *saint* avec une majuscule et le rattacher au mot suivant par un trait d'union : *La ville de Saint-Étienne ; le village de Saint-Cloud*, ou simplement, *Saint-Étienne, Saint-Cloud. La croix de Saint-Louis ; les Mémoires de Saint-Simon.* — Quand *saint* est écrit St par abréviation, le *s* est toujours majuscule : *Les apôtres St Pierre et St Paul.*

Hom. — V. ceint, ceinte.

> Vocab. — *Famille de mots*. — Saint [rad. *sain, sanct*] : sainteté, saintement ; sanctifier, sanctifiant, sanctificateur, sanctissime, sanctification ; sanctus, sanctuaire ; sanction, sanctionner, sanctionnateur, et les mots composés commençant par *saint* : saint-crépin, saint-cyrien, etc.

* **saint-Bernard**, n. m. Race de chiens de montagne, de forte taille.

* **saint-crépin**, n. m. Ensemble des outils du cordonnier. ‖ Sac d'outils des cordonniers ambulants.

saint-cyrien [*si-ri-in*], n. m. Élève de l'école militaire de Saint-Cyr.

sainte-barbe, n. f. [Mar.] Endroit d'un vaisseau où l'on serre les engins d'artillerie. ‖ Par ext. Soute aux poudres. = Pl. *Des saintes-barbes*.

saintement, adv. D'une manière sainte ; avec sainteté.
Par. — *Saintement*, d'une manière saine.

sainte-nitouche, n. f. V. saint.

sainteté, n. f. Qualité, manière d'être de ce qui est saint. [Bx-A.] Sujet de sainteté, sujet religieux. ‖ Titre donné au pape. *Sa Sainteté, Votre Sainteté* (avec une majuscule).

saint-frusquin, n. m. Pop. Ce qu'on a d'argent ; ce qu'on possède en général.

saint-germain, n. m. Variété de poire fondante.

saint-honoré, n. m. [Pâtiss.] Couronne de pâte enduite de sirop, garnie de choux à la crème.

* **saintongeais** ou **santons**, adj. et n. De Saintes.

saint-simonien, n. m. Partisan des idées socialistes de Saint-Simon.

saint-simonisme, n. m. Doctrine socialiste de Saint-Simon.

* **saïque**, n. f. [Mar.] Bâtiment de charge en usage dans le Levant.

saisi, n. m. Débiteur sur lequel on a fait une saisie.

saisie, n. f. (n. verb. de *saisir*). Action de saisir. [Droit] Acte par lequel un créancier, pour sûreté de sa créance, frappe d'indisponibilité, dans la forme légale, les biens meubles ou immeubles son débiteur qui constituent la garantie du paiement de sa créance. ‖ *Saisie-arrêt*, opposition par laquelle un créancier arrête, dans les mains d'un tiers, les sommes ou effets appartenant à son débiteur. ‖ *Saisie-exécution*, saisie des meubles du débiteur. ‖ *Saisie-revendication*, saisie des effets mobiliers sur lesquels on prétend avoir un droit de propriété ou de gage privilégié. ‖ *Saisie-brandon*, saisie des récoltes non enlevées. ‖ *Saisie-gagerie*, saisie des objets qui peuvent servir de gage, tels que les meubles, les récoltes. ‖ Action de s'emparer provisoirement de choses qui sont l'objet d'une contravention, qui peuvent fournir la preuve d'un crime, etc.

saisine [*zi-ne*], n. f. [Droit] Prise de possession dévolue de plein droit à un héritier. [Mar.] Cordage servant à faire un remorquage.

saisir, v. tr. (bas latin *sacire*, poser). Prendre vivement, et souvent avec effort. *Saisir un voleur.* — Fig. *Saisir l'occasion*. la mettre sur-le-champ à profit. ‖ Fig.

Comprendre, discerner, interpréter. *Vous avez mal saisi ce que j'ai dit.* ‖ Fig. Se dit des influences physiques ou morales qui agissent, qui font impression sur quelqu'un. *Le froid m'a saisi. La fièvre l'a saisi.* ‖ Absol. *Être saisi*, être subitement frappé d'étonnement, d'épouvante, touché de plaisir, pénétré de douleur. ‖ *Saisir quelqu'un d'une chose*, le mettre en possession de cette chose. Au fig., le mettre au courant. [Droit] *Saisir d'une affaire un tribunal*, la porter devant lui. ‖ Faire une saisie, arrêter, retenir par voie de saisie. *Saisir des meubles, un numéro d'un journal.* ‖ *Saisir quelqu'un*, saisir ses meubles. = SE SAISIR, v. pr. Se prendre, s'empoigner mutuellement. ‖ S'emparer, se rendre maître d'une personne, d'une chose. *Se saisir d'une place.*
SYN. — V. COMPRENDRE, ÉTONNER et PRENDRE.
CTR. — *Lâcher, abandonner.*

> VOCAB. — *Famille de mots.* — Saisir : saisi, saisie, saisine, saisissement, saisissant, saisissable, saisissabilité, insaisissabilité, insaisissable ; dessaisir, dessaisissement ; ressaisir.

* **saisissabilité**, n. f. Caractère de ce qui est saisissable (Rare).
saisissable [zis-sable], adj. Qui peut être saisi.
saisissant, ante, adj. Qui saisit qui surprend. *Un froid, un spectacle saisissant.* = N. m. Celui au nom de qui se fait une saisie.
saisissement [sé-zis-se-man], n. m. Impression subite, produite par le froid ou par une cause morale. *Il est mort de saisissement.*
saison [sè-zon, ou selon d'autres, sé], n. f. (lat. *satio*, action de semer). L'une des quatre parties de l'année, qui contiennent chacune trois mois, dont deux commencent aux solstices et deux aux équinoxes. ‖ Partie de l'année envisagée à certains points de vue. *La saison des pluies, des fleurs, des semailles*, etc. — *Marchand des quatre saisons*, marchand qui vend dans les rues, sur une voiture poussée à bras, les fruits et légumes de la saison. — *Morte-saison*, temps où la terre ne produit rien, et fig., temps où une industrie, un commerce chôme. ‖ Séjour aux bains de mer, dans une station thermale ou touristique ; villégiature. *Une saison à Vichy, à la montagne.* ‖ Temps propre pour faire quelque chose. *Ce que vous dites est hors de saison.*
ÉPITHÈTES COURANTES : bonne, belle, magnifique, mauvaise, affreuse ; chaude, tiède, tempérée ; froide, glacée, glaciale, humide, pluvieuse ; printanière, estivale, automnale, hivernale, favorable, appropriée.

> VOCAB. — *Famille de mots.* — Saison [rad. *sais, sem*] : saisonner, saisonnier ; assaisonner, assaisonnant, assaisonnement ; semence, semenceau, semer, semoir, semen-contra ; séminal, sémination ; semailles, semaison, semis, semeur ; séminaire, séminariste ; ensemencer, ensemencement ; disséminer, dissémination ; parsemer.

* **saisonner** [sé-zo-né], v. intr. Avoir bonne saison de fruits, en parlant des arbres.

saisonnier, ière, adj. Qui est propre à telle ou telle saison. *Maladies saisonnières.*
sajou, n. m. [Zool.] Genre de singes du Brésil.
* **saké** ou * **saki**, n. m. Boisson alcoolique japonaise obtenue par la fermentation du riz.
* **saki**, n. m. [Zool.] Genre de singes du Brésil et des Guyanes.
* **sakieh**, n. f. En Égypte, sorte de noria pour puiser l'eau.
* **salace**, adj. (lat. *salax*, m. s.). Qui a de la salacité, lubrique, lascif.
* **salacité**, n. f. Propension extrême aux plaisirs de l'amour physique ; lubricité.
1. **salade**, n. f. (du v. *saler*). Mets composé de certaines herbes ou de certains légumes assaisonnés avec du sel, du vinaigre, de l'huile, etc. *Salade de laitue, de pommes de terre.* ‖ Herbe servant à faire la salade (laitue, romaine, chicorée, scarole, endive, cresson, mâche ou doucette, pissenlit, barbe de capucin. *Cueillir, éplucher une salade.* ‖ Mets composé de viandes froides ou de poissons, et assaisonné comme les salades d'herbes et de légumes. *Salade d'anchois.* V. tabl. NOURRITURE *(Idées suggérées par le mot).* ‖ *Salade russe*, mets composé de plusieurs légumes cuits séparément, mêlés de jambon, homard, etc., et servis ensemble avec une sauce mayonnaise. ‖ *Faire une salade*, mêler complètement diverses choses. *Il a fait une salade de dates.*
2. **salade**, n. f. (espag. *celada*, m. s.). Ancien casque de cavalerie (XVe-XVII{e} s.). V. pl. ARMURE.
* **saladero**, n. m. En Amérique du Sud, établissement où l'on prépare et sale la viande de bœuf.
saladier, n. m. Jatte où l'on sert la salade. — Son contenu. ‖ Panier à jour dont on se sert pour secouer la salade après l'avoir lavée.
salage, n. m. Action de saler, ou le résultat de cette action.
salaire, n. m. Prix, rémunération d'un travail ou d'un service. *Toute peine mérite salaire.* ‖ Fig. Se dit de la récompense et de la punition que mérite une action.
SYN. — V. GAGES et PRIX.
HOM. — *Salèrent*, du v. saler.
salaison [zon], n. f. Action de saler des viandes ou autres provisions pour les conserver. ‖ Viandes, provisions qu'on a salées pour les conserver.
salamalec, n. m. (Corrupt. de l'arabe *salam aleikoum*, la paix soit avec vous). Révérence profonde, politesse exagérée (Fam.).
salamandre, n. f. [Zool.] Genre de batraciens urodèles ressemblant aux lézards ; les anciens croyaient qu'elle vivait dans le feu. V. pl. BATRACIENS.
salangane, n. f. [Zool.] Espèce d'hirondelle de Chine dont le nid, construit avec des algues, est comestible.
* **salange**, n. m. Période de production du sel sur les marais salants.
* **salanque**, n. f. Marais salant.
salant, adj. m. *Marais salant*, marais d'où l'on tire du sel. = N. m. Terrain recouvert d'efflorescences salines, près de la mer.
salariat [ria], n. m. Rétribution du travail au moyen du salaire. ‖ Condition, état du salarié. ‖ Ensemble des salariés.

salarié, ée, n. et adj. Qui reçoit un salaire.

salarier, v. tr. Donner un salaire à. = Conjug. V. GRAMMAIRE.

salaud, aude [*sa-lo, lode*], adj. et n. Pop. Celui, celle qui est sale, malpropre. || Fig. Celui qui agit malproprement. * **salauderie**, n. f. Acte, parole de salaud.

sale, adj. (haut all. *salo*, terne). Malpropre, plein d'ordures. *Chambre sale*. — En parlant d'une couleur : Qui n'est pas franc, qui paraît mélangé, altéré. *Un rouge sale*. || Fig. Déshonnête, obscène, qui blesse la pudeur. *Des idées, des images sales*. || Bas, vil, honteux, ou de fâcheuse conséquence. *Une sale affaire*. || En parlant des personnes, méprisable, indélicat. *Un sale individu* (toujours placé avant le nom dans ces deux derniers sens). (Fam.). = Nom. *Fi, le sale !*

SYN. — *Sale*, souillé de crasse ou d'ordure : *Avoir les mains sales*. — *Boueux*, souillé de limon : *Après l'orage, l'eau des ruisseaux devient boueuse*. — *Crasseux*, couvert d'une saleté qui adhère : *Avoir les mains crasseuses*. — *Dégoûtant*, d'une saleté écœurante : *Une loque dégoûtante*. — *Écœurant*, d'une malpropreté à causer des nausées : *Une besogne écœurante*. — *Fangeux*, chargé de boue liquide et noire : *Une mare fangeuse*. — *Immonde*, très sale, très impur : *Une puanteur immonde*. — *Infect*, qui répand une odeur nauséabonde : *L'eau infecte d'un égout*. — *Malpropre*, souillé, qui n'est pas propre : *Une serviette malpropre*. — *Nauséabond*, qui provoque un dégoût physique : *L'odeur nauséabonde des fumiers*. — *Repoussant*, que l'on rejette avec dégoût : *Une malpropreté repoussante*. — *Répugnant*, qui inspire du dégoût, de la répulsion : *Un enfant d'une malpropreté répugnante*. — *Souillé*, sali de boue ou de fange : *Des vêtements souillés*. — *Vaseux*, rempli de boue déposée: *Les bas-fonds vaseux du bord de la mer*. La plupart de ces mots s'emploient aussi au figuré : *Une sale histoire*. — *Une injustice dégoûtante* — *Un procédé écœurant*. — *Une affaire immonde*. — *Des manœuvres malpropres*. — *Une avarice répugnante*. — *Une conduite infecte*. — *Une avarice repoussante*. — *Une vie souillée de crimes*.

CTR. — *Propre, net, blanc; coquet*.

HOM. — *Sale*, adj., souillé de crasse; — *sale, es, ent*, du v. *saler*; — *salle*, n. f., grande pièce d'un immeuble.

VOCAB. — *Famille de mots*. — *Sale* : salement, saleté, salaud, salauderie, saligaud, salir, salissant, salissure, saloperie, salopette, saloper, salope.

1. **salé, ée**, adj. (pp. du v. *saler*). Saupoudré de sel, qui a le goût du sel. *Beurre salé*. — *Manger salé*, mettre beaucoup de sel dans ses aliments. = Adj. *Sources salées*, sources dont on retire le sel par évaporation. (Poét.] *L'onde salée*, la mer. || Fig. et fam. *Une raillerie, une épigramme salée*, une raillerie piquante, vive. — *Un propos salé*, un propos trop libre. Fig. et fam. Qui fait payer trop, qui est trop élevé, etc. *Une note salée*. || Puni très sévèrement. *Il a été salé*.

SYN. — V. INCONVENANT.

CTR. — *Insipide*.

2. * **salé**, n. m. Chair de porc salée. || *Petit salé*, chair de porc conservée au saloir, cuite dans l'eau avec thym, laurier et oignons.

* **salègre**, n. m. Masse saline qui s'attache au fond des poêles pendant la cuisson de la saumure. || Morceau de sel qu'on donne à lécher aux animaux domestiques.

salement, adv. D'une manière sale. || Pop. Considérablement.

salep, n. m. Substance alimentaire qu'on tire des tubercules desséchés de certaines orchidées.

saler, v. tr. Assaisonner avec du sel. || Imprégner de sel des viandes, du poisson, pour les conserver. || Fig. et pop. Faire payer trop cher; punir trop sévèrement.

saleron, n. m. La partie creuse d'une salière où l'on met le sel.

HOM. — *Salerons* (nous), du v. *saler*.

saleté, n. f. État de ce qui est sale, malpropre. || Ordure, chose malpropre. Fig. Parole, image, livre sale, obscène. Action basse, honteuse ou immorale. Objet sans valeur, brimborion. || Pop. Femme de rien, vile prostituée.

saleur, euse, n. Celui, celle qui sale.

salicaire, n. f. [Bot.] Nom vulg. du *lythrum salicaria* (*lythrariées*), plante des bords des eaux courantes.

* **salicine**, n. f. [Chim.] Glucoside de l'écorce des saules, trembles et peupliers.

* **salicinées** ou **salicées**, n. f. pl. (lat. *salix*, saule). [Bot.] Famille de végétaux dicotylédones, apétales, comprenant les genres saule et peuplier.

* **salicional**, n. m. Jeu de l'orgue dont les tuyaux étaient jadis en bois de saule.

salicole, adj. (lat. *sal, salis*, sel). Relatif à la production du sel.

salicoque, n. f. [Zool.] Nom vulg. de la crevette grise ou *crangon*.

salicorne, n. f. [Bot.] Plante dicotylédone de la famille des *chénopodiacées*.

* **saliculture**, n. f. Exploitation des salines. || Production artificielle du sel.

salicylate, n. m. (lat. *salix*, saule). [Chim.] Nom générique des sels et des éthers-sels de l'acide salicylique.

salicylique, adj. [Chim.] *Acide salicylique*, acide utilisé en thérapeutique comme antiseptique, antithermique et antirhumatismal.

* **saliens** [*sa-li-in*], adj. et n. m. pl. Nom donné aux prêtres de Rome institués par Numa pour garder les anciles ou boucliers sacrés.

salière, n. f. Vase où l'on met le sel. || Fig. Creux qu'une femme maigre présente au-dessus de chaque clavicule. || Enfoncement au-dessus de l'œil, chez le cheval.

* **salifère**, adj. (lat. *sal. salis*, sel; *ferre*, porter). Qui contient du sel.

* **salifiable**, adj. Qui peut être salifié.

* **salification** [*sion*], n. f. [Chim.] Production d'un sel ou d'un corps cristallisé.

* **salifier**, v. tr. Convertir en sel. = Conjug. V. GRAMMAIRE.

saligaud, aude [*gho, gho-de*], n. Celui, celle qui est sale, malpropre (au physique ou au moral).

* **salignon** [*gn* mll.], n. m. Pain de sel obtenu par l'évaporation d'une eau salée.

1. **salin, ine**, adj. (lat. *sal*, sel). Qui contient du sel, qui est de la nature du sel. [Chim.] Qui est de la nature des sels.

2. **salin**, n. m. Lieu où l'on recueille le sel. ‖ Le produit brut que l'on obtient en faisant évaporer à siccité la lessive des cendres végétales. ‖ Résidu de la calcination des algues.

* **salinage**, n. m. Opération qui consiste à faire cristalliser le sel par concentration des eaux salées.

saline, n. f. Lieu où l'on exploite le sel (marais salant ou mine de sel gemme).

salinier, ière, n. V. SAUNIER.

* **salinité**, n. f. État de ce qui est salé. ‖ Proportion de sel contenu dans l'eau de mer.

salique, adj. *Terres saliques*, terres données aux guerriers francs établis dans les Gaules. ‖ *Loi salique*, code qui régissait les Francs Saliens; il réservait, en partic., la transmission de la terre par succession aux mâles, et, par suite, a exclu du trône de France les filles et leurs descendants.

salir, v. tr. Rendre sale. *Salir son linge*. ‖ Fig. *Salir la réputation, la mémoire de quelqu'un*, y porter atteinte. = SE SALIR, v. pr. Devenir sale. *Cet enfant s'est sali*. ‖ Fig. et fam. *Il s'est sali*, se dit d'un homme qui a fait une action nuisible à sa réputation.

SYN. — V. TACHER.
CTR. — *Blanchir, nettoyer, purifier*.

salissant, ante, adj. Qui salit. ‖ Qui se salit aisément. *Le blanc est fort salissant*.

* **salisson**, n. f. Se dit d'une femme ou d'une petite fille malpropre (Pop.).

salissure, n. f. Ordure, souillure qui rend une chose sale superficiellement.

* **salitre**, n. m. [Chim.] Nom vulg. du *sulfate de magnésium*.

salivaire, adj. Qui a rapport à la salive. *Les glandes salivaires*, les glandes qui sécrètent la salive.

HOM. — *Salivèrent*, du v. saliver.

* **salivant, ante**, adj. Qui provoque la salivation.

salivation [*sion*], n. f. Sécrétion et excrétion de la salive.

salive, n. f. Liquide qui humecte la bouche de l'homme et de certains animaux. — Fig. *Perdre sa salive*, parler en vain.

saliver, v. intr. Rendre beaucoup de salive.

* **saliveux, euse**, adj. Qui a l'aspect, l'apparence de la salive.

salle [*sa-le*], n. f. (anc. haut all. *Saal*, salle, portique). Pièce plus ou moins grande dans un appartement, dans une maison, qui est destinée à un usage particulier. *Salle à manger. Salle de bal*. — *Salle de bain*, petite pièce disposée spécialement pour prendre des bains ou faire sa toilette. ‖ Grand local ouvert, destiné à l'usage, au service ou au plaisir du public. *Salles de musée, de spectacle*. ‖ *Salle des pas-perdus*, salle d'entrée d'une gare, d'un palais de justice, etc. ‖ Les personnes présentes dans la salle. *Une salle enthousiaste*. — Dans les hôpitaux, locaux où sont les lits des malades. ‖ Local réservé à certains usages. *Salle d'étude. Salle d'armes. Salle d'attente de gare* (V. pl. CHEMIN DE FER), etc. *Salle de police*. V. POLICE. ‖ *Garçon de salle, fille de salle*, domestique assurant le service d'une salle d'établissement public, d'hôpital, etc.

ORTH. — *Salle* prend *deux l*, mais *salon* n'en prend qu'*un*.

HOM. — V. SALE.

* **salleran**, n. m. Maître-ouvrier qui dirige la salle où s'achève la fabrication du papier.

salmigondis, n. m. Ragoût de plusieurs sortes de viandes réchauffées. ‖ Fig. et fam. Mélange de choses qui n'ont pas de rapport entre elles. ‖ Discours incohérent.

salmis [*mi*], n. m. Ragoût de certaines pièces de gibier déjà rôties à la broche.

* **salmoniculture**, n. f. Élevage, production des salmonidés.

* **salmonidés** ou **salmonés**, n. m. pl. (lat. *salmo*, saumon). [Zool.] Famille de poissons au corps oblong, écailleux. Ex. : Saumons, truites, éperlans, etc.

saloir, n. m. Vase de bois ou de grès dans lequel on met le sel ou les viandes que l'on veut saler.

* **salol**, n. m. [Pharm.] Salicylate de phényle, employé comme antiseptique intestinal et contre le rhumatisme aigu.

salon, n. m. (dimin. de *salle*). Pièce ordinairement plus grande et plus ornée que les autres, et qui sert à recevoir les visiteurs. ‖ Fig., Maison où se rassemblent les gens du beau monde; ce monde lui-même. *Un poète de salon. Le salon de Mme Récamier*. ‖ Lieu où se fait l'exposition périodique des ouvrages, de peinture, sculpture, gravure, etc., des artistes vivants; cette exposition même. *Le salon d'automne*. — Par ext. Grande exposition périodique. *Le salon de l'automobile*. V. tabl. SOCIÉTÉ (*Idées suggérées par le mot*).

HOM. — *Salon*, n. m., pièce où l'on reçoit les visiteurs; exposition d'art; — *Salon*, n. pr., ville de Provence; — *salons*, du v. saler.

* **salonnier** [*lo-nié*], n. m. Critique littéraire qui rend compte des salons d'art.

* **salopard**, n. m. [Arg. milit.] Guerrier marocain faisant une guerre de traîtrise.

salope, adj. et n. f. Qui est sale et malpropre. *C'est une vraie salope* (Pop. et triv.). Se dit aussi des femmes de mauvaise vie. [Mar.] *Marie-salope*, drague.

saloper, v. tr. Pop. Effectuer un travail sans soin; gâter une chose.
CTR. — *Soigner, fignoler*.

saloperie, n. f. Pop. Saleté, grande malpropreté. ‖ Discours, propos ordurier. ‖ Action basse, honteuse. ‖ Ouvrage, marchandise de très mauvaise qualité.

salopette, n. f. Vêtement de travail, qui se porte par-dessus les autres vêtements.

* **salorge**, n. m. Amas de sel, meule de sel destiné au commerce.

salpêtrage, n. m. Action de salpêtrer. ‖ Production du salpêtre dans les nitrières artificielles.

salpêtre, n. m. (lat. *sal, salis*, sel *petra*, pierre). Nom vulgaire de l'azotate de potassium. Le salpêtre est un des ingrédients de la poudre à canon. V. tabl. MINÉRAUX (*Idées suggérées par le mot*). — Loc. *Vif comme le salpêtre*, d'une grande vivacité et qui s'emballe vite.

salpêtrer, v. tr. Mettre du salpêtre sur un espace de terrain, puis le damer, pour l'imperméabiliser. ‖ Faire naître du salpêtre. *L'humidité commence à salpêtrer ce mur*. = SE SALPÊTRER, v. pr. Se couvrir de salpêtre.

* **salpêtrerie**, n. f. Fabrique de salpêtre.

SALPÊTREUX — SALVE

salpêtreux, euse, adj. Qui contient du salpêtre.
salpêtrier, n. m. Ouvrier qui travaille à la préparation du salpêtre.
salpêtrière, n. f. Lieu où l'on fait, où l'on entrepose le salpêtre.
salpêtrisation [za-sion], n. f. Action de salpêtrer, de se salpêtrer. ‖ Résultat de cette action.
salpicon, n. m. Mets composé de dés de viande, foie gras, champignons, truffes, etc., incorporés dans une sauce très relevée.
salpingite, n. f. (gr. *salpinx*, trompe). [Méd.] Inflammation de la trompe de Fallope, conduit qui relie l'utérus à l'ovaire. ‖ Inflammation de la trompe d'Eustache.
salse, n. f. [Géol.] Colline volcanique rejetant de la boue salée et des gaz combustibles.
salsepareille [*ill* mll.], n. f. [Bot.] Plante de la famille des *liliacées* dont la racine est utilisée en médecine.
salsifis [*fi*], n. m. [Bot.] Genre de plantes de la famille des *composées*. La racine du *salsifis cultivé* est comestible.
salsolacées, n. f. pl. [Bot.] Autre nom de la famille des *chénopodiées*.
salsugineux, euse [*su-ji-neu*], adj. Imprégné de sel marin. ‖ Qui croît dans les terrains imprégnés de sel.
saltarelle [*rè-le*], n. f. Danse romaine, à trois temps, d'un mouvement vif et sautillant. ‖ L'air sur lequel on la danse.
saltation [*sion*], n. f. [Antiq. rom.] Art de la danse, de la pantomime, de l'action théâtrale et de l'action oratoire.
saltatrice, n. f. Danseuse, danseuse de corde, équilibriste.
saltigrade, adj. (lat. *saltus*, saut; *gradus*, marche). Qui avance par sauts. = N. m. pl. [Zool.] Anc. groupe d'arachnides comprenant les araignées sauteuses.
saltimbanque [*tin-ban-ke*] (ital. *saltimbanco*, sauteur sur tréteaux), n. m. Jongleur, bateleur, charlatan. ‖ Fig. et par mépris. Bouffon de société. ‖ Homme politique hâbleur et sans scrupule.
saltique, n. m. [Zool.] Genre d'arachnides comprenant des araignées sauteuses.
saluade, n. f. Action de saluer en faisant la révérence.
salubre, adj. Qui contribue à la santé.
Syn. — V. SAIN.
Ctr. — *Insalubre, malsain, délétère.*
salubrement, adv. D'une manière salubre.
salubrité, n. f. Qualité, état de ce qui est salubre. ‖ Qui a pour objet la santé publique. *Mesures de salubrité.*
saluer, v. tr. (lat. *salutare*, m. s.). Donner à quelqu'un une marque extérieure de civilité, de déférence, en l'abordant, en le rencontrant etc. *Je l'ai salué, et il ne m'a pas rendu mon salut. — Je vous salue, j'ai l'honneur de vous saluer*, se dit, par civilité, à une personne que l'on aborde, ou en terminant une lettre. ‖ Donner à certaines choses des marques de respect. *Saluer le drapeau.* ‖ Proclamer. *Vespasien fut salué empereur par l'armée.* = Se dit aussi des acclamations, des rires, des lazzis, etc., par lesquels on manifeste son opinion. *Il fut salué par les quolibets de la foule.* = SE SALUER, v. pr. Se dit de deux personnes, de deux navires, etc., qui échangent un salut.

salueur, n. m. Celui qui salue ou qui fait beaucoup de saluts.
salure, n. f. État de ce qui est salé ‖ Proportion du sel qui se trouve dans l'eau.
salut [*lu*], n. m. (lat. *salus*, m. s.). 1° Conservation dans le bien, ou rétablissement dans un état heureux, ou préservation du mal. *Le salut du peuple, de la république.* ‖ La conservation de la vie. — Le fait d'échapper à un grand danger. *Il chercha son salut dans la fuite.* [Théol.] Félicité éternelle des élus. *Faire son salut.* ‖ *Armée du salut,* association protestante en uniforme. Son but est de ranimer chez l'homme le souci de ses destinées religieuses.
2° Action de donner des marques de civilité, de respect. — Manière de saluer, en ôtant sa coiffure, en portant la main au képi, au front, etc. *Salut militaire.* ‖ Exclamation de respect ou d'admiration. *Salut, jeune héros.* ‖ S'emploie aussi fam. en abordant quelqu'un. [Loc. prov.] *A bon entendeur, salut!*
[Liturg.] Prières chantées le soir et qui se terminent par la bénédiction du Saint Sacrement.
Syn. — *Salut*, geste pour donner une marque de respect ou de civilité : *Le salut au drapeau.* — *Courbette*, salutation de politesse exagérée et sans dignité : *Faire des courbettes devant un puissant.* — *Révérence*, salut exécuté avec les mouvements du corps : *Faire une belle révérence de cour.* — *Salutation*, action de saluer, par gestes ou par formule de politesse, à la fin d'une lettre : *Faire de grandes salutations. Agréez mes salutations empressées.*
Hom. — *Salut!* interj., salutation; — *salut,* n. m., destinée bienheureuse; — *salue, es, ent,* du v. saluer.
salutaire, adj. Utile, avantageux pour la conservation de la vie, de la santé, des biens, de l'honneur, etc.
Syn. — V. SAIN.
Ctr. — *Dangereux, pernicieux.*
salutairement, adv. Utilement, avantageusement pour la conservation de la vie, des biens, etc.
salutation [*sion*], n. f. Action de saluer. ‖ Salut fait avec des marques très apparentes de respect et d'empressement. ‖ Formules dont on se sert quelquefois pour terminer les lettres. Employé dans ce cas au pl. ‖ *Salutation angélique,* la prière à la Vierge qui commence par *Ave Maria.*
Syn. — V. SALUT.
salutiste, n. Membre de l'Armée du salut (organisation protestante).
salvage, n. m. Droit qu'on perçoit sur ce qu'on a sauvé d'un bâtiment naufragé (Vx).
salvage corps, n. m. Corps de sapeurs-pompiers entraînés au sauvetage des objets précieux.
salvanos [*noss*], n. m. [Mar.] Bouée de sauvetage (Vx).
salvarsan, n. m. [Pharm.] Composé arsenical (606), employé dans le traitement de la syphilis.
salvatelle, n. f. [Anat.] Veine de la face dorsale de la main.
salvation [*sion*], n. f. Salut spirituel.
salve, n. f. (lat. *salve*, salut). Décharge simultanée d'un grand nombre d'armes à feu, soit contre l'ennemi, soit en signe de

réjouissance. *Une salve de vingt et un coups de canon. Un feu de salve.* ‖ Par ext. *Salve d'applaudissements*, applaudissements nombreux et nourris.

salvé [sal-vé], n. m. Hymne en l'honneur de la sainte Vierge, commençant par ces mots : *Salve, Regina* (Salut, Reine). *Chanter un salvé.* = Pl. *Des salvés.*

* **salvinie**, n. f. [Bot.] Genre de plantes *filicinées* vivant à la surface des eaux tranquilles.

* **samare**, n. f. [Bot.] Fruit formé d'un akène, pourvu d'une aile circulaire ou latérale (fruit de l'orme, de l'érable...).

* **samaritain, aine** [tin], adj. De Samarie. = N. Nom donné aux membres des dix tribus d'Israël qui se séparèrent des deux autres pour former, sous Jéroboam, le royaume d'Israël.

* **sambuque**, n. f. [Antiq.] Sorte de harpe triangulaire. ‖ Machine de guerre consistant en une échelle, un pont mobile porté sur un chariot, dont les anciens se servaient pour monter à l'assaut.

samedi, n. m. Le sixième jour de la semaine de travail, consacré au repos chez les Juifs. V. tabl. TEMPS (*Idées suggérées par le mot*).

samit [mi], n. m. Sorte de brocart en usage aux XVe et XVIe s.

* **sammy**, n. m. (de *Oncle Sam*). Sobriquet désignant le soldat américain. = Pl. *Des sammies.*

* **samnite**, adj. et n. Du Samnium, contrée d'Italie ancienne.

* **samole**, n. m. [Bot.] Genre de *primulacées* ; une espèce est appelée vulg. *mouron d'eau.*

* **samouraï** ou * **samuraï**, n. m. Nom donné, dans l'anc. Japon, aux guerriers vassaux d'un *daïmyo* (prince féodal).

samovar, n. m. Sorte de bouilloire utilisée en Russie; sert surtout à la préparation du thé.

sampan ou * **sampang** [san-pan], n. m. [Mar.] En Chine, embarcation à un ou deux mâts, comportant au centre une cahute d'habitation.

* **sample** ou **semple**, n. f. [Techn.] Cordes verticales d'un métier à tisser.

* **sanas**, n. m. Cotonnade des Indes.

sanatorium [ri-om], n. m. (lat. *sanare*, guérir). Établissement de cure situé dans un site approprié (montagne, campagne, bord de mer), pour le traitement de la tuberculose. Par abréviation fam. *Un sana.* = Pl. *Des sanatoriums* ou *sanatoria.*

san-benito [san-bé-ni-to], n. m. Sorte de casaque de couleur jaune ou noire, dont on revêtait les victimes que l'Inquisition faisait conduire au bûcher.

* **sancir**, v. tr. [Mar.] Se dit d'un navire qui coule bas en plongeant par l'avant.

sanctifiant, ante, adj. Qui sanctifie.

sanctificateur, trice, n. Celui, celle qui sanctifie.

sanctification [sion], n. f. L'action et l'effet de la grâce qui sanctifie. ‖ La célébration selon les lois de l'Église des dimanches et fêtes.

sanctifier, v. tr. Rendre saint. ‖ Rendre conforme à la loi divine. ‖ *Sanctifier le jour du Seigneur, le dimanche*, le célébrer suivant la loi et l'intention de l'Église. ‖ Honorer comme saint. *Que votre nom soit sanctifié.* = SE SANCTIFIER, v.

pr. Travailler à croître en piété et en vertus chrétiennes. = Conjug. V. GRAMMAIRE.

sanction [sank-sion], n. f. (lat. *sanctio*, action d'établir). Acte par lequel le chef de l'État donne à une loi l'approbation qui la rend exécutoire. *La sanction royale.* ‖ L'approbation que l'on donne à une chose. *Ce mot n'a pas reçu la sanction de l'usage.* ‖ Peine ou récompense qu'une loi porte, pour assurer son exécution. *Sanction pénale.* ‖ Mesures répressives prises à la suite d'un événement fâcheux par une autorité. *A la suite de l'attentat, le gouvernement a prononcé des sanctions sévères.* ‖ [Phil.] Récompense ou punition appliquée à l'être moral selon que son acte s'est conformé ou non à la loi établie. *La sanction et la loi morale.*

ÉPITHÈTES COURANTES : juste, injuste, bénigne, sévère, rigoureuse, appropriée, méritée; matérielle, morale, royale, judiciaire, pénale, pécuniaire; militaire; prévue, habituelle, exceptionnelle, etc.

* **sanctionnateur** [sank-sio], n. m. Qui sanctionne.

sanctionner [sank-sio], v. tr. Donner la sanction, approuver, confirmer.
SYN. — V. RATIFIER.

* **sanctissime**, adj. Très saint.

sanctuaire [sank-tu-ère], n. m. (du lat. *sanctus*, saint). Endroit le plus saint d'un temple, généralement interdit aux simples fidèles. ‖ Chez les Juifs, la partie du temple où reposait l'arche, et qu'on nommait aussi le *saint des saints.* ‖ Temple, église. *Un petit sanctuaire bouddhique à flanc de coteau.* ‖ Endroit d'une église où est le maître-autel. ‖ Fig. *Le sanctuaire des lois, de la justice*, le lieu où l'on rend la justice.

* **sanctus** [sank-tuss], n. m. [Liturg.] Prière que l'on chante à la messe, entre la préface et le canon, et qui commence par ce mot. ‖ Ce moment de la messe.

* **sandal**, n. m. V. SANTAL.
HOM. — *Sandale*, semelle retenue au pied par des cordons; sorte de bateau.

1. **sandale**, n. f. (gr. *sandalon*). Chaussure ne couvrant que le dessus du pied qu'avec des lanières. V. pl. CHAUSSURES. — Soulier de salle d'armes.

2. * **sandale** (turc *sandal*), n. f. [Mar.] Sorte de bateau de transport sur les côtes de Barbarie.
HOM. — *Sandal* (ou *santal*) arbre dont le bois est employé en ébénisterie.

* **sandalier, ière**, n. Celui, celle qui fait des sandales.

sandaraque, n. f. [Chim.] Résine tendre d'un thuya d'Afrique du Nord servant à la fabrication des vernis à l'alcool et des papiers glacés.

* **sandedei**, n. m. Large dague vénitienne du XVIe s. V. pl. ARMES.

* **sanderling**, n. m. [Zool.] Genre d'échassiers de l'hémisphère nord.

* **sandis** [diss], interj. (altérat. de *sang de Dieu*). Juron gascon.

* **sandix** ou **sandyx**, n. m. [Antiq.] Colorant minéral rouge.

sandjak, * **sandjiak** ou * **sangiac**, n. m. (mot turc sign. *enseigne*). En Turquie, subdivision d'un *vilayet* ou province.

* **sandre**, n. m. [Zool.] Genre de poissons téléostéens, voisins des perches.
HOM. — *Cendre*, résidu de toute combustion; — *cendre, es, ent*, du v. cendrer.

sandwich [sand-ouitch], n. m. (mot angl.). Tranche mince de jambon, de viande ou couche de pâté entre deux tranches de pain beurré. ‖ *Homme sandwich*, homme qui circule dans les rues en portant des placards de publicité, à la fois sur la poitrine et sur le dos.

sang [san; devant une voyelle sank], n. m. (lat. *sanguis*, m. s.). 1° Liquide rouge chez l'homme et chez les vertébrés, qui circule dans un système de vaisseaux particuliers, et se distribue dans tous les organes pour y apporter les matériaux nécessaires à l'entretien de la vie. *Sang artériel; sang veineux. Animal à sang chaud, à sang froid. — Le sang lui monte à la tête*, il a des étourdissements. Fig. il est près de se fâcher, de se mettre en colère. V. tabl. CORPS (*Idées suggérées par le mot*). ‖ *Coup de sang*, hémorragie cérébrale (Fam.). — *Il y a eu beaucoup de sang versé*, beaucoup de gens ont péri. — *Mordre, pincer jusqu'au sang*, jusqu'à entamer la peau et en faire sortir le sang. ‖ Fig. *Verser le sang, tremper ses mains dans le sang*, donner la mort à un homme, à des hommes. — *Mettre un pays à feu et à sang*, le dévaster, y commettre toute sorte d'excès. — *L'impôt du sang*, le service militaire, surtout en temps de guerre. [Théol.] *Précieux sang*, dans l'eucharistie, le vin changé en sang du Christ.

2° Loc. fig. et fam. *Suer sang et eau*. V. SUER. — *Se faire du bon sang, du mauvais sang*, prendre du plaisir, ou avoir des soucis. — *Sang-froid*. V. ce mot. — *Avoir le sang chaud*, être prompt à se mettre en colère. — *Cet homme a du sang dans les veines*, il est sensible à l'injure, il sait la repousser avec vigueur. — *Fouetter le sang*, exciter.

3° Race, extraction, famille. *Être de sang noble. — Prince du sang*. V. PRINCE. — *Avoir du sang bleu*, être de noble extraction. — *Sang-mêlé*, homme issu du croisement de races diverses. — *Les liens du sang*, l'affection qui doit exister entre personnes du même sang. — *La voix du sang*, les sentiments d'affection instinctive qui règnent entre les membres d'une même famille. — Prov. *Bon sang ne peut mentir*. ‖ En parlant des chevaux, race. *Un cheval de pur sang*, un cheval de course dont la race est sans mélange. On dit aussi absol. : *Un pur sang. — Un demi-sang*, cheval produit d'un individu de pur sang avec un individu de race commune.

— *Viens, mon fils, viens, mon sang, viens réparer ma honte.* (CORNEILLE.)

— *Tout mon sang, de colère et de honte s'enflamme.*

— *Quoi, du sang de son frère, il n'a point eu horreur ?*

— *Le sang de vos rois crie, et n'est point écouté.* (RACINE.)

— *Qu'un sang impur abreuve nos sillons.* (ROUGET DE LISLE.)

ÉPITHÈTES COURANTES : rouge, vermeil, noir, veineux, artériel, chaud, froid, vif; versé, répandu, prodigué, offert; corrompu, séché; noble, valeureux, pur, impur, bon, mauvais, etc.

INCORR. — N'écrivez pas : *être de sang rassis*, ce qui n'a aucun sens, mais *être de sens rassis*. — La loc. pop. *Faire tourner les sangs à quelqu'un* (lui causer une grande émotion) est tout à fait incorrecte.

SYN. — V. RACE.
HOM. — V. CENT.

VOCAB. — *Famille de mots*. — *Sang* [rad. *sang, saig*] : sanglant, sanguin, sanguine, sanguinaire, sanguifier, sanguification, sanguinelle, sanguinole, sanguinolent; sangsue; saigner, saignant, saigneux, saignement, saignée, saigneur; consanguin, consanguinité et les mots composés commençant par *sang* : sang-froid, sans-gris, etc. — (Le mot grec *haima*, sang, a donné les mots : anémie, anémier, anémique, urémique, urémie, hématurique, hématurie et les composés tirés du préfixe *hémo* : hémoglobine, etc.).

* **sang de rate**, n. m. [Méd. vét.] Charbon des bêtes à laine et des bêtes à cornes. = Pl. *Des sangs de rate*.

* **sang-dragon**, n. m. Résine rouge, astringente, produite par le fruit d'un palmier. = Pl. *Des sangs-dragons*. — On dit aussi *sang de dragon*.

sang-froid, n. m. invar. (de *sang*, et *froid*). État d'une âme qui sait rester toujours calme et se maîtriser. *Garder, perdre son sang-froid*. ‖ Présence d'esprit, calme dans les moments critiques. *Faire preuve de sang-froid.* ‖ *Faire, dire quelque chose de sang-froid.* Commettre un acte généralement violent, dire des paroles blessantes, avec dessein prémédité, froidement, et non dans un accès de colère. *Tuer quelqu'un de sang-froid*.

* **sang-gris** [san-gri], n. m. Boisson des Antilles, faite avec du vin, du jus de citron, du sucre, de la cannelle, de la muscade, etc. = Pl. *Des sangs-gris*.

* **sangiac**, n. m. V. SANDJAK.

* **sanglade**, n. f. Coup de sangle ou de fouet.

sanglant, ante, adj. Taché, souillé de sang. *Linge sanglant.* ‖ *Combat sanglant*, où il y a eu beaucoup de sang répandu. ‖ Fig. Outrageux, très offensant. *Reproches sanglants*.

SYN. — *Sanglant*, couvert de sang, ou qui est cause de beaucoup de sang versé : *Un membre sanglant. Une sanglante victoire*. — *Ensanglanté*, sur lequel il y a du sang répandu : *Des linges ensanglantés*. — *Saignant*, d'où le sang s'écoule : *Des viandes saignantes*. — *Sanguinolent*, mêlé de sang : *Des traces sanguinolentes*.

sangle, n. f. Bande plate et large faite de cuir, de chanvre, etc., qui sert à ceindre, à serrer. ‖ Partie du harnais qui passe sous le ventre de la bête. [Techn.] Bandes de toile très solides formant le fond d'un siège. — *Lit de sangle*, lit dont le fond n'est formé que de sangles tendues.

sangler, v. tr. Serrer avec une sangle, avec des sangles. *Sangler un cheval.* ‖ Fig. et fam. *Sangler un coup de poing*, appliquer avec force un coup de poing. = SE SANGLER, v. pr. Se serrer avec une sangle. ‖ Par ext. Se serrer trop dans son corset.

PAR. — *Cingler*, frapper avec un objet souple; naviguer vers.

sanglier [gli-é], n. m. [Zool.] Genre de pachydermes; c'est le porc sauvage d'Europe. V. tabl. ANIMAUX. V. pl. MAMMIFÈRES. ‖ Fig. Homme d'aspect rude et bourru.

* **sanglon**, n. m. Petite sangle. [Mar.] Fausse côte renforçant un bateau.

sanglot [glô], n. m. Soupir redoublé, poussé avec une voix entrecoupée sous l'empire d'une grande douleur, d'un violent chagrin.

SYN. — V. GÉMISSEMENT.

sangloter, v. intr. Pousser des sanglots.
sangsue [*san-su*], n. f. [Zool.] Genre d'annélides du groupe des hirudinés, qui suce le sang des animaux. — Employée en médecine pour la saignée capillaire. ‖ Fig. Celui qui tire de l'argent par des exactions.
* **sanguification** [*san-gu-i-fi-ka-sion*], n. f. [Physio.] Changement des aliments en chyle, et du chyle en sang.
* **sanguifier** [*gu-i*], v. tr. Changer en sang. = Conjug. V. GRAMMAIRE.
sanguin, ine [*ghin*], adj. Qui a rapport au sang. — *Vaisseaux sanguins*, qui servent à la circulation du sang. ‖ Qui a beaucoup de sang, qui se congestionne facilement. ‖ Qui est couleur de sang. *Rouge sanguin*. — *Orange sanguine*, dont la pulpe est rouge.
PAR. — *Sanguin*, adj., qui a rapport au sang : *Système sanguin* ; — *sanguinaire*, adj., qui se plaît à répandre le sang : *Un homme sanguinaire* ; — *sanguinolent*, adj., teint d'un peu de sang : *Crachat sanguinolent*.
1. **sanguinaire** [*ghi*], adj. Qui se plaît à répandre le sang humain. ‖ Qui porte à la cruauté. *Des dogmes sanguinaires*.
SYN. — V. CRUEL.
PAR. — V. SANGUIN.
2. **sanguinaire** [*ghi*], n. f. [Bot.] Genre de plantes dicotylédones de la famille des *papavéracées*.
sanguine [*ghinne*], n. f. [Minér.] Nom vulgaire de l'*hématite rouge*, dont on fait des crayons de teinte rouge foncé. ‖ Dessin exécuté avec un crayon de sanguine. [Blas.] Couleur héraldique rouge foncé. V. pl. BLASON. ‖ Orange sanguine.
* **sanguinelle** [*ghi*], n. f. [Bot.] Nom vulg. du *cornouiller* à fruits rouges.
* **sanguinole** [*ghi*], n. f. Variété de pêche. — Variété de poire.
sanguinolent, ente [*ghi*], adj. Teint d'un peu de sang.
PAR. — V. SANGUIN.
* **sanguisorbe** [*gu-i*], n. f. [Bot.] Genre de *rosacées*, plantes astringentes et hémostatiques.
sanhédrin, n. m. Tribunal des Juifs. ‖ Conseil suprême des Juifs à l'époque de Jésus-Christ, composé des prêtres, docteurs, etc., et présidé par le grand prêtre.
sanicle, n. f. [Bot.] Genre de plantes de la famille des *ombellifères*.
sanie, n. f. [Méd.] Matière purulente, séreuse et fétide produite par les ulcères et les plaies infectées.
sanieux, euse, adj. Qui sécrète de la sanie, ou qui en a la nature.
sanitaire, adj. Qui a rapport à la santé. ‖ Qui a rapport à la conservation de la santé publique. ‖ Qui se rapporte au service de santé militaire ou maritime. *Train, avion sanitaire*.
* **sankhya,** n. m. Système de philosophie hindou admettant l'existence de deux principes co-éternels, la nature (*Pràkriti*) et l'âme (*Purusha*).
* **sannyasin** [*sinn'*] ou **sannyasis,** n. m. Nom donné, dans l'Inde, aux ascètes mendiants et errants.
sans, prép. V. tabl. SANS.

SANS [*san*], mot inv.

Étymologie. — Latin *sine*, m. s.

SANS a servi à former plusieurs noms composés que l'on trouvera dans le texte alphabétique : *sans-fil, sans-cœur, sans-culotte, sans-gêne, sans-souci,* etc.
GRAM. — *Sans* ayant une valeur négative, on ne doit pas l'accompagner d'une négation. On ne dira donc pas : *Elle est sans beauté ni sans esprit*, mais : *sans beauté ni esprit*, ou *sans beauté et sans esprit*. — De même, on ne doit pas dire : *La mort vient sans qu'on ne l'attende*, mais : *sans qu'on l'attende*.
INCORR. — Ne pas écrire *sans dessus dessous* mais bien *sens dessus dessous*. V. SENS.
HOM. — V. CENT.

SANS, préposition, marque la privation et l'exclusion. *Être sans argent, sans place, sans ressources. La télégraphie sans fil. — Une audace sans égale. — Un homme sans aveu, sans foi ni loi. Il y est allé sans moi. — Sans plus*, sans qu'il y en ait plus.
SANS se met souvent au commencement d'une phrase. *Sans argent, que pouvais-je faire ?* n'ayant point d'argent, etc. *Sans mentir, c'est un méchant homme*, à parler vrai, etc.
SANS avec un nom ou un pron. marque la supposition ou la condition. *Sans la mort, que serait la vertu ?* (LAMARTINE.)
SANS suivi d'un infinitif marque parfois la conséquence, avec une valeur de simple coordination plus que d'exclusion. *On ne peut le fréquenter sans l'estimer* (on le fréquente et par suite on l'estime nécessairement).
Il marque aussi l'exclusion. *Souffrir sans se plaindre. — Il est parti sans laisser d'adresse*.

LOCUTIONS FORMÉES AVEC SANS

SANS QUE, loc. conj. généralement suivie du subj., marque une idée de conséquence ou de concession ; elle exprime un fait conçu par l'esprit, même s'il se trouve réalisé. *Sans* ayant un sens négatif, *sans que* ne doit pas être suivi de la négation.
1° **Avec le subjonctif :**
   a) Idée de conséquence. *Sans que cela paraisse. Retirez-vous sans que l'on vous voie.*
   b) Avec idée de : à moins que *Jamais un corps ne se meut par son poids sans que son centre de gravité descende*. (PASCAL.)
2° **Avec l'indicatif,** pour marquer un fait positif (Vx). *Si ce n'est que, s'il ne s'était pas produit le fait que. J'aurais fait réponse à votre lettre sans que j'ai su que vous couriez par votre Provence*. (Mme DE SÉVIGNÉ.)

Sans doute, loc. adv.
1° Marque l'affirmation, avec valeur actuelle de : sans aucun doute. *Cette leçon vaut bien un fromage sans doute*. (LA FONTAINE.)
2° Marque seulement une certaine probabilité, une possibilité : peut-être, probablement. *Je le verrai sans doute demain*.

AUTRES LOCUTIONS ADVERBIALES :
Sans cesse, sans contredit, sans cérémonie, sans exception, sans façon, sans faute, sans réplique, sans réponse, etc. V. ces locutions aux mots CESSE, EXCEPTION, FAÇON, etc.
NON SANS, loc. prép. suivie d'un nom ou d'un verbe, signifie : avec beaucoup de. *J'ai pu réussir cette négociation mais non sans peine*.
SANS QUOI, loc. adv., autrement, sinon. *Vous ferez cela, sans quoi vous serez puni*. On dit aussi dans le même sens, *sans cela*. (Fam.)

SANS-CŒUR — SAPER

sans-cœur, n. Qui est sans pitié, qui n'est pas affectueux. ‖ Lâche, sans courage.

sanscrit ou * **sanskrit,** n. m. Ancienne langue de l'Inde, qui est restée la langue sacrée de la religion brahmanique. = Adj. Qui a rapport au sanscrit.

* **sanscritique** ou * **sanskritique,** adj. Relatif au sanscrit.

* **sanscritisme** ou * **sanskritisme,** n. m. Ensemble des études relatives au sanscrit.

* **sanscritiste** ou * **sanskritiste,** n. m. Savant qui se livre à l'étude du sanscrit.

sans-culotte, n. m. Sobriquet que les contre-révolutionnaires donnèrent, en 1789, aux partisans de la révolution, et que plus tard, les républicains fougueux adoptèrent comme un titre d'honneur. = Pl. *Des sans-culottes.*

* **sans-culottide,** n. f. Nom des cinq (ou six) jours de fêtes complémentaires qui terminaient l'année dans le calendrier républicain. = Pl. *Des sans-culottides.*

* **sans-culottisme,** n. f. Parti, époque des sans-culottes.

* **sans-dent,** n. Vieille personne qui a perdu ses dents (Pop.). = Pl. *Des sans-dents.*

* **sansevière,** n. f. [Bot.] Genre de plantes monocotylédones, de la famille des *liliacées.*

sans-façon, n. m. Manière d'agir sans faire de façons. = Pl. *Des sans-façons.* = Adj. *Ils sont sans-façon.* = Adv. *Nous dînerons sans-façon.*

* **sans-fil,** n. m. inv. Abrév. sign. message, télégramme envoyé par T. S. F. = N. f. *La sans-fil,* la T. S. F.

* **sans-filiste,** n. Syn. de *radiotélégraphiste.* ‖ Celui qui possède un poste de T. S. F., qui s'occupe de T. S. F., qui aime écouter la T. S. F. = Pl. *Des sans-filistes.*

* **sans-fleur,** n. f. Variété de pommier à fleurs non apparentes. = Pl. *Des sans-fleur.*

sans-gêne, n. m. Manière d'agir sans s'imposer aucune gêne, en s'affranchissant des formes habituelles de politesse. ‖ Personne qui agit avec sans-gêne. = Adj. *Il est trop sans-gêne.* = Pl. *Des sans-gêne.*

* **sanskrit,** n. m. et adj. V. SANSCRIT.

sansonnet [san-so-nè], n. m. [Zool.] Nom vulgaire de l'étourneau.

* **sans-peau,** n. f. Variété de poire d'été, à peau très fine. = Pl. *Des sans-peau.*

sans-souci [san-sou-si], n. Personne que ne trouble aucun souci, aucune inquiétude. = N. m. Caractère d'une personne qu'aucun souci ne trouble. = Pl. *Des sans-souci.*

santal, n. m. [Bot.] Genre de plantes de la famille des *santalacées.* Le bois de santal a une odeur aromatique. On en extrait un médicament balsamique.

* **santalacées,** n. f. pl. [Bot.] Famille de végétaux dicotylédones, dont le type est le santal.

santé, n. f. (lat. *sanitas,* m. s.). État de l'être vivant chez lequel le fonctionnement de tous les organes est libre, régulier et facile. *Un visage resplendissant de santé.* — Au sens moral : *La santé de l'esprit.* ‖ État habituel de l'organisme. *Une bonne, une mauvaise santé.* — *Maison de santé,* maison où l'on reçoit les malades pour les soigner et moyennant un prix convenu. Se dit aussi des maisons privées où l'on soigne les maladies mentales. — *A votre santé,* façon de parler dont on se sert à table lorsqu'on boit à la santé de quelqu'un. [A. milit.] *Service de santé militaire, maritime,* service assurant des soins aux militaires, aux marins blessés ou malades, et veillant à leur hygiène.

— *Précieuse est la santé dont on ne connaît le bonheur qu'après l'avoir perdue. Sans la santé, on ne peut rien faire, tout demeure ; on ne peut aller ni venir qu'avec des peines incroyables : en un mot, ce n'est pas vivre que de n'avoir point de santé.*
(MME DE SÉVIGNÉ.)

ÉPITHÈTES COURANTES : bonne, excellente, prospère, de fer ; médiocre, chancelante, affaiblie, compromise, mauvaise, faible, précaire ; perdue, recouvrée, affermie, etc.

ANT. — *Maladie, indisposition.*
HOM. — *Sentez* du v. sentir.

santoline, n. f. [Pharm.] Mélange de graines de diverses espèces d'armoise, employé comme fébrifuge. [Bot.] Genre de plantes, famille des *composées.*

PAR. — V. SANTONINE.

1. **santon,** n. m. Sorte de moine mahométan.

2. **santon,** n. m. Petit personnage d'argile enluminée pour orner les crèches de Noël dans le Midi.

HOM. — V. CENTON.

santonine, n. f. [Pharm.] Substance cristallisable extraite du *semen-contra,* employée comme vermifuge.

PAR. — V. SANTOLINE.

* **santons,** adj. et n. V. SAINTONGEAIS.

sanve, n. f. Nom vulgaire de la moutarde sauvage ou *sénevé.*

saoûl [*sou*], **saoûle,** adj., **saoûlant,** adj.,
* **saoûlard,** n., * **saoûlaud,** n., **saoûler,** v. tr., etc. V. SOUL, SOULANT, etc.

* **sap,** n. m. [Mar.] Se dit du bois de tous les conifères analogues au sapin.

HOM. — *Sape,* n. f., grande faucille ; galerie souterraine. — *sape, es, ent,* du v. saper.

* **sapa,** n. m. Suc de raisin réduit jusqu'à consistance de miel.

sapajou, n. m. [Zool.] Nom vulg. de plusieurs genres de singes d'Amérique. ‖ Fig. Homme petit et laid ; enfant malicieux.

sape, n. f. (lat. pop. *sappa,* m. s.). [Agric.] Sorte de grande faucille pour la récolte des céréales ou des fourrages. V. pl. OUTILS USUELS. [Techn.] Pelle employée par les mineurs, et dont la lame est perpendiculaire au manche. [A. milit.] Galerie souterraine qu'on exécute pour se rapprocher de l'ennemi tout en se protégeant de son feu. ‖ Abri souterrain. ‖ Fig. Menée, intrigue souterraine. ‖ Action de saper, de jeter à bas. *La sape des croyances.*

HOM. — *Sape, es, ent,* du v. saper ; — *sap,* n. m., bois des conifères.

* **sapement,** n. m. Action de saper.

sapèque, n. f. Petite monnaie de cuivre de la Chine et de l'Indochine, millième du taël.

saper, v. tr. (de *sape*). [Agric.] Couper avec la faucille appelée sape. ‖ Travailler avec le pic et la pioche à détruire les fondements d'un édifice, d'un bastion, etc. *Saper une muraille.* ‖ Fig. Travailler à détruire une chose en l'attaquant dans ses principes. *Saper les fondements d'un État.*

* **saperde**, n. f. [Zool.] Genre d'insectes coléoptères longicornes, très nuisibles aux peupliers, saules, etc.

sapeur, n. m. Soldat du génie. *Sapeur pontonnier; sapeur télégraphiste.* ‖ Soldat employé aux travaux de sape. ‖ Autref., soldat d'infanterie, coiffé du bonnet à poil et armé d'une hache. ‖ Le régiment de pompiers de Paris porte le nom de *Sapeurs-Pompiers.*

saphène, adj. et n. f. [Anat.] Se dit de trois branches nerveuses et de deux veines qui se distribuent dans la jambe. *Nerf saphène. Veine saphène,* ou *saphène.*

saphique, adj. Se dit d'un vers grec ou latin, composé de onze syllabes et de cinq pieds, qui passait pour avoir été inventé par Sapho. ‖ Relatif au saphisme.

saphir, n. m. Pierre précieuse de couleur bleue, qui est une variété de corindon. ‖ *Saphir blanc,* corindon limpide et incolore. V. tabl. MINÉRAUX (*Idées suggérées par le mot*).

saphirine, n. f. [Minér.] Calcédoine de la couleur du saphir.

* **saphisme**, n. f. [Pathol.] Perversion de l'instinct sexuel chez la femme.

sapide, adj. (lat. *sapidus*, m. s.). Qui a de la saveur.
SYN. — V. SAVOUREUX.
CTR. — *Insipide, fade.*

sapidité, n. f. Qualité de ce qui est sapide, de ce qui affecte l'organe du goût.

sapience [*pi-an-se*], n. f. (lat. *sapientia,* sagesse). Se dit du livre de Salomon, appelé plus ordinairement *la Sagesse.*

sapientiaux, adj. m. pl. *Livres sapientiaux,* les livres de la Bible qui renferment des sentences morales.

sapin, n. m. [Bot.] Genre de plantes gymnospermes, famille des *conifères,* comprenant de beaux arbres résineux toujours verts. ‖ *Bois du sapin.* ‖ Pop. *Sentir le sapin,* être près de mourir (d'être mis dans une bière de sapin).

* **sapindacées**, n. f. pl. [Bot.] Famille de plantes dicotylédones dialypétales, dont le type est le savonnier (Amérique tropicale).

sapine, n. f. Planche, solive, baquet en bois de sapin. ‖ Espèce de grue, de treuil placé en haut d'un échafaudage ou de poutrelles métalliques, pour enlever les matériaux de construction.

* **sapineau**, n. m. Petit sapin.
* **sapinette**, n. f. Espèce de sapin. ‖ Petite embarcation en sapin.

sapinière, n. f. Lieu planté de sapins.
* **saponacé, ée**, adj. (lat. *sapo,* savon). Qui a les caractères du savon.

saponaire [*po-nère*], n. f. [Bot.] Genre de plantes dicotylédones de la famille des *caryophyllées,* donnant une mousse semblable à celle du savon.

* **saponifiable**, adj. Qui peut être saponifié.

saponification [*ka-sion*], n. f. [Chim.] Dédoublement des corps gras en glycérine et en acides ou en savons.

saponifier, v. tr. Opérer la saponification d'une substance. = SE SAPONIFIER, v. pr. Subir la saponification. = Conjug. V. GRAMMAIRE.

* **saponine**, n. f. [Chim.] Substance ternaire contenue dans la saponaire, le bois de Panama, etc., leur donnant la propriété de pouvoir laver le linge.

* **saporifique**, adj. Qui produit la saveur.
PAR. — *Soporifique,* qui endort.

* **sapotacées**, n. f. pl. [Bot.] V. SAPOTÉES.

sapote ou **sapotille**, n. f. Fruit du sapotillier.

* **sapotées** ou * **sapotacées**, n. f. pl. [Bot.] Famille de végétaux dicotylédones. Un arbre de cette famille donne la gutta-percha, un autre le bois de fer.

sapotier ou **sapotillier**, n. m. [Bot.] Genre de plantes des pays tropicaux dont les fruits sont comestibles et dont l'écorce est astringente et fébrifuge.
PAR. — *Sabotier,* qui fabrique, qui vend des sabots.

* **sapristi**, interj. Sorte de jurement fam.
* **saprolégnées**, n. f. pl. [Bot.] Famille de champignons siphomycètes vivant sur les corps en voie de décomposition.
* **saprophage**, adj. Qui vit de matières organiques décomposées.
PAR. — *Sarcophage,* sorte de cercueil en pierre.
* **saprophyte** [*fite*], adj. et n. m. (gr. *sapros,* pourri; *phytos,* plante). [Bot.] Se dit des bactéries qui vivent dans les matières organiques en décomposition. ‖ *Microbes saprophytes,* qui vivent dans l'organisme sans sécréter de toxines ni produire de maladie, par oppos. à *microbes pathogènes.*

* **saprophytique**, adj. Qui tient de la nature des saprophytes.
* **saquebute**, n. f. Espèce de grande trompette. ‖ Lance armée d'un crochet.
* **saquer**, v. tr. [Mar.] *Saquer une voile,* la tirer au dedans du navire, la rentrer.
HOM. — *Sacquer,* v. tr. congédier, révoquer.
* **saquet**, n. m. Forme dialectale de *sachet.*

sarabande, n. f. (esp. *sarabanda,* m. s.). Danse espagnole au caractère grave et à trois temps. ‖ Fig. et fam. Agitation, danse désordonnée.

sarbacane, n. f. Long tuyau droit par lequel on peut lancer, en soufflant, de petits projectiles.
PAR. — *Barbacane,* ouvrage de fortification; ouverture étroite.

sarcasme, n. m. (gr. *sarkasmos,* m. s.). Raillerie amère et insultante.

sarcastique, adj. Qui tient du sarcasme, ou qui en use volontiers.
SYN. — V. CAUSTIQUE.

sarcelle [*sè-le*], n. f. [Zool.] Espèce d'oiseau palmipède, plus petit et de même forme que le canard sauvage.

* **sarche**, n. f. Cercle de bois auquel on attache une étoffe pour faire un tamis.
* **sarcine**, n. f. [Méd.] Association de cellules de champignons, qui se rencontre dans certaines maladies.
* **sarclable**, adj. Qu'on peut sarcler.

sarclage, n. m. Action de sarcler. ‖ Résultat de cette action.

sarclé, ée, adj. [Agric.] *Plante sarclée,* qui exige une terre tenue constamment propre et meuble.

sarcler, v. tr. Enlever les mauvaises herbes à la main ou avec un instrument tranchant. *Sarcler un jardin; les avoines.*
PAR. — *Cercler,* entourer de cercles.

* **sarclet** [*sar-klé*], n. m. ou * **sarclette**, n. f. Sarcloir de maraîcher.

sarcleur, euse, n. Personne qu'on emploie à sarcler.
sarcloir [sar-klou-ar], n. m. Instrument pour sarcler. V. pl. OUTILS USUELS.
sarclure, n. f. Ce qu'on arrache d'un champ, d'un jardin en le sarclant.
* **sarco-,** préf. tiré du grec *sarx, sarkos,* impliquant l'idée de chair.
* **sarcocarpe,** n. m. [Bot.] La partie charnue d'un fruit, ou *mésocarpe.*
sarcocèle, n. m. [Méd.] Tumeur dure du testicule.
sarcocolle, n. f. [Bot.] Matière gélatineuse fournie par une *légumineuse, l'astragalas sarcocolla;* employée autref. pour réunir les lèvres des plaies.
sarcocollier, n. m. [Bot.] Genre de plantes des contrées tropicales, qui fournit une résine employée autref. en chirurgie.
* **sarcolemne,** n. m. [Anat.] Membrane qui enveloppe chaque fibre musculaire.
* **sarcolénées,** n. f. pl. [Bot.] Famille de végétaux dicotylédones de Madagascar.
sarcologie, n. f. Partie de l'anatomie qui traite des parties molles du corps.
* **sarcologique,** adj. Qui a rapport à la sarcologie.
sarcomateux, euse, adj. [Méd.] Qui tient du sarcome.
sarcome, n. m. (gr. *sarkoma,* m. s.). [Méd.] Tumeur maligne apparentée au cancer, développée aux dépens du tissu conjonctif.
sarcophage, n. m. (gr. *sarx, sarkos,* chair; *phagein,* manger). Sorte de cercueil fait d'une pierre à laquelle on attribuait la propriété de consumer la chair. ‖ Par ext. Cercueil de pierre ou tombeau quelconque. ‖ Monument funèbre en forme de cercueil. [Zool.] Groupe d'insectes diptères (*mouches grises de la viande*).
SYN. — V. CERCUEIL.
PAR. — *Saprophage,* qui vit de matières organiques décomposées.
* **sarcophylle** [*fil-le*], n. f. [Bot.] La partie charnue de la feuille.
* **sarcopte,** n. m. (gr. *sarx,* chair; *koptein,* couper). [Zool.] Genre d'arachnides acariens très petits, parasites de l'homme et des mammifères, chez lesquels ils occasionnent la gale.
* **sarcotique,** adj. Qui favorise la cicatrisation des chairs.
PAR. — *Narcotique,* qui assoupit, qui endort.
* **sarcotripsie,** n. f. [Chir.] Mode d'amputation par écrasement linéaire des chairs.
* **sardanapalesque,** adj. Qui appartient à Sardanapale, qui rappelle son faste et ses orgies.
1. * **sarde,** n. m. [Zool.] Nom vulg. d'une espèce de poissons téléostéens.
2. * **sarde,** adj. et n. De la Sardaigne.
* **sardinal,** n. m. Filet pour la pêche à la sardine.
sardine, n. f. (gr. *sardinê,* m. s.). [Zool.] Nom vulg. d'une espèce de poissons téléostéens de petite taille, qui s'approchent de nos côtes en bancs au moment de la ponte.
sardinerie, n. f. Lieu où l'on prépare et confit les sardines.
sardinier, ière, n. Pêcheur, pêcheuse de sardines. ‖ Ouvrier, ouvrière des sardineries. = N. m. Bateau employé à la pêche de la sardine. = Adj. *Bateau sardinier.* = SARDINIÈRE, n. f. Filet pour les sardines.

sardoine, n. f. [Minér.] Variété de calcédoine de couleur rouge sang ou brun rouge.
sardonique, adj. Se dit d'un rire, d'un rictus qui donne à la bouche un aspect méchant et sarcastique.
* **sardoniquement,** adv. D'une façon sardonique.
sargasse [*gha-sse*], n. f. [Bot.] Genre d'algues maritimes filamenteuses, famille des *fucacées,* qui croissent dans les mers tropicales et dont les thalles ont de très grandes dimensions.
* **sargue,** n. m. [Zool.] Genre de poissons osseux.
* **sari,** n. m. Vêtement des femmes, aux Indes.
sarigue, n. m. [Zool.] Genre de marsupiaux d'Amérique à queue prenante. = N. f. Femelle du sarigue.
sarisse, n. f. [Antiq. grecq.] Sorte de pique qui était l'arme des fantassins de la phalange macédonienne.
sarment [*man*], n. m. (lat. *sarmentum,* m. s.). Le bois que la vigne pousse chaque année. ‖ Tige à la fois ligneuse et grimpante.
PAR. — *Serment,* attestation solennelle.
sarmenteux, euse, adj. Se dit d'une vigne qui pousse beaucoup de sarments. ‖ Par ext. Se dit des plantes à tige longue, flexible et grimpante comme le sarment.
* **saronide,** n. m. Syn. de *barde,* chez les anciens Gaulois.
* **saropode,** adj. [Zool.] Qui a les pattes velues et semblables à des balais.
saros, n. m. [Astr.] Période de 18 ans 11 jours, appelée aussi *période chaldéenne* et servant à prédire les éclipses.
* **sarracénie,** n. f. [Bot.] Genre de plantes dicotylédones herbacées des lieux marécageux.
* **sarracénique,** adj. Qui a rapport aux Sarrasins. *L'art sarracénique.*
* **sarrancolin** ou * **sérancolin,** n. m. Variété de marbre rouge, veiné de blanc, extrait à Sarrancolin (Hautes-Pyrénées).
1. **Sarrasin, ine,** adj. Relatif aux Sarrasins, à tous les peuples non chrétiens de l'Afrique et de l'Orient. ‖ Se dit d'une architecture caractérisée par des ogives en forme de fer à cheval brisé. = Nom. *Un sarrasin.*
2. **sarrasin** [*ra-zin*], n. m. [Bot.] Genre de plantes, appelé aussi *blé noir;* famille des *polygonées.* On fait de la farine avec les graines, et la plante verte peut servir de fourrage.
* **sarrasine,** n. f. Herse de fortification, entre le pont-levis et la porte.
sarrau [*sa-rô*], n. m. Sorte de souquenille, de grande blouse. ‖ Tablier à manches pour les enfants. — On écrit aussi *sarrot.*
sarrette [*sa-rè-te*], n. f. [Bot.] Nom vulgaire de la *serratule,* genre de composées dont on extrait une teinture jaune.
sarriette, n. f. [Bot.] Genre de plantes aromatiques, famille des *labiées.*
* **sarrussophone,** n. m. [Mus.] Instrument de musique à vent, en cuivre, à anche double.
* **sartières,** n. f. pl. Terrains incultes situés au pied des digues, dans les marais salants.
1. **sas** [*sâ*], n. m. (lat. *setacium,* en soie de cochon). Tissu de crin, de soie, etc.,

entouré d'un cercle de bois, et qui sert à passer de la farine, du plâtre, etc. *Les cribles sont des sas à grands trous et les tamis des sas à petits trous.*
2. sas [sâ], n. m. Partie d'un canal compris à l'intérieur d'une écluse. ‖ Petit bassin entre deux écluses. V. pl. PORT.
Hom. — V. ÇÀ (adv.).

sassafras [*fra*], n. m. [Bot.] Genre de *lauracées* d'Amérique; arbres à l'écorce sudorifique.

* **sassage,** n. m. Action de sasser.

sasse, n. f. Sorte d'écope. ‖ Grand tamis pour bluter.

* **sassement** [*se-man*], n. m. Action de sasser.

* **sassenage,** n. m. Fromage fait d'un mélange de lait de vache et de lait de chèvre ou de brebis, fabriqué à Sassenage (Isère).

1. sasser, v. tr. Passer au sas. *Sasser la farine.* ‖ Fig. et fam. Discuter, examiner, rechercher avec exactitude. *Sasser et ressasser.* [Techn.] Polir en agitant dans du sable, dans de la poudre de pierre ponce.

2. sasser, v. tr. Faire passer par le sas d'une écluse.

* **sasset** [*sa-sé*], n. m. Petit sas à passer les liquides, la farine, etc.

* **sasseur, euse,** n. Ouvrier, ouvrière qui sasse. = N. m. Instrument pour sasser.

* **sassoire,** n. f. Pièce du train de devant d'un carrosse, d'un haquet, etc.

* **sassoline,** n. f. [Minér.] Acide borique naturel.

* **sassure,** n. f. Ce qui reste sur le sas.

Satan, n. m. (hébr. *haschatan,* adversaire). Le chef des anges déchus, le démon.

satané, ée, adj. Digne du diable, de Satan.

satanique, adj. De Satan. ‖ *Orgueil satanique,* orgueil extrême.

satanisme, n. m. Qualité de ce qui est satanique. ‖ Culte rendu à Satan; magie noire.

* **sataniquement,** adv. D'une manière satanique.

satellite [*tel-lite*], n. m. (lat. *satelles, satellitis,* m. s.). Homme armé qui est aux gages d'un autre comme garde du corps ou comme exécuteur de ses violences. [Astro.] Astre qui circule autour d'une planète. *La Lune est le satellite de la Terre.* = Adj. [Anat.] *Veines satellites,* celles qui avoisinent les artères.

* **sâti** ou * **suttée,** n. f. Aux Indes, se dit de la veuve qui suivait son mari dans la mort en montant sur son bûcher funéraire.

satiété [*si-été*], n. f. (lat. *satietas,* m. s.). Le fait d'être complètement rassasié. *Manger jusqu'à satiété.* ‖ Dégoût qui suit l'usage immodéré d'une chose. ‖ Au sens moral. *La satiété des plaisirs.* ‖ *Répéter une chose à satiété, jusqu'à satiété,* la rabâcher, jusqu'à fatiguer.

* **satif, ive,** adj. Qu'on sème, qui vient par semis.

satin, n. m. Étoffe de soie plate, fine, douce, moelleuse et lustrée. V. tabl. VÊTEMENT et PARURE (*Idées suggérées par les mots*). ‖ Fam. *Avoir la peau douce comme du satin,* avoir la peau douce et fort unie.

* **satinade,** n. f. Petite étoffe de soie très mince qui imite le satin.

satinage, n. m. Action de satiner ou le résultat de cette action.

satiné, ée, adj. Qui est doux et poli comme le satin. *Une peau satinée.* — *Tulipe satinée,* d'un beau blanc de satin.

satiner, v. tr. Donner le poli et le brillant du satin (à une étoffe, à du papier, etc.).

* **satinet** [*né*], n. m. Étoffe de soie et de coton rayée.

satinette, n. f. Satin de coton ou de coton et soie.

* **satineur, euse,** n. Ouvrier, ouvrière qui satine.

satire, n. f. Ouvrage, ordinairement en vers, qui a pour objet de censurer, de critiquer, de tourner en ridicule les vices, les sottises des hommes, les défauts d'un écrivain, etc. V. tabl. LETTRES (*Idées suggérées par le mot*). ‖ Pamphlet, écrit ou discours piquant. ‖ Blâme, critique se dissimulant sous la raillerie.

— *La satire en leçons, en nouveautés fertile,*
Sait seule assaisonner le plaisant et l'utile...
Elle seule, bravant l'orgueil et l'injustice,
Va jusque sous le dais faire pâlir le vice,
Et souvent, sans rien craindre, à l'aide d'un bon mot,
Va venger la raison des attentats d'un sot.
(BOILEAU.)

ÉPITHÈTES COURANTES : acerbe, virulente, cruelle, méchante; blessante, sanglante, implacable; fine, spirituelle, ingénieuse, plaisante; littéraire, morale, etc.

ANT. — *Apologie, éloge.*
Hom. — *Satyre,* demi-dieu mythologique.

satirique, adj. Qui appartient à la satire. ‖ Qui écrit des satires. *Poète satirique.* ‖ Enclin, porté à la médisance, à la satire. *Esprit satirique.* = Nom. *Les satiriques,* les poètes satiriques.
SYN. — V. CAUSTIQUE.
CTR. — *Apologique, élogieux.*

satiriquement, adv. D'une manière satirique.

satiriser [*zé*], v. tr. Railler quelqu'un d'une manière piquante et satirique.

satisfaction [*sion*], n. f. (lat. *satisfactio,* m. s.). Contentement, état d'esprit de celui dont les vœux sont remplis. *Éprouver de la satisfaction.* ‖ Action par laquelle on satisfait quelqu'un, en réparant l'offense qu'on lui a faite. — *Donner, obtenir satisfaction.* [Théol.] Ce qu'on est obligé de faire pour réparer les péchés qu'on a commis.
SYN. — V. BONHEUR.
CTR. — *Mécontentement, insatisfaction.*

satisfactoire, adj. Qui est propre à réparer, à expier les fautes commises envers Dieu.

satisfaire, v. tr. (lat. *satisfacere,* m. s., de *satis,* suffisamment, et *facere,* faire). Contenter, donner un sujet de contentement. *On ne peut satisfaire tout le monde.* — *Satisfaire ses créanciers,* leur payer ce qui leur est dû. ‖ Par anal. *Satisfaire un besoin,* faire ce que ce besoin exige. — *Satisfaire sa passion, sa colère, son ambition,* se laisser aller aux mouvements de sa passion, etc. ‖ Contenter pleinement. *Satisfaire le goût, l'oreille.* — *Satisfaire l'attente de quelqu'un.* = V. intr. Faire ce que l'on doit par rapport à quelque chose.

Satisfaire à son devoir. = SE SATISFAIRE, v. pr. Contenter le désir que l'on a de quelque chose. = Conjug. (comme *faire*). V. VERBES.
OBS. — Quand ce verbe est transitif, il a le sens de « contenter » : *satisfaire ses créanciers.* Intransitif, il se construit avec la préposition *à* et signifie : faire ce qu'on doit par rapport à : *Satisfaire aux lois, à l'honneur.*
CTR. — *Mécontenter, chagriner.*
satisfaisant, ante [*zan*], adj. (du ppr. de *satisfaire*). Qui contente, qui satisfait de façon suffisante.
INCORR. — L'étymologie indique que l'expression *assez satisfaisant* constitue un pléosmane. Ne parlez donc pas d'un devoir *assez satisfaisant,* mais d'un devoir *satisfaisant.*
satisfait, aite, adj. Content, dont les désirs sont comblés. *Satisfait de son art.* || Assouvi, rempli. *Désir satisfait.* = N. m. Celui qui est satisfait.
SYN. — V. AISE.
satisfecit [*fé-sit*], n. m. (mot lat., il a assez fait). Billet par lequel un maître témoigne qu'il est satisfait d'un élève. = Pl. *Des satisfecit.*
satrape, n. m. Titre d'un gouverneur de province chez les anciens Perses. || Fig. Grand seigneur orgueilleux, voluptueux et despote.
satrapie, n. f. Province administrée par un satrape.
* **saturabilité,** n. f. [Chim.] Qualité de ce qui est saturable.
* **saturable,** adj. [Chim.] Qui est susceptible de saturation.
* **saturant, ante,** adj. Qui sature, qui a la propriété de saturer.
* **saturateur,** n. m. Appareil pour saturer.
saturation [*sion*], n. f. (lat. *saturatio,* m. s.). État d'une personne, d'une chose qui est rassasiée, qui ne peut recevoir davantage. || Fig. Sentiment de satiété. [Chim.] Action de saturer. — État d'un corps saturé.
saturé, ée, adj. Qui contient une proportion maximum. *L'air est saturé d'humidité.* || Fig. Rassasié jusqu'au dégoût. *Le public est saturé de cette littérature.* [Chim.] Se dit d'une substance qui ne peut plus se mélanger ou se combiner davantage avec une autre.
saturer, v. tr. (lat *saturare,* m. s., de *satur,* rassasié). [Chim.] Combiner un corps avec un autre, ou dissoudre dans un liquide un corps soluble, de telle sorte que ce qu'on ajoute au delà reste libre et ne se combine ou ne se dissolve point. || Fig. *Saturer quelqu'un de,* lui donner d'une chose jusqu'à satiété.
saturnales, n. f. pl. [Antiq.] Fêtes en l'honneur de Saturne, consacrées au plaisir et à la joie, analogues à notre carnaval. || Fig. Moment de désordre, de licence.
saturne, n. m. (de *Saturne,* n. pr.). Nom sous lequel les alchimistes désignaient le plomb.
* **saturnie,** n. f. [Zool.] Genre d'insectes lépidoptères, papillons nocturnes de grande taille (*paons de nuit*).
saturnien, ienne, adj. Qui se rapporte à Saturne. [Astrol.] Qui est sous l'influence de la planète Saturne. = N. m. Vers de la vieille poésie latine.

saturnin, ine, adj. [Méd.] Causé par l'absorption du plomb. *Coliques saturnines.*
saturnisme, n. m. [Méd.] Intoxication lente causée par l'absorption du plomb ou de ses composés.
1. satyre, n. m. [Myth.] Sorte de demi-dieu aux instincts lascifs, qui habitait les bois et qui avait la queue ou même la partie inférieure du corps d'un bouc. || Fig. et fam. *C'est un satyre,* c'est un homme extrêmement cynique, ou qui attente à la pudeur des enfants. [Zool.] Genre d'insectes lépidoptères diurnes.
HOM. — *Satire,* ouvrage littéraire qui a pour objet de critiquer.
2. * **satyre,** n. f. Pièce du théâtre grec dont les principaux personnages étaient des satyres.
satyriasis [*ziss*], n. m. [Méd.] Érotisme pathologique chez l'homme.
satyrion, n. m. [Bot.] Nom vulg. de plantes de la famille des *orchidées,* à odeur de bouc.
satyrique, adj. [Antiq.] Qui appartient aux satyres. *Danse satyrique.* — *Drame satyrique,* quatrième pièce ajoutée parfois à la trilogie grecque.
HOM. — *Satirique,* relatif à la satire.
sauce, n. f. (lat. *salsa,* chose salée). Assaisonnement liquide, où il entre du sel et ordinairement quelques épices. V. tabl. NOURRITURE (*Idées suggérées par le mot*). || Fig. et fam. *La sauce vaut mieux que le poisson,* l'accessoire vaut mieux que le principal. On dit, dans un sens anal. : *La sauce fait manger le poisson.* — *On ne sait à quelle sauce le mettre,* se dit d'un homme qui n'est propre à rien. — Dans le sens contraire : *On peut le mettre à toutes les sauces,* on peut l'employer à toutes sortes de services. || Pop. Pluie torrentielle. *Quelle sauce!* || Crayon noir, très friable, que l'on étend avec l'estompe.
ÉPITHÈTES COURANTES : blanche, verte, rousse ; courte, longue, salée, épicée, poivrée ; mayonnaise, portugaise, piquante, sauce Robert, béchamelle, tomate, rémoulade, moutarde, vinaigrette, provençale, bordelaise, etc.
* **saucé, ée,** adj. [Numism.] Recouvert d'une mince couche d'argent, en parlant d'anc. pièces de cuivre.
saucer [*sô-sé*], v. tr. Tremper du pain, de la viande, etc., dans la sauce. || *Saucer son assiette,* la rendre nette de sauce avec de la mie de pain. || Fig. et fam. *Se faire saucer,* se faire copieusement mouiller, ou fortement réprimander. = Conjug. V. GRAMMAIRE.
PAR. — *Saussaie,* n. f., lieu planté de saules.
saucier, n. m. Celui qui compose, prépare ou vend des sauces.
saucière, n. f. Vase à bec dans lequel on sert des sauces sur la table.
saucisse [*so-sis-se*], n. f. (bas lat. *salcita,* de *salsum,* salé). Boyau de porc rempli de viande hachée et assaisonnée. || Fig. et prov. *Ne pas attacher ses chiens avec des saucisses,* être très regardant à la dépense. [A. milit.] Nom pop. du *ballon observatoire.* V. pl. AÉRONAUTIQUE.
saucisson [*sô-sis-son*], n. m. Saucisse fort grosse et de très haut goût. || Fig. *Ficeler comme un saucisson,* en serrant si fort que les ficelles pénètrent dans la

chose serrée. [Techn.] Sac allongé rempli de poudre pour faire détoner une mine.

1. sauf, sauve, adj. (lat. *salvus,* m. s.). Qui n'est point endommagé, qui est hors de péril. *Il a eu la vie sauve.* On le joint souvent avec *sain. Il sortit sain et sauf de la bagarre.*

2. sauf, prépos. V. tabl. SAUF.

sauf-conduit, n. m. Sorte de passeport qui permet à une personne d'aller ou de séjourner *quelque part sans être inquiétée.* = Pl. *Des sauf-conduits.*

sauge, n. f. [Bot.] Genre de plantes aromatiques, de la famille des *labiées;* la sauge officinale est tonique et stimulante des fonctions digestives.

1. * **saugé, ée,** adj. [Bot.] Qui renferme de la sauge.

2. * **saugé** ou * **sauget,** n. m. [Zool.] Variété de lilas.

* **sauger,** n. m. Sorte de poirier sauvage qui donne les poires dites *de sauge.*

* **saugeoire,** n. f. Pelle pour mettre le sel dans les paniers.

saugrenu, ue, adj. (propr. dont le sel est en gros grains). Absurde, ridicule, impertinent. *Raisonnement saugrenu.*

saulaie, n. f. Lieu planté de saules. On dit aussi *saussaie.*

saule, n. m. [Bot.] Genre d'arbres de la famille des *salicinées;* croît au bord des rivières, dans les lieux humides; certaines variétés donnent l'osier. ‖ *Saule pleureur,* dont les branches retombent vers le sol.

HOM. — *Saule,* n. m., arbre poussant au bord de l'eau; — *sol,* n. m., terrain; — *sol,* n. m., 5ᵉ note de la gamme de do; — *sole,* n. f., partie du pied du cheval; genre de poisson; partie d'un four qui reçoit le combustible; — *sole,* n. f., partie d'un assolement.

* **saulée,** n. f. Rangée de saules.

saumâtre, adj. Qui a le goût de l'eau de mer.

saumon [sô], n. m. (lat. *salmo, salmonis,* m. s.). [Zool.] Espèce de poissons téléostéens. [Techn.] Masse de fer, de fonte, de

---

SAUF, mot invariable.

Étymologie. — La prép. *sauf* n'est autre chose que la forme masculine ou neutre de l'adjectif *sauf.* Cet article, placé devant le nom, comme il est arrivé pour les participes *excepté, vu, etc.,* et souvent laissé invariable, est devenu une préposition.
SYN. — V. EXCEPTÉ.

SAUF, préposition.

Sans blesser, sans donner atteinte à. (Encore adj., et vx. dans ce sens). *Sauf le respect que je vous dois.* — *Sauf votre respect,* formule pop. employée pour annoncer et pour excuser une locution que l'on juge quelque peu hardie ou irrévérencieuse.
Hormis, excepté, à la réserve de. *Il lui a cédé tout son bien, sauf la maison qu'il habite.* Sans exclure, sans préjudice, sans que cela empêche de. *Sauf appel, Sauf à déduire.* [Commerce et Fin.] *Sauf erreur de calcul, sauf erreur ou omission* (en abrégé S. E. O.) sans préjudice du droit de revenir à compte, s'il y a erreur ou omission dans le calcul.

Sauf que, LOCUTION CONJONCTIVE.

Introduit une proposition conditionnelle marquant l'exception, et se construit toujours avec l'indicatif, car elle marque un fait réel. — Excepté que, à la réserve de. *Tout alla fort bien dans notre promenade, sauf que, à un moment, on se trompa de route.*

VOCAB. — *Famille de mots.* — *Sauf* [rad. *sau, sal, salv.*] : sauver, sauveur, sauveté, sauvetage, sauveteur, sauvegarde, sauvegarder; salut, saluer, salueur, salutation, salutaire, salutairement, salutiste; salubre; salubrement, salubrité; insalubre, insalubrement, insalubrité; salve, salvé, salvation, salvatelle, salvage, salvanos; sauge, saugé; sauf-conduit, sauve-qui-peut, sauve-vie.

---

plomb, etc., telle qu'elle sort des moules après solidification. *De l'étain en saumons.* = Adj. Se dit de la couleur rosée rappelant celle de la chair de saumon. *Étoffe saumon.* = Pl. *Des rubans saumon.*

saumoné, ée, adj. Qui a la couleur du saumon. ‖ Dont la chair est rose comme celle du saumon. *Truite saumonée.*

saumoneau [sô-mo-no], n. m. Petit saumon.

* **saumurage,** n. m. Action de mettre dans la saumure des denrées alimentaires.

saumure, n. f. (lat. *salmuria,* m. s., de *sal,* sel). Substance liquide produite par le sel fondu et le suc de la chose salée qu'on y conserve.

HOM. — *Saumur,* ville de l'O. de la France.

* **saumuré, ée,** adj. Qui a séjourné dans la saumure.

saunage, n. m. Extraction du sel des eaux de mer. ‖ Fabrication et trafic du sel. ‖ *Faux saunage,* vente du sel en fraude et contre les ordonnances.

* **saunaison** [so-né-zon], n. f. Action de faire le sel. ‖ Temps de l'année pendant lequel on fait le sel.

sauner, v. intr. (lat. *salinare,* m. s., de *sal,* sel). Faire du sel. ‖ Produire du sel, en parlant des marais salants.
PAR. — *Sonner,* rendre un son.

saunerie, n. f. Lieu, établissement où l'on produit du sel.
PAR. — *Sonnerie,* son produit par plusieurs cloches ensemble.

saunier [nié], n. m. Ouvrier qui travaille à faire le sel. ‖ Celui qui débite, qui vend le sel. ‖ *Faux saunier,* celui qui extrayait ou vendait du sel en fraude et contre les ordonnances. On dit parfois aussi *salinier* dans ces deux sens.

saunière, n. f. Espèce de coffre où l'on conserve le sel.

saupiquet [so-pi-ké], n. m. Sauce ou ragoût qui pique, qui excite l'appétit.

* **saupoudrage,** n. m. Action de saupoudrer.

saupoudrer, v. tr. Poudrer avec du sel. *Saupoudrer de la viande.* ‖ Par ext. Se dit de la farine, du sucre, etc. *Saupoudrer de sucre des beignets.* ‖ Fig. Parsemer. *Saupoudrer un discours de citations.*

INCORR. — C'est une faute barbare de dire *sous-poudrer* au lieu de saupoudrer.

SAUPOUDROIR — SAUTER

* **saupoudroir**, n. m. Ustensile pour saupoudrer.

saur, adj. (néerlandais *zoor*, desséché). Ne s'emploie que dans l'expr. *hareng saur*, hareng salé et fumé.

saurage, n. m. Action de saurer. On dit plutôt *saurissage*.

saure, adj. De couleur jaune qui tire sur le brun, en parlant des chevaux. *Cheval saure, jument saure.* [Faucon.] Se dit de l'oiseau pendant sa première année, quand son plumage est roux.

* **saurel**, n. m. [Zool.] Nom vulg. de deux poissons téléostéens.

saurer ou * **saurir**, v. tr. Faire sécher à la fumée. *Saurer des harengs.*

sauret ou * **soret**, adj. m. Un peu saur.

* **saurien, ienne** [sô], adj. (gr. *sauros*, lézard). [Zool.] Qui a l'apparence, la forme du lézard.

sauriens, n. m. pl. [Zool.] Ordre de reptiles à corps allongé, presque toujours à quatre pattes (lézards, geckos, caméléons, orvets, etc.). V. pl. REPTILES.

* **saurin**, n. m. Hareng saur laité.

* **saurir**, v. tr. V. SAURER.

* **sauris** [sô-ri], n. m. Saumure de harengs, bouillie avec des laitances de ce poisson.

* **saurissage**, n. m. Action de saurir; son résultat.

* **saurisserie** [sô-ris-se-ri], n. f. Endroit où l'on saurit.

* **saurographie** ou * **saurologie**, n. f. [Zool.] Étude des sauriens.

* **saurisseur**, n. m. Celui qui saurit les harengs.

* **saurophidiens**, n. m. pl. [Zool.] Groupe de reptiles réunissant les sauriens et les ophidiens.

* **saurure** [sô], n. m. [Bot.] Genre de plantes de la famille des *pipéracées*.

saussaie [sô-sè]. Lieu planté de saules. V. SAULAIE.

Hom. — *Saucer*, tremper dans la sauce.

saut [sô], n. m. (du lat. *saltus*, m. s.). Mouvement brusque d'extension, soit des membres, soit du corps préalablement contracté, par lequel le corps se projette en haut, en avant, etc. *Saut en longueur, en hauteur.* V. pl. STADE ET PISCINE. — *Au saut du lit,* au sortir du lit. — Par exag. *Ne faire qu'un saut,* se rendre en un lieu avec une extrême promptitude. ‖ Fig. Passage brusque d'un état médiocre à un plus important. *Il a fait un saut.* — *De plein saut,* tout à coup, brusquement. ‖ *Faire le saut,* se déterminer enfin à prendre un parti, une résolution qui coûte. ‖ *Saut périlleux,* saut qu'on exécute en faisant un tour entier sur soi-même en l'air. — Fig., se dit de résolutions, d'actions hasardées. [Haras] Action de l'étalon qui saillit une jument.

Chute d'eau qui se rencontre dans le courant d'une rivière. *Le saut du Rhin.* ‖ *Saut de loup,* fossé que l'on fait à l'extrémité d'une allée, d'un jardin, etc., pour en défendre l'entrée sans gêner la vue.

Hom. — *Saut,* n. m., mouvement brusque, bond; — *sceau,* n. m., cachet, empreinte; — *seau,* n. m., récipient; — *sot,* adj. et n. m., qui est sans esprit; — *Sceaux,* n. pr., ville de la Seine.

* **sautage**, n. m. Action de fouler les harengs dans la caque. ‖ Action de faire sauter.

sautant, ante, adj. [Blas.] Se dit de l'animal en posture de sauter.

* **saut-de-lit**, n. m. Sorte de longue chemise ou de peignoir que les femmes mettent pour sortir du lit. = Pl. *Des saut-de-lit.*

* **saut-de-mouton**, n. m. [Ch. de fer] Dispositif permettant à une voie ferrée de passer au-dessus ou au-dessous des voies principales sans les cisailler. V. pl. CHEMIN DE FER. = Pl. *Des sauts-de-mouton.*

saute, n. f. Changement subit de la direction du vent régnant. ‖ Fig. *Saute d'humeur,* changement d'humeur subit.

sauté, ée [sô], adj. Cuit à grand feu, au beurre et à la casserole. *Poulet sauté.* = N. m. Viande sautée. *Un sauté de bœuf.*

* **saut-bouchon**, n. m. Anc. nom des vins mousseux. = Pl. *Des saute-bouchons.*

* **sautée**, n. f. Espace qu'on franchit d'un saut. ‖ Fig. Omission, action de passer sous silence.

* **saute-en-barque**, n. m. Veste de canotier. = Pl. *Des saute-en-barque.*

* **sauteler** [sô], v. intr. Faire de petits sauts. = Conjug. V. GRAMMAIRE.

sautelle [sô-tè-le], n. f. Sarment que l'on transporte avec sa racine.

saute-mouton, n. m. Jeu d'enfants dans lequel on saute en appuyant les mains sur les reins ou les épaules d'un joueur qui se tient courbé. = Pl. *Des saute-moutons.* — On dit aussi *saut de mouton.*

sauter [sô], v. intr. (du lat. *saltare,* m. s.). S'élever de terre avec effort, ou s'élancer d'un lieu à un autre. *Sauter à pieds joints.* — *Sauter à bas de son lit,* descendre du lit avec vivacité. ‖ Fig. et fam. *Sauter à pieds joints par-dessus quelque chose,* faire une chose sans s'embarrasser des obstacles, des considérations contraires.

S'élancer et saisir avec vivacité quelqu'un ou quelque chose. *Il lui sauta au collet, à la gorge.* — *Sauter au cou de quelqu'un,* l'embrasser avec empressement. — Fig. *Sauter aux yeux,* être manifeste, évident.

Fig. Parvenir d'une place inférieure à une autre plus élevée, sans passer par les degrés intermédiaires. *Il a sauté du grade de capitaine à celui de colonel.* — Passer rapidement, subitement d'une chose à une autre, qui n'a point de liaison avec la première. *Sauter d'une matière à une autre.* ‖ Être lancé en l'air, par une explosion, voler en éclats. *La poudrière a sauté. Cette chaudière a sauté.* — *Se faire sauter,* faire sauter son vaisseau. — *Se faire sauter la cervelle,* se tuer d'un coup d'arme à feu. ‖ Fig. et fam. *Faire sauter quelqu'un,* lui faire perdre sa place, son emploi. [Jeux] *Faire sauter la banque,* gagner tout l'argent mis en jeu par celui qui tient la banque. — *Faire sauter la coupe,* rétablir subtilement un jeu de cartes dans l'état où il était avant la coupe. [Mar.] *Le vent a sauté du nord à l'est,* il y a passé subitement.

SAUTER, v. tr. Franchir. *Sauter un fossé.* ‖ Fig. Omettre, passer quelque chose, soit en lisant, soit en transcrivant. *Le copiste a sauté trois lignes.* — *Sauter le pas,* se déterminer à prendre un parti. [Haras] Syn. de *saillir,* en parlant de l'étalon. [Cuis.] *Sauter* ou *faire sauter des légumes, un lapin, un poulet,* les faire cuire vivement dans une casserole, au beurre, en agitant de temps en temps.

sautereau, n. m. [Mus.] Pièce munie d'une plume qui faisait vibrer la corde dans certains instruments qui ont précédé le piano.

sauterelle [rèl-le], n. f. [Zool.] Nom vulg. de tous les orthoptères sauteurs herbivores. *Les sauterelles de passage, ou criquets, font de grands ravages dans les pays où elles s'abattent.* V. pl. INSECTES. ‖ Fausse équerre. [Arbor.] Partie de la marcotte qui sort de terre. ‖ Nom régional de la crevette.

sauterie, n. f. Petite soirée dansante entre intimes.

* **sauternes** [sô], n. m. Bordeaux blanc de Sauternes.

saute-ruisseau, n. m. Petit clerc de notaire, d'avoué, chargé de faire les courses. = Pl. *Des saute-ruisseau.*

sauteur, euse [sô], n. (du v. *sauter*). Celui, celle dont la profession est de faire des sauts et des tours de force. — Fig. et fam. *Un sauteur,* personnage d'un caractère équivoque, qui change brusquement d'opinion dès que son intérêt le demande. = N. m. [Man.] Cheval dressé à exécuter les différents sauts. [Zool.] Groupe de l'ordre des marsupiaux. Section de l'ordre des orthoptères. = Se dit adject. des animaux qui se déplacent normalement par sauts.

* **sauteuse,** n. f. Valse à deux temps. ‖ Casserole plate pour faire sauter. ‖ Pop. Femme peu sérieuse.

* **sautillage** [ill mll.], n. m. Action de sautiller.

sautillant, ante [ill mll.], adj. Qui sautille, qui ne fait que sautiller. ‖ Fig. *Style sautillant,* formé de courtes phrases.

sautillement [ill mll.], n. m. Action d'avancer en faisant de petits sauts.

sautiller [ill mll.], v. intr. Sauter à petits sauts précipités.

sautoir [sô], n. m. (du v. *sauter*). Anciennement, cordon pendant à la selle et dans la boucle duquel on engageait le pied, comme dans un étrier, pour sauter à cheval. ‖ *Porter quelque chose en sautoir,* le porter sur le dos à l'aide de deux bretelles qui se croisent sur la poitrine, ou à l'aide d'une seule bretelle qui passe de gauche à droite ou de droite à gauche. ‖ *Porter un ordre en sautoir,* en porter le cordon en forme de collier tombant en pointe sur la poitrine. [Cost.] *Sautoir,* pointe d'étoffe que les femmes portaient autour du cou, les bouts croisés et noués sur la poitrine. — Chaîne de montre ou long collier de dame passé en sautoir autour du cou. [Blas.] Pièce honorable formée de la combinaison de la bande et de la barre. V. pl. BLASON.

sauvage [sô], adj. (bas lat. *salvaticum,* de *silva,* forêt). Se dit d'animaux qui vivent dans les bois, dans les déserts, dans les lieux éloignés de la fréquentation des hommes. *Les lions, les tigres sont des animaux sauvages.* ‖ Qui n'est pas apprivoisé. *Un canard sauvage.* ‖ Par ext. Se dit des lieux incultes et inhabités. *Un site sauvage.* ‖ Se dit aussi des peuples qui n'ont aucune civilisation ou qui n'ont que des rudiments de civilisation. *Les peuples sauvages.*
— Fig. Qui se plaît à vivre seul, qui évite la fréquentation du monde. *C'est un homme d'une humeur sauvage.* ‖ Qui a quelque chose de rude, de farouche. *Une vertu sauvage.* ‖ En parlant des plantes, qui viennent naturellement sans culture, sans être greffées. *Olivier, pommier sauvage.*
— N. m. (fém. V. SAUVAGESSE). Indigène d'un pays non civilisé. *Les sauvages de la Polynésie.* ‖ Par ext. Farouche, inabordable. *Il vit en véritable sauvage.* ‖ Qui ne sait apprécier les choses belles, raffinées.

SYN. — V. FAROUCHE.
CTR. — *Civilisé, sociable, cultivé.*

> VOCAB. — *Famille de mots.* — Sauvage [rad. *sauv, sylv*] : sauvagerie ; sauvageon, sauvagement, sauvagesse, sauvagin, sauvagine ; sylve, sylvestre, sylviculture, sylvain, sylvicole, sylviculteur, sylvien.

sauvagement [va-je-man], adv. D'une manière sauvage.

sauvageon [sô-va-jon], n. m. Jeune arbre venu sans culture, ou, simplement, arbre venu de semis et qui n'a pas été greffé.

* **sauvageonne** [jonne], n. f. Petite fille de caractère sauvage.

sauvagerie [sô-va-je-ri], n. f. Humeur, habitudes sauvages. ‖ État sauvage.

SYN. — V. BARBARIE.

sauvagesse, n. f. Femme sauvage. ‖ Femme sans culture.

sauvagin, ine [jin, jine], adj. Se dit du goût, de l'odeur qu'ont quelques oiseaux de mer, de marais. = N. m. *Cela sent le sauvagin.*

sauvagine, n. f. Nom collectif des oiseaux qui ont le goût ou l'odeur de sauvagin. ‖ Odeur, goût de ces oiseaux.

1. **sauvegarde** [sô], n. f. (de *sauf* 1, et *garde*). Protection accordée par une autorité quelconque, et écrit qui assure cette protection. ‖ Fig. Personne ou chose qui sert de garantie, de défense contre un danger qu'on redoute. *Accompagnez-moi, vous serez ma sauvegarde.*

2. * **sauvegarde** [sô], n. f. (du v. *sauver,* et *garde*). [Mar.] *Sauvegarde de gouvernail,* cordage qui protège le gouvernail, qui l'empêche de tomber à la mer, etc.

sauvegarder, v. tr. Prendre sous sa sauvegarde, protéger, au pr. et au fig.

SYN. — V. PRÉSERVER.

sauve-qui-peut, n. m. invar. Désarroi où chacun se sauve comme il peut.

sauver, v. tr. (lat. *salvare,* m. s., de *salvus,* sauf). Garantir, tirer du péril, préserver de la destruction, de la mort, mettre en sûreté. *Il a sauvé la ville. Ce remède l'a sauvé.* — *Sauver,* se construit quelquefois avec la chose comme complément d'objet direct et avec la personne comme complément d'attribution. *Vous m'avez sauvé la vie.* ‖ *Sauver les dehors, les apparences,* faire en sorte qu'il ne paraisse rien au dehors de ce dont on ne veut pas que le public ait connaissance. — *Sauver les défauts d'une chose,* empêcher qu'ils ne paraissent. [Théol.] Procurer le moyen de faire son salut en rachetant du péché. *Dieu a envoyé son fils pour sauver tous les hommes.* — Faire son salut éternel.
= SE SAUVER, v. pr. S'échapper, s'enfuir. *Se sauver en courant.* — Fam. *Il va pleuvoir, je me sauve,* je m'en vais bien vite. — Se mettre en sûreté, à l'abri. *Se sauver d'un danger.* — Elliptiq. *Sauve qui peut,* se sauve, se tire du péril qui pourra. — Aller dans un lieu pour y chercher

un asile, s'y réfugier. *Il se sauva dans une église.* [Comm.] Se dédommager, se rattraper. *Se sauver sur la quantité.* ‖ Fam. Se dit d'un liquide qui, en bouillant, s'échappe du récipient qui le contient. *Le lait se sauve sur le feu.*
Syn. — V. préserver et fuir.
sauvetage [*sô*], n. m. (du v. *sauver*). [Mar.] Action de retirer des flots et de recueillir les débris d'un naufrage, les personnes, les marchandises et les effets naufragés. — *Bouée de sauvetage,* morceau de liège garni de cordes qu'on jette à une personne tombée à l'eau pour l'aider à se soutenir. — *Canot de sauvetage,* embarcation insubmersible, destinée à porter secours aux équipages de bateaux en danger. ‖ Action de sauver les personnes en danger de périr. *Les pompiers organisèrent le sauvetage.*
* **sauveté**, n. f. État d'une personne, d'une chose mise hors de péril (Vx).
sauveteur, n. m. Celui qui, par humanité, a l'habitude de se dévouer pour sauver les naufragés. ‖ Toute personne qui fait un sauvetage ou y participe.
Par. — *Sauveur,* qui sauve, au sens moral.
sauveur, n. m. Celui qui sauve, libérateur. ‖ Par excellence avec une majuscule se dit de Jésus-Christ. = Adj. *Un Dieu sauveur.*
Par. — *Sauveteur,* celui qui fait des sauvetages.
sauve-vie, n. f. inv. [Bot.] Nom vulg. de la *rue de muraille,* fougère de la famille des *polypodiacées.*
* **sauvignon** [*gn* mll.], n. m. [Vitic.] Nom donné à divers cépages.
savamment [*va-man*], adj. D'une manière savante. — Par ext. En connaissance de cause. *J'en parle savamment.*
savane, n. f. (esp. *savana,* m. s.). Grande plaine herbeuse, aux arbres rares, située entre la zone désertique et la zone équatoriale à végétation exubérante. ‖ En Amérique, vaste prairie inculte.
savant, ante, adj. (forme inus. du ppr. de *savoir*). Qui sait beaucoup en matière, soit d'érudition, soit de science. *Il est savant en mathématiques, en histoire.* — *Corps savants, Sociétés savantes,* qui s'occupent de sciences ou d'érudition. ‖ Qui possède une vaste érudition, ou qui est très versé dans sa partie. *Un savant chirurgien.* ‖ Qui est habile, versé en quelque chose. *Il est savant en mauvais coups.* ‖ *Chien, singe,* etc., *savant,* animal dressé à faire des tours.
Se dit aussi des ouvrages où il y a de la science, de l'érudition. *Édition savante.* ‖ Se dit encore de certaines choses où il y a de l'art, de l'habileté. *Une stratégie savante.* = N. m. ou f. *Un savant, une savante,* celui, celle qui a de la science.
Syn. — V. érudit.
Ctr. — *Ignorant, ignare.*
savantasse ou * **savantas** [*van-tâ*], n. m. Se dit, par dénigrement, d'un savant ennuyeux et sans goût, ou d'un homme qui n'a qu'un savoir confus.
* **savanterie**, n. f. Manière d'être trop doctorale; étalage pédantesque d'érudition (Fam.).
* **savantissime**, adj. au superlatif. Très savant (par plaisant.).
savarin, n. m. [Pâtiss.] Sorte de baba en forme de couronne.

* **savart**, n. m. [Phys.] Unité acoustique (logarithme d'un intervalle de 1/300 d'octave).
savate, n. f. Vieille pantoufle, vieux soulier fort usé. ‖ Chaussure dont l'arrière est rabattu sous le pied. ‖ Fam. *Traîner la savate,* marcher péniblement; être dans l'indigence; vagabonder. ‖ Pop. Homme maladroit et incapable. ‖ Art de combattre à coups de pieds selon des règles établies. [Mar.] Morceau de bois évidé au centre, pour empêcher un objet peu large de s'enfoncer.
saveter, v. tr. Gâter un ouvrage en le faisant ou en le raccommodant malproprement. — On dit aussi *savater.* = Conjug. V. grammaire.
savetier, n. m. Ouvrier dont le métier est de raccommoder les souliers. ‖ Fig. Mauvais ouvrier.
saveur, n. f. (lat. *sapor,* m. s.). Impression qu'un corps fait sur l'organe du goût. *Saveur douce, amère.* V. tabl. sens (*Idées suggérées par le mot*). ‖ Fig. Ce qui cause à l'esprit une impression agréable. *Ce discours n'a pas de saveur.*
Syn. — *Saveur,* impression agréable perçue par le sens du goût : *La saveur d'un mets sucré.* — *Goût,* sens qui perçoit les saveurs : *Le palais est l'organe du goût.* Saveur ou odeur d'un objet perçues par un sens : *Avoir, sentir un goût de moisi.*
1. **savoir**, v. tr. V. tabl. savoir.
2. **savoir**, n. m. (infinit. de *savoir,* pris comme n.) Érudition, connaissance acquise par l'étude, par l'expérience. *Un homme de grand savoir.* Ne se dit qu'au sing. V. tabl. éducation et instruction (*Idées suggérées par les mots*).
—*Laissez dire les sots, le savoir a son prix.*
(La Fontaine.)
savoir-faire, n. m. inv. Habileté, industrie pour faire réussir ce qu'on entreprend, souvent par tous les moyens.
Syn. — V. habileté.
savoir-vivre, n. m. inv. Connaissance des usages du monde et des égards de politesse que les hommes se doivent en société. V. tabl. société (*Idées suggérées par le mot*).
Syn. — V. civilité.
* **savoisien, ienne** [*zi-in*], adj. et n. Qui appartient à la Savoie; qui l'habite ou en est originaire.
savon, n. m. (du lat. *sapo, saponis,* m. s.). Produit obtenu en faisant agir un alcali (soude ou potasse) sur un corps gras et employé pour le blanchiment, le nettoyage. — Fig. et fam. *Passer un savon à quelqu'un,* lui faire une violente semonce. On dit de même : *Recevoir un savon.*

Vocab. — *Famille de mots.* — *Savon* [rad. *sav, sap*] : savonnage, savonner, savonnerie, savonnette, savonneur, savonneux, savonnier; saponacé, saponaire, saponifiable, saponification, saponifier, saponine.

Hom. — *Savons* (nous), du v. savoir.
savonnage [*vo-na-je*], n. m. Blanchissage au savon et à l'eau.
savonner, v. tr. Nettoyer, blanchir avec du savon. ‖ Frotter au savon avant de raser. ‖ Fig. *Savonner la tête,* faire une réprimande. = se savonner, v. pr. Se

SAVOIR, verbe.

Étymologie. — Latin *sapere*, avoir de la saveur, être sensé, puis savoir.

1. SAVOIR, verbe transitif.

1° *Connaître, avoir connaissance de. Je sais bien cette affaire. Je ne sais où j'en suis. Quel parti prenez-vous ? Je ne sais.* — Par manière de doute et d'interrogation. *Que savez-vous ? Qu'en savez-vous Que sais-je* (MONTAIGNE.) *Reste à savoir si.*
Dieu sait, loc. fam. dont on se sert pour donner une idée vive de quelque chose. *Dieu sait quand il reviendra ! Les choses vont, Dieu sait comme !*
Connaître l'existence de. *Je sais un chemin qui mène à la ville.*

2° *Posséder dans sa mémoire ou dans son esprit.* — Avoir dans la mémoire. *Il sait sa leçon. Ne pas savoir son rôle.* — Fig. *Savoir par cœur.* V. CŒUR. — Posséder une science, un art ; être instruit, habile en quelque profession, en quelque exercice, etc. *Il sait les mathématiques. Il sait son métier. Il sait jouer du violon.* Partic. Connaître une langue. *Il sait le grec, l'hébreu.* — *Savoir vivre*, connaître et avoir les manières du monde. — *Savoir-vivre*, n. m. V. ce mot. ‖ *Ne savoir rien de rien.* V. RIEN. *Savoir son monde*, connaître à qui l'on a affaire. ‖ Absol. Avoir de l'instruction, des connaissances, une connaissance parfaite. *Il a un grand désir de savoir.* — Prov. *Si jeunesse savait, si vieillesse pouvait*, il manque à la jeunesse l'expérience, à la vieillesse, la force ou le temps.

3° *Être capable de, instruit dans.* — Avoir le talent, la force, le pouvoir, l'adresse, l'habitude de faire quelque chose. *Il sait plaire. Il sait travailler. Il a su en venir à bout. Savoir faire.* Être habile dans telle ou telle partie. *Savoir faire travailler, savoir faire rire.* — Absol. et pop. *Savoir y faire*, être malin, connaître les ruses du métier. — *Savoir-faire*, n. m. V. ce mot. — Apprendre, être instruit, être informé de quelque chose. *Vous saurez que.* — *Afin que vous le sachiez.* — *En savoir long*, être entièrement informé de telle ou telle chose, sur telle ou telle personne.

4° *Informer.* — *Faire savoir*, instruire, informer quelqu'un par lettre, par message. — *Faire à savoir*, par corruption de *faire assavoir*, faire savoir, informer.

5° *Expressions diverses.* — On dit d'un homme de ferme volonté et réfléchi dans ses desseins, *qu'il sait ce qu'il veut* ; d'un homme indécis ou inconstant dans ses résolutions, *il ne sait ce qu'il veut* ; d'un homme qui agit en connaissance de cause, *il sait ce qu'il fait* ; d'un homme qui connaît ce qu'il y a de plus secret, de plus mystérieux dans une affaire, *il sait le fin du fin*. — *Je sais ce que je sais*, je n'en dirai pas plus, je n'en parlerai pas, bien que je le puisse le faire. *Savoir gré, savoir bon gré, mauvais gré, ne pas savoir gré.* V. GRÉ. — Pop. *Je ne veux rien savoir*, je me refuse absolument, à faire telle chose, je ne veux pas en entendre parler.

2. SAVOIR, verbe auxiliaire de mode.

Au conditionnel, le verbe savoir, construit avec un infinitif, joue le rôle d'un auxiliaire de mode. Il apporte une nuance d'affirmation très atténuée, plus atténuée que celle du verbe *pouvoir* employé dans un tour analogue. Il signifie alors, tantôt : je ne puis moralement ou décemment, tantôt : je ne dois pas. *Je ne saurais vous dire. Je ne saurais faire ce que vous me demandez. Il ne saurait être question de cela.*
Absolument : *Je ne saurais.* Refus poli et discret de faire ou de dire quelque chose.

SE SAVOIR, verbe pronominal.

a) Sens réfléchi. Avoir la connaissance par rapport à soi-même. *Il se sait haï. Il se savait perdu.*
b) Sens passif. Être divulgué, être connu. *Il ne faut pas que cela se sache.*
Puisqu'on ne peut être universel et savoir tout ce qu'on peut savoir sur tout, il faut savoir un peu de tout. Car il est bien plus beau de savoir quelque chose de tout que de savoir tout d'une chose ; cette universalité est la plus belle. (PASCAL.)
— *Plusieurs ont dit : « Que ne sais-je pas ? » Montaigne disait : « Que sais-je ? »* (VOLTAIRE.)
— *Ce que l'on sait est peu de chose en comparaison de ce qu'on ne sait pas ; quelquefois même ce que l'on ne sait pas est justement ce qu'il semble qu'on devrait le plus tôt savoir.* (FONTENELLE.)

LOCUTIONS FORMÉES AVEC SAVOIR

C'EST À SAVOIR, À SAVOIR, et plus ordin., SAVOIR, façons de parler dont on se sert pour spécifier les choses dont il s'agit, pour précéder une énumération. *On a vendu pour dix mille francs de meubles ; c'est à savoir, deux tapisseries pour tant*, etc. *L'armée comptait vingt mille hommes, savoir quinze mille fantassins. Cette maison a six pièces, à savoir deux chambres, un salon*, etc. — Fam. Se dit encore pour marquer qu'on doute de quelque chose. *On prétend que l'ennemi marchera au secours de la place ; c'est à savoir.*

QUE JE SACHE ou JE NE SACHE, au subjonctif présent employé elliptiquement comme un indicatif présent, toujours accompagné de la négative et suivi du subjonctif. Locutions apportant une affirmation adoucie ; la première se place en tête de la phrase. Fam. *Je ne sache personne qui..., je ne connais personne qui... Je ne sache personne qui puisse lui être comparé.* — On dit aussi : *Je ne sache pas qu'il ait fait cela*, je ne l'ai jamais entendu dire. — *Que je sache*, se met quelquefois à la fin d'une phrase, pour signifier que, si la chose est autrement qu'on le dit, on l'ignore. *Il n'est venu ici aucun étranger, que je sache.*

UN JE NE SAIS QUI, UN JE NE SAIS QUOI, loc. nominales indéfinies, la première masculine, la seconde neutre. — *Un je ne sais qui*, un homme que personne ne connaît ou ne considère. — *Un je ne sais quoi*, quelque chose d'imprécis, de difficile à définir. V. QUOI.

Savoir, n. m. V. ce mot.

SYN. — V. CONNAÎTRE.
CTR. — *Ignorer. Méconnaître.*
CONJUG. — V. trans., 3ᵉ groupe (inf. en *oir*) [Rad. *sav, sai, sach*].
Indicatif. — *Présent* : je sais, tu sais, il sait, nous savons, vous savez, ils savent. — *Imparfait* : je savais..., nous savions, vous saviez... — *Passé simple* : je sus, tu sus, il sut, nous sûmes, vous sûtes, ils surent. — *Futur* : je saurai... nous saurons, vous saurez, ils sauront.
Impératif. — Sache, sachons, sachez.
Conditionnel. — *Présent* : je saurais..., nous saurions, vous sauriez...
Subjonctif. — *Présent* : que je sache..., que nous sachions, que vous sachiez, qu'ils sachent. — *Imparfait* : que je susse, que tu susses, qu'il sût, que nous sussions, que vous sussiez, qu'ils sussent.
Participe. — *Présent* : Sachant. — *Passé* : Su, sue.

Su, ue, adj. et n. V. ce mot.

VOCAB. — *Famille de mots.* — *Savoir* [rad. *sav, sag, sip*] : savoir-faire, savoir-vivre ; savant, savantissime, savantasse, savanterie, savamment ; saveur, sapide, sapidité ; savourer, savoureusement, savoureux, savoureusement ; insipide, insipidité, insipidement ; sage, **sagesse**, sagement, sage-femme ; résipiscence.

laver avec du savon et de l'eau. ‖ Se dit des tissus qui peuvent supporter le savonnage. *Cette étoffe ne se savonne pas.*
savonnerie, n. f. Fabrique de savon. ‖ Fabrication du savon.
savonnette [*vo-nè-te*], n. f. Blaireau pour frotter la barbe de mousse de savon. ‖ Savon parfumé pour la toilette. ‖ Fig. *Savonnette à vilain,* charge qu'on achetait pour s'anoblir. ‖ *Montre à savonnette,* montre dont le cadran et le verre sont protégés par un couvercle de métal.
* **savonneur**, n. m. Ouvrier qui savonne les contours des cartes à jouer.
savonneux, euse, adj. Qui tient de la qualité du savon. ‖ Qui contient du savon en dissolution.
1. **savonnier**, n. m. Fabricant de savon. = Adj. Qui concerne la fabrication, le commerce du savon.
2. **savonnier**, n. m. [Bot.] Arbre des pays chauds, famille des *sapindacées*, qui fournit le *bois de Panama*.
* **savourement**, n. m. Action de savourer.
savourer, v. tr. (de *saveur*). Goûter avec attention et avec plaisir. *Savourez bien ce vin-là.* ‖ Fig. *Savourer les plaisirs, les honneurs,* en jouir paisiblement, sans se presser.
savoureusement [*ze-man*], adv. En savourant. — D'une manière savoureuse.
savoureux, euse, adj. Qui a une bonne, une agréable saveur; succulent. ‖ Fig. Qui procure un agréable plaisir. *Histoire savoureuse.*
SYN. — *Savoureux,* qui a une saveur agréable : *Un fruit savoureux.* — *Sapide,* qui a un goût agréable : *Des fruits sapides* (rare). — *Succulent,* à quoi l'abondance du suc donne une saveur très agréable : *Un mets succulent.* V. aussi GENTIL et DÉLICAT.
CTR. — *Fade, insipide.*
* **savoyard, arde** [*vo-iar*], adj. Nom donné aux habitants de la Savoie, mais ceux-ci s'appellent eux-mêmes *Savoisiens*.
saxatile [*sa-ksa*], adj. (lat. *saxum,* pierre). Qui croît, qui habite sur les rochers, dans les endroits pierreux. = N. m. Genre de passereaux appelé aussi *traquet* et *garde-charrue*.
* **saxe** [*sak-se*], n. m. Porcelaine de Saxe.
* **saxhorn** [*sak-sorn'*], n. m. (de l'inventeur, *Ad. Sax,* et de l'all. *horn,* corne). [Mus.] Instrument de musique à vent, en cuivre, à embouchure et à pistons. V. pl. MUSIQUE.
* **saxicole** [*sa-ksi*], adj. Qui vit sur les rochers.
* **saxifragacées** [*gha-sé*] ou * **saxifragées**, n. f. pl. [Bot.] Famille de végétaux dicotylédones, herbes annuelles ou vivaces, arbustes ou arbres de port très divers (seringat, hortensia, groseillier, etc.).
1. **saxifrage** [*ksi*], n. f. (lat. *saxum,* rocher; *frangere,* briser). [Bot.] Genre de plante de la famille des *saxifragacées.*
2. **saxifrage**, adj. Se disait autref. des médicaments qui passaient pour dissoudre les calculs.
* **saxon, onne** [*sa-kson*], adj. et n. De la Saxe. — Habitant de la Saxe. ‖ Fig. et fam. Homme politique qui trahit son parti.
saxophone [*sa-kso-fo-ne*], n. m. Instrument de musique de cuivre, à clefs et à anche simple en bec de clarinette, inventé par Sax. V. pl. MUSIQUE.

* **saxotromba** [*sa-kso*], n. m. Instrument de musique de cuivre, à trois, quatre ou cinq cylindres, rappelant le cor et le bugle.
* **saxtuba** [*saks-tu*], n. m. [Mus.] Instrument de musique de cuivre, à son éclatant.
* **saye** [*sé*], n. f. Étoffe de laine légère, rappelant la serge.
* **sayette** [*sé-ié-te*], n. f. Étoffe de laine, souvent mêlée d'un peu de soie.
saynète [*sè-nè-te*], n. f. Petite pièce comique ou farce très courte, à peu de personnages.
HOM. — *Seinette,* petite seine.
sayon [*sé-ion*], n. m. Espèce de casaque ouverte que portaient autrefois les gens de guerre, les paysans. — V. pl. COSTUMES (*saie* et *sagum*).
sbire, n. m. Nom donné en Italie aux agents de la police chargés d'arrêter les malfaiteurs et les personnes incriminées. ‖ Homme chargé de l'exécution des sentences judiciaires (Péjor.).
* **scabellon** [*bel-lon*], n. m. Piédestal ou socle pour un buste, une girandole. ‖ Escabeau.
scabieuse, n. f. (lat. *scabies,* gale). [Bot.] Genre de plantes dicotylédones, de la famille des *dipsacées*.
PAR. — *Scabieuse,* n. f., plante ornementale : *La scabieuse est cultivée dans les jardins;* — *scabieux, euse,* adj., qui ressemble à la gale : *Éruption scabieuse;* — *scabreux,* adj., rude, difficile à traiter décemment : *Un chemin scabreux; une histoire scabreuse.*
scabieux, euse, adj. (lat. *scabies,* gale). Qui ressemble à la gale. *Éruption scabieuse.*
PAR. — V. SCABIEUSE.
* **scabre**, adj. [Bot.] Rude au toucher, en parlant des feuilles.
scabreux, euse, adj. (lat. *scabrosus,* m. s.). Rude, raboteux. *Un chemin scabreux.* ‖ Fig. Dangereux, difficile, délicat. *Une entreprise scabreuse.* ‖ Difficile à raconter, à traiter décemment. *Une histoire scabreuse.*
PAR. — V. SCABIEUSE.
* **scabrosité**, n. f. État de ce qui est scabreux, raboteux.
* **scaferlati**, n. m. Tabac découpé en lanières fines pour la cigarette ou la pipe.
* **scalaire**, n. f. [Zool.] Genre de mollusques gastéropodes.
* **scalariforme**, adj. En forme d'échelle. *Vaisseaux scalariformes,* vaisseaux ligneux des fougères.
scalde, n. m. Nom que les anciens scandinaves donnaient à leurs poètes.
* **scaldique**, adj. Qui a rapport aux scaldes.
scalène, adj. (gr. *skalênos,* boiteux). [Géom.] Se dit d'un triangle dont les trois côtés sont inégaux. V. pl. SURFACES PLANES. [Anat.] Se dit des trois muscles fléchisseurs placés sur les côtés et le derrière du cou. V. pl. HOMME (muscles).
* **scalénoèdre**, adj. et n. m. [Minér.] Se dit des cristaux dont les faces sont des triangles scalènes.
scalp ou * **scalpe**, n. m. Action de scalper. ‖ Peau du crâne tenant à la chevelure, enlevée par les Indiens d'Amérique à leurs ennemis vaincus.
PAR. — *Scape,* premier article des antennes chez les insectes.

scalpel, n. m. Instrument à lame fine, pointue, à un ou deux tranchants, dont on se sert pour les dissections anatomiques.
* **scalpement** [*man*], n. m. Action de scalper.
scalper, v. tr. (angl. *scalp,* peau du crâne). Couper, inciser circulairement la peau du crâne et l'arracher ensuite avec sa chevelure.
scammonée, n. f. [Bot.] Nom donné au *convolvus scammonia* et à la gomme-résine purgative que l'on retire de cette plante, famille des *convolvulacées*.
scandale, n. m. (lat. ecclés. *scandalum,* pierre d'achoppement). [Théol.] Ce qui est occasion de tomber dans l'erreur, dans le péché. ǁ Occasion de péché, d'erreur que l'on donne par de mauvais exemples, des discours corrupteurs, etc. *Être, devenir une occasion de scandale.* Indignation produite par des actions ou des discours de mauvais exemple. *Avancer des propositions impies, au grand scandale des auditeurs.* ǁ Éclat que fait une action honteuse. *Cette affaire fut d'un grand scandale.* ǁ Affaire scandaleuse. INCORR. — La prononciation *escandale* est populaire et vicieuse.
ÉPITHÈTES COURANTES : grand, affreux, épouvantable, beau (ironique), monstrueux, universel, déchaîné, provoqué, escompté, étouffé, évité, etc.
SYN. — V. HONTE.
ANT. — *Édification.*
scandaleusement, adv. D'une manière scandaleuse.
scandaleux, euse [*skan-da*], adj. Qui induit au péché par son exemple. ǁ Qui scandalise, qui suscite de l'indignation.
CTR. — *Édifiant.*
* **scandalisateur, trice** [*za-teur*], n. Celui, celle qui scandalise.
scandaliser, v. tr. (lat. ecclés. *scandalizare,* m. s.). Donner, par son exemple, occasion de tomber dans le péché. *Votre vie scandalise tout le monde.* ǁ Susciter de l'indignation comme ferait un scandale. = SE SCANDALISER, v. pron. S'offenser. *Il se scandalise de tout.*
CTR. — *Édifier.*
scander, v. tr. (lat. *scandere,* monter). [Versif.] Marquer les mesures d'un vers dont les pieds sont composés de longues et de brèves. ǁ Par ext. Séparer nettement les syllabes ou les mots en parlant. [Mus.] Chanter ou jouer en marquant fortement les temps des mesures.
* **scandinave,** adj. Qui a rapport à la Scandinavie. *Les peuples scandinaves.* = Nom. Qui est de race scandinave.
* **scandium** [*skan-diom*], n. m. [Chim.] Corps simple, métal rare, analogue à l'aluminium.
* **scandix,** n. m. [Bot.] Genre de plantes de la famille des *ombellifères* (peigne de Vénus).
scansion, n. f. Action, manière de scander un vers.
* **scape,** n. m. [Zool.] Premier article des antennes chez les insectes.
PAR. — *Scalpe,* peau du crâne tenant à la chevelure.
scaphandre [*fan*], n. m. (gr. *skaphê,* barque; et *anêr, andros,* homme). Vêtement hermétiquement clos et muni d'un appareil respiratoire, permettant à un homme de rester au fond de l'eau et d'y travailler.

scaphandrier [*fan-dri-ié*], n. m. Plongeur muni d'un scaphandre.
* **scaphidie** [*ska-fi-di*], n. f. [Zool.] Genre d'insectes coléoptères qui vivent sur les champignons.
* **scaphoïde,** adj. et n. m. [Anat.] Os de la rangée supérieure du carpe et du tarse.
scapin, n. m. Valet intrigant, fourbe et fripon de la comédie italienne.
1. **scapulaire,** n. m. (lat. *scapulae,* épaules). Sorte de vêtement porté par certains moines. V. pl. COSTUMES RELIGIEUX. ǁ Objet de dévotion composé de deux petits morceaux de drap bénits réunis par des cordons. ǁ Large bande de toile dont on se sert pour soutenir les bandages de corps.
2. **scapulaire,** adj. Qui appartient à l'épaule.
* **scapulo-huméral,** adj. [Anat.] Qui concerne l'omoplate et l'humérus.
scarabée, n. m. [Zool.] Genre d'insectes coléoptères lamellicornes vivant sur les matières excrémentielles. V. pl. INSECTES.
* **scaramouche,** n. m. Personnage bouffon de l'ancienne comédie italienne, à fortes moustaches, habillé de noir.
scare, n. m. [Zool.] Genre de poissons téléostéens, aux vives couleurs.
* **scarieux, euse** [*ieu*], adj. [Bot.] Se dit de toute partie qui est mince, sèche et demi-transparente.
scarificateur, n. m. [Chir.] Petit appareil comportant lancettes, pour scarifier la peau. [Agric.] Instrument destiné à donner des labours légers.
scarification [*sion*], n. f. Petite incision superficielle. ǁ Incision sur l'écorce d'un arbre pour arrêter la circulation de la sève.
scarifier, v. tr. (gr. *skariphos,* instrument pour inciser). Faire des scarifications sur quelque partie du corps. = Conjug. V. GRAMMAIRE.
PAR. — *Scarifier,* v., faire une petite incision : *Des ventouses scarifiées;* — *sacrifier,* v., offrir en sacrifice; renoncer à quelque chose : *Sacrifier des victimes; sacrifier sa vie;* — *scorifier,* v., séparer les scories d'un métal en fusion : *Scorifier de la fonte.*
scarlatine, n. f. [Méd.] Fièvre éruptive, contagieuse, caractérisée par le développement à la surface du corps tout entier, de taches larges et irrégulières d'un rouge éclatant. V. tabl. MALADIES et MÉDECINE (*Idées suggérées par les mots*).
* **scarlatineux, euse,** adj. et n. Qui a rapport à la scarlatine. ǁ Qui a cette maladie.
* **scarlatiniforme,** adj. Qui ressemble à la scarlatine.
scarole ou * **scariole,** n. f. [Bot.] Variété de chicorée, appelée aussi escarole, famille des *composées,* à feuilles larges et peu dentelées.
OBS. — L'addition de la voyelle *e* au début des mots commençant par *sc,* addition qui est barbare dans *scandale, scaphandre, scarabée, scolaire,* etc., s'est produite parfois ici et l'on dit aussi bien *escarole* que *scarole.*
scatologie, n. f. (gr. *skatos,* excréments; *logos,* discours). Genre de propos ou de littérature portant sur les excréments.
scatologique, adj. Qui se rapporte à la scatologie.

* **scatophage,** adj. (gr. *skatos,* excrément, *phagein,* manger). Qui se nourrit d'excréments. = N. f. [Zool.] Genre de diptères comprenant des mouches vivant sur les excréments. ‖ Genre de poissons téléostéens vivant dans l'Océan Indien.

* **scatophile,** adj. (gr. *skatos,* excréments; *philos,* ami). Qui vit ou pousse sur les excréments.

* **scazon** ou * **scason,** n. m. [Versif.] Sorte de vers iambique.

sceau [*so*], n. m. (lat. *sigillum,* m. s.). Sorte de grand cachet gravé en creux, dont on fait des empreintes avec de la cire ou autrement sur des lettres, des diplômes, des actes, etc., pour les rendre authentiques ou pour les clore de façon inviolable. ‖ L'empreinte même qui résulte de l'apposition du sceau. *Les sceaux de l'État.* — *Garde des sceaux,* le ministre de la justice, à qui sont confiés les sceaux de l'État. ‖ Fig. Caractère inviolable. *Il me l'a dit sous le sceau du secret.* ‖ *Mettre le sceau à quelque chose,* le rendre complet, définitif. ‖ Fig. Marques, preuves, caractéristiques. *Des écrits portant le sceau du génie.* [Bot.] *Sceau de Salomon,* le *polygonum vulgare,* plante voisine du muguet.

Syn. — V. MARQUE.
Hom. — V. SAUT.

VOCAB. — *Famille de mots.* — Sceau [rad. *sce, sig*] : scel, scellement, sceller, scelleur, scellé; desceller, descellement; resceller; sigillographie, sigilaire, sigillé, sigillographique; contre-sceau, contre-sceller.

* **scel,** n. m. Anc. forme du mot *sceau.*
Hom. — V. CELLE.

scélérat, ate [*sé-lé-ra*], adj. (lat. *sceleratus,* m. s., de *scelus,* crime). Coupable ou capable de grands crimes. ‖ Perfide, noir, atroce. *Conduite scélérate.* = Nom. *Un grand scélérat.* — Par plaisant. *Mon scélérat de fils.*

Syn. — V. COQUIN.
ÉPITHÈTES COURANTES : grand, affreux, fieffé, insigne, infâme, odieux, abominable, notoire, etc.

* **scélératement,** adv. D'une façon scélérate.

scélératesse [*sé-lé-ra-tèss*], n. f. Méchanceté noire, perfidie honteuse.

* **scélétographie,** n. f. Description du squelette.

scellé [*sè-lé*], n. m. Bande d'étoffe fixée à ses extrémités par de la cire empreinte d'un sceau, et qui est apposée par autorité de justice sur les ouvertures d'un appartement ou d'un meuble, afin d'assurer la conservation de ce qu'il renferme.

scellement [*sé-le-man*], n. m. Action de sceller, ou l'ouvrage qui en résulte. ‖ Par ext. L'extrémité de la pièce de bois ou de métal qui est scellée.

sceller [*sé-lè*], v. tr. Mettre, appliquer le sceau à une lettre de chancellerie, etc. *Sceller des lettres patentes.* ‖ Apposer les scellés par autorité de justice. ‖ Cacheter en appliquant un sceau. ‖ Fermer hermétiquement. *Sceller un tube au chalumeau.* ‖ Fixer l'extrémité d'une pièce de bois ou de métal dans un mur. ‖ Fig. Confirmer, affermir. *Sceller une alliance.*

Syn. — V. RATIFIER.
Hom. — V. CÉLER.

* **scelleur** [*sé-leur*], n. m. Celui qui scelle, qui appose le sceau.

scénario, n. m. Plan, canevas d'une pièce de théâtre, de cinéma, indiquant sommairement les gestes et les paroles. ‖ Pièce écrite pour le cinéma.

* **scénariste,** n. m. Celui qui écrit des pièces pour le cinéma.

scène [*sènn*], n. f. (lat. *scaena,* m. s.). La partie du théâtre où jouent les acteurs. V. pl. THÉÂTRE. — *Mettre un personnage, un événement sur la scène,* le représenter dans un ouvrage dramatique. — *Mettre en scène,* régler la manière dont les auteurs doivent représenter une pièce de théâtre. On dit dans le même sens. *La mise en scène* et le *metteur en scène d'une pièce.* — *Paraître sur la scène,* faire du théâtre. V. tabl. LETTRES (*Idées suggérées par le mot*). ‖ Fig. *Paraître, briller sur la scène du monde.* ‖ Les décors figurant le lieu où l'action se déroule. *La scène représente une rue de village, au* XVe *s.* ‖ Ensemble d'objets qui s'offrent à la vue. *Les grandes scènes de la nature.* ‖ Par anal. Le lieu où se passe l'action qui fait le sujet d'un tableau, où s'accomplissent des événements intéressants, extraordinaires. ‖ Chaque partie d'une pièce de théâtre où l'entretien des acteurs n'est interrompu ni par l'arrivée d'un nouvel acteur ni par la sortie d'un de ceux qui sont sur le théâtre. — Toute action qui offre quelque chose de vif, d'extraordinaire. *Être témoin d'une scène attendrissante.* — *Faire une scène à quelqu'un,* l'attaquer violemment en paroles (Fam.). — Par ext. Dispute, querelle. *Une scène de famille.* ‖ *Scène* se dit aussi pour art dramatique. *Les plaisirs, les jeux de la scène.*

ORTH. — *Scène* s'écrit avec un accent grave, mais *scénique* prend un accent aigu.

ÉPITHÈTES COURANTES : curieuse, célèbre, fameuse, historique; tragique, dramatique, affreuse, atroce, épouvantable; comique, burlesque, plaisante, drôle, grotesque, ridicule, émouvante, touchante, triste, pénible, douloureuse, poignante; amusante, réjouissante, impayable; intéressante, originale, instructive, imprévue, etc.

Hom. — V. CÈNE.

scénique [*sé-ni-ke*], adj. Qui a rapport à la scène, au théâtre.

* **scéniquement,** adv. D'une façon scénique.

* **scénographie** [*sé-no-gra-fi*], n. f. L'art de peindre les décorations scéniques.

* **scénographique** [*sé-no-gra-fi-ke*], adj. Qui a rapport à la scénographie.

* **scénopégie** [*sé-no*], n. f. Nom grec de la fête des Tabernacles, chez les Hébreux.

scepticisme [*sep-ti-sis-me*], n. m. Doctrine philosophique de ceux qui nient que l'homme puisse atteindre la vérité. V. tabl. LETTRES et INTELLIGENCE (*Idées suggérées par les mots*). ‖ Affectation de douter de tout; état d'esprit de celui qui doute ainsi de tout.

ANT. — *Dogmatisme.*

sceptique [*sep-ti-ke*], adj. (gr. *skeptikos,* m. s.). Se dit des philosophes qui professent le scepticisme. ‖ Qui affecte de douter de tout ce qui n'est pas prouvé d'une manière évidente, incontestable. ‖ Qui

affecte de douter de certaines choses, de certains sentiments. = N. m. *Les sceptiques.*
CTR. — *Crédule, dogmatique.*
HOM. — *Septique,* qui peut causer l'infection.
* **sceptiquement,** adv. D'une manière sceptique.
sceptre [*septre*], n. m. (lat. *sceptrum,* m. s.). Bâton de commandement qui est une des marques de l'autorité monarchique. ‖ Fig.. Le pouvoir souverain, la royauté même. *Un sceptre de fer,* une autorité dure et despotique. ‖ Fig. Supériorité, prééminence en quelque chose. *Cette nation a le sceptre des mers.*
SYN. — V. BÂTON.
* **schabraque,** n. f. V. CHABRAQUE.
schah, shah ou **chah,** n. m. Titre du souverain de l'Iran (Perse). V. CHAH.
schako ou **shako** [*cha-ko*], n. m. Coiffure militaire en usage autrefois dans l'armée française.
* **schamane** ou * **chaman,** n. m. Prêtre des peuples du N. de l'Asie.
* **schamanisme** ou **chamanisme,** n. m. Religion des Finnois, Tartars, Mongols et autres peuples du N. de l'Asie.
* **schappe** [*chapp'*], n. m. Fils tirés de déchets de soie.
HOM. — *Chape,* sorte de capuchon; partie qui recouvre.
* **schapska** ou * **chapska,** n. m. Coiffure militaire polonaise qui fut adoptée par les lanciers des armées de plusieurs pays.
* **scheik** [*chêk*], n. m. V. CHEIK.
* **schelem** [*che-lem*], n. m. Au jeu de whist, coup qui consiste à faire toutes les levées. *Faire schelem.* — On écrit aussi *chelem.*
schéma [*ché-ma*] ou **schème** [*chè-me*], (mot grec sign. *forme*), n. m. Représentation des planètes, chacune en son lieu, pour un instant donné. ‖ Figure réduite à ses éléments essentiels en vue de démontrer la disposition d'une machine, d'un appareil, d'un organe, etc., d'expliquer son fonctionnement, etc. ‖ Plan sommaire d'un ouvrage de l'esprit. [Philo.] Forme concrète, assez vague et pauvre de détails, sous laquelle nous nous représentons un concept intellectuel.
schématique [*ché-ma-ti-ke*], adj. Qui a rapport au schéma. *Dessin schématique.*
schématiquement, adv. D'une manière schématique.
* **schématiser,** v. tr. Représenter d'une manière schématique.
schème, n. m. V. SCHÉMA.
* **schène** ou **schoene** [*skè-ne*], n. m. Ancienne mesure itinéraire des Égyptiens (30 à 60 stades).
* **schérif** [*ché*], n. m. V. SHÉRIF.
* **scherzando** [*sker-zan*], adv. (mot ital.) [Mus.] Avec légèreté et gaieté.
scherzo [*sker-zo*], n. m. (mot ital.) [Mus.] Morceau gai et léger. = Adv. D'un mouvement gai et enlevé.
* **schiavone** [*skia...né*], n. f. Épée en usage en Italie au XVIe s. V. pl. ARMES.
* **schibboleth** [*chi-bo-lett'*], n. m. (mot hébreu que les gens de Galaad employèrent pour reconnaître les gens d'Éphraïm qui prononçaient *sibboleth*). Épreuve qui permet de juger la valeur d'une personne; test.

* **schiedam** [*ski-e-dam'*], n. m. Eau-de-vie de grain fabriquée à Schiedam, en Hollande.
* **schiites** [*chi-ite*], n. m. pl. Sectateurs d'Ali, considéré comme premier calife.
* **schilling,** n. m. Anc. monnaie de compte allemande.
* **schisma** [*skiss*], n. m. [Mus.] Intervalle musical valant la moitié d'un comma.
schismatique [*chis-ma-ti-ke*], adj. et n. Qui fait schisme, qui est dans le schisme, qui se sépare de la communion d'une Église.
schisme [*chis*], n. m. (gr. *skhisma,* séparation). Fait de se séparer d'une religion, d'une communauté. *Le schisme des tribus d'Israël.* [Relig.] Division religieuse provenant du refus d'un certain nombre d'églises ou d'individus de rester en communion avec l'Église catholique. V. tabl. RELIGIONS (*Idées suggérées par le mot*). ‖ Par ext. Division en matière d'art, de littérature, de science, de politique, etc., qui vient séparer un groupe d'individus unis jusque là.
schiste [*chis-te*], n. m. (gr. *skhistos,* fendu). [Géol.] Se dit des roches, soit terreuses, soit combustibles, soit agrégées, soit conglomérées qui se divisent aisément en feuillets plus ou moins épais, et ne sont pas susceptibles de se délayer dans l'eau. Ex. l'ardoise, le talc, le mica, etc. V. tabl. MINÉRAUX (*Idées suggérées par le mot*).
schisteux, euse [*chis*], adj. Qui peut se diviser en lames ou feuillets.
* **schistoïde** [*chis*], adj. Qui est feuilleté comme le schiste.
* **schizoïdie** [*ski*], n. f. [Pathol.] Faculté de s'isoler de l'ambiance et de perdre contact avec elle.
* **schizomycètes** [*ski*], n. m. pl. [Bot.] Groupe de végétaux unicellulaires, sans chlorophylle, se reproduisant par bipartition.
* **schizophrène** [*ski*], n. Malade atteint de schizophrénie.
* **schizophrénie** [*ski*], n. f. [Pathol.] Psychose dans laquelle le malade a perdu contact avec la réalité, et vit dans un monde intérieur créé par lui.
schlague [*chla-ghe*], n. f. (all. *schlagen,* battre). Coups de baguette qu'on donne par punition aux soldats de certains pays du Nord.
* **schlaguer,** v. tr. Donner la schlague.
* **schlich** [*chlik*], n. m. Minerai écrasé, lavé et préparé pour la fusion.
schlittage [*chli-ta-je*], n. m. Opération qui consiste à faire descendre les troncs d'arbres abattus le long des pentes au moyen des schlittes.
schlitte [*chli-te*], n. f.(mot allem.). Sorte de traîneau employé dans les Vosges pour le transport des bois, des hauteurs dans les vallées, sur un chemin fait de troncs d'arbres parallèles.
* **schlitter** [*chli-té*], v. tr. Pratiquer le schlittage des bois.
schlitteur [*chli-teur*], n. m. Ouvrier qui manœuvre des schlittes.
* **schnaps** [*chna-ps'*], n. m. (mot allem.). Eau-de-vie, petit verre (Pop.).
* **schnick** [*chnik*], n. m. (patois allem.). Mauvaise eau-de-vie, alcool de mauvaise qualité (Pop.).
* **schohet** [*cho-hett*], n. m. (mot hébreu). Celui qui, dans les abattoirs juifs, sacrifie les animaux en les saignant, selon le rite.

* **scholar** [sko], n. m. (mot angl.). Nom donné par les Anglais à celui qui a fait de fortes humanités.

schooner ou * **schoner** [chou-neur] n.m. (mot angl.). [Mar.] Petit bâtiment à deux mâts inclinés, gréé comme une goélette.

* **schorl** [chorl], n. m. [Minér.] Syn. de *tourmaline.*

* **sciable** [sia-ble], adj. Qu'on peut scier. *Pierre, bois sciable.*

sciage [sia-ge], n. m. Ouvrage, travail de celui qui scie du bois, de la pierre. ‖ *Bois de sciage*, celui qui provient d'une pièce de bois refendue dans sa longueur au moyen de la scie.

* **sciagraphie**, n. f. V. SCIOGRAPHIE.

* **sciant. ante** [siant], adj. Importun, ennuyeux (Pop.).

* **sciasse** [sia-se], n. f. [Mar.] Cordage garni d'estropes, pour élonger les fils de caret.

* **sciatérique** ou * **sciathérique** [sia-té-ri-ke] (gr. *skia*, ombre), adj. Qui montre l'heure par le moyen de l'ombre d'un style. *Cadran sciatérique*, variété de cadran solaire.

sciatique [sia-ti-ke] (lat. *sciaticus*, m. s.), adj. [Anat.] Qui a rapport à la hanche, à la partie supérieure de la cuisse. *Épine, échancrure, sciatique. Nerfs sciatiques.* = N. f. [Pathol.] Névralgie caractérisée par une vive douleur le long du trajet du nerf sciatique.

scie [si], n. f. (du v. *scier*). [Techn.] Instrument composé d'une monture et d'une lame d'acier portant sur un de ses côtés des dents égales et dont on se sert pour diviser des matières dures (bois, pierre, métal, etc.). *Scie à main, scie mécanique, scie à ruban, scie circulaire, scie alternative, scie à refendre, scie de travers, scie à araser, scie à chantourner, scie à métaux, scie à chaînette, scie égoïne, scie à guichet, scie passe-partout,* etc. V. pl. BÂTIMENT, OUTILS USUELS et TONNEAU. — V. tabl. INDUSTRIE (*Idées suggérées par les mots*). ‖ La lame elle-même, indépendamment de la monture. [Mus.] *Scie musicale,* instrument de musique formé d'une lame de scie spéciale attaquée par une sorte d'archet ou un maillet garni de liège.

Fam. Chose dont la monotonie fatigue, chanson qui se trouve dans toutes les bouches. *La scie à la mode.* — *Monter une scie à quelqu'un,* l'ennuyer par la même taquinerie sans cesse répétée.

ÉPITHÈTES COURANTES : aiguë, aiguisée, affûtée, droite, circulaire, mécanique, à main, édentée, métallique, etc.

sciemment [sia-man], adv. Avec connaissance de ce que l'on fait, avec réflexion.

science [si-anse], n. f. (lat. *scientia*, m. s.). Connaissance qu'on a d'une chose. *La science du bien et du mal. Savoir de science certaine,* savoir d'une façon tout à fait sûre. ‖ Ensemble, système de connaissances sur une matière déterminée. *Les sciences exactes,* les mathématiques. — *Les sciences physiques. Les sciences biologiques. Les sciences morales et politiques.* — *Les sciences occultes,* la magie, l'astrologie, l'alchimie, etc. ‖ Savoir qu'on acquiert par la lecture, par l'expérience et l'observation des choses de la vie. *Cet homme est un puits de science.* ‖ Habileté technique. *La science du peintre.* ‖ Ensemble de connaissances et de recherches tendant à la découverte des lois qui régissent les phénomènes. *La science progresse chaque jour.* — Fam. *Avoir la science infuse,* tout connaître ou prétendre tout connaître sans études préalables. = N. f. pl. *Les Sciences,* l'ensemble des connaissances, des études scientifiques, par oppos. aux *Lettres. Faculté des sciences.* V. tabl. SCIENCE (*Idées suggérées par le mot*).

— *La science des choses extérieures ne me consolera pas de l'ignorance de la morale au temps d'affliction ; mais la science des mœurs me consolera toujours de l'ignorance des sciences extérieures.* (PASCAL.)

ÉPITHÈTES COURANTES : certaine, acquise, infuse, haute, profonde, abstraite ; physique, mathématique, chimique, naturelle, astronomique, morale, historique, politique, religieuse, militaire, économique, sociale, musicale, juridique ; positive, occulte, etc.

ANT. — *Ignorance.* — *Lettres.*

VOCAB. — *Famille de mots.* — *Science*; sciemment, insciemment; escient; scientifique, scientifiquement, scientisme, scientiste; conscient, conscience, consciencieux, consciencieusement; consciemment; inconscience, inconscient, inconsciemment subconscience, subconscient, prescience, prescient; omniscience, omniscient.

SCIENCE

Étymologie. — Le mot *science* est tiré directement du mot latin *scientia*, même sens, rattaché au verbe *scire*, savoir.

Mots de la même famille. V. le mot à l'ordre alphabétique. A rattacher aussi les mots en *-logie*, venant du grec *logos*, parole, connaissance, et en *-sophie*, tiré de *sophia*, sagesse, science.

Définition. — La *science*, c'est le fait de *connaître*, et plus particulièrement de connaître les choses dans leur essence propre, avec leurs causes et leurs effets. *La science du bien et du mal.* — C'est encore la connaissance en tant qu'acquise par l'étude : *un homme de science.* — C'est aussi l'ensemble des connaissances humaines acquises par le raisonnement et l'expérience méthodique : *l'avenir de la Science* (parfois dans ce sens, écrit avec une majuscule).

Plus particulièrement on appelle *science* l'ensemble des recherches et des connaissances tendant à la découverte des lois qui régissent les phénomènes : *les sciences physiques, les sciences historiques,* etc. Plus particulièrement encore, et surtout au pluriel, le mot s'applique à un ensemble de connaissances qui comportent la certitude ou une approximation de certitude ; en ce sens, les *sciences* s'opposent aux *lettres,* et la *science* s'oppose à *l'art,* qui comporte l'application des connaissances des sciences. C'est à cette acception que se rattachent l'*Académie des Sciences,* la *Faculté des Sciences.*

Mots de sens voisins. — *Science, Connaissance, Savoir, Érudition, Instruction, Culture.*

La *science* consiste à savoir, à connaître les choses dans leur nature et leurs propriétés, dans leurs causes et dans leurs effets. La *connaissance* est le terme général qui s'applique aux résultats

SCIENCE

de ces opérations de l'esprit. Le *savoir* désigne une connaissance plus précise ou étendue que méthodique. L'*érudition* est la connaissance minutieuse des faits, des circonstances, des détails. Elle procède de la lecture, de l'étude appliquée. L'*instruction* est l'ensemble des connaissances qui, généralement acquises par les leçons des maîtres, meublent et munissent l'esprit. La *culture* est la formation distinguée de l'esprit due à l'instruction, à la connaissance choisie et élevée. Elle n'implique ni l'érudition, ni la science, mais le jugement appliqué au savoir.

Mots à rapprocher : *Sciences, Lettres, Arts*.

SCIENCES : connaissances acquises surtout par l'observation, le raisonnement et l'expérimentation. Objectives. — V. tabl. UNIVERS.

LETTRES : connaissances où l'imagination et le sentiment interviennent. — Subjectives. V. tabl. LETTRES.

ARTS : connaissances où l'imagination et la technique dominent. — Plus subjectives encore. — V. tabl. ARTS, MUSIQUE.

Principales appellations des sciences. — *Sciences mathématiques, sciences du nombre* ou *sciences exactes* — celles qui se fondent sur quelques axiomes et sur le calcul : a) *mathématiques pures* : l'arithmétique, l'algèbre, la géométrie, l'analytique ; b) *mathématiques appliquées* : la mécanique, l'astronomie, etc. — *Sciences physiques* : celles qui recherchent les lois du monde physique, comme la physique et la chimie. — *Sciences naturelles* : celles qui étudient les animaux, les plantes, les minéraux, comme la biologie, la botanique, la physiologie, l'anatomie, la géologie, la minéralogie, la cristallographie, etc. — *Sciences médicales* : dérivées des précédentes — celles qui étudient l'art de reconnaître les maladies ainsi que l'art de les guérir : la pathologie, la thérapeutique, la chirurgie, l'ophtalmologie, la pharmacie, la médecine vétérinaire, etc. — *Sciences historiques* : nom que l'on donne à l'histoire lorsqu'elle recherche les lois des faits historiques, qu'elle ne se borne pas à raconter ; *sciences auxiliaires de l'histoire* : l'archéologie, l'épigraphie, la papyrologie, la numismatique, la diplomatique, etc. — *Sciences géographiques* : nom que l'on donne à la géographie lorsqu'elle recherche les lois des faits géographiques, qu'elle ne se borne pas à les décrire ; géodésie, océanographie, etc. — *Sciences linguistiques* : celles qui étudient les faits du langage, les principes des langues : grammaire, philologie, étymologie, sémantique, etc. — *Sciences morales* : celles qui étudient les faits relatifs aux mœurs, et tout ce qui est relatif à la conduite des hommes : morale, droit civil, etc. — *Sciences politiques* : celles qui étudient les faits relatifs à la vie des sociétés et au gouvernement de ces sociétés : économie politique, droit politique, sociologie, etc. — *Sciences religieuses* : celles qui étudient les faits relatifs aux religions, les principes mêmes des religions : théologie, etc. — *Sciences philosophiques* : celles qui étudient les idées les plus générales comme la logique, la méthodologie, la métaphysique, etc. — *Sciences occultes* : prétendues sciences relatives aux faits les moins connus de la vie, comme l'alchimie, l'astrologie, la divination, la magie, le spiritisme, etc.

Classification des sciences. — Les progrès des sciences ont pour conséquence d'en modifier les relations et la nomenclature. Toute classification des sciences est donc provisoire et approximative. Voici les plus célèbres :

a) d'après Auguste Comte : 1° la Mathématique ; 2° l'Astronomie ; 3° la Physique ; 4° la Chimie ; 5° la Biologie ; 6° la Sociologie.

b) d'après Herbert Spencer : 1° Sciences abstraites : Logique, Mathématiques ; 2° Sciences abstraites-concrètes : Mécanique, Physique, Chimie, etc. ; 3° Sciences concrètes : Astronomie, Géologie, Biologie, Psychologie, Sociologie, etc.

Principaux termes généraux se rapportant aux sciences. — a) LA CONNAISSANCE SCIENTIFIQUE ET LA MÉTHODE. Degrés de la connaissance, certitude, évidence, persuasion, fait patent, conviction, probabilité, fait hypothétique, déduction plausible ; incertitude, croyance, supposition, conjecture, affirmation, négation, doute, erreur, fausse route. Vérification, contrôle, critérium, preuve. Recherche, investigation, observation, constatation, contradiction, expérimentation, expérience, méthode expérimentale. Fait, phénomène, recherche des lois, découverte ; lois de la nature ; problème, solution, hypothèse, théorème, démonstration, corollaire, axiome, postulat, lemme. Méthode, analyse, synthèse ; déduction, induction, abstraction, généralisation ; le particulier et le général ; simple, uni, unique ; composé, multiple, complexe ; le tout, les parties. Système, doctrine, théorie, spéculation, application, invention. Empirisme, comparaison, contre-épreuve, association d'idées. Notion, savoir, connaissance, compétence, lumières, données précises. Savant, érudit, connaisseur, docte, initié, homme de science ; ignorant, profane, incompétent. Avoir de l'acquis, avoir des notions, un bagage de connaissance ; avoir une teinture, un vernis de science. Savoir universel, encyclopédique. Encyclopédie, polymathie, philomathie, technologie, technique, polytechnique, etc.

b) MATHÉMATIQUES. — Mathématicien, certitude mathématique, mathématiques pures, appliquées.

Arithmétique. — Grandeur, mesure des grandeurs, quantité, unité, nombre, chiffre, numération, progression arithmétique ; opérations, addition, somme, total ; soustraction, retrancher, reste ou différence ; multiplication, multiplicateur, multiplicande, facteurs, produit ; division, diviser, partager, diviseur, dividende, quotient, reste, divisibilité ; preuve des opérations ; plus petit multiple commun, plus grand diviseur commun ; nombres premiers ; nombre entier. Unité, dizaine, centaine, mille, millier, million, billion, milliard, trillion, etc. Fraction, dixième, centième, millième millionième, etc. ; numérateur, dénominateur, réduction au même dénominateur, conversion des fractions ; fractions décimales, périodiques ; plus petit commun dénominateur. Carré, cube, racine carrée, racine cubique, extraction des racines. Rapport, proportion, terme ; directement ou inversement proportionnel. Moyenne proportionnelle, signe des opérations : plus ($+$), moins ($-$), multiplié par ($\times$), divisé par ($:$) ; etc.

Algèbre. — Nombres positifs, négatifs, imaginaires, entiers, fractionnaires, incommensurables, indéfinis. Lettres ($a, b, c,...$) (x, y, z), carré, cube, puissance 2, 3, 4, etc. Exposant, coefficient, radical ; fonction, variation, symbole, inconnue ; équation du 1er, du 2e degré ; résoudre une équation ; équations bicarrées, binôme, trinôme, polynôme ; réciproques, racines multiples, incommensurables, séries, etc.

Géométrie. — Géométrie plane, dans l'espace, descriptive, analytique, euclidienne, à trois dimensions, non euclidienne ou à n dimensions ; progression géométrique ; logarithme, table des logarithmes ; goniométrie, trigonométrie, planimétrie, tachymétrie. Figures, définition. Point, ligne, droite, brisée, courbe, verticale, horizontale, oblique. Plan, volume, solide.

D. L. F. — T. III

Perpendiculaire, normale, diagonale, parallèles. Angle, bissectrice, côté; angle aigu, droit, obtus; obtusangle; triangle scalène, isocèle, équilatéral, rectangle; hauteur, hypoténuse; triangles égaux, triangles semblables. Quadrilatère, polygone, rectangle, carré, losange, parallélogramme, pentagone, hexagone, heptagone, octogone, ennéagone, décagone, dodécagone. Cercle, circonférence, diamètre, rayon, arc, corde, flèche, segment, tangente; circonférences extérieures, sécante, excentrique, concentrique; polygone inscrit, périmètre, ellipsoïde. Aire. Solide, parallélépipède; polyèdre, dièdre, trièdre, tétraèdre, pentaèdre, hexaèdre, octaèdre, décaèdre, dodécaèdre, icosaèdre, rhomboèdre; prisme, pyramide, tronc de pyramide. Corps rond; cylindre de révolution, axe, génératrice; cône, tronc de cône; sphère, sphéricité. Courbes, coniques, ellipse, hyperbole, parabole, hélice, cycloïde, sinusoïde, lemniscate, foyer, rayon vecteur, spirale, asymptote; coordonnée, ordonnée, abscisse, apothème; sinus, cosinus.

Mathématiques appliquées. — Calcul, calcul infinitésimal, différentiel, intégral; calcul des probabilités. Calculateur, actuaire, comptabilité (V. FINANCES). — *Métrologie* (V. POIDS). — *Géodésie :* triangulation, mesure des angles; base, point de repère, méridien, longitude, latitude, degré. — *Stéréotomie :* coupe des pierres, équarrissement, taille sur chantier, taille sur le tas, ravalement, rejointement. — *Mécanique :* cinématique, statique, dynamique, force, énergie, masse; hydrodynamique, thermodynamique, électrodynamique, hydrostatique, hydraulique, balistique. — *Astronomie :* cosmographie, astrophysique, astrostatique (V. UNIVERS).

c) PHYSIQUE. — Physicien; physique mathématique, expérimentale; expérience, lois. État des corps, solides, fluides, liquides, gazeux, visqueux. Propriétés physiques des corps : forme, couleur, conductibilité, réfléchissement, réfringence, fusion, ébullition, solubilité, dilatabilité, expansibilité, volume, densité, masse, odeur, sapidité, rayonnement, rotation. — *Pesanteur :* corps pesant, poids, gravitation universelle; attraction vers le centre de la terre, chute des corps, verticale, perpendiculaire. Centre de gravité, équilibre statique, dynamique; stable, instable, indifférent. Aplomb, être d'aplomb. Poids spécifique, densité. etc. Hydrostatique, équilibre des liquides et des corps flottants, principe d'Archimède. — *Météorologie.* (V. TEMPÉRATURE.) — *Chaleur :* Propagation, transmission de la chaleur, conductibilité; corps bon, mauvais conducteur, thermie, température, chaud, froid. Chaleur spécifique, atomique, moléculaire; chaleur latente, de fusion, de vaporisation, de combustion; dilatation, condensation, contraction, raréfaction; incandescence, combustion, fusion, ébullition, solidification des liquides, liquéfaction des gaz, vaporisation, thermométrie, thermomètre, thermoscope, thermo-dynamique, thermo-chimie, thermomètre enregistreur, à maxima, à minima; degré, thermodynamique, machine à vapeur. — *Électricité :* électricien, électricité positive, négative, charge positive, négative; répulsion, attraction des électricités contraires. La matière, molécule, atome, grains de l'atome, rayon ou proton, électron, positron, négatron, neutron. Désintégration de l'atome et de son noyau, cyclotron, énergie nucléaire, bombe atomique. Électrostatique, électrisation par contact, par frottement, par influence, par la chaleur (pyroélectricité), par compression ou traction (piézoélectricité); potentiel, capacité électrique; condensateur, électromètre. Électrodynamique; courant continu, alternatif, monophasé, diphasé, triphasé, courant à haute tension; intensité du courant, flux électrique, effluve; générateur, pile, accumulateur, dynamo. Éléments associés, batterie. Voltage, polarisation, fil conducteur, bobine, conductibilité, corps bon, mauvais conducteur; conductivité, résistivité; isolant, isolateur; électrode positive (anode), négative (cathode); circuit, court-circuit. Galvanisation. Unité de mesure électrique, volt, ampère, coulomb, joule, dyne, watt, erg., ohm. Voltmètre, ampèremètre. Alternateur, transformateur. Étincelle électrique. Rhéostat. Magnétisme terrestre. Circuit magnétique. Pôle, méridien magnétique; boussole, déclinaison, inclinaison magnétique; orage magnétique, aurore boréale. Magnétisme animal, hypnotisme, somnambulisme. Aimant, aimantation, électro-magnétisme, électro-aimant, solénoïde, galvanomètre. Électrolyse. électrochimie. Ions, ionisation; anion, cathion. Applications : chauffage électrique, résistance, calorimétrie, radiateur, réchaud, fer à repasser, à souder. Éclairage, lampe à incandescence, à filament, à charbon; arc électrique; fils, colonne montante, isolateur, taquet, tube; manchon, douille, prise de courant, commutateur, contact, interrupteur; va-et-vient, minuterie, poire d'allumage, ampoule. Luminescence, fluorescence, phosphorescence, lumière noire, arc à vapeur de mercure, néon, hélium, azote, tube de Geissler, tube de Crookes, rayon cathodique, rayon X. Moteur électrique, électromoteur, magnéto, alternateur, moteur synchrone, asynchrone, turbo-alternateur. Télégraphie, téléphonie, T. S. F. (V. P. T. T.). Électrothérapie, électrothermie, d'Arsonvalisation, radiographie, radioscopie, radiothérapie. Électro-métallurgie, électrolyse, galvanoplastie, etc. Électro-magnétisme, alpha, bêta, gamma, radiation, radar, télécommande. — *Acoustique :* ouïe, oreille (V. CORPS et SENS). Vibration sonore, bruit, son (V. SON). Oscillation, période, amplitude, propagation du son, ondes sonores, infra-son; inaudible, ultra-son, ondes infra-, ultra-sonores. Hauteur, fréquence, intensité du son. Amplificateur, microphone, haut-parleur. Timbre, son fondamental, harmoniques; résonance, réflexion du son, écho; vibration, ventre, nœud, réfraction, diffusion du son. Sons musicaux, instrument de musique. Accord, ton, intervalle, etc. (V. MUSIQUE). Phonographe, gramophone, graphophone, disque, discothèque; enregistrement des sons, cinématographe parlant, radiophonie (V. P. T. T.). — *Optique :* opticien, illusion d'optique. Vision, œil (V. SENS et CORPS). Lumière, rayon, radiation, irradiation; théories de l'émission, des ondulations et ondes de l'éther, électro-magnétique, des quanta, de la mécanique ondulatoire, ondes et grains de lumière. Propagation de la lumière; transparence, diaphanéité; translucide, opaque. Rayon réfléchi, image, rayon plan, angle d'incidence; réfraction, indice de réfraction, réfrangibilité, diffraction. Lumière blanche, couleur (V. COULEUR), couleur fondamentale, complémentaire, prisme, arc-en-ciel, spectre solaire, analyse spectrale; rayons ultra-violets, infrarouges. Instruments d'optique, miroir, glace, tain, miroir concave, convexe, parabolique, divergent, elliptique; lunettes, verres concaves, convexes, convergents, divergents; foyer, distance focale; lentille, objectif, oculaire, diaphragme dioptrie; axe optique, champ, loupe, lunette astronomique, équatorial, télescope, jumelles de théâtre, de marine, longue-vue, télémètre, périscope; microscope, ultra-microscope, photométrie, Photographie, appareil photographique, chambre noire, lentille, diaphragme, bonnette, déclencheur, viseur, verre dépoli, posomètre, châssis, plaque, film, pied. Photogravure, daguerréotype. Mise au point, pose, instantané. Cliché, épreuve négative, positive, papier sensible, photographie sur verre, diapositif; appareil de projection, d'agrandissement, appareil cinématographique. Autochromie, photographie en couleurs. Révéler un négatif, révélateur, développement, fixage, fixateur, désensibilisateur, renforçateur, bain affaiblisseur, laboratoire; microphotographie, radiographie.

d) CHIMIE. — Chimiste, alchimie, biochimie, chimie pure et appliquée; chimie minérale ou inorganique; chimie organique; électrochimie, physico-chimie. Molécule, atome, ion, radical.

Valence, monovalent, bivalent, trivalent. Isotrope, isotropie, allotropie; affinité, réaction, corps inerte, combinaison, catalyse, catalyseur, fonction, transmutabilité. Désignation des corps : notation, symbole, formule. Analyse, synthèse, énergie calorifique, rayonnante, radiation, ondes hertziennes, rayons X, etc. (V. ci-dessus PHYSIQUE). Dissolution, dialyse, refroidissement, précipitation, cristalloïde, matière colloïdale. Nomenclature; corps simple, métalloïdes, métaux; corps composés; acides, anhydrides, base, oxyde, sel; acides non oxygénés (hydracides, acides basiques; oxydes basiques, neutres. Sels acides, neutres. Solution, alliage, mélange; combinaison, complexe. Masse atomique. Classification, nomenclature. Métaux, minéraux (V. MINÉRAUX), métalloïdes, oxygène, hydrogène, azote, soufre, sélénium, tellure, brome, iode, chlore, fluor, phosphore, arsenic, antimoine, bore, silicium, carbone. Composés chimiques divers (suffixes *-eux, -ique, -ate, -ite, -ide, -ane, -ène, -yne, -ol, -ile, -one, -ose*, etc.).

e) SCIENCES NATURELLES. — Histoire naturelle. La nature, naturaliste. Les règnes de la nature, animal, végétal, minéral. — *Biologie :* biologiste. Cellule, cytologie, embryologie, embryon, fœtus, génétique, gène; morphologie, organogénie, organographie; anatomie, histologie, dissection, vivisection ; physiologie, physiologiste. Organes, leurs propriétés et fonctions : nutrition, circulation, respiration, assimilation, digestion, sécrétion, excrétion, locomotion, reproduction, autodéfense. Classification : règne, genre, espèce, embranchement, ordre, classe, groupe, variété, famille. — *Zoologie :* jardin zoologique, vivarium, aquarium, fauverie, muséum d'histoire naturelle. Anthropologie, musée de l'homme; ornithologie, erpétologie, ophiologie, ichtyologie, conchyliologie, malacologie, entomologie. Homme, anthropoïde, hominien, animaux, bêtes, mammifères, carnivores, fructivores, herbivores, omnivores, ruminants; oiseaux, poissons, serpents, reptiles, insectes, vers, mollusques, zoophytes, microbes, bactéries, etc. Faune (V. ANIMAUX et CORPS). — *Botanique :* botaniste, jardin des plantes, serres, plant, arbre, arbuste, herbe, herborisation, herbier, herboriste. Végétal, végétation. Planter, déplanter, repiquer, géophysique, géophysicien, transplanter, plantule. Flore, règne végétal (V. VÉGÉTAUX). — *Géologie :* géologue, géologie, hydrologie, orogénèse, spéléologie; écorce terrestre, lithosphère, hydrosphère, troposphère, stratosphère, atmosphère; pyrosphère, barysphère; roches sédimentaires, couches, failles, stratification, roches détritiques, galets, graviers, sable, grès. Roches plastiques, roches calcaires, siliceuses, salines, organiques, éruptives, vitreuses, cristallophylliennes. Plissement, synclinal, anticlinal, séisme, tremblement de terre, raz de marée, sismographe, tassement, crevasse, épicentre; érosion, glacier, ruissellement, eaux souterraines. Sédiment, alluvions, métamorphisme. Volcanisme, volcan, cratère, cône, cheminée, éruption, vapeur, gaz, nuées ardentes, pluies de cendres, lapilli, bombes volcaniques, lave; coulée, basalte, geyser, source thermale, source minérale. Terrains primaire, secondaire, tertiaire, quaternaire et leurs subdivisions (V. MINÉRAUX). — *Paléontologie :* paléozoologie; fossile, fossilisation; empreinte, homme primitif, primate, homo sapiens; brachycéphale, dolichocéphale. Préhistoire, âge de la pierre éclatée, taillée, paléolithique, néolithique, âge de la pierre polie, des métaux, du cuivre, du bronze, du fer; armes et objets paléolithiques; silex, massue, aiguille, hache, monuments mégalithiques, menhir, cromlech, alignement, dolmen, tumulus, galgal; peintures des cavernes; habitations lacustres, palafitte. Animaux fossiles, protozoaires, bélemnites, nummulites, cérithes, grands sauriens, diplodocus, épiornix; mastodonte, dinothérium, mammouth, ours des cavernes, etc., fougères géantes. — *Minéralogie, cristallographie* (V. MINÉRAUX).

f) SCIENCES MÉDICALES. — Anatomie, anatomiste, dissection, vivisection; ostéologie, myologie, artériologie, neurologie, splanchnologie, otologie, otorhinolaryngologie, odontologie, stomatologie, ophtalmologie. Chirurgie, anatomie pathologique, comparée; embryologie, tératologie, toxicologie. Physiologue, physiologie comparée. Pathologie, pathologiste, pathogénie, symptomatologie, nosographie, diagnostic, pronostic. Hygiène, asepsie, antisepsie; hygiène publique, épidémie, endémie; désinfection; microbiologie, bactériologie; microbes pathogènes, bacilles, bactéries, toxines, antitoxine, sérum, injection, vaccin, autovaccin, vaccinothérapie, inoculation, immunisation. Microbes. Pharmacie, etc. (V. MALADIE et MÉDECINE.)

g) SCIENCES HISTORIQUES. — *Archéologie :* archéologue, antiquité, les Anciens, les Monuments anciens (V. BEAUX-ARTS et LETTRES). Édifice, temple, palais, tombeau, colonne, arc de triomphe, amphithéâtre, cirque, théâtre, thermes, etc., aqueduc, maison privée, statue, mosaïque, médaille, vase; ruines, fouilles, restauration, inscriptions, musée des antiquités. École de Rome, d'Athènes, du Caire, École du Louvre. Académie des Inscriptions et Belles Lettres. Mythologie, glyptique. — *Paléographie :* paléographe, archives, archiviste, charte, écritures anciennes, caractères romains, gothiques, cunéiformes, hiéroglyphe, écriture onciale, en capitales, en majuscules et minuscules, cursive, allongée, mixte; abréviations, sigles; manuscrits, parchemins, papyrus, palimpsestes; copiste, glose, note marginale; égyptologue, chartiste. École des Chartes. — *Épigraphie :* épigraphiste. Inscriptions égyptiennes, babyloniennes, phéniciennes, perses, grecques, latines, sémitiques, étrusques, inscriptions votives, historiques, textes de lois, codes, fastes, discours, testaments, etc., inscriptions funéraires. Style lapidaire. Corpus inscriptionum. Inscriptions en prose, en vers. Déchiffrage, restaurations. Iconographie. — *Numismatique* (V. ARTS). — *Diplomatique :* charte, cartulaire, polyptiques, rôle, note, mémorial, notice, calendrier, statuts; capitulaire, bref, bulle, lettres patentes, donations, testaments. Originaux, copies; authenticité. — *Sigillographie :* sceau, contre-sceau, scel des lettres. Garde des Sceaux, référendaire aux sceaux, grand, petit sceau, cachet, empreinte, etc. V. LETTRES.

h) SCIENCES GÉOGRAPHIQUES. — Géographie, géographe. Géographie physique, biologique, humaine, politique. Cartographie, carte, atlas, plan; échelle, projection; topographie, géodésie, mappemonde, sphère (V. UNIVERS), antipode, longitude, latitude, méridien, parallèle, degré, cercle polaire, tropique, équateur, zone polaire, tempérée, torride, boréale, australe. — *Géographie physique :* océanographie (V. EAU ET MER). Orographie, relief, terres, continents, montagnes, plaines, vallées, etc. (V. UNIVERS). Hydrographie, fleuves, rivières, lacs, etc. (V. EAU ET MER). Géographie botanique et zoologique. Climatologie, climat, température, vent, courants, régime des pluies, humidité, marées, etc. Climat (V. ce mot), moussons, alizés, faune, flore, etc. — *Géographie humaine :* peuplement, dépeuplement, dépopulation, natalité, mortalité, population absolue, densité de la population. Autochtone, aborigène, indigène, naturel, allogène, étranger, métèque; migration, émigrant, immigrant; continentaux, maritimes, gens des plaines, insulaires, montagnards; villageois, population rurale, urbaine, citadins; ville, agglomération urbaine, bourg, bourgade, cité, village, hameau, maison isolée (V. VILLE et VILLAGE). Sédentaires, nomades, colons, pêcheurs, chasseurs, pasteurs, navigateurs. Métropole, colonies. Statistique, économie politique; démographie, ethnographie, etc.

i) SCIENCES LINGUISTIQUES. — Linguiste; langage, langue, idiome, dialecte, patois, parler. Problème de l'origine du langage; étymologie, formation des mots, racines, radical, terminaison, famille de mots, liaisons, affixes, préfixes, suffixes; mots composés, dérivés, forme, flexion, syntaxe. — *Grammaire* (V. LETTRES, GRAMMAIRE et tableaux GRAMMAIRE). Archaïsmes, néologismes. Langue morte, vivante, langue vulgaire, sacrée, populaire, littéraire. Langue mère et langues filles ou dérivées; langues sœurs. Grammaire comparée. — Écritures idéographiques, phonétiques, hiéroglyphiques, cunéiformes, classification des langues (V. tableau LANGUES). — *Phonétique :* phonation, phonologie, phonème; langue parlée, écrite; orthographe phonétique. Voyelles, diphtongues, consonnes; syllabes, syllabes brèves, longues, voyelles muettes, accentuées; accent aigu, grave, circonflexe. Sons, voix, articulation. Consonnes explosives, fortes, douces, continues, aspirées, spirantes, vibrantes, nasales, labiales, dentales, gutturales, chuintantes, mouillées, linguales, palatales, sonores, muettes, simples, doubles, vocalisées, euphoniques. Syllabes toniques, atones, accent tonique, hiatus, élision, apostrophe, syncope, aphérèse. Mot, terme, vocable, morphème. Prononciation, euphonie. Accent dialectal, accents étrangers, etc. — *Sémantique :* étymologie, sens, signification des mots, sens étymologique, dérivé, sens propre, figuré, sens matériel, sens moral. Sens général, particulier, absolu, relatif, collectif, distributif; sens composé, divisé, défini, indéfini. Sens nuancé. Faux sens, contresens, non-sens. Définition, filiation des sens; terminologie, termes techniques. Lexique, vocabulaire, dictionnaire. Lexicologie. Vie des mots. Influence de l'usage; bon, mauvais usage. — *Philologie :* philologue; philologie classique, antique, romane, orientale, française, germanique, etc. Étude approfondie de la langue, de la grammaire, de la prosodie, de la métrique, de la phonétique, de la sémantique, des institutions et mœurs d'un pays. Philologie comparée. École des Hautes Études.

j) SCIENCES MORALES. — *Philosophie :* psychologie (V. LETTRES et CARACTÈRE), morale (V. MORALE), droit (V. LOI). — *Économie politique :* Académie des Sciences morales. Économiste; production de richesses, surproduction, consommation, circulation des richesses, échange, troc, achat, vente; répartition des richesses; propriété collective, privée; droit de propriété, expropriation. — *Facteurs de production :* produits de la terre; matières premières; industrie, travail, travailleur, paysan, ouvrier, artisan, employé, ingénieur; capital, capitalisme, capitalisation, capital productif, lucratif; travail à la pièce, à l'heure, à la chaîne; division, spécialisation du travail. Moyens de circulation, denrées, monnaie métallique, fiduciaire, scripturale, de compte; espèces, papier-monnaie, systèmes monétaires, monométallisme, bimétallisme; étalon-or. — *Crédit :* lettre de change, chèque, devises. Achat, vente au comptant, à crédit, à tempérament. Option. Répartition des richesses : biens mobiliers, immobiliers, revenus, rentes, intérêts, bénéfice, épargne, patrimoine, salaire, salariat, participation aux bénéfices; mercenariat, gratification, pourboire, indemnité de charges de famille. — *Propriété foncière :* immobilière, mobilière, bâtie, industrielle, littéraire, artistique. Nue-propriété, usufruit, usager. — *Propriété collective :* domaine de l'État, forêt domaniale; association, Société immobilière industrielle, commerciale, etc.; biens de mainmorte; personnalité civile, personne morale. — *Propriété privée ou individuelle :* morcellement, démembrement, remembrement, lotissement; aliénation, biens inaliénables, saisie, saisine, dévolution, vente, achat, location (V. COMMERCE et AGRICULTURE); transmission. — *Succession :* héritage, héritier, co-héritier, hoirie; déshérence, exhérédation; indivision, partage, quotité disponible; héritier réservataire; testament, décéder ab intestat, testament olographe; exécuteur testamentaire; légataire, légataire universel, legs, donation, donation entre vifs, fidéicommis; testament valide, invalide; acceptation, renonciation, acceptation sous bénéfice d'inventaire. Ligne directe, collatérale, degrés de descendance, de parenté; droits, etc. — *Théories économiques et politico-économiques :* mercantilisme, physiocratie, libéralisme, libre-échange, laisser-faire, laissez-passer, protectionnisme, prohibitionnisme, droits prohibitifs. Étatisme; associationnisme, saint-simonisme, fouriérisme, phalanstère, mutualisme, socialisme, socialisme d'État, national-socialisme, système communautaire, collectivisme, marxisme, communisme, internationalisme, bolchévisme. École des Sciences politiques.

k) SCIENCES : AGRICOLES (V. AGRICULTURE). — COMMERCIALES (V. COMMERCE). — INDUSTRIELLES (V. INDUSTRIE). — FINANCIÈRES (V. FINANCES).

l) SOCIOLOGIE. — Sociétés humaines, phénomènes sociaux, questions sociales, problèmes sociaux; groupements sociaux. L'homme être social, famille, clan tribu, peuplade, peuple, nation, état, Société des Nations; patriarcat, matriarcat, patronymat, matronymat, totémisme, évolution, organisation des groupes sociaux, vie des sociétés; la société et l'individu; l'individu dans la société. Traditions, modes, mœurs, coutumes, folklore, psychologie des foules. Conscience collective; sociologie religieuse, juridique, économique; conscience collective, etc. — SCIENCES RELIGIEUSES (V. RELIGIONS).

m) SCIENCES ET THÉORIES PSYCHIQUES. — *Psychanalyse :* freudisme, refoulement des tendance nuisibles; l'intérêt social, actes manqués, libido, appétit sexuel dans l'inconscient, complexes psychiques, désordres psychiques, névrose, psychose, rêves. — *Hypnotisme* et *magnétisme :* hypnose, magnétiser, léthargie, catalepsie, somnambulisme, mesmérisme, magnétisme animal; passes, fluide magnétique, suggestion, sommeil hypnotique, réveil, influence; sujet. Radiesthésie, sourcier, baguette, pendule. — *Phrénologie :* bosses craniennes, localisations cérébrales.

n) SCIENCES OCCULTES. — *Occultisme :* ésotérisme, plans divin, astral, physique, âme, corps astral, corps physique, voyant, médium, incarnation, involution. — *Spiritisme :* tables tournantes, spirite, métapsychisme; esprit frappeur, typtologie, lévitation, ectoplasme, incarnation, message, communication, pendule, simulateur. — *Alchimie :* alchimiste, grand art, transmutation d'un métal vil en or, pierre philosophale, élixir de longue vie, guérison, rajeunissement. — *Astrologie :* influence secrète, astrale, cercle de position, ascendance, aspect, configuration, conjonction, opposition des astres, trine, etc.; aspect bénin, malin, indifférent; horoscope : saturnien, martien, jovien (ou jovial), mercurien, apollinaire ou solaire, lunatique. — *Magie-sorcellerie :* mage, thaumaturge, sorcier, féticheur, sorcière, femme fatale, ensorceler, sortilège; magie noire, magie blanche; messe noire, charme, incantation, enchantement, envoûtement, maléfice, fascination, philtre, jeteur de sorts, sabbat. — *Divination :* devin, devineresse, divination ancienne, oracle, pythie, pythonisse, sibylle, auspices, augure, aruspice; divination moderne, charlatan, nécromant, tirer les cartes, fakir, voyant, voyante extralucide, aéromancie, arithmomancie, cartomancie, chiromancie, géomancie, graphologie, nécromancie, oniromancie, métascopie, physiognomonie, rhabdomancie, bibliomancie, sidéromancie, etc. Cartes, tireur de cartes, etc.

* **sciène** [siè-ne], n. f. [Zool.] Genre de poissons téléostéens, dont la chair est très estimée (vulg. *maigre* ou *haut-bar*).

scientifique [sian], adj. (lat. *scientificus*, m. s.). Qui concerne les sciences, ou une science déterminée. *Question scientifique*. ‖ Qui est conforme aux procédés rigoureux, aux méthodes précises des sciences. *Recherches scientifiques*. = Nom. Celui, celle qui s'occupe de sciences.
ANT. — *Littéraire*.

scientifiquement, adv. D'une manière scientifique.

* **scientisme**, n. m. Doctrine professant la puissance absolue de la science en toutes choses.

* **scientiste** [sian], adj. et n. Qui croit en la puissance absolue de la science. — *Scientiste chrétien*, partisan de la *Christian Science* ou *Science chrétienne*, secte religieuse fondée en 1866 par Mary Baker Eddy.

1. scier [si-é], v. tr. (lat. *secare*, couper). Couper, diviser avec une scie. [Man.] Faire aller et venir l'embouchure du frein. ‖ Pop. *Scier le dos*, importuner, agacer. = Conjug. V. GRAMMAIRE.
HOM. — *Sied* (il, du v. seoir).

> VOCAB. — *Famille de mots*. — Scier [rad. *sci*, *sec*] : sciant, sciable, scissile, scission, sciage, scieur, scierie, sciure, scinder, scindement, sciotte, sciotter, secteur, section, sectionnaire, sectionnel, sectionner, sectionnement, sécateur, sécable, sécant, sécante, segment, segmentaire, segmenter, segmentation; disséqueur, dissecteur, dissection, insécable, insécabilité; insecte, insectivore, insecticide; intersection, intersecte; prosecteur, prosectorat; réséquer, résection, vivisection, vivisecteur.

2. * **scier**, v. intr. [Mar.] Ramer à rebours, ramer à culer pour revenir sur son sillage.

scierie [si-ri], n. f. Atelier où l'on scie du bois, de la pierre, etc.

scieur [si-eur], n. m. Celui dont le métier est de scier. *Scieur de long*, celui qui scie le bois dans sa longueur pour le débiter en planches. = SCIEUSE, n. f. scie mécanique.
HOM. — *Sieur*, diminutif de monsieur.

scille [sil-le], n. f. [Bot.] Genre de plantes monocotylédones, famille des *liliacées*; la *scille maritime* est employée en médecine.
HOM. — V. CIL.

* **scillitique**, adj. [Pharm.] Qui est fait avec de la scille ou qui en contient.

* **scindement**, n. m. Division, séparation.

scinder [sin-dé], v. tr. Couper, diviser. Ne se dit qu'au fig. *Scinder une question*.
SYN. — V. ROMPRE.

* **scinque**, n. m. [Zool.] Genre de sauriens brévilingues du Nord de l'Afrique, à écailles imbriquées.

scintillant [sin, ll mll.], adj. Qui scintille de sa nature. *Étoile*, *lumière scintillante*. ‖ Fig. Pétillant; brillant. *Conversation scintillante*.

scintillation [sin, ll mll.], n. f. (du lat. *scintilla*, étincelle). Espèce de vibration qui semble faire trembler la lumière des étoiles. ‖ Variation rapide d'éclat.

scintillement [sin, ll mll.], n. m. Action de scintiller. Caractère de ce qui scintille.

scintiller [sin, ll mll.], v. intr. Briller avec un mouvement de scintillation, une sorte de vibration rapide. ‖ Briller en jetant une lumière comparable à des étincelles. *Ce diamant scintille*.

* **sciographie**, n. f. (gr. *skia*, ombre; *graphein*, écrire). [Archi.] Représentation des ombres portées. ‖ Représentation intérieure, coupe verticale d'un édifice. [Astro.] Art de déterminer l'heure par examen de l'ombre que projette la lumière du soleil ou de la lune.

* **sciographique**, adj. Qui se rapporte à la sciographie.

scion [si-on], n. m. [Hort.] Jeune rameau garni de feuilles. — Jeune rameau qui sera greffé. [Pêche] Brin très fin qui termine la canne à pêche.
HOM. — *Scion*, n. m., pousse de l'année; — *scions*, du v. scier; — *sillon*, n. m., longue trace faite par la charrue; — *Sion*, n. pr., colline de Jérusalem; ville de Suisse.

* **scionner**, v. tr. Battre avec un scion, avec une verge.
PAR. — *Sillonner*, v. tr. Faire des sillons.

* **sciotte** [si-o-te], n. f. Sorte de scie à main à l'usage des marbriers et des tailleurs de pierre. V. pl. BÂTIMENT. ‖ Sorte de lime taillée seulement sur la tranche.

* **sciotter**, v. tr. Trancher avec la sciotte.

* **scirpe**, n. m. [Bot.] Genre de *cypéracées* (jonc des tonneliers).

scissile [sis-si-le], adj. Qui peut être fendu, séparé en lames. *L'ardoise est scissile*.
HOM. — *Sicile*, île italienne.

scission [sis-sion], n. f. (lat. *scindere*, *scissum*, fendre). Séparation, division spontanée. ‖ Fig. Division dans une assemblée politique, dans un parti, etc., schisme.
SYN. — V. DÉSACCORD.
PAR. — *Scission*, n. f., séparation nette : *Une scission se produit dans le parti*; — *cession*, n. f., action de céder, d'abandonner quelque chose à quelqu'un : *Cession de biens*; — *session*, n. f., temps pendant lequel siège une assemblée : *La session parlementaire*.

* **scissionnaire** [si-sio], adj. (de *scission*). Qui fait scission dans une assemblée politique. *Les membres scissionnaires*. = N. m. *Les scissionnaires*.

scissipare [sisi], adj. (lat. *scissio*, scission, et *parere*, engendrer). [Hist. Nat.] Se dit des êtres qui se reproduisent par scissiparité.

scissiparité [si-si], n. f. (de *scissipare*). [Biol.] Le plus simple des modes de reproduction, qui se fait par bi-partition de l'individu en deux individus égaux entre eux.

scissure, n. f. [Anat.] Fente, sillon.

* **scitaminées** [si-ta], n. f. pl. [Bot.] Famille de plantes monocotylédones. Bananier, gingembre.

sciure [si-ure], n. f. La poussière qui tombe du bois ou de toute matière dure que l'on scie.

* **sciuridés** [si], n. m. pl. [Zool.] Famille de mammifères rongeurs (écureuils, marmottes).

* **sclérème**, n. m. [Méd.] Affection propre aux nouveau-nés débilités ou nés avant terme.

scléreux, euse, adj. [Méd.] Se dit d'un tissu rendu épais et dur par le développement pathologique d'éléments fibreux.

* **sclérification** [*sion*], n. f. Durcissement d'une membrane, d'un tissu.

* **scléro-,** préf. tiré du gr. *sklêros*, dur, et indiquant l'idée de dureté, de durcissement.

* **sclérodermes,** n. m. pl. [Zool.] Famille de poissons téléostéens (balistes, coffres).

* **sclérodermie,** n. f. [Méd.] Maladie d'origine nerveuse caractérisée par l'induration et l'épaississement de la peau.

* **scléromètre,** n. m. Instrument pour mesurer la dureté des métaux, des minerais.

sclérophtalmie [*ftal-mi*], n. f. [Méd.] Ophtalmie sèche.

sclérose [*sklé-ro-ze*], n. f. [Méd.] Induration des tissus, et partic. du tissu conjonctif.

sclérosé, ée, adj. [Méd.] Affecté de sclérose.

* **sclérotical, ale,** adj. Qui appartient à la sclérotique.

sclérotique, n. f. [Anat.] Membrane fibreuse qui forme le globe extérieur de l'œil (blanc de l'œil). V. pl. ŒIL.

scolaire, adj. (lat. *schola*, école). Qui a rapport aux écoles. *Année scolaire*, période de l'année (octobre-juillet) pendant laquelle sont ouvertes les écoles.

scolarité, n. f. (bas lat. *scolaritas*, état d'écolier). Action de suivre les cours d'une école, d'une faculté, etc. ‖ État d'écolier des anc. universités; ensemble des attachés à cet état.

scolastique, adj. (lat. *scolasticus* ou *scholasticus*, m. s.). Qui appartient à l'école; se dit de ce qui s'enseigne suivant la méthode ordinaire des écoles du Moyen Age. *Théologie, philosophie scolastique*. V. tabl. LETTRES (*Idées suggérées par le mot*). = N. m. Théologien, philosophe scolastique. = N. f. Théologie, philosophie scolastique.

* **scolastiquement** [*sko-las*], adv. D'une manière scolastique.

* **scolex,** n. m. [Zool.] Partie antérieure (vulg. tête) du ténia ou ver solitaire, qui reproduit l'animal entier.

scoliaste, n. m. Celui qui a fait des scolies sur un auteur classique ancien.

1. **scolie,** n. m. [Math.] Remarque relative à une proposition précédente.

2. **scolie,** n. f. Note grammaticale ou critique pour aider à l'intelligence d'un auteur classique.

3. * **scolie,** n. f. [Zool.] Genre d'insectes hyménoptères, porte-aiguillon de grande taille.

scoliose [*sko-lio-ze*] (gr. *skolios*, courbé), n. f. [Méd.] Déviation latérale de la colonne vertébrale.

1. **scolopendre** [*pan*], n. f. [Zool.] Genre de myriapodes à morsure venimeuse.

2. **scolopendre** [*pan*], n. f. [Bot.] Genre de fougères à feuilles entières, famille des *polypodiacées*.

* **scolyte,** n. m. [Zool.] Genre d'insectes coléoptères synchophores nuisibles.

* **scombéroïdes,** n. m. pl. [Zool.] Famille de poissons acanthoptérygiens, qui a pour type le maquereau (*scomber*).

scombre, n. m. [Zool.] Genre de poissons de la famille des *scombéroïdes* (maquereaux).

* **scons,** * **skunks,** * **skons** ou * **skongs** [*sknoss*], n. m. Nom commercial de la fourrure des mammifères carnassiers du genre moufette.

* **scops,** n. m. [Zool.] Genre d'oiseaux rapaces nocturnes (*petit duc*).

scorbut [*bu*], n. m. [Méd.] Maladie chronique cachectisante, non fébrile, caractérisée par l'anémie, l'ulcération des gencives, des ecchymoses cutanées; elle est due à la carence de vitamines C. V. tabl. MALADIE et MÉDECINE (*Idées suggérées par les mots*).

scorbutique, adj. Qui tient de la nature du scorbut. = Nom. Celui, celle qui est malade du scorbut.

* **score,** n. m. (mot angl.). [Sport] Compte des points obtenus par chaque adversaire.

* **scoriacé, ée,** adj. Qui a le caractère, l'apparence d'une scorie.

scorie [*sko-ri*], n. f. (gr. *skôria*, déchet). Matière qui se sépare des métaux en fusion ou résidu solide de la combustion de certaines matières.

scorification [*sko, ...sion*], n. f. Action de réduire en scories.

scorificatoire, n. m. Écuelle à scorifier.

scorifier, v. tr. Réduire en scories. ‖ Séparer d'un métal les scories que la fusion y a produites. = Conjug. V. GRAMMAIRE.

PAR. — V. SCARIFIER.

* **scoriforme,** adj. En forme de scorie.

* **scorpène,** n. f. [Zool.] Genre de poissons téléostéens, appelés vulg. *rascasses*. V. ce mot.

* **scorpioïde,** adj. [Bot.] En forme de queue de scorpion. *Cyme scorpioïde*.

scorpion, n. m. (gr. *skorpios*, m. s.). Genre d'arachnides dont l'abdomen est terminé par un aiguillon venimeux. V. pl. INSECTES. ‖ Constellation zodiacale. ‖ Le 8e signe du zodiaque. [Antiq.] Sorte de fléau d'armes à lanières garnies de pointes. — Sorte de baliste.

scorsonère ou * **scorzonère,** n. f. [Bot.] Genre de plantes dicotylédones, famille des *composées*, dont la racine, comestible, ressemble à celle du salsifis.

scotie [*sko-si*], n. f. [Archi.] Espèce de moulure concave à la base d'une colonne. V. pl. MOULURE.

* **scotisme,** n. m. Doctrine philosophique de Duns Scot.

* **scotiste,** n. Partisan, soit de Scot Érigène, soit de Duns Scot.

* **scotome,** n. m. [Méd.] Lacune du champ visuel, correspondant souvent à une lésion d'un point rétinien : les objets regardés sont parsemés de taches sombres.

* **scott,** n. m. Bonnet écossais à rubans flottants par derrière. V. pl. COIFFURES.

* **scottish** [*sko-ti-ch'*], n. f. (mot angl. signif. *écossais*). Sorte de danse analogue à la polka, s'exécutant sur un rythme à quatre temps.

* **scouffin** ou **couffin,** n. m. Sorte de panier-sac en sparterie.

* **scout** [*ska-outt'* ou *skoutt'*], n. m. (mot angl. sign. *éclaireur*). Abrév. de boy-scout. Adepte du scoutisme.

* **scoutisme** [*skou*], n. m. Pratique des sports et de la vie en plein air exercée par les associations de boy-scouts ou éclaireurs.

* **scramasaxe**, n. m. [A. milit.] Couteau-poignard franç. V. pl. ARMES.
scribe, n. m. (lat. *scriba*, écrivain). Nom donné, chez les Juifs, aux docteurs qui enseignaient la loi de Moïse. ‖ Chez les Anciens, employé aux écritures. ‖ Se dit aujourd'hui d'un copiste, d'un homme qui gagne sa vie à écrire, à copier.
* **scribouillard** [*ill* mll.], n. m. Pop. Soldat ou commis employé aux écritures.
* **scripteur**, n. m. Celui qui écrit, qui a écrit une lettre, un document.
scripturaire, adj. Qui concerne l'écriture. — *Monnaie scripturaire*, argent déposé en banque, à la caisse d'épargne, etc., et qui est représenté, jusqu'à son retrait sous forme d'espèces, par des écritures comptables.
* **scriptural, ale**, adj. Relatif aux Saintes Écritures.
* **scrobiculé, ée**, adj. (lat. *scrobes*, fosse). Dont la surface est creusée de petites fossettes. *Graine scrobiculée*.
scrofulaire, n. f. [Bot.] Genre de plantes dicotylédones, de la famille des *scrofulariacées*, parasites de nos prairies et de nos moissons.
* **scrofulariacées** ou * **scrofularinées**, n. f. pl. [Bot.] Famille de végétaux dicotylédones (muflier, véronique, digitale, etc.).
scrofule, n. f. [Méd.] Maladie dite vulg. *écrouelles*, *humeurs froides*, caractérisée par un empâtement des ganglions lymphatiques du cou.
scrofuleux, euse, adj. Qui a rapport aux scrofules. *Humeur scrofuleuse*. — Nom. Personne affectée de scrofule.
scrotal, ale, adj. [Anat.] Qui se rapporte au scrotum.
scrotum, n. m. [Anat.] Enveloppe cutanée des testicules; vulg. *bourses*.
1. **scrupule**, n. m. [Métrol.] Mesure de poids des anciens Romains qui valait 24 grains ou 1 gr. 20. ‖ Fig. Très petite quantité.
2. **scrupule**, n. m. (lat. *scrupulum*, petite pierre). Inquiétude de conscience qu'on éprouve, quand on craint qu'une chose licite ne soit illicite, ou quand on considère comme une faute très grande ce qui n'en est qu'une légère. *Scrupule de conscience*. — *Sans scrupule*, sans aucune considération morale. — *Se faire un scrupule d'une chose*, en éprouver du scrupule. ‖ Grande exactitude, minutie à remplir ses devoirs. ‖ Sévérité qu'apporte un auteur, un artiste, à la correction d'un ouvrage. ‖ Grande délicatesse en matière de procédés, de mœurs. V. tabl. MORALE (*Idées suggérées par le mot*).
ÉPITHÈTES COURANTES : grave, grand, vif, respectable, honorable, extrême, exagéré; éprouvé, refoulé, etc.
— *Vos scrupules font voir trop de délicatesse*. (LA FONTAINE.)
scrupuleusement, adv. D'une manière scrupuleuse.
scrupuleux, euse [*skru-pu-leu*], adj. Qui est sujet à avoir des scrupules. ‖ Fig. *Exactitude, recherche scrupuleuse*, très grande exactitude, recherche très exacte.
SYN. — V. CONSCIENCIEUX.
1. **scrutateur, trice**, n. Celui, celle qui scrute, qui pousse loin dans la recherche de la vérité. = Adj. *Regards scrutateurs*.

2. **scrutateur**, n. m. Celui qui est chargé de dépouiller et de vérifier le scrutin.
LING. — L'Acad. ne donne pas le fém. *scrutatrice*.
scruter, v. tr. (lat. *scrutari*, m. s.). Sonder, chercher à pénétrer dans les choses cachées; examiner à fond.
scrutin, n. m. Vote émis au moyen de boules ou de bulletins qu'on dépose dans une urne. *Scrutin de liste*, scrutin dans lequel une liste de noms est écrite sur le bulletin. *Scrutin uninominal*, celui dans lequel l'électeur n'inscrit qu'un seul nom sur son bulletin. *Scrutin secret*, *scrutin public*, *scrutin de ballottage*.
* **scrutiner**, v. intr. Faire un scrutin, des scrutins.
* **scudo**, n. m. Anc. monnaie d'argent d'Italie.
* **sculptable** [*skul-ta-ble*], adj. Qui peut être sculpté.
sculpté, ée [*skul-té*], adj. Orné de sculptures. *Bois sculpté*.
sculpter [*skul-té*], v. tr. (lat. *sculpere*, *sculptum*, m. s.). Tailler, faire avec le ciseau une figure de pierre, de marbre, de bois, etc. *Sculpter une statue*. — Se dit aussi de la matière que l'on travaille. *Sculpter le bois*.
sculpteur [*skul-teur*], n. m. Artiste ou ouvrier qui sculpte.
sculptural, ale [*skul-tu*], adj. Qui appartient à la sculpture. ‖ Qui ferait un beau motif de sculpture. *Formes sculpturales*.
sculpture [*sku-tu-re*], n. f. L'art de représenter les êtres animés ou inanimés par des images plastiques en relief, taillées dans le bois, la pierre, le marbre, l'ivoire, etc., modelées dans l'argile, la cire, etc., ou obtenues au moyen de moules. V. tabl. ARTS (*Idées suggérées par le mot*).
* **scurrile**, adj. (lat. *scurra*, bouffon). Digne d'un bouffon, en parlant d'une plaisanterie.
* **scutellaire**, adj. [Bot.] Genre de plantes de la famille des *labiées* (toque bleue).
* **scutellé, ée**, adj. Qui porte des ornements en forme d'écusson.
* **scutiforme**, adj. En forme de bouclier.
Scylla, écueil du détroit de Messine. V. CHARYBDE.
* **scyllare** [*sil-lare*], n. m. [Zool.] Genre de crustacés décapodes macroures comestibles.
* **scytale** [*si-ta-le*], n. f. [Antiq. grecq.] Dépêche secrète, écrite sur une bande de parchemin enroulée en spirale autour d'un bâton. ‖ Bâton de commandement des généraux spartiates.
* **scythique**, adj. Qui concerne les Scythes ou la Scythie.
se, pron. pers. de la 3e pers. V. tabl. SE.
* **séamment** [*séa-man*], adv. D'une manière séante.
séance, n. f. (de *séant*). Droit de s'asseoir dans une assemblée ou action d'y prendre place. *Faire à quelqu'un les honneurs de la séance*. ‖ Temps pendant lequel un corps, un tribunal, une société délibère ou s'occupe de ses travaux. — *Ouvrir, lever la séance*, la commencer, la déclarer terminée. ‖ Temps qu'on passe à quelque chose, généralement assis. *Faire une longue séance à table*. *Séance de pose chez un peintre*. = SÉANCE TENANTE, loc. adv. (en

SE, pronom pers. réfléchi de la 3ᵉ pers., forme unique qui s'emploie au sing. et au pluriel pour le masc. et le fém.

Étymologie. — *Se* vient du latin *se*, m. s. C'est le pronom réfléchi de la 3ᵉ pers., employé sous la forme atone; la forme tonique est *Soi*. V. ce tableau.

Emploi général. — *Se* devient *s'* devant un verbe commençant par une voyelle ou une h muette et devant les pronoms *en* et *y*. — *Ils s'entendent. Elles s'habillent. Elle s'en va. Qui s'y frotte s'y pique.*

Ellipse de se. — Après un verbe auxiliaire ou auxiliaire de mode, *se* se trouve souvent omis devant l'infinitif d'un verbe pourtant nettement pronominal : *Il le fit asseoir. Je l'ai envoyé promener.* V. GRAMMAIRE (*Pronom*).
  Hom. — *Ce*, pronom démonstr.

SE, pronom personnel réfléchi. — Il indique que la personne ou la chose qui subit l'action marquée par le verbe est la même que celle qui fait cette action.
  Se est toujours intercalé entre le sujet et le verbe. Il est *toujours complément*.

A. — **Se**, *complément d'objet direct*. Lui-même, elle-même. Eux-mêmes, elles-mêmes. S'emploie comme complément d'objet des verbes pronominaux.
  a) À sens réfléchi. *Il, elle se plaint ; ils, elles se plaignent. Il se flattait d'un vain espoir.*
  b) À sens passif. (Dans ce cas, l'action subie par le complément n'est pas faite par la même personne ou la même chose.) *Ce monument se voit de loin* (est vu). *Le lièvre se mange en civet* (est mangé).
  c) À sens réciproque, avec *se* au pluriel. *Ils se disputent.*
  d) À *sens transitif* indirect. *Ils s'emparèrent de la ville.*

B. — **Se** *comme complément indirect d'objet*. A lui-même, à elle-même, à eux-mêmes, à elles-mêmes. *Il s'est dit que.*
  — Parfois avec un sens réciproque. *Ils ne se parlent plus, ils se sont dit des injures.*

Emplois particuliers de SE. — *Se* ne représente pas une personne qui subit l'action faite par elle-même :
  a) Dans certains verbes dits essentiellement pronominaux et intransitifs tels que *s'en aller, se souvenir, s'évanouir*, etc. — *Il s'en alla passer sur le bord d'un étang*. (LA FONTAINE.)
  b) Dans des expressions telles que *se mourir* : il marque là une action qui se prolonge, qui dure, qui est en train de se produire: il y a une nuance entre *il meurt* et *il se meurt* (il est en train de mourir). *Madame se meurt ! Madame est morte.* (BOSSUET.) *Se* dans ces expressions n'a pas de valeur grammaticale propre, et fait, en quelque sorte, corps avec le verbe.

réalité prop. participe absolue). *Avant que la séance ne soit terminée. On régla la question séance tenante.* ǁ Immédiatement, sans délai. *Condamné à mort, il fut exécuté séance tenante.*

ÉPITHÈTES COURANTES : courte, longue, interminable, prolongée, nombreuse, intéressante, passionnante, ennuyeuse; agitée, bruyante, tumultueuse, dramatique; calme, digne; ouverte, suspendue, levée, close, renvoyée, reprise, annoncée, décommandée, remise; tenante, etc.
  SYN. — V. REPRÉSENTATION.

1. séant, n. m. La posture d'un individu assis dans son lit. Ne se dit qu'avec l'adjectif possessif. *Je le trouvai sur son séant*. ǁ *Tomber sur son séant*, sur son derrière.
  Hom. — V. CÉANS.

2. séant, ante, adj. (ppr. du v. *seoir*). Qui tient actuellement ou habituellement séance en un lieu. *Le roi séant en son conseil.*

3. séant, ante, adj. Décent, qui sied bien, qui est convenable.
  ANT. — *Messéant*.
  Hom. — V. CÉANS.

seau [so], n. m. (lat. *sitellus*, m. s.). Vaisseau de bois, de fer, etc., muni d'une anse, qui sert à puiser, à porter de l'eau. ǁ La quantité de liquide contenue dans un seau. *Un seau d'eau.*
  Hom. — V. SAUT.

sébacé, ée, adj. (lat. *sebum*, suif). Qui est de la nature du suif. [Anat.] *Matière sébacée*, matière onctueuse sécrétée par les glandes sébacées et destinée à assouplir la peau.

sébeste, n. f. [Bot.] Fruit du sébestier, qui ressemble à la prune.

sébestier, n. m. [Bot.] Nom du cordie, arbre de la famille des borraginées.

* **sébifère**, adj. Qui produit un corps gras analogue au suif.

sébile, n. f. Vaisseau de bois rond et creux.
  SYN. — V. BOURSE.

séborrhée ou **séborrée**, n. f. [Physiol.] Excrétion exagérée de la matière sébacée.

sec, sèche, adj. (lat. *siccus*, m. s.). Aride, qui a peu ou qui n'a point d'humidité. *Un temps sec et chaud.* ǁ Desséché, qui n'a plus d'eau. *Les fossés de la place sont secs.* ǁ Par opposition à vert, frais, récent, en parlant des herbes, des plantes, des fruits. *Des herbes sèches, des haricots secs.* — Se dit aussi de certains fruits qu'on a fait sécher. *Des raisins secs.* ǁ Fig. et fam. *Fruit sec*, candidat qui n'a réussi à aucun examen. ǁ S'emploie souvent par opposition à mouillé, à onctueux, à gras, etc. *Du linge bien sec.* — *Des yeux secs*, sans larmes. — *Une nourrice sèche*, qui n'allaite pas l'enfant qu'elle est chargée de soigner. — *Du pain sec*, du pain pour tout aliment. Maigre, nerveux, peu chargé de chair. *Un grand homme sec.* — *Cœur sec, âme sèche*, cœur peu sensible, âme froide et dure. — *Ton sec, réponse sèche*, réponse, ton froid, bref et désobligeant. — *Coup sec*, coup donné avec promptitude sans rester sur l'objet frappé. ǁ Dénué de grâce, de douceur, d'agrément, d'ornements, de moelleux. *Style sec. Narration trop sèche. Dessin, contours secs.* ǁ Fig. *Une perte sèche*, sans aucune compensation. [Maçonn.] *Muraille de pierres sèches*, muraille faite de pierres mises les unes sur les autres, sans mortier, sans ciment. [Mar.] *Cale sèche*, bassin à écluse, que l'on peut vider pour réparer la coque d'un navire, changer ses hélices, etc.

SEC, adv. *Boire sec*, boire beaucoup sans mêler d'eau à son vin (Pop.). — *Répondre sec, parler sec à quelqu'un*, lui faire une réponse rude, brusque, rebutante. = À SEC, locut. adv. Sans eau. *Mettre un étang, un fossé à sec.* [Mar.] *Mettre un navire à sec*, le tirer sur le rivage ou le mettre en *cale sèche* pour le radouber ou le réparer. ‖ Fig. et fam. *Être à sec, se trouver à sec*, n'avoir plus de bien, plus d'argent. = TOUT SEC, loc. adv. fam. Uniquement, absolument.

SYN. — V. CASSANT et ARIDE.
CTR. — *Humide, mouillé, moite. — Mou, tendre.*

VOCAB. — *Famille de mots.* — Sec [rad. sec, sic] : sécheresse, sécher, séchée, sèchement, sécherie, sécheur, séchoir, séchage, dessécher, desséchant, dessèchement ; siccité, siccatif, dessiccatif, dessiccateur, dessiccation.

sécable, adj. Qui peut être coupé, divisé.
sécant, ante, adj. [Géom.] Qui coupe.
sécante, n. f. [Géom.] Ligne droite qui coupe une ligne courbe en un ou plusieurs points, et partic., qui coupe une circonférence en deux points. V. pl. LIGNES.
sécateur, n. m. Espèce de ciseaux très forts, à une seule branche coupante, destinés à la taille des arbres et des arbustes. V. pl. OUTILS USUELS.
PAR. — *Sécateur*, n. m. espèce de ciseaux qui servent à tailler les arbres ; — *secteur*, n. m., portion de plan entre un arc et deux rayons de cercle ; — *sectateur*, celui qui suit l'opinion d'une secte philosophique.
sécession [sé-sé-sion], n. f. (lat. *secessio*, action de se retirer à part). Se dit, dans une confédération, de la séparation d'un ou plusieurs États qui sont sortis ou prétendent sortir de la confédération. ‖ Tentative d'un groupe de citoyens qui se sépare du reste de la nation.
* **sécessionniste** [sé-sé-sio-nis-te], adj. et n. m. Qui a fait sécession ou qui est partisan de la sécession.
séchage, n. m. Action de faire sécher.
1. **sèche**, adj. fém. de *sec*. V. ce mot. [Argot] Cigarette.
HOM. — *Sèche*, adj. fém., aride ; — *seiche* ou *sèche*, n. f., genre de mollusque ; — *seiche*, n. f., sorte de vague sur certains lacs ; — *sèche, es, ent*, du v. sécher.
2. * **sèche**, n. f. [Zool.] V. SEICHE.
3. * **sèche**, n. f. [Mar.] Vergue barrée, gréée sur le mât d'artimon. ‖ Haut-fond qui se découvrent à marée basse.
* **séchée**, n. f. Action de sécher. Temps qu'exige cette action.
sèchement, adv. D'une manière sèche, en lieu sec. ‖ Fig. D'une manière froide, peu agréable. *Parler, écrire sèchement.*
sécher [sé-ché], v. tr. (lat. *siccare*, m. s.). Rendre sec. *Le soleil sèche les prairies.* ‖ *Mettre à sec. La chaleur a séché les ruisseaux.* — Fig. *Sécher les larmes*, consoler, faire cesser les pleurs, l'affliction. = V. intr. Devenir sec. *Les arbres séchèrent sur pied.* [Argot scol.] Ne pas savoir répondre à une interrogation. = SE SÉCHER, v. pr. Se rendre sec. *Se sécher le visage avec une serviette.* ‖ *Sécher ses vêtements mouillés. Il se sécha devant un grand feu.* ‖ Au sens passif. Devenir sec. = Conjug. V. GRAMMAIRE.
CTR. — *Mouiller, humidifier.*

sécheresse [séch-rèse], n. f. (de *sec*). État, qualité de ce qui est sec. *La sécheresse de la terre fait tort aux moissons.* — État de l'air et du temps quand il ne pleut pas assez. ‖ Fig. Défaut de sensibilité. *La sécheresse de l'âme, du cœur.* ‖ Froideur affectée avec laquelle on parle, on répond, on écrit. *Il lui parla avec sécheresse.* ‖ Fig. En parlant des ouvrages d'esprit, des œuvres d'art, absence de grâce, des qualités qui ont pour effet de plaire, de charmer, d'émouvoir. *La sécheresse de son style.* Peindre avec sécheresse.
ANT. — *Humidité. — Tendresse, sensibilité. — Grâce, moelleux.*
* **sécherie**, n. f. Lieu où l'on fait sécher des matières humides, le poisson, etc.
* **sécheur, euse**, adj. et n. Appareil pour sécher, assurer la dessiccation.
séchoir [chou-ar], n. m. Lieu où l'on suspend les toiles, les cuirs, les papiers, etc., pour les faire sécher. ‖ Appareil, source de chaleur, bâti, assemblage de tringles, etc., pour faire sécher, pour mettre à sécher quelque chose.
second, onde [se-gon], adj. num. ordinal (lat. *secundus*, m. s.). Deuxième, qui est immédiatement après le premier. *Tome second. En second lieu. — Tenir une nouvelle de seconde main.* V. MAIN. ‖ *Seconde vue*, faculté attribuée à certaines personnes de voir les choses éloignées, non par les yeux, mais par une intuition particulière. [Mus.] Se dit de l'instrument ou de la voix qui tient la partie la plus basse. *Second violon.*
N. m. Celui qui est immédiatement après le premier. ‖ Le second étage d'une maison. *Habiter au second.* [Mar.] L'officier qui vient aussitôt après le capitaine sur un bâtiment de commerce. ‖ Dans un duel, celui qui accompagnait le principal champion et se battait contre l'homme amené par l'adversaire. — Celui qui aide, qui assiste quelqu'un dans une affaire, dans un emploi, qui le remplace parfois. = EN SECOND, locut. adv. Sert à désigner celui qui sert sous un autre. *Il n'est bon qu'en second.* ‖ *Capitaine en second*, le capitaine qui doit commander à défaut du capitaine commandant.
GRAM. — Par suite d'une anomalie imposée par l'usage, le *c* se prononce *g* dans *second* et ses dérivés. — *Second* et *deuxième* ont identiquement le même sens, mais *second* s'emploie surtout lorsqu'il n'y a ou lorsqu'on ne considère que deux choses, ou bien quand on veut éveiller une idée d'ordre. *Deuxième* éveille plutôt une idée de série. V. DEUXIÈME.
secondaire [segon-dère], adj. (lat. *secundarius*, m. s.). Qui vient en seconde ligne. ‖ Accessoire, non indispensable. *Des intérêts secondaires. Une question secondaire.* [Géol.] *Ère secondaire*, ère qui suit l'ère primaire. ‖ Qui appartient au second degré. *Enseignement secondaire.* [Astro.] *Planètes secondaires*, se dit parfois comme syn. de *satellites.* [Méd.] Se dit de la deuxième période de la syphilis, du paludisme. = N. m. [Électr.] Dans un transformateur statique, le *secondaire* est le bobinage relié aux appareils d'utilisation (le *primaire* étant relié au circuit d'alimentation).
ANT. — *Primaire.*
CTR. — *Capital, dominant, primordial, principal.*
HOM. — *Secondèrent*, du v. seconder.

secondairement [se-gon], adv. D'une manière secondaire; accessoirement.

1. seconde [se-gonde], n. f. (de *second*). La classe qui précède la première. *Un professeur de seconde.*

2. seconde, n. f. (de *second*). [Géom. et Astro.] La 60ᵉ partie de la minute, dans la division du temps, et la 60ᵉ partie de la minute d'un degré, dans la division de la circonférence. — Par ext. Laps de temps fort court. *Je reviens dans une seconde* (Fam.). ‖ *Une seconde!* Excl. Attendez un peu, je vous prie. [Mus.] *Intervalle de seconde*, ou simplement, *seconde*, intervalle de deux notes qui se suivent dans la gamme. [Escr.] Seconde position de l'épée.

secondement, adv. En second lieu.

seconder [segon-dé], v. tr. (lat. *secundare*, m. s.). Aider, favoriser, servir quelqu'un dans un travail, dans une affaire. *Seconder les vœux, les désirs de quelqu'un. Il est parfaitement secondé par son entourage.* = SE SECONDER, v. pr. Se donner réciproquement aide et appui.
SYN. — V. AIDER.
CTR. — *Entraver, contrecarrer, contrarier, desservir.*

* **secouade,** n. f. Réprimande un peu vive.

secouement ou * **secoûment,** n. m. Action de secouer. — On dit aussi *secouage*.

secouer, v. tr. (lat. *succutere*, m. s.). Remuer quelque chose fortement et à plusieurs reprises, en sorte que toutes les parties en soient ébranlées. *Secouer un arbre pour en faire tomber les fruits. — Secouer la poussière d'un tapis,* secouer un tapis pour en faire tomber la poussière. ‖ Fig. et fam. *Secouer quelqu'un, secouer les puces à quelqu'un,* le réprimander ou le stimuler. ‖ *Secouer la tête,* faire un mouvement de la tête, pour exprimer un refus, un doute. ‖ Fig. et fam. Fatiguer, ébranler au moral. *Cette fièvre, cette nouvelle l'a bien secoué.* ‖ Fig. *Secouer le joug,* s'affranchir de la domination. *Secouer le joug de la tyrannie, des passions.* = SE SECOUER, v. pr. Se remuer fortement pour faire tomber une chose qui incommode. ‖ Fig. et fam. Ne pas attacher trop d'importance à un malaise, ne pas se laisser aller à un chagrin, etc.
SYN. — V. AGITER et GRONDER.

* **secoueur, euse,** n. Ouvrier, ouvrière qui secoue.

secourable, adj. Qui aime à secourir, à soulager les autres. ‖ Qui peut être secouru. ‖ Qui est digne de recevoir un secours.

* **secoureur, euse,** adj. Qui secourt.

secourir, v. tr. Porter aide, assistance à qui en a besoin. *Secourir les indigents.* = Conj. (comme *courir*). V. VERBES.
SYN. — V. AIDER.

* **secourisme,** n. m. Ensemble des connaissances nécessaires pour porter secours aux malades, etc. ‖ Étude de ces connaissances.

* **secouriste,** n. m. Membre d'une société de secours.

secours [kour], n. m. (lat. pop. *succursus*, m. s.). Aide, assistance dans le besoin, dans le danger. *Prêter, donner secours. Appeler quelqu'un à son secours. Crier au secours.* ‖ Somme d'argent allouée en cas de besoin urgent. *On lui a envoyé un premier secours.* ‖ Troupes qui viennent secourir ceux qui sont trop faibles pour résister à des ennemis. *Le secours arriva au moment de la bataille.* ‖ *Poste de secours,* lieu où sont préparés des médicaments, des engins de sauvetage, etc., en cas d'accident. [A. milit.] Abri voisin des lignes où sont d'abord amenés les blessés pour recevoir les premiers soins. ‖ *Porte de secours,* issue secondaire d'une salle permettant d'évacuer plus rapidement cette salle en cas d'incendie. ‖ *Frein, roue de secours,* frein, roue servant à remplacer, en cas d'avarie, celui, celle qui est en service.
ÉPITHÈTES COURANTES : urgent, précieux, nécessaire, premier, immédiat, public, privé, inutile, efficace, salutaire, empressé, rapide, tardif, médical, pécuniaire, religieux, moral, etc.
SYN. — V. APPUI.
HOM. — *Secours, ourt, ourent; secoure, es, ent,* du v. secourir.

secousse, n. f. Ébranlement de ce qui est secoué. — *Secousse sismique,* tremblement de terre. ‖ Fig. Atteinte portée à la santé, à la fortune, au crédit, à l'ordre public. *Il n'est pas encore remis de cette secousse.*
ÉPITHÈTES COURANTES : violente, subite, forte, faible, brusque, sismique, nerveuse, soudaine, etc.
SYN. — *Secousse,* agitation en sens divers supportée par un corps à la suite d'un mouvement brusque : *Les secousses d'un tremblement de terre.* — *Choc,* secousse ressentie à la suite d'un heurt : *Le choc des deux trains a causé une catastrophe.* — *Ébranlement,* mouvement violent qui compromet la solidité de quelque chose : *La maison a reçu un violent ébranlement à la suite d'une explosion voisine.* — *Heurt,* coup violent porté en touchant rudement : *Un heurt a brisé notre voiture.* — *Tamponnement,* choc violent porté par un train qui en heurte un autre : *Le tamponnement a fait dérailler la locomotive.*

1. secret, ète, adj. (lat. *secretus,* mis à part). Que l'on tient caché, dont on dérobe la connaissance. *Traité, mariage secret.* — *Fonds secrets,* les fonds affectés à divers ministères, dont l'emploi n'est pas soumis au contrôle des Chambres. — *Police secrète,* par abrév. *la secrète,* la Sûreté nationale. — *Maladie secrète,* maladie vénérienne. — *Sciences secrètes,* syn. de sciences occultes.
Qui est invisible. *Escalier, tiroir secret.* ‖ En parl. des personnes, sign. qui sait se taire et tenir une chose secrète. *Il est secret comme un tombeau.*
SYN. — *Secret,* qui sait se taire, garder quelque chose caché : *Confiez-vous à lui, c'est un homme très secret.* — *Discret,* qui sait se taire quand il le faut, qui sait garder un secret : *Dans cette affaire, il faut être très discret.* — *Dissimulé,* celui qui cache ce qu'il sent ou ce qu'il pense : *Un diplomate doit souvent être dissimulé.* — *Réservé,* qui conserve une grande discrétion : *Cet homme influent est très réservé dans ses appréciations.* V. aussi AVISÉ et CACHÉ.

2. secret [se-krè], n. m. (de *secret,* adj.). Ce qu'on ne doit dire à personne, ce qui est tenu caché. *Confier, garder, révéler, trahir, laisser échapper un secret.* — *Il n'a* *pas de secret pour lui*, il ne lui cache rien de ses pensées. — *C'est le secret de Polichinelle*, le secret de tout le monde, se dit d'une chose connue de tous et dont quelqu'un veut faire un secret. — *Secret d'État*, chose qui doit être tenue secrète en vue de l'intérêt public. ‖ Discrétion, silence sur une chose confiée. *Je vous demande le secret.* ‖ Dans les sciences, dans les arts, moyen, procédé connu d'une seule personne ou de peu de personnes, pour faire certaines choses, pour produire certains effets. *Secrets de fabrication.* Fig. Moyen particulier qu'on met en usage pour venir à bout de quelque chose, pour y réussir. *Le secret de plaire, de parvenir*, etc. ‖ Explication de quelque chose de mystérieux. *J'ai percé le secret de ses absences.* [Techn.] Ressorts particuliers qui servent à divers usages. *Serrure à secret.* ‖ Dans les prisons, lieu séparé où l'on enferme le prisonnier pour qu'il ne communique avec personne. *Il a été vingt jours au secret.* = EN SECRET, loc. adv. En particulier, sans témoin. *Je lui ai parlé en secret.*

— *Rien ne pèse tant qu'un secret :*
Le porter loin est difficile aux dames ;
Et je sais même sur ce fait
Bon nombre d'hommes qui sont femmes.
(LA FONTAINE.)

ÉPITHÈTES COURANTES : grand, individuel, absolu, gardé, révélé, trahi, pénétré, deviné, découvert, éventé.

I. secrétaire, n. (bas lat. *secretarius*, m. s.). Celui, celle dont l'emploi consiste à faire et à écrire des lettres, des dépêches, etc., pour une personne à laquelle il est attaché. *Il m'a fait écrire par son secrétaire.* — Celui qui rédige par écrit les délibérations d'une assemblée, les actes d'une administration. ‖ *Secrétaire d'ambassade, de légation*, membre du corps diplomatique, qui rédige les dépêches de l'ambassade, de la légation. — *Secrétaire d'État*, ministre pourvu d'un département ministériel. — *Sous-secrétaire d'État*, chef d'un service ministériel, qui n'a pas le rang de ministre. — *Secrétaire général*, dans les ministères, dans les préfectures, etc., fonctionnaire supérieur qui a principalement le soin de garder les archives, d'entretenir la correspondance, etc. — *Secrétaire de mairie*, celui qui est chargé sous la responsabilité du maire, de tenir les registres de la mairie et d'en donner des extraits. V. tabl. ADMINISTRATION (*Idées suggérées par le mot*). *Secrétaire de la rédaction*, celui qui assiste et remplace au besoin le rédacteur en chef d'un journal ou d'une revue. ‖ *Secrétaire perpétuel*, membre d'une Académie, élu à vie et chargé de l'administration de cette Académie. *Secrétaire perpétuel de l'Académie française.* Meuble à nombreux tiroirs, où l'on renferme des papiers, ordinairement pourvu d'un panneau qui, rabattu, forme table à écrire.
SYN. — V. TABLE.
PAR. — *Secrétèrent*, du v. sécréter.

2. secrétaire, n. m. [Zool.] Genre d'oiseaux rapaces diurnes du groupe des falconidés, appelés aussi *serpentaires*.

secrétairerie [se-kré-tè-re-ri], n. f. Lieu où travaillent les secrétaires d'un ambassadeur, d'un gouverneur, etc., et leurs employés.

secrétariat [ria], n. m. Emploi, fonction de secrétaire. ‖ Bureau où le secrétaire fait et délivre ses expéditions, conserve les registres, les archives commis à ses soins, etc.

secrète [se-krè-te], n. f. [Liturg.] Oraison que le prêtre dit tout bas, à la messe, avant la préface. ‖ Pop. *La secrète*, la police secrète ou Sûreté nationale.

secrètement, adv. En secret, d'une manière secrète, sans être aperçu.

secréter [se-kré-té], v. tr. Feutrer les peaux avec une préparation (autref. tenue secrète). = Conjug. V. GRAMMAIRE.

sécréter, v. tr. [Physiol.] Opérer la sécrétion. *Le foie sécrète la bile.* = Conjug. V. GRAMMAIRE.

sécréteur, trice, adj. Qui opère la sécrétion.

sécrétion [sé-kré-sion], n. f. [Physiol.] Action par laquelle les glandes produisent certaines substances. ‖ La matière ainsi produite. *L'urine est la sécrétion du rein.*

* **sécrétoire**, adj. Qui a rapport aux sécrétions.

sectaire, n. m. (de *secte*). Celui qui est d'une secte religieuse condamnée par la communion principale dont elle s'est détachée. ‖ Celui qui cherche à faire prévaloir par tous les moyens ses opinions, sa doctrine et qui fait preuve d'intolérance à l'égard des opinions, de la doctrine adverses. = Adj. *Un esprit sectaire.*
PAR. — *Sectateur*, celui qui suit les principes d'un philosophe, d'un hérésiarque, etc.

sectarisme, n. m. État d'esprit du sectaire; intolérance.

sectateur, n. m. Celui qui fait profession de suivre l'opinion d'un philosophe, d'un docteur, etc.
SYN. — V. DISCIPLE.
PAR. — *Sectaire*, qui appartient à une secte. — V. aussi SÉCATEUR.

secte, n. f. (lat. *secta*, m. s.). Parti composé de personnes qui ont les mêmes opinions, font profession des mêmes doctrines. *La secte d'Épicure.* ‖ En religion, groupe de ceux qui ont une opinion regardée comme hérétique ou erronée. *La secte des anabaptistes.* V. tabl. RELIGIONS (*Idées suggérées par le mot*).

secteur, n. m. (lat. *sector*, m. s.). [Géom.] *Secteur de cercle* ou *secteur circulaire*, portion de plan comprise entre un arc et les rayons des deux extrémités de cet arc. V. pl. SURFACES. ‖ *Secteur sphérique*, solide engendré par un secteur circulaire tournant autour d'un de ses diamètres qui ne le traverse pas. V. pl. VOLUME. [A. milit.] Chacune des portions d'une enceinte fortifiée, partie du front de bataille occupée par une unité militaire placée sous le commandement d'un officier. — *Secteur postal*, indication numérique servant à diriger la correspondance quand aucune indication de lieu ne peut être donnée. [Mar.] Division du littoral. ‖ Division d'une ville relativement à la distribution du gaz, de l'électricité, du téléphone, et à certaines autres organisations. ‖ Le point central, l'usine d'où relèvent ces divisions. *En cas d'accident, prévenir le secteur.*
PAR. — V. SÉCATEUR.

section [sek-sion], n. f. (lat. *sectio*, m. s., de *secare*, couper). [Chir.] Action de couper. *La section des tendons.* ‖ La coupe,

l'endroit où une chose est coupée. ‖ L'une des divisions ou des subdivisions entre lesquelles se partage une collection, un compte, un ouvrage, un traité, etc. *Ce livre est divisé en tant de sections.* ‖ Division d'une ville, d'un tribunal, d'un conseil, d'une administration, d'une académie, etc. ‖ Division d'une circonscription électorale. *Section de vote.* ‖ Division du parcours d'une ligne de transports en commun, permettant la fixation automatique des tarifs pour un trajet donné. [A. milit.] La moitié d'un peloton d'infanterie. [Géom.] Se dit des parties de l'espace où des lignes, des surfaces se coupent mutuellement. *La section de deux plans est une ligne droite.*
SYN. — V. CHAPITRE.
* **sectionnaire** [sek-sio-nè-re], n. m. Celui qui fait partie d'une section.
* **sectionnel, elle** [sek-sio-nel'], adj. Qui a rapport à une section.
sectionnement [sek-sio...man], n. m. Action de sectionner.
sectionner [sek-sio], v. tr. Diviser en sections. ‖ Couper en morceaux.
SYN. — V. COUPER.
PAR. — *Sélectionner,* faire un choix, une sélection.
séculaire, adj. (lat. *saecularis,* m. s.). Qui se fait de siècle en siècle. *Cérémonie séculaire.* ‖ *Année séculaire,* année qui termine un siècle. ‖ Qui est âgé d'un siècle ; s'emploie surtout au fig. : Qui a beaucoup d'années, qui est très vieux, très ancien. *Un chêne séculaire.*
PAR. — *Séculier,* qui vit dans le siècle, dans le monde.
* **séculairement**, adv. D'un siècle à l'autre. De siècle en siècle.
PAR. — *Séculièrement,* d'une manière séculière.
sécularisation [za-sion], n. f. Action de rendre séculier un religieux, un bénéfice, une communauté. ‖ Acte par lequel un édifice cesse d'être consacré au culte.
séculariser, v. tr. Rendre séculier ; faire passer de l'état ecclésiastique à l'état laïque. ‖ Fig. *Séculariser l'enseignement,* le remettre aux mains des laïques.
* **sécularité**, n. f. État du clergé séculier, par oppos. à celui du clergé régulier.
séculier, ière, adj. (lat. *saeculum,* siècle). Qui vit dans le siècle ; se dit des laïques, par opposition aux ecclésiastiques, et aussi des ecclésiastiques, par opposition aux réguliers, c'est-à-dire à ceux qui sont engagés par des vœux dans une communauté religieuse. *Prêtres séculiers.* ‖ Fig. *Bras séculier,* l'autorité temporelle. = SÉCULIER, n. m. Laïque. *C'est un séculier.*
CTR. — *Régulier.*
PAR. — *Séculaire,* qui se fait de siècle en siècle ; qui est âgé d'un siècle.
* **séculièrement**, adv. D'une manière séculière.
PAR. — *Séculairement.* De siècle en siècle.
secundo [sé-kon-do], adv. Mot emprunté du latin et qui sign. : Secondement, en second lieu.
* **sécuriforme**, adj. (lat. *securis,* hache). Qui a la forme d'une hache.
sécurité, n. f. Confiance, tranquillité d'esprit résultant de la croyance que l'on n'a pas à craindre de danger. [A. milit.] *Dispositif de sécurité,* ensemble des mesures prises pour assurer en cas d'alerte la sécurité d'une place, d'une région.
ANT. — *Crainte, trouble, inquiétude, méfiance, peur.*
ÉPITHÈTES COURANTES : toute, entière, complète, pleine, absolue, trompeuse, dangereuse, injustifiée, etc.

> VOCAB. — *Famille de mots.* — *Sécurité* [rad. *sec, sur*] : insécurité ; sûr, sûreté ; assurer, assuré, assurément, assurance, assureur ; réassurance, réassurer ; rassurer, rassurant.

* **sedan**, n. m. Sorte de drap fin qui se fabrique dans la ville de Sedan.
* **sédanoise**, n. f. [Typo.] Espèce de caractère.
sédatif, ive, adj. (lat. *sedare,* apaiser). [Méd.] Qui modère l'activité d'un organe ou d'un système d'organes. — *Eau sédative,* lotion ammoniacale camphrée.
* **sédation** [sion], n. f. Action de calmer. Effet produit par les sédatifs.
PAR. — *Sudation,* n. f. action de suer, de provoquer la sueur ; — *sédition,* révolte.
sédentaire [dan-tère], adj. (lat. *sedentarius,* m. s., de *sedere,* s'asseoir). Qui demeure ordinairement assis, et, par extens., qui se tient presque toujours chez soi. — *Vie, emploi, profession sédentaire,* genre de vie, profession qui ne permet pas de faire de l'exercice ; ou vie qui se passe, emploi qui s'exerce dans un même lieu. ‖ Fixe, attaché à un lieu ; *Peuples sédentaires,* se dit, par oppos. à nomades, de ceux qui ont une habitation fixe.
CTR. — *Nomade, errant, mobile. — Actif.*
* **sédentairement**, adv. D'une façon sédentaire.
* **sedia gestatoria**, n. f. (mot ital. sign. *chaise à porteurs).* Fauteuil servant à porter le pape au cours de certaines cérémonies.
sédiment [man], n. m. (lat. *sedimentum,* fondement). Dépôt qui se forme dans un liquide par la précipitation des substances qu'il tenait en suspension ou en dissolution. [Géol.] Dépôt naturel, ordinairement disposé par couches horizontales, ou strates. V. tabl. UNIVERS (*Idées suggérées par le mot*).
sédimentaire [man-tè-re], adj. Qui a le caractère d'un sédiment ; qui est le produit d'un sédiment.
* **sédimentation** [man-ta-sion], n. f. [Géol.] Formation de sédiments.
* **sédimenteux, euse** [man-teu], adj. Qui est chargé de sédiment ; qui a la nature des sédiments.
séditieusement [sieu-ze-man], adv. D'une manière séditieuse.
séditieux, euse [sieu, euze], adj. (lat. *seditiosus,* m. s.). Qui fait une sédition, qui prend part à une sédition, qui est enclin à faire sédition. ‖ Qui tend, qui pousse à la sédition. *Des discours, des écrits séditieux.* = Nom. *C'est un séditieux.*
SYN. — V. MUTIN.
sédition [sé-di-sion], n. f. (lat. *seditio,* action d'aller à part). Émeute, révolte, soulèvement contre la puissance établie.
SYN. — V. BAGARRE et INSURRECTION.
PAR. — *Sédation,* effet produit par les sédatifs ; — *sudation,* action de suer.
séducteur, trice, n. Celui, celle qui séduit, qui fait tomber en erreur ou en

faute. ‖ Absol. Celui qui tâche, avec art, d'abuser de la faiblesse ou de l'ignorance d'une femme, d'une jeune fille. = Adj. *Discours, ton séducteur.* ‖ *L'esprit séducteur,* le diable.

séduction [duk-sion], n. f. Action par laquelle on séduit. *La séduction de la jeunesse.* — Partic. Action de séduire, de débaucher une femme ou une fille. ‖ L'attrait, l'agrément qui rend certaines personnes ou certaines choses propres à séduire. *La séduction des richesses.*
Syn. — V. GRÂCE.

séduire, v. tr. (lat. *seduco*, je détourne). Tromper, abuser artificieusement, faire tomber dans l'erreur par ses insinuations, ses discours, ses exemples, etc. *Séduire le peuple par ses promesses.* ‖ Faire tomber en faute, suborner, corrompre, débaucher. — Se dit partic. des femmes et surtout des filles auxquelles on enlève leur honneur. *Séduire une fille sous prétexte de mariage.* ‖ Toucher, plaire, persuader. *Sa bonté séduit tous les cœurs.* ‖ Absol. *Un discours dangereux et propre à séduire.* = Conjug. (comme *cuire*) V. VERBES.
Syn. — V. CORROMPRE et ENCHANTER.

séduisant, ante [zan], adj. Qui séduit, qui est propre à séduire. Se dit ord. en bonne part. ‖ Qui a du charme. *Femme séduisante.*
CTR. — *Choquant, repoussant, répugnant.*

* **ségala**, n. f. [Agric.] Terre ensemencée en seigle.

* **ségétal, ale**, adj. Qui croît dans les champs de blé.

segment [seg'man], n. m. (lat. *segmentum*, de *secare*, couper). [Géom.] *Segment de droite,* partie de droite. — *Segment de courbe,* partie du plan comprise entre un arc de courbe et la corde de cet arc. V. pl. SURFACES PLANES. — *Segment sphérique,* portion du volume de la sphère comprise entre deux plans parallèles. [Physiol.] Chacune des parties d'un corps ou d'un organe qui apparaissent comme distinctes. [Zool.] Chacun des articles du corps d'un annelé, d'un arthropode. *Les segments du corps des sangsues.* [Mécan.] Bague élastique logée dans la paroi d'un piston pour rendre étanche son ajustage avec le cylindre.

segmentaire [seg'-man-tè-re], adj. Formé de segments. ‖ Qui appartient à un segment.

segmentation [seg-man...sion], n. f. Division en segments. Séparation spontanée des parties qui composent un corps, un organe. [Biol.] Ensemble des divisions de la cellule œuf.
Syn. — V. PARTAGE.

segmenter, v. tr. Diviser en segments. = SE SEGMENTER, v. pr. Se diviser en segments.

* **ségrairie** [sé-grè-ri], n. f. Bois possédé, par indivis ou en commun, soit avec l'État, soit avec des particuliers.

* **ségrais** [sé-grè], n. m. Bois séparé des grands bois et qu'on exploite à part.

* **ségrayer** [grè-ié], n. m. Propriétaire d'un bois possédé par ségrairie.

* **ségrégatif, ive** [gré-gha], adj. Qui divise, sépare, qui produit une ségrégation; qui résulte d'une ségrégation.

ségrégation [gha-sion], n. f. (lat. *segregare,* mettre à part). Action par laquelle on met quelqu'un ou quelque chose à part, on le sépare d'un tout, d'une masse.

* **ségrégativement**, adv. Séparément.
* **ségréger**, v. tr. Séparer une partie de la masse. = Conjug. V. GRAMMAIRE.

séguedille ou * **séguidille** [ll mll.], n. f. Air de danse espagnole à trois temps et d'un mouvement rapide. — Danse, analogue au boléro, qui s'exécute sur cet air.

1. **seiche** ou * **sèche** [sè-che], n. f. (lat. *sepia,* m. s.). [Zool.] Genre de mollusques céphalopodes ayant dans l'intérieur de leur corps une sorte de coquille connue sous le nom d'*Os de seiche* ; ils fournissent une liqueur noire appelée *sépia*. V. pl. MOLLUSQUES.

2. * **seiche**, n. f. Sorte de raz de marée qu'on observe parfois sur le lac de Genève.

séide [sé-i-de], n. m. (de *seïd,* esclave de Mahomet). Agent implacable des crimes prescrits par le fanatisme ou l'esprit de parti.

seigle [sè-gle], n. m. [Bot.] Plante de la famille des *graminées,* dont le grain fournit un pain savoureux et sain, se conservant longtemps frais.

seigneur [gn mll.], n. m. (lat. *senior,* litt. plus âgé, vieillard). Dans le système féodal, celui qui possède un fief, qui a certains droits sur les propriétés et sur les personnes comprises dans un fief. ‖ Titre honorifique donné à quelques personnes distinguées par leur dignité ou par leur rang. *Un grand seigneur.* — Se dit aujourd'hui par plaisanterie. — *Se donner des airs de grand seigneur,* se donner des airs importants. — *Vêtu comme un seigneur,* vêtu avec magnificence. ‖ *Chambre des seigneurs,* la chambre haute, dans certains pays, composée exclusivement de nobles. ‖ Par excell. : *Le Seigneur,* Dieu ; et, *Notre-Seigneur,* Jésus-Christ. — *Le jour du Seigneur,* le dimanche. ‖ Prov. *A tout seigneur tout honneur,* il faut rendre ce qui est dû à la dignité de chacun. ‖ Maître, possesseur absolu. On dit souvent dans ce sens : *seigneur et maître.* — *Le seigneur et maître d'une femme,* son mari. (Se dit par plaisanterie.) — Le fém. correspondant est *dame*.

> VOCAB. — *Famille de mots.* — Seigneur [rad. *seign, sen, sir*] : seigneurie, seigneuriage, seigneurial; mon**s**eigneur, monseigneuriser; sire, messire; sieur, monsieur; sénile, sénilité, sénilement; sénat, sénateur, sénatorerie, sénatorien, sénatusconsulte; sénéchal, sénéchaussée, séneçon.

HOM. — *Saigneur,* n. m., celui qui saigne.

* **seigneuriage** [gn mll.], n. m. Droit qu'un seigneur prenait sur la fabrication des monnaies.

seigneurial, ale [gn mll.], adj. Qui appartient au seigneur. *Droits seigneuriaux.* ‖ *Maison seigneuriale,* maison affectée à l'habitation du seigneur du lieu.

seigneurie [gn mll.], n. f. Autorité qu'un homme a sur la terre dont il est seigneur et sur tout ce qui en relève. ‖ Terre seigneuriale. ‖ L'assemblée de ceux qui avaient la principale part au gouvernement de la république de Venise. ‖ Titre d'honneur qu'on donnait aux seigneurs et, par la suite, aux pairs de France. *Votre Seigneurie.*

* **seille** [ill mll.], n. f. * **seilleau** [ill mll.] et * **seillot** [ill mll.], n. m. Sorte de seau de bois muni de deux poignées.

seillerie [*sé-ill* mll.], n. f. L'ensemble des seilles et autres objets de boissellerie.
seillon [*ill* mll.], n. m. Sorte de petit baquet de bois.
seime, [*sé-me*], n. f. Fente verticale qui se forme au sabot des chevaux, ânes, mulets.
sein [*sin*], n. m. (lat. *sinus*, propr. *repli*, *creux*). Partie antérieure de la poitrine humaine, celle où sont les mamelles. *Il le réchauffa sur son sein.* — Partic. Poitrine des femmes. *Un sein largement décolleté.* ‖ La mamelle ou les deux mamelles des femmes. *Donner le sein à un enfant.* ‖ Par ext. Partie du vêtement qui couvre le sein. *Cacher un poignard dans son sein.* ‖ Partie où les femmes conçoivent et où elles portent leur fruit. *L'enfant que vous portez dans votre sein.* ‖ Fig. Cœur, esprit de l'homme. *Déposer ses secrets dans le sein d'un ami.* ‖ L'intérieur, la partie interne. *Le sein de la terre est d'une fécondité inépuisable.* ‖ Fig. Milieu, intérieur. *Il est né au sein de l'opulence.*
Hom. — V. ceint.

Vocab. — *Famille de mots.* — Sein [rad. *sein*, *sin*] : sinus, sinué, sinueux, sinusite, sinusoïde, sinusoïdal, sinuosité ; cosinus ; insinuer, insinuant, insinuatif, insinuation, insinuateur.

---

seine ou * **senne**, n. f. [Pêche] Sorte de grand filet que l'on traîne sur les grèves.
Hom. — V. cène.
* **seinette**, n. f. Petite seine (ou senne).
Hom. — *Saynète*, petite pièce de théâtre.
seing [*sin*], n. m. Signature qui confirme, rend valable un acte. ‖ *Seing privé*, signature d'un acte qui n'a pas été reçu par un officier public. ‖ *Blanc-seing*, papier signé que l'on confie à quelqu'un pour le remplir à sa volonté.
Hom. — V. ceint.

Vocab. — *Famille de mots.* — Seing [rad. *seing*, *sign*] : blanc-seing, contreseing, sous-seing ; signe, signer, signature, signataire ; signal, signaler, signalé, signaleur, signalisation, signalement, signalétique, signet, soussigné ; signifier, signifiant, signification, significatif, significativement ; insignifiant, insignifiance ; insigne ; assigner, assignable, assignation, assignat, asséner ; consigne, consigner, consignation, consignateur, consignataire ; cosignataire, contresignataire, contresigner ; désignatif, désigner, désignation ; dessin, dessiner, dessinateur, dessinailler, dessein ; enseigné, enseigner, enseignant, enseignable, enseignement, renseignement, renseigner ; résigner, résigné, résignant, résignation, résignataire.

---

séisme [*sé-is-me*], n. m. (gr. *seismos*, ébranlement). [Géol.] Secousse imprimée au sol par un effort interne ; tremblement de terre. V. tabl. univers (*Idées suggérées par le mot*).
* **séismique**, adj., **séismographe**, n. m.
V. sismique. etc.
* **seizain**, n. m. Pièce de seize vers.
Par. — *Sixain*, stance de six vers.
* **seizaine** [*sé-zè-ne*], n. f. Ensemble de seize objets (rare). ‖ Petite corde dont les emballeurs font usage.
seize [*sèze*], adj. numéral. Nombre pair formé de dix et de six. ‖ Se dit pour seizième. *Page seize. Louis seize.* = N. m. Le nombre, le chiffre seize (16). ‖ *Le seize du mois*, le seizième jour du mois.
seizième [*sè-zi-è-me*], adj. Nombre ordinal de seize. *Au seizième jour. Le seizième siècle.* = N. m. Le seizième jour d'une période, ou la seizième partie d'un tout. = Nom. *Vous êtes le seizième, la seizième.*
seizièmement, adv. En seizième lieu.
séjour, n. m. (nom verbal de *séjourner*). Résidence plus ou moins longue dans un lieu. *Il a fait un long séjour dans ce pays-là.* ‖ Action de séjourner. *Le séjour des eaux sur un terrain.* ‖ Lieu où l'on réside. *Un agréable séjour.* — *Le céleste séjour*, le ciel ; *le noir, l'infernal séjour*, les enfers ; *l'humide séjour*, la mer.
Épithètes courantes : ordinaire, habituel ; agréable, délicieux, heureux, charmant, excellent, idéal ; désagréable, malsain, odieux ; long, court, définitif, passager ; céleste, infernal, humide, etc.
Syn. — V. domicile.
* **séjournement** [*man*], n. m. Action de séjourner.
séjourner, v. intr. Demeurer, s'arrêter quelque temps dans un lieu. ‖ Stationner. *Les eaux ont longtemps séjourné en ce lieu.*
Ctr. — *Traverser, passer.*
sel, n. m. (lat. *sal*, *salis*, m. s.). Composé de chlore et de sodium, abondant dans l'eau de mer et dans la terre, servant à assaisonner les aliments et à obtenir de nombreux produits chimiques. *Sel gemme. Sel marin.* — *Manger une chose à la croque au sel*, sans autre assaisonnement que du sel. ‖ Fig. et par allusion à la propriété qu'a le sel de préserver de la pourriture : *Le sel de la sagesse.* [Chim.] Produit résultant de l'action d'un acide sur une base. — Ce qui donne de la finesse, du piquant, dans les ouvrages d'esprit. *Je ne saisis pas le sel de cette plaisanterie.*
— *Il est, de sel attique, assaisonné partout.*
(Molière.)
Épithètes courantes : marin, gemme, gris, blanc, égrugé, commun, purifié, gros, fin, écrasé, sec, mouillé, fondu ; âcre, acide ; attique, etc.
Hom. — V. celle.

Vocab. — *Famille de mots.* — Sel [rad. *sel*, *sal*, *sau*] : saler, salé, salant, salange, salanque, salègre ; saleron, saleur, salière, salaison, salure ; salade, saladier ; salive, salivation, saliver, salivant, saliveux ; salin, saline, salinier, salicole, saliculture, salicylate, salicylique, salifère, salifiable ; salification, salifier, salignon, salignage, salinité ; salaire, salarier, salarié ; saunage, saunaison, sauner, saunerie, saunière, saunier, faux-saunier, saumurage, saumuré, saumure, saumâtre ; dessaler, pré-salé ; sauce, saucière, saucer, saucisse, saucisson ; saupoudrage, saupoudroir, saupoudrer, saupiquet, saugrenu ; salpêtre, salpêtrage, salpêtrer, salpêtrerie, salpêtreux, salpêtrier, salpêtrière, salpêtrisation.

---

* **sélacien, ienne** [*si-in*], adj. (gr. *selakhos* poisson cartilagineux). [Zool.] Qui a la peau cartilagineuse.
sélaciens [*si-in*], n. m. pl. [Zool.] Ordre de poissons au squelette entièrement cartilagineux (requins, raies, chats de mer). V. pl. poissons.
* **sélage** ou * **sélagine**, n. m. (lat. *selago*, m. s.). [Bot.] Genre de plantes de la famille des *sélaginées.*

* **sélaginées** ou **sélaginacées**, n. f. pl. [Bot.] Famille de plantes dicotylédones gamopétales.
* **sélaginelle**, n. f. [Bot.] Genre de cryptogames vasculaires du groupe des *lycopodinées*, dont le mode de reproduction forme transition entre les phanérogames et les fougères.

sélam ou * **sélan**, n. m. (arabe *salam*, salut), n.m. Bouquet de fleurs disposées de manière à offrir une signification symbolique.

* **select**, adj. (mot angl. sign. *choisi*). Chic, distingué. — Invariable au fém. *Des réunions selects*.
* **sélectif, ive**, adj. Qui a le caractère de la sélection. [Électr.] Se dit d'un poste de T.S.F. qui discrimine nettement les ondes des divers postes émetteurs.

sélection [sé-lek-sion], n. f. (lat. *selectio*, choix). Choix des types reproducteurs, en vue d'améliorer et de perfectionner les races d'animaux domestiques. C'est la *sélection artificielle*. ‖ *Sélection naturelle*, phénomène naturel d'après lequel, les êtres vivants étant obligés de lutter les uns contre les autres, les mieux doués survivent seuls, et font nombre, ce qui assure le progrès de l'espèce. [Électr.] Action de discriminer nettement les ondes des divers postes émetteurs.

PAR. — *Sectionner*, couper en morceaux; diviser en sections.

* **sélectionner**, v. tr. Faire un choix, une sélection (Néol.).
* **sélectivement**, adv. D'une manière sélective.
* **sélectivité**, n. f. [Électr.] Propriété d'un appareil de T.S.F. qui sélectionne nettement une onde de fréquence donnée parmi d'autres de fréquences voisines.
* **séléniate**, n. m. [Chim.] Sel de l'acide sélénique.
* **sélénié, ée**, adj. Qui contient du sélénium. *Hydrogène sélénié*.
* **sélénien, ienne**, adj. Relatif à la lune.

PAR. — *Sélénieux*, se dit d'un acide tiré du sélénium.

sélénieux, adj. m. [Chim.] *Acide sélénieux*, acide dérivé du sélénium, moins riche en oxygène que l'acide sélénique.

PAR. — *Sélénien, ienne*, relatif à la lune.

* **sélénifère**, adj. Qui contient du sélénium. *Boues sélénifères*.

sélénique, adj. [Chim.] *Acide sélénique*, le plus riche en oxygène des composés du sélénium.

sélénite, n. f. [Minér.] Sulfate de calcium hydraté. = N. m. Nom donné aux sels de l'acide sélénieux.

* **sélénites**, n. m. pl. (gr. *sélênê*, lune). Nom donné aux habitants hypothétiques de la Lune.

séléniteux, euse, adj. [Chim.] Qui est chargé de sélénite.

sélénium [ni-om'], n. m. Corps simple, métalloïde analogue au soufre, dont la conductibilité électrique varie en fonction de l'éclairage qu'il subit.

* **séléniure**, n. m. [Chim.] Nom des composés de sélénium d'un autre corps.

sélénographie, n. f. (gr. *sélênê*, lune; *graphô*, je décris). Description de la lune.

sélénographique, adj. Qui a rapport à la description de la lune.

* **séleucide**, n. m. [Zool.] Genre d'oiseaux paradisiers.
* **self**, adj. et n. f. (mot angl. sign. *de soi-même*). [Élect.] Abrév. de self-induction.

* **self-government** [*vern'ment'*], n. m. Système anglais dans lequel les citoyens d'un dominion en assurent, à l'intérieur, le gouvernement.
* **self-induction**, n. f. [Élect.] Production d'un courant électrique, dans son propre circuit ou dans un circuit voisin, à la suite des variations de flux d'un courant électrique préexistant.
* **sellage** [*sè-la-je*], n. m. Action ou manière de seller.

selle [*sè-le*], n. f. (lat. *sella*, siège). Petit siège de bois, sans dossier, sur lequel une seule personne peut s'asseoir. — Fig. *Demeurer entre deux selles, le derrière par terre*, hésiter entre deux choses et voir échapper l'une et l'autre. Fam. ‖ Sorte de siège qu'on attache sur le dos d'un cheval, d'une mule, etc., pour les monter plus commodément. *Sauter en selle*. — *Cheval de selle*, cheval propre à être monté par un cavalier et dressé pour cela. — *Être bien en selle*, être bien à cheval et, fig. et fam., être bien affermi dans son poste, dans sa place. ‖ Petit siège en cuir, de forme triangulaire, sur lequel se place celui qui monte une bicyclette, une motocyclette. V. pl. BICYCLETTE et MOTOCYCLETTE.

Chaise percée, garde-robe. *Aller à la selle*. ‖ Par ext. Évacuation alvine. *Selle moulée*. [Boucherie] *Selle d'agneau, de mouton*, morceau pris entre le gigot et la première côte. ‖ Plateau mobile monté sur trépied, sur lequel le sculpteur pose l'ouvrage qu'il modèle.

HOM. — V. CELLE.

* **sellée** [*sè-lé*], n. f. Rangée de piles de carreaux disposés sur une selle.

1. **seller** [*sè-lé*], v. tr. Mettre et attacher une selle sur un cheval, sur une mule, etc. *Sellez mon cheval*.

HOM. — V. CÉLER.

2. * **seller** (se), v. pr. Se dit d'un terrain qui se serre, se tasse, se durcit.

sellerie [*sè-le-ri*], n. f. Lieu où l'on serre les selles et les harnais des chevaux. ‖ L'industrie, le travail du sellier. ‖ Ouvrages faits pour le harnachement des chevaux. V. pl. CHEVAL.

HOM. — *Céleri*, plante de la famille des ombellifères.

sellette [*sè-lè-te*], n. f. (dimin. de *selle*). Petit siège bas, de bois, sur lequel on obligeait un accusé de s'asseoir quand on l'interrogeait. — Fig. et fam. *Être sur la sellette*, être interrogé, en parlant d'un accusé ou d'un candidat. ‖ Planche qui forme le fond des crochets du crocheteur. ‖ Sorte de boîte où les décrotteurs mettent leurs brosses, leur cirage, etc., et où l'on pose le pied pour se faire décrotter. ‖ Siège de calfat, de badigeonneur, permettant de travailler le long d'une surface verticale. ‖ Petite selle de sculpteur.

sellier [*sel-lié*], n. m. Ouvrier qui fait des selles, des harnais, et tout ce qui concerne l'équipement des chevaux.

HOM. — *Cellier*, n. m., lieu où l'on serre le vin; — *selliez*, du v. seller.

selon, prép. Suivant, eu égard à. Conformément à. A proportion de. *Selon mon sentiment. Dépenser selon ses moyens, ses forces*. ‖ *Selon moi*, selon ce que je pense; à mon avis. ‖ Ellipt. et fam. *C'est selon*, cela dépend des circonstances, des dispositions des gens, etc. = SELON QUE, loc. conjonc. A proportion que, suivant que.

***selvas**, n. f. pl. (esp. *selva*, forêt). [Géog.] Forêt vierge qui couvre tout le bassin de l'Amazone.

semaille [ma-ille, *ill* mll.], n. f. (employé généralement au plur.). Action de semer les grains. *Nous avons fait nos semailles*. ‖ Les grains semés ou préparés pour l'être. ‖ Le temps pendant lequel on ensemence les terres.

semaine, n. f. (bas lat. *septimana*, m. s.). Période de sept jours, du dimanche au samedi. *Je viendrai au début de la semaine.* Période de sept jours consécutifs. *Son voyage durera une semaine*. — *La Semaine sainte*, la dernière semaine du carême, celle qui précède le jour de Pâques. — *Prêter à la petite semaine*, tirer un intérêt exorbitant d'une petite somme remboursable à un terme très court. — Fam. *La semaine des quatre jeudis*, temps qui n'arrivera jamais. ‖ Fonctions dont on est chargé à son tour pendant une semaine. *Cet officier est de semaine.* ‖ Période de six jours de travail, allant généralement du lundi au samedi. — *Semaine anglaise*, semaine dont le travail est organisé de telle façon qu'il cesse le samedi à midi pour ne reprendre que le lundi matin. Travail que font les ouvriers pendant une semaine, et payement de ce travail. *Il a mangé sa semaine en un jour.* V. tabl. TEMPS (*Idées suggérées par le mot*).
ANT. — *Dimanche*.

semainier, ière [se-mè-nié], n. Celui, celle qui est de semaine pour remplir certaines fonctions dans une communauté religieuse, un collège, etc.

*** semaison** [mè-zon], n. f. Temps des semailles. ‖ Ensemencement naturel des plantes par la dispersion des graines qui tombent.

sémantique, adj. (gr. *sêmainô*, je fais connaître). Qui se rapporte à la signification des différents éléments du langage. = N. f. Science de la signification des mots d'une langue, de la vie des mots, de leur naissance et de leur vieillissement, etc. V. tabl. SCIENCES (*Idées suggérées par le mot*).

sémaphore [*fore*], n. m. (gr. *sêma*, signe; *phoros*, qui porte). Sorte de télégraphe aérien établi sur les côtes et dans les ports, pour correspondre avec les navires qui sont en mer, annoncer leur arrivée, etc. V. pl. PORT et GÉOGRAPHIE. [Ch. de fer] Appareil servant à la signalisation des voies. V. pl. CHEMIN DE FER.

*** sémaphorique,** adj. Qui appartient au sémaphore, qui y a rapport.

semblable [*san*], adj. (du v. *sembler*). Pareil, qui ressemble, qui est de même nature, de même qualité. *Deux choses, deux cas semblables.* ‖ Pareil, tel. *Vit-on jamais semblable sottise?* [Math.] *Termes semblables*, ceux qui ne diffèrent que par le coefficient. [Géom.] *Figures semblables*, figures dont les angles sont égaux deux à deux, et dont les côtés homologues sont proportionnels. = *Semblable* s'emploie aussi comme nom, mais alors il est toujours joint à l'adjectif possessif. *Cet homme n'a pas son semblable*, il n'a pas son pareil. — Un ou plusieurs hommes, considérés par rapport aux autres hommes. *L'humanité nous oblige à avoir pitié de nos semblables*.
SYN. — *Semblable*, qui a même apparence ou même nature: *Deux costumes semblables*. — *Analogue*, qui a une certaine ressemblance avec une autre chose: *Il m'a répondu cela ou quelque chose d'analogue*. — *Conforme*, qui a la même forme, qui comprend le même texte: *Adresser la copie conforme d'une pièce originale*. — *Même* (le), qui est identique: *Vous répétez toujours la même chose*. — *Ressemblant*, qui a un rapport de conformité avec une autre personne ou une autre chose: *Le portrait très ressemblant d'une personne*. — *Tel, semblable, identique à: Il n'est pas tel que je le pensais*. V. aussi PAREIL.
CTR. — *Différent, dissemblable, contraire, opposé.*

semblablement [san... *man*], adv. Pareillement, aussi.

semblant [*san-blan*], n. m. Apparence. *Faux semblant d'amitié.* ‖ Fam. *Faire semblant*, feindre. *Faire semblant de dormir*. ‖ *Ne faire semblant de rien*, ne rien dire, ne rien faire qui puisse donner à connaître le dessein que l'on a.
SYN. — V. AIR.

sembler, v. intr. V. tabl. SEMBLER.

séméiologie ou **séméiotique,** n. f. Partie de la médecine qui traite des symptômes des maladies. — On écrit aussi *sémiologie*.

*** séméiologique** ou *** sémiologique**, adj. Qui a rapport à la séméiologie.

semelle [*mèle*], n. f. (orig. inconnue). Pièce ordinairement de cuir, qui fait le dessous d'une chaussure. — *Semelles de liège, de feutre*, morceaux de liège, de feutre, taillés en semelle, qu'on met dans les souliers pour garantir les pieds de l'humidité. V. pl. CHAUSSURES. ‖ Partie d'un bas, d'une chaussette qui correspond à la plante du pied. [Escr.]. *Reculer d'une semelle, rompre la semelle*, reculer de la longueur du pied. — Fig. *Ne pas reculer d'une semelle*, ne rien relâcher de ses prétentions. *Ne pas avancer d'une semelle*, ne pas avancer du tout. — Pop. *Battre la semelle*, se dit de deux personnes qui sautent en cadence pour se réchauffer, en se frappant les semelles l'une l'autre. [Artill.] Planchette de bois fort épaisse qui se place entre les deux flasques d'un affût, et sur laquelle le canon pose. [Charp.] Pièce de bois couchée horizontalement sous le pied d'un étai, ou qui sert d'entrait dans un comble. — Pièce de bois couchée sous le pied des poteaux des galeries de mine. [Mar.] Pièce de bois plate mise sous un corps pesant pour servir à le faire glisser. [Techn.] Pièce de bois ou de fonte qui repose sur le sol et supporte le bâti de certaines machines, des ponts, etc. — Morceau de fer, de caoutchouc garnissant un sabot de frein à l'intérieur.
ORTH. — *Semelle* prend deux *l*, mais *ressemeler* n'en prend qu'un.

semence [se-*man*-sé], n. f. Se dit de tout ce qui se sème, grains, graines, noyaux, pépins, etc. ‖ Se dit partic. des grains, c.-à-d. des graines des céréales. ‖ Substance fécondante des animaux mâles. ‖ Fig. Se dit de toute cause éloignée d'où naîtront certains effets. *De pareilles instructions sont des semences de vertu*. ‖ Espèce de clous courts, à large tête.
SYN. — V. GRAIN.

*** semenceau,** n. m. [Agri.] Betterave qu'on replante pour la laisser venir en graines la seconde année.

> ### SEMBLER, verbe.
>
> **Étymologie.** — Bas latin *similare*, ressembler.
> *pp.* **Semblé**, invar.
> *ppr.* **Semblant**, employé comme nom. V. ce mot.
> SYN. — V. PARAÎTRE.
> GRAM. — La forme *il semble que* se construit avec le subjonctif quand elle marque une supposition, une invraisemblance : *Il semble que votre projet soit imprudent ; il semble que le ciel se fonde tout en eau* (BOILEAU) ; la même forme se construit avec l'indicatif quand elle équivaut à *il est évident que* : *Il semble que la rusticité n'est autre chose qu'une ignorance grossière des bienséances.* (LA BRUYÈRE.)
>
> ### SEMBLER, verbe intransitif :
> Se construit avec un attribut, nom, adjectif, pronom ou participe.
> Paraître, avoir une certaine qualité, une certaine apparence ou une certaine manière d'être. *Ces choses me semblent belles et bonnes. Ces cerises semblent mûres.* — *Que vous êtes joli, que vous me semblez beau !* (LA FONTAINE.)
>
> ### SEMBLER, verbe impersonnel.
> S'emploie avec une proposition complétive d'objet avec *que*. Il est tout à fait probable que. *Il semble que le mal est sans remède.* Lorsqu'il y a doute, on emploie le subjonctif. *Il semble, à vous entendre, que ce mal soit sans remède.* V. ci-dessus.
> *Ce semble. Ce me semble*, selon, à mon avis. *Vous auriez dû, ce semble, avertir votre père.* — On dit encore : *Il me semble, il vous semble que.*, je crois, vous croyez que. *Il me semble le voir Il me semble que je le vois. Il ne me semble pas qu'on puisse faire autrement.*
> — Avec la prép. *de*. *Que vous semble de cette affaire ?*
> — Avec l'adj. neutre *bon*. *Si bon lui semble. Si bon leur semble. Comme bon vous semblera, s'il lui plaît, s'il leur est agréable, comme il vous plaira.*
> VOCAB. — *Famille de mots.* — Sembler [rad. *semb*, *sim*] : semblant, semblable, semblablement ; dissemblable, dissemblance, dissemblablement ; similaire, similarité, similitude, simili, similiste, simili-gravure, fac-similaire, fac-similé ; assimiler, assimilé, assimilation, assimilabilité, assimilable, assimilateur, assimilatif ; dissimilaire, dissimilitude, dissimilation ; vraisemblable, vraisemblance, vraisemblablement, invraisemblable, invraisemblance, invraisemblablement ; assembler, assemblé, assemblée, assemblement, assembleur, assemblage ; rassembler, rassemblement ; ressembler, ressemblant, ressemblance ; simultané, simultanément, simultanéité ; simuler, simulé, simulacre, simulation, simulateur ; dissimuler ; dissimulé, dissimulation, dissimulateur.

semen-contra [sé-menn'], n. m. [Pharmacie] Substance vermifuge, formée des capitules floraux de certaines armoises.

semer, v. tr. (lat. *seminare*, semer). [Agri.] Épandre de la graine ou des grains sur une terre préparée afin de les faire produire et multiplier. *Semer du blé, du persil.* ‖ Ensemencer. *Semer des terres.* ‖ Fig. et prov. *On recueille ce qu'on a semé.* On recueille des résultats bons ou mauvais, suivant ce qu'on a fait auparavant. Dans un sens anal. *Qui sème le vent, récolte la tempête.* ‖ Fig. Répandre, jeter çà et là, disséminer. *Semer de fleurs le chemin de quelqu'un.* — Fig. *Semer de l'argent*, distribuer de l'argent à plusieurs personnes pour les attirer dans son parti. — On dit aussi d'un prodigue qu'il *sème l'argent*. ‖ Fig. au sens moral : Répandre, propager. *Semer de faux bruits. Semer la discorde.* ‖ Parsemer. ‖ Fam. *Semer quelqu'un*, se débarrasser de quelqu'un qui vous importune. = SE SEMER, v. pr. à sens passif. Être, devenir semé. = Conjug. V. GRAMMAIRE.
SYN. — V. ENSEMENCER.
CTR. — *Récolter, ramasser, recueillir ; moissonner.*

semestre, n. m. Espace de six mois consécutifs. *Le semestre de janvier, de juillet.* ‖ Se dit de certains emplois qu'on remplit pendant la moitié de l'année. ‖ Congé militaire de six mois. ‖ Rente, traitement qui se touche tous les six mois. = Adj. *Rente semestre.*

semestriel, elle, adj. Qui se fait, qui a lieu par semestre. *Assemblée semestrielle.*

* **semestriellement**, adv. Par semestre.

* **semestrier**, n. m. Militaire absent de son corps pour un congé de six mois.

semeur, euse, n. Celui, celle qui sème du grain. — Fig. *Semeur de discordes, de faux bruits.*

* **semeuse** [*meu-ze*], n. f. [Zool.] Nom donné à la *bergeronnette*. [Agri.] Machine à semer les graines.

semi, mot lat. qui sign. *demi, à demi*, servant de préfixe et qu'on joint toujours à un autre mot par un trait d'union.

* **semi-annulaire**, adj. Qui a la forme d'un demi-anneau.

* **semi-circulaire**, adj. Qui a la forme d'un demi-cercle. [Anat.] *Canaux semi-circulaires*, tubes cylindriques recourbés en fer à cheval, situés dans la partie postérieure du labyrinthe osseux de l'oreille interne.

* **semi-direct**, n. m. [Ch. de fer]. Train dont la vitesse est intermédiaire entre le direct et l'omnibus. = Pl. *Des semi-directs.*

semi-diurne, adj. Qui ne dure que la moitié du jour.

* **semi-double**, adj. [Bot.] Se dit d'une fleur qui n'a converti en pétales qu'une partie des organes sexuels.

* **semi-flosculeux, euse**, adj. [Botan.] Se dit des capitules à fleurs en languette des *composées*.

* **semi-hebdomadaire**, adj. Qui se produit, qui paraît deux fois par semaine.

* **semi-historique**, adj. Qui renferme des faits historiques entremêlés de faits romanesques.

* **semi-liquide**, adj. A demi-liquide.

* **sémillance** [*ill mll.*], n. f. Vivacité, promptitude enjouée.

sémillant, ante [*ill mll.*], adj. Remuant, extrêmement vif et gai. ‖ Fig. *Esprit sémillant*, esprit vif et enjoué.

* **sémiller** [*ill mll.*], v. intr. Être sémillant, vif et gai.

* **semi-lunaire**, adj. Qui est en forme de demi-lune, de croissant. *Cartilages semi-lunaires.*

* **semi-mensuel**, adj. Qui se produit, qui paraît deux fois par mois.

séminaire, n. m. (lat. *seminarium*, pépinière). Établissement où l'on élève et où l'on instruit des jeunes gens pour les former à l'état ecclésiastique. || Par ext. L'ensemble des élèves d'un séminaire. || Temps passé au séminaire. || Fig. Lieu où l'on se forme à une profession, une activité.

séminal, ale, adj. Qui a rapport à la semence, à la graine. [Anat.] *Liqueur séminale*, le sperme.

séminariste, n. m. Celui qui est élevé et instruit dans un séminaire.

* **sémination** [sion], n. f. [Bot.] Dispersion naturelle des graines d'une plante.

* **semi-nocturne**, adj. *Arc semi-nocturne*, portion du cercle de l'horizon comprise entre la partie inférieure du méridien et le point de l'horizon où le soleil se lève ou se couche.

* **semi-officiel, elle**, adj. Presque officiel; émané d'une source officielle, mais sans engager sa responsabilité.

sémiologie, n. f., * **sémiologique**, adj. V. SÉMÉIOLOGIE, SÉMÉIOLOGIQUE.

* **semi-opale**, n. f. Variété d'opale commune. = Pl. *Des semi-opales.*

* **semi-pélagien, enne**, adj. et n. Qui n'admet qu'en partie les hérésies de Pélage. = Pl. *Des semi-pélagiens, ennes.*

* **semi-périodique**, adj. Se dit d'un ouvrage littéraire qui paraît par fascicules publiés à des intervalles plus ou moins réguliers.

semis [se-mî], n. m. Action de mettre en terre la graine. || Plant d'arbrisseaux, de plantes, de fleurs venant de graines qui ont été semées. *Un semis d'œillets.* || Travail que l'on fait pour former ce plant. *Semis sur couche.* || Terrain qu'il occupe.

sémite, n. m. et adj. [Ethnogr.] Se dit d'une branche de la race blanche, comprenant les Juifs, les Arabes, les Syriens, les anciens Phéniciens, Chaldéens, etc., caractérisée plus par les langues qu'elle parle ou qu'elle a parlées, que par des caractères physiques.

sémitique, adj. Qui a rapport aux sémites. *Peuple sémitique.* || *Langues sémitiques*, l'araméen, parlé du temps de Jésus-Christ : l'hébreu, le syriaque, le chaldéen, le punique (langue des Carthaginois), l'arabe, l'éthiopien, etc.

sémitisme, n. m. Ensemble des caractéristiques des peuples, des langues sémites.

* **semi-ton**, n. m. La moitié d'un ton. = Pl. *Des semi-tons.*

* **semi-voyelle**, n. f. [Gram.] Phonème jouant tantôt le rôle d'une consonne, tantôt celui d'une voyelle. = Pl. *Des semi-voyelles.*

* **semnopithèque**, n. m. [Zool.] Genre de singes de l'Inde, à queue fort longue.

semoir, n. m. Machine dont on se sert pour semer. V. pl. AGRICOLES (machines). || Sac contenant le grain que lance le semeur.

semonce, n. f. (de *semonse*, pp. fém. du vx verbe *semondre*, avertir). Avertissement mêlé de reproches. *Il lui a fait une semonce.* [Mar.] *Coup de canon de semonce*, coup de canon à blanc tiré par un navire de guerre contre un bâtiment de commerce pour lui intimer l'ordre de stopper ou d'arborer son pavillon national.

semoncer, v. tr. Faire une semonce, une réprimande. *On l'a semoncé d'importance.* [Mar.] Inviter un navire à arborer son pavillon. = Conjug. V. GRAMMAIRE. SYN. — V. GRONDER.

* **semondre**, v. tr. Inviter, convier à une cérémonie (Vx. et n'est usité qu'à l'infinitif).

semoule, n. f. Granules arrondies qu'on obtient en broyant le blé entre deux meules peu serrées. La semoule sert à faire des potages, des entremets, etc.

semoulerie, n. f. Lieu où l'on fabrique de la semoule, des pains de régime à la semoule.

semper-virens [sin-pèr-vi-rinss], n. m. inv. (mot lat. sign. *toujours vert*). [Bot.] Variété de chèvrefeuille à feuilles persistantes.

sempiternel, elle [sin-pi], adj. Qui dure toujours. || Perpétuel, qui n'en finit pas. *Jérémiades sempiternelles.*

* **sempiternellement**, adv. Toujours, perpétuellement.

sénat [na], n. m. (lat. *senatus*, m. s., de *senex*, vieillard). Assemblée politique la plus importante de divers pays. *Le sénat romain.* || Le lieu où le sénat s'assemble. *Le palais du Sénat.* || Corps des sénateurs. V. tabl. GOUVERNEMENT (*Idées suggérées par le mot*).

sénateur, n. m. Membre d'un sénat. || Fig. et fam. *Train de sénateur*, démarche lente et pondérée.

* **sénatorerie**, n. f. Dotation accordée à un sénateur sous le premier Empire.

sénatorial, ale, aux, adj. Qui appartient au sénateur. *La dignité sénatoriale.*

sénatorien, ienne [to-ri-in], adj. Qui appartient aux sénateurs. N'est usité que dans ces loc. : *Maison, famille sénatorienne.*

* **sénatrice**, n. f. Femme de sénateur. Ne se dit guère que des femmes des sénateurs de Pologne et de Suède.

sénatus-consulte [tuss], n. m. Décision du sénat romain. || Décision du sénat sous le premier et le second Empire français. = Pl. *Des sénatus-consultes.*

* **senau**, n. m. [Mar.] Espèce de bâtiment à deux mâts dont on se sert principalement pour la course.

* **sène**, n. f. Druidesse de l'anc. Gaule.

séné, n. m. [Bot.] Nom donné à plusieurs espèces d'arbrisseaux du genre *cassia*, douées de propriétés purgatives. || Fig. et proverb. : *Passe-moi la casse et je te passerai le séné*, fais-moi une concession et je t'en ferai une autre (en mauvaise part, le plus souvent).

sénéchal, n. m. Autrefois, grand officier spécialement chargé de gouverner la maison d'un roi, d'un prince ou d'un riche particulier. || Officier de la couronne qui rendait la justice au nom du roi.

sénéchale, n. f. Femme d'un sénéchal.

sénéchaussée, n. f. Étendue de la juridiction d'un sénéchal. *La sénéchaussée d'Anjou.* || Le lieu où se tenait le tribunal dont le sénéchal était le chef. || Ce tribunal même.

séneçon, n. m. [Bot.] Genre de plantes dicotylédones (*senecio*) de la famille des composées.

* **sénégalais, aise**, adj. et n. Du Sénégal.

* **sénégali**, n. m. [Zool.] Nom vulg. de divers petits passereaux des régions tropicales.

* **sénégalien, ienne,** adj. Qui est propre, qui appartient au Sénégal.
sénescence [sé-nès-san-ce], n. f. (lat. *senescere*, vieillir). [Physiol.] Ensemble des phénomènes qui constituent la mort naturelle des tissus.
* **sénescent, ente,** adj. Qui présente les caractères de la sénescence.
sénestre, adj. (lat. *sinister*, gauche). Qui est du côté gauche (Vx). [Blas.] *Le côté sénestre,* le côté gauche.
CTR. — *Dextre.*
* **sénestrochère,** n. m. [Blas.] Bras gauche représenté sur l'écu.
* **sénestrogyre,** adj. [Chim.] Syn. de *lévogyre.*
* **sénestrorsum,** adj. inv. Qui se dirige, qui s'enroule vers la gauche.
CTR. — *Dextrorsum.*
sénevé, n. m. [Bot.] Nom vulg. de la *moutarde des champs.*
sénile, adj. (lat. *senex*, vieillard). Qui est dû, qui tient à la vieillesse. *Débilité sénile.* ∥ *Âge sénile,* la vieillesse. ∥ Fig. Qui sent la vieillesse, la décadence.
CTR. — *Juvénile.*
sénilité, n. f. Caractère sénile. [Méd.] Affaiblissement du corps et de l'esprit causé par la vieillesse.
ANT. — *Juvénilité.*
senior, adj. (mot lat. signifiant plus vieux). [Sports] Catégorie de compétiteurs plus âgés que les juniors. = Pl. *Des seniors.*
* **sénisse,** n. f. Poussière de charbon entraînée par la fumée.
* **senne,** n. f. [Pêche]. V. SEINE.
* **sénonais,** adj. et n. De Sens.
* **sénonien, ienne,** adj. De la ville de Sens [Géol.] *Terrain sénonien,* banc de craie qui occupe une partie du Sénonais et une partie de la Champagne.
sens [sanse, d'après l'Académie; cependant on ne prononce pas l's finale dans les locutions *sens devant derrière, sens dessus dessous,* et autres semblables], n. m. (lat. *sensus,* m. s.). 1° Facultés par lesquelles l'homme et les animaux perçoivent l'impression des objets extérieurs et corporels; et organes par lesquels se fait cette communication. *La vue, l'ouïe, l'odorat, le toucher, le goût sont les cinq sens. Reprendre ses sens.* V. tabl. SENS (*Idées suggérées par le mot*). *Cela tombe sous le sens,* se dit d'une chose évidente. ∥ Faculté de juger et de raisonner (ordinairement accompagné d'un adj. ou d'un adv. qui marque la manière de juger et de raisonner). *C'est un homme de sens, de bon sens, de grand sens.* — *Être dans son bon sens,* jouir de la plénitude de ses facultés intellectuelles. — *N'être pas dans son bon sens,* ne pas pouvoir juger sainement des choses sous l'influence de la folie, de l'ivresse, de la colère. ∥ *Sens commun,* ensemble des notions communes à tous les hommes. *Cela choque le sens commun,* — *Cette action n'a pas le sens commun,* elle est absurde. ∥ *Sens moral, sens intime,* la conscience, la notion du bien et du mal. *Cet individu n'a aucun sens moral.* ∥ *Sens pratique,* habileté, qui paraît innée, à se comporter dans la vie pratique. ∥ Au plur. Sensualité, concupiscence. *Les plaisirs des sens.* ∥ Idée, sentiment, tact. *Il n'a pas le sens des nuances.*

2° Signification d'un discours, d'un mot. *C'est le vrai sens de la loi. Sens absolu. Sens relatif.* — *Sens propre,* le sens normal d'un mot, son premier sens; *sens figuré,* sens donné à un mot par image, par comparaison. Ex. *Il reçut une blessure à la tête* (sens propre); *Il fut mis à la tête de l'armée* (sens figuré). V. tabl. MOTS. (*variation du sens des*).∥ *Ce qu'a voulu dire un auteur. Je saisis mal le sens de ce passage.* — *Ne pas saisir ou traduire mal le sens d'un passage,* c'est faire un *contresens.* — *Non-sens,* absurdité, amas de mots ne signifiant rien. — *Faux sens,* erreur sur l'acception d'un mot particulier. — *Mot à double sens,* mot qui possède une double signification et partic. un second sens obscène. ∥ Avis, opinion, sentiment. *A mon sens. Il abonde en son sens.*

3° Un des côtés d'une chose, d'un corps. *Ce jardin a vingt mètres en tous sens.* ∥ Direction. *J'ai parcouru ce pays dans tous les sens.* ∥ *Sens unique,* direction dans un seul sens imposée par la police de circulation aux véhicules dans certaines rues, sur certaines routes. = SENS DESSUS DESSOUS, loc. adv. Situation d'un objet tourné de manière que ce qui devrait être dessus ou en haut se trouve dessous ou en bas. — Fig. Ce qui est dans un grand désordre et tout bouleversé. *On a mis tous mes papiers sens dessus dessous.* = SENS DEVANT DERRIÈRE, loc. adv. Se dit de la situation d'un objet tourné de telle façon que ce qui devrait être devant se trouve derrière. *Elle a mis son bonnet sens devant derrière.* V. tabl. SENS (*Idées suggérées par le mot*).

— *Ces deux principes de vérité, la raison et les sens, outre qu'ils manquent chacun de sincérité, s'abusent réciproquement l'un l'autre; les sens abusent la raison par de fausses apparences; et cette même piperie qu'ils apportent à la raison, ils la reçoivent d'elle à leur tour, elle s'en revenche.*
(PASCAL.)
— *D'horreur encor tous mes sens sont saisis.* (RACINE.)
— *Au poids du bon sens peser tous les écrits.*
— *Aux dépens du bon sens gardez de plaisanter.* (BOILEAU.)
— *C'est le défaut de la plupart des hommes, et plus encore de ceux qui se piquent d'être spirituels, d'abonder en leur sens.*
(FLÉCHIER.)

ÉPITHÈTES COURANTES : bon, mauvais, droit, commun; propre, dérivé, figuré, détourné, étendu, large; étroit, faux, faussé, véritable, profond, clair; obscur, double, équivoque, douteux, ancien, moderne, nouveau, récent; aigu, affiné, obtus; impropre; direct, inverse, dessus, dessous; péjoratif, bas, vulgaire, etc.

INCORR. — Ne dites pas : *sans dessus dessous* comme si vous vouliez exprimer qu'il n'y a ni dessus ni dessous. C'est *sens dessus dessous* qu'il faut dire. — Ne dites pas non plus : *il tombe sous le sens que...,* mais : *il tombe sous le sens que...*
SYN. — (Pour *sens commun*) V. RAISON.
HOM. — V. CENS.

sensation [san-sa-sion], n. f. (lat. *sensatio,* m. s.). Impression que l'âme reçoit des objets par les sens. *Éprouver des sensations.* ∥ Fig. *Faire sensation,* produire une impression marquée dans le public,

SENS

Étymologie — Lat. *sensus*, m. s., de *sentire*, *sensum*, recevoir une impression par les sens, percevoir.

Définition. — Les *sens* sont les moyens par lesquels l'homme et les animaux qui en sont dotés acquièrent la *conscience* et la *connaissance* du monde extérieur et d'eux-mêmes. Ils sont d'abord des *états* ou *des faits de conscience*, *impressions*, *sensations*, *perceptions*, à l'origine de la *vie psychique*, de l'activité de l'*âme*. Les sens se localisent dans des *organes* plus ou moins bien *différenciés*, ceux de la *vue* (yeux), de l'*ouïe* (oreilles), de l'*odorat* (nez), du *goût* (bouche, palais, langue), du *toucher* (mains, peau), dont les opérations se manifestent par les faits de conscience correspondants. Ils sont aussi diffus dans des régions plus ou moins bien définies de l'organisme : ainsi un *sens interne* nous renseigne sur la faim, la soif, la fatigue, etc. D'autres manifestations sensorielles proviennent de *sens spéciaux*, que nous connaissons encore mal et qui existent parfois à un degré supérieur chez certaines espèces animales ou chez certains individus, à qui cette supériorité confère un pouvoir exceptionnel de connaissance ou de divination. Les sens donnent naissance aux *sensations* ; si celles-ci sont recueillies par la conscience psychologique, elles deviennent des *perceptions*. La significatoin du mot s'est étendue des sens mêmes aux particularités des corps perçues par eux, notamment à leur dimension ou à leur direction ; on dira d'un mur qu'il a tant de mètres ou de décimètres, dans le *sens* de la hauteur, de la longueur, de l'épaisseur ; on parlera du *sens* que doit suivre ou ne pas suivre un véhicule, du *sens* indiqué par une flèche, etc. On applique le terme de *sens moral* à la conscience en tant qu'elle perçoit et estime les éléments et les faits de la *conduite morale*. Le mot *sens*, sans épithète, est employé pour désigner la faculté de *juger* les choses, les êtres, les événements. On dit aussi le *sens commun* pour marquer ce que cette faculté de juger a de commun chez tous les hommes sains, et le *sens droit* ou *le bon sens* pour désigner la droite raison qui juge sainement. Enfin, le *sens* d'un mot, d'un discours, d'une proposition désigne la *signification* donnée à ce mot, à ce discours, à cette proposition par quiconque en conçoit la compréhension et les applications possibles. Dans cette dernière acception, le mot *sens* s'éloigne à l'extrême des origines sensorielles de la pensée pour s'appliquer à ses qualités intellectuelles les plus abstraites.

Mots de la même famille. — V. tabl. SENTIR.

Principaux termes relatif aux sens. — V. aussi SENSIBILITÉ, CORPS, MALADIE. *a)* TERMES GÉNÉRAUX. — Sens, sensation, sensible, sensoriel; insensibilité; organes des sens, nerfs sensoriaux, sensitifs, papilles, corpuscules du tact; percevoir, perception, aperception; perceptible, imperceptible; éprouver une sensation, avoir une impression; impressionner; exciter, excitation, réception, réceptivité; localisation de la sensation, localiser.

b) LA VUE. — Vue, vision, œil (V. CORPS), visibilité, visible, invisible, s'apercevoir, entrevoir, discerner, voir, regarder, distinguer, contempler, viser, considérer, inspecter, épier, surveiller; vue bonne, mauvaise, basse, faible; myopie, presbytie, astigmatisme, strabisme; borgne, aveugle, aveugle-né, cécité; aveugler, ouvrir, fermer, baisser les yeux; entr'ouvrir, clore les paupières; jeter les yeux, le regard sur, cligner les yeux, loucher, clignoter, regarder de côté, de travers; jeter un regard sur; lorgner, guetter, éblouir, éblouissement. Optique, opticien, oculiste, oculariste; verre, verre concave, convexe, courbure, lunettes, conserves, lorgnon, pince-nez, face-à-main, binocle, monocle, monture, branche, ressort; lorgnette, objectif, oculaire, lentille, mise au point, longue-vue, télémètre, périscope, jumelles, loupe, microscope, télescope, lunette méridienne, équatorial. — Lumière, lumineux, clarté, jour, lueur; éclairage, illumination; briller, luire, étinceler, flamboyer, scintiller; visibilité, visible à l'œil nu, transparent, translucide, diaphane, net, confus, peu net, flou, opaque; clair-obscur; sombre, foncé, assombri; ténèbres, obscurité. Couleur (V. COULEUR).

c) L'OUIE. — Audition, ouïr, entendre, écouter, percevoir un son, saisir, faire entendre; audition, auditeur, audible, inaudible; acoustique, oreille (V. CORPS), prêter l'oreille, être aux écoutes, ausculter; être dur d'oreille, sourd, sourd comme un pot, surdité, sourd-muet. Son (V. art. particulier SON); sonorité, son sec, bas, confus, faible, léger, grave, aigu, haut, plein, fort, bruyant, perçant, juste, faux distinct, imperceptible, nasillard, argentin, harmonieux; cornet acoustique, amplificateur, microphone, haut-parleur, téléphone; bruit, faire du bruit, du train, du chahut; tintement, sifflement, corner, klaxonner, siréner; sifflement boucan, charivari, sabbat, raffut (pop.), tapage, grondement, roulement, tintamarre, vacarme, tohu-bohu. Tonitruant, assourdissant; cri, déchirement, éclat, fracas, grincement, craquement, crissement, glouglou, murmure, chuchotement, gazouillement, clapotis, crépitement, bourdonnement, ronron, ronronnement; bruit rauque, glapissement, grognement, aboiement, rugissement, mugissement, hurlement, grondement. Écho. Sons musicaux. (V. MUSIQUE).

d) L'ODORAT. — Odeur, senteur, odorat, odorant, nez, narine (V. CORPS); sentir, humer, aspirer; renifler; émaner, émanation, fleurer; flair, flairer, effluve, exhalaison; bouquet, fumet; sentir bon, sentir mauvais, puer, puanteur, empester, infecter, miasme, méphitique; peste, pestilence, infection; empuanti, pestilentiel, désinfecter, assainir. Parfum, aromate, parfumer, aromatiser, arome, odeur forte, faible, agréable, délicieuse, suave, exquise, pénétrante, piquante, désagréable, mauvaise, fade, nauséabonde, infecte, répugnante, fétide, odeur de renfermé, goût musqué; se parfumer, embaumer, baume. Eau de Cologne, parfum, benjoin, patchouli, musc, chypre, violette, rose, héliotrope, iris, ambre, lavande, bergamote, œillet, jasmin, foin coupé, lubin, fleur d'oranger, myrrhe, dictame, encens, ambroisie, nard, cinname, cannelle, vanille; sachet, essence, pulvérisateur, vaporisateur.

e) GOUT. — Goûter, déguster, dégustation, avant-goût, arrière-goût, saveur, savoureux, sapide, montant, fade, fadasse, insipide, douceâtre, âpre, âcre, acide, aigre, amer, sûr, rance; être appétissant; faire venir l'eau à la bouche; dégoût, répugnance, répulsion, écœurer, dégoûter, donner des nausées; saveur salée, sucrée, framboisée, citronnée, piquante, épicée, alliacée, saumâtre, goût de brûlé, de roussi, de moisi, de faisandé, de renfermé; relent, goût, relevé; épice, poivre, muscade, piment, etc.

f) TOUCHER. — Tact, tactile, attouchement, contact, tangible, intangible. Tâter, tâtonner, à tâtons, mettre la main à ou sur, manier, atteindre, attraper, saisir, frapper, cogner, heurter, battre, frôler, choquer, malaxer, triturer, palper, manipuler, tripoter, froisser, pétrir, chiffonner. — *Sensation du tact* : démangeaison, prurit, caresse, chatouillement; coudoyer, masser, gratter, piquer, picoter, fourmiller, élancer, irriter, brûler, cuire, glacer, geler; doux, dur, rude, âpre, rugueux, rêche, raboteux, velouté, satiné, poli, lisse, rond, carré, angueux, pointu, etc.

g) SENS INTERNE. — Froid, chaud, faim, soif; anesthésie, insensibilité, insensibilisation, sensation de plaisir, de douleur, de bien-être, etc.

dans une assemblée, etc. *Son arrivée fit sensation. — Un événement, une nouvelle à sensation*, un événement, une nouvelle qui produira un grand effet sur le public.
Syn. — V. sentiment.
sensationnel, elle, adj. Qui fait sensation, provoque un vif étonnement, l'admiration, etc.
* **sensationnisme**, n. m. [Phil.] Syn. de *sensualisme*.
* **sensationniste**, adj. et n. Adepte du sensationnisme (Rare).
sensé, ée [san-sé], adj. Qui a du bon sens, qui a du jugement, de la raison. Conforme à la raison, au bon sens. *Un discours sensé*.
Ctr. — *Fou, inepte, insensé, absurde, stupide, écervelé*.
Hom. — *Censé, ée*, réputé, supposé.
sensément, adv. D'une manière sensée, judicieuse.
Hom. — *Censément*, probablement.
* **sensibilisable** [san-si-bi-li-za-ble], adj. Qui peut être sensibilisé.
* **sensibilisateur, trice**, adj. [Phot.] Qui sensibilise, qui peut sensibiliser.
* **sensibilisation** [san-si-bi-li-za-sion], n. f. Action de sensibiliser.
sensibiliser [san-si-bi-li-zé], v. tr. Rendre sensible à une action. [Photo] *Sensibiliser du papier, une plaque*, les recouvrir d'une substance impressionnable à la lumière.
sensibilité, n. f. (lat. *sensibilitas*, m. s.). Capacité que possède tout être organisé, de sentir, d'être sensible aux impressions des objets. ǁ Propriété qu'a tout élément anatomique de pouvoir être excité par une cause extérieure. ǁ Disposition intérieure qui fait qu'on est vivement affecté par le bien et par le mal, par le beau et par le laid, etc. *Être d'une grande sensibilité pour les misères d'autrui*. — Absol. Sentiment d'humanité, de pitié, de tendresse. *Il a beaucoup de sensibilité*. ǁ Fig. *La sensibilité d'une balance, d'un thermomètre*, etc., la facilité plus ou moins grande avec laquelle ces instruments marquent les moindres variations. [Phot.] Plus ou moins grande rapidité avec laquelle une plaque, un film ou un papier photographiques peuvent être impressionnés. V. tabl. sensibilité (*Idées suggérées par le mot*).

— *La sensibilité fait tout notre génie;
Le cœur d'un vrai poète est prompt à
  s'enflammer;
Et l'on ne l'est qu'autant que l'on sait
  bien aimer.* (Piron.)

1. sensible [san], adj. (lat. *sensibilis*, m. s.). Qui est doué de sensibilité. *Les êtres sensibles et les êtres insensibles*. ǁ Doué d'une sensibilité particulière. *Ce cheval a la bouche sensible*. ǁ Fig. Qui ressent facilement, qui est porté à ressentir une impression morale. *Il est sensible à l'amitié*. — Absol. *Un homme, un cœur, une âme sensible*, un homme, un cœur, etc., facilement ému, attendri. ǁ Fig. et fam. *C'est son endroit sensible, sa partie sensible*, se dit des choses dont quelqu'un est le plus touché.
Qui est apte à agir, qui fait impression sur les sens. *La lumière rend les objets sensibles à la vue*. — Au sens moral, qui fait sur l'âme une **vive** impression. *Il m'a fait un sensible plaisir*. Qui se fait apercevoir, qui se fait remarquer aisément. *Cet élève a fait des progrès sensibles*. [Phys.] Qui marque les plus légères différences, qui enregistre les moindres variations. *Balance sensible au milligramme*. [Photo.] *Plaque sensible, papier sensible*, ceux qui ont été préparés de manière à pouvoir enregistrer l'impression de la lumière. [Mus.] *Note sensible*, note placée à un demi-ton au-dessous de la tonique.
Syn. — *Sensible*, qui est facilement ému par quelque chose : *Une personne très sensible à la musique*. — *Émotif*, qui se laisse aller aux émotions sans réagir : *Une nature essentiellement émotive*. — *Impressionnable*, qui se laisse émouvoir, particulièrement avec excès : *Une personne impressionnable au moindre bruit*. — *Irritable*, facilement excitable, qui se fâche aisément : *Un tempérament irritable*. — *Nerveux*, chez qui les nerfs dominent. qui est agité, irritable : *Une femme très nerveuse*.
Ctr. — *Insensible*.
Par. — *Sensitif*, chez qui la faculté de sentir est vive; relatif aux sensations et aux sentiments.
2. * **sensible** [sen], n. m. (de *sensible* 1). [Phil.] Les phénomènes extérieurs que nous connaissons par le moyen des sens.
sensiblement, adv. D'une manière qui tombe sous le sens. ǁ D'une manière qui affecte la sensibilité, le cœur. *Il a été sensiblement touché de cette perte*.
sensiblerie [san-si], n. f. Sensibilité fausse, outrée; affectation de sensibilité.
* **sensimétrie**, n. f. [Physiol.] Art de mesurer la sensibilité des organes sensoriels.
sensitif, ive [san-si], adj. Qui a rapport à la sensibilité. *La faculté, la vertu sensitive*. ǁ Qui possède la faculté de sentir.
Par. — *Sensible*, qui tombe sous le sens; doué de la faculté de sentir.
sensitive, n. f. [Bot.] Nom vulg. du *mimosa pudica*, plante qui possède la propriété de replier ses folioles quand on les touche; famille des *composées*. ǁ Fig. Personne sensible aux moindres impressions (souvent iron.).
Par. — *Censive*, terre concédée par un seigneur contre redevance.
* **sensitivité**, n. f. [Physiol.] Degré d'acuité des nerfs sensoriels.
* **sensorial, ale, aux**, adj. Relatif au sensorium.
Hom. — *Censorial, ale*, relatif à la censure.
sensoriel, elle, adj. Qui a rapport aux sens, aux organes des sens (en tant qu'organes de la perception extérieure).
Par. — *Sensuel*, qui a rapport aux sens, en tant que source de plaisir.
* **sensorium** [sin-so-ri-ome], n. m. (mot lat.). Organe, partie du cerveau, où l'on supposait que les sensations se réunissaient et se combinaient.
* **sensualiser**, v. tr. Attribuer aux sens. ǁ Rendre sensuel.
sensualisme [san-su-a], n. m. [Philos.] Doctrine d'après laquelle toutes nos idées comme toutes les opérations de l'esprit dérivent de la sensation seule. V. tabl. lettres (*Idées suggérées par le mot*). ǁ Par ext. : Principes, mœurs des hommes sensuels. ǁ Tendance à la sensualité.

SENSIBILITÉ

Étymologie. — Le mot *sensibilité* est tiré de l'adjectif latin *sensibilis*, qui tombe sous le sens, tiré lui-même de *sensus*, sens.

Définition. — La *sensibilité* est la faculté de sentir. C'est d'abord la propriété d'éprouver des *sensations* et les impressions de *plaisir* et de *peine* qui y sont liées; dans ce cas, elle est dite la *sensibilité physique* (V. tabl. SENS). C'est aussi, celle d'éprouver les phénomènes affectifs qui peuvent atteindre la conscience, les *émotions*, les *sentiments*; prise dans ce sens, elle est la *sensibilité morale* ou la *sensibilité* tout court. — En physique, la sensibilité est, pour un instrument, la capacité d'indiquer les différences les plus légères (*sensibilité* d'une balance).

Mots à rapprocher. — SENSIBILITÉ, INTELLIGENCE, VOLONTÉ (V. ACTIVITÉ et INTELLIGENCE).
— *Sensibilité, émotivité, sentimentalité, sensualisme, sensiblerie.* Le mot *sensibilité*, comme l'adjectif *sensible*, s'applique plus particulièrement aux personnes chez qui les dispositions affectives, émotives, sentimentales, prédominent sur les dispositions intellectuelles et volontaires ou actives. Les mots *émotivité* et *sentimentalité* s'appliquent à celles qui sont particulièrement accessibles aux émotions et aux manifestations des sentiments; celui de *sensualité* à celles qui sont portées aux plaisirs des sens. La *sensiblerie* est une sensibilité excessive, exposée aux impressions insignifiantes et dénuée de discernement.

Mots de la même famille. — V. tabl. SENTIR.

Principaux termes relatifs à la sensibilité. — *a)* SENSIBILITÉ PHYSIQUE. V. SENS. — *b)* SENSIBILITÉ MORALE.

1° TERMES GÉNÉRAUX. — Sentir, sentiment, sentimentalité, sensation, sensible, insensible, sensualisme, sensuel, sensualité; matériel, matérialisme, immatériel; spirituel, spiritualisme, idéalisme; passion, passionnel, désir, envie, désirer, avoir envie de, convoitise, concupiscence; ambition, souhait, curiosité de, inclination, penchant, propension à, attrait, attirance, attraction, indifférence, détachement ataraxie, désintéressement, se désintéresser de; tempérance, modération, sobriété, excès intempérance; entraînement, faiblesse de caractère, force d'âme.

2° AIMER ET HAÏR. — Aimable, aimant, amour, amitié, affection, sympathie, tendresse; aimer, chérir, adorer, courtiser, faire la cour à, intimité, ami intime, ami de cœur; liens, nœuds d'amitié, attachement, fidélité, bienveillance; préférence, prédilection, dilection; dévouement, se dévouer, se sacrifier pour quelqu'un; humanité, solidarité, fraternité, philanthropie, altruisme. Égoïsme, sécheresse de cœur, froideur, insensibilité, indifférence, aversion, haine, répulsion, inimitié, haïr, détester, abhorrer, avoir en horreur, exécrer; antipathie, hostilité, animosité, malveillance, malédiction, imprécation; brouille, réconciliation, raccommodage.

3° ESPÉRER, CRAINDRE. — Espoir, espérance, désespoir, crainte, appréhension, anxiété, angoisse, peur; alarme, alerte, frayeur, épouvante, terreur, consternation, désolation; déception, déboire, déconvenue, mécompte; se fier, se confier, se méfier, défiance; assurance, encouragement; hardiesse, audace, confiance en soi, infatuation, présomption, découragement, désespérance, timidité, pusillanimité, intimidation. Insouciance, souci, préoccupation, inquiétude, idée de la persécution, tracas, tracasserie; soupçon, méfiance, suspicion.

4° PLAISIR ET PEINE. — Délice, volupté, agrément, charme, enchantement, ravissement, contentement, joie, satisfaction, béatitude, jouissance, réjouissance, gaîté, enjouement, allégresse; hilarité, épanouissement, rire, sourire; amusant, plaisant, badin; badinage, blague, galéjade, plaisanterie, facétie, farce, taquinerie, saillie, bon mot, quiproquo, calembour, jeu d'esprit, comédie, bouffonnerie; distraction, amusement, passe-temps, jeu, divertissement. Souffrance, chagrin, douleur, peine, ennui, affliction, désolation, abattement, accablement, mélancolie, marasme, neurasthénie, spleen, tristesse; mal, affection; maladif, morbide, indisposé, incommodé, mal à l'aise, atrabilaire, quinteux, grincheux, grognon, bougon. Martyre, supplice, gêne, tourment, affres. Pleurer, se lamenter, sangloter, gémir, soupirer, larmoyer, fondre en larmes, se plaindre. Lamentation, regret, doléances, récriminations; deuil; tragédie, drame, pathétique. Consolation, compassion, condoléances, sympathies, commisération, etc.

5° COLÈRE, MAÎTRISE DE SOI. — Colère, emportement, irritation, courroux, indignation, exaspération, rage, fureur, dépit, révolte, ressentiment, rancune, vengeance, imprécation, injures, insultes, gros mots, invectives, violences, menaces, coups, voies de fait, vengeance. Calme, tranquillité, paix, quiétude, sérénité, maîtrise de soi, sang-froid, placidité, indulgence, compréhension d'autrui, générosité, oubli des injures, clémence, pardon magnanimité. Se contenir.

6° SENSIBILITÉ PAR RAPPORT A L'APPRÉCIATION D'AUTRUI. — Appréciation, estime d'autrui, admiration, louange, émulation; éloge, panégyrique; louer, célébrer, prôner, comprendre; déférence, égards, considération, respect, révérence, vénération, tact, discrétion, délicatesse. Saluer, assurer de ses respects, de ses hommages, de ses sentiments, dévoués, les meilleurs; s'incliner devant quelqu'un, etc. Déprécier, mésestimer, dédaigner, mépriser, blâmer, critiquer, censurer, rabaisser, rapetisser, dénigrer, discréditer, détracter, éreinter, diffamer, calomnier.

7° ESTIME DE SOI-MÊME. — Amour-propre, fierté, sens de l'honneur, confiance en soi, hauteur, orgueil, présomption, vanité, fatuité, jactance, vantardise, prétention; se targuer, se piquer de, s'en croire, s'en faire accroire. Rivalité, envie, jalousie. Modestie, humilité, méfiance de soi, timidité, intimidation, etc.

8° SENSIBILITÉ PAR RAPPORT AUX ÉVÉNEMENTS. — Surprise, étonnement, saisissement; être interloqué, déconcerté, bouleversé; n'y rien comprendre; prodigieux, miraculeux; être étourdi, ahuri, ébahi; stupéfié, ébaubi. Prévoir, redouter, craindre, s'attendre à, être préparé à. Tenir le coup, résister, faire face à, rester impassible, faire front; se rebiffer, se rebeller, se révolter, réagir, etc.

9° QUALIFICATION DES SENTIMENTS. — Fort, intense, profond, chaleureux, vif, fervent, violent, véhément, impétueux, frénétique, exubérant, exalté, extrême, exagéré, excessif, passionné; élevé, beau, noble, grand, sublime; froid, tiède, faible, calme tranquille, contenu, mesuré, modéré, réservé, apathique; vil, méprisable, bas, mesquin, laid, petit, vilain, ridicule; vrai, sincère, faux, affecté, simulé, etc.

sensualiste [san-su], n. Celui, celle qui professe le sensualisme.
sensualité [san-su], n. f. Attachement aux plaisirs des sens. = Au pl. Plaisirs sensuels.
sensuel, elle [san-su-èl], adj. Qui a rapport aux sens. ‖ Qui est attaché aux plaisirs des sens. ‖ Qui flatte les sens. = Nom. *Les sensuels*, les voluptueux attachés aux plaisirs charnels.
CTR. — *Spirituel*.
PAR. — *Sensoriel*, qui a rapport aux sens en tant qu'organe de la perception extérieure.
sensuellement, adv. D'une manière sensuelle.
sentant, ante [san], adj. Doué de sensibilité, de la faculté d'éprouver des sensations.
sente [san-te], n. f. Sentier (Vx).
sentence [san], n. f. (lat. *sententia*, m. s.). Parole, courte maxime qui renferme un grand sens, une belle moralité. *Un discours plein de sentences*. ‖ Décision judiciaire. *Exécuter une sentence de mort*. — Par ext. Décision quelconque. — Fig. *Appeler de la sentence de quelqu'un*, ne pas vouloir s'en tenir à sa décision, à son jugement.
SYN. — V. ADAGE et ARRÊT.
sentencieusement [san-tan-sieu], adv. *Parler sentencieusement*, parler par sentences ou d'un ton sentencieux.
sentencieux, euse [san-tan-sieu], adj. Qui contient des sentences, des maximes, ou qui est exprimé sous forme de sentence. *Phrase sentencieuse*. ‖ Qui s'explique ordinairement par sentences, par maximes. *Un écrivain sentencieux*. — *Ton sentencieux*, ton qui annonce une affectation de gravité.
senteur [san], n. f. Odeur, ce qui affecte l'odorat. *La rose a une senteur agréable*. [Bot.] *Pois de senteur*, la gesse odorante, plante ornementale de la famille des légumineuses.
SYN. — V. ODEUR.
senti, ie [san], adj. Rendu, exprimé avec vérité, avec âme, avec force. *Des paroles bien senties*.
sentier [san-tié], n. m. Chemin étroit au travers des champs, des bois, etc. ‖ Fig. *Les sentiers de la vertu, de la gloire*, etc.
SYN. — V. CHEMIN.
sentiment [san-timan], n. m. (du v. *sentir*). Ce que l'on sent; perception que nous avons de certaines choses par le moyen des sens. *Le sentiment de la faim, de la douleur*. ‖ Faculté que nous avons de recevoir des impressions de la vie des sens. *Il a perdu le sentiment*. ‖ Affection, mouvement de l'âme, penchant bon ou mauvais. *Sentiment d'honneur, d'amour, de haine*. — *Sentiments naturels*, penchants inhérents à la nature humaine. — Pop. *Avoir un sentiment pour une personne*, l'aimer. — Par plaisant. *Faire du sentiment*, feindre, affecter la passion. — *Affecter de grands sentiments*, affecter des sentiments généreux, outrés. ‖ Sensibilité morale, disposition à être facilement ému, touché, attendri. *Être capable de sentiment*. V. tabl. SENSIBILITÉ (*Idées suggérées par le mot*).
Faculté que nous avons de connaître, de saisir, d'apprécier certaines choses comme par une sorte d'intuition ou d'instinct. *Avoir le sentiment des convenances*. *J'ai le sentiment qu'il lui est arrivé malheur*.
Opinion qu'on a de quelque chose; ce qu'on en pense, ce qu'on en juge. *Je voudrais savoir quel est son sentiment sur cela*. V. tabl. INTELLIGENCE (*Idées suggérées par le mot*).
— *Ceux qui sont accoutumés à juger par le sentiment ne comprennent rien aux choses de raisonnement; car ils veulent d'abord pénétrer d'une vue et n'ont point accoutumé à chercher les principes.*
— *La mémoire, la joie sont les sentiments: et même les propositions géométriques deviennent sentiments, car la raison rend les sentiments naturels, et les sentiments naturels s'effacent par la raison.* (PASCAL.)
ÉPITHÈTES COURANTES : délicat, humain, noble, généreux, miséricordieux, amical, affectueux, tendre; respectueux, déférent, dévoué, distingué; profond, sincère; superficiel, douteux, affecté; amical, hostile, défavorable; varié, divers, approbatif, désapprobatif; partagé, communiqué, affiché, éprouvé, conçu, manifesté, témoigné, etc.
SYN. — *Sentiment*, manière de comprendre quelque chose d'après sa sensibilité : *J'ai le sentiment qu'il vous sera utile*. — *Concept*, idée générale qui se forme dans l'esprit : *Le concept de l'univers*. — *Conception*, faculté de saisir par l'intelligence : *La conception de l'idée de progrès*. — *Idée*, manière de concevoir par la raison : *Se faire une idée juste du devoir*. — *Impression*, état produit sur les sens ou sur l'esprit : *Cette lecture m'a laissé une forte impression*. — *Pensée*, conception de l'esprit sur la manière de juger une question : *Les pensées de Pascal sur la nature humaine*. V. aussi OPINION.
Sentiment, état de l'âme qui s'attache à quelqu'un ou à quelque chose : *Avoir un doux sentiment pour quelqu'un*. — *Sensation*, perception par les sens d'une modification physique : *Éprouver une sensation de froid*. V. aussi AMOUR et OPINION.
sentimental, ale [san-ti-man], adj. Qui annonce du sentiment. Se dit parfois ironiquement. *Ton, air sentimental*. — *Homme sentimental*, dont l'âme est rêveuse et romanesque.
*****sentimentalement**, adv. D'une manière sentimentale.
sentimentalisme, n. m. Tendance à affecter le sentiment, la sentimentalité.
sentimentalité, n. f. Caractère de ce qui est sentimental. ‖ Excès ou abus du sentiment au détriment de la raison et même de la sensibilité vraie.
sentine [san], n. f. [Mar.] Partie basse d'un bâtiment dans laquelle s'amassent les eaux et les ordures. — Fig. *La sentine du vice*, le lieu où se rassemblent les gens vicieux.
sentinelle [san-ti-nè-le], n. f. Soldat armé qui fait le guet, pour la garde d'un camp, d'une place, d'un palais, etc. ‖ *Sentinelle perdue*, soldat placé dans un poste avancé et dangereux. ‖ La fonction de la sentinelle. V. tabl. GUERRE (*Idées suggérées par le mot*). ‖ Fig. *Faire sentinelle*, guetter quelqu'un ou simplement l'attendre. ‖ Pop. Étron.
SYN. — V. GARDE.

SENTIR — SÉPARATION

SENTIR [san], verbe trans.

Étymologie. — Latin *sentire*, supin *sensum*, percevoir par les sens.

CONJUG. — V. trans. et intrans., 3ᵉ groupe (inf. en *ir*). [Rad. *sen*.]
Indicatif. — *Présent* : je sens..., nous sentons, vous sentez... — *Imparfait* : je sentais..., nous sentions, vous sentiez... — *Passé simple* : je sentis..., nous sentîmes, vous sentîtes... — *Futur* : je sentirai..., nous sentirons...
Impératif : Sens, sentons, sentez.
Conditionnel. — *Présent* : je sentirais..., nous sentirions, vous sentiriez...
Subjonctif. — *Présent* : Que je sente, que tu sentes, qu'il sente, que nous sentions, que vous sentiez, qu'ils sentent. — *Imparfait* : que je sentisse, que tu sentisses, qu'il sentît, que nous sentissions, que vous sentissiez, qu'ils sentissent.
Participe. — *Présent* : Sentant. — *Passé* : Senti, sentie.

SENTIR, au sens physique : Recevoir quelque impression par le moyen des sens. *Sentir une odeur agréable. Sentir la faim, la soif. Sentir une vive douleur.*
Flairer. *Sentir une rose.*
Exhaler, répandre une certaine odeur. *Cela sent le brûlé.* Dans ce sens, on dit intrans. : *Cela sent bon, sent mauvais. Cela ne sent rien.* — On dit aussi, impers. *Il sent bon, il sent mauvais dans cette chambre,* il y règne une bonne, une mauvaise odeur. — Dans cette acception, *sentir,* employé absol., signif. Sentir mauvais. *Cette viande commence à sentir. Sentir des pieds.*
— Fig. et fam. *Cela ne sent pas bon, cela sent mauvais,* se dit d'une affaire qui prend mauvaise tournure ou aussi de quelque chose de suspect. *Cet homme sent le fagot. Cette action sent le gibet, les coups de bâton,* etc. — *Cela sent la poudre,* il y a des apparences de guerre, de querelles.
Avoir le goût, la saveur de. *Ce vin sent le terroir.* Déceler, révéler. *Cela sent son vieillard.* (MOLIÈRE.)
Tâter, toucher avec le doigt, la main. *On sent là une petite grosseur.*
Se faire sentir, produire une impression, un effet sensible. *Le froid se fait sentir ce soir.*

SENTIR, au sens moral : Se dit de l'âme qui éprouve certaines impressions. *Sentir de la reconnaissance, de l'amour, du remords.* — *Je ne puis pas sentir cet homme-là,* j'ai pour lui une aversion extrême.
Goûter par l'intelligence, apprécier. *Sentir les beautés d'un poème, l'harmonie d'une œuvre musicale.*
Avoir les qualités, les manières, l'air, l'apparence de. *Il sent son enfant de bonne maison.*
S'apercevoir, connaître, éprouver, apprécier, avoir conscience de. *Je sens qu'on me trompe. Il sent tous ses torts.* — On dira aussi : *Vous sentez-vous le courage d'entreprendre cette affaire ?*
— *Se faire sentir,* se manifester. *Les effets de cette mauvaise politique se feront bientôt sentir.*

SE SENTIR, verbe pronominal. — Éprouver un état. *Il se sentit ému.* Connaître en quel état, en quelle disposition l'on est. *Je me sens bien. Je ne me sens pas bien. Il ne se sent pas d'aise, de joie* (*se,* complément d'objet, et *d'aise,* complément de cause), la joie lui ôte tout autre sentiment.
Au sens réciproque. *Ne pas pouvoir se sentir,* se dit de deux personnes, de deux groupes qui ont l'un pour l'autre une aversion profonde.
Au sens réfléchi, accompagné de *de*. *Se sentir de quelque chose,* sentir, éprouver quelque chose.
Se sentir de quelque chose, signifie aussi, en ressentir les suites. — *Il se sentira longtemps de cette blessure.*
— Au sens passif, en parlant des choses. *Se sentir,* employé absol., signifie se faire remarquer, être apprécié. *Toutes ces beautés se sentent généralement.*

VOCAB. — *Famille de mots.* — *Sentir* [rad. *sent, sens*] : senti, sentant, senteur, sentinelle; sentence, sentencieux, sentencieusement; sentiment, sentimental, sentimentalement, sentimentalisme, sentimentalité; assentir, assentiment; consentir, consentant, consentement; dissentiment, dissension; pressentir, pressentiment; ressentir, ressentiment; sens, sensation, sensationnel, sensationnisme, sensationniste, sensationnellement; sensible, sensibiliser, sensiblement, sensibilisable, sensibilisateur, sensibilisation, sensibilité, sensiblerie; sensé, sensément, insensé; sensuel, sensuellement, sensualiser, sensualité, sensualisme, sensualiste; contresens, non-sens; sensitif, sensitive; insensible, insensiblement, insensibilisateur, insensibilité, insensibiliser, insensibilisation; forcené.

---

sentir, v. tr. et intr. V. tabl. SENTIR.

1. seoir [*sou-ar*], v. intr. (lat. *sedere,* m. s.). Être assis. Ne s'emploie plus qu'au participe présent *séant,* ou au participe passé : *sis, sise,* qui sign. alors situé. *Un domaine sis dans telle commune.*
HOM. — *Soir,* n. m., les dernières heures du jour.

2. seoir [*sou-ar*], v. intr. Être convenable à la personne, à la condition, au lieu, au temps, etc. *Cette robe vous sied parfaitement.* ‖ Impersonnel. *Il ne vous sied pas de contrarier votre père.*

CONJUG. — V. intran. 3ᵉ groupe (inf. en *oir*). Défectif : ne s'emploie qu'aux troisièmes personnes et aux temps suivants:
Indicatif. — *Présent* : Il sied, ils siéent. —
Imparfait : Il seyait, ils seyaient. —
Futur : Il siéra, ils siéront.
Conditionnel. — *Présent* : Il siérait, ils siéraient.
Subjonctif. — *Présent* : Qu'il siée, qu'ils siéent.
Participe. — *Présent* : Séant, et, avec un sens un peu différent, seyant.

* sep, n. m. Partie de la charrue qui porte le soc; on dit aussi *semelle.* V. pl. AGRICOLES (machines).
HOM. — V. CEP.

* sépalaire, adj. [Bot.] Qui se rapporte aux sépales.

sépale, n. m. [Bot.] Nom donné à chacune des pièces qui constituent le calice.

* sépaloïde, adj. [Bot.] Qui ressemble à un sépale.

séparable, adj. Qui peut se séparer. [Gram.] Se dit de particules qui ne font pas corps avec le mot et peuvent en être séparées dans la phrase.
CTR. — Inséparable, indivisible.

* séparage, n. m. Action de séparer. ‖ Triage.

* séparateur, trice, adj. Qui a la vertu de séparer.

* séparatif, ive, adj. Qui établit, qui marque une séparation. *Clôture séparative.*

séparation [*sion*], n. f. Action de séparer ou le résultat de cette action. *Mur de séparation.* ‖ La chose même qui sépare. *Il faut ôter cette séparation.* [Droit] *Séparation de biens,* état dans lequel vivent deux

1766

époux qui gèrent séparément leurs biens.
— *Séparation de corps*, faculté accordée par la justice aux époux de se dégager de l'obligation de vivre en commun.

séparatisme, n. m. Schisme de séparatistes. ‖ Tendance d'une province à se séparer de l'État dont elle fait partie, pour constituer un État séparé.

séparatiste, adj. Qui a rapport à la séparation. *Tendance séparatiste*. ‖ Qui est partisan de la séparation ou du séparatisme. *Le parti séparatiste*. = Nom. *Les séparatistes rhénans*.

séparé, ée, adj. Différent, distinct. — *Époux séparés*, qui vivent en état de séparation de corps et de biens.
Ctr. — *Contigu*.

séparément, adv. A part l'un de l'autre. *On les a interrogés séparément*.
Ctr. — *Ensemble*.

séparer, v. tr. (lat. *separare*, proprement, mettre à part). Désunir les parties d'un tout. *Le coup lui sépara la tête du corps*. ‖ Former la séparation, diviser. *Le mur qui sépare ces deux maisons*. ‖ Partager. *Séparer les cheveux sur le front*. ‖ Faire que des personnes, des animaux, des choses, ne soient plus ensemble; les éloigner les uns des autres. *La mort seule put les séparer*. — *Séparer deux adversaires*, les éloigner l'un de l'autre pour les empêcher de se battre. ‖ Trier, mettre à part. ‖ Établir une distinction. *La raison sépare l'homme de tous les animaux*. = SE SÉPARER, v. pron. Être séparé. ‖ Se quitter. *Il est tard, il faut se séparer*. ‖ Faire scission. ‖ Bifurquer. *Ici le chemin se sépare en deux*. ‖ Cesser d'avoir ses séances. *L'assemblée se sépara*. [Droit] *Se séparer de corps ou de biens*, se dit lorsqu'un mari ou une femme obtient en justice sa séparation de corps ou de biens d'avec son conjoint.
Incorr. — Ne dites pas: *séparer l'âme d'avec le corps*, mais: *séparer l'âme du corps*.
Syn. — V. diviser.
Ctr. — *Unir, réunir, rejoindre, assembler, grouper, confondre*.

* **séphiroth**, n. m. pl. (mot hébreu). Mot employé par les cabalistes pour désigner les perfections divines.

sépia, n. f. [Zool.] Nom scientif. du genre *seiche*. ‖ Matière colorante brunâtre dont la seiche noircit l'eau pour échapper à ses ennemis; elle sert à fabriquer une couleur brune. ‖ Dessin, lavis fait avec cette couleur.

seps [sèpss], n. m. [Zool.] Genre de sauriens brévilingues à corps très allongé et à pieds très courts.

* **sepsis**, n. m. [Zool.] n. m. Genre d'insectes diptères de la famille des *muscidés*.

sept [sèt], adj. numéral (lat. *septem*, m. s.). Nombre impair qui est entre six et huit. *Les sept jours de la semaine*. ‖ Se dit aussi pour septième. *Page sept. Charles sept*. = N. m. sept. Le nombre sept. — *Le sept*, le septième jour du mois. ‖ Le chiffre qui sert à représenter le nombre sept. *Le chiffre sept* (7). On dit de même: *Le numéro sept* (N° 7). [Jeu] Carte qui porte sept marques. *Le sept de cœur*.
Obs. gram. — On ne prononce pas le *p* dans *sept*, ni dans ses composés *septième* et *septièmement;* mais on le prononce dans tous les autres: *Septante, septénaire, septennal, septentrion, septembre,*
septidi, septuagénaire, septuor, septuple, etc. (la prononc. *sétembre* est un provincialisme). Quant au *t*, on le prononce généralement: *Sept chemises;* quand il est seul: *Ils étaient sept;* lorsqu'il est suivi d'une voyelle ou d'une h non aspirée: *Sept écus, sept hommes;* lorsqu'il est pris comme nom: *Le sept de cœur.*
Hom. — *Sept*, adj. num., nombre entre six et huit; *set*, n. m., phase d'une partie de tennis; — *cet, cette*, adjectifs démonst.; — *Sète*, n. pr., ville de l'Hérault.

> Vocab. — *Famille de mots*. — *Sept*, septième, septimo, septièmement, septidi, septennal, septennat, septennalité, septuor, septuple, septupler, septaine, septiforme, septénaire, septain, septemlobé; septembre, septembral, septembriseur, septembrisades; septante, septantième; septentrion, septentrional, septuagénaire, septuagésime, septuagésimo; septemvir, septemvirat, septemviral; septime; sept-œil; semaine, semainier.
> Le mot grec correspondant, *hepta*, a donné: heptacorde, heptade, heptagone, heptagonal, heptamètre, heptaméron, heptarque, heptarchie, heptarchique, heptateuque, etc.

septain [sè-tin], n. m. Poésie ou strophe de sept vers (quatrain et tercet).

* **septaine** n. f. Quantité de sept choses semblables.

septante [sèp], adj. numéral. Soixante-dix (Vx, mais encore employé en Suisse, en Belgique, etc.). = N. m. pl. *Les Septante*, les 70 ou 72 interprètes qui traduisirent de l'hébreu en grec les livres de l'Ancien Testament.

* **septantième** [sèp], adj. Soixante-dixième.

* **septembral** [sèp-tan], adj. Qui appartient à septembre.

septembre [sep-tan], n. m. Le 7e mois de l'année de Romulus, qui commençait par mars, et le 9e de l'année grégorienne, qui commence par janvier. V. tabl. temps (Idées suggérées par le mot).

* **septembrisades** [sep-tan-...za], n. f. pl. Massacres de septembre 1792.

* **septembriseur**, n. m. Nom donné aux massacreurs de septembre 1792.

* **septemlobé**, adj. [Hist. Nat.] Partagé en sept lobes.

* **septemvir** [sep-temm-vir'], n. m. [Antiq.] Titre de sept magistrats et prêtres de Rome qui étaient chargés de surveiller les banquets offerts aux dieux à la suite des jeux publics.

* **septemviral, ale**, adj. Qui appartient aux septemvirs.

* **septemvirat** [sep...vi-ra], n. m. [Antiq.] Magistrature, fonction de septemvir.

septénaire, adj. Qui vaut, qui contient sept. *Nombre septénaire*. = N. m. Période de sept ans. ‖ Espace de sept jours. [Versif.] Vers anc. à sept mesures.
Par. — *Septénaire*, adj., qui contient sept; période de sept ans: *nombre septénaire;* — *septennal*, adj., qui arrive, qui est renouvelé tous les sept ans: *parlement septennal;* — *septennat*, n. m., période de sept ans.

septennal, ale [sep-tenn-nal], adj. Qui arrive ou qui est renouvelé tous les sept ans. = Pl. masc. *Des septennaux*.
Par. — V. septénaire.

septennalité, n. f. Durée de sept ans de certaines assemblées politiques.

septennat [sep-tenn-na], n. m. Pouvoir qui dure sept années. *Le septennat du Président de la République, en vertu de la Constitution de 1875.*

septentrion [sep-tan], n. m. (lat. *septemtrio*, m. s.). L'un des noms anc. de la *Petite Ourse*. ‖ Par ext. Le nord, celui des pôles du monde qui, dans nos climats, est élevé sur l'horizon.

Ant. — *Midi.*

septentrional, ale, [sep-tan]. adj. Qui est du côté du septentrion. *Le pôle septentrional. Les pays septentrionaux.*

septicémie, n. f. (gr. *septikos*, qui corrompt; *haima*, sang). [Méd.] Infection générale causée par l'introduction dans l'organisme d'un agent pathogène qui s'y développe sans réaction locale. V. tabl. MALADIE et MÉDECINE (*Idées suggérées par les mots*).

* **septicémique**, adj. [Méd.] Relatif à la septicémie.

* **septicité**, n. f. [Méd.] Qualité de ce qui est septique.

septidi, n. m. Le 7e jour de la décade dans le calendrier républicain. V. tabl. TEMPS (*Idées suggérées par le mot*).

septième [sé-tiè-me], adj. Nombre ordinal qui suit immédiatement le sixième. *Le septième jour de la semaine.* = N. m. La septième partie d'un tout. *Prendre le septième d'une somme.* ‖ Septième étage d'une maison. = N. f. Dans les collèges, la première des classes élémentaires. *Professeur de septième.* [Mus.] Intervalle caractérisé par le rapport $\frac{15}{8}$ des fréquences.

septièmement [sé-tiè-me-man], adv. En septième lieu.

* **septiforme**, adj. (lat. *septum*, cloison, et *forma*, forme). Qui a la forme d'une cloison.

* **septime** [sèp], n. f. [Escr.] L'une des lignes d'engagement. — Parade dans cette ligne.

* **septimo**, adv. Septièmement; en septième lieu.

septique, adj. [Méd.] Qui peut causer l'inflammation ou l'infection. ‖ Causé ou infecté par les microbes.

Par. — *Sceptique*, qui professe le scepticisme.

* **sept-œil** [sé-teuil, il mll.] n. m. [Zool.] Nom vulg. de la grande lamproie, poisson cartilagineux. = Pl. *Des sept-œils.*

* **septorie** [sèp], n. f. [Bot.] Genre de champignons parasites des feuilles et des fruits.

septuagénaire [sep-tu-a-jè-nè-re], adj. (lat. *septuaginta*, soixante-dix). Agé de soixante-dix ans ou environ. = Nom. *Un, une, des septuagénaires.*

septuagésime [sep-tu-a-jé-zi-me], n. f. Nom donné au dimanche qui se trouve 63 jours avant Pâques.

* **septuagésimo**, adv. En soixante-dixième lieu.

septuor, n. m. [Mus.] Morceau de musique vocale ou instrumentale à sept parties récitantes.

septuple, adj. et n. Qui vaut sept fois autant. *Valeur septuple. Quatorze est le septuple de deux.*

septupler, v. tr. Rendre sept fois plus grand ou multiplier un nombre par sept. = V. intr. Devenir septuple.

sépulcral, ale, adj. Qui appartient, qui a rapport au sépulcre. *Urne sépulcrale.* ‖ *Voix sépulcrale*, voix sourde, comme serait celle qui sortirait d'un souterrain.

sépulcre, n. m. (lat. *sepulcrum*, m. s.). Tombeau, monument destiné à recevoir un corps mort. ‖ Fig. *Sépulcre blanchi*, expression de l'Évangile qui s'applique aux hypocrites, à ceux qui n'ont que les apparences de la vertu.

Syn. — V. TOMBE.

sépulture, n. f. (lat. *sepultura*, m. s.). Derniers devoirs rendus aux morts. ‖ Inhumation, action de mettre en terre. ‖ Le lieu où l'on enterre un mort, le monument funéraire. *Cette famille a sa sépulture dans tel cimetière.* V. tabl. VIE et MORT (*Idées suggérées par les mots*).

Syn. — V. TOMBE.

* **séquanien, ienne** [sé-koua], adj. Qui a rapport à la Seine (lat. *Sequana*), ou au bassin de la Seine. = N. m. [Géol.] Un des étages de la période jurassique.

séquelle [sé-kè-le], n. f. Se dit fam. et par mépris, d'un nombre de gens qui sont attachés au parti de quelqu'un. ‖ En parlant des choses, suite fastidieuse. *Une séquelle de questions.* [Méd.] Ce qui subsiste après une maladie ou une intervention.

séquence [sé-kan-se], n. f. [Jeu] Suite de trois cartes au moins, de la même couleur et dans le rang que le jeu leur donne, comme dame, valet, dix. [Liturg.] Pièce de plain-chant qui suit le graduel et l'alléluia dans les messes solennelles.

séquestration [sé-kes-tra-sion], n. f. (lat. *sequestratio*, m. s.). Action par laquelle on séquestre. État de ce qui est séquestré. ‖ Détention illégale ou arbitraire d'une personne.

séquestre [sé-kes-tre], n. m. État d'une chose litigieuse, remise en main tierce par ordre de justice ou par convention des parties, jusqu'à ce qu'il soit réglé et jugé à qui elle appartiendra. ‖ Celui entre les mains de qui la chose est déposée. *Il a été nommé séquestre.* ‖ La chose séquestrée. ‖ Endroit d'un collège où l'on enfermait les élèves punis pour une faute grave. [Chir.] Portion d'os nécrosé.

séquestrer [sé-kès-tré], v. tr. Mettre quelque chose en séquestre. ‖ Renfermer et maintenir illégalement une personne. ‖ Mettre à part, mettre de côté, isoler. = SE SÉQUESTRER, v. pr. Se retirer de la société, vivre dans l'isolement.

sequin [se-kin], n. m. Anc. monnaie d'or qui avait cours en Italie, en Égypte, etc., et dont la valeur variait suivant les pays.

sequoia [sé-ko-ia], n. m. [Bot.] Genre de plantes gymospermes, famille des *conifères*, comprenant des arbres gigantesques qui croissent en Californie.

sérac, n. m. [Géol.] Chaos d'énormes blocs de glace sur les glaciers, dû à un accroissement de pente.

sérail [ra, il mll.], n. m. Palais qu'habitait le sultan. Habitation des grands en Turquie. ‖ Ensemble des dignitaires et officiers formant la cour du sultan. ‖ Se dit ord., mais improprement, pour désigner le harem, la partie du palais où les femmes sont renfermées. — Par ext., femmes qui sont dans le sérail, et leur suite.

* **séran** ou * **sérançoir,** n. m. [Techn.] Sorte de peigne, de carde pour diviser la filasse.
* **sérançage,** n. m. Action de peigner le chanvre ou le lin avec le séran.
* **sérancer,** v. tr. Peigner, carder avec le séran. — Conjug. V. GRAMMAIRE.
* **sérancolin,** n. m. V. SARRANCOLIN.
Sérapéum [pé-om'], * **Sérapéon** ou * **Sérapéion,** n. m. [Antiq.] Nécropole de Memphis où l'on inhumait le bœuf Apis qui, à sa mort, devenait un Osiris.
séraphin [fin], n. m. Ange du premier chœur de la première hiérarchie. ‖ Terme d'amitié, d'amour.
séraphique, adj. Qui appartient aux séraphins. ‖ Qui rappelle les séraphins, qui est digne des séraphins.
* **séraskier** ou * **sérasquier** [kié], n. m. Général en chef et gouverneur chez les Turcs.
* **séraskiérat** [kié-ra], n. m. La dignité de séraskier.
* **serbe,** adj. et n. De la Serbie; habitant, originaire de la Serbie.
* **serdar** ou * **sirdar,** n. m. Chef militaire en Turquie et dans quelques contrées de l'Asie.
serdeau [sèr-do], n. m. Officier de la maison du roi qui recevait des mains des gentilshommes servants les plats que l'on desservait de la table royale. ‖ Lieu où l'on portait les plats de cette desserte et où mangeaient les gentilshommes servants.
1. **serein** [rin], n. m. (de *soir*). Pluie fine et froide qui tombe du ciel certains soirs d'été, sans nuages apparents. — *Prendre le serein,* prendre froid au contact de cette humidité.
2. **serein, eine** [rin, ène], adj. (lat. *serenus,* m. s.). Qui est clair, pur, doux et calme; se dit au propre de l'état de l'atmosphère. *Un temps serein, un ciel serein.* — Fig. et poét. *Des jours sereins,* des jours paisibles et heureux. ‖ Fig. Qui annonce une grande tranquillité d'esprit, ou qui est exempt de trouble et d'agitation. *Avoir le visage, le front serein.*
CTR. — *Troublé, agité, inquiet, anxieux.*
HOM. — *Serein,* n. m., pluie fine des soirs d'été; — *serein,* adj., qui est clair, pur, doux; — *serin,* n. m., genre d'oiseaux passereaux.
sérénade, n. f. (lat. *serum,* soir). Concert de voix ou d'instruments que l'on donne le soir ou la nuit dans la rue, sous les fenêtres de quelqu'un. ‖ Le morceau de musique que l'on exécute pour une sérénade. ‖ Fam. Charivari.
ANT. — *Aubade.*
* **sérénader,** v. intr. Donner des sérénades.
sérénissime, adj. Très serein. Titre qu'on donne à quelques princes. *Son altesse sérénissime,* par abrév. S. A. S. — *La sérénissime République,* l'anc. République de Venise.
sérénité, n. f. État de l'atmosphère quand elle est calme et pure. ‖ Fig. Calme, tranquillité, absence d'agitation. *La sérénité de l'esprit, de l'âme.* ‖ Titre d'honneur qu'on donnait à quelques princes. *Sa Sérénité,* le doge de Venise.
séreux, euse, adj. (de *sérum*). Qui a les caractères de la sérosité. *Liquide séreux. Humeur séreuse.* ‖ Qui sécrète de la sérosité. *Tissu séreux. Membrane séreuse.* ‖ *Sang, lait séreux,* sang, lait où il y a prédominance de la partie séreuse. = **SÉREUSE,** n. f. Membrane sécrétant des sérosités.

serf, serve [serf'], adj. et n. Celui, celle qui est réduit à la condition du servage, qui était attaché au seigneur ou à la terre dont il dépendait.
CTR. — *Libre.*
HOM. — V. CERF.

> VOCAB. — *Famille de mots.* — Serf, servage, servitude, servile, servilement, servilisme, servilité; servir, servant, service, servite, serviteur, servante, serviable, serviablement, serviabilité, serveur, serviette; sergent; servo-moteur, servo-frein; asservir, asservissant, asservisseur, asservissement; desservir, desservant; dessert, desserte; conserver, conserverie, conservateur, conservation, conserve, conservatoire; observer, observateur, observation, observable, observance, observantin, observatoire; inobservable, inobservation, inobservé, inobservance; réserve, réservatoire, réservation, réserver, réservé, réserviste, réservoir; préserver, préservation, préservatif, préservateur.

serfouette [fouè-te], n. f. Outil de fer, à deux branches, pour remuer la terre autour des plantes potagères. V. pl. OUTILS USUELS.
serfouir, v. tr. Remuer la terre avec la serfouette, autour des plantes.
serfouissage, n. m. Action de serfouir.
serge, n. f. Étoffe légère et croisée, ordinairement faite de laine.
sergé, n. m. Étoffe de soie, de fil, de coton, dont le tissu est en diagonale comme celui de la serge.
1. **sergent** [ser-jan], n. m. (lat. *serviens,* servant). Autrefois, officier de justice dont la fonction était de remettre des exploits, des assignations, de faire des exécutions, etc. — On dit aujourd. *huissier.* [A. milit.] Sous-officier d'infanterie. *Sergent, sergent-fourrier, sergent chef.* V. tabl. ARMÉE (Idées suggérées par le mot) et GRADE. ‖ *Sergent de ville,* agent de police.
2. * **sergent,** n. m. V. SERRE-JOINT.
* **serger** ou * **sergier,** n. m. Ouvrier qui fait, qui fabrique des serges.
* **sergerie,** n. f. Fabrique ou commerce des serges. ‖ Manufacture, magasin de serges ou de sergés.
* **sergette** [ser-jè-te], n. f. Serge légère et mince.
* **sérial, ale, aux,** adj. Qui a rapport à la série, à une série.
* **sergot,** n. m. [Argot] Agent de police.
séricicole, adj. Qui concerne la production de la soie.
sériciculteur, n. m. Celui qui s'occupe de sériciculture.
sériciculture, n. f. (lat. *sericum,* soie, et *culture*). Culture des vers à soie et production de la soie.
* **séricigène,** adj. Qui produit la soie, en parlant des chenilles ou de leur papillon.
* **séricine,** n. f. (lat. *sericum,* soie). [Chim.] Principe constitutif de la soie.
série, n. f. (lat. *series,* suite, succession). [Math.] Suite de termes qui croissent ou décroissent suivant une loi déterminée. ‖ Suite, succession. *Une série de propositions.* ‖ Succession de choses qui viennent les unes après les autres selon

SÉRIER — SERPE

une certaine loi. ‖ Suite de choses s'enchaînant les unes aux autres sans interruption. *Une série de malheurs, de succès.* ‖ A certains jeux, succession ininterrompue de coups semblables. ‖ *Fabrication en série,* fabrication d'un objet à un grand nombre d'exemplaires par des ouvriers qui en font toujours la même pièce.

ÉPITHÈTES COURANTES : longue, interminable, grande, considérable, entière, totale, complète, incomplète; continue, interrompue, ininterrompue, croissante, décroissante, etc.

SYN. — V. SUITE.

> VOCAB. — *Famille de mots.* — Série, sérial, sérier; assertion; désert, déserter, désertique, désertion, déserteur, disert, disertement, disserter, dissertateur, dissertation; insérer, insérable, insertion; sermon, sermonner, sermonneur, sermonnaire; sertir, sertissage, sertisseur, sertissure; dessertir, dessertissage.

sérier, v. tr. Ranger, classer, disposer par série. = Conjug. V. GRAMMAIRE.

sérieusement, adv. D'une manière grave et sérieuse. ‖ Sans plaisanterie. *Je vous parle sérieusement.* ‖ Tout de bon, avec suite, avec ardeur. *Il travaille sérieusement.*

sérieux, euse, adj. (bas lat. *seriosus,* m. s.). Grave; se dit par opposition à enjoué, gai, comique. *Une conversation sérieuse.* ‖ Se dit aussi par opposition à frivole, léger, de peu de conséquence. *Cet homme n'a rien de sérieux dans le caractère.* ‖ Important. *C'est une affaire sérieuse.* ‖ Positif, sincère. *Il nous a donné des gages sérieux de sa conversion.* ‖ Qui peut avoir des suites fâcheuses. *Maladie sérieuse.* = SÉRIEUX, n. m. Gravité dans l'air, dans les manières. *Prendre, garder, tenir son sérieux. Perdre son sérieux,* se dérider, cesser d'être grave. ‖ *Prendre une chose au sérieux,* se formaliser d'une chose qui a été dite en badinant et sans aucun dessein d'offenser. ‖ *Le sérieux,* le genre grave. *Le comique et le sérieux.*

SYN. — V. GRAVE.
CTR. — Plaisant, badin, léger, frivole, facétieux, futile, illusoire.

serin, ine, n. [Zool.] Genre d'oiseaux passereaux à dos vert olive, à gorge et poitrine jaune-vert. ‖ Fig. Personne qui n'a pas d'idées, qui répète celles des autres.

HOM. — V. SEREIN.

* **serinage,** n. m. Action de seriner.

seriner, v. tr. Jouer un air avec la serinette. ‖ Instruire un serin au moyen de la serinette. ‖ Fig. et fam. Apprendre quelque chose à quelqu'un à force de le lui répéter.

serinette [seu-ri-nè-te], n. f. Petit orgue de Barbarie employé pour apprendre des airs aux oiseaux. ‖ Fig. et fam. Se dit d'un chanteur, d'une chanteuse qui chante sans aucune expression.

seringa ou * **seringat** [rin-gha], n. m. [Bot.] Arbrisseau à fleurs blanches très odorantes, famille des *saxifragacées.*

* **seringage** [gha-je], n. m. Arrosage des arbres fruitiers ou des serres à l'aide d'une seringue.

seringue, n. f. Petite pompe portative qui sert à attirer et à repousser les liquides. [Méd.] Petite pompe à piston, en verre ou en métal, pour injecter des liquides dans l'organisme, ou au contraire les en extraire.

* **seringuement,** n. m. Action de seringuer.

seringuer, v. tr. Pousser un liquide avec une seringue.

serment [ser-man], n. m. (lat. *sacramentum,* m. s.). Attestation, en prenant comme témoin Dieu, ou ce que l'on considère comme sacré, de la vérité d'une affirmation, de la sincérité d'un engagement, d'une promesse. *Prêter serment.* ‖ Par ext. Promesse formelle. *Délier quelqu'un de son serment.* ‖ Jurement. ‖ *Serment d'ivrogne,* serment qu'on ne tient guère.

ÉPITHÈTES COURANTES : solennel, religieux, sincère, prêté, tenu, gardé, respecté, suivi, violé, trahi.

— *Rien n'est moins selon Dieu et selon le monde que d'appuyer tout ce qu'on dit dans la conversation, jusqu'aux choses les plus indifférentes, par de longs et fastidieux serments.* (LA BRUYÈRE.)

SYN. — *Serment,* affirmation solennelle ou promesse prêtée devant Dieu, sur son honneur : *Faire le serment qu'on dira toute la vérité.* — *Promesse,* engagement formel que l'on fera une chose : *Une promesse de mariage.* — *Vœu,* promesse ou engagement pris solennellement devant Dieu : *Faire le vœu de pauvreté.* V. aussi ACCORD.

HOM. — *Serrement,* action de serrer.
PAR. — *Sarment,* bois que la vigne pousse chaque année.

* **sermologe,** n. m. Recueil des discours ou des sermons des papes et autres personnes vénérables pour leur sainteté.

sermon, n. m. (lat. *sermo,* m. s.). Discours chrétien qui ordinairement se prononce en chaire, dans une église, pour instruire et pour exhorter les fidèles. *Sermons de Carême. Les sermons de Bossuet, de Bourdaloue.* V. tabl. RELIGIONS (*Idées suggérées par le mot*). ‖ Par anal. et fam. Remontrance ennuyeuse et importune. *Il fait des sermons à tout le monde.*

SYN. — V. DISCOURS et PRÉDICATION.

sermonnaire [mo-nè-re], n. m. Recueil de sermons. ‖ Adj. *Genre sermonnaire,* le genre qui convient au sermon.

HOM. — *Sermonnèrent,* du v. sermonner.

sermonner [sèr-mo-né], v. tr. Faire des remontrances à. = V. intr. Faire un sermon.

SYN. — V. GRONDER.

sermonneur, euse [sèr-mo-neur], n. Qui sermonne, qui fait des remontrances ennuyeuses.

* **séro-sanguin, ine,** adj. Formé d'un mélange de sérosité et de sang.

sérosité [zi-té], n. f. [Physiol.] Liquide analogue à la lymphe, sécrété par les membranes séreuses.

sérothérapie, n. f. (de *sérum* et du gr. *thérapéia,* médication). [Méd.] Moyen thérapeutique qui consiste à employer, dans une intention curative ou préventive, pour une maladie donnée, le sérum d'un animal vacciné contre cette maladie.

* **séro-vaccination,** n. f. [Méd.] Procédé d'immunisation utilisant à la fois l'action d'un sérum et celle d'un vaccin. = Pl. *Des séro-vaccinations.*

serpe, n. f. (lat. *sarpere,* émonder). Instrument de fer large, plat et tranchant, emmanché de bois, dont on se sert pour tailler, émonder les arbres. V. pl. OUTILS USUELS.

serpent [ser-pan], n. m. (lat. *serpens*, rampant.) Reptile au corps allongé, cylindrique. et dépourvu de pieds. V. pl. REPTILES. *Serpent à sonnettes*, le crotale. — *Serpent d'eau*, la couleuvre à collier. — *Serpent à lunettes*, le naja. — *Serpent de verre*, l'orvet. — *Serpent marin*, l'hydrophis. — *Serpent de mer*, serpent fabuleux, d'une taille prodigieuse qui s'enroulait, croyait-on, autour des navires, les brisait et les engloutissait. ‖ Fig. *Une langue de serpent*, un médisant, un calomniateur. ‖ Personne perfide ou souple, insinuante, qui trouve toujours moyen de s'échapper quand on croit la tenir. Prov. *Avoir la prudence du serpent*. ‖ Fig. et prov. *C'est un serpent que j'ai réchauffé dans mon sein*, c'est un ingrat qui s'est servi du bien que je lui ai fait pour me faire du mal. [Astro.] Constellation boréale. [Chim.] *Serpent de Pharaon*, long boudin produit par la décomposition et la combustion du sulfocyanure de mercure. [Mus.] Sorte d'instrument à vent, en forme de serpent, en bois et couvert de cuir, qui était employé autrefois pour accompagner les chantres à l'église. V. pl. MUSIQUE. — Par ext. Celui qui joue de cet instrument.

1. serpentaire [sèr-pan-tè-re], n. f. [Bot.] Genre de plantes monocotylédones de la famille des *aroïdées*. ‖ Nom vulg. de l'aristoloche. [Astro.] Constellation boréale, appelée aussi *Ophiuchus*.

2. serpentaire, n. m. [Zool.] Genre d'oiseaux rapaces se nourrissant de reptiles. Une espèce est appelée *secrétaire*.

HOM. — *Serpentèrent*, du v. serpenter.

serpente [ser-pan-te], n. f. et adj. m. Papier serpente. Papier très fin qui était autrefois marqué d'une figure de serpent. ‖ Papier de soie placé devant les gravures pour éviter le maculage.

serpenteau [ser-pan-to], n. m. Petit serpent éclos depuis peu. ‖ Petite pièce d'artifice explosive. ‖ Fusée volante.

PAR. — *Serpentin*, tuyau d'alambic; ruban de papier qu'on lance dans les réjouissances publiques.

serpenter [sèr-pan-té], v. intr. Avoir un cours tortueux, une direction sinueuse. *Ce chemin va en serpentant*.

1. serpentin, ine, adj. Qui a la forme dn serpent. *Forme serpentine*. ‖ *Danse serpentine*, qui imite les souples contorsions du serpent. ‖ *Langue serpentine*, personne médisante.

2. serpentin, n. m. (de *serpent*). Tuyau contourné en spirale et plongé dans un bain de température invariable de manière que les liquides ou le gaz qu'on y fait circuler s'y réchauffent ou s'y refroidissent. ‖ Ruban de papier enroulé sur lui-même, qu'on déroule et qu'on fait serpenter dans les réjouissances publiques.

PAR. — *Serpenteau*, jeune serpent; fusée volante.

serpentine [ser-pan], n. f. Nom vulg. de l'estragon, plante aromatique de la famille des *composées*. ‖ Figure de manège où les cavaliers défilent en serpentant. [Minér.] Silicate hydraté de magnésium en masses compactes.

serpette [ser-pè-te], n. f. Petite serpe qui sert à tailler la vigne, à émonder les arbres, etc. V. pl. OUTILS USUELS.

* **serpigineux, euse**, adj. [Méd.] Qui se propage en serpentant.

serpillière [ill mll.], n. f. Toile grosse et claire qui sert à emballer les marchandises, à faire des torchons à laver, des tabliers, etc.

serpolet [sèr-po-lè], n. m. [Bot.] Plante aromatique de la famille des *labiées*.

* **serpule**, n. f. [Zool.] Genre de vers annélides vivant dans des tubes calcaires.

serrage [sè-ra-je], n. m. Action de serrer. *Le serrage des freins.*

* **serran** [sé-ran], n. m. (lat. *serra*, scie). [Zool.] Genre de poissons téléostéens comestibles (*perches de mer*).

HOM. — *Serran*, n. m., poisson; — *serrant*, part. pr. du v. serrer; — *séran*, n. m., sorte de peigne ou de carde.

* **serratiforme**, adj. Qui a la forme d'une scie.

* **serratule**, n. f. (lat. *serratus*, denté). [Bot.] Genre de plantes de la famille des *composées*.

serre [sè-re], n. f. (du v. *serrer*). Lieu clos et vitré où l'on abrite les végétaux qui ne peuvent supporter la température ambiante. ‖ Fig. *C'est un fruit de serre chaude*, se dit des talents précoces, mais peu solides, dont on a hâté le développement par des moyens artificiels.

[Zool.] Pieds armés de griffes des oiseaux de proie. *Le faucon tenait la perdrix dans ses serres*. V. pl. OISEAUX.

SYN. — V. GRIFFE.

HOM. — V. CERF.

serré, ée, adj. (pp. du v. *serrer*). Dont les parties sont fort pressées les unes contre les autres. *La foule, en rangs serrés, se pressait pour le voir.* ‖ *Un raisonnement serré*, un raisonnement fort rigoureux. — *Avoir le cœur serré*, être oppressé par l'angoisse, le chagrin. ‖ Fig. et fam. *Un homme serré*, un avare. ‖ Au jeu de trictrac. *Un jeu serré*, un jeu qui n'est pas étendu et où l'on ne se découvre point. — Par ext. et au fig. *Jouer un jeu serré*, ne laisser à un adversaire aucune prise sur soi. = SERRÉ, adv. Très, bien, fort. *Il a gelé bien serré cette nuit.* ‖ *Jouer serré*, agir avec une extrême prudence de façon à ne pas donner prise à l'adversaire.

SYN. — V. AVARE, CONCIS, DENSE.

* **serre-bosse**, n. m. [Mar.] Gros cordage qui tient une ancre soulevée par une de ses pattes, entre le bossoir et le porte-hauban de misaine. = Pl. *Des serre-bosse*.

* **serre-feu**, n. m. Outil pour retenir le charbon autour d'un creuset. = Pl. *Des serre-feu*.

serre-file, n. m. Officier ou sous-officier placé derrière une troupe en bataille. *Se placer en serre-file.* ‖ Dernier soldat de chaque file. ‖ Vaisseau qui marche le dernier de tous. = Pl. *Des serre-files*.

serre-fils, n. m. invar. [Électr.] Instrument servant à réunir deux ou plusieurs fils.

* **serre-fine**, n. f. [Chir.] Petite pince à ressort pour maintenir en contact les deux lèvres d'une plaie. = Pl. *Des serre-fines*.

serre-frein [sè-re-frin], n. m. [Ch. de fer] Celui qui est chargé de serrer les freins d'un convoi qui ne sont pas actionnés par la locomotive. = Pl. *Des serre-freins*.

SERRE-JOINT — SERTE 1772

serre-joint ou *** sergent**, n. m. [Techn.] Instrument de menuiserie pour serrer les bâtis pendant le collage. — On écrit aussi *serre-joints.* V. pl. OUTILS USUELS.

serrement [sè-re-man], n. m. (du v. *serrer*). Action par laquelle on serre. *Un serrement de mains.* ‖ *Serrement de cœur,* sensation qu'on éprouve, comme si le cœur était véritablement serré dans la tristesse, la compassion, etc.

HOM. — *Serment,* affirmation en prenant Dieu à témoin.

*** serre-nez** [sè-re-né], n. m. Appareil avec lequel on serre le nez d'un cheval pour le faire tenir tranquille quand on le ferre ou l'opère. = Pl. *Des serre-nez.*

*** serre-papiers**, n. m. Sorte de tablette, divisée en plusieurs compartiments et où l'on range des papiers. ‖ Presse-papiers. = Pl. *Des serre-papiers.*

serrer [sè-ré], v. tr. (lat. pop. *serrare,* fermer). Étreindre, presser. *Serrer la main à quelqu'un.* — *Serrer le cou,* étrangler. ‖ Fig. *Cela serre le cœur,* se dit d'une chose qui excite la pitié, la compassion. — *Serrer la vis à quelqu'un,* faire montre envers lui d'un redoublement de sévérité (Fam.). — *Serrer les cordons de la bourse,* ne point donner d'argent.

Joindre, rapprocher. *Serrer les rangs.* — *Serrer les dents,* presser les deux rangées de dents l'une contre l'autre. — *Serrer son style,* écrire avec concision. — *Serrer quelqu'un de près,* le presser vivement. ‖ Renfermer, mettre à couvert. *Serrer son or. Serrer les blés.* [Mar.] *Serrer la terre,* la longer d'aussi près que possible. — *Serrer*

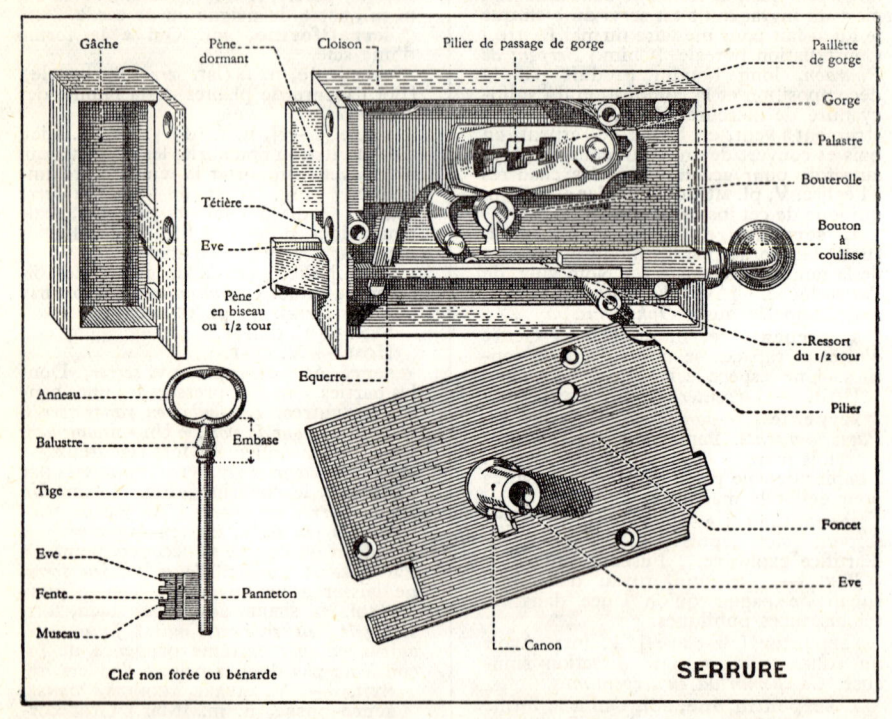

[Figure: SERRURE — avec légendes : Gâche, Pêne dormant, Cloison, Pilier de passage de gorge, Paillette de gorge, Gorge, Palastre, Bouterolle, Bouton à coulisse, Tétière, Eve, Pêne en biseau ou 1/2 tour, Équerre, Ressort du 1/2 tour, Pilier, Anneau, Balustre, Embase, Tige, Foncet, Eve, Fente, Panneton, Museau, Canon. Clef non forée ou bénarde.]

le vent, naviguer au plus près du vent. — *Serrer les voiles,* les rouler et les amarrer le long de la vergue. = SE SERRER, v. pr. *Cette femme se serre trop,* elle se serre trop la taille. ‖ *Se serrer les uns contre les autres,* se rapprocher davantage. ‖ *Le cœur se serre,* on est touché d'affliction.

CTR. — *Écarter, relâcher, desserrer.*

> VOCAB. — *Famille de mots.* — Serrer, serré, serrement, serre, serrage; serrure, serrurerie, serrurerie, serre-tête, serre-joint, serre-frein, serre-fine, serre-feu, serre-file, serre-fils, serre-bosse, serre-nez, serre-papiers; desserrer, desserre, desserrage, enserrer, resserrer, resserré, resserrement.

serre-tête, n. m. Ruban ou coiffe dont on se serre la tête. = Pl. *Des serre-tête.*

*** serricornes**, n. m. pl. [Zool.] Groupe d'insectes coléoptères à antennes dentées en scie, vivant sur les plantes.

serrure [sè-ru-re], n. f. Appareil ordinairement de fer, qui sert à fermer une porte, un tiroir, etc., et qu'on fait agir au moyen d'une clef. — *Serrure de sûreté,* serrure à plusieurs gorges, qui en rendent le crochetage fort difficile. V. pl. SERRURE.

serrurerie [sè-ru-re-ri], n. f. L'art du serrurier. ‖ Ouvrage que produit le serrurier.

serrurier, n. m. Ouvrier qui fait des serrures et certains ouvrages de fer : gonds, grilles, balcons, volets métalliques, poutrelles métalliques, etc. V. tabl. MÉTIERS et PROFESSIONS (*Idées suggérées par les mots*).

*** serte**, n. f. Action de sertir. ‖ Enchâssement de diamants, de pierres fines.

HOM. — *Certes,* adv., très certainement.

sertir, v. tr. (lat. *sero, sertum*, entrelacer). Enchâsser une pierre dans un chaton. ǁ *Sertir une cartouche de chasse*, en refouler l'extrémité en forme de bourrelet sur la rondelle de carton qui maintient le plomb.

sertissage, n. m. Action, manière de sertir.

*** sertisseur**, n. m. Ouvrier qui sertit. ǁ Appareil servant au sertissage des cartouches.

*** sertissoir**, n. m. Instrument pour sertir.

sertissure, n. f. Manière dont une pierre est sertie.

*** sertulaire**, n. f. [Zool.] Genre de polypes vivant sur un axe commun, creux et ramifié.

sérum [sé-ro-me], n. m. (lat. *serum*, m. s.). Partie aqueuse du sang et du lait, s'en séparant par coagulation. Le sérum du sang représente le plasma moins la fibrine. [Méd.] *Sérum antimicrobien*, sérum d'animal immunisé contre une maladie, employé dans une vue préventive ou curative contre cette maladie.

*** sérumthérapie**, n. f. Syn. de *sérothérapie*.

servage, n. m. État de celui qui est serf. ǁ Fig. Servitude morale, entrave à la liberté de penser, d'agir. ǁ *Servage amoureux*, soumission à la femme aimée.

serval, n. m. [Zool.] Espèce de chat sauvage (*chat tigre*) d'Afrique. = Pl. Des *servals*.

servant, adj. (ppr. du v. *servir*). Qui sert. ǁ *Frère servant*, frère convers dans un monastère, qui servait les autres moines. ǁ *Cavalier servant*, homme en servage amoureux. = N. m. [Artill.] Artilleur qui se trouve ou à droite ou à gauche d'une pièce pour l'approvisionner en projectiles pendant le tir. [Jeu] A la paume, au tennis, etc., celui qui sert.

servante, n. f. Femme ou fille employée aux travaux du ménage et qui sert à gages. ǁ *Je suis votre servante*, formule de politesse. ǁ Petite table servant de desserte, sur laquelle on met les assiettes, les plats, etc. [Techn.] Instrument de menuiserie soutenant les pièces plus longues que l'établi. V. pl. OUTILS USUELS.
ANT. — *Maîtresse*.

serveur, n. m. Domestique pris en extra pour servir à table.

*** serve**, n. f. Mare dans la cour d'une ferme.
HOM. — *Serve*, mare dans une ferme; — *serve*, adj. et n. f., féminin de serf; *serve, ent, ent*, du v. servir.

*** serviabilité**, n. f. Qualité de celui qui est serviable.

serviable, adj. Prompt et zélé à rendre service; qui aime à rendre de bons offices.
SYN. — V. OBLIGEANT.

*** serviablement**, adv. D'une manière serviable.

service, n. m. (lat. *servitium*, m. s.). 1° État ou fonction d'une personne qui sert en qualité de domestique. *Entrer, se mettre en service*. — *L'ouvrage du domestique a à faire*. — *Le service d'un maître*, la manière dont il se fait servir. — On dit encore d'un domestique : *Il est au service d'un tel*. — *Je suis à votre service, tout à votre service*, se dit pour faire entendre à quelqu'un qu'on est à sa disposition, qu'on est prêt à faire ce qui pourra lui être utile ou agréable. ǁ Fam. *Qu'y a-t-il pour votre service? que puis-je faire pour vous?*
2° Emploi, fonction de ceux qui servent l'État dans une administration quelconque. *Ce président a tant d'années de service*. — *Chef de service ou des services*, titre de certains fonctionnaires d'un grade supérieur à celui de chef de bureau. ǁ *Faire son service*, se dit d'un fonctionnaire, d'un employé qui exécute ponctuellement, à la lettre, ce qu'il doit faire. — *État de services*, relevé officiel des différents postes ou des différentes fonctions occupés par un fonctionnaire ou un militaire. ǁ Grande division d'une administration. *Le Service de la Sûreté*. — Division d'un hospice, d'un hôpital par catégories de malades. *Le service des contagieux*. [A. milit.] *Service militaire*, le temps qu'un citoyen doit passer sous les drapeaux pour la défense de son pays. ǁ Grande organisation militaire non combattante, mais indispensable aux combattants. *Le service de santé, de l'intendance*. ǁ Absol. *Le service militaire. Faire son service. Service armé. Service auxiliaire*. — *Être de service*, être dans le temps où l'on est obligé de remplir les fonctions de sa charge, de sa place, où on les exerce réellement : monter la garde, être de piquet, etc. *Les hommes de service*. — EN SERVICE COMMANDÉ, loc. adv. Lorsque l'on est régulièrement ou officiellement de service. *Blessure reçue en service commandé*. V. tabl. ARMÉE et GUERRE (*Idées suggérées par les mots*).
Les grands services publics : les différentes branches d'administration d'un État, l'ensemble des intérêts auxquels celui-ci doit pourvoir; la poste, les transports, l'électricité, etc. V. tabl. ADMINISTRATION (*Idées suggérées par le mot*).
3° Envoi, expédition. *Il assure le service de la province*. ǁ Distribution que l'on fait, gratuitement ou non. — *Service de presse*, exemplaires d'un livre envoyés gratuitement aux critiques.
4° Tout ce que l'on fait pour être utile à quelqu'un, pour l'obliger, pour l'assister. — *Rendre un mauvais service, de mauvais services à quelqu'un*, lui nuire, ou, simpl., lui susciter de l'embarras. ǁ L'usage qu'on tire de certains animaux et de certaines choses. *Cette étoffe fait un long service*. ǁ *Être hors de service*, se dit d'un animal, d'un objet qui n'est plus bon à rien. ǁ Se dit encore de certaines choses faites en vue d'une utilité spéciale. *Escalier de service*, escalier, qui, dans une maison, est affecté aux domestiques, aux fournisseurs. [Liturgie] Célébration solennelle de l'office divin, de la messe et de toutes les prières qui se font dans l'église. — Partic. Messe chantée et prières qui se disent pour un mort. *Service funèbre*.
5° Écon. domest. — Ensemble de plats qu'on sert à la fois sur la table, et que l'on ôte de même. *Repas à trois services*. — Assortiment de couverts, de vaisselle, de verrerie ou de linge qui sert à table. *Service de porcelaine*.
6° *Jeux*. — Au tennis, action de celui qui sert la balle; côté où il se trouve.

SERVIETTE — SERVITEUR

ÉPITHÈTES COURANTES : grand, important, signalé, précieux, bon, loyal, médiocre, petit, divers ; civil, militaire, religieux, administratif, commercial ; rendu, demandé, offert, proposé ; solennel, public, particulier, etc.

HOM. — *Servisse, es, ent,* du v. servir.

serviette [sèr-vié-te], n. f. Linge servant à divers usages. *Serviette de table, de toilette.* || Grand portefeuille pliant destiné à recevoir des papiers d'affaires, de travail, etc.

servile, adj. (lat. *servilis*, m. s.). Qui appartient à l'état d'esclave, et, par ext., de domestique. [Théol.] *Œuvres serviles,* travail manuel. || Fig. Bas, rampant. *Esprit servile.* [Litt. et Arts] Qui s'attache trop à l'imitation d'un original, à la lettre d'un ouvrage. *Imitateur servile.*

servilement, adv. D'une manière servile ; avec bassesse. || En s'attachant trop étroitement à la lettre.

* **servilisme**, n. m. Esprit, système de servilité.

servilité, n. f. Esprit de servitude, bassesse d'âme. || Exactitude servile dans la traduction, l'imitation.

PAR. — *Servitude, esclavage, captivité.*

servir, v. tr. (lat. *servire,* être esclave, de *servus,* esclave). Remplir auprès de quelqu'un les fonctions de domestique. — *Servir à table,* passer les plats, changer les assiettes. — *Pour vous servir,* formule de civilité servant de réponse affirmative. || *Servir la messe,* répondre au prêtre qui la dit, lui présenter l'eau, le vin, etc. || Travailler pour quelqu'un, le fournir. *Le boucher nous a mal servis aujourd'hui.* || Être utile, aider, assister, rendre de bons offices. *Servir sa patrie.* — *Les circonstances l'ont bien servi,* elles lui ont été favorables. || Fig. *Servir Dieu,* s'acquitter de tous les devoirs qu'impose la religion. *Servir une dame,* lui rendre des soins assidus. || Exercer un emploi dans une administration publique, auprès d'un personnage important. *Servir l'État, les grands.* — Absol., se dit du service militaire. *Il y a vingt ans qu'il sert.* || *Servir une pièce d'artillerie,* l'alimenter en munitions et en assurer le tir en faisant les manœuvres appropriées.
Servir une table, la couvrir de plats, de mets. — *Servir des mets sur la table,* les placer et les disposer sur la table. *Servir le potage.* — *Servir à déjeuner, servir à boire,* etc., donner à une ou plusieurs personnes de quoi déjeuner, etc. — Absol. *Servir quelqu'un,* lui donner de ce qui est sur la table. || Fig. et fam. *Servir un plat de son métier.* || *Servir une redevance, une pension, une rente,* l'acquitter.
Au jeu de ballon, du tennis, du volant, jeter le ballon, la balle, le volant à celui contre qui l'on joue. — *Servir des cartes,* les donner, les distribuer aux autres joueurs. Absol. *C'est à vous de servir.*
= SERVIR, v. intr. Absol. Être esclave, être en service. || *Servir à,* signifie être destiné à tel usage, ou être utile, propre, bon à telle chose. *Ce bateau sert à passer la rivière.* — *A quoi sert-il de...,* quel avantage y a-t-il à... On dit quelquefois : *Que sert-il, que sert de..?* pour à quoi sert-il? — Être d'usage. *Ces vêtements peuvent encore servir.* = SERVIR DE, tenir lieu de, tenir la place de, faire l'office de. *Il m'a servi de père.* — *Cela ne sert à rien, de rien,* n'est bon à rien. *Toutes ces recherches ne vous serviront de rien, si..,* elles ne vous seront d'aucune utilité, si. — Impersonn. Être utile, profitable. *Rien ne sert de courir, il faut partir à point.* (LA FONTAINE.). || Fig. *Servir de jouet, de plastron,* être en butte à toutes les railleries d'une ou de plusieurs personnes.
= SE SERVIR, v. pr. Faire soi-même ce que d'autres font faire par un domestique. || Prendre soi-même de ce qui est sur la table. *Veuillez donc vous servir.* || Se dit des mets qui paraissent sur les tables. *C'est un mets qui se sert sur les meilleures tables.* || *Se servir de,* faire usage de. *Il se sert mal de ses mains.*

GRAM. — Les deux locutions *ne servir à rien* et *ne servir de rien* ne sauraient s'employer indifféremment. La première exprime une inutilité momentanée, un défaut d'emploi : *Ce qui ne sert à rien aujourd'hui peut servir demain. Ne servir de rien* exprime au contraire une inutilité absolue. *Ce qui ne sert de rien ne peut être employé utilement, est hors de tout service.* — *Ne servir pas de rien* est un pléonasme déjà ridiculisé par Molière.

INCORR. — On se sert *de* quelque chose. Il ne faut donc pas dire : *J'ai égaré l'outil que je m'étais servi,* mais : *l'outil dont je m'étais servi.*

SYN. (pour *se servir*). — V. USER.

CONJUG. — V. trans. 3ᵉ groupe (inf. en ir) [rad. *ser, serv*]
Indicatif. — *Présent :* Je sers, tu sers, il sert, nous servons, vous servez, ils servent. — *Imparfait :* Je servais,... il servait, nous servions, vous serviez... — *Passé simple :* Je servis..., il servit, nous servîmes, vous servîtes, ils servirent. — *Futur :* je servirai..., nous servirons, vous servirez, ils serviront.
Impératif : Sers, servons, servez.
Conditionnel. — *Présent :* Je servirais, tu servirais..., nous servirions, vous serviriez...
Subjonctif. — *Présent :* Que je serve..., qu'il serve, que nous servions, que vous serviez... — *Imparfait :* Que je servisse, que tu servisses, qu'il servît, que nous servissions, que vous servissiez...
Participe. — *Présent :* Servant. — *Passé :* Servi, servie.

---

* **servite**, n. Membre d'un ordre religieux de la règle de Sᵗ Augustin, ayant pour principal objet le culte de la Vierge.

serviteur, n. m. (bas lat. *servitor,* m. s.). Celui qui est au service, aux gages d'autrui, en qualité de domestique, ou pour quelque fonction subalterne. *Un vieux serviteur fidèle.* On dit plus communément *domestique.* — *C'est un grand serviteur de Dieu,* c'est un homme de grande piété. || *Votre serviteur, votre très humble et très obéissant serviteur,* formules de politesse dont on se servait pour finir les lettres. — Fam. et ironiq. *Je suis votre serviteur,* et ellipt. *Serviteur,* se dit pour marquer à quelqu'un qu'on refuse ce qu'il demande ou ce qu'il propose, ou que l'on n'est point de son avis. — Le féminin correspondant est *servante.*

ÉPITHÈTES COURANTES : bon, obéissant, loyal, dévoué, fidèle, utile, précieux, indispensable, humble, infidèle, déloyal,

malhonnête; ponctuel, exact, minutieux, modèle; bien ou mal traité; revenu, demandé, renvoyé, etc.
servitude, n. f. (lat. *servitudo*, m. s., de *servire*, servir). État de celui qui est serf, esclave. Privation, pour une nation, de son indépendance nationale ou de sa liberté politique. ‖ Fig. *La servitude des passions*, l'état d'un homme qui subit le joug de ses passions. [Droit] Charges, obligations imposées au propriétaire d'un bien-fonds, pour l'usage ou l'utilité d'un autre propriétaire.
— *Sous les Assyriens, leur triste servitude Devint le juste prix de leur ingratitude.* (RACINE.)
— *Les inférieurs se vengent de la servitude par la liberté des discours.* (MASSILLON.)
— *Les grandes vertus se cachent ou se perdent ordinairement dans la servitude.* (MONTESQUIEU.)
PAR. — *Servilité*, esprit de servitude, caractère servile.
* **servo-frein,** n. m. [Techn.] Appareil qui utilise pour la manœuvre des freins une énergie autre que celle du conducteur. V. pl. AUTOMOBILE. = Pl. *Des servo-freins*.
* **servo-moteur,** n. m. [Techn.] Engin régulateur des moteurs. ‖ Petit moteur actionnant un engin quelconque difficile à manœuvrer à la main (canon, gouvernail, etc.). = Pl. *Des servo-moteurs*.
ses, adj. poss., plur. de son, sa. V. tabl. SON.
HOM. — V. tabl. CE, CETTE, CES.
sésame [*za*], n. m. [Bot.] Genre de plantes oléagineuses de la famille des *pédaliacées* (ou *gesnéracées*).
* **sésamoïde** [*za*], adj. m. [Anat.] Se dit de petits os courts situés dans l'épaisseur des tendons de la main et du pied.
* **sesbanie,** n. f. ou * **sesban,** n. m. [Bot.] Genre de plantes de la famille des *légumineuses*.
* **séséli,** n. m. [Bot.] Genre de plantes de la famille des *ombellifères*.
* **sésie** [*zi*], n. f. [Zool.] Genre d'insectes lépidoptères ayant l'aspect d'hyménoptères.
* **sesqui-** [*sès-kui*], préfixe employé en chimie, tiré du lat. *sesque*, contracté de *semisque*, sign. *et demi, une fois et demie*.
sesquialtère [*sès-kui*], adj. Se dit de deux quantités dont l'une contient l'autre une fois et demie. *9 est sesquialtère de 6*.
* **sesquioxyde** [*sès-kui*], n. m. [Chim.] Oxyde qui renferme deux atomes de métal pour trois atomes d'oxygène.
* **sesseyement** [*sè-sè-ye-man*], n. m. Prononciation trop forte des consonnes sifflantes.
sessile, adj. [Bot.] Qui n'a pas de support particulier. *Fleur sessile*.
session [*sè-sion*], n. f. (lat. *sessio*, m. s.). Temps pendant lequel un corps délibérant, un tribunal est assemblée pour s'occuper des affaires publiques. — Temps pendant lequel les Chambres restent assemblées. ‖ Époque à laquelle opère un jury d'examen. [Hist. ecclés.] Séance d'un concile. *Première, seconde session*.
HOM. — V. CESSION.
PAR. — *Scission*, séparation nette.
sesterce, n. m. [Antiq.] Ancienne monnaie romaine égale à 2 as et demi.

* **set** [*sèt*], n. m. (mot anglais). [Jeux] Ensemble des jeux constituant l'une des phases d'une partie de tennis.
HOM. — V. SEPT.
* **sétacé, ée,** adj. (lat. *seta*, soie). [Hist. Nat.] Grêle et raide comme une soie de cochon.
HOM. — *Cétacé*, n. m., mammifère aquatique.
* **sétaire** ou * **setaria,** n. m. [Bot.] Genre de plantes de la famille des *graminées*.
setier, n. m. Mesure de capacité pour les liquides et les grains dont la valeur a varié suivant les temps et les pays. ‖ Fam. et inexact. *Un demi-setier*, un quart de litre.
* **sétifère,** adj. (lat. *seta*, soie; *fero*, je porte). Qui porte des soies. ‖ Qui produit de la soie.
* **sétiforme,** adj. [Hist. Nat.] Qui a la forme de soies.
séton, n. m. [Méd.] Sorte de mèche qu'on passe, avec une aiguille, à travers la peau et le tissu cellulaire, pour entretenir un exutoire. ‖ *Plaie en séton*, plaie produite par une épée, une balle, qui traverse la peau sans léser les muscles.
* **setter** [*sè-tèr*'], n. m. (mot angl.). Race de chiens d'arrêt à long poil.
seuil [*seu-il, il* mll.], n. m. (lat. *solum*, sol). Pièce de bois ou de pierre qui est au bas de l'ouverture d'une porte. *Assis sur le seuil de la porte.* ‖ Fig. Entrée, début, commencement. *Le seuil de la vie. Le seuil d'une écluse*, la pièce de bois ou dalle de béton posée au fond de l'eau, en travers de la porte d'une écluse, et sur laquelle s'appuie celle-ci. [Géog.] Élévation de terrain qui forme un barrage naturel dans le cours d'un fleuve ou à l'issue d'un lac, et par-dessus lequel s'écoulent les eaux.
seul, eule, adj. (lat. *solus*, m. s.). Qui est sans compagnie. *Être seul, tout seul.* ‖ Sans liaisons, sans amis, sans compagnons. *Le destin l'a condamné à vivre et à mourir seul.* ‖ Se dit parfois des choses. *Cette maison est bien seule*, elle est bien isolée. On dira mieux : *solitaire*. ‖ Sans suite, sans accompagnement. *Un malheur ne vient jamais seul.* — Loc. prov. *Cela va, cela ira tout seul*, sans difficulté.
A l'exclusion de toute autre personne ou de toute autre chose. *Cette seule raison m'eût déterminé.* ‖ Unique. *Ce fut là sa seule réponse.* — *La seule pensée de cette action est criminelle*, la simple pensée de cette action est criminelle. = *Comme à SEUL*, en tête à tête. ‖ Fig et fam. *Comme un seul homme*, tous ensemble, d'un mouvement unanime. = *Comme nom. Le gouvernement d'un seul*, la monarchie absolue. On dit de même : *Le pouvoir, l'autorité d'un seul.* — PAS UN SEUL, loc. pron. Aucun, nul, personne. *Pas un seul de ses amis ne l'abandonna.*
LING. — La place donnée à l'adj. *seul* peut changer le sens de la locution. Ainsi *un seul homme* veut dire un homme non accompagné; *un homme seul* signifie un personnage solitaire.
INCORR. — Ne dites pas : *seul et unique* : Ce qui est seul est évidemment unique. — Ne dites pas non plus : *seul représentant*

exclusif, mais : *représentant exclusif*; ni : *rien qu'un seul*, mais : *rien qu'un* ou *un seul*.
Syn. — V. UNIQUE.

> VOCAB. — *Famille de mots.* — Seul [rad. *seul, ol, soul*) : seulet, seulement, solitude, solitaire, solitairement, solipèdes; solo, soliste, soliloque; désoler, désolé, désolant, désolateur, désolation; solenne, solennité, solennellement, solennisation, solenniser; solliciter, etc. (V. CITER); solide, solidement, solidité, solidifier, solidification; solidaire, solidairement, solidarité, solidariser; souder, soudage, soudable, soudure, soudeur, dessouder, dessoudure, ressouder, consolider; consolidé consolidant, consolidable, consolidatif, consolidement, consolidation; soldat, soldatesque; soudard, solde, solder, soldeur; sou, sol (Vx).

seulement, adv. Rien de plus, pas davantage. *Je vous demande seulement votre parole.* ‖ Exclusivement, uniquement. ‖ A la seule condition que. *Venez le jour qu'il vous plaira; seulement prévenez-nous.* ‖ *Pas seulement*, pas même. ‖ *Le courrier est arrivé seulement d'aujourd'hui,* il n'est arrivé que d'aujourd'hui. ‖ *Si seulement*, si au moins. *Si seulement il avait laissé son adresse!* ‖ Néanmoins, toutefois. *Il l'affirme, seulement personne ne veut le croire* (Fam.). = NON SEULEMENT, loc. adv. V. NON.

INCORR.— *Ne... que*, signifiant seulement, c'est un pléonasme que de dire : *Ne faire seulement que. Il ne fait seulement que rentrer.*

seulet, ette [*seu-lè*], adj. Dimin. de seul. Ne se dit guère que dans les chansons pastorales. *Je n'irai plus au bois seulette.*

sève, n. f. (lat. *sapa*, suc). [Bot.] Liquide nourricier que les racines absorbent dans la terre ou dans le milieu ambiant pour servir au développement de la plante. ‖ Par anal. Force, vigueur qui est dans le vin. ‖ Fig. Force, vigueur, énergie physique et morale. *Vieillard encore plein de sève.*

sévère, adj. (lat. *severus*, m. s.). Rigide, rigoureux, qui juge et punit sans indulgence. *Un juge sévère. Un père sévère.* — En parlant des choses: Qui est plein de rigueur, qui exprime la rigueur. *Jugement sévère. Punition sévère.* ‖ Austère. *Une vertu sévère.* [Litt. et Bx-A.] Noble et régulier, sans élégance affectée, sans ornements recherchés. *Un style sévère.* ‖ Qui a plus de régularité que de charme. *Une beauté sévère.* ‖ Par ext. Important, cruel, douloureux. *L'attaque de l'ennemi nous valut des pertes sévères.* = N. m. Le genre sévère. *Passer du grave au doux, du plaisant au sévère.* (BOILEAU.)
Syn. — V. AUSTÈRE.
CTR. — *Indulgent, clément, doux.*

sévèrement, adv. D'une manière sévère, avec sévérité. *Punir sévèrement.*

sévérité, n. f. Rigidité, rigueur. *La sévérité des lois.* ‖ Austérité. *La sévérité de ses mœurs.* ‖ Exactitude extrême; absence d'ornement. *La sévérité du style.*

sévices, n. m. pl. (lat. *saevus*, cruel). Mauvais traitements, brutalités exercés par un mari à l'égard de sa femme, par les parents à l'égard de leurs enfants.
HOM. — *Sévisse, es, ent*, du v. sévir.

1. **sévir**, v. intr. Punir, châtier avec rigueur. ‖ En parlant d'un fléau, exercer des ravages, agir avec violence. *Le choléra sévit à Constantinople.*
Syn. — V. CHÂTIER.

2. *** sévir**, n. m. (lat. *sex*, six; *vir*, homme). [Antiq.] Membre d'un collège de six personnes.

sevrage, n. m. Action de sevrer un enfant, un animal. ‖ Temps que dure cette action. [Hortic.] Action de séparer du pied la marcotte qui a pris racine.

sevrer, v. tr. Ôter à un enfant, à un animal l'usage du lait de sa nourrice, pour le faire passer à une nourriture plus solide. ‖ Priver, frustrer quelqu'un de quelque chose. [Hortic.] *Sevrer une marcotte*, en effectuer le sevrage. = SE SEVRER, v. pr. Se priver de.

*** sèvres**, n. m. Porcelaine de la manufacture de Sèvres.
HOM. — *Sèvres*, n. m., porcelaine de la manufacture de *Sèvres*, v. de France; — *sèvre, es, ent*, du v. sevrer; — *Sèvre*, n. pr., nom de deux rivières de France.

*** sévreuse** [*eu-ze*], n. f. Femme qui prend soin d'un enfant pendant le sevrage.

*** sévrienne**, n. f. Jeune fille élève de l'école normale supérieure de Sèvres.

sexagénaire, adj. et n. Qui a soixante ans ou environ.

sexagésimal, ale [*sé-gza-jé-zi*], adj. Qui a rapport au nombre soixante. *Division sexagésimale*, en soixante parties.

sexagésime [*sé-gza-jé-zi-me*], n. f. Dimanche qui précède de deux semaines le premier dimanche de carême.

* **sexagésimo**, adv. Soixantièmement.

*** sexdigitaire**, adj. et n. (lat. *sex*, six; *digitus*, doigt). Qui a, de naissance, six doigts à la main.

sexe [*sek-se*], n. m. (lat. *sexus*, m. s.). L'ensemble des différences physiques qui caractérisent, chez les êtres organisés, les individus mâles et les individus femelles. ‖ Organes mâle et femelle, qui servent à la génération. *Beaucoup de mollusques réunissent les deux sexes.* ‖ Collectiv. *Les personnes des deux sexes, de l'un et de l'autre sexe.* ‖ Fam. *Le beau sexe*, ou absol., *le sexe, les personnes du sexe*, les femmes. — *Le sexe fort*, les hommes.
ÉPITHÈTES COURANTES : masculin, féminin, fort, faible, beau, laid, etc.

* **sexennal, ale, aux** [*sé-ksen-nal*], adj. Qui a lieu tous les six ans.

* **sexiparité**, n. f. [Hist. Nat.] Reproduction sexuelle.

sextant [*seks-tan*], n. m. Instrument de physique qui sert à mesurer les distances angulaires des objets par réflexion et dont le limbe représente un arc de cercle de 60 degrés.

sexte [*seks-te*], n. f. [Liturg.] Prière qu'on récitait à la sixième heure.

sextidi, n. m. Le 6e jour de la décade dans le calendrier républicain.

sextil, ile [*seks-til*], adj. [Astro.] *Aspect sextil*, position de deux planètes éloignées l'une de l'autre de 60 degrés.

* **sextillion**, n. m. [Math.] Mille quintillions.

* **sextine**, n. f. Poème du XIIe s., comprenant six strophes de dix vers et une demi-strophe finale de trois vers.

* **sexto**, adv. Sixièmement.

* **sextolet**, * **sixtolet** ou **sixain**, n. m. [Mus.] Suite de deux triolets.

sextuor, n. m. Morceau de musique écrit pour six voix ou pour six instruments.

sextuple, adj. et n. m. Qui vaut six fois autant. *Valeur sextuple. Douze est le sextuple de deux.*

sextupler, v. tr. Rendre six fois plus grand, multiplier un nombre par six.
* **sexualité** [sé-ksu], n. f. Ensemble des caractères physiques, physiologiques et psychologiques différenciant le mâle de la femelle. ‖ Instinct sexuel.
* **sexué, ée,** adj. Pourvu d'organes sexuels.
CTR. — *Asexué.*
sexuel, elle [sé-ksu-el], adj. Qui caractérise le sexe. ‖ Relatif au sexe, à la sexualité.
seyant, ante [sè-ian], adj. (de *seoir*, 2). Qui va bien à la figure, à l'extérieur de quelqu'un. *Une robe seyante.*
* **sforzando** [s'for-dzan], adv. (mot ital.). [Mus.] En passant rapidement du *piano* au *forte*.
* **sfumata,** n. f. (mot ital.). Fumée sortant d'une cheminée du Vatican et qui sert de signal lors de l'élection d'un pape.
* **S. G. D. G.** Abrév. des mots *Sans garantie du gouvernement,* par lesquels le gouvernement dégage sa responsabilité quant à la valeur des inventions brevetées.
* **sgraffite,** n. m. (ital. *sgraffito*, égratigné). [Bx-A.] Peinture à la fresque obtenue en appliquant sur un fond noir un enduit blanc dont on enlève ensuite certaines parties avec une pointe.
shah, n. m. V. CHAH.
* **shake-hand** [chèk-hannd'], n. m. invar. (angl. *to shake hand*, serrer la main). Poignée de main vigoureuse.
* **shaker** [ché-keur], n. m. (angl. *to shake*, secouer). Récipient plein de glace où l'on agite le mélange destiné à faire un cocktail.
* **shakespearien, ienne** [chek-spi-rien], adj. Qui est propre à Shakespeare, ou qui est dans son style, dans sa manière.
shako [cha], n. m. V. SCHAKO.
* **shal** [chal], n. m. [Zool.] Genre de poissons téléostéens voisins des silures.
* **shamisen** [cha-mi-zen'], n. m. [Mus.] Sorte de banjo japonais à trois cordes.
* **shampoing** ou * **shampooing** [chan-pou-in], n. m. Lavage de tête. ‖ Liquide, savon servant à ce lavage.
* **shed** [chèd], n. m. (mot angl. signif. *hangar*). [Techn.] Comble dissymétrique de certains ateliers composé d'un versant court, presque vertical, entièrement vitré et d'un versant plus étendu, à faible pente, à couverture pleine.
shérif [ché] ou * **schérif,** n. m. En Angleterre, titre du premier magistrat de chaque comté, chargé de la police, de la perception des impôts, etc.
shilling [chi-ling], n. m. Monnaie d'argent usitée en Angleterre et valant 1/20 de la livre sterling.
* **shimmy** [chi-mi], n. m. Danse qui s'exécute en sautillant tout en remuant les épaules et les hanches.
* **shinto** [chin'to], **shintoïsme,** ou **sinto, sintoïsme,** n. m. Religion nationale japonaise consistant dans le culte de divinités indigènes (*kamis*) et de la déesse du soleil.
* **shintoïste** ou **sintoïste,** adj. et n. Adepte du shinto ou shintoïsme.
* **shirting** [cheur-ting], n. m. (angl. *shirt*, chemise). Tissu de coton pour chemises.
* **shivaïsme,** n. m. Culte du dieu hindou Shiva ou Çiva. — On écrit aussi *çivaïsme* ou *sivaïsme.*
* **shivaïste,** adj. Qui se rapporte au dieu Shiva. = Nom. Adorateur de Shiva.
* **shock,** n. m. (mot angl. sign. *secousse*). [Méd.] Choc, secousse que produit dans le système nerveux une blessure grave, une opération chirurgicale importante. *Shock opératoire.*
* **shocking** [cho-kin-gh], interj. (mot angl. ppr. de *to shock*, choquer). Interjection employée au sujet d'une parole, d'une action inconvenante, déplacée.
* **shogoun** [cho], n. m. Nom donné aux chefs militaires japonais qui tinrent tout le pouvoir entre leurs mains de 1186 à 1868, ne laissant aux mikados que l'apparence de la royauté.
* **shogounal, ale, aux,** adj. Relatif au shogoun.
* **shogounat,** n. m. Pouvoir, dignité de shogoun.
* **shoot** [chout'], n. m. (mot angl.) [Sport] Au football, coup de pied très sec dans le ballon.
* **shooter** [chouter], v. intr. [Sport] Faire un shoot.
* **short** [chort'], n. m. (mot angl. sign. *court*). Sorte de culotte courte et assez large pour les exercices de la vie au grand air.
* **shrapnel** ou * **shrapnell** [chrap-nel'], n. m. [Artill.] Obus à balles, à explosion réglée par une fusée fusante.
* **shunt** [chunt'], n. m. (mot angl. signif. *voie de garage*). [Phys.] Dérivation faite sur une portion de circuit électrique.
* **shunter** [chun-ter], v. tr. [Techn.] Pourvoir d'un shunt.
1. **si,** conj. V. tabl. SI 1.

---

1. SI, conjonction de subordination.
Étymologie. — Du latin *si,* même sens.
GRAM. — *Si,* devant les pronoms *il* et *ils,* perd son *i,* qui est remplacé par une apostrophe; mais il ne le perd devant aucun autre mot, par quelque voyelle que celui-ci commence. Bien plus, il conserve son *i,* même devant *il* et *ils,* lorsqu'il signifie *cependant, néanmoins* : *Si ils croient nous convaincre, ils se trompent.* — On peut se servir de *si,* au premier et au second membre d'une période; mais souvent on remplace le *si* du second membre par *que* avec le subj. *Si nous sommes jamais heureux, et que la fortune se lasse de nous persécuter, nous.*
HOM. — V. CI.

Sens et emplois de SI, conjonction.
Marque la condition, le souhait, le regret, l'opposition.
1° *Dans des propositions indépendantes* (en réalité, prop. subordonnée conditionnelle avec ellipse d'une prop. principale non exprimée).
Marque le souhait, le regret, l'incertitude. *Si j'osais ! Si jeunesse savait, si vieillesse pouvait !* (Prov.). Dans cet emploi, on trouve souvent : *Oh ! si ! — Oh ! si je pouvais parler...*
Parfois employé pour renforcer une affirmation. *Vous souvenez-vous de l'incident ? — Si je m'en souviens !*
2° *Dans une proposition subordonnée conditionnelle.*
A) Marque que la condition est réalisable, purement logique, ou même déjà réalisée. Puisque, puisqu'il est vrai que. Généralement avec le *présent de l'indicatif. Si 2 et 2 font 4, 4 et 4 font huit. Si tu veux la paix, prépare la guerre.*

Se dit encore pour marquer opposition. *Si l'un est vieux et faible, l'autre est jeune et fort.* Au cas où, en admettant que. *Je vous donnerai tant, si vous faites ce que vous m'avez promis.* — Ellipt. *Il parle comme s'il était le maître,* comme il parlerait s'il était le maître.
B) Avec le sens d'une supposition véritable, c'est-à-dire dont la réalisation est incertaine, possible, irréalisable actuellement ou non réalisée dans le passé (contraire à un fait arrivé). Au cas où, supposé que, s'il était arrivé que.
Si, dans ce cas, est construit *avec les temps passés de l'indicatif* :
a) *Avec l'imparfait de l'indicatif.*
1° En corrélation avec une prop. principale au conditionnel présent (supposition réalisable). *S'il faisait beau la semaine prochaine, je partirais en voyage. Je le ferais encore si j'avais à le faire.* (Corneille.)
2. En corrélation avec une proposition principale au conditionnel présent (supposition irréalisable ou fantaisiste). *Si la France était dans la zone équatoriale, son climat serait tout différent.*
b) *Au plus-que-parfait de l'indicatif* (parfois au passé composé).
En corrélation avec une proposition principale au conditionnel passé. Supposition contraire à la réalité d'un fait passé, *Si Napoléon avait été victorieux à Waterloo, le sort de l'Europe eût été changé. Une main si* (adv.) *habile eût sauvé l'État, si* (conj.) *l'État eût pu être sauvé.* (Bossuet.)

3° *Sens particulier de Si.*
Marque que l'on nie la supposition énoncée. *C'est ainsi qu'il* (Socrate) *mourut, si c'était là mourir.* (Lamartine.)
Avec le sens de : dans le cas où. *Si quelque chat, la nuit, faisait du bruit, le chat prenait l'argent.* (La Fontaine.)
Avec le sens de : quoique. *Si mes dépenses restent égales, mes ressources diminuent.*

Si, employé comme nom.
Si, employé comme nom, indique une restriction non énoncée. *Il ne fait jamais de promesse qui ne soit suivie d'un si,* à la fin, il y a toujours quelque chose qui apporte une restriction à ce qu'il promet. — Prov. : *Avec des si et des mais, on mettrait Paris dans une bouteille.*

LOCUTIONS FORMÉES AVEC **SI,** CONJONCTION

QUE SI, loc. conj. *Que si,* se dit quelquefois pour *si,* au commencement des phrases : *Que si vous alléguez telle raison, je répondrai que.* Ce tour est surtout du style oratoire.
SI TANT EST QUE, loc. conj., s'il est vrai que, s'il se fait que. *Si tant est qu'il a dit cela, il s'en repentira.*
SI CE N'EST QUE, loc. conj., à moins que, sauf que excepté, hormis. *Il vous ressemble, si ce n'est qu'il est beaucoup plus grand.* — On dit aussi, en supprimant le *si* : *n'était la crainte que.* Construit souvent sans *que.* En exceptant le cas marqué. *Si ce n'est toi, c'est donc ton frère.* (La Fontaine.) — Ou remplacé par *que* seul. *Et que croire que vous ?* (Si ce n'est vous seul.) (Voltaire.)
SI... NE, loc. conj., à moins que : *Si je ne me trompe, il a soixante ans. Si je ne m'abuse.*
SI CE N'EST, loc. prép., excepté. *Il n'est rien resté de la ville si ce n'est quelques ruines.*
Observation linguistique. — La tournure pop. *Si que* dans des locutions comme *Si qu'on allait, Si qu'on disait* pour *Si l'on allait, Si l'on disait* est entièrement barbare.

2. si, n. m. [Mus.] Nom de la septième note de la gamme de do. V. pl. musique. ǁ Signe qui la représente.
3. si, adv. V. tabl. SI 3.

* **sialagogue** [*gho-ghe*], adj. Qui provoque l'excrétion de la salive.
* **sialisme** n. m. (gr. *sialon,* salive). Évacuation abondante de la salive.

3. SI, adverbe.

Étymologie. — Du latin *sic,* ainsi, exactement comme cela.

Observations grammaticales. — On voit que *si* adverbe a une autre provenance que *si* conjonction. Leurs emplois se sont parfois confondus, et certains voient dans *si* adv. d'interrogation indirecte une conjonction de subordination.

I. — **SI, adverbe de quantité.** — Tellement, à tel point, à un si haut degré. *Je ne connus jamais un homme si brave.* — *Si... que, à quelque point que. Si petit qu'il soit* ou, avec ellipse de *que, si petit soit-il.* — *Sitôt, si tard.* (V. sitôt.)

II. — **SI, adverbe de comparaison.** — Signifie autant, aussi ; et ne s'emploie qu'avec la négation. *Il n'est pas si riche que vous, que vous ne le croyez.* Ou dans un phrase interrogative qui implique une négation. *Avez-vous jamais rien vu de si beau ?* — Fam., on dit encore sans négation. *Si peu que vous voudrez. Si peu que rien.* Aussi peu que vous voudrez, très peu.
Avec le sens de *assez pour. Qui te rend si hardi de troubler mon breuvage ?* (La Fontaine.)
Avec le sens de *quelque que. Si grands que sont les rois, ils peuvent être malheureux.*

III. — **SI, adverbe d'affirmation.** — *Si* s'emploie aussi comme particule affirmative, pour répondre à une affirmation ou à un doute. *Vous dites que non, et je dis que si.* — *Vous n'êtes pas allé le voir ? — Si.*
Si fait, loc. fam., dont on se sert pour affirmer le contraire de ce qu'un autre a dit. *Il n'était pas à l'Opéra. — Si fait, il y était.*

IV. — **SI, adverbe d'interrogation.** — Introduit toujours une interrogation indirecte (V. ci-dessus. Obs. gram.). *Je demande si vous viendrez.*
S'emploie également dans une construction interrogative indirecte au sens élargi, pour exprimer le doute, l'incertitude. *Je ne sais si cela est vrai. Je doute s'il viendra. J'hésite si je sortirai.*
Se dit parfois aussi pour *combien,* dans une interrogation indirecte. *Vous savez si je vous aime ! Vous pensez s'il a été content !*

LOCUTIONS FORMÉES AVEC **SI,** ADVERBE — SI... QUE, loc. conjonctive de concession, qui se construit avec le subjonctif. Quelque... que. *Si habile que vous soyez, vous avez pu vous tromper.*
SI BIEN QUE, loc. conj., de telle sorte que, tellement que. *La chétive pécore* (la grenouille) *s'enfla si bien qu'elle creva.* (La Fontaine.)

sialorrhée, n. f. [Méd.] Exagération de la sécrétion salivaire.

siam, n. m. Sorte de jeu qui se joue avec des quilles et un disque de bois.

siamois, oise, adj. et n. Qui est du Siam. — *Frères siamois,* jumeaux réunis par une bande de chair.

siamoise, n. f. Étoffe de coton, fort commune.

sibérien, ienne, adj. et n. De Sibérie; propre à la Sibérie.

sibérite, n. f. [Minér.] Tourmaline rouge de Sibérie.

sibilant, ante, adj. (lat. *sibilans,* sifflant). [Méd.] *Râle sibilant,* bruit analogue à celui d'un sifflet, entendu à l'auscultation.

sibylle [*si-bi-le*], n. f. Prophétesse de Cumes, qui rendait des oracles. ‖ Par la suite, toute prophétesse.

sibyllin, ine [*si-bi-lin*], adj. Qui émane d'une sibylle. ‖ *Livres sibyllins,* recueils d'oracles dont on faisait remonter l'origine à Tarquin le Superbe et que l'on consultait dans les circonstances graves à Rome. ‖ Fig. Obscur, énigmatique comme les prophéties des sibylles.

sic, mot lat. sign. *ainsi.* Se place entre parenthèses pour signaler ironiquement qu'un mot, qu'un passage est cité textuellement, avec ses erreurs, ses bizarreries, etc.

sicaire [*kère*], n. m. (lat. *sicarius,* m. s.) Assassin gagé.

siccatif, ive [*si-ka-tif*], adj. Qui sèche facilement ou qui aide à sécher rapidement. *Huile siccative.* — N. m. Substance qui, mêlée à l'huile, en active la dessiccation. ‖ *Siccatif brillant,* sorte d'encaustique.

siccité [*sik-si*], n. f. (lat. *siccus,* sec). Qualité, état de ce qui est privé d'humidité.

sicilien, ienne, adj. et n. Originaire ou habitant de la Sicile. = N. F. Espèce de danse fort vive s'exécutant sur un air à six-huit. ‖ Cet air lui-même.

sicle, n. m. Ancienne unité de poids usitée en Égypte et chez les Hébreux, et dont la valeur variait de 6 à 12 grammes. ‖ Monnaie d'argent des anciens Hébreux.

side-car ou **sidecar** [*saïd*], n. m. (angl. *side,* côté, et *car*). Petite nacelle munie d'une roue, qui se fixe sur le côté d'une motocyclette. — Ensemble formé par la motocyclette et la nacelle accouplées.

sidéral, ale, adj. (lat. *sideralis,* m. s., de *sidus, sideris,* étoile). [Astro.] Qui a rapport aux étoiles. *Révolution sidérale,* retour à la même étoile. *Jour sidéral,* temps qui s'écoule entre deux passages consécutifs d'une étoile à un même méridien.

VOCAB. — *Famille de mots.* — *Sidéral :* sidérer, considérer, considérant, considérable, considérablement, considération; déconsidérer, déconsidération; inconsidéré inconsidérément; désirer, désir, désirable, désireux, desiderata; indésirable.

---

sidérant, ante, adj. Qui produit la sidération.

sidération [*sion*], n. f. [Méd.] État d'anéantissement subit produit par certaines maladies comme l'apoplexie.

1. **sidéré, ée,** adj. Frappé de sidération. ‖ Fig. et fam. Stupéfait, ébahi.

2. **sidéré, ée,** adj. Qui renferme du fer.

sidérique, adj. (lat. *sidus, eris,* astre). Qui vient des astres.

sidérographie, n. f. Gravure sur acier.

sidérolithique, adj. [Minér.] Se dit des terrains riches en minerais de fer.

sidéronatrite, n. f. [Minér.] Sulfate de fer et de sodium.

sidérose ou **sidérosis,** n. f. (gr. *sidêros,* fer). [Méd.] Affection pulmonaire due à la respiration d'un air contenant des poussières métalliques.

sidérostat, n. m. Appareil à miroir destiné à renvoyer dans une direction fixe les rayons lumineux émanés d'un astre.

sidérotechnie [*tek-ni*], n. f. (gr. *sidêros,* fer et *tekhnê,* art). Art d'exploiter et de travailler le fer.

sidérurgie, n. f. (gr. *sidêros,* fer, *ergon,* travail). Métallurgie, industrie du fer.

sidérurgique, adj. Qui a rapport au travail du fer. *Industrie, usine sidérurgique.*

sidi, n. m. (mot arabe sign. *seigneur*). Pop. Arabe quelconque.

siècle, n. m. (lat. *saeculum*). Espace de temps de cent années. ‖ Long espace de temps indéterminé (surtout au pluriel). *La fin, la consommation des siècles,* la fin du monde. ‖ Fig. *Les siècles futurs,* la postérité. ‖ Les quatre différents âges du monde, tels que les poètes les supposent. *Le siècle d'or, le siècle d'argent,* etc. ‖ Espace de temps indéterminé, par rapport à ceux qui y vivent, y ont vécu. *Les mœurs du siècle. Il fait honneur à son siècle.* ‖ Temps célèbre par le règne de quelque grand prince, ou par les actions, les ouvrages de quelque grand homme. *Le siècle de Périclès. Le siècle de Louis XIV.* — *Le Grand siècle,* le siècle de Louis XIV, le Dix-septième siècle. ‖ Époque où l'on vit. *Il faut être de son siècle.* ‖ Espace de temps quelconque, lorsqu'on le trouve trop long. *Il y a un siècle qu'on ne vous a vu.* — *Le siècle futur,* la vie future. [Théol.] La vie mondaine, par opposition à la vie religieuse. *Les gens du siècle. Vivre dans le siècle.*

— *Je suis maître de moi comme de l'univers.*
Je le suis, je veux l'être. O siècle, ô mémoire !
Conservez à jamais ma dernière victoire.
(CORNEILLE.)

— *Ce triomphe heureux qui s'en va devenir*
L'éternel entretien des siècles à venir.
(RACINE.)

VOCAB. — *Famille de mots.* — *Siècle,* [rad. *siè, sec*] : séculaire, séculairement, séculier, séculariser, sécularité, sécularisation, séculièrement.

---

siège, n. m. (lat. *sedes,* m. s.). Meuble fait pour s'asseoir. *Siège de pierre, de marbre, de gazon.* ‖ *Le siège d'un cocher,* l'espèce de coussin sur lequel s'assied le cocher qui conduit une voiture. ‖ Place où le juge s'assied pour rendre la justice. *Le juge étant sur son siège.* ‖ Place où s'assoit un membre d'une assemblée délibérante. — Par ext. *Ce parti a perdu six sièges aux dernières élections.* ‖ Lieu où résident certaines autorités, comme un tribunal, un gouvernement, ainsi que leur juridiction.

Le *siège du gouvernement*. — En parlant d'un évêque, du souverain pontife, *siège* se dit encore pour désigner leur résidence et leur dignité. *Cet archevêque occupa trois ans le siège de Lyon*. — **Saint-Siège**, siège apostolique, *siège pontifical*, cour de Rome et le pape même. V. tabl. RELIGIONS (*Idées suggérées par le mot*). — Domicile légal d'une administration, d'une société commerciale. *Le siège de cette société commerciale est établi à Paris*. On dit aussi le *siège social*. Fig. Le lieu où certaines choses semblent avoir établi leur demeure. *Le cerveau est le siège de la pensée*. [Anat.] Nom vulgaire de l'anus. *Bain de siège*.
[A. milit.] Opération d'une armée devant une place forte pour la prendre. *Mettre le siège devant une place*. || **Lever le siège**, cesser les opérations d'attaque et se retirer, en parlant de l'armée assiégeante. — Fig. et fam. *Lever le siège*, s'en aller, se retirer d'une compagnie. || **État de siège**, régime exceptionnel sous lequel le gouvernement place une ville, une contrée en la soumettant au pouvoir militaire.

HOM. — *Siège, es, ent*, du v. siéger.

VOCAB. — *Famille de mots*. — Siège [rad. *siè, sed, sel, seo*] : siéger, assiéger, assiégé, assiégeant ; seoir, séant, séance, sis, session ; selle, sellier, sellerie, desseller ; sédentaire, sédiment, sédimenteux ; bienséant, bienséance, malséant ; messéant, il messied de, seyant ; asseoir, assise, assesseur, assiette, assiettée ; assidu, assiduité, assidûment ; rasseoir, rassis ; surseoir, sursis ; dissident, dissidence ; insidieux, insidieusement ; obséder, obsession, obsidional ; otage ; posséder, possesseur, possession, possessif ; déposséder, dépossession ; président, présidence, président, présidentiel, présidial ; résider, résident, résidence, résidentiel ; résidu ; subside, subsidiaire, subsidiairement ; sédatif ; réséda.

siéger, v. intr. (lat. *sedere*, être assis). Résider ; ne se dit que des autorités. *Le gouvernement français siège à Paris*. || Tenir ses séances. *Cette commission siège à l'Hôtel de ville*. || Occuper une place comme juge, comme membre d'une assemblée. *Ce juge doit siéger dans telle affaire. Ce député siège à droite, à gauche*. || Fig. *C'est ici que siège la difficulté*, c'est ici qu'elle réside.

sien, sienne, adj. poss. V. tabl. SIEN, SIENNE.

SIEN, SIENNE, SIENS, SIENNES, mots possessifs.

Étymologie. — Latin *suam*, acc. de *suus, sua, suum*, adj. et pronom possessif réfléchi, sien. V. SON (*tableau*) et GRAMMAIRE (*adjectifs et pronoms possessifs*).

Sien, sienne, adj. possessif de la 3ᵉ pers. du sing., indiquant que la possession est le fait d'une seule personne. (V. LEUR, tableau).
 a) Employé comme *attribut*. Qui est sa propriété, qui est à lui, à elle. *Cette découverte est tout à fait sienne*.
 b) Comme *déterminatif* : Auj. employé surtout dans les locutions familières. *Un sien neveu, un sien ami*, son neveu, son ami, ou un de ses neveux, de ses amis.

LE SIEN, LA SIENNE, pronoms possessifs.
 C'est l'adj. possessif *sien, sienne*, employé avec l'article et remplaçant un nom déjà exprimé ou qui va l'être. — Qui est à lui, qui lui appartient. *Voici nos parts, prends la tienne, réserve-lui la sienne et je garde la mienne. Ces maisons sont les siennes*.

SIEN, employé comme nom, masc. ou neutre.
 Le bien qui lui appartient. — Fig. *Mettre du sien dans quelque chose*, y contribuer de son travail, de sa peine. — Fam. *Y mettre du sien*, sign. également mettre les pouces, faire des concessions. *Que chacun y mette du sien, et tout ira pour le mieux.*
 SIENS, n. m. pl., se dit des parents, des héritiers, des descendants, des domestiques, des soldats, de celui dont on parle, etc. *C'est un bon parent, il a soin des siens*. — Prov. *On n'est jamais trahi que par les siens*, par ceux en qui l'on a le plus de confiance.
 SIENNES, n. f. pl. (Fam.). *Faire des siennes*. Commettre des fredaines, faire des sottises.

---

sierra, n. f. (mot esp. sign. scie). [Géog.] Chaîne de montagnes. = Pl. *Des sierras*.

sieste, n. f. (esp. *siesta*, m. s.). Sommeil pendant la chaleur du jour.

sieur [*sieur*], n. m. (Contraction de *Seigneur*). [Droit] Titre dont on ne sert dans les plaidoyers, les actes publics pour désigner une personne masculine. Dans le langage fam., *un sieur*, *le sieur* terme de mépris. *Un sieur Legros s'est présenté*.
 HOM. — *Scieur*, ouvrier qui scie.

* sifflage [*si-fla-je*], n. m. [Méd. Vét.] Maladie des voies respiratoires de certains animaux, notamment du cheval. — On dit aussi *cornage*.
 PAR. — *Sifflement*, bruit fait par le vent.

sifflant, ante, adj. Qui produit un sifflement ou qui est accompagné d'un sifflement. [Gram.] Se dit des consonnes dont l'émission s'accompagne d'un sifflement. — N. f. *Une sifflante*.

sifflement [*si-fle-man*], n. m. Bruit qu'on fait en sifflant. || Bruit aigu que fait l'air rapidement fendu. *Le sifflement du vent, des balles, d'une locomotive*.
 PAR. — *Sifflage*, maladie des voies respiratoires du cheval.

siffler, v. intr. (lat. *sibilare*, m. s.). Former un son aigu, soit en serrant les lèvres et en poussant son haleine, soit en soufflant dans un sifflet, etc. *Siffler comme un merle*. || Se dit du son, analogue à celui d'un sifflet, que font entendre certains animaux : merles, serpents, etc. || Produire un bruit aigu, quelle qu'en soit la cause. *Le vent siffle*. = V. tr. *Siffler un air*, le moduler en sifflant. || Appeler par un coup de sifflet. *Siffler un chien*. || Témoigner sa désapprobation, son mécontentement, soit à coup de sifflet, soit par quelque autre bruit. *Siffler une comédie, un acteur*. || Fig. et pop. *Siffler un verre de vin*, l'avaler d'un trait.
 ORTH. — *Siffler, sifflet, sifflement, siffleur* prennent deux *f*, mais les composés *persifler, persifleur* n'en prennent qu'un.
 CTR. — *Applaudir*.

sifflet [si-flè], n. m. (du v. siffler). Instrument de bois ou de métal, formé d'un étroit canal terminé par une embouchure taillée en biseau, et avec lequel on siffle. *Un coup de sifflet.* ‖ Appareil mû par la vapeur qui, passant par un étroit canal à l'embouchure taillée en biseau, rend un son aigu. *Sifflet de locomotive, de steamer.* V. pl. LOCOMOTIVE. ‖ Fig. Improbation manifestée par des coups de sifflet, ou par quelque autre marque de mépris. *Cette pièce a essuyé les sifflets.* ‖ Pop. Le larynx et la trachée-artère. *Couper, serrer le sifflet à quelqu'un.* = EN SIFFLET, loc. adv., dont la forme en biseau rappelle l'extrémité d'un sifflet. *Greffe en sifflet.*
Hom. — *Sifflais, ait, aient,* du v. siffler.
siffleur, euse, n. Celui, celle qui siffle. = S'emploie adj. en parlant de certains animaux qui font entendre une sorte de sifflement. *Les oiseaux siffleurs.*
* **sifflotement**, n. m. Action de siffloter.
siffloter [si-flo-té], v. intr. Siffler souvent. = V. tr. *Siffloter un air.*
Orth. — Bien orthographier *siffloter* et non *siflotter*.
* **sifilet** [si-fi-lè], n. m. [Zool.] Genre d'oiseaux paradisiers à aigrette formée de six plumes.
* **sigillaire** [si-jil-lè-re], adj. Qui a rapport aux sceaux, à l'étude des sceaux.
sigillaires, n. f. pl. [Antiq.] Fêtes qui avaient lieu, à Rome, après les saturnales.
sigillé, ée [si-jil-lè], adj. Marqué d'un sceau. ‖ *Terre sigillée,* sorte d'argile ocreuse en petits gâteaux ronds marqués d'un cachet.
sigillographie [si-jil-lo-gra-fi], n. f. (lat. *sigillum,* cachet, et *graphie*). Science de la description et de l'interprétation des sceaux. — On dit aussi *sphragistique.* V. tabl. SCIENCES (*Idées suggérées par le mot*).
* **sigillographique**, adj. Qui concerne la sigillographie.
sigisbée, n. m. Homme qui fréquente régulièrement une maison, qui donne des soins assidus à la maîtresse et qui est à ses ordres. — Se dit aujourd. par plaisanterie.
sigle, n. m. Lettre initiale ou groupe de lettres désignant en abrégé un mot ou un membre de phrase.
Syn. — V. LETTRE.
* **sigma**, n. m. Dix-huitième lettre de l'alphabet grec, correspondant à notre S. V. pl. ALPHABET GREC.
sigmoïde, adj. [Anat.] *Valvules sigmoïdes,* valvules situées à l'origine de l'artère pulmonaire et de l'aorte. — *Anse sigmoïde,* quatrième portion du côlon.
signal [gn mll.], n. m. Signe convenu entre deux ou plusieurs personnes pour servir d'avertissement. ‖ Ensemble de signes formant un langage conventionnel pour l'usage du télégraphe, des chemins de fer, etc. V. pl. CHEMIN DE FER. ‖ Fig. Ce qui annonce une chose ou la détermine. *Cette arrestation fut le signal de la bagarre.*
Épithètes courantes : proche, lointain, visible, clair, net, perceptible; obscur, brouillé; optique, acoustique, lumineux, sonore, électrique, radiophonique; envoyé, reçu, aperçu; compris, répété, réitéré; rouge, vert, jaune, carré, rond, ouvert, fermé, franchi, dépassé, etc.
Syn. — V. SIGNE.
signalé, ée [gn mll.], adj. Remarquable. *Une victoire signalée.*

signalement [gn mll., man], n. m. Description d'une personne par ses caractères extérieurs, faite pour la faire reconnaître.
Par. — *Signalisation,* ensemble de signaux, utilisation des signaux.
signaler [gn mll.], v. tr. Annoncer par des signaux. *Signaler l'ennemi.* — Dans ce sens, *signaler* a quelquefois pour sujet la chose même qui sert de signal. *Des bouées signalent l'entrée de la passe.* ‖ Rendre remarquable, en bonne ou en mauvaise part. *Signaler son courage, sa cruauté.* Donner le signalement de quelqu'un. *Signaler un escroc à la police.* ‖ Appeler l'attention sur. *Je signale ce fait à votre attention.* = SE SIGNALER, v. pron. Se distinguer, se rendre célèbre.
signalétique [gn mll.], adj. Qui contient le signalement. *État signalétique.*
* **signaleur** [gn mll.], n. m. Celui qui signale, qui est chargé de la signalisation.
signalisation [sion], n. f. Installation, ensemble de signaux sur une voie ferrée, dans un port, etc. V. tabl. TRANSPORTS (*Idées suggérées par le mot*). — V. pl. CHEMIN DE FER et PORT. = Utilisation de signaux divers (fusées, drapeaux, sirènes, etc.), pour correspondre à distance.
Par. — *Signalement,* description d'une personne d'après ses caractères extérieurs.
signataire [gn mll.], n. Celui ou celle qui a signé.
signature, n. f. (lat. *signatura,* m. s.). Nom d'une personne écrit de sa main, à la fin d'une lettre, pour faire savoir que c'est elle qui l'a écrite ou fait écrire, ou à la fin d'un acte, d'un contrat pour le certifier, le rendre valable. ‖ Action de signer.
[Typo.] Numéro ou lettre apposés sur chacune des feuilles d'un ouvrage imprimé permettant de les grouper plus facilement en vue du brochage. V. pl. LIVRE.
signe [gn mll.], n. m. (lat. *signum,* m. s.). Tout ce qui sert, soit à représenter, soit à indiquer une chose. *Les lettres sont les signes des sons et des mots. Le signe plus* (+); *le signe moins* (—). ‖ Toute chose qui, par la relation qui existe entre elle et une autre, est l'indice que celle-ci la rappelle ou l'annonce. *Il ne donne plus aucun signe de vie.* ‖ Fig. *Donner signe de vie,* donner de ses nouvelles. ‖ Marque distinctive. *Il fit un signe sur l'arbre au pied duquel il avait enfoui son trésor.* ‖ Marque ou tache naturelle qu'on a sur la peau. *Avoir un signe sur le bras.* ‖ Geste, démonstration donnant à connaître ce que l'on pense ou ce que l'on veut. *Faire un signe de tête, faire signe de la main. Signes de dénégation.* — *Le signe de la croix.* ‖ *Le signe des temps,* les phénomènes prédits par les prophètes. ‖ Fig. *C'est un signe des temps,* cela est une preuve de la décadence de notre époque, de la dureté des temps où nous vivons. [Astro.] *Les douze signes du zodiaque,* chacune des douze divisions du zodiaque.
Épithètes courantes : bon, mauvais, clair, net, visible, précis, manifeste, évident, certain, infaillible, compréhensible, sensible, intelligible; trouble, incertain, douteux, équivoque; précurseur, annonciateur, avant-coureur; convenu, compris, etc.
Syn. — *Signe,* démonstration extérieure pour faire connaître quelque chose :

SIGNER — SILHOUETTE   1782

Faire un signe de tête. — *Signal*, signe convenu servant d'avertissement, marquant un ordre à exécuter : *Le signal de tempête prochaine a été hissé au sémaphore.* V. aussi EMBLÈME et MARQUE.
Hom. — V. CYGNE.
signer [*gn* mll.], v. tr. (lat. *signare*, m. s., de *signum*, signe). Mettre sa signature à la fin d'une lettre, d'un contrat, au bas d'un tableau, etc., pour montrer qu'on en est l'auteur, pour le certifier, pour s'engager soi-même. *Il a refusé de signer sa déposition.* ‖ Fam. *Signer son nom*, écrire son nom, sa signature. — Absol. *Il ne sait pas signer.* ‖ *Signer une paix, un traité*, conclure une paix, un traité. ‖ Fig. *Signer la paix*, se réconcilier. = SE SIGNER, v. pron. Faire le signe de la croix.
Par. — *Signet*, n. m., sorte d'anneau gravé; petit ruban attaché à un livre.
signet [*si-né*], n. m. Anneau gravé qui servait à sceller. ‖ Petit ruban attaché à la tranchefile d'un livre, et qui sert à marquer l'endroit du livre où l'on a interrompu sa lecture. V. pl. LIVRE. ‖ Signature authentique enjolivée des anciens notaires.
Par. — *Signer*, v. tr., mettre sa signature.
* **signeur** [*gn* mll.], n. m. Celui qui donne sa signature.
* **signifiant, ante** [*gn* mll.], adj. Qui signifie. ‖ Fam. *Cela est très signifiant*, cela veut dire beaucoup. — On dit mieux *significatif*.
significatif, ive [*gn* mll.], adj. Qui exprime bien, qui contient un grand sens. ‖ Qui exprime nettement la pensée, l'intention. *Un ton, un geste significatifs.*
signification [*gn* mll., *sion*], n. f. Ce que signifie une chose. ‖ Notification que l'on fait d'un arrêt, d'un jugement, etc. [Gram.] *Degrés de signification des adjectifs, des adverbes*, le positif, le comparatif et le superlatif. V. GRAMMAIRE.
signifier [*gn* mll.], v. tr. (lat. *significare*, m. s.). Dénoter, marquer quelque chose, être signe de quelque chose. *Cela ne signifie rien*, se dit de paroles dont on ne peut rien conclure. ‖ Fam. *Qu'est-ce que cela signifie ?* ‖ En parlant de langue et de grammaire, exprimer, avoir tel sens. *Ce mot latin signifie telle chose en français.* [Droit] Notifier par voie de justice, par ministère d'huissier. *Signifier un jugement.* ‖ Déclarer, faire connaître une chose par paroles expresses. *Je lui signifierai mes intentions.* = Conjug. V. GRAMMAIRE.
Syn. — V. NOTIFIER.
* **significativement** [*gn* mll.], adv. D'une manière significative.

sil, sill...

Orth. — *Initiales.* — L'initiale *sil* s'écrit avec un seul *l* : silence, silène, silex, silicate, silice, silo, silure, etc., sauf dans sillage, siller, sillet, sillomètre, sillon sillonner. Le son *sil* se rend également par *syl* dans les mots d'origine grecque ou latine tels que : syllabe, syllepse, syllogisme, sylphe, sylvain, etc., et par *cyl* dans cylindre et ses dérivés.
---

sil, n. m. Terre ocreuse dont les Anciens faisaient des couleurs rouges et jaunes.
Hom. — *Cil*, poil du bord des paupières.
silence [*lan-se*], n. m. (lat. *silentium*, m. s.). État d'une personne qui se tait, qui s'abstient de parler. ‖ *Garder le silence.* — *Souffrir en silence*, sans manifester sa douleur. — Ellipt., sous forme d'interjec. : *Silence!* faites ou faisons silence. — *Imposer silence*, ordonner qu'on se taise. ‖ Fig. *Imposer silence aux médisants, à la calomnie*, etc., faire que la médisance, que la calomnie ne trouve plus de crédit. ‖ Action de ne pas parler d'une chose. *Garder le silence sur un fait.* ‖ Cessation ou interruption d'un commerce de lettres. ‖ *Passer une chose sous silence*, n'en point parler. ‖ Le calme, l'absence ou la cessation de tout bruit. *Le silence des bois.* [Mus.] Repos marqué dans l'exécution d'un morceau de musique. ‖ Signe qui indique ce repos. V. pl. MUSIQUE.
ÉPITHÈTES COURANTES : complet, absolu, long, total, profond, éternel, impressionnant, éloquent, prudent, voulu, calculé, contraint, imposé, observé, rompu, etc.
— *Le silence éternel de ces espaces infinis m'effraie.* (PASCAL.)
— *Le silence est le parti le plus sûr pour celui qui se défie de soi-même.* (LA ROCHEFOUCAULD.)
— *Je crains votre silence et non pas vos injures.*
— *Sa réponse est dictée, et même son silence.* (RACINE.)
— *Pour animer ma voix, J'ai besoin du silence et de l'ombre des bois.* (BOILEAU.)
— *Le silence est un conseiller Qui dévoile plus d'un mystère ; Et qui veut un jour bien parler, Doit d'abord apprendre à se taire.* (A. DE MUSSET.)
silencieusement [*si-lan-sieu-ze-man*], adv. D'une manière silencieuse, sans faire de bruit.
silencieux, euse [*si-lan-sieu*], adj. Qui ne parle guère, qui garde habituellement le silence. ‖ Qui n'écrit guère. ‖ Qui ne répond pas à une question, à une invitation; qui demeure muet. ‖ Où l'on n'entend pas de bruit. *Rue silencieuse.* = N. m. [Auto.] Dispositif adapté à l'échappement d'un moteur pour que celui-ci se fasse sans bruit. V. pl. AUTOMOBILE.
Syn. — *Silencieux*, qui ne parle pas : *Un diplomate silencieux.* — *Coi*, qui reste sans bouger et sans parler : *Rester coi.* — *Muet*, qui a perdu ou semble avoir perdu l'usage de la parole : *A ma question, il demeura muet.* — *Morne*, à la fois silencieux, abattu et triste : *Il est demeuré morne toute la journée.* — *Renfrogné*, qui ne parle pas et garde un air bougon et hostile : *Une mine renfrognée.* — *Taciturne*, habituellement silencieux, par humeur, par caractère : *Guillaume d'Orange fut surnommé le Taciturne.*
Ctr. — *Bruyant, tapageur, bavard.*
1. * **silène**, n. m. (de Silène, divinité romaine des champs). Satyre âgé.
2. * **silène**, n. m. [Bot.] Genre de plantes de la famille des *caryophyllées.*
* **silésien, ienne**, adj. et n. De la Silésie.
silex [*si-leks*], n. m. Pierre dure composée de silice presque pure, qui donne de vives étincelles quand on la frappe avec un briquet. V. tabl. MINÉRAUX (*Idées suggérées par le mot*).
silhouette [*silouè-te*], n. f. (du nom d'un Contrôleur général des finances). Dessin représentant un simple profil

tracé d'après l'ombre que projette un objet, et partic. un visage vu de profil. ‖ Aspect général d'une personne, dessin d'ensemble que l'on peut faire d'elle. *Une élégante silhouette de femme.* ‖ Tout profil en général. *La silhouette des montagnes à l'horizon.*
silhouetter, v. tr. Faire la silhouette de. = SE SILHOUETTER, v. pr. Se profiler, se détacher en silhouette.
silicate, n. m. [Chim.] Nom des sels des acides siliciques, très répandus dans la nature.
* **silicatiser**, v. tr. Imprégner de silicate.
silice, n. f. (lat. *silex, icis*, caillou). [Minér.] Combinaison de silicium et d'oxygène, très répandue dans la nature; à l'état cristallisé et anhydre, c'est le quartz. V. tabl. MINÉRALOGIE (*Idées suggérées par le mot*).
HOM. — *Cilice*, ceinture de crin portée sur la peau par mortification.
siliceux, euse [si-li-seu], adj. Qui est formé de silice ou qui en contient. *Terre siliceuse.*
* **silicié**, adj. m. Qui contient du silicium ou qui y est combiné. *Hydrogène silicié.*
silicique, adj. [Chim.] *Acide silicique*, silice hydratée.
silicium [*om*'], n. m. [Chim.] Un des corps simples les plus répandus dans la nature à l'état de combinaison oxygénée (quartz, argile, granit, etc.).
* **siliciure**, n. m. [Chim.] Combinaison du silicium avec un métal.
* **silico-colorants**, n. m. pl. [Techn.] Colorants d'origine minérale employés dans la décoration céramique.
silicule, n. f. [Bot.] Silique courte (aussi longue que large).
siliculeux, euse, adj. [Bot.] Qui a pour fruit une silicule.
* **siligineux, euse**, adj. (lat. *siligo, inis*, farine). Farineux.
1. **silique**, n. f. [Bot.] Nom de la capsule des crucifères quand sa longueur dépasse de beaucoup sa largeur. V. pl. BOTANIQUE.
2. * **silique**, n. f. Anc. monnaie d'argent usitée à Alexandrie. ‖ A Rome, petit poids valant le quart d'une once.
siliqueux, euse, adj. [Bot.] Qui a pour fruit des siliques.
sillage [*ll* mll.], n. m. Trace qu'un vaisseau laisse derrière lui en fendant l'eau. ‖ Par ext. Se dit de la marche d'un navire. *Mesurer le sillage d'un bâtiment.* ‖ *Doubler le sillage d'un vaisseau*, marcher deux fois plus vite. ‖ Fig. Exemple, trace. *Marcher dans le sillage de ses aînés.* [Techn.] Veine de prolongement d'une mine de houille.
* **sille** [*si-le*], n. m. Sorte de poème satirique, en usage chez les anciens Grecs.
* **sillée** [*ll* mll.], n. f. Sillon creusé pour y planter la vigne.
1. **siller** [*ll* mll.], v. intr. [Mar.] Se dit d'un bâtiment qui fend les flots en avançant.
2. **siller** [*ll* mll.], v. tr. [Faucon.] Coudre les paupières à un oiseau de proie pour qu'il se tienne tranquille.
HOM. — *Ciller*, v. intr. Fermer les paupières.
sillet [*ll* mll.], n. m. Petit morceau d'ivoire, d'ébène, de cuivre, etc., appliqué au haut du manche d'un violon, d'une guitare, etc., et sur lequel portent les cordes.
* **sillographe** [*si-lo-gra-fe*], n. m. Poète auteur de silles.
* **sillomètre** [*ll* mll.], n. m. [Mar.] Instrument destiné à mesurer le sillage ou la marche d'un bâtiment, loch à hélice actionnant un compteur de milles.
sillon [*ll* mll.], n. m. (orig. inc.). Longue trace que le soc de la charrue fait dans la terre qu'on laboure. — Au plur. Les champs. ‖ Fig. et poétiq. Trace que certaines choses laissent en passant. *Les sillons de la foudre.* ‖ Fig. *Creuser, faire son sillon*, poursuivre lentement et patiemment son œuvre. ‖ *Les sillons du temps*, les rides du visage. [Hist. Nat.] Fente, rainure que présente la surface de quelques os et de divers organes. *Le sillon longitudinal du foie.*
sillonné, ée [*ll* mll.], adj. Creusé de sillons ou en sillons. ‖ Marqué de stries, de rides.
sillonner [*ll* mll.], v. tr. Faire des sillons; au sens propre, ne se dit guère qu'au participe passé. *Un champ bien sillonné.* ‖ Fig. Se dit de certaines choses qui font des traces en passant, qui laissent des traces de leur passage. *L'éclair a sillonné la nue.* ‖ Par ext. Se dit des choses qui laissent comme des sillons. *Des ruisseaux sillonnaient la plaine.*
silo, n. m. Fosse creusée dans la terre pour conserver les grains ou les racines.
* **silotage**, n. m. Ensilage, mise en silo.
* **silphe** [*sil-fe*], n. m. [Zool.] Genre d'insectes coléoptères vivant dans les corps morts.
HOM. — *Sylphe*, génie de l'air.
silphium, n. m. Résine, originaire de la Cyrénaïque, très appréciée dans l'antiquité.
silure, n. m. (lat. *silurus*, m. s.). [Zool.] Genre de poissons téléostéens d'eau douce, très voraces, dont une espèce est appelée *poisson-chat*. *Le silure électrique* est appelé aussi *malaptérure*.
silurien, ienne, adj. [Géol.] Se dit de la seconde période de l'époque primaire. *Terrain silurien. Période silurienne.*
* **silvas**, n. f. pl. [Géog.] Région de l'Amérique du Sud couverte de forêts impénétrables.
* **silves**, n. f. pl. (lat. *silva*, première ébauche). Recueil de petits poèmes détachés.
simagrée, n. f. Faux semblant. ‖ Se dit plus souvent, au plur., de manières affectées, de minauderies.
SYN. — V. GRIMACE.
simarre, n. f. (ital. *zimarra*, robe de chambre). Espèce de robe ou de soutane ample et longue que les prélats portent quelquefois à Rome et qui, en France, était la marque distinctive du chef de la magistrature.
* **simaruba** ou **simarouba**, n. m. [Bot.] Genre de plantes de la famille des *simarubées*, dont l'écorce est employée en médecine.
* **simarubées** ou **simarubacées**, n. f. pl. [Bot.] Famille de plantes dicotylédones dialypétales des régions chaudes.
simbleau [*sin-blo*], n. m. [Techn.] Cordeau avec lequel les charpentiers tracent de grandes circonférences. ‖ Assemblage de ficelles montées sur le côté droit d'un métier à tisser, pour faire des étoffes figurées.

* **simien, ienne** [si-mi-in], adj. Qui appartient au singe. = N. m. pl. [Zool.] Nom donné à l'ensemble des singes.

simiesque, adj. (lat. *simius*, singe). Qui rappelle le singe. *Laideur simiesque.*

similaire, adj. (lat. *similis*, semblable). Homogène, dont les parties sont de même nature que le tout. ‖ Semblable à un autre, analogue. *Produits similaires.*

Syn. — V. pareil.

Ctr. — *Différent.*

* **similarité**, n. f. Qualité de choses similaires.

1. **simili**, préf. servant à marquer l'analogie, la similitude.

2. **simili**, n. m. Faux diamant; imitation en tous genres. ‖ Abrév. de similigravure.

* **similiflore**, adj. [Bot.] Qui porte des fleurs semblables.

* **similigravure**, n. f. Photogravure typographique en demi-teinte au moyen d'une trame qui traduit les ombres et les clairs par un pointillé plus ou moins serré.

similitude, n. f. (lat. *similis*, semblable). Ressemblance, conformité, rapport exact entre deux choses. [Rhét.] Figure par laquelle on fait voir quelque rapport entre deux choses d'espèce différente. [Géom.] Relation de deux figures semblables.

Syn. — V. analogie et métaphore.

similor, n. m. Alliage de cuivre et de zinc possédant la couleur de l'or.

simoniaque, adj. Se dit des choses entachées de simonie. *Contrat simoniaque.* ‖ Qui se rend coupable de simonie. *Un prêtre simoniaque.* = Nom. *Un simoniaque.*

simonie, n. f. Crime qui consiste à trafiquer des choses spirituelles et saintes.

simoun [moun'], n. m. Vent violent, sec et brûlant, dans les régions désertiques d'Afrique, d'Arabie.

simple, adj. (lat. *simplex*, m. s.). Qui n'est pas composé. *Idée simple.* ‖ Seul, unique. *Il n'a qu'un simple valet pour le servir.* ‖ Qui n'est pas compliqué. *Le sujet de ce drame est tout simple.* — Fam. *C'est tout simple,* cela est naturel, cela va sans dire. — *C'est simple comme bonjour,* aussi simple que possible. — *Donation, démission pure et simple,* faite sans conditions sans restriction d'aucune sorte. Qui est sans ornement, sans apprêt, sans affectation. *Un habit tout simple.* ‖ Être dans le plus simple appareil, être nu ou très peu vêtu. ‖ En parlant des personnes, qui n'a pas de rang, pas de titre, pas de particularité distinctive. *Simple particulier. Simple soldat.* ‖ Qui n'a point de faste, de vanité, d'affectation. *Sa femme n'est pas aussi simple que lui.* ‖ Naïf, sans malice, et par ext., niais, qui se laisse facilement tromper. *Simple d'esprit. Il est un peu simple.* [Bot.] *Fleur simple,* fleur unique, par opposition à *fleur composée,* qui est formée d'une agrégation de fleurs sur le même réceptacle; ou fleur qui ne présente qu'une seule rangée de pétales (par oppos. à *fleur double*). [Chim.] *Corps simple,* terme ultime de l'analyse chimique. *Il y a 96 corps simples.* [Gram.] *Temps simple,* celui qui se conjugue sans l'aide d'un auxiliaire. *Passé simple.* — *Sujet simple,* qui n'est ni qualifié, ni accompagné de compléments. [Sports] Au tennis, partie se jouant à deux personnes.

N. m. Ce qui n'est pas composé, pas compliqué, qui n'est pas double, pas multiple. *Aller du simple au compliqué.* — *Du simple au double,* d'une somme, d'un nombre au double de cette somme, de ce nombre. ‖ Plante médicinale indigène. *Cueillir les simples.* ‖ Personne niaise, naïve. *Il fait le simple, mais ne vous y fiez pas.*

Syn. — V. candide et stupide.

Ctr. — *Compliqué, composé, complexe, varié.* — *Ampoulé, compassé, maniéré, cérémonieux, emphatique.* — *Fier, prétentieux, vaniteux.* — *Fastueux, ambitieux.* — *Malin, averti.*

Ant. — *Double, multiple.*

simplement, adv. D'une manière simple, sans recherche. *Vêtu simplement.* ‖ Sans détails superflus. *Raconter les choses simplement.* ‖ Bonnement, sincèrement, sans finesse. *Tout simplement.* ‖ Seulement. *Il ne s'agit point de discuter, mais simplement de s'entendre.* ‖ *Purement et simplement,* complètement, sans discussion, sans compensation.

simplesse [sin], n. f. Simplicité naturelle, ingénuité accompagnée de douceur et de facilité.

simplet, ette [sin-plé], adj. Qui a une simplicité ingénue et naïve.

Syn. — V. stupide.

* **simplicaule** ou * **simplicicaule**, adj. [Bot.] Dont la tige est simple.

simplicité, n. f. (lat. *simplicitas*, m. s.). Qualité de ce qui est simple, sans complications. *La simplicité d'une méthode.* — Qualité de ce qui est sans ornement, sans apprêt, sans affectation. *La simplicité de la mise, des manières.* — Candeur, ingénuité. *Simplicité de cœur, d'esprit.* ‖ Niaiserie, trop grande facilité à croire, à se laisser tromper. *Il a eu la simplicité de croire à la sincérité de ses promesses.*

Ant. — *Affectation, emphase.* — *Complication.* — *Fierté, vanité.* — *Faste.* — *Finesse, habileté, rouerie.*

* **simplifiable**, adj. Qui peut être simplifié.

simplificateur, trice, n. Celui, celle qui simplifie.

simplification [sion], n. f. Action de simplifier, ou le résultat de cette action.

simplifier [sin], v. tr. Rendre plus simple, = moins composé, moins compliqué. = se simplifier, v. pr. Devenir ou être rendu plus simple, moins compliqué. = Conjug. V. grammaire.

* **simplisme**, n. m. Vice de raisonnement d'un esprit simpliste. ‖ Usage de procédés trop simples.

simpliste, adj. et n. Qui ne considère qu'une seule face d'une question. ‖ Qui est d'une simplicité vraiment exagérée.

simulacre, n. m. Image, statue, idole, représentation de fausses divinités. Ne se dit guère qu'au pl. ‖ Spectre, fantôme, vision. *De vains simulacres.* ‖ Fig. Vaine représentation d'une chose. *Un simulacre de combat.* — *Faire le simulacre de,* faire semblant de.

simulateur, trice, n. Celui, celle qui simule (une maladie, la folie, etc.), pour en tirer quelque bénéfice.

Par. — *Stimulateur,* n. et adj., qui stimule, excite.

simulation [sion], n. f. Action de simuler. ‖ Déguisement, fiction dans l'intention de tromper.

Par. — *Stimulation,* n., action de stimuler.

simulé, ée, adj. Faux, feint, fictif, déguisé. *Dévotion, maladie simulée.*
simuler, v. tr. (lat. *simulare*, m. s.). Feindre, faire paraître comme réelle une chose qui ne l'est point. *Simuler une vente, une maladie.* = SE SIMULER, v. pr. Être simulé.
SYN. — *Simuler,* faire paraître réel ce qui ne l'est pas, ce qu'on n'éprouve pas : *Simuler une vive indignation.* — *Feindre,* se donner les apparences de ce que l'on n'a pas pour tromper : *Feindre une maladie.* V. aussi CACHER et CONTREFAIRE.
PAR. — *Stimuler,* v. tr., exciter.
simultané, ée, adj. Qui se fait, qui s'accomplit, qui a lieu en même temps. || *Enseignement simultané,* enseignement dans lequel le maître fait faire les mêmes travaux à tous les élèves.
CTR. — *Successif, alternatif.*
simultanéité, n. f. Existence, production de deux ou plusieurs choses dans le même instant.
simultanément, adv. En même temps, au même instant, ensemble.
* **sinapique,** adj. (gr. *sinapi,* moutarde). Qui concerne la moutarde et ses produits.
* **sinapisation** [*sion*], n. f. Application de sinapismes.
sinapisé, ée [*zé*], adj. Qui contient de la farine de moutarde.
* **sinapiser,** v. tr. Ajouter de la moutarde à un topique, à un bain de pieds, etc., pour le rendre plus actif.
sinapisme, n. m. Cataplasme fait de farine de moutarde, délayée dans de l'eau froide, et qui, appliqué sur la peau, détermine la rubéfaction et produit une révulsion.
sincère, adj. (lat. *sincerus,* pur, entier). Vrai, franc, qui parle sans artifice, sans déguisement. *Un homme, une amitié sincère.* — Formule de politesse : *Recevez mes sincères condoléances; sincères salutations.* || Authentique. *Texte sincère.*
SYN. — *Sincère,* qui dit la pure vérité, qui ne cherche pas à tromper : *Voilà le récit sincère des faits tels que je les ai vus.* — *Droit,* qui est à la fois juste et sincère : *Une nature droite.* — *Franc,* qui, par nature, hait le mensonge et dit la vérité : *Un caractère franc.* — *Véridique,* conforme à la réalité : *Le récit véridique d'un fait historique.* V. aussi PROBITÉ.
CTR. — *Dissimulé, mensonger, faux, hypocrite, affecté, artificieux, fourbe, fallacieux.*
sincèrement, adv. D'une manière sincère.
sincérité, n. f. Qualité de ce qui est sincère; franchise, véracité. || *La sincérité d'un acte,* son authenticité, son intégrité.
— *La sincérité est une ouverture de cœur qui nous montre tels que nous sommes ; c'est un amour de la vérité, une répugnance à se déguiser, un désir de se dédommager de ses défauts et de les diminuer même par le mérite de les avouer.* (LA ROCHEFOUCAULD.)
— *Il est bien adroit d'être sincère : en avouant ses fautes, on se donne un mérite qui les rachète, la bonne grâce qui les fait tolérer, comme, en avouant ses torts, on s'inflige une humiliation peu sensible qui expie la faute, honore le coupable et flatte l'offensé.* (SULLY PRUDHOMME.)
SYN. — V. FRANCHISE.
CTR. — *Dissimulation, hypocrisie, fourberie.*

sincipital, ale, adj. Qui a rapport au sinciput.
ANT. — *Occipital.*
sinciput, n. m. [Anat.] Le sommet de la tête.
ANT. — *Occiput.*
* **sindon,** n. m. Linge de toile. || Le linceul dans lequel Jésus-Christ fut enseveli. || Petit morceau de toile ou petit plumasseau arrondi qu'on introduisait dans l'ouverture faite par le trépan.
sinécure, n. f. (lat. *sine,* sans; *cura,* occupation). Place ou titre qui produit des émoluments et qui n'oblige à aucun travail.
* **sine die** [*si-né-dié*], loc. adv. (mots lat. sign. sans [fixer de] jour). Sans fixer de date. *Renvoyer un procès sine die.*
* **sinémurien** [*ri-in*], adj. et n. m. [Géol.] Étage géologique; partie inférieure du lias.
sine qua non [*si-né-koua-non*], loc. latine qui signifie *sans laquelle non,* et qui se dit en parlant d'une condition indispensable, sans laquelle rien ne se peut faire. *Condition sine qua non.* = N. m. *C'est un sine qua non.*
singe, n. m. (lat. *simius,* m. s.). [Zool.] Animal quadrumane, souple et agile, qui, dans sa conformation extérieure, a de grands rapports avec l'homme. V. pl. MAMMIFÈRES. — Par exagér., on dit d'un homme extrêmement laid : *Il est laid comme un singe ;* d'un homme fort malin : *Il est malin comme un singe ;* d'un homme fort adroit, fort agile : *Il est adroit comme un singe.* || Prov. *On n'apprend pas à un vieux singe à faire des grimaces,* ceux qui ont de l'expérience n'ont pas besoin qu'on leur fasse la leçon. — *Payer en monnaie de singe,* en paroles moqueuses à l'adresse du débiteur. || Fig. Qui contrefait, qui imite les gestes, les actions, les manières, le style de quelque autre. *Le courtisan est le singe de son maître.* — Adjectiv., *L'enfant est, de sa nature, imitateur et singe.* [Argot] *Le singe,* le patron. [Argot milit.] Bœuf de conserve que l'on donne aux soldats. *Boîte de singe.* [Mar.] Sorte de treuil.
singer, v. tr. Imiter, contrefaire. = Conjug. V. GRAMMAIRE.
SYN. — V. CONTREFAIRE.
singerie, n. f. Grimaces, gestes, tours de malice. || Imitation gauche ou ridicule. || Manières affectées; simagrées.
SYN. — V. GRIMACE.
* **singeur,** n. m. Celui qui singe, qui contrefait.
* **singleton,** n. m. (angl. *single,* simple). Carte qui se trouve seule de sa couleur dans la main d'un joueur.
singulariser [*gû...zé*], v. tr. Rendre singulier, extraordinaire. = SE SINGULARISER, v. pr. Se faire remarquer par quelque singularité, par des opinions, des manières singulières (souvent péjor.).
singularité, n. f. Ce qui rend une chose singulière. || Manière extraordinaire d'agir, de penser, de parler, etc., différente de celle de tous les autres. = Au plur. *Actions, manières singulières.*
singulier, ière, adj. (lat. *singularis,* m. s.). Particulier, qui ne ressemble point aux autres. *Propriété singulière.* || Extraordinaire, étonnant. *Voilà un fait bien singulier.* || Rare, excellent. *Vertu singulière.* || Bizarre, capricieux, qui affecte de

se distinguer. *Il est singulier dans ses opinions.* ‖ *Combat singulier*, combat d'homme à homme. [Gram.] *Le nombre singulier*, et, comme n. m., *le singulier*, nombre qui désigne une seule personne, un seul être, une seule idée, un seul objet.
SYN. — V. BIZARRE, EXTRAORDINAIRE et PARTICULIER.
CTR. — *Ordinaire, normal, habituel, coutumier, banal.*
ANT. — *Pluriel.*

singulièrement, adv. Particulièrement, spécialement, principalement. ‖ En mauvaise part. D'une manière affectée ou bizarre. *Il parle, il s'habille singulièrement.* ‖ Dans le langage fam. se dit pour beaucoup, extrêmement.

1. sinistre, adj. (lat. *sinister*, placé à gauche, ce qui se passait à gauche étant primitivement de mauvais augure). Malheureux, funeste. *Événement sinistre.* ‖ Qui annonce ou qui fait craindre quelque malheur. *Un présage sinistre.* ‖ Méchant, pernicieux. *Cet homme a des projets sinistres. Un sinistre coquin.* ‖ Sombre, menaçant. *Un regard sinistre.*

2. sinistre, n. m. (de *sinistre*, adj.). Pertes, dommages qui arrivent à quelqu'un par suite d'incendie, de naufrage, etc. *On doit évaluer le sinistre.* ‖ Par ext., l'événement qui a causé ces pertes. *Un sinistre maritime.*

sinistré, ée, adj. Qui a subi un sinistre. = Nom. *Les sinistrés.*

sinistrement, adv. D'une manière sinistre.

* **sinistrogyre** [*gire*], adj. (lat. *sinister*, à gauche; gr. *gyros*, qui tourne). Se dit d'une écriture dont les traits sont tous dirigés vers la gauche.
CTR. — *Dextrogyre.*

* **sinistrorsum** [*somm*], adj. et adv. (mot lat., m. s.). Dirigé vers la gauche.
CTR. — *Dextrorsum.*

* **sinn-fein**, n. m. Mouvement autonomiste irlandais.

* **sinn-feiner**, n. m. Autonomiste irlandais, républicain et révolutionnaire.

* **sinologie**, n. f. Étude de la langue, de la littérature, des institutions, de l'histoire des Chinois.

sinologue, n. m. Celui qui sait la langue et qui connaît la littérature chinoises.

sinon, mot. invar. V. tabl. SINON.

SINON, mot invariable.

Étymologie. — Locution composée de la conjonction *Si* et de l'adverbe de négation *non*, écrits en un seul mot, mais que l'anc. français séparait.
VALEUR ET EMPLOI GRAMMATICAL. — *Sinon* introduit des tours elliptiques qui comprendraient à la fois la conj. de coordination adversative *ou* et la négation. Un tour comme celui-ci. *Va-t'en, sinon je t'assomme* équivaut à *Va-t'en, ou, si tu ne le fais pas, je t'assomme.* — Par pléonasme on dit parfois *ou sinon.*
LOCUTIONS ÉQUIVALENTES : Hormis, excepté, sauf.

Sinon, conjonction.

— Introduit une idée de condition négative. Autrement, sans quoi, dans le cas contraire. *Faites ce qu'il souhaite, sinon n'en attendez aucune grâce.*
— Marque parfois une restriction. Excepté, à l'exception de. *Qui peut de vos desseins révéler le mystère, Sinon quelques âmes engagées à se taire ?* (RACINE.)
— S'emploie parfois avec *de. Il ne se mêle de rien, sinon de manger et de boire.*

Sinon que, loc. conjonctive.

Si ce n'est que... *Il ne répondit rien, sinon qu'il était dans son droit.*

---

sinople, n. m. (lat. *sinopis*, terre de Sinope). [Blas.] Nom héraldique de la couleur verte. V. pl. BLASON.

* **sinto, sintoïsme**, n. m. V. SHINTO.

sinué, ée, adj. [Hist. nat.] Se dit de tout organe, dont les bords sont marqués de sinuosités.

sinueux, euse, adj. Tortueux, qui fait plusieurs tours et détours. Se dit surtout en poésie. *Un sentier sinueux.*
SYN. — V. TORTUEUX.

sinuosité [*zi*], n. f. Tours et détours que fait une chose sinueuse. ‖ État de ce qui est sinueux. *La rivière décrit des sinuosités.*

1. sinus [*nuss*], n. m. [Hist. nat.] Cavité sinueuse; se dit partic. des cavités qui existent dans les os de la face. [Antiq.] Pli de la toge romaine. V. pl. COSTUME.

2. sinus, n. m. [Math.] On appelle *sinus* d'un arc *x* compté sur une circonférence dont le rayon est pris pour unité, la projection du rayon de l'extrémité de cet arc sur un axe obtenu en faisant tourner le rayon de l'origine de l'arc d'un angle droit dans le sens positif.

sinusite, n. f. [Méd.] Inflammation d'un sinus, des sinus.

* **sinusoïde** [*zo-ï-de*], n. f. [Math.] Courbe ondulée souvent employée en physique pour représenter les phénomènes vibratoires. V. pl. LIGNES.

sionisme, n. m. (de *Sion*, Jérusalem). Organisation israélite qui a pour objet la restauration de la nation juive autour de Jérusalem.

sioniste, adj. Qui est relatif au sionisme. = Nom. Partisan du sionisme.

* **siphoïde** [*fo-ï-de*], adj. Qui a la forme d'un siphon. *Bonde siphoïde.*

* **siphomycètes**, n. m. pl. [Bot.] Groupe de champignons caractérisés par un mycélium toujours continu (non cloisonné).

siphon [*si-fon*], n. m. (lat. *siphon*, tube). [Phys.] Tube coudé de manière à présenter deux branches de longueur inégale et dont on se sert pour transvaser les liquides. — Tube coudé en S placé sur le tuyau de vidange des éviers, lavabos, etc., dans lequel l'eau s'oppose au passage des mauvaises odeurs. V. pl. MAISON.
— Par ext. Bouteille d'eau gazeuse munie d'une sorte de siphon par où s'échappe le liquide. [Zool.] Canal, tube qui existe dans ou sur la coquille de certains mollusques. V. pl. MOLLUSQUES.

* **siphonées**, n. f. pl. [Bot.] Famille d'algues *chlorophycées.*

* siphonophores, n. m. pl. [Zool.] Groupe de cœlentérés hydroméduses qui vivent en colonies.

* sir [*seur*], n. m. Mot angl. sign. *monsieur* et désignant, toujours suivi du prénom, un baronnet.

* sirdar, n. v. V. SERDAR.

sire, n. m. (lat. *senior*, plus vieux; doublet de *seigneur* et de *sieur*). Seigneur. *Le sire de Beaujeu.* ‖ Titre que l'on donne aux rois, aux empereurs en leur parlant. ‖ Iron. Homme sans considérations sans capacité. *C'est un pauvre sire, un triste sire.*
SYN. — V. CIRE.

sirène, n. f. (gr. *seirên*, m. s.). [Myth.] Être imaginaire, représenté sous forme de poisson ou d'oiseau, avec une tête et une poitrine de femme. ‖ Par anal. Femme très séduisante, mais d'un charme un peu dangereux. — *Une voix de sirène,* une voix mélodieuse et enchanteresse.
[Phys.] Appareil servant à mesurer le nombre de vibrations d'un son à la seconde. ‖ Appareil à vapeur, à air comprimé ou mû électriquement, produisant un son strident utilisé pour faire des signaux ou donner l'alerte.
HOM. — V. CYRÈNE (genre de mollusques).

* siréner, v. intr. Faire retentir une sirène.

* siréniens, n. m. pl. [Zool.] Ordre de mammifères herbivores marins voisins des cétacés (lamantins, dugongs).

* sirex [*reks*], n. m. [Zool.] Genre d'insectes hyménoptères de grande taille, vivant dans les forêts de pins.

* siroco ou **sirocco,** n. m. Vent du S.-E., chaud et sec, chargé de poussières, qui souffle en Italie, en Sicile, en Afrique du Nord.

sirop [*si-ro*], n. m. (lat. *sirupus*, m. s.). Liqueur formée d'une dissolution de sucre additionnée de diverses substances. [Techn.] Dans les sucreries, jus concentré.

siroter, v. intr. Boire avec plaisir, à petits coups et longtemps. = V. tr. *Siroter un petit verre.*

* siroteur, euse, n. Celui, celle qui aime à siroter.

* sirsacas [*sa-ka*], n. m. Étoffe de coton qui se fabrique aux Indes.

sirupeux, euse, adj. Qui est de la nature ou de la consistance du sirop.
SYN. — V. GLUANT.

* sirvente [*van-te*], n. m. Poème de circonstance, souvent satirique, divisé en couplets, composé par les anciens troubadours de Provence.

sis, sise [*si, si-ze*], adj. (pp. du v. *seoir*). [Droit] Se dit pour situé, située. *Un domaine sis à Gagny.* ‖ Assis (Vx).
HOM. — V. CI.

* sismal ou *** séismal, ale, aux,** adj. Ligne sismale, direction de l'onde d'ébranlement dans un séisme.

* sisme, n. m. V. SÉISME.

sismique ou *** séismique,** adj. Qui a rapport aux séismes, aux tremblements de terre, *Mouvement sismique.*

sismographe ou *** séismographe,** n. m. Instrument automatique qui enregistre tous les mouvements du sol, leur forme, leur amplitude, leur durée, etc.

* sismologie ou *** séismologie,** n. f. Science qui s'occupe des mouvements et tremblements de l'écorce terrestre.

* sison [*zon*], n. m. [Bot.] Genre de plantes de la famille des *ombellifères*.

* sissone, n. f. [Chorégr.] Pas qui s'exécute en pliant la jambe gauche, en ouvrant la droite et en la croisant devant la gauche.

sistre, n. m. Instrument de musique dont les anc. Égyptiens se servaient dans leurs cérémonies; c'était une sorte de raquette métallique traversée de baguettes mobiles qui y tintaient.

* sisymbre [*zin*], n. m. [Bot.] Genre de plantes de la famille des *crucifères*.

site, n. m. Partie de paysage considérée relativement à la vue qu'elle représente. V. tabl. TOURISME et VOYAGES (*Idées suggérées par les mots*). *Un site agréable, pittoresque.*
ÉPITHÈTES COURANTES : campagnard, rural, industriel, urbain; classé, historique, pittoresque, charmant, agréable, frais, verdoyant, humide, arrosé, boisé, forestier, rupestre, montagnard, lacustre, maritime; joli, beau, délicieux, enchanteur, admirable, grandiose, désiré, désertique, etc.
SYN. — V. ENDROIT.
HOM. — *Site,* situation pittoresque; — *cite, es, ent,* du v. citer; — *Scythes,* ancien peuple barbare.

VOCAB. — *Famille de mots.* — Site [rad *sit, posit, pos*] : situer, situation; poser position, positif, positivement, positiviste, positivisme, pose, poseur, posture, poste, postal, poster, postillon, postage, postier, aposter apostille; postiche; pondre, pondeuse, pondaison, pondeur, ponte; ponant; apposer, apposition; composer, composition, compositeur, composteur; compote, décomposer, décomposition; surcomposé; recomposer, déposer, déposition, dépôt, dépositaire, déponent; disposer, dispos, disponible, disponibilité; disposition, dispositif, indisponible, indisponibilité; indisposer, indisposition; prédisposer, prédisposition; exposer, exposition, exposant, exposé; entreposer, entrepôt, entrepositaire; interposer, interposition; imposer, imposant, imposition, impôt imposable; imposte; imposteur, imposture; juxtaposé, juxtaposition; opposer, opposition, opposable, opposant; préposer, préposition, préposé; prévôt, prévôté; propos, proposer, proposition, à propos; repos, reposer, reposoir; supposer, supposition, suppositoire, suppôt; présupposer, superposer, superposition; transposer, transposition, transpositeur.

---

* sitone, n. f. [Zool.] Genre d'insectes coléoptères du groupe des charançons.

sitôt, mot invar. V. tabl. SITÔT.

* sittelle, n. f. [Zool.] Genre d'oiseaux passereaux voisins des pics et des grimpereaux.

situation [*sion*], n. f. (du v. *situer*). Assiette, position d'une ville, d'une maison, d'un terrain, etc. *Ce port est dans une situation favorable au commerce.* ‖ En parlant des hommes et des animaux, position, posture où ils se trouvent. *Être dans une situation difficile.* ‖ *Être dans une situation intéressante,* être enceinte (Fam.) État d'une personne par rapport à sa condition, à ses intérêts. *Il est menacé de perdre sa situation.* [Fin. et Admin.] État où se trouve une caisse, un approvisionnement, etc. *On a vérifié la situation de la caisse.* ‖ Moment de l'action d'un drame, d'une œuvre littéraire qui excite vivement l'intérêt. V. tabl. POSITION (*Idées suggérées par le mot*).

ÉPITHÈTES COURANTES : belle, jolie, avantageuse, agréable, prospère, enviable, favorable; mauvaise, déplorable, lamentable, dangereuse, périlleuse, désespérée; stable, établie, provisoire, momentanée, inchangée, précaire, instable, gênée; obtenue, acquise, perdue, retrouvée, proposée, recherchée, etc.

SYN. — V. ASSIETTE, CONDITION, EMPLOI et POSTURE.

situer, v. tr. Placer, poser en certain endroit, soit par rapport aux environs, soit par rapport aux différentes expositions. *La maison est située à mi-côte au midi.*

* **sium** [*si-om*], n. m. Genre d'*ombellifères* appelées vulg. *aches d'eau.*

* **sivaïsme**, n. m., * **sivaïste**, n. V. SHIVAISME, SHIVAISTE.

six, adj. numéral cardinal (lat. *sex*, m. s.). Nombre composé de cinq plus un. — Autref. *Six-vingts*, cent vingt. ‖ Se dit aussi pour sixième. *Tome six.* *Charles six.* = N. m. Le nombre six. *Trois et trois font six.* — Se dit pour sixième : *Le six juillet.* ‖ Le chiffre qui sert à représenter le nombre six. *Le chiffre six* (6). [Jeu] Carte, côté du dé marqué de six points. *Un six de cœur.* — Au jeu de dominos : *Double-six*, le domino qui porte deux fois le point six.

GRAM. — On ne prononce pas l'*x* dans *six* quand il est le mot qu'il détermine le suit immédiatement et commence par une consonne ou une *h* aspirée : *Six* [si] *bataillons; six* [si] *héros*. On le fait sentir en le prononçant comme un *z* quand il est suivi d'une voyelle ou d'une *h* muette : *Six amis* [si-za-mi], *six hommes*. Cet *x* se prononce également comme un *z* dans tous les mots dérivés de *six*, où il est suivi d'une voyelle, *sixain, sixième*, etc. Mais dans *sixte* [sikste] il conserve le son qui lui est propre. Enfin l'*x* de *six* se prononce comme une *s* quant le mot *six* termine un membre de phrase. *Nous étions six* [sis] ou bien dans : *Le six* [sis] *du mois ; le chapitre six traite cette partie*, etc.

SITÔT, mot invariable.

Étymologie. — Locution composée de *si*, adverbe, tellement, et de l'adv. *tôt*. V. TÔT (tabl.).

Observations grammaticales. — *Sitôt* et *si tôt* marquent également une idée d'égalité dans le temps, mais on l'écrit *si tôt* devant une proposition sub. circonstancielle de conséquence. *Je partis si tôt qu'il ne me trouva pas à la maison.*

SITÔT, adverbe de temps.
Aussi promptement. — *Sitôt dit, sitôt fait.*
SITÔT QUE. — Aussi vite que.
Gageons, dit celle-ci (la Tortue), *que vous n'atteindrez pas sitôt que moi ce but. Sitôt? êtes-vous sage?* (LA FONTAINE.)

SITÔT QUE, locution conjonctive de temps. Introduit une proposition subordonnée de temps à l'indicatif.
Aussitôt que, dès le moment où. *Sitôt que j'arriverai, vous partirez.*

DE SITÔT, locution adverbiale.
Toujours employée dans une proposition négative. — Fam. Si prochainement, avant longtemps. *Il a disparu et on ne le reverra pas de sitôt.*

VOCAB. — *Famille de mots.* — Six (lat. *sex*; gr. *hex*) [rad. *six, sex, seiz, soix, hex*]: six-quatre-deux, six-blancs, six-huit, six cent six; sixième, sixièmement, sixain, sixaine; sextuple, sextupler, sexte, sextant, sextine, sextolet, sextidi, sextil, sextillion, sextuor, sixte; bissexte, bissextile; sexennal; seize, seizième, seizièmement; seizain, seizaine, in-seize; semestre, semestriel, semestriellement, semestrier; soixante, soixantaine, soixante-dix, soixante-dizième, soixantième; sexagésime; sexagésimal, sexagesimo, sexagénaire; sévir (nom); hexagone, hexagonal, hexamètre, hexacorde, hexaèdre, hexaédrique, hexagyne, hexandre, hexandrie, hexapétale, hexapode.

sixain [*si-zin*], n. m. Petite pièce de poésie composée de six vers, les deux premiers à rimes plates, les quatre derniers à rimes croisées ou embrassées. ‖ Stances de six vers dont un poème est composé.

PAR. — *Seizain*, pièce de seize vers.

* **sixaine** [*si-zè-ne*], n. f. Collection de six choses.

* **six-blancs** [*si-blan*], n. m. invar. Monnaie de cuivre ancienne.

* **six-cent-six**, n. m. invar. Nom vulg. du *salvarsan*.

* **six-huit**, n. m. [Mus.] Mesure à deux temps ayant la noire pointée pour unité. **sixième** [*si-ziè-me*], adj. Nombre ordinal de six. *La sixième année.* ‖ *La sixième partie d'un tout*, chaque partie d'un tout qui est ou que l'on conçoit divisé en six parties. = N. m. Le sixième jour d'une période. ‖ La sixième partie d'un tout. *Il a le sixième de l'héritage.* = N. f. [Jeu] Suite de six cartes de même couleur. ‖ Dans les collèges, l'une des classes inférieures, et, par ext., la salle où se tient cette classe.

sixièmement, adv. En sixième lieu.

* **six-quatre-deux** (*à la*), loc. adv. Avec trop de hâte, de précipitation (Pop.).

sixte [*siks-te*], n. f. [Mus.] Intervalle de deux notes séparées par quatre autres, comme *do* et *la*. [Escrime] Parade qui se fait l'épée haute, dans la ligne en dehors, le poing en supination.

* **sixtolet**,* **sextolet** ou sixain, [*siks-to-lè*], n. m. [Mus.] Groupe de deux triolets réunis.

sizain, n. m, **sizaine**, n. f. V. SIXAIN, SIXAINE.

* **size**, n. f. Balance de précision pour peser les perles.

* **skating** (*ské-tingh*], n. m. (mot angl. de *to skate*, patiner). Patinage à glace ou à roulettes. ‖ Abrév. de *skating-rink*.

* **skating-rink** [*ské-tingh' rink*], n. m. (mot angl.) Établissement comportant une piste bien plane pour le patinage à roulettes.

* **skeleton**, n. m. [Sports d'hiver] Sorte de luge rapide à patins d'acier.
* **sketch** [*sket'-ch'*], n. m. (mot angl. sing. *esquisse*). Petite scène, petit intermède comique.
ski, n. m. (mot norvég.). Sorte de patin formé d'une lame de bois longue et plate, usité pour circuler sur la neige.
* **skieur, euse**, n. Celui, celle qui pratique le ski.
* **skiff**, n. m. (mot angl. qui vient du fr. *esquif*). [Mar.] Sorte de longue périssoire étroite.
* **skunks**, n. m. V. SCONS.
* **skye-terrier** [*ska*], n. m. [Zool.] Race de chiens terriers originaires de l'île de Skye (Écosse).
* **skyphos**, n. m. (mot grec). Sorte de coupe grecque. V. pl. VASES GRECS.
* **sky-scraper** [*skaï-skré-peur*], n. m. Nom que les Américains donnent à leurs « gratte-ciel ».
slave, adj. et n. Nom d'une race indo-européenne, comprenant les Russes, les Polonais, les Tchèques, les Bulgares, les Serbes. ‖ Qui appartient à cette race. Individu qui en fait partie.
* **slavisant**, n. m. Savant versé dans l'étude des langues slaves.
* **slaviser**, v. tr. Rendre slave.
* **slavisme**, n. m. Syn. de *panslavisme*. ‖ Tour particulier aux langues slaves.
* **slavon, onne**, adj. et n. Qui est de la Slavonie.
* **slavophile**, adj. et n. Qui aime les Slaves. ‖ Partisan de l'union de tous les peuples slaves.
* **sleeping-car**, n. m. [*sli-pingh'-car*]. (mot angl.). Syn. de wagon-lit.
* **slip**, n. m. (mot angl.). Sorte de caleçon-suspensoir de sport, très court.
* **slogan**, n. m. Cri de ralliement d'un clan, en Écosse. ‖ Formule de publicité rédigée de façon à frapper l'esprit (par une allitération, une assonance, etc.), et à s'imposer à la mémoire.
SYN. — V. ADAGE.
sloop [*sloup*], n. m. [Mar.] Petit cotre à mât vertical avec hunier, voile trapézoïde et grande voile carrée pour les mauvais temps. — On écrit aussi *sloup*.
* **sloughi**, n. m. Race de lévriers à poil long de l'Afrique du Nord. — On écrit aussi *slughi*.
* **slovaque**, adj. et n. De Slovaquie.
* **slovène**, adj. et n. Se dit des Slaves de la Carinthie, de la Carniole, de la Styrie et de l'Istrie.
* **smack**, n. m. [Mar.] Grand sloop à un mât, gréé d'une voile qu'on hisse avec la vergue.
smalah ou * **smala**, n. f. Chez les Arabes, réunion des tentes, des équipages et des richesses de tout genre qui appartiennent à un chef. ‖ Fig. et fam. Famille nombreuse.
smalt, n. m. [Minér.] Silicate bleu de cobalt, appelé aussi *bleu d'azur*.
* **smaltine**, n. f. [Minér.] Arséniure de cobalt, dit *bleu de cobalt*.
* **smaragdin, ine**, adj. (lat. *smaragdus*, émeraude). Qui est de la couleur de l'émeraude.
* **smart** [*smart*], adj. Mot. angl. sign. élégant, chic.

* **smectique**, adj. (gr. *smektikos*, qui nettoie). [Minér.] Qui est onctueux comme le savon.
smilax, n. m. [Bot.] Genre de *liliacées*, appelé vulg. *salsepareille*.
* **smillage** [*ll* mll.], n. m. Action de smiller.
smille [*ll* mll.], n. f. Marteau à deux pointes pour piquer la pierre.
smiller [*ll* mll.], v. tr. Piquer du moellon ou du grès avec la smille pour le dégrossir.
* **smogler**, v. intr. (angl. *to smuggle*, m. s.). Se livrer à la contrebande maritime.
* **smogleur**, n. m. [Mar.] Petit bâtiment du Nord destiné à faire de la contrebande. ‖ Par ext. Marin qui fait la contrebande.
* **smoking**, n. m. (mot angl.). Veston de cérémonie sans basques, à longs parements de soie.
* **smorzando**, adv. (mot ital. sign. *en affaiblissant*). [Mus.] Se place sur les partitions pour indiquer qu'on doit exécuter le passage en affaiblissant le ton. = N. m. Passage joué de cette manière.
snob, n. m. (mot angl.). Celui qui s'engoue ou affecte de s'engouer pour tout ce qui est à la mode et qui s'en fait une pose. = Adj. *Une femme snob*.
snobisme, n. m. Pose du snob qui admire et loue ce qui est à la mode, bien qu'étant incapable de l'aimer et de le comprendre réellement.
* **snow-boot** [*sno-boût*], n. m. (mot angl.). Large chaussure à semelle de caoutchouc, que l'on met par-dessus les souliers pour se préserver de la neige. V. pl. CHAUSSURES. = Pl. *Des snow-boots*.
sobre, adj. (lat. *sobrius*, m. s.). Tempérant dans le boire et le manger. ‖ Où règne la sobriété. *Une vie sobre*. ‖ Fig. Qui use de certaines choses avec discrétion, modération. *Cet homme est sobre en paroles*. ‖ Sans ornements inutiles. *Style sobre*.
SYN. — *Sobre*, qui use modérément de la nourriture et de la boisson : *Les Spartiates étaient sobres*. — *Frugal*, qui se contente d'une nourriture simple, sans apprêts : *Le vieux romain était frugal*. — *Tempérant*, qui s'écarte de tout excès, particulièrement des excès de nourriture et de boisson : *Les stoïciens étaient tempérants*.
CTR. — *Intempérant, gourmand, glouton, goulu*. — *Prolixe*.
sobrement, adv. D'une manière sobre. ‖ Fig. Avec circonspection, avec retenue, avec discrétion.
sobriété, n. f. Tempérance dans le boire et le manger. ‖ Fig. Retenue, réserve, modération.
PAR. — *Ébriété, ivresse*.
sobriquet [*què*], n. m. Surnom donné le plus souvent à une personne par dérision.
soc, n. m. Fer tranchant de la charrue, qui ouvre la terre et creuse le sillon. V. pl. AGRICOLES (machines).
HOM. — *Socque*, chaussure de bois.
PAR. — *Socle*, sorte d'assise, de piédestal.
* **sochet** [*chè*], n. m. Sorte de charrue sans roue.
* **sociabiliser** [*sia... zé*], v. tr. Rendre sociable.
sociabilité, n. f. Aptitude chez l'homme et certains animaux à vivre en société. ‖ Qualité de l'homme sociable.

sociable, adj. (lat. *sociabilis*, m. s.). Qui est né pour vivre en société; qui est porté à rechercher la société. *L'homme est naturellement sociable.* ‖ Qui est d'un commerce agréable, avec qui il est aisé de vivre. *Un homme, un caractère sociable.*
CTR. — *Insociable, sauvage, farouche, misanthrope.*
* **sociablement,** adv. D'une manière sociable.
social, ale, adj. (lat. *socialis*, m. s.). Qui concerne la société humaine. *L'ordre social. La vie sociale.* V. tabl. SOCIÉTÉ et VIE SOCIALE (*Idées suggérées par les mots*). — *Science sociale,* science qui étudie la structure de la société, son organisation, etc. — *Assurances sociales,* assurances des ouvriers et employés de l'industrie, du commerce et de l'agriculture, contre la maladie, l'invalidité, la vieillesse, le décès, etc., moyennant le paiement d'une cotisation versée moitié par le patron, moitié par l'assuré. ‖ Qui a trait à l'organisation de la société. *La question sociale.* ‖ Qui concerne une société de commerce. *La raison sociale d'une banque.* [Zool.] *Animaux sociaux,* animaux qui vivent en société. = N. f. *La sociale,* la république socialiste (Pop.).
* **social-démocrate,** n. En Allemagne, partisan de la social-démocratie. = Pl. *Les sociaux-démocrates.*
* **social-démocratie** [*si*], n. f. Le parti socialiste, en Allemagne.
* **socialement,** adv. En société. ‖ Relativement à la société ou à la science sociale.
* **socialisation** [*sion*], n. f. Action de mettre les biens privés en commun, de les répartir entre les membres de la collectivité.
* **socialiser,** v. tr. Rendre social, réunir en un corps. ‖ Réaliser la socialisation.
socialisme, n. m. Système économique et politique qui cherche à réorganiser la société sur de nouvelles bases assurant la libération de la classe ouvrière par le contrôle du capital, de la propriété et des moyens de production. V. GOUVERNEMENT (*Idées suggérées par le mot*).
socialiste, adj. Qui concerne ou qui prône le socialisme. = Nom. Partisan du socialisme.
sociétaire, adj. et n. (de *société*). Qui fait partie d'une société, d'une association. *Les sociétaires d'une association coopérative.*

‖ Partic. Qui fait partie d'une société littéraire, artistique, d'une entreprise dramatique. *Sociétaire de la Comédie-Française.*
sociétariat, n. m. Qualité de sociétaire. ‖ Réunion des sociétaires d'une entreprise.
société, n. f. (lat. *societas*, m. s. de *socius*, compagnon). Assemblage d'hommes qui sont unis par la nature ou par des lois, ou liés par un contrat tacite ou explicite. — État des hommes ainsi unis; commerce que les hommes réunis ont naturellement les uns avec les autres. *Vivre en société.* ‖ Par analogie, on dit de certains animaux qui vivent rassemblés en troupes, qu'*ils vivent en société.* ‖ Union de plusieurs personnes jointes pour quelque intérêt ou pour quelque affaire. *Une société de commerce. Société anonyme.* V. tabl. COMMERCE (*Idées suggérées par le mot*).
Association de plusieurs personnes qui se réunissent pour cultiver et faire avancer les sciences, les arts ou les lettres. *Société littéraire.* ‖ Association de plusieurs personnes dans une intention religieuse, charitable, politique, etc. — *Société secrète,* société fondée à l'insu de l'État et souvent pour conspirer contre sa sûreté. —
Compagnie de personnes qui s'assemblent ordinairement pour la conversation, pour le jeu ou pour d'autres plaisirs. *Il fréquente les meilleures sociétés.* ‖ Rapports qui existent entre les habitants d'un pays, d'une ville. *La vie de société.* ‖ *La haute société,* l'ensemble des gens qui occupent le premier rang dans une ville, dans un pays. ‖ Le commerce ordinaire, habituel que l'on a avec certaines personnes. *Je trouve beaucoup d'agréments dans sa société.* V. tabl. SOCIÉTÉ et VIE SOCIALE (*Idées suggérées par les mots*).
— *Dans la Société, c'est la raison qui plie la première : les plus sages sont souvent menés par le plus fou et le plus bizarre.* (LA BRUYÈRE.)
— *La plus ancienne de toutes les sociétés et la seule naturelle est celle de la famille.* (J.-J. ROUSSEAU.)
INCORR. — Ne dites pas : *être en bonne société, dans la bonne société;* dites : *être en bonne compagnie, dans la bonne compagnie.* Ne dites pas non plus : *aller en société* pour : *aller dans le monde.*
ÉPITHÈTES COURANTES : grande, belle, nombreuse, prospère, aimable, riche; noble, bourgeoise, policée, intellectuelle,

---

SOCIÉTÉ ET VIE SOCIALE.

Étymologie. — Le mot *société* est tiré du latin *societas,* association, provenant lui-même de *socius,* joint, uni, associé, allié, compagnon, rattaché à la racine du verbe *sequor,* suivre.

Définition. — L'homme, comme beaucoup d'animaux, étant un être *sociable,* vit en *société.* Une société est un *agrégat constant* d'individus, rassemblés par la *communauté de sang,* par des lois *biologiques* (sociétés animales, symbioses), par des *habitudes,* des *mœurs,* des *conventions,* des *contrats,* implicites ou explicites.
La société se définit par son extension, par le caractère des rapports qu'elle implique, par la nature du *lien social.* Dans sa plus grande extension, elle s'étend au *genre humain :* à ce titre, elle a ses *lois,* qui sont les plus larges qu'on puisse concevoir, et qui se confondent avec celles de l'humanité elle-même. La *bonne société,* la *haute société* se définissent par des mœurs, des habitudes, des qualités et des défauts qui varient avec les époques et avec les peuples. Le mot même de société peut s'appliquer à des sociétés étroites, fermées, celle du *monde,* celle des *salons,* qui déterminent elles-mêmes les caractères auxquels on les reconnaît. Il y a une *vie de société,* des *jeux de société;* il y a les plaisir de la société.
Des contrats, des statuts, des règlements divers sont à la base des *sociétés industrielles, financières, commerciales* (société anonymes, à responsabilité limitée, en commandite, sociétés civiles, etc.), des sociétés *politiques,* des sociétés d'ordre *spirituel* ou *religieux,* des *sociétés de bienfaisance,* des *sociétés savantes,* etc. Le terme d'*association* s'applique plus particulièrement à des groupements ne poursuivant pas essentiellement un objet de lucre, de profit, et constitués selon un contrat civil d'association (association culturelle, association d'anciens élèves,

SOCIÉTÉ

etc.). Toutes les formes, tous les objets de l'activité humaine peuvent susciter la formation de sociétés, au sens large ou, plus précisément, de sociétés ou d'associations.

L'adjectif *social* qualifie ce qui appartient, ce qui revient à la société, à une société. On dit : *un sentiment, un sens social, le capital social*, etc. Il s'applique plus particulièrement à l'intérêt que suscitent la vie sociale, l'activité des hommes dans la société, l'organisation de leurs relations actives; on dit : la *question sociale*, les *problèmes sociaux*.

On dit de quelqu'un qui est porté à vivre en société et dont le commerce est agréable qu'il est *sociable*; celui qui cherche à vivre à l'écart de la société de ses semblables est dit *insociable*.

Mots de la même famille. — V. à l'ordre alphabétique art. SOCIÉTÉ.

Mots à rapprocher. — SOCIÉTÉ, ASSOCIATION, GROUPEMENT, CONGRÉGATION, COMMUNAUTÉ, ORDRE, CONFRÉRIE, CORPS, CORPORATION, SYNDICAT, NATION, PEUPLE, ÉTAT, PATRIE, PAYS, PUISSANCE.

Société indique, d'une façon générale, tout groupement d'individus liés par un contrat tacite ou explicite : *Société des Gens de lettres; Société des Nations*. — **Association** a un sens plus restreint. Le mot s'applique à des groupements très limités, poursuivant le plus souvent un but pratique avec des règlements précis : *Association d'anciens élèves; association culturelle*. — **Groupement**, avec une acception plus générale, désigne des personnes qui se réunissent en vue d'une action commune d'un intérêt commun : *Groupement politique, groupement de forces armées*. — **Congrégation, communauté**, désignent plus particulièrement des rassemblements de religieux ou de religieuses, astreints à des règles communes, à des vœux particuliers et se proposant un but commun : *Congrégations enseignantes, communauté de Sœurs de charité*. — **Ordre** marque l'ensemble des classes, subordonnées entre elles, qui composent un état, une corporation, un groupement de chevalerie : *Les trois ordres de l'ancien État français, l'Ordre des Avocats, l'Ordre de la Légion d'Honneur*. — **Confrérie**, association ou corps d'individus unis par un lien quelconque qui en fait en quelque manière des frères, particulièrement association pieuse : *Confrérie des Pénitents; les Confrères de la Passion*. — **Corps**, groupement d'individus qui, en raison de leurs fonctions, de leurs occupations, de leur naissance, etc., constituent une société particulière dans un État : *Les grands corps de l'État, les corps savants, les corps des métiers*. — **Corporation** désigne plus particulièrement la réunion d'individus d'une même profession ayant leurs règlements propres, leurs privilèges, leurs traditions : *La corporation des tanneurs, des imprimeurs*. — **Syndicat**, groupement d'individus d'une même profession en vue de défendre leurs intérêts et d'étudier les questions qui les intéressent en commun : *Syndicat agricole, syndicat ouvrier*. — Une **nation** est une réunion d'hommes ayant généralement une origine, une langue, des souvenirs et des intérêts communs, habitant le même pays, vivant sous les mêmes lois ou aspirant à y vivre : *La nation française*. Plusieurs nations peuvent vivre sous un même gouvernement. Une nation peut se trouver divisée, en ses différentes parties vivre sous des gouvernements différents, par exemple la nation polonaise en 1914. — **Peuple**, quand il ne s'oppose pas à bourgeoisie ou à aristocratie, désigne une réunion d'hommes soumis à la même autorité, ou ayant une origine commune. Un peuple peut comprendre plusieurs nations : *Le peuple romain, les peuples slaves*. — Un **État** est une nation ou un groupe de nations organisées soumises aux mêmes lois avec un gouvernement commun : *l'État français, les États-Unis*. — La **patrie**, c'est la « terre des pères » avec tout ce qui s'y rattache dans le passé, dans le présent et dans l'avenir, tout cela considéré surtout du point de vue sentimental, de celui particulièrement des peines, des joies, des épreuves souffertes ou ressenties en commun : *la patrie française*. — Le **pays**, c'est encore la patrie, mais considérée surtout en tant que territoire : *L'intérêt du pays doit passer avant les intérêts particuliers*. — Une **puissance** c'est un État, mais considéré particulièrement au point de vue de son importance, de sa force, de la puissance qu'il représente : *Les grandes puissances européennes*.

Principaux termes relatifs à la Société. — *a)* LES GROUPEMENTS D'INDIVIDUS : Famille, gens, tribu, clan, race, horde, peuplade, peuple, nation; population, peuplement, dépopulation, dépeuplement; surpeuplé, ramassis, populace; nomade, sédentaire, migration, émigration de peuples; autochtone, aborigène, étranger, citoyen, naturalisé, métèque, horsain, aubain, estivant, cosmopolite, apatride. — Pays, dépayser; patrie, patriotisme, antipatriotisme, compatriote, concitoyen; nation, nationalité, nationalisme, chauvinisme, internationalisme. — Alliance, association, Société des Nations, Organisation des Nations Unies. — Puissances alliées, associées. — Sujet, sujétion, vassal, vassalisation; protectorat, puissance protectrice; colonie, état sous mandat, empire colonial, métropole, ressortissant, protégé. — Civilisation, peuple civilisé, barbare, sauvage. — Police, évolution. — Peuple, nation organisée. — Régime politique, gouvernement, administration. V. GOUVERNEMENT, ADMINISTRATION, LOI ET TRIBUNAL, RELIGIONS. — Territoire, territorial, frontière, borne, limite, confins, superficie, population d'un état. — Province limitrophe, marche. — Cens, recensement, dénombrement de la population, ville de tant d'habitants, d'âmes.

b) LIEUX D'HABITATION. Ville, habitat, lieux habités, désert; demeure, domicile, logement, logis, gîte (V. HABITATION), résidence, séjour, permis, interdiction de séjour, exil, relégation, bannissement. Province, provincial, département, arrondissement, canton, commune, hameau, chef-lieu, capitale (V. ADMINISTRATION). Cité, citadin, ville, village, etc. V. VILLE ET VILLAGE.

c) LA VIE PUBLIQUE. Intérêt public, bien public, chose publique; affaires, services, fonctions publiques, politiques (V. GOUVERNEMENT et ADMINISTRATION) ; homme, personnage public, politicien; opinion, estime publique, popularité, impopularité, voix populaire, rumeur publique, édifice public. Assemblée, réunion publique. Tribune, estrade, tréteaux, discours, conférences, meeting, banquet public. Conférences publiques, cours de faculté, conférence d'art, de littérature, réception académique; congrès scientifique, historique, littéraire, économique, religieux, philosophique, etc. Foire; salon de peinture; exposition, exposition universelle. Inauguration de monument, de statue; fête des fleurs, salon d'automobile, d'aviation, salon nautique. Fêtes publiques, fêtes militaires, défilé de troupes, revue, remise de drapeaux, de décorations, fête nationale, drapeaux, pavoisement, banderolles, oriflammes, flammes, faisceaux, guirlandes, illuminations, retraite aux flambeaux, feu d'artifice, fête nautique, embrasement de monuments, projections lumineuses, grandes eaux, fontaines jaillissantes, lumineuses; cortège, funérailles nationales; cortège politique, manifestation, émeute, bousculade, échauffourée, bagarre, barricades, état de siège. Fête foraine, baraque, carrousel, chevaux de bois, tirs à la carabine, loterie, confiserie, billard japonais, phénomènes, hercule de foire, lutteur, combats de boxe, courses, régates, etc. (V. JEUX ET SPORTS).

d) LA VIE MONDAINE. Le monde, le grand monde, société mondaine, haute société; la cour, être reçu à la cour, homme de cour, courtisan, langage, manières, étiquette des cours; cérémonial, protocole, présentation, avoir ses entrées à la cour, révérence, salut prosternation, génuflexion. Gens du monde, l'honnête homme, gens, femmes du monde, grand seigneur, gentilhomme, gentleman, talon rouge; grande dame. Politesse, courtoisie; un homme bien, mal élevé; impolitesse, rusticité, grossièreté; bonnes, mauvaises manières; civilité, incivilité, urbanité, affabilité, discrétion, tact, etc. (V. MORALE). Faire un impair, une gaffe; savoir-vivre, convenances; présenter ses respects, ses hommages, l'assurance de son dévouement, de ses sentiments de considération, ses sentiments distingués, très distingués, les plus distingués; ses salutations empressées, faire ses compliments à quelqu'un, avoir l'honneur de le saluer, être le très humble et très obéissant serviteur, etc. Baise-main, poignée de main, serrer la main, accolade; dire bonjour, bonsoir, souhaiter la bonne année; faire ses adieux, dire au revoir; envoyer ses félicitations, ses congratulations, ses condoléances, ses vœux, ses souhaits; carte de visite, lettre de faire part, p.p.c. Réunion mondaine, réception, jour de réception, salon, visite; thé, raout, coktail, bridge; surprise-partie, garden party; dîner, toilette de cérémonie, toilette de soirée, habit, frac, smoking; décolleté, bijoux, parure, fleurs; bal, sauterie, soirée dansante; uniforme, épaulettes, brochette de décorations; bal masqué; danse, concert de musique (V. MUSIQUE ET CHANT); fête d'enfants, buffet, souper, fumoir, fête de charité, vente de charité. Salon mondain, littéraire, académique; l'art de la conversation, brillant, aimable causeur; diriger la conversation; conversation à bâtons rompus; entretenir, soutenir la conversation; mettre une question sur le tapis; avoir, faire de l'esprit; l'esprit de repartie, d'à-propos; se renvoyer la balle; conférence mondaine. Cercle, club, clubman; cercle politique, littéraire, artistique; salle de jeu, de lecture, casino; jeux, dettes de jeu, querelle, provocation, cartel, envoi de témoins, tentative de conciliation, duel, rencontre, duellistes, aller sur le terrain, se battre, duel à l'épée, au sabre, au pistolet, examen des armes, corps à corps, tir, arrêt au premier sang, balles échangées sans résultats, blessures, duel à mort, réconciliation sur le terrain, procès-verbal, poursuite judiciaire, etc.

e) LA VIE PRIVÉE, LA VIE DOMESTIQUE. Homme privé, intérêt privé; particulier, simple particulier, dans son particulier. Vivre heureux dans son domestique; bonheur, malheur domestique; vertus domestiques, économie domestique ; dieux domestiques; vie de famille, vie de ménage; repas, fête de famille; réunion familiale, querelle de ménage; laver son linge sale en famille (fam.); vie de foyer, homme de foyer, aimer son foyer, ses pénates (V. FAMILLE et HABITATION). Aimer son chez soi, son intérieur; se plaire dans ses meubles, dans son home. Sortir, courir en ville, dîner en ville, aimer courir le monde; être noctambule, pilier de café, d'estaminet, de cabaret. Intimité, amis, relations, camarades, ami intime. Recevoir dans l'intimité, sans façons, à la fortune du pot, à la bonne franquette; s'installer, pendre la crémaillère; maître, maîtresse de maison; bien, mal tenir sa maison, son ménage, être bonne ménagère; soin, économie, confort, luxe; malpropreté, taudis, galetas. Économiser, savoir compter, prodigalité, gaspillage, coulage. Vie quotidienne, régulière, rangée, ordonnée, réglée; vie de bohème, irrégulière, désordonnée, débauchée, déréglée. Gagner son pain quotidien. Gens de maison; domestique, domesticité, service, serviteur, maître, maîtresse, patron, patronne. Entrer en service, se mettre en service, engagement, gage, profit; donner, recevoir son congé, ses huit jours, congédier; heures de travail; intendant, majordome, maître d'hôtel, gouvernante, valet de chambre, valet de pied, femme de chambre, chambrière, soubrette, camériste, suivante; chef cuisinier, cuisinier, cuisinière, marmiton, fille de cuisine, laquais, cocher, palefrenier; chauffeur; nourrice, bonne d'enfants, bonne à tout faire, femme de ménage, frotteur. Concierge, portier, garçon de salle, garçon de restaurant, plongeur, laveur d'assiettes. Ordonnance, brosseur.

f) LE TRAVAIL ET LES OCCUPATIONS. — Travail, labeur, tâche, occupation, activité; aller à son travail, à ses affaires; se mettre à l'œuvre, à l'ouvrage, vaquer à ses occupations : inoccupation, chômage, être désœuvré, ne savoir que faire. Paresse, oisiveté, fainéantise (V. ACTIVITÉ, QUALITÉ). Fonction, charge, profession, profession libérale, carrière, art, métier; études, étudiant, élève, écolier. Pratiquer un art; faire bien, mal son métier, etc. (V. ADMINISTRATION, GOUVERNEMENT, ENSEIGNEMENT, MÉTIERS ET PROFESSIONS, COMMERCE, INDUSTRIE, AGRICULTURE). Surmenage, repos, relâche, rémission, détente, pause.

g) LOISIRS ET PLAISIRS. Être de loisir, se reposer; vacances, congé, congés payés, permission, jour de sortie, repos dominical, semaine anglaise, week end. Plaisir, déplaisir, agrément, désagrément, divertissement, distraction, diversion, récréation. Art d'agrément (V. ARTS); sports et jeux; spectacle, théâtre, cinéma, music-hall, cabaret, boîte de nuit, dancing, skating, stand, ring, stade, cirque, champ de course, hippodrome, pesage, tribune, pelouse, pari mutuel; courses de lévriers, de bicyclettes, d'automobiles, vélodrome; combat de coqs; course de taureaux. Voyage; villégiature, villégiaturer, hôtel, palace; maison de famille, villa, logement chez l'habitant; petit trou pas cher; station estivale, thermale, minérale, ville d'eaux. Station balnéaire, plage, bains de mer, maillot, costume de bain, de plage, bain de soleil, tente, parasol, pêche, canotage, etc. Montagne, ascension, sports d'hiver (V. JEUX ET SPORTS, VOYAGE ET TOURISME).

h) CONDITIONS SOCIALES. — 1° CONDITIONS ANCIENNES. — Caste, homme libre, esclave, servitude, patricien, eupatride, aristocrate, chevalier, noble, plébéien, prolétaire, colon, métèque; ilote, serf, esclave, affranchi, serf attaché à la glèbe; gens taillables et corvéables à merci, vilain, manant, gueux, croquant, homme franc, roturier, bourgeois, noble, noblesse, clergé, tiers-état; titres; lettres, quartiers de noblesse; suzerain, vassal, vavassal ou vavasseur, fief, hommage, homme lige, droit seigneurial; noblesse d'épée, de robe, haute noblesse, noblesse personnelle, héréditaire; prince, duc, marquis, comte, vicomte, baron, vidame, chevalier, écuyer, varlet, damoiseau, banneret, bachelier, page; grand seigneur, haute dame, gentilhomme, hobereau, nobliau. Lord, milord, lady, sir; grand d'Espagne, hidalgo, caballero; boyard, rhingrave, burgrave, margrave, magnat, seigneur palatin; samouraï. Déchéance, dérogeance; droits, privilèges. Blason, armes, héraut d'armes, armorial, armoiries, écu, écu parti, coupé, tranché, taillé, écartelé, tiercé, etc. Émaux, métaux, or, argent; couleurs; gueules, sinople, azur, pourpre, sable; fourrures, hermine, vair. Pièces honorables, chef, pal, fasce, bande, barre, croix, sautoir, orle, bordure, etc. Meubles, lambrequin; timbre, couronne, chapeau, casque, cimier; emblèmes (V. pl. BLASON). Devise, cri d'armes, bannière seigneuriale, oriflamme, etc. — 2° CONDITIONS SOCIALES MODERNES. — Classes sociales, lutte de classes, peuple, couches populaires, homme, femme du peuple, masses. Noblesse (V. ci-dessus), aristocratie, aristocratie financière, haute bourgeoisie, grand, petit bourgeois, rentier, patron, artisan, paysan. Classes laborieuses, ouvrières, salariat, mercenariat, prolétariat, patronat. Professions:

> Fontionnaires et magistrats (V. ADMINISTRATION, ARMÉE, COMMERCE, LOI ET TRIBUNAL, ENSEIGNEMENT, etc.); membres du clergé (V. RELIGIONS); artistes, peintres, sculpteurs, musiciens (V. ARTS ET MUSIQUE); littérateurs (V. LETTRES); savants (V. SCIENCES); médecins (V. MALADIE); financiers, banquiers (V. FINANCES); ingénieurs et industriels (V. INDUSTRIE); agriculteurs, cultivateurs, classe paysanne (V. AGRICULTURE); commerçants et négociants, marchands (V. COMMERCE et MÉTIERS); personnel de transports (V. TRANSPORTS); artisans et ouvriers (V. INDUSTRIE et MÉTIERS); pêcheurs (V. EAU ET MER); employés, comptables, caissiers, etc. (V.COMMERCE et ADMINISTRATION). Travailleur en chambre, manœuvre, journalier, gagne-denier, homme de peine. Main-d'œuvre. Petits métiers; colporteur, marchand forain, camelot marchand d'oviétan, banquiste, bateleur, jongleur, prestidigitateur, acrobate, funambule, danseur de corde, montreur d'ours, etc.
>
> *i)* LES ÉPAVES DE LA SOCIÉTÉ : Oisif, déclassé, bohème, vagabond, vagabondage, chemineau, trimardeur, trimard, clochard, mendiant, mendicité, prostituée, souteneur, bandit, anarchiste, terroriste, hors-la-loi, pègre, etc.
>
> *j)* L'ORGANISATION SOCIALE. — Organisation et législation du travail; problème social, question sociale, justice sociale, doctrines sociales; assurances sociales, allocations familiales, sociologie, association, groupement, syndicat, syndicalisme, syndicaliste, syndiqué, soviétisme, bolchevisme, socialisme, marxisme, communisme, internationalisme, etc. (V. SCIENCES, Sociologie.)

pauvre; générale, particulière, civile, commerciale, mobilière, immobilière, industrielle; politique, académique, savante, historique, géographique, scientifique, linguistique, littéraire, artistique, maritime, coloniale, militaire, économique; publique, privée, fermée, ouverte, philanthropique, philharmonique, charitable; agréable, ennuyeuse; secrète, autorisée, interdite, etc.
SYN. — V. ASSOCIATION et MONDE.

> VOCAB. — *Famille de mots.* — Société, sociétaire, sociétariat; sociable, sociablement, sociabilité, sociabiliser, insociable, insociabilité; social, socialement, socialisme, socialiste, socialiser, socialisation, social-démocratie, social-démocrate, national-socialisme, radical-socialiste; sociologie, sociologue, sociologique, sociologiquement, sociologiste; associer, associé, association, associationnisme; coassocié; dissocier, dissociation, dissociable, dissociabilité.

socinianisme, n. m. Hérésie des partisans de Socin, qui rejettent particulièrement la Trinité, l'Incarnation et la divinité de Jésus-Christ.
socinien, ienne [*si-ni-in*], n. Celui, celle qui professe le socinianisme. = Adj. *La doctrine socinienne.*
sociologie, n. f. Science des sociétés humaines en général et de tous les phénomènes sociaux. V. tabl. SCIENCES (*Idées suggérées par le mot*).
sociologique, adj. Qui a rapport à la sociologie.
* **sociologiquement,** adv. Conformément à la sociologie.
sociologue, n. m. Savant qui s'occupe de sociologie.
socle, n. m. (ital. *zoccolo*, patin). La partie la plus large, généralement carrée, sur laquelle repose un édifice ou une colonne. ǁ Sorte de petit piédestal pour une colonne, une statue, un vase. V. pl. COLONNES.
PAR. — *Soc,* fer tranchant de la charrue.
socque [*so-ke*], n. m. Sorte de chaussure antique pour les acteurs qui jouaient la comédie. ǁ Chaussure de bois que portaient certains religieux. ǁ Chaussure de bois et de cuir qui se porte comme les sabots. V. pl. CHAUSSURES et COSTUMES.
HOM. — *Soc,* fer tranchant de la charrue.
* **socquement** [*so-ke-man*], n. m. Action de retirer les pelles de dessus les fourneaux dans une saline.
* **socquer** [*so-ké*], v. tr. Faire le socquement.

* **socquette,** n. f. Sorte de chaussettes courtes que les femmes portent, soit directement sur la peau, soit par-dessus le bas.
* **socqueur** [*keur*], n. m. Ouvrier qui fait le socquement dans les salines.
socratique, adj. Qui appartient à Socrate. *Philosophie socratique. Ironie socratique.*
* **socratiquement,** adv. A la façon de Socrate.
* **soda** ou * **soda-water** [*ou-o-teur*], n. m. Boisson analogue à la limonade, mais aromatisée avec un sirop de fruit.
* **sodé, ée,** adj. Qui contient du sodium.
* **sodique,** adj. Qui contient de la soude ou qui concerne la soude ou ses composés.
PAR. — *Sadique,* disposé à la luxure et à la cruauté.
sodium [*so-diom'*], n. m. [Chim.] Corps simple métallique, qui ressemble beaucoup au potassium, et qu'on retire du chlorure de sodium (sel marin ou sel gemme).
sodomie, n. f. Rapports sexuels contre nature.
sodomite, n. m. Homme coupable de sodomie.
sœur [*seur*], n. f. (lat. *soror,* m. s.). Celle qui est née de même père et de même mère qu'une autre personne, ou de l'un des deux seulement. — Fam. *Demi-sœur,* celle qui n'est sœur que du côté paternel ou du côté maternel. — *Sœur naturelle,* celle qui est née de même père ou de même mère, mais hors du mariage. — *Sœur de lait,* celle qui a eu la même nourrice qu'une autre personne. — *Belle-sœur.* V. ce mot. ǁ Pour caractériser la pureté de l'affection qui unit un homme et une femme, on dit : *Elle l'aime, mais comme une sœur.* V. tabl. FAMILLE (*Idées suggérées par le mot*). ǁ Personnes du sexe féminin qui se trouvent dans une situation identique. *Sœurs d'infortune.* [Mythol. et Poét.] *Les neuf Sœurs, les doctes Sœurs,* les Muses. — *Les sœurs filandières,* les Parques. ǁ Fig. *La poésie et la musique sont sœurs,* elles ont ensemble beaucoup de rapports. ǁ Titre donné à de nombreuses religieuses. *Les sœurs de Saint-Vincent-de-Paul.* — *Ma sœur,* titre donné à une religieuse à qui l'on parle. ǁ *Les bonnes sœurs,* les sœurs hospitalières.
— *Ariane, ma sœur, de quel amour blessée, Vous mourûtes aux bords où vous fûtes laissée.* (RACINE.)
— *Quelle verve indiscrète Sans l'aveu des neuf Sœurs vous a rendu poète ?* (BOILEAU.)
ANT. — FRÈRE.

SŒURETTE — SOIE

sœurette [seu-rè-te], n. f. Dimin. de sœur. Petite sœur.

sofa ou *** sopha**, n. m. En Orient, espèce d'estrade fort élevée et couverte d'un tapis. ‖ Sorte de lit de repos à trois dossiers, dont on se sert comme siège.

soffite, n. m. (lat. *suffixus*, suspendu). [Arch.] Plafond orné de compartiments, de caissons, de rosaces, etc. V. pl. TEMPLE GREC.

*** sofi** ou *** sophi**, n. m. Surnom qu'ont porté, en Perse, tous les souverains de la dynastie qui a régné de 1499 à 1739. — Se dit aussi pour *soufi*.

soi, pron. pers. sing. de la 3ᵉ pers. V. tabl. SOI.

soie, n. f. (lat. *seta*, m. s.). 1° Poil long et rude de certains animaux. *Brosse en soie de sanglier*. — Fam. *Un habillé de soies* et (par jeu de mots) un *habillé de soie*, un porc (Fam.). [Bot.] Poil raide et isolé.

2° Fil délié, souple et brillant qui provient du cocon produit par certains lépidoptères à l'état de larve, notamment par le *ver à soie*. — Étoffe fabriquée avec ce fil. *Une robe, des bas de soie*. — *Soie artificielle*, la rayonne et la fibranne. ‖ Matière filamenteuse produite par quelques autres animaux, comme les araignées. V. tabl. VÊTEMENT et PARURE (*idées suggérées par les mots*).

3° Maladie particulière aux porcs, qui a son siège à l'un des côtés du cou.

SOI, pronom personnel réfléchi de la 3ᵉ personne, des trois genres et employé seulement au singulier.

Étymologie. — Du latin *se*, m. s., pronom réfléchi, prononcé sous sa forme tonique, la forme atone étant *se* (V. tableau SE).

Emploi général. — *Soi* est toujours employé comme complément, sauf dans la loc. *Être soi*, garder son propre caractère, où il est attribut.

Soi, étant une forme du singulier, ne peut régulièrement se construire avec un pluriel. Cependant on dit : *De soi, ces choses sont indifférentes. En soi, ces principes semblent indiscutables.* Il est généralement remplacé par *eux* et *elles*.

En dehors des tours et des locutions consacrées, la langue contemporaine a une tendance à employer de moins en moins cette forme réfléchie.

V. GRAMMAIRE (Pronoms).

HOM. — *Soi*, pr. réfl. de la 3ᵉ pers. — *soie*, n. f., sécrétion du ver à soie; — *sois, soit, soient*, du v. être; — *soit*, conjonction; — *soit !* interj.

Emploi actuel de SOI. — Il se dit des personnes et des choses, et sign. *lui, elle. On doit parler rarement de soi. Chacun travaille pour soi. Un bienfait porte sa récompense avec soi.*

Il s'emploie :

a) En parlant des *êtres animés*, avec un *sujet indéterminé*, c'est-à-dire :

1° Avec les pronoms ou locutions indéfinis *on, quiconque, aucun, chacun, celui qui, personne, tout homme, nul.* — *On a souvent besoin d'un plus petit que soi.* (LA FONTAINE.) — *Personne n'entend volontiers mal parler de soi. Chacun pour soi.*

2° Avec un verbe à sujet impersonnel ou neutre. *Il faut être tout à fait comme les autres, ou tout à fait comme soi.* (J.-J. ROUSSEAU.) *Cela va de soi.*

3° Avec un infinitif. *Être trop content de soi est une sottise.*

b) En parlant *d'êtres inanimés*, avec un *sujet déterminé* ou *indéterminé*. Dans ce cas, il s'emploie à la place de *lui* ou *elle*, et se joint toujours à une préposition. *De soi le vice est odieux. La vertu est aimable en soi.*

c) Avec un *sujet déterminé*, lorsque l'emploi de *lui* ou de *eux* pourrait donner lieu à une équivoque, comme dans cette phrase : *Ce jeune homme, en remplissant les volontés de son père, travaille pour soi*, car si l'on disait : *travaille pour lui*, on ne saurait si le jeune homme travaille pour ses intérêts ou pour ceux de son père. *Soi* indique que l'action retombe sur le sujet de la proposition, tandis que *lui* annonce que l'action passe au delà du sujet. Ainsi on doit dire : *Paul pense à soi*, si l'on veut signifier qu'il est l'objet de ses propres pensées; et : *Paul pense à lui*, si l'on veut exprimer qu'il pense à une autre personne dont il vient d'être question. On aura ainsi des phrases comme celle-ci : *Qui aime son pays pense à lui avant de penser à soi.*

Emplois anciens de SOI. — Dans la langue française classique *soi*, pronom essentiellement réfléchi, avait un emploi beaucoup plus large qu'aujourd'hui. On l'employait par exemple avec un sujet déterminé. *Qu'il fasse autant pour soi comme je fais pour lui.* (CORNEILLE.) — *Gnathon ne vit que pour soi.* (LA BRUYÈRE.)

Il peut même, au pluriel, représenter des êtres animés ou inanimés. *Certains particuliers... se ruinent à se faire moquer de soi.* (LA BRUYÈRE.)

C'est à la fin du XVIIᵉ siècle que *soi* devient exclusivement un pronom *indéterminé*.

LOCUTIONS FORMÉES AVEC SOI.

SOI-MÊME. — Ne signifie rien de plus que *soi* pris absolument; mais il exprime, par une sorte de pléonasme, l'idée avec un peu plus de force. *Se servir soi-même. Se louer soi-même. Rentrer en soi-même.*

S'emploie quelquefois comme nom masculin. *Regarder quelqu'un comme un autre soi-même.*

À SOI. — *Être à soi*, ne dépendre de personne, d'aucune chose. *Se mettre au service de quelqu'un, c'est se condamner à n'être plus à soi.* — *Revenir à soi.* V. REVENIR.

DE SOI. — *De sa nature. De soi le vice est odieux. Cela va de soi, c'est tout naturel.*

EN SOI. — *Dans sa nature. La nature est aimable en soi.* — *Rentrer en soi, en soi-même.* V. RENTRER. [Phil.] *La chose en soi*, la chose telle quelle est dans sa réalité dernière.

SUR SOI. — *Sur son corps, sur sa personne. N'avoir plus d'argent sur soi.* — *Prendre sur soi*, assumer la responsabilité de. Absol. *Se dominer.*

CHEZ SOI. — *Dans sa maison : Rentrer chez soi. Vivre chez soi*, avoir une habitation en propre. = N. m. Domicile, intérieur. *Aimer son chez soi.*

Fam. *À part soi.* V. PART. — *Tenir son quant-à-soi.* V. QUANT.

Soi-disant, adj. invar. « disant soi », « se prétendant ». [Droit] Se dit quand on ne veut pas reconnaître la qualité que prend quelqu'un. *Un tel, soi-disant héritier.* = Se dit aussi, par raillerie et par mépris, dans le langage familier. *Un soi-disant savant.*

GRAM. — *Soi-disant* ne se rapporte qu'à des personnes et ne se dit jamais des choses. On ne doit donc pas dire : *un soi-disant succès*, mais *un prétendu succès*. — La forme du plur. est la même que celle du singulier : *des soi-disant savants*.

4° [Techn.] Partie du fer d'une épée, d'un sabre, d'un couteau, etc., qui entre dans la poignée, dans le manche.
ÉPITHÈTES COURANTES : grège, naturelle, artificielle (rayonne), brillante, mate, filée, tissée, teinte, blanche, rouge, noire, grise, bariolée, légère, pure, fine, etc.
HOM. — V. SOI.

> VOCAB. — *Famille de mots.* — *Soie* [rad *soi, sas, sat, sét, ser*] : soyeux, soyer, soierie; séton, sétifère, sétiforme; sas, sasseur, sasser, sassement, ressasseur, ressasser; satin, satinage, satiner, satiné, satineur, satinette; sériciculture, sériciculteur, séricicole, sérigène, séricine; serge, sergé, sergette, sergerie, serger.

soierie [*soi-ri*], n. f. Se dit de toutes sortes de marchandises de soie. ‖ Fabrique de soie, lieu où on la prépare. V. tabl. VÊTEMENT et PARURE (*Idées suggérées par les mots*).

soif, n. f. (lat. *sitis*, m. s.). Sensation produite par le besoin de boire. *Étancher, éteindre, sa soif.* ‖ Fig. Désir immodéré. *La soif de l'or, des honneurs.* — Par ext. *Soif de meurtre, soif de carnage.* ‖ Prov. *Garder une poire pour la soif,* avoir quelque chose en réserve, en cas de besoin. V. tabl. SENS (*Idées suggérées par le mot*).
* **soiffard, arde**, n. Pop. Celui, celle qui a toujours envie de boire.
* **soiffeur**, n. m. Pop. Syn. de *soiffard*.

soigné, ée, adj. Qui dénote beaucoup de soin. ‖ Qui prend grand soin de sa personne. ‖ Fam. *Une correction soignée,* une correction magistrale.
CTR. — *Négligé.*

soigner [gn mll.], v. tr. Avoir soin de quelqu'un ou de quelque chose. ‖ En parlant d'un médecin. *Soigner un malade,* le traiter. ‖ Travailler avec une attention particulière. *Soigner son style.* = SE SOIGNER v. pr. Prendre grand soin de sa personne.
CTR. — *Bâcler.*

* **soigneur**, n. [Sport] Celui qui soigne, qui masse un concurrent.

soigneusement [gn. mll.], adv. Avec soin, avec attention, avec exactitude.

soigneux, euse, adj. Qui fait avec soin, avec attention ce qu'il fait. ‖ Qui est fait avec soin. ‖ Qui prend soin de quelque chose. *Être soigneux de sa personne, de ses vêtements.*
CTR. — *Négligent, insouciant.*

soin [*souin*], n. m. (orig. dout.). Attention soutenue, application d'esprit à faire quelque chose. *Il travaille avec soin.* ‖ *Un, une sans soin,* une personne très peu soigneuse (Fam.). ‖ Peine que l'on prend pour la conservation, la prospérité des personnes et des choses, ou pour parvenir à un but quelconque. *Les soins du ménage, d'une maison. Il a grand soin de sa santé.* ‖ Charge, devoir de prendre soin de quelque chose. *Il laisse au temps le soin de venger sa mémoire.*
Au pl. Attentions qu'on a pour quelqu'un, services qu'on lui rend, peines qu'on lui épargne. *Il lui prodigue les soins les plus empressés.* — *Être aux petits soins avec quelqu'un,* avoir pour lui des attentions délicates. — *Donner des soins à un malade,* l'assister comme médecin ou comme garde-malade. — *Aux bons soins*

de..., formule employée sur une correspondance pour la faire remettre à un destinataire que la personne héberge ou emploie.
ÉPITHÈTES COURANTES : assidu, précis, minutieux, diligent, vigilant, méticuleux, pieux, continu, réitéré, intelligent; maternel, médical, chirurgical, etc.
SYN. — *Soin, application, attention* qu'on met à une chose : *Donner tous ses soins au succès d'une affaire.* — *Méthode,* qualité d'esprit qui consiste à mettre de l'ordre et de la régularité dans ses pensées et ses actes : *Sans méthode, tout n'est que confusion.* — *Minutie,* soin poussé jusque dans les petits détails : *La minutie est une qualité qu'il ne faut pas pousser à l'excès.* — *Sollicitude,* soin affectueux et empressé : *Accomplir avec sollicitude une démarche en faveur d'un ami.* — *Souci,* soin mêlé d'inquiétude apporté à quelque chose : *Vivre sans souci.* V. aussi APPLICATION, ORDRE.

soir, n. m. La dernière partie, les dernières heures du jour. ‖ Fig. et poét. *Le soir de la vie,* la vieillesse. — *A ce soir,* à tout à l'heure dans la soirée. ‖ *Après-midi,* par oppos. au matin. *Il viendra ce soir à quatre heures.* V. tabl. TEMPS et MÉTÉOROLOGIE (*Idées suggérées par les mots*).
ORTH. — On doit écrire : *tous les lundis soir,* et non *tous les lundis soirs,* parce qu'ici *soir* est considéré comme *adverbe.* C'est comme s'il y avait : *tous les lundis au soir.*
ANT. — *Matin.*
HOM. — *Seoir,* être assis; être convenable à.

soirée, n. f. Espace de temps compris entre le déclin du jour et le moment où on se couche. *La soirée m'a paru bien longue.* V. tabl. TEMPS et MÉTÉOROLOGIE (*Idées suggérées par les mots*). ‖ Assemblée particulière qui a lieu dans la soirée, pour causer, jouer, faire de la musique, danser, etc. *Une soirée dansante.* — Tenue de soirée, tenue de cérémonie pour une soirée, un bal, un concert, etc. V. tabl. SOCIÉTÉ et VIE SOCIALE (*Idées suggérées par les mots*).
ÉPITHÈTES COURANTES : belle, fraîche, claire, douce, agréable, étoilée, sombre, obscure, brumeuse, froide, tiède, orageuse, prolongée, écourtée; brillante, dansante, mondaine, populaire, etc.
ANT. — *Matinée.*

soit, mot invar. V. tabl. SOIT.
* **soit-communiqué**, n. m. inv. [Droit] *Ordonnance de soit-communiqué,* ordonnance par laquelle est communiqué au parquet un dossier établi par un juge d'instruction.

soixantaine [*soi-san-tène*], n. f. coll. Nombre de soixante ou environ. ‖ Absol. et fam. *La soixantaine,* soixante ans environ.

soixante [*soi-san-te*], adj. numéral. Nombre composé de six dizaines. *Soixante hommes.* ‖ Se dit aussi pour soixantième. *Page soixante.* = N. m. Le nombre soixante.

soixantième, adj. Nombre ordinal de soixante. *Soixantième chapitre.* = N. m. *La soixantième partie d'un tout,* chaque partie d'un tout divisé en soixante parties.

soja, n. m. V. SOYA.

...sol, sole.

> ORTH. — *Finales.* — Le son final *sol* ne s'écrit sous cette forme que dans *sol* et ses composés ; dans les autres mots, il s'écrit *sole* : boussole, console, rissole, etc.

SOL — SOLDAT

sol..., soll...

ORTH. — *Initiales.* — L'initiale *sol* s'écrit généralement avec un seul *l* : solaire, solanée, sole, soléaire, solécisme, soleil, solennité, solénoïde, solidaire, solide, soliloque, solin, solipède, solitaire, solive, solo, soluble, solution, etc.. sauf dans sollicitation, solliciter, solliciteur, sollicitude.

1. sol, n. m. Anc. nom de sou.
2. sol, n. m. Terrain considéré quant à sa nature ou à ses qualités productives. *Un sol fertile.* ‖ La superficie du terrain sur lequel on bâtit, on marche, etc., ou que l'on cultive.
ÉPITHÈTES COURANTES : dur, plat, uni, raboteux, accidenté ; sablé, pierreux, rocheux, gazonné; mou, tendre, friable; boueux, marécageux, poussiéreux, fertile, productif, fécond; inculte, ingrat, broussailleux; national, natal, sacré; attaqué, défendu, conservé, sauvé, perdu; travaillé, labouré, bêché, retourné, sarclé, arrosé, etc.

VOCAB. — *Famille de mots.* — *Sol*, sole, entresol; solin, solivage, solivure, solive, soliveau, assoler, assolement.

3. sol, n. m. [Mus.] Cinquième note de la gamme d'*ut*. ‖ Signe représentant cette note. V. pl. MUSIQUE.
HOM. — V. SAULE.
solaire, adj. Qui concerne le soleil, qui a rapport au soleil. *Les rayons solaires.* ‖ *Cadran solaire*, instrument permettant de connaître l'heure par le moyen de l'ombre d'un style que projette le soleil sur un cadran. [Anat.] *Plexus solaire*, plexus nerveux situé entre les capsules surrénales.
CTR. — *Lunaire*.

SOIT [*soi*, seul, ou en liaison *soit*], **mot invariable.**
Étymologie. — C'est la 3ᵉ pers. du sing. du subj. présent du verbe *être* devenue un mot grammatical. La forme est aujourd'hui invariable (V. néanmoins ci-dessous, observ.).
Observations grammaticales. — Il arrive que, dans le langage scientifique, le mot *soit*, mis au début d'une phrase, garde pleinement son sens verbal de subjonctif marquant une supposition. Ex. : *Soit le polygone régulier*, signifie : *Supposons qu'existe le polygone régulier*. Au pluriel cependant, certains savants ont pris l'habitude d'écrire : *Soient les deux parallèles*, mais le sing. reste préférable.
HOM — V. SOI.

SOIT, employé seul :
a) Conjonction de coordination : A savoir, c'est-à-dire, ou. *Trois objets à dix francs, soit trente francs.*
b) Gardant sa valeur étymologique de forme du subjonctif marquant la supposition, placé toujours en tête de la phrase. En supposant. *Soit un cylindre creux rempli d'eau.* (V. obs. gram. ci-dessus.)

SOIT, répété. Locutions formées avec SOIT.
SOIT... SOIT, locution conjonctive de coordination; elle marque l'alternative ou la disjonction : ou, ou bien. *Soit l'un, soit l'autre.*
Quelquefois, le second *soit* est remplacé par *ou*. *Soit faiblesse ou bonté* (il est incorrect d'écrire, *soit faiblesse ou soit bonté*).
SOIT QUE... SOIT QUE, locution conj. de subordination, introduisant une proposition conditionnelle, et construite avec le subj. (fait hypothétique, hésitation entre deux hypothèses). *Soit qu'il parte, soit qu'il reste, moi je partirai*. Peut être remplacé dans la seconde proposition suppositive par *ou que. Soit qu'il parle ou qu'il écrive... Tant soit peu*, loc. adv. Très peu. V. tableau PEU.

SOIT, interjection (dans ce sens, le *t* final se fait toujours sentir).
A la valeur d'un *oui* affaibli. Marque un acquiescement condescendant, une concession faite sans enthousiasme. *Que cela soit. Je le veux bien, je veux bien l'admettre. Vous l'avez fait par imprudence, soit ! — Vous proposez cette solution. Eh bien, soit ! — Ainsi, soit-il !* V. AINSI.

---

solandre, n. f. [Méd. vét.] Crevasse située au pli du jarret d'un cheval et d'où suinte une sanie fétide.
solanées ou * **solanacées**, n. f. pl. [Bot.] Famille importante de végétaux dicotylédones, dont font partie la pomme de terre, la tomate, l'aubergine, le piment long, etc., et qui comprend de nombreuses espèces vénéneuses : tabac, belladone, datura stramione, jusquiame, etc.
* **solanine**, n. f. [Chim.] Glucoside contenu dans différentes solanées, telles que la morelle et la douce-amère. Substance très vénéneuse.
solanum, n. m. [Bot.] Genre de plantes, type de la famille des *solanées*, appelées vulg. *morelle*.
* **solard**, n. m. Se dit d'un bœuf qui a perdu son compagnon d'attelage.
* **solarien, ienne**, n. [Astrol.] Celui, celle qui est soumis à l'influence du soleil.
* **solarium**, n. m. [Antiq. rom.] Terrasse de certaines maisons. ‖ Lieu où se prennent les bains de soleil.

solbatu, ue, adj. *Cheval solbatu*, cheval dont la sole a été comprimée par le fer ou par l'appui répété sur des corps durs.
solbature, n. f. [Méd. vét.] Maladie d'un cheval solbatu. On dit aussi *sole battue*.
soldanelle, n. f. [Bot.] Genre de plantes de la famille des *primulacées*. ‖ Autre nom du *chou marin*.
soldat, n. m. (ital. *soldato*, militaire à gage). Homme de guerre qui est à la solde d'un prince, d'un État. ‖ Celui qui sert dans l'armée et qui n'a point de grade. *Un simple soldat.* ‖ Se dit, en général, de tout homme appartenant à la profession militaire. *Foch fut un magnifique soldat.* = Se dit quelquefois adjectivement : *Il a l'air soldat.* ‖ Fig. Celui qui défend, qui sert une cause. ‖ *Soldat de plomb*, petite figure en plomb, avec laquelle les enfants jouent à la guerre. V. tabl. ARMÉE et GUERRE (*Idées suggérées par les mots*).
— *Je parlerai, Madame, avec la liberté*
D'un soldat qui sait mal farder la vérité.
(RACINE.)

— *Le premier qui fut roi fut un soldat heureux.* (Voltaire.)
Épithètes courantes : bon, brave, excellent, valeureux, courageux, dévoué; héroïque, magnifique, grand, beau, audacieux, intrépide, généreux, batailleur, consciencieux, discipliné, régulier, résistant, tenace, expérimenté, endurci, dressé, accompli; médiocre, mauvais, débauché, indiscipliné, voleur, pillard, féroce, buveur, querelleur, insoumis; français, romain, grec, anglais, russe, allemand, etc.

soldatesque, n. f. coll. Troupe de soldats indisciplinés. = Adj. Qui sent le soldat.

1. solde, n. f. (ital. *soldo*, sou). Paye que reçoivent ceux qui servent dans une armée. *Livret de solde.* — Traitement de certains fonctionnaires et, en particul., des fonctionnaires coloniaux. ǁ *Être à la solde d'un homme, d'un parti, etc.*, être payé pour soutenir la cause, les intérêts de cet homme, de ce parti. V. tabl. armée (*Idées suggérées par le mot*).
Syn. — V. gages.

2. solde, n. m. (lat. *solidus*, entier). [Comptab.] Payement par lequel on s'acquitte d'un reste de compte. ǁ *Solde de compte*, ce qui reste à payer après règlement d'un compte. ǁ Différence entre le débit et le crédit d'un compte. *Solde débiteur. Solde créditeur.* [Comm.] Reste de marchandises qu'on vend au rabais pour les écouler.

1. solder, v. tr. (de *solde* 1). Donner une solde à des troupes, les avoir à sa solde.
Syn. — V. payer.

2. solder, v. tr. (de *solde* 2). [Comptab.] Acquitter entièrement un compte, une dette. *Solder un mémoire.* [Comm.] *Solder une marchandise*, la vendre au rabais. [Finances] *Le budget se solde en déficit*, la balance des recettes et des dépenses fait apparaître un déficit.
Syn. — V. acquitter.

* **soldeur, euse**, n. Celui, celle qui fait le commerce d'articles en solde.

1. sole, n. f. [Zool.] Genre de poissons *téléostéens*. Ce sont des poissons plats dont la chair est très estimée.
Hom. — V. saule.

2. sole, n. f. Partie concave et semi-lunaire de la surface plantaire du pied chez le cheval, l'âne, etc.

3. sole, n. f. [Charp.] Pièce de bois posée à plat pour servir d'appui ou de liaison à d'autres pièces. [Techn.] Partie à peu près plate d'un four sur laquelle on place le métal à affiner. ǁ Partie maçonnée d'un fourneau, dans laquelle tombent les cendres.

4. sole, n. f. (lat. *solum*, sol). [Agric.] Chacune des parties d'une terre soumise à l'assolement.
Hom. — V. saule.

soléaire, adj. [Anat.] Se dit d'un muscle de la partie postérieure de la jambe. V. pl. homme (muscles). = N. m. *Le soléaire.*

* **soléciser** [lé-si-zé], v. intr. Faire des solécismes.

solécisme, n. m. (lat. *solaecismus*, m. s.). [Gram.] Faute contre les règles de la syntaxe d'une langue. Ex. *C'est nous qui vont.* ǁ Fig. Faute contre quelque règle établie. *Solécisme de conduite.*
Ant. — *Barbarisme*, faute contre le vocabulaire.

soleil [lè, il mll.], n. m. (lat. pop. *soliculus*, diminutif du lat. *sol, solis*, m. s.). L'astre qui produit la lumière du jour. *Le lever, le coucher du soleil.* — Par ext. L'astre central de tout système Planétaire lumineux par lui-même. *Toute étoile est un soleil.* V. tabl. univers (*Idées suggérées par le mot*). ǁ Rayonnement, chaleur, lumière du soleil; endroit exposé aux rayons du soleil. *Il travaille en plein soleil.* — Fam. *Il fait du soleil*, le soleil n'est caché par aucun nuage. *Il fait déjà grand soleil*, grand jour. — *Avoir du bien au soleil*, avoir des propriétés en terres, en maisons, etc. — *Faire une chose au grand soleil*, la faire sans se cacher, très ostensiblement. — *Se faire une place au soleil*, parvenir à un poste important, se faire une grosse situation. — Prov. *Il n'y a rien de nouveau sous le soleil*, sur la terre, dans le monde, tout est un perpétuel recommencement. [Méd.] *Coup de soleil*, sorte d'érythème ou d'érysipèle causé par l'action des rayons solaires sur quelque partie du corps. — Pop. *Piquer un soleil*, rougir.
[Artific.] Pièce tournante et lumineuse d'un feu d'artifice. [Bot.] Nom vulgaire de *l'héliantus annuel*, plante dont la large fleur présente l'image du soleil. ǁ [Liturg.] Cercle d'or ou d'argent garni de rayons dans lequel on place l'hostie.

— *Par quel ordre, ô Soleil, viens-tu du fond de l'onde*
Nous rendre les rayons de ta clarté féconde ? (Racine.)
— *Roi du monde, ô Soleil, la terre est ta maîtresse.* (A. de Musset.)

Épithètes courantes : beau, brillant, éclatant, lumineux, radieux, clair, magnifique; voilé, pâle, caché, éclipsé, levant, levé, couchant, couché; plein; jaune, blanc, rouge; chaud, brûlant, accablant, torride, de plomb, etc.
Ant. — *Lune, Étoiles, Terre.* — *Pluie.*

> Vocab. — *Famille de mots.* — *Soleil* : solaire, solarien, solarium, solstice, solsticial, ensoleiller, ensoleillé, ensoleillement; insolation, parasol, parasolerie; tournesol, souci (fleur). — Le mot grec correspondant *hélios*, a donné : héliotrope, héliogravure, héliothérapie, périhélie, aphélie, etc.

* **solement** [man], n. m. [Techn.] Filet de plâtre au pourtour des dormants de croisées, de portes, etc. ǁ Ravalement pour soutenir l'égout d'un toit.

solen, n. m. [Zool.] Genre de mollusques lamellibranches comestibles, à coquille mince très allongée, appelés vulg. *couteau.*

solennel, elle [la-nel], adj. (lat. *solemnis*, m. s.). Qui a lieu une fois l'an. *L'usage antique et solennel* (Racine). ǁ *Fête solennelle*, fête célébrée chaque année publiquement. ǁ Par ext. Qui se fait avec beaucoup d'apparat et de cérémonies. *Audience solennelle.* — [Droit] Qui est revêtu de toutes les formes requises. *Acte solennel.* ǁ Fam. *Un ton, un air solennel*, un ton emphatique, un air d'une gravité outrée. *Un homme solennel*, un homme qui a cet air, qui parle de ce ton.
Syn. — *Solennel*, qui se fait avec grand apparat : *Séance solennelle de rentrée des tribunaux.* — *Fastueux*, où un grand luxe est déployé : *Les fêtes fastueuses de la cour*

de Louis XIV. — *Imposant*, qui remplit d'admiration par sa magnificence : *Un spectacle imposant*. — *Magnifique*, très beau par sa grandeur : *Ce défilé triomphal fut un magnifique spectacle*. — *Majestueux*, qui marque une grandeur imposant le respect : *Le port majestueux d'un glorieux vieillard*. — *Pompeux*, qui se fait avec magnificence : *Une pompeuse cérémonie*. — *Somptueux*, fait avec beaucoup de luxe et de dépense : *Un festin somptueux*. V. aussi GRAVE, SUBLIME.

solennellement [so-la-nè-le-man], adv. D'une manière solennelle.

* **solennisation** [so-la-ni-za-sion], n. f. Action par laquelle on solennise.

solenniser [so-la-ni-zé], v. tr. Célébrer chaque année avec cérémonie.

solennité [sola-nité], n. f. (lat. *solemnitas*, m. s.). Fête célébrée chaque année avec éclat. *La solennité de Pâques*. ǁ Pompe, cérémonie publique qui rend une chose solennelle. *Il fut reçu avec solennité à son arrivée dans la ville*. ǁ Fig. Caractère solennel, gravité. ǁ En mauvaise part. Pompe, emphase, gravité outrée. *Il mit beaucoup de solennité dans cette action*.
SYN. — V. FÊTE.

* **solénoïde**, n. m. [Phys.] Fil métallique contourné en hélice qui, au passage d'un courant électrique, crée un champ magnétique analogue à celui d'un aimant.

* **soleret**, n. m. Partie articulée d'une armure protégeant la face antérieure du pied. V. pl. ARMURES.

solfatare, n. f. [Géol.] Ancien cône volcanique émettant des vapeurs sulfureuses.

solfège, n. m. Action de solfier, de s'exercer à solfier. ǁ Recueil d'exercices gradués pour l'étude de la musique vocale.

solfier, v. tr. Chanter en nommant les notes d'un morceau de musique. = Conjug. V. GRAMMAIRE.

* **solicitor**, n. m. En Angleterre, homme de loi remplissant des fonctions de l'avoué et de l'avocat français.

* **solidage** ou * **solidago**, n. f. [Bot.] Genre de plantes de la famille des composées.

solidaire, adj. (lat: *solidus*, entier, total). [Droit] Qui comporte, pour chacun, l'obligation de payer la totalité d'une dette commune. *Une obligation solidaire*. ǁ Qui s'est engagé par un acte solidaire. [Mécan.] Se dit de pièces liées entre elles d'une façon rigide. *Une roue solidaire d'un pignon*. ǁ Fig., se dit de personnes qui répondent les unes pour les autres, dont chacune bénéficie de la prospérité ou souffre du malheur des autres. *Nous sommes tous solidaires*.
PAR. — *Solitaire*, qui est seul.

solidairement, adv. D'une manière solidaire ; tous ensemble et chacun pour tous.

solidariser [zè], v. tr. Rendre solidaire. = SE SOLIDARISER, v. pr. Se déclarer solidaire de quelqu'un, ou se déclarer mutuellement solidaires.

solidarité, n. f. Nature de ce qui est solidaire. ǁ Obligation par laquelle deux ou plusieurs personnes sont tenues les unes pour les autres. ǁ Sentiment de responsabilité mutuelle entre plusieurs personnes ; dépendance mutuelle d'intérêts. ǁ Lien d'humanité, de fraternité entre les hommes.
PAR. — *Solidité*, qualité de ce qui est solide, consistant, réel.

solide, adj. (lat. *solidus*, m. s.). Qui a de la consistance, et dont les parties demeurent naturellement dans la même situation les unes par rapport aux autres ; se dit par opposition à fluide. *Les corps solides*. [Méd.] *Aliments solides*, par oppos. à *aliments liquides*. ǁ Qui a une consistance capable de résister au choc, à l'écrasement, à l'usure ; se dit par opposition à fragile et à peu durable. *Bâtir sur des fondements solides*. ǁ Massif, plein ; se dit par opposition à creux. *Une colonne solide*. ǁ Fam. Fort, robuste, résistant. *Des bras solides*. ǁ Fig. Positif, durable, stable. *Une fortune solide*. ǁ Fig. Doué de qualités intellectuelles effectives, sérieuses. *Un esprit plus solide que brillant*. ǁ Fig. Sur quoi l'on peut compter. *Une amitié solide*.
N. m. Corps dont les parties adhèrent entre elles avec une force telle qu'elles résistent sensiblement aux efforts qui tendent à les séparer. ǁ Fig. Ce qui est réel, positif, durable. [Géom.] Toute portion limitée de l'espace ayant trois dimensions. *Les limites d'un solide constituent sa surface*. V. tabl. SCIENCES (*Idées suggérées par le mot*). V. pl. VOLUMES des corps ronds et des corps à surfaces planes.
SYN. — V. DURABLE et FORT.
ANT. — *Liquide, gaz*.
CTR. — *Cassant, chancelant, précaire, délicat, mouvant*.

solidement, adv. D'une manière solide.

* **solidification** [ka-sion], n. f. Action de solidifier ou de se solidifier. *La solidification du mercure par le froid*.
ANT. — *Liquéfaction, fusion, vaporisation*.

solidifier, v. tr. Rendre solide ce qui était liquide. = SE SOLIDIFIER, v. pr. Devenir solide ; passer de l'état liquide à l'état solide. = Conjug. V. GRAMMAIRE.
SYN. — V. AFFERMIR.
CTR. — *Fondre*.

solidité, n. f. Qualité de ce qui est solide, consistant, de ce qui résiste bien au choc, à l'usure. ǁ *Mesures de solidité*, celles qui servent à mesurer les solides. ǁ Qualité de ce qui est certain, réel, positif, de ce qui a des bases sérieuses. *La solidité d'un raisonnement*.
SYN. — *Solidité*, qualité de ce dont les parties adhèrent solidement les unes aux autres : *La solidité d'un édifice bien cimenté*. — *Consistance*, état d'un corps plus ou moins ferme ou résistant : *Un liquide qui se solidifie prend de la consistance*. — *Dureté*, nature de ce qui se laisse difficilement entamer : *La dureté du chêne*. — *Impénétrabilité*, état de ce qui ne peut être pénétré ou entamé : *L'impénétrabilité de l'acier*. — *Résistance*, qualité d'un corps qui réagit contre l'action d'un autre : *Étudier la résistance des matériaux*. V. aussi CONSTANCE.
ANT. — *Fragilité*.
PAR. — *Solidarité*, dépendance, responsabilité mutuelles.

soliloque, n. m. (lat. *solus*, seul ; *loqui*, parler). Discours d'un homme qui s'entretient avec lui-même ou qui parle tout seul.

solin, n. m. Chacun des intervalles qui se trouvent entre les tuiles et les solives. ǁ L'enduit de plâtre qu'on fait le long d'un pignon pour fixer les premières tuiles. ǁ Le plâtre qu'on met sur la poutre pour séparer les solives.

solipèdes, n. m. pl. [Zool.] Nom donné à la famille des *équidés.* = Adj. Qui n'a qu'un sabot à chaque pied.

soliste, n. [Mus.] Artiste qui exécute les solos. = Adj. *Chanteur, violon soliste.*

solitaire, adj. (lat. *solitarius,* m. s.). Qui est seul; qui aime à vivre séparé du commerce des hommes, qui fuit le monde. *Vous vivez trop solitaire. Mener une vie solitaire.* — Se dit des choses. — Par ext. se dit des animaux. *Les animaux féroces sont tous solitaires.* ‖ Désert, inhabité, ou simpl., isolé, écarté des autres lieux habités. *Un hameau solitaire.* [Bot.] Qui n'est pas accompagné d'un autre organe de même nature. *Carpelle solitaire.* [Méd. et Zool.] *Ver solitaire,* nom vulgaire du *ténia.*

SOLITAIRE, n. m. Anachorète qui vit dans la solitude. *Les solitaires de la Thébaïde.* ‖ Par ext., Tout homme qui vit dans la solitude, qui vit très retiré. *Les solitaires de Port-Royal.* ‖ Sorte de jeu qui se joue seul. ‖ Diamant détaché, monté seul. [Chasse] Vieux sanglier mâle sorti de la compagnie.

SYN. — V. DÉSERT et RELIGIEUX.
PAR. — *Solidaire,* responsable.

solitairement, adv. D'une manière solitaire.

solitude, n. f. (lat. *solitudo,* m. s., de *solus,* seul). État d'une personne qui est seule, qui est retirée du commerce du monde. ‖ Lieu éloigné de la vue, de la fréquentation des hommes. *Se retirer dans une solitude.* ‖ Lieu désert, inhabité.
— *On est plus heureux dans la solitude que dans le monde. Cela ne viendrait-il pas de ce que dans la solitude on pense aux choses, et que dans le monde on est forcé de penser aux hommes ?*
(CHAMFORT.)
— *Les jeunes gens à cause des passions qui les amusent, s'accommodent mieux de la solitude que les vieillards.*
(LA BRUYÈRE.)

* **solivage,** n. m. [Techn.] Supputation du nombre des solives qu'on peut extraire d'une pièce de bois. ‖ Ensemble des solives d'une construction.

solive, n. f. Pièce de bois qui porte sur les murs et sur les poutres, et sert à soutenir les planchers. V. pl. CHARPENTE et MAISON.

soliveau, n. m. Petite solive. ‖ Fig. Homme d'une grande nullité. *C'est un soliveau.*

* **solivure,** n. f. Ensemble des solives d'un bâtiment.

sollicitation [sol-li-si-ta-sion], n. f. Action de solliciter, de prier avec insistance. ‖ Démarches, diligences qu'on fait pour le succès d'une affaire.
PAR. — *Pollicitation,* offre de contracter.

solliciter [sol-li-si-té], v. tr. (lat. *sollicitare,* m. s.). Exciter, pousser à, prier instamment de. *Solliciter au mal.* ‖ Demander quelque chose fortement, avec instance. *Solliciter son congé.* ‖ Absol., Demander avec déférence des faveurs aux personnes puissantes. *Je suis las de solliciter.* ‖ Agiter, mettre en mouvement. *Nos passions nous sollicitent sans cesse.* ‖ Exercer une action physique. *L'aimant sollicite le fer.* ‖ Fig. Attirer, appeler. *Des affiches multicolores sollicitaient partout nos regards.*

SYN. — *Solliciter,* demander d'une manière déférente : *Solliciter un emploi.* — *Conjurer,* prier avec serments, au nom de la divinité : *Je vous conjure de ne pas commettre cet acte.* — *Demander,* faire connaître à quelqu'un qu'on désire obtenir de lui quelque chose : *Demander son chemin à un passant.* — *Prier,* demander par grâce : *Je vous prie de m'exaucer.* — *Quémander,* solliciter avec importunité : *Quémander sans cesse de petites faveurs.* — *Réclamer,* demander comme son dû : *Réclamer justice devant les tribunaux.*
V. aussi APPELER, DEMANDER, PRIER.

solliciteur, euse [sol-li-si], n. Celui, celle qui postule, qui sollicite un emploi, une grâce, une faveur, soit pour lui-même, soit pour un autre.

sollicitude [sol-li-si-tu-de], n. f. Soin affectueux et attentif. *La sollicitude maternelle.* ‖ Souci, soin inquiet. *Les sollicitudes d'un père.*
SYN. — V. SOIN.
ANT. — *Indifférence.*

solo, n. m. (mot ital. sign. *seul.*) Pièce, morceau de musique, ou même simple passage, qui se chante à voix nue, ou qui se joue sur un seul instrument. = Pl. *Des solos* ou, à l'italienne, *des soli.* = Adj. *Violon solo.*

* **solognot** [gno], **ote** [gn mll.], adj. et n. De la Sologne.

solstice, n. m. Les deux points de l'écliptique les plus éloignés de l'équateur. ‖ Les deux époques de l'année où le soleil se trouve en ces points. *Solstice d'été, d'hiver.* V. tabl. TEMPS et MÉTÉOROLOGIE (Idées suggérées par les mots).
ANT. — *Équinoxe.*

solsticial, ale, adj. Qui a rapport aux solstices. *Les points solsticiaux.*

* **solubiliser,** v. tr. Rendre soluble.

solubilité, n. f. Qualité de ce qui est soluble. [Phys.] *Solubilité d'un corps,* poids de ce corps qui se dissout dans une quantité d'eau déterminée.

soluble, adj. (lat. *solubilis,* m. s.). Qui peut être résolu. *Ce problème n'est pas soluble.* ‖ Qui a la propriété de se fondre dans un liquide. *Ce sel est soluble dans l'eau, l'alcool, etc.*
CTR. — *Indissoluble, insoluble.*

VOCAB. — *Famille de mots.* — Soluble [rad. *sol, soud*] : solubilité, solubiliser, solutif, soluté, solvant; insoluble, insolublement, insolubiliser, insolubilité, indissoluble, indissolubilité, indissolublement; solution, solutionner, résoudre, résolu, résoluble, résolument, résolutif, résolutoire, résolution, résolvant; solvable, solvabilité, insolvable; absoudre, absoute, absolution, absolutoire; absolu, absolument, absoluité, absolutaire, absolutisme, absolutiste; dissoudre, dissous, dissolution, dissolubilité, dissolu, dissoluble, dissolvement, dissolutif, dissolvant; irrésolu, irrésolument, irrésolution.

Le mot grec correspondant, *lysis,* a donné naissance aux mots : analyse, analyser, analyseur, analysable, analyste, analytique, analytiquement; catalyse, catalytique, catalyseur; dialyse, dialyser, dialyseur; électrolyse, électrolysable, électrolysation, électrolyser, électrolyseur, électrolyte, électrolytique; paralyser, paralysant, paralysateur, paralytique, paralysie, etc.

---

* **soluté,** n. m. Ensemble formé par un corps dissous et son dissolvant.

* **solutif, ive,** adj. Qui a la vertu de dissoudre, de résoudre.
solution [sion], n. f. (lat. *solutio,* m. s.). [Chim.] Liquide ou solide contenant un corps dissous. — Médicament obtenu par simple solution d'une substance active dans l'eau. ǁ Dénouement, résultat d'une difficulté; résolution d'un problème donné, d'une question posée. *Chercher la solution d'une difficulté.* ǁ Ce qui termine une affaire quelconque; conclusion, terminaison. ǁ Séparation, division des parties. *Solution de continuité.* [Droit] Libération, payement final.
ÉPITHÈTES COURANTES : bonne, meilleure, excellente, pratique, mauvaise, détestable; possible, nécessaire, appropriée, radicale, moyenne, intermédiaire, conciliante; expectante, provisoire, définitive; apportée, proposée, réclamée, décidée, imposée, etc.
* **solutionner,** v. tr. [Néol.] Résoudre.
OBS. — Ce verbe est un néologisme déplaisant qu'il vaut mieux éviter. Il est préférable d'employer *résoudre,* qui a la même signification.
* **solutréen, enne** [tré-in, ènne], adj. et n. m. [Géol.] Étage du milieu du pléistocène supérieur, entre l'aurignacien et le magdalénien.
solvabilité, n. f. État de ce qui est solvable. ǁ Pouvoir, moyen qu'on a de payer.
solvable, adj. (du lat. *solvo,* je paye). Qui a de quoi payer.
* **solvant,** n. m. (lat. *solvo,* je dissous). [Phys.] Corps qui en dissout un autre.
* **soma,** n. m. (gr. *sôma,* corps). [Biol.] Ensemble des cellules qui meurent avec l'individu.
* **somatique,** adj. [Méd.] Qui appartient au corps. *Troubles somatiques,* par oppos. aux troubles psychiques.
somatologie, n. f. [Anat.] Anatomie humaine.
PAR. — *Stomatologie.* Étude des maladies de la bouche et des dents.
sombrage, n. m. [Vitic.] Premier labour donné à la vigne.
1. **sombre,** adj. (peut-être lat. *sub umbra,* sous l'ombre). Peu éclairé, qui reçoit peu de lumière. *Cette maison est bien sombre.* — *Il fait sombre,* le temps est sombre. — *Couleur sombre,* couleur peu éclatante, tirant sur le noir ou le brun foncé. ǁ Obscur, ténébreux. *La nuit est bien sombre.*
— Fig. Inquiétant, peu favorable. *Voir l'avenir sous les couleurs les plus sombres.* ǁ Mélancolique, morne, taciturne. *Un esprit sombre.* — Se dit des choses. *Une humeur, des idées sombres.* = N. m. *Peindre dans le sombre.*
SYN. — V. OBSCUR.
CTR. — *Clair, lumineux, brillant, vif, voyant.* — *Gai, joyeux, alerte, confiant.* — *Radieux, riant.*
2. * **sombre,** n. m. (bas lat. *sombrum,* m. s.). [Agric.] Premier labour donné à une vigne, à une jachère.
* **sombré, ée,** adj. [Mus.] *Voix sombrée,* voix couverte, voilée, sans sonorité.
* **sombrement,** adv. D'une manière sombre.
1. **sombrer,** v. intr. [Mar.] Se dit d'un vaisseau qui, étant sous voiles, est renversé sur le côté et coule bas. — Par ext. Se dit de tout navire qui est englouti dans la mer. ǁ Fig. Disparaître, se perdre. *Sa fortune a sombré dans cette entreprise.* = V. tr. Rendre sombre, couvert (rare).
2. * **sombrer,** v. tr. Donner un premier labour à une jachère, à une vigne, etc.
* **sombrero** [son-bré-ro], n. m. Chapeau de feutre à larges bords que portent les Espagnols, pour se garantir du soleil.
* **sommager** [so-ma], v. tr. [Techn.] Placer des cerceaux ou sommiers sur un objet. = Conjug. V. GRAMMAIRE.
* **sommail** [so-ma-il mll.,] n. m. [Mar.] Écueil dans une passe.
sommaire [so-mère], adj. (lat. *summarium,* m. s.). Succinct, abrégé, qui expose un sujet en peu de mots. *Un exposé sommaire.* ǁ Expéditif, rapide. *Exécution sommaire.* = N. m. Abrégé, résumé, contenant seulement les notions principales, sans les détails. *Le sommaire d'un livre.*
SYN. — V. ABRÉGÉ.
CTR. — *Développé, détaillé, complet, approfondi.*
HOM. — *Sommaire,* adj., succinct, court;
— *sommaire,* n. m., abrégé, extrait; — *sommèrent,* du v. sommer.
sommairement, adv. D'une manière sommaire, succinctement, brièvement.
* **sommateur,** n. m. Celui qui fait une sommation.
1. **sommation** [so-ma-sion], n. f. Action de sommer quelqu'un de dire ou de faire, ou de ne pas dire, de ne pas faire quelque chose. ǁ Acte écrit contenant une sommation faite en justice.
2. **sommation** [sion], n. f. [Math.] Opération qui a pour but de trouver la somme de plusieurs quantités. *La sommation des suites.*
1. **somme** [so-me], n. f. (lat. *summa,* qui est au-dessus). [Math.] Résultat d'une addition, le total. *La somme des unités, des dizaines.* ǁ Quantité d'argent. *La somme de trois cents francs.* — *Somme totale,* la quantité qui résulte de plusieurs sommes jointes ensemble. ǁ Fig. Ensemble, total. *La somme de nos maux.* ǁ Titre de certains ouvrages qui résument toutes les parties d'une science, d'une doctrine connues à une époque déterminée. *La Somme de saint Thomas.* = EN SOMME, SOMME TOUTE, loc. adv. En résumé, pour conclusion. *En somme, Somme toute, vous niez les faits.*
ÉPITHÈTES COURANTES : grosse, moyenne, respectable, considérable, petite, dérisoire, importante, rondelette, énorme, formidable, colossale; payée, reçue, demandée, réclamée, convenue, proposée, exigée, accordée, refusée, calculée, évaluée, perçue, estimée, empruntée, remboursée, restituée, etc.
HOM. — *Somme,* n. f., résultat d'une addition; — *somme,* n. f., ouvrage théologique; — *somme,* n. f. charge, fardeau; — *somme, es, ent,* du v. sommer; — *somme,* n. m., sommeil; — *Somme,* n. pr., fleuve et département de France; — *sommes* (nous), du v. être.

VOCAB. — *Famille de mots.* — **Somme :** sommet, sommité; summum, sommaire, sommairement; assommer, assommant, assommoir, assommeur; consommer, consommé, consommable, consommation, consommateur; sommer, sommation, sommateur.

2. **somme** [so-me], n. f. (lat. *sagma*, m. s.). Charge, fardeau que peut porter un cheval, un âne, etc. *Somme de blé.* — *Bête de somme,* bête employée à porter des fardeaux. — Fig. *Travailler comme une bête de somme,* faire un travail extrêmement pénible.

3. **somme,** n. m. (lat. *somnus,* m. s.). Syn. de *sommeil* Ne se dit guère que de l'homme. *Faire un somme, un petit somme,* dormir un petit moment, soit de jour, soit de nuit.

sommé, adj. [Blas.] Surmonté de.

sommeil [so-meil, il mll.], n. m. (bas lat. *somniculus,* m. s.). Repos périodique des organes des sens et du mouvement, pendant lequel le corps répare ses forces. — *Demi-sommeil,* sommeil léger, somnolence. *Avoir un sommeil léger,* se réveiller facilement, au moindre bruit. — *Sommeil de plomb,* sommeil très profond. — Par ext. Besoin de dormir. *Avoir sommeil.* — *Tomber de sommeil,* avoir extrêmement sommeil. || Fig. *Le dernier sommeil. Le sommeil éternel,* la mort. || Fig. État d'inactivité, d'inertie où se trouvent certaines choses. *Le sommeil de la nature.* = EN SOMMEIL, loc. adv. *Être en sommeil,* se dit de quelqu'un ou de quelque chose qui ne donne plus aucun signe d'activité. *Décret en sommeil.*
ÉPITHÈTES COURANTES : profond, calme, lent, prolongé, interrompu, haché, agité, troublé; bienfaisant, réparateur; dernier, éternel, etc.
ANT. — *Veille.*
HOM. — *Sommeille, es, ent,* du v. sommeiller.

sommeiller [so-mé-illé, ill mll.], v. intr. Dormir d'un sommeil léger, imparfait. || Fig. Être dans un état d'inactivité, d'inertie. *La nature sommeille. Sa raison sommeille.*
PAR. — *Somnoler,* dormir à demi.

sommelier, ière (de *somme* 2) [so-me-lié], n. Celui, celle qui, dans une maison importante, a charge du linge, de la vaisselle, des provisions et de la cave. || Celui, celle qui, dans un restaurant, a la charge du vin et des liqueurs.

* **sommellerie,** n. f. [so-mè-le-rie], n. f. Charge, fonction du sommelier; lieu où il garde le linge, les provisions qui lui sont confiés.

1. **sommer,** v. tr. (de *somme*). Signifier à quelqu'un, dans les formes établies, qu'il ait à faire telle ou telle chose, sinon qu'on l'y obligera. *Je l'ai sommé de payer.* || Par métonymie. *Sommer une place,* sommer celui qui y commande de la rendre.

2. **sommer,** v. tr. Trouver la somme de plusieurs quantités.
PAR. — *Sommet,* partie la plus élevée.

sommet [so-mè], n. m. (lat. *summus,* le plus élevé). Le haut, la partie la plus élevée de certaines choses. *Le sommet d'une montagne.* || Fig. et dans le style soutenu : *Le sommet des grandeurs, de la gloire, etc.,* le plus haut degré, le point culminant des grandeurs, de la gloire, etc. [Géom.] *Le sommet d'un angle,* le point où se coupent les deux côtés de l'angle. *Le sommet d'un triangle,* le sommet de l'angle opposé au côté que l'on considère comme base.
ÉPITHÈTES COURANTES : haut, élevé, vertigineux, abrupt, aigu, arrondi, neigeux, glacé, lointain, alpestre, ensoleillé; nuageux, embrumé, vaporeux, couronné, blanc, bleu, verdoyant; ardu, inaccessible; atteint, aperçu, visible, caché, invisible, etc.
SYN. — *Sommet,* partie supérieure de quelque chose : *Le sommet de l'Himalaya.* — *Cime,* la partie supérieure d'un arbre, d'une montagne : *La cime d'un chêne. La cime du Mont-Blanc.* — *Comble,* le sommet d'un édifice qui soutient le toit : *On a refait en ciment armé les combles de la cathédrale de Reims.* — *Crête,* la ligne de sommets d'une chaîne de montagnes, d'une ligne de vagues, etc. : *La crête des Vosges.* — *Faîte,* la partie la plus haute d'une chose : *Le faîte de la maison, le faîte des honneurs.* — *Haut,* la partie la plus élevée de quelque chose : *Arriver au haut de la côte.* — *Pinacle,* la partie la plus élevée, l'ornement terminal d'un temple, d'un palais : *Le pinacle du temple de Jérusalem.*
ANT. — *Base, fondement, fond.*
HOM. — *Sommais, ait, aient,* du v. sommer.
PAR. — *Sommer,* faire une sommation; totaliser.

1. **sommier** [so-mié], n. m. (lat. *summarium,* abrégé). Gros registre où les commis inscrivent les sommes qu'ils reçoivent.

2. **sommier** [so-mié], n. m. (bas lat. *sagmarium,* m. s.). Matelas de crin servant de paillasse. — *Sommier élastique,* partie de la garniture d'un lit formée d'un cadre en bois ou en métal à l'intérieur duquel se trouvent des ressorts de fil métallique en spirale qui lui donnent de l'élasticité. [Archi.] Pierre qui reçoit la retombée d'une voûte. — Première pierre que l'on place à chaque extrémité d'une plate-bande. [Charp.] Pièce de bois de charpente qui porte sur deux pieds-droits de maçonnerie, et sert de linteau à une porte, à une croisée, etc. || Pièce de bois qui supporte les parties sonores des orgues, des pianos. [Techn.] Pièce qui sert à soutenir le poids ou l'effort de certaines machines. || Socle, traverse servant à supporter ou à maintenir certaines choses fort lourdes : grille, cloche, etc.

sommité [som-mi-té], n. f. (lat. *summitas,* m. s.). Le sommet, la partie la plus élevée de certaines choses. *La sommité d'une tour, d'un toit.* || Fig. et fam. *Les sommités sociales,* les hommes les plus éminents de la société par leur naissance, leur rang, leur fortune, leurs talents. [Bot.] Extrémité de la tige fleurie de certaines plantes à fleurs très petites. Extrémité, pointe des arbustes et des branches.
SYN. — V. PERSONNAGE.

somnambule [som-nan-bule] (lat. *somnus,* sommeil, et *ambulare,* se promener), adj. et n. Celui, celle qui, dans le sommeil, marche, parle ou fait certains actes qu'on ne fait en général qu'éveillé. || Personne qui a été endormie par le moyen du magnétisme, partic. pour prédire l'avenir.

* **somnambulique** [som-nan-bu-li-ke], adj. Qui a rapport au somnambulisme.

somnambulisme, n. m. État du somnambule. || Sommeil hypnotique provoqué par autrui.

somnifère [som-ni], adj. (lat. *somnus,* sommeil, et *ferre,* porter). Qui provoque; qui cause le sommeil. || Fig. Qui endort à force d'ennuyer. = N. m. *Un somnifère.*

somnolence [som-no-lan-se], n. f. État intermédiaire entre le sommeil et la veille. ‖ Disposition habituelle à dormir; engourdissement, mollesse.

somnolent, ente [som-no-lan], adj. Qui a rapport à la somnolence. ‖ Qui est porté à dormir, qui est lourd de sommeil. ‖ Fig. Qui manque d'activité, d'énergie. = Nom. *C'est un somnolent.*

somnoler, v. intr. Dormir peu profondément.

PAR. — *Sommeiller,* se laisser aller au sommeil.

somptuaire [somp-tu-è-re] (du lat. *sumptus,* dépense), adj. Relatif à la dépense; se dit de lois, de décrets ayant pour objet de régler, de restreindre ou de frapper la consommation des choses de luxe.

INCORR. — *Des dépenses somptuaires* est un assemblage de mots qui constituent un pléonasme étymologique.

PAR. — *Somptueux,* qui est magnifique, coûteux.

somptueusement, adv. D'une manière somptueuse.

somptueux, euse [somp-tu-eu] (lat. *somptuosus,* relatif à la dépense). adj. Magnifique, splendide, de grande dépense. *Habit, festin somptueux.* ‖ Qui fait de grandes dépenses. *Être somptueux en habits.*

SYN. — V. SOLENNEL.

---

1. SON, SA, SES. adj. possessif de la 3ᵉ pers., indiquant un possesseur unique.

Étymologie. — Du latin *suus, sua, suum,* son, sa forme atone dont la forme tonique est *sien* (V. ce tableau).

Emploi général. — Ces adjectifs, qui correspondent aux pronoms de la 3ᵉ personne *soi, se, il,* se mettent toujours devant un nom. Le premier est du genre masculin : *Son père, son bien;* le second est du genre féminin : *sa mère, sa patrie;* enfin le 3ᵉ est des deux genres et le pluriel des deux précédents : *Ses parents, ses terres.* Bien que *son* soit masculin, l'euphonie veut qu'on l'emploie au lieu de *sa,* lorsqu'il est suivi d'un nom féminin qui commence par une voyelle ou par une *h* non aspirée. C'est ainsi que l'on dit : *Son avarice, son estime, son habileté.* Mais quand le mot suivant commence par une *h* aspirée, on doit toujours employer le féminin *sa,* comme *sa haine, sa honte.* — On doit répéter *son, sa, ses* : 1° avant chaque nom : *Son père et sa mère sont estimables,* et non, *ses père et mère sont estimables;* et 2° avant les adjectifs qui marquent un sens différent ou opposé : *Je connais ses grands et ses petits appartements,* et non *ses grands et petits appartements.* Au contraire, on ne le répète pas, lorsque les adjectifs sont à peu près synonymes : *J'ai lu le récit de ses grandes et mémorables actions,* et non, *de ses grandes et de ses mémorables actions.*

Son peut renvoyer, soit au sujet, soit au complément d'agent. *Il m'a envoyé sa lettre. J'ai gardé sa lettre.*

L'emploi, de *son, sa, ses* doit être fait de sorte qu'il ne puisse se produire aucune ambiguïté, ce qui est le cas quand il y a, dans la phrase, plusieurs antécédents possibles. Ainsi, il ne faudra pas dire : *L'orateur a mis le public en face de ses responsabilités* (celles du public ou celles de l'orateur ?); de même. *Ce père aime son fils, mais il blâme son manque d'énergie* (du père ou du fils ?). Il conviendra dans des cas analogues de dire par ex. : *L'orateur a mis ses auditeurs en face de leurs responsabilités; ce père... blâme le manque d'énergie de celui-ci.*

Pour l'emploi comparé de *son, sa, ses* et de *en.* V. tableau GRAMMAIRE (adj. et pronom possessif). V. tableaux EN, LEUR.

HOM. — *Son,* adj. poss. 3ᵉ pers.; — *son,* n. m., bruit; — *son,* n. m., la partie la plus grossière du blé; — *sont* (ils), du v. être.

Sens et emplois particuliers de SON, SA, SES. — Désigne un seul possesseur de la 3ᵉ personne du singulier.

Qui appartient à lui ou à elle. *Sa fille, son chien. A chacun son métier.*
Qui est attribué à lui ou à elle. *Il a fait son chemin. Chacun à son tour.*
Qui est habituel chez lui ou chez elle. *Elle a aujourd'hui sa migraine* (alors que : *elle a la migraine aujourd'hui,* n'est que la constatation d'un état passager).

Tours particuliers. — *Son* s'emploie parfois avec un sens emphatique : *son fameux,* celui dont on est fier, ou, au contraire, un sens péjoratif : *C'est bien là son orgueil !*

Dans le langage familier, on joint parfois *son, sa* au complément du verbe *sentir,* et il équivaut alors à l'article : *Il sent son homme de qualité; il sent son hypocrite,* il a l'air d'un homme de qualité, d'un hypocrite, etc.

On dit encore, *posséder son Homère, son Cicéron, ses auteurs anciens,* etc., pour signifier, connaître bien Homère, Cicéron, les anciens auteurs, etc.

La loc. *Il n'a pas son pareil,* équivaut à : *un pareil à lui.* — Pour la loc. *battre son plein.* V. SON, n. m. (LING.).

CTR. — *Modeste, misérable.*

PAR. — *Somptuaire,* qui a rapport à la dépense.

somptuosité [somp-tu-o-zi-té], n. f. Grande et magnifique dépense; splendeur, magnificence. *Son salon est meublé avec somptuosité* (Rare).

SYN. — V. LUXE.

1. son, sa, ses, adj. poss. de la 3ᵉ pers. V. tabl. SON, SA, SES.

2. son, n. m. (lat. *sonus,* m. s.). Sensation produite par la vibration d'un milieu élastique venant frapper l'organe de l'ouïe. ‖ Bruit produit par des vibrations continues de même ordre. *Le son des cloches.* [Mus.] Son considéré au point de vue musical. *Battre son plein.* V. BATTRE et ci-après LING. [Gram.] Émission de la voix, articulations d'une langue. *L'étude des sons s'appelle la phonétique.* (V. tabl. SON (verbes exprimant la production de certains sons caractéristiques).

LING. — Nous avons donné au mot BATTRE l'explication moderne de l'expression *la fête bat son plein,* faisant de *son* un n. m., et non un adjectif possessif. Toutefois, LITTRÉ n'admettait pas cette explication et l'Acad. (1935) rattache la loc. figurée à l'expression *la mer bat son plein* où *son* paraît bien un possessif. Plusieurs grammairiens modernes adoptent cette étymologie.

ÉPITHÈTES COURANTES : grave, aigu, haut, fort, élevé, brisant, éclatant, tonitruant; doux, calme, enchanteur, plaintif, criard, sourd, étouffé, imperceptible;

émis, produit, entendu, perçu, lointain, souterrain, proche, etc.
SYN. — V. TON.

> VOCAB. — *Famille de mots.* — *Son :* sonore, sonoriser, sonorisation, sonorité. insonore ; sonner, sonné, sonnant, sonneur, sonnette, sonnaille, sonnailler, sonnerie ; sonnet, sonnettiste, sonate, sonatine, sonomètre, assonance, assonant, consonne, consoner, consonant, consonance, consonantisme, consonantique ; dissonance, dissoner, dissonant, malsonnant ; résonance, résonant, résonateur.

3. son, n. m. Enveloppe corticale des graines des céréales, lorsqu'elle en a été séparée par la mouture et le blutage. ‖ *Eau de son*, eau dans laquelle on a mêlé du son pour la rendre émolliente. ‖ *Taches de son*, taches de rousseur (Fam.).

sonate, n. f. [Mus.] Pièce de musique instrumentale pour un ou deux instruments qui se compose au moins de trois parties, d'un *allégro*, d'un *adagio* et d'un *presto* ou *rondo*. Quelquefois on y joint un *scherzo* ou *menuet*, comme dans les symphonies.

sonatine, n. f. Sonate fort courte ou facile à exécuter.

sondage, n. m. Action de sonder. Son résultat. ‖ Fig. Enquête, investigations discrètes.

sonde, n. f. (orig. inc.). [Mar.] Instrument formé essentiellement d'une ligne lestée, qui sert à faire connaître la profondeur de l'eau ainsi que la nature du fond en un lieu donné. [Chir.] Instrument

---

SON
Verbes exprimant différents sons ou bruits produits par des êtres vivants, par la nature, par des objets divers.

L'homme *parle, chante, crie, ronfle, hurle, gémit, murmure, sanglote,* etc.
Les animaux *crient, hurlent, beuglent, mugissent,* etc. V. tabl. ANIMAUX.
L'automobile *corne, klaxonne.*
L'avion *vrombit, sonne.*
La balle *siffle.*
La bombe *siffle, éclate, explose, détone.*
La bouillotte *chante.*
Le canon *gronde, tonne, retentit.*
La cascade *bruit, murmure.*
Le clairon *sonne.*
La clé *grince.*
La cloche *sonne, tinte, carillonne, chante, vibre.*
La clochette *tintinnabule.*
Le cor *résonne.*
La corde, le câble *crissent.*
Les dents *claquent, crissent, grincent.*
L'eau agitée *bouillonne, clapote, glougloute.*
Le feu *crépite, éclate, grésille, pétille.*
Les feuilles *bruissent.*
La flèche *siffle.*
Les flots *grondent, gémissent, retentissent, mugissent, murmurent.*
La foudre *éclate.*
Le fouet *claque.*
Les fusils *crépitent, crachent, claquent.*
La girouette *grince.*
La glace *craque.*
Le glas *tinte, s'égrène.*
Le gong *résonne.*
La graisse bouillante *grésille.*
La grêle *grésille, fouette.*
Le grelot *vibre.*
La langue *claque.*
La locomotive *siffle, souffle, crache, halète.*
Le métal *vibre.*
La mer *mugit, gronde, clapote.*
La mitrailleuse *crépite.*
La machine à écrire *crépite.*
Le moteur *ronfle.*
L'orgue *ronfle, gronde, retentit, gémit.*
Le paquebot *sirène.*
La pendule *sonne.*
La pièce de monnaie *sonne, tinte.*
Le plancher *craque.*
La poudre *fuse.*
Le remorqueur *siffle, crache.*
La roue *grince.*
Le ruisseau *gazouille, murmure.*
La scie *grince.*
La sirène *hurle, mugit, meugle.*
La soie *froufroute.*
La sonnette *sonne, tinte*
La source *chante, murmure.*
Le tambour *bat, résonne.*
La tempête *gémit, hurle, siffle, gronde, éclate.*
Le timbre métallique *vibre, retentit.*
Le tonnerre *gronde.*
Le torrent *gronde, mugit.*
Les vagues *se brisent, déferlent, clapotent.*
Le vent *siffle, souffle, mugit.*
Le verre *vibre.*
Le violon *grince, chante.*
Le volcan *gronde, mugit, éclate.*

---

servant à l'exploration ou au drainage d'une plaie, d'un canal, d'une cavité. ‖ Instrument servant aux employés d'octroi ou de douane pour reconnaître le contenu d'un ballot. [Techn.] Tarière qu'on enfonce dans la terre pour reconnaître les différentes couches du terrain.
HOM. — *Sonde, es, ent*, du v. sonder ; — *Sonde* (îles de la).

sonder, v. tr. (de *sonde*). Faire avec l'un des instruments appelés *sondes*, l'opération à laquelle cet instrument est destiné. *Sonder un terrain. Sonder un chenal.* [Chir.] Introduire la sonde dans la vessie ou dans une plaie. [Techn.] Explorer avec la sonde l'intérieur d'un objet de consommation, d'un chargement de voiture. *Sonder une charrette de foin.* ‖ Par anal. Reconnaître, par le son qu'elle rend quand on frappe dessus, si une chose est pleine ou creuse, etc. *Sonder un mur.* ‖ Fig. *Sonder le terrain*, tâcher de connaître s'il n'y a point de danger dans une affaire, et de savoir comment il faudra s'y prendre pour réussir. ‖ Fig., au sens moral : Pénétrer, chercher à pénétrer. *Sonder les intentions de quelqu'un.* = SE SONDER, v. pr. S'étudier, chercher à se pénétrer mutuellement.

sondeur, euse, n. Celui, celle qui sonde.

songe, n. m. (lat. *somnium*, m. s., de *somnus*, sommeil). Rêve, association d'idées, souvent sans lien entre elles, qui se forme pendant le sommeil. — Fig. Chose éphémère, sans réalité ou valeur véritable. *Les choses de ce monde ne sont qu'un songe.* — *Se repaître de beaux songes*, se repaître de chimères, de vaines espérances. = EN SONGE, loc. adv. Durant le sommeil, en rêvant.

— *Le laboureur m'a dit en songe : Fais ton pain.* (SULLY-PRUDHOMME.)
SYN. — V. RÊVE.

songe-creux, n. m. Homme qui rêve habituellement à des projets chimériques. = Pl. *Des songe-creux.*

songer, v. intr. (lat. *somniare*, m. s.). Rêver, faire un songe. *J'ai songé que je voyageais sur mer.* || Penser, considérer, faire attention, prendre garde. *Il ne songe qu'à lui. Songez à ce que vous dites.* || Songer de, penser à, avoir l'esprit préoccupé de. || *Vous n'y songez pas,* ce que vous dites n'est pas raisonnable. || Absol. Se livrer à la rêverie. || Avoir un dessein, une intention. *Il songe à se marier.* — *Sans songer à mal,* sans malice, sans mauvaise intention. || Absol. et fam. *Cet homme songe creux,* il n'a dans l'esprit que des idées, des projets chimériques. — V. SONGE-CREUX.
V. tr. Voir en songe. *J'ai songé telle chose cette nuit.* = Conjug. V. GRAMMAIRE.
songerie, n. f. Rêverie, action de songer et ce à quoi on songe.
songeur, euse, n. Celui, celle qui songe, qui fait des songes. || Fig. Celui, celle qui se livre à des rêveries chimériques. = Adj. *Je l'ai trouvé songeur.*
* **sonna** ou * **sunna** [*son-na*] (mot arabe), n. f. Recueil des dits et faits de Mahomet.
sonnaille [*so-na-ille, ill* mll.], n. f. Clochette attachée au cou des bêtes.
1. * **sonnailler** [*ill* mll.], n. m. L'animal qui, dans un troupeau ou dans un attelage, va le premier avec la clochette.
2. **sonnailler** [*so-na-illé, ill* mll.], v. intr. Sonner souvent et sans besoin.
sonnant, ante [*so-nan*], adj. Qui rend un son clair et distinct. || *Espèces sonnantes,* monnaie d'or, d'argent, etc. || *A l'heure sonnante,* à l'heure précise.
sonné, ée, adj. *Il est midi sonné,* l'horloge a sonné midi. || Fig. et fam. *Il a cinquante ans sonnés,* il a cinquante ans révolus. || Pop. *Être sonné,* être un peu fou.
SYN. — *Sonné, Sonnette dépassé* : *Il a soixante ans bien sonnés.* — *Accompli,* entièrement réalisé, achevé : *Après cinq ans de service militaire accomplis.* — *Passé,* qui s'est écoulé, qui est terminé : *L'an passé.* — *Révolu,* achevé, bien complet : *On ne peut être éligible avant vingt-cinq ans révolus.*
sonner [*so-né*], v. intr. (lat. *sonare,* m. s.). Rendre un son. *Les cloches sonnent.* || Actionner du dehors une sonnette placée à la porte, pour se faire ouvrir. *Le facteur a sonné.* — *Sonner de la trompette, du cor,* ou absol. *Sonner,* faire rendre des sons à ces instruments. [A. milit.] Émettre une sonnerie de clairon pour rendre les honneurs, pour faire un appel. *Sonner au drapeau, aux champs.* [Gram.] *Faire sonner une lettre,* l'exprimer pleinement dans la prononciation. — Fig. *Ce mot sonne bien à l'oreille,* le son en est agréable. *Ce mot sonne mal,* il est grossier, il offusque l'oreille. || Fig. *Faire sonner bien haut une action, une qualité, un service,* vanter, exagérer, faire valoir beaucoup une action, etc. || Être annoncé, marqué par quelque sonnerie. *Voilà midi qui sonne.* — Fig. *Sa dernière heure a sonné,* sa dernière heure est arrivée.
V. tr. Faire rendre un son à une cloche, à une sonnette, etc. *Sonner le tocsin.* Indiquer, marquer, annoncer quelque chose par le son d'un instrument, d'une cloche, etc. *Sonner la charge. Sonner la messe.* ||

Sonner un domestique, agiter la sonnette pour faire venir ce domestique. || Fig. et pop. *Sonner quelqu'un,* lui cogner la tête contre un mur, contre le sol, etc.; lui administrer une volée de coups ou le gourmander sévèrement.
OBS. GRAM. — Quand *sonner* a pour sujet un mot qui désigne l'heure, il prend pour auxiliaire le verbe *être. Midi est sonné.*
PAR. — *Sauner,* faire du sel.
ORTH. — *Sonner, sonnette, consonne, résonner* prennent *deux n,* mais *sonate, sonore, consonance, dissonance, résonance* n'en prennent qu'*un.*
SYN. — V. RÉSONNER.
sonnerie [*so-neri*], n. f. (de *sonner*). Son produit par plusieurs cloches ensemble. || Ensemble des pièces qui servent à faire sonner une montre, une pendule. || Airs que sonnent les trompettes ou les clairons d'un régiment, les cors de chasse, etc. || *Sonnerie électrique,* appareil d'appel ou d'alarme actionné par l'électricité.
PAR. — *Saunerie,* lieu où l'on produit du sel.
sonnet [*so-nè*], n. m. Pièce de poésie qui se compose de quatorze vers de même mesure, partagés en deux *quatrains* et deux *tercets,* qui tous doivent être divisés par le sens. V. VERSIFICATION.
HOM. — *Sonnais, ait, aient,* du v. sonner.
sonnette, n. f. (dimin. de *son*). Clochette dont on se sert pour appeler ou pour avertir, qui se manie à la main, ou se place à la porte d'une maison ou d'un appartement, ou encore au cou des animaux. *Tirer sur le cordon, appuyer sur le bouton de la sonnette.* [Zool.] *Serpent à sonnettes,* reptile ophidien du genre *crotale.* [Techn.] Machine qui soulève et laisse retomber le mouton qui enfonce les pilotis.
SYN. — V. CLOCHE.
PAR. — *Sornette,* discours frivole, bagatelle.
* **sonnettiste**, n. m. Auteur de sonnets.
sonneur, n. m. Celui qui sonne les cloches, celui qui sonne de la trompette, d'un cor, etc. [Zool.] Nom vulg. d'une espèce de crapaud.
* **sonnez** [*né*], n. m. (étym. incert.) Au jeu de dés, de trictrac, se dit lorsque le coup de dés amène les deux six.
* **sonomètre**, n. m. [Phys.] Instrument destiné à mesurer et à comparer les sons.
sonore, adj. (lat. *sonorus,* m. s.). Qui produit un son, des sons. *Corps sonore.* || Qui a un beau son, un son agréable et éclatant. *Une voix sonore.* || Qui renvoie bien le son. *Une salle sonore.* || Fig. Emphatique, pompeux, qui a plus d'éclat que de sens. *Des mots sonores et creux.* [Gram.] *Consonne sonore* ou *sonore,* n. f., consonne s'accompagnant de vibrations du pharynx, comme *b, d, g, l, m, n, r, v, z.* — [Cinéma] *Film sonore,* film accompagné de bruits, de sons musicaux, premier essai du film parlant.
* **sonorisation** [*sion*], n. f. Action de sonoriser.
* **sonoriser**, v. tr. [Ling.] Rendre sonore une lettre sourde. || Rendre sonore un film muet.
sonorité, n. f. Qualité de ce qui est sonore. || Propriété qu'ont certains corps de renforcer les sons en les répercutant.

* **sopha,** n. m. V. SOFA.
sophisme [so-fis-me], n. m. Raisonnement faux et fait de mauvaise foi et, par ext., tout raisonnement captieux et faux.
sophiste, n. m. Celui qui emploie des sophismes, des arguments captieux. [Antiq.] En Grèce, philosophe rhéteur, habile dans la discussion.
* **sophisterie,** n. f. Emploi du sophisme.
sophistication [so-fis-ti-ka-sion], n. f. Action de sophistiquer. ‖ Action de dénaturer par un mélange frauduleux. ‖ Ce mélange lui-même.
sophistique, adj. Qui est de la nature du sophisme, qui contient des sophismes. ‖ Qui est porté au sophisme. *Un esprit sophistique.* = N. f. Mouvement de pensée représenté par les sophistes.
* **sophistiquement,** adv. D'une manière sophistique.
sophistiquer, v. tr. Subtiliser avec excès. *Cet auteur sophistique toutes ses pensées.* ‖ Fausser le sens de quelque chose par des subtilités, des arguments captieux. *Sophistiquer un texte.* ‖ Frelater, falsifier une liqueur, une drogue en y mêlant quelque chose d'étranger. *Sophistiquer du vin.*
sophistiqueur, euse, n. Celui qui subtilise avec excès. ‖ Celui qui falsifie, celui qui altère les drogues.
* **sophora,** n. m. [Bot.] Genre de *légumineuses*, arbres de jardins et de parcs.
* **sopor,** n. m. [Méd.] État pénible de somnolence, état comateux.
soporatif, ive, adj. Qui a la vertu d'endormir, d'assoupir. ‖ Fig. *Écrit soporatif,* écrit ennuyeux. = N. m. *L'opium est un soporatif.* — On dit mieux *soporifique.*
* **soporeux, euse,** adj. Qui est caractérisé ou qui est accompagné par un assoupissement profond. *État soporeux.*
soporifique, adj. Qui fait naître le sommeil. ‖ Fig. et fam. Ennuyeux jusqu'à endormir. *Écrit, discours soporifique.* = N. m. *Un bon soporifique.*
PAR. — *Saporifique,* qui produit la saveur.
* **sopraniste,** n. m. Castrat qui a une voix de soprano.
soprano, n. m. Se dit des voix les plus aiguës de femme ou de jeune garçon. ‖ Celui, celle qui a cette voix. = Pl. *Des soprani.*
* **sor,** adj. m. Se dit pour *saur.* V. ce mot.
HOM. — *Sor.* V. saur; — *sort,* n. m., fortune, hasard, condition, maléfice; — *sore,* n. m., amas de sporanges sur les feuilles de fougères; *sors, sort,* du v. SORTIR.
* **sorabe,** n. m. Idiome slave de Lusace, dit *serbe de Lusace.*
sorbe, n. f. Fruit du sorbier commun.
sorbet [bé], n. m. (arabe *chorba,* m. s.). Boisson glacée fondante, au jus de fruits.
sorbetière, n. f. Vase où l'on congèle les préparations à glacer en les faisant tourner dans un seau rempli de glace.
sorbier, n. m. [Bot.] Genre de plantes de la famille des *rosacées,* arbres des parcs et jardins. *Le sorbier domestique* est appelé aussi *cormier.*
* **sorbonard, arde,** adj. et n. m. Relatif à la Sorbonne (Péjor.).
* **sorbonique,** adj. Qui a rapport à la Sorbonne, qui en émane. = N. f. Une des trois thèses que les bacheliers étaient obligés de soutenir dans la maison de Sorbonne pendant leur licence.
* **sorboniste,** n. m. Gradué ou étudiant de la maison de Sorbonne.
* **Sorbonne,** n. f. École de théologie fondée à Paris, vers 1250, par Robert de Sorbon; c'est aujourd'hui le siège de l'Académie de Paris et des Facultés des lettres et des sciences.
sorcellerie [sor-sé-le-rie], n. f. Art de sorcier. Opération de sorcier. *Il fut accusé de sorcellerie.* ‖ Fig. On dit de tours d'adresse, de certaines choses qui paraissent au-dessus des forces humaines. *Il faut qu'il y ait là de la sorcellerie.*
sorcier, ière, n. (bas lat. *sortiarius,* qui jette des sorts). Diseur de sorts. ‖ Celui, celle qu'on prétend avoir fait un pacte avec le diable, pour agir sur les individus au moyen de sortilèges, charmes et maléfices. ‖ Fig. et fam. Personne fort habile. *Un tour de sorcier. Cet homme n'est pas grand sorcier,* il n'est pas très malin. On dira aussi, adject. *Ce n'est pas sorcier de faire telle chose.* ‖ Fig. et fam. *Une vieille sorcière,* vieille femme très laide et à l'air méchant.
SYN. — V. MAGICIEN.
PAR. — *Sourcier,* qui découvre des sources; — *sourciller,* remuer les sourcils; *souricier,* mangeur de souris.
sordide, adj. (lat. *sordidus,* sale.) Sale, vilain. *Vêtements sordides.* ‖ Fig. Se dit des personnes par rapport à l'avarice. *C'est un avare sordide.* — *Avarice sordide,* avarice extrême. — *Gain sordide,* obtenu de façon peu honorable.
SYN. — V. AVARE.
CTR. — *Propre, net.*
sordidement, adv. D'une manière sordide. *Il vit sordidement.*
* **sordidité,** n. f. Mesquinerie, avarice.
* **sore,** n. m. (gr. *sôros,* amas). [Bot.] Nom des amas de sporanges que portent les feuilles de fougère.
HOM. — V. SOR.
sorgho [g dur], n. m. [Bot.] Genre de plantes de la famille des *graminées.* Les graines d'une espèce sont comestibles; les tiges d'une autre servent à faire des balais.
sorite, n. m. [Logique] Sorte de polysyllogisme, formé par la réunion et l'enchaînement de plusieurs propositions liées de telle sorte que l'attribut de chacune d'elles soit aussi le sujet de la suivante.
sornette, n. f. Discours frivole, bagatelle. *Diseur de sornettes.*
PAR. — *Sonnette,* clochette pour attirer l'attention.
sort [sor], n. m. (lat. *sors, sortis,* m. s.). Destinée considérée comme cause des divers événements de la vie. *Les caprices du sort.* ‖ Effet de la destinée, de la rencontre fortuite des événements bons ou mauvais; destin. *Il est satisfait de son sort.* ‖ Condition, état d'une personne sous le rapport de la richesse. *Cette succession améliorera son sort.* — *Faire un sort à quelqu'un,* lui assurer une situation. — *Faire un sort à quelque chose,* la caser définitivement. ‖ Manière de décider quelque chose par hasard. *Tirer au sort. Le sort en est jeté.* — *Le sort des armes,* le combat, considéré relativement à l'incertitude du succès. Maléfice qu'un sorcier jette sur une personne, sur un animal d'après la

SORTABLE — SORTILÈGE

croyance populaire. = *Le sort*, le hasard divinisé.

ÉPITHÈTES COURANTES : heureux, malheureux, triste, lugubre, lamentable, fatal, infortuné, inéluctable, imprévisible, implacable, aveugle, injuste, inattendu, prévu ; réservé, subi, accepté, conjuré, etc.

SYN. — V. SORTILÈGE et DESTIN.
HOM. — V. SOR.

VOCAB. — *Famille de mots.* — Sort : sorte, sortable, sortablement ; sorcier, sorcellerie ; sortilège ; ensorceler, ensorcelant, ensorceleur, ensorcellement ; assortir, assorti, assortissant, assortiment ; désassortir ; ressortir, ressortissant, ressort (judiciaire).

---

sortable, adj. (de *sortir*, au sens de pourvoir). Convenable, qui convient à l'état, à la condition des personnes. *Un parti sortable.*

* **sortablement,** adv. D'une manière sortable.

sortant, adj. m. Qui sort. *Numéros sortants.* — *Député sortant, conseiller sortant*, député, conseiller arrivé à l'expiration de son mandat. = Nom. *Les entrants et les sortants*, les personnes qui entrent dans un lieu et celles qui en sortent.

sorte, n. f. V. tabl. SORTE.

sortie, n. f. (n. verbal de *sortir*). Action de sortir. — *Faire une fausse sortie*, se dit, au théâtre, lorsqu'un des personnages feint de quitter la scène et y rentre aussitôt. ǁ Moment où l'on sort. *La sortie de l'audience.* ǁ Transport des marchandises qu'on fait passer d'un lieu dans un autre ou qui franchissent la frontière. *L'entrée et la sortie des marchandises.* ǁ Issue, endroit par où l'on sort. *Cette maison a deux sorties.*
— Fig. Issue pour échapper à quelque difficulté. *Se ménager une sortie, une porte*

SORTE, n. f.

Étymologie. — Latin *sors, sortis*, sort.

Espèce, genre, catégorie. *Il y a bien des sortes d'oiseaux. Quelle sorte de drogue est-ce là ? Un homme de sa sorte*, un homme de son espèce, de sa condition ; se dit en bien et en mal.
Avec *de*, se dit aussi d'une chose dont le caractère n'est pas bien défini et exprime un rapport, une analogie. *Il portait une sorte de manteau.*
Manière d'être, de faire une chose. *Ceux-ci s'habillent d'une sorte, et ceux-là d'une autre.*
Fam. *Parler de la bonne sorte à quelqu'un* lui faire une verte réprimande.

Observations grammaticales. — *Toute sorte* s'emploie généralement avec le singulier et *toutes sortes* avec le pluriel : *Je vous souhaite toute sorte de bonheur. Il a subi toutes sortes de maux.*
— On pourrait néanmoins dire *toutes sortes de bonheur* et *toute sorte de maux.* — Après *toute sorte* le verbe s'accorde généralement non avec *sorte* mais avec son complément déterminatif. *Toute sorte de gens ne sont pas estimables.*
SYN. — V. GENRE.

LOCUTIONS FORMÉES AVEC **SORTE**.

DE LA SORTE, loc. adv. Ainsi, de cette manière. *Quel droit avez-vous pour agir de la sorte ?*
EN QUELQUE SORTE, loc. adv. Presque, pour ainsi dire. *Il s'est en quelque sorte avoué coupable par son mutisme.*
DE SORTE QUE, DE TELLE SORTE QUE, loc. Tellement que, si bien que. Marque la conséquence, un fait acquis.
DE SORTE QUE se construit avec l'indicatif : *Il a beaucoup travaillé de sorte qu'il a réussi.* — *De telle sorte que* veut l'indicatif si le fait est donné comme certain : *Il a agi de telle sorte que tout le monde le méprise ;* la locution se construit avec le subjonctif si le résultat est donné comme hypothétique : *Agissez de telle sorte que votre action puisse être donnée comme un modèle.*
EN SORTE QUE, loc. conj., de telle façon que, Marque la conséquence ou le but à atteindre et se construit comme : *de telle sorte que.* — *Il a bien agi, en sorte que tout le monde l'approuva.*
— *Faire en sorte que*, s'arranger pour obtenir, pour parvenir à. *Faites en sorte qu'il soit à l'heure.*
EN SORTE DE, loc. prép. avec l'inf. — Même sens. *Faites en sorte d'arriver à l'heure.*

---

de sortie. [A. milit.] Attaque que font les troupes assiégées, lorsqu'elles sortent pour combattre les assiégeants et pour ruiner leurs travaux. — Fig. et fam. *Faire une sortie contre quelqu'un*, s'emporter violemment contre quelqu'un présent ou absent. [Costume] *Sortie de bal*, vêtement de femme pour se garantir du froid au sortir d'un bal, d'une soirée. [Mus.] Morceau de musique, d'orgue partic. qui se joue à la sortie d'une cérémonie. = À LA SORTIE, à la fin de la séance. *Vous viendrez me parler à la sortie.*
SYN. — *Sortie*, l'endroit par où l'on quitte un lieu : *La sortie d'une salle de théâtre.* — *Issue*, le passage par où l'on peut sortir d'un lieu : *Occuper les issues d'une maison, d'un village.*
ANT. — *Entrée, pénétration.*

sortilège, n. m. Maléfice qu'un sorcier jette sur quelqu'un ou sur quelque chose.
ǁ Fig. *C'est du sortilège*, c'est une malchance trop extraordinaire pour être naturelle (Fam.).

SYN. — *Sortilège*, sort jeté par un sorcier : *Accusé de sortilèges.* — *Charme*, enchantement magique : *Les sorciers prétendent user de charmes.* — *Enchantement*, influence prétendue agissant sur un individu par les pratiques de la magie : *Les enchantements de Merlin.* — *Envoûtement*, prétendue influence exercée contre quelqu'un par des sortilèges exercés sur son image en cire : *La croyance aux envoûtements se répandit au Moyen Age.* — *Incantation*, emploi de formules magiques pour opérer un sortilège : *De prétendues incantations.* — *Magie*, art prétendu de commander aux forces de la nature : *La magie trouve beaucoup de créance chez les peuples primitifs.* — *Maléfice*, pratiques de la prétendue magie : *User de maléfices pour provoquer la mort de quelqu'un.* — *Philtre*, drogue qui aurait eu le pouvoir d'exciter la passion : *Faire prendre un philtre à un chevalier.* — *Prestige*, illusion attribuée à une cause supranaturelle : *Il y a du prestige* là-dessous. — *Sort*, maléfice pour nuire : *Jeter un sort sur les bêtes de somme.*

1. sortir, v. intr. (orig. dout.). Passer du dedans au dehors. *Sortir de la ville.* ǁ *Sortir de la messe, du bal, du spectacle,* etc., sortir du lieu où l'on a entendu la messe, etc. — *Sortir de prison,* être élargi. — *Sortir du collège,* avoir achevé ses études. — *Sortir de telle école,* être ancien élève de cette école. ǁ Avoir terminé une fonction, une mission. *Sortir de charge.* ǁ Absol. Sortir de chez soi pour se promener, aller en visite, au théâtre, etc. *Il sort tous les soirs.* ǁ Fig. et fam. *Sortir de son caractère,* abandonner son calme habituel et se mettre en colère. — On dit aussi : *Faire sortir quelqu'un de ses gonds.* — *Les yeux lui sortent de la tête,* se dit d'une personne dont les yeux ont une ardeur, une vivacité extraordinaire, par l'effet de quelque passion violente. — *Cela m'est sorti de la mémoire,* je l'ai oublié.

Fig. Cesser d'être dans un temps, un état, une condition, une situation. *Sortir de l'hiver, de l'enfance, de la misère.* — Au sens moral : *Sortir d'erreur, sortir de son bon sens.* — Pop. *je sors d'en prendre. Je viens d'en manger, d'en boire; et souvent : j'ai été échaudé, je ne m'y risque plus.* ǁ Se tirer, se dégager d'un endroit difficile. *Nous ne sortirons jamais de ces montagnes.* — Fig. *Il commence à sortir d'embarras.* ǁ Pousser au dehors, commencer à paraître. *Les fleurs commencent à sortir. Il lui est sorti une dent.* ǁ Dépasser à l'extérieur. *La pointe du rocher sortait un peu de l'eau.* ǁ S'exhaler, s'échapper. *Une épaisse fumée sortait des cheminées.* — Impers. *Il sort de ce marais une odeur insupportable.* ǁ Être issu. *Il sort de bon lieu, de bonne race.* ǁ Être produit, en parlant des ouvrages de l'industrie, de l'art, etc. *Cela sort des mains d'un habile ouvrier.* ǁ S'écarter, s'éloigner. *Sortir de la bonne voie.* [Mus.] *Sortir de mesure,* ne plus chanter, ne plus jouer en mesure. *Sortir du ton,* détonner. [Litt.] *Sortir du sujet,* ne pas savoir se tenir au sujet, faire des digressions.

= SORTIR, v. intr. S'emploie quelquefois trans., dans le sens de tirer, faire sortir. *Il faut sortir ce cheval de l'écurie.* — *Sortir des enfants,* leur faire prendre l'air, les promener (Fam.). = SE SORTIR, v. pr. N'est employé que dans le langage fam. *Je ne sais comment il se sortira de ce mauvais pas,* je ne sais comment il s'en tirera. = AU SORTIR DE, loc. prép. Au temps, au moment où l'on sort de. *Au sortir de l'enfance, de l'hiver, de l'usine.*

GRAM. — *Sortir* prend l'auxiliaire *avoir* quand on veut exprimer l'action, et l'auxiliaire *être* quand on veut exprimer l'état. *J'ai sorti ce matin et je suis revenu de bonne heure. Il est sorti et ne tardera pas à rentrer.* Cependant l'emploi de l'auxiliaire *avoir* est bien vieilli.

Sortir employé comme v. tr. est peu correct. Mieux vaut dire : *faire sortir un cheval, un enfant.*

INCORR. — *S'en sortir* est une locution barbare. Ne dites donc pas : *il ne pourra pas s'en sortir,* mais, *il ne pourra pas en sortir.* — La loc. pop. *sortir dehors* est un pléonasme à proscrire.

SYN. — V. ÉMANER.
CTR. — *Entrer, pénétrer.*

D. L. F. — T. III

CONJUG. — V. intrans. 3ᵉ groupe (inf. en *ir*) [rad. *sort, sor*].
Indicatif. — *Présent* : Je sors, tu sors, il sort, nous sortons, vous sortez, ils sortent. — *Imparfait* : Je sortais..., nous sortions, vous sortiez... — *Passé simple* : Je sortis, tu sortis..., nous sortîmes, vous sortîtes, ils sortirent. — *Futur* : Je sortirai..., nous sortirons, vous sortirez...
Impératif. — Sors, sortons, sortez.
Conditionnel. — *Présent* : Je sortirais..., nous sortirions, vous sortiriez...
Subjonctif. — *Présent* : Que je sorte, que tu sortes, qu'il sorte, que nous sortions, que vous sortiez... — *Imparfait* : Que je sortisse, que tu sortisses, qu'il sortît, que nous sortissions, que vous sortissiez...
Participe. — *Présent* : Sortant. — *Passé* : Sorti, sortie.
Temps composés. — Conjugués avec l'auxiliaire ÊTRE.

VOCAB. — *Famille de mots.* — *Sortir* : sortant, sortie; ressortir (sortir de nouveau); ressort (mécanisme).

2. sortir, v. tr. (lat. *sortiri,* obtenir par le sort). Obtenir, avoir. *Cette sentence sortira son plein et entier effet* (Vx).

sosie [so-zi], n. m. Par allusion à un personnage de l'*Amphitryon* de Plaute, dont Mercure a pris la figure, se dit fam. d'une personne qui a une ressemblance parfaite avec une autre. *C'est son sosie.*

sot, sotte [so, so-te], adj. (orig. inc., peut-être celtique). Qui est sans esprit, sans jugement. ǁ Embarrassé, confus. *Il est resté tout sot.* — *Faire une sotte figure,* avoir l'air sot. ǁ Se dit aussi des choses faites sans esprit, sans jugement, ou des choses fâcheuses ou ridicules. *Une sotte entreprise. Un sot projet. Une sotte affaire.* — Prov. *A sotte demande, point de réponse.* = SOT, SOTTE, n. Personne sans esprit, sans jugement. *Un sot trouve toujours un plus sot qui l'admire* (BOILEAU). [Hist.] *Fête des sots,* fête qui se célébrait chaque année, au Moyen Age.

— *Le plus sot animal, à mon avis, c'est l'homme.* (BOILEAU.)
— *Un sot savant est sot plus qu'un sot ignorant.* (MOLIÈRE.)
— *Les sots ne comprennent pas les gens d'esprit.* (VAUVENARGUES.)
— *Le sot a un grand avantage sur l'homme d'esprit : il est toujours content de lui-même.* (NAPOLÉON Iᵉʳ.)

SYN. — V. STUPIDE.
HOM. — V. SAUT.
CTR. — *Sage.*

sotie, n. f. Sorte de farce satirique qu'on représentait aux XIVᵉ et XVᵉ s.

sot-l'y-laisse [so-li-le-se], n. m. Morceau très délicat, qui se trouve au-dessus du croupion d'une volaille. = Pl. *Des sot-l'y-laisse.*

* **sotnia,** n. f. (mot russe). Compagnie de cent cosaques.

sottement, adv. D'une manière sotte.
CTR. — *Finement, intelligemment.*

sottise, n. f. (de *sot*). Défaut d'esprit et de jugement. *Il est d'une sottise incroyable.* ǁ Actions, discours qui annoncent un manque d'esprit et de jugement. *Il ne fait, ne dit que des sottises.* ǁ Fam. Injure. *Il m'a dit des sottises.*

ÉPITHÈTES COURANTES : grande, grave, incroyable, colossale, lourde, absurde, inexprimable; naturelle, invétérée, accumulée, impardonnable, incorrigible; blâmée, relevée, combattue, tolérée, approuvée; faite, dite, lâchée, racontée, commise, concertée, etc.

Syn. — V. bêtise.

sottisier, n. m. Recueil de sottises ou, plus souvent, recueil de chansons et autres vers libres (Fam.).

sou, n. m. (lat. *solidus*, s.-ent. *nummus*, propr. monnaie fixe). Autrefois on écrivait *sol*. [Métrol.] Monnaie de compte, la vingtième partie de l'ancienne livre. || La monnaie de cuivre qui avait cette valeur. *Un sou bien marqué*. — *Sou d'or*, anc. monnaie des temps mérovingiens. || Anc. pièce de cuivre ou de nickel qui valait la vingtième partie du franc ou cinq centimes. *Deux sous*, une pièce de dix centimes; *une pièce de dix sous, de quarante sous, de cent sous*, une pièce de cinquante centimes, d'un franc, de deux francs, de cinq francs. — *Le sou du franc*, commission de cinq centimes par franc, dont certains commerçants font bénéficier les domestiques. — Fam. *Il n'a pas un sou, pas le sou, pas un sou vaillant; il n'a ni sou ni maille; il est sans le sou, il n'a point d'argent*. — *N'avoir pas le premier sou*, manquer de l'argent nécessaire pour ce que l'on veut entreprendre. — *N'avoir pas un sou de bon sens*, en être totalement dépourvu. || *Être propre, brillant comme un sou neuf*, être très propre. — *Cela vaut mille francs comme un sou*, cela vaut amplement mille francs. || Avec le mot sou, on a formé une locution nominale : *un, une sans le sou*, un homme, une femme sans argent. = sou à sou, sou par sou, loc. adv. fam. Par petites sommes.

Hom. — V. soûl.

* **soubardier**, n. m. [Techn.] Principal étai d'une machine avec laquelle on tire les masses de pierres d'une carrière.

soubassement [sou-ba-se-man], n. m. Espèce de plate-forme, de piédestal continu sur lequel semble porter un édifice. V. pl. temple grec. || Tablette située sous le manteau d'une cheminée. [Menuis.] Partie inférieure d'une colonne, d'un meuble.

* **soubise**, n. f. (n. propre). Sauce composée d'un mélange d'oignons, de beurre et de crème.

soubresaut [sô], n. m. Saut subit, inopiné et à contre-temps. || Mouvements spasmodiques. || Fig. *Cette nouvelle m'a donné un violent soubresaut*, elle m'a causé une grande et subite émotion.

* **soubresauter**, v. intr. Faire des soubresauts.

soubrette, n. f. [Théâtre] Servante de comédie. *Rôle de soubrette*. || Femme de chambre d'allure élégante.

soubreveste, n. f. Sorte de vêtement sans manches, qui se mettait par-dessus les autres vêtements et par-dessous la cuirasse.

souche, n. f. (orig. inc.). Partie du tronc d'un arbre qui reste dans la terre avec les racines, après que l'arbre a été coupé. — Cette même partie dégagée de terre. || Fig. et fam. *C'est une souche, une vraie souche*, se dit d'une personne stupide et sans activité. || Fig. Personnage duquel descend une race, une famille, une branche. — Fig. Origine, source première.

— *Faire souche*, être le premier d'une suite de descendants. || Partie qui reste des feuilles d'un registre, lorsqu'on les a coupées en zigzags dans leur longueur, de manière qu'en rapprochant de celle-ci la partie coupée on reconnaisse si elles se correspondent exactement. *La souche d'un registre*. || *Registre, carnet à souches*, registre, carnet dont chaque feuille peut se détacher de façon à laisser une souche. [Maçonn.] Partie du tuyau d'une cheminée établie au-dessus du toit. V. pl. maison.

Syn. — V. tige et extraction.

1. **souchet** [*chè*], n. m. [Techn.] Pierre qui se tire au-dessous du dernier banc des carrières.

2. * **souchet**, n. m. [Zool.] Espèce de canard sauvage du genre spatule. [Bot.] Genre de plantes de la famille des *cypéracées*.

* **souchetage**, n. m. Visite qui se fait dans un bois, après la coupe, pour compter les souches.

* **souchetter**, v. intr. Vérifier, après une coupe et d'après les souches, le nombre des arbres abattus. = Conjug. V. grammaire.

* **soucheteur**, n. m. Expert nommé pour assister au souchetage.

* **souchette**, n. f. [Bot.] Nom vulg. d'un champignon comestible.

* **souchong**, n. m. Variété de thé noir de la Chine.

1. **souci**, n. m. (de *soucier*). Soin accompagné d'inquiétude. *Avoir du souci*. || Personne, chose qui cause de l'inquiétude, du souci, à laquelle on donne tous ses soins. *Il n'a d'autre souci que de s'enrichir*. || *Être en souci d'une chose*, en être fort préoccupé. — Fam. *C'est le cadet, c'est le moindre de mes soucis*, se dit d'une chose dont on ne se met nullement en peine. || Fam. *Un sans-souci*, un homme qui ne se tourmente de rien.

Épithètes courantes : grand, gros, grave, perpétuel, angoissant, continuel, pénible; nombreux, divers, multiples, variés; éprouvé, supporté, évité, etc.

Syn. — V. soin.

Hom. — *Souci*, n. m., soin; — *souci*, n. m., plante composée à fleurs jaunes; — *soucie, es, ent*, du v. soucier.

2. * **souci**, n. m. (lat. *solsequia*, m. s.). [Bot.] Nom commun du genre *calendula*, famille des *composées*. || Fleur des espèces de ce genre. || *Souci d'eau*, nom vulg. du *caltha palustris*.

soucier, v. tr. Inquiéter, causer du souci, des soucis (Vx). = se soucier, v. pr. S'inquiéter, se mettre en peine de..., prendre intérêt à..., faire cas de... — *Je ne me soucie pas de faire, de dire...*, je n'ai aucune envie de faire, de dire... = Conjug. V. grammaire.

* **soucieusement**, adv. D'une manière soucieuse.

soucieux, euse [*sou-sieu, euze*], adj. Inquiet, pensif, chagrin, qui a du souci. || *Un air soucieux*. || Qui prend intérêt à, qui s'inquiète de. *Être soucieux du bien public*.

soucoupe, n. f. Petite assiette de porcelaine, de faïence, etc..., qui se place sous une tasse. || Espèce d'assiette à pied sur laquelle on sert des verres et des carafes.

Orth. — Remarquer l'élision de l's dans la formation de ce mot, alors qu'on écrit *sous-main, sous-titre*, etc.

* **soudable,** adj. Que l'on peut souder.
* **soudage,** n. m. Action de souder; son résultat.
soudain, aine [sou-din, dène], adj. Subit, prompt. *Départ soudain.* = SOUDAIN, adv. Dans le même instant, tout à coup. *Il s'écria soudain.*
SYN. — V. SUBIT.
CTR. — *Graduel, progressif, prévu.*
soudainement [sou-dè-ne-man], adv. Subitement.
soudaineté [sou-dè-ne-té], n. f. Qualité de ce qui est soudain.
1. **soudan,** n. m. Nom qu'on donnait jadis à certains souverains et princes mahométans.
2. * **soudan,** n. m. Nom de diverses matières colorantes brunes.
HOM. — *Soudant,* ppr. du v. souder; — *Soudan,* région du centre de l'Afrique.
* **soudanais, aise** ou * **soudanien, ienne,** adj. et n. Qui est du Soudan.
soudard ou * **soudart** [dar], n. m. (de *soldat*). Péjor. Homme qui a longtemps fait la guerre et en a conservé des habitudes brutales.
1. **soude,** n. f. (bas lat. *soda,* m. s.). [Bot.] Genre de plantes de la famille des *chénopodiacées,* dont on retirait autrefois le carbonate de sodium.
2. **soude,** n. f. (de *soude* 1). [Chim.] Terme désignant l'hydroxyde de sodium (*soude caustique*) ou le carbonate de sodium (cristaux de soude).
HOM. — *Soude, es, ent,* du v. souder.
souder, v. tr. (lat. *solidare,* m. s.). Joindre des pièces de métal ensemble, de manière qu'elles adhèrent l'une à l'autre et forment un tout continu. — *Fer à souder,* masse de cuivre emmanchée que l'on chauffe pour souder à l'étain. — *Lampe à souder,* sorte de chalumeau dont le brûleur est alimenté par de la vapeur d'essence. = SE SOUDER, v. pr. Être, devenir soudé [Physiol. et Géol.] Se dit de deux ou plusieurs parties qui contractent une adhérence intime de manière à ne former qu'un seul organe. *Les blocs de glace se soudent entre eux lors des embâcles.*
* **soudeur, euse,** n. Celui, celle qui soude.
* **soudier, ière,** adj. Qui a rapport à la soude. *L'industrie soudière.* = N. f. Usine où l'on fabrique la soude.
soudoyer [sou-do-ié], v. tr. S'assurer le secours de quelqu'un à prix d'argent. *Soudoyer de faux témoins.* = Conjug. V. GRAMMAIRE.
SYN. — V. CORROMPRE.
soudure, n. f. (du v. *souder*). [Techn.] Travail de celui qui soude. *Soudure autogène.* — Endroit où deux pièces de métal sont soudées. — Composition métallique employée pour souder. [Bot. et Physiol.] Union intime entre deux organes voisins. *La soudure des pétales, des os.* ‖ Fig. L'intervalle de temps qui rejoint deux périodes, deux récoltes, etc. *Ménager le blé à l'approche de la soudure.*
SYN. — V. LIAISON.
* **soue,** n. f. Étable à porcs.
souf, souff...

ORTH. — *Initiales.* — L'initiale *souf* s'écrit avec un seul *f* dans soufi, dans soufre et ses dérivés; avec deux *f* dans tous les autres mots : soufflage, souffle, souffler, soufflerie, souffleter, soufflet, souffleur, souffrance, souffreteux, souffrir, etc.

* **soufflable,** adj. Qui peut être soufflé.
* **soufflage** [sou-fla-je], n. m. L'art ou l'action de souffler le verre. [Techn.] Action de mettre du sable sous un pavage ou un ballast trop enfoncé.
* **soufflant, ante,** adj. Qui sert à souffler. *Machine soufflante.* ‖ *Bombe soufflante,* qui agit surtout par le souffle dû à son explosion.
* **soufflard** [flar], n. m. [Zool.] Nom vulg. de l'*anguille commune.*
souffle, n. m. (du v. *souffler*). Vent que l'on produit en poussant de l'air par la bouche. ‖ Air exhalé en respirant. ‖ La simple respiration. — *Rendre le dernier souffle,* le dernier soupir. ‖ *Manquer de souffle,* s'essouffler facilement. ‖ Agitation de l'air causée par le vent. *Il ne fait pas un souffle de vent.* ‖ Fig. Inspiration, influence. *Cet écrivain semble à bout de souffle.* ‖ Exhalaison. *Le souffle malsain des marais.* — Fig. *Le souffle empoisonné de la calomnie.* ‖ *Le souffle vital,* la force qui anime les êtres vivants. [A. milit.] *Le souffle d'une bombe,* le puissant et brutal déplacement d'air dû à son explosion. [Méd.] Nom donné à divers bruits qui se révèlent par l'auscultation. *Souffle au cœur.*
ÉPITHÈTES COURANTES : léger, imperceptible, violent, ardent, brûlant, puissant, glacial, tiède, humide, tempétueux; brutal, destructeur, embaumé, parfumé; dernier, empoisonné; vital, etc.
SYN. — V. HALEINE.
soufflé, ée, adj. Se dit de beignets, de pommes de terre frites que l'on a fait gonfler dans la friture. ‖ Fam. Bouffi, boursouflé. *Une fille boulotte et soufflée.* [A. milit.] *Maison soufflée par une bombe,* rasée par le souffle de cette bombe. ‖ N. m. Mets léger dont la pâte gonfle beaucoup et que l'on fait cuire au four.
* **soufflement,** n. m. Action de souffler.
souffler [sou-flé], v. intr. (lat. *sufflare,* m. s.). Faire du vent en poussant de l'air par la bouche. *Souffler dans un instrument à vent pour en tirer un son.* ‖ Fig. et fam. *N'oser souffler, ne pas souffler,* ne pas oser ouvrir la bouche pour se plaindre, pour protester, etc. ‖ Respirer avec effort. — *Laisser souffler les chevaux,* les faire arrêter pour prendre haleine. ‖ Agiter l'air, pousser de l'air. *La bise souffle rudement.* ‖ Actionner un soufflet, une soufflerie. *Souffler à l'orgue, à la forge.* = SOUFFLER, v. tr. *Souffler le feu,* souffler sur le feu pour l'allumer ou l'attiser. — *Souffler une chandelle,* souffler sur la flamme d'une chandelle pour l'éteindre. — *Souffler le verre, l'émail,* façonner quelque ouvrage de verre, d'émail, en soufflant dans un tube de fer au bout duquel est la matière que l'on travaille. ‖ Fig. *Souffler la discorde, la division,* etc., exciter la discorde, la division, etc. — Fig. et fam. *Souffler le chaud et le froid,* louer et blâmer successivement une même chose, parler pour ou contre une personne, selon les circonstances. ‖ *Souffler quelque chose à l'oreille de quelqu'un,* lui dire tout bas quelque chose. ‖ *Ne pas souffler mot,* ne rien dire, même tout bas. ‖ Fig. *Souffler quelqu'un,* dire à voix basse à quelqu'un les endroits de son discours, de sa leçon, de son rôle, où la mémoire lui manque. *Souffler les comédiens.* [Jeu de dames] *Souffler une dame, un pion,* l'ôter à celui contre qui l'on joue,

parce qu'il a négligé de s'en servir pour prendre un pion ou une dame qui était en prise. — Fig. et fam. *Souffler à quelqu'un un emploi, une affaire*, etc., lui ravir un emploi, une affaire, etc., qu'il avait en vue. [Techn.] *Souffler des pavés*, les soulever en introduisant du sable dessous.

Orth. — *Souffler, essouffler, essoufflement, soufflage, soufflé, soufflerie, soufflet, souffleur, souffleter* s'écrivent avec *deux f*, mais *boursoufler, boursouflage, boursouflement, boursouflure* n'en prennent qu'un seul.

Par. — *Souffleter*, donner un soufflet.

soufflerie, n. f. [Mus.] L'ensemble des soufflets de l'orgue. [Techn.] Les soufflets ou machines soufflantes d'une forge, d'une usine.

soufflet [sou-flè], n. m. (de *souffler*). 1º Instrument qui sert à faire du vent pour attiser le feu. || Le dessus d'une calèche, d'un cabriolet qui se replie comme un soufflet. || Tout objet qui se replie à la manière du cuir d'un soufflet. *Valise à soufflets. Soufflet de chambre noire photographique.* V. pl. photographie. || Morceau d'étoffe en forme de triangle ou de losange, ajouté à un vêtement pour lui donner de la largeur. || Boursouflure sur la reliure d'un livre. || *Soufflet de forge*, soufflet à deux compartiments, destiné à envoyer un courant d'air suffisamment régulier sur le feu de forge.

2º Coup du plat ou du revers de la main sur la joue. — Au sens moral : Mortification que l'on subit directement. *Il a reçu là un rude soufflet.*

Hom. — *Soufflet*, n. m., instrument qui sert à faire du vent ; — *soufflet*, n. m., coup sur la joue ; — *soufflais, ait, aient,* du v. souffler.

* **souffletade**, n. f. Plusieurs soufflets appliqués coup sur coup.

souffleter, v. tr. Donner un soufflet, des soufflets à quelqu'un. || Fig. Heurter violemment, outrager. *Souffleter le bon sens.* = se souffleter, v. pr. Se donner un soufflet. || Échanger des soufflets. = Conjug. V. grammaire.

Syn. — V. battre.

Par. — *Souffler*, respirer avec effort ; actionner un soufflet.

* **souffleteur, euse**, n. Celui, celle qui soufflette, qui a souffleté.

souffleur, euse [souf-fleur, euse], n. Celui, celle qui souffle. — On dit aussi adject., *cheval souffleur.* || Celui qui met un soufflet, des soufflets en mouvement. *Souffleur d'orgues.* || Ouvrier qui souffle le verre. || Fig. Celui qui, placé près d'une personne qui parle en public, lit en même temps et prononce, de manière à n'être entendu que d'elle seule, les mots qu'elle ne trouve pas dans sa mémoire. *Le trou du souffleur au théâtre.* V. pl. théâtre. [Zool.] Espèce de mammifère cétacé, le *tursiops tursis.* — Par ext., se dit quelquefois des cétacés en général.

soufflure, n. f. Cavité, défaut qui se trouve dans l'épaisseur d'un ouvrage moulé de fonte ou de verre, et qui est occasionné par l'air qui n'a pu s'échapper.

souffrance [sou-fran], n. f. (de *souffrant*). Action de souffrir. — État de celui qui souffre, qui éprouve une peine de corps ou d'esprit. V. tabl. sensibilité (*Idées suggérées par le mot*). [Droit] Tolérance qu'on a pour certaines choses que l'on pourrait empêcher. *Jour de souffrance.* || Situation des affaires qui sont en suspens. *Cet homme laisse toutes ses affaires en souffrance.* — On dira également : *Des bagages restés en souffrance à la consigne.*

Épithètes courantes : grande, terrible, grave, pénible, douloureuse, intolérable, épouvantable, continuelle, perpétuelle, indicible, inexprimable ; éprouvée, endurée, supportée, tolérée, imposée, soulagée, etc.

Syn. — V. chagrin.

souffrant, ante, adj. Qui souffre, physiquement ou moralement. *Il a le visage d'un homme souffrant.* || Patient, endurant. *Il n'est pas d'une humeur souffrante.* — [Théol.] *Église souffrante*, les âmes du Purgatoire.

Syn. — V. malade et valétudinaire.
Hom. — *Souffrant*, du v. souffrir.

souffre-douleur, n. m. Personne qu'on n'épargne point et qu'on expose à toutes sortes de fatigues. || Celui qui est continuellement exposé aux plaisanteries, aux malices des autres. = Pl. *Des souffre-douleur.*

souffreteux, euse, adj. (Vx fr. *soufraite*, disette). Qui souffre de la misère, de la pauvreté. *Un vieillard souffreteux.* Fam. || Qui éprouve momentanément quelque douleur, quelque malaise. || Chétif, malingre. *Enfant souffreteux.*

Syn. — V. valétudinaire.

souffrir [sou-frir], v. intr. (lat. *sufferre*, supporter). Pâtir, éprouver une sensation douloureuse, ou tout au moins pénible. *Souffrir de la tête. Souffrir du froid.* — *Il a cessé de souffrir*, il est mort. || Au physique et au moral : Éprouver de la peine, du dommage. *Il a beaucoup souffert dans ses intérêts.* || Fig., en parlant des choses. Éprouver quelque dommage sensible. *Les vignes ont souffert de la gelée.*

V. tr. Endurer, supporter. *Souffrir une perte, un dommage.* — Supporter, résister à. *C'est un corps qui souffre la fatigue, la faim.* — *Ne pouvoir souffrir une personne, une chose*, avoir pour elle de l'éloignement, de l'aversion. || Tolérer, ne pas empêcher, quoiqu'on le puisse. *Pourquoi souffrez-vous cela ?* || Permettre, être susceptible de. *Souffrez que je vous dise.* || Admettre, être susceptible de. *Cela ne souffre point de retard.* = se souffrir, v. pr. à sens passif : Être supporté. *Voilà qui ne saurait se souffrir.* || Au sens récipr. : Se supporter mutuellement. *Ils se détestent et ne peuvent se souffrir.*

Conjug. — V. intr. du 3ᵉ groupe (infinitif en *ir*) [rad. *souff*].
Indicatif. — *Présent* : Je souffre, tu souffres..., nous souffrons, vous souffrez... — *Imparfait* : Je souffrais..., nous souffrions... — *Passé simple* : Je souffris..., nous souffrîmes, vous souffrîtes... — *Futur* : Je souffrirai..., nous souffrirons...
Impératif. — Souffre, souffrons, souffrez.
Conditionnel. — *Présent* : Je souffrirais..., nous souffririons...
Subjonctif. — *Présent* : Que je souffre..., que nous souffrions... — *Imparfait* : Que je souffrisse..., qu'il souffrît, que nous souffrissions..., qu'ils souffrissent.
Participe. — *Présent* : Souffrant. — *Passé* : Souffert, erte.
Temps composés conjugués avec l'auxiliaire avoir : *j'ai souffert, j'eus souffert*, etc.

— *Plutôt souffrir que mourir, C'est la devise des hommes.* (La Fontaine.)
— *Ceux qui n'ont jamais souffert ne savent rien; ils ne connaissent ni les biens ni les maux; ils ignorent les hommes; ils s'ignorent eux-mêmes.* (Fénelon.)
— *Qui sait tout souffrir peut tout oser.* (Vauvenargues.)
Syn. — *Souffrir*, supporter sans se plaindre : *Je souffre ses accès d'impatience.* — *Admettre*, recevoir, dans son esprit, comme vrai, valable : *J'admets ses excuses.* — *Endurer*, supporter avec une patience constante : *J'endure ses plaintes continuelles.* — *Supporter*, accepter comme un fardeau pesant : *Supporter un voisinage déplaisant.* — *Tolérer*, supporter chez les autres ce qu'on désapprouve : *Il tolère les incartades de son fils.*

* **soufi** ou * **sofi** [*sou*], n. m. Membre d'une secte mystique répandue dans tous les pays musulmans.

* **soufisme**, n. m. Doctrine mystique des soufis.

soufrage, n. m. Action de soufrer. — *Soufrage de la vigne*, pulvérisation de fleur de soufre sur la vigne menacée par l'oïdium.

soufre, n. m. (lat. *sulfur*, m. s.). [Chim.] Corps simple, métalloïde, solide à la température ordinaire, d'un jaune clair, insipide, inodore, extrêmement friable, et mauvais conducteur de la chaleur et de l'électricité. — *Fleur de soufre, soufre pulvérisé.* V. tabl. Minéraux (Idées suggérées par le mot).
Hom. — *Soufre*, n. m., corps simple; — *soufre, es, ent*, du v. soufrer; — *souffre, es, ent*, du v. souffrir.

Vocab. — *Famille de mots.* — *Soufre* [rad. *soufr, sulf*] : soufrage, soufrer, soufré, soufreur, soufrière, soufroir; sulfatage, sulfate, sulfater, sulfateur, sulfaté, sulfacide, sulfhydrate, sulfhydrique, sulfitage, sulfocarbonate, sulfocarbonique, sulfosel, sulfurage, sulfuration, sulfure, sulfureux, sulfurique, sulfurer, sulfuré; désulfurer, désulfuration, désulfiter; hydrosulfite, hydrosulfureux, hydrosulfurique; bisulfite, hyposulfite, etc.

soufré, ée, adj. Enduit de soufre. ǁ Poudré de fleur de soufre. ǁ D'une couleur jaune pâle.

soufrer, v. tr. Enduire ou pénétrer de soufre. ǁ Exposer à la vapeur du soufre. *Soufrer des étoffes.* — *Soufrer la vigne*, y répandre du soufre en poudre. — *Soufrer un tonneau*, y faire brûler une mèche soufrée.

* **soufreur**, n. m. Homme chargé de soufrer les vignes malades. ǁ Ouvrier employé dans les moulins à triturer le soufre. = N. f. Appareil servant à couvrir les vignes de fleur de soufre.

soufrière, n. f. Lieu d'où l'on retire du soufre.

soufroir, n. m. Appareil, chambre, étuve pour soufrer.

souhait [*sou-è*], n. m. (nom verb. de *souhaiter*). Désir, mouvement de la volonté vers un bien qu'on n'a pas. *Faire, former des souhaits. Les souhaits de bonne année, les vœux qu'on fait pour quelqu'un à la nouvelle année.* — *A vos souhaits*, façon de parler familière dont on salue celui qui éternue. = A souhait, loc. adv. Selon ses désirs. *Tout lui réussit à souhait.*

Épithètes courantes : bon, affectueux, vif, sincère, meilleur, respectueux, amical; vain, flatteur, vide; exaucé, réalisé, évanoui, etc.

souhaitable, adj. Qui peut être souhaité; désirable.

souhaiter [*sou-è-ter*], v. tr. Désirer; former un souhait, des souhaits. ǁ Par formule de compliment, on dit : *Souhaiter le bonjour.* ǁ Fam. *Je vous en souhaite*, se dit à quelqu'un pour lui faire prévoir des désagréments qu'il ne soupçonne guère.
Syn. — V. désirer.

* **souillard** [*illar, ill* mll.], n. m. Trou percé dans une pierre pour recevoir l'eau ou lui livrer passage. ǁ Par ext. La pierre même qui est percée pour recevoir l'eau.

* **souillarde** [*ill* mll.], n. f. Baquet pour recevoir les soudes lessivées. ǁ Auge, baquet dans lequel on lave la vaisselle. ǁ Arrière-cuisine (dialectal).

souille [*ill* mll.], n. f. Lieu bourbeux où se vautre le sanglier. [Mar.] Enfoncement que forme dans la vase ou le sable un navire échoué. V. pl. port.

* **souillement** [*ill* mll.], n. m. Action de souiller.

souiller [*ill* mll.], v. tr. Gâter, salir, couvrir de boue, d'ordure, etc. ǁ Au sens moral : Avilir, dégrader, déshonorer. *Souiller sa conscience par une mauvaise action.* = Se souiller, v. pr. Être souillé. ǁ Fig. Se rendre coupable.
Syn. — V. tacher et sale (pour *souillé*).

souillon [*sou-illon, ill* mll.], n. m. Celui, celle qui tache, qui salit ses habits. = N. f. Servante employée à laver la vaisselle et à d'autres services malpropres. ǁ Fig. et fam. Femme ou fille malpropre. Dans ce sens, on dit aussi *salisson*.

* **souillonner** [*ill* mll.], v. tr. Salir, souiller (Fam.).

souillure [*sou-illu, ill* mll.], n. f. Tache, saleté sur quelque chose. ǁ Fig. Déshonneur, tare, flétrissure. *C'est une souillure à son honneur.*

* **souï-manga**, n. m. [Zool.] Genre de passereaux des régions tropicales, à brillantes couleurs.

* **souk**, n. m. (mot arabe). Marché dans les villes arabes. *Le quartier des souks.*

soûl, soûle [*soû*] ou * **saoûl, oûle** [*sou*], adj. Pleinement repu, extrêmement rassasié. *Il a bien dîné, il est bien soûl.* ǁ Fig. et fam. Être las, rebuté, ennuyé d'une chose par l'effet de la satiété. ǁ Fam. Ivre, plein de vin. = N. m. Avec *mon, ton, son, leur*, etc. Autant qu'il suffit, autant qu'on veut, plus qu'on ne voudrait. *J'en ai tout mon soûl.*
Obs. — Ce mot s'est longtemps écrit *saoûl*. L'orthogr. *soûl* n'a été adoptée par l'Acad. que dans la dernière édition de son dictionnaire.
Hom. — *Soûl* ou *saoûl*, adj., repu, ivre; — *sou*, n. m., petite pièce de monnaie; — *soue*, n. f., étable à porcs; — *sous*, prép.

soulagement, n. m. Diminution de mal, de douleur, adoucissement de peine de corps ou d'esprit.

soulager, v. tr. (lat. *sublevare*, soulever). Débarrasser d'une partie d'un fardeau. *Soulager une bête de somme.* — *Soulager une poutre, un plancher*, diminuer la charge que porte une poutre, etc. ǁ Fig. Diminuer, adoucir le travail, la peine, la douleur de quelqu'un. *Soulager la misère de quelqu'un.* — *Soulager son cœur*, diminuer, en le manifestant, un sentiment pénible dont on est oppressé. [Argot pop.] *On l'a soulagé de sa montre, de son portefeuille*, on les lui a volés. = SE SOULAGER, v. pron. Diminuer ses fatigues, ses souffrances, sa peine physique ou morale. *Il s'est soulagé par cet aveu.* ‖ Absolument. *Se soulager*, satisfaire un besoin naturel. = Conjug. V. GRAMMAIRE.

soûlard, arde [*lar*], * **saoûlard, arde** ou * **soûlaud, aude** ou * **saoûlaud, aude**, n. Celui, celle qui s'adonne à une ivrognerie crapuleuse (Pop.).

soûlant, ante ou * **saoûlant, ante**, adj. Qui soûle, qui rassasie. ‖ Fig. Qui lasse, qui rebute (Pop.).

soulas, n. m. Consolation, contentement (Vx).

soûler ou * **saoûler**, v. tr. Rassasier avec excès, gorger de vin, de viande, etc. (Pop.). ‖ Absol. Enivrer (Pop.). ‖ Fig. et pop. Faire tourner la tête à force de cris, de bruit, etc. *Tu nous soûles !* = SE SOULER, v. pr. Se rassasier ou s'enivrer (Pop.).

soûlerie ou * **saoûlerie**, n. f. Pop. Partie de plaisir où l'on s'enivre.

souleur, n. f. Frayeur subite, saisissement (Fam.).

soulèvement, n. m. Action de soulever une chose. ‖ Action d'une chose qui se soulève. État d'une chose soulevée. *Le soulèvement des flots.* [Géol.] Mouvement de bas en haut de l'écorce terrestre qui a produit des montagnes, des plissements de terrain. *Soulèvement volcanique.* ‖ Fig. Émeute causée par un mécontentement. *Le soulèvement d'une province.* — Mouvement d'indignation.

SYN. — V. INSURRECTION.

soulever, v. tr. (lat. *sublevare*, m. s., de *sub*, sous, et *levare*, lever). Lever quelque chose à une petite hauteur. *Soulever un fardeau.* ‖ La tempête soulève les flots, elle les agite. *Le vent soulève la poussière*, il la fait voler en tourbillons. ‖ Relever une chose légère qui en couvre une autre. *Soulever son voile.* ‖ Fig. Exciter à la rébellion, à la révolte. *Il a soulevé toute la province.* — Exciter l'indignation, révolter. *Cette proposition souleva toute l'assemblée.* — Susciter, provoquer. *Cette proposition souleva la curiosité de tous.* ‖ Fig. *Soulever une question*, la proposer, en provoquer la discussion. ‖ Fam. *Soulever le cœur*, causer du dégoût.

V. intr. *Le cœur lui soulève*, il a envie de vomir. = SE SOULEVER, v. pr. Se dit dans la plupart des acceptions précédentes. *La mer se soulève. La province se souleva contre le gouverneur.* = Conjug. V. GRAMMAIRE.

SYN. — V. ÉLEVER.

soulier [*lié*], n. m. (lat. *solea*, sandale). Chaussure ordinairement de cuir qui couvre tout le pied, ou seulement une partie du pied, et qui s'attache généralement par-dessus. V. pl. CHAUSSURES. ‖ Fig. et prov. *Être dans ses petits souliers*, être dans une situation gênante, critique, embarrassante.

ÉPITHÈTES COURANTES : montant, bas, haut, décolleté, grand, gros, petit, neuf, vieux, usé, percé, éculé, rapiécé, ressemelé, large, étroit, luxueux, élégant, grossier, ciré, sale, crotté, boueux; mis, ôté, enfilé, etc.

* **soulignement** [*li-gne-man*, *gn* mll.], n. m. Action de souligner; résultat de cette action.

souligner [*gn* mll.], v. tr. Tirer une ligne sous un mot, sous plusieurs mots. ‖ Par anal. Faire ressortir un ou plusieurs mots par une inflexion de voix. — Par ext. Appuyer particulièrement sur un point. *Souligner l'urgence d'une démarche.*

* **soûlographe** ou * **saoûlographe**, n. m. Pop. Ivrogne.

* **soûlographie** ou * **saoûlographie**, n. f. Pop. Ivrognerie, débauche; orgie.

* **souloir**, v. intr. (lat. *solere*, m. s.). Avoir coutume. *Il soulait dire, il soulait faire* (Vx et ne s'emploie qu'à l'imparfait de l'indicatif).

[*De son temps...*]
— *Deux parts en fit dont il soulait passé*
L'une à dormir et l'autre à ne rien faire.
(LA FONTAINE.)

soulte ou * **soute** [*soul-te* ou *sou-te*], n. f. (lat. *soluta*, pp. f. de *solvere*, payer). Ce qu'un copartageant doit payer aux autres pour rétablir l'égalité des lots quand un lot non divisible a plus de valeur que les autres. ‖ Payement fait pour s'acquitter d'un reste de compte.

HOM. et PAR. — *Soute*, magasin dans les flancs d'un navire.

soumettre, v. tr. (lat. *submittere*, m. s.). Réduire, dompter, ranger sous la puissance, sous l'autorité; mettre dans un état d'abaissement et de dépendance. *Soumettre les rebelles.* — Au sens moral. *Soumettre ses mauvais instincts.* ‖ *Soumettre ses idées à celles de quelqu'un*, subordonner ses idées à celles d'un autre. — *Soumettre une chose au jugement, à la critique de quelqu'un*, s'engager à déférer au jugement qu'il en portera. — *Soumettre une chose à quelqu'un*, la lui faire examiner. ‖ *Soumettre à l'examen*, considérer en détail. = SE SOUMETTRE, v. pr. Se ranger sous la puissance, sous l'autorité; accepter la dépendance. *Se soumettre aux ordres, à la volonté de quelqu'un.* ‖ *Se soumettre à quelque chose*, à souffrir quelque chose, s'engager, consentir à subir quelque chose. — Absol. Accepter un fait, une décision. *Il dut finalement se soumettre.* — Faire soumission, en parlant de révoltés. = Conjug. (comme *mettre*). V. VERBES.

SYN. — V. ASSERVIR.
CTR. — *Libérer, délivrer; révolter.*

soumis, ise, adj. (pp. de *soumettre*). Qui est disposé à l'obéissance. *Fils soumis.* ‖ Qui montre de l'obéissance. *Air soumis.* ‖ *Fille soumise*, prostituée inscrite sur les registres de la police.

SYN. — V. DOCILE et HUMBLE.
CTR. — *Insoumis, rebelle, révolté, réfractaire.*

soumission, n. f. (lat. *submissio*, m. s.). Disposition à obéir; docilité. *Il a toujours été d'une grande soumission envers son père.* ‖ L'action même d'obéir. ‖ Déclaration par laquelle on reconnaît l'autorité, on se range à l'obéissance. *Les dissidents ont fait leur soumission.* Offre par écrit de faire une acquisition ou de se charger d'une entreprise à des conditions qu'on indique. ‖ Se dit aussi pour *souscription*.

ÉPITHÈTES COURANTES : totale, partielle, sincère, apparente, humble, humiliante,

nécessaire, inévitable, effective, prompte, rapide, tardive; demandée, acceptée, offerte, reçue, rejetée, etc.
Syn. — V. assujettissement.
Ant. — *Révolte, résistance.*
soumissionnaire, n. Celui ou celle qui fait une soumission pour un marché, un travail, un payement.
soumissionner, v. tr. Faire une soumission pour un marché, une entreprise ou un payement.
soupape, n. f. (orig. incert.). [Phys.] Sorte de petit couvercle mobile qui, dans un corps de pompe, sert à permettre l'entrée d'un fluide et à s'opposer à sa sortie. ∥ *Soupape de sûreté*, clapet adapté à une chaudière et maintenu par un ressort réglé de telle façon qu'une issue est automatiquement donnée à la vapeur, aux gaz comprimés, etc. aussitôt que leur pression devient trop forte. V. pl. locomotive et moteur. ∥ Nom de divers obturateurs mobiles servant à ouvrir ou à fermer un réservoir, un tuyau, un ballon, etc. V. pl. aéronautique.
soupçon [soup-son], n. m. (lat. *suspectio*, m. s.). Opinion, croyance désavantageuse, accompagnée de doute. *Éclaircir, dissiper un soupçon. — Une conduite exempte de soupçons*, qui ne peut être soupçonnée. ∥ Simple conjecture. *J'ai le soupçon que c'est lui qui est venu.* ∥ Fam. Apparence très légère; la plus petite quantité possible d'une chose. *Il a un soupçon de fièvre.*
Épithètes courantes : justifié, injustifié, préconçu, injuste, injurieux, vif, nombreux; éprouvé, conçu, écarté, etc.
Syn. — V. suspicion et défiance.
* **soupçonnable** [soup-so-na-ble], adj. Qui mérite d'être soupçonné.
soupçonner [soup-so-né], v. tr. Avoir une croyance désavantageuse, accompagnée de doute, touchant quelqu'un ou quelque chose. *Soupçonner un homme d'un crime.* ∥ Former une simple conjecture. *Je soupçonne qu'il est l'auteur de ces vers.* — Fam. *Vous ne soupçonnez pas...*, vous ne pouvez avoir une juste idée de...
* **soupçonneur**, n. m. Celui qui soupçonne.
* **soupçonneusement**, adv. D'une manière soupçonneuse.
soupçonneux, euse, adj. Enclin à soupçonner; qui soupçonne aisément; méfiant, défiant.
Ctr. — *Confiant, crédule.*
soupe, n. f. (orig. germ.). Tranche de pain coupée mince. — *Tremper la soupe*, verser le bouillon sur les tranches de pain. Potage fait de tranches de pain sur lesquelles on verse du bouillon, de légumes cuits dans de l'eau, de pâtes, etc. — V. pl. nourriture (*Idées suggérées par le mot*). — Fig. et fam. *Mouillé, trempé comme une soupe*, très mouillé. — Prov. *Se monter comme une soupe au lait*, se mettre facilement et promptement en colère. — On dit aussi de celui qui se met facilement en colère : *C'est une vraie soupe au lait.* ∥ Fam. et par dénigrement. *Marchand de soupe*, chef d'une maison d'éducation qui ne songe qu'au profit matériel à tirer de ses pensionnaires. [A. milit.] Se dit, fam., pour tout repas et pour toute nourriture. *La corvée de soupe.*
Syn. — V. potage.

SOUMISSIONNAIRE — SOUPLE

soupente [pan-te], n. f. Assemblage de plusieurs larges courroies cousues ensemble, qui sert à soutenir le corps d'une voiture. ∥ Réduit pratiqué dans la hauteur d'une cuisine, d'une écurie, pour loger des domestiques ou pour quelque autre usage. ∥ Petite pièce qui surplombe un atelier d'artiste. ∥ Potence qui retient la hotte d'une cheminée de cuisine.
souper ou * **soupé**, n. m. Le repas ordinaire du soir, le dîner. ∥ Repas exceptionnel qu'on fait avant de se coucher quand on a veillé tard, au sortir d'un bal, etc. ∥ Les mets dont se compose le souper. *Je vais acheter mon souper.* V. tabl. nourriture (*Idées suggérées par le mot*).
Syn. — V. festin.
souper, v. intr. Prendre le repas ordinaire du soir ou un repas au cours de la nuit. ∥ Pop. *Avoir soupé d'une chose*, en être excédé.
* **soupèsement** [ze-man], n. m. Action de soupeser.
soupeser [pe-zé], v. tr. Lever un fardeau avec la main et le soutenir pour juger à peu près combien il pèse. = Conjug. V. grammaire.
soupeur, euse, n. Celui, celle qui soupe, qui a l'habitude de souper dans les parties de plaisir nocturnes.
* **soupier, ière**, adj. et n. Fam. Amateur de soupe.
soupière, n. f. Vase large et profond, qui a ordinairement deux anses, et dans lequel on sert la soupe. ∥ Contenu de ce vase.
soupir, n. m. (nom verb. de *soupirer*). Respiration plus forte et plus longue qu'à l'ordinaire, produite par la contraction du diaphragme et des muscles intercostaux, et qui résulte d'une gêne, d'une douleur physique ou d'un trouble moral. *Sa douleur s'exhale par des soupirs. — Rendre le dernier soupir, les derniers soupirs*, mourir. — *Recevoir, recueillir les derniers soupirs de quelqu'un*, l'assister à ses derniers moments. — *Jusqu'au dernier soupir*, jusqu'au dernier moment de la vie. [Poésie] Son plaintif. *Les soupirs de la brise dans le feuillage*, etc. [Mus.] Silence qui dure la moitié d'une pause, et signe qui indique ce silence. V. pl. musique.
Syn. — V. larme.
Hom. — *Soupire, es, ent*, du v. soupirer.
soupirail [il mll.], n. m. Ouverture pratiquée à la partie inférieure d'un édifice pour donner de l'air, du jour à une cave ou à un lieu souterrain. ∥ Ouverture pratiquée à plomb dans le sommet d'une voûte. = Pl. *Des soupiraux.*
soupirant, ante, adj. Qui soupire. = N. m. Celui qui aspire à se faire aimer d'une femme (Fam.).
soupirer, v. intr. (lat. *suspirare*, m. s.). Pousser, exhaler des soupirs. — Partic. Exhaler des soupirs d'amour. ∥ *Soupirer après, soupirer pour*, désirer ardemment, rechercher avec passion. *Soupirer après une place*. = V. tr. Murmurer en soupirant. *Les vers que soupirait Tibulle* (Poét.).
Gram. — *Soupirer* peut se construire selon le sens avec les prépositions *après* ou *pour : Il soupire après le retour des beaux jours. — Il soupire pour cette jeune fille.*
souple, adj. (lat. *supplex, suppliant*). Flexible, qui se plie aisément sans se rompre. *Du cuir fort souple.* ∥ Qui a une

grande facilité à se mouvoir, en parlant des personnes et des animaux. *Cette femme a une taille très souple.* ‖ Fig. Docile, complaisant, soumis. *Un caractère souple.* ‖ Qui fait preuve d'une vile complaisance. *Avoir l'échine souple.* — Fig. et fam. *Cet homme est souple comme un gant.* ‖ Qui s'adapte facilement, qui se plie aux choses les plus diverses. *Une imagination, un talent très souple.*
Syn. — V. FLEXIBLE.
Ctr. — *Raide, figé, rigide, cassant, tendu.*

souplement, adv. D'une manière souple, avec souplesse.

souplesse, n. f. Flexibilité, qualité de ce qui est souple. ‖ Facilité à mouvoir, à plier son corps, ses membres; agilité. *La souplesse de la taille.* ‖ Par anal. Se dit de la voix, de l'esprit, du style. *Style qui manque de souplesse.* ‖ Fig. Docilité, complaisance, soumission, flexibilité aux volontés d'autrui. *Avoir de la souplesse dans les affaires.*
Ant. — *Raideur, rigidité.*

souquenille [*sou-ke-ni-lle*, *ll* mll.], n. f. Espèce de surtout fort long et fait de grosse toile que portent les cochers, les palefreniers. ‖ Fam. Vêtement délabré.

souquer [*ké*], v. tr. [Mar.] Raidir un cordage, une amarre, pour lui donner plus de force. = V. intr. *Souquer sur la rame,* appuyer sur la rame, faire force de rames. ‖ Fig. et pop. Travailler durement sur quelque chose.

source, n. f. (de *sours, sourse,* anc. pp. du v. *sourdre*). Eau qui sort de terre en un endroit pour prendre son cours vers un autre, et l'endroit d'où l'eau sort. *Cette rivière est navigable dès sa source.* — Fig. *Clair comme de l'eau de source,* tout à fait limpide. ‖ Ce qui est abondant, fertile en certaines choses et les répand en dehors. *Le Pérou est une source de métaux précieux.* ‖ Fig. Principe, cause, origine, premier auteur de quelque chose. *Remonter à la source d'une information.* — *Tenir une nouvelle de bonne source,* de personnes bien informées. [Litt.] Texte original. *L'auteur ne cite pas ses sources, aussi est-il suspect.* ‖ Fig. et fam. *Cela coule comme de source,* se dit de discours éloquents, d'ouvrages de l'esprit écrits d'une manière naturelle et facile.
Épithètes courantes : vive, naturelle, claire, fraîche, ombragée, glacée, froide, pure; cachée, exploitée, captée; sacrée, poétique, miraculeuse; minérale, calcaire, sulfureuse, alcaline, gazeuse, jaillissante, incrustante, etc.
Syn. — V. COMMENCEMENT.
Ant. — *Embouchure, estuaire, delta.*

sourcier, ière, n. Celui, celle qui sait découvrir la présence des eaux souterraines au moyen de la baguette de coudrier, du pendule, etc.
Par. — V. SOURCILLER 1.

sourcil [*si*], n. m. (lat. *supercilium,* m. s.). Éminence arquée et garnie de poils qui s'élève au-dessus de l'œil. Ces poils eux-mêmes. *Avoir les sourcils bruns.* V. pl. ŒIL. ‖ Fig. *Froncer le sourcil,* montrer sur le visage de la mauvaise humeur, du mécontentement.
Épithètes courantes : noir, blond, blanc, gris, épais, touffu, broussailleux, sévère, froncé, etc.

sourcilier, ière, adj. Qui a rapport aux sourcils. *Muscle sourcilier. Arcade sourcilière.*
Par. — *Sourciller,* remuer le sourcil; sourdre.

1. sourciller [*ll* mll.], v. intr. Remuer le sourcil en signe de mécontentement, d'impatience. ‖ *Il n'a pas sourcillé en entendant son arrêt,* son visage n'a laissé paraître aucun signe d'émotion.
Hom. — *Sourcilier,* v. intr., sourdre.
Par. — *Sourcilier,* qui a rapport aux sourcils; — *sourcier,* qui sait découvrir des sources.

2. * sourciller [*ll* mll.], v. intr. (de *source*). Sourdre, sortir de terre en formant une source.
Hom. — *Sourciller,* remuer le sourcil.
Par. — V. SOURCILLER 1.

sourcilleux, euse [*ll* mll.], adj. A qui les sourcils froncés donnent un air hautain, sévère ou soucieux. ‖ Fig. Qui a, qui exprime l'orgueil, la hauteur, ou le chagrin, l'inquiétude. *Front sourcilleux.* ‖ Poét. et Vx. Haut, élevé. *Rochers sourcilleux.*

1. sourd [*sour*], **sourde**, adj. (lat. *surdus,* m. s.). Qui ne peut entendre, par quelque défaut de l'organe de l'ouïe. — Fam. *Il est sourd comme un pot,* très sourd. — *Faire la sourde oreille.* V. OREILLE. = Fig. *Être sourd aux prières, aux cris,* etc. être inexorable, inflexible, insensible aux prières, etc. ‖ Qui manque de sonorité. *Voix sourde.* — *Bruit sourd,* bruit qui n'est pas éclatant. — Par ext. *Tonalités grises et sourdes,* et encore : *de sourdes rumeurs.* ‖ Fig. et en mauvaise part. Qui se fait secrètement. *De sourdes menées.* [Méd.] *Douleurs sourdes,* douleurs internes qui ne sont pas aiguës. ‖ *Lime sourde,* lime qui ne fait pas de bruit quand on l'emploie et, au fig., personne qui agit secrètement pour de mauvais desseins. ‖ Se dit d'une pierre précieuse qui a quelque chose de brouillé. [Mar.] *Lame sourde,* forte lame inattendue. — SOURD, SOURDE, n. Personne affectée de surdité. *Faire le sourd.* — Loc. fam. et prov. *Frapper comme un sourd,* frapper sans ménagement et sans pitié. — *Crier comme un sourd,* crier très haut. — *Il n'est pire sourd que celui qui ne veut pas entendre,* se dit de quelqu'un qui fait semblant de ne pas entendre une demande à laquelle il ne veut pas répondre. ‖ *Sourd-muet, sourde-muette.* V. ces mots.
Hom. — *Sourd,* adj., qui ne peut entendre; — *sourd,* n. m., nom vulgaire de la salamandre; — *sourd,* du v. sourdre.

> Vocab. — *Famille de mots.* — *Sourd* [rad. *sourd, surd*] : assourdir, assourdissant, assourdissement; sourdaud, sourdement, sourdière, sourdine; surdité; absurdité, absurde, absurdement; sourd-muet, surdi-mutité.

2. * sourd, n. m. Nom vulg. de la salamandre.
Hom. — V. SOURD 1.

* sourdaud, aude [*dô, dô-de*], n. Celui, celle qui n'entend qu'avec peine.

* sourde, n. f. [Zool.] Nom vulg. de la *petite bécassine.*

sourdement, adv. D'une manière sourde, peu retentissante, qui fait peu de bruit. ‖ Fig. D'une manière secrète et cachée. *Il a fait cela sourdement.*

* **sourdière,** n. f. Espèce de volet couvert de toile pour assourdir les bruits du dehors.
sourdine, n. f. (ital. *sordina*, m. s.). Épinette dont les cordes sont mises en vibration par de petites pièces de bois surmontées de drap, qui adoucissent les sons. — Petit appareil qu'on met à certains instruments de musique pour en amortir les sons. — *Jouer en sourdine,* jouer d'une façon très douce, amortie. ‖ Fig. *Mettre une sourdine à sa voix, à ses prétentions,* rendre sa voix moins bruyante ; afficher moins haut ses prétentions.
sourd-muet, n. m., **sourde-muette,** n. f. Personne privée de l'ouïe et de la parole. Le sourd-muet ne parle pas parce que, n'entendant pas la parole, il ne peut l'imiter. = Pl. *Des sourds-muets.*
sourdre, v. intr. (lat. *surgere*, jaillir). Sortir de terre, jaillir, en parlant des eaux. = Conjug. : n'est usité qu'aux trois formes : *sourdre, il sourd, ils sourdent.*
souriant, ante, adj. Qui sourit.
Syn. — V. AIMABLE.
Ctr. — *Morose, revêche.*
souriceau, n. m. Le petit d'une souris.
* **souricier,** n. m. Mangeur de souris.
Par. — V. SOURCILLER 1.
souricière, n. f. Piège pour prendre des souris. ‖ Fig. Piège ou embarras dans lequel on se jette inconsidérément. ‖ Lieu surveillé en secret par la police et où les malfaiteurs se font prendre.
1. sourire, v. intr. Rire sans éclater et seulement par un léger mouvement de la bouche et des yeux. ‖ *Sourire à quelqu'un,* lui témoigner par un sourire, de l'estime, de l'affection. ‖ Fig. *La fortune lui sourit,* le favorise. ‖ Se dit encore des choses qui présentent un aspect agréable, évoquent des idées riantes. *Ce lieu me sourit.* = Conjug. (comme *rire*). V. VERBES.
2. sourire, n. m. Action de sourire ; rire silencieux, discret et parfois ironique.
1. souris [*ri*], n. m. Ris léger et de courte durée.
2. souris [*ri*], n. f. (lat. *sorex, soricis*, m. s.) [Zool.] Petit mammifère quadrupède nuisible, de l'ordre des rongeurs, appartenant au genre *mus*, qui groupe les souris et les rats. — Fam. *On entendrait trotter une souris,* il règne le plus grand silence. — Prov. *Quand le chat dort, les souris dansent,* en l'absence du maître on se donne licence. ‖ *Couleur gris souris,* d'un gris argenté. ‖ *Souris d'hôtel,* voleuse spécialisée dans la visite des chambres d'hôtel. — Muscle charnu qui tient à l'os d'un gigot de mouton. ‖ Cartilage des naseaux du cheval. ‖ Espace de la main entre le pouce et l'index.
Hom. — *Souris*, n. m., ris léger ; — *souris,* n. f., petit quadrupède rongeur ; — *souris, it, ient,* du v. sourire.
sournois, oise, adj. Qui est caché et dissimulé. ‖ Qui annonce un caractère dissimulé. = Nom. *C'est un sournois une sournoise.*
Syn. — V. FOURBE.
Ctr. — *Franc, ouvert, loyal.*
sournoisement, adv. D'une manière sournoise.
sournoiserie [*ze-ri*], n. f. Caractère du sournois. Action qui révèle ce caractère.
Ant. — *Franchise.*
sous, mot invar. V. tabl. sous.
Hom. — V. soûl.

sous-affermer [*sou-za-fer-mé*], v. tr. Donner ou prendre à sous-ferme.
* **sous-agent,** n. m. Agent subalterne ; titre de certains fonctionnaires subalternes. = Pl. *Des sous-agents.*
* **sous-aide** [*sou-zè-de*], n. m. Celui qui aide un premier aide. = Pl. *Des sous-aides.*
* **sous-alimentation** [*sion*], n. f. Insuffisance de l'alimentation, cause de faiblesse de l'organisme. = Pl. (rare) *Des sous-alimentations.*
* **sous-alimenter,** v. tr. Donner de la nourriture en quantité insuffisante.
sous-amendement [*man*], n. m. Amendement à un amendement. = Pl. *Des sous-amendements.*
* **sous-amender** [*sou-za-man-dé*], v. tr. Amender un amendement.
* **sous-arbrisseau** [*sou-zar-bri-so*], n. m. [Bot.] Plante dont la tige ligneuse inférieurement persiste, tandis que les jeunes rameaux qu'elle porte se détruisent chaque année. — On dit aussi : *plante frutescente.* = Pl. *Des sous-arbrisseaux.*
* **sous-archiviste,** n. m. Archiviste en second. = Pl. *Des sous-archivistes.*
* **sous-arrondissement,** n. m. [Mar.] Subdivision de l'arrondissement maritime. = Pl. *Des sous-arrondissements.*
* **sous-bail** [*ail, il mll.*], n. m. [Droit] Bail que le preneur fait à un autre d'une partie ou même de la totalité de ce qui lui a été loué ou donné à ferme. = Pl. *Des sous-baux.*
* **sous-bailleur** [*ill mll.*], n. m., * **sous-bailleresse,** n. f. Celui, celle qui donne quelque chose à sous-bail. = Pl. *Des sous-bailleurs, des sous-bailleresses.*
sous-barbe, n. f. La partie postérieure de la mâchoire inférieure du cheval sur laquelle porte la gourmette. ‖ Pièce du harnais fixée sous l'auge du cheval. [Mar.] Pièce de bois qui soutient l'étrave d'un vaisseau dans le chantier. = Pl. *Des sous-barbe.*
* **sous-bibliothécaire,** n. m. Bibliothécaire en second. = Pl. *Des sous-bibliothécaires.*
* **sous-bief,** n. m. Canal qui rejoint la décharge des eaux, au-dessous du bief. = Pl. *Des sous-biefs.*
* **sous-bois,** n. m. Végétation, taillis poussant sous une futaie. [Bx-A.] Tableau représentant un paysage forestier. = Pl. *Des sous-bois.*
* **sous-brigadier,** n. m. Dans certains corps, grade inférieur à celui de brigadier. = Pl. *Des sous-brigadiers.*
sous-chef, n. m. Fonctionnaire ou employé placé dans la hiérarchie administrative immédiatement au-dessous du chef. = Pl. *Des sous-chefs.*
* **sous-classe,** n. f. Subdivision d'une classe. = Pl. *Des sous-classes.*
sous-clavier, ière, adj. et n. [Anat.] Qui est situé, qui est inséré sur la face inférieure de la clavicule. = Pl. *Des sous-claviers.*
* **sous-commissaire,** n. m. Officier placé dans la hiérarchie immédiatement au-dessous du commissaire. = Pl. *Des sous-commissaires.*
* **sous-commission,** n. f. Commission secondaire, formée pour l'étude de questions plus spéciales, parmi les membres d'une commission et désignée par cette commission même. = Pl. *Des sous-commissions.*

SOUS, préposition.

Étymologie. — Du latin *subtus*, en dessous, par en dessous.
Ctr. — *Sur*. V. ce tableau.
Hom. — V. soûl.

Sous employé comme préfixe.

La prép. *sous* se joint à beaucoup de mots de la langue pour en former d'autres qui indiquent : 1° Une infériorité de position : *sous-cotal, sous-épineux, sous-sternal*, etc. — 2° Une infériorité de qualité, de rang, de fonction : *Sous-bibliothécaire, sous-préfet, sous-chef*, etc. — 3° Une infériorité d'ordre, *sous-locataire, sous-ordre*, etc. — 4° Une proportion inférieure, soit quant aux dimensions, comme dans *sous-arbrisseau*, soit quant à la quantité dans des termes de médecine comme *sous-alimenté*, etc. — 5° En chimie, dans un sel, un excès de base. *Sous-acétate de plomb*. — *Sous-aide, sous-entendre, sous-ordre*, etc. V. ces mots.

Sens divers de SOUS.

I. — Marque la situation d'une chose à l'égard d'une autre qui est à un niveau supérieur, ou qui l'enveloppe, soit qu'il y ait contact direct, soit qu'il n'y ait pas contact.

1° Dans une situation inférieure par rapport à :
Au propre : *Sous le ciel. Sous la couverture. Enfouir sous terre. Vivre sous les toits. Cela s'est passé sous mes yeux*, j'en ai été le témoin oculaire. — *Mettre une chose sous les yeux de quelqu'un*, la lui présenter pour qu'il l'examine et qu'il en décide. *Regarder quelqu'un sous le nez*, le dévisager de tout près et avec un certain sans-gêne. = *Rire sous cape*, rire intérieurement sans le montrer à personne. — *Sous la main, sous main*. V. main. — *Être sous le manteau*. V. manteau. [A. milit.] *Être sous les armes*. V. arme. *Être sous les drapeaux*. V. drapeau.

Au figuré : *Il cachait une belle âme sous l'extérieur le plus grossier*, son extérieur grossier ne faisait pas soupçonner la noblesse de ses sentiments.

2° Dans une situation inférieure, voisine, et sans contact direct, à côté de, sous le couvert de. *Être sous le feu d'un bataillon, d'un bastion*, etc., être exposé à son feu. — *Sous*, indique quelquefois, dans ce sens général, que de deux lieux, l'un est plus élevé que l'autre. *La Ferté-sous-Jouarre.*
Être sous la clef, sous clef, être dans un lieu fermé à clef. — *Être sous les verrous*, être en prison. — De même : *Mettre une lettre sous enveloppe. Envoyer une valeur sous pli cacheté.* — *Être inscrit sous tel numéro*, avoir tel numéro d'inscription. [Mar.] *Être sous voiles*, se dit d'un bâtiment qui a ses voiles déployées et qui fait route. — *Sous le vent*, se dit du côté opposé à celui d'où le vent souffle. — *Naviguer sous pavillon français, sous pavillon neutre*, arborer le pavillon français, un pavillon neutre.

II. — Sous l'action de, sous l'influence de, sous l'autorité de.
Cette branche plie sous le poids des fruits. Une locomotive, un navire à vapeur sous pression. — *Sous presse*. V. presse. = *Sous le coup de l'émotion. Cela tombe sous le coup des lois. Être sous le coup d'une poursuite.* V. coup. *Il est né sous une mauvaise étoile.* V. étoile.
Sous, s'emploie souvent au figuré pour marquer la subordination et la dépendance. *Il a tant d'hommes sous lui, sous son commandement, sous ses ordres.* — *Être sous la protection de quelqu'un*, en être protégé. On dit de même : *Se mettre sous la protection de quelqu'un* et *Prendre quelqu'un sous sa protection.*
Du sens de être sous l'autorité de : *Sous le règne de Néron*, etc., est venu l'emploi de *sous* marquant le temps durant lequel un homme a vécu, un événement est arrivé, etc. *Racine vivait sous Louis XIV.*
Par extension : *Je ferai telle chose sous peu*, d'ici peu de temps. *Les pièces seront fournies, sous huitaine*, elles seront fournies d'ici huit jours au plus.

III. — Avec le sens de avec, par le moyen de, moyennant.
Affirmer sous serment. — *Sous tel nom, sous tel titre*, etc., avec tel nom, avec tel titre. *Il se présenta chez eux sous un faux nom. Sous le couvert de.* V. couvert. — *Faire un acte, une promesse, sous seing privé*, reconnaître cet acte, cette promesse par sa simple signature, non authentique, et sans l'intervention des notaires. — *Passer quelque chose sous silence*, n'en point parler. — *Ils se sont rendus sous promesse de la vie sauve. Sous telle et telle condition. Sous réserve de...* — *Cela est défendu sous peine de la vie, sous peine d'amende*, etc. On encourra telle ou telle peine si l'on contrevient à cette défense.— *Confier, dire une chose sous le secret, sous le sceau du secret*, dire une chose en confidence et en exigeant le secret.

LOCUTIONS FORMÉES AVEC SOUS.

SOUS PRÉTEXTE DE et SOUS PRÉTEXTE QUE, loc. prép. et loc. conj. *Sous ombre de, sous couleur de*, loc. prép. *Sous prétexte de charité*; sous ombre, sous couleur de lui rendre service, en se servant de la charité comme prétexte, en feignant de vouloir lui rendre service. V. prétexte, ombre, couleur.

SOUS CE RAPPORT, loc. adv. A cet égard. *Il vous est inférieur sous ce rapport, sous plusieurs rapports, sous plus d'un rapport.* V. rapport.

*** sous-comptoir** [sou-kon-touar], n. m. Comptoir secondaire, dépendant d'un comptoir principal. = Pl. *Des sous-comptoirs.*

*** sous-cortical, ale,** adj. [Bot.] Qui est situé sous l'écorce.

*** sous-costal, ale,** adj. Qui est sous les côtés. *Muscles sous-costaux.*

souscripteur, n. m. Celui qui prend part à une souscription. *Une liste de souscripteurs.* ‖ Celui qui souscrit un billet, un effet de commerce. — Sans féminin correspondant.

souscription [*sion*], n. f. (lat. *subscriptio*, m. s.). Signature qu'on met au-dessous d'un acte pour l'approuver. ‖ *La souscription d'une lettre*, la signature de celui qui l'a écrite accompagnée de certains termes de civilité. ‖ Engagement que prennent plusieurs personnes de fournir chacune une certaine somme pour une entreprise, pour une dépense commune; et les sommes mêmes qui sont fournies. *Le trésorier recevra les souscriptions.* — Engagement de prendre, moyennant un prix convenu, un ou plusieurs exemplaires d'un ouvrage qui doit être publié dans un certain espace de temps. ‖ Action de souscrire à une émission, à un emprunt.

Par. — *Suscription*, adresse écrite sur une lettre.

souscrire, v. tr. (lat. *subscribo,* écrire dessous). Écrire son nom au bas d'un acte, d'un billet, pour l'approuver. *Ils ont souscrit ce contrat.* = V. intr. Fournir ou s'engager à fournir une certaine somme pour une entreprise, une dépense commune. ‖ S'engager à acquérir, à la parution, un ou plusieurs exemplaires d'un livre. ‖ Acquérir des titres au moment de l'émission. ‖ Fig. *Souscrire à,* consentir à, approuver ce qu'un autre dit ou propose. *Je souscris à tout ce que vous dites.* = Conjug. (comme *écrire*). V. VERBES.
SYN. — V. CÉDER.
* **sous-cuisse,** n. f. [Chir.] Lanière passant sous la cuisse pour maintenir en place un bandage herniaire. = Pl. *Des sous-cuisses.*
sous-cutané, ée, adj. Qui est situé sous la peau. ‖ Qui se pratique sous la peau. *Injection sous-cutanée.*
* **sous-décuple,** adj. Se dit d'un nombre contenu dix fois dans un autre.
* **sous-délégation,** n. f., **sous-délégué,** n. m. V. SUBDÉLÉGATION, SUBDÉLÉGUÉ.
sous-diaconat [*ko-na*], n. m. Le moins élevé des ordres sacrés, ou l'office du sous-diacre. = Pl. *Des sous-diaconats.*
* **sous-diaconesse,** n. f. Diaconesse adjointe ou suppléante. = Pl. *Des sous-diaconesses.*
sous-diacre, n. m. Ecclésiastique dont la dignité est au-dessous de celle du diacre. = Pl. *Des sous-diacres.*
sous-directeur, trice, n. Directeur, directrice en second. = Pl. *Des sous-directeurs, des sous-directrices.*
* **sous-diviser,** v. tr. V. SUBDIVISER.
sous-dominante, n. f. [Mus.] Note qui est immédiatement au-dessous de la dominante. = Pl. *Des sous-dominantes.*
* **sous-double,** adj. [Math.] Qui est la moitié d'un nombre. *Deux est sous-double de quatre.*
* **sous-doyen,** n. m. Dignitaire immédiatement au-dessous du doyen. ‖ Second en âge ou en ancienneté. = *Des sous-doyens.*
* **sous-économe,** n. m. Économe en second. = Pl. *Des sous-économes.*
* **sous-embranchement,** n. m. Subdivision d'un embranchement. = Pl. *Des sous-embranchements.*
sous-entendre [*sous-zan-tan-dre*], v. tr. Ne point exprimer clairement dans le discours une chose qu'on a dans la pensée tout en la laissant deviner. [Gram.] Ne pas exprimer certains mots qui peuvent être aisément suppléés. = Conjug. (comme *rompre*). V. VERBES.
sous-entendu, n. m. Ce qu'on a dans la pensée, mais qu'on n'a pas exprimé. *Faire des sous-entendus* (souvent péjor.). = Pl. *Des sous-entendus.*
* **sous-entente,** n. f. Ce qui est sous-entendu artificieusement par celui qui parle. = Pl. *Des sous-ententes.*
* **sous-épidermique,** adj. [Anat.] Qui est placé sous l'épiderme.
* **sous-épineux,** adj. [Anat.] Qui est situé au-dessous de l'épine de l'omoplate.
sous-estimer, v. tr. Estimer au-dessous de sa valeur véritable.
sous-faîte, n. m. Pièce de charpenterie placée au-dessous du faîte. = Pl. *Des sous-faîtes.*
* **sous-ferme,** n. f. Sous-bail, convention par laquelle un fermier principal cède la totalité ou une partie de sa ferme à un fermier particulier. = Pl. *Des sous-fermes.*
* **sous-fermer,** v. tr. V. SOUS-AFFERMER.
* **sous-fermier, ière,** n. Qui prend des biens ou des droits à sous-ferme. = Pl. *Des sous-fermiers, des sous-fermières.*
* **sous-fifre,** n. m. Fam. Celui qui occupe une situation très subalterne. = Pl. *Des sous-fifres.*
* **sous-fréter,** v. tr. Fréter pour le compte d'un autre un bâtiment qu'on avait frété pour soi. = Conjug. V. GRAMMAIRE.
* **sous-frutescent, ente,** adj. [Bot.] Qui a la nature, le port d'un sous-arbrisseau.
sous-garde, n. f. Assemblage des pièces qui sont placées sous le bois d'un fusil pour préserver la détente. = Pl. *Des sous-gardes.*
sous-genre, n. m. [Hist. nat.] Subdivision du genre. = Pl. *Des sous-genres.*
sous-gorge, n. f. Pièce de cuir attachée à la bride et passant sous la gorge du cheval. = Pl. *Des sous-gorge.*
* **sous-gouverneur,** n. m. Gouverneur en second. = Pl. *Des sous-gouverneurs.*
* **sous-hépatique,** adj. [Anat.] Qui est placé sous le foie.
* **sous-ingénieur,** n. m. Ingénieur en second. = Pl. *Des sous-ingénieurs.*
* **sous-inspecteur, trice,** n. Fonctionnaire placé immédiatement au-dessous de l'inspecteur ou de l'inspectrice. = Pl. *Des sous-inspecteurs.*
* **sous-intendance,** n. f. Charge de sous-intendant. ‖ Bureaux d'un sous-intendant; circonscription dont il est chargé. = Pl. *Des sous-intendances.*
* **sous-intendant,** n. m. Intendant en second. — *Sous-intendant militaire,* officier de l'Intendance ayant rang de chef de bataillon. = Pl. *Des sous-intendants.*
sous-jacent, ente [*sou-ja-san*], adj. Qui est étendu dessous. *Tissu sous-jacent.* [Géol.] *Roches sous-jacentes,* granits.
* **sous-jupe,** n. f. Jupe de dessous doublant une jupe ouverte ou trop transparente. = Pl. *Des sous-jupes.*
* **sous-lieutenance,** n. f. Grade, emploi de sous-lieutenant dans les anc. armées royales. = Pl. *Des sous-lieutenances.*
sous-lieutenant, n. m. Officier du grade le moins élevé et immédiatement inférieur à celui de lieutenant. V. tabl. ARMÉE (*Idées suggérées par le mot*) et GRADES. = Pl. *Des sous-lieutenants.*
sous-locataire, n. Celui qui loue une maison ou une portion d'une maison, et qui la tient du premier ou principal locataire. = Pl. *Des sous-locataires.*
* **sous-location** [*sion*], n. f. Action de sous-louer; sous-bail. = Pl. *Des sous-locations.*
* **sous-lombaire,** adj. [Anat.] Situé sous les lombes.
sous-louer, v. tr. Donner à loyer une partie ou même la totalité d'une maison ou d'une terre dont on est locataire ou fermier. ‖ Prendre à loyer, du locataire principal, une portion ou la totalité d'une maison.
sous-main [*sou-min*], n. m. Sorte de cahier de feuilles de papier ou de buvard recouvert de cuir, de moleskine, qu'on met sous ce que l'on écrit. = Pl. *Des sous-main.*

sous-maître, esse, n. Celui, celle qui, dans un établissement d'éducation, surveille les élèves et donne des leçons. = Pl. *Des sous-maîtres, des sous-maîtresses.*

sous-marin, ine, adj. Qui est au fond de la mer, qui est recouvert par l'eau de la mer. *Forêts sous-marines.* [Mar.] *Bateau sous-marin* ou, n. m., *un sous-marin,* navire de guerre pouvant naviguer sous l'eau et attaquer ainsi à la torpille les bâtiments de surface. = Pl. *Des sous-marins.* V. tabl. MARINE (*Idées suggérées par le mot*). V. pl. NAVIGATION.

* **sous-marinier,** n. m. Commandant ou membre de l'équipage d'un sous-marin. = Pl. *Des sous-mariniers.*

sous-maxillaire [*sou-ma-ksil-lè-re*], adj. Qui est situé au-dessous de la mâchoire inférieure. *Glande sous-maxillaire.*

* **sous-mentonnière,** n. f. Bride qui sert à attacher le shako sous le menton. = Pl. *Des sous-mentonnières.*

sous-multiple, adj. *Quantité sous-multiple,* celle qui se trouve contenue exactement dans une autre un certain nombre de fois. *Sept est un nombre sous-multiple de vingt-huit.* = N. m. *Trois est un des sous-multiples de douze.* = Pl. *Des sous-multiples.*

* **sous-nappe,** n. f. Étoffe mise sous la nappe pour protéger la table. = Pl. *Des sous-nappes.*

sous-normale, n. f. [Géom.] Partie de l'axe d'une courbe comprise entre les deux points où l'ordonnée et la normale à la courbe menées du point considéré viennent rencontrer cet axe. = Pl. *Des sous-normales.*

* **sous-occipital, ale,** adj. [Anat.] Situé au-dessous de l'os occipital.

sous-œuvre, n. m. Fondement d'une construction. — *Reprendre une construction en sous-œuvre,* la reprendre par la base. || Fig. Perfectionner, retravailler, rectifier une œuvre de l'esprit dans ses parties essentielles. *Reprendre un roman en sous-œuvre.* = Pl. *Des sous-œuvres.*

sous-officier [*sou-zo-fi-sié*], n. m. Militaire d'un grade inférieur à celui de sous-lieutenant et supérieur à celui de caporal. V. tabl. ARMÉE (*Idées suggérées par le mot*) et GRADES. = Pl. *Des sous-officiers.*

* **sous-orbitaire,** adj. [Anat.] Situé au-dessous de la cavité orbitaire.

sous-ordre [*sou-zor-dre*], n. m. [Droit] Distribution d'une somme qui a été adjugée à un créancier dans un ordre, et qui est répartie entre les créanciers de ce créancier opposant sur lui. || Celui qui est soumis aux ordres d'un autre, qui travaille sous sa direction. [Hist. Nat.] Ordre secondaire établi dans un ordre principal. = EN SOUS-ORDRE, loc. adv. D'une manière subordonnée. = Pl. *Des sous-ordres.*

sous-pied [*sou-pié*], n. m. Bande de cuir ou d'étoffe qui passe sous le pied et qui s'attache des deux côtés au bas d'une guêtre ou d'un pantalon. = Pl. *Des sous-pieds.*

* **sous-préfectoral, ale,** adj. Qui appartient à une sous-préfecture ou qui émane d'un sous-préfet.

sous-préfecture, n. f. Subdivision d'une préfecture (*arrondissement*) qui est administrée par un sous-préfet. || Se dit aussi des fonctions de sous-préfet, de la ville où il réside, du bâtiment où il demeure et où il a ses bureaux. = Pl. *Des sous-préfectures.*

sous-préfet, n. m. Fonctionnaire subordonné au préfet, qui administre un arrondissement. = Pl. *Des sous-préfets.* V. tabl. ADMINISTRATION (*Idées suggérées par le mot*).

* **sous-préfète,** n. f. La femme du sous-préfet. = Pl. *Des sous-préfètes.*

* **sous-prieur, eure,** n. Religieux ou religieuse qui dirige le monastère sous les ordres du prieur ou de la prieure. = Pl. *Des sous-prieurs, des sous-prieures.*

* **sous-produit,** n. m. Matière secondaire obtenue au cours de la préparation ou de la fabrication d'une matière principale, ou comme résidu de cette préparation. = Pl. *Des sous-produits.*

sous-pubien, ienne, adj. [Anat.] Situé au-dessous du pubis.

* **sous-quadruple,** adj. [Math.] Se dit d'un nombre contenu quatre fois dans un autre.

* **sous-quintuple,** adj. [Math.] Se dit d'un nombre contenu cinq fois dans un autre.

* **sous-race,** n. f. [Hist. Nat.] Race secondaire classée dans une race préexistante. = Pl. *Des sous-races.*

* **sous-scapulaire,** adj. [Anat.] Qui est situé sous l'épaule.

sous-secrétaire, n. m. Secrétaire en second. || *Sous-secrétaire d'État,* haut fonctionnaire qui est placé dans l'ordre hiérarchique après le ministre. = Pl. *Des sous-secrétaires.* V. tabl. ADMINISTRATION (*Idées suggérées par le mot*).

sous-secrétariat, n. m. Fonctions, emploi, bureaux d'un sous-secrétaire d'État. = Pl. *Des sous-secrétariats.*

sous-seing [*sin*], n. m. *Acte sous-seing privé,* fait entre des particuliers, sans l'entremise d'un officier public. = Pl. *Des sous-seing* ou *sous-seings.*

soussigné, ée [*gn* mll.], adj. et n. Dont la signature est ci-dessous. *Je soussigné, déclare...* = Nom. *Les soussignés attestent...*

sous-sol, n. m. La couche sur laquelle repose la terre végétale. || Étage inférieur situé en partie au-dessous du niveau du sol. = Pl. *Des sous-sols.*

* **sous-solage,** n. m. [Agric.] Labour profond remuant le sous-sol, mais sans le ramener à la surface. = Pl. *Des sous-solages.*

* **sous-station,** n. f. [Électr.] Station secondaire d'un réseau de distribution assurant la transformation du courant. = Pl. *Des sous-stations.*

* **sous-sternal, ale,** adj. [Anat.] Situé sous le sternum.

sous-tangente, n. f. [Géom.] Partie de l'axe d'une courbe comprise entre les deux points où l'ordonnée et la tangente à la courbe menée du point considéré viennent rencontrer cet axe. = Pl. *Des sous-tangentes.*

* **sous-tendante,** n. f. [Géom.] Corde qui sous-tend un arc, qui en joint les deux extrémités. = Pl. *Des sous-tendantes.*

sous-tendre, v. tr. [Géom.] Mener d'un point d'une courbe à un autre une ligne droite qui forme la corde de l'arc compris entre ces points. = Conjug. (comme *rompre*). V. VERBES.

sous-titre, n. m. Second titre placé après le titre principal d'un livre. = Pl. *Des sous-titres.*

* **soustractif, ive,** adj. Qui exprime une soustraction, qui doit être soustrait.

soustraction [sion], n. f. (lat. *substractio*, m. s.). Action de soustraire, d'enlever, le plus souvent dans une intention coupable. *Soustraction d'effets*. [Arith.] Opération par laquelle on retranche d'un premier nombre un second nombre plus petit. V. tabl. SCIENCES (*Idées suggérées par le mot*).
SYN. — V. LARCIN.
ANT. — *Addition*.
soustraire, v. tr. (lat. *substraho*, m. s.). Enlever frauduleusement une chose de l'endroit où elle était. *Soustraire des pièces d'un dossier*. ‖ Dérober à, préserver de. *Rien ne peut le soustraire à ma fureur*. [Math.] Effectuer une soustraction. = SE SOUSTRAIRE, v. pr. S'affranchir, se délivrer de, se dérober à. *Se soustraire au châtiment*. = Conjug. (comme *traire*). V. VERBES.
SYN. — V. DÉROBER et RETRANCHER.
sous-traitant, n. m. Sous-fermier, celui qui se charge de quelque partie d'un travail, d'une fourniture, d'une entreprise, dont un autre a été chargé pour la totalité. = Pl. *Des sous-traitants*.
* **sous-traité**, n. m. Traité par lequel on reprend une affaire des mains d'une personne qui en avait déjà traité. = Pl. *Des sous-traités*.
sous-traiter, v. intr. Prendre une entreprise, une affaire en seconde main. ‖ Céder à un autre partie ou totalité de l'affaire pour laquelle on a traité.
* **soustrayeur** [tré-ieur], n. m. Celui qui soustrait.
* **sous-triple**, adj. [Math.] Se dit d'un nombre compris exactement trois fois dans un autre. = N. m. *Six est le soustriple de dix-huit*.
* **soustylaire** ou **sous-stylaire**, adj. [Gnomonique] Se dit de la ligne qui est l'intersection du plan du cadran et du plan méridien passant par le style.
* **sous-vassal**, n. m. Vassal d'un seigneur relevant lui-même d'un autre seigneur. = Pl. *Des sous-vassaux*.
* **sous-vendre** [sou-van-dre], v. tr. Vendre à un tiers une portion de ce qu'on a acheté. = Conjug. (comme *rompre*). V. VERBES.
* **sous-vente**, n. f. Vente d'une portion de ce qu'on a acheté. = Pl. *Des sous-ventes*.
sous-ventrière [sou-van-tri-ère], n. f. Courroie qui passe sous le ventre du cheval et qui s'attache par ses deux extrémités aux timons d'une voiture, ou assujettit la selle sur son dos. V. pl. CHEVAL. = Pl. *Des sous-ventrières*.
* **sous-verge**, n. m. Cheval non monté placé à la droite du porteur dans un attelage dont les conducteurs sont montés. ‖ Fig. et fam. Sous-officier ou subordonné quelconque. = Pl. *Des sous-verge*.
* **sous-verre**, n. m. Gravure, photographie recouverte d'un verre retenu par des bandes de papier collant. = Pl. *Des sous-verre*.
* **sous-vêtement**, n. m. Vêtement qui se porte sous le costume ou la robe. = Pl. *Des sous-vêtements*.
sous-vicaire, n. m. Second vicaire. = Pl. *Des sous-vicaires*.
soutache, n. f. Se dit de certains ouvrages de passementerie en forme de tresse ou de galon plat.

soutacher, v. tr. Orner avec de la soutache.
soutane, n. f. Habit long et boutonné de haut en bas que portaient les ecclésiastiques, les professeurs, les magistrats, etc., et que portent aujourd'hui les ecclésiastiques. ‖ État ecclésiastique. — V. pl. COSTUMES RELIGIEUX.
soutanelle [nè-le], n. f. Petite soutane qui ne descend que jusqu'aux genoux.
soute, n. f. [Mar.] Chacun des aménagements faits dans les étages inférieurs d'un navire, et qui servent de magasins pour les munitions de guerre, pour les provisions, etc. *La soute au charbon*. V. pl. NAVIGATION.
PAR. — *Soulte*, ce que paie un héritier aux co-partageants pour rétablir l'égalité.
soutenable, adj. Qui se peut soutenir par de bonnes raisons. ‖ Qui se peut endurer, supporter.
CTR. — *Insoutenable*.
soutenance, n. f. Action de soutenir une thèse.
* **soutenant, ante**, adj. Qui soutient. *La force soutenante*. = Nom. Celui, celle qui soutient une thèse. *Le soutenant a bien répondu*.
soutènement [tè-ne-man], n. m. Appui, soutien. *Mur de soutènement*, mur destiné à contenir la poussée des terres.
souteneur, n. m. Celui qui se fait le protecteur, le champion d'une mauvaise cause. ‖ Homme vivant aux dépens d'une fille publique.
soutenir, v. tr. (lat. *sustineo*, m. s.). Tenir par-dessous, supporter une chose. *Cette colonne soutient tout le bâtiment*. ‖ Empêcher de tomber. *Soutenir un malade*. ‖ *Soutenir une gageure*, tenir cette gageure. — *Soutenir la conversation*, empêcher qu'elle ne vienne à languir. — *Soutenir son rang, sa dignité*, vivre, agir, parler d'une manière convenable à son rang, à sa dignité. — *Soutenir sa réputation*, faire des actions ou des ouvrages qui répondent à la réputation qu'on s'est acquise. — *Soutenir le courage de quelqu'un*, l'empêcher de céder à la crainte ou au découragement.
Sustenter, donner de la force. *La bonne nourriture soutient*. — Par extens. Fournir à quelqu'un de quoi vivre. *C'est lui qui soutenait cette pauvre famille*. ‖ Défendre, appuyer. *Soutenir une proposition, un système*. — *Soutenir une thèse*, répondre, dans une discussion publique, à tous les arguments présentés contre la thèse. ‖ Fig. Favoriser quelqu'un, l'appuyer de crédit, de recommandations, etc. *Il ne serait plus en place si on ne le soutenait*. ‖ Fig. Prendre le parti de quelqu'un. *Je l'ai soutenu dans cette mauvaise querelle*.
Supporter, résister à une attaque, à quelque chose de pénible, dont il est difficile de se défendre. *Soutenir un siège. Soutenir la fatigue*. ‖ Fig., au sens moral : Souffrir, endurer sans découragement, quelque chose de fâcheux, d'inquiétant, etc. *Il n'a pu soutenir sa disgrâce*.
Affirmer qu'une chose est vraie. *Il a eu le front de soutenir ce mensonge*. [A. milit.] *Soutenir une troupe*, l'appuyer, la secourir au besoin, ou appuyer son action, en parlant de l'artillerie. ‖ *Soutenir un effort*, le prolonger sans le laisser faiblir. [Mus.] *Les instruments soutiennent la voix*, ils l'empêchent de baisser, de fléchir. = SE

SOUTENIR, v. pr. Se tenir debout, se tenir droit. *Il est encore si faible, qu'il ne peut se soutenir.* ‖ Être porté ou se retenir de manière à ne pas tomber ou s'enfoncer. *Les oiseaux se soutiennent en l'air au moyen de leurs ailes. Se soutenir sur l'eau.* ‖ Être défendu avec avantage. *Une pareille proposition ne saurait se soutenir.* ‖ Fig. Persister dans le même état, se maintenir. *Le mieux se soutient,* le malade continue d'aller mieux. — *Le cours des valeurs se soutient,* il reste au même taux sans baisser. — *Ce discours se soutient bien,* il est également bon d'un bout à l'autre. ‖ S'empêcher mutuellement de tomber et, au fig., s'entr'aider, se prêter mutuellement appui, secours. = Conjug. (comme *tenir*). V. VERBES.
SYN. — V. PORTER, MAINTENIR et AFFIRMER.
CTR. — *Lâcher, abandonner.*
soutenu, ue, adj. Qui est toujours aussi fort, qui ne se ralentit pas, ne se relâche pas. *Effort soutenu.* ‖ Qui reste le même, ne se dément pas. *Caractère soutenu.* ‖ *Style soutenu,* style constamment élevé et noble.
souterrain, aine [tè-rin, rène], adj. (lat. *subterraneus,* m. s.). Qui est sous terre, qui vient de sous terre. *Canalisations souterraines.* ‖ Fig., et en mauvaise part : *Employer des voies souterraines,* employer de sourdes menées pour parvenir à ses fins. = SOUTERRAIN, n. m. Excavation pratiquée sous terre, en forme de galerie et ordinairement voûtée.
CTR. — *Aérien.*
* **souterrainement,** adv. D'une manière souterraine.
soutien, n. m. Ce qui soutient, ce qui appuie. ‖ Fig. Appui, défense, protection. — *Soutien de famille,* jeune homme qui fait vivre sa famille par son travail.
SYN. — V. FONDEMENT et APPUI.
HOM. — *Soutiens, tient,* du v. soutenir.
* **soutien-gorge,** n. m. Sous-vêtement féminin servant à soutenir et à remonter les seins. = Pl. *Des soutien-gorge.*
soutier, n. m. Homme employé dans les soutes d'un bâtiment, partic. dans les soutes à charbon.
soutirage, n. m. Action de soutirer. ‖ *Vin soutiré.*
soutirer, v. tr. (de *sous,* et *tirer*). Transvaser du vin ou un liquide quelconque d'un vase dans un autre, de manière que la lie reste dans le premier. ‖ Fig. Obtenir par adresse ou par importunité. *Cet homme lui a soutiré beaucoup d'argent.*
* **soûtra** ou * **sûtra** [soû], n. m. [Litt. hindoue] Livre retraçant un épisode de la vie du Bouddha. ‖ Traité de philosophie, de morale condensé en sentences, en aphorismes.
souvenance, n. f. Souvenir vague et lointain (Vx).
— *Combien j'ai douce souvenance*
Du joli lieu de ma naissance.
(CHATEAUBRIAND.)
1. **souvenir (se),** v. pr. (lat. *subvenire,* se présenter à l'esprit). Avoir mémoire d'une chose. *Se souvenir de son enfance.* ‖ Garder la mémoire, soit d'un bienfait pour le reconnaître, soit d'une injure pour s'en venger. — *Il s'en souviendra,* il s'en repentira. ‖ Ne pas perdre une chose de vue, la prendre en considération. *Souvenez-vous de mon affaire.* = Impers. *Il me souvient de ce fait. Il me souvient que...* il me revient à l'esprit, à la mémoire que... = Conjug. (comme *venir*). V. VERBES.
GRAM. — Le verbe qui suit *se souvenir que* se met à l'indicatif dans une phrase affirmative ; au subjonctif dans une phrase négative : *Je me souviens que vous avez dit ceci. Je ne me souviens pas que vous avez dit cela.* — On dit *je m'en souviens,* mais *je me le rappelle.*
SYN. — V. RAPPELER (SE).
CTR. — *Oublier.*
2. **souvenir,** n. m. (du v. *souvenir* 1). Impression, idée que la mémoire conserve de quelqu'un ou de quelque chose. *Perdre le souvenir d'une chose.* ‖ La faculté même de la mémoire. *Je ne saurais effacer cette action de mon souvenir.* ‖ Ce qui rappelle la mémoire d'une chose. ‖ Cadeau que l'on fait, en souvenir de soi, à une personne que l'on quitte. ‖ Au pl. Titre donné parfois à leur ouvrage par des auteurs de mémoires.
— *Les souvenirs de l'esprit sont acquis par l'étude ; les souvenirs de l'imagination naissent d'une impression immédiate et plus intime, qui donne de la vie à la pensée, et nous rend pour ainsi dire témoins de ce que nous avons appris.* (Mme DE STAEL.)
Il n'est de pire douleur
Qu'un souvenir heureux dans les jours de malheur. (A. DE MUSSET.)
ÉPITHÈTES COURANTES : récent, précis, net, confus, vague, imprécis, vieux, cher ; mauvais, cuisant, douloureux, amer, ému, fidèle, délicieux, charmant, reconnaissant, bon, agréable, précieux ; etc., gardé, conservé, perdu, rappelé, raconté, etc.
SYN. — V. ANNALES.
ANT. — *Oubli.*
souvent, adv. de temps (lat. *subinde,* parfois). Fréquemment, plusieurs fois en peu de temps.
SYN. — *Souvent,* à de nombreuses reprises : *Il m'a souvent répété que...* — *Fréquemment,* très souvent : *Il lui arrive fréquemment d'être en retard.* — *Maintes fois,* dans de nombreuses occasions: *Je vous ai maintes fois dit de ne pas répondre ainsi.*
CTR. — *Rarement, parfois, quelquefois, jamais.*
* **souventefois** [van] ou **souventes fois,** adv. Maintes fois, souvent (Vx).
souverain, aine [rin, rène], adj. (bas lat. *superanus,* m. s.). Suprême, excellent ; qui est au plus haut degré. *Le souverain bien.* — De la plus grande efficacité. *Un remède souverain.* ‖ Se dit en particul. de l'autorité suprême, et de ceux qui en sont revêtus. *Puissance souveraine.* — *Prince souverain,* prince qui ne relève d'aucun autre prince. — *Cour souveraine,* tribunal qui juge sans appel. — *Le Souverain Pontife,* le pape. = SOUVERAIN, n. m. Celui qui possède l'autorité souveraine. *Dans une démocratie, c'est le peuple qui est le souverain.* ‖ Partic. Monarque, roi ou empereur. — On dit aussi *souveraine,* en parlant d'une femme qui gouverne un État, d'une reine ou d'une impératrice. — Par ext. Personne qui exerce une puissance souveraine. [Métrol.] Nom de certaines monnaies d'or de différents pays.
SYN. et ÉPITHÈTES COURANTES. — V. ROI.
ANT. — *Sujet.*

souverainement, adv. Parfaitement, excellemment, au plus haut degré. *Dieu est souverainement bon.* ‖ Fam. et en mauvaise part. *Il est souverainement ennuyeux.* ‖ D'une manière souveraine. *Décider souverainement.*

souveraineté, n. f. Autorité suprême. — *Souveraineté nationale,* souveraineté résidant dans la nation, d'où émanent tous les pouvoirs. ‖ Fig. Autorité morale. *La souveraineté de la raison.* ‖ Pays où un prince exerce l'autorité souveraine.
SYN. — V. EMPIRE.
PAR. — *Suzeraineté,* qualité du suzerain.

* **soviet,** n. m. (mot russe sign. : *conseil*). Comité de délégués élus par les ouvriers, les paysans et les soldats, en U. R. S. S. = Pl. *Des soviets.*

* **soviétique,** adj. Relatif aux soviets.

* **soviétiser,** v. tr. Convertir au système politique des soviets.

* **soxhlet,** n. m. [Chim.] Appareil destiné à l'épuisement continu des substances solides par les solvants volatils.

* **soya** [*so-ia*], ou * **soja** n. m. [Bot.] Plante potagère et fourragère de la famille des *légumineuses,* originaire de l'Extrême-Orient. On peut en préparer de la farine, des confitures, du fromage, du lait, des matières plastiques, etc.

1. * **soyer** [*soi-ié*], n. m. Verre de champagne frappé qui se boit avec une paille.

2. * **soyer, ère** [*soi-ié*], adj. Relatif à la production de la soie. = N. m. Commis, vendeur de soieries.

soyeux, euse, adj. Riche en soie, en parlant des étoffes. ‖ Qui a l'aspect de la soie. ‖ Fin et doux au toucher comme la soie. = N. m. Directeur d'une fabrique de soieries.

spacieusement, adv. Au large. *Il est logé spacieusement.*

spacieux, euse [*spa-si-eu, euze*], adj. De grande étendue. *Jardin spacieux.*
SYN. — V. AMPLE et VASTE.

spadassin, n. m. Ferrailleur, bretteur. ‖ Assassin à gages.

* **spadice,** n. m. (lat. *spadix, icis,* branche de palmier). [Bot.] Variété d'épi accompagné à sa base d'une grande bractée appelée spathe.

* **spadille** [*ll* mll.], n. m. Au jeu de l'hombre, l'as de pique.

* **spaghetti** [*g* dur], n. m. Sorte de macaroni mince et sans trou.

spahi, n. m. [A. milit.] Cavalier turc d'un corps de cavalerie légère. ‖ Soldat français d'un corps de cavalerie, composé en grande partie d'indigènes d'Afrique du Nord.

* **spalax** [*laks*], n. m. Genre de mammifères rongeurs. vulg. appelés *rats-taupes,* vivant dans des galeries souterraines.

1. * **spalt,** n. m. Syn. de *bitume de Judée.*

2. **spalt** [*sic*], n. m. [Minér.] Pierre écailleuse employée pour faciliter la fusion de certains métaux.
PAR. — *Spalt,* pierre écailleuse; — *spath,* anc. nom de minerais lamelleux; — *spathe,* bractée de certaines plantes; — *sparte,* sorte de graminée.

* **spalter** [*tèr*], n. m. Brosse plate pour faire des peintures imitant le bois.

sparadrap [*dra*], n. m. [Pharm.] Feuille de papier ou bande de tissu imprégnée d'un mélange adhésif (additionné ou non de substances médicamenteuses) pour la faire tenir sur la peau.

* **spardeck** [*spar-dek*], n. m. [Mar.] Pont léger au-dessus du pont supérieur des paquebots. — On dit aussi *rouf.*

* **spare,** n. m. [Zool.] Genre de poissons téléostéens comprenant les daurades. Leur chair est comestible.

* **sparganier,** n. m. [Bot.] Genre de plantes de la famille des *typhacées,* vulg. *rubans d'eau.*

* **sparklet,** n. m. Ovule en acier contenant de l'anhydride carbonique liquide, pour la préparation de l'eau de Seltz artificielle.

* **sparnacien, enne,** adj. et n. D'Épernay.

sparte [*spart'*] ou * **spart,** n. m. (gr. *sparton,* m. s.). [Bot.] Nom vulg. de deux plantes de la famille des *graminées* (lygeum et alfa), dont les feuilles servent à faire des nattes, des corbeilles, etc.
PAR. — V. SPALT 2.

* **spartéine,** n. f. [Pharm.] Alcaloïde tonicardiaque extrait du genêt à balais.

sparterie, n. f. Ouvrage fait avec le spart. ‖ Art de les fabriquer. ‖ Manufacture où on les fabrique.

spartiate, n. et adj. Habitant de Sparte. ‖ Homme aux mœurs rigides, d'une âme ferme et virile.

spasme, n. m. [Méd.] Contraction musculaire anormale, souvent d'origine réflexe. V. tabl. MALADIE et MÉDECINE (*Idées suggérées par les mots*).

spasmodique, adj. [Méd.] Qui a rapport au spasme, qui tient du spasme. *Mouvement spasmodique.*

* **spasmodiquement,** adv. D'une manière spasmodique.

spath, n. m. Ancien nom de minéraux lamelleux et chatoyants. Le *spath d'Islande* (variété très pure de calcite) est connu pour sa double réfraction.
HOM. — *Spathe* (V. le mot suivant).
PAR. — V. SPALT 2.

spathe, n. f. [Bot.] Bractée qui enveloppe les inflorescences de certaines plantes monocotylédones. [A. milit.] Épée gauloise courte et lourde. V. pl. ARMES.
PAR. — V. SPALT 2.

* **spathique,** adj. [Minér.] Qui ressemble au spath ou en contient.

* **spatial, ale** [*si-al*], adj. (lat. *spatium,* espace). Qui est relatif à l'espace.

spatule, n. f. Instrument rond par un bout, plat par l'autre, pour remuer le plâtre, étendre les onguents, etc. V. pl. BÂTIMENT. [Zool.] Genre d'oiseaux échassiers dont le bec a la forme d'une spatule.

* **spatulé, ée,** adj. Arrondi et élargi au sommet comme une spatule.

* **speaker** [*spî-keur*], n. m. (mot angl. sign. *orateur*). Président de la Chambre des Communes en Angleterre. ‖ Président de la Chambre des Représentants aux États-Unis. ‖ Celui qui est chargé de faire les annonces au public, partic. à la radio.

spécial, ale, adj. (lat. *specialis,* m. s., de *species,* espèce). Qui s'applique exclusivement à une chose ou à une catégorie particulière de choses. *Autorisation spéciale.* — Au masc. pl. *spéciaux.* ‖ *Mathématiques spéciales,* classe où l'on étudie la partie des mathématiques qui correspond au programme d'admission aux grandes écoles.

[A. milit.] *Les armes spéciales*, le génie et l'artillerie.
Syn. — V. particulier.
Ctr. — *Général, commun, normal, universel.*
Par. — *Spécial*, qui s'applique exclusivement à une chose; — *spécifique*, qui caractérise une espèce; — *spécieux*, qui n'a qu'une apparence de vérité.

* **spécialement**, adv. D'une manière spéciale.

spécialisation [*za-sion*], n. f. Action de spécialiser ou de se spécialiser.

spécialiser [*spé-sia-li-zé*], v. tr. Indiquer d'une manière particulière. — Rendre spécial. = se spécialiser, v. pr. Acquérir des connaissances spéciales pour la pratique d'une branche particulière d'une science, d'un art.
Ling. — L'Acad. ne donne que la forme pronominale.
Ctr. — *Généraliser.*

spécialiste, adj. et n. Qui s'occupe exclusivement d'une manière particulière d'une science. *Médecin spécialiste du foie.*

spécialité, n. f. Qualité de ce qui est spécial. ǁ Branche d'études de commerce, etc., à laquelle une personne se consacre. ǁ *Spécialités pharmaceutiques*, préparations pharmaceutiques fabriquées à l'avance et par grandes quantités.

* **spéciès**, n. m. [Hist. Nat.] Ouvrage décrivant les caractères des espèces.

spécieusement, adv. D'une manière spécieuse.

spécieux, euse [*spé-sieu*], adj. (lat. *spetiosus*, de *species*, aspect). Qui a une apparence de vérité, mais qui n'est pas exact. *Prétexte spécieux.*
Syn. — V. faux.
Par. — V. spécial.

spécification [*spé-si-fi-ka-sion*], n. f. Détermination précise, désignation précise des choses particulières. [Droit] Action de créer un objet avec la chose d'autrui.

* **spécificité**, n. f. [Méd.] Propriété qu'a une maladie de présenter des caractères constants et bien nets.

spécifier, v. tr. (lat. *species*, espèce; *facere*, faire). Exprimer d'une manière précise, déterminer en particulier, en détail. = Conjug. V. grammaire.
Syn. — V. caractériser.

spécifique, adj. (lat. scolast. *specificus*, m. s., de *species*, espèce, et *facere*, faire). Propre à une espèce particulière. *Qualité spécifique.* — *Caractères spécifiques*, différences qui distinguent entre elles les espèces d'un même genre. [Phys.] *Poids spécifique absolu* d'un corps homogène : poids de l'unité de volume de ce corps. — *Poids spécifique relatif* ou *densité* d'un corps homogène par rapport à l'eau : rapport du poids d'un certain volume de ce corps, au poids d'un même volume d'eau. — *Masse spécifique* d'un corps homogène (ou *densité absolue*) : masse de l'unité de volume de ce corps. — *Chaleur spécifique d'un corps*, quantité de chaleur qu'un corps absorbe par kilogramme pour que sa température s'élève d'un degré. ǁ *Remède spécifique*, ou comme nom m. : *un spécifique*, remède qui exerce une action spéciale sur un organe, sur une maladie particulière. — *Microbe spécifique*, microbe dont la présence dans l'organisme permet le diagnostic d'une maladie déterminée.
Par. — V. spécial.

spécifiquement, adv. D'une manière spécifique.

spécimen [*mèn*], n. m. (lat. *specimen*, m. s.). Modèle, échantillon.
Syn. — *Spécimen*, partie d'un ensemble destinée à donner une idée de ce qu'il est : *Le spécimen d'une revue nouvelle.* — *Échantillon*, petite quantité d'une marchandise servant à pouvoir juger de la qualité de celle-ci : *Envoyer par la poste des échantillons d'étoffes.* — *Modèle*, ce qui doit servir d'objet d'imitation : *Un modèle de dessin.* — *Prototype*, le premier modèle d'un appareil qui doit être exécuté en série. *L'établissement d'un prototype d'avion* — *Type*, spécimen d'un modèle à imiter : *Envoyez-moi un type de l'objet que vous désirez voir reproduit.*

* **spéciosité**, n. f. Caractère de ce qui est spécieux.

spectacle, n. m. (lat. *spectaculum*, m. s.). Ce qui attire les regards, l'attention. Représentation théâtrale donnée au public. *Salle de spectacle.* ǁ Par ext. Ce qui présente pour le public l'attrait d'une représentation théâtrale.
Épithètes courantes : grand, beau, grandiose, magnifique, somptueux, extraordinaire, nouveau, inédit, brillant; émouvant; affreux, laid, répugnant, repoussant, hideux, pénible, douloureux; curieux, intéressant, passionnant; vu, regardé, admiré, contemplé, etc.
Syn. — V. représentation.

* **spectaculaire**, adj. Qui se rapporte aux spectacles. ǁ Qui a toutes les qualités requises pour faire un bon spectacle (à éviter dans ce sens).

spectateur, trice, n. Qui est témoin oculaire d'une action, d'un événement. ǁ Celui, celle qui assiste à une représentation théâtrale, à une cérémonie, etc.

spectral, ale, adj. Qui a le caractère d'un spectre, d'un fantôme. [Phys.] Relatif au spectre de la lumière décomposée par un prisme ou par un réseau. ǁ *Analyse spectrale*, analyse par laquelle on reconnaît les divers corps par l'aspect de leur spectre.

spectre, n. m. (lat. *spectrum*, m. s.). Fantôme présentant les formes d'un être mort, et que l'on croit voir, bien qu'il n'ait d'existence que dans l'imagination. ǁ Fam. Personne grande, hâve et maigre. ǁ Fig. Apparition d'une chose effrayante. *Le spectre de la famine.* [Phys.] *Spectre solaire*, image colorée, allant du violet au rouge, formée par la dispersion de la lumière solaire. *Les sept couleurs du spectre sont : violet, indigo, bleu, vert, jaune, orangé et rouge.* — Tous les corps, quand ils sont chauffés, émettent également un spectre.
Syn. — V. fantôme.

* **spectrographe**, n. m. [Phys.] Spectroscope dont la lunette d'observation est remplacée par un dispositif photographique.

* **spectromètre**, n. m. [Phys.] Spectroscope adapté à la mesure des longueurs d'onde d'un spectre.

* **spectrométrie**, n. f. [Phys.] Procédé de mesure des spectres.

spectroscope, n. m. [Phys.] Instrument destiné à étudier les radiations émises par une source lumineuse.
* **spectroscopie,** n. f. [Phys.] Étude des spectres lumineux.
* **spectroscopique,** adj. Relatif à la spectroscopie.
1. **spéculaire,** adj. (lat. *specularis,* de *speculum,* miroir, m. s.). Se dit de certains minéraux à lames brillantes et réfléchissant la lumière. — *Pierre spéculaire,* les feuilles de mica dont les anciens se servaient en guise de vitres. — *Écriture spéculaire,* écriture tracée de droite à gauche.
Par. — *Spéculatif,* qui étudie les choses théoriques et abstraites.
2. * **spéculaire,** n. f. [Bot.] Genre de plantes de la famille des *campanulacées,* dites *miroir de Vénus.*
spéculateur, trice, n. Qui fait des spéculations de finance, de commerce. ∥ S'est dit aussi dans le sens d'*observateur.*
spéculatif, ive, adj. Qui s'attache à l'étude des choses théoriques sans avoir égard à la pratique. ∥ Se dit des choses qui sont l'objet de ces considérations abstraites. = N. m. Personne qui raisonne d'une manière générale et abstraite, sans tenir compte des faits.
Par. — *Spéculaire,* se dit des minéraux à lames brillantes.
spéculation [*sion*], n. f. (lat. *speculatio,* m. s.). Étude, recherche théorique et purement rationnelle. *Les spéculations de la métaphysique.* ∥ Résultats obtenus par ces recherches.
Opérations, combinaisons de finance, de banque ou de commerce, faites en vue d'un changement prévu dans les prix courants et dont le succès dépend de circonstances qu'on essaye de prévoir ou de calculer. *Spéculations hasardeuses, malhonnêtes.*
Ant. — *Pratique.*
* **spéculativement,** adv. D'une manière spéculative.
spéculer, v. intr. (lat. *speculari,* observer). Méditer attentivement. ∥ Faire des spéculations financières. *Spéculer sur les vins.* ∥ Par anal. *Spéculer sur l'ignorance,* en tirer profit, avantage.
spéculum [*spé-ku-lo-me*], n. m. [Chir.] Instrument de formes variées que l'on introduit dans certaines cavités (nez, vagin, etc.) afin de les dilater pour en examiner l'intérieur. = Pl. *Des spéculums.*
speech [*spit'ch*], n. m. (mot angl.). Petit discours, courte allocution (Fam.).
Syn. — V. allocution.
spéléologie, n. f. (gr. *spêlaion,* caverne). [Géol.] Étude de la formation des cavités naturelles (grottes, cavernes, etc.).
* **spéléologique,** adj. Qui se rapporte à la spéléologie.
* **spéléologue** ou **spéléologiste,** n. m. Géologue spécialisé dans la spéléologie.
* **spencer** [*spin-cèr'*], n. m. [mot angl.]. Vêtement qui a la forme d'un habit coupé à la ceinture. ∥ Corsage sans jupe. ∥ Dolman court et très ajusté.
* **spergule,** n. f. [Bot.] Plante fourragère, de la famille des *caryophyllées,* fournissant une bonne nourriture aux bestiaux.
* **sperkise,** n. m. [Minér.] Sulfure de fer présentant une forme particulière de macle.
* **spermaceti** [*sè-ti*], n. m. [Techn.] Blanc de baleine, substance blanche, huileuse que fournit le cachalot, utilisée dans l'industrie des bougies et des produits de beauté.
spermatique, adj. [Anat.] Relatif au sperme. *Cordon spermatique,* ensemble des organes qui relient le testicule et le canal inguinal.
* **spermatogénèse,** n. f. [Biol.] Formation des spermatozoïdes dans le testicule.
* **spermatorrhée,** n. f. [Méd.] Éjaculation involontaire, pollution nocturne et parfois diurne.
spermatozoïde, n. m. (gr. *sperma, atos,* sperme; *zoôn,* animal; *eîdos,* aspect). [Biol.] Élément sexuel mâle qui forme le principe fécondant du sperme.
sperme, n. m. (gr. *sperma,* semence). [Biol.] Liquide séminal, destiné à la fécondation, qui prend naissance dans le testicule et est projeté par l'éjaculation dans les organes femelles.
* **spermophile,** n. m. [Zool.] Genre de mammifères rongeurs voisins des écureuils.
sphacèle [*sfa*], n. m. [Méd.] Gangrène. ∥ Partie gangrenée.
sphacélé, ée, adj. [Méd.] Atteint de sphacèle.
* **sphacéler,** v. tr. [Méd.] Frapper de sphacèle, de gangrène. = Conjug. V. grammaire.
* **sphaigne** [*sfè-gne, gn* mll.], n. f. [Bot.] Genre de mousses des marais tourbeux, dont les restes forment la tourbe.
sphénoïdal, ale, adj. [Anat.] Qui a rapport au sphénoïde.
Par. — *Sphéroïdal,* adj., qui concerne un sphéroïde; — *spiroïdal,* adj., en forme de spire.
sphénoïde, adj. et n. m. [Anat.] Se dit d'un os impair de la partie antérieure du crâne, dont il forme le plancher central.
sphère, n. f. (gr. *sphaira,* m. s.). [Géom.] Globe, corps solide en forme de boule. V. pl. volumes (corps ronds). ∥ Tout corps qui a la forme d'une sphère. *La sphère terrestre.* — *Sphère céleste,* sphère idéale sur laquelle on projette par la pensée les étoiles du ciel. ∥ Représentation artificielle de la sphère terrestre, de la sphère céleste. — *Sphère armillaire.* V. armillaire. ∥ Orbite, cercle. *Saturne parcourt sa sphère en trente années.* ∥ Fig. Étendue de pouvoir, d'autorité, d'influence, de connaissance, de talent. *Sphère d'activité.* — *Sortir de sa sphère,* sortir de son état, de sa condition.
Gram. — *Sphère* et ses composés de formation récente, *atmosphère, stratosphère* sont du féminin, mais *lithosphère, troposphère, hémisphère* et *planisphère* sont du masculin.

Vocab. — *Famille de mots.* — *Sphère* : sphérule, sphérique, sphériquement, sphéristère, sphéristique, sphéricité; sphéroïde, sphéroïdal, sphéroïdique, sphéromètre, sphérométrie; atmosphère, atmosphérique; chromosphère, lithosphère, photosphère, stratosphère, troposphère, etc.

Syn. — V. globe.
* **sphériacées** ou * **sphaeriacées,** n. f. pl. [Bot.] Famille de champignons ascomycètes produisant des maladies cryptogamiques.
sphéricité, n. f. État de ce qui est sphérique. *La sphéricité de la terre.*

sphérique [*sfé-ri-ke*], adj. Rond comme une sphère. *Corps sphérique.* [Géom.] Qui appartient à la sphère. — *Triangle sphérique*, triangle formé de trois arcs de cercle. = N. m. Aérostat non dirigeable. V. pl. AÉRONAUTIQUE.
* **sphériquement**, adv. En forme sphérique. ‖ D'une manière sphérique.
* **sphéristère**, n. m. [Antiq.] Salle destinée au jeu de paume.
* **sphéristique**, n. f. Branche de la gymnastique des anciens où l'on se servait de balles.
* **sphéro-**, préfixe tiré du grec *sphaira*, balle, indiquant une idée de rondeur.
sphéroïdal, ale [*sfé-ro-ï-dal*], **aux**, adj. Qui ressemble à une sphère.
PAR. — *Sphénoïdal*, adj., qui a rapport au sphénoïde; — *spiroïdal*, adj., en forme de spire.
sphéroïde [*sfé-ro-ï-de*], n. m. [Géom.] Solide qui ressemble à une sphère sans en avoir exactement la forme.
* **sphéroïdique**, adj. Qui se rapporte au sphéroïde.
sphéromètre, n. m. Instrument qui sert à mesurer la courbure des surfaces sphériques (verres d'optique, partic.).
* **sphérométrie**, n. f. Art de mesurer les courbures ou les petites épaisseurs.
sphérule, n. f. Petite sphère.
* **sphex** [*sfeks*], n. m. (gr. *sphêx*, guêpe). [Zool.] Genre d'insectes hyménoptères dont les femelles engourdissent, avec leur aiguillon, les insectes qui serviront de pâture à leurs larves.
sphincter, n. m. [Anat.] Muscle annulaire qui sert à fermer ou à resserrer les ouvertures ou conduits naturels du corps. *Le sphincter de l'anus.*
1. sphinx, n. m. (ou plutôt f.). [Myth. gr.] Monstre ayant la poitrine et la tête d'une femme, le corps d'un lion et les ailes d'un aigle, qui posait une énigme aux voyageurs et les dévorait s'ils ne pouvaient la résoudre.
2. sphinx, n. m. En Égypte, figure de lion couché à buste humain, à tête humaine, ou parfois à tête de bélier et d'épervier. ‖ Fig. Personnage énigmatique, à l'aspect figé, et dont on ne peut tirer ni renseignement, ni impression. [Zool.] Genre d'insectes lépidoptères, papillons crépusculaires de grande taille.
sphragistique [*sfra-jis*] (gr. *sphragis*, sceau). n. f. Science des sceaux et cachets.
* **sphygmographe**, n. m. [Méd.] Instrument destiné à enregistrer la vitesse et la force des battements du pouls.
* **sphyrène**, n. f. [Zool.] Genre de poissons téléostéens, voisins des perches.
spic, n. m. [Bot.] Nom vulg. d'une espèce de lavande dont on extrait une huile.
spica ou * **spic**, n. m. [Chir.] Bandage croisé pour les parties du corps à surface irrégulière.
* **spiciflore**, adj. [Bot.] Qui a les fleurs disposées en épis.
* **spiciforme**, adj. (lat. *spica*, épi, et *forme*). Qui a la forme d'un épi.
spicilège, n. m. (lat. *spicilegium*, action de glaner). Recueil d'actes. ‖ Recueil de pensées, maximes, etc.
* **spicule**, n. m. (lat. *spiculum*, javelot). [Zool.] Cristaux siliceux ou calcaires qui se trouvent dans le squelette des éponges.

* **spider** [*spi-dèr*], n. m. (mot angl.) Voiture à hautes roues minces et à sièges surélevés. [Auto.] Siège à bascule à l'arrière des cabriolets.
* **spina-bifida**, n. m. [Méd.] Affection congénitale de la colonne vertébrale, caractérisée par une division osseuse.
* **spinal, ale**, adj. (lat. *spina*, épine). [Anat.] Qui appartient à la colonne vertébrale. *Nerfs spinaux.*
* **spinalien, enne**, adj. et n. D'Épinal.
* **spina-ventosa** [*vain-to-za*], n. m. [Méd.] Ostéite tuberculeuse avec boursouflure de l'os.
spinelle, n. f. [Minér.] Nom de plusieurs pierres précieuses (rubis balais, rubis spinelle, etc.).
* **spinozisme** ou * **spinosisme**, n. m. Doctrine philosophique professée par Spinoza.
* **spinoziste** ou * **spinosiste**, n. Qui admet les principes du spinozisme.
* **spinule**, n. f. Petite épine.
spiral, ale, adj. Qui a la figure d'une spirale. = N. m. Ressort en forme de spirale, fixé au balancier d'une montre, pour en assurer les oscillations isochrones.
spirale, n. f. (lat. *spira*, enroulement). Courbe qui tourne autour d'un point central en s'en écartant toujours de plus en plus. V. pl. LIGNES. ‖ *En spirale*, en forme de spirale.
* **spiralé, ée**, adj. Roulé en spirale.
* **spirant, ante**, adj. (lat. *spirare*, souffler). Se dit des consonnes qui se prononcent avec une sorte de souffle (*ch, f, v, x*). = N. f. *Une spirante.*
* **spiration** [*sion*], n. f. [Théol.] Manière dont le Saint-Esprit procède du Père et du Fils.
spire, n. f. (gr. *speira*, m. s.). Chacun des tours que présente une courbe, un objet ou une série d'objets disposés en spirale ou en hélice.
spirée, n. f. [Bot.] Genre de plantes de la famille des *rosacées*; la *spirée ulmaire* est appelée vulg. *reine des prés.*
* **spirille**, n. f. [Bot.] Nom donné aux bactéries en forme de filament spiralé.
spirite, adj. Qui a rapport au spiritisme. *Doctrine spirite.* = Nom. Partisan du spiritisme; celui, celle qui s'adonne au spiritisme.
spiritisme, n. m. Doctrine de ceux qui croient aux communications entre les vivants et les âmes des morts. V. tabl. SCIENCES (*Idées suggérées par le mot*).
spiritualisation [*sion*], n. f. Action de spiritualiser. ‖ Interprétation en un sens allégorique et spirituel.
spiritualiser [*zé*], v. tr. (du lat. *spiritus*, esprit). Attribuer une âme. *Spiritualiser la matière.* ‖ Affranchir de tout caractère matériel. *Spiritualiser l'amour.* ‖ Convertir le sens littéral d'un passage en un sens allégorique.
spiritualisme, n. m. [Phil.] Doctrine qui distingue substantiellement l'esprit et la matière, en proclamant la supériorité du premier et son immortalité. V. tabl. LETTRES (*Idées suggérées par le mot*).
ANT. — *Matérialisme.*
spiritualiste, n. et adj. Qui professe le spiritualisme.
ANT. — *Matérialiste.*

spiritualité, n. f. Qualité de ce qui est spirituel, immatériel. ‖ Théologie mystique, quand elle s'applique à la direction des âmes.

spirituel, elle, adj. (du lat. *spiritus*, esprit, m. s.). Incorporel, immatériel, qui est pur esprit. *L'âme est un principe spirituel.* ‖ Qui a de l'esprit, qui possède un esprit vif et ingénieux. *Un homme spirituel.* ‖ Ingénieux, où il y a de l'esprit. *Une réponse spirituelle.* ‖ Qui annonce de l'esprit. *Il a l'air spirituel.*
Qui regarde la religion, l'Église, par opposition à temporel. *La puissance temporelle et la puissance spirituelle.* — N. m. *Le spirituel et le temporel.* ‖ Allégorique, mystique, par oppos. à littéral. [Théol.] Qui regarde la conduite de l'âme, par opposition à sensuel, charnel, corporel. *La vie spirituelle.* ‖ Qui est du seul domaine de l'âme, de l'esprit. *Des liens spirituels.* [Mus.] *Concert spirituel*, concert public qui se compose exclusivement de morceaux de musique religieuse.
Syn. — V. DÉLICAT.
Ant. — *Temporel*.
Ctr. — *Lourd, sot.* — *Matériel, corporel, charnel, sensuel.*

spirituellement, adv. D'une manière spirituelle. ‖ En esprit, en pensée.

spiritueux, euse, adj. Qui contient de l'alcool. = N. m. *Les spiritueux.*

* **spirochète**, n. m. [Zool.] Bactérie spirille à plusieurs tours.

spiroïdal, ale, aux [*ro-ï*], adj. En forme de spire.
Par. — *Sphéroïdal*, adj., qui a rapport au sphéroïde ; — *sphénoïdal*, adj., qui concerne le sphénoïde.

* **spiromètre**, n. m. Appareil destiné à mesurer la quantité d'air expiré.

* **spirorbe**, n. m. [Zool.] Genre d'annélides polychètes tubicoles.

splanchnique [*splank-ni-ke*], adj. (gr. *splanknê*, rate). [Anat.] Qui appartient aux viscères. — *Cavités splanchniques*, cavités qui contiennent les viscères.

splanchnologie [*splank-no*], n. f. Partie de l'anatomie qui traite des viscères.

spleen [*splinn*], n. m. Hypocondrie, neurasthénie, ennui, que rien ne semble justifier.

splendeur [*splan*], n. f. (lat. *splendor*, m. s.). Grand éclat de lumière. *La splendeur du soleil.* ‖ Fig. Magnificence, pompe. ‖ Fig. au sens moral, Grand éclat d'honneur et de gloire. *La splendeur du règne de Louis XIV.* ‖ Au plur. Merveilles, choses magnifiques. *Les splendeurs de Versailles.*
Syn. — V. LUXE et CLARTÉ.

splendide, adj. (lat. *splendidus*, m. s.). D'un grand éclat. *Il fait un soleil splendide.* ‖ Au fig. Qui excite l'admiration par sa grandeur. *La splendide résistance de Verdun.* ‖ Magnifique, somptueux. *Une fête splendide.*
Syn. — V. SUBLIME.

splendidement, adv. D'une manière splendide. *Il vit splendidement.*

splénique, adj. Qui appartient à la rate. *Artère splénique.*

* **splénite**, n. f. [Méd.] Inflammation de la rate.

* **splénius**, n. m. [Anat.] Muscle aplati de la partie postérieure du cou. V. pl. HOMME (muscles).

spoliateur, trice, n. et adj. Qui spolie.

spoliation [*sion*], n. f. Action par laquelle on dépossède abusivement.

spolier, v. tr. (lat. *spoliare*, m. s.). Dépouiller par force ou par ruse. = Conjug. V. GRAMMAIRE.

> Vocab. — *Famille de mots.* — *Spolier :* spoliateur, spoliation; dépouiller, dépouillé dépouillement.

spondaïque, adj. et n. m. [Versif. anc.] Vers hexamètre dans lequel le 5ᵉ pied est un spondée.

spondée, n. m. (gr. *spondeios*, m. s.). [Versif. gr. et lat.] Pied composé de deux syllabes longues (— —).

* **spondias**, n. m. [Bot.] Genre de plantes de la famille des *anacardiacées*, à fruit comestible.

* **spondyle**, n. m. [Anat.] Ancien nom des vertèbres, et partic., de la deuxième vertèbre cervicale. [Zool.] Genre de mollusques lamellibranches bivalves.

* **spongiaires** [*ji-ère*], n. m. [Zool.] Embranchement des métazoaires renfermant des animaux rudimentaires (éponges) dont le corps est formé de masses molles, perforées en tous sens, soutenues par un squelette rudimentaire.

spongieux, euse, adj. Semblable à l'éponge, mou ou poreux comme elle, ou s'imbibant comme elle.

* **spongiosité** [*jio-zi-té*], n. f. Qualité de ce qui est spongieux.

spongite, n. f. [Minér.] Pierre présentant de nombreux trous, et dont l'aspect rappelle celui de l'éponge.

spontané, ée, adj. (lat. *spontaneus*, m. s.) Que l'on fait volontairement, de son propre mouvement. *Mouvement spontané.* ‖ Qui agit impulsivement, avec une promptitude exagérée. *Un homme trop spontané.* [Physiol.] Se dit des mouvements qui s'exécutent d'eux-mêmes ou sans cause extérieure apparente. *Les mouvements du cœur sont des mouvements spontanés.* — *Génération spontanée*, qui aurait lieu sans germe préexistant.
Syn. — V. INSTINCTIF.
Ctr. — *Réfléchi, étudié, préparé, forcé, commandé.*

spontanéité, n. f. Qualité de ce qui est spontané.

spontanément, adv. D'une manière spontanée.

* **sporadicité**, n. f. [Méd.] Caractère des maladies sporadiques.

sporadique, adj. (gr. *sporadikos*, m. s.). Se dit, par oppos. à épidémique, des maladies qui attaquent quelques individus isolés. [Hist. nat.] Se dit des espèces représentées dans diverses régions du globe. [Géol.] Épars, dispersé. ‖ Fig. Qui se produit par cas isolés ou en des points dispersés.
Ctr. — *Épidémique*.

* **sporadiquement**, adv. D'une manière sporadique.

* **sporange**, n. m. [Bot.] Cavité où sont renfermées les spores chez les cryptogames.

spore, n. f. (gr. *spora*, graine). [Bot.] Cellule reproductrice asexuée des végétaux cryptogames et des protozoaires.
Syn. — V. GRAIN.
Hom. — *Sport*, exercices physiques.

* **sporidie**, n. f. [Bot.] Spore secondaire à l'intérieur d'une spore principale.

* **sporifère**, adj. [Bot.] Qui porte des spores.
* **sporogone**, n. m. [Bot.] Sporange des muscinées et des floridées.
* **sporotric** ou **sporotriche**, n. m. [Bot.] Genre de champignons constituant des moisissures sur les végétaux.
* **sporotrichose** [*kose*], n. f. [Chim.] Mycose due aux sporotriches.
* **sporozoaires**, n. m. pl. [Zool.] Classe de protozoaires parasites des autres animaux, se reproduisant par spores.
sport [*spor*], n. m. (mot angl. : *divertissement*). Exercices qui ont pour objet de développer la force musculaire, l'agilité, l'adresse et le courage; surtout quand ils se pratiquent en plein air et quand il s'y joint un élément d'émulation. V. tabl. JEUX et SPORTS (*Idées suggérées par les mots*).
HOM. — *Spore*, cellule reproductrice des cryptogames.
sportif, ive, adj. Qui est relatif aux sports. = Nom. Celui, celle qui pratique les sports.
* **sportsman** [*sportss-mann*'], n. m. (mot angl.). Homme qui s'adonne à un ou plusieurs sports. = Pl. *Des sportsmen* [*menn*'].
* **sportswoman** [*sportss-ou-mann*'], n. f. (mot anglais.) Femme qui s'adonne aux sports. = Pl. *Des sportswomen* [*menn*'].
sportule, n. f. [Antiq. rom.] Don en comestibles ou en argent que les patrons faisaient chaque jour à leurs clients venant les saluer le matin.
* **sporulation** [*sion*], n. f. [Biol.] Production des spores.
sporule, n. f. Syn. de *spore*.
* **sprat**, n. m. [Zool.] Nom vulg. d'un poisson du genre clupe, de la taille de la sardine.
* **springbok** [*sprinng-bok*], n. m. [Zool.] Espèce d'antilope commune au Cap.
* **sprint** [*sprinn*'t], n. m. (mot angl.). [Sport] Petite distance franchie à toute vitesse par un coureur.
* **sprinter** [*sprinn*'-*teur*], n. m. Coureur de vitesse sur petite distance.
* **spumescent, ente**, adj. Qui produit de l'écume; qui a l'aspect de l'écume.
spumeux, euse, adj. (lat. *spuma*, écume). Qui présente l'apparence de l'écume; qui est mêlé d'écume.
* **spumosité**, n. f. État, nature de ce qui est spumeux.
sputation [*sion*], n. f. Action de cracher.
squales [*skouale*], n. m. pl. [Zool.] Groupe de poissons cartilagineux généralement de grande taille et très voraces, de l'ordre des sélaciens (requins, roussettes, anges, scies, etc.). V. tabl. ANIMAUX. = S'emploie aussi au sing. *Un squale*.
* **squame** [*skoua*], n. f. Écaille. [Méd.] Petite lame d'épiderme qui se forme à la surface de la peau.
squameux, euse [*skoua*], adj. [Méd.] Qui ressemble à une écaille. — Formé, composé ou recouvert de squames.
* **squamifère**, adj. Qui a le corps couvert d'écailles.
* **squamiforme**, adj. Qui a la forme d'une écaille.
* **squamule**, n. f. Petite squame.
square [*skou-are* ou *skou-ère*], n. m. (mot angl. sign. *carré*). Place publique dont le centre est occupé par un jardin entouré de grilles. ‖ Se dit aussi d'une large rue en impasse avec jardins.
* **squatine**, n. f. [Zool.] Genre de squales, appelés aussi *anges*, formant la transition entre les squales et les raies.
* **squatter** [*skou-ô-teur*], n. m. Aux États-Unis, pionnier qui va s'établir dans une région non défrichée.
squelette [*ske-lète*], n. m. (gr. *skéléton*, m. s.). [Anat.] Ensemble des pièces osseuses servant de charpente, d'armature aux vertébrés. V. pl. HOMME (squelette), OISEAUX, POISSON, REPTILE. V. tabl. CORPS (*Idées suggérées par le mot*). — Partic. Ensemble des os d'un corps mort et décharné. ‖ Fig. et fam. Personne extrêmement maigre et décharnée. ‖ Fig. Armature, carcasse, charpente. *Le squelette d'une aile d'avion.* ‖ Fig. Plan général d'une œuvre, sans développement. [Bot.] Fibres ligneuses formant l'armature des différentes parties des végétaux. *Le squelette d'une feuille.*
SYN. — V. os.
squelettique, adj. Qui se rapporte au squelette. ‖ Qui, par sa maigreur, a l'aspect d'un squelette. ‖ Fig. D'une concision exagérée.
CTR. — *Obèse*.
* **squille** [*ski-lle*, *ll* mll.], n. f. [Zool.] Genre de crustacés, assez communs en Méditerranée.
squine [*skine*], n. f. [Bot.] Rhizome d'un smilax, employé comme sudorifique.
squirre ou * **squirrhe** [*ski-re*], n. m. [Méd.] Tumeur maligne de consistance fibreuse.
squirreux ou * **squirrheux, euse**, adj. De la nature du squirre ou qui en a l'aspect.

...**ssade, çade.**

ORTH. — *Finales.* — Le son final *ssade* s'écrit toujours sous cette forme : ambassade, embrassade, glissade, maussade, palissade, passade, etc. Une exception : façade.

* **st. st** [*sit, sit,* en faisant sentir l'i faiblement]. Interj. dont on se sert pour appeler quelqu'un.
stabat [*batt*'], n. m. (mot lat. signifiant *il (ou elle) se tenait debout*). Prose qu'on chante à l'église le vendredi saint, et qui rappelle les souffrances de la Vierge au Calvaire.
* **stabilisateur, trice**, adj. Qui donne de la stabilité. [Aviat.] *Plans stabilisateurs* ou, n. m., *stabilisateurs*, plans destinés à assurer la stabilité d'un avion.
stabilisation [*sion*], n. f. Action de stabiliser. Résultat de cette action.
stabiliser, v. tr. Rendre stable. — *Stabiliser une monnaie*, lui assurer un pouvoir d'achat bien déterminé.
stabilité, n. f. Qualité de ce qui est stable, solide. ‖ Fig. Qualité de ce qui est durable, bien assis. *La stabilité d'un État.* ‖ Suite dans les idées, constance.
ANT. — *Changement*.
stable, adj. (lat. *stabilis*, qui tient debout). Qui est dans un état, dans une assiette, dans une situation ferme. *Un édifice stable.* [Mécan.] *Équilibre stable*, équilibre auquel un corps tend à revenir quand il en est écarté. ‖ Fig. Assuré, durable, permanent. *Un emploi stable.*

Syn. — V. durable.
Ctr. — *Instable, changeant, mobile, mouvant, variable.*

> Vocab. — *Famille de mots.* — Stable [rad. *sta, éta, sist, stit*] (lat. *statio*, action de se tenir debout; gr. *statis*, m. s.) : stabilité, stabiliser, stabilisation, stabilisateur, stablement, stable, instablement, instabilité; établir, établissement, établi; rétablir, rétablissement; station, stationnement, stationner, stationnaire; statut, statutaire, statutairement, statu quo, statuer; statue, statuaire (m.s. et fém.), statuette; état, étatiser, étatisme, étatiste, étatisation, état-major; statistique, statisticien; statique, hydrostatique; stage, stagiaire; étage, étager, étagement, étagère; étamine, étaminier; étable, établer, connétable, connétablie; constable, stand; vestibule, vestibulaire; instance, instant, instamment, instantanément, instantané, instantanéité; reste; résister, résistance, résistant; irrésistible, irrésistibilité, irrésistiblement; arrêt, arrêtiste, arrêter, arrestation, arrête-bœuf; constance, constant, constamment; inconstant, inconstamment, inconstance, inconsistant, inconsistance; consister, consistant, consistorial, consistoire; constat, constater, constatation; coûter, coût, coûteux, coûteusement; substance, substanciel, substantiellement; transsubstantier, transsubstantiation; substantif, substantivement; subsistance, subsister, subsistant; existant, exister, existence; assister, assisté, assistance, assistant; se désister, désistement; persister, persistance, persistant; distance, distant, distancer, équidistance, équidistant; nonobstant; obstacle; ôter, ôté; contraste, contraster, contrastant; circonstance, circonstancier, circonstancié; circonstanciel; prestance, prestation, prestataire; prêt, prêtable, prêter, prêteur; armistice, solstice, solsticial; interstice, interstice; superstice; superstition, superstitieux, superstitieusement; destiner, destinataire, destinatoire, destineur, destination; destin, destinée; prédestiner, prédestiné, prédestination; obstination, s'obstiner, obstiné, obstinément; constituer, contitué, constituant, constituante, constitutif, constitution, constitutionnel, constitutionnellement, constitutionnalité, inconstitutionnellement, anticonstitutionnel, anticonstitutionnellement; reconstituer, reconstitution, reconstituant; destituer, destituable, destitution; instituer, institution, institut, instituteur; prostituer, prostitution, prostituée; restituable, restituer, restituteur, restitutoire, restitution; substituer, substitution, substitutif, substituant; aérostat, aérostier, aérostatique, aérostation; extase, extatique; s'extasier, statique, hydrostatique, hémostatique; système, systématique, systématiquement, systématiser; apostat, apostasie, apostasier.

* **stablement**, adv. D'une manière stable.
* **stabulation** [*sion*], n. f. Séjour continu des animaux à l'étable.
* **staccato**, adv. (mot ital.). [Mus.] En détachant nettement chaque note.
stade, n. m. Mesure itinéraire des anciens Grecs (177 m. 40 le plus souvent). ‖ Arène dans laquelle avaient lieu les courses à pied et les luttes gymnastiques, dans la Grèce ancienne. ‖ Aujourd'hui terrain de sport. V. pl. stade.
* **stadia**, n. m. Anc. instrument pour évaluer les distances afin de régler le tir des armes à feu.
* **staff**, n. m. [Techn.] Matière plastique, succédané de la pierre, formée de filaments de chanvre recouverts d'un mélange de plâtre, de ciment, de glycérine, etc.

* **staffer**, v. tr. et intr. Construire en staff.
* **staffeur**, n. et adj. m. Ouvrier qui staffe.
stage, n. m. (bas lat. *stagium*, demeure). Temps d'épreuve dont les aspirants à certaines professions doivent justifier pour être admis à les remplir. ‖ Période pendant laquelle un jeune avocat doit plaider, en se conformant à certaines règles, avant d'être admis au barreau. ‖ Période accomplie pour acquérir ou approfondir certaines connaissances. *Faire un stage dans les finances.* Par ext. Période préparatoire, situation transitoire.
stagiaire, adj. et n. Qui fait un stage, son stage. *Avocat stagiaire.*
Ant. — *Titulaire.*
stagnant, ante [*stag'nan*], adj. Qui ne coule point. *Eau stagnante.*
stagnation [*stag-na-sion*], n. f. (du lat. *stagnum*, étang). État de ce qui est stagnant. ‖ Fig. Se dit des affaires qui languissent. Manque d'activité.
* **stagner**, v. intr. Être stagnant, ne pas s'écouler, en parlant des eaux. ‖ Fig. Ne marquer aucune activité.
stalactite, n. f. [Géol.] Dépôt, en forme de cône ou de cylindre, qui pend du haut d'une caverne et qui est formé par les matières calcaires qu'abandonnent les eaux qui filtrent à travers le plafond.
Ant. et Par. — *Stalagmite.*
* **stalag**, n. m. (abrév. allem.). Camp de prisonniers de guerre pour hommes de troupe, pendant la guerre de 1939-1945.
stalagmite [*lag'*], n. f. Concrétion en forme de cône allongé, formée sur le sol d'une caverne par les dépôts calcaires que laissent les gouttes d'eau qui tombent du plafond.
Ant. et Par. — *Stalactite.*
* **stalagmomètre**, n. m. Instrument pour mesurer le nombre, le poids, le volume des gouttes.
stalle, n. f. (anc. all. *stal*, place). Dans les églises, sièges de bois placés autour du chœur. V. pl. église. ‖ Dans les théâtres, sièges séparés et numérotés. ‖ Dans les écuries, chacun des compartiments distincts assignés aux chevaux.
Orth. — *Stalle, installer, installation*, prennent *deux l;* mais les autres mots de cette famille, *détaler, étalage*, etc. n'en prennent *qu'un*.

> Vocab. — *Famille de mots.* — Stalle [rad. *sta, éta*] : étal, étalier, étalement, étalage, étalager, étalagiste; étale, étalon, étalonner, étalonneur, étalonnier, étalonnage; détaler; détalage; piédestal; installer, installation, réinstaller, réinstallation.

* **staminal, ale**, adj. (lat. *stamen, inis,* étamine). [Bot.] Qui a rapport aux étamines.
* **staminé, ée**, adj. [Bot.] Se dit des fleurs unisexuées pourvues d'étamines.
* **staminifère**, adj. [Bot.] Qui porte des étamines.
stance, n. f. Disposition de vers formant un sens complet et se reproduisant plusieurs fois dans la même pièce, avec les mêmes règles pour la mesure et pour le mélange des rimes. V. tabl. versification.
stand, n. m. (mot anglais). Espace réservé à des exercices de tir à la cible. ‖

LE STADE
Football-association

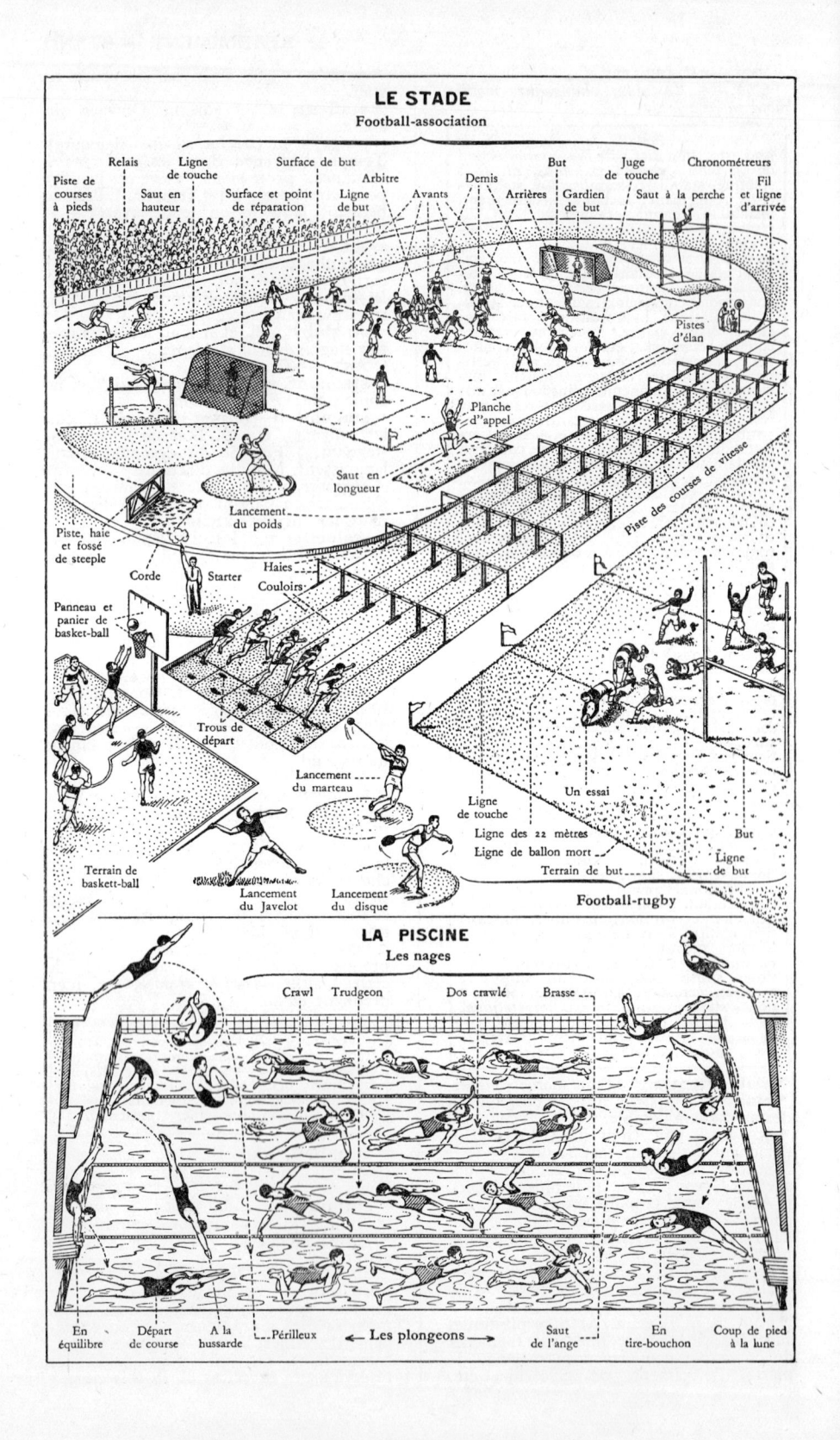

- Piste de courses à pieds
- Relais
- Saut en hauteur
- Ligne de touche
- Surface et point de réparation
- Surface de but
- Ligne de but
- Arbitre
- Avants
- Demis
- Arrières
- But
- Gardien de but
- Juge de touche
- Saut à la perche
- Chronométreurs
- Fil et ligne d'arrivée
- Pistes d'élan
- Planche d'appel
- Saut en longueur
- Lancement du poids
- Piste, haie et fossé de steeple
- Corde
- Starter
- Haies
- Couloirs
- Panneau et panier de basket-ball
- Trous de départ
- Piste des courses de vitesse
- Terrain de baskett-ball
- Lancement du marteau
- Lancement du Javelot
- Lancement du disque
- Un essai
- Ligne de touche
- Ligne des 22 mètres
- Ligne de ballon mort
- Terrain de but
- But
- Ligne de but

Football-rugby

LA PISCINE
Les nages

- Crawl
- Trudgeon
- Dos crawlé
- Brasse

Les plongeons

- En équilibre
- Départ de course
- A la hussarde
- Périlleux
- Saut de l'ange
- En tire-bouchon
- Coup de pied à la lune

Dans une exposition, espace réservé à des concurrents, à une même catégorie de produits, etc.
* **standard** [*dar*], n. m. (mot angl. sign. *type*). En Angleterre, titre légal des monnaies, des objets d'or et d'argent. ‖ Modèle, type auquel se rapporte tout échantillon. — *Type standard*, prototype de toute une série. — *Standard de vie*, niveau moyen de la vie, de la puissance d'achat.
* **standardisation** [*sion*], n. f. Unification des types d'articles produits dans l'industrie. ‖ Par ext. Unification de tous les éléments de la production.
* **standardiser**, v. tr. Opérer la standardisation.
* **stannate**, n. m. (lat. *stannum*, étain). [Chim.] Sel de l'acide stannique.
stannifère, adj. [Minér.] Qui contient de l'étain. *Gisement stannifère*. ‖ Qui est à base d'étain.
* **stannique**, adj. Qui concerne l'étain. Qui tient de l'étain. *Acide stannique*. *Oxyde stannique*.
* **staphisaigre** [*fi-zè-gre*], n. f. [Bot.] Plante vénéneuse de la famille des *renonculacées*.
* **staphylées**, n. f. pl. [Bot.] Tribu de végétaux de la famille des *sapindacées*, dont on fait souvent une famille distincte.
* **staphylier**, n. m. [Bot.] Genre de plantes de la famille des *sapindacées*.
1. **staphylin**, n. m. [Zool.] Genre d'insectes coléoptères staphylinoïdes.
2. * **staphylin, ine**, adj. (gr. *staphylê*, luette). [Anat.] Qui appartient à la luette.
* **staphylinoïdes**, n. m. pl. [Zool.] Groupe d'insectes coléoptères se nourrissant de proies vivantes, de détritus, de déjections, de cadavres, etc.
staphylocoque, n. m. (gr. *staphylê*, raisin; *kokkos*, grain). [Méd.] Microcoque qui végète sur les muqueuses et les téguments de l'homme et des animaux et devient souvent pathogène : agent des furoncles, abcès, phlegmons, etc.
* **staphylôme**, n. m. [Méd.] Affection de l'œil caractérisée par une saillie de la cornée.
* **star**, n. f. (mot angl. sign. *étoile*). Vedette, étoile, au cinéma, au théâtre.
* **staroste**, n. m. Autrefois, gentilhomme polonais qui tenait en fief un domaine de la couronne.
* **starostie**, n. f. Fief, dignité du staroste.
* **starter** [*tès* ou *teur*'], n. m. (mot angl.). Celui qui donne le signal du départ dans les courses.
stase, n. f. [Méd.] Arrêt ou ralentissement de la circulation du sang ou des humeurs dans quelque partie du corps.
* **statère**, n. m. Monnaie d'argent usitée dans l'anc. Athènes.
stathouder [*tou-dère*], n. m. (mot holland. sign. *lieutenant*). Titre des gouverneurs nommés dans les Pays-Bas par la maison d'Autriche.
stathoudérat, n. m. Dignité de stathouder.
* **stathoudérien, ienne**, adj. Qui appartient au stathouder.
* **statice**, n. f. [Bot.] Genre de plantes de la famille des *plombaginées*.
station [*sion*], n. f. (lat. *statio*, m. s.). [Physiol.] Action de se tenir debout verticalement. ‖ Pause, demeure de peu de durée qu'on fait dans un lieu. ‖ Lieu où se tiennent les voitures publiques en attendant les voyageurs. *Station de taxis*. ‖ Endroit où s'arrêtent les trains de chemins de fer, les tramways, les autobus, pour y prendre ou y déposer les voyageurs. V. tabl. TRANSPORT (*idées suggérées par le mot*). ‖ Endroit où l'on vient prendre les eaux ou se reposer. *Station thermale, balnéaire*. ‖ Église, chapelle, etc., que l'on va visiter pour y faire certaines prières et gagner des indulgences. — *Stations du Chemin de Croix*, symboles peints ou sculptés des arrêts que fit Jésus en gravissant le Calvaire. — Série de sermons prêchés pendant l'Avent ou le Carême dans une église. ‖ Dans les opérations d'arpentage, de géodésie, d'astronomie, se dit des différents lieux où l'on se place pour faire l'observation convenable. ‖ Établissement scientifique de recherches. *Station météorologique, agronomique*. ‖ Portion de mer surveillée par un navire en croisière.
ÉPITHÈTES COURANTES : voisine, proche, prochaine, première, dernière; terminale; importante, secondaire; atteinte, dépassée, brûlée; balnéaire, thermale, hydro-minérale, climatérique, sportive, touristique, préhistorique, etc.
SYN. — V. GARE et PRÉDICATION.
stationnaire, adj. Qui arrête son mouvement en restant un certain temps à la même place. ‖ Fig. Qui semble rester au même point. *Civilisation stationnaire*. [Méd.] *État stationnaire*, état d'un malade dont l'affection reste au même point. = N. m. Bâtiment de guerre mouillé en tête d'une rade, pour exercer une sorte de police.
HOM. — *Stationnèrent*, du v. stationner.
* **stationnale**, adj. Relatif à une station.
stationnement, n. m. Action de stationner, en parlant des voitures ou des personnes.
stationner, v. intr. S'arrêter; se dit en partic. des voitures et des navires.
statique, adj. Relatif à l'équilibre des forces. ‖ *Électricité statique*, celle qui se développe par influence ou par frottement. = N. f. Partie de la mécanique ayant pour objet de déterminer les conditions d'équilibre des forces.
CTR. — *Dynamique*.
PAR. — *Statistique*, science des dénombrements.
statisticien, ienne, n. Celui, celle qui se livre à la statistique.
1. **statistique**, n. f. (lat. *status*, situation). Science qui a pour objet l'étude numérique des faits sociaux. ‖ Par ext. Méthode consistant à grouper et observer les réactions d'un certain nombre de faits ou phénomènes collectifs peu explicables et à dégager la régularité de leurs changements. ‖ Suite des données numériques groupées et classées, concernant les faits que l'on étudie.
PAR. — *Statique*, relatif à l'équilibre des forces.
2. **statistique**, adj. Qui concerne le dénombrement et le classement des faits.
* **stator**, n. m. [Électr.] Partie fixe d'une machine à courants alternatifs.
ANT. — *Rotor* ou *motor*.
1. **statuaire**, adj. Qui a rapport aux statues. ‖ *Marbre statuaire*, propre à faire des statues. = N. m. Sculpteur qui fait particulièrement des statues.
HOM. — *Statuèrent*, du v. statuer.

2. statuaire, n. f. Art de faire des statues.
PAR. — *Statuaire,* conforme à des statuts.

statue, n. f. (lat. *statua,* m. s., de *stare,* être debout). Figure de plein relief représentant un homme, une femme, un animal, etc. *Dresser, ériger une statue.* V. tabl. ARTS *(Idées suggérées par le mot).* ‖ Fig. *C'est une belle statue,* se dit d'une femme belle, mais froide, sans expression et sans esprit.
ÉPITHÈTES COURANTES : grande, petite, colossale, belle, noble, grandiose, élégante, jolie, gracieuse, robuste; debout, couchée, accroupie; taillée, sculptée, moulée, fondue; nue, drapée, dressée, érigée, inaugurée, renversée, brisée, mutilée; équestre; de pierre, de marbre, de bronze, d'ivoire, de fonte, etc.
OBS. — Veiller à ne pas prononcer : *une estatue.* L'addition de la voyelle constitue une faute; toutefois, elle était commune jadis, et certains mots ainsi formés ont conquis droit de cité : *escadre, escale, escalade,* etc. Le latin populaire a donné de même : *école* (cf. scolaire), *esprit* (cf. spirituel), *escient* (cf. science), etc. — Un mot a gardé les deux formes : *scarole* et *escarole.*
HOM. — *Statue,* n. f., figure de plein relief représentant un être; — *statue, es, ent,* du v. statuer; — *statu,* de l'expression latine *statu quo* ; — *statut,* n. m., règlement.

statuer, v. tr. Ordonner, décider. = V. intr. *Statuer sur,* prendre une décision sur.

statuette, n. f. Petite statue.

* **statufier,** v. tr. Ériger une statue à (Fam. et iron.). = Conjug. V. GRAMMAIRE.

statu quo (in) [sta-tu-ko], loc. lat. *in statu quo [ante],* « dans l'état où, auparavant ». Dans l'état où étaient antérieurement, où sont actuellement les choses. = N. m. *Maintenir le statu quo.*

stature, n. f. Hauteur de la taille d'une personne. *Haute, moyenne stature.*
SYN. — V. TAILLE.

statut [sta-tu], n. m. (lat. *statutum,* ce qui est établi). [Jurispr.] Loi, règlement, ordonnance. ‖ Règles établies pour la conduite d'une compagnie, d'une communauté, d'un ordre, etc. *Les statuts d'une association.*
SYN. — V. CONSTITUTION.
HOM. — V. STATUE.

statutaire [tère], adj. Conforme aux statuts d'une société. *Réserve statutaire.*
PAR. — *Statuaire,* art du sculpteur.

* **stayer** [sté-eur], n. m. (mot angl.). [Sports] Coureur, cheval pour grandes épreuves de fond.

steamer [sti-meur] et * **steamboat** [stim-bot], n. m. (mots angl.) Bateau à vapeur.

* **stearate,** n. m. [Chim.] Sel de l'acide stéarique.

stéarine, n. f. [Chim.] Élément des corps gras, solide à la température ordinaire, éther-sel de la glycérine.

* **stéariner,** v. tr. Couvrir de stéarine.
* **stéarinerie,** n. f. Fabrique de stéarine.
* **stéarinier,** n. m. Fabricant de stéarine.

stéarique, adj. *Bougie stéarique,* formée d'acide stéarique. [Chim.] *Acide stéarique,* acide de la stéarine, extrait des graisses.

stéatite, n. f. [Minér.] Silicate naturel de magnésium communément appelé *pierre de lard.*

* **stéatome,** n. m. [Méd.] Tumeur enkystée graisseuse.

* **stéatopygée,** n. f. [Méd.] Développement anormal des localisations graisseuses des fesses (femmes hottentotes).

* **stéatose,** n. f. [Méd.] Dégénérescence graisseuse d'un tissu.

steeple-chase [*stip'l-tchèz'*], n. m. (mot angl.) [Sports] Course de chevaux à travers champ ou sur un hippodrome avec obstacles artificiels.

* **stéganographie,** n. f. Syn. de *cryptographie.*

* **stégomyie,** n. f. ou * **stégomyia,** n. m. [Zool.] Genre d'insectes diptères comprenant des moustiques dont l'un est le véhicule de la fièvre jaune.

stèle, n. f. (gr. *stélê,* colonne). [Arch.] Petit monument monolithe ayant la forme d'un obélisque ou d'un fût de colonne sans base ni chapiteau.
PAR. — *Stère,* unité de volume.

stellaire, adj. (lat. *stella,* étoile). Qui a rapport aux étoiles. = N. f. [Bot.] Plante de la famille des *caryophyllées.*

* **stellion,** n. m. [Zool.] Genre de reptiles sauriens.

stellionat [na], n. m. [Droit] Fraude consistant à vendre ou hypothéquer un immeuble dont on sait n'être pas propriétaire, ou à présenter comme libres des biens hypothéqués.

stellionataire, adj. et n. Qui se rend coupable de stellionat.

* **stemmate,** n. m. [Zool.] Œil simple des insectes.

* **stencil,** n. m. (mot angl. signif. pochoir). [Techn.] Membrane perforée par les caractères d'une machine à écrire et servant ensuite de pochoir pour reproduire un texte.

* **stendhalien, ienne,** adj. Qui se rapporte à l'écrivain Stendhal, ou qui rappelle sa manière.

* **sténodactylo,** n. Abrév. courante de sténodactylographe.

sténodactylographe, n. Celui, celle qui connaît la sténographie et la dactylographie.

* **sténodactylographie,** n. f. Emploi combiné de la sténographie lors de la dictée d'un texte, et de la dactylographie pour sa transcription définitive.

* **sténogramme,** n. m. Tracé sténographique d'un son ou d'un mot.

sténographe, n. Celui, celle qui exerce l'art de la sténographie.

sténographie, n. f. (gr. *stenos,* resserré; *graphê,* écriture). Système d'écriture rapide à l'aide de caractères abrégés aussi simples que possible, pour transcrire le discours à mesure qu'il est prononcé.

sténographier, v. tr. Écrire en abréviation d'après les règles de la sténographie. *Sténographier un discours.* = Conjug. V. GRAMMAIRE.

sténographique, adj. Qui appartient à la sténographie. ‖ Qui est recueilli au moyen de la sténographie.

* **sténographiquement,** adv. Par les procédés sténographiques.

* **sténoptère,** n. m. [Zool.] Genre d'insectes coléoptères phytophages.

* **sténose,** n. f. (gr. *sténos,* étroit). [Méd.] Rétrécissement pathologique d'un conduit, d'un canal, d'un orifice.
* **sténotype,** n. f. Machine à sténographier.
* **sténotypie,** n. f. Sténographie mécanique.
* **sténotypique,** adj. Relatif à la sténotypie.
* **sténotypiste,** n. Sténographe à la machine.

stentor [*stan*], n. m. Nom d'un guerrier qui était au siège de Troie, et qui avait une voix éclatante. ‖ *Voix de stentor,* voix forte et retentissante. [Zool.] Genre de singes hurleurs, appelés aussi *alouates.* — Genre d'infusoires ciliés.
INCORR. — Dites bien : *voix de stentor* et non *voix de centaure,* ce qui serait absurde.

* **stéphanois, oise,** adj. et n. De Saint-Étienne.

steppe [*stèp-pe*], n. f. [Géog.] Vaste plaine couverte de buissons, de graminées dans les régions sèches, à grands écarts de température, du sud-est de l'Europe.
ÉPITHÈTES COURANTES : vaste, immense, infinie, sans borne, déserte, désolée, pierreuse, brûlante, ardente, glacée, desséchée, stérile.

* **stepper,** v. intr. Projeter vivement les membres antérieurs en avant, en parlant du cheval au trot.
* **stérage,** n. m. Action d'évaluer en stères le volume du bois.

stercoraire, adj. (lat. *stercus, oris,* fumier). Qui a rapport aux excréments. = N. m. [Zool.] Insecte qui vit dans les excréments. ‖ Nom vulg. donné à certains palmipèdes (*mouettes ravisseuses*).

* **stercoral, ale,** adj. Qui est de la nature des excréments.
* **stercoration** [*sion*], n. f. Emploi des excréments pour fumer les terres.
* **stercorite,** n. f. Phosphate d'ammoniaque et de soude existant dans un guano de l'Afrique.
* **sterculie,** n. f. [Bot.] Genre de *malvacées* dont certaines espèces donnent des graines comestibles.

stère, n. m. Unité de volume égale au mètre cube, pour les bois de chauffage ou de charpente.
PAR. — *Stèle,* petit monument monolithe.

stéréobate, n. m. [Arch.] Soubassement sans moulure, à forme de socle.
* **stéréochimie,** n. f. [Chim.] Partie de la chimie qui étudie les rapports entre les propriétés des corps et la répartition des atomes ou groupes d'atomes dans l'espace autour de certains autres atomes.

stéréographie, n. f. Art de représenter par projection les solides sur un plan.
stéréographique, adj. Qui a rapport à la stéréographie. *Projection stéréographique.*
* **stéréomètre,** n. m. Instrument pour mesurer les solides.
stéréométrie, n. f. Branche de la géométrie qui apprend à mesurer le volume des solides.
* **stéréométrique,** adj. Qui appartient à la stéréométrie.
stéréoscope, n. m. (gr. *stéréos,* en relief; *skopéô,* j'examine). Instrument d'optique à l'aide duquel certaines images planes paraissent en relief, chaque œil observant une image différente.

* **stéréoscopie,** n. f. Procédé de photographie destiné à donner l'impression du relief.
* **stéréoscopique,** adj. Qui a rapport au stéréoscope ou à la stéréoscopie. *Dessin stéréoscopique.*
* **stéréostatique,** n. f. Statique des solides.
stéréotomie, n. f. (gr. *stéréos,* en relief; *tomê,* coupure). Art de la coupe des pierres et des matériaux de construction. ‖ Branche de la géométrie descriptive qui concerne l'art de tailler les solides.
* **stéréotomique,** adj. Relatif à la stéréotomie.
stéréotypage, n. m. Action de stéréotyper; ouvrage qui en résulte.
stéréotype, adj. Qui est imprimé avec des planches stéréotypées. *Édition stéréotype.*
stéréotypé, ée, adj. (pp. de *stéréotyper*). Fig. Qui est fixe, immuable, toujours le même.
stéréotyper, v. tr. [Typo.] Convertir en planches solides des pages préalablement composées en caractères mobiles. *Stéréotyper une page.* ‖ Imprimer avec des planches solides. ‖ Fig. Rendre immuable, fixe.
* **stéréotypeur,** n. m. Celui qui stéréotype.
stéréotypie, n. f. Art de stéréotyper. ‖ Atelier où l'on stéréotype.
* **stérer,** v. tr. Évaluer en stères. = Conjug. V. GRAMMAIRE.
stérile, adj. (lat. *sterilis,* m. s.). Qui ne produit ou ne rapporte rien. *Une terre stérile.* — *Une femme stérile,* une femme impropre à la génération. [Bot.] *Fleur stérile,* celle qui n'est pas susceptible de féconder ou d'être fécondée. ‖ Fig. *Ce siècle a été stérile en grands hommes,* il y a eu peu de grands hommes dans ce siècle. [Biol.] Se dit d'un milieu nutritif où ne se développe aucun microbe. ‖ *Un esprit stérile, un auteur, un poète stérile,* etc., qui ne produit rien de lui-même. ‖ Fig. Qui ne rapporte rien, dont on ne tire aucun profit. *Travail stérile. Gloire stérile.*
SYN. — *Stérile,* qui ne produit pas de fruits, qui ne donne pas de résultats : *Un arbre, un esprit stériles.* — *Infécond,* qui ne peut par aucun moyen fournir de produits abondants : *Une matière inféconde.* — *Inculte,* où il ne peut rien pousser : *Une région inculte.* — *Infertile,* incapable de produire beaucoup naturellement : *Une terre infertile.* V. aussi ARIDE.
CTR. — *Fécond, fertile, fructueux, productif, prolifique.*
stérilement, adv. D'une manière stérile.
* **stérilisateur,** n. m. Appareil pour stériliser.
stérilisation [*sion*], n. f. Action qui fait devenir stérile. ‖ Action de détruire, par la chaleur ou autrement, tous les microbes ou ferments qui existaient dans un milieu. [Méd.] Opération par laquelle on supprime à un être humain la possibilité de se reproduire.
stérilisé, ée, adj. Qui a été soumis à la stérilisation.
stériliser [*sté-ri-li-zé*], v. tr. Frapper de stérilité. ‖ Rendre un milieu nutritif impropre à la culture des microbes. *Stériliser du lait.* ‖ Fig. *Cette éducation stérilise le jugement.*

stérilité, n. f. Qualité de ce qui est stérile, infécond. *La stérilité d'une femme.* ‖ Fig. *La stérilité d'un sujet.*
* **sterlet**, n. m. [Zool.] Nom vulg. du *petit esturgeon.*
sterling, adj. inv. (mot angl.). *Livre sterling*, unité monétaire de la Grande-Bretagne, de ses colonies et de plusieurs dominions.
* **sternal, ale**, adj. Qui appartient, qui a rapport au sternum.
* **sterne**, n. f. [Zool.] Genre d'oiseaux palmipèdes, longipennes, appelés vulg. *hirondelles de mer.*
* **sterno-cléido-mastoïdien**, adj. [Anat.] Se dit d'un muscle qui s'insère sur le sternum, la clavicule et l'apophyse mastoïdienne.
sternum [*nomm'*], n. m. [Anat.] Os plat qui occupe la partie antérieure de la poitrine et sur lequel s'articulent les côtes et les clavicules. V. pl. HOMME (squelette).
* **sternutation** [*sion*], n. f. Action d'éternuer.
sternutatoire, adj. et n. m. [Méd.] Qui provoque l'éternuement.
* **stéthométrie**, n. f. Mesure du thorax et de l'expansibilité de la poitrine.
stéthoscope, n. m. [Méd.] Instrument destiné à faciliter l'auscultation en renforçant les sons.
* **steward** [*sti-ou-ar*], n. m. (mot anglais). Maître d'hôtel ou garçon à bord des paquebots.
* **sthène** [*stènne*], n. m. (gr. *sthénos*, force). [Phys.] Force qui communique à une masse d'une tonne une accélération d'un mètre par seconde.
stibié, ée, adj. (lat. *stibium*, antimoine). [Pharm.] Se dit des remèdes où il entre de l'antimoine.
* **stichométrie**, n. f. Action de compter les lignes d'une œuvre littéraire.
* **stichomythie**, n. f. (gr. *stikhos*, vers). Dialogue dans lequel les interlocuteurs se répondent chacun par un seul vers.
* **stick**, n. m. (mot angl.). Canne mince et flexible. ‖ Sorte de cravache.
SYN. — V. BÂTON.
stigmate, n. m. (lat. *stigma*, marque). Marque que laisse une plaie; cicatrice. ‖ Fig. Marque déshonorante, trace honteuse ou funeste. *Les stigmates du vice.* ‖ Marque des cinq plaies de Jésus-Christ que certains saints portaient sur leur corps. [Bot.] Portion d'aspect glanduleux qui termine le pistil. V. tabl. VÉGÉTAUX (*Idées suggérées par le mot*). V. pl. BOTANIQUE. [Zool.] Orifice des trachées chez les arthropodes.
* **stigmatique**, adj. Qui appartient au stigmate d'une plante.
* **stigmatisation** [*sion*], n. f. Action de stigmatiser; son résultat.
stigmatisé, ée, n. Saint, sainte, qui porte sur son corps les marques des cinq plaies de Jésus-Christ.
stigmatiser [*zè*], v. tr. Marquer d'un stigmate. ‖ Marquer un criminel avec un fer rouge. ‖ Fig. Blâmer, critiquer avec dureté et publiquement.
* **stil** ou **stil-de-grain**, n. m. Matière colorante jaune verdâtre, fournie par le fruit du nerprun.
HOM. — *Stil*, n. m., matière colorante jaune verdâtre. — *style*, n. m., poinçon pour écrire. — *style*, n. m., manière d'exprimer par écrit ses pensées. — *style, es, ent*, du v. styler.

stillation [*stil-la-sion*], n. f. Action d'un liquide qui tombe goutte à goutte.
* **stilligoutte**, n. m. Syn. de *compte-gouttes*.
stimulant, ante, adj. [Physiol.] Qui stimule, excite. *Potion stimulante.* ‖ Fig. Ce qui excite, aiguillonne l'esprit, le zèle, etc. = N. m. *Un stimulant.*
CTR. — *Paralysant, stupéfiant.*
* **stimulateur, trice**, n. et adj. Qui stimule, excite.
PAR. — *Simulateur*, n. celui qui simule.
stimulation [*sion*], n. f. Action de stimuler; effet qui en résulte.
PAR. — *Simulation*, n., action de simuler.
stimuler, v. tr. (lat. *stimulare*, m. s.; de *stylus*, poinçon). Aiguillonner, exciter, pousser à agir avec énergie. [Méd.] Exciter, animer, réveiller l'activité. *C'est un estomac paresseux qu'il faut stimuler.*
SYN. — V. EXCITER.
CTR. — *Assoupir, paralyser.*
PAR. — *Simuler*, v. tr., feindre.

> VOCAB. — *Famille de mots.* — Stimuler [rad. *sti, stin, étein, sty*] : stimulant, stimulateur, stimulus, stimulation; distinguer, distingué, distinct, distinctif, distinction, distinctement; indistinct, indistinctement éteindre, éteigneur, éteignoir, extinction, extinctif, extinguible, inextinguible, extincteur; instinct, instinctif, instinctivement; instiguer, instigateur, instigation; style, stylisme, styliste, styliser, styler, stylé; stylet, stylographe, stylographie, stylographique.

* **stimulus** [*uss*], n. m. [Phys.] Ce qui produit une excitation dans l'économie animale.
1. stipe, n. m. [Bot.] Tige aérienne des palmiers et des fougères arborescentes.
2. stipe, n. f. [Bot.] Genre de *graminées* dont une espèce est l'*alfa*.
stipendiaire [*sti-pan-diè-re*], adj. Qui est à la solde de quelqu'un. *Troupes stipendiaires* (Péjor.).
stipendié, ée, adj. et n. (lat. *stipendium*, solde). Qui est payé pour faire un mauvais coup.
stipendier [*sti-pan-dié*], v. tr. Avoir à sa solde. ‖ Plus ord. Payer des gens qu'on veut employer à l'exécution de mauvais desseins. = Conjug. V. GRAMMAIRE.
* **stipulaire**, adj. [Bot.] Qui provient des stipules.
stipulant, ante, adj. [Droit] Qui stipule.
stipulation [*sion*], n. f. [Droit] Chose stipulée, clause, convention.
stipule, n. f. [Bot.] Appendice foliacé qui accompagne souvent les feuilles.
HOM. — *Stipule, es, ent*, du v. stipuler.
stipuler, v. tr. (lat. *stipulare*, m. s.). Convenir d'une chose dans un contrat, par un contrat. *Il a stipulé une garantie.* ‖ Par ext. Convenir en général.
stock [*stok*], n. m. (mot angl. signif. *provision*). Quantité de marchandises qui existe dans les entrepôts, sur les marchés, etc. ‖ Dépôt d'objets, de marchandises, de vivres, etc. V. tabl. COMMERCE (*Idées suggérées par le mot*).
* **stockage**, n. m. Mise en stock.
* **stocker**, v. tr. Mettre en stock.
stockfish [*fich'*], n. m. Tout poisson salé et séché.
* **stockiste**, n. m. Garagiste qui possède en magasin toutes les pièces détachées

servant à la réparation des automobiles d'une marque donnée.

* **stoff**, n. m. Étoffe de laine sèche et brillante.

stoïcien, ienne [sto-ï], adj. Qui appartient au stoïcisme. ‖ Qui suit la doctrine de Zénon. = N. m. Partisan des doctrines stoïciennes. ‖ Par ext. Homme ferme, sévère et inébranlable.
Ant. — *Épicurien.*
Par. — *Stoïque,* impassible devant la douleur.

stoïcisme, n. m. Doctrine de Zénon de Cittium enseignant une soumission ferme et joyeuse au destin, qui fait que le sage accueille avec la même sérénité le bonheur et le malheur, vivant sans cesse en accord avec la nature et collaborant à l'ordre du monde. V. tabl. LETTRES (*Idées suggérées par le mot*). ‖ Fig. Austérité, fermeté dans la douleur.

stoïque [sto-ï-ke], adj. Qui se rapporte au stoïcisme. ‖ Qui tient de la fermeté qu'affectaient les stoïciens. *Vertu stoïque.* = Nom. Personne stoïque.
Syn. — V. BRAVE.
Par. — *Stoïcien,* adepte de la doctrine de Zénon.

stoïquement, adv. D'une manière stoïque.

* **stola**, n. f. [Antiq.] Robe large des matrones romaines descendant jusqu'aux pieds. V. pl. COSTUMES.

* **stolon**, n. m. [Bot.] Tige rampante, longue et flexible, qui émet des racines adventives; vulg. *coulant.* V. pl. BOTANIQUE.

* **stolonifère**, adj. [Bot.] Se dit des plantes qui émettent des stolons.

stomacal, ale, aux, adj. Relatif à l'estomac. *Sucs stomacaux.*

stomachique [chi-ke], adj. Salutaire à l'estomac.

stomate, n. m. (gr. *stoma, atos,* bouche). [Bot.] Orifice épidermique de certaines feuilles, réglant l'équilibre nutritif de la plante en eau.

* **stomatique**, adj. [Méd.] Se dit des médicaments employés contre les affections de la bouche.

stomatite, n. f. [Méd.] Inflammation de la muqueuse buccale.

* **stomatologie**, n. f. [Méd.] Partie de la médecine qui s'occupe des maladies de la bouche et des dents.
Par. — *Somatologie,* anatomie humaine.

* **stomatologiste**, n. m. Médecin qui soigne les maladies de la bouche et des dents.

* **stomatopodes**, n. m. pl. [Zool.] Groupe de crustacés aux appendices développés et rapprochés de la bouche.

* **stomoxys**, n. m. [Zool.] Genre d'insectes diptères brachycères, mouches pouvant inoculer le charbon.

* **stop**, interj. [Mar.] Terme de commandement pour ordonner de s'arrêter. ‖ Ordre ou signal d'arrêter, en général. [Télégr.] Marque la fin des phrases dans les télégrammes.
Hom. — *Stoppe, es, ent,* du v. stopper.

1. **stoppage**, n. m. Action de stopper des étoffes.

2. * **stoppage**, n. m. Action de stopper, d'arrêter une machine, etc.

1. **stopper**, v. tr. Refaire une étoffe maille par maille.

2. **stopper**, v. intr. (lat. *stuppa,* étoupe). Arrêter la marche d'un bateau à vapeur, d'une locomotive, d'une machine.
Syn. — V. ARRÊTER.

stoppeur, euse, n. Celui, celle qui stoppe des étoffes.

storax ou **styrax**, n. m. Produit résineux, baume odorant autref. utilisé en pharmacie.

store, n. m. Rideau qu'on met devant une fenêtre, une portière de voiture etc., et qui se lève ou se tire au moyen d'une poulie.

* **stoupa** ou * **stupa**, n. m. Monument indien, dôme hémisphérique élevé sur une terrasse.

* **stout** [sta-out], n. m. Bière anglaise très foncée.

* **stovaïne**, n. f. [Méd.] Médicament pour l'anesthésie locale.

strabisme, n. m. [Méd.] Infirmité dans laquelle un des yeux s'écarte involontairement de l'axe visuel.

* **strabotomie**, n. f. [Chir.] Section des muscles de l'œil pour corriger le strabisme.

* **stradiot**, n. m. V. ESTRADIOT.

* **stradivarius**, n. m. [Mus.] Violon fabriqué par le célèbre luthier Stradivarius de Crémone.

stramonium, n. m. ou * **stramoine**, n. f. [Bot.] Nom vulg. du *datura stramonium,* plante vénéneuse de la famille des *solanées.*

* **stamonine**, n. f. [Chim.] Alcaloïde extrait de la stramoine, très toxique.

strangulation [sion], n. f. Compression exercée sur le cou. Action d'étrangler, et son résultat.

strangurie, n. f. [Méd.] Difficulté d'uriner.

strapontin, n. m. Siège, qu'on peut relever et abaisser à volonté, utilisé dans les voitures, les salles de spectacles, etc. V. pl. THÉÂTRE.

stras ou * **strass** [ass'], n. m. (du nom de l'inventeur). Verre incolore avec lequel on imite le diamant, ou verre coloré imitant les pierres précieuses de couleur.
Hom. — *Strasse* (V. le mot suivant).

strasse, n. f. Bourre ou rebut de la soie.

stratagème, n. m. Ruse de guerre; feinte pour tromper l'ennemi. ‖ Fig. Tour d'adresse, finesse, ruse. *Recourir à un stratagème.*

* **strate**, n. f. (lat. *stratum,* chose étendue). [Géol.] Couche de terrain sédimentaire.

stratège, n. m. (gr. de *stratos,* armée, *agô,* conduire). [Antiq. gr.] Titre des généraux qui se partageaient la direction des choses militaires à Athènes. ‖ Général d'armée. ‖ Fig. et fam. *Stratège en chambre.* celui qui, sans compétence, s'occupe de stratégie.

stratégie, n. f. Partie de l'art militaire qui étudie les grandes opérations de la guerre et en prépare le plan.
Vocab. — La *stratégie* est l'art de diriger les armées vers les théâtres d'opération; la *tactique,* l'art de les disposer sur les champs de bataille.

stratégique, adj. Qui appartient, qui a rapport à la stratégie.

* **stratégiquement**, adv. Selon la stratégie.

stratification [sion], n. f. [Géol.] Disposition des masses minérales et des terrains par strates ou couches.

stratifier, v. tr. Disposer par couches superposées. = Conjug. V. GRAMMAIRE.
stratigraphie, n. f. [Géol.] Étude des terrains sédimentaires par rapport à l'ordre dans lequel se superposent les strates ou couches.
* **stratigraphique,** adj. Qui concerne la stratigraphie.
* **stratiote,** n. f. [Bot.] Genre de plantes aquatiques ornementales, famille des *hydrocharidées*.
stratosphère, n. f. Haute région de l'atmosphère, comprise entre 11.000 et 80.000 m. environ au-dessus du sol. V. tabl. TEMPÉRATURE et MÉTÉOROLOGIE (*Idées suggérées par les mots*).
stratosphérique, adj. Qui pénètre dans la stratosphère. — *Ballon stratosphérique*. V. AÉRONAUTIQUE.
stratus, n. m. [Météo.] Nuage présentant l'aspect d'une très longue bande. V. pl. GÉOGRAPHIE.
* **strélitz,** n. m. pl. Corps d'infanterie russe, institué par Ivan le Terrible vers 1585, et qui formait la garde des tzars. Exterminé par Pierre le Grand.
* **streptococcie,** n. f. [Méd.] Nom générique des infections causées par le streptocoque.
streptocoque, n. m. [Méd.] Variété de micro-organismes réunis en chaînettes, agents de diverses maladies (érysipèle, infections puerpérales, endocardite maligne, etc.).
strette, n. f. [Mus.] La dernière et la plus brillante partie d'une fugue.
strict, icte, adj. Rigoureux. *Devoir strict.* ‖ Sévère, exact. *Strict en affaires.*
strictement, adv. D'une manière stricte.
strident, ente [*dan, dante*] adj. (lat. *stridens*, m. s.). Qui rend un son aigu et perçant. *Voix stridente.*
SYN. — V. AIGU.
* **stridulant, ante,** adj. Qui fait entendre un bruit aigu, perçant. *Insecte stridulant.*
* **stridulation** [*sion*], n. f. Bruit aigu produit par certains insectes.
* **striduleux, euse,** adj. [Méd.] Un peu strident. *Respiration striduleuse.*
strie, n. f. Ligne très fine, en creux ou en relief, parallèle à d'autres lignes semblables. *Les stries d'une coquille.* [Arch.] Plein ou listel qui coupe horizontalement les cannelures d'une colonne, d'un pilastre.
strié, ée, adj. Dont la surface présente des stries. *Graine striée.* [Arch.] *Colonne striée* celle qui est ornée dans toute sa hauteur de cannelures avec listel.
* **strier,** v. tr. Faire des stries sur. = Conjug. V. GRAMMAIRE.
strige, n. f. Vampire (être chimérique).
* **strigidés,** n. m. pl. [Zool.] Famille d'oiseaux rapaces nocturnes (effraie, chevêche, hulotte).
strigile, n. m. [Antiq.] Racloir pour frotter la peau au bain, pour la rendre nette.
* **striquer,** v. tr. Coudre des fleurs sur le réseau d'une dentelle.
striure, n. f. Syn. de *strie*. ‖ Disposition en stries.
* **strix,** n. m. [Zool.] Nom scientif. des chouettes appelées vulg. *effraies*.
strobile, n. m. [Bot.] Syn. de *cône*.
* **stroboscope,** n. m. Sorte de praxinoscope.

* **stroboscopie,** n. f. [Phys.] Mode d'observation fondée sur la persistance des impressions lumineuses sur la rétine.
* **stroma,** n. m. [Anat.] Trame d'un tissu vivant.
* **strombe,** n. m. [Zool.] Genre de mollusques gastéropodes.
* **strongle,** n. m. [Zool.] Genre de vers nématodes vivant dans les poumons et les bronches des vertébrés.
* **strontiane** [*sia-ne*], n. f. [Chim.] Oxyde et hydrate de strontium.
* **strontium** [*sio-m'*], n. m. [Chim.] Métal blanc-argent, assez semblable au baryum et au calcium par ses propriétés chimiques.
* **strophantus,** n. m. [Bot.] Genre de plantes de la famille des *apocynées*.
strophe, n. f. (gr. *strophê*, tour). Division d'un morceau lyrique, formée d'un nombre déterminé de vers, la pièce entière se composant d'une suite de strophes semblables. V. tabl. VERSIFICATION.

> VOCAB. — *Famille de mots.* — *Strophe*, antistrophe, anastrophe, apostrophe apostropher; catastrophe, catastrophique, catastrophiquement.

structure, n. f. (lat. *structura*, m. s., de *struo*, je bâtis). Manière dont un édifice est bâti. ‖ Manière dont les différentes parties qui composent un corps sont disposées relativement les unes aux autres. *La structure du corps humain.* ‖ Fig. *La structure d'un discours, d'un poème,* l'ordre, la disposition, l'arrangement de leurs parties.

> VOCAB. — *Famille de mots.* — *Structure*: infrastructure, superstructure; construire, construction, constructif, constructeur, constructivement, reconstruire, reconstruction; détruire, destruction, destructible, destructibilité, destructif, destructivité, destructeur; indestructible, indestructiblement, indestructibilité; instruire, instruit, instruction, instructeur, instructif; instrument, instrumentaire, instrumentiste, instrumental, instrumenter, instrumentation; obstruer, obstruction, obstructionnaire, obstructionniste, obstructif, substruction, industrie, industrieux, industrieusement, industriel, industriellement, industrialiser, industrialisme.

* **strumeux, euse,** adj. Scrofuleux.
strychnine [*strik-nine*], n. f. [Chim.] Alcaloïde très vénéneux contenu dans la noix vomique.
strychnos, n. m. [Bot.] Genre de plantes de la famille des *loganiées*; une espèce fournit la noix vomique, une autre le curare.
stuc, n. m. Enduit imitant le marbre et dont on revêt les murailles.
HOM. — *Stuque, es, ent,* du v. stuquer.
stucateur, n. m. Ouvrier qui travaille le stuc.
* **stud-book** [*steud-bouk'*], n. m. (mot angl.). [Turf] Registre où sont inscrits le nom, la généalogie, etc., des chevaux pur sang.
studieusement, adv. Avec application.
studieux, euse, adj. Qui aime l'étude. ‖ Consacré à l'étude. *Loisirs studieux.*
SYN. — V. ASSIDU.
CTR. — *Paresseux, dissipé.*

* **studio**, n. m. [Néol.] Lieu de travail. ‖ Atelier d'artiste éclairé par un vitrage. ‖ Endroit où sont tournées les scènes de cinéma. ‖ Cabinet de travail avec lit divan entouré d'étagères.

stupéfaction [sion], n. f. (lat. *stupefactio*, m. s.). Engourdissement avec suspension partielle du sentiment (Vx). ‖ Fig. Étonnement extraordinaire et comme extatique.

stupéfait, aite, adj. Qui est interdit et immobile de surprise (Fam.).
GRAM. — V. STUPÉFIER.
SYN. — V. SURPRIS.
PAR. — *Stupéfié*, engourdi comme par une substance toxique.

stupéfiant, ante, adj. [Méd.] Qui stupéfie. ‖ Fig. Qui surprend au plus haut point. = N. m. *Un stupéfiant*, drogue qui produit l'inhibition des centres nerveux.
ANT. — *Stimulant*.

stupéfier, v. tr. [Méd.] Engourdir, diminuer ou suspendre la sensibilité et le mouvement. ‖ Fig. Causer une grande surprise. = Conjug. V. GRAMMAIRE.
INCORR. — Ne dites pas : *Cette nouvelle nous a stupéfaits* (Le verbe « stupéfaire » n'existe pas). Dites : *nous a stupéfiés*.
SYN. — V. ÉTONNER et SURPRIS (pour *stupéfié*).
PAR. — *Stupéfait*, frappé d'une extrême surprise.

stupeur, n. f. [Méd.] État d'engourdissement des facultés intellectuelles ou du mouvement. ‖ Fig. Immobilité causée par une grande surprise, un grand effroi. *Plongé dans la stupeur*.

> VOCAB. — *Famille de mots*. — Stupeur : stupéfier, stupéfiant, stupéfaction, stupéfait ; stupide, stupidité, stupidement.

stupide, adj. Qui manque de jugement. ‖ Qui marque la stupidité. *Air stupide*.
SYN. — *Stupide*, dont l'esprit est comme engourdi : *Un enfant stupide*. — *Abruti*, stupide comme une bête brute : *Un alcoolique abruti*. — *Balourd*, tout à fait inintelligent : *Il n'y a rien à tirer de ce balourd*. — *Benêt*, niaisement bonasse : *Un benêt de village*. — *Bête*, dénué d'intelligence : *Il est foncièrement bête, et ne comprend rien*. — *Borné*, dont l'esprit est très peu ouvert : *Un être borné*. — *Cancre*, paresseux et inintelligent : *Cet élève est un cancre*. — *Crétin*, bête jusqu'à la stupidité, d'esprit insuffisamment développé : *Cet écolier n'est qu'un crétin*. — *Hébété*, dont l'intelligence est émoussée : *Je ne le reconnais plus, depuis sa maladie il est comme hébété*. — *Idiot*, qui a l'esprit très borné : *Il devient de plus en plus idiot*. — *Imbécile*, faible d'esprit : *C'est un pur imbécile*. — *Incapable*, dont on ne peut rien tirer : *Cet employé est un incapable*. — *Inepte*, qui n'a pas d'aptitude, de capacité, de sens : *Cet écrit est inepte*. — *Inintelligent*, dépourvu de toute capacité intellectuelle : *Il est inintelligent, on n'en fera rien*. — *Niais*, bête par excès de simplicité : *Il prend sans cesse un air niais*. — *Nigaud*, qui se conduit niaisement : *Là, il s'est conduit comme un nigaud*. — *Obtus*, qui n'a aucune vivacité, qui comprend péniblement : *Un esprit obtus*. — *Simple*, très peu intelligent : *C'est un simple d'esprit*. (On dit aussi *simplet*, dans ce sens). —

Sot, dénué d'esprit, de jugement : *C'est le roi des sots*.
CTR. — *Sensé, intelligent*. — *Spirituel*.

stupidement, adv. D'une manière stupide.

stupidité, n. f. Pesanteur d'esprit, défaut d'imagination ou de jugement. ‖ Parole, action stupide.
SYN. — V. BÊTISE.
ANT. — *Intelligence, clairvoyance*.

stupre, n. m. (lat. *stuprum*, m. s.). Débauche avilissante. ‖ Acte de lubricité.

* **stuquer**, v. tr. Enduire de stuc.

style, n. m. (lat. *stylus*, m. s.). [Antiq.] Sorte de poinçon avec la pointe duquel les anciens écrivaient sur les tablettes enduites de cire. ‖ Fig. Manière d'exprimer par écrit les pensées, qui varie avec chaque écrivain, qui lui est propre. — *Il n'a point de style*, se dit d'un auteur qui n'a point une manière d'écrire qui soit à lui, ou qui écrit d'une manière commune. ‖ *Style de palais*, les termes dont on ne se sert que dans la procédure et dans les plaidoiries. ‖ Fig. Composition, exécution, caractère général des œuvres d'un artiste. *Cette peinture est dans le style de tel maître*. — Ensemble des traits caractéristiques des œuvres d'art d'une même époque. *Le style gothique*. ‖ Fig. Originalité particulière, cachet. *Ce vase a du style*. [Astron.] Tige d'un cadran solaire dont l'ombre indique l'heure. [Bot.] Partie du pistil qui surmonte l'ovaire et porte le stigmate. V. pl. BOTANIQUE. ‖ Manière d'établir la chronologie. — V. tabl. STYLE et tabl. LETTRES (*Idées suggérées par les mots*).
ÉPITHÈTES COURANTES : correct, pur, élégant, noble, pompeux, somptueux, majestueux, magnifique, grandiose ; hardi, éloquent, élevé, simple, correct, terne, plat, négligé, lâche, fade, banal, quelconque, prétentieux, ampoulé, empli, diffus, incorrect, bas, grossier, déplaisant, ennuyeux, etc.
HOM. — V. STIL.
PAR. — *Stylet*, sorte de poignard à lame aiguë.

styler, v. tr. Former, dresser, habituer. *Styler un domestique*.

stylet, n. m. Sorte de poignard à petite lame aiguë. V. pl. ARME. [Zool.] Partie saillante et effilée d'un organe.
SYN. — V. POIGNARD.
HOM. — *Stylais, ait, aient*, du v. styler.
PAR. — *Style*, poinçon pour écrire ; manière particulière de s'exprimer par écrit.

* **stylisation** [sion], n. f. Action de styliser.

stylisé, ée, adj. Modifié, simplifié dans un sens décoratif.

styliser, v. tr. Donner à une figure un style particulier. ‖ Modifier, simplifier une fleur, une figure dans un sens décoratif.

* **stylisme**, n. m. Recherche du style, des phrases harmonieuses et polies.

* **styliste**, n. m. Écrivain qui a du style, ou dont le style est particulièrement soigné.
PAR. — Ne pas confondre avec le mot suivant.

stylite, adj. et n. m. Nom donné à quelques solitaires d'Orient qui avaient placé leur cellule au sommet de colonnes ou de portiques en ruine.

STYLE

On entend par *style* la façon de s'exprimer particulière à chaque individu; car bien qu'employant la même langue, les hommes ont chacun un mode d'expression dont il est souvent difficile d'analyser les nuances.

On distingue généralement trois genres de style.

Le *style simple*, qui est celui de la conversation, consiste à écrire comme on parle, en bannissant l'emphase et les vains ornements, tout en observant les lois de la correction. Mais il faut éviter que cette simplicité ne devienne platitude ou trivialité.

Le *style tempéré*, qui recherche l'élégance, exige un ton soutenu et une gravité d'expression qui en font le style des ouvrages didactiques, philosophiques et historiques. Mais il faut éviter que l'expression ne devienne précieuse ou maniérée, par suite de l'abus des faux ornements. Boileau dans son *Art poétique*, Descartes dans son *Discours de la Méthode*, Fustel de Coulanges dans sa *Cité antique* ont employé précisément le style tempéré.

Le *style sublime*, qui admet toutes les ressources de la rhétorique, qui n'hésite pas à faire appel à l'imagination et au pathétique, est un style destiné à frapper l'esprit du lecteur ou de l'auditeur; il est employé généralement dans les oraisons funèbres, dans les sermons, dans les discours patriotiques. Mais il doit éviter l'emphase et la grandiloquence. Bossuet a donné un bel exemple du sublime dans ses *Oraisons funèbres*, et Corneille a su atteindre dans certaines répliques de ses tragédies une élévation d'expression qui confine au sublime.

Mais le style, quel qu'il soit, doit avoir un certain nombre de qualités positives : même simple, il doit posséder une *certaine tenue littéraire*, sans bassesse ni vulgarité; même élégant, il doit être *précis*, c'est-à-dire user de termes exacts et de développements logiquement construits; même sublime il doit être *naturel*, et donner l'impression d'être spontané. Ses deux principales qualités sont la *correction* et la *clarté*, c'est-à-dire qu'il doit être compris par tout le monde, sans pour cela utiliser d'expressions familières et incorrectes; pour obtenir un pareil résultat, il faut avant tout que la pensée soit-elle-même nette. Comme disait Boileau :

*Ce que l'on conçoit bien s'énonce clairement,
Et les mots pour le dire arrivent aisément.*

et c'est pourquoi une pensée clairement conçue s'exprime sans phrases inutiles et recherche la *concision*.

Outre les qualités générales, certains écrivains recherchent un style qui, tout en étant sans défaut, se distingue par une originalité quelconque. C'est ainsi que le style est mis en valeur par l'*harmonie* dans l'expression, harmonie provenant du groupement des mots dans la phrase, du groupement des phrases dans un ensemble, du choix des images, de la recherche du rythme. Il ne suffit pas, en effet, pour le bon écrivain, d'avoir les qualités que tout bon style doit posséder, d'éviter les défauts tels qu'obscurité, affectation, vulgarité, prolixité, mais encore il doit faire une œuvre d'art.

Le meilleur moyen d'acquérir un bon style étant avant tout de connaître des modèles parfaits, on ne saurait mieux faire que de recommander la lecture de nos auteurs classiques : le lecteur trouvera dans les *Fables* de La Fontaine le naturel et la simplicité, dans les pièces de Racine la sensibilité et la vérité, dans les *Caractères* de La Bruyère, la concision et la clarté, dans certaines pages de Chateaubriand l'harmonie et le rythme; mais la règle essentielle du style est celle de *la convenance du ton*. Certains sujets réclament une expression simple et rapide; l'histoire exige un style concis et naturel; le drame, la tragédie, un style plus relevé; la comédie, un style plus familier; et c'est pourquoi les théoriciens de l'âge classique, ont si fermement formulé la règle de la *séparation des genres*.

Par ces quelques remarques, il est aisé de reconnaître que le style porte la marque du sujet que l'on traite, et de l'homme qui écrit. En effet, en même temps que l'homme exprime sa pensée il révèle son caractère par la manière dont il expose cette pensée.

— *Quand on voit le style naturel, on est tout étonné et ravi; car on s'attendait de voir un auteur, et on trouve un homme.* (PASCAL.)

— *Un style grave, sérieux, scrupuleux va fort bien.* (LA BRUYÈRE.)

— *Les connaissances, les faits, les découvertes... sont hors de l'homme, le style est l'homme même.*

— *Le style n'est que l'ordre et le mouvement que l'on met dans ses pensées.* (BUFFON.)

— *Expliquer sa pensée avec le moins de mots et le plus de force qu'il est possible, voilà le style.* (MARMONTEL.)

— *Presque toujours, les choses qu'on dit frappent moins que la manière dont on les dit, car les hommes ont tous à peu près les mêmes idées de ce qui est à la portée de tout le monde. L'expression, le style fait presque toute la différence. Le style rend singulières les choses les plus communes, fortifie les plus faciles, donne de la grandeur aux plus simples. Sans le style, il est impossible qu'il y ait un seul bon ouvrage en aucun genre d'éloquence et de poésie.* (VOLTAIRE.)

---

* **stylo**, n. m. Abrév. courante de stylographe.

stylobate, n. m. [Archi.] Soubassement qui forme un piédestal continu et porte une rangée de colonnes. V. pl. TEMPLE GREC.

stylographe, n. m. (de *style* (1er sens) et *graphô*). Porte-plume à réservoir d'encre, muni d'une plume inoxydable, généralement en or.

PAR. — *Xylographe*, insecte coléoptère.

* **stylographie**, n. f. Procédé permettant d'obtenir des planches en creux qui imitent le dessin à la plume.

* **stylographique**, adj. Qui convient au stylographe. *Encre stylographique.*

* **styloïde**, adj. [Anat.] En forme de style. *Apophyse styloïde.*

* **stylométrie**, n. f. Art de mesurer les colonnes.

* **styptique**, adj. [Méd.] Syn. d'*astringent*.

* **styracées**, n. f. pl. [Bot.] Famille d'arbres ou d'arbrisseaux dicotylédones gamopétales.

styrax [sti-raks], n. m. [Bot.] Nom scientifique de l'*aliboufier* (famille des *styracées*). ‖ Oléo-résine odorante que produit cet arbre.

...su, sue, sus, çu.

ORTH. — *Finales.* — Le son final *su* s'écrit sous cette forme dans bossu, cossu, fessu, à l'insu, issu, moussu, pansu, tissu; il s'écrit *sue* dans issue, massue, sangsue; *sus* dans dessus, pardessus, *çu* dans aperçu, déçu, reçu.

su, n. m. (pp. de *savoir*). Connaissance d'une chose. *Au su de tous.*

HOM. — *Su*, n. m., connaissance d'une chose; — *Sue, es, ent*, du v. suer; — *sue*, pp. de savoir; — *sus, sut, sût*, du v. savoir.

1. **suage**, n. m. Humidité que la chaleur fait sortir du bois.
2. * **suage**, n. m. [Techn.] Partie carrée du pied d'un flambeau. ‖ Ourlet sur le bord d'une assiette.
suaire [su-ère], n. m. Linceul dans lequel on ensevelit un mort. — *Saint-suaire*, linge ayant servi à ensevelir Jésus-Christ.
Hom. — *Suèrent*, du v. suer.
suant, ante, adj. Qui sue, qui suinte, qui laisse exsuder.
suave, adj. (lat. *suavis*, m. s.). D'une douceur agréable aux sens et partic. à l'odorat.
Ctr. — *Fétide, puant, nauséabond, âcre.*
suavement, adv. D'une manière suave.
suavité, n. f. Qualité de ce qui est suave. ‖ Grande douceur dans la physionomie.
Ant. — *Amertume, puanteur. — Rudesse.*
sub-, préfixe sign. *sous* et marquant un degré d'infériorité ou venant atténuer la valeur d'un mot.
* **subabdominal, ale, aux**, adj. [Anat.] Situé sous l'abdomen.
* **subaigu, uë**, adj. Légèrement aigu.
Ant. et Par. — *Suraigu*, très aigu.
* **subalaire**, adj. [Zool.] Qui est situé sous l'aile.
* **subalpin, ine**, adj. Situé au pied des Alpes.
subalterne, adj. et n. (préf. *sub* et lat. *alter*, autre). Subordonné, secondaire, inférieur. *Emploi subalterne.* ‖ Fig. *Un esprit subalterne*, un esprit médiocre. = Nom. *Il est très distant avec ses subalternes.*
Ctr. — *Supérieur.*
* **subalternement**, adv. D'une manière subalterne.
* **subalterniser** [zé], v. tr. Mettre dans une position subalterne.
* **subatomique**, adj. [Phys.] Qui se trouve dans l'atome.
* **subbrachiens**, n. m. pl. [Zool.] Groupe de poissons téléostéens dont les nageoires pelviennes sont au-dessous des pectorales.
* **subcaudal, ale**, adj. Situé sous la queue.
subconscience, n. f. [Philos.] État de demi-conscience, susceptible de tous les degrés possibles entre la conscience claire et l'inconscience. ‖ Région de l'âme où s'accumulent les perceptions, les sensations qui ne touchent pas la conscience.
subconscient, ente, adj. Dont on n'a qu'une demi-conscience. = N. m. Ce qui est subsconcient. — Souvent employé comme synonyme de *inconscient.*
* **subcontraire**, adj. [Log.] Se dit de deux propositions ayant même sujet et même attribut, dont l'une est affirmative et l'autre négative.
* **subcortical, ale**, adj. Qui vit, qui est situé sous l'écorce des arbres.
subdélégation [gha-sion], n. f. Action de subdéléguer.
* **subdélégué**, n. m. Commis par un représentant de l'autorité.
subdéléguer, v. tr. Commettre avec pouvoir d'agir, de négocier.
subdiviser [zé], v. tr. Diviser les parties d'un tout qu'on a déjà divisé. = Se subdiviser. v. pron. Être subdivisé.
* **subdivisible**, adj. Que l'on peut subdiviser.
subdivision [zion], n. f. Division des parties d'un tout déjà divisé.

* **subdivisionnaire**, adj. Relatif à une subdivision.
* **subéreux, euse**, adj. (lat. *suber*, liège). De la nature du liège; qui en présente la consistance.
* **subérification** [sion], n. f. [Bot.] Transformation en liège.
* **subintrant, ante**, adj. [Méd.] Se dit de l'accès d'un mal périodique qui vient avant que le précédent soit terminé.
subir, v. tr. (lat. *subire*, m. s.). Souffrir, supporter de gré ou de force ce qui a été ordonné ou imposé. *Subir la loi du vainqueur. Subir sa peine. — Subir un interrogatoire*, comparaître devant le juge et répondre à ses interrogations. — *Subir un examen*, répondre aux questions posées suivant les formalités ordinaires d'un examen. — *Subir des changements*, des modifications, être changé, modifié.
subit, ite [su-bi], adj. Qui arrive tout à coup, inopinément. *Mort subite.*
Syn. — *Subit*, qui arrive sans être attendu : *La rupture d'un anévrisme a amené sa mort subite. — Brusque*, qui se produit avec promptitude : *Sa fin a été brusque. — Prompt*, qui ne tarde pas à se produire : *Je vous souhaite un prompt rétablissement. — Soudain*, qui arrive d'un seul coup et d'une façon imprévue : *Un ouragan soudain a dévasté la contrée.* V. aussi DILIGENT et IMPRÉVU.
Ctr. — *Progressif.*
Hom. — *Subi*, pp. du v. subir.
subitement, adv. D'une manière subite.
subito, adv. (mot latin). Tout à coup. *Partir subito* (Fam.).
* **subjacent, ente** [ja-san, an-te], adj. Qui est situé au-dessous.
subjectif, ive, adj. [Phil.] Qui a rapport au sujet pensant, qui est intime, intérieur. [Méd.] Se dit des symptômes d'un mal qui ne sont perçus que par le malade.
Ctr. — *Objectif.*
Par. — *Subjonctif*, mode d'un verbe.
* **subjection** [sion], n. f. [Rhét.] Sorte d'interrogation oratoire qui consiste à prévenir une objection en y répondant à l'avance.
subjectivement, adv. D'une manière subjective.
* **subjectiver**, v. tr. Rendre subjectif.
subjectivisme, n. m. Propension à la subjectivité.
subjectivité, n. f. Caractère de ce qui est subjectif.
subjonctif, n. m. Mode du verbe qui marque l'indécision ou l'éventuel, et qui ne s'emploie que dans les propositions subordonnées. V. GRAMMAIRE et tabl. PRINCIPAUX EMPLOIS DU SUBJONCTIF.
Par. — *Subjectif*, relatif au sujet; qui est intime.
subjuguer [ghé], v. tr. Mettre sous le joug, soumettre par la force, asservir, *Subjuguer une province.* ‖ Par ext. Prendre un ascendant absolu sur. *Subjuguer ses passions.*
Syn. — V. ASSERVIR.
Ctr. — *Affranchir, libérer, délivrer.*
sublimation [sion], n. f. [Chim.] Action de sublimer. [Phys.] Passage direct de l'état solide à l'état gazeux.
* **sublimatoire**, n. m. Vase dans lequel on recueille les produits de la sublimation. = Adj. Qui sert à sublimer.

Principaux emplois du Subjonctif.

Le *subjonctif* est le mode de l'indécision, du doute, ou simplement de l'indétermination, de l'éventuel, de même que l'indicatif est le mode de l'affirmation. En conséquence, on doit mettre au subjonctif le verbe de la proposition subordonnée : 1º Lorsque le verbe de la proposition principale exprime la crainte, le doute, l'appréhension, la surprise, l'admiration, le souhait, le commandement, la défense, etc., parce que la chose exprimée par la verbe subordonné est incertaine, douteuse, ou tout au moins n'offre rien d'absolument positif. Ainsi l'on dit : *Je crains, je doute, je veux, je m'étonne, j'ordonne, je désire que vous fassiez. J'appréhende qu'il ne vienne. Je nie que cela soit.* Mais on dira avec l'indicatif : *Je pense, je soupçonne, j'imagine que vous avez étudié la chimie.* — 2º On emploie le subjonctif lorsque la proposition principale est négative ou interrogative, parce qu'alors elle exprime le doute, l'incertitude : *Pensez-vous, croyez-vous, je ne pense pas que son frère revienne? Croyez-vous qu'il parte?* Néanmoins, lorsqu'on n'interroge que pour affirmer ou nier avec plus de force, cette simple formule oratoire n'exprime point le doute et n'appelle pas le subjonctif : *Croyez-vous que les Limousins sont des sots?* — 3º Après les verbes impersonnels ou employés impersonnellement, on met généralement au subjonctif le verbe de la proposition subordonnée : *Il faut, il importe, il convient, il est possible qu'il vienne. Il vaut mieux que je ne le voie pas. Il suffit que je vous l'aie commandé.* Toutefois, on dit à l'indicatif : *Il s'ensuit, il arrive, il résulte qu'on se trompe. Il est vrai, sûr, certain que vous êtes mon ami. Il me semble que je le connais. Il lui semblait qu'il n'y avait rien de plus beau,* parce que ces verbes expriment tous une idée positive. Mais ils entraînent le subjonctif, dès qu'ils sont interrogatifs ou accompagnés d'une négation: *Est-il sûr qu'il vienne? Il ne me semble pas que l'on puisse agir autrement.* — 4º Après *on dirait, on croirait, on eût dit, on eût cru,* on doit employer le subjonctif lorsque la phrase subordonnée énonce une chose invraisemblable ou peu probable. *On dirait que ce chien veuille parler.* Dans le cas contraire, il faut l'indicatif : *On dirait qu'il est mort. On eût cru à l'entendre, qu'il était riche comme Crésus.* — 5º Après les pronoms *qui, que, dont, où,* etc., on fait usage du subjonctif ou de l'indicatif, selon que la proposition subordonnée exprime une idée indécise, indéterminée, ou bien une idée positive. *Je veux épouser une femme qui me plaise. J'épouserai une femme qui me plaira. Montrez-moi un chemin qui me conduise à Corbeil. Montrez-moi le chemin qui conduit à Corbeil. Je veux aller dans une retraite où je sois tranquille. J'irai dans une retraite où je serai tranquille.* On voit qu'avec le subjonctif, la proposition relative a le sens final ou consécutif (afin que, tel que). — 6º Lorsque le pronom relatif *qui* a pour antécédent un nom modifié par un adjectif précédé de l'un des superlatifs, *le plus, le moins, le mieux, la plus, la moins, la mieux, les plus,* etc., il faut le subjonctif, si le verbe subordonné dépend directement du superlatif et explique en quelque sorte un fait indéterminé : *Le plus grand théâtre qu'il y ait pour la vertu, c'est la conscience.* Dans le cas contraire, c'est l'indicatif qu'il faut employer : *Ulysse, le plus sage des rois de la Grèce qui ont renversé Troie. Le moins de servitude qu'on peut est le meilleur.* — 7º On fait encore usage du subjonctif, lorsque le pronom relatif correspond à l'un des adjectifs, *nul, aucun, seul, premier, second, dernier,* etc., ou bien lorsqu'il se rapporte à quelque nom ou adverbe ayant un sens négatif, comme *personne, rien, peu, guère, trop,* etc. *Cet homme est le premier qui ait eu cette idée. Je ne connais personne qui ait autant d'audace. Il n'y a rien qui plaise autant que la modestie.* Cependant si l'idée exprimée est positive, il faut l'indicatif : *Il est le seul que je crois devoir excepter. Voilà la première lettre qu'il m'a écrite.* — 8º Les adjectifs indéfinis *quelque, que,* et les expressions *qui que, quoi que, si que,* signifiant *quelque,* entraînent le subjonctif pour le verbe de la phrase subordonnée : *Quelque effort qu'il fasse. Qui que ce soit. Quoi qu'il dise. Si mince qu'il puisse être.* — 9º On emploie également le subjonctif après les conjonctions ou locutions conjonctives, *afin que, avant que, bien que, encore que, quoique, de peur que, sans que, en cas que, pourvu que, à moins que, pour que, soit que, c'est peu que, c'est assez que,* etc. *Afin qu'on puisse l'entendre. Avant qu'il ne fût venu. De peur que sa puissance ne m'atteigne. Au cas qu'il en soit ainsi.* Avec *bien que, encore que, quoi que, sans que,* on emploie aussi le subjonctif. — 10º Il faut aussi le subjonctif, après la conjonction *que* prise pour *avant que, à moins que, afin que, de ce que, quoique, sans que, si que,* etc. *Il n'écrit rien qu'il n'ait profondément médité.* — 11º Le subjonctif est encore employé après les locutions, *sinon que, si ce n'est que, de façon que, de sorte que, de manière que, comme si,* quand le verbe qui précède exprime l'incertitude, le doute, le commandement, et que celui qui suit exprime une idée d'avenir : *Vivez de manière que chacun puisse vous estimer.* — Le verbe *savoir* employé comme formule d'atténuation, avec une négation, se met au subjonctif. *Je ne sache rien qui soit plus digne d'admiration :* C'est une inversion de la tournure : *il n'y a rien de plus digne d'admiration, que je sache* (né du latin).

Quant à l'emploi que l'on doit faire des temps du subjonctif il dépend du temps de l'indicatif auquel se trouve le verbe de la proposition principale. Le principe général qui doit nous diriger est le suivant : 1º Le présent et le passé du subjonctif correspondent aux mêmes temps de l'indicatif; 2º l'imparfait et les plus-que-parfait du subjonctif correspondent aux mêmes temps de l'indicatif et au passé du conditionnel. Néanmoins, comme l'idée seule qu'on a en vue peut déterminer le choix à faire entre ces temps, les grammairiens ont établi quelques règles à ce sujet. — 1º Lorsque le verbe de la proposition principale est au présent ou au futur de l'indicatif, on emploie le présent du subjonctif dans la proposition subordonnée, si l'on veut exprimer un présent ou un futur. *Il faut que celui qui parle se mette à la portée de ses auditeurs. Il faudra qu'ils se rendent à la force de la vérité.* Si, au contraire, on veut exprimer un passé, on emploie le passé du subjonctif. *Il suffit qu'il n'ait rien négligé dans cette affaire. Je douterai toujours qu'il ait loyalement agi.* Enfin, si la phrase renferme une expression conditionnelle, on met le second verbe à l'imparfait ou au plus-que-parfait du subjonctif. *Je ne doute pas qu'il ne réussît s'il avait votre appui. Je ne crois pas que, sans cette circonstance, l'affaire eût pu réussir.* — 2º Lorsque le verbe de la proposition principale est à l'imparfait, à l'un des passés ou à l'un des conditionnels, le verbe de la proposition subordonnée se met à l'imparfait du subjonctif, si l'on veut lui faire exprimer un présent ou un futur : *Il voulait qu'on le trouvât aussi simple qu'avant sa subite élévation. Les Romains ne voulaient pas de victoires qui coûtassent trop de sang.* Mais si l'on veut exprimer un passé, on met le verbe au plus-que-parfait du subjonctif. *Sparte était sobre avant que Socrate eût loué sa sobriété;* 3º Lorsque le verbe de la proposition subordonnée exprime une action qui peut se faire dans tous les temps, on emploie le présent au lieu de l'imparfait du subjonctif : *Il l'a trompé quoiqu'il soit son frère.* — Enfin, il importe de remarquer qu'après le passé composé, on emploie bien plus fréquemment le passé du subjonctif plus que-parfait. *Je n'ai jamais trouvé personne qui m'ait dit cela. Il a fallu que vous ayez bien travaillé pour achever si vite cette œuvre.* — Ces règles, qui ont été rigoureusement suivies par les grands écrivains français jusqu'au début du XXº s., sont toujours en vigueur. Néanmoins, l'usage actuel tend à remplacer l'imparfait du subjonctif par le présent. Molière a dit : « *Je voudrais bien que vous l'excusassiez* »; la langue parlée et même la langue écrite actuelle disent : « *Je voudrais bien que vous l'excusiez.* » L'Académie (Grammaire) admet seulement le présent du subjonctif après un conditionnel qui ait nettement le sens du présent. « *Je voudrais que vous le disiez.* »

sublime, adj. (lat. *sublimis*, élevé). Qui s'élève à une grande hauteur d'esprit ou de vertu. *Un génie sublime.* ‖ Ce qu'il y a de plus grand, de plus élevé, de plus éminent dans les choses esthétiques, morales ou intellectuelles. *Un spectacle, une vertu, un style sublime.* = N. m. Ce qui frappe l'imagination par sa grandeur, sa puissance. [Rhét.] *Style sublime,* l'une des trois sortes de style, celui qui comporte la plus grande magnificence. V. STYLE.
  SYN. — *Sublime,* qui frappe l'imagination par sa grandeur, sa puissance : *Une tempête sur la mer est un spectacle d'une grandeur sublime.* — *Admirable,* digne d'être considéré avec étonnement, mêlé de respect : *Un dévouement admirable.* — *Relevé,* qui s'élève au-dessus des autres, qui dépasse la banalité : *Un style relevé.* — *Splendide,* qui présente un caractère éminent de grandeur ou de magnificence : *Une manifestation splendide.* — *Transcendant,* qui excelle en son genre, qui dépasse de loin les autres : *Un mérite transcendant.* V. aussi COLOSSAL, MERVEILLEUX, SOLENNEL, SUPÉRIEUR.
  sublimé, n. m. Produit obtenu par sublimation. ‖ *Sublimé doux,* le calomel. ‖ *Sublimé corrosif,* le bichlorure de mercure, antiseptique très toxique.
  *****sublimement,** adv. D'une manière sublime.
  sublimer, v. tr. Vaporiser un corps solide par la chaleur sans le liquéfier. On reçoit les vapeurs dans un vase où elles se condensent. ‖ Fig. Séparer de tout élément impur. = SE SUBLIMER, v. pr. Devenir sublime.
  *****subliminal, ale, aux,** adj. [Phil.] Qui ne dépasse pas le seuil de la conscience.
  sublimité, n. f. Qualité de ce qui est sublime. *Sublimité des pensées.*
  sublingual, ale [*sub-lin-goual*], adj. Placé sous la langue. *Artère sublinguale.*
  sublunaire, adj. Qui est entre la Terre et l'orbite de la Lune. ‖ *Le monde sublunaire,* la terre.
  *****submergement,** n. m. Action de submerger; son résultat.
  submergé, ée, adj. Enfoncé sous les eaux; immergé.
  CTR. — *Émergé.*
  submerger, v. tr. Inonder, couvrir d'eau. ‖ Engloutir sous les flots. ‖ Fig. Emporter, anéantir. = Conjug. V. GRAMMAIRE.
  submersible, n. m. Qui peut être submergé à volonté. — N. m. [Mar.] Navire sous-marin de haute mer. V. tabl. MARINE (*Idées suggérées par le mot*).
  CTR. — *Insubmersible.*
  submersion, n. f. Grande inondation. État de ce qui est submergé. ‖ Action d'enfoncer dans l'eau ou de s'enfoncer, d'être plongé dans l'eau.
  PAR. — *Subversion,* action de renverser, de détruire moralement.
  subodorer, v. tr. Sentir de loin, à la trace. ‖ Fig. Soupçonner, pressentir.
  subordination [*sion*], n. f. (lat. *subordinatio,* m. s.). Hiérarchie établie entre personnes qui dépendent les unes des autres. ‖ Dépendance d'une personne à l'égard d'une autre. ‖ Dépendance où certaines choses sont à l'égard de quelques autres. [Gram.] *Syntaxe de subordination,* syntaxe relative aux rapports des propositions principales avec les propositions qui en dépendent. — *Conjonction de subordination,* conjonction réunissant la proposition subordonnée à la proposition principale. *Si, quand, comme, puisque,* sont des conjonctions de subordination. V. GRAMMAIRE et tabl. CONJONCTIONS.
  SYN. — V. ASSUJETTISSEMENT.
  ANT. — *Indépendance.* — *Coordination.*
  PAR. — *Subornation,* séduction par laquelle on engage à faire quelque chose contre le devoir.
  subordonné, ée, adj. et n. Qui dépend de quelqu'un ou de quelque chose. *Le prix est subordonné à la qualité.* ‖ Placé sous les ordres de quelqu'un. *Les prêtres sont subordonnés aux évêques.* = S'emploie comme nom dans ce sens. *Être dur avec ses subordonnés.* = Adj. [Gram.] *Proposition subordonnée,* proposition qui dépend d'une autre proposition et en complète le sens. V. GRAMMAIRE et tabl. PROPOSITIONS.
  CTR. — *Indépendante, principale.*
  ANT. — *Chef, supérieur.*
  subordonner, v. tr. Établir un ordre de dépendance de l'inférieur au supérieur. *Subordonner les épisodes à l'action principale.* = SE SUBORDONNER, v. pron. Être subordonné.
  subornation [*sion*], n. f. et *****subornement,** n. m. Séduction engageant à mal faire. Action de suborner. *Subornation de témoins.*
  PAR. — *Subordination,* dépendance.
  suborner, v. tr. Séduire, porter à faire une action contre le devoir. *Suborner une fille, des domestiques.*
  SYN. — V. CORROMPRE.
  suborneur, euse, n. Qui suborne. *Suborneur de filles.* = Adj. Qui séduit, qui trompe. *Conseils suborneurs.*
  subrécargue, n. m. [Mar.] Préposé à la conservation et à la vente de la cargaison d'un navire et à l'achat d'autres marchandises au retour.
  *****subrécot,** n. m. Ce qu'il en coûte au delà de ce qu'on s'était proposé de dépenser.
  subreptice, adj. [Droit] Se dit d'une concession obtenue sur un faux exposé. ‖ Qui se fait furtivement et illicitement. *Édition subreptice.*
  subrepticement, adv. D'une manière subreptice.
  subreption [*rep'sion*], n. f. [Jurisp.] Action d'obtenir des faveurs grâce à un faux exposé.
  PAR. — *Suppression,* action de supprimer.
  ANT. — *Obreption.*
  *****subrogateur** [*gha*], adj. m. Se dit d'un acte comportant subrogation.
  *****subrogatif, ive,** adj. Qui opère, qui constitue une subrogation.
  subrogation [*sion*], n. f. [Jurisp.] Acte par lequel on subroge. *Subrogation de personnes, de payement.*
  PAR. — *Surérogation,* ce qu'on fait en plus de ce qu'on devrait faire.
  subrogatoire, adj. Qui a pour effet de subroger.
  PAR. — *Surérogatoire,* qui est au delà de ce qu'on doit faire.
  subroger, v. tr. [Jurisp.] Substituer, mettre à la place de quelqu'un. *Subroger en ses droits.* = Conjug. V. GRAMMAIRE.

subrogé-tuteur, n. m. [Jurisp.] Celui qui est chargé par le conseil de famille de défendre les droits du mineur quand les intérêts de celui-ci et ceux du tuteur sont opposés.
subséquemment [sub-sé-ka-man], adv. [Jurisp.] Ensuite, après.
— Obs. gram. — Ce terme doit être évité dans le langage ordinaire.
subséquent, ente [sub-sé...kan], adj. Qui suit, qui vient après. *Acte subséquent.*
subside [sub-side], n. m. Autrefois, somme versée par l'État en plus de l'impôt. ‖ Secours d'argent accordé par un État à un autre État. ‖ Tout secours d'argent.
subsidiaire [sub-si-di-è-re], adj. Qui fortifie un argument principal dans une discussion; qui est allégué à la suite des raisons déjà employées. ‖ *Question subsidiaire*, question posée à la suite d'une question principale.
subsidiairement, adv. [Jurisp.] D'une manière subsidiaire, en second lieu.
subsistance [sub-zis], n. f. Nourriture et entretien. *Moyen de subsistance.* ‖ *Mettre en subsistance dans un régiment, dans une formation.* recueillir un soldat isolé, dont le corps est éloigné, le nourrir et le solder. = N. f. pl. Productions de la terre qui font subsister. *Se procurer des subsistances.* [A. milit.] Se disait autrefois du service militaire de l'Intendance.
Syn. — *Subsistance*, tout ce qui est nécessaire à la nourriture et à l'entretien : *Le service des subsistances aux armées.* — *Alimentation*, l'ensemble des provisions nécessaires à une population, à une armée : *Pourvoir à l'alimentation d'une grande ville.* — *Entretien*, ce qui est nécessaire à la vie, nourriture, habillement, etc. : *Pourvoir à l'entretien de sa famille.* — *Nourriture*, l'ensemble de ce qui entretient la vie au moyen d'aliments : *Procurer la nourriture à tout son entourage.* — *Ravitaillement*, recherche et acquisition de tout ce qui est nécessaire à la vie : *La difficulté du ravitaillement en temps de guerre.* V. aussi aliment.
subsistant, ante, adj. et n. Qui subsiste. ‖ Qui est en subsistance.
subsister [sub-ziss], v. intr. (lat. *subsistere*, m. s.). Exister encore, continuer d'être. *Les pyramides d'Égypte subsistent depuis plus de quatre mille ans.* ‖ Demeurer en force et en vigueur; en parlant des coutumes, des lois, des traités, des objections, etc. *Cette coutume subsiste encore.* ‖ Vivre et s'entretenir. *Il ne saurait subsister avec un aussi modique traitement.*
Syn. — V. Être.
substance [sub-s-tan-se], n. f. (lat. *substantia*, m. s.). Se dit de toute sorte de matière. *Substance métallique, fluide, liquide.* — *La substance pensante*, l'âme. ‖ Absol. Ce qu'il y a de meilleur, de plus nourrissant dans une chose. *Les plantes attirent la substance de la terre.* ‖ Fig. Ce qu'il y a d'essentiel dans un discours, dans un acte, dans une affaire, etc. *La substance d'un livre, d'une lettre.* [Phil.] Ce qui subsiste par soi, indépendamment de tout accident. = En substance, loc. adv. Sommairement, en abrégé, en résumé, en gros. *Voici en substance de quoi il s'agit.*
Épithètes courantes : dure, compacte, dense, rigide, massive, grasse, visqueuse, collante, gluante, poisseuse, sèche, malléable, souple; flexible, pulvérulente, friable, cassante, polie, douce, riche, rugueuse, lourde, pesante, légère, fluide, aqueuse, chimique, etc.
Syn. — V. Matière.
substantiel, elle [stansi-el, èle], adj. (lat. *substantialis*, m. s.). Qui est nourrissant. *Une nourriture substantielle.* ‖ Fig. Plein d'idées, de renseignements, en parlant des ouvrages de l'esprit.
Syn. — V. Nutritif.
substantiellement [siè-le-man], adv. Quant à la substance. ‖ En abrégé.
substantif, ive, adj. (lat. *substantivus*, m. s.). Qui a rapport à la substance; qui exprime la substance. [Gram.] *Verbe substantif*, le verbe *être.* V. verbes. = substantif, n. m. Tout nom qui désigne un être, une chose, une idée qui est l'objet de notre pensée. *Homme, terre, chaleur, beauté*, etc., *sont des substantifs*, ou adj., *des noms substantifs.* On dit plutôt aujourd'hui *nom*.
Tolérances orthogr. — *Pluriel ou singulier des substantifs.* — Dans toutes les constructions où le sens permet de comprendre le substantif complément, aussi bien au singulier qu'au pluriel, on tolérera l'emploi de l'un ou l'autre nombre. Ex. : *des habits de femme* ou *de femmes*; des confitures de *groseille* ou de *groseilles*; des prêtres en *bonnet carré* ou en *bonnets carrés*; ils ont ôté *leur chapeau* ou *leurs chapeaux.*
Syn. — V. Nom.
substantivement, adv. En manière de substantif.
substituer, v. tr. Mettre une personne, une chose à la place d'une autre. *Substituer un mot à un autre.* [Droit] Appeler à une succession après un autre héritier ou à son défaut. = Se substituer, v. pr., se mettre à la place de. *Il se substitua à son frère.*
substitut [sub-sti-tu], n. m. Celui qui tient la place d'un autre, qui exerce les fonctions d'un autre en cas d'absence ou d'empêchement. ‖ Magistrat du parquet qui seconde ou supplée le procureur de la République, le procureur général ou les avocats généraux. V. tabl. loi et tribunal (*Idées suggérées par les mots*).
Syn. — V. Magistrat.
Hom. — *Substitue, es, ent*, du v. substituer.
*****substitutif, ive**, adj. Qui a la propriété de remplacer.
substitution [sion], n. f. (lat. *substitutio*, m. s.). Action de mettre une chose, une personne à la place d'une autre. *Une substitution d'enfant, de part.* [Math.] Remplacement, dans une formule, d'une quantité par une autre qui lui est égale, mais qui est exprimée d'une autre manière.
*****substratosphère**, n. f. Partie de l'atmosphère située au-dessous de la stratosphère (région des cirrus).
substratum [tomm'], n. m. [Phil.] Ce qui, présent derrière les phénomènes, leur sert de support.
substruction [sub-struk-sion], n. f. Construction souterraine, construction d'un édifice sous un autre. ‖ Fondements d'un édifice.
Par. — *Obstruction*, engorgement d'un conduit; entrave systématique.

* **substructure,** n. f. Structure, construction qui est en dessous, qui supporte.
subterfuge [sup-tèr-fu-je], n. m. Moyen artificieux et détourné pour se tirer d'embarras. *User de subterfuges.*
subtil, ile [sub-til], adj. (lat. *subtilis*, m. s.). Délié, fin, menu; se dit par opposition à grossier, épais. *Matière subtile.* ‖ Qui pénètre, s'insinue promptement. *Un poison subtil.* ‖ Fig. Très fin, très délicat, en parlant d'un organe des sens. *Le chien a l'odorat fort subtil.* ‖ Qui est fait avec beaucoup d'adresse. *Un tour subtil.* ‖ Fig., au sens moral : Adroit, ingénieux, pénétrant. *Esprit, argument subtil.* ‖ Difficilement intelligible par excès de finesse. *Un philosophe subtil.*
SYN. — V. DÉLIÉ.
CTR. — *Grossier, épais.*

> VOCAB. — *Famille de mots.* — *Subtil* : subtilité, subtilement, subtiliser, subtilisation.

subtilement, adv. D'une manière subtile, adroite, ingénieuse.
* **subtilisation** [sup-ti-li-za-sion], n. f. Action de subtiliser. — Son résultat.
subtiliser, v. tr. Rendre subtil. ‖ Fig. Raffiner, donner un excès de finesse. *Subtiliser la morale.* ‖ Pop. Voler, dérober adroitement. *On lui subtilisa son portemonnaie.* = V. intr. Raffiner, chercher beaucoup de finesse à propos de. = SE SUBTILISER, v. pr. Devenir plus subtil.
subtilité, n. f. Qualité de ce qui est subtil, fin, délié. ‖ Adresse, dextérité. ‖ Finesse, délicatesse des sens. ‖ Adresse, pénétration, ingéniosité. ‖ Ce qui est subtil. ‖ Finesse exagérée, ruse. ‖ Raisonnement, distinction trop subtils.
SYN. — V. HABILETÉ.
CTR. — *Lourdeur, gaucherie.*
* **subtropical, ale,** adj. Se dit des régions du globe situées entre les tropiques et le 40ᵉ degré de latitude.
subulé, ée, adj. [Hist. nat.] En forme d'alène.
suburbain, aine [su-bur-bin], adj. Qui avoisine une ville; qui en dessert les environs. *Commune suburbaine; transports suburbains.*
suburbicaire, adj. Qui est voisin de Rome.
subvenir, v. intr. Secourir, soulager (Vx). ‖ Pourvoir à. *Subvenir aux besoins.* = Conjug. (comme *tenir*). V. VERBES.
subvention [sub-van-sion], n. f. Subside pour une dépense imprévue de l'État. *Subvention de guerre.* ‖ Fonds que l'État accorde à une entreprise.
* **subventionnel, elle,** adj. Qui a le caractère d'une subvention.
subventionner [sub-van-sio-né], v. tr. Donner des fonds pour une entreprise. Ne se dit que du gouvernement. *Subventionner un théâtre.*
subversif, ive, adj. Qui renverse, qui bouleverse, qui détruit. Ne se dit qu'au fig. *Principe subversif.* ‖ Destructeur de l'état de choses établi.
subversion, n. f. Renversement, action de subvertir.
PAR. — *Submersion,* action de mettre sous l'eau.
* **subversivement,** adv. D'une façon subversive.

* **subvertir,** v. tr. Renverser, détruire. *Subvertir les lois.* (ne s'emploie qu'au fig.).
suc [suk'], n. m. (lat. *sucus*, m. s.). Liquide qu'on obtient en exprimant des matières animales ou végétales et qui en contient les éléments les plus substantiels. *Le suc de ce fruit est acide.* [Physiol.] Liquide organique qui se trouve dans le corps des animaux, dans les plantes, ou dans la terre. *Le suc gastrique.* — *Les sucs végétaux.* ‖ Fig. Ce qu'il y a de bon, de substantiel dans une chose. *Il a pris tout le suc de ce livre.*
PAR. — *Sucre,* substance de saveur douce.

> VOCAB. — *Famille de mots.* — *Suc* : succulent, succulence, succulemment; suçoir, sucer, sucette, suçon, succion, suceur, sucoter; essuyer, essuyage, essuyeur, essuie-glace, essuie-plumes, essuie-mains; sangsue.

succédané, ée [suk-sé], adj. et n. m. [Méd.] Médicament qu'on peut substituer à un autre. ‖ Substance quelconque, analogue à une autre et pouvant la remplacer dans ses utilisations. *Succédané du café.*
succéder [suk'-sé], v. intr. (lat. *succedere*, marcher à la suite). Venir après, prendre la place de. *La nuit succède au jour.* ‖ *Succéder à quelqu'un,* posséder après lui une charge, un emploi, une dignité, etc. *Louis XIV a succédé à Louis XIII.* [Droit] Recueillir l'héritage d'une personne par droit de parenté. — *Être habile à succéder,* avoir capacité légale pour recueillir une succession. = SE SUCCÉDER, v. pr. Venir l'un après l'autre. *Les générations se succèdent sans interruption.* = Conjug. V. GRAMMAIRE.
CTR. — *Précéder, devancer.*
— OBS. GRAM. — Bien observer que *succéder* est intr. et que par conséquent le p. p. du verbe à la forme pronominale (non réfléchie) reste toujours invariable. *Les éditions de cet ouvrage qui se sont succédé.*
* **succenturié,** adj. m. [Zool.] *Ventricule succenturié,* renflement du tube digestif des oiseaux, contenant les glandes gastriques.
succès [suk-sè], n. m. Issue bonne ou mauvaise dans une affaire, dans une entreprise. ‖ Absol. En bonne part. Issue heureuse. *Le succès l'enhardit.* ‖ Avantage estimable mais non durable. ‖ *Pièce, ouvrage à succès,* destinés à une vogue immédiate mais de peu de durée.
— *Sur d'éclatants succès ma puissance établie,*
A fait jusqu'aux deux mers respecter Athalie. (RACINE.)
ÉPITHÈTES COURANTES : grand, noble, légitime, mérité, brillant, incontestable, éclatant, prolongé, durable; beau, médiocre, mauvais, contestable, douteux, immérité, passager, éphémère; d'estime; remporté, gagné, obtenu, préparé, jalousé, envié; malheureux, etc.
SYN. — V. RÉUSSITE.
ANT. — *Échec, revers, défaite, insuccès.*
successeur [suk-sé-seur], n. m. Celui qui succède à un autre sur le trône, dans un emploi, etc. (sans fém. correspondant).
SYN. — *Successeur,* souverain ou chef d'État qui vient de fait, aussitôt après un autre : *Louis XVIII fut le successeur de*

SUCCESSIBILITÉ — SUCRE

Napoléon Ier. — *Héritier*, celui qui succède à un autre par droit d'héritage : *Louis XIV fut l'héritier de Louis XIII.* — *Remplaçant*, celui qui prend la place, la succession d'un autre : *Le gouverneur, admis à la retraite, attend son remplaçant.*
Ant. — *Prédécesseur.*

successibilité [*suk-sé-si-bi-*...], n. f. Droit de succéder. — Ordre dans lequel se fait la succession.

successible [*suk-sé-si-ble*], adj. Habile ou qui rend habile à succéder. *Degré successible.*

successif, ive [*suk-sé-sif*], adj. Qui se succède sans interruption. *Progrès successif.* ‖ Se dit aussi de choses qui arrivent à peu d'intervalle.
Ctr. — *Simultané.*

succession [*suk'-sé-sion*], n. f. (lat. *successio*, m. s.). Suite, série de personnes ou de choses qui viennent les unes après les autres sans interruption, ou à peu d'intervalle l'une de l'autre. *Une succession de rois, de sons.* ‖ Transmission par voie légale des biens et des droits d'une personne morte à une autre qui lui survit. *Succession directe, collatérale.* ‖ Les biens, les droits ainsi transmis. *Le partage d'une succession.*
ÉPITHÈTES COURANTES : ininterrompue, longue, interminable; familiale, paternelle, maternelle, collatérale; laissée, recueillie, obtenue, demandée, refusée, contestée, etc.
Syn. — V. SUITE et HÉRITAGE.

successivement, adv. L'un après l'autre.
INCORR. — Dans la phrase : *Talleyrand se rallia successivement à Napoléon, puis à Louis XVIII, successivement* et *puis* constituent un pléonasme à éviter. Il suffit de dire : *Talleyrand se rallia successivement à Napoléon et à Louis XVIII.*

successoral, ale [*suk-sé-so*], adj. Qui a rapport aux successions. *Loi successorale.*

succin [*suk-sin*], n. m. Ambre jaune résine fossile très dure.

succinct, incte [*suk-sin, in-te*], adj. Bref, court, concis, en peu de mots. *Discours succinct.* ‖ Se dit aussi des personnes. *Cet homme est succinct dans ses réponses.*
Syn. — V. BREF.
Ctr. — *Long, prolixe, verbeux, détaillé.*

succinctement [*suk-sin-te-man*], adv. En peu de mots.

succion [*su-sion*], n. f. Action de sucer, d'aspirer avec la bouche ou avec certains engins.

succomber [*suk-kon-bé*], v. intr. Être accablé, fléchir sous un fardeau que l'on porte. *Succomber sous le poids.* — Fig. *Succomber sous le poids des soucis.* ‖ Se laisser vaincre par, céder à. *Succomber à la tentation.* ‖ Absol. Mourir, périr. *Le malade a succombé.*
OBS. GRAM. — *Succomber à* indique l'idée que l'on ne peut continuer à lutter, à résister : *succomber à la fatigue, à la tentation.* — *Succomber sous* marque l'accablement sous le poids d'un fardeau : *le cheval a succombé sous la charge.*

succube [*su-ku*], adj. et n.m. Démon qui prendrait la forme d'une femme pour avoir commerce avec un homme pendant son sommeil.
Ant. — *Incube.*

* **succulemment**, adv. D'une manière succulente.

* **succulence** [*su-ku-lan-se*], n. f. Qualité de ce qui est succulent.

succulent, ente [*su-ku-lan*], adj. Fort nourrissant et savoureux. *Bouillon succulent.* ‖ Fig. Savoureux, qui plaît au goût.
Syn. — V. SAVOUREUX.
Ctr. — *Répugnant.*
Par. — *Truculent, ente*, brutal et sauvage.

succursale [*su-kur-sa-le*], n. f. (lat. *succursum*, super; de *succurro*, je secours). Établissement subordonné à un autre et qui concourt au même objet. *Succursale de la Banque de France.* ‖ Se dit d'une église qui supplée à l'insuffisance d'une église paroissiale.

succursaliste, n. m. Desservant d'une succursale.

* **succussion**, n. f. [Méd. anc.] Mode d'exploration consistant à secouer le malade.

sucement, n. m. Action de sucer.

sucer, v. tr. Attirer dans sa bouche à l'aide d'une forte aspiration. ‖ Fig. *Sucer avec le lait une doctrine*, en être de bonne heure imbu. ‖ Fig. et fam. Tirer peu à peu de bien, l'argent d'une personne. = Conjug. V. GRAMMAIRE.
ORTH. — *Sucer* ne prend qu'*un c*, mais *succion* en prend deux.

* **sucette**, n. f. Bonbon prolongé par une petite tige de bois, permettant de le sucer sans se poisser les doigts.

suceur, euse, adj. et n. Qui suce. *Les insectes suceurs.* ‖ Pop. Qui aime à embrasser. = N. f. [Mar.] Drague puissante qui aspire la vase ou le sable.

suçoir, n. m. Bouche de certains poissons, de certains insectes, etc., conformée pour la succion. [Bot.] Organe des plantes parasites qui suce la sève des autres plantes.

* **suçon**, n. m. Élevure qu'on fait à la peau en la suçant fortement. (Pop.).
Hom. — *Suçons* (nous), du v. sucer.

suçoter, v. tr. Sucer par petits coups, à plusieurs reprises (Fam.).

sucrage, n. m. Action de sucrer.

* **sucrase**, n. f. [Chim.] Diastase qui produit l'inversion du saccharose en glucose et lévulose.

* **sucratage**, n. m. Traitement des mélasses pour en extraire le sucre.

* **sucraterie**, n. f. Établissement où l'on fait le sucratage.

sucre, n. m. (ital. *zucchero*, m. s., tiré de l'arabe). Substance d'une saveur douce, qu'on tire de certains végétaux. *Sucre de canne, de betterave.* ‖ *Sucre candi*, sucre cristallisé. ‖ *Sucre d'orge*, sucre roulé en bâtons. ‖ *Pain de sucre*, masse conique obtenue par moulage du sucre. ‖ Fig. *Être tout sucre et tout miel*, être fort doucereux.
ÉPITHÈTES COURANTES : brut, raffiné, candi, cristallisé, blanc, roux; en pains, en morceaux, en poudre, glacé, fondu, brûlé, caramélisé, aromatisé, etc.
Par. — *Suc*, liquide organique; ce qu'il y a de nourrissant dans une chose.
Ant. — *Sel.*

VOCAB. — *Famille de mots.* — *Sucre* [rad. *suc, sacch*] : sucré, sucrage, sucrase, sucratage, sucraterie, sucrer, sucrier, sucrerie, sucre d'orge, sucrin, saccharine, sacchareux, saccharifère, saccharifiable, saccharin, saccharose, saccharate, saccharification, saccharifier, saccharoïde, saccharol, saccharolé, saccharure, saccharimètre, saccharimétrie.

sucré, ée, adj. (pp. du v. *sucrer*). Additionné de sucre, ou qui contient naturellement du sucre. *Un verre d'eau sucrée.* ‖ Se dit des fruits, des légumes, etc., qui ont la saveur du sucre. *Ces poires sont très sucrées.* ‖ Doucereux. *Un langage sucré.* ‖ D'une pruderie affectée. *Un air sucré.* N. f. = *Cette femme fait la sucrée.* CTR. — *Aigre, acide, salé.*

sucrer, v. tr. Mettre du sucre dans quelque chose pour l'adoucir. *Sucrer son café.* ‖ Fig. Adoucir. *Sucrer un peu ses critiques.*
INCORR. — Ne dites pas : *sucrez-vous,* pour dire : *prenez du sucre.*

sucrerie, n. f. Lieu destiné à faire du sucre. ‖ Le lieu où on le raffine. On dit mieux *raffinerie*. — Au pl. Choses où il entre beaucoup de sucre, comme bonbons, confitures, etc.

1. sucrier, ière, adj. Relatif à la fabrication du sucre. = N. m. Qui dirige une fabrique de sucre. — Ouvrier d'une sucrerie.

2. sucrier, n. m. Pièce de vaisselle où l'on met du sucre. *Sucrier d'argent, de porcelaine.*

sucrin, adj. et n. m. Variété de melon extrêmement sucré.

sud [*sud'*], n. m. (anc. saxon *sûd*). L'un des quatre points cardinaux, opposé au nord. Partie de l'horizon qui semble se trouver au-dessous du soleil à midi, dans nos climats. *Orléans est au sud de Paris. Le vent du sud. L'Amérique du Sud.* = *Le Sud* (avec majusc.), les contrées situées au sud du globe terrestre. ‖ Partie d'un pays, d'un continent qui est au sud par rapport à un point d'origine. *Le sud de la France.* = Adj. *Le vent est sud,* il vient du sud. — *Le pôle sud,* le pôle austral ou antarctique. = SUD-EST, SUD-OUEST, n. m. Partie de l'horizon qui est entre le sud et l'est, entre le sud et l'ouest. *Grenoble est au sud-est, Bordeaux au sud-ouest de Paris.* — Partie d'un pays, d'un continent s'étendant vers le sud-est, vers le sud-ouest. *Le sud-ouest de la France.* ‖ Absol. Vent qui souffle de l'un de ces points de l'horizon. — On dit aussi adject. *Le vent est sud-est, sud-ouest.* V. tabl. POSITION (*Idées suggérées par le mot*).
ANT. — *Nord.*

sudation [*sion*], n. f. Production, naturelle ou provoquée, de la sueur au niveau de la peau.
PAR. — *Sédation,* effet produit par les sédatifs ; — *sédition,* révolte.

* **sudatoire,** adj. [Méd.] Accompagné de sueur.

sud-est, n. m. V. SUD.

* **sudorifère,** adj. [Anat.] Qui conduit la sueur. *Vaisseaux sudorifères.*

sudorifique, adj. Qui provoque la sueur. = N. m. Médicament qui augmente la transpiration cutanée.

sudoripare, adj. Qui sécrète la sueur. *Glandes sudoripares.*

sud-ouest, n. m. V. SUD.

* **sud-sud-est,** n. m., * **sud-sud-ouest,** n. m. Aires de vent situées entre le sud et le sud-est ou le sud et le sud-ouest. — Vent qui souffle dans cette direction.

* **suédois, oise,** adj. et n. Qui a rapport à la Suède. Qui l'habite ou en est originaire. = N. m. La langue parlée en Suède. ‖ *Gymnastique suédoise,* méthode d'éducation physique fondée sur la répétition quotidienne de mouvements qui font travailler judicieusement tous les muscles du corps.

suée, n. f. Action de suer; transpiration abondante. ‖ Inquiétude subite et mêlée de crainte. *Il eut une rude suée* (Pop.).
HOM. — *Suer,* exhaler de la sueur.

suer [*su-è*], v. intr. (lat. *sudare,* m. s.). Exhaler de la sueur par les pores de la peau. *Il suait à grosses gouttes.* ‖ Fig. et pop., on dit : *Il me fait suer ; cela fait suer,* pour dire que quelqu'un ou quelque chose provoque l'impatience, l'ennui. ‖ Fig. Travailler beaucoup, se donner beaucoup de peine pour venir à bout d'une chose. *J'ai bien sué sur cet ouvrage.* ‖ Par ext., en parlant de l'humidité. Sortir de certaines choses ou s'attacher à leur surface. *Les murailles suent pendant le dégel.*
SUER, v. tr. Exhaler par les pores. *Suer du sang,* rendre du sang par les pores. ‖ Fig. et fam. *Suer sang et eau,* faire de grands efforts pour quelque chose. — *Suer l'ennui, la peur,* etc., exhaler l'ennui, la peur, etc., de toute sa personne (en mauvaise part). Conjug. V. GRAMMAIRE.
HOM. — *Suée,* état de celui qui est en sueur.

VOCAB. — *Famille de mots.* — *Suer* [rad. *su, sud, suin*] : suée, suage, suant, sueur, suette, suaire, suinter, suintement, suintant suint ; ressuer, ressuage, sudation, sudatoire, sudorifère, sudorifique, sudoripare.

suette [*suèt-te*], n. f. [Méd.] Maladie épidémique et contagieuse, caractérisée par des sueurs abondantes et une éruption miliaire.

sueur, n. f. (lat. *sudor,* m. s.). Le liquide de la transpiration cutanée lorsqu'il se rassemble en gouttelettes à la surface de la peau. ‖ *Sueur froide,* sueur accompagnée de frissons et d'une vive sensation de froid. ‖ Sécrétion de la sueur. ‖ Loc. *Gagner son pain à la sueur de son front,* à force de travail et de peine. ‖ Au plur. Peine qu'on s'est donnée pour réussir. *Voici le fruit de mes sueurs.* ‖ Fam. *S'engraisser de la sueur des autres,* s'enrichir en faisant durement travailler les autres.

suf, suff...

ORTH. — *Initiales.* — L'initiale *suff* s'écrit toujours avec deux *f* : suffète, suffire, suffixe, suffocation, suffragant, suffrage, etc.

suffète, n. m. [Hist. anc.] Nom des deux principaux magistrats de la République de Carthage.

suffire, v. intr. (lat. *sufficere,* m. s.). Pouvoir fournir, satisfaire à quelque chose. *Ne pouvoir suffire à une besogne.* ‖ Être en quantité satisfaisante. *Cette somme suffit à nos besoins.* Prov. *A chaque jour suffit sa peine.* = V. imp. *Il suffit,* c'est assez. *Il suffit que vous le demandiez.* = SE SUFFIRE, v. pr. n'avoir pas besoin de l'assistance des autres. *Il se suffit à lui-même.* = Conjug. (comme *confire*). V. VERBES; mais noter que le pp. est *suffi,* invariable.
GRAM. — La loc. impersonnelle *il me suffit* est construite avec l'indicatif si elle constate un fait actuel : *il me suffit que vous l'aimez,* avec le subjonctif si elle exprime un désir : *il me suffit que vous l'aimiez un jour.*

SUFFISAMMENT — SUINT

suffisamment, adv. D'une manière suffisante. *Il a du bien suffisamment pour vivre.*
Syn. — V. assez.
Ctr. — *Trop.*

suffisance [*su-fi-zan-ce*], n. f. Ce qui suffit, ce qui est assez. *Avoir suffisance de blé.* ‖ Caractère de ce qui est suffisant. ‖ Vanité sotte et insolente, présomption ridicule. *Plein de suffisance.* = À suffisance, en suffisance, loc. adv. et fam. En quantité suffisante, assez.
Syn. — V. orgueil.
Ant. — *Insuffisance. — Humilité.*

suffisant, ante [*su-fi-zan*], adj. Qui suffit. *Cette somme est suffisante.* [Phil.] *Principe de raison suffisante :* tout effet suppose une cause qui peut en rendre raison. ‖ Vain, présomptueux. *Je la trouve bien suffisante.* = Nom. *C'est un suffisant, une suffisante.*
Syn. — V. avantageux.
Ctr. — *Insuffisant.*

suffixe [*suf-fik-se*], n. m. (lat. *suffixus*, m. s., de *sub*, sous, et *fixus*, placé). Terminaison des mots, ne faisant pas partie du radical et modifiant sa valeur en ajoutant une signification particulière à celle du radical lui-même : telles sont par ex., les terminaisons *ment* et *ure* dans les mots *déchirement* et *déchirure ;* les terminaisons *ence* et *ion*, dans *apparence* et *apparition*. V. tabl. suffixes.
Ant. — *Préfixe.*

suffocant, ante [*su-fo-kan*], adj. Qui suffoque, qui gêne ou fait perdre la respiration. *Chaleur suffocante.*

suffocation [*su-fo-ka-sion*], n. f. Étouffement, perte de respiration ou grande difficulté de respirer.

suffoquer [*su-fo-ké*], v. tr. Étouffer, faire perdre la respiration. *La douleur le suffoquait.* = V. intr. Perdre la respiration. *Il est près de suffoquer.* ‖ Éprouver une émotion violente. — *Suffoquer de colère, d'indignation*, être animé d'une vive colère, d'une grande indignation que l'on renferme avec un effort au dedans de soi.
Syn. — (pour *suffoqué*). V. surpris.

suffragant [*ghan*], adj. et n. m. Se dit d'un évêque par rapport à l'archevêque dont il dépend. ‖ Fig. Remplaçant.
Ant. — *Métropolitain.*

suffrage [*a-je*], n. m. (lat. *suffragium*, m. s.). Avis que l'on donne dans une élection, dans une délibération; déclaration qu'on fait de son sentiment, de sa volonté. *Recueillir les suffrages. — Le suffrage universel*, le régime des élections où tous les citoyens sont électeurs. — *Le suffrage restreint*, le régime des élections où tous les citoyens ne sont pas électeurs. ‖ Approbation. *Cette pièce a mérité tous les suffrages.*
Épithètes courantes : universel, restreint, à plusieurs degrés; apporté, demandé, recueilli, refusé, donné, vendu, faussé, etc.
Syn. — V. approbation.

*** suffragette,** n. f. Femme anglaise qui réclamait le droit de suffrage pour les femmes.

*** suffrutescent, ente** [*su-fru-tes-san, ante*], adj. [Bot.] Se dit des plantes qui ont la nature ou le port des sous-arbrisseaux.

suffusion [*suf-fu-zion*], n. f. [Méd.] Épanchement d'un liquide sous la peau.
Par. — *Surfusion*, état d'un corps qui reste liquide au-dessous de sa température de fusion.

suggérer [*sugh-jé-ré*], v. tr. Insinuer, faire entrer dans l'esprit, inspirer à une personne quelque chose. Conseiller. *Suggérer une idée, un projet.* = Conjug. V. grammaire.
Syn. — V. insinuer.

*** suggestibilité,** n. f. Nature des individus qui peuvent facilement être suggestionnés.

suggestif, ive [*sugh-jes-tif*], adj. Qui a le pouvoir de suggérer, qui fait penser. *Lecture suggestive.* — Partic. qui suggère des pensées érotiques.

suggestion [*sug-jesstion*], n. f. (lat. *suggestio*, m. s.). Action de suggérer, et le résultat de cette action. *Dangereuse suggestion.* ‖ Ordre donné par le magnétiseur à une personne en état de somnanbulisme et qui est exécuté par celle-ci à son réveil et à l'heure dite sans qu'elle ait le souvenir et la conscience de l'ordre reçu. La suggestion qu'on se fait à soi-même s'appelle *auto-suggestion*.
Par. — *Sujétion*, dépendance, assujettissement, servitude.

suggestionner [*sugh-jès-ti-o*], v. tr. Provoquer la suggestion chez quelqu'un.
Syn. — V. insinuer.

suicide, n. m. (lat. *sui*, de soi; *caedes*, meurtre). Action de celui qui se tue lui-même. ‖ Fig. *Le suicide de l'intelligence.*

suicidé, ée, n. Personne qui s'est volontairement donné la mort.

suicider (se), v. pr. Se tuer soi-même. *Elle s'est suicidée.* ‖ Fig. *Ce parti s'est suicidé par ce refus.*
Obs. gram. — Le verbe *se suicider*, quoique fort employé, surtout depuis le XIXe s., n'est pas logique. En effet, *suicide* signifie *meurtre de soi ;* l'expression *se suicider* signifie donc littéralement *se tuer soi*, ce qui n'a point de sens raisonnable. — Dire : *il s'est suicidé lui-même* est ainsi un double pléonasme, car *se suicider* constitue déjà un pléonasme étymologique.

suidés, n. m. pl. (lat. *sus, suis*, cochon). [Zool.] Famille de mammifères pachydermes dont le porc est le type. V. pl. mammifères.

suie, n. f. Matière noire, floconneuse ou pulvérulente, grasse au toucher, que la fumée dépose en croûtes luisantes sur les parois des conduits de cheminées.
Hom. — *Suie*, n. f. matière noire que la fumée dépose sur les parois des cheminées ; — *suis* (je), du v. être; — *suis, suit*, du v. suivre.

suif, n. m. (lat. *sebum*, m. s.). Graisse consistante provenant des animaux ruminants et qui a été fondue. [Bot.] *Arbre à suif*, arbre de Chine distillant une matière graisseuse. ‖ Pop. Réprimande. *Donner, recevoir un suif.*
Hom. — *Suiffe, es, ent*, du v. suiffer.
suiffer, v. tr. Enduire de suif.

sui generis (mots lat. qui sign. *de son genre*), loc. adjective. Particulier, spécial. *Odeur sui generis*, odeur spéciale, particulière, qui ne rappelle aucune autre.

suint [*su-în*], n. m. Matière grasse, liquide, que sécrètent les bêtes à laine et

SUITE, n. f. à sens collectif.

Étymologie. — Du bas latin *sequita*, nom verbal, tiré du verbe *sequor*, je suis (cf. suivre).
SYN. — *Suite*, série de choses ayant un caractère commun : *Une suite de jours de pluie.* — *Série*, groupe de choses, d'événements venant les uns après les autres : *Il est arrivé une fâcheuse série d'accidents.* — *Succession*, faits venant les uns après les autres, sans interruption : *Apprendre la succession des rois de France.* V. aussi RANG.
ANT. — *Discontinuité, interruption.*

SUITE, n. f. Divers sens.

Action de suivre.
Ceux qui suivent, ceux qui vont après. *On laissa passer les dix premiers et l'on arrêta toute la suite.* — Ceux qui accompagnent quelqu'un, qui sont après, autour de lui pour lui faire honneur. *Ce prince va toujours sans suite et sans escorte.*
Ce qui suit, ce qui est après ce qui est arrivé ou arrivera après. *Voyons la suite. Attendons la suite. Marcher à la suite de quelqu'un.* — Continuation ; ce qui est ajouté à un ouvrage pour le compléter, le terminer. *La Suite du Menteur*, de Corneille. *Suite et fin. La suite au prochain numéro* : indique pour un roman, un article publié par fractions dans un journal, une revue, que le lecteur trouvera la continuation du récit ou de l'article dans le numéro ou le fascicule suivant du même journal ou de la même revue. [Commerce] *Prendre la suite d'une affaire*, succéder à quelqu'un dans la conduite d'une affaire.
Série, succession ; se dit des personnes et des choses. *Une longue suite d'aïeux. Cette campagne a été une suite de victoires. La suite des temps*, la succession des siècles.
Réunion d'un certain nombre de choses de même espèce que l'on range selon l'ordre des temps ou des matières. *Une belle suite de médailles, d'estampes.* Tirage à part des gravures d'un ouvrage de luxe.
En parlant des événements, se dit surtout pour marquer leur enchaînement, leur dépendance ; résultat, conséquence. *Il est mort des suites de sa chute. Les suites d'un procès. Cet incident n'a pas eu de suites.*
Fig. Ordre, liaison. *Il n'y a point de suite dans ce discours.* — *Cet homme n'a pas de suite dans l'esprit, n'a pas l'esprit de suite*, il n'est pas capable d'une attention continue, de persévérance. — *Sens techniques*. [Mus.] Composition musicale se développant en plusieurs morceaux de caractère différent. [Droit] *N'avoir point de suite*, n'avoir ni enfants, ni proches parents. — *Droit de suite*, droit appartenant au créancier privilégié ou hypothécaire, de conserver sa garantie, même lorsque l'objet grevé n'est plus entre les mains du débiteur. [Math.] *Une série est une suite de nombres qui se succèdent suivant une certaine loi.*

LOCUTIONS FORMÉES AVEC LE MOT **SUITE**.

À LA SUITE DE, loc. prép. Après. *Entrer, marcher à la suite de quelqu'un*, entrer après lui. *Être à la suite d'un ambassadeur*, l'accompagner, être de son cortège. — Loc. adv. [A.milit.] *Officier, etc. à la suite*, officier qui n'a pas de commandement fixe dans un corps de troupe auquel il est affecté.
DANS LA SUITE, PAR LA SUITE, loc. Plus tard, dans un temps qui vient plus tard. *Il devint par la suite un ouvrier laborieux.*
PAR SUITE, loc. adv. Conséquemment. *Il est malade, et, par suite, ne pourra venir.* — PAR SUITE DE, loc. prép. Par une conséquence naturelle, par un résultat nécessaire. *Par suite de nos conventions, vous devez... Par suite des pluies la rivière se trouve grossie.*
À LA SUITE DE, loc. prép. Après, en succession à ; comme conséquence de. *L'imprudence à la suite de laquelle il fut malade.*
DE SUITE, loc. adv. L'un après l'autre, sans interruption. *Il ne saurait dire deux mots de suite. Il a marché deux jours de suite.*
TOUT DE SUITE, loc. adv. Sur-le-champ, sans délai. *Il faut que les enfants obéissent tout de suite.*
INCORR. — C'est une incorrection de dire : *Venez de suite.* Il faut dire : *Venez tout de suite, De suite* marque l'ordre, la succession, comme dans la phrase : *J'ai écrit quatre lettres de suite.* c.-à-d. à la suite l'une de l'autre. *Tout de suite* signifie séance tenante, immédiatement.

---

qui imprègne leurs poils. ‖ Écume qui surnage sur le verre en fusion.
suintant, ante, adj. Qui suinte.
suintement, n. m. Action de suinter.
suinter, v. intr. Se dit d'un liquide, d'une humeur qui sort, qui s'écoule presque imperceptiblement. ‖ Se dit aussi du vase, du lieu d'où coule le liquide, l'humeur. *Ce tonneau suinte.*
SYN. — V. COULER.
suisse, sesse, adj. et n. (L'adj. féminin est *suisse*; le nom féminin est *Suissesse*). Qui habite la Suisse, qui en provient ou qui lui appartient. = SUISSE, n. m. Domestique à qui est confiée la garde de la porte d'une maison, parce qu'autrefois ce domestique était pris ordinairement parmi les Suisses. ‖ *Le suisse d'une église*, celui qui, vêtu d'un uniforme spécial, coiffé d'un bicorne, armé de la hallebarde et de l'épée, est chargé de la garde d'une église et qui précède le clergé dans les processions, etc. ‖ Soldat de la garde personnelle des rois de France du XVIe s. à la Révolution. — *Gardes suisses*, soldats de la garde du pape. ‖ *Suisse* ou *petit suisse*, sorte de petit fromage blanc double crème. [Argot pop.] *Faire suisse*, boire seul, sans inviter ses amis.
suite, n. f. V. tabl. SUITE.
suité, ée, adj. Qui a une suite. — *Jument suitée*, qui a un poulain.
suites, n. f. pl. (corrupt. de *luites*). [Chasse] Testicules du sanglier.
1. **suivant, ante,** adj. Qui est après, qui va après. *Le jour suivant.* = Nom. Celui, celle qui accompagne, qui escorte une personne. *Elle a de nombreux suivants.* = N. f. *Suivante*, fille attachée au service d'une dame. — Au théâtre, confidente, soubrette.
2. **suivant,** prép. En suivant, en direction de. *Se déplacer suivant telle ou telle ligne.* ‖ Selon, conformément à. *Suivant votre sentiment.* — *Suivant Descartes*, selon l'opinion de Descartes. ‖ A proportion, en raison de, d'après. *Se comporter suivant les circonstances.* = SUIVANT QUE, loc. conj. Selon que. *Je le récompenserai suivant qu'il m'aura servi* (Vieilli).
* **suiver,** v. tr. Enduire de suif. *Suiver un mât de cocagne* (Vx. On dit mieux *suiffer*).
* **suiveur,** n. m. Celui qui suit.

SUF-
servant à former des mots

a) SUFFIXES SERVANT À FORMER DES NOMS

SUFFIXE ET GENRE	SENS	EXEMPLES
ade, f.	un ensemble / l'action	barricade, colonnade. / bravade, escalade, ruade.
age, m.	un ensemble / l'action	feuillage, herbage, plumage, village. / balayage, héritage, voyage.
aie, f.	un lieu planté	châtaigneraie, chênaie.
ail, aille	l'objet / le lieu	épouvantail, éventail, cisaille. / bercail, foirail.
aille, f.	un ensemble (péjor.)	canaille, valetaille.
ain, aine	marque un rapport / un ensemble	châtelain, parrain, marraine. / terrain, quatrain, dizaine.
aire	la profession / l'instrument / la réunion	antiquaire. / luminaire. / bestiaire.
aison, f.	l'action, le résultat de l'action	fenaison, livraison, pendaison.
ance, ence, f.	le résultat de l'action / l'état	appartenance, naissance. / existence, présidence.
ard, m.	l'état (péjor.)	bagnard, lignard.
as, m. / asse, ace, f.	sens péjoratif	fatras, plâtras. / filasse, paperasse.
at, m.	état, profession, institution	externat, professorat, orphelinat, patriarcat.
ateur, m.	agent / l'objet, l'instrument	dessinateur. / accumulateur, obturateur.
ation, ition, tion, f.	action, ou le résultat de l'action	augmentation, insolation.
âtre, m.	la qualité (péjor.)	bellâtre.
ature, f.	l'action, ou le résultat de l'action, l'état	ligature, signature. / dictature, magistrature.
aud, m.	la qualité	faraud, maraud.
é, m.	la dignité	comté, évêché.
eau, elle	diminutif	jambonneau, prunelle.
ée, f.	la contenance / l'action	assiettée, charretée, pelletée. / arrivée.
ement (ment), m.	l'action, le résultat	abaissement, dénuement, enterrement.
er, ier, m.	noms d'arbres / l'objet qui contient / la profession	pêcher, poirier, pommier. / bénitier, encrier ; théière. / boucher, charcutier, épicier.
eraie, V. AIE		
ère, ière, f.		
erie, f.	la qualité / le lieu	canaillerie, gaminerie, fourberie. / crémerie, distillerie.
esse, f.	la qualité / titre, dignité	aînesse, faiblesse, rudesse. / comtesse, princesse, prêtresse.
et, ette	diminutif	bâtonnet, clochette, jardinet.
eté, ité, té, f.	l'état	ancienneté, fermeté, pauvreté.
eur, euse	l'être, l'objet qui fait l'action / la qualité	coureur, livreur, rôdeur. / balayeuse, semeuse, tondeuse. / blancheur.
ice,	la qualité	avarice.
ie, f.	la qualité, le lieu	bonhomie, mairie.
ier, ière	V. ER, ÈRE	
ien, ienne	la qualité, l'origine, la profession	citoyen, païen, parisien, pharmacien, tacticien.
il, m.	le lieu	chenil, fournil.
ille, f.		faucille, mantille, résille.
illon, m.	diminutif	carpillon, moinillon, oisillon.
in, m.		casaquin, fortin, oursin.
ine, f.	le produit, le résultat / origine, diminutif	caféine, famine, vermine. / lustrine, percaline.
iole, f.	diminutif	bestiole, carriole, gloriole.
is, m.	résultat de l'action	gâchis, hachis.
ise, f.	la qualité	bêtise, gourmandise, traîtrise.
isme, m.	l'état, surtout pathologique; doctrine	alcoolisme, égoïsme, arthritisme, paludisme. / socialisme, panthéisme.
ison, f.	l'action, l'état	guérison, trahison.
iste, m.	être, ayant tel état, tel sentiment / la profession	égoïste, pessimiste, socialiste. / dentiste, fumiste.
ité, f.	l'état, la qualité	activité, fidélité, suavité.

(1) Ne figurent pas ici les suffixes de la nomenclature scientifique (chimique -*ate*, -*ite*,

FIXES

français par dérivation

SUFFIXE ET GENRE	SENS	EXEMPLES
ite, f.	l'action, son résultat, maladie	commandite, réussite, entérite, gastrite, phlébite.
itude, f.	la qualité, l'état	béatitude, exactitude.
oir, m.	l'objet, l'instrument	arrosoir, grattoir,
oire, f.		baignoire, balançoire.
oir, oire, m.	l'endroit où se passe l'action	parloir, dortoir, observatoire, réfectoire.
on, onne	diminutif	aiglon, chaton, ourson.
ose, f.	état, souvent pathol.	chlorose, hypnose, tuberculose.
ot, otte,	diminutif	chariot, menotte.
ule, cule,	diminutif	globule, granule, molécule.
	la qualité	doublure, droiture.
ure, f.	l'ensemble	mixture, friture, épluchure.
	résultat de l'action	blessure.

b) SUFFIXES SERVANT À FORMER DES ADJECTIFS

able	marquant la possi-	aimable, blâmable, enviable.
ible	bilité, la qualité	accessible, nuisible, risible.
uble		soluble.
ain, aine		africain, romain.
ais, aise		français, lyonnais.
an, ane	originaire de,	mahométan, persan.
esque		barbaresque, mauresque.
ien, ienne	provenant de	faubourien, parisien, prussien.
in, ine		alpin, bisontin.
ique		arabique, persique.
ois, oise		bourgeois, champenois, chinois.
ain		mondain.
aire		planétaire.
al, ale		brutal, matinal, royal.
aque		élégiaque, maniaque.
é, ée		ailé, borné, étoilé.
el, elle		corporel, mortel.
er, ère		ménager, mensonger.
este, estre, être	qui se rapporte à,	céleste, équestre, champêtre.
eux	qui a tel caractère,	honteux, peureux.
ien	telle qualité	aérien
ier, ière		coutumier, dernier, princier,
if, ive		actif, impulsif, passif.
il, ile		puéril, subtil.
ique		chimique, physique, tonique.
iste		égoïste, extrémiste.
u, ue		barbu, feuillu, pansu.
esque		chevaleresque, grotesque.
et, ette		joliet, propret.
elet, elette	diminutif	aigrelet, maigrelet, rondelet.
in, ine		blondin.
ot, ote, otte		maigriot, pâlot, vieillot.
ard, arde		blafard, criard, pleurard.
asse	péjoratif	bêtasse, fadasse.
âtre		blanchâtre, douceâtre, olivâtre.
aud, aude		courtaud, lourdaud, rougeaud.

c) SUFFIXES DE VERBES

er		pleurer, rêver, téléphoner.
ier, yer	l'action	plier, noyer, télégraphier.
eler		craqueler, morceler.
fier		codifier, notifier.
ir	l'action de faire,	grandir, finir, rougir.
iser	de rendre	égaliser, ridiculiser.
ailler		ferrailler, tirailler.
eter		marqueter, voleter.
iger		corriger, voltiger.
iller		mordiller, sautiller.
ner	sens fréquentatif et	trottiner.
ocher	diminutif	flânocher.
onner		mâchonner, grisonner.
oter		toussoter, vivoter.
oyer		larmoyer, tournoyer.
ailler		criailler, toussailler.
asser	sens péjoratif	finasser, rêvasser.

d) SUFFIXES D'ADVERBES :

ment	la manière	noblement, patiemment.

-ose, -eux, -ique, etc.).

suivi, ie, adj. Fréquenté. *Un cours très suivi.* Continu, sans interruption. *Un travail suivi. Des relations suivies.* ‖ Dont les parties ont l'ordre et la liaison nécessaires. *Cours suivi de chimie appliquée.*

CTR. — *Saccadé, interrompu.*

suivre, v. tr. (lat. *sequi*, m. s.). Aller, marcher après un autre. *Suivre pas à pas.* — *Suivre de l'œil, des yeux,* regarder une personne ou une chose qui s'éloigne. — Prov. *Qui m'aime me suive,* que celui qui a de l'amitié pour moi fasse ce que je ferai, qu'il m'imite, ou qu'il prenne mon parti. ‖ Aller aussi vite que. *Il marche si vite qu'on a peine à le suivre.* — Accompagner, aller avec. *Je l'ai suivi dans tous ses voyages.* — Faire escorte.

Être, venir après, par rapport au temps, au lieu, à la situation, au rang, etc. *L'été suit le printemps.* — Fig. En parlant des choses, être la conséquence d'une autre. *L'envie suit la prospérité.* ‖ Venir à la suite. *Une lettre suit.* ‖ Aller, courir après pour atteindre, pour prendre. *Suivre un lièvre.* ‖ Surveiller, examiner, épier, observer. *Suivre la marche d'une maladie.* ‖ Aller, continuer d'aller dans une direction tracée, ou en prenant quelque objet pour direction. *Suivre un sentier.* [Imprim.] *En suivant, à suivre,* sans faire d'alinéa. ‖ Fig. *Suivre le chemin de la vertu, de la gloire,* agir selon ce qu'exige la vertu, la gloire. *Suivre les traces de ses aînés, de ses parents.* — *Suivre une affaire, une entreprise,* etc., ne rien négliger de ce qui peut la faire réussir.

Parcourir en détail. *Suivre la chaîne, la filière.* — *Suivre le parti de quelqu'un,* prendre son parti. On dit de même : *Suivre une doctrine, une opinion,* faire profession d'une doctrine, etc. *Suivre une religion,* la pratiquer. *Suivre un cours, des cours,* y assister régulièrement. — Absol. Écouter, dans un cours, une classe, les explications données. *Cet élève ne suit pas.* — *Suivre quelqu'un dans un discours, dans un raisonnement,* être attentif à son discours, comprendre son raisonnement. — Poursuivre logiquement un raisonnement, une image, etc. *Suivre une comparaison.* ‖ S'abandonner à, se laisser conduire par. *Suivre son idée, sa fantaisie.* — Fig. et fam. *Suivre le mouvement,* faire comme les autres, se laisser entraîner par leur exemple. — Se conformer à. *Suivre la mode, la règle.*

SUIVRE, v. intr. Procéder, découler, résulter. *Il suit de ce que vous dites que je n'avais pas tort.* ‖ *Faire suivre,* formule placée sur une lettre, demandant que la poste la fasse parvenir à un destinataire absent de son domicile habituel, ou qui a changé de résidence.

SE SUIVRE, v. pr. Se succéder, venir les uns après les autres. — Prov. *Les jours se suivent et ne se ressemblent pas.* V. RESSEMBLER. ‖ *Ces pages, ces numéros se suivent bien, ne se suivent pas,* sont dans leur ordre naturel, où n'y sont pas. — Fig. *Les parties de ce discours se suivent bien, ne se suivent pas,* elles sont bien ou mal liées entre elles.

INCORR. — On ne doit pas dire : *suivre derrière,* ce qui serait un pléonasme (*suivre* exprime l'idée de venir derrière, aussi bien dans le temps que dans l'espace).

SYN. — V. ACCOMPAGNER.
CTR. — *Devancer, précéder.*

CONJUG. — V. trans. 3ᵉ groupe (inf. en *re*) [rad. *suiv, sui*].
Indicatif. — *Présent :* Je suis, tu suis, il suit, nous suivons, vous suivez, ils suivent. — *Imparfait :* Je suivais..., nous suivions, vous suiviez... — *Passé simple :* Je suivis, tu suivis, il suivit, nous suivîmes, vous suivîtes, ils suivirent. — *Futur :* Je suivrai, tu suivras..., nous suivrons, vous suivrez...
Impératif. — Suis, suivons, suivez.
Conditionnel. — *Présent :* Je suivrais..., nous suivrions, vous suivriez...
Subjonctif. — *Présent :* Que je suive, que tu suives, qu'il suive, que nous suivions, que vous suiviez, qu'ils suivent. — *Imparfait :* Que je suivisse..., qu'il suivît, que nous suivissions, que vous suivissiez...
Participe. — *Présent :* Suivant. — *Passé :* Suivi, suivie.

VOCAB. — *Famille de mots.* — Suivre [rad. *sui, seq, sec*] : suivant, suivi, suiveur, séquelle, séquence; secte, sectaire, sectarisme, sectateur; second, seconder, secondaire, secondairement, secondement, secundo; conséquence, conséquent, conséquemment, consécutif, consécutivement, consécution, inconséquent, inconséquemment, inconséquence; exécuter, exécutant, exécutable, exécutoire, exécution, exécuteur, exécutif; inexécution, inexécutable, inexécutablement, inexécutoire, inexécuté; obséquieux, obséquieusement, obséquiosité; obsèques; persécution, persécuter, persécutant, persécuté, persécuteur; poursuivre, poursuivant, poursuiveur, poursuite, poursuivi, subséquent, subséquemment; s'ensuivre, ensuivant; exequatur.

1. sujet [*su-jè*], n. m. (de *sujet* 2, adj.). Cause, raison, motif. *J'ai bien des sujets d'affliction, de plainte.* ‖ La matière, la chose dont on s'occupe, dont on parle. *Le sujet de la conversation, de la discussion.* — *Il est plein de son sujet,* il est possédé par ce dont il s'occupe. ‖ Partic. Le fond d'une pièce de théâtre, d'une œuvre littéraire ou artistique. *Le sujet de Britannicus, le sujet d'un tableau.* [Mus.] Le thème, la phrase par laquelle une fugue commence et que le musicien doit développer. [Gram. et Log.] Le terme d'une proposition par rapport auquel le verbe affirme ou nie quelque chose, action ou état. V. GRAMMAIRE (*proposition, analyse*). [Phil.] Se dit du *moi,* par opposition à *objet,* et de la *substance* par opposition à la *qualité.* ‖ Dans le langage ordinaire, personne considérée par rapport à sa capacité ou à ses mœurs. *Un bon, un mauvais sujet.* [Méd.] Le malade que l'on observe, que l'on traite. *Chaque malade est un sujet pour le médecin.* [Bot.] Le végétal sur lequel on pose ou l'on doit poser une greffe. = AU SUJET DE, loc. prép. Relativement à, sur. *J'aurais fort à dire au sujet de cette proposition.*

ÉPITHÈTES COURANTES : bon, mauvais, douteux; riche, pauvre, intéressant, curieux, difficile, ennuyeux, ardu, obscur, facile, donné, proposé, trouvé, arrêté, traité, préparé.

ANT. — *Objet ; qualité.*
SYN. — V. MOTIF et MATIÈRE.

2. sujet, ette [*su-jé, jètte*], adj. (lat. *subjectus,* placé sous). Soumis à, dépendant de. *Nous sommes sujets aux lois de notre pays.* ‖ Assujetti à supporter quelque

charge, à payer certains droits. *Tout propriétaire est sujet à l'impôt foncier.* ‖ Astreint à quelque nécessité inévitable. *Tous les hommes sont sujets à la mort.* ‖ Qui est exposé à éprouver fréquemment certains accidents, certaines maladies, certaines passions. *Il est sujet à de graves indispositions.* — *Ce passage est sujet à plusieurs interprétations différentes,* il peut être interprété de différentes manières. ‖ Se dit absol. d'une personne qui est tenue fort dépendance. ‖ Qui a coutume de faire quelque chose, qui s'y trouve porté par inclinaison, par habitude. *Il est sujet à boire.* — Loc. *Il est sujet à caution,* il y a lieu de s'en défier.
3. sujet, ette, n. (de sujet 2). Celui, celle qui est soumis à une autorité souveraine, quelle qu'elle soit. *Ce tyran traite ses sujets comme des esclaves.*
ANT. — *Souverain.*
ÉPITHÈTES COURANTES : fidèle, obéissant, dévoué, loyal, révolté, soulevé.
sujétion [*su-jé-sion*], n. f. Dépendance, état de ce qui est astreint, obligé à quelque chose. *Vivre, demeurer dans la sujétion.* ‖ L'assiduité que demande une charge, un emploi. *C'est un emploi d'une grande sujétion.* ‖ Incommodité, servitude auxquelles une maison est sujette.
ORTH. — *Sujétion* ne prend qu'un *t*, mais *assujettir* en prend deux.
SYN. — V. ASSUJETTISSEMENT.
ANT. — *Liberté, indépendance.*
PAR. — *Suggestion,* action de suggérer, instigation.
* **sulcature,** n. f. Trace en forme de sillon.
* **sulf-** ou **sulfo-.** [Chim.] Préf. tiré du lat. *sulfur,* soufre, indiquant la présence du soufre dans un composé.
* **sulfacide** [*si*], n. m. (lat. *sulfur,* soufre, et *acide*). [Chim.] Composé analogue aux oxacides, mais contenant du soufre à la place d'oxygène.
sulfatage, n. m. [Techn. et Agr.] Action de sulfater. *Le sulfatage des vignes.*
sulfate, n. m. [Chim.] Sel de l'acide sulfurique; ex. : sulfate de sodium.
sulfaté, ée, adj. [Chim.] Qui contient un ou des sulfates. ‖ Qui a subi le sulfatage.
sulfater, v. tr. Imprégner des pièces de bois d'un sulfate métallique pour les conserver. ‖ *Sulfater une terre,* l'amender avec du plâtre (sulfate de calcium). ‖ *Sulfater les vignes,* répandre sur les feuilles une bouillie à base de sulfate de cuivre.
* **sulfateur,** n. m. Celui, celle qui sulfate. = N. m. Appareil pour sulfater les vignes.
sulfhydrate [*fi-dra-te*], n. m. [Chim.] Sel provenant de la combinaison de l'acide sulfhydrique avec une base.
sulfhydrique [*fi-dri-ke*], adj. [Chim.] *Acide sulfhydrique,* acide formé de soufre et d'hydrogène, appelé aussi *hydrogène sulfuré.* Il se dégage des matières organiques en putréfaction.
* **sulfitage,** n. m. Emploi de l'anhydride sulfureux comme désinfectant ou décolorant.
sulfite, n. m. [Chim.] Sel formé par la combinaison de l'acide sulfureux avec une base.
* **sulfocarbonate,** n. m. [Chim.] Sel dérivant des carbonates par la substitution du soufre à l'oxygène.

* **sulfocarbonique,** adj. [Chim.] *Acide sulfocarbonique,* acide non encore isolé.
* **sulfosel,** n. m. [Chim.] Combinaison de deux sulfures, l'un agissant comme acide, l'autre comme base.
* **sulfurage,** n. m. Traitement de la vigne au sulfure de carbone introduit dans le sol à l'aide d'instruments spéciaux pour détruire le phylloxéra.
* **sulfuration** [*sion*], n. f. Action de sulfurer.
sulfure, n. m. [Chim.] Sel ou éther-sel de l'acide sulfhydrique. ‖ Composé résultant de la combinaison du soufre avec un élément.
sulfuré, ée, adj. [Chim.] Qui est combiné avec le soufre. — *Hydrogène sulfuré,* l'acide sulfhydrique.
* **sulfurer,** v. tr. [Chim.] Faire passer à l'état de sulfure. ‖ Soumettre au sulfurage.
sulfureux, euse, adj. [Chim.] Qui tient de la nature du soufre. *Matière sulfureuse.* ‖Qui contient du soufre ou des dérivés du soufre. *Eaux sulfureuses.* — *Acide sulfureux,* acide qui contient moins d'oxygène que l'acide sulfurique. — *Anhydride sulfureux,* gaz d'odeur suffocante obtenu par la combinaison du soufre avec l'oxygène.
sulfurique, adj. [Chim.] *Anhydride sulfurique,* composé de soufre et d'oxygène, solide, cristallisable en longues aiguilles. — *Acide sulfurique,* le plus fort et le plus important des acides, combinaison très oxygénée du soufre, aux applications industrielles très nombreuses.
* **sulky** [*seul-kè*], n. m. (mot angl. sign. silencieux). Voiture très légère, à deux roues caoutchoutées, pour les courses au trot.
* **sulla,** n. m. [Bot.] Espèce de légumineuse voisine du sainfoin.
1. sultan, n. m. Titre de divers souverains mahométans. ‖ Absol. L'empereur des Turcs. V. tabl. GOUVERNEMENT (*Idées suggérées par le mot*).
SYN. — V. ROI.
2. * **sultan,** n. m. Meuble de toilette à l'usage des dames, corbeille recouverte d'une étoffe de soie (Vx).
* **sultanat,** n. m. La dignité du sultan. ‖ Durée de son règne.
sultane, n. f. Femme, concubine du sultan. ‖ Longue robe ouverte par devant (fin du XVIIe s.). ‖ Bijou servant à la coiffure féminine.
* **sultanin,** n. m. Nom d'une ancienne monnaie d'or qui se frappait en Turquie.
sumac, n. m. [Bot.] Genre de plantes de la famille des *anacardiacées;* une espèce fournit une gomme-résine.
summum, n. m. [*som-mome*], n. m. mot lat. qui sign. le plus haut point, le plus haut degré. *Le summum de l'admiration.*
sunna, n. f. Recueil des traditions de la religion islamique.
sunnite, n. m. Membre d'une des grandes sectes mahométanes, qui suit les préceptes de la sunna.

---

sup, supp...

ORTH. — *Initiales.* — L'initiale *sup* s'écrit avec un seul *p* : 1° dans les mots commençant par *super;* 2° dans supin, supinateur, supination, suprématie, suprême; avec deux *p* dans les autres mots : supplanter, suppléer, supplément, supplication, supplice, supplier, supplique, support, supposer, suppôt, suppurer, supputer, etc.

SUPÉ — SUPÉRIEUR

* **supé, ée,** adj. [Mar.] Engagé dans la vase. *Navire supé.*

super- [*pèr*], préfixe qui est une préposition latine signifiant *sur*, et qui exprime une supériorité de position ou de rang.

* **super** [*pé*], v. intr. Se boucher. [Mar.] Se dit d'une voie d'eau qui se bouche. = V. tr. Pomper, aspirer autre chose que de l'eau.

1. superbe [*pèr'be*], adj. (lat. *superbus*, orgueilleux). Orgueilleux, arrogant, qui s'estime trop. = Comme n. m. *Les superbes seront humiliés.* ‖ Qui est plein d'orgueil, d'insolence. *Des airs superbes.* ‖ Qui est de belle apparence, magnifique, riche, somptueux. *Une superbe architecture. Il fait un temps superbe.*

SYN. — V. AVANTAGEUX.

> VOCAB. — *Famille de mots.* — *Superbe* [rad. *sup*, *souv*] : superbement, supérieur, supérieurement supériorité; suprême, suprêmement, suprématie; supercherie; souverain, souveraineté, souverainement; sopraniste, soprano.

2. superbe, n. f. Orgueil, présomption, arrogance (Vx).

SYN. — V. ORGUEIL.

superbement, adv. D'une manière orgueilleuse. ‖ Avec magnificence. *Il était vêtu superbement.*

supercherie, n. f. Tromperie, fraude faite avec finesse. *User de supercherie.*

* **supère,** adj. [Bot.] Se dit d'un organe situé au-dessus d'un autre.

superfétation [*sion*], n. f. [Physiol.] Conception d'un second fœtus pendant le cours d'une grossesse. ‖ Fig. Redondance, double emploi de pensée et d'expression. *Ce passage est complètement inutile, c'est une superfétation.*

* **superfétatoire,** adj. Qui s'ajoute sans utilité; superflu.

CTR. — *Indispensable.*

superficie, n. f. (lat. *superficies*, m. s.). [Géom.] Étendue d'une surface ou d'une portion de surface. ‖ Nombre qui exprime l'aire de cette surface. *Mesures de superficie.* Partie superficielle des corps. *Enlever la superficie d'un corps.* ‖ Fig. Connaissance superficielle, imparfaite des choses. *S'arrêter à la superficie,* ne pas approfondir. V. tabl. POSITION (*Idées suggérées par le mot*). V. pl. SURFACES.

SYN. — V. SURFACE.

ANT. — *Fond, milieu, centre.*

superficiel, elle [*sièl, èle*], adj. Qui n'est qu'à la superficie. *Une plaie superficielle.* ‖ Qui avoisine la superficie. *Les veines superficielles.* ‖ Fig. Qui s'arrête à l'extérieur, qui effleure et n'approfondit pas, qui se contente d'une connaissance peu étendue. *Un esprit superficiel.* ‖ En parlant des choses : qui n'est pas approfondi, qui est tout en surface. *Des connaissances superficielles.*

CTR. — *Profond, approfondi, réfléchi.*

superficiellement, adv. D'une manière superficielle. *Ce coup ne l'a touché que superficiellement.* ‖ Fig. *Il ne sait les choses que superficiellement,* imparfaitement, sans approfondir.

CTR. — *Foncièrement.*

superfin, ine, adj. Se dit pour exprimer un degré supérieur de finesse dans les choses de même nature. *Drap superfin.* = N. m. *C'est du superfin.* Fam. et souvent ironique.

superflu, ue, adj. (lat. *super*, par-dessus; *fluo*, je coule). Qui est de trop. *Défense superflue.* ‖ Inutile. *Des paroles superflues.* = N. m. Ce qui est au delà du nécessaire. *Il donne le superflu de son bien aux pauvres.*

— *Le superflu amollit, enivre, tourmente ceux qui le possèdent; il tente ceux qui en sont privés de vouloir l'acquérir par l'injustice et la violence. Peut-on nommer bien un superflu qui ne sert qu'à rendre les hommes mauvais?* (FÉNELON.)

SYN. — *Superflu,* qui est en trop, qui n'a plus d'utilité : *Docteur, vos soins sont superflus, le malade est guéri.* — *Accessoire,* qui n'est pas essentiel, qui s'ajoute à d'autres choses : *Des renseignements accessoires viendront plus tard.* — *Inutile,* qui ne sert à rien. *Vos pleurs sont inutiles, ils ne changeront rien à ce qui arrive.* — *Vain,* qui n'a servi à rien : *Tous ses efforts ont été vains, il a été refusé à son concours.*

CTR. — *Nécessaire.*

superfluité, n. f. Caractère de ce qui est de trop. ‖ Surabondance blâmable.

supérieur, eure, adj. (lat. *superior,* m. s.). Qui est situé au-dessus, en haut. *La région supérieure de l'air.* V. tabl. POSITION (*Idées suggérées par le mot*). ‖ Fig. Qui est au-dessus d'un autre en rang, en dignité, en mérite, en force, en qualité. *Un talent supérieur. Ces tissus sont d'une qualité supérieure. Il est supérieur aux événements, aux revers, au danger, etc.,* il a un courage à l'épreuve des événements, etc. ‖ *Officiers supérieurs,* officiers du rang de commandant (ou chef de bataillon), de lieutenant-colonel et de colonel. — *Cours supérieures, tribunaux supérieurs,* les tribunaux qui jugent en dernier ressort. — *Classes supérieures,* celles par où finit le cours des études secondaires. — *Enseignement supérieur,* celui qui est donné dans les Facultés et les grandes Écoles. — *Brevet supérieur.* V. BREVET. — [Anat.] *Membres supérieurs,* les bras. Chez les animaux, les membres de l'avant-train. *Animaux supérieurs,* ceux dont l'organisation est plus perfectionnée. — Se dit de la partie d'un pays qui est la plus rapprochée de la source d'un fleuve ou la plus éloignée de la mer. *La Germanie supérieure.*

= SUPÉRIEUR, EURE, n. Celui, celle qui est au-dessus d'un autre en rang, en dignité, qui a le droit de commander à un autre. *Il faut respecter ses supérieurs.* ‖ Dans les couvents, *le supérieur, la supérieure,* celui ou celle qui dirige, qui gouverne un monastère.

GRAM. — *Supérieur,* étant déjà un comparatif, n'admet pas les degrés de comparaison. On ne doit pas dire *plus supérieur* ni *le plus supérieur.* Le superlatif correspondant est *suprême.* Cependant on peut employer le superlatif absolu et dire : *il est très supérieur à son frère.*

SYN. — *Supérieur,* qui est au-dessus d'un autre : *C'est un esprit supérieur.* — *Éminent,* qui se fait remarquer par-dessus beaucoup d'autres : *Un homme d'un mérite éminent.* — *Incomparable,* à qui nul autre ne peut être comparé ou égalé : *Raphaël fut un artiste incomparable.* — *Suprême,* au-dessus de tous les autres : *L'autorité, le pouvoir suprêmes.* V. aussi SUBLIME.

ANT. — *Inférieur, subordonné, subalterne.* — *Primaire.*

supérieurement, adv. Au-dessus, à la partie supérieure. ‖ D'une manière supérieure. ‖ Absol. Très bien, parfaitement. *Il écrit, il chante supérieurement.*
supériorité, n. f. Prééminence, excellence au-dessus des autres. *Il fait trop sentir sa supériorité.* ‖ Charge, dignité de supérieur dans un couvent.
Syn. — V. avantage et suprématie.
Ant. — *Infériorité.*
superlatif, ive, adj. (lat. *superlativus,* m. s.). [Gram.] Qui exprime la qualité portée au plus haut degré. *Adjectif, adverbe superlatif.* = superlatif, n. m. Degré de comparaison : forme d'un adjectif qui marque le plus haut degré de la qualité exprimée par lui. *Minime, suprême, extrême* sont des superlatifs. V. grammaire. = au superlatif, loc. adv. Extrêmement, au plus haut degré. *Cet homme est bête au superlatif* (Fam.).
Ant. — *Positif* (gram.).
superlativement, adv. Au plus haut point. *Elle est laide superlativement* (se dit par plaisant.).
* **supérovarié, ée,** adj. [Bot.] Se dit des plantes qui ont l'ovaire supère.
* **superphosphate,** n. m. [Chim.] Phosphate de calcium qu'on a rendu soluble par un traitement à l'acide sulfurique, pour s'en servir comme engrais.
* **superposable,** adj. Que l'on peut superposer.
superposé, ée, adj. Qui est posé sur un autre.
superposer [*su-per-po-zé*], v. tr. Poser une ligne, une surface, un corps sur un autre.
Par. — *Supposer,* admettre sans être sûr.
superposition [*su-per-po-zi-sion*], n. f. Action de superposer; état de choses superposées.
superstitieusement, adv. D'une manière superstitieuse.
superstitieux, euse [*su-pers-ti-si-eu, si-eu-ze*], adj. Qui a de la superstition. *Cette jeune fille est très superstitieuse.* ‖ *Où il y a de la superstition. Culte superstitieux.* = Nom. *C'est un superstitieux.*
superstition [*sion*], n. f. (lat. *superstitio,* m. s.). Fausse idée que l'on a de certaines pratiques de religion auxquelles on s'attache avec trop de crainte, trop de confiance ou trop de minutie. *Rien n'est plus opposé à la véritable dévotion que la superstition.* ‖ *Croyances et pratiques superstitieuses. Les superstitions des cultes barbares. Vain présage tiré de certaines choses. La superstition du nombre, du chiffre 13.* V. tabl. religions (*Idées suggérées par le mot*). ‖ Fig. Excès d'exactitude, de soin. *Il pousse jusqu'à la superstition, le souci de l'exactitude.*
— *La piété est différente de la superstition : soutenir la piété jusqu'à la superstition, c'est la détruire.* (Pascal.)
— *La superstition semble n'être autre chose qu'une crainte mal réglée de la divinité.* (La Bruyère.)
— *La superstition est à la religion ce que l'astrologie est à l'astronomie, la fille très folle d'une mère très sage.* (Voltaire.)
superstructure, n. f. Construction élevée au-dessus d'autres constructions. [Ch. de fer]. Ensemble des travaux exécutés au-dessus des travaux de maçonnerie et de terrassement (traverses, voies,

aiguillages, etc.). [Mar.] Construction dominant le pont supérieur des grands navires. V. pl. navigation.
supin, n. m. [Gram.] L'un des modes du verbe en latin et dans quelques autres langues qui sert à former un certain nombre de temps. Il remplace l'infinitif après un verbe de mouvement.
supinateur, adj. et n. m. [Anat.] Se dit de deux muscles qui font mouvoir l'avant-bras et la main de manière que le plat de cette dernière se trouve en dehors. V. pl. homme (muscles).
supination [*sion*], n. f. (du lat. *supinus,* couché sur le dos). Position de la main renversée et présentant la paume.
Ant. — *Pronation.*
* **supplantateur, trice,** n. Celui, celle qui supplante.
* **supplantation** [*sion*], n. f. ou * **supplantement,** n. m. Action de supplanter. — Son résultat.
supplanter [*su-plan*], (lat. *supplantare,* m. s.). Faire perdre à quelqu'un le crédit, l'autorité, l'emploi qu'il avait auprès d'une personne, le ruiner dans son esprit et se mettre à sa place. *Il a supplanté son rival.*
Syn. — V. prévaloir.
* **supplanteur,** n. m. Celui qui supplante.
suppléance [*su-plé-an-se*], n. f. Action de suppléer, de remplacer. *La suppléance d'une chaire.* ‖ Fonction de suppléant.
suppléant, ante, adj. et n. Celui, celle qui est chargé de remplacer quelqu'un, de remplir ses fonctions à son défaut. *Juge suppléant.*
Ant. — *Titulaire.*
suppléer [*su-plé-é*], v. tr. (lat. *supplere,* m. s.). Fournir ce qui manque, ajouter ce qu'il faut de surplus. ‖ Mettre en place de. *La valeur supplée le nombre.* ‖ Ajouter à une phrase ce qui y est sous-entendu. Dans cette phrase : *Il est allé à Notre-Dame,* il faut suppléer *l'église de.* ‖ *Suppléer quelqu'un,* tenir sa place, remplir ses fonctions, le représenter. *Le lieutenant-colonel supplée le colonel* (on n'emploie jamais la forme intrans. en parlant des personnes : *Suppléer quelqu'un,* et non *à quelqu'un*). ‖ V. intr. Réparer le manquement, le défaut de quelque chose, tenir lieu de quelque chose. *Son zèle suppléait au défaut d'intelligence.* = Conjug. V. grammaire.
Gram. — *Suppléer* peut avoir des constructions diverses : avec un complément d'objet direct non signifier : 1° remplacer. *Suppléer son collègue* (et non *à son collègue*) ; 2° ajouter ce qui manque pour parfaire un compte : *Vous m'annonciez quatre volumes, je n'en ai reçu que deux, veuillez suppléer les deux qui manquent.* — Suivi de *à*, il signifie remplacer ce qui fait défaut par autre chose : *Les troupes ont suppléé au nombre par leur courage.*
supplément [*su-plé*], n. m. (lat. *supplementum,* m. s., de *suppleo,* je supplée). Ce qu'on donne pour signifier : 1° ce qu'on donne en sus. *Obtenir un supplément de solde.* ‖ *Prendre un supplément,* se dit, dans les théâtres, les chemins de fer, etc., quand on échange son billet contre un autre d'une place supérieure, en payant le surplus du prix. [Géom.] *Le supplément d'un angle, d'un dièdre,* l'angle, le dièdre qu'il faut lui ajouter pour faire deux droits.

supplémentaire [su-plé-man-tè-re], adj. Qui sert de supplément. *Articles supplémentaires.* [Géom.] *Angles supplémentaires*, angles dont la somme vaut deux droits. ‖ Qui se trouve en plus de ce qui est régulier, prévu. *Train supplémentaire.* [Mus.] *Lignes supplémentaires*, lignes situées au-dessus ou au-dessous de la portée, et où se placent certaines notes hautes et basses.
* **supplémentairement**, adv. En supplément.
supplétif, ive, adj. Qui complète, qui sert de supplément. *Articles supplétifs. Troupes supplétives.* [Gram.] Qui complète le sens d'un mot principal.
* **supplétoire**, adj. [Droit] Qui sert de supplément.
suppliant, ante [pli-an], adj. Qui supplie. *Des paroles suppliantes.* = Nom. *Une foule de suppliants.* ‖ S'est dit autref. pour *requérant, ante* et pour *pétitionnaire.*
supplication [su-pli-ka-sion], n. f. Prière humble et soumise. *Une très humble supplication.* ‖ Remontrances de vive voix faites au roi par le Parlement.
supplice [su-pli], n. m. (lat. *supplicium*, m. s.). Punition ordonnée par la justice, entraînant la mort ou une torture corporelle. *Le supplice de la croix. Le supplice du fouet. — Condamner quelqu'un au dernier supplice*, le condamner à mort. V. tabl. LOI et TRIBUNAL (*Idées suggérées par les mots*). — *Les supplices éternels*, les peines de l'enfer. ‖ Par extens. Ce qui cause une vive douleur corporelle. *La gravelle est un véritable supplice.* ‖ Fig. Tout ce qui cause une peine, une affliction, une inquiétude violente. *La lecture de ce livre est un vrai supplice.* — Par exag. *Être au supplice*, souffrir beaucoup de quelque mal physique ou moral.
ÉPITHÈTES COURANTES : cruel, horrible, affreux, effroyable, raffiné, hideux, long, impitoyable, interrompu, continuel, intolérable, véritable; ordonné, enduré, senti, souffert; dernier, etc.
supplicié, ée, n. Personne, criminel qu'on a exécuté.
supplicier [supli-si-é], v. tr. Faire souffrir le supplice de la mort. *Il fut supplicié en place de Grève.* On dit plus ord. *Exécuter.* ‖ Fig. et fam. Mettre au supplice. = Conjug. V. GRAMMAIRE.
supplier [su-plié], v. tr. Prier avec soumission, avec instance. ‖ Par ext. Demander instamment. *Je vous supplie de faire telle chose.* = Conjug. V. GRAMMAIRE.
SYN. — V. PRIER.
supplique [su-pli-ke], n. f. Requête qu'on présente pour demander quelque grâce. *Présenter une supplique.*
support [su-por], n. m. (du v. *supporter*). Ce qui soutient l'objet supporté, ce sur quoi une chose repose. *Ce pilier est le support de la voûte.* ‖ Fig. Aide, appui, soutien. *Il est le support de sa famille.* [Bot.] Partie d'une plante qui soutient une autre partie de cette plante plus ou moins mobile. [Blas.] Figures qui soutiennent extérieurement l'écu.
SYN. — V. FONDEMENT.
supportable, adj. Tolérable, qu'on peut supporter, souffrir. *Le froid qu'il fait aujourd'hui est très supportable. Humeur supportable.* ‖ Excusable. *Cela n'est pas supportable chez un homme de son âge.* ‖ Qui n'est ni bon ni mauvais; médiocre. *Ce vin est tout juste supportable.*
* **supportablement**, adv. D'une manière supportable, tolérable.
supporter [su-por], v. tr. (lat. *supportare*, m. s.). Soutenir, servir de support. *Ces piliers supportent toute la maison.* ‖ Souffrir, endurer. *Supporter le froid.* ‖ Avoir toute la charge, tout l'embarras de quelque chose. *Avoir à supporter les frais.* ‖ Recevoir tout l'effort de quelque chose sans en être ébranlé. *Supporter l'attaque de l'ennemi.* ‖ Souffrir avec patience. *Supporter les défauts d'autrui.* ‖ Fig. Tolérer. *Je ne supporterai pas plus longtemps votre impertinence.* = SE SUPPORTER, v. pr. Être toléré. *Une pareille injure ne peut se supporter.* ‖ Se tolérer réciproquement.
SYN. — V. SOUFFRIR.
supposable [su-po-za-ble], adj. Qu'on peut supposer. *Cela n'est pas supposable.*
supposé, ée [zé], adj. Donné comme vrai quoique faux. *Nom supposé.* — Admis. *Cette circonstance supposée.* — *Cela supposé*, dans cette supposition. = SUPPOSÉ, prép. (toujours placé devant le mot, et invariable). Étant admis, en admettant. *Supposé telle circonstance.*
SYN. — V. APOCRYPHE.
supposer [zé], v. tr. (lat. *supponere*, poser par en dessous). Poser une chose pour établie, pour reçue, afin d'en tirer ensuite les conséquences. *Supposer ce qui est en question.* ‖ Admettre l'existence d'une chose sans en être certain, présumer. *Je suppose qu'il est honnête homme.* ‖ Alléguer ou produire pour vraie une chose fausse ou controuvée. *Supposer un testament.* — *Supposer un enfant*, le présenter comme étant né de parents dont il n'est pas réellement issu. ‖ Se dit aussi d'une chose qui demande, qui exige qu'une autre chose soit ou ait été. *Le crédit suppose la confiance.*
PAR. — *Superposer*, poser l'un sur l'autre.
* **suppositif, ive**, adj. Qui se rapporte à une supposition.
supposition [su-po-zi-sion], n. f. (lat. *suppositio*, m. s.). Proposition que l'on suppose vraie ou possible pour en tirer quelque conséquence. ‖ Conjecture, opinion favorable ou défavorable qui ne résulte pas de preuves positives. *Faire une supposition gratuite.* [Droit] Production d'une fausse pièce, allégation d'un fait controuvé.
SYN. — *Supposition*, action d'admettre comme réalisé au moment où l'on parle ce qu'on imagine comme tel : *Faire une supposition toute gratuite.* — *Conjecture*, ce que l'on propose pour expliquer comment un fait s'est passé ou se passera : *Je me perds en conjectures à cet égard.* — *Déduction*, ce que l'on tire, comme conséquence, de certains principes. *De déduction en déduction, je suis arrivé à cette conclusion.* — *Hypothèse*, supposition dont on tire des conséquences à vérifier : *On a fait là-dessus cent hypothèses différentes.*
suppositoire, n. m. [Méd.] Substance médicamenteuse solide, en forme de cône ou d'olive, qu'on introduit dans l'anus.
suppôt [su-pô], n. m. Membre du corps qui remplit certaines fonctions pour le service de ce corps. *La justice et ses*

suppôts (Vx). ‖ Fauteur, partisan de quelqu'un dans le mal. *Les vils suppôts d'un tyran.* ‖ Fig. et fam. On dit d'un méchant homme. *C'est un suppôt de Satan.*

suppression [*su-pré-sion*], n. f. Action de supprimer. *La suppression d'un contrat.*
supprimer, v. tr. (lat. *supprimere*, m. s.). Empêcher, arrêter ou interdire la publication d'un écrit, d'un livre, etc. *Supprimer un livre.* ‖ Faire disparaître, soustraire. *Supprimer une pièce d'un dossier.* ‖ Fam. *Supprimer un témoin gênant,* le faire disparaître, le tuer. ‖ Passer sous silence, ne pas exprimer. *Supprimez ces détails.* ‖ Retrancher. *Supprimer la moitié d'un discours.* ‖ Abolir, annuler. *Supprimer quelques emplois inutiles.*
SYN. — V. ABOLIR, RETRANCHER et ASSASSINER.
CTR. — *Établir, instituer, maintenir.*
suppurant, ante, adj. Qui suppure.
suppuratif, ive, adj. [Méd.] Qui facilite la suppuration. = N. m. *Un bon suppuratif.*
suppuration [*su-pu-ra-sion*], n. f. Action de suppurer.
suppurer, v. intr. Rendre, jeter du pus.
supputation [*su-pu-ta-sion*], n. f. Action de supputer, d'estimer ou de compter différentes quantités. *Supputation exacte, fausse.*
supputer, v. tr. Calculer, compter à quoi montent plusieurs nombres.
SYN. — V. CALCULER.
* **supra-,** préf. tiré du lat. *supra,* au-dessus de, et indiquant dans le mot joint une idée de supériorité.
* **supra-axillaire,** adj. [Bot.] Placé au-dessus de l'aisselle des feuilles.
* **supra-conscience,** n. f. [Phil.] Conscience supérieure.
* **supra-naturalisme,** n. m. Ce qui est en dehors et au-dessus de l'ordre naturel.
ANT. — *Rationalisme.*
* **supra-sensible,** adj. Qui est au-dessus de la réalité sensible, qui ne tombe pas sous les sens.
suprématie [*ma-si*], n. f. Supériorité de puissance, de rang, excellence, au-dessus de tous les autres.
SYN. — *Suprématie,* supériorité d'un peuple, d'un homme sur tous les autres : *La suprématie d'Athènes en Grèce dura peu.* — *Prééminence,* supériorité de rang, de dignité : *La prééminence de la poésie sur les autres arts.* — *Préséance,* droit de prendre rang devant une autre personne : *Le préfet a la préséance sur les autres fonctionnaires du département.* — *Primauté,* premier rang : *Le pape a la primauté sur tous les évêques.* — *Priorité,* état d'une personne ou d'une chose qui doit passer avant les autres : *Les voitures des pompiers ont la priorité sur tous les autres véhicules.* — *Supériorité,* caractère de ce qui est au-dessus des autres personnes ou des autres choses : *Avoir la supériorité de l'expérience, de l'âge.* V. aussi EMPIRE.
ANT. — *Sujétion.*
1. suprême, adj. (lat. *supremus,* m. s.). Qui est au-dessus de tout dans son genre, dans son espèce. *Pouvoir, dignité suprême.* — *L'Être suprême,* Dieu. — *La cour suprême,* la cour de cassation. ‖ Dernier, qui termine tout. *L'heure suprême,* l'heure de la mort. — *Les volontés suprêmes d'un mourant,* ses dernières dispositions. — *Les honneurs suprêmes,* les funérailles. = AU SUPRÊME DEGRÉ, loc. adv. Au plus haut point.
SYN. — V. SUPÉRIEUR.
2. suprême, n. m. (de *suprême* 1). [Cuis.] Mets fait avec les parties les plus délicates de la volaille, accompagnées d'un coulis.
suprêmement, adv. D'une manière suprême.
1. sur, prép. V. tabl. SUR.
2. * sur, sure, adj. (orig. germ.). Qui a un goût acide et aigre. *Cette pomme est sure.*
3. sûr, ûre, adj. (lat. *securus,* m. s.). Certain, indubitable, vrai. *C'est une chose sûre.* ‖ Qui doit arriver infailliblement, assuré. *Rien n'est si sûr que la mort.* ‖ Qui produit toujours son effet. *Ce remède est un remède sûr.* — *Avoir la mémoire sûre,* avoir une mémoire qui n'est jamais en défaut. — *Avoir le goût, le jugement sûr,* discerner, goûter avec exactitude ; bien juger. *Avoir la main sûre,* avoir une main ferme, qui ne tremble pas. — *Ce cheval a le pied sûr, la jambe sûre, il est sûr,* il ne bronche jamais.
Par ext. En qui on peut se fier. *C'est un ami sûr.* — *Le temps n'est pas sûr,* il est à craindre qu'il ne devienne bientôt mauvais. ‖ Où l'on est en sûreté, dont on peut se servir sans danger. *Les chemins sont sûrs.* — *Mettre quelqu'un en lieu sûr,* le mettre en un lieu où il n'a rien à craindre, ou le mettre en un lieu où l'on soit assuré de sa personne, le mettre en prison.
En parlant des personnes, convaincu, certain. *Être sûr de quelque chose,* savoir une chose d'une manière certaine, en être convaincu. — *Être sûr de quelqu'un,* compter fermement sur lui. — *Être sûr de son fait, de son coup,* être certain de ce qu'on dit, du succès de ce qu'on a entrepris. = N. m. *Le plus sûr,* le parti le plus sûr. = À COUP SÛR, loc. adv. Infailliblement. *A coup sûr il viendra.* = POUR SÛR, loc. adv. fam. Immanquablement, certainement. *Pour sûr, vous le trouverez.*
SYN. — V. ÉVIDENT et CERTAIN.
CTR. — *Douteux, incertain, changeant, instable.* — *Dangereux.*
HOM. — V. SUR 1.
surabondamment, adv. Plus que suffisamment. *Il en a parlé surabondamment.*
surabondance, n. f. Très grande abondance.
CTR. — *Pénurie, disette, manque.*
surabondant, ante, adj. Qui surabonde. ‖ Superflu. *Ce que vous ajoutez est surabondant.*
surabonder, v. intr. Être très abondant. *Les denrées surabondent dans ce pays.*
* **surachat,** n. m. Achat de monnaies d'or au-dessus du cours légal.
* **suractivité,** n. f. [Méd.] Activité exagérée d'un organe.
surah, n. m. Étoffe de soie croisée légère.
suraigu, uë, adj. Excessivement aigu. [Méd.] D'une gravité exceptionnelle.
surajouter, v. tr. Ajouter en outre de ce qui a déjà été ajouté.
* **sural, ale,** adj. Relatif au mollet.
suralimentation [*sion*], n. f. [Méd.] Traitement de certaines maladies par une alimentation plus riche, supérieure à la ration normale d'entretien.

1. SUR, préposition.

Étymologie. — Latin *super*, au-dessus et influencé par *sursum*, *sus*; autrefois confondu avec *sur*; (Vaugelas disait encore qu'il fallait écrire : *mettre une armée sus pied*.)

CTR. — *Sous*. V. ce tableau.

HOM. — *Sur*, prépos.; — *sur*, *sure*, adj., acide, aigre; — *sûr*, *sûre*, certain, assuré.

OBS. GRAM. — En dehors des emplois et des locutions cités ci-dessous *sur* se trouve encore dans une foule de façons de parler, qui constituent de véritables idiotismes; mais l'explication de ces diverses locutions se trouve aux mots qui servent à les former.

Sur, en composition, marque que le mot simple est envisagé à un degré supérieur par rapport au rang, à la quantité, à la qualité, etc. : *surabondant*, *surhomme*, etc.

Sens divers de SUR.

Marque la situation d'une chose à l'égard d'une autre qui est au-dessous et en contact avec elle.

1° Dans une situation supérieure par rapport à :

    a) Au propre : *Sur la terre. Sur le haut d'une maison. Sur un vaisseau. Des nuages s'étendent sur la montagne. Une flotte vogue sur la mer.* — *Se soutenir, revenir sur l'eau*, se soutenir, revenir à la surface de l'eau. = *Sur*, précédé et suivi du même mot, marque entassement, accumulation, superposition. *Entasser pierres sur pierres.* — Fig. *Il fait folies sur folies.*

    b) Au sens élargi, marque un simple rapport de proximité : *Avoir, porter une chose sur soi*, l'avoir, la porter dans sa poche. *Je n'ai pas d'argent sur moi.* — Exprime le rapport avec ce qu'on touche, avec ce qu'on frappe. *Donner un coup sur la tête. Passer la main sur une étoffe.*

    A la surface de. *Graver sur la pierre, sur le bronze. Mettre du sel sur du beurre.* — Fig. *Ses rides sur son front ont gravé ses exploits* (CORNEILLE). — On dit dans un sens analogue : *Il l'a mis sur son testament.*

    Sur, marque encore la situation supérieure ou voisine des choses dont on parle. *Il a deux fenêtres sur la rue, sur la cour.* — *Les villes qui sont sur la Seine.* — Ellipt. *Il est toujours sur les livres*, c'est-à-dire courbé, penché sur les livres, il lit, il étudie continuellement. On dit de même : *Pâlir sur les livres.* — *Le soleil est sur l'horizon*, il va bientôt se coucher.

    c) Indique, au figuré, une idée de supériorité. — Fig. *Sur*, marque encore la supériorité, la juridiction, l'excellence, l'avantage, l'action, l'influence d'une personne, d'une chose à l'égard d'une autre. *Régner sur plusieurs nations. L'emporter sur les autres. Avoir de l'ascendant sur quelqu'un. Influer fâcheusement sur la santé.*

2° Sens de : Au sujet de :

    Sur, sert encore à indiquer la matière, le sujet sur lequel on travaille, au propre et au figuré. *Il travaille sur l'or, sur l'argent. Il travaille sur tel sujet. Un cours sur la mécanique céleste. Étude sur Corneille. De nombreux mémoires scientifiques commencent par sur. Sur une méthode nouvelle de...* — On dit de même : *Faire de la musique sur des paroles...*

    Fig., en parlant de toute imposition frappant les choses ou les personnes. *L'impôt personnel se lève sur le revenu.* — On dit dans un sens analogue : *Assigner une pension sur une terre. On lui retiendra tant sur ses gages.* — *Vivre sur le pays*, aux dépens du pays.

3° Marquant une idée de mouvement :

    Vers, du côté de, dans la direction de. *Tourner sur la droite. Tirer sur quelqu'un. Marcher sur l'ennemi. Se transporter sur les lieux.* — On dit à peu près dans le même sens : *Revenir sur ses pas. Fermer la porte sur soi.*

    En suivant de près. *Marcher sur les pas de quelqu'un.*

4° Sens de : Concernant; au sujet de.

    Touchant, concernant, à l'égard de. *Il y a diversité d'opinions sur ce point. Je suis tranquille sur son compte.* [Comm.] *Tirer une lettre de change sur quelqu'un, tirer sur quelqu'un.* V. TIRER.

5° Sens de : D'après, en se fondant sur.

    D'après, en conséquence, en considération de, moyennant. *Juger sur les apparences, sur la mine. Il s'excusa sur son âge. Prêter sur gages.* — *Se fonder sur telle chose*, s'en autoriser, la faire valoir à l'appui de ce qu'on prétend ou de ce qu'on avance. — *Écrire, croire sur parole, sur la foi d'autrui.* — *Sur le modèle de.* En conformité avec. *Se régler sur autrui. Régler sa montre sur l'horloge de l'Observatoire.*

6° En parlant du temps, *sur* signifie : durant, vers, environ. *Il vint sur le midi, sur le soir. Il est sur son départ.*

7° Signifie parfois : Avec, surtout avec le mot *ton*. *Je n'aime pas qu'on le prenne sur ce ton.*

8° Sens de Parmi, d'entre, par rapport à (avec un nom de nombre).
Sur dix il n'en revint pas un seul. Sur cent candidats, quarante furent reçus. Ce terrain mesure quinze mètres de long sur dix de large.

9° Se dit encore pour marquer l'affirmation, la garantie de quelque chose. *Sur mon honneur. Sur ma conscience. Sur ma parole.* Ces locutions sont elliptiques : on sous-entend le verbe *jurer*.

LOCUTIONS FORMÉES AVEC SUR.

SUR CE, loc. adv. Cela étant dit ou fait. *Sur ce, je me sauve.* On dit de même *Sur cela. Sur cela, il me quitta.*

SUR TOUTE CHOSE, SUR TOUTES CHOSES, loc. adv. Principalement, par préférence à tout autre chose, par-dessus tout. *Je vous recommande sur toutes choses de...*
V. SURTOUT.

SUR LE TOUT, loc. adv. et fam. En somme, en résumé. *Sur le tout je m'en rapporte à vous.* = *Brocher sur le tout.* V. BROCHER.

SUR-LE-CHAMP, loc. adv. Immédiatement, tout de suite. *L'espion fut découvert et fusillé sur-le-champ.* V. CHAMP.

SUR L'HEURE, loc. adv. Sans intervalle, sans délai. V. HEURE.

suralimenter, v. tr. Donner une alimentation très riche en calories.
sur-aller, v. intr. [Véner.] Se dit d'un chien qui coupe la voie sans aboyer ou sans se rabattre.
sur-andouiller, n. m. [Vén.] Andouiller plus grand que les autres qui se trouve à la tête de quelques cerfs.
suranné, ée [*su-ra-né*], adj. Se dit de certains actes lorsque le temps pour lequel ils étaient valables est expiré. *Procuration surannée.* ‖ Fig. Se dit des choses, des personnes qu'on regarde comme vieilles, passées de mode, hors d'usage. *Mode, beauté surannée.*
Syn. — V. ancien.
* **suranner,** v. intr. Avoir plus d'un an de date et n'être plus valable.
sur-arbitre, n. m. Arbitre qu'on adjoint à d'autres quand ceux-ci sont d'avis contraire. — On dit mieux *tiers-arbitre.* = Pl. *Des sur-arbitres.*
* **surard** [*rar*] ou * **surat** [*ra*], adj. et n. m. Se dit du vinaigre préparé avec des fleurs de sureau.
surate [*sou*] ou * **sourate,** n. f. Chapitre du Coran (qui est divisé en 114 surates).
surbaissé, ée, adj. [Archi.] Se dit des voûtes formées par un segment de cercle moins élevé que le plein cintre. V. pl. arcs. ‖ Plus bas que la normale. *Carrosserie surbaissée.*
surbaissement [*sur-bè-se-man*], n. m. Quantité dont une voûte, une arcade est surbaissée. V. pl. arc.
* **surbaisser,** v. tr. Faire moins haut que la demi-circonférence, en parlant d'une voûte.
* **subau** [*bô*], n. m. [Mar.] Chacune des pièces de bois clouées sur les baux d'un navire.
* **surboucher,** v. tr. Coiffer d'une capsule d'étain le bouchon d'une bouteille.
* **surbout** [*bou*], n. m. Pièce de bois mobile sur un pivot recevant des assemblages de charpente.
surcharge, n. f. Nouvelle charge ajoutée à une autre. ‖ Surcroît d'impôts. ‖ Fig. Surcroît de charges, de peines. ‖ Excédent du poids des bagages, du nombre des voyageurs. ‖ Fig. État de ce qui pèche par excès de matière. ‖ Mot écrit sur un autre mot. [P. T. T.] Nouvelle impression modifiant la valeur d'un timbre-poste.
surcharger, v. tr. Imposer une charge excessive. *Ce mur est surchargé.* ‖ Fig. *Surcharger d'impôts, de travail.* ‖ Faire une surcharge dans l'écriture. = se surcharger, v. pr. *Se surcharger l'estomac, trop manger.* = Conjug. V. grammaire.
* **surchauffe,** n. f. Action de surchauffer; son résultat. ‖ Action de surchauffer la vapeur dans une chaudière de locomotive.
surchauffé, ée, adj. Chauffé avec excès.
surchauffer, v. tr. Chauffer avec excès. ‖ Augmenter la tension de la vapeur en élevant sa température. ‖ Oxyder un fer en lui donnant trop de feu.
* **surchauffeur,** n. m. [Techn.] Appareil de surchauffe. V. pl. locomotive.
* **surchauffure,** n. f. Défaut d'un fer surchauffé.
* **surchoix,** n. m. Meilleur choix; marchandise de première qualité.

* **surclasser,** v. tr. [Sports] Battre si bien un adversaire qu'il apparaisse d'une classe inférieure.
surcomposé, ée, adj. [Gram.] Se dit des temps des verbes dans lesquels on redouble l'auxiliaire avoir : *J'aurais eu fini.* V. grammaire.
* **surcontrer,** v. tr. [Jeu] Au bridge, se dit de l'enchérisseur qui, étant contré, contre à son tour le contre.
surcot [*cô*], n. m. Sorte de casaque collante portée par-dessus le corsage par les femmes, au Moyen Age. V. pl. costumes.
* **surcoupe,** n. f. [Jeu] Action de surcouper.
surcouper, v. tr. [Jeu] Couper avec un atout supérieur à celui qui vient d'être joué pour couper.
surcroît, n. m. Augmentation, ce qui est ajouté à quelque chose. = par surcroît, loc. adv. En plus, en outre.
* **surcroître,** v. tr. Augmenter sans mesure. Accroître au delà des bornes. = Conjug. (comme *croître*). V. verbes.
* **surdent,** n. f. Dent persistante de la première dentition que fait dévier la dent de remplacement.
surdi-mutité, n. f. Affection du sourd-muet, privation de la parole à la suite de la surdité.
surdité, n. f. Affection de celui qui est sourd; abolition plus ou moins complète du sens de l'ouïe.
* **surdon,** n. m. [Comm.] Forfait ou remise proportionnelle en cas d'avarie.
* **surdorer,** v. tr. Dorer doublement.
* **surdorure,** n. f. Action de surdorer; résultat de cette action.
surdos [*sur-dô*], n. m. Bande de cuir qui se met sur le dos du cheval de trait.

...**sure, çure**

Orth. — *Finales.* — À l'exception de gerçure, et rinçure, la finale *sure* s'écrit toujours sous cette forme : blessure, bouffissure, cassure, censure, pressure, morsure, voussure, etc.

sureau, n. m. [Bot.] Genre de plantes à moelle abondante; famille des *caprifoliacées*. Les feuilles, les fruits, l'écorce du sureau sont employés en médecine.
Hom. — *Suros,* tumeur osseuse chez le cheval.
surélévation [*sion*], n. f. Action de surélever. ‖ Augmentation excessive.
* **surélever,** v. tr. Élever plus haut. ‖ Porter des prix, des tarifs à un taux plus élevé. = Conjug. V. grammaire.
Syn. — V. élever.
* **surelle** ou * **surette,** n. f. [Bot.] Nom vulg. de l'oxalide, petite oseille, famille des *oxalidées*.
sûrement, adv. (de *sûr*). Avec sûreté, en assurance. *De l'argent placé sûrement.* ‖ Certainement, infailliblement. *Il viendra sûrement.*
Ctr. — *Douteusement.*
* **suréminence,** n. f. Qualité de ce qui est suréminent.
suréminent, ente, adj. Éminent au suprême degré.
surenchère [*su-ran*], n. f. Enchère au-dessus d'une autre enchère. ‖ Fig. Proposition, promesse faite pour renchérir sur celle d'un autre (Péjor.).

surenchérir [*su-ran-ché-rir*], v. intr. Faire une surenchère.

* **surenchérissement**, n. m. Enchérissement ajouté à un enchérissement.

surenchérisseur, euse, n. Qui fait une surenchère.

* **surépineux, euse**, adj. [Anat.] Situé au-dessus d'une épine.

surérogation [*gha-sion*], n. f. Ce qu'on fait au delà de ce qu'on est obligé de faire ou qu'on a promis de faire.

PAR. — *Subrogation*, acte par lequel on subroge.

surérogatoire, adj. Qui est au delà de ce qu'on est obligé de faire.

PAR. — *Subrogatoire*, qui substitue.

surestaries, n. f. pl. [Mar.] Retard apporté dans le chargement ou le déchargement d'un navire frété.

* **surestimation**, n. f. Estimation d'une chose au-dessus de sa valeur.

surestimer, v. tr. Estimer une chose au-dessus de sa valeur.

suret, ette, adj. (de *sur* 2). Un peu acide, un peu aigre.

sûreté, n. f. (lat. *securitas*, m. s.). État de ce qui est à l'abri de tout danger. *Mettre son bien en sûreté.* — Prov. *Méfiance est mère de sûreté.* = EN SÛRETÉ, dans un endroit à l'abri des recherches, des vols. — *En sûreté de conscience*, sans que la conscience soit blessée. [Droit] Caution, garantie que l'on donne pour l'exécution d'un contrat. — *Service de la sûreté*, *Sûreté nationale*, ou, par abrév., *la Sûreté*, service dépendant du ministère de l'intérieur et chargé de dépister les complots et de rechercher les criminels. ‖ *Mesure de précaution. Deux sûretés valent mieux qu'une.* [A. milit.] Ensemble des mesures destinées à assurer la sécurité des troupes. Assurance, fermeté du pied pour marcher, de la main pour écrire, pour faire une opération. *Ce chirurgien a une grande sûreté de main.* — Fig. *Sûreté de goût.* ‖ Caractère de celui en qui on peut se fier. *C'est un homme d'une entière sûreté.* [Techn.] Serrure, verrou de sûreté, serrure qu'il est difficile d'ouvrir avec une clef autre que la sienne. — *Chaîne de sûreté*, chaîne qui empêche une porte de s'ouvrir complètement.

— *Deux sûretés valent mieux qu'une*
Et le trop, en cela, ne fut jamais perdu.
(LA FONTAINE.)

* **surexcitabilité**, n. f. [Méd.] Disposition à la surexcitation.

* **surexcitable** [*ek-si*], adj. Susceptible d'être surexcité.

* **surexcitant, ante**, adj. et n. m. Qui surexcite, qui est propre à surexciter.

surexcitation [*rek-sita-sion*], n. f. [Physiol.] Augmentation exagérée de l'énergie vitale dans un tissu, dans un organe. ‖ Fig. Irritation, animation extrême ou maladive. *État de surexcitation effrayante.*

surexciter, v. tr. Déterminer de la surexcitation.

CTR. — *Apaiser, calmer.*

* **surexposer**, v. tr. [Photo.] Soumettre trop longtemps à l'action de la lumière une plaque, un papier sensibles.

surface [*a-se*], n. f. (préf. *sur*, et *face*). Extérieur, dehors, superficie d'un corps. *La surface de l'eau, de la terre.* ‖ Fig. et fam. Dehors, apparence. *Il s'arrête à la surface des choses.* ‖ Situation, ressources pouvant servir de garantie; crédit. *Cet homme n'a aucune surface.* [Géom.] Syn. de *aire*, quoique le mot *surface* désigne plus particulièrement la forme de la partie considérée. V. pl. SURFACES.

ÉPITHÈTES COURANTES : large, étroite, plane, courbe, carrée, rectangulaire, circulaire, régulière, irrégulière, étendue, illimitée, considérable, cultivée, habitée, peuplée, etc.

SYN. — *Surface*, la partie extérieure d'un corps : *Une surface plane.* — *Aire*, surface plane limitée par des lignes : *L'aire d'un trapèze.* — *Contenance*, évaluation de la superficie d'un lieu : *Mesurer la contenance d'un pré.* — *Étendue*, dimension d'une chose en longueur, largeur ou profondeur : *Mesurer l'étendue des mers.* — *Superficie*, étendue d'un corps mesurée par sa longueur et par sa largeur : *La superficie d'un champ.*

surfaire, v. tr. et intr. Demander plus qu'il ne faut d'une chose à vendre. *Surfaire sa marchandise.* ‖ Fig. Vanter outre mesure. = Conjug. (comme *faire*). V. VERBES.

surfait, faite, adj. Trop vanté, dont on a fait trop de cas.

HOM. — V. SURFAIX.

surfaix [*sur-fè*], n. m. Bande de cuir qui retient les quartiers de la selle d'un cheval.

HOM. — *Surfaix*, n. m., bande de cuir retenant une selle; — *surfait*, trop vanté; — *surfais, ait*, du v. surfaire.

surfil ou * **surfilage**, n. m. Action de surfiler; son résultat.

surfiler, v. tr. Passer un fil sur les bords des coutures qui peuvent s'effilocher.

* **surfin, ine**, adj. Qui a une qualité supérieure de finesse.

* **surfusion**, n. f. [Phys.] État d'un corps qui reste liquide au-dessous de sa température de fusion.

PAR. — *Suffusion*, épanchement d'un liquide sous la peau.

surgeon [*jon*], n. m. Rejeton qui naît de la souche d'un arbre et peut former un nouvel individu.

surgir [*jir*], v. intr. (lat. *surgo*, je me dresse). [Mar.] Arriver, aborder. *Surgir au port.* ‖ S'élever. *On vit surgir une nouvelle ville en quelques années.* ‖ Apparaître brusquement. *Il surgit au milieu de nous.* ‖ Fig. Naître, apparaître. *Faire surgir une difficulté.*

ORTH. — Le pp. *surgi* est invariable.

* **surgissement**, n. m. Action de surgir.

* **surglacé**, n. m. Sorte de papier très calandré. = Adj. *Papier surglacé.*

surhaussé, ée, adj. [Archi.] Se dit d'une voûte, d'une arcade dont la montée est plus grande que la moitié de son ouverture. V. pl. ARC.

CTR. — *Surbaissé.*

surhaussement, n. m. Action de surhausser; son résultat. [Ch. de fer] Surélévation, dans les courbes, du rail extérieur par rapport au rail intérieur.

surhausser [*su-rô-ssé*], v. tr. Élever plus haut. Se dit surtout des voûtes qu'on élève au delà de leur plein cintres ‖ Surélever. *Surhausser une maison.* ‖ Mettre à plus haut prix ce qui était déjà cher.

SURFACES PLANES

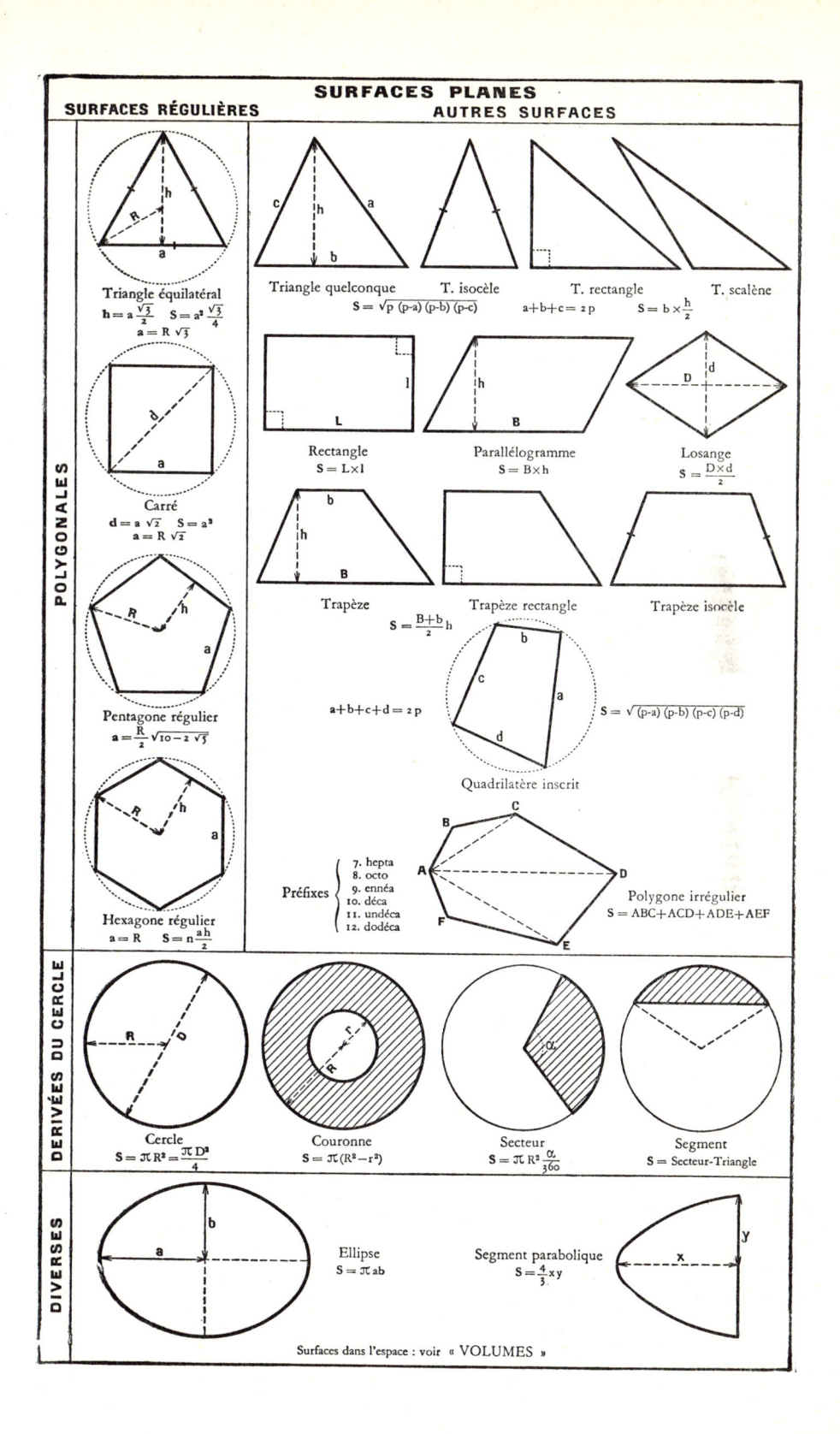

SURFACES RÉGULIÈRES — **AUTRES SURFACES**

POLYGONALES

Triangle équilatéral
$h = a\frac{\sqrt{3}}{2}$ $S = a^2\frac{\sqrt{3}}{4}$
$a = R\sqrt{3}$

Triangle quelconque
$S = \sqrt{p(p-a)(p-b)(p-c)}$

T. isocèle
$a+b+c = 2p$

T. rectangle
$S = b \times \frac{h}{2}$

T. scalène

Carré
$d = a\sqrt{2}$ $S = a^2$
$a = R\sqrt{2}$

Rectangle
$S = L \times l$

Parallélogramme
$S = B \times h$

Losange
$S = \frac{D \times d}{2}$

Pentagone régulier
$a = \frac{R}{2}\sqrt{10 - 2\sqrt{5}}$

Trapèze
$S = \frac{B+b}{2}h$

Trapèze rectangle

Trapèze isocèle

$a+b+c+d = 2p$

Quadrilatère inscrit
$S = \sqrt{(p-a)(p-b)(p-c)(p-d)}$

Hexagone régulier
$a = R$ $S = n\frac{ah}{2}$

Préfixes
7. hepta
8. octo
9. ennéa
10. déca
11. undéca
12. dodéca

Polygone irrégulier
$S = ABC + ACD + ADE + AEF$

DÉRIVÉES DU CERCLE

Cercle
$S = \pi R^2 = \frac{\pi D^2}{4}$

Couronne
$S = \pi(R^2 - r^2)$

Secteur
$S = \pi R^2 \frac{\alpha}{360}$

Segment
$S = $ Secteur − Triangle

DIVERSES

Ellipse
$S = \pi ab$

Segment parabolique
$S = \frac{4}{3}xy$

Surfaces dans l'espace : voir « VOLUMES »

surhomme, n. m. Homme qui dépasse la mesure ordinaire de la nature humaine.

surhumain, aine [*su-ru-min, ène*], adj. Qui est au-dessus de l'humain. *Taille surhumaine. Effort surhumain.*
SYN. — V. MERVEILLEUX.

surimposer [*zé*], v. tr. Placer par-dessus. ǁ Surtaxer.

surimposition [*zi-sion*], n. f. Action de surimposer. Augmentation des taxes.

* **surimpression**, n. f. Superposition de deux ou plusieurs images sur un film, une pellicule, en vue d'obtenir certains effets.

1. * **surin**, n. m. Jeune pommier sauvage.

2. * **surin**, n. m. [Arg. pop.] Couteau, poignard.

* **suriner**, v. tr. [Arg. pop.] Frapper, tuer à coups de couteau.

surintendance, n. f. Inspection et direction générale au-dessus des autres. ǁ Charge, commission de surintendant, de surintendante. ǁ Demeure du surintendant.

surintendant, n. m. Celui qui a la direction et l'inspection supérieure d'une chose. ǁ *Surintendant militaire*, officier général qui contrôle les intendants militaires. ǁ *Surintendant des finances*, titre que portait, sous la monarchie, le ministre des finances.

surintendante, n. f. Femme du surintendant. ǁ Dame qui avait la première charge de la maison de la reine. ǁ Directrice des maisons d'éducation de la Légion d'honneur. ǁ Femme dirigeant les organisations d'assistance sociale dans les services ou établissements publics ou privés.

* **surir**, v. intr. Devenir aigre.

* **surjaler**, v. intr. [Mar.] Se dit de l'ancre quand son câble est engagé sous le jas.

surjet [*sur-jé*], n. m. Couture qu'on fait en tenant deux étoffes, qui doivent être jointes, appliquées bord à bord et en les traversant toutes deux à chaque point.

surjeter, v. tr. Coudre un surjet. = Conjug. V. GRAMMAIRE.

* **surlé**, n. m. Entaille faite aux pins pour la récolte de la résine.

surlendemain, n. m. Le jour qui suit le lendemain.
ANT. — *Avant-veille, surveille.*

* **surlier**, v. tr. Enrouler du fil à voile autour du bout d'un gros cordage pour qu'il ne se détorde pas. = Conjug. V. GRAMMAIRE.

* **surliure**, n. f. Action de surlier un cordage; résultat de cette action.

surlonge, n. f. Partie du bœuf qui reste quand on a levé l'épaule et la cuisse, et où l'on prend les aloyaux. V. pl. BOUCHERIE.

* **surlouer**, v. tr. Louer ou prendre en location au-dessus de la valeur réelle.

surmenage, n. m. Excès de travail musculaire ou intellectuel. ǁ État d'un homme ou d'un animal surmené; ensemble des troubles qu'il présente.

surmener, v. tr. Fatiguer d'une manière exagérée par un excès de travail. *Surmener ses élèves.* = SE SURMENER, v. pr. Se fatiguer par un travail excessif. *Ce jeune homme s'est surmené.* = Conjug. V. GRAMMAIRE.

surmontable, adj. Qu'on peut surmonter. *Obstacle surmontable.*

surmonté, ée, adj. Placé au-dessus de. ǁ Vaincu, dominé, surpassé.

surmonter, v. tr. (de *sur*, préf., et du v. *monter*). Monter au-dessus. ǁ Être placé au-dessus d'un objet. *Cette colonne est surmontée d'une statue.* ǁ Fig. Vaincre, dominer, dompter; surpasser. *Surmonter sa colère. Surmonter tous les obstacles.* = SE SURMONTER, v. pr. Se dominer, se maîtriser.
SYN. — V. VAINCRE.

surmoulage, n. m. Moulage obtenu sur un premier moulage et non sur l'original.

surmouler, v. tr. Faire un moule sur une figure de plâtre déjà moulée.

surmoût [*moû*], n. m. Vin tiré de la cuve sans avoir cuvé ni avoir été pressuré.

surmulet, n. m. [Zool.] Nom vulg. d'un *mulet*, poisson téléostéen, encore appelé *rouget de roche*.

surmulot, n. m. [Zool.] Nom vulg. d'un mammifère rongeur, gros rat appelé aussi *rat d'égout*.

surnager, v. intr. Se soutenir à la surface d'un liquide. *L'huile surnage sur l'eau.* ǁ Fig. Subsister, éviter la destruction. *La vérité finira bien par surnager.* — Fam. Sortir honorablement d'une situation délicate. = Conjug. V. GRAMMAIRE.

* **surnaturalisme**, n. m. Doctrine de ceux qui admettent l'existence d'un ordre surnaturel.

surnaturel, elle, adj. Qui est ou paraît au-dessus des forces de la nature. *Puissance surnaturelle.* — *Vérités surnaturelles*, vérités que nous ne connaissons que par la foi. ǁ Par exag. Extraordinaire, fort au-dessus du commun. *Cet enfant a un esprit surnaturel.* = SURNATUREL, n. m. Ensemble des phénomènes qui sont ou paraissent au-dessus des forces de la nature.
SYN. — V. FABULEUX.

surnaturellement [*tu-rè-le-man*], adv. D'une manière surnaturelle.

* **surnie**, n. f. [Zool.] Nom vulg. d'un rapace nocturne encore appelé *chevêche*.

surnom [*sur-non*], n. m. Nom ajouté au nom propre d'un individu. Ex. : Guillaume *le Conquérant*.
SYN. — V. NOM.

surnombre, n. m. Quantité qui est en plus du nombre voulu. = EN SURNOMBRE, loc. adv. En plus du nombre régulier. *Voyageurs en surnombre.*

surnommer [*sur-no-mé*], v. tr. Ajouter une épithète au nom d'une personne; donner un surnom.

* **surnourrir**, v. tr. Nourrir avec surabondance (Fam.).

surnuméraire, adj. Qui est en sus du nombre ordinaire. = Nom. Commis, employé qui travaille sans appointements, ou avec des appointements réduits, dans une administration jusqu'à ce qu'on le nomme en titre.

surnumérariat [*ria*], n. m. Temps pendant lequel on est surnuméraire. *Admis au surnumérariat.* ǁ Emploi de surnuméraire.

* **suroffre**, n. f. Offre renchérissant sur une première offre.

suroît, n. m. [Mar.] Nom donné par les marins au vent du sud-ouest. ǁ Chapeau imperméable en toile huilée. V. pl. COIFFURES. ǁ Vêtement imperméable.

suros [*su-ro*], n. m. [Méd. vét.] Tumeur osseuse sur la jambe du cheval.
HOM. — *Sureau*, arbuste de la fam. des *caprifoliacées.*

suroxydation [su-ro-ksi-da-sion], n. f. [Chim.] Action de suroxyder; résultat de cette action.

suroxyde, n. m. [Chim.] Syn. de *peroxyde*.

suroxyder [su-ro-ksi-dé], v. tr. [Chim.] Oxyder au plus haut degré.

* **suroxygénation** [sion], n. f. [Chim.] Action de suroxygéner; son résultat.

* **suroxygéner** [jé], v. tr. Additionner d'un excès d'oxygène. = Conjug. V. GRAMMAIRE.

* **surpassable**, adj. Qui peut être surpassé.

surpasser, v. tr. Être plus haut, plus élevé. ‖ Fig. Être au-dessus, être supérieur. *Il les surpasse en richesse.* ‖ Causer un vif étonnement. *Cet événement me surpasse.* ‖ Aller au delà. *Il surpasse nos espérances.* ‖ Excéder. *Cela surpasse mes forces.* = SE SURPASSER, v. pr. Faire mieux qu'on ne fait à son ordinaire.

SYN. — V. PRÉVALOIR.

* **surpaye** [pè-ye], n. f. Gratification accordée en sus de la paye.

surpayer [pé-ié], v. tr. Payer au delà de la valeur; acheter trop cher. ‖ Payer quelqu'un au delà de ce qui lui est dû. = Conjug. V. GRAMMAIRE.

surpeuplé, ée, adj. Dont les habitants sont en nombre excessif par rapport aux ressources du pays.

* **surpeuplement**, n. m. Peuplement excessif dépassant les ressources d'un milieu. ‖ État d'un lieu surpeuplé.

surpeupler, v. tr. Peupler à l'excès.

surplis [pli], n. m. Courte tunique blanche que les ecclésiastiques portent par-dessus la soutane lorsqu'ils accomplissent certaines fonctions de leur ministère.

surplomb [plon], n. m. Situation de ce qui surplombe. ‖ État ou défaut de ce dont le haut avance plus que la base ou le pied. *Falaise en surplomb.* ‖ Partie en surplomb.

SYN. — V. SAILLIE.

surplomber, v. intr. Être hors de l'aplomb, être en surplomb. = V. tr. Faire saillie sur. *La falaise surplombe la mer.*

surplus [plu], n. m. (de *sur*, préf., et *plus*). Ce qui dépasse une certaine quantité. Excédent. *Vous me paierez demain le surplus.* = AU SURPLUS, loc. adv. Au reste. *Au surplus vous saurez que...*

CTR. — *Manque, déficit.*

* **surpoids** [poi], n. m. Excédent de poids.

* **surpopulation** [sion], n. m. Situation d'un État, d'une ville surpeuplés.

surprenant, ante, adj. Qui surprend, qui étonne, qui cause de la surprise.

surprendre, v. tr. (de *sur*, préf., et *prendre*). Prendre quelqu'un sur le fait, le trouver dans une action, dans un état qu'il ne croyait pas être vu. *Surprendre quelqu'un en flagrant délit.* ‖ Prendre à l'improviste, au dépourvu; survenir inopinément. *La pluie nous a surpris.* — *Il est venu nous surprendre,* il est arrivé chez nous à l'improviste. ‖ Tromper, abuser. *Il a surpris ma bonne foi.* ‖ Obtenir par artifice, par des voies indues. *Il a surpris mon consentement.* ‖ Découvrir à l'improviste ce qu'un autre voudrait tenir caché. *J'ai surpris ses soupirs, qu'il voulait me cacher.* ‖ Étonner.

Cette nouvelle m'a extrêmement surpris, = SE SURPRENDRE, v. pr. S'apercevoir que l'on fait quelque chose involontairement. *Je me suis surpris à pleurer comme un enfant.* = Conjug. (comme *prendre*). V. VERBES.

SYN. — V. ÉTONNER.

* **surprime**, n. f. [Assurances] Prime payée en sus de la prime habituelle pour se couvrir de certains risques inhabituels.

surpris, ise, adj. Étonné par quelque chose d'inattendu.

SYN. — *Surpris,* frappé par quelque chose d'inattendu : *Je suis très surpris de ce que vous m'annoncez.* — *Abasourdi,* hébété momentanément : *Cette nouvelle l'a abasourdi.* — *Ahuri,* lourdement stupéfié : *Il a été ahuri par ces succès inespérés.* — *Confondu,* troublé entièrement par quelque chose d'inattendu : *Ce que vous lui annonciez l'a confondu.* — *Consterné,* frappé de l'accablement où jette une catastrophe : *A la mort de Turenne, la France fut consternée.* — *Démonté,* frappé d'une surprise mêlée de découragement : *Il a été démonté par la mauvaise nouvelle.* — *Déconcerté,* troublé parce que les mesures prises, les desseins sont dérangés : *Cet incident a déconcerté toutes leurs prévisions.* — *Ébahi,* frappé d'un profond étonnement : *Mon arrivée l'a ébahi.* — *Ébaubi,* interdit de surprise : *Il est resté tout ébaubi.* — *Étonné,* fortement surpris : *Votre attitude si digne l'a étonné.* — *Étourdi,* étonné à en perdre le sens : *Il fut étourdi par ce bonheur inespéré.* — *Interdit,* troublé de manière à perdre l'usage de la raison, l'activité : *En présence de cette résistance, il est resté comme interdit.* — *Interloqué,* surpris de manière à perdre l'usage de la parole : *Votre objection l'a interloqué.* — *Pantois,* tout interdit : *Il est resté tout pantois quand on lui annonça son succès.* — *Stupéfait,* frappé d'un étonnement violent : *J'ai été stupéfait de son attitude insolente.* — *Stupéfié,* dont toutes les facultés sont anéanties : *Il a été stupéfié par cette accusation.* — *Suffoqué,* étonné de manière à perdre la respiration : *Ce manque d'égards l'a suffoqué.*

surprise [pri-ze], n. f. Action par laquelle on surprend. *Se rendre maître d'une place par surprise.* ‖ Étonnement, trouble causé par ce qui est inattendu. *Cet accident a causé une profonde surprise.* ‖ La chose même qui cause une surprise. ‖ Chose inattendue. *Votre visite a été pour moi une bonne surprise.* ‖ Cadeau ou plaisir inattendu. *Faire à quelqu'un une surprise pour sa fête.* ‖ Petit objet creux dissimulant d'autres petits objets qu'on a la surprise de découvrir. *Pochette surprise.* ‖ *Surprise-partie,* partie de plaisir, sauterie improvisée chez une personne qui n'a pas été prévenue.

surproduction, n. f. Production excédant les besoins ou les possibilités de la consommation.

* **surréalisme**, n. m. École littéraire et artistique contemporaine rejetant les constructions logiques de l'esprit, et laissant à l'imagination et à l'association des idées tout leur arbitraire.

* **surréaliste**, adj. Relatif au surréalisme. = Nom. Adepte du surréalisme.

* **surrection** [sion], n. f. [Géol.] Action de surgir, de se soulever.

PAR. — *Insurrection,* soulèvement contre un gouvernement.

SURRÉNAL — SURVIVANCE

surrénal, ale, adj. [Anat.] Qui est situé au-dessus des reins. *Capsules surrénales*, ou, n. f. *les surrénales*, glandes à sécrétion interne qui coiffent les reins. V. pl. HOMME (viscères).

* **sursalaire**, n. m. Supplément au salaire.

* **sursaturation**, n. f. [Phys.] État d'une dissolution dans laquelle le solide dissous ne se dépose pas, bien qu'il soit en quantité inférieure à celle qui correspond au point de saturation.

sursaturé, ée, adj. Fig. et fam. Excédé d'une chose fournie en trop grande abondance.

sursaturer, v. tr. Saturer en excédant le point de saturation.

sursaut [*sô*], n. m. (de *sur*, préf., et *saut*). Mouvement brusque occasionné par une sensation subite et violente. ‖ *S'éveiller en sursaut*, s'éveiller subitement comme si l'on éprouvait une sensation brusque et vive. ‖ Fig. Élan moral. *Il eut un sursaut d'énergie pour résister.*

sursauter, v. int. Avoir une commotion brusque, produite par une sensation inattendue et violente.

surséance, n. f. Délai, suspension d'une affaire.

* **sursemer**, v. tr. Semer par-dessus quelque chose. ‖ Semer dans une terre déjà ensemencée. = Conjug. V. GRAMMAIRE.

surseoir [*soir*], v. tr. Différer, suspendre, remettre (se dit des affaires, des procédures). *Surseoir le payement d'une dette.* = On dit aussi, intransit. *surseoir à*. *Surseoir à une exécution.*

CONJUG. — V. intrans. 3ᵉ groupe (inf. en *oir*) [rad. *surs, sursoy*).
Indicatif. — *Présent* : Je sursois, tu sursois, il sursoit, nous sursoyons, vous sursoyez, ils sursoient. — *Imparfait* : Je sursoyais..., nous sursoyions, vous sursoyiez...—*Passé simple* : Je sursis..., nous sursîmes, vous sursîtes... — *Futur* : Je surseoirai..., nous surseoirons...
Impératif. — Sursois, sursoyons, sursoyez.
Conditionnel. — *Présent* : *J*e surseoirais..., nous surseoirions, vous surseoiriez...
Subjonctif. — *Présent* : Que je sursoie, que tu sursoies, qu'il sursoie, que nous sursoyions, que vous sursoyiez... — *Imparfait* : Que je sursisse, que tu sursisses, qu'il sursît, que nous sursissions, que vous sursissiez...
Participe. — *Présent* : Sursoyant. — *Passé* : Sursis.
Temps composés conjugués avec l'auxiliaire AVOIR.

---

sursis [*si*], n. m. [Droit] Délai d'épreuve pendant lequel l'exécution d'une peine est suspendue. ‖ Délai accordé par l'autorité militaire pour rejoindre son corps.

* **sursitaire**, n. m. Personne qui a obtenu un sursis.

* **sursolide**, n. m. [Alg.] Le carré du carré, la quatrième puissance.

surtaxe, n. f. Taxe ajoutée à d'autres; taxe nouvelle. [P. T. T.] Taxe double de l'affranchissement normal ou de l'insuffisance d'affranchissement que paye le destinataire d'une lettre ou d'un paquet insuffisamment ou non affranchi.

surtaxer, v. tr. Charger d'une nouvelle taxe. ‖ Taxer trop haut.

* **surtension**, n. f. [Électr.] Tension exceptionnellement élevée que produisent sur une ligne les brusques variations de charge.

* **surtonte**, n. f. [Techn.] Action d'enlever le poil des peaux préparées à la chaux.

1. **surtout** [*tou*], adv. (de *sur*, préf., et *tout*). Principalement, plus que toute autre chose. *Il lui recommanda surtout de bien appliquer la loi.* — *Dites-lui surtout que...* INCORR. — On ne doit pas dire : *Vous êtes impardonnable, surtout que ce n'est pas votre première faute* ; il faut dire : *d'autant plus que ce n'est pas votre première faute.*

2. **surtout** [*tou*], n. m. (de *sur*, et *tout*). Sorte de justaucorps fort large que l'on mettait sur tous les autres vêtements. V. pl. COSTUMES. ‖ Grande pièce de vaisselle d'argent, de porcelaine, etc., qu'on place au milieu des grandes tables, et sur laquelle il y a des fleurs, des fruits, etc. *Un surtout de table de Sèvres.*

surveillance [*vé-illan-se, ill* mll.], n. f. Action de surveiller et état de celui qui est surveillé. ‖ Droit de veiller, avec autorité sur. ‖ *Conseil de surveillance*, conseil chargé de surveiller la gestion d'une société.

surveillant, ante [*vé-illan, ill* mll.], n. Celui, celle qui surveille (des élèves, des prisonniers, etc.). — *Surveillant général*, fonctionnaire qui dirige la surveillance d'un établissement.

SYN. — V. GARDE.

surveille [*ill* mll.], n. f. Avant-veille.
HOM. — *Surveille, es, ent*, du v. surveiller.
ANT. — *Surlendemain.*

surveiller [*ill* mll.], v. tr. (de *sur*, préf., et de *veiller*). Veiller particulièrement et avec autorité sur une personne ou sur une chose. *Surveiller des enfants.* = SE SURVEILLER, v. pr. Veiller sur sa propre conduite, sur ses paroles, sur ses fréquentations, etc. ‖ Au sens récipr. Veiller l'un sur l'autre, les uns sur les autres. *Les concurrents se surveillaient mutuellement.*

SYN. — V. GUETTER.

survenance, n. f. Arrivée imprévue; ne se dit guère qu'au sujet de la naissance d'enfants. *Survenance d'enfants.*

survenant, ante, adj. et n. Qui survient, qui arrive de façon imprévue. *Il y a de la place pour les survenants.*

* **survendre** [*van*], v. tr. Vendre au-dessus de la valeur. = Conjug. (comme *rendre*). V. VERBES.

survenir, v. intr. Arriver inopinément. ‖ Arriver de surcroît. = Conjug. (comme *tenir*). V. VERBES.

* **survente** [*van-te*], n. f. Vente à un prix excessif.

* **surventer**, v. intr. [Mar.] Venter plus violemment.

* **survêtir**, v. tr. Vêtir plus qu'il n'est nécessaire. = Conjug. (comme *vêtir*). V. VERBES.

* **survider**, v. tr. Retirer une partie de ce qui est dans un vase, dans un récipient trop plein.

survie, n. f. [Droit] État de celui qui survit à un autre. — *Gain de survie*, avantage que l'un des époux accorde à l'autre, pour le cas où il décéderait le premier. ‖ Vie future, prolongement de l'existence après la mort.

survivance, n. f. (du v. *survivre*). Action de survivre. *La survivance de l'âme des morts.* ‖ Droit, faculté de succéder à une personne dans sa charge après sa mort. *Obtenir la survivance d'une charge.*

* **survivancier, ière,** n. Celui, celle qui a la survivance d'une charge.
survivant, ante, adj. et n. Qui survit à un autre.
survivre, v. intr. Demeurer en vie après une autre personne. *Survivre à son père.* ‖ Fig. *Survivre à son honneur,* vivre encore après la perte de son honneur. ‖ En parlant des choses, demeurer après la mort de quelqu'un. *Ses œuvres lui survivront longtemps.* = SE SURVIVRE. v. pr. Fig. *Se survivre dans ses ouvrages,* laisser des ouvrages qui perpétuent notre souvenir. ‖ Fig. Perdre avant la mort l'usage des facultés naturelles, de la raison. = Conjug. (comme *vivre*). V. VERBES.
* **survol,** n. m. [Aviat.] Action de voler au-dessus.
survoler, v. tr. Voler au-dessus, en parlant des avions.
SYN. — V. VOLER.
* **survoltage,** n. m. [Électr.] Augmentation du potentiel d'un courant électrique, au-dessus du voltage normal.
* **survolter,** v. tr. [Électr.] Augmenter le voltage d'un courant.
1. sus [*su* ou *suss*], prép. (bas lat. *susum,* altération de *sursum,* sur). Ne s'emploie au propre que dans l'expr. : *Courir sus à quelqu'un,* courir sur lui pour le prendre, pour l'arrêter. [Comm.] *Les choses sus énumérées,* les choses énumérées plus haut, énumérées ci-dessus. = SUS, interj. pour exciter l'ardeur, le courage. *Sus, mes amis* (Fam.). = EN SUS, loc. adv. En surplus. *La moitié, le quart en sus,* en ajoutant la moitié, le quart de la somme indiquée. *Quatre francs et le quart en sus font cinq francs.* = EN SUS DE, loc. prép. Au delà. *Il a touché une gratification en sus de ses appointements.* ‖ Outre. *En sus de l'amende, il faut payer les frais.*
HOM. (prononc. *su*). — *Sus,* prép., — *sue, es, ent,* du v. suer; — *su, sue,* du v. savoir ;
(prononc. *suss*). — *suce, es, ent,* du v. sucer; — *susse, es, ent,* du v. savoir.
2. * **sus-**[*suss*], préfixe signifiant au-dessus, en haut. Il entre dans la composition de mots de langage courant (*suscription, susdit,* etc.) et du langage scientif.
* **susbande,** n. f. [Artill.] Pièce de l'affût qui maintient le tourillon.
susceptibilité, n. f. [Physiol.] Aptitude à ressentir des impressions, à contracter des maladies. *Susceptibilité au froid.* ‖ Exaltation de la sensibilité. ‖ Fig. Disposition à se choquer, à se froisser aisément.
susceptible [*su-sèp*], adj. (lat. *susceptibilis,* m. s.). Capable de manifester certaines qualités, d'éprouver certaines modifications. *Susceptible d'amour. Ce passage est susceptible d'interprétations différentes.* ‖ En parlant des personnes. Qui s'offense, se pique aisément. *Un caractère susceptible.*
SYN. — V. CAPABLE et IRRITABLE.
* **susception** [*su-sep-sion*], n. f. Action de recevoir les ordres sacrés. ‖ Solennité, fête en l'honneur de.
* **suscitation** [*sion*], n. f. ou * **suscitement,** n. m. Action de susciter.
susciter [*sus-si-té*], v. tr. Faire naître, produire. *Dieu suscita un prophète.* ‖ S'emploie aussi aujourd. en mauvaise

part. *Susciter des embarras. Son mérite lui suscite bien des envieux.*
SYN. — V. CAUSER.
suscription [*sus-krip-sion*], n. f. Adresse écrite sur le pli extérieur d'une lettre.
PAR. — *Souscription,* signature; contribution à une dépense.
* **susdénommé, ée,** adj. Qui a été nommé plus haut.
susdit, ite, adj. Nommé ci-dessus. *La susdite maison.*
* **sus-dominante,** n. f. [Mus.] Note immédiatement au-dessus de la dominante. = Pl. *Des sus-dominantes.*
* **sus-épineux, euse,** adj. [Anat.] Situé au-dessus d'une épine.
* **sus-hépatique,** adj. [Anat.] Situé au-dessus du foie.
sus-mentionné, ée [*sus-man-sio-né*], adj. Mentionné ci-dessus.
* **sus-nasal, ale,** adj. Situé au-dessus du nez.
susnommé, ée [*sus-no-mé*], adj. et n. Qui a été nommé plus haut.
* **sus-orbitaire** [*suzor*], adj. [Anat.] Placé au-dessus de l'orbite de l'œil.
suspect, ecte [*sus-pé,* ou *sus-pèkt'*], adj. (lat. *suspectus,* m. s.). Qui inspire de la méfiance, des soupçons bien ou mal fondés. *Cet homme m'est suspect.* ‖ Où l'on soupçonne quelque chose de mal. *Une conduite suspecte.* ‖ Douteux, que l'on soupçonne d'être falsifié ou de mauvaise qualité. *Une viande suspecte.* = N. m. *Personne suspecte.* — S'est dit, partic. sous la Terreur, des citoyens qu'on soupçonnait d'être hostiles au nouvel état de choses.
SYN. — V. AMBIGU et APOCRYPHE.
suspecter [*sus-pèk-té*], v. tr. Tenir pour suspect, soupçonner. *On suspecte sa conduite.* = SE SUSPECTER, v. pr. Se soupçonner mutuellement.
suspendre [*suss*], v. tr. (lat. *suspendere,* m. s.). Attacher, tenir une chose en l'air, de sorte qu'elle pende. *Suspendre une lampe.* ‖ Fig. *Suspendre ses pas,* marcher aussi doucement que possible. ‖ Fig. Interrompre, discontinuer pour un temps. *Suspendre une séance.* — *Suspendre son jugement sur quelque chose,* attendre pour porter son jugement qu'on soit plus éclairé. [Comm.] *Suspendre ses paiements,* se déclarer hors d'état de payer ce qu'on doit aux échéances, par suite, faire faillite. ‖ Fig. Enlever momentanément à une personne l'usage de ses fonctions sans la destituer. *Suspendre le maire d'une commune.* = SE SUSPENDRE, v. pr. Se soutenir en l'air en se tenant à une chose. = Conjug. (comme *rompre*). V. VERBES.
CTR. — *Rétablir, reprendre, recommencer.* — *Dépendre.*
suspendu, ue, adj. Attaché en l'air de manière à pendre. ‖ Fig. *Être suspendu aux lèvres de quelqu'un,* être attentif à chacune de ses paroles. ‖ Interrompu, différé. *Travaux suspendus.* ‖ Privé pour un temps de ses fonctions. *Maire suspendu.*
suspens [*sus-pan*], adj. m. Suspendu, interdit, Se dit d'un prêtre auquel on a interdit l'exercice de ses fonctions. = EN SUSPENS, loc. adv. Dans l'incertitude. ‖ *Affaire en suspens,* affaire encore indécise.
HOM. — *Suspends, end,* du v. suspendre.
suspense [*sus-pan-se*], n. f. Censure qui frappe un ecclésiastique et le déclare suspens. — État d'un ecclésiastique suspens

suspenseur [*pan*], adj. m. [Anat.] Qui suspend, qui soutient. *Ligament suspenseur*.
suspensif, ive, adj. [Droit] Qui suspend, arrête, empêche de continuer. *Appel suspensif*. [Gram.] *Points suspensifs* ou *de suspension* [...], points indiquant qu'une phrase est brusquement interrompue et reste inachevée.
suspension [*pan*], n. f. (lat. *suspensio*, m. s.) Action de suspendre ou état d'une chose suspendue. ‖ État de parties solides qui nagent dans un liquide sans s'y dissoudre ni s'y précipiter, ex. : la matière grasse du lait. ‖ Support de lampe, de fleurs, qu'on suspend au plafond ou à la voûte dans une salle à manger, une église, etc.
Action d'interrompre. *Suspension de séance*. ‖ Cessation momentanée d'une opération. *Suspension de paiements. Suspension d'armes*. ‖ Action d'interdire pour un temps un fonctionnaire public. ‖ Dispositif amortisseur de chocs interposé entre les roues et le châssis d'un véhicule. ‖ Fig. de rhétorique consistant à faire attendre à l'auditeur ce qu'il voudrait savoir, ou à interrompre brusquement un développement. V. tabl. FIGURES.
SYN. — V. RELÂCHE.
PAR. — *Suspicion*, soupçon, défiance.
suspensoir, n. m. [Chir.] Bandage destiné à soutenir des organes qui pendent (scrotum, partic.).
* **suspensène**, n. f. Tringle qui supporte le tablier d'un pont suspendu.
* **suspente**, n. f. [Mar.] Cordage amarré à un mât, qui supporte la vergue en son milieu. [Aéron.] Cordages soutenant la nacelle d'un ballon. V. pl. AÉRONAUTIQUE.
suspicion, n. f. Défiance, soupçon.
SYN. — *Suspicion*, méfiance que l'on peut avoir : *Invoquer contre un juge la suspicion légitime*. — *Soupçon*, croyance désavantageuse accompagnée de doute : *Avoir des soupçons sur la délicatesse d'un employé*. V. aussi DÉFIANCE et DOUTE.
PAR. — *Suspension*, action de suspendre ; support de lampe suspendu au plafond.
* **sus-relaté, ée**, adj. Relaté plus haut.
* **sus-scapulaire**, adj. [Anat.] Situé au-dessus de l'omoplate.
* **sustension**, n. f. Action de soutenir.
PAR. — *Sustentation*, position d'un corps soutenu par un autre.
* **sustentateur, trice**, adj. Qui assure la sustentation. *Plans sustentateurs d'un avion*.
sustentation [*sion*], n. f. Position d'un corps sur un autre qui le soutient. ‖ Action de soutenir par les aliments. [Phys.] *Base de sustentation*, polygone obtenu en joignant les différents points d'appui d'un corps posé sur un autre. ‖ Action pour un avion de se soutenir dans l'air.
PAR. — *Sustension*, action de soutenir.
sustenter [*tan*], v. tr. Entretenir la vie au moyen d'aliments ; nourrir. Ne se dit que des personnes.
* **susurration** [*sion*], n. f. ou **susurrement**, n. m. Action de susurrer ; son résultat.
susurrer [*su-su*], v. intr. Parler à voix basse. = V. tr. *Il me susurra quelques mots à l'oreille*.
SYN. — V. CHUCHOTER.
* **suttée** ou * **sutti**, n. f. V. SATI.
* **sutural, ale**, adj. Qui a rapport aux sutures.

suture, n. f. Action de coudre, et, partic., de coudre les lèvres d'une plaie. [Anat.] Mode d'articulation immobile de deux os unis par des dentelures. [Bot.] Ligne qui indique le lieu de réunion, d'adhérence de parties primitivement séparées.
SYN. — V. LIAISON.
* **suturer**, v. tr. [Méd.] Pratiquer une suture.
suzerain, aine, adj. et n. [Féod.] Seigneur qui possédait un fief dont d'autres fiefs relevaient.
ANT. — *Vassal*.
suzeraineté, n. f. Qualité de suzerain. ‖ Pouvoir de suzerain.
* **svastika**, n. m. Symbole religieux hindou, croix gammée vers la droite.
svelte [*svèl-te*], adj. Léger, délié, dégagé, élancé. *Taille svelte*.
SYN. — V. DÉLIÉ.
CTR. — *Massif, épais*.
sveltesse [*svèl-tès-se*], n. f. Caractère de ce qui est svelte.
* **sweater** [*sou-è-teur*], n. m. (mot angl.). Vêtement de laine tricotée, boutonné par devant.
* **sweepstake** [*sou-ips-tèk*], n. m. (angl. *to sweep*, rafler ; *take*, enjeu). Méthode de jeu selon laquelle l'enjeu apporté par plusieurs personnes revient à une seule d'entre elles lorsqu'un événement déterminé se produit.
* **swing** [*sou-inng*], n. m. (mot angl.). Coup de poing balancé. V. pl. GYMNASE. = Adj. [Argot] Se dit par snobisme, de tout ce qui caractérise une élégance prétendue raffinée ou un modernisme tapageur.
sybarite [*si-ba*], n. m. Qui mène une vie voluptueuse, par allusion aux anciens habitants de Sybaris, renommés pour leur mollesse.
* **sybaritique**, adj. Qui appartient à un sybarite.
sybaritisme, n. m. Mollesse et délicatesse raffinée dans la manière de vivre.
sycomore [*si-co*], n. m. [Bot.] Arbre de la famille des *acérinées*, appelé aussi *faux platane*.
sycophante, n. m. Calomniateur, délateur, fourbe, bas flatteur.
* **sycosis**, n. m. [Méd.] Inflammation des follicules pileux avec production de papules.
* **syénite**, n. f. [Minér.] Sorte de granit sans quartz.
syllabaire [*sil-la-bè-re*], n. m. Livre dans lequel chaque mot est décomposé en ses syllabes constituantes, et où les enfants apprennent à lire.
syllabe [*sil-labê*], n. f. (gr. *syllabê*, m. s.). [Gram.] Son simple ou composé, qui se prononce par une seule émission de voix. Dans le mot *avoir*, *a* fait une syllabe et *voir*, en fait une autre. — *Syllabe longue*, syllabe dont le son se prolonge. — *Syllabe brève*, syllabe dont le son est bref. — *Syllabe muette*, syllabe terminée par un *e* muet. — *Syllabe ouverte*, syllabe comprenant une voyelle suivie d'une consonne simple. — *Syllabe fermée*, syllabe dont la voyelle est suivie d'une consonne double. — *Syllabe tonique, syllabe atone*, syllabe marquée ou non de l'accent tonique. V. GRAMMAIRE. — Le mot entre en composition : *monosyllabe*, adj., se dit d'un mot

n'ayant qu'une syllabe; *dissyllabe,* adj., se dit d'un mot ayant deux syllabes; *polysyllabe,* adj., se dit d'un mot ayant plusieurs syllabes.
Par ext. Mot, parole. *Je ne changerai pas une syllabe à ce que j'ai dit.*
ÉPITHÈTES COURANTES : longue, brève, commune, accentuée, atone, muette, élidée, contractée, prononcée, comptée, ajoutée, retranchée, etc.

* **syllaber,** v. tr. Assembler des lettres en syllabe.

syllabique, adj. Qui a rapport aux syllabes. ‖ *Écriture syllabique,* dans laquelle chaque syllabe est représentée par un seul caractère. — *Vers syllabique,* vers dans lequel le nombre des syllabes (et non leur valeur) détermine la mesure.

* **syllabiquement,** adv. Par syllabe.
* **syllabisation** [*sion*], n. f. Action de prononcer en décomposant par syllabes.
* **syllabisme,** n. m. Système d'écriture dans lequel on représente la syllabe par un seul signe. [Versif.] Théorie qui fait dépendre le rythme du vers du nombre de ses syllabes.
* **syllabus,** n. m. Liste de propositions émanant de l'autorité ecclésiastique.

syllepse [*sil-lèp-se*], n. f. (gr. *syllepsis,* compréhension). [Gram.] Figure qui consiste à faire accorder un mot avec l'idée plutôt qu'avec le mot auquel il se rapporte grammaticalement. Ex. : *Il est six heures.* V. tabl. FIGURES.

* **sylleptique** [*si-lèp-ti-ke*], adj. Qui a rapport à la syllepse.
* **syllogiser,** v. intr. Raisonner par syllogisme.

syllogisme [*sil-lo*], n. m. (gr. *syn,* axe; *logisma,* raisonnement). [Logique] Argument composé de trois propositions dont la troisième dite *conclusion* est la conséquence des deux autres appelées *prémisses,* et aussi *majeure* et *mineure.* Ex. : Tous les corps sont pesants; l'air est un corps; donc l'air est pesant.

syllogistique [*sil-lo-jis-ti-Fe*], adj. Qui appartient au syllogisme.

sylphe [*sil-fe*], n. m. Dans la mythologie gallo-germanique, esprit qu'on prétendait vivre dans l'air.
HOM. — *Silphe,* genre de coléoptères.

sylphide, n. f. Femme de sylphe. ‖ Fig. Femme gracieuse, à la taille élancée. *Taille de sylphide.*

sylvain [*sil-vin*], n. m. [Myth.] Nom donné par les Grecs et les Romains à certaines divinités qui présidaient aux bois, aux forêts. [Zool.] Genre d'insectes lépidoptères, papillons de nos régions.

* **sylvandre,** n. m. [Zool.] Nom vulg. d'un papillon diurne du genre *satyres.*
* **sylves,** n. f. pl. V. SILVES.

sylvestre, adj. Qui appartient aux bois; qui croît dans les bois. *Pin sylvestre.*

* **sylvicole,** adj. (lat. *sylva,* forêt; *colo,* j'habite). Qui a rapport à la sylviculture. [Ornith.] Qui habite les lieux boisés.
* **sylviculteur,** n. m. Celui qui pratique la sylviculture.

sylviculture, n. f. Branche de l'art agricole qui s'occupe de la culture des arbres et arbrisseaux forestiers.

* **sylvinite,** n. f. Engrais naturel très riche en potasse.

symbiose [*sin-bi-oze*], n. f. (gr. *syn,* avec; *bios,* vie). [Biol.] Vie en commun de deux organismes différents qui se prêtent un mutuel appui. Ex. : le lichen, composé d'un champignon et d'une algue associés par une vie commune.
ANT. — *Parasitisme.*

* **symbiotique,** adj. Relatif à la symbiose.

1. symbole [*sin*], n. m. (gr. *symbolon,* signe de reconnaissance). Figure, image qui sert à désigner conventionnellement quelque chose, soit au moyen du dessin, de la peinture, de la sculpture, soit avec le secours d'expressions figurées. *Le chien est le symbole de la fidélité. Le laurier est le symbole de la victoire.* ‖ Chez les catholiques, *symboles sacrés,* ou simpl., *symboles,* signes extérieurs des sacrements. [Chim.] *Symboles chimiques,* lettres par lesquelles les chimistes désignent les corps simples dans les formules et équations.
SYN. — V. EMBLÈME et PARABOLE.

2. symbole, n. m. (m. mot que le précédent). Formulaire qui contient les principaux articles de la foi catholique. *Le symbole des Apôtres,* et absol., *le symbole.*

symbolique, adj. (gr. *symbolikos,* m. s.). Qui sert de symbole, qui présente les caractères du symbole. = N. f. Ensemble des symboles propres à une religion, à une race. *La symbolique bouddhiste.* ‖ Science qui étudie les symboles.

* **symboliquement,** adv. D'une manière symbolique.
* **symbolisation,** n. f. Action de symboliser.

symboliser [*sin-bo-li-zé*], v. tr. Représenter par des figures, par des symboles. ‖ Être le symbole de.

symbolisme, n. m. Système de symboles destinés à rappeler des faits ou à exprimer des croyances. ‖ École poétique du XIXe s. dont Stéphane Mallarmé, Verlaine, J. Moréas furent les représentants les plus marquants.

symboliste, adj. et n. Adepte du symbolisme.

symétrie, n. f. (gr. *syn,* avec; *métron,* mesure). Conformité de grandeur, de forme, de position entre les parties d'un tout. Correspondance et similitude exactes entre les divers points de deux moitiés. *Entre les différentes parties de cet édifice il n'y a pas de symétrie. La symétrie du corps humain.* ‖ Proportion, ordre selon lesquels certaines choses sont arrangées. *La symétrie d'un discours.* ‖ *Symétrie du style,* correspondance des mots et des membres d'une phrase entre eux, ou de plusieurs phrases entre elles.
ANT. — *Dissymétrie, asymétrie; désordre.*

symétrique, adj. Qui a de la symétrie.
CTR. — *Asymétrique, dissymétrique.*

symétriquement, adv. Avec symétrie.

* **symétriser** [*si-mé-tri-zé*], v. intr. Être disposé symétriquement. = V. tr. Rendre symétrique.
* **sympathicothérapie,** n. f. [Méd.] Procédé thérapeutique utilisant les effets obtenus en agissant sur le système nerveux du sympathique.

sympathie [*sin-pati*], n. f. (gr. *syn,* avec; *pathos,* impression). Faculté que nous avons de participer aux peines et aux plaisirs des autres. ‖ Sentiment instinctif d'attraction qu'on éprouve pour quelqu'un. V. tabl. SENSIBILITÉ (*Idées suggérées par le mot*). — Se dit aussi de certaines

choses. *Cette doctrine a toutes mes sympathies.* ‖ Rapport de convenance, de concordance que certaines choses ont entre elles.
ANT. — *Antipathie, aversion, répulsion.*
1. **sympathique** [*sin-patike*], adj. Qui détermine la sympathie, qui dénote de la sympathie ou qui en est un effet. *Une personne sympathique.* [Méd.] *Affections sympathiques*, affections dues à des troubles du grand sympathique. ‖ *Encre sympathique*, solution aqueuse servant pour la correspondance secrète, les mots tracés n'apparaissant que si le papier est chauffé ou soumis à l'action d'un réactif.
CTR. — *Antipathique.*
2. **sympathique**, n. m. [Anat.] Branche du système nerveux qui descend le long du rachis. On dit aussi *grand sympathique.*
* **sympathiquement**, adv. D'une manière sympathique.
* **sympathisant, ante**, adj. Qui a de la sympathie pour. = Nom. Celui, celle qui, sans adhérer à un parti, est en communion d'idées avec lui.
sympathiser, v. intr. Avoir de la sympathie pour; se trouver en sympathie avec.
symphonie [*sin-fonie*], n. f. (gr. *syn*, avec; *phônê*, voix). [Mus.] Morceau de musique composé pour être exécuté par des instruments concertants. ‖ Composition pour orchestre comprenant plusieurs morceaux de caractère différent. *Les symphonies de Haydn.* ‖ Partie exécutée par les instruments de musique qui accompagnent les voix.
symphonique, adj. Qui tient de la symphonie, qui en a le caractère.
* **symphoniquement**, adv. D'une façon symphonique.
* **symphoniste**, n. m. Qui compose des symphonies ou qui fait sa partie dans une symphonie.
symphyse [*sin-fi-ze*], n. f. [Anat.] Ensemble des moyens par lesquels sont unis les os qui sont en rapport par des surfaces planes. *Symphyse pubienne.*
symptomatique, adj. [Méd.] Qui est l'effet ou le symptôme de quelque affection. ‖ Qui est l'indice, le signe de quelque chose.
* **symptomatologie**, n. f. [Méd.] Partie de la médecine qui traite des symptômes des maladies.
symptôme [*sin-pto-me*], n. m. (gr. *symptôma*, cas fortuit). [Méd.] Modification dans les fonctions, qui peut avoir une signification pathologique. *Les symptômes de la pleurésie.* ‖ Fig. Indice, présage. *Les symptômes du mécontentement populaire.*
SYN. — *Symptôme*, signe caractéristique : *Ce malaise est le symptôme d'une maladie plus grave.* — *Indication*, fait qui est la manifestation ou l'indice que quelque chose va se produire : *Des indications de crise prochaine.* — *Indice*, signe qui met sur la trace : *Ce fut un précieux indice pour le juge d'instruction.* — *Présage*, signe où l'on voit l'annonce d'un événement futur : *Ce premier succès est un bon présage pour l'avenir.* V. aussi MARQUE et SIGNE.
* **syn-**, préfixe tiré du grec *syn* (avec) qui marque l'union, la concomitance, le groupement, l'accord, etc.
synagogue, n. f. Assemblée des fidèles sous l'ancienne loi. ‖ Par oppos. à christianisme, se dit des Juifs, de leurs croyances.

‖ Temple du culte israélite. V. tabl. RELIGIONS (*Idées suggérées par le mot*).
SYN. — V. ÉGLISE.
* **synalèphe** [*si-na-lè-fe*], n. f. [Gram.] Réunion de deux syllabes en une seule dans la prononciation.
synallagmatique [*si-nal-lagh-ma-ti-ke*], adj. [Droit] Se dit d'un contrat qui contient obligation réciproque entre les parties.
synanthérées [*si-nan-té*], n. f. pl. [Bot.] Syn. de *composées.* = Adj. Dont les étamines sont soudées par les anthères.
* **synarchie**, n. f. (gr. *syn*, avec; *arkhê*, commandement). Gouvernement simultané de plusieurs chefs ou princes administrant chacun une partie d'un Etat.
synarthrose, n. f. [Anat.] Articulation qui se fait par continuité des surfaces osseuses, sans mobilité des parties.
* **syncelle**, n. m. (gr. *sygkellos*, qui demeure avec). Officier de l'Église grecque placé auprès des patriarches, des évêques pour inspecter leur conduite.
* **synchondrose** [*sin-kon-dro-ze*], n. f. [Anat.] Union de deux os par un cartilage.
synchrone [*sin-krô-ne*], adj. (gr. *syn*, avec; *khronos*, temps). Qui se fait en même temps, dans le même temps ou à des intervalles de temps égaux.
synchronique [*sin-kro-ni-ke*], adj. *Tableau synchronique*, tableau où l'on rapproche les événements arrivés à la même époque en différents lieux.
* **synchronisation** [*sion*], n. f. Action de synchroniser.
* **synchroniser**, v. tr. Établir un synchronisme; rendre synchrone.
synchronisme, n. m. Rapport de deux phénomènes simultanés et d'égale durée. ‖ Rapport d'événements qui sont arrivés dans le même temps.
* **synclinal, ale**, adj. [Géog. et Géol.] Se dit de la ligne de faîte d'une colline où les strates sont restées horizontales. = N. m. Partie concave d'un pli simple.
ANT. — *Anticlinal.*
* **syncopal, ale**, adj. Qui a rapport à la syncope.
syncope, n. f. (gr. *syn*, avec et *koptein*, couper). [Gram.] Retranchement d'une lettre ou d'une syllabe au milieu d'un mot. C'est par syncope qu'on écrit *gaîté* pour *gaieté, ça* pour *cela.* [Mus.] Liaison de deux tons semblables dont le premier se trouve au temps faible et le second au temps fort de la mesure. [Méd.] État caractérisé par la suspension subite et momentanée des mouvements du cœur avec interruption de la respiration, abolition de la sensibilité et des mouvements volontaires.
syncopé, ée, adj. [Gram.] *Mot syncopé*, mot du milieu duquel on a retranché une lettre ou une syllabe. [Mus.] *Note syncopée*, note unie par syncope à une autre note.
CTR. — *Cadencé.*
syncoper, v. tr. [Mus.] Unir par syncope. = V. intr. S'unir par syncope.
syncrétisme, n. m. [Phil.] Réunion de plusieurs systèmes fort différents et difficilement conciliables.
* **syndactylie**, n. f. [Méd.] Union tératologique de deux ou de plusieurs doigts d'une main.
syndic, n. m. (gr. *syn*, avec; *dikê*, justice). Mandataire élu chargé de veiller

aux intérêts de certains corps ou associations. *Syndic des agents de change.* ‖ *Syndic d'une faillite*, délégué qui représente les créanciers dans les opérations qui ont pour but la liquidation d'une faillite.
Hom. — *Syndique, es, ent*, du v. syndiquer.

> Vocab. — *Famille de mots.* — *Syndic* : syndical, syndicat, syndiquer, syndiqué, syndicalisme, syndicaliste, syndicataire.

syndical, ale, adj. Qui appartient au syndicat. — *Chambre syndicale*, réunion des délégués des membres d'une corporation en vue de statuer sur les fautes commises par quelque membre.
syndicalisme, n. m. Doctrine économique tendant à substituer au capitalisme une organisation ayant pour base des syndicats professionnels groupés en des fédérations, unies elles-mêmes en une association de tous les travailleurs. V. tabl. Société (*Idées suggérées par le mot*).
syndicaliste, adj. Qui se rapporte aux syndicats. = N. m. Partisan du syndicalisme.
syndicat, n. m. Charge, fonction de syndic. ‖ Temps pendant lequel on exerce cette fonction. ‖ Association de banquiers, de commerçants, de propriétaires, etc., en vue de l'accomplissement d'une œuvre commune. ‖ Association d'ouvriers, d'employés, etc., de la même profession, pour la défense de leurs intérêts.
Syn. — V. association.
* **syndicataire,** adj. Relatif à un syndicat. = N. m. Celui qui fait partie d'un syndicat.
syndiqué, ée, adj. et n. Réuni en un syndicat; membre d'un syndicat.
syndiquer, v. tr. Réunir en syndicat. = se syndiquer, v. pron. Se former en syndicat.
syndrome, n. m. [Méd.] Ensemble des symptômes caractéristiques d'une affection ou d'un groupe d'affections.
synecdoche [*si-nec-do-che*], ou **synecdoque,** n. f. (gr. *synekdokhé*, m. s.). Figure qui consiste à prendre un mot dans un sens nouveau, comme lorsqu'on prend la partie pour le tout, le tout pour la partie, l'espèce pour le genre, le genre pour l'espèce, etc. Ex. *Cent voiles* pour : cent navires; *la saison des roses* pour : la saison des fleurs; *la jeunesse* pour : les jeunes gens, etc. V. tabl. figures.
synérèse [*si-né-rè-ze*], n. f. [Gram.] Contraction de deux syllabes en une seule. *Taon* [tan], *août* [oût], etc.
Ant. — *Diérèse.*
synergie, n. f. (gr. *syn*, avec, *ergon*, travail) [Physiol.] Action simultanée, concours d'action entre divers organes dans l'accomplissement d'une fonction.
* **synesthésie** [*té*], n. f. (gr. *syn*, avec, *aisthésis*, sensation) [Méd.] Perception de deux sensations pour une excitation unique.
* **syngame,** n. m. [Zool.] Genre de vers nématodes parasites du groupe des strongles (vers rouges de la trachée-artère des poules et du gibier à plumes).
* **syngnathe** [*ghna*], n. m. [Zool.] Genre de poissons téléostéens apodes, de forme très allongée.
synodal, ale, adj. Qui appartient au synode.

* **synodalement,** adv. En synode.
synode, n. m. (gr. *synodos*, réunion). Assemblée dans laquelle un évêque, entouré de son clergé, règle les affaires de son diocèse. *Convoquer un synode.* — *Saint Synode*, dans l'église russe, nom donné au conseil suprême. ‖ Assemblée de ministres protestants, pour ce qui regarde leur religion.
synodique, adj. *Lettres synodiques*, lettres écrites, au nom des conciles, aux évêques absents. [Astro.] Se dit des révolutions des planètes considérées relativement à leur position à l'égard du soleil.
synonyme, adj. (gr. *syn*, avec, et *onoma*, nom). [Gram.] Se dit des mots qui ont la même ou à peu près la même signification. Ex. : *Danger* et *péril*; *prisonnier* et *captif* sont des mots synonymes. = S'emploie comme n. *Un synonyme.*
— *Les synonymes sont plusieurs dictions ou plusieurs phrases différentes qui signifient une même chose.* (La Bruyère.)
Ant. — *Antonyme, contraire, homonyme.*
synonymie, n. f. Qualité des mots synonymes.
synonymique, adj. Qui appartient à la synonymie.
synoptique [*op'tike*], adj. (gr. *synoptikos*, m. s.). Qui permet d'embrasser du même coup d'œil les diverses parties d'un ensemble; qui offre une vue générale. *Tableau synoptique.* ‖ *Évangiles synoptiques*, les trois évangiles des saints Luc, Marc et Matthieu, qui présentent de grandes analogies.
synovial, ale, adj. [Anat.] Qui a rapport à la synovie. — *Membrane synoviale*, membrane qui tapisse les cavités des articulations et sécrète la synovie. = N. f. *La synoviale.*
synovie, n. f. [Anat.] Liquide lubrifiant sécrété par les membranes séreuses qui tapissent les articulations et qui en facilite le mouvement. — *Épanchement de synovie*, hydarthrose.
* **synovite,** n. f. [Méd.] Inflammation des membranes synoviales.
* **syntactique,** adj. V. syntaxique.
syntaxe [*sin-takse*] (gr. *syntaxis*, m. s.). [Gram.] Arrangement des mots dans une proposition et des propositions dans la phrase selon les règles de la grammaire. ‖ Règles de l'arrangement des mots et de la construction des phrases. ‖ Livre qui contient ces règles. V. grammaire.
— *Sans le langage, il n'y a pas d'écrivain possible. On ne raisonne justement qu'avec une syntaxe rigoureuse et un vocabulaire exact. Je crois que le premier peuple du monde est celui qui a la meilleure syntaxe. Il arrive souvent que des hommes s'entr'égorgent pour des mots qu'ils n'entendent pas.* (Anatole France.)
Ant. — *Phonétique, morphologie.*
syntaxique et * **syntactique,** adj. Qui appartient à la syntaxe.
synthèse [*sin-tèze*], n. f. (gr. *synthésis*, composition). [Chim.] Préparation d'un corps composé en partant de ses éléments. ‖ Tableau présentant l'ensemble d'une science. [Chir.] Réunion de parties divisées, ou rapprochement de parties écartées. *Ostéo-synthèse.* [Log.] Méthode de raisonnement qui consiste à reconstituer un tout à l'aide des éléments distingués par l'analyse, ou à partir d'un principe

connu pour en déduire des conséquences inconnues. Aperçu abrégé et méthodique d'une question. [Math.] Méthode de raisonnement qui consiste à partir des choses connues pour déterminer les inconnues par voie de déduction.
Ant. — *Analyse.*
synthétique [sin-té], adj. Qui appartient à la synthèse. *Méthode synthétique.* ‖ Qui a tendance à synthétiser. *Esprit synthétique.* [Chim.] Obtenu par synthèse. *Produit synthétique.*
Ctr. — *Analytique.*
synthétiquement, adv. D'une manière synthétique.
* **synthétiser** [sin-té-ti-zé], v. tr. Réunir par synthèse, faire une synthèse. = V. intr. Procéder par synthèse.
Ctr. — *Analyser.*
* **syntonisation** [sion], n. f. Méthode de réglage des appareils de T. S. F. permettant de ne recevoir que certaines ondes.
* **syphilède** [si-fi] [Méd.] Manifestations cutanées syphilitiques.
* **syphiligraphe**, n. m. [Méd.] Médecin spécialisé dans l'étude, le traitement de la syphilis.
* **syphiligraphie**, n. f. Traité sur la syphilis.
syphilis, n. f. (étym. incert.). [Méd.] Maladie contagieuse due à la transmission d'un spirochète spécial (*tréponème pâle*), le plus souvent au cours de rapports sexuels.
* **syphilisation** [sion], n. f. Inoculation de la syphilis.
* **syphiliser**, v. tr. Transmettre la syphilis.
syphilitique, adj. Qui se rapporte à la syphilis. = N. et adj. Qui est atteint de la syphilis.
syriaque, adj. et n. m. Se dit de la langue des anciens peuples de Syrie.
* **syrien, ienne**, adj. et n. Qui habite la Syrie, qui en est originaire. = N. m. La langue syrienne.
* **syringa**, n. m. [Bot.] Nom scientif. du genre lilas.
* **syringomyélie**, n. f. [Méd.] Affection de la moelle épinière due à la formation d'une cavité dans la substance grise. [Zool.] Appareil de phonation chez les oiseaux. V. pl. oiseaux.
syrinx ou * **syringe**, n. f. Flûte de Pan.
* **syrtes**, n. f. pl. (gr. *syrtis*, m. s.). (Géogr. anc.) Nom donné aux bancs de sables mouvants de la côte de l'Afrique septentrionale.
* **systaltique**, adj. [Physiol.] Qui a lieu par contraction.
systématique, adj. Qui est selon un système; qui tient à un système. — Qui s'attaque aux systèmes, qui réduit tout en système. ‖ Qui repose sur un système plus que sur les faits et la raison. *Idées systématiques.* ‖ *Opposition systématique,* opposition faite de parti pris et quoi qu'il arrive.
systématiquement, adv. D'une manière systématique; de parti pris.
* **systématisation** [sion], n. f. Action de réduire en système.
systématiser, v. tr. Réduire en système.
système, n. m. (gr. *systêma*, assemblage). Ensemble de notions, de principes vrais ou faux, coordonnés et enchaînés de façon à former une doctrine. *Le système de Platon.* — Se dit souvent en mauvaise part. *Il porte trop loin l'esprit de système,* la tendance à tout ériger en système. ‖ Dans les sciences physiques, arrangement de plusieurs corps ou de diverses parties autour d'un centre. — Ensemble de forces ou de corps qui concourent à un but commun. *Le système du monde.* ‖ *Système nuageux,* vaste ensemble nuageux. [Hist. nat.] Se dit de toute classification méthodique des êtres, faite en vue d'en rendre l'étude plus facile. *Le système de Linné.* [Anat.] Ensemble d'organes ou de tissus de même nature et destinés à des fonctions analogues. *Le système nerveux, musculaire.* ‖ Organisation du gouvernement d'un État. *Le système féodal.* ‖ Plan qu'on se propose pour réussir en quelque chose. *Système de conduite.* ‖ Pop. *Système D,* manière habile, plus ou moins scrupuleuse, de savoir se débrouiller en toutes circonstances. ‖ *Système métrique.* V. métrique.
systole, n. f. [Physiol.] Contraction d'un ventricule ou d'une oreillette du cœur.
Ant. — *Diastole.*
systyle, adj. [Archi.] Entrecolonnement de deux diamètres.
syzygie [siziji], n. f. [Astro.] Conjonction ou opposition d'une planète avec le soleil; se dit partic. de la lune (nouvelle lune et pleine lune). ‖ Époque où a lieu cette conjonction.

T

T, n. m. Vingtième lettre de l'alphabet et la seizième des consonnes. On la nomme *té* ou *te*. [Techn.] Partie métallique dont le profil a la forme d'un T. ‖ Traverse qui assemble dans le bas les deux pieds d'une table et reçoit l'entretoise. ‖ Bout de tuyau portant un autre bout en travers. ‖ Règle plate de dessinateur munie, à l'une de ses extrémités, d'une autre règle plus épaisse assemblée à angle droit.
LING. — La lettre T, de la série des consonnes fortes, conserve toujours sa valeur au commencement des mots : *Taie, tenir, tiare, toison*. Au milieu d'un mot, elle conserve généralement cette prononciation : *Natal, unité, bâtiment*. Mais lorsque le T est suivi de la voyelle *i* et d'une autre voyelle, tantôt le groupe *ti* conserve le son *ti*, tantôt il se prononce comme *si*. Il se prononce *ti* : 1° dans tous les mots où il est précédé d'une *s* ou d'un *x* : exemple : *Bastion, mixtion*; 2° dans tous les noms terminés en *tié, tier*, ou *tière*; ex. : *Amitié, entier, chantier, laitière*, etc.; 3° dans la plupart des mots terminés en *tie*, comme *partie, ortie, hostie*, etc.; 4° dans la plupart des mots terminés en *tien* et *tienne*, tels que *maintien, antienne*, etc.; 5° dans le verbe *châtier* et toutes ses formes, et dans les formes des verbes terminées en *tions* : nous *mettions*, nous *portions*. Mais *ti* suivi d'une voyelle se prononce *si* : 1° dans les mots terminés en *tieux*, comme *ambitieux, facétieux*, etc.; 2° dans le mot *patient* et ses dérivés, et dans les mots en *tial, tiel* et *tion*, qui n'ont pas une *s* ou un *x* devant le *t* : *partial, essentiel, ration*; 3° dans la plupart des noms propres en *tien* : *Dioclétien, Capétien* et dans ceux qui indiquent de quel pays on est : *vénitien*; 4° dans quelques mots terminés en *tie* : *facétie, impéritie, ineptie, inertie*, etc.; dans les noms de pays : *Béotie, Croatie*, et dans les mots en *atie* : *diplomatie, théocratie*; 5° dans les mots *satiété, insatiable*, et dans les deux verbes *initier* et *balbutier*. — Placé à la fin d'un mot, T en général ne se prononce pas, si ce n'est sur la voyelle initiale du mot suivant. Cependant on le fait entendre dans un certain nombre de mots, surtout monosyllabes, tels que *chut, est* et *ouest* (points cardinaux), *rapt, net, dot*, ou empruntés du latin, comme *accessit, prétérit, transit, vivat*, etc., T se double quelquefois : néanmoins on n'en fait généralement sentir qu'un : *attaquer, attendrir*. On les fait sentir tous deux dans *atticisme, guttural* et quelques autres. — *Th*, qui traduit en général le (θ) des Grecs, a toujours le son du *t* simple : *thé, théorie, arithmétique*, etc., la lettre *th* n'étant ici qu'une lettre étymologique. Toutefois cette consonne double est muette dans *asthme* et *asthmatique*, que l'on prononce comme s'il y avait *asme* et *asmatique*. — En français, le T est, dans certains cas, une lettre euphonique, survivance d'ailleurs d'une ancienne désinence. On l'emploie comme tel après les temps d'un verbe terminé par une voyelle, lorsque ce temps est immédiatement suivi des pronoms *il, elle* ou *on* : *Qu'a-t-on dit? Dira-t-on? L'aime-t-il? Joue-t-elle?* Mais dans l'expression *va-t'en*, le T n'est point une lettre euphonique : c'est le pronom *toi* qui répond à *vous* de l'expression analogue : *allez-vous-en*. On écrit de même *Procure-t'en, garde-t'en bien*, etc.

ta, adj. poss. f. sing. de la 2ᵉ personne. V. tabl. TON.
HOM. — *Tas*, amas, monceau.

tabac [*ta-ba*], n. m. [Bot.] Genre de plantes de la famille des *solanées*, dont les feuilles, après avoir subi certaines préparations, peuvent être fumées, prisées ou mâchées. ‖ Préparation obtenue avec les feuilles du tabac. [Argot] *Passer à tabac*, rouer de coups. [Mar.] *Coup de tabac*, tempête ou grain. ⸪ Adj. invar. D'une teinte brune jaunâtre. *Velours tabac*.

tabagie, n. f. Lieu où l'on va fumer du tabac. ‖ Appartement où l'on fume beaucoup, rempli par la fumée du tabac.

* **tabagisme**, n. m. [Méd.] Ensemble des désordres causés par l'abus du tabac.

* **tabanides**, n. m. pl. [Zool.] Famille d'insectes *diptères brachycères* comprenant les taons.

* **tabar** ou **tabard**, n. m. Ancien vêtement serré à la taille, ouvert sur les côtés, à manches s'arrêtant au coude, que portaient les chevaliers sur leur armure. ‖ Manteau court et sans manche des hérauts.

* **tabarinade**, n. f. ou * **tabarinage**, n. m. Bouffonnerie digne de Tabarin (célèbre bateleur du Pont-Neuf).

tabatière, n. f. Petite boîte où l'on met du tabac en poudre. [Techn.] Lucarne percée sur un toit ayant même inclinaison que lui et fermant à charnière comme le couvercle d'une tabatière. V. pl. MAISON. — Mécanisme à charnière d'un fusil se chargeant par la culasse.

* **tabellaire**, adj. Qui a la forme d'une tablette.

tabellion [*ta-bèl-lion*], n. m. Ancien officier public qui remplissait les fonctions de notaire dans les juridictions inférieures. ‖ Par iron. Notaire.

tabellionage [*ta-bèl-lio-na-je*], n. m. Office de tabellion.

tabernacle, n. m. (lat. *tabernaculum*, tente). Tente faite de planches. ‖ Coffre en bois de cèdre où était placée l'arche d'alliance. ‖ *Fête des Tabernacles*, une des trois grandes fêtes des Juifs. [Liturgie] Petite construction fermée en marbre, en bois ouvragé ou en métal, établie sur un autel catholique et qui abrite le saint ciboire. V. pl. ÉGLISE.

tabes [bèss], n. m. [Méd.] Affection dans laquelle le malade est pris de tics nerveux et perd l'usage ou le contrôle de ses mouvements.

* **tabescent, ente**, adj. [Méd.] Qui présente des tendances à la mélancolie.

* **tabide**, adj. Qui est d'une maigreur excessive ; qui est consumé par le marasme.

tabis [ta-bi] ou **tabi**, n. m. Espèce de moire de soie ondée par la calandre.

PAR. — *Tapis*, pièce d'étoffe dont on recouvre le parquet, une table, etc.

* **tabiser** [ta-bi-zé], v. tr. Rendre une étoffe ondée à la manière du tabis.

PAR. — *Tapisser*, revêtir de tapisserie.

tablature, n. f. (lat. médiév. *tabulatura*, m. s.). Autrefois signes disposés sur des lignes, dont on se servait pour noter la musique de certains instruments, ou marquer le chant. ǁ Aujourd'hui. Tableau qui indique l'étendue d'un instrument à vent et le doigté de cet instrument. ǁ Fig. *Donner de la tablature à quelqu'un*, lui créer de l'embarras, lui susciter quelque affaire fâcheuse.

table, n. f. (lat. *tabula*, m. s.). 1° Meuble formé essentiellement d'une surface plane posée sur un ou plusieurs pieds, et qui sert à divers usages. *Table de marbre. Table de travail. — Table de nuit*, petit meuble que l'on met au chevet du lit. V. tabl. HABITATION (*Idées suggérées par le mot*). ǁ *Table à manger*, table couverte de mets. *Dresser, mettre la table. Se mettre à table. Sortir de table. — Rouler sous la table*, être tout à fait ivre. — *Tenir table ouverte*, tenir une table où l'on reçoit beaucoup de personnes. — *Table d'hôte*, table servie à heure fixe et où l'on peut aller manger moyennant un certain prix réglé. ǁ Par ext. Repas, en parlant de la dépense ou du nombre et de la délicatesse des mets. *Aimer la table, les plaisirs de la table*, aimer la bonne chère. ǁ Ensemble des mangeurs réunis autour d'une table. *Toute la table l'écoutait.*

2° Sens divers techniques : Lame ou plaque de cuivre, de bronze ; — Partie plate de certaines machines-outils, de certains instruments ; — Morceau de marbre, de pierre, d'airain, etc., sur lequel on peut écrire, graver, etc. *Graver sur des tables d'airain* ; — Planche du graveur en taille douce ; — *Table de l'enclume*, plaque d'acier recouvrant l'enclume, et sur laquelle frappe le marteau. — Surface plane à la partie supérieure d'une pierre précieuse. [Anat.] *Les tables du crâne*, les deux lames osseuses qui forment la surface externe et interne des os du crâne. [A. milit.] *Table de tir*, tableau indiquant les éléments de trajectoire des projectiles qu'une bouche à feu est susceptible de tirer. [Blas.] *Table d'attente*, écu qui n'a porte ni pièce, ni meuble. [Chir.] *Table d'opération*, table métallique articulée permettant de placer le patient dans la position que nécessite chaque genre d'intervention. [Hist.] *Les Tables de la Loi*, les deux tables de pierre sur lesquelles étaient gravées les lois que Dieu, d'après la Bible, donna à Moïse sur le Sinaï. — *La loi des Douze Tables*, le code publié à Rome par les décemvirs, qui fut gravé sur douze tables de bronze. ǁ *Table rase*, lame, pierre, planche sur laquelle il n'y a encore rien de gravé. — *Faire table rase*, se dit de celui qui, regardant comme incertaines les opinions communément admises, les rejette pour les modifier ou les proscrire après un sérieux et mûr examen.

3° Sens fig. et divers. Index ordinairement alphabétique donnant les moyens de trouver facilement les matières ou les mots qui sont dans un livre. *Table des matières. Table alphabétique, analytique, chronologique. — Tables astronomiques.* tableau indiquant la marche des astres. — *Table de Pythagore, table de multiplication, de logarithmes.* [Géog.] Portion de roche, de montagne, offrant une surface plane. [Liturg.] *La Sainte Table*, la balustrade basse qui sépare le sanctuaire du chœur et devant laquelle l'on communie ; et Fig., la communion. — *Table d'autel*, pierre qui en recouvre une autre et dans laquelle sont enchâssées des reliques. [Mus.] *Table d'harmonie*, partie sonore de la caisse des instruments de musique à clavier et à cordes.

SYN. — *Table*, meuble essentiellement composé d'une surface plane horizontale posée sur des pieds : *Une table de jeu*. — *Bureau*, meuble comprenant une table à écrire et des tiroirs : *Un bureau Louis XV*. — *Comptoir*, table surélevée sur laquelle un commerçant étale ses marchandises ou derrière laquelle se tiennent les agents qui renseignent le public ou traitent avec lui : *Le comptoir d'un débitant de liqueurs*. — *Guéridon*, table ronde posée sur un pied unique au centre : *Guéridon de salon*. — *Secrétaire*, bureau fermant à clef où l'on dépose des papiers : *Ranger des documents dans un secrétaire*. V. aussi CATALOGUE.

ÉPITHÈTES COURANTES : longue, carrée, ronde, ovale ; simple, ornée, sculptée, pliante ; à un, deux, trois, quatre pieds, à rallonges, tournante, grande, petite ; bien servie, somptueuse, bonne, luxueuse, abondante, splendide, ouverte ; — alphabétique, analytique, généalogique, chronologique, astronomique ; bien faite, commode, pratique, exacte, incomplète, etc.

> VOCAB. — *Famille de mots.* — Table [rad. *tab, tav*] : tabler, tablette, tableau, tableautin ; tablier, tablée, tabloin, tabletier, tabletterie ; entabler, entablement, entablure ; tavèle, tavelle, tavelage, tavelure taveler, tavelé ; tabellion ; tabellionage, s'attabler ; retable, tablature ; taverne, tavernier ; tabernacle, tabellaire, tabulaire, tabularium, tabulateur.

tableau [ta-blô], n. m. (de *table*). Ouvrage de peinture sur une table de bois, de cuivre, etc., ou sur de la toile, pendu à un mur ou placé sur un chevalet. *Un tableau de Raphaël*. V. tabl. ARTS (*Idées suggérées par le mot*). — Fig. *C'est une ombre au tableau*, c'est un inconvénient qui dépare légèrement les beautés d'un ouvrage, les bonnes qualités d'une personne, les avantages d'une situation. Ensemble d'objets qui frappe la vue, dont l'aspect fait impression. *Le magnifique tableau que représente cette vallée.* ǁ Fig. La représentation naturelle et frappante d'une chose, soit en action, soit de vive voix, soit par écrit. *Un terrible tableau des misères de ce peuple.* ǁ *Tableau vivant*, scène historique ou mythologique, figurée par

des personnes d'après un tableau ou d'après une mise en scène réglée.
La table, carte ou feuille sur laquelle les noms des personnes qui composent une compagnie sont écrits selon l'ordre de leur réception. *Le tableau des avocats.* — *Tableau d'avancement,* liste des membres d'un corps, établie dans l'ordre selon lequel ils obtiendront leur avancement. ‖ Feuille, planche sur laquelle les matières didactiques, historiques et autres sont rédigées et rangées méthodiquement pour être vues d'un coup d'œil. *Un tableau synoptique.* [Chasse] L'ensemble des pièces abattues par les chasseurs, groupées par espèces et alignées sur le sol. [Mar.] Le cadre de menuiserie ou de métal placé à l'arrière d'un navire et sur lequel est inscrit le nom de ce navire. [Techn.] Support sur lequel sont groupés différents appareils de mesure, de contrôle, etc., servant dans une usine, sur un appareil, etc. *Tableau de bord.* [Théâtre] Subdivision des actes correspondant à un changement de décor. [Typo] Composition généralement encadrée qui comporte un certain nombre de colonnes divisées par des filets de différentes épaisseurs, des accolades, etc. ‖ Panneau de bois, ordinairement noirci, sur lequel on trace avec de la craie des caractères, des chiffres, des figures, etc. *Aller au tableau.* ‖ Cadre de menuiserie qu'on fixe sur une muraille pour y afficher certains actes publics ou autres. *Le tableau des publications de mariage.*
SYN. — *Tableau,* ouvrage de peinture : *Un tableau de Raphaël.* — *Estampe, gravure,* images faites avec une planche gravée : *Cette estampe est du dix-huitième siècle.* — *Image,* représentation, souvent de petite taille, d'une chose quelconque : *Les images d'Épinal.* — *Pastel,* tableau fait au crayon appelé pastel : *Les pastels de Quentin Latour.* — *Peinture,* tout ouvrage peint : *Une peinture de Michel Ange.* — *Portrait,* image d'une personne, en peinture, au crayon, etc. — *Un portrait de Louis XIV.* — *Photographie,* petit tableau obtenu par des procédés photographiques : *La photographie d'un oncle.* V. aussi EFFIGIE.
ÉPITHÈTES COURANTES : grand, petit, rectangulaire, carré, ovale, rond, noir; beau, fini, peint, dessiné, superbe, magnifique, célèbre, fameux, connu; encadré, brillant, clair, lumineux, sombre, clair-obscur; historique, composé; réussi, manqué; forcé, brillant, exact, complet, inexact, tendancieux, objectif, impartial, partial, noirci, sinistre, affreux, etc.
tableautin, n. m. Petit tableau.
tablée, n. f. Réunion de personnes assises autour d'une table.
tabler, v. intr. Poser, arranger les tables ou dames du trictrac, suivant les points qu'on a amenés. ‖ Fig. et fam. *Vous pouvez tabler là-dessus,* vous pouvez compter là-dessus, faire fonds sur cela.
tabletier, ière, n. Celui, celle qui fait ou qui vend de la tabletterie, des ouvrages en ivoire, en écaille, en ébène.
ORTH. — *Tabletier* ne prend qu'un *t,* mais *tablette, tabletterie* en prennent *deux.*
tablette [ta-blè-te], n. f. Petite table, planche posée pour mettre quelque chose dessus. *Les tablettes d'une bibliothèque.* ‖ Pièce de marbre, de pierre ou de bois de peu d'épaisseur. V. pl. COLONNES. Composition alimentaire ou pharmaceutique sèche à laquelle on donne une forme aplatie. *Tablette de chocolat.* = Au pluriel. Petites planchettes de bois, enduites d'une légère couche de cire, sur lesquelles écrivaient les Anciens. ‖ Fig. *Écrivez cela sur vos tablettes,* tâchez de vous en souvenir. — *Rayez cela de vos tablettes,* n'y comptez pas.
tabletterie [ta-blè-te-ri], n. f. L'industrie, le commerce du tabletier. ‖ Les produits de cette industrie. *Magasin de tabletterie.*
tablier, n. m. (de *table*). Pièce de toile, de serge, de cuir, etc., que l'on met devant soi pour préserver ses habits en travaillant. *Tablier de cuisine. Tablier d'écolier.* — *Rendre son tablier,* se dit d'une cuisinière, et par ext. d'une domestique qui annonce à ses maîtres qu'elle va les quitter. ‖ Pièce de soie, de mousseline, etc., que les femmes de chambre mettent devant elles pour l'ornement. *Un tablier à dentelles.* [Archi.] Partie plate d'un pont sur laquelle est établie la chaussée ou le ballast. — Rideau fait de plusieurs plaques de tôle imbriquées, qui se lève et se baisse sur le devant des cheminées pour en régler le tirage. — Morceau de cuir attaché sur le devant d'une voiture. — Chacune des deux parties du trictrac.
tabloin, n. m. [A. milit.] Plateforme, construite de madriers, destinée à supporter une batterie d'artillerie (Vx).
* **tabor,** n. m. [A. milit.] Corps de troupes du Maroc dont les cadres sont français.
tabou,, n. m. Dans les îles de la Polynésie, sorte de sanctification attachée à une personne ou à un objet, afin de la rendre inviolables. ‖ Se dit, fam., d'une chose dont on ne peut parler, qu'on ne peut critiquer.
tabouret [ré], n. m. (dimin. de *tabour,* anc. forme de *tambour*). Petit siège, généralement à quatre pieds, qui n'a ni bras ni dos. — Petit support sur lequel on pose les pieds quand on est assis. [Hist.] Dans l'ancienne cour, *avoir le tabouret,* avoir droit de s'asseoir sur un tabouret ou sur un siège pliant, en présence du roi, de la reine. [Bot.] Genre de plantes de la famille des *crucifères,* appelées aussi *thlaspi.*
* **tabourin,** n. m. Tambourin (Vx). [Techn.] Ventilateur rotatif pour empêcher une cheminée de fumer.
* **tabulaire,** adj. En forme de table ou de tablette. ‖ Qui se rapporte à une table ou à un tableau.
* **tabularium** [ri-omm'], n. m. [Antiq.] Archives publiques ou privées chez les anc. Romains.
* **tabulateur,** n. m. (lat. *tabula,* table). Dispositif d'une machine à écrire permettant l'alignement en colonnes.
1. tac, n. m. (lat. *tactus,* contact). [Méd. vét.] Sorte de gale des animaux domestiques.
HOM. — V. TAQUE.
2. tac [tak], n. m. [onomat.] Bruit du fer qui vient choquer le fer. *Riposter du tac au tac,* riposter au premier choc de l'épée. ‖ Fig. *Répondre du tac au tac,* répondre sans hésitation et coup pour coup.
HOM. — V. TAQUE.

TACAMAQUE — TACITURNE

* **tacamaque,** n. m. et adj. [Pharm. anc.] Produits résineux fournis par divers arbres de la famille des *burséracées*.
* **tacaud** [*ko*], n. m. Nom vulg. des poissons du genre gade.
Hom. — *Tacot,* mauvais véhicule.
* **tacca** [*tak-ka*], n. m. [Bot.] Genre de plantes monocotylédones de la famille dite des *taccacées* (rattachée par certains auteurs à la famille des *amaryllidées*).
tacet [*sett'*], n. m. (mot lat. sign. *il se tait*). [Mus.] Indique le silence d'une partie pendant que les autres chantent. — Ne s'emploie pas au pluriel.
tachant, ante, adj. Qui tache. || Qui se tache facilement. *Une étoffe tachante.*
tache, n. f. (orig. incert.). Souillure, marque qui salit, qui gâte. *Une tache d'huile, d'encre, de sang.* || Partie d'une coloration différente qui est sur la peau ou sur le poil de certaines bêtes, sur certaines parties des végétaux. *Un chien blanc qui a des taches noires.* || Marque sur le visage ou sur le corps. *Taches de rousseur.* || Partie plus terne d'une pierre précieuse. [Astro.] Endroit obscur ou moins lumineux qu'on remarque sur le disque du soleil, de la lune et de quelques planètes [Bx-Arts] Masse de couleur tranchant nettement sur les autres. || Partie faible d'une œuvre littéraire de valeur. || Fig. et absol. Tout ce qui blesse l'honneur, la réputation. *Une fille sans tache,* dont la vertu est irréprochable. — *Faire tache,* faire un contraste choquant avec les choses voisines. || Fig. *Faire tache d'huile,* s'étendre de proche en proche et sans cesse comme une tache faite par l'huile. [Théol.] *La tache originelle,* la souillure que tout homme porte en naissant, par suite de la désobéissance d'Adam et d'Ève. — *La tache du péché,* la souillure que l'âme contracte par le péché.
Hom. — *Tache,* n. f., souillure; — *tache,* es, ent, du v. tacher; — *tâche,* n. f., ouvrage, travail; — *tâche,* es, ent, du v. tâcher.
ÉPITHÈTES COURANTES: petite, grande, large, profonde, vilaine, affreuse, sanglante, indélébile, ineffaçable, noire, jaune, rouge; faite, nettoyée, ôtée, disparue, effacée, oubliée.

> VOCAB. — *Famille de mots.* — *Tache:* tacher, tachant, tacheter, tacheté; détachage, détaché, détacher: entacher, entaché; entacher, entaché, entachement.

tâche, n. f. (bas lat. *taxa,* impôt). Ouvrage qu'on donne à faire à certaines conditions, dans un certain espace de temps. *Donner une tâche à des ouvriers.* — *Travail à la tâche,* travail payé selon l'ouvrage fait, sans égard au temps employé. || Ce qui doit être fait, qui est imposé. *Chaque homme a une tâche à remplir sur la terre.* || Fig. *Prendre à tâche de faire une chose,* s'attacher à faire une chose, à la mener à bonne fin. || Prov. *A chaque jour suffit sa tâche,* il faut savoir répartir méthodiquement ce que l'on a à faire.
SYN. — V. BESOGNE.
HOM. — V. TACHE.
* **tachéographe** [*ké*], n. m. Appareil dont on se sert pour faire les cartes et les plans.
* **tachéomètre** [*ké*], n. m. (gr. *takhys,* rapide; *métron,* mesure). Instrument qui permet le lever rapide du plan nivelé d'un terrain.

tacher, v. tr. Souiller, salir, faire une tache, au pr. et au fig.
SYN. — *Tacher,* salir de marques malpropres: *Tacher ses habits d'encre.* — *Barbouiller,* souiller de larges taches: *Une porte toute barbouillée de boue.* — *Salir,* souiller d'ordures, de taches: *Salir une page blanche.* — *Encrasser,* remplir de crasse: *La poudre noire encrasse les armes à feu.* — *Maculer,* couvrir de taches: *Maculer du papier blanc.* — *Souiller,* salir de boue, de fange: *Souiller ses habits.*
La plupart de ces termes s'emploient au figuré: *Tacher* (et mieux, *entacher*) *son honneur.* — *Salir la réputation de quelqu'un.* — *Souiller sa gloire.*
PAR. — *Tacher,* v., salir, faire une tache: *Tacher ses habits;* — *tâcher,* v., s'efforcer, essayer: *Je tâcherai d'arriver à l'heure;* — *tacheter,* v., marquer de taches petites et nombreuses: *Un fauve à la robe tachetée.*
tâcher, v. intr. (de *tâche*). Faire des efforts pour venir à bout d'une chose. *Je tâcherai de vous satisfaire.* || Suivi de la prépos. *à,* signif. viser à. *Il tâche à me nuire.*
INCORR. — Ne dites pas: *Tâchez que votre devoir soit fini ce soir;* dites: *Faites en sorte que...* On doit rejeter absolument la locution populaire: *Tâchez moyen que...*
PAR. — V. TACHER.
tâcheron, n. m. Entrepreneur qui prend de seconde main un travail à faire ou à faire faire. || Ouvrier travaillant à la tâche.
tacheté, ée, adj. Marqué de nombreuses petites taches.
tacheter, v. tr. Marquer de diverses et nombreuses petites taches. = Conjug. V. GRAMMAIRE.
PAR. — V. TACHER.
* **tachomètre** [*ta-ko-mè-tre*], n. m. [Techn.] Instrument destiné à mesurer la vitesse. V. TACHYMÈTRE.
* **tachy-** [*ki*], préfixe tiré du grec *takhys* (rapide), impliquant l'idée de vitesse, de rapidité.
tachycardie [*ki*], n. f. [Méd.] Accélération du rythme des battements cardiaques.
tachygraphe [*ki*], n. m. (gr. *takhys,* rapide; *graphein,* écrire). Celui qui emploie la tachygraphie.
tachygraphie [*ki*], n. f. Système d'écriture rapide, sorte de sténographie.
tachygraphique, adj. Qui appartient à la tachygraphie.
tachymètre [*ki*], n. m. (préf. *tachy,* et gr. *métron,* mesure). [Techn.] Instrument permettant de mesurer les vitesses angulaires par une simple lecture sur un cadran. [Ch. de fer] Indicateur de vitesse. V. pl. LOCOMOTIVE.
* **tachymétrie** [*ki*], n. f. [Math.] Science qui permet de vérifier les formules de géométrie qui donnent les surfaces et les volumes, en les matérialisant par des figures planes ou des solides.
tacite, adj. (lat. *tacitus,* qui se tait). Qui n'est pas formellement exprimé, qui est sous-entendu. *Consentement tacite.*
CTR. — *Explicite, formel, écrit.*
tacitement, adv. D'une manière tacite, sans être formellement exprimé.
taciturne, adj. Qui est de caractère, d'humeur à parler peu. *Homme taciturne. Esprit taciturne.*
SYN. — V. SILENCIEUX.
CTR. — *Loquace, bavard, exubérant, expansif.*

taciturnité, n. f. Humeur d'une personne taciturne.
*** tacon,** n. m. Jeune saumon (dialectal). ‖ [Techn.] Défaut dans les pièces moulées.
*** tacot,** n. m. Véhicule démodé et dont le mécanisme est défectueux. ‖ Chemin de fer d'intérêt local (Pop.).
Hom. — *Tacaud,* poisson du genre gade.
tact [*takt*'], n. m. (lat. *tactus,* m. s.). Le toucher, celui des cinq sens par lequel on juge du degré de résistance, de la température, de la siccité ou de l'humidité de certains corps, et qui a son principal organe au bout de la face interne des doigts. *Corpuscules du tact.* V. tabl. SENS (*Idées suggérées par le mot*). ‖ Fig. *Avoir du tact,* juger et agir sûrement et toujours dans le sens qui convient en matière de goût, de convenances, d'usages du monde.
SYN. — V. ADRESSE et DISCRÉTION.
ANT. — *Rusticité, maladresse.*

VOCAB. — *Famille de mots.* — *Tact* [Rad. *tac, tic, teg*] : tactile, tactilité, tactilement; tangible, tangiblement, tangibilité, intangible, tangente, tangence, tangentiel, tangentiellement, tangent; intact; entier, entièrement; intègre, intègrement, intégrité, intégral, intégralement, intégralité, intégrable, intégrabilité; intégrateur, intégration, intégrer, intégrant; réintégrer, réintégrante, réintégrable, réintégration; atteinte, atteindre; contact, contage, contagier, contagifère, contagion, contagieux, contagionner, contagionniste, contagiosité; contigu, contiguïté; contingent, contingenter, contingence; contaminer, contaminable, contamination; entame, entamement, entamure, entamer; tâche, tâcheron; tâter, tâtement, tâte-vin, tâtons, tâtonnement, tâtonneur, tâtonner; tatillon, tatillonner, tatillonnage.

---

tac tac, onomatopée dont on se sert pour exprimer un bruit réglé qui se renouvelle à temps égaux.
tacticien [*tak-ti-si-in*], n. m. Celui qui connaît bien la tactique. ‖ Fig. Celui qui manœuvre habilement.
tactile, adj. Qui est ou peut être l'objet du tact. ‖ *Sensations tactiles,* celles qui ont leur origine dans le toucher. ‖ *Nerfs tactiles,* nerfs du toucher.
*** tactilement,** adv. D'une façon tactile.
*** tactilité,** n. f. Faculté de sentir ou d'être senti par le toucher.
1. tactique, n. f. (gr. *taktikê,* art de ranger). [A. milit.] Partie de l'art de la guerre qui a pour but de faire manœuvrer ou évoluer les troupes ou les navires, et de les ranger en bataille. V. tabl. GUERRE (*Idées suggérées par le mot*). ‖ Fig. Marche qu'on suit et moyens qu'on emploie pour réussir dans quelque affaire. *La tactique parlementaire.*
ANT. — *Stratégie.*
ÉPITHÈTES COURANTES : simple, souple, antique, moderne, renouvelée, offensive, défensive, habile, savante, victorieuse; appliquée, trouvée, inventée, proposée, modifiée, appropriée, etc.
2. tactique, adj. Relatif à la tactique.
*** tactisme,** n. m. [Biol.] Réaction du protoplasma sous diverses influences (chimiques, caloriques, électriques, etc.).
*** tadorne,** n. m. [Zool.] Genre d'oiseaux palmipèdes, canards sauvages de forte taille, à livrée grise et blanche tachetée.

D. L. F. — T. III

tael ou *** taël** [*ta-èl*], n. m. Monnaie d'argent chinoise. ‖ Poids chinois (37 à 38 gr.).
tænia, n. m. V. TÉNIA.
taffetas [*ta-fe-ta*], n. m. Étoffe de soie fort mince et tissée comme de la toile. V. tabl. VÊTEMENT et PARURE (*Idées suggérées par les mots*). ‖ *Taffetas gommé,* sorte de sparadrap pour rapprocher les lèvres d'une coupure.
tafia, n. m. Eau-de-vie de canne à sucre fabriquée avec les écumes et les mélasses brunes.
*** tagal,** n. m. Fibre de palmiers servant à faire des chapeaux.
*** tagète,** n. m. [Bot.] Genre de plantes de la famille des *composées,* vulg. *œillet d'Inde.*
PAR. — *Targette,* sorte de verrou.
*** tahmé,** n. m. Aliment usité en Orient et composé du marc des graines de sésame mélangé avec du miel et du jus de citron.
*** taï** ou *** thaï,** n. m. Nom que se donnent les Siamois.
taïaut, interj. [Vén.] Cri du chasseur pour lancer sa meute quand il voit le cerf, le daim ou le chevreuil.
taie, n. f. Linge cousu en forme de sac pour envelopper un oreiller. ‖ Tache blanche et opaque qui se forme sur la cornée de l'œil. ‖ Fig. Ce qui dérobe à l'esprit la claire vue des choses.
INCORR. — Ne dites pas: *une tête d'oreiller;* dites: *une taie.*
HOM. — *Taie,* n. f., enveloppe; — *têt,* n. m., vase de grès; — *tais, tait,* du v. taire; — *tes,* adj. poss. plur.
PAR. — *Té,* n. m., tout objet qui a la forme d'un T; — *thé,* n. m., arbrisseau, feuille aromatique de cet arbrisseau et boisson qu'on en tire.
*** taïga,** n. m. [Géogr.] En Sibérie, région des steppes fertiles, par oppos. aux *toundras.*
*** taïkoun** ou *** shôgoun** [*cho*], n. m. Chacun des grands seigneurs du Japon, qui, du XIIe s. jusqu'en 1868, furent les vrais maîtres du pays, ne laissant au mikado que l'apparence de l'autorité souveraine.
taillable [*ta-illa-ble, ill* mll.], adj. et n. Sujet à la taille. *Les gentilshommes n'étaient point taillables.*
taillade [*ill* mll.], n. f. Coupure, entaille dans les chairs. ‖ Coupure en long faite dans de l'étoffe, dans des habits.
taillader [*ill* mll.], v. tr. Faire des taillades.
*** tailladin** [*ill* mll.], n. m. Tranche d'orange ou de citron.
*** taillage** [*ill* mll.], n. m. [Féod.] Recouvrement de la taille.
taillanderie [*ill* mll.], n. f. L'industrie le commerce du taillandier. ‖ Les produits de cette industrie.
taillandier [*ill* mll.], n. m. Artisan qui fait toutes sortes d'outils coupants pour les charpentiers, les charrons, les tonneliers, les laboureurs, etc. V. MÉTIERS et PROFESSIONS (*Idées suggérées par les mots*).
taillant [*ill* mll.], n. m. Le tranchant d'un couteau, d'une épée, d'une hache, etc.
taille [*ill* mll.], n. f. (du v. *tailler*). 1° Tranchant d'une épée; ne se dit que dans la locution: *Frapper d'estoc et de taille,* frapper de la pointe et du tranchant.

TAILLÉ — TAIN

‖ Action de couper, de tailler; manière dont certaines choses sont taillées ou coupées. *La taille de la pierre, du verre, du diamant.* — Partic. Opération dans laquelle on coupe aux arbres des branches, pour leur donner une certaine forme ou leur faire produire de plus beaux fruits. [Archi.] *Pierre de taille*, pierre dure taillée pour être employée dans une construction. [Chir.] Intervention consistant à pratiquer l'ouverture de la vessie pour en extraire un calcul. [Comm.] Morceau de bois fendu en deux parties, sur lequel les boulangers marquent, au moyen d'entailles, appelées *coches*, la quantité de marchandises qu'ils vendent à crédit. [Bx-Arts] Incision faite au burin sur une planche de cuivre, de bois, etc. *Taille, contre-taille.* — *Taille-douce*, gravure au burin, sur cuivre. — *Taille-douce* se dit aussi de l'estampe tirée sur une planche gravée en taille-douce. [Hist.] Impôt qui se percevait sous l'ancien régime. [Sylvic.] Bois qui commence à repousser après avoir été coupé. [Mus.] Partie qui est entre la basse et le contralto. *Une voix de taille*, une voix de ténor (Vx). [Techn.] Coupe pratiquée dans une exploitation minière.
2° Les dimensions du corps de l'homme ou des animaux et spécialement sa hauteur. *Il est de taille moyenne.* ‖ Fig. *Il est de taille à lutter, à entreprendre telle affaire*, il est fort capable de la faire. Dans le sens contraire : *Il n'est pas de taille.* ‖ Dimension d'un objet quelconque. *Une échelle de petite taille.*
Conformation du corps depuis les épaules jusqu'à la ceinture. *Avoir la taille dégagée.* ‖ Partie où le corps s'amincit sous les dernières côtes avant de s'élargir aux hanches. *Une taille de guêpe*, une taille très mince.
ÉPITHÈTES COURANTES : grande, haute, moyenne, petite, minuscule, énorme, considérable, normale, anormale, ordinaire, souple, supérieure, inférieure, fine, etc.
SYN. — *Taille*, dimension du corps dans le sens de la hauteur : *Un individu de haute taille.* — *Dimension*, étendue d'un corps, d'un objet en tous sens : *Prendre les dimensions d'une salle.* — *Stature*, hauteur de la taille d'un homme, d'un animal qui se tiennent debout : *Le gorille est d'une haute stature.*
HOM. — *Taille, es, ent*, du v. tailler.

> VOCAB. — *Famille de mots.* — *Taille* : tailler, taillant, taillet, taillis, tailleur, taillable, taillade, taillage, taillader, tailloir, taillerie, taillanderie, taillandier, basse-taille; détailler, détail, détaillant; entailler, entaille, entaillage, entaillure; retailler, retaille, et les mots composés commençant par *taille* : taille-crayon, taille-légumes, etc.

taillé, ée [*ill* mll.], adj. Coupé. *Pierre taillée.* ‖ Fig. *Besogne toute taillée*, dont les matériaux sont tout préparés. ‖ Qui a une certaine taille. *Être taillé en Hercule*, avoir la taille d'un Hercule. ‖ Propre à, apte à. *Il est taillé pour réussir.* [Blas.] Se dit de l'écu divisé par une diagonale en deux parties égales, de dextre à senestre. V. pl. BLASON.

taille-crayon [*ill* mll., *kré-ion*], n. m. Instrument pour tailler les crayons. = Pl. *Des taille-crayons.*
taille-douce [*ill* mll.], n. f. V. TAILLE. = Pl. *Des tailles-douces.*
* **taille-légumes** [*ill* mll.], n. m. Ustensile de cuisine pour tailler les légumes selon certaines formes. = Pl. *Des taille-légumes.*
taille-mer [*ill* mll.], n. m. [Mar.] La partie inférieure de l'éperon d'un bâtiment qui fend l'eau la première, lorsque le bâtiment avance. = Pl. *Des taille-mer.*
* **taille-ongles** [*ill* mll.], n. m. Sorte de petite pince coupante pour couper les ongles. = Pl. *Des taille-ongles.*
* **taille-plume** [*ill* mll.], n. m. Instrument au moyen duquel on fend et coupe une plume d'oie sans le secours d'un canif. = Pl. *Des taille-plumes.*
tailler [*ill* mll.], v. tr. (lat. pop. *taliare*, m. s.). Couper, retrancher d'une matière ce qu'il y a de superflu, pour lui donner une certaine forme, pour la rendre propre à un usage quelconque. *Tailler une pierre.* ‖ Couper en plusieurs morceaux, en plusieurs pièces. — *Tailler un manteau, une robe*, en couper, dans l'étoffe, les différents morceaux. — *Tailler de l'ouvrage*, en répartir l'exécution entre différentes personnes. ‖ Fig. *Tailler en pièces une armée*, la battre et l'anéantir. ‖ Fig. et fam. *Tailler une bavette*, se livrer à des bavardages. [Chir.] Faire une incision à la vessie pour en extraire les calculs. = V. intr. *Se dit*, à certains jeux de cartes, du joueur qu'on nomme banquier, qui tient les cartes et joue seul contre tous les autres joueurs.
SYN. — V. COUPER.
* **taillerie** [*ill* mll., *ri*], n. f. Atelier où l'on taille le diamant, les pierres précieuses, les cristaux, etc. ‖ Ce travail lui-même.
* **taillet** [*illé, ill* mll.], n. m. Outil de forgeron.
HOM. — *Taillai, ais, ait, aient*, du v. tailler.
tailleur [*ill* mll.], n. m. Celui qui a pour profession de tailler une substance quelconque. *Tailleur de pierres.* ‖ Absol. Celui qui taille et fait des habits. ‖ *Costume tailleur*, costume de femme composé d'une jupe et d'une jaquette séparées.
* **tailleuse** [*ill* mll., *euze*], n. f. Couturière; celle qui coupe et fait des robes de femme, des costumes tailleurs.
taillis [*ta- ill* mll., *i*], adj. et n. m. (de *taille*). *Bois taillis* ou, n. m., *un taillis*, étendue de bois sujette à des coupes ordinaires et réglées. ‖ Fig. et fam. *Gagner le taillis*, s'enfuir et se mettre en sûreté.
SYN. — V. BOIS.
ANT. — *Futaie.*
tailloir [*ill* mll.], n. m. [Archi.] Partie supérieure du chapiteau d'une colonne, sur laquelle repose l'architrave. V. pl. COLONNE. ‖ Assiette de bois sur laquelle on coupe la viande.
tain [*tin*], n. m. [Techn.] Amalgame de mercure et d'étain, dont on se sert pour étamer les glaces, c'est-à-dire qu'on étend sur l'une des faces et qui réfléchit les rayons lumineux.
HOM. — *Tain*, n. m., amalgame dont on revêt le dos d'une glace; — *teint*, n. m., coloris; — *teint*, adj., pp. de teindre; — *teins, teint*, du v. teindre; — *tins, tint, tînt*, du v. tenir; — *thym*, n. m., plante odoriférante; — *tin*, n. m., étai; pièce qui soutient les tonneaux dans une cave.

taire, v. tr. (lat. *tacere*, m. s.). Ne pas dire. *Taire un secret.* = SE TAIRE, v. pr. Garder le silence, s'abstenir de parler. *Il faut apprendre à se taire.* ‖ Cesser de se faire entendre : *Les canons se sont tus.* ‖ Avec ellipse du pronom. *Faire taire,* imposer le silence. *Faire taire quelqu'un.* — Fig. *Faire taire son ressentiment,* l'empêcher de se manifester. ‖ Fig., au sens moral. Ne point se manifester, ne point éclater. = Conjug. (comme *plaire*). V. VERBES.
  GRAM. — Le part. passé de *taire* est variable : *tu, tue,* etc. — Le part. passé de *se taire* s'accorde toujours, étant toujours précédé de son régime direct, qui est le second pronom : *elles se sont tues.*
  SYN. — V. CACHER.
  CTR. — *Dire, publier, proclamer.*
  HOM. — *Taire,* v. tr., ne pas dire; — *ter,* adv., pour la troisième fois; — *terre,* n. f., planète, sol, humus; — *terre, es, ent,* du v. terrer.

VOCAB. — *Famille de mots.* — *Taire* [rad. *tai, tac*] : tacite, tacitement, taciturne, taciturnité; réticence, réticent.

taisson, n. m. [Zool.] Nom vulg. du blaireau.
talapoin, n. m. Moine bouddhiste mendiant ou prêcheur au Siam, en Birmanie.
talc [talk], n. m. [Minér.] Silicate hydraté de magnésie, fournissant une poudre douce et onctueuse au toucher.
  HOM. — *Talque, es, ent,* du v. talquer.
* **talcaire,** adj. Qui appartient au talc.
  PAR. — *Calcaire,* qui contient beaucoup de carbonate de chaux.
* **talcique,** adj. Qui est composé de talc.
taled, taleth ou * **talith,** n. m. Voile dont les juifs se couvrent la tête à la synagogue, quand ils récitent leurs prières. V. pl. COSTUMES RELIGIEUX.
* **talégalle,** n. m. [Zool.] Genre d'oiseaux gallinacés propres à l'Australie (*dinde des buissons*).
talent [ta-lan], n. m. Poids et monnaie de compte en usage dans l'Antiquité. ‖ Fig. Disposition et aptitude naturelles ou acquises pour certaines choses; capacité, habileté. *Un talent rare, précieux, extraordinaire. Elle a le talent de plaire. — Homme de talent,* celui qui a du talent. ‖ Fam. et par synecdoche, la personne qui possède un talent. *Le vrai talent est presque toujours modeste.*
— *Les divins attributs paraissent-ils mieux dans les cieux que Dieu a formés que dans ces rares talents qu'il distribue comme il lui plaît aux hommes extraordinaires ?*
(BOSSUET.)
— *Ne forçons point notre talent,
Nous ne ferions rien avec grâce ;
Jamais un lourdaud, quoi qu'il fasse,
Ne saurait passer pour galant.*
(LA FONTAINE.)
— *La nature, fertile en esprits excellents,
Sait entre les auteurs partager les talents.*
(BOILEAU.)
— *Voici comment je définis le talent : un don que Dieu nous a fait en secret, et que nous révélons sans le savoir.*
(MONTESQUIEU.)
ÉPITHÈTES COURANTES : grand, immense, beau, joli, rare, varié, souple, incontestable, reconnu, méconnu, naturel, éclatant, ingénieux, rare, multiple, heureux, particulier, extraordinaire, etc.
  SYN. — V. APTITUDE et ESPRIT.
  HOM. — *Talant,* ppr. du v. taler.
* **talentueux, euse,** adj. Qui a du talent. (Mot à éviter.)
* **taler,** v. tr. Meurtrir un fruit, un végétal. = SE TALER, v. pr. Se meurtrir.
  HOM. — *Taller,* v. intr., pousser des talles.
taleth, n. m. V. TALED.
* **talève,** n. f. [Zool.] Genre d'échassiers, appelé aussi *poule sultane.*
* **taline,** n. f. Beurre de coco, appelé aussi *beurre végétal* ou *végétaline.*
talion, n. m. (lat. *talio,* m. s.). [Hist.] Loi pénale par laquelle on traite un coupable de la même manière qu'il a traité ou voulu traiter ses victimes, selon l'adage : *œil pour œil, dent pour dent.*
* **talipot** ou **tallipot** [ta-li-po], n. m. [Bot.] Nom vulgaire du *corypha umbraculifera,* plante de la famille des *palmiers.*
talisman, n. m. Petite pierre ou morceau de métal sur lesquels sont gravés certains caractères mystérieux, et auxquels on attribue des vertus merveilleuses. ‖ Fig. *La beauté est le talisman des femmes.*
talismanique, adj. Qui appartient au talisman. *Vertu talismanique.*
* **talitre,** n. m. [Zool.] Genre de crustacés amphipodes, très répandus sur nos plages (*puces de mer*).
* **tallage,** n. m. [Agri.] Émission de tiges adventives, par les céréales, au printemps. ‖ Ces tiges elles-mêmes.
talle, n. f. (lat. *thallus,* m. s.). [Agri.] Tige secondaire qui se développe au pied d'une tige et qu'on en peut séparer pour la replanter.
  HOM. — *Talle,* n. f., tige secondaire qui part au pied d'une tige; — *thalle,* n. m., appareil végétatif des algues et des champignons; — *tale, es, ent,* du v. taler (meurtrir); — *talle, es, ent,* du v. taller.
* **tallement** [man], n. m. Action de taller. ‖ Succession des phénomènes produisant la talle.
taller [ta-lé], v. intr. Pousser une ou plusieurs talles.
  HOM. — *Taler,* v. tr., meurtrir un végétal.
* **tallevas,** n. m. Grand bouclier ovale utilisé au Moyen Age.
tallipot, n. m. [Bot.] Arbre de Ceylan, de la famille des *palmiers.*
talmouse [ouze], n. f. Pâtisserie faite avec de la farine, de la crème, du fromage, du beurre et du sucre. ‖ Fig. et pop. Gifle, coup, horion.
talmud [mud], n. m. Chez les Juifs, livre qui contient les doctrines et les préceptes enseignés par les docteurs et les anciens rabbins.
talmudique, adj. Qui appartient au talmud.
talmudiste, n. m. Celui qui est attaché aux opinions du talmud.
taloche, n. f. Pop. Coup donné sur la tête avec la main. [Techn.] Planche munie d'un manche en son centre, qui sert aux maçons à étaler le plâtre pour faire un enduit. V. pl. BÂTIMENT.
* **talocher,** v. tr. Donner des taloches.
talon, n. m. (lat. pop. *talo,* m. s.). [Anat.] Saillie que présente le pied en arrière, à sa partie inférieure, et qui est

formée par l'os calcanéum. || Partie d'un soulier, d'une botte, d'un bas, etc., sur laquelle pose le derrière du pied. *Le talon d'une botte.* V. pl. CHAUSSURES. — Fig. *Talon rouge*, se disait autrefois d'un homme de la cour qui avait à ses souliers des talons rouges (marque de noblesse). — *Faire le talon rouge*, faire le grand seigneur. || Fig. et fam. *Il est toujours à mes talons, sur mes talons*, il me suit partout. — *Montrer les talons*, s'enfuir. — *Tourner les talons*, se préparer à fuir. — *Talon d'Achille*, la partie vulnérable de quelqu'un. — *Avoir l'estomac dans les talons*, avoir grand faim. [Archi.] Moulure composée d'un filet carré et d'une cimaise droite. V. pl. MOULURES. || Ce qui reste de cartes après qu'on a donné à chacun des joueurs le nombre de cartes qu'il doit avoir. || Éperon qui arme le talon d'un cavalier. || Les deux portions du fer à cheval qui font suite aux quartiers et qui terminent les éponges. [Mar.] Extrémité de la quille, du côté de l'arrière. [Techn.] Extrémité inférieure ou postérieure de divers objets. — Partie de l'enveloppe d'un pneumatique maintenant celui-ci dans la jante. [Ch. de fer.] Partie d'un aiguillage opposée à la pointe. || Partie d'un registre à souche, d'un carnet de chèques, etc., qui reste adhérente au registre, au carnet, quand l'autre partie a été détachée.

* **talonnement**, n. m. Action de talonner.

talonner, v. tr. (de *talon*). Marcher sur les talons, poursuivre de près, ou presser vivement. *Les ennemis nous talonnaient.* || Fig. et fam. Exiger impérieusement une dette, un travail promis. *Les créanciers le talonnent.* || *Talonner un cheval*, l'éperonner. = V. intr. [Mar.] Lors du tangage, frapper le fond de la mer avec le talon du bâtiment par secousses plus ou moins fortes.

talonnette, n. f. Lame de liège en biseau qu'on place à l'intérieur du soulier. || Plaque de cuir, de caoutchouc, etc., fixée sur le talon d'une chaussure pour en retarder l'usure.

* **talonnier**, n. m. [Mar.] Pièce de bois appliquée sous le milieu d'une varangue trop courte pour former son talon.

talonnière, n. f. (de *talon*). [Myth.] Chacune des ailes que Mercure portait aux talons. [Techn.] Quartier de cuir ajouté l'hiver aux sandales des religieux déchaussés pour couvrir le talon. — Ganse cousue au bas et à l'intérieur des pantalons d'homme pour éviter l'usure. [Mar.] Partie inférieure du gouvernail.

* **talpack**, n. m. Coiffure des chasseurs à cheval de l'armée française sous le second Empire.

* **talpiforme**, adj. Qui a la forme d'une taupe.

* **talquer** [ké], v. tr. Frotter avec du talc. PAR. — *Calquer*, reproduire un dessin sur un papier transparent qu'on applique dessus.

* **talqueux, euse**, adj. Qui est formé de talc, qui contient du talc.

talus [*lu*], n. m. (orig. incert.). Inclinaison, pente donnée à des élévations de terre et à des constructions verticales pour qu'elles se soutiennent mieux. *Le talus d'un fossé, d'une muraille.* || Terrain en pente qui forme le côté d'une terrasse, le bord d'un fossé, d'une voie ferrée en tranchée, etc. V. pl. FORTIFICATIONS. || *Tailler, couper une chose en talus*, obliquement. || Relief que présentent les caractères typographiques.

* **talutage**, n. m. Action de taluter. || État de ce qui est taluté.

taluter, v. tr. Construire ou mettre en talus.

tamandua, n. m. [Zool.] Genre de mammifères édentés, petits fourmiliers de l'Amérique tropicale.

tamanoir, n. m. [Zool.] Genre d'*édentés*, appelés aussi *grands fourmiliers*, à langue longue et gluante.

* **tamar**, n. m. [Pharm.] Laxatif à base de tamarin et de séné.

tamarin, n. m. [Bot.] Nom vulg. des *tamariniers* et des *tamaris*. || Fruit du tamarinier de l'Inde. [Zool.] Nom vulg. de petits singes des forêts de l'Amazone, voisins des ouistitis.

tamarinier, n. m. [Bot.] Genre de plantes de la famille des *légumineuses*, arbres de l'Inde dont les feuilles, les fleurs et les fruits sont employés en pharmacie.

tamaris, * **tamarisc**, ou * **tamarix**, n. m. [Bot.] Genre d'arbrisseaux à feuilles très petites et à fleurs en épis; famille des *tamariscinées*.

* **tamariscinées** ou * **tamaricacées**, n. f. pl. [Bot.] Famille de végétaux dicotylédones dialypétales, qui a le tamaris pour type.

tambour, n. m. (anciennement *tabour*, du persan *tabir*). [Mus.] Instrument de forme cylindrique recouvert à chaque extrémité de peau d'âne tendue sur laquelle on frappe avec deux baguettes pour en tirer des sons. *Battre du tambour.* V. pl. MUSIQUE. || *Tambour battant*, au son du tambour. — Fig. *Mener quelqu'un tambour battant*, ne pas le ménager. *Mener une affaire tambour battant*, ne pas la laisser traîner. — Fig. et fam. *Partir sans tambour ni trompette*, partir sans bruit, clandestinement. || *Tambour de basque*, cerceau de bois garni de grelots et dont une face est recouverte d'une peau tendue sur laquelle on frappe avec les doigts. V. pl. MUSIQUE. || Homme, et partic. soldat qui bat du tambour. — *Tambour de ville*, crieur public qui annonce au son du tambour les décisions de l'autorité. — *Tambour-major*, chef des tambours d'un régiment.

[Techn.] Roue cylindrique et creuse d'une machine; organe cylindrique et creux d'un mécanisme. — Cylindre sur lequel est enroulée la corde ou la chaîne d'une horloge. — Sorte de poulie. — Petite couronne de bois ou de métal sur laquelle on tend l'étoffe que l'on veut broder. [Archi.] Chacune des pierres cylindriques faisant partie du fût d'une colonne. V. pl. COLONNE. || Petite enceinte de menuiserie avec une ou plusieurs portes, placée à l'entrée d'un édifice ou d'une grande salle pour empêcher le vent ou le froid de pénétrer à l'intérieur. [Anat.] Tympan de l'oreille. [Phys.] Boîte cylindrique tournante d'un appareil enregistreur.

PAR. — *Tandour*, table sous laquelle on met un brasero.

tambourin, n. m. (dimin. de *tambour*). Espèce de tambour étroit et allongé. ‖ Celui qui joue du tambourin. [Jeu] Petit tambour formé d'une couronne de bois sur laquelle est tendue une peau et avec lequel les enfants se renvoient des balles.
* **tambourinage,** n. m. Action de tambouriner. ‖ Fig. Action de faire grand bruit de quelque chose.
tambourinaire, n. m. Joueur de tambourin, en Provence.
Hom. — *Tambourinèrent,* du v. tambouriner.
tambouriner, v. intr. Battre le tambour ou le tambourin. ‖ Produire avec les doigts, ou autrement, des roulements semblables à ceux du tambour. *Tambouriner sur la table.* = V. tr. Jouer sur le tambour ou sur le tambourin. ‖ Annoncer une nouvelle au son du tambour. ‖ Réclamer au son du tambour un objet perdu. ‖ Fig. Annoncer quelqu'un, quelque chose à grand fracas.
* **tambourineur, euse,** n. Celui, celle qui tambourine.
tambour-major, n. m. V. TAMBOUR. = Pl. *Des tambours-majors.*
taminier ou * **tamier,** n. m. [Bot.] Genre de plantes de la famille des *dioscorées* (vulg. *sceau de Notre-Dame*).
tamis [*mi*], n. m. (orig. inc.). Instrument formé d'un tissu treillagé de crin, de soie, de fil de fer fixé à un cadre généralement cylindrique, et qui sert à passer des matières pulvérisées ou des liqueurs épaisses. V. pl. BÂTIMENT. ‖ Fig. *Passer au tamis, par le tamis,* être examiné sévèrement sur son savoir ou sur ses mœurs.
tamisage, n. m. Action de tamiser. ‖ Matière passée par le tamis.
* **tamisation** [*za-sion*], n. f. Action de tamiser.
* **tamise,** n. f. Tissu de laine ou de laine et soie, genre étamine.
Hom. — *Tamise,* fleuve d'Angleterre; — *tamise, es, ent,* du v. tamiser.
tamiser [*zé*], v. tr. Passer au tamis. ‖ Laisser passer en atténuant. *Le store tamise la lumière.* = V. intr. [Mar.] Laisser passer le vent par ses déchirures, en parlant d'une voile.
* **tamiserie,** n. f. Fabrique de tamis.
* **tamiseur,** n. m. Celui qui tamise. ‖ Instrument servant à tamiser.
* **tamisier, ière** [*zié*], n. Celui, celle qui fabrique ou vend des tamis.
* **tamoul, oule,** adj. Se dit d'un peuple de race dravidienne établi sur la côte de Coromandel. = N. m. Langue dravidienne parlée par les Tamouls.
* **tampane,** n. f. [Techn.] Roue dentée d'un moulin qui traverse le grand arbre.
* **tampe,** n. f. [Techn.] Taquet de bois placé entre deux parties d'un métier.
Hom. — V. TEMPE.
* **tampico,** n. m. Crin végétal originaire du Mexique.
tampon [*tan*], n. m. (autre forme de *tapon,* du v. *taper*). Morceau de pierre, de bois, de liège, etc., ou masse de linge, de papier, d'herbes, etc., dont on se sert pour boucher une ouverture. ‖ Pièce de bois, de fibre, etc., dont on garnit un trou fait dans un mur et dans lequel on enfonce un clou ou une vis. [Chir.] Morceau d'ouate stérilisée ou compresse de gaze dont on se sert pour arrêter une hémorragie. ‖ Morceau d'étoffe roulé ou tassé sur lui-même, qui sert à frotter, à étendre un corps, etc. [Typo.] Sorte de balle avec laquelle on applique le vernis sur une planche vierge ou l'encre sur une planche gravée. *Vernir au tampon.* ‖ Encreur pour timbre humide. [Ch. de fer] Masse métallique, appuyée sur un ressort puissant, placée à l'avant ou à l'arrière d'un véhicule, et destinée à amortir un choc. *Les tampons d'une locomotive.* V. pl. LOCOMOTIVE. ‖ *État tampon.* État neutre dont le territoire sépare deux États belligérants, ou qui pourraient le devenir. ‖ Pop. *Coup de tampon,* bagarre, choc entre deux individus, deux troupes, etc.
PAR. et SYN. — *Tapon.*
tamponnement [*tan-po-ne-man*], n. m. Action de tamponner; résultat de cette action. ‖ Partic. Heurt violent d'un train contre un autre, d'un véhicule contre un autre.
SYN. — V. SECOUSSE.
tamponner, v. tr. (de *tampon*). Boucher avec un tampon. [Méd.] Essuyer, frotter avec un tampon. ‖ Heurter avec des tampons et, par ext., heurter violemment, en parlant de deux véhicules, de deux convois. *La locomotive a tamponné un autre train.* [Techn.] Faire des trous dans une surface à l'aide du tamponnoir. *Tamponner un mur de plâtre.* = SE TAMPONNER, v. pr. Se rencontrer, se choquer. *Deux voitures se sont tamponnées.*
* **tamponneur, euse,** n. Celui, celle qui tamponne. = Adj. *Le train tamponneur*
* **tamponnoir,** n. m. [Techn.] Pointe d'acier très dure servant à faire dans les murs les trous dans lesquels on enfoncera ensuite un tampon. V. pl. BÂTIMENT.
tam-tam [*tam' tam'*], n. m. Sorte de gong, plaque ronde en métal, suspendue verticalement, que l'on heurte avec une baguette. ‖ Tambour primitif des nègres africains. ‖ Réjouissance, danses, chants au son du tam-tam. ‖ Pop. Réclame, publicité tapageuse. = Pl. *Des tam-tams.*

...tan, tang, tant, tent.

> ORTH. — *Finales.* — Le son final *tan* s'écrit sous cette première forme dans antan, autan, cabestan, capitan, charlatan, mahométan, orviétan, sultan, titan. Un seul mot se termine par *tang* : orang-outang. La finale *tant* se trouve dans arc-boutant, autant, comptant, constant, distant, exorbitant, instant, montant, nonobstant, pourtant, sextant, etc. Enfin on écrit *tent* dans compétent, content, impotent, intermittent, latent, patent, pénitent.

tan, n. m. (orig. inc.). Écorce de chêne et d'autres arbres, séchée et pulvérisée pour servir à préparer les peaux.
Hom. — *Tan,* n. m., écorce du chêne; — *tant,* n. m. inv. et adv., telle quantité : *Tant va la cruche à l'eau...* — *taon,* n. m., grosse mouche; — *temps,* n. m., durée, état de l'atmosphère; division de la durée; — *tends, tend,* du v. tendre.
* **tanagra,** n. f. Statuette antique de terre cuite trouvée dans les nécropoles de Tanagra (Béotie).
tanaisie, n. f. [Bot.] Genre de plantes de la famille des *composées*; ses feuilles et ses fleurs sont vermifuges.

TANCEMENT — TANNE　　　　　　　　　　　　　　　　　　　　　　　　　1876

...tance, tence, tense.

> ORTH. — *Finales.* — Le son final *tance* s'écrit sous cette forme dans la plupart des mots : accointance, assistance, circonstance, distance, importance, jactance, laitance, résistance, substance, etc. La forme *tense* n'existe que dans intense. On écrit *ten* dans les mots appétence, compétence, existence, pénitence, potence, sentence.

* **tancement** [*man*], n. m. Action de tancer.
tancer, v. tr. (lat. pop. *tentiare*, m. s.). Réprimander, gronder. *Tancer vertement un enfant.* = Conjug. V. GRAMMAIRE.
SYN. — V. BLÂMER.
tanche, n. f. [Zool.] Genre de poissons téléostéens d'eau douce, comestibles, aimant les eaux tranquilles à fond de vase.
* **tanchis**, n. m. [Techn.] Partie biaise de comble, dans une charpente.
tandem, n. m. Voiture à deux chevaux attelés en flèche. || *Atteler en tandem*, atteler en flèche. || Bicyclette pour deux personnes placées l'une derrière l'autre.
tandis, tandis que, mots invar. V. tabl. TANDIS.

* **tandour**, n. m. Table couverte d'un tapis qui descend jusqu'à terre, et sous laquelle on met, pour se chauffer, un brasero de cuivre ou de terre cuite appelé *mangol*.
PAR. — *Tambour*, cylindre creux dont les deux fonds sont garnis de peau d'âne tendue.
tangage, n. m. [Mar.] Balancement d'un navire, de l'avant à l'arrière et de l'arrière à l'avant, produit par l'agitation de la mer.
ANT. — *Roulis*.
tangara, n. m. [Zool.] Genre de dentirostres américains, remarquables par la richesse et la vivacité de leurs couleurs.
tangence [*tan-jan-se*], n. f. Position de ce qui est tangent. || *Ligne de tangence*, ligne selon laquelle deux surfaces se coupent. On dit plutôt *contact*.
tangent, ente [*jan*], adj. (lat. *tangens*, qui touche). [Géom.] Qui touche en un seul point une ligne, une surface sans la couper. *Un plan tangent à une sphère.* || Fig. et fam. *Avoir été tangent*, avoir été sur le point de réussir.
tangente, n. f. [Géom.] Ligne droite qui touche une courbe, sans la couper, en

---

TANDIS [di], **mot invariable.**

Étymologie. — Du latin *tamdiu*, aussi longtemps que, des adverbes *tam*, autant et *diu*, longtemps.

TANDIS, adverbe.
  Cependant (Vx). *Tandis* adverbe a disparu dès la fin du XVIIᵉ s.

TANDIS QUE, locution conjonctive (souvent prononcée *tan-dis-que*).
  1º Locution conjonctive de temps, introduisant une proposition circonstancielle de temps marquant la simultanéité et se construisant toujours avec l'indicatif.
    Pendant le temps que. *Tandis que vous êtes ici. Il faut battre le fer tandis qu'il est chaud* (Prov.).
    Aussi longtemps que. *Toute ma grandeur me devient insipide. Tandis que le soleil éclaire ce perfide* (RACINE).
  2º Loc. conjonctive marquant l'opposition. Au lieu que. *Il est riche, tandis que son frère est pauvre.*

---

un point quelconque et en un seul. || Fig. et fam. *S'échapper par la tangente*, saisir l'occasion de s'esquiver ou d'esquiver une réponse. [Arg. scol.] Surveillant des candidats pendant les épreuves écrites d'un examen. — Épée des polytechniciens.
tangentiel, elle, adj. Qui se rapporte à la tangente ou au plan tangent.
* **tangentiellement**, adv. D'une manière tangentielle.
* **tanghin**, n. m. [Bot.] Genre d'*apocynées* de Madagascar. Le suc de ses fruits a servi à empoisonner les flèches.
tangibilité, n. f. Qualité de ce qui est tangible.
tangible, adj. Qui peut être touché.
* **tangiblement**, adv. D'une façon tangible.
1. **tango**, adj. et n. Qui est d'une couleur rouge orange très vive. *Ruban tango.*
2. **tango**, n. m. Danse avec marche cadencée à deux temps.
tangon, n. m. [Mar.] Sorte de mât, placé en dehors d'un navire et perpendiculairement à la coque, par lequel l'équipage se laisse glisser dans les canots. V. pl. NAVIGATION.
* **tangue** [*ghe*], n. f. Dépôts terreux qu'on ramasse à l'embouchure des fleuves, et qui sert à amender les terres.
1. **tanguer** [*gué*], v. intr. [Mar.] Se dit d'un navire qui se balance dans le sens longitudinal.

2. * **tanguer** [*ghé*], v. tr. Amender une terre avec de la tangue.
* **tangueur** [*gheur*], n. m. [Mar.] Navire qui tangue beaucoup.
* **tanguière** [*gui*], n. f. Lieu où l'on trouve la tangue.
tanière, n. f. Caverne où se retirent des bêtes sauvages. || Fig. Logis retiré, habitation solitaire ou misérable.
SYN. — V. ANTRE.
tanin ou **tannin**, n. m. Nom générique de substances astringentes, qui se rencontrent dans la noix de galle, l'écorce de chêne, le sumac, etc., et qui servent à préparer les peaux.
ORTH. — *Tanin* peut ne prendre qu'un *n*, mais *tanner, tannerie, tanneur* en prennent deux.
tank, n. m. (mot anglais sign. *réservoir*). [A. milit.] Char d'assaut, char de combat blindé monté sur carterpillars ou chenilles. V. tabl. GUERRE (*Idées suggérées par le mot*).
* **tanka**, n. m. Poème japonais en cinq vers et 31 syllabes.
tannage [*ta-na-je*], n. m. Action de tanner du cuir; résultat de cette action.
tannant, ante, adj. Qui sert à tanner les peaux. || Fig. et pop. Qui lasse la patience, qui importune.
tanne [*ta-ne*], n. f. Marque brune qui reste sur la peau après le tannage. [Méd.] Petite tumeur cutanée due à l'accumulation de matière sébacée.

tanné, ée, adj. Qui a été tanné. *Peaux tannées.* ‖ Qui est de couleur à peu près semblable à celle du tan. *Drap tanné. Avoir la peau tannée.*
* **tannée** [*ta-né*], n. f. Tan qui a servi à la préparation des cuirs et que les jardiniers emploient à faire des couches.
tanner [*ta-né*], v. tr. (de *tan*). Préparer avec du tan. *Tanner des cuirs.* ‖ Donner la couleur brune du tan. *L'air marin tanne la peau.* ‖ Fig. et pop. Fatiguer, ennuyer, molester.

tannerie [*ta-ne-ri*], n. f. Lieu où l'on tanne les cuirs.
tanneur, n. m. Celui qui tanne des cuirs ou qui vend des cuirs tannés. = Adj. *Un ouvrier tanneur.*
tannique, adj. Qui contient du tanin.
* **tannisage** ou **tanisage,** n. m. Action de tanniser.
* **tanniser** ou **taniser,** v. tr. Mettre du tanin ou du tan dans. *Tanniser un vin.*
* **tanrec** ou * **tenrec,** n. m. [Zool.] Mammifère insectivore de Madagascar.
tant, mot invar. et n. m. V. tabl. TANT.

TANT [*tan*], mot invariable.

Étymologie. — *Tant,* nom invariable, et *tant,* adverbe de quantité, sont à l'origine un même mot, tiré du latin *tantum,* adverbe de quantité, en telle quantité, autant, neutre de l'adjectif de quantité *tantus,* si grand, et fréquemment employé avec complément de nom. V. AUTANT (tableau).

Observation grammaticale. — *Emploi général de* TANT. *Tant* ne doit jamais aujourd'hui se joindre à un adjectif. On ne dira donc pas, *tant beau, tant courageux, tant aimable,* mais *si beau, si courageux, si aimable.* — Avec le verbe tr. ou intr., on emploie l'adverbe *tant* et jamais l'adv. *si*. Quand le verbe n'a pas d'auxiliaire, *tant* doit le suivre immédiatement. *Il travaille tant; il pleut tant.* Mais, lorsque le verbe tr. ou intr. a un auxiliaire, *tant* se met entre les deux : *Il a tant travaillé; il a tant plu; ils ont tant écrit.* Ainsi on ne dira pas : *Il a si travaillé; il a si plu,* etc. Au contraire, avec un verbe passif, on a à exprimer un sentiment particulier au moyen d'un adverbe passif, comme : *Je suis si touché, si ému,* on ne peut dire: *Je suis tant ému, tant touché* parce que ces mots tiennent lieu d'épithètes ; mais, lorsqu'il s'agit d'une action, d'un fait, on emploie le mot *tant. Cette affaire fut tant débattue, les accusations furent tant renouvelées, les juges tant sollicités, les témoins tant confrontés ;* et non pas *si confrontés, si sollicités, si renouvelées, si débattue.* La raison en est que ces participes expriment les faits, et ne peuvent être regardés comme des épithètes. — *Tant,* employé comme adverbe comparatif, demande *que* après lui et jamais *comme.* On dira donc : *Il n'a pas tant de talent que vous,* et non *comme vous.* — On écrira : *Avoir tant à faire,* et non *affaire.* — *Tant qu'à faire, tant qu'à lui,* sont incorrects; ils sont des déformations de *quant à faire, quant à lui.*
HOM. — V. TAN.

TANT, nom masculin invariable.
Une quantité indéterminée. *Il y a d'ici telle ville cent et tant de kilomètres.* — *Recevoir le tant pour cent sur une affaire. Il vous revient tant de cet héritage.* — Absol. *Faire tant... que.* Faire si bien que; faire un tel effort que. *Sire rat accourut et fit tant par ses dents. Qu'une maille rongée emporta tout l'ouvrage* (LA FONTAINE).
Avec une valeur adjective. Si nombreux. *Un événement comme on en rencontre tant d'autres.*

TANT, adverbe de quantité, avec valeur de nom de nombre indéfini.
Il signifie ordinairement telle quantité, tel nombre, telle abondance; dans ce sens il est très souvent suivi de la prépos. *de* et d'un complément (cf. BEAUCOUP et PEU), et il a fréquemment pour corrélatif la conj. *que. Il a tant de richesses, qu'on ne saurait les compter. Tant de fiel entre-t-il dans l'âme des dévots?* (BOILEAU.)
Tellement, en si grande quantité, à un tel excès, à tel point. *Le jour qu'il plut tant. C'est un de ces hommes comme il y en a tant. Un loup n'avait que les os et la peau, Tant les chiens faisaient bonne garde* (LA FONTAINE). — Prov. *Tant va la cruche à l'eau qu'à la fin elle se brise.* V. CRUCHE.
Tant signifie quelquefois *autant,* et marque la comparaison dans une proposition négative. *Il ne m'en avait jamais tant dit. Rien ne pèse tant qu'un secret* (LA FONTAINE).
Signifie encore *autant* dans diverses locutions. Pop. *Il pleut tant qu'il peut.* — *Tous tant que nous sommes, tous tant que vous êtes,* tous, en n'omettant personne. — Fig. et prov. *Tant vaut l'homme, tant vaut la terre,* la valeur ou le produit d'une chose est proportionnel au travail, à l'intelligence de celui qui la fait valoir.
Tant se dit encore pour marquer une certaine proportion, un certain rapport entre les choses dont on parle. *Tant bon que mauvais.*
Il a parfois le sens de *aussi loin que. Tant que la vue peut s'étendre.*

LOCUTIONS FORMÉES AVEC TANT

TANT MIEUX, loc. adv., sert à marquer qu'une chose est avantageuse, qu'on en est bien aise. *La fièvre a cessé, tant mieux. Tant mieux pour vous.* — TANT PIS, loc. adv., sert à marquer qu'une chose est désavantageuse, et qu'on en est fâché. *S'il ne se corrige pas, tant pis pour lui. Le docteur tant pis, le docteur tant mieux,* se dit fam. D'un médecin pessimiste, ou d'un médecin optimiste (allusion à la fable de La Fontaine, *les Médecins*).
INCORR. — Évitez de dire *tant pire* qui est barbare.
TANT BIEN QUE MAL, loc. adv. Ni bien ni mal, approximativement, médiocrement. *Tant bien que mal, il est allé jusqu'au bout de son discours.*
TANT ET PLUS, loc. adv. Autant et plus qu'il n'en faut. V. PLUS.
TANT PLUS. Fam. *Tant plus le chemin est long, tant plus il faut prendre courage.*
TANT PLUS QUE MOINS, loc. adv. A peu près. *Il a six mille francs de rente, tant plus que moins* (Fam.).
TANT SOIT PEU, loc. adv. Si peu que ce soit, rien qu'un petit peu. *Si vous étiez tant soit peu perspicace, vous comprendriez que.*
TANT QUE, loc. conj. Construite aujourd'hui exclusivement avec l'indicatif. Aussi loin que, ou aussi longtemps que. *Tant que la vue peut s'étendre. Tant qu'il y a de la vie, il y a de l'espoir* (Loc. proverbiale pop.).
TANT Y A QUE, loc. conj. Quoi qu'il en soit. *Je ne sais pas bien ce qui donna lieu à leur querelle, tant y a qu'ils se battirent* (Fam.).
TANT S'EN FAUT QUE, loc. conj. V. FALLOIR.
SI TANT EST QUE, loc. conj. V. SI.
EN TANT QUE, loc. conj. Selon que, autant que, dans la mesure où, comme. *Je répondrai, en tant qu'il m'appartient.* Comme, en qualité de. *Il parle en tant que représentant du roi.*
VOCAB. — *Famille de mots.* — *Tant* : tantet, tantième, tantinet; autant, tantôt; pourtant, partant; entre-temps (pour entretant).

1. **tantale,** n. m. [Chim.] Corps simple, métal blanc d'argent, d'une grande dureté.
2. *** tantale,** n. m. [Zool.] Genre d'oiseaux échassiers, grandes cigognes d'Amérique, à plumes roses.
*** Tantale** (nom mythol.]. [Phys.] *Vase de Tantale,* siphon à niveau variable. ‖ Fig. *Supplice de Tantale,* supplice de celui dont les espérances s'évanouissent au dernier moment.

...tante, tente

ORTH. — *Finales.* — Le son final *tante* ne se trouve (avec un *a*) que dans tante et septante, octante, nonante. Dans tous les autres mots, il s'écrit *tente* : attente, détente, entente, mésentente, patente, tente, etc.

---

tante, n. f. (pour *t'ante,* du lat. *amita,* m. s.). La sœur du père ou de la mère. — *Tante par alliance,* femme de l'oncle. — *Tante à la mode de Bretagne,* cousine germaine du père ou de la mère. V. tabl. FAMILLE (*Idées suggérées par le mot*).

ANT. — *Neveu, nièce.*
HOM. — *Tante,* n. f., la sœur du père ou de la mère; — *tente,* n. f., pavillon de forte toile; — *tente,* n. f., petit rouleau de charpie; — *tente, es, ent,* du v. tenter.
*** tantet** [*tan-té*], n. m. (dimin. de *tant*). Une très petite quantité, très peu.
HOM. — *Tentais, ait, aient, ai,* du v. tenter.
tantième, n. m. Nombre de *tant* sur un tout déterminé. = Adj. Qui vaut *tant,* qui représente *tant* d'une grandeur déterminée.
PAR. — *Quantième,* chiffre indiquant la date. *Le quantième du mois.*
tantinet, n. m. Fam. Dimin. de *tantet. Donnez-moi un tantinet de pain.* = On dit encore adverbialement : *Elle est un tantinet pédante.*
tantôt, adv. de temps. V. tabl. TANTÔT.
*** Taô,** n. m. Dieu, le Principe de toute chose chez les Chinois.
taoïsme, n. m. Religion chinoise; d'abord mystique et philosophique, au VIe s. av. J.-C., avec Lao-Tseu; devenue par la suite une religion populaire.

TANTÔT mot invariable.

Étymologie. Formé de *tant* et de *tôt,* adverbe. Littéralement *aussi tôt,* puis *aussitôt après* le moment présent, enfin est passé parfois au sens de *aussitôt avant* le moment présent.
V. TÔT, AUSSITÔT, PLUS TÔT, PLUTÔT.

TANTÔT, adverbe de temps.
Se dit le plus souvent du jour même où l'on parle, et sign. dans peu de temps, ou il y a peu de temps. *Je finirai cela tantôt.* Fam. *A tantôt,* à tout à l'heure.
TANTÔT, ou, n. m., *Sur le tantôt,* signif. encore ce soir, dans l'après-midi, par rapport au matin, moment où l'on parle. *Je reviendrai tantôt* (Fam.). (La loc. *ce tantôt* est à prohiber.)
Il peut même se dire d'un temps passé de l'après-midi par rapport au soir. *Il est venu me voir tantôt.*
Avec le sens de bientôt en parlant d'un temps indéterminé. *J'en serai tantôt quitte.* Cet emploi est rare aujourd'hui, mais il était fréquent à l'époque classique. *Il est tantôt nuit* (Acad. 1694).

TANTÔT employé comme conjonction de coordination.
S'emploie redoublé, sous la forme. *Tantôt... tantôt,* pour marquer des changements consécutifs d'un état à un autre, et, en général, une opposition quelconque. *Il se porte tantôt bien, tantôt mal.*

*** taoïste,** n. Adepte du taoïsme. = Adj. Qui concerne le taoïsme.
taon [*tân*], n. m. [Zool.] Genre d'insectes diptères, grosses mouches qui sucent le sang des chevaux et des bœufs.
HOM. — V. TAN.
*** tapabor,** n. m. Ancien bonnet de campagne dont les bords se rabattaient.
tapage, n. m. Désordre accompagné de grand bruit. ‖ Grand bruit, éclat que fait une affaire, une nouvelle. ‖ Reproches bruyants. ‖ Pop. Demande d'argent.
tapageur, euse, n. et adj. Celui, celle qui fait, qui a l'habitude de faire du tapage. ‖ Qui est trop voyant, qui vise à l'effet. *Toilette tapageuse.*
ANT. — *Silencieux.* — *Discret.*
*** tapageusement,** adv. D'une manière tapageuse.
tape, n. f. Coup de la main, soit ouverte, soit fermée (Fam.). ‖ Fig. Échec, affront, avanie. ‖ Bouchon de liège qui sert à fermer la bouche des canons. ‖ Bouchon de bois, de chiffon au fond d'une cuve.
HOM. — *Tape, es, ent,* du v. taper.

VOCAB. — *Famille de mots.* — *Tape :* tapé, taper, tapement, tapette, tapage, tapageur, tapageusement, tapée, tape-à-l'œil, tapecul, tapin, tapoter; retaper, retapage.

tapé, ée, adj. Se dit de certains fruits séchés au four et de forme aplatie. *Des poires tapées.* ‖ Fig. et fam. *Réponse bien tapée,* faite à propos et piquante. — N. m. Coiffure de femme au XVIIIe s. V. pl. COSTUMES.
*** tape-à-l'œil,** n. m. Fam. Ce qui est fait pour éblouir les gens, attirer l'attention.
tapecul ou *** tapecu** [*ta-pe-ku*], n. m. Sorte de balançoire. ‖ Sorte de porte à bascule qui s'abaisse pour fermer l'entrée d'une ouverture. ‖ Voiture dure et cahotante. ‖ Voile, mât établi tout à fait à l'arrière d'un navire. = Pl. *Des tapeculs* ou *des tapecus.*
tapée, n. f. Accumulation, grand nombre. *Une tapée d'enfants* (Fam.).
*** tapement** [*man*], n. m. Action de taper. ‖ Action d'étendre le vernis sur une planche à graver.
1. **taper,** v. tr. (orig. germ.). Frapper, donner un ou plusieurs coups. ‖ Pop. *Taper quelqu'un,* lui emprunter de l'argent. ‖ Écrire au moyen de la machine à écrire. *Taper une lettre* (Fam.). ‖ V. intr. Donner des coups. *Il tape à tour de bras sur ses enfants.* — Fig. *Taper sur quelqu'un,* dire du mal de lui (Pop.). ‖ Frapper avec un instrument, un objet quelconque. *Taper avec un marteau.* ‖ *Taper du pied* ou

les pieds, frapper le sol avec ses pieds. ‖ taper dans l'œil à quelqu'un, lui plaire énormément, au premier abord (Pop.). = SE TAPER, v. pr. Pop. Se priver, être privé. *On s'est tapé de dîner.*
SYN. — V. CATTRE.
2. * **taper,** v. tr. (orig. germ., cf. l'allem. *zapfen*, m. s.). Enfoncer des bouchons avec la tapette. ‖ Boucher avec une tape.
tapette, n. f. Palette de bois pour enfoncer les bouchons. ‖ Petit tampon pour chasser la poussière. ‖ Taffetas pour étendre le vernis. ‖ Petite tape (Fam.). ‖ Sorte de jeu de billes. ‖ Pop. Langue de bavard.
* **tapeur, euse,** n. Celui, celle qui tape. ‖ Celui, celle qui emprunte de l'argent.
* **tapin,** n. m. Celui qui bat du tambour (Fam.). ‖ Mauvais tambour.
tapinois (en) [*noi*], loc. adv. En cachette, sournoisement. *Il est venu en tapinois.*
tapioca ou * **tapioka,** n. m. Nom donné à la fécule de manioc traitée par la chaleur. ‖ Potage préparé avec cette fécule.
1. tapir, n. m. [Zool.] Genre de mammifères herbivores ongulés dont le nez est allongé en forme de trompe.
2. tapir (se), v. pr. Se cacher en se tenant dans une posture ramassée. *Se tapir dans un coin, derrière une haie.*
SYN. — V. BLOTTIR (SE).
tapis [*pi*], n. m. (gr. *tapétion*, tapis). Pièce d'étoffe, tissu de laine, de soie, etc., dont on couvre une table, une estrade, le sol d'une chambre, etc. V. tabl. HABITATION (*Idées suggérées par le mot.*) ‖ *Tapis de billard*, drap vert qui recouvre la table d'un billard. ‖ *Tapis vert*, table de jeu, ou table couverte d'un tapis vert autour de laquelle on se range, dans certaines administrations, pour discuter une affaire. ‖ Fig. Tout ce qui recouvre une surface comme un tapis, et, partic., grande pièce de gazon taillée régulièrement. *Un tapis de gazon, de fleurs*, etc. — Loc. fig. *Mettre une affaire, une question sur le tapis*, la proposer pour l'examiner. — *Tenir quelqu'un sur le tapis*, parler de lui. — *Être sur le tapis*, être le sujet de l'entretien. — *Amuser le tapis*, entretenir la compagnie de choses vaines.

— *Sur un tapis de Turquie, le couvert se trouva mis.* (LA FONTAINE.)
ÉPITHÈTES COURANTES : grand, petit, simple, luxueux, précieux, tissé, brodé, varié, orné, dessiné, oriental, écossais, turc, persan, levantin, velouté, ras, vert, ancien, etc.
HOM. — *Tapi, is, it*, du v. tapir (se).
PAR. — *Tabis*, moire de soie ondée.
tapisser, v, tr, (de *tapis*). Revêtir, orner de tapisserie, d'étoffe ou de papier peint les murailles d'une salle, d'une chambre, etc. ‖ Par ext., recouvrir, orner. *Ce mur est tapissé d'affiches. Cette maison est tapissée de lierre.* ‖ Ce qui couvre, revêt une surface. *La membrane qui tapisse l'intérieur de l'estomac.*
PAR. — *Tabiser*, rendre une étoffe ondée.
tapisserie, n. f. (du v. *tapisser*). Ouvrage fait à l'aiguille ou au métier, sur du canevas, avec de la laine, de la soie, de l'or, etc..*Écran, fauteuil de tapisserie.* ‖ Grande pièce d'ouvrage faite au métier avec de la laine, de la soie, de l'or, servant à revêtir et à parer les murailles. *Tapisserie de Beauvais.* — *Carton de tapisserie*, maquette servant à l'exécuter. ‖ Fig. *Faire tapisserie*, se dit des personnes qui assistent à un bal, restent assises et ne dansent pas. ‖ Art, métier du tapissier.
tapissier, ière, n. Celui, celle qui vend des tapis ou qui fait des ouvrages de tapisserie. ‖ *Tapissier décorateur*, ou simplem. *tapissier*, celui qui vend, pose, répare les tapisseries ou tentures d'appartements, les rideaux, les meubles recouverts de tapisserie ou de tissu, etc. = N. f. *Tapissière*, sorte de voiture légère, ouverte sur ses quatre faces et surmontée d'un toit, pour transporter les meubles, les tapis, etc. ‖ Grand omnibus qui servait autrefois à promener les touristes.
HOM. — *Tapissiez*, du v. tapisser.
tapon, n. m. Étoffe, linge qu'on bouchonne et qu'on met tout en tas. ‖ Petit tampon qui sert à boucher une ouverture. = N. f. pl. Grosses boucles de cheveux, au XVIIe
PAR. et SYN. — *Tampon.*
HOM. — *Tapons* (nous), du v. taper.
* **taponner,** v. tr. Mettre en tapon. ‖ *Taponner les cheveux*, les disposer en grosses boucles.
PAR. — Ne pas confondre avec le mot suivant.
tapoter, v. tr. Donner de petits coups à plusieurs reprises (Fam.). ‖ *Tapoter du piano*, jouer mal ou négligemment du piano (Fam.).
taque, n. f. Plaque de fonte ou de fer fondu.
HOM. — *Taque*, n. f., plaque métallique; — *tac*, n. m., sorte de gale; — *tac*, n. m., bruit de fer choquant le fer; — *tac*, onomatopée (tac-tac, tic-tac); — *taque, es, ent*, du v. taquer.
taquer, v. tr. [Impr.] Passer le taquoir sur une forme pour mettre les lettres de niveau.
* **taquerie** (*ke-ri*), n. f. Ouverture par laquelle on introduit le minerai dans les fours à réverbère.
taquet [*ké*], n. m. (vx fr. *tac*, clou). [Mar.] Crochet attaché par son milieu en un point fixe du navire et où l'on amarre divers cordages ou manœuvres. V. pl. PORT. [Techn.] Petit morceau de bois taillé pour maintenir l'encoignure d'une armoire, pour soutenir l'extrémité d'un tasseau, pour servir de point de repère d'un alignement, etc.
taquin, ine, adj. Mutin, d'humeur contrariante, qui se plaît à agacer. = Nom. *C'est une taquine.* = N. m. Sorte de jeu de patience.
taquiner [*ki*], v. tr. (de *taquin*). Contrarier et impatienter sur de petites choses, par de petites agaceries. *Ne taquinez pas les enfants.* ‖ Fig. et fam. *Taquiner la Muse*, écrire des vers. — *Taquiner le goujon*, pêcher à la ligne. ‖ Préoccuper, contrarier, faire souffrir de façon légère. *Cette histoire le taquine.* = SE TAQUINER, v. pr. Se faire mutuellement des taquineries. *Ces deux enfants se taquinent toujours.* — *Se taquiner d'une chose*, s'en inquiéter.
taquinerie, n. f. Caractère de celui qui est taquin. ‖ Action, parole de celui qui taquine.

taquoir, n. m. [Impr.] Morceau de bois bien plat servant à mettre de niveau les lettres d'une forme.

*** taquon,** n. m. [Impr.] Garniture servant à rehausser les caractères.
Hom. — *Taquons,* du v. taquer.

*** tarabiscot** [*ta-ra-bis-ko*], n. m. [Archit.] Petit creux qui sépare une moulure d'une autre moulure. ‖ On dit aussi *grain d'orge.* ‖ Outil servant à faire ces creux. V. pl. OUTILS usuels.

tarabiscoté, ée, adj. Fig. et fam. Recherché, compliqué.

tarabiscoter, v. tr. Séparer les moulures par des tarabiscots. ‖ Façonner à jour avec excès. ‖ Travailler le détail avec excès, compliquer inutilement. *Tarabiscoter son style.* ‖ Fig. Molester légèrement, taquiner.
PAR. — Ne pas confondre avec le mot suivant.

tarabuster, v. tr. Importuner par des interruptions, par du bruit, par des discours à contre-temps. ‖ Harceler, secouer pour faire aller plus vite.

*** tarage,** n. m. Action de faire la tare.

*** taranche,** n. f. [Techn.] Grosse cheville de fer qui sert à tourner la vis d'un pressoir.

*** tarantass,** n. m. Voiture basse à quatre roues, fort répandue en U. R. S. S.

1. tarare, n. m. Appareil mécanique qui remplace le van et le crible, pour nettoyer le grain.

2. tarare, interj. fam. pour exprimer qu'on se moque de ce qu'on entend dire, ou qu'on ne le croit pas.
Hom. — *Tarare,* n. m., appareil à nettoyer le grain; — *tarare !* interj. fam.; — *Tarare,* n. pr., ville du Rhône; — *tarare es, ent,* du v. tarer.
PAR. — *Tartare,* de la Tartarie.

*** tararer,** v. tr. Faire passer au tarare.

*** tarasque,** n. f. Représentation d'un animal monstrueux qu'on promène lors de certaines fêtes dans certaines villes du Midi de la France, notamment à Tarascon.

*** taratata,** onomatopée fam. qui marque l'incrédulité.

taraud [*ta-ro*], n. m. [Techn.] Outil d'acier de forme conique, taillé en vis, et dont on se sert pour tarauder.
Hom. — *Tarot,* n. m., sorte de jeu de cartes.

taraudage, n. m. Action de tarauder, son résultat.
PAR. — *Maraudage,* action de marauder; son résultat.

tarauder, v. tr. Percer en hélice une pièce de bois ou de métal, de manière qu'elle puisse recevoir le filetage de la vis correspondante.
PAR. — *Marauder,* voler dans les champs, les jardins.

*** taraudeuse,** n. f. Machine à tarauder.

*** tarbais, aise,** adj. et n. Qui est de Tarbes ou de la région.

*** tarbouch,** n. m. Turban rouge à gland de soie bleue. V. pl. COIFFURES.

*** tarc,** n. m. Goudron de pin.

tard [*tar*], adv. de temps (lat. *tarde,* m. s.). Après le temps déterminé, voulu ou accoutumé. *Le secours arriva trop tard.* — Prov. *Mieux vaut tard que jamais.* — *Tôt ou tard,* dans un temps proche ou lointain, mais qui arrivera inévitablement. ‖ En parlant de la durée du jour : Vers la fin de la journée. *Nous ne pouvons arriver que tard au gîte.* = TARD, adj. neutre. Se dit dans les acceptions précédentes. *Il est bien tard pour commencer. Il se fait tard.* = TARD, n. m. *Sur le tard,* vers la fin de la soirée. *Il ne revint que sur le tard.* ‖ Fig. *Sur le tard,* vers la fin de la vie.
CTR. — *Tôt.*
Hom. — *Tard,* adv. et n. m. : *Il est venu sur le tard;* — *tare,* n. f., déchet; défaut; poids d'un contenant; — *tare, es, ent,* du v. tarer; faire la tare.

> VOCAB. — *Famille de mots.* — *Tard, tarder, tardillon, tardif, tardiveté, tardivement* ; *tardiflore, tardigrade*; *s'attarder; retard, retarder, retardataire, retardement, retardateur, retardation.*

tarder, v. intr. (lat. *tardare,* m. s.). Différer à faire une chose. *Il a trop tardé à envoyer ce secours.* ‖ S'arrêter, ou aller lentement et se faire attendre. *Vous avez bien tardé à venir.* ‖ Se dit imperson. pour exprimer l'impatience, pour marquer que le temps semble long dans l'attente de ce qu'on souhaite. *Il me tarde de le revoir.*
GRAM. — Tarder peut se construire avec *à* ou *de;* l'emploi avec *à* est le plus fréquent. ‖ Impersonnellement, il se construit avec *de* ou *que. Il lui tardait de vous voir. Il me tarde qu'il s'en aille.*

tardif, ive, adj. Qui tarde, qui vient tard. *Repentir tardif.* ‖ Qui est lent à se mouvoir, à croître, à atteindre son complet développement. *Fruits tardifs.*
ANT. — *Hâtif, précoce, prompt.*

*** tardiflore,** adj. Qui fleurit tard.

tardigrades, n. m. pl. [Zool.] Nom donné à un groupe de mammifères édentés, caractérisés par la lenteur de leurs mouvements. Ex. l'*aï,* le *paresseux.*

tardillon, n. m. Petit poulet, petit canard, ou même petit enfant né plus tard que les autres.

tardivement, adv. D'une manière tardive.

tardiveté, n. f. Marche tardive. [Hortic.] Développement tardif, croissance tardive.

tare, n. f. (ital. *tara,* m. s.). [Comm.] Déchet, diminution en poids, en quantité ou en qualité. ‖ Rabais ou diminution que l'on fait sur les marchandises, en considération du poids des caisses ou de l'emballage qui les contiennent. ‖ Poids qu'on met dans un des plateaux d'une balance pour équilibrer la charge de l'autre plateau dans la méthode de la double pesée. ‖ Poids d'un véhicule vide, à défalquer de son poids en charge. ‖ Fig. Vice, défaut, défectuosité; se dit au physique comme au moral. *Sa maladie provient de tares héréditaires.* — Au sens moral : Défectuosité, vice. *Un homme qui n'a ni tare ni défaut.*
SYN. — V. DÉFAUT.
Hom. — V. TARD.

taré, ée, adj. Qui présente une tare; qui a subi du déchet; gâté. *Fruits tarés. Marchandises tarées.* ‖ *Homme taré,* qui a une tare dans sa vie.

tarentelle [*ta-ran-tè-le*], n. f. Danse et air de danse originaires des environs de Tarente, d'un caractère gai et vif.
PAR. — *Tarentule,* araignée venimeuse.

*** tarentin, ine,** adj. et n. Qui est de Tarente.

* **tarentisme** [ta-ran-tis-me], n. m. Maladie nerveuse qu'on attribuait à la piqûre de la tarentule et qui était une sorte de chorée (XVe et XVIa s.).
tarentule [ta-ran-tu-le], n. f. [Zool.] Nom vulg. d'une grosse araignée dont la piqûre passait autrefois pour très dangereuse. ‖ Fig. *Piqué de la tarentule*, en proie à une violente excitation.
Par. — *Tarentelle*, sorte de danse.
tarer, v. tr. Gâter, causer du déchet. ‖ Fig. *Tarer la réputation de quelqu'un*, la souiller, la salir. ‖ Peser les emballages de marchandise ou les véhicules la contenant. *Tarer une caisse.* = SE TARER, v. pr. Se gâter. *Cette poire commence à se tarer.*
* **taret** [ré], n. m. [Zool.] Genre de mollusques lamellibranches qui percent les bois de constructions navales et font de grands ravages dans les ports de mer.
targe, n. f. Sorte de bouclier bombé, usité par les Normands au Moyen Age. V. pl. ARMURES.
targette, n. f. Petite plaque de métal qui porte un verrou plat pour fermer les portes, les fenêtres, etc.
Par. — *Tagète*, l'œillet d'Inde.
targuer (se) [ghé], v. pr. Se prévaloir, tirer avantage avec ostentation.
Syn. — V. PRÉVALOIR (SE).
* **targui**, n. et adj. Singulier de *touareg*.
* **tari**, n. m. Liqueur enivrante qu'on tire des palmiers et des cocotiers.
Hom. — *Tari, ie*, du v. tarir.
tarière, n. f. (lat. *taratrum*, m. s.). [Techn.] Sorte de forte vrille dont se servent les charpentiers, etc., pour faire des trous ronds dans une pièce de bois. V. pl. OUTILS usuels. — Outil employé pour forer les puits de sonde. [Entom.] Prolongement, en forme de pointe, de l'abdomen des femelles de certains insectes, qui leur sert à percer les corps pour y introduire leurs œufs.
tarif [riff], n. m. (lat. *tariffa*, m. s.). [Comm.] Tableau qui marque le prix de certaines denrées, ou les drotis d'entrée, etc., que chaque sorte de marchandises doit payer. ‖ Tableau indiquant les prix de voyage en chemin de fer, de passage sur un navire, d'entrée dans un théâtre, etc. *Voyager à plein tarif, à tarif réduit.*
Épithètes courantes : haut, bas, normal, élevé, augmenté, diminué, changé, modifié, surélevé, officiel, réglementé, appliqué, affiché, connu, clandestin, exagéré, prohibitif, etc.
* **tarifaire**, adj. Qui concerne les tarifs, un tarif.
tarifer, v. tr. Dresser un tarif ou fixer un prix ou un droit d'après un tarif.
* **tarification** [ka-sion], n. f. Action de tarifer. Résultat de cette action.
tarin, n. m. [Zool.] Espèce de *passereau* des régions tempérées, nichant sur les pins.
tarir, v. tr. (orig. germ.). Épuiser l'eau, mettre à sec. *Tarir un puits.* ‖ Fig. *Le temps tarit les larmes.* ‖ Faire cesser, arrêter. = V. intr. Être mis à sec, cesser de couler. — Fig. S'arrêter, cesser. *Leurs récriminations ne tariront donc point!* ‖ Fig. *Ne point tarir sur un sujet*, en parler sans cesse, y revenir souvent. = SE TARIR, v. pr. Cesser de couler.
Syn. — V. ÉPUISER.

tarissable [ris-sa], adj. Qui peut se tarir, qui peut être tari.
Ctr. — *Intarissable.*
* **tarissant, ante**, adj. Qui est sur le point de se tarir, ou qui peut se tarir.
tarissement [ris-se-man], n. m. État de ce qui est tari; dessèchement.
tarlatane, n. f. Sorte d'étoffe de coton très claire, aux fils un peu gros.
Par. — *Tartane*, petit voilier de la Méditerranée.
tarot [ro], n. m. Nom de cartes à jouer plus grandes que les cartes ordinaires, marquées d'autres figures et comprenant, outre les quatre séries habituelles, vingt-deux autres cartes qui correspondraient aux arcanes majeurs de la magie. *Les tarots servent à dire la bonne aventure.* ‖ Au plur. Le jeu qu'on joue avec ces cartes.
Hom. — *Taraud*, n. m., outil pour tarauder.
taroté, ée, adj. Se dit des cartes dont le dos est marqué de grisaille en compartiments.
* **tarotier**, n. m. Celui qui fabrique et vend des tarots.
Par. — *Carottier*, extorqueur.
* **taroupe**, n. f. Le poil qui croît entre les sourcils.
* **tarpan**, n. m. Nom donné par les Tartares mongols aux chevaux sauvages.
* **tarpon**, n. m. [Zool.] Poisson de grande taille de l'Atlantique.
* **tarsalgie**, n. f. [Méd.] Affaissement de la voûte plantaire, partic. chez les adolescents.
tarse, n. m. (lat. *tarsus*, m. s.). [Anat.] Portion postérieure et antérieure du pied de l'homme et des mammifères. V. pl. HOMME. — Ensemble des huit os du pied humain, disposés en deux rangées. (Entom.] Partie inférieure articulée des pattes des insectes.
tarsien, ienne [tar-si-in], adj. Qui appartient au tarse. *Artère tarsienne.*
tarsier, n. m. [Zool.] Genre de mammifères lémuriens aux tarses très longs.
tartan, n. m. Étoffe de laine à carreaux de diverses couleurs. ‖ Châle, vêtement de tartan.
tartane, n. f. [Mar.] Petit bâtiment de la Méditerranée, portant un grand mât, un mât de tapecu et un beaupré, avec une voile triangulaire. ‖ Sorte de filet à manche.
Par. — *Tarlatane*, étoffe claire de coton.
* **tartare**, adj. Qui appartient aux Tartares ou à la Tartarie. = N. m. Langue tartare.
Par. — *Tarare*, appareil à nettoyer le grain.
tartareux, euse, adj. Qui est de la nature du tartre (Vx, on dit auj. : *tartreux*).
tartarique, adj. [Chim.] On dit auj. : *tartrique.*
* **tartarisé, ée** [tar-ta-ri-zé], adj. Qui contient du tartre.
tarte, n. f. Sorte de pâtisserie plate, de pâte brisée, dans laquelle on met de la crème, des fruits cuits ou des confitures. *Tarte à la crème. Tarte aux fraises.* V. tabl. NOURRITURE (*Idées suggérées par le mot*).
tartelette [lè-te], n. f. Petite tarte.
tartine, n. f. (dimin. de *tarte*). Tranche de pain recouverte d'un aliment qui peut s'étendre. *Tartine de beurre, de confiture*, etc. ‖ Fig. Article de journal fort long, discours qui n'en finit pas.

* **tartiner**, v. tr. Mettre du beurre, de la confiture, etc., sur une tartine.

* **tartrage**, n. m. Addition d'acide tartrique au moût des vendanges.

tartrate, n. m. [Chim.] Nom générique des sels et des éthers-sels de l'acide tartrique.

tartre, n. m. Dépôt salin qui se produit dans les vins et s'attache aux parois des tonneaux. ‖ Sédiment calcaire, de couleur jaunâtre, qui se forme autour des dents. ‖ Dépôt qui se forme dans les chaudières et récipients où a bouilli de l'eau calcaire.

tartreux, euse [treu], adj. Qui est de la nature du tartre. *Dépôt tartreux.*

* **tartrifuge**, n. m. Substance qui empêche la formation du tartre.

tartrique, adj. [Chim.] Se dit d'un acide qui est l'élément constitutif du tartre des vins.

tartufe, n. m. (nom d'un personnage de Molière). Faux dévôt, hypocrite.
Syn. — V. FOURBE.

tartuferie, n. f. Caractère ou action de tartufe.

tas [tâ], n. m. (orig. germ.). Monceau, amas de choses de même espèce non rangées. *Tas de blé, de fagots. Mettre en tas.* ‖ *Tirer, taper dans le tas,* tirer, frapper sans viser dans une masse d'hommes, d'animaux, etc. — Fig. et fam. Accumulation. *Il a fait un tas de mensonges,* etc., il a accumulé les mensonges. ‖ En mauvaise part et par mépris. Multitude de gens amassés ensemble. *Un tas de coquins.* ‖ Pop. *Être sur le tas,* être au travail. — *Faire la grève sur le tas,* être à son lieu de travail, y rester sans travailler. [Archi.] Masse du bâtiment en construction. [Techn.] Petite enclume carrée sans talon.
ÉPITHÈTES COURANTES : grand, gros, considérable, énorme, amoncelé, fait, mêlé, confus, informe, indistinct.
Syn. — V. AMAS.
Hom. — *Ta,* adj. poss. fém.

* **tasmanien, ienne,** n. et adj. Qui est de la Tasmanie.

tasse [ta-se], n. f. Vase de terre ou de porcelaine, etc., souvent à anse, qui sert à boire. ‖ *Le contenu d'une tasse. Une tasse de lait.* ‖ Fig. et pop. *Boire à la grande tasse,* se noyer dans la mer.
Hom. — *Tasse, es, ent,* du v. tasser.

tassé, ée, adj. En tas et pressé. [Bx-Arts] *Figure tassée,* trop courte et trop lourde. [Archi.] *Bâtiment tassé,* dont la charge a fait son effet. ‖ Fig. et fam. Alourdi par l'âge.
Syn. — V. DENSE.

tasseau [ta-so], n. m. Petit morceau de bois qui sert à soutenir une tablette. [Impr.] Pièce métallique soutenant les crampons des bandes dans les presses à main. ‖ Petit support de plâtre, de bois, etc.

* **tassel**, n. m. Empiècement du corsage féminin au XVe s. V. pl. COSTUMES.

tassement [ta-se-man], n. m. Action de tasser. ‖ Effet des terres, des constructions qui se tassent.

tasser [ta-sé], v. tr. Mettre les choses en tas, de façon qu'elles occupent peu de place; ou presser pour mettre sous un petit volume. = V. intr. Croître en touffe serrée. = SE TASSER, v. pr. Se dit des constructions, des terres qui s'affaissent sur elles-mêmes par leur propre poids. ‖ En parlant des personnes, se serrer, se presser les uns contre les autres. ‖ Pop. *Ça se tassera,* cela finira par s'arranger, s'oublier.

tassette, n. f. Plaque d'acier qui descendait du bas de la cuirasse sur les cuisses. V. pl. ARMURES.
Par. — *Cassette,* petit coffre.

* **ta, ta, ta,** interj. fam. pour interrompre quelqu'un et mettre en doute ses paroles.

* **tâtement,** n. m. Action de tâter.

tâter, v. tr. (orig. incert.). Manier une chose pour connaître si elle est dure ou molle, sèche ou humide, etc. *Tâter une étoffe.* — *Tâter le pouls,* presser légèrement l'artère du bras pour savoir comment elle bat. ‖ Fig. Essayer de connaître la capacité, les intentions, les sentiments de quelqu'un. *J'ai tâté votre frère sur cette affaire.* ‖ *Tâter le terrain,* s'assurer qu'il est praticable. — Fig. et fam., étudier les dispositions des personnes et les circonstances, avant de s'engager dans une affaire. = TÂTER, v. intr. Goûter à quelque chose, de quelque chose. *Tâter aux sauces.* ‖ Fig. *Tâter d'un mets,* en manger. ‖ Fig. et fam. Essayer de quelque chose, afin de connaître par expérience ce qu'il en est. *Il a tâté de tout.* = SE TÂTER, v. pr. S'examiner, se sonder sur quelque chose. Hésiter avant de prendre une décision.
Orth. — *Tâter* prend un accent circonflexe, mais *tatillon* n'en prend pas.

tâte-vin, n. m. inv. Petite coupe à déguster les vins. ‖ Pipette en fer blanc, pour tirer le liquide par la bonde du tonneau.

tatillon, onne [ll mll.], adj. et n. Celui, celle qui tatillonne; maniaque. — Au fém., on dit aussi : *une tatillon.*
Hom. — *Tâtions,* du v. tâter.

* **tatillonnage** [ll mll.], n. m. Action de tatillonner (Fam.).

tatillonner [ll mll.], v. intr. Entrer mal à propos dans toutes sortes de petits détails, y attacher une importance ridicule. *Elle ne fait que tatillonner* (Fam.).

tâtonnement, n. m. Action de tâtonner. ‖ Fig. Action de chercher à résoudre une question en essayant différentes suppositions, différents moyens.

tâtonner [tâ-to-né], v. intr. Chercher dans l'obscurité en tâtant. ‖ Fig. Procéder sans principes certains en essayant de divers moyens dont on n'est pas sûr.

* **tâtonneur, euse** [tâ-to-neur, eu-ze], n. Celui, celle qui tâtonne.

tâtons (à), loc. adv. En tâtonnant dans l'obscurité. *Marcher à tâtons.* ‖ Fig. Sans règles sûres et par des moyens incertains. *Chercher la vérité à tâtons.*

tatou, n. m. [Zool.] Genre de mammifères édentés, insectivores, dont le corps est recouvert d'une carapace. V. pl. MAMMIFÈRES.

tatouage, n. m. Action de tatouer; résultat de cette action.

tatouer, v. tr. Imprimer sur le corps des dessins indélébiles par piqûres, scarifications, cicatrices, etc. *Il a tatoué tout son bras.* = SE TATOUER. V. pr. *Les matelots ont la manie de se tatouer.*

* **tatoueur**, adj. et n. m. Celui qui tatoue.

* **tattersall** [tat-tèr-sal], n. m. Établissement public où l'on vend des chevaux, des harnais et des voitures.

* **tau,** n. m. Lettre grecque correspondant au T français (τ). V. pl. ALPHABET GREC. [Blas.] *Croix en tau,* en forme de T majuscule. V. pl. BLASON.
    HOM. — *Tau,* n. m., lettre grecque; — *taud,* n. m., terme de marine : abri sur une embarcation; — *taux,* n. m., prix établi pour la vente; pourcentage; — *tôt,* adv. de temps.
* **taud** [*to*], n. m. ou * **taude,** n. f. [Mar.] Abri formé d'une toile grossière, souvent peinte en ocre.
    HOM. — V. TAU.
* **tauder,** v. tr. Déployer, tendre la taude.
    taudis [*tô-di*], ou * **taudion,** n. m. Petit logement misérable ou en mauvais état. || Se dit d'une chambre, d'un appartement où tout est en désordre et malpropre. *C'est un vrai taudis* (Fam.).
* **taule** [*tô-le*], n. f. [Techn.] Table de l'enclume. [Argot] Prison.
    HOM. — *Tôle,* fer laminé.
    taupe [*to-pe*], n. f. (lat. *talpa,* m. s.). [Zool.] Petit mammifère insectivore fouisseur, à fourrure très fine, qui vit sous terre où il creuse de longues galeries. || Fig. *Être myope comme une taupe,* être très myope, ou peu clairvoyant. || *Vivre comme une taupe,* vivre dans une retraite profonde. || Fourrure faite avec des peaux de taupes. [Arg. scol.] *Être en taupe,* être élève de la classe préparant à l'École polytechnique.
    HOM. — *Taupe,* n. f., mammifère insectivore; — *top,* n. m., signal indiquant le commencement ou la fin d'une opération; — *tope, es, ent,* du v. *toper*; — *tope !* interj. sign. j'y consens.
    taupe-grillon [*ill* mll.], n. m. [Zool.] Nom vulg. de la courtilière. = Pl. *Des taupes-grillons.*
    taupier, n. m. Preneur de taupes.
    taupière, n. f. Piège à taupes.
    PAR. — *Taupinière,* amas de terre élevé par les taupes.
* **taupin,** n. m. [Zool.] Nom vulg. d'insectes coléoptères qui sautent en faisant le mort. [A. milit.] Mineur, pionnier. [Arg. scol.] Élève qui se prépare à l'École polytechnique.
    taupinière ou **taupinée,** n. f. Petit monceau de terre qu'une taupe a élevé. || Fam. et par plaisanterie. Petite maison de campagne basse.
    PAR. — *Taupière,* piège à taupes.
    taure [*to-re*], n. f. Jeune vache qui n'a point encore porté; génisse.
    HOM. — *Taure,* n. f. génisse; — *tore,* n. m., moulure ronde à forme circulaire; — *tors,* adj., qui est tordu; — *tort,* n. m., ce qui est contraire à la justice et à la raison; — *tords, tord,* du v. *tordre.*
    taureau, n. m. Mâle de la vache. *Le bœuf est un taureau châtré.* V. pl. MAMMIFÈRES. || Fig. *C'est un taureau,* se dit d'un homme très fort et très robuste. — *Cou de taureau,* cou large et musculeux. || Loc. prov. *Prendre le taureau par les cornes,* attaquer de face une difficulté, et justement par son côté dangereux ou fâcheux. [Astro.] Constellation zodiacale.
    — *Tel qu'on voit un taureau qu'une guêpe en*
                                                                                               [*furie*
    A piqué dans les flancs aux dépens de sa vie,
    Le superbe animal agité de tourments
    Exhale sa douleur en longs mugissements.
                                      (BOILEAU.)

* **taurelière,** n. f. Vache malade qui réclame sans cesse le taureau.
* **taurides,** n. f. pl. [Astro.] Étoiles filantes qui semblent provenir de la constellation du Taureau.
    HOM. — *Torride,* très chaud.
* **taurillon** [*to, ill* mll.], n. m. Jeune taureau.
    taurobole, n. m. [Antiq.] Sacrifice expiatoire dans lequel on immolait un taureau à Cybèle et à Mithra, avec certaines cérémonies particulières.
    tauromachie [*tô ... chî*], n. f. Combat de taureaux contre des hommes. || Art de combattre les taureaux.
* **tauromachique,** adj. Qui a rapport à la tauromachie.
    tautochrone [*tô-to*], adj. Syn. d'*isochrone.*
* **tautochronisme,** n. m. Syn. d'*isochronisme.*
* **tautogramme** [*tô-to*], n. m. (gr. *tauto,* le même; *gramma,* lettre). Sorte de poème dans lequel l'auteur s'est astreint à n'employer que des mots commençant par la même lettre.
    tautologie, n. f. (gr. *tauto,* le même; *logos,* discours). Répétition inutile d'une même idée en termes différents. Ex. : *Être sûr et certain.*
    tautologique, adj. Qui a rapport à la tautologie.
* **tautophonie,** n. f. (gr. *tauto* le même; *phôné,* voix). Répétition excessive du même son ou de la même articulation. Ex. : *Six scies scient six cyprès.*
    taux [*tô*], n. m. Le prix établi pour la vente des denrées. || Frais de justice, honoraires des officiers ministériels, etc. || Prix auquel se négocient à la Bourse les rentes sur l'État, les actions industrielles, etc. || *Taux de l'intérêt,* intérêt de 100 francs pendant un an. || Somme à laquelle une personne est taxée pour ses impositions. || *Taux d'invalidité,* importance d'une invalidité.
    HOM. — V. TAU.
    ÉPITHÈTES COURANTES : élevé, bas, légal, fixé, immuable, variable, exagéré, excessif, prohibitif.
* **tauzin,** n. et adj. m. [Bot.] Nom d'une espèce de chêne (*chêne noir*).
* **tavaillon** [*va-illon, ill* mll.], n. m. [Techn.] Morceau de sapin refendu, pour couvrir les maisons.
* **tavaïole** [*ta-va-io-le*], ou * **tavaïolle,** n. f. Linge garni de dentelles dont on se sert à l'église pour distribuer le pain bénit ou présenter les enfants au baptême.
* **tavelage,** n. m. Maladie des fruits qui deviennent tachés.
* **tavèle,** n. f. Sorte de passementerie fort étroite.
    tavelé, ée, adj. Marqué de taches.
    taveler, v. tr. Moucheter, tacheter. = SE TAVELER, v. pr. *La peau de cet animal commence à se taveler,* à se moucheter. Conjug. V. GRAMMAIRE.
* **tavelle,** n. f. Dévidoir pour la soie.
    tavelure, n. f. Bigarrure d'une peau tavelée. || Maladie des arbres fruitiers dont les fruits sont marqués de taches brunes.
    taverne, n. f. Cabaret, lieu où l'on vend du vin, de la bière en détail. || Restaurant, brasserie où l'on sert à manger.
    SYN. — V. CAFÉ.

tavernier, ière, n. Celui, celle qui tient taverne (Vx).

taxateur [*ksa*], n. et adj. m. Juge qui taxe les dépens de procédure.

taxation [*ta-ksa-sion*], n. f. Action de taxer. *La taxation des frais d'un procès*.

taxe [*ta-kse*], n. f. (gr. *taxis*, m. s.). Règlement fait par l'autorité publique pour le prix des denrées, des frais de justice, des impositions, etc. ‖ Se dit encore pour imposition. *Taxe sur les chiens*. ‖ Le prix établi par le règlement. ‖ *Taxe des lettres*, prix pour le port des lettres.
ÉPITHÈTES COURANTES : légère, lourde, forte, écrasante, fixée, imposée, augmentée, alourdie, impopulaire, réduite, supprimée, abolie, etc.
SYN. — V. CONTRIBUTION.

> VOCAB. — *Famille de mots*. — *Taxe* : taxateur, taxer, taxation, taximètre, taxi, taxi-auto, taxiphone; surtaxe, surtaxer; détaxe; tactique, tacticien; syntaxe, syntactique : taux, surtaux.

taxer [*ta-ksé*], v. tr. Fixer le prix des denrées ou de quelque autre chose que ce soit. ‖ Faire une imposition. — *Taxer une personne*, fixer la taxe qu'elle aura à payer. ‖ En parlant des personnes, accuser. *On le taxe de vanité*. = SE TAXER, v. pr. Fixer une somme qu'on s'engage à donner pour un certain objet.

taxi, n. m. Abréviation désignant une voiture ou une automobile de place munie d'un taximètre.

* **taxiarque**, n. m. [Antiq.] A Athènes, commandant du contingent d'infanterie de chaque tribu.

* **taxi-auto**, n. m. Automobile de place à taximètre.

* **taxidermie** [*ta-ksi-der-mi*], n. f. Art de préparer et de conserver l'enveloppe des animaux morts, en lui donnant les formes qu'elle présentait chez l'animal vivant (vulg. *empaillage*).

* **taxidermique**, adj. Qui a rapport à la taxidermie.

* **taxidermiste**, n. m. Empailleur.

taximètre, n. m. Compteur indiquant la somme à payer d'après les distances parcourues par une voiture de place ou le temps pendant lequel elle a été occupée.

* **taxinées**, n. f. pl. (lat. *taxus*, if). [Bot.] Tribu de *conifères* ayant pour type l'if.

* **taxiphone**, n. m. Téléphone automatique ne fonctionnant qu'après l'introduction d'un jeton ou d'une pièce de monnaie.

taxis [*tak-siss*], n. m. [Méd.] Pressions méthodiques avec la main pour réduire une hernie.

* **taxologie**, n. f. (gr. *taxis*, arrangement; *logos*, science). Étude des classifications dans les diverses branches de la science.

* **taxonomie** ou * **taxinomie** [*no-mi*], n. f. Étude de l'arrangement des êtres vivants et partic. des plantes et de leur classification.

tayaut, interj. V. TAÏAUT.

* **taylorisme** [*tè-lo*], n. m. Méthode d'organisation rationnelle du travail, selon les principes de l'américain Taylor, permettant d'obtenir le rendement maximum.

tayon [*ta-ion*], n. m. [Sylvic.] Baliveau réservé depuis trois coupes.

HOM. — *Taillons*, du v. tailler.

* **tcharchaf**, n. m. (mot turc). Voile noir dont les femmes turques se couvraient le visage.

* **tchécoslovaque**, adj. et n. De Tchécoslovaquie.

tchèque, adj. Qui se rapporte aux Tchèques. = N. m. Langue slave parlée par les Tchèques.

* **tchervonetz** [*nièts*], n. m. (mot russe). Monnaie soviétique, valant dix roubles.

te, pron. pers., 2ᵉ pers. sing. V. tabl. TU.

* **té**, n. m. Se dit de tout objet en forme de T majuscule. V. la lettre T.
PAR. et HOM. — V. TAIE.

* **team** [*tîm*], n. m. (mot angl.). [Sport] Équipe de joueurs.

technicien [*tek-ni-si-in*], n. m. Celui qui connaît, applique ou fait appliquer la technique d'une science, d'un art, d'un métier.

technicité [*tek*], n. f. Caractère, qualité de ce qui est technique.

technique [*ték-ni-ke*], adj. Propre à une science, à un art, à un métier, à un art industriel. *Mot technique. Expression technique.* = N. f. L'ensemble des procédés d'une science, d'un art, d'un métier. *La technique des peintres*. = N. m. Se dit pour technicien.

> VOCAB. — *Famille de mots*. — *Technique* (adj. et n.) : technicité, techniquement, technicien, technique, technographie, technologie, technologique, technologue, mnémotechnie, mnémotechnicien, mnémotechnique ; polytechnique, polytechnicien ; pyrotechnie, pyrotechnique; zootechnie, zootechnicien.

techniquement [*ték*], adv. D'une manière technique.

* **technographie** [*tek-no-gra-fi*], n. f. Description des arts, des métiers et de leurs procédés.

technologie [*tèk*], n. f. (gr. *tekknê*, art; *logos*, science). La science des arts industriels en général. ‖ Ensemble des termes techniques propres à une science, à un art. *Dictionnaire de la technologie*.

technologique [*tèk*], adj. Qui a rapport aux arts industriels. *Manuel technologique*.

* **technologue** [*tèk...ghe*], n. m. Celui qui écrit sur la technologie, sur les arts et métiers.

teck ou **tek**, n. m. [Bot.] Grand arbre de l'Inde et de l'Océanie, fournissant un bois très dur (*bois de fer*), famille des *verbénacées*.

* **tecteur, trice**, adj. Qui recouvre. *Poils tecteurs, plumes tectrices*, ou, n. f., *les tectrices*. V. pl. OISEAUX.

* **tectibranches**, n. m. pl. [Zool.] Ordre de mollusques gastéropodes marins.

tectonique, n. f. [Géol.] Étude des relations mutuelles qui existent entre deux sols. = Adj. Qui se rapporte à la charpente, à la structure.
PAR. — *Teutonique*, qui a rapport aux Teutons.

Te Deum [*té-dé-omm*], n. m. (mot latin : *toi, Dieu*). Hymne de l'Église, pour rendre grâce à Dieu.

* **tégénaire**, n. f. [Zool.] Genre d'arachnides aranéides, araignées à toile horizontale communes dans nos maisons.

* **tegmen** [*tèg'-menu'*], n. m. (mot latin). [Bot.] Enveloppe interne, mince et transparente de la graine. — Enveloppe externe du bourgeon. — Enveloppe florale des *graminées*.

* **tegminé, ée**, adj. Protégé par des écailles.

tégument [*té-ghu-man*] n. m. [Zool. et Bot.] Ce qui sert à envelopper, à couvrir, ce qui couvre, comme la peau des mammifères, le squelette extérieur des insectes, les enveloppes de la graine, etc.

* **tégumentaire**, adj. Qui sert de tégument, qui en a la nature.

teigne, n. f. [*tè-gne, gn* mll.] (lat. *tinea*, m. s.). [Zool.] Genre d'insectes lépidoptères dont les larves rongent les fourrures, les étoffes de laine, etc. [Méd.] Maladie contagieuse du cuir chevelu. ‖ Ulcération de la fourchette du pied du cheval. ‖ Maladie de l'écorce des arbres. ‖ Fig. Personne méchante et portée au mal.
Hom. — *Teigne, es, ent,* du v. teindre.

teigneux, euse [*gn* mll.], adj. et n. Qui a la teigne.

teillage [*tè, ill* mll.], ou **tillage** [*ti, ill* mll.], n. m. Action, manière de teiller.

teille ou **tille** [*ill* mll.], n. f. Écorce de la tige du chanvre. — Petite peau qui est entre l'écorce et le bois du tilleul.

teiller ou **tiller** [*tè* ou *ti-illé, ill* mll.], v. tr. *Teiller du chanvre, du lin,* détacher les filaments de la tige avec la main.

teilleur, euse ou **tilleur, euse** [*ill* mll.], n. Ouvrier, ouvrière qui teille le chanvre, le lin. = N. f. Machine à teiller.

teindre [*tin*], v. tr. Donner à une étoffe ou à quelque autre chose une couleur différente de celle qu'elle avait. ‖ Se dit aussi des choses qui colorent l'eau et autres liquides. ‖ Fig. *Teindre ses mains de sang,* commettre ou ordonner des meurtres. = Conjug. (comme *peindre*) V. VERBES.
Par. — *Peindre,* couvrir de couleur avec le pinceau.

1. teint, teinte [*tin*], adj. (pp. du v. *teindre*). Qui a subi une teinture. *Une étoffe teinte.* ‖ Fig. *Il est encore teint du sang de ses victimes.*
Hom. — V. TAIN.

2. teint [*tin*], n. m. (pp. du v. *teindre*). Manière de teindre. ‖ Ellipt. *Cette étoffe est bon teint,* sa teinture est très solide. — Fig. et fam. *Des opinions bon teint,* des opinions sincères. ‖ Coloris du visage. *Teint brun, blanc, pâle.*
Hom. — V. TAIN.

> Vocab. — *Famille de mots.* — *Teint :* teindre, teinte, teinté, teinter, teinture, teinturier, teinturerie; déteindre, reteindre.

teinte [*tin*], n. f. Nuance qui résulte du mélange de deux ou plusieurs couleurs. ‖ Degré de force, d'intensité des couleurs. ‖ Fig. Au sens moral. Apparence légère. *Une teinte de mélancolie.* ‖ *Demi-teinte,* teinte très faible. ‖ *Teinte plate,* teinte uniforme. V. tabl. COULEURS (*Idées suggérées par le mot*).
Hom. — *Teinte,* n. f., nuance; degré de force; — *teinte,* part. p. fém. de teindre; — *tinte, es, ent,* du v. tinter.

teinté, ée [*tin*], adj. Qui a reçu une teinte légère et uniforme. ‖ Qui porte une légère trace de.

teinter [*tin-té*], v. tr. Colorier d'une manière plus ou moins foncée. *Teinter de rouge.* — SE TEINTER, v. pr. Porter une légère trace de.
Hom. — *Teinter,* v. tr., colorier; — *tinter,* v. tr., faire sonner une cloche; — *tinter,* v. tr., assujettir avec des tins.

teinture [*tin*], n. f. Liqueur propre à teindre. *Mettre des étoffes à la teinture,* ‖ Impression de couleur que cette liqueur laisse sur cette étoffe. ‖ Action, art de teindre. ‖ Fig. Connaissance superficielle dans quelque science, quelque art. *Il a quelque teinture de philosophie.* [Chim.] Dissolution de substances simples ou composées dans un liquide convenable. *Teinture alcoolique; teinture d'iode.*
Par. — *Tenture,* pièce de tapisserie.
Épithètes courantes : naturelle, artificielle, végétale, chimique, bonne, solide, fragile, légère, superficielle, vague; obtenue, appliquée, effacée, belle, jolie, recherchée, apprêtée, renouvelée, etc.

teinturerie [*tin*], n. f. L'art du teinturier. ‖ L'atelier où l'on teint.

teinturier, ière [*tin*], n. Celui, celle qui exerce l'art de teindre. V. tabl. MÉTIERS et PROFESSIONS (*Idées suggérées par les mots*).

tel, telle, adj. V. tabl. TEL, TELLE.

TEL, TELLE, mot indéfini.

Étymologie. — Du latin *talem,* acc. de *talis,* même sens.
V. GRAMMAIRE (tableau) : Adjectifs et pronoms indéfinis.
En règle générale, *tel,* adjectif indéfini, placé avant le nom s'accorde avec lui : *tel père, telle fille*
Avec un verbe, il s'accorde avec le sujet : *Telles seraient ces conditions.*

Observation grammaticale. — On n'emploie plus aujourd'hui *tel que* dans le sens de *quelque.* En conséquence, on ne doit pas dire : *Prenez un nombre tel qu'il soit.* — Dans les comparaisons, *tel* s'est accordé avec le nom qui précède : *Cet animal, tel une force déchaînée.* Plus tard on a dit : *telle une force.* Auj. le mot *tel* reste le plus souvent invariable.
Syn. — V. SEMBLABLE.

TEL, TELLE, adjectif indéfini.

1° Marquant la similitude, l'identité. Pareil, semblable, qui est de même, de la même qualité, qui est le même. *Une telle conduite vous honore.*
En tête d'une proposition, sert à annoncer un exemple. *Il y a de nombreux imprudents, tels ceux qui...*
Comme tel, en cette qualité, comme s'il possédait cette qualité. *Ce n'est pas du bordeaux, bien qu'on me l'ait vendu comme tel.*
Tel, répété, marque la similitude et en même temps la comparaison, avec transport de la prop. comparative à une 2ᵉ prop. indépendante. *Tel père, tel fils* (Le fils est tel qu'est le père), le fils suit la voie que lui a tracée son père.

2° *Tel,* en tête d'une phrase et tantôt répété, tantôt repris par un pronom en tête d'une autre propr. Comme, ainsi que, semblable. S'emploie ainsi surtout dans le style soutenu, et

particulièrement pour introduire les comparaisons épiques. *Tel qu'un sanglier écumant qui cherche un chasseur par lequel il a été blessé, on le voyait errer dans la campagne* (FÉNELON). *Tel qu'on voit un taureau qu'une guêpe en furie a piqué dans les flancs aux dépens de sa vie... Tel le fougueux prélat* (BOILEAU).
Marquant une simple comparaison, sans corrélatif. *Il est tel qu'un lion.*

3° *Tel* à valeur démonstrative précise, employé comme épithète ou comme attribut, marquant la conclusion de ce qui précède. Ce, celle que je viens de dire. *Telle fut la conclusion de ce drame. Telle est mon opinion.*

4° *Tel* employé avec une valeur qualificative. Si grand.
 a) Admirative. *Avec de tels soldats que n'obtenait pas Napoléon !*
 b) Péjorative. *On n'a jamais vu une telle impudence.*

5° *Tel* placé devant le nom, sans article, se dit encore des personnes, des lieux et des choses qu'on ne peut désigner d'une manière déterminée. *J'arriverai tel jour, à telle heure, dans telle ville.* — D'une façon très indéterminée. *Tel ambitieux pensait triompher, qui a lamentablement échoué.*

Tel... que, locution marquant :
 a) Un rapport de similitude, de convenance, introduisant des exemples, etc. *Il est tel que son maître. Les bêtes féroces, telles que le tigre, la panthère,* etc.
 b) La conséquence, en servant de corrélatif à *que* de la prop. consécutive. Si grand, si petit. *Il était dans une colère telle que je n'ai pu lui parler. Telle est sa bonté, qu'il se fait chérir de tout le monde.* — On dit à peu près dans le même sens : *Tel est le caractère des hommes, qu'ils ne sont jamais contents de ce qu'ils possèdent,* les hommes sont faits de telle manière que...
 c) La concession, en servant de corrélatif à *que* de la prop. concessive. Quel qu'il soit. Bien qu'il soit ainsi. *Tel que vous le voyez, il est encore capable de vivre longtemps.*

Locutions. — *Il n'y a rien de tel que.* Rien ne vaut, rien n'est meilleur que. *Il n'y a rien de tel qu'une conscience pure.* — *Un homme tel que lui,* un homme de son mérite, de son rang.

TEL, pronom indéfini, singulier.

Tel, pr. ind. tient la place d'un nom indéterminé, du nom *homme* ou du pronom *celui.* Alors il ne se dit que des personnes et ne se met jamais au pluriel : Il est, dans cet emploi, fréquent dans les proverbes. — *Tel qui rit vendredi, dimanche pleurera. Tel est pris qui croyait prendre. Tel donne à pleines mains qui n'oblige personne* (CORNEILLE). — *Tel que* est souvent précédé ou suivi de noms de genres différents. Dans ce cas, *tel* prend le nombre et le genre du nom qui le précède. *Cet animal a deux plusieurs pays, tels que la France, l'Allemagne,* etc.
Tel... et tel. Celui-ci, et celui-là. *Tel préfère la mer et tel la montagne.*

Un tel, une telle, loc. nominales indéfinies employées pour remplacer un nom propre que l'on ne désigne pas. *Il est aux gages de M. Un tel. J'ai rencontré en visite Madame Une telle.*

LOCUTIONS FORMÉES AVEC TEL

Tel quel, loc. fam. indéfinie, qui signifie, comme il est, dans l'état où il se trouve, bon ou mauvais. *Vous me donnerez tel quel votre travail.* Loc. elliptique signifiant : tel qu'est, tel qu'a été, etc. Sans changement, dans le même état, ou de la même valeur. *Je vous cite ses paroles telles quelles.* On dit parfois aussi, mais elliptiquement, *tel que,* dans ces deux sens, mais ce tour est considéré comme incorrect par plusieurs grammairiens.

De telle sorte que, en telle sorte que, loc. conj. A un tel point que. *Il s'est compromis de telle sorte qu'il lui sera bien difficile de se tirer d'embarras.* On dit, dans un sens anal., *De telle façon que. De telle manière que.* V. SORTE (tableau.)

télamon, n. m. [Archit.] Figure humaine soutenant une corniche, une console, un entablement.

* **télautographe,** n. m. (gr. *télé,* loin; *autos,* soi-même; *graphein,* écrire). Appareil transmettant le dessin ou l'écriture à distance au moyen de la cellule photoélectrique.

* **télé-,** préfixe tiré du gr. *télé,* loin, marquant l'idée d'un phénomène qui se produit au loin.

* **télécommandé, ée,** adj. Commandé à distance au moyen de l'électricité.

* **télédynamie,** n. f. Transmission au loin de l'énergie (surtout au moyen de l'électricité).

* **télédynamique,** adj. Qui transmet la force au loin.

* **téléférique,** adj. et n. V. TÉLÉPHÉRIQUE.

télégramme, n. m. (gr. *télé,* loin; *gramma,* écriture). Dépêche transmise par le télégraphe électrique.

ÉPITHÈTES COURANTES : envoyé, expédié, pressé, urgent, officiel, chiffré, déchiffré, remis, porté, communiqué, reçu, traduit, lu, arrivé, prioritaire, etc.

télégraphe [*gra-fe*], n. m. (gr. *télé,* loin; *graphein,* écrire). Tout appareil au moyen duquel on peut transmettre à de grandes distances et avec une très grande rapidité des dépêches quelconques. *Télégraphe aérien, électrique, sous-marin.* ‖ Fig. *Faire du télégraphe à quelqu'un,* lui faire comprendre quelque chose par gestes. V. tabl. P. T. T. ET T. S. F. (*Idées suggérées par les mots*).

télégraphie [*fi*], n. f. L'art de correspondre très promptement à de grandes distances. ‖ *Télégraphie aérienne,* utilisant des signaux formés avec un appareil à bras (aujourd. abandonnée). ‖ *Télégraphie électrique,* où les signaux sont transmis à des appareils spéciaux par des courants électriques. ‖ *Télégraphie sans fil,* transmission de signaux, sans aucune installation intermédiaire, par les ondes électro-magnétiques. V. pl. T. S. F.

télégraphier, v. tr. Transmettre une dépêche à l'aide d'un appareil télégraphique quelconque. = Conjug. V. GRAMMAIRE.

télégraphique, adj. Qui a rapport au télégraphe. *Ligne, dépêche télégraphique.* ‖ *Style télégraphique,* manière d'écrire en réduisant les phrases aux mots essentiels, comme dans la rédaction des télégrammes.

télégraphiquement, adv. Au moyen du télégraphe.

télégraphiste, n. Employé, employée qui transmet les dépêches télégraphiques.

* **télémécanique,** n. f. [Phys. et Techn.] Faculté de commander à distance certains appareils à l'aide des ondes électriques.
télémètre, n. m. (gr. *têlé*, loin; *métron*, mesure), Instrument d'optique pour déterminer la distance de l'observateur à un point inaccessible (réglage du tir des canons, en partic.). V. pl. NAVIGATION.
télémétreur, n. m. Celui qui utilise le télémètre.
* **télémétrie,** n. f. Art d'utiliser le télémètre.
* **télémétrique,** adj. Qui se rapporte au télémètre.
* **télémétrographie,** n. f. [Techn.] Art d'exécuter des perspectives à la chambre claire sur le terrain.
* **téléobjectif,** n. m. [Photo.] Objectif pour la téléphotographie, permettant d'obtenir une image relativement grande d'objets éloignés.
téléologie, n. f. (gr. *téléos*, fin; *logos*, discours). [Philos.] Étude de la finalité. ǁ Doctrine selon laquelle il y a de la finalité dans le monde.
PAR. — *Théologie*, science de Dieu et des choses divines.
* **téléologique,** adj. Qui a rapport aux causes finales.
PAR. — *Théologique*, relatif à la théologie.
* **téléostéens,** n. m. pl. [Zool.] Groupe de poissons à squelette osseux complet, poissons les plus parfaits en organisation. V. pl. POISSONS.
télépathie [*pa-ti*], n. f. (gr. *têlé*, loin; *pathos*, souffrance). Intuition d'un événement accompli au loin et concernant une personne qui vous touche de près, perçue par des voies que la matérialité des faits ne saurait expliquer.
* **téléphérage,** n. m. (gr. *têlé*, loin; *phérein*, porter). Système de transport par câbles aériens qui font office de rails.
téléphérique ou * **téléférique,** adj. Qui se rapporte au téléphérage. = N. m. Câble ou chemin de fer aérien servant au téléphérage. V. tabl. TRANSPORTS (*Idées suggérées par le mot*).
téléphone, n. m. (gr. *têlé*, loin; *phônê*, voix). Appareil destiné à transmettre le son et la parole à distance au moyen de l'électricité. V. tabl. P. T. T. et T. S. F. (*Idées suggérées par les mots*).
téléphoner, v. tr. Transmettre par téléphone. = V. intr. Se servir du téléphone.
téléphoné, ée, adj. *Message téléphoné*, communication téléphonique d'un abonné à un bureau de poste, qui la transmet à un non-abonné.
téléphonie, n. f. Art de transmettre les sons à de grandes distances au moyen du téléphone. ǁ Science, technique du téléphone.
téléphonique, adj. Qui a rapport à la téléphonie.
* **téléphoniquement,** adv. Par téléphone.
téléphoniste, n. Celui, celle qui est chargé du service du téléphone, d'un poste téléphonique.
* **téléphore,** n. m. [Zool.] Genre d'insectes coléoptères, très communs dans nos régions.
* **téléphote,** n. m. (gr. *têlé*, loin; *phôs*, lumière). Appareil pour la prise de vues à distance, l'image étant transmise par l'intermédiaire de courants électriques.

* **téléphotographie,** n. f. Photographie des vues lointaines au moyen du téléobjectif. ǁ Transmission à distance des photographies par voie électrique.
* **télescopage,** n. m. Action de se télescoper, en parlant de véhicules.
télescope, n. m. (gr. *têlé*, loin; *scopein*, voir). Instrument d'optique dans lequel l'objectif est remplacé par un miroir, et qui sert à observer les objets éloignés et partic. les astres. V. tabl. UNIVERS (*Idées suggérées par le mot*).
* **télescoper (se),** v. pr. [Ch. de f.] Se dit de wagons qui entrent les uns dans les autres, par suite d'un choc violent, comme les tubes d'un télescope.
* **télescopeur, euse,** adj. Qui télescope, qui a télescopé : *Train télescopeur*.
télescopique, adj. Fait à l'aide du télescope. *Observation télescopique.* ǁ Qu'on ne voit qu'à l'aide du télescope. *Étoiles télescopiques.*
* **télévision,** n. f. (gr. *têlé*, loin, et *vision*). Transmission à grande distance d'une vue quelconque (paysage, scène animée) par le moyen de l'électricité; elle peut se faire avec fils ou sans fils.
tellement, adv. De telle sorte, à tel point. *Il est tellement préoccupé que...* ǁ En telle quantité. *Il a tellement de mal.* = TELLEMENT QUE, loc. conj. De sorte que.
INCORR. — Ne jamais employer *si* avec *tellement*. On ne doit pas dire : *il est si tellement content*, mais *si content* ou *tellement content*. — Ne pas dire *à force que* pour signifier *tellement*.
tellière [*tè-lière*], adj. et n. m. Sorte de papier de qualité supérieure, de format 0,44 × 0,34, appelé aussi *papier ministre.* ǁ Ce format lui-même.
tellure [*tel-lure*], n. m. (lat. *tellus, telluris*, terre). [Chim.] Corps simple, métalloïde d'un blanc d'étain, friable, à structure laminaire ou grenue.
* **tellureux,** adj. m. [Chim.] Se dit de composés oxygénés du tellure.
tellurien, ienne, adj. (lat. *tellus, uris*, terre). Qui vient, qui procède de la terre, de l'intérieur de la terre.
tellurique, adj. Qui appartient à la terre, qui s'y rapporte. *La chaleur tellurique.* ǁ Qui se rapporte au tellurisme. [Chim.] Qui contient du tellure.
* **tellurisme,** n. m. Action magnétique de la Terre. ǁ Influence de la nature d'un sol sur ses habitants.
* **telson,** n. m. [Zool.] Aiguillon des scorpions.
téméraire [*té-mé-rè-re*] (lat. *temerarius*, m. s.), adj. Hardi avec imprudence. ǁ Qui dénote de la témérité. *Dessein téméraire.* ǁ *Jugement téméraire*, jugement fait en mauvaise part, sans être fondé sur des preuves suffisantes. = Nom. *Une jeune téméraire.*
— *J'attaque en téméraire un bras toujours*
[*vainqueur.*
(CORNEILLE.)
SYN. — V. BRAVE.
CTR. — *Réfléchi, prudent, circonspect.*
témérairement, adv. Avec une hardiesse imprudente, inconsidérément.
témérité, n. f. Hardiesse imprudente et présomptueuse. = Au pl. Actions, paroles, tournures de style, etc. téméraires.
SYN. — V. HARDIESSE.
ANT. — *Prudence, circonspection.*

témoignage, n. m. (du v. *témoigner*). Action de témoigner. Déposition que fait un témoin devant les juges sur ce qu'il a vu ou entendu. *Rendre témoignage.* — *Rendre témoignage à,* prendre en considération, rendre hommage à. ‖ Rapport d'un ou de plusieurs témoins sur un fait. *Témoignage de vive voix. Témoignage par écrit.* — *Faux témoignage,* affirmation mensongère apportée contre quelqu'un. ‖ Rapports sur le mérite, les qualités, les défauts de quelqu'un. ‖ *Le témoignage des sens,* ce que les sens nous font connaître sur l'existence et les qualités des objets extérieurs. — Dans un sens anal. *Le témoignage de la conscience.* ‖ Preuve, marque d'une chose. *Témoignages d'estime, d'amitié.* ‖ *Témoignage de satisfaction,* marque orale ou écrite attestant que l'on est satisfait du travail, de la conduite de quelqu'un.

ÉPITHÈTES COURANTES : sincère, vrai, éloquent, vivant, éclatant, manifeste, spontané, précis, convaincant, authentique, écrit, oral, irréprochable, irréfutable, décisif, suspect, faux, mensonger; demandé, sollicité, recueilli, rendu, porté, offert, reçu, enregistré, etc.

témoigner [*gn* mll.], v. intr. (lat. *testimoniare,* m. s.). Porter témoignage, servir de témoin. En ce sens, ne se dit guère qu'absol. *Témoigner contre quelqu'un.* ‖ Prouver, être le signe, l'expression de. = V. tr. Marquer, faire connaître ce qu'on sait, ce qu'on sent, ce qu'on a dans la pensée. *Témoigner de la rancune, de la joie.*

témoin, n. m. (lat. *testimonium,* témoignage), Celui, celle qui a vu ou entendu quelque fait et qui peut en faire rapport. Celui qui témoigne en justice. *Entendre des témoins.* V. tabl. LOI et TRIBUNAL (*Idées suggérées par les mots*). — *Témoin oculaire,* celui qui rend témoignage de ce qu'il a vu. ‖ *Faux témoin,* individu soudoyé pour apporter un faux témoignage en justice. — *Prendre quelqu'un à témoin,* invoquer son témoignage. On dit de même : *Vous m'êtes tous témoins que...* ‖ Personne dont on se fait assister pour certains actes. *Servir de témoin pour un mariage.* ‖ Celui qui assiste un homme qui doit se battre en duel. *Envoyer ses témoins à quelqu'un,* le provoquer en duel. ‖ Celui qui voit une chose, qui en est spectateur ou qui l'entend. *Ce fait s'est passé sans témoin.* ‖ Ce qui sert à faire connaître une chose, à prouver ce qu'on avance. *Cet arc de triomphe, témoin de nos victoires passées...* ‖ Butte de terre, qu'on laisse pour faire voir de quelle hauteur étaient les terres qu'on a enlevées tout autour. [Biol.] Dans les expériences de biologie, se dit des animaux ou végétaux de même espèce que ceux sur lesquels on expérimente, mais qu'on ne soumet pas à l'expérience, afin de mieux faire ressortir les résultats de cette expérience. [Archi.] Marques de plâtre que l'on dispose en certains points d'un édifice où il se produit des fissures, et qui permettent de constater s'il ne présente pas des tassements menaçant ruine.

OBS. GRAM. — Le mot *témoin* employé seul en tête d'une proposition est pris adverbialement, et en conséquence il est invariable : *Témoin les victoires qu'il a remportées.* Il est également invariable dans la locut. *prendre à témoin,* car alors il signifie proprement « prendre à témoignage ». Mais quand *témoin* est précédé de la prép. *pour,* il reste variable. *Je vous prends tous pour témoins.* — *Témoin* s'emploie toujours au masculin en parlant d'une femme, d'un animal ou d'une chose de genre féminin. *Souris témoin.*

ÉPITHÈTES COURANTES : direct, oculaire, véridique, fidèle, gênant, involontaire, muet; faux, suspect, suborné, acheté, menteur; entendu, interrogé, confronté, examiné, produit, assigné, à charge, à décharge, etc.

VOCAB. — *Famille de mots.* — *Témoin* : témoigner, témoignage ; testimonial ; tester, testateur, testament, testamentaire, intestat; attester, attestation; contester, contestant, conteste, contestable, contestation, incontesté, incontestable, incontestablement, incontestabilité; protester, protestation, protestable, protestataire; protestant, protestantisme, protestantiser, protestantiser; détester, détestation, détestable, détestablement.

1. tempe [*tan*], n. f. (lat. *tempora,* m. s.). Région latérale de la tête comprise entre l'œil, le front, l'oreille et la joue. — Se dit aussi des animaux. *Les tempes d'un cheval.*

HOM. — *Tempe,* n. f., région latérale de la tête; — *tempe,* n. f., partie d'un métier à tisser; — *tampe,* n. f., sorte de taquet.

2. * tempe, n. f. Partie d'un métier à tisser, qui tient tendue l'étoffe.

tempérament, n. m. (lat. *temperamentum,* combinaison harmonieuse). Manière d'être. ‖ Constitution du corps caractérisée surtout par la prédominance de l'action d'une humeur ou d'un système organique. *Tempérament bilieux, sanguin, nerveux.* ‖ Constitution physique de l'homme considérée, soit relativement au mode de réaction contre les maladies, soit relativement au caractère moral; complexion. *Un tempérament robuste, laborieux.* ‖ Fig. Adoucissement propre à concilier les esprits, à accommoder une affaire. ‖ *Acheter à tempérament,* en payant par acomptes.

SYN. — V. COMPLEXION.
PAR. — *Tempérément,* d'une manière tempérée.

ÉPITHÈTES COURANTES : bon, heureux, mauvais, défectueux, fort, robuste, faible, délicat, lymphatique, nerveux, sanguin, bilieux, violent, coléreux, flegmatique, mélancolique, chaud, bouillant, juste, difficile, etc.

tempérance, n. f. (lat. *temperantia,* m. s.). Vertu morale qui règle, qui modèle les passions et les désirs. *La tempérance est une des quatre vertus cardinales.* ‖ Sobriété, entendue surtout en ce qui concerne l'usage des boissons alcoolisées.

GRAM. — Ce mot ne s'emploie pas au pluriel.

tempérant, ante [*tan-pé-ran*], adj. Qui a la vertu de tempérance. = Nom. *Le tempérant évite tous les excès.*

SYN. — V. SOBRE.
CTR. — *Intempérant, ivrogne, alcoolique, gourmand.*

température [tan], n. f. (lat. *temperatura*, juste proportion). Le degré appréciable de chaleur qui règne dans un lieu ou dans un corps. [Méd.] *Avoir, faire de la température*, avoir de la fièvre. ‖ État sensible de l'air, qui affecte nos sens, selon qu'il est froid ou chaud, humide ou sec. V. tabl. TEMPÉRATURE et MÉTÉOROLOGIE (*Idées suggérées par les mots*).
ÉPITHÈTES COURANTES : chaude, torride, extrême, douce, fraîche, froide, glaciale, rude, moyenne, inégale, variable; hivernale, printanière, estivale, automnale, humide, saine, malsaine, en hausse, en baisse, stable, supportable, agréable, pénible, intolérable, extrême, instable; enregistrée, notée, etc.

tempéré, ée [tan], adj. Qui n'est ni très chaud ni très froid; qui tient le milieu entre deux excès. *Les climats tempérés. Zones tempérées.* ‖ *Monarchie tempérée*, dans laquelle le pouvoir du souverain est limité par certaines institutions. ‖ Fig. Sage, modéré. *Un esprit tempéré.* [Rhét.] *Genre tempéré, style tempéré*, style intermédiaire entre le style noble ou sublime et le style simple, familier. = N. m. Le genre tempéré.
CTR. — *Extrême*. — *Tropical, équatorial, polaire*.

* **tempérément,** adv. D'une manière tempérée.
PAR. — *Tempérament*, manière d'être.

tempérer [tan], v. tr. Modérer, diminuer l'excès d'une chose. — *Tempérer sa bile*, modérer sa colère. ‖ Fig. au sens moral. *L'âge a tempéré ses passions.* = SE TEMPÉRER, v. pr. Diminuer, se modérer, s'adoucir. *Si la chaleur vient à se tempérer.*
= Conjug. V. GRAMMAIRE.
SYN. — V. ADOUCIR.

tempête [tan-pê-te], n. f. (lat. *tempestas*, m. s.). Violente agitation de l'air souvent accompagnée de pluie, de grêle,

---

TEMPÉRATURE ET MÉTÉOROLOGIE

I. Étymologie et définition.

La **température** (de la racine du verbe latin *temperare*, mélanger dans de certaines proportions de manière à produire un équilibre) est le *degré appréciable de chaleur*, résultant de l'action des divers agents physiques, qui se manifeste dans un corps ou dans un lieu.
Au sens étymologique de *température* se rattachent les mots *tempérer, tempérament, tempérance*, etc.
Plus particulièrement, la température est l'*état de l'atmosphère* en tant qu'il affecte nos organes. L'étude des phénomènes qui se produisent dans l'atmosphère relève de la *météorologie* (racine grecque *météoro-*, élevé, supérieur, aérien, céleste). L'étude de la température utilise le *thermomètre*, celle de la pression atmosphérique, le *baromètre*, celle de l'humidité de l'air, l'*hygromètre*, celle des vents, l'*anémomètre*.
Dans un sens encore plus restreint, la température est le *degré de chaleur du corps humain*, et, plus spécialement, ce degré de chaleur quand il dépasse la normale : *avoir de la température*, c.-à-d. de la fièvre.

II. Mots de la même famille. — V. tabl. TEMPS.

III. Mots à rapprocher. — TEMPÉRATURE — TEMPS-CHALEUR — FROID.

Le mot *température* marque l'état d'un corps produisant aussi bien une sensation de chaleur qu'une sensation de froid, et désigne tous les degrés intermédiaires entre l'extrême chaud et l'extrême froid.
Le *temps*, au sens météorologique, englobe toutes les conditions d'où résulte l'état de l'atmosphère (l'hygrométrie, la température, le régime des vents, la pression atmosphérique, l'état du ciel); on dira ainsi qu'il *fait beau temps, mauvais temps, un temps moyen*, etc.
La *chaleur* se définit par son rapport avec l'énergie et par ses effets sur l'état des corps (dilatation, contraction, solidification, liquéfaction, vaporisation), particulièrement par ses effets physiologiques, par ses rapports de convenance entre la température des corps extérieurs, nous et notre propre corps.
Le *froid* marque le rapport du moins au plus entre la température de deux corps; plus particulièrement, il marque la sensation pénible qui résulte de la diminution ou de la perte de chaleur.

IV. Principaux termes se rapportant à la Température et à la Météorologie.

A. — Température.

a) CHALEUR : chaleur rayonnante, radiante, latente; rayonnement, radiation; chaleur spécifique; chauffe, chauffage, surchauffe, calorie, calorifique, réchauffer, échauffer; thermie, diathermie; chauffer au rouge, au rouge-cerise, à blanc; bouillir, cuire; ignition, conflagration, embrasement; chaud, brûlant, torride, étouffant, thermal, thermique, etc.

b) SOURCE DE CHALEUR : le soleil, chaleur, rayons solaires, rayons infra-rouges, insolation, coup de soleil, héliothérapie; chaleur souterraine, feu central, volcanisme; feu, flamme, foyer, brasier, flammèche, enflammer, flamber, flamboyer, brûler, pétiller, consumer, calciner, dévorer, allumer, embraser, souffler, mettre le feu, incendier, attiser, raviver, rallumer, éteindre, couvrir le feu; étincelle, brandon, tison, braise rouge, cendre, escarbille, fumeron, déflagration, incandescence, embrasement, incendie. Ignition, igné, ignifuger, carbonisation, carburation, caléfaction, combustion. Combustible : bois, bois à brûler, brindille, copeau, bûchette, bûche, rondin, bourrée, cotret, fagotin, allume-feu, briquet à pierre, à essence, allumette chimique; charbon, carbone, oxyde de carbone, acide carbonique, charbon de bois, braise, braisette; houille, houillère, mine, charbon de terre, anthracite, tout-venant, gailletin, charbon flambant, houille grasse, maigre, lignite, tourbe, tourbière, charbon comprimé, briquette, boulet, charbon de cornue, coke, cokerie, gaz d'éclairage, gaz butane; alcool, esprit de vin, essence, mazout, gas-oil; chauffage électrique. Carburant, allumage, bougie, carburateur. Foyer, tison, tisonnier, pelle à feu, pincettes, chenêts, lantier, grille; suie, ramonage. Chaleur animale; température, fièvre (v. MALADIE), sueur, transpiration.

c) UTILISATION DE LA CHALEUR : chaudière, brûleur, radiateur, conduit, conduite, cheminée, four, poêle; chauffage particulier, chauffage central, calorifère, chauffe-bain, chauffage urbain, usine thermique, thermes. Cuire, rôtir, torréfier, griller, faire bouillir, ébouillanter; bouilloire, eau bouillante, gril, rôtissoire, casserole, plat; cuisinière, fourneau à

TEMPÉRATURE ET MÉTÉOROLOGIE

alcool, à gaz, à gaz butane, électrique; haut-fourneau; vaporisation, surchauffeur, moteur thermique, machine à vapeur, locomotive; locomobile, moteur diesel, centrale thermique, thermodynamique; cautère, cautérisation, thermocautère, brûlure, soudure autogène; arme à feu, amorce, capsule, cartouche, gargousse, poudre, pistolet, fusil, canon, torpille; feu d'artifice, pyrotechnie, fusée, bombe, obus, bombe volante, bombe atomique, etc.

d) LE FROID : tiède, attiédir, réchauffer; dégourdir; rafraîchir, refroidir; fraîcheur, froid, frisquet, rayonnement nocturne, froideur, froidure, refroidissement; frigide, frigidaire, frigorie, frigorifier, appareil frigorifique, réfrigérer, réfrigérant; algide, geler, gelée, gel; dégel, dégeler, faire fondre; glace, glacer, glacier, congelé, congélation, dégel, fonte des neiges, glaçon, banquise, rivière prise par les glaces, embâcle, débâcle; iceberg, verglas; glisser, patiner, sports d'hiver (v. JEUX ET SPORTS). Neige, névé (v. MÉTÉOROLOGIE ci-après), frileux, frisson, avoir froid, geler, grelotter, frissonner, trembler de froid, engelure, onglée, crevasse, membre gelé. Se morfondre. Industrie du froid.

e) MESURE DE LA CHALEUR : thermomètre, thermoscope, pyromètre; thermomètre à alcool, à mercure, etc. Thermomètre à maxima, à minima, enregistreur, ampoule, réservoir, tube, échelle, graduation, degré; thermomètre centigrade, o absolu (moins 273° au-dessous du o centigrade), glace fondante, 100° eau bouillante; Réaumur (de o à 80°), Fahrenheit. Le thermomètre monte, descend, la température s'élève, s'abaisse, est sans changement, il y a tant de degrés au soleil, à l'ombre; saut, écart de température. Chaleur brûlante, tropicale, sénégalienne, accablante; froid de loup, sibérien, polaire; lignes isothermes, isochimènes, etc.

B. — Météorologie.

a) CLIMAT : climatologie, climatérique, acclimater. Climat chaud, tempéré, modéré, extrême, froid, humide, pluvieux, malsain. Lignes isothermes, longitudes, latitude, zone, pôles (v. UNIVERS). Froid polaires, lignes isochimènes, chaleur tropicale, facteur de climat : obliquité de la terre, saisons, latitude, proximité de la mer, influence des courants marins, degrés de salure des mers, relief, vents, etc.

b) FACTEURS MÉTÉOROLOGIQUES : météorologiste, office national, bureau central météorologique, prévision du temps, temps probable, tendance barométrique; bulletin météorologique, carte météorologique, observatoire météorologique (baromètre, thermomètre, hygromètre, anémomètre, pluviomètre, instruments enregistreurs, ballons-sondes, girouettes, etc.). Rose des vents, points cardinaux : nord, sud, est, ouest, nord-est, nord-ouest, sud-est, sud-ouest, nord-nord-est, nord-nord-ouest, etc.; noroît, suroît, saisons (v. tabl. TEMPS), le temps est, se met au beau, il fait beau, sec, chaud, froid, mauvais. Beau, mauvais, sale temps, temps exécrable, temps de chien, etc. Changement de temps, temps incertain, variable, temps établi, beau fixe; temps clair, découvert, couvert, nuageux, gris, sombre, bouché; ciel pur, serein, pommelé, moutonné, bas, noir, d'encre; éclaircie, embellie. Il fait du soleil, le soleil luit, brille; il fait grand soleil; le soleil se cache, se voile, disparaît, reparaît, lumière diffuse. Ciel gris, sombre, bleu, pur. Temps de, saison, intempérie. Hygrométrie, temps humide, sec, ciel vaporeux, brumeux; vapeur d'eau, buée, pression atmosphérique. Zone de haute, de basse pression, dépression, variation, perturbation; le temps est lourd, pesant, accablant; il fait lourd; l'air est léger; variation barométrique, le baromètre monte, descend, est stable, est haut, bas; au variable, au beau, au beau fixe, au très sec, à pluie ou vent; grande pluie, tempête. Baromètre à mercure, anéroïde, etc. (v. SCIENCES), baromètre enregistreur, graphique; hauteur barométrique, pression normale (760 mm), bar, millibar, lignes isobares, cartes barométriques. Hygromètre, manomètre.

c) PHÉNOMÈNES MÉTÉOROLOGIQUES : Atmosphère, atmosphérique; air, aérien, aérologie, aérographe, aéromètre, aéroscope, aéronaute, aéronautique, aviateur, aviation (v. ce mot), en plein air, être au grand air; bon air, air sain, pur, sec, humide, chaud, froid, doux, vicié. Courant d'air, courant aérien montant, descendant; vent, venter, ventiler, coup de vent, saute de vent, vent coulis, il fait, il y a du vent, le vent se lève, souffle, siffle, fait rage, mugit, s'apaise, se calme, tombe; il n'y a pas de vent; lit, direction du vent, vent léger, brise, brise de terre, brise de mer, vent de terre, vent de mer, vent fort, violent, impétueux, furieux, rafale. Vitesse, régime de vent, avoir bon vent, vent debout, vent arrière; naviguer sous, contre le vent, vent largue, grand largue, rose des vents; éole, borée, eurus, notos, auster, zéphyr. Vent dominant, régulier, alizés, contre-alizés, vent étézien, vent périodique, mousson d'été, tempête d'équinoxe, vent variable, bise, mistral, sirocco, simoun, autan, blizzard, föhn, bora, tramontane. Tourbillon, trombe, grain, typhon, tornade, raz-de-marée, cyclone; zone de calme, anticyclone, bourrasque, ouragan, tempête, houle; mer démontée, houleuse, vague déferlante, paquet de mer, embrun, tourmente, bonace. Anémomètre. Nuage, système nuageux, nue; nuée, nébulosité, nébuleux; nuage épais, noir, cirrus, stratus, nimbus, cumulus, cummulo-nimbus, strato-cumulus, etc. Rideau de nuages, vapeurs saturantes, orage, ventôse. Condensation de vapeur, précipitation atmosphérique; brouillard, brouillasse, brouillard épais, purée de pois; brume épaisse, embruns, brumaire; il bruine; buée. Crachin, rosée, aiguail, bruine; pluie, pluvieux, pluviosité. Saison des pluies, il pleut, il pleuvine, pluie fine, battante, torrentielle, diluvienne, pluie d'orage, il pleut à verse, à seaux, à torrents, à flots; ondée, averse, giboulée, pluviôse; saison sèche, sécheresse; il grêle, grêlon, canon, fusée paragrêle; grésil, grésiller, givre, givrer, gelée blanche; neige, neiger, neigeoter, enneigement, flocons, neiger à gros flocons, névé, nivôse; neige fondue; tombée de neige, tempête de neige, sommet neigeux, effet de neige, chute, avalanche de neige, neige molle, durcie, glacée; fonte des neiges; frimas, frimaire, glace, couche glacée, verglas, glaciation, congélation; glacier, moraine, glaçon, fleuve charriant des glaçons, rivière gelée. Phénomènes électriques et lumineux, éclair, éclair de chaleur, foudre, sillon, tonnerre, tonnerre en boule, zigzag, roulement, grondement, éclat de tonnerre, parafoudre, paratonnerre, foudroyer, fulminer. La foudre est tombée, coup de foudre. Arc-en-ciel, irisation, couleurs du prisme, (v. tabl. COULEURS), arcs concentriques, halo lumineux, halo lunaire, effets de soleil couchant. Aurore polaire, boréale, australe, haute atmosphère, hautes couches de l'atmosphère, ionosphère; stratosphère, troposphère, arc, bande, draperie, rideau; orage magnétique, soleil de minuit. Météore, bolide, aérolithe, étoile filante, rayons cosmiques (v. UNIVERS). Mer phosphorescente, feu follet, feux Saint-Elme, etc.

d'éclairs, de tonnerre, etc. Se dit partic. des orages qui arrivent sur mer. V. tabl. TEMPÉRATURE et MÉTÉOROLOGIE (*Idées suggérées par les mots*). || Fig. Grande persécution qui s'élève contre quelqu'un pour le perdre, pour l'accabler. || Malheurs, calamités qui s'abattent sur quelqu'un. || Attaque violente en paroles; scène, discussion orageuse. Fig. Trouble violent dans un État ou dans l'âme de quelqu'un.
— *Lorsque avec ses enfants vêtus de peaux*
[*de bêtes*,
Échevelé, livide au milieu des tempêtes,
Caïn se fut enfui de devant Jéhovah...
(VICTOR HUGO.)
— *Oh! pourquoi suis-je né dans ces jours de*
[*tempête*
Où l'homme ne sait pas où reposer sa tête?
(LAMARTINE.)
ÉPITHÈTES COURANTES : grosse, grande, terrible, violente, effroyable, furieuse, dangereuse, affreuse, glacée, torride, orageuse, neigeuse; subite, imprévue, élevée, déchaînée, calmée, apaisée; annoncée, prévue, essuyée, subie, traversée; suscitée, conjurée, redoublée, etc.
SYN. — V. ORAGE.
ANT. — *Calme*.
tempêter [*tan*], v. intr. Souffler en tempête, faire un bruit de tempête. *Le vent tempêtait*. || Fig. Faire beaucoup de bruit par mécontentement.
SYN. — V. GRONDER.
* **tempétueusement**, adv. D'une manière tempétueuse.
PAR. — *Impétueusement*, rapidement et violemment.
tempétueux, euse [*tan*], adj. Qui est sujet aux tempêtes, ou qui cause des tempêtes. *Mer tempétueuse*. || Fig. Une personne *tempétueuse*, sujette à s'emporter.
PAR. — *Impétueux, euse*, qui agit avec une extrême vivacité.
temple [*tan-ple*], n. m. Édifice public consacré à Dieu ou à ce qu'on révère comme dieu. V. tabl. ARTS ET RELIGIONS (*Idées suggérées par les mots*). — V. pl. TEMPLE GREC. || Lieu où les protestants s'assemblent pour l'exercice de leur religion. || Avec une majuscule, le Temple que Salomon bâtit à Jérusalem. || Édifice où les francs-maçons tiennent leurs réunions. || Ordre de chevalerie du Moyen Age détruit par Philippe le Bel.
ÉPITHÈTES COURANTES : grand, beau, haut, magnifique, superbe, fameux, célèbre, petit, simple, saint, sacré, révéré, riche, somptueux; archaïque, égyptien, assyrien, hindou, hébreux, bouddhique, grec, romain, chinois, japonais, etc.; luthérien, calviniste, réformé; bâti, construit, élevé, profané, détruit, ruiné, restauré, etc.
SYN. — V. ÉGLISE.
— *Du temple, orné partout de festons magni-*
[*fiques,*
Le peuple saint, en foule, inondait les por-
[*tiques.*
(RACINE.)
* **templette**, n. f. Oreillette de bonnet de femme au XIVe s. V. pl. COSTUMES.
templier, n. m. Chevalier de l'ordre du Temple, fondé pour défendre les pèlerins en Terre sainte.
* **tempo** [*temm*'], n. m. (loc. italienne). [Mus.] Mot employé pour indiquer les divers mouvements dans lesquels on doit jouer un morceau, un passage. — *A tempo*, en reprenant le mouvement normal.

temporaire [*tan-po-rè-re*], adj. Qui est pour un temps déterminé. *Pouvoir temporaire*.
CTR. — *Définitif, durable*.
PAR. — *Temporaire*, adj., momentané; — *temporal*, adj., qui a rapport aux temps; — *temporel*, adj., qui a rapport au temps; matériel; séculier.
temporairement, adv. Pour un temps. *Il n'occupe cette place que temporairement.*
PAR. — *Temporellement*, contraire d'éternellement.
temporal, ale [*tan-po*], adj. [Anat.] Qui a rapport aux temps. *Os, muscles temporaux*. V. pl. HOMME (muscles) et OREILLE. = N. m. *Le temporal.*
PAR. — V. TEMPORAIRE.
* **temporalité** [*tan-po*], n. f. Nom qu'on donnait autrefois à la juridiction du domaine temporel d'un évêché, d'un chapitre, d'une abbaye.
temporel, elle [*tan-po*], adj. Qui passe avec le temps; matériel périssable. Se dit par opposition à *éternel* et à *spirituel*. || Séculier, par opposition à *ecclésiastique*. *Puissance, juridiction temporelle*. [Gram.] Qui est relatif aux temps du verbe. = N. m. Le revenu qu'un ecclésiastique tire de son bénéfice. || Puissance temporelle.
ANT. — *Spirituel*.
PAR. — V. TEMPORAIRE.
temporellement, adv. Pour un temps, par opposition à *éternellement*. || En ce qui concerne les choses temporelles.
PAR. — *Temporairement*, pour un temps.
temporisateur, trice [*tan-po*], n. Celui, celle qui temporise. = Adj. Qui temporise. *Une politique temporisatrice*.
temporisation [*za-sion*], n. f. Action de temporiser.
temporiser [*tan-po-ri-zé*], v. intr. Retarder, différer dans l'attente d'une occasion favorable, d'un temps meilleur.
SYN. — V. BALANCER.
CTR. — *Brusquer*.
temporiseur, euse, n. On dit mieux *temporisateur, trice*.
* **temporo-maxillaire**, adj. [Anat.] Se dit de l'articulation qui unit le condyle du maxillaire au condyle du temporal.
* **temporo-occipital**, * **temporo-pariétal, ale**, adj. [Anat.] Qui a rapport au temporal et à l'occipital, au temporal et au pariétal.
temps, n. m. V. tabl. TEMPS (tabl. mot grammatical) (*Idées suggérées par les mots*).
tenable, adj. Se dit d'un poste, d'une place où l'on peut demeurer sans trop d'incommodité ou de danger. || Fig. Se dit, avec la négation, d'un lieu, d'un endroit où l'on ne peut demeurer commodément. *Il fait trop froid ici, ce n'est pas tenable.*
CTR. — *Intenable*.
tenace, adj. (lat. *tenax*, m. s.). Qui résiste à la séparation, dont les parties adhèrent fortement. *Une matière tenace et gluante*. || En parlant des personnes || dont il est difficile de se débarrasser : *Quémandeur tenace*. || Fig. Attaché opiniâtrement à ses idées. *C'est un homme fort tenace*. || Se dit aussi des choses morales difficiles à détruire, à rejeter. *Erreur tenace*.
SYN. — V. ENTÊTÉ.

TEMPLE GREC

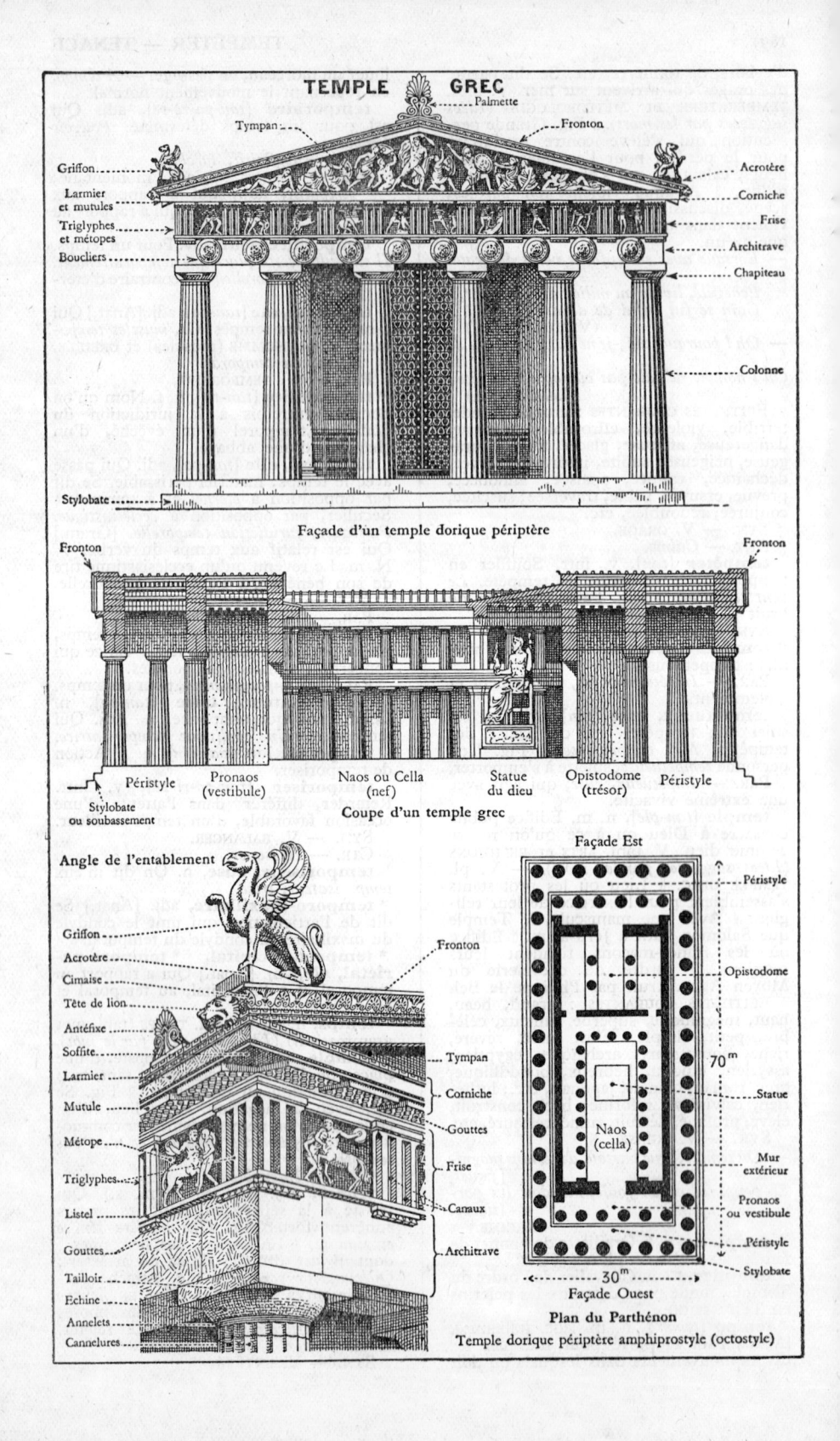

Façade d'un temple dorique périptère

Labels: Palmette, Tympan, Fronton, Griffon, Acrotère, Corniche, Larmier et mutules, Frise, Triglyphes et métopes, Architrave, Boucliers, Chapiteau, Colonne, Stylobate

Coupe d'un temple grec

Labels: Fronton, Péristyle, Pronaos (vestibule), Naos ou Cella (nef), Statue du dieu, Opistodome (trésor), Péristyle, Stylobate ou soubassement

Angle de l'entablement

Labels: Griffon, Acrotère, Cimaise, Tête de lion, Antéfixe, Soffite, Larmier, Mutule, Métope, Triglyphes, Listel, Gouttes, Tailloir, Echine, Annelets, Cannelures, Fronton, Tympan, Corniche, Gouttes, Frise, Canaux, Architrave

Plan du Parthénon
Temple dorique périptère amphiprostyle (octostyle)

Labels: Façade Est, Péristyle, Opistodome, 70 m, Statue, Naos (cella), Mur extérieur, Pronaos ou vestibule, Péristyle, Stylobate, 30 m, Façade Ouest

TEMPS, nom commun

TEMPS [*tan*, le *p* ne se fait pas sentir dans la prononciation, l's se fait sentir devant un mot commençant par une voyelle ou une *h* muette : *les temps* (z) *à venir*; *les temps* (z) *heureux*].

Étymologie. — Du lat. *tempus, temporis*, m. s.

1° **Marque la durée.**
La durée indéfinie. *Les anciens avaient divinisé le temps. Le Temps*, la durée personnifiée.
La durée des choses, envisagée par opposition avec l'éternité. [Philos.] Durée dans laquelle les phénomènes semblent se succéder. La durée des choses, en tant qu'elle est marquée par certaines périodes ou mesures, et principalement par la révolution apparente du soleil. *Temps passé. Temps présent. Temps futur ou à venir. Il y a peu de temps.* — *Tout s'oublie avec le temps*, les jours qui passent amènent l'oubli. — *Un temps*, un certain espace de temps, *Cela a duré un certain temps, quelque temps.* || Durée nécessaire pour faire une chose. *Le temps ne fait rien à l'affaire* (MOLIÈRE).
La durée de la vie, des années, des jours, des heures, etc., considérée par rapport aux différents travaux, aux diverses occupations des personnes. *Ce travail me prend tout mon temps. Je n'ai pas le temps de vous parler*, je n'en ai pas le loisir. — *Avoir le temps, avoir le temps devant soi*, n'être pas pressé, ne pas avoir à se presser (il faut éviter l'expr. *N'avoir pas le temps matériel de faire une chose*, comme dénuée de sens). — *Passer le temps*, passer son temps à quelque chose, à faire quelque chose. Fam. *Se donner du bon temps*, se divertir. *Profiter du temps*, en bien user. — *Perdre le temps* ou *Perdre son temps*, ne rien faire, ou faire des choses inutiles. — *Rattraper le temps perdu*, redoubler d'activité pour rattraper son retard. — *Prendre son temps*, faire une chose à loisir, sans se presser. On dira de même *Prendre le temps de faire quelque chose.* — Fig. et fam. *Tuer le temps*, faire des choses sans intérêt pour combattre l'ennui ou l'attente.
Moment, saison propre à quelque occupation. *Le temps des vendanges, des cerises, des vacances.* — [Liturg.] *Quatre-temps*, période de jeûne au début des quatre saisons. — *Le propre du temps*, partie des livres liturgiques contenant les offices dont les dates varient avec celle de Pâques. Se dit des siècles, des différentes époques, et par rapport à la chronologie. *Du temps de Moïse. De notre temps*, aujourd'hui, de nos jours. — *Au temps jadis, au temps de nos pères*, autrefois, à l'époque où vivaient nos aïeux. — *Au bon vieux temps*, à une époque lointaine, où la vie était simple et facile.
Au pluriel. Époque, période. *Dans la suite des temps*, dans un temps futur. — *Être de son temps*, penser, agir selon les idées, les usages de son époque. || Époques de l'histoire. *Temps héroïques. Temps modernes.*
Se dit par rapport à l'état dans lequel se trouvent le gouvernement d'un pays, les mœurs, les usages, les coutumes, etc. *En temps de paix et en temps de guerre. Les temps sont durs. C'est un signe des temps*, se dit, surtout ironiquement, de ce qui caractérise bien les mœurs d'une époque. || *O temps, O mœurs !* Exclamation d'indignation par rapport à l'époque corrompue où l'on vit. Prov. *Autre temps, autres mœurs.*
Terme préfixé ou durée limitée. *Il a fait son temps* se dit d'un homme qui sort d'un emploi dont le temps était limité, ou qui n'est plus propre aux choses dont il s'est mêlé autrefois avec succès, ou qui est arrivé à l'expiration de sa peine. *Cet habit a fait son temps*, il ne peut plus servir. *Faire son temps*, faire son service militaire (fam.).
Délai. *Il m'a demandé encore un peu de temps pour me payer.* — *Gagner du temps*, faire traîner les choses à dessein en longueur.
Conjoncture, moment, occasion propice. *Le temps est favorable. La science des temps est la véritable science des affaires* (BOSSUET). — *Il est temps d'agir*, le moment d'agir est venu. On dira de même : *il est grand temps, il n'est que temps de*, il est de toute urgence de... *Il n'est plus temps*, le moment favorable est passé. — Prov. *Il y a temps pour tout.* — *Faire une chose en son temps, en temps opportun*, la faire au moment propice, à l'instant le plus favorable. *Un temps viendra*, il arrivera une circonstance, une conjoncture favorable. — *Prendre bien, prendre mal son temps*, prendre ou ne pas prendre le moment favorable pour faire une chose. — Prov. *Tout vient à temps qui sait attendre* (Vx) et *Tout vient à temps pour qui sait attendre*, avec le temps et la patience, on vient à bout de tout.

2° **Marque l'état de l'atmosphère.**
État de l'atmosphère. *Il fait beau temps. Quel vilain temps ! Un temps orageux. Changement de temps. Le temps se met au beau. Il fait un temps de chien* (fam.). *La connaissance des temps*, la prévision du temps. — *Gros temps*, temps d'orage. — *Couleur du temps*, couleur bleu azur. — Fig. et prov. *Prendre le temps comme il vient*, ne s'inquiéter de rien, et s'accommoder à tous les événements. — *Parler de la pluie et du beau temps*, tenir des propos sans conséquence. [Mar.] *Un gros temps*, une tempête. — Fig. *Faire la pluie et le beau temps.* V. PLUIE.
V. tabl. TEMPÉRATURE et MÉTÉOROLOGIE (*Idées suggérées par les mots*).

3° **Marque les divisions de la durée.**
[Danse. Escr.]. Se dit des moments précis pendant lesquels il faut faire certains mouvements qui sont distingués et séparés par des pauses. *Observer les temps de la danse. Pousser une botte en deux*, en trois temps. [Mécan.] *Moteur à 2, à 4 temps*, moteur à explosion dont le cycle demande deux ou quatre mouvements du piston dans le cylindre. V. tabl. TEMPS (*Idées suggérées par le mot*).
[Déclamation] Pause, silence qu'on observe entre certaines phrases, entre certains mots. [Équitation] *Un temps de galop*, une galopade qui ne dure pas trop longtemps. — [A. milit.] *Au temps !* Commandement pour revenir au temps initial, pour recommencer un mouvement mal exécuté.
[Versif.] *Temps marqué*, syllabe d'un pied sur laquelle se marque la mesure dans la métrique des anciens. [Gram.] Forme verbale pour marquer le moment, la durée. V. ci-après. [Mus.] Chacune des divisions de la mesure constituant pour ainsi dire une unité de durée qui sert à régler le rythme. *Temps fort. Temps faible.* V. pl. MUSIQUE.

LOCUTIONS FORMÉES AVEC **TEMPS**

Locutions adverbiales.
À TEMPS, loc. adv. Assez tôt. *Vous arrivez à temps.* — *A temps* signifie aussi : pour un temps fixé. *Travaux forcés à temps.*
CTR. *A perpétuité.*
AU MÊME TEMPS, EN MÊME TEMPS, loc. adv. Dans le même instant, à la même heure, ensemble. *Nous sommes partis au même temps. Nous étions au collège en même temps.*
ENTRE TEMPS (parfois orthographié : *entre tant*). Loc. adv. Dans l'intervalle. *Il devait partir, mais son père mourut entre temps.*

TEMPS

DE TOUT TEMPS, loc. adv. Toujours. *De tout temps, il y eut des riches et des pauvres.*
EN TEMPS ET LIEU, loc. adv. Dans le temps et le lieu convenables. *Je vous expliquerai cela en temps et lieu.*
EN TOUT TEMPS, loc. adv. Quel que soit le temps. *En tout temps, le courrier sort du port.*
TOUT D'UN TEMPS, loc. adv. Tout à la fois. *Cela est arrivé tout d'un temps.*
LA PLUPART DU TEMPS, loc. adv. Presque constamment. Le plus souvent. *La plupart du temps, il arrive à l'heure.*
QUELQUE TEMPS, loc. adv. de temps. Pendant un certain temps. *Il y a quelque temps*, un certain temps s'est écoulé depuis que. *Il y a quelque temps que je l'ai vu.*
SUIVANT ou SELON LES TEMPS, loc. adv. Conformément à la circonstance. *L'homme prudent agit selon les temps.*

Observation grammaticale. — Les expressions *en tout temps, quelque temps*, étant des locutions adverbiales, doivent toujours rester invariables.

Locutions conjonctives,

DANS LE TEMPS QUE ou DANS LE TEMPS OÙ, loc. conj. Lorsque, pendant que. *J'entrai chez lui dans le temps qu'il se disposait à partir.*
DANS LE MÊME TEMPS QUE, loc. conj. Au moment précis où. *Dans le même temps qu'il me faisait ces protestations, il préparait sa trahison.*

— *Le temps guérit les douleurs et les querelles, parce qu'on change, on n'est plus la même personne. Ni l'offensant, ni l'offensé ne sont plus les mêmes* (PASCAL).

— *Patience et longueur de temps*
Font plus que force ni que rage.
— *Sur les ailes du Temps la tristesse s'envole.*
Le temps ramène les plaisirs. (LA FONTAINE).

— *Les jours, les mois, les années s'enfoncent et se perdent sans retour dans l'abîme du temps. Le temps même sera détruit, ce n'est qu'un point dans les espaces immenses de l'éternité, et il sera effacé.* (LA BRUYÈRE).

— *Il n'y a que le temps qui puisse fixer le prix de chaque chose ; le public commence toujours par être ébloui.* (VOLTAIRE).

— *Le temps n'épargne pas ce que l'on fait sans lui.* (FAYOLLE).
— *O temps, suspens ton vol !* (LAMARTINE).

ÉPITHÈTES COURANTES. — Long, éternel, immense infini, incalculable, incommensurable, court, bref, interminable ; présent, passé, ancien, moderne, contemporain, futur, à venir ; bon, heureux, malheureux, dur, cher, précieux, défavorable ; employé, perdu, consacré, calculé, prévu, fixé, voulu, convenable, compté, mesuré, ménagé, borné ; — beau, mauvais, médiocre, doux, calme, serein, clair, chaud, froid, sec, humide, douteux, variable, sûr, changeant, instable, couvert, obscur, sombre, bas, pluvieux, venteux, orageux, idéal charmant, favorable, propice, etc.

HOM. — V. TAN.

VOCAB. — *Famille de mots.* — *Temps* : tempête, tempétueux, tempêter, temporiser, temporisateur, temporisation ; temporel ; contemporain, contemporanéité ; intempestif ; printemps, printanier ; contre-temps ; tempérer, température, intempérie ; tempérament, tempérant, tempérance, intempérant ; intempérance ; tremper, trempe, trempette ; détremper, détrempe, retremper. — Le mot *temps*, en grec, se dit *khronos*, d'où les mots français tels que chronologie, chronomètre, chronographe ; synchronisme, anachronisme, parachronisme, etc.

GRAMMAIRE

Emploi des temps en français. — Le temps est la série des formes que l'on donne au verbe pour indiquer à quel moment s'accomplit l'acte dont on parle. Il y a 3 temps principaux : le *présent*, le *passé* et le *futur*.

1º Le PRÉSENT indique une action s'accomplissant au moment où l'on parle. *Je porte ce paquet à mon frère.*

2º Le PASSÉ ou *Parfait* indique une action accomplie. *J'ai porté ce paquet hier.* — Mais il faut distinguer six sortes de passé :

a) *L'imparfait*, qui exprime une action accomplie, mais qui se produisait en même temps qu'une autre action également passée. *Je dessinais quand vous êtes arrivé.*

b) Le *passé simple*, qui exprime des faits révolus appartenant en général à un passé déjà lointain. C'est le temps historique par excellence. *Je dessinai pendant toute l'année dernière.*

c) Le *passé composé*, qui exprime une action accomplie à une époque imprécise. *J'ai dessiné autrefois.*

d) Le *passé antérieur*, qui exprime une action accomplie antérieurement à une autre également passée. *Quand j'eus dessiné, je pris votre livre.*

e) Le *plus-que-parfait*, qui rend une action faite relativement longtemps avant une autre qui est aussi passée. *J'avais dessiné quand je pris votre livre.* (Le plus-que-parfait marque donc, comme le passé antérieur, qu'une action passée est antérieure à une autre action passée ; mais cette action antérieure est présentée par le passé antérieur comme un fait, et par le plus-que-parfait comme un état consécutif à un fait. Le plus-que-parfait peut également marquer la répétition, ce que n'indique jamais le passé antérieur).

f) Enfin l'*impératif passé* indique qu'une action doit être accomplie avant un temps déterminé. *Ayez dessiné quand vous sortirez !* *Ayons fini avant midi.*

3º Le FUTUR indique une action qui se fera : *Je dessinerai demain.* — Mais, à côté de ce *futur simple*, on distingue le *futur antérieur*, qui indique que l'action s'accomplira avant une autre qui est à faire : *J'aurai dessiné quand vous arriverez* ; ou qui marque l'achèvement rapide d'une action : *J'aurai rapidement achevé ce travail.*

Les langues anc. avaient le *parfait* ou *prétérit*, indiquant une action historique passée ou un fait passé, achevé, mais dont les conséquences durent encore. — Le grec avait en plus l'*aoriste*, qui, à l'indicatif, correspond à notre passé simple. — On appelle *temps primitifs* ceux avec lesquels sont formés les autres, dits *temps dérivés*. Les *temps simples* présentent une forme verbale en un seul mot, les *temps composés* et les *temps surcomposés* sont formés d'un participe accompagné d'un ou de plusieurs auxiliaires. V. tableau GRAMMAIRE (*verbes*).

TEMPS (*idées suggérées par le mot*)

I. **Étymologie.** — Temps est directement tiré du mot latin *tempus, temporis,* même sens; le mot grec correspondant était *khronos,* d'où viennent de nombreux mots. V. VOCABULAIRE (page précédente).

II. **Mots de la même famille.** — V. VOCABULAIRE (page précédente).

III. **Définition.**

Le **temps** est le milieu dans lequel notre conscience place et mesure la *succession* des événements. Par opposition à l'*éternité*, à la durée infinie, une et indivisible, le temps est la *durée divisible en parties et mesurable.*
Nous appelons aussi *temps* une partie de cette durée, le *temps passé, présent, à venir, peu de temps, un long temps,* etc. Plus particulièrement, le mot désigne une partie assez considérable de la durée écoulée, cause de vieillissement et de destruction: *Les ravages du temps* ; ou une partie considérée au point de vue de l'usage qu'on en fait : *employer, perdre son temps*; ou le moment propre à une chose : *le temps des cerises*; ou une division de la durée, servant d'unité pour la mesure de mouvements (gymnastique, exercices militaires, danse, musique, métrique, diction, etc.).
Le mot s'applique aussi aux séries de formes grammaticales servant à indiquer le moment de l'état ou de l'action. V. tabl. GRAMMAIRE et tabl. TEMPS ci-contre.
Enfin il sert à désigner l'état du ciel, de l'atmosphère. V. tabl. TEMPÉRATURE et MÉTÉOROLOGIE.
Les mots *temporaire, temporiser, contemporain, intempestif,* etc. et leurs dérivés se rattachent aux premiers sens qui viennent d'être définis; le mot *tempête* et ses dérivés, au dernier.

IV. **Mots à rapprocher.**

1° TEMPS. ESPACE. V. ESPACE et DIMENSION.

2° TEMPS. DURÉE. ÉTERNITÉ. IMMORTALITÉ.
TEMPS et DURÉE. Les philosophes ont distingué la *durée,* en tant que caractère de la succession telle qu'elle est immédiatement sentie par l'esprit, et le *temps,* idée mathématique que nous nous faisons de la succession pour en raisonner avec les autres. On peut dire que la durée est *subjective,* le temps *objectif* : *le temps m'a duré,* dit-on familièrement.
La durée exprime aussi l'idée de continuité de l'existence d'une chose, le temps qui s'écoule entre le commencement d'une chose et sa fin : *la durée de l'existence humaine.* L'*éternité,* c'est la durée permanente de ce qui n'a pas eu de commencement et n'aura pas de fin; *l'éternité de Dieu.* L'*immortalité* est la durée de ce qui a eu un commencement, mais n'aura pas de fin; *les dieux immortels* de la mythologie; *l'immortalité de l'âme.*

V. **Principaux termes relatifs au Temps.**

a) LA DURÉE. Durer, durable : temps, à temps, en même temps, de temps en temps, de temps à autre, tout le temps, en temps et lieu, entre temps, avec le temps, etc. Le cours du temps, l'écoulement, la fuite du temps; éternité, l'Éternel, sempiternel, immortalité, perennité, perpétuité; durable, perpétuel, continu; éphémère, passager, momentané, instantané, transitoire, provisoire, temporaire, viager, intérim, intermittent, inamovible; instant, moment, soudain, subit, immédiat, tout de suite, illico, sur-le-champ, à l'improviste; continuité, permanence, discontinuité, intermittence, interruption. Toujours, jamais, oncques (Vx), longtemps, longuement, à tout jamais, pour toujours. Vitesse, lenteur, ralentissement, au ralenti, longueur de temps. Temps absolu, relativité.

b) LE TEMPS RELATIVEMENT À SON EMPLOI ET LES RAPPORTS DU TEMPS. Temps bien rempli, avoir tout son temps, n'avoir pas le temps, n'avoir pas un instant de libre, occupation du temps, loisir, avoir du temps devant soi, chaque chose en son temps, perdre son temps, n'avoir pas de temps à perdre, passer son temps à, rattraper le temps perdu, partager son temps; le temps c'est de l'argent; opportun, inopportun, à propos, mal à propos, intempestif, c'est le bon moment, le mauvais moment; occasion, circonstances favorables, conjoncture, occurrence, entrefaites, inopinément, être surpris par l'événement; à temps, à contre-temps, à l'improviste, à propos, hors de propos; trop tôt, trop tard. Synchrone, isochrone, simultané, au préalable; avance, être en avance, anticipation, retard, tardif, retardement, retardataire, être en retard, matinal, matineux, différer, remettre, remise, délai, sursis, suspension, prorogation, au jour dit, échéance, expiration, etc.

c) LES ASPECT DU TEMPS. Le *passé,* passé proche, lointain, passé simple, composé, antérieur, parfait, plus-que-parfait. V. tabl. TEMPS (GRAMMAIRE); la nuit des temps, antédiluvien, primitif; les origines, archaïque, moyenâgeux, derniers; l'avant-veille, la veille, la nuit dernière, avant-hier, hier, ce matin; autrefois, jadis, il y a cent ans, il y a longtemps, naguère, récemment, tantôt, avant, auparavant, déjà, antérieurement, primitivement, préalablement antériorité, priorité, antécédent, précédent, etc. — Le *présent,* aujourd'hui, ce jour, maintenant, présentement, à présent, le temps présent, actuel, actualité, de nos jours, simultané concomitant, instantané, à l'instant même, contemporain, nouveau, récent, le présent dans le passé. — Le *futur,* l'avenir, ce soir, demain, le lendemain, après-demain, dans huit jours, dans un mois, dans un an, etc. Prochain, postérieur, à venir, la semaine, l'année prochaine, futur, futur antérieur; bientôt, aussitôt après, incessamment, prochainement, postérieurement; postérité, descendance, arrière-neveux, les temps à venir, la consommation des siècles, la fin des temps, etc.

d) LES DIVISIONS DU TEMPS. Calendrier, agenda, almanach, éphéméride, calendrier perpétuel, annuaire, ère, période, millénaire, siècle, lustre, an, année, année bissextile, semestre, trimestre, mois, décade, semaine, jour; date, époque, calendes, ides, nones, le premier, le deux... le trente de ce mois. Bout de l'an, anniversaire, séculaire, centennal, décennal, quinquennal, annuel, septennat, centenaire, millésime. Saison, saisonnier, arrière-saison, morte-saison, printemps, été, automne, hiver, printanier, estival, automnal, hivernal, hivernage; croissance et décroissance des jours; le jour, la nuit, l'aube, l'aurore, le matin, l'après-midi, le crépuscule, le soir, le lever, le coucher du soleil, solstice d'été, d'hiver, équinoxe de printemps, d'automne, temps de la floraison, de la fenaison, de la fauchaison, de la moisson, des vendanges, etc. Annuel, mensuel, bimestriel, trimestriel, semestriel; janvier, février, mars, avril, mai, juin, juillet, août, septembre, octobre, novembre, décembre; vendémiaire, brumaire, frimaire, nivôse, pluviôse, ventôse, germinal, floréal, prairial, messidor, thermidor, fructidor; hebdomadaire; jours de la semaine, lundi, mardi, mercredi, jeudi, vendredi, samedi, dimanche, dominical; jour férié, fête annuelle, fête religieuse, Noël, Pâques, Ascension, Pentecôte, Trinité, Fête-Dieu, Assomption, Toussaint, Les Morts, Avent, Carême, Temps pascal; fête patronale, fête nationale, fête anniversaire; jour du sabbat; primidi, ...décadi — Huitaine, octave, neuvaine, quinzaine. Journée, journal, quotidien, diurne, nocturne, matinal, vespéral; méridien. — Heure, demi-heure, quart d'heure, la demie, le quart; midi, minuit, une heure, deux heures... deux heures du soir, quatorze, quinze heures, vingt-quatre heures, zéro heure, etc. A la première heure, sa dernière heure est venue. Être à l'heure. A cette heure, tout à l'heure; horaire; le train est à l'heure, en avance, en retard. Minute; trois heures 10, 20 minutes. Attendez une minute, dans cinq minutes ; seconde, à une seconde près, cela sera fait dans une seconde; tierce, quarte, etc.

e) LA MESURE DU TEMPS. Année sidérale, solaire; mois lunaire, année lunaire; calendrier julien, grégorien, etc. Jour sidéral, jour solaire, vrai, moyen, jour civil; heure sidérale, solaire, moyenne, légale, internationale. Fuseaux horaires, temps vrai, temps moyen; heure de l'Observatoire, signaux horaires par T. S. F. — Cadran solaire, gnomon, sablier, clepsydre, horloge à eau, horloge, pendule, cartel, coucou, pendulette, réveil, horloge astronomique, chronomètre, instrument de précision, garde-temps; montre, montre à répétition, montre marine, montre à clef, à remontoir, poussoir, montre-bracelet. — Horloger, chronométreur. — Horloge à poids; corde, poids, tambour, treuil, roue dentée, pignon, sonnerie, marteau, timbre, carillon; cadran, aiguilles, ressort, barillet, axe, fusée, mouvement, transmission, engrenages, platine, échappement, ancre, roue, régulateur, balancier, ressort spiral, compensateur; clef, remontage. Horloge électrique, pneumatique; régler sa montre, sa pendule; pendule, horloge à répétition, sonnant les demies, les quarts, marchant bien, mal, avance, retard — Chronomètre, métronome, chronographe, chronoscope.

f) DATE ET CHRONOLOGIE. Dates, dater, porter la date de, l'an, le mois, le jour, le quantième; à dater de..., antidater, postdater; prendre date, fixer une date; erreur de date, de fraîche date, de longue date, dater de loin. — Époque, faire époque, époques de la nature, époques géologiques; période, période géologique, historique; cycle, âges mythologiques, d'or, d'argent, d'airain, de bronze, de fer; âges préhistoriques, de la pierre éclatée, taillée, polie, du cuivre, du bronze, du fer. Ère géologique, biblique, des Olympiades, de la fondation de Rome, ère julienne, ère chrétienne, ère de l'hégire, républicaine, etc. — Chronologie, science des temps et des dates, ordre chronologique, table chronologique, chronographie, anachronisme, synchronisme; chronique, annales, comput ecclésiastique, nombre d'or, épacte. — Les origines, la préhistoire, l'histoire, l'antiquité biblique, l'antiquité égyptienne, assyrienne, orientale, gréco-romaine, les Anciens, le Moyen Age, la Renaissance, les Temps modernes, l'histoire contemporaine. Antiquaire, archéologue, préhistorien, chroniqueur, annaliste, médiéviste, historien, paléographe.

g) QUELQUES LOCUTIONS PARTICULIÈRES RELATIVES AU TEMPS. Touver le temps long; faire durer le plaisir, avoir fait son temps, gagner du temps, tuer le temps, se donner du bon temps, nomination à titre temporaire, à titre provisoire, à titre définitif. Il y a un siècle, une éternité que..., s'éterniser quelque part; des neiges éternelles, concession provisoire, perpétuelle; travaux forcés à perpétuité, mouvement perpétuel, en permanence, par intermittence; faire l'intérim; une reconnaissance à retardement; sur le moment, d'un moment à l'autre, du moment que, dès l'instant que, avancer à l'ancienneté, un garçon d'avenir, qui a un bel avenir devant soi; renvoyer aux calendes grecques; bon an mal an; être hors de saison; marchand des quatre saisons; cette jeune fille a dix-huit printemps, ce vieillard a quatre-vingt dix hivers; prendre ses quartiers d'hiver; louer au mois, à l'année; tous les trente-six du mois; être de semaine, faire la semaine anglaise, prêter à la petite semaine; il fait jour, au petit jour, au point du jour, ce jour, un beau jour, à longueur de journée, de nos jours; chercher midi à quatorze heures; à la bonne heure; de bonne heure; à l'heure dite; une nouvelle de la dernière heure; être réglé comme une horloge, etc.

* tenacement [*te-na-se-man*], adv. D'une manière tenace, avec ténacité.

ténacité, n. f. Qualité de ce qui est tenace. ‖ Résistance à la rupture. ‖ Fig. Attachement obstiné à une idée, à une opinion.

tenaille [*te-na-ille, ill* mll.], n. f. (bas lat. *tenacula*, m. s.). Instrument de fer composé de deux pièces mobiles opposées l'une à l'autre, qui s'ouvrent et se resserrent pour tenir ou pour arracher quelque chose. ‖ Ouvrage de fortification à deux faces formant un angle rentrant vers la campagne. ‖ Fig. *Les tenailles de la peur, de la jalousie*, leur étreinte torturante. — V. pl. OUTILS USUELS.

* tenaillement [*ill* mll., *man*], n. m. Action de tenailler.

tenaillé, ée [*ill* mll.], adj. Tourmenté avec des tenailles. ‖ Fig. Qui subit un tourment moral.

tenailler [*ill* mll.], v. tr. Tourmenter un criminel en lui arrachant des lambeaux de chair avec des tenailles ardentes.‖Fig. *Le remords la tenaille*, la tourmente cruellement.

tenaillon [*te-na-illon, ill* mll.], n. m. [Fortif.] Espèce de redan à droite ou à gauche d'une demi-redoute.

tenancier, ière, n. (vx fr. *tenance*, de *tenir*). [Dr. féod.] Celui, celle qui tenait ou possédait des terres en roture, dépendantes d'un fief auquel il était dû des cens ou autres droits. ‖ Auj., fermier d'une petite métairie dépendant d'une plus grosse ferme. ‖ En mauv. part. Celui, celle qui tient une maison de réputation douteuse.

tenant, ante, adj. verbal (ppr. du v. *tenir*). Qui tient; ne se dit que dans la loc. *Séance tenante*. V. SÉANCE. = N. m. Celui qui, dans un tournoi, entreprenait de tenir contre tout venant. *Les tenants et les assaillants*. ‖ Fig. et fam. Celui qui défend une personne contre ceux qui l'attaquent dans une conversation. = N. m. pl. [Droit] *Les tenants et les aboutissants d'un fonds de terre*, les pièces de terre qui le bornent de divers côtés. — Fig. *Savoir tous les tenants et aboutissants d'une affaire*, *d'une question,* connaître dans les moindres détails tout ce qui s'y rapporte. = TOUT EN UN TENANT. TOUT D'UN TENANT. D'UN MÊME TENANT. D'UN SEUL TENANT, loc. adv., sans solution de continuité, en parlant d'héritages ou de domaines. *Il a cent hectares de terre tout d'un tenant.*

* **tendable** [*tan*], adj. Qui peut être tendu.

tendance [*tan*], n. f. Force qui pousse un corps vers un point quelconque. *La tendance des corps vers le centre de la terre.* || Fig. Direction vers un but, vers une fin; inclination, penchant, propension. *Tendance au scepticisme.* — *Procès de tendance,* griefs articulés contre quelqu'un plutôt à cause de son état d'esprit que pour des faits précis.

* **tendancieusement** [*tan*], adv. D'une manière tendancieuse.

tendancieux, euse [*tan*], adj. Qui laisse percer une intention secrète, une arrière-pensée. *Jugement tendancieux.*

tendant, ante [*tan-dan*], adj. Qui tend à une fin, qui va à une fin, qui a pour but.

* **tende** [*tan*], n. f. [Bouch.] Morceau de bœuf formé par le muscle de la région interne de la cuisse.

tendelet [*tan-de-lè*], n. m. Espèce de tente élevée sur l'arrière d'un canot.

tender [*tan-dèr*], n. m. (mot angl.). Sorte de fourgon d'approvisionnement articulé à une locomotive et contenant l'eau et le combustible qui sont nécessaires à son alimentation. V. pl. CHEMIN DE FER et LOCOMOTIVE.

* **tenderie** [*tan-de-ri*], n. f. [Chasse] Lieu où l'on tend des pièges pour attraper des oiseaux ou autres animaux. — Terrain où l'on place ces pièges.

PAR. — *Penderie,* endroit où l'on suspend des habits.

tendeur, euse [*tan*], n. Celui, celle qui tend quelque chose. = N. m. Appareil pour tendre, raidir les fils métalliques, les courroies, etc. V. pl. CHAUSSURES. || Braconnier qui prend le gibier avec des pièges.

PAR. — *Tendeur, euse,* celui, celle qui tend quelque chose; — *tenseur,* adj. qui produit une tension; — *tondeur, euse,* celui, celle qui tond; — *tendoir,* lieu où l'on fait sécher les étoffes.

tendineux, euse [*tan-di-neu*], adj. Qui a rapport au tendon, qui approche de la nature des tendons. *Tissu tendineux.* || Qui contient des tendons. *Viande tendineuse.*

* **tendoir** [*tan*], n. m. Ensemble de perches sur lesquelles on étend des étoffes pour les faire sécher. || Bâton qui, dans certains métiers, empêche la traverse qui tend l'étoffe de se dérouler.

PAR. — V. TENDEUR.

tendon [*tan*], n. m. [Anat.] Cordon ou faisceau fibreux qui relie un muscle à un os. — *Tendon d'Achille,* gros tendon aplati à la partie postérieure et inférieure de la jambe. V. pl. HOMME (*muscles*). || Partie postérieure des jambes du cheval.

HOM. — *Tendons,* du v. tendre.

PAR. — *Tendron,* cartilage à l'extrémité des os de la poitrine.

1. tendre, adj. (lat. *tener,* m. s.). Qui peut être aisément coupé, divisé; par opposition à *dur. Du bois tendre. Pain tendre,* pain nouvellement cuit. || Sensible, délicat, qui est aisément pénétré par les influences atmosphériques. *Avoir la peau tendre.* || Qui s'émeut facilement, qui est sensible aux émotions. *Avoir l'âme tendre.* || Dont les organes sont encore délicats. *L'âge tendre.* || Fig. Plein de tendresse, sensible à l'amitié, à la compassion, et plus particulièrement à l'amour. *Un père tendre.* || Qui est plein de tendresse. *Une tendre amitié.* || Qui est propre à exprimer ou à inspirer l'amitié, la compassion, et principalement l'amour. *Regarder d'un air tendre.* [Bx-Arts] Se dit de certains coups de pinceau extrêmement délicats. — *Couleur, lumière tendre,* couleur, lumière délicate qui ne fatigue pas la vue. = N. m. Tendresse, inclination. *Il a un tendre pour cette femme.* (Fam. et précieux.)

CTR. — *Dur, sec, rude, résistant, coriace, mûr* (âge).

> VOCAB. — *Famille de mots.* — *Tendre* (adj.) : tendresse, tendrement, tendreté, tendron; attendrir, attendrissable, attendrissant, attendrissement.

2. tendre, v. tr. (lat. *tendere,* m. s.). Bander, rendre raide. *Tendre une corde, un arc.* || En parlant des pièges, des filets, etc., les préparer, les disposer de façon qui convient pour que les animaux viennent s'y faire prendre. *Tendre un piège, des lacets.* — Fig. *Tendre un piège, un panneau à quelqu'un,* l'induire à commettre quelque faute, dont on espère profiter. || *Tendre une chambre, une salle,* etc., la tapisser. *L'église était tendue de noir.* || Présenter en avançant. *Tendre la main, les bras à quelqu'un.* — *Tendre l'oreille,* écouter avec attention, s'efforcer d'entendre. — *Tendre son esprit,* appliquer son esprit, s'efforcer à comprendre. — *Tendre la main à quelqu'un,* lui offrir son aide, lui porter secours. Lui donner une poignée de main en signe d'amitié. — *Tendre la main,* mendier. — *Tendre la perche à quelqu'un,* lui venir en aide dans un embarras. — *Tendre le cou,* se résigner à l'inévitable. = V. intr. Aller à un certain terme, aboutir sans but précis. *Où tendent vos pas?* — *Tendre à sa fin,* être près de finir, de prendre fin. || Rechercher un idéal. *Tendre à la perfection.* || Avoir tendance à. *Cette mode tend à se généraliser.* = SE TENDRE, v. pr. Devenir tendu. || Fig. Devenir tendu, difficile. *Les rapports se tendirent à la suite de cet incident.* || Tendre l'un à l'autre. *Ils se tendent la main.* = Conjug. (comme *rendre*) V. VERBES.

tendrement, adv. Avec tendresse.

tendresse, n. f. (de tendre 1). Qualité, caractère de ce qui est tendre. *La tendresse d'un sentiment.* V. tabl. SENSIBILITÉ (*Idées suggérées par le mot*). || Affection tendre, ou sensibilité à l'amitié, aux affections. *La tendresse maternelle.* = Au pl. Caresses, témoignages d'affection. *Il me faisait mille tendresses.*

ANT. — *Dureté, sécheresse, rudesse.*
SYN. — V. AMOUR.

ÉPITHÈTES COURANTES : grande, vive, touchante, passionnée, réfléchie, aveugle, mutuelle, paternelle, maternelle, filiale, fraternelle, etc.

tendreté [*tan*], n. f. Qualité de ce qui est tendre. Se dit des viandes, des fruits, des légumes, etc.

tendron [*tan*], n. m. (de *tendre* 1). Bourgeon, rejeton tendre de quelques arbres de quelques plantes. ‖ Fig. et fam. *Un tendron*, une jeune fille. ‖ Cartilages qui sont à l'extrémité des os de la poitrine de quelques animaux. *Une fricassée de tendrons de veau.*
PAR. — *Tendon*, faisceau fibreux unissant les muscles aux os.
tendu, ue [*tan*], adj. Bandé. *Ressort tendu.* ‖ Revêtu de draperies, de tentures. ‖ *Avoir l'esprit tendu*, fortement appliqué. ‖ *Style tendu*, sentant l'effort. ‖ *Rapports tendus*, rendus difficiles. ‖ *Situation tendue*, situation critique. ‖ *Nerfs tendus*, dans un état de surexcitation.
CTR. — *Distendu, souple, lâche.*
tendue [*tan-du*], n. f. [Chasse] Lieu, endroit, contrée où l'on a tendu des filets, des pièges, etc. ‖ Action de tendre des filets, des pièges.
ténèbres, n. f. pl. (lat. *tenebrae*, m. s.). Privation de lumière, obscurité profonde. *Les ténèbres de la nuit.* ‖ Fig. Tout ce qui est obscur, caché, malfaisant, infernal. *Les ténèbres de l'ignorance.* — *L'ange, l'esprit, le prince des ténèbres*, le diable. — *L'empire des ténèbres*, les Enfers. ‖ [Liturg.] Office de matines et de laudes qui se chante l'après-midi du mercredi, du jeudi et du vendredi de la semaine sainte et à la fin duquel on éteint toutes les lumières.
ÉPITHÈTES COURANTES : noires, épaisses, compactes, profondes, totales, éternelles, mystérieuses, terrifiantes, impénétrables, répandues, dissipées, percées, etc.
ANT. — *Lumière, clarté.*
ténébreusement, adv. D'une manière ténébreuse et perfide.
ténébreux, euse, adj. (lat. *tenebrosus*, m. s.). Qui est sombre, qui manque de lumière. — Poétiq. *Le séjour ténébreux*, les Enfers. ‖ Fig. Qui est enveloppé de ténèbres, difficile à comprendre, à expliquer, à débrouiller. *Une ténébreuse affaire.* ‖ Fig. Sombre et mélancolique. ‖ Perfide et sournois, qui agit en dessous. *Machinations ténébreuses.*
SYN. — V. OBSCUR.
CTR. — *Lumineux, clair.*
* **ténébrion**, n. m. [Zool.] Genre d'insectes coléoptères tout noirs, qui hantent les boulangeries, les moulins à farine.
* **tènement** [*man*], n. m. Métairie dépendant d'une seigneurie. ‖ Réunion de terres, de bâtiments qui se tiennent.
ténesme [*nèss*], n. m. [Méd.] Brûlure ou contracture spasmodique douloureuse des sphincters, par suite d'une irritation ou d'une lésion du voisinage, accompagnée d'envies continuelles et inutiles d'aller à la selle ou d'uriner.
* **tenettes**, n. f. pl. Petites pinces chirurgicales pour saisir les calculs dans la vessie.
1. **teneur**, n. f. (lat. *tenor*, continuité). Ce qui est contenu dans un écrit. *Un acte dont la teneur suit.* [Chim.] Proportion d'un élément constituant que contient un mélange ou un corps composé. *Cette galène a une teneur en plomb de 80 %.*
2. **teneur, euse**, n. (du v. *tenir*). [Comm.] Celui, celle qui tient quelque chose en main. — *Teneur de livres*, celui qui, chez un négociant, est chargé de la comptabilité.
ténia ou * **tænia**, n. m. (gr. *tainia*, ruban). [Zool. et Méd.] Nom donné à des vers cestodes, en forme de ruban aplati et étroit, parasites de l'homme et de certains animaux, appelés vulg. *vers solitaires.* V. pl. VERS. [Antiq.] Bande retenant les cheveux chez les anc. Grecs. V. pl. COSTUMES.
* **ténifuge**, adj. et n. m. [Pharm.] Médicament propre à expulser le ver solitaire.
tenir, v. tr. V. tabl. TENIR.

TENIR, verbe.

Étymologie. — Latin pop. *tenire*, déformation du latin classique *tenere*, m. s.
TENU, UE, pp., adj. et nom. V. ces mots.

Observation grammaticale. — Le verbe *tenir* fait partie du groupe des verbes français à sens variés qui ont donné un grand nombre de locutions, de gallicismes. On en trouvera un certain nombre ici, les autres devront être cherchés au nom qu'accompagne le verbe. Ex. *Tenir compte, tenir lieu.* V. LIEU, COMPTE, etc.
SYN. — V. OCCUPER et PRENDRE.
CONJUG. V. trans., 3ᵉ groupe (inf. en *ir*) [Rad. *ten, tien, tienn*].
Indicatif. — *Présent :* je tiens, tu tiens, il tient, nous tenons, vous tenez, ils tiennent.
Imparfait : je tenais, nous tenions, vous teniez.
Passé simple : je tins, tu tins, il tint, nous tînmes, vous tîntes, ils tinrent.
Futur : je tiendrai, nous tiendrons, vous tiendrez, ils tiendront.
Impératif : Tiens, tenons, tenez.
Conditionnel. — *Présent :* je tiendrais,... nous tiendrions, vous tiendriez...
Subjonctif. — *Présent :* Que je tienne..., que nous tenions, que vous teniez... — *Imparfait :* que je tinsse, qu'il tînt, que nous tinssions...
Participe. — *Présent :* Tenant. — *Passé :* Tenu, ue.

TENIR, verbe transitif.

1° *Sens de* SAISIR.

Avoir à la main, avoir entre les mains. *Tenir un livre. Tenir quelqu'un par le bras.* — Prov. *Cet homme tient bien ce qu'il tient*, il n'est pas aisé de lui faire lâcher prise; ou Fig., il est très avare. Fig. et fam. *Tenir quelqu'un à la gorge.* V. GORGE. — *Je tiens mon homme, je le tiens*, il se trouve réduit à consentir à ce que j'exige de lui. — *Tenir le sceptre*, régner. — *Tenir le fil d'une intrigue*, en avoir saisi le nœud, le secret. — *Dans un sens anal. Tenir le sens d'un passage, le mot d'une énigme.* — *Tenir le bon bout.* V. BOUT. — *Se tenir les côtes*, rire aux éclats sans pouvoir se contenir (Fam.).

2° *Sens de* POSSÉDER, OCCUPER DANS L'ESPACE.

Posséder, occuper. *Tenir une terre à ferme, à bail.* — Prov. *Mieux vaut tenir que courir*, il vaut mieux se contenter de ce qu'on a que de chercher autre chose d'incertain. — Occuper, remplir de l'espace. *Vous tenez trop de place.* — *Tenir une maison, tenir un appartement*, l'occuper, y loger. — Être redevable de quelque chose à quelqu'un. *Tout ce qu'il a, il le* tient de votre libéralité. — *Tenir une chose de quelqu'un* signifie encore l'avoir apprise de lui. — On dit aussi *je le tiens de bonne part, de bonne source*. — *Tenir quelque chose de son père, de sa mère,* leur ressembler en cette chose, et absol. *Tenir de son père, de sa mère,* leur ressembler.

Être placé dans un certain ordre, occuper un certain rang. *Tenir le haut bout, le haut du pavé.* — Fig. *Tenir bien son rang, sa place, son poste,* occuper dignement l'emploi où l'on est, l'exercer avec capacité. *Tenir son rang,* mener un train de vie en rapport avec la situation sociale que l'on occupe. — En parlant des maladies, des passions, posséder quelqu'un. *Y a-t-il longtemps que la fièvre le tient ?* Garder en quelque lieu. *Il tient ses papiers sous clef.* — *Tenir quelqu'un chez soi,* l'avoir chez soi, loger quelqu'un chez soi. — *Tenir des écoliers en pension.*

Contenir, renfermer, ou être susceptible de contenir, de renfermer. *Cette grange peut tenir trois milliers de gerbes. Ce tonneau, ce seau,* etc. *tient bien l'eau, tient bien le vin,* l'eau ou le vin qu'on y met ne fuit point. — Maintenir, conserver, entretenir, faire persister dans un certain état, dans une certaine situation. *Tenir sa maison propre. Tenir le peuple dans l'ignorance. Tenir les yeux ouverts, baissés. La maladie le tient au lit,* la maladie l'oblige à garder le lit. *Tenez cela secret,* gardez sur cela un silence absolu. — *Cette place tient le pays en respect,* la crainte qu'elle inspire empêche tout mouvement de la part de la population. *Tenir rancune à quelqu'un,* persister dans son ressentiment. — *Tenir son sérieux,* s'efforcer de conserver l'air sérieux. — *Tenir rigueur à quelqu'un,* persister à le traiter avec froideur. — Maintenir un cheval dans les différents exercices auxquels on le soumet. *Tenir un cheval en main, en bride.* [Musi.] *Cet instrument tient l'accord, ne tient pas l'accord,* il reste, ou il ne reste pas longtemps accordé.

3° *Sens de* RETENIR.

Garder, retenir, réprimer, empêcher de dire, de faire. *C'est un homme qui ne peut tenir sa langue, — Il n'y a parenté, amitié,* etc., *qui tienne,* il n'y a aucune considération de parenté, d'amitié, etc., qui empêche que... Exercer certains emplois, certaines fonctions. *Tenir un café, un restaurant.* — *Tenir la caisse chez un banquier,* être chargé du soin de recevoir l'argent et de payer, etc. — *Tenir les livres, les comptes.*

Siéger, en parlant d'une assemblée. *C'est dans cette salle que l'Académie tient ses séances.* — *Tenir garnison,* être en garnison. Occuper pendant quelque temps. *Il nous a tenu deux heures à ne rien faire.* Exécuter, accomplir, garder. *Tenir sa parole, sa promesse, sa foi.* Prov. *Promettre et tenir sont deux.* — Retenir. *Tenir sa langue,* savoir se taire.

4° *Sens de* SUIVRE, REGARDER COMME.

Suivre. *Tenez le bord de la rivière. Tenir sa droite.* Fig. *Tenir le milieu dans une affaire,* prendre un tempérament, un expédient entre deux extrémités, entre deux choses opposées. *Tenir une bonne, une mauvaise conduite,* se conduire bien, se conduire mal. — Réputer, estimer, considérer comme. *Je tiens cela vrai, pour vrai. Je tiens ce principe pour démontré. Je le tiens pour fou. Tenir une chose pour nulle et non avenue.* — Fam. *Je me le tiens pour dit,* il n'est pas besoin que vous me le rappeliez davantage. On dit de même, souvent avec une nuance de menace, *Tenez-vous pour dit que...,* soyez assuré que, souvenez-vous que... *Tenir des discours, tenir des propos, tenir un langage,* parler de certaine façon, avancer certains propos, dire certaines choses.

5° *Sens divers.*

Tenir s'emploie encore dans un grand nombre de loc. qu'il serait difficile de ramener aux sens qui précèdent : telles sont les suivantes. *Tenir lieu d'une personne, d'une chose,* la remplacer, en faire l'office. — *Vous m'avez tenu lieu de père.* — *Tenir note de quelque chose,* en prendre note. *Tenir table.* V. TABLE. *Tenir tête à quelqu'un.* V. TÊTE. *Tenir la main à quelque chose.* V. MAIN. *Tenir compagnie à quelqu'un,* rester auprès de lui, faire la conversation. — *Tenir un pari,* le soutenir. [Mar.] *Tenir le vent,* être au plus près du vent. — *Tenir une route, un alignement,* gouverner à un angle donné ou de façon à se maintenir sur un alignement. — *Tenir la mer,* croiser au large, avoir la maîtrise de la mer.

Faire tenir une chose à quelqu'un, faire que cette chose lui parvienne, qu'elle lui soit remise.

TENIR, verbe intransitif.

Adhérer, être attaché à quelque chose. *On ne peut arracher ce clou, il tient trop.* — Prov. *Cela tient comme poix* se dit d'une chose qui tient fortement à une autre. Fig. *Sa vie ne tient qu'à un fil, à un filet* se dit d'une personne qui est sur le point de mourir. Fig. *Tenir à quelqu'un,* lui être attaché. — *Sa famille tient aux premières maisons du royaume,* elle leur est unie par des alliances. Fig. *Tenir à la vie, à l'argent, à son opinion,* etc., y être extrêmement attaché. *Cette affaire lui tient au cœur,* il y porte un très grand intérêt. — *Ne tenir à rien,* être détaché de tout, être désabusé. Fig. *Je tiens à vous convaincre de mon innocence,* j'en ai l'extrême désir. Être contigu. *Ma maison tient à la sienne.* Dépendre, résulter, provenir de. *Il est fort timide, cela tient à ce qu'il manque d'usage.*

Impersonnellement, se dit des obstacles, des considérations, etc., qui empêchent de faire quelque chose. *S'il veut me voir, qu'à cela ne tienne,* je ne vois pas d'obstacle, d'inconvénient à le voir. — Quelquefois, en disant qu'*Il ne tient pas à une personne que telle chose ne se fasse,* on veut faire entendre, non seulement qu'elle n'y apportera point d'obstacle, mais qu'elle y contribuera de tout son pouvoir. *Il ne tient qu'à moi qu'il réussisse dans son projet. Il n'y a pas de considération qui tienne,* aucune considération ne saurait nous empêcher de. — *Cela ne tient pas debout,* cette histoire est invraisemblable, absurde (Fam.).

Résister. *Ce bâtiment ne saurait tenir contre les vagues. Cette chambre est pleine de fumée, on n'y peut pas tenir. — N'y tenir plus, n'y plus tenir,* ne plus pouvoir contenir, maîtriser ses sentiments, n'être plus maître de soi. — *Tenir bon, tenir ferme.* V. BON et FERME. — Subsister sans aucun changement. *Notre marché tient. Ces couleurs ne tiennent pas. Les ennemis ne tiendront pas,* ils n'attendront pas qu'on aille à eux, et ils se retireront. — Abs. *Tenir,* résister aux attaques de l'ennemi, ne pas se laisser entamer par elles, sans toutefois pouvoir les refouler. — *On a tenu lors de la grande attaque de Verdun en 1916.* — Fig. Garder son moral intact. ‖ *Tenir dans,* ou parfois, *Tenir à,* ou absol. *Tenir,* sign. être compris dans un certain espace, dans une certaine mesure. *Tout le monde ne peut pas tenir ici.* — Imperson. *Il peut tenir vingt personnes à cette table.* De plus, participer. *Le mulet tient de l'âne et du cheval.* ‖ Ressembler en quelque chose à quelqu'un. *Il a de qui tenir.* ‖ Relever d'une autre personne. *Tel prince tenait de l'empire.* Fig. et prov. *Il en tient* se dit d'un homme à qui il arrive quelque chose de fâcheux, de

désagréable, de honteux. — Fam., se dit encore d'un homme qui est devenu amoureux, ou d'un homme qui est ivre.
Tenir à (Vx.) regarder comme. *Tenir à gloire, à honneur, à bonheur.*
Tenir pour, soutenir les intérêts, le parti de quelqu'un; être de l'opinion, du sentiment de quelqu'un. *L'un tient pour Platon, l'autre pour Aristote.*

SE TENIR, verbe pronominal

Être uni, se prendre l'un l'autre. *Les enfants se tenaient par la main.* Se maintenir, s'attacher à quelque chose pour s'empêcher de tomber. *Il se tint à une branche.*
Fig. *Se tenir, s'en tenir à quelque chose*, s'y arrêter, s'y fixer. *Je m'en tiens aux propositions que je vous ai faites*; je n'y change rien.
A certains jeux de cartes, on dit : *Je m'y tiens*, je suis content des cartes que j'ai, je n'en demande pas d'autres. — *Se tenir à peu de chose, se tenir à peu*, refuser de céder, même s'il s'agit d'une petite chose. *Savoir à quoi s'en tenir*, être tout à fait fixé sur la conduite à avoir, être bien renseigné sur une chose, sur le compte de quelqu'un.
Être, demeurer dans un certain lieu, dans un certain état. *Elle se tenait auprès de sa mère. Se tenir debout.* Prov. *Quand on est bien, il faut s'y tenir*, il ne faut pas changer légèrement, pour peu qu'on se trouve bien dans son état. — *Se tenir bien, se tenir mal* sign. avoir un bon, un mauvais maintien, une bonne ou une mauvaise attitude. — Fam. *Il ne sait comment se tenir*, il ne sait quelle attitude prendre, quel maintien avoir. *Se tenir tranquille*, rester tranquille. *Se tenir en repos*, ne s'inquiéter en rien; rester tranquille. *Se tenir en garde, sur ses gardes.* V. GARDE.
On dit, en manière de menace ou d'avertissement : *Vous avez offensé cet homme, vous n'avez qu'à vous bien tenir*, prenez garde à vous.
Avoir lieu. *La foire se tient en tel endroit, tel jour.* — Se retenir, empêcher. *Il ne saurait se tenir de parler.* — *Se tenir à quatre*, faire un grand effort pour se dominer, pour ne pas parler, ou pour ne pas se laisser aller à un sentiment violent (Fam.).
S'estimer, se considérer. *Je me tiens pour satisfait.*

LOCUTIONS PARTICULIÈRES FORMÉES AVEC **TENIR**

Tiens et **Tenez**, employés absolument comme loc. interjectives, sign. Prends, prenez ce que je vous présente. Se dit fam., soit pour attirer l'attention, soit pour avertir de prendre garde à une chose. *Tiens, le voilà qui passe. Tenez, je vais vous proposer une combinaison.* — TIENS ! interj. V. ce mot. — Prov. *Un tiens vaut mieux que deux tu l'auras*, la possession d'un bien présent, même modique, vaut mieux que l'espérance d'un plus grand bien à venir, car il est incertain.

QU'À CELA NE TIENNE, loc. conj. de concession. Que cela ne soit pas un empêchement. *Vous n'avez pas d'argent ? Qu'à cela ne tienne, je vous avancerai la somme.*

ÊTRE TENU DE ou À, être obligé à faire quelque chose. *Vous êtes tenu de l'indemniser. Le médecin est tenu au secret professionnel. A l'impossible, nul n'est tenu* (Prov.).

VOCAB. — *Famille de mots.* — *Tenir* [Rad. *ten, tin*] : tenu, tenant, tenue, tenable, teneur; intenable; tenace, ténacité, tenacement; tenancier, tenaille, tenaillement, tenailler; tenaillon; tenon; s'abstenir, abstention, abstentionnisme, abstentionniste; attenant, appartenance, appartenir, appartenant; contenir, contenant, contenu, contenance; décontenance, décontenancement, décontenancer, continent, continental; continence, continent (adj.), incontinent, incontinence; contentieux, contentieusement, contentif, contention; content, contenter, contentement; mécontenter, mécontent, mécontentement; continu, continûment, continuer, continuité, continuel, continuellement, continuation, continuateur; discontinu, discontinuation, discontinuer; détenir, détenu, détenteur, détention; entretien, entreteneur, entretenir; obtenir, obtenteur, obtenteur, obtention; pertinent, pertinence, pertinemment; impertinent, impertinemment, impertinence; retenir, rétention, retenteur, rétentif, rétentionnaire, retenue, rêne; soutenir, soutenant, soutenu, soutenance, soutenable, souteneur, soutènement; sustenter, sustentation; maintenir, maintenance, maintenue, maintenant, maintien, maintenant, manutention, manutentionner, manutentionnaire; tenter, tentateur, tentation, tentative, attenter, attentatoire, attentat; tendre, tendable, tendant, tendon, tendineux, tènement, tendue, ténesme, tendoir, tendeur, tension, tendance, tendancieux, ténotome, ténotomie, tenseur, tensif, tendancieusement, détendre, détente, détendeur; distendre, distension; retendre, tente, tenture; toise, toiser, toisé, toiseur; tancement, tancer; tender; ténu, ténuité; atténuer, atténuant, atténué, atténuation, exténuation, exténuer; attendre, attente, attentif, attentivement, attention, attentionné, attendu, inattendu; inattentif, inattention; étendre, étendu, étendue, étendage, étenderie, étendoir; étendard; extension, extensible, extenseur, extensif, extensibilité, inextensible, inextensibilité, in extenso; entendre, entendu, entendement, entendeur, entente, mésentendre, mésentente, mésentendu, malentendu, intention, intentionnel, intentionnellement, intentionné; intendant, intendance; intense, intensif, intensivement, intensité, intensifier, intensification, intenter; ostensible, ostensiblement, ostensoir, ostentateur, ostentation, ostentatoire; prétendre, prétendant, prétendu, prétention, prétentieux, prétentieusement, etc.

tennis [té-*niss*], n. m. (mot angl.). [Sport] Jeu de balle qui se pratique à l'aide de raquettes par un nombre pair de joueurs (2 ou 4), divisés en deux camps séparés par un filet. ‖ Emplacement aménagé pour ce jeu.

tenon, n. m. Extrémité d'une pièce de bois ou de métal taillée de façon à pouvoir entrer dans une mortaise. V. pl. CHARPENTE.

HOM. — *Tenons*, du v. tenir.

ténor, n. m. Nom donné à la plus élevée des voix d'hommes. ‖ Chanteur qui a ce genre de voix. V. tabl. MUSIQUE et CHANT (*Idées suggérées par les mots*). — *Ténor léger*, celui qui, dans les notes hautes, recourt à la voix de tête.

* **ténorino**, n. m. (mot ital.). Ténor léger qui chante en fausset.

* **ténorisant, ante** [té-no-ri-*zan*], adj. Qui se rapproche du ténor. *Baryton ténorisant.*

* **ténoriser** [*zé*], v. intr. Chanter dans le registre du ténor.

* **ténotome**, n. m. Instrument pour pratiquer la *ténotomie.*

ténotomie, n. f. [Chir.] Section d'un tendon.

* **tenseur** [*tan*], adj. et n. m. (de *tendre*). Qui sert à tendre. [Anat.] Muscle produisant une tension. V. pl. HOMME *muscles*).

PAR. — V. TENDEUR.

* **tensif, ive** [*tan*], adj. [Méd.] Accompagné ou caractérisé par un sentiment de tension. *Douleur tensive.*

tension, n. f. (lat. *tensio*, m. s., de *tendere*, tendre). État de ce qui est tendu. *La tension des muscles.* — Fig. *Tension d'esprit*, forte concentration de la pensée sur un sujet donné. ‖ *Tension diplomatique, tension politique*, situation de deux États en désaccord, entre lesquels une rupture ou une guerre devient possible. [Physiol.] État de raideur de certaines parties vivantes qui sont normalement souples. *La tension de l'épiderme.* [Phys.] Force expansive ou répulsive d'un gaz, d'une vapeur. On dit aussi *pression*. ‖ Force avec laquelle l'électricité tend à s'échapper d'un conducteur électrisé. [Méd.] *Tension artérielle*, pression exercée par le flux sanguin sur les parois des artères.
ÉPITHÈTES COURANTES : grande, faible, forte, haute, basse, exagérée, atmosphérique, artérielle, musculaire; diplomatique, politique.
ORTH. — Alors que *tension* s'écrit avec un *s*, les autres noms de la même famille (dérivés de tendre) s'écrivent avec un *t* : *abstention, contention, détention, manutention, obtention, rétention.*
SYN. — V. APPLICATION.
CTR. — *Détente, relaxation.*
PAR. — *Tenson*, sorte de dialogue lyrique.
HOM. — *Tancions*, du v. tancer.

tenson [*tan*], n. f. Sorte de poème en forme de dialogue que chantaient les troubadours.
PAR. — *Tension*, état de ce qui est tendu.

*** tentaculaire** [*tan-ta-ku-lè-re*], adj. Qui a rapport aux tentacules. ‖ Fig. Qui s'étend, s'agrandit, ou cherche à tirer à soi comme les tentacules.

tentacule [*tan-ta-ku-le*], n. m. Appendices mobiles, dont beaucoup d'animaux inférieurs sont pourvus et qui leur servent d'organes tactiles, préhensiles ou locomoteurs. V. pl. MOLLUSQUES.

tentant, ante [*tan-tan*], adj. Qui cause une envie, un désir, une tentation.
CTR. — *Rebutant.*

tentateur, trice [*tan*], n. Qui tente. *C'est un tentateur.* = Adj. Qui est de nature à tenter. *Pièges tentateurs.* ‖ *L'esprit tentateur*, le démon.

tentation [*tan-ta-sion*], n. f. Mouvement intérieur qui porte à faire une chose. ‖ Partic. Impulsion intérieure qui porte au mal.

tentative [*tan*], n. f. Action par laquelle on tente, on essaye de faire réussir une chose. *Tentative de vol.* ‖ Première thèse pour l'anc. licence en théologie.
SYN. — V. ESSAI.

1. tente [*tan*], n. f. (lat. *tentorium*, m. s.). Espèce de pavillon de toile forte, etc., que l'on dresse pour se mettre à l'abri. *Camper sous la tente.* ‖ Fig. *Se retirer sous sa tente*, se retirer d'une entreprise (par allusion à la colère d'Achille). ‖ Grand abri provisoire couvert de toile, pour une cérémonie, une réunion, une exposition qui ne peuvent se faire dans une salle. [Chasse] Sorte de filet tendu pour prendre les oiseaux.
HOM. — V. TANTE.

2. * tente, n. f. (vx fr. *tenter*, sonder). [Chir.] Petit rouleau de charpie que l'on mettait autrefois dans les plaies.
HOM. — V. TANTE.

1. tenter, v. tr. (lat. *temptare*, m. s.). Essayer, entreprendre, mettre en usage pour faire réussir une chose. *Tenter l'impossible.* — *Tenter la fortune*, hasarder, risquer quelque chose dans l'espoir de réussir. ‖ Éprouver. *Il a fait cela pour tenter notre patience.* ‖ Donner envie, inspirer le désir, l'envie de faire quelque chose. *Ces fruits me tentent.* ‖ *Tenter de*, chercher à, s'efforcer de. — Fam. *Être bien tenté de faire une chose*, en avoir une extrême envie. ‖ Solliciter au péché, au mal, essayer de séduire. ‖ *Tenter Dieu*, lui demander, sans nécessité, de manifester sa puissance.
SYN. — V. AVENTURER.

2. * tenter, v. tr. Couvrir avec une tente.

*** tenthrède** [*tan*], n. f. [Zool.] Genre d'insectes hyménoptères porte-scie ressemblant aux guêpes.

tenture [*tan*], n. f. (lat. *tendere*, tendre). Ensemble de pièces de tapisserie, d'étoffe ou de papier peint, ordinairement de même dessin, de même façon, et propres à tendre un appartement. ‖ Étoffe, papier peint, etc., qui servent à tapisser une chambre. ‖ Étoffe noire dont on tend une église, une maison mortuaire pour des funérailles.
PAR. — *Teinture*, liqueur pour teindre; action de teindre.

tenu, ue, adj. Entretenu, arrangé. *Pièce bien tenue.* ‖ Obligé à, contraint. *Être tenu à la discrétion.*

ténu, ue, adj. Qui est fort délié, extrêmement mince. *Substance ténue.* ‖ Fig. Fin, mince, fragile, subtil. *Un raisonnement bien ténu.*
SYN. — V. DÉLIÉ.
CTR. — *Gros, épais, grossier.*

tenue, n. f. (pp. de *ténir*). Temps pendant lequel certaines assemblées se tiennent. ‖ Stabilité, fixité, solidité. *Ce sol manque de tenue.* ‖ Manière dont on se tient, dont on se conduit dans la vie, dont on se présente dans la société; maintien. — Manière dont on s'habille. *Manquer de tenue.* — Se dit aussi des ouvrages de l'esprit : *Roman d'une haute tenue littéraire.* — En parlant d'une troupe, d'un soldat, apparence qui résulte du bon ordre qu'ils présentent. *Ce régiment a une belle tenue.* Costume que portent les militaires. *Petite tenue, tenue de service, tenue de campagne, grande tenue.* ‖ En parlant du costume civil. *Tenue de soirée.* ‖ Manière dont l'ordre, le service, la propreté sont maintenus dans une maison, dont un sol est cultivé et entretenu, etc. *La tenue d'une maison.* — *Tenue de livres*, manière de tenir les livres commerciaux. [Bourse] Fermeté d'une valeur boursière dans son prix. [Mus.] Note soutenue pendant un certain nombre de mesures. = TOUT D'UNE TENUE, D'UNE SEULE TENUE, loc. adv., tout d'un tenant. *Cet héritage est d'une seule tenue.*
SYN. — V. VÊTEMENT.
HOM. — *Tenue*, pp. fém. de tenir.

ténuirostres, n. m. pl. [Zool.] Groupe d'oiseaux passereaux à bec grêle.

ténuité, n. f. Qualité de ce qui est ténu.

tenure, n. f. Dépendance et étendue d'un fief.

* **tenuto**, adv. [Mus.] Indique que la durée des sons ne doit pas être abrégée.
téorbe, n. m. V. THÉORBE.
* **téphrosie**, n. f. [Bot.] Genre de plantes de la famille des *légumineuses*, originaires des tropiques et cultivées en serre.
* **tepidarium** [*té-pi-da-ri-ome*], n. m. [Antiq. rom.] Chambre tiède des Thermes où l'on séjournait avant d'entrer dans le bain de vapeur, ou en en sortant.
* **tépidité**, n. f. État de ce qui est tiède.

...ter, tère, ther, thère

> ORTH. — *Finales*. — Le son final *tère* s'écrit sous de multiples formes : *ter* dans cutter, magister, pater (mots étrangers); *tère* dans adultère, artère, austère, baptistère, caractère, cautère, cimetière, cratère, délétère, ictère, ministère, monastère, mystère, patère, presbytère, quadrilatère, stère, etc.; *thère* dans un seul mot : panthère; *ther* également dans un seul mot : éther; *terre* dans cimeterre, fumeterre, parterre; *taire* dans un grand nombre d'adjectifs : alimentaire, censitaire, complémentaire, parasitaire, solitaire, volontaire, etc., ainsi que dans les noms : adjudicataire, célibataire, commentaire, donataire, éventaire, feudataire, légataire, locataire, mandataire, prolétaire, propriétaire, etc.

ter [*tèrr*], adv. (mot lat.). Trois fois. || S'emploie en musique pour indiquer qu'un passage doit être répété trois fois. || *Numéro 8 ter*, numéro 8 marqué pour la troisième fois.
HOM. — V. TAIRE.
tératologie, n. f. (gr. *téras, tératos*, monstre; *logos*, science). [Anat. et Physiol.] Étude des anomalies de l'organisation, des monstruosités chez les êtres vivants.
PAR. — *Tétralogie*, ensemble de quatre pièces de théâtre.
* **tératologique**, adj. Qui a rapport à la tératologie.
* **tératologue** ou * **tératologiste**, n. m. Anatomiste qui s'occupe de tératologie.
* **terbium**, n. m. [Chim.] Métal rare, corps simple du groupe des terres rares.
tercer ou **terser** [*tèr-sé*], v. tr. Tercer *une vigne, un champ*, lui donner un troisième labourage, une troisième façon. = Conjug. (*tercer*) V. GRAMMAIRE.
tercet [*ter-sè*], n. m. Stance de trois vers.
* **térébelle**, n. f. [Zool.] Genre de vers annélides à tête munie d'antennes sédentaires. — Se dit aussi pour *térébellum*.
* **térébellum**, n. m. [Zool.] Genre de mollusques gastéropodes prosobranches.
térébenthine [*ban-ti-ne*], n. f. (gr. *térébinthos*, térébinthe). Nom des résines liquides, et partic., de la résine de pin. || *Essence de térébenthine*, essence obtenue par la distillation de la térébenthine.
térébinthacées, n. f. pl. [Bot.] Nom sous lequel on désigne souvent la famille des *anacardiacées*.
térébinthe, n. m. [Bot.] Pistachier résineux de la région méditerranéenne, famille des *anacardiacées*.
térébrant, ante, adj. (lat. *terebrare*, percer). [Zool.] Qui perce, qui perfore. [Méd.] Se dit d'une douleur vive et poignante.

* **térébrants**, n. f. pl. [Zool.] Groupe d'insectes hyménoptères dont les femelles sont pourvues d'une tarière.
térébration [*sion*], n. f. Action de percer avec une tarière, partic. de percer un arbre pour en tirer la résine.
* **térébratule**, n. f. [Zool.] Genre de mollusques brachiopodes à coquille lisse.
* **tergal, ale**, adj. Qui a rapport à la région dorsale.
* **tergiversateur** [*ter-ji-vèr*], n. m. Celui qui tergiverse.
tergiversation [*ter-ji-vèr-sa-sion*], n. f. Action de tergiverser. *User de tergiversation.*
tergiverser [*ter-ji-vèr-sé*], v. intr. (lat. *tergiversari*, m. s.). Prendre des détours, des faux-fuyants pour éluder.
SYN. — V. BALANCER.
terme, n. m. (lat. *terminus*, m. s.). Fin, borne des actions et des choses qui s'étendent dans l'espace ou le temps. *Le terme de la vie.* — *Toucher à son terme*, être sur sa fin; se dit partic. de la vie humaine. || Limite, en général. *Les forces de l'esprit humain ont un terme.* || Moment auquel une femme doit accoucher normalement. || *Temps préfix de payement*, se dit partic. des loyers. *Payer à terme échu.* — Par ext. La somme due au bout du terme. *Payer son terme.* — En parlant de location, laps de temps, généralement de trois mois, qui s'étend d'un terme à l'autre. [Fin.] *Opérations à terme*, dont le règlement se fait à une époque plus ou moins éloignée du moment de la négociation. [Droit] Moment où un délai expire. — Espace de temps fixé pour l'exécution d'une obligation.
Mot d'une langue considéré quant à sa signification ou à sa valeur. *Terme propre, figuré.* — *Parler de quelqu'un en bons, en mauvais termes*, en dire du bien ou du mal. — *En propres termes*, dans les mêmes termes que l'on vient de rapporter. — *Mesurer, peser, ménager ses termes*, parler avec circonspection. *Ne pas ménager les termes*, dire avec dureté des choses désagréables. — *Les termes d'un contrat*, les mots exacts, par suite les stipulations mêmes qui y sont contenues. || Façon de parler qui est particulière à quelque art, à quelque science. *Termes techniques.* || Au pl. Position où est une personne à l'égard d'une autre. *Être en excellents termes avec quelqu'un.* || *Moyen terme*, celui qui se trouve à distance égale des termes extrêmes. || *Terme de comparaison, de relation*, chacun des deux objets que l'on compare l'un avec l'autre, qui ont du rapport entre eux. [Math.] *Terme d'une fraction, d'une proportion, d'une progression*, etc., chacune des quantités composant une fraction, etc. [Gram.] Se dit des mots, des phrases qui expriment les idées mises en rapport. *Dans toute proposition, il y a deux termes, le sujet et l'attribut.* [Log.] *Tout syllogisme se compose de trois termes.*
SYN. — V. BORNE et EXPRESSION.
ÉPITHÈTES COURANTES : fatal, arrivé, échu, heureux, malheureux, dû, payé, long, court; propre, bon, excellent, mauvais, exact, précis, choisi, triste, figuré; gracieux, délicat, précieux, noble, pompeux, choisi, approprié, impropre, barbare, nouveau, usité, vieilli, désuet, dur,

clair, intelligible, obscur, vague, bas, vil, grossier, malhonnête, équivoque, ambigu, exprès, formel, technique, etc.
ANT. — *Début, commencement.*
HOM. — *Terme*, n. m., fin, limite, mot; — *terme*, n. m., dieu champêtre; — *thermes*, n. m. pl., chez les Romains, établissement de bains.

— *Tant il est vrai que tout meurt en lui (l'homme), jusqu'à ces termes funèbres par lesquels on exprimait ces malheureux restes.*
(BOSSUET.)
— *Ce terme est équivoque, il le faut éclaircir.* (BOILEAU.)
— *Ah qu'en termes galants ces choses-là sont dites.* (MOLIÈRE.)

VOCAB. — *Famille de mots.* — *Terme:* terminal, terminatif, terminer, terminaison, terminologie ; interminable, interminablement ; terminus ; déterminer, déterminé, déterminant, déterminabilité, déterminable, déterminément, déterminatif, détermination, déterminisme, déterministe ; indéterminable, indétermination, indéterminément, indéterminisme, indéterministe, indéterminé; exterminer, exterminé, extermination, exterminatif, exterminateur ; atermoyer, atermoiement ; tertre.

terminaison, n. f. Action ou état d'une chose qui prend fin. *La terminaison d'une affaire.* [Gram.] Dernières lettres d'un mot, manière dont il se termine. *Terminaison masculine, féminine*; et partic. désinence variable par oppos. à radical. V. GRAMMAIRE. [Hist. Nat.] Ce qui constitue l'extrémité d'une chose. *Les terminaisons nerveuses.*
ÉPITHÈTES COURANTES : heureuse, malheureuse, fatale, favorable, prévue; muette, sonore, vocalique, consonantique, longue, brève, accentuée, atone, douce, agréable, rude, masculine, féminine, etc.
SYN. — V. CONCLUSION.
ANT. — *Radical.*

terminal, ale, adj. Qui termine une partie, qui en occupe ou en forme l'extrémité supérieure.
* **terminatif, ive,** adj. [Gram.] Qui forme la terminaison.
terminé, ée, adj. Achevé, fini. *Devoir terminé.*
terminer, v. tr. (lat. *terminare*, m. s.). Limiter, marquer, constituer la fin. *La description qui termine ce poème.* ‖ Achever, finir. *Terminer un ouvrage.* — Partic. Ajouter les dernières touches à une œuvre d'art. = SE TERMINER, v. pr. Se passer, s'achever. *L'année se termine bien.* ‖ Finir, aboutir. Au pr. et au fig. *Un objet qui se termine en pointe.* [Gram.] Avoir une terminaison en parlant de la manière dont un mot s'écrit et dont se prononce sa dernière syllabe. *Les verbes dont l'infinitif se termine en* er, *en* ir, *etc.*
INCORR. — *Enfin, pour terminer* est un pléonasme qu'il faut éviter. — Ne pas dire non plus : *c'est par ces mots que je vais* en terminer *mon discours.*
SYN. — (Pour *terminé*) V. ACHEVÉ; (pour *terminer*) V. CESSER.
CTR. — *Commencer, débuter.*
terminologie, n. f. Ensemble des termes techniques d'une science ou d'un art, avec leur signification. — Langue technique propre à un auteur.

* **terminologique,** adj. Qui se rapporte à la terminologie.
terminus [*nuss*], n. m. (mot lat. sign. *limite*). Station extrême d'une ligne de chemin de fer, d'autobus, etc. = S'emploie adjectivement : *La gare terminus.*
termite, n. m. [Zool.] Espèce d'insectes archiptères vivant en sociétés nombreuses composées de mâles, de femelles et de neutres, et construisant des nids énormes.
termitière, n. f. Nid de termites.
ternaire [*ter-nè-re*], adj. (de *ter*, trois fois). Se dit d'un nombre composé de trois unités. [Chim.] *Composé ternaire*, résultat de la combinaison de trois corps simples.
PAR. — *Tertiaire*, qui a le troisième rang; celui qui appartient à un tiers ordre.
1. terne, n. m. (lat. *ternus*, triple). Réunion de trois numéros pris ensemble à une loterie et qui doivent sortir tous les trois au même tirage pour produire un gain. ‖ Au loto, trois numéros gagnants sur la même ligne horizontale. ‖ Aux dés, coup qui amène les deux trois.
2. terne, adj. (du v. *ternir*). Qui n'a point ou a peu d'éclat. *Une glace terne. Jaune terne.* [Bx-Arts] *Un coloris terne*, coloris sans éclat. — Fig. *Un style terne*, style pâle, sans mouvement et sans imagination. ‖ En parlant d'un être humain, sans originalité, sans personnalité. *Écrivain terne.*
CTR. — *Brillant, vif, coloré, éclatant, radieux.*
terné, ée, adj. [Blas.] Par trois sur un même point. *Feuilles ternées.* V. pl. BLASON.
ternir, v. tr. Rendre terne, diminuer l'éclat. ‖ Fig. Obscurcir, souiller. *Ternir sa renommée.* = SE TERNIR, v. pr. Devenir terne. *Cette couleur s'est ternie.*
* **ternissement,** n. m. Action de ternir.
ternissure, n. f. État de ce qui est terni.
* **ternstrémiacées,** n. f. pl. [Bot.] Famille de plantes dicotylédones dialypétales comprenant le thé, le caméllia, etc.
* **ternstrémie,** n. f. [Bot.] Genre de plantes des pays tropicaux, type de la famille des *ternstrémiacées.*
* **terpènes,** n. m. pl. [Chim.] Groupe de composés hydrocarburés entrant dans la composition des essences végétales.
* **terpénique,** adj. [Chim.] Se dit des dérivés des terpènes.
terpine, n. f. [Chim.] Composé terpénique utilisé en thérapeutique (expectorant et diurétique).
terrage, n. m. (de *terre*). Dîme que certains seigneurs prélevaient en blé ou en légumes sur le produit des terres. [Techn.] Opération qui consistait à blanchir et à raffiner le sucre par l'argile détrempée dans l'eau. [Agri.] Apport de terre provenant du curage des étangs, des mares, des fossés, etc., dans un champ pour augmenter l'épaisseur de la couche végétale.
terrain, n. m. (bas lat. *terranum*, de *terre*). Espace de terre, considéré par rapport à son étendue, à sa configuration, à sa nature, ou à l'emploi qu'on en peut faire. *Terrain à bâtir.* — *Aller sur le terrain*, se battre en duel. — *Ménager le terrain*, employer utilement le peu

de terrain qu'on a; et Fig., se servir avec prudence des moyens que l'on a pour réussir dans une affaire. — Fig. *Gagner du terrain,* avancer peu à peu dans une affaire. On dit : *Perdre du terrain,* dans le sens contraire. — *Être sur son terrain,* parler de choses que l'on connaît bien, agir dans une affaire du genre de celles dont on a l'habitude. ‖ Terre, par rapport à certaines qualités. *Bon, mauvais terrain.* — Fig. *Les arts, transplantés de Grèce en Italie, se trouvèrent dans un terrain favorable.* [Géol.] Les diverses couches qui composent l'écorce terrestre.
ÉPITHÈTES COURANTES : sec, humide, marécageux, sablonneux, marneux, argileux, calcaire; solide, mouvant, dur, mou, boueux, fangeux, fertile, stérile, productif, improductif; géologique, primaire, secondaire, tertiaire, quaternaire, jurassique, volcanique, etc.; gagné, disputé, conquis, organisé, conservé, perdu, repris; acheté, vendu, etc.

* **terral,** n. m. [Mar.] Vent de terre.

terraqué, ée, adj. (lat. *terra,* terre; *aqua,* eau). Composé de terre et d'eau. *Le globe terraqué,* la terre (Vx).

terrasse, n. f. (se rattache au lat. *terra,* terre). Levée de terre, ordinairement soutenue par de la maçonnerie, et faite pour la promenade ou le plaisir de la vue. *La terrasse de Saint-Germain.* ‖ *Travaux de terrasse,* tous les ouvrages qu'on fait en remuant, en fouillant, en exhaussant des terres. — Partie supérieure d'un édifice en forme de plate-forme, de galerie découverte. V. pl. MAISON. [Blas.] Partie de l'écu figurant une plante, un arbre avec la terre qui recouvre sa racine. ‖ Partie du trottoir devant un café sur laquelle on installe des tables et des sièges et où l'on peut se faire servir. ‖ Partie d'une pierre fine, d'un marbre, qui ne peut recevoir le poli.
HOM. — *Terrasse, es, ent,* du v. terrasser.

terrassement [té-ra-sse-man], n. m. Transport des terres pour établir des terrasses, faire des routes, etc. ‖ Cet amas de terre lui-même.

terrasser [té-ra-sé], v. tr. Mettre un amas de terre derrière une muraille. ‖ Jeter de force par terre. — Fig. *La maladie l'a terrassé.* ‖ Fig. Consterner, abattre, faire perdre courage. *Cette nouvelle l'a terrassé.* = V. intr. Remuer des terres, les porter en remblai. = SE TERRASSER, v. pr. Se renverser mutuellement à terre.

terrassier [té-ra-sié], n. m. Entrepreneur de terrassements; ouvrier qui travaille à des terrassements.

terrasson [té-ra-son], n. m. [Techn.] Petite partie de couverture en plate-forme.

terrat [té-ra], n. m. Auget plein d'eau où le potier trempe ses mains pour empêcher que la glaise s'y attache.

terre, n. f. (lat. *terra,* m. s.). Le sol sur lequel nous marchons. *La terre est couverte de neige.* — *Mesurer la terre,* tomber par terre. — *Raser la terre,* voler à peu de distance du sol.
Matière de composition variable qui constitue le sol. — Terrain cultivé et même, quelquefois, agriculture, culture de la terre. *Le retour à la terre.* Domaine, fonds rural, ou simpl., champ. *Vendre, acheter une terre.* ‖ *N'avoir pas un pouce de terre,* n'avoir point de bien en fonds de terre. — Prov. *Qui terre a, guerre a,* qui a du bien est sujet à avoir des procès. [Agri.] La terre reçoit différentes dénominations. — 1º Suivant sa composition : *Terre calcaire, franche, argileuse, végétale. Terre de bruyère.* — 2º Suivant les qualités qu'elle présente : *Terre grasse, maigre. Terre sèche, marécageuse. Terre glaise.* — 3º Suivant les façons qu'elle reçoit : *Terre en friche. Terre cultivée. Terre labourée.* — 4º Suivant les usages auxquels on l'emploie, ou auxquels elle est propre : *Terre à vigne. Terre à porcelaine. Terre à foulon,* argile onctueuse servant à dégraisser les laines. ‖ *Les biens de la terre,* ce que produit la terre; récoltes. ‖ *En pleine terre* se dit des plantes que l'on cultive à même la terre, par oppos. à plantes en pot, en caisse. ‖ Cimetière. *Mettre, porter en terre,* enterrer, inhumer un mort. — *Terre sainte,* terre bénite dans laquelle sont inhumés les chrétiens. ‖ [Bx-Arts] *Terre cuite,* terre argileuse façonnée et durcie au feu. Objet ainsi obtenu. — Nom donné à certaines couleurs naturelles analogues aux ocres, mais contenant en outre de l'oxyde de manganèse. *Terre de Sienne. Terre d'ombre.*
Globe, planète que nous habitons. *La terre tourne autour du soleil* V. tabl. UNIVERS (Idées suggérées par le mot). — Fig. *Remuer ciel et terre,* se donner beaucoup de peine, faire agir toutes sortes d'influences pour parvenir à ses fins. — *Être sur terre,* vivre, exister. ‖ Désigne quelquefois, surtout au plur., les diverses parties ou portions du globe terrestre. *Les terres boréales, australes.* ‖ Étendue d'un pays. *Les terres de France.* — *Terre sainte,* les lieux où le Christ a vécu.
Par opposition à mer, terre qui est sur le bord de la mer. *Gagner la terre. Descendre à terre.* — *Terre ferme,* le continent. — *Prendre terre,* aborder, descendre à terre, mettre à terre. — *Perdre terre* se dit d'un bâtiment qui s'éloigne assez de la terre pour la perdre de vue. — *Cette ville est bien avant dans les terres,* elle est bien éloignée de la mer. — *Armée de terre,* troupes qui combattent sur terre, par opposition à *armée de mer* et à *armée de l'air.* V. tabl. ARMÉE, AVIATION, MARINE (Idées suggérées par les mots).
Fig. Se dit des habitants de la terre. *Alexandre voulait soumettre toute la terre.* ‖ Nom donné à différentes substances minérales et à divers composés chimiques, qui ont été appelés ainsi à cause de leur aspect terne et terreux.
À TERRE, PAR TERRE, loc. adv. Qui est ou que l'on jette sur le sol. — *Mettre un homme à terre,* le terrasser, le ruiner. *Cette parole n'est pas tombée à terre,* on l'a relevée, on y a pris garde. — TERRE À TERRE, loc. adv. Se dit d'un homme, d'une chose de peu d'originalité, de vues peu élevées, d'idées ou d'un style communs. — On dit aussi adjectivement : *Des idées, un auteur terre à terre; Il est très terre à terre.*
LING. — Certains linguistes font une distinction entre *tomber par terre,* ce qui est le fait de ce qui tenait déjà à la terre (*un arbre renversé par la tempête tombe par terre*) — et *tomber à terre,* ce qui est le fait de ce qui était au-dessus de la terre,

non en contact avec elle (*une pomme détachée de l'arbre tombe à terre*). L'Académie n'a pas retenu cette distinction.

ÉPITHÈTES COURANTES : entière, totale, habitée, habitable, inhabitée, peuplée, déserte, polaire, boréale, australe; connue, parcourue, explorée, inconnue; étrangère, nationale; cultivée, arable, labourable, végétale, chaude, froide, bonne, mauvaise, ingrate, grasse, fertile, maigre, argileuse, glaise, marneuse, sablonneuse, compacte, dure, forte, légère, poussiéreuse, ouverte, fendue, ferme; rapportée, fumée, labourée, retournée, couverte, semée, ensemencée; sainte, sacrée, promise; cuite, etc.

SYN. — V. MONDE.
ANT. — *Mer, ciel. — Eau, air, feu. — Pierre.*
HOM. — V. TAIRE.

> VOCAB. — *Famille de mots.* — *Terre* : terré, terraqué, terrage, terral, terreux, terreau, terreautage, terreauter, terre-plein, terre-neuve, terre-noix, terres rares, etc. ; terrer, terricole, terrien, terrestre ; terroir, terrain, terrasse, terrassement, terrasser, terrassier ; terrasson, terrat, terril, terrir, tertre, territoire, territorial, territorialement, territorialiser, terrier ; atterrer, atterrage, atterrement, atterrir, atterrissage, atterrissement ; déterrer, déterré, déterrage, déterrement ; enterrer, enterrement, enterreur : tellure, tellureux, tellurien, tellurique, tellurisme. — *Terre* se disait *gê* en grec, d'où les mots apogée, hypogée, périgée ; géographie géométrie, géologie, géodésie et leurs dérivés.

terré, ée, adj. Recouvert de terre. ‖ Caché dans la terre, dans son terrier.

terreau, n. m. (de *terre*). [Agri.] Terre mêlée de fumier décomposé, dont les jardiniers font des couches dans les jardins potagers. — Terre naturelle formée de la décomposition des feuilles et autres débris végétaux.

* **terreautage,** n. m. Action de terreauter.

* **terreauter** ou * **terreauder,** v. tr. [Agri.] Recouvrir de terreau, améliorer le sol avec du terreau.

terre-neuve, n. m. Race de chiens de grande taille, excellents nageurs, originaires de Terre-Neuve. = Pl. *Des terre-neuve.*

terre-neuvien ou **terre-neuvier,** n. m. [Mar.] Pêcheur qui va à la pêche de la morue sur les bancs de Terre-Neuve. ‖ Navire qui sert à cette pêche. = Pl. *Des terre-neuviens, des terre-neuviers.* — On écrit aussi *terre-neuvas.*

terre-noix, n. f. [Bot.] Nom vulg. d'une plante de la famille des *ombellifères*, appelée aussi *châtaigne de terre.*

terre-plein, n. m. Surface plane et unie formée d'un amas de terre élevée. ‖ Terrain élevé que soutiennent des murailles. V. pl. FORTIFICATIONS. = Pl. *Des terre-pleins.*

terrer, v. tr. [Agri.] *Terrer un arbre, une vigne,* etc., mettre de la nouvelle terre au pied d'un arbre, etc. ‖ *Terrer une étoffe,* la glaiser ou l'enduire de terre à foulon. ‖ *Terrer du sucre,* en effectuer le terrage. = V. intr. Se dit de la manière dont se logent certains animaux en creusant la terre. *Le lapin terre.* = SE TERRER, v. pr. En parlant de certains animaux, se cacher

sous terre. — Fig. Se cacher précipitamment. [A. mil.] Se mettre à couvert du feu de l'ennemi par des travaux de terrassement.

terres rares, n. f. pl. [Chim.] Ensemble d'oxydes ou métaux correspondants, existant dans certains minerais, et possédant une grande analogie de propriétés chimiques et physiques (cérium, terbium, etc.).

terrestre, adj. (lat. *terrestris,* m. s.). Qui vient de la terre, qui appartient à la terre, à la partie solide de notre planète. *La surface terrestre. — Le paradis terrestre.* V. PARADIS. [Théol.] Se dit dans le sens de temporel par opposition à spirituel et à éternel. *Les biens terrestres.* ‖ *Vie terrestre,* par opposition à une autre forme d'existence après la mort.
CTR. — *Céleste. — Maritime, aérien. — Spirituel, éternel.*

terreur, n. f. (lat. *terror,* m. s.). Impression de crainte extraordinaire; épouvante. *Répandre, jeter, faire régner la terreur.* Celui qui inspire la terreur. *Il est la terreur de ses ennemis.*
— *Le lion, terreur des forêts...*
— *Un mal qui répand la terreur,*
Mal que le ciel en sa fureur
Inventa pour punir les crimes de la terre,
La peste, puisqu'il faut l'appeler par son nom... (LA FONTAINE.)

ÉPITHÈTES COURANTES : grande, immense, effrayante, épouvantable, universelle, générale, panique, vaine, ridicule; éprouvée, inspirée, répandue, dissipée, etc.

SYN. — V. ALARME et FRAYEUR.
ANT. — *Paix, quiétude.*

> VOCAB. — *Famille de mots.* — *Terreur* : terrible, terriblement, terrifiant, terrifier ; terroriser, terroriste, terrorisme.

terreux, euse, adj. (bas lat. *terrosus,* m. s., de *terra,* terre). Mêlé de terre, de la nature ou de la couleur de la terre. *Sable terreux.* ‖ Qui est souillé de terre. *Il a les mains terreuses.* — *Avoir le visage terreux,* avoir le visage livide. ‖ *Couleur terreuse,* couleur terne. ‖ Pop. et péjor. *Cul-terreux,* paysan épais.

terrible, adj. (lat. *terribilis,* m. s.). Qui cause de la terreur, qui est propre à inspirer de la terreur. *Un bruit, un cri terrible.* ‖ Fig. par exag. fam. Étonnant, extraordinaire dans son genre. *Il fait un temps terrible.* ‖ Fig. et fam. *C'est un terrible homme* se dit d'un homme importun, fatigant. — *Un enfant terrible,* qui dit des vérités qui ne sont pas bonnes à dire, ou fait des choses qui embarrassent les gens.

SYN. — *Terrible,* qui répand partout l'épouvante : *Une peste terrible.* — *Effroyable,* qui cause une très grande frayeur : *Une guerre effroyable ravagea le monde.* — *Épouvantable,* qui répand une terreur soudaine : *Une nouvelle épouvantable, celle de l'assassinat de Henri IV, se répandit dans Paris.* — *Formidable,* qui inspire une grande crainte : *L'aspect formidable des chars d'assaut ennemis.* — *Redoutable,* qui se fait grandement craindre : *Une puissance redoutable.* — *Terrifiant,* qui glace d'effroi : *La vue terrifiante de la mer en furie.* V. aussi AFFREUX, DÉTESTABLE.

terriblement, adv. De manière à inspirer de la terreur. ‖ Extrêmement, excessivement. *Il pleut terriblement.*
— * **terricole**, adj. Qui demeure sur la terre, dans la terre.
terrien, ienne, n. Qui habite la terre. ‖ Qui possède des terres. ‖ Se dit, fam., par oppos. à *marin.* = Adj. *Un propriétaire terrien.*
Syn. — V. AGRICULTEUR.
Ant. — *Marin.*
terrier, n. m. (de *terre*). [Zool.] Trou, cavité dans la terre où certains animaux se retirent. *Terrier de lapin, de blaireau.* [Archéol.] Registre contenant le dénombrement, les déclarations des particuliers qui relevaient d'une seigneurie, d'une abbaye, et le détail des droits, cens et rentes qui y étaient dus. = Adj. *Un papier terrier.* = Adj. et n. [Chasse] Chien dressé pour la chasse en terrier. *Un fox-terrier.*
terrifiant, ante, adj. Qui provoque la terreur.
Syn. — V. TERRIBLE.
terrifier, v. tr. Frapper de terreur, d'épouvante. = Conjug. V. GRAMMAIRE.
Ctr. — *Rassurer, calmer.*
* **terril**, n. m. Monticules formés par l'amoncellement des déblais de la mine.
terrine [té-rine], n. f. (Vx fr. *terrin*, de terre). Vase de terre, de forme ronde, qui va en s'élargissant par en haut. ‖ Ce qui est contenu, ce qu'on fait et conserve dans une terrine. *Terrine de foie gras.*
terrinée, n. f. Le contenu d'une terrine.
terrir [té-rir], v. intr. [Zool.] Se dit des tortues marines qui font un trou dans le sable et y pondent leurs œufs.
territoire [té-ri], n. m. (lat. *territorium*, m. s.). Étendue de terre qui dépend d'un État, d'une seigneurie, d'une province, d'une juridiction, etc. *Le territoire français. Le territoire d'une commune.* ‖ Le sol national.
ÉPITHÈTES COURANTES : grand, immense, considérable, petit, restreint, national, communal, municipal, étranger, ennemi, sacré, défendu, conservé, occupé, perdu, envahi, libéré, annexé, etc.
territorial, ale [té-ri], adj. Qui concerne, qui comprend le territoire. ‖ *Armée territoriale*, portion de l'armée comprenant les hommes de la deuxième réserve. = N. m. Homme faisant partie de l'armée territoriale.
* **territorialement**, adv. En vertu d'une condition territoriale.
* **territorialité**, n. f. Caractère de ce qui fait partie de l'ensemble territorial d'un pays.
terroir, n. m. (lat. *territorium*, territoire). Terre considérée au point de vue de la production agricole. ‖ *Sentir le terroir*, présenter les qualités ou les défauts de sa région d'origine; se dit partic. des vins. — Au fig. Avoir les caractères, les défauts particuliers au pays.
Orth. — Bien que le mot *terroir* soit dérivé de *terre*, comme le mot *territoire*, il ne prend pas d'*e* final.
terroriser (de *terreur*), v. tr. Terrifier. ‖ Soumettre à un régime d'intimidation.
terrorisme [té-ro-ris-me], n. m. Système de la terreur qui a pesé sur la France pendant une partie de la Révolution. ‖ Tout régime fondé sur la terreur par des gouvernements révolutionnaires ou des partis extrémistes. — Système d'attentats contre des individualités.
terroriste [té-ro-ris-te], n. m. Partisan, agent du système de la terreur. — Par ext. Révolutionnaire partisan des attentats individuels.
tertiaire [ter-siè-re], adj. Qui occupe le troisième rang, qui vient en troisième lieu. [Géol.] Se dit de l'époque qui a suivi l'époque secondaire et à la fin de laquelle apparut l'homme. = Nom. Membre d'un tiers ordre religieux.
Par. — *Ternaire*, composé de trois unités, de trois éléments; — *tierçaire* ou *tierciaire*, membre d'un tiers ordre religieux.
tertio [ter-sio], adv. (mot lat.). Troisièmement.
tertre, n. m. Monticule, éminence de terre.
Syn. — V. COLLINE.
terzetto, n. m. [Mus.] Petite composition pour trois voix ou trois instruments.
tes, adj. poss. plur. 2 genres, 2ᵉ pers. V. tabl. TON, TA, TES.
Hom. — V. TAIE.
tessère, n. f. (lat. *tessera*, m. s.). Petite tablette d'ivoire, de bois, de métal, servant chez les Romains de jeton, de billet, de signe de reconnaissance, etc.
* **tessiture**, n. f. [Mus.] Ensemble des sons convenant à une voix. ‖ Groupement de notes revenant souvent dans une composition musicale dont il forme la texture.
tesson [té-son], n. m. Débris de bouteille cassée, de pot cassé.
1. **test** [tèsst'], n. m. (lat. *testa*, coquille). Enveloppe solide et calcaire qui protège le corps des mollusques et des crustacés. — Carapace des tortues, des tatous, etc. [Bot.] Tégument extérieur épais et coriace de la graine. ‖ Vase de terre employé en chimie et en métallurgie.
2. **test** [tèsst'], n. m. (mot anglais). Épreuve à laquelle on soumet des écoliers, des étudiants, des ouvriers, en vue d'apprécier leur développement mental, leurs aptitudes physiques, psychologiques, etc.
Hom. — *Teste, es, ent,* du v. tester.
3. **test**, n. m. V. TÊT.
testacé, ée, adj. Qui est couvert d'un test, d'une coquille. [Bot.] Se dit d'une membrane dure, épaisse et fragile.
testament [tes-ta-man], n. m. (lat. *testamentum*, m. s.). Acte par lequel on dispose, pour le temps où l'on n'existera plus, de tout ou partie de ses biens, où l'on déclare ses dernières volontés. V. tabl. VIE et MORT (*Idées suggérées par les mots*). [Théol.] *L'Ancien Testament*, les livres sacrés des Hébreux. *Le Nouveau Testament*, les Évangiles, les Actes des Apôtres; les Épîtres et l'Apocalypse.
ÉPITHÈTES COURANTES : autographe, olographe, grand, petit, politique, provisoire, définitif, dernier, authentique, bon, valable, supposé, faux, nul, fait, déposé, clos, scellé, dicté, signé, ouvert, attaqué, cassé, infirmé, confirmé, révoqué; — ancien, nouveau.
testamentaire, adj. (lat. *testamentarius*, m. s.). [Droit] Qui se rapporte à un testament. *Dispositions testamentaires.* — *Exécuteur testamentaire*, celui que le testateur charge de l'exécution de son testament.

testateur, trice, n. Celui, celle qui fait un testament.

tester, v. intr. Faire un testament, léguer ses biens par testament.
PAR. — *Ester,* poursuivre une action en justice.

*****testiculaire,** adj. Qui concerne les testicules.

testicule,, n. m. (lat. *testiculus,* m. s.). [Anat.] Glande génitale mâle, produisant les spermatozoïdes; au nombre de deux chez l'homme et les animaux mâles.

*****testif,** n. m. Poil de chameau.

testimonial, ale, adj. Qui atteste, qui rend témoignage. ‖ *Preuve testimoniale,* preuve par témoins.

*****testimonialement,** adv. D'une manière testimoniale, par témoins.

teston [*tès-ton*], n. m. Monnaie d'argent du temps de Louis XII, valant de 10 sous à 12 sous six deniers.

*****testonner** [*tès-to-né*], v. tr. Peigner les cheveux, les friser avec soin.

têt [*té*] ou **test,** n. m. (lat. *testa, tesson*). [Chim.] Vase de terre où l'on fait l'opération de la coupellation en grand.
PAR. et HOM. — V. TAIE.

*****tétanie,** n. f. [Méd.] Accès de contracture, atteignant surtout les muscles des extrémités.

tétanique, adj. [Méd.] Qui se rapporte au tétanos. ‖ Se dit des médicaments qui produisent des contractions spasmodiques suivies de rigidité.
PAR. — *Titanique,* digne des Titans.

*****tétanisation** [*sion*], n. f. [Méd.] Action de tétaniser. ‖ Contracture tétanique résultant de cette action.

*****tétaniser,** v. tr. Déterminer des contractures analogues à celles du tétanos.

tétanos [*noss*], n. m. (gr. *tétanos,* raideur). Maladie infectieuse aiguë, caractérisée par des contractures intenses, et souvent terminée par la mort; elle est due à l'infection d'une plaie par le bacille tétanique.

têtard [*té-tar*], n. m. Forme larvaire des grenouilles, crapauds, etc. V. pl. BATRACIENS. ‖ Nom vulg. de petits poissons à grosse tête comme le chabot. ‖ Arbres qu'on étête et dont on émonde les branches inférieures, pour qu'il se forme une touffe épaisse au sommet du tronc.

tête, n. f. (lat. *testa,* pot cassé, tesson, employé par comparaison populaire pour désigner la tête, à la place du lat. *caput,* vx fr. *chef*). 1° Partie du corps humain qui renferme les principaux centres nerveux et loge les principaux organes des sens. V. tabl. CORPS (*Idées suggérées par le mot*). ‖ *Le sommet de la tête.* V. pl. HOMME. ‖ Vie, existence. *Payer un crime de sa tête. Vous en répondez sur votre tête.* — Par exag. *Je mettrais ma tête à couper que c'est vrai,* je consens à perdre tout ce qu'on voudra, si ce n'est pas vrai. ‖ *Tête de pipe,* tête dont les traits manquent de finesse, de distinction (très fam.). ‖ *Avoir des affaires, des dettes par-dessus la tête,* être accablé d'affaires, etc. (Fam.). — *En avoir par-dessus la tête,* en être excédé (très fam.). — *Courber la tête,* capituler, se soumettre. — *De la tête aux pieds,* entièrement, complètement. ‖ Fam. *Laver la tête à quelqu'un,* lui faire une vive réprimande. — *Se jeter à la tête des gens.* V. JETER. — *Il s'y est jeté la tête la première* se dit d'un homme qui s'est engagé brusquement et inconsidérément dans une affaire périlleuse. — Fam. *Piquer une tête,* plonger dans l'eau la tête la première. — *Porter à la tête, monter à la tête,* se dit d'une odeur forte, d'une vapeur, d'une liqueur, etc., qui fatigue la tête.

Crâne, partie de la tête qui renferme le cerveau et le cervelet. *Il lui cassa la tête d'un coup de pistolet.* — *Mal de tête,* céphalalgie. ‖ *Avoir la tête fêlée* se dit d'un homme léger, étourdi, bizarre, extravagant. ‖ *Crier à tue-tête.* V. TUE-TÊTE. ‖ Par ext. Chevelure. *Une tête toute frisée.* [Mus.] *Voix de tête,* le registre le plus élevé de la voix humaine, produit par la vibration des cordes supérieures du larynx. ‖ Aspect de la physionomie. *Faire une drôle de tête. Avoir une tête d'idiot* (Fam.). — Pop. *Faire la tête,* prendre un air ennuyé, mécontent, maussade; bouder. — *Se payer la tête de quelqu'un,* se moquer de lui (très fam.). ‖ Se dit également de la tête des animaux préparée pour l'alimentation. *Tête de veau à l'huile.*

2° Au sens fig. Esprit, entendement, intelligence, imagination. *Se remplir la tête de sottises.* — *Avoir une idée, un projet en tête,* y réfléchir continuellement. — *Une tête bien faite,* un homme intelligent. — *Mettez-vous bien dans la tête que...,* soyez bien persuadé que... ‖ *Il a encore toute sa tête, il n'a plus sa tête,* se dit d'un vieillard ou d'un malade qui a conservé toutes ses facultés, toute sa lucidité, ou qui les a perdues. — *Cela lui a tourné la tête,* cela l'a rendu fou. — *Tourner la tête à quelqu'un,* le rendre incapable de jugement; lui inspirer un sentiment exalté. — *Avoir la tête près du bonnet,* être prompt à se mettre en colère. — *Relever la tête,* reprendre de l'assurance, de l'arrogance. — *Ne savoir où donner de la tête,* ne savoir à quel parti s'arrêter; ou avoir tant à faire qu'on ne sait par quoi commencer.

Bon sens, jugement, rectitude d'esprit. *C'est un homme de tête.* — *Une bonne tête. Une tête faible, une tête légère, une tête folle. Une pauvre tête, une tête sans cervelle.* — *Avoir la tête dure,* ne comprendre que difficilement les choses. — *C'est une mauvaise tête,* c'est une personne sujette à beaucoup d'écarts et de travers. *Faire sa mauvaise tête,* bouder, mettre de la mauvaise volonté à. — *Une forte tête,* une personne violente et autoritaire, qui n'en veut faire qu'à sa guise. Principal meneur d'une grève, d'un mouvement quelconque. — *Une mauvaise tête,* un individu, un soldat, un écolier qui a mauvais esprit, qui cherche à créer du désordre. — *Cet homme a la tête chaude,* il s'emporte aisément; *une tête froide,* qui conserve son sang-froid. — *Une tête carrée,* une personne entêtée. ‖ Fermeté de caractère, obstination et sang-froid. *C'est un homme qui a de la tête.* — *Conserver toute sa tête dans le péril.* — On dit, dans le sens contraire, s'affoler, ne plus savoir quel parti prendre. *Perdre la tête, n'avoir plus sa tête à soi.* — *Coup de tête,* résolution brusque, violente et déraisonnable. ‖ *N'en faire qu'à sa tête,* n'écouter que sa fantaisie, ne suivre que son caprice ou que sa volonté. ‖ *Tenir tête à quelqu'un,* s'opposer à lui, lui résister. — Fig. *Faire tête à*

l'orage, montrer de la fermeté dans une occasion périlleuse. ‖ Celui qui inspire, qui dirige, qui commande. *Abattre la tête d'une conjuration.*
— *Quand le bras a failli, on en punit la tête* (CORNEILLE.)

3° Individu, personne. *Dîner à tant par tête.* — *Les têtes couronnées,* les rois souverains. — *Ce sont deux têtes sous le même bonnet,* deux personnes qui pensent, qui agissent en commun. — Se dit aussi des animaux. *Un troupeau de tant de têtes.* — Prov. *Autant de têtes, autant d'opinions,* autant de personnes, autant de manières de voir différentes. ‖ Représentation, imitation d'une tête humaine par un peintre, par un sculpteur, etc. *Une tête antique.* [Turf] *Ce cheval a gagné de deux têtes,* de la longueur de deux têtes. — *Dîner de têtes,* dîner où l'on assiste coiffé ou grimé de manière à avoir une certaine physionomie. — *Se faire une tête,* se grimer. ‖ *Tête de Turc,* sorte de dynamomètre dans lequel la partie sur laquelle on frappe a la forme d'une tête à turban. — Fig. *Servir de tête de Turc à quelqu'un,* être en butte à ses attaques.

4° Partie supérieure de certaines choses, souvent renflée, et plus ou moins sphérique. *La tête d'un mât. Des têtes de pavot. La tête d'une vis.* ‖ Partie antérieure de certaines choses; commencement. *La tête d'un canal, d'un bois.* [A. milit.] *Tête de pont,* ouvrage destiné à défendre ou à protéger le passage d'un pont, et, par ext., forces armées, qui ont pris pied sur la rive occupée par l'ennemi, et l'espace qu'elles occupent. ‖ *Tête de ligne,* le commencement d'une ligne de communication, d'où partent les trains, les avions, les autobus, les paquebots, etc. *Paris est la tête de ligne de presque toutes les grandes voies ferrées françaises.* ‖ Commencement (d'un livre, d'une liste, d'une lettre, etc.). *Votre nom est en tête de la liste.* [Bot.] *En tête,* en forme de tête, se dit de feuilles, de fleurs, d'épillets, etc., groupés en un bouquet compact et arrondi. [Chim.] *Produits de tête,* liquides les plus volatils, qui passent les premiers dans une distillation.

Partie d'une armée, d'une colonne de troupes, d'un cortège, etc., qui marche la première. *Tête de colonne.* ‖ *A la tête,* à la première place, au premier rang. *Ils avaient à leur tête un homme audacieux.* — *A la tête,* sign. encore : en présence de, propriétaire de. *A la mort de son père il se trouva à la tête de plusieurs millions.*

[Mus.] *La tête d'une note,* la partie la plus grosse, ordinairement arrondie et dont la position sur la portée indique la valeur de la note. [Vén.] *Bois des cerfs.* = DE TÊTE, loc. adv. De mémoire. *Faire un travail de tête.* — Mentalement. *Calculer de tête.* = TÊTE À TÊTE (sans traits d'union), loc. adv. Seul à seul. *Causer, dîner, jouer tête à tête.* (La loc. *Être en tête à tête* avec quelqu'un est peu correcte et rejetée par l'Acad.)

ÉPITHÈTES COURANTES : ronde, carrée, ovale, grosse, petite, plate, pointue, enfoncée, bonne, belle, mauvaise, sale, vilaine, laide, affreuse, difforme, droite, penchée, levée, haute, baissée, courbée, basse, chevelue, bouclée, tondue, rasée, chauve; blessée, frappée, bossuée; orgueilleuse, fine, hautaine; coupée, tranchée; tournée,

rompue, fatiguée, malade; illustre, couronnée; dure, légère, frivole, faible, forte, bien faite, froide, sage, sensée, folle, etc.

HOM. — *Tête,* n. f., partie supérieure du corps contenant le cerveau; — *tette,* n. f., bout de la mamelle des animaux; — *tête, es, ent,* du v. téter.

VOCAB. — *Famille de mots.* — Tête : têtu, têtière; têtard, teston; tesson, testacé; en-tête, entêter, entêté, entêtement, et les mots composés commençant par tête : tête à tête, tête-bêche, etc. (V. aussi les mots de la fam. de *cap,* tirés de *caput* qui signifie *tête* en latin, etc...
---

tête-à-queue, n. m. Mouvement d'une automobile qui, par suite d'un dérapage, fait un demi-tour complet sur elle-même. = Pl. *Des tête-à-queue.*

tête à tête, n. m. Conversation particulière entre deux personnes. ‖ Petit canapé à deux places. ‖ Service à thé ou à café pour deux personnes. = Pl. *Des tête à tête.*

* **têteau** [tê-to], n. m. Extrémité d'une maîtresse branche coupée à peu de distance du pied.

tête-bêche, adv. Dans une position inverse, l'un ayant la tête du côté où l'autre a les pieds.

* **tête-de-coq,** n. f. Un des noms vulg. du sainfoin.

* **tête-de-moineau,** n. f. Houille concassée en morceau de 25 à 50 mm de diamètre moyen. = Pl. *Des têtes-de-moineau.*

* **tête-de-mort,** n. f. Nom vulg. du fromage de Hollande. = Pl. *Des têtes-de-mort.*

* **tête-de-nègre,** adj. invar. Couleur d'un marron très foncé.

tétée ou * **tetée,** n. f. Action de téter. — Quantité de lait prise par un nourrisson en une seule fois.

téter ou * **teter,** v. tr. Sucer le lait de la mamelle d'une femme, de la femelle d'un mammifère, ou d'un biberon. ‖ Absol. *Cet enfant tète bien.*

OBS. GRAM. — Il y a eu longtemps deux orthographes de ce verbe, *téter* et *teter,* et 2 conjug., *il tète, il tette.* La dernière édition du dictionnaire de l'Académie ne connaît plus que les formes *téter, il tète.* = Conjug. V. GRAMMAIRE.

* **téterelle,** n. f. Petit appareil pour tirer le lait des nourrices, quand le bout du sein est mal conformé.

têtière, n. f. (de *tête*). Petite coiffe de toile qu'on met aux enfants nouveau-nés. ‖ Capuchon que portent les chartreux. ‖ Partie de la bride qui soutient le mors. ‖ Morceau d'étoffe plus ou moins brodée, de dentelle, etc., dont on protège la partie d'un fauteuil, d'un divan où vient appuyer la tête. [Mar.] Cordage cousu au bord supérieur d'une voile.

* **tétigué** ou * **tétiguenne** [ghé], interj. Juron campagnard dans la comédie classique.

tétin ou * **tetin,** n. m. Le bout de la mamelle, soit des hommes, soit des femmes. ‖ Sein de la femme.

tétine ou * **tetine,** n. f. Le pis de la vache ou de la truie. ‖ Bout en caoutchouc adapté aux biberons pour permettre aux enfants de téter.

téton ou *****teton**, n. m. Mamelle de la femme (Fam.).
*****tétonnière**, n. f. Bande pour soutenir les seins.
tétra-, préfixe tiré du grec *tetra*, quatre.
tétracorde, n. m. [Mus.] Ancienne lyre à quatre cordes. ‖ Gamme à quatre sons des anciens Grecs.
*****tétradactyle**, adj. [Zool.] Qui a quatre doigts à chaque pied.
*****tétrade**, n. f. Assemblage de quatre choses.
tétradrachme, n. f. [Antiq.] Monnaie grecque d'argent, qui valait quatre drachmes.
*****tétradyname**, adj. [Bot.] Se dit des fleurs qui ont six étamines dont quatre plus grandes.
tétraèdre, n. m. (gr. *tétra*, quatre; *hédra*, base). Solide à quatre faces triangulaires; pyramide triangulaire. V. pl. VOLUMES à faces planes.
*****tétraédrique**, adj. Qui a rapport au tétraèdre.
1. **tétragone**, n. m. et adj. Qui a quatre angles et quatre côtés.
2. *****tétragone**, n. f. [Bot.] Genre d'*aizoacées* dont une variété, nommée aussi *épinard de Nouvelle-Zélande*, a des feuilles comestibles.
*****tétragramme**, n. m. Locution mystique employée pour exprimer, sans le prononcer, le nom de Jéhovah, lequel s'écrit en hébreu au moyen de quatre lettres.
*****tétragyne**, adj. [Bot.] Dont l'ovaire est surmonté de quatre pistils.
tétralogie, n. f. [Litt.] Ensemble de quatre pièces dramatiques grecques (trois tragédies et un drame satirique) présentées par un même auteur au concours de tragédie. ‖ Aujourd'hui, suite de quatre pièces dramatiques formant un ensemble. *La tétralogie de Wagner*.
PAR. — *Tératologie*, partie de l'histoire naturelle qui étudie les monstres.
*****tétramère**, adj. [Zool.] Se dit des insectes dont les tarses sont composés de quatre articles.
*****tétramètre**, n. m. [Versif.] Vers grec ou latin formé de quatre pieds.
*****tétrapode**, adj. Qui a quatre pieds.
*****tétrapole**, n. f. Territoire qui comprenait quatre villes principales. *La tétrapole de Syrie renfermait les villes d'Antioche, d'Apamée, de Laodicée et de Séleucie.*
*****tétraptère**, adj. [Zool.] Se dit des insectes qui ont quatre ailes.
tétrarchat [*ka*] ou *****tétrarcat**, n. m. [Antiq.] Dignité de tétrarque. ‖ Durée du règne d'un tétrarque.
tétrarchie [*ki* ou *chi*], n. f. [Antiq.] État partagé entre quatre chefs. ‖ Quatrième partie d'un pays soumise à l'autorité d'un tétrarque. ‖ Fonction d'un tétrarque.
tétrarque, n. m. [Antiq.] Gouverneur de la quatrième partie d'un pays. ‖ Titre que les Romains donnaient à certains princes tributaires.
tétras, n. m. [Zool.] Groupe d'oiseaux gallinacés, comprenant les *coqs de bruyère*, les *gelinottes* et les *perdrix des neiges*.
tétrastyle, adj. et n. m. [Archit.] Se dit d'un temple précédé d'un portique à quatre colonnes.

*****tétrasyllabe** ou *****tétrasyllabique**, adj. Composé de quatre syllabes.
*****tétravalent, e**, adj. [Chim.] Qui possède la valence quatre.
tette, n. f. Le bout de la mamelle de la femelle des mammifères. *Tette de chèvre, de truie*.
HOM. — V. TÊTE.
1. **têtu**, n. m. (de *tête*). [Techn.] Lourd marteau à section carrée d'un côté, pointu de l'autre, pour dégrossir les pierres. [Zool.] Nom vulg. du *chabot*, poisson à grosse tête.
2. **têtu, ue**, adj. et n. Opiniâtre, obstiné, qui ne veut pas démordre de ses idées.
SYN. — V. ENTÊTÉ.
*****teucriette**, n. f. [Bot.] Nom vulg. de la *véronique des prés*.
*****teuf-teuf**, n. m. (onomat.). S'est dit, fam., pour désigner une automobile (déjà vieilli).
*****teugue** ou **tugue**, n. f. [Mar.] Sorte d'abri que l'on dispose à l'arrière ou à l'avant d'un vaisseau.
*****teuton, onne**, adj. Qui concerne les Teutons et, par dénigr., les Allemands.
teutonique, adj. Qui a rapport, qui appartient au pays des anciens Teutons.
PAR. — *Tectonique*, une des parties de la géologie.
texte, n. m. (lat. *textus*, propr. tissu). Écrit original authentique, considéré par opposition aux notes, aux commentaires, etc. ‖ Écrit littéraire consacré par la postérité. *Les textes classiques*. ‖ Ouvrage étranger dans sa langue originale, par opposition aux traductions. *Lire Homère dans le texte*. ‖ Passage de l'Écriture Sainte qu'un prédicateur développe dans un sermon. ‖ Par ext. Sujet d'un discours, d'une conversation, d'une composition d'examen. — *Cahier de textes*, cahier où sont contenus les divers sujets de devoirs et d'exercices donnés dans une classe.
ÉPITHÈTES COURANTES : exact, authentique, véridique, apocryphe, rigoureux, original, ancien, classique, moderne; vérifié, collationné, confronté, corrigé, reproduit, imprimé, traduit, commenté, falsifié, altéré, rétabli, choisi, nouveau, banal, etc.
textile [*tèks-ti-le*], adj. Qui peut être divisé en filaments propres à faire un tissu. ‖ Qui se rapporte au tissage, à la fabrication des tissus. *L'industrie textile*. V. tabl. INDUSTRIE et VÊTEMENT (*Idées suggérées par les mots*). = N. m. Matière propre à être tissée, à faire un tissu.
*****textilité**, n. f. Propriété des fibres textiles.
*****textuaire** [*tèks-tu-ère*], n. m. Livre où il n'y a que le texte sans commentaires ni éclaircissements.
textuel, elle [*teks-tuel*], adj. Qui est mot à mot dans le texte d'un livre, d'une loi, etc. ‖ Qui est exactement conforme au texte.
textuellement, adv. D'une manière entièrement conforme au texte.
texture, n. f. État d'une chose tissue et action de tisser. ‖ Par ext. Disposition, arrangement réciproque des parties élémentaires d'un corps. ‖ Fig. *La texture d'un ouvrage, d'un poème*, etc., la liaison de leurs différentes parties.
*****thaïlandais, aise**, adj. et n. Du Thaïland (nom que les Siamois donnèrent pendant quelques années à leur pays).

thalassidrome, n. m. [Zool.] Genre d'oiseaux palmipèdes marins (*oiseaux des tempêtes*).

* **thalassothérapie**, n. f. (gr. *thalassa*, mer; *thérapéia*, médication). [Méd.] Méthode thérapeutique qui emploie l'eau de mer en piqûres, en bains, etc.

thaler [*lèrr'*], n. m. (mot all.). Ancienne monnaie allemande d'argent qui valait environ trois marks.

* **thalie**, n. f. [Bot.] Genre de *zingibéracées* cultivées pour l'ornement.

* **thalle** [*ta-le*], n. m. [Bot.] Appareil végétatif des algues et des champignons, simple expansion sans racines et sans feuilles.

Hom. — *Tale, es, ent*, du v. taler.

thallium [*tal-liome*], n. m. Corps simple, métal fort mou, d'un blanc bleuâtre.

* **thallophytes** [*ta-lo-fi-te*], n. f. pl. [Bot.] Embranchement du règne végétal comprenant les plantes à thalle (algues et champignons).

thalweg [*tal-veg'*], n. m. (all. *Thal*, vallée, et *Weg*, chemin). [Géogr.] Ligne plus ou moins sinueuse du fond d'une vallée, suivant laquelle se dirigent les eaux courantes.

* **thapsia**, n. m. [Bot.] Genre de plantes des bords de la Méditerranée, famille des *ombellifères*. ǁ Emplâtre **révulsif** fait avec la feuille de thapsia.

* **thargélies**, n. f. pl. [Antiq. grecque]. Fête solennelle qui se célébrait à Athènes en l'honneur d'Apollon et d'Artémis.

* **thaulache** [*tô*], n. f. Sorte de hallebarde du Moyen Age.

thaumaturge [*tô-ma*], adj. (gr. *thauma*, merveille; *ergon*, ouvrage). Qui fait des miracles. = N. m. *Un thaumaturge*.

thaumaturgie, n. f. Pouvoir, action d'un thaumaturge (souvent péjor.).

* **thaumaturgique**, adj. Qui se rapporte à la thaumaturgie.

thé, n. m. (chinois *té* m. s.). [Bot.] Arbre à thé, arbrisseau dont les feuilles desséchées servent à faire une infusion. ǁ Les feuilles desséchées de cet arbrisseau. *Un paquet de thé*. ǁ Infusion de thé. *Prendre du thé*. ǁ Sorte de collation dans laquelle on sert du thé. *Donner un thé*. ǁ *Maison de thé*, établissement où l'on consomme spécialement du thé.

Par. et Hom. — V. TAIE.

théatin, n. m. Membre d'un ordre religieux fondé à Rome en 1524. — Théatine, n. f. Religieuse d'un ordre institué à la fin du XVIe s.

théâtral, ale, adj. Qui appartient au théâtre, qui est propre au théâtre, ou qui ne convient guère qu'au théâtre. ǁ Fig. Qui rappelle le théâtre pour l'exagération, l'emphase, la convention, etc. *Geste théâtral*.

théâtralement, adv. D'une manière théâtrale.

théâtre, n. m. Édifice où l'on représente des ouvrages dramatiques, où l'on donne des spectacles. ǁ La scène, la partie élevée où les acteurs exécutent les représentations dramatiques. *La décoration du théâtre*. V. pl. THÉÂTRE. ǁ Art et profession de l'acteur. *Une femme de théâtre*. ǁ La littérature dramatique. *Le théâtre grec*. *Pièce de théâtre*. ǁ Ensemble des pièces d'un auteur dramatique. *Le théâtre de Corneille*. ǁ *Écrire, travailler, pour le théâtre*, composer des pièces destinées à être représentées. — *Mettre un sujet au théâtre*, en faire le sujet d'une œuvre dramatique. V. tabl. LETTRES, MUSIQUE et CHANT (Idées suggérées par les mots). ǁ *Coup de théâtre*. Événement important et imprévu. ǁ Fig. Se dit d'un lieu où se passent des événements remarquables. *Le théâtre de la guerre*.

Épithètes courantes : antique, beau, grand, petit, décoré, magnifique, luxueux; ancien, classique, dramatique, lyrique, grec, français, romantique, tragique, comique, libre, contemporain; étudié, critiqué, condamné, défendu, loué, exalté, prôné, aimé, joué, abordé, quitté, ouvert, fermé, etc.

* **théâtreuse**, n. f. Femme qui fait du théâtre pour s'exhiber, sans nul talent (Fam.).

* **théâtricule**, n. m. Petit théâtre.

* **théâtrophone**, n. m. Appareil qui, par le moyen d'un microphone installé sur une scène et du réseau téléphonique, permet l'audition à domicile des pièces jouées sur cette scène.

thébaïde, n. f. (nom du désert où se retiraient les premiers solitaires chrétiens). Retraite solitaire, désert.

* **thébain, aine**, adj. et n. Qui est de Thèbes, qui concerne Thèbes (villes de l'Égypte et de la Grèce anciennes).

thébaïque, adj. A base d'opium. *Sirop thébaïque*, sirop d'opium.

* **thébaïsme**, n. m. Intoxication par l'opium.

* **théerie**, n. f. Industrie du thé. ǁ Terrain planté d'arbres à thé.

1. * **théier, ière**, adj. Qui a rapport au thé.

2. * **théier**, n. m. Nom de l'arbre à thé.

théière, n. f. Vase dans lequel on fait infuser du thé et avec lequel on le sert.

* **théiforme**, adj. *Infusion théiforme*, infusion que l'on prépare comme le thé.

* **théine**, n. f. [Chim.] Alcaloïde, analogue à la caféine, contenu dans le thé.

1. **théisme**, n. m. (gr. *théos*, dieu). [Phil.] Doctrine selon laquelle le principe d'unité de l'univers est un Dieu transcendant à cet univers.

Ant. — *Athéisme, panthéisme*.

Par. — *Déisme*, doctrine qui rejette la révélation tout en admettant l'existence de Dieu.

2. * **théisme**, n. m. (de *thé*). [Méd.] État pathologique provoqué par l'abus du thé.

théiste, n. Celui, celle qui croit à l'existence de Dieu.

Ant. — *Athée*.

thématique, adj. Qui a rapport au thème d'un mot. [Mus.] *Catalogue thématique d'un opéra*, catalogue des thèmes de cet opéra.

thème, n. m. (lat. *thema*, m. s.). Sujet, matière, proposition que l'on entreprend de prouver ou d'éclaircir. ǁ Texte qu'on donne aux écoliers à traduire de la langue qu'ils savent, en général la langue maternelle, dans celle qu'on veut leur apprendre. *Thème grec*. — La composition de l'écolier. *Faire un thème*. — *Fort en thème*, élève distingué. Iron. Esprit cultivé, mais sans richesse d'imagination ni personnalité véritable. [Gram.] Ce qui reste d'un nom

THÉÂTRE

Théâtre grec de Dionysos (Athènes)

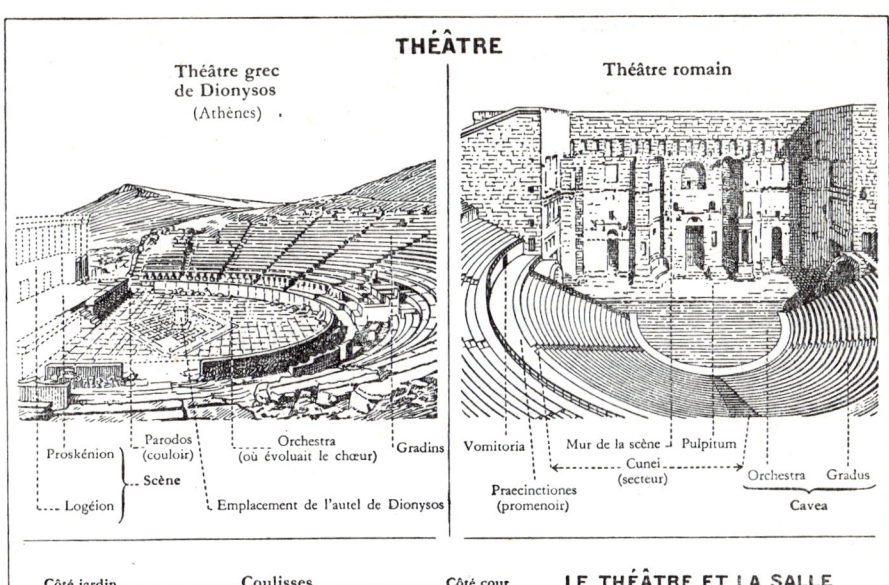

Proskénion — Parodos (couloir) — Scène — Logéion — Orchestra (où évoluait le chœur) — Gradins — Emplacement de l'autel de Dionysos

Théâtre romain

Vomitoria — Mur de la scène — Pulpitum — Cunei (secteur) — Orchestra — Gradus — Praecinctiones (promenoir) — Cavea

LE THÉÂTRE ET LA SALLE

Côté jardin — Coulisses — Côté cour
Herse — Rideau de scène — Rideau de fer — Portant — Manteau d'Arlequin — Galeries — Loges — Avant-scènes

Dessus et cintres

Décors :
- Bande d'air ou de ciel
- Frise
- Rideau ou toile de fond
- Brisure
- Châssis oblique
- Châssis de coulisses
- Praticables
- Ferme

Scène ou plateau — Rue et trappe — Avant-scène ou proscenium — Dessous

Fausse rue et trapillons de costière — Trou du souffleur — Rampe — Orchestre — Strapontin — Fauteuils d'orchestre — Baignoire — Balcon — Parterre

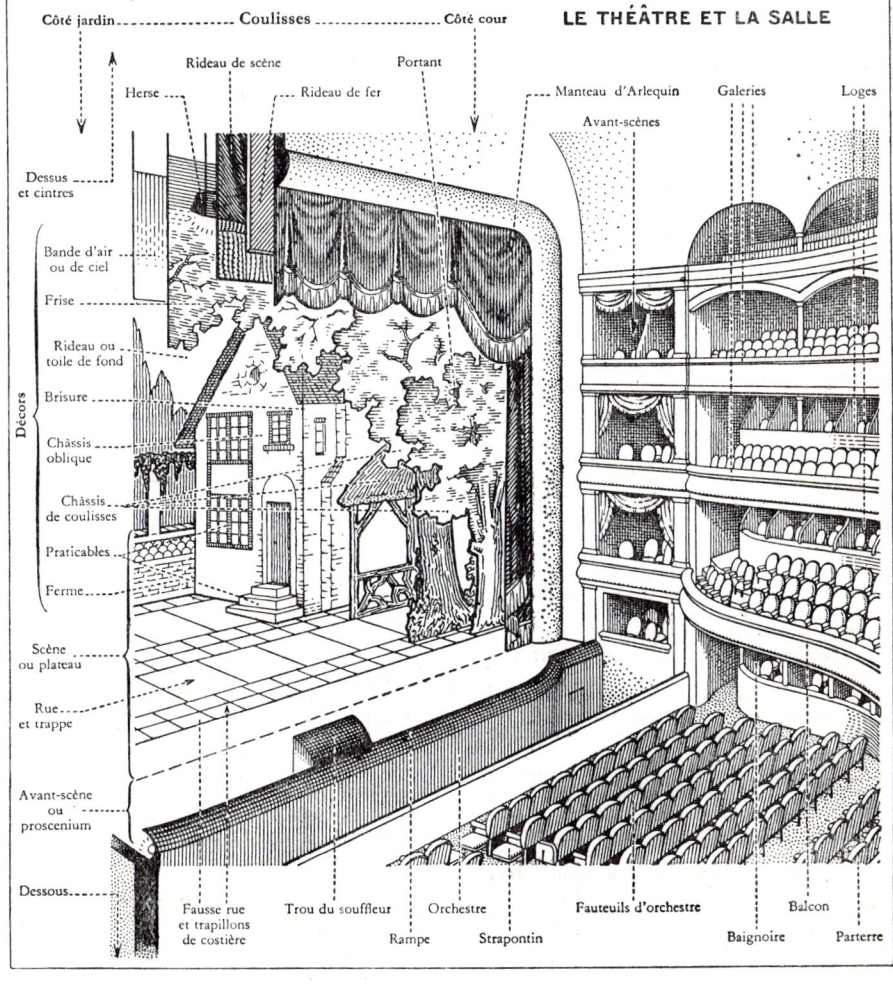

ou d'un verbe dont on a enlevé les désinences casuelles ou les désinences personnelles. [Mus.] La mélodie, le motif mélodique sur lesquels on compose des variations. — *Thème astrologique*, position où se trouvent les astres par rapport au moment de la naissance d'une personne.
ANT. — Version.

Thémis. [Myth.] Déesse de la justice. || Par plaisanterie, la justice.

* **thénar** [té], n. m. [Anat.] Saillie arrondie que forme la partie externe de la paume de la main.

* **théobromine,** n. f. (de *théobroma*, nom scientif. du cacaoyer). [Chim.] Alcaloïde existant dans le thé, le café, le cacao ; c'est un toni-cardiaque diurétique.

* **théocrate,** n. m. Membre d'une théocratie. || Celui qui exerce un pouvoir théocratique. || Partisan de cette forme de gouvernement.

théocratie [té-o-kra-si], n. f. (gr. *théos*, dieu ; *kratos*, pouvoir). Gouvernement dans lequel les prêtres exercent l'autorité au nom de Dieu.
PAR. — *Timocratie*, gouvernement par les plus riches.

théocratique, adj. Qui appartient à la théocratie.
PAR. — *Timocratique*, qui appartient à la timocratie.

* **théocratiquement,** adv. D'une manière théocratique.

théodicée [di-sé], n. f. (gr. *théos*, dieu ; *dikè*, justice). Traité de la justice de Dieu et de la Providence. [Phil.] Branche de la métaphysique qui traite de l'existence de Dieu, de ses attributs et de ses rapports avec l'humanité.
PAR. — *Théodicée*, n. f., partie de la philosophie qui traite de l'existence de Dieu ; — *théogonie*, n. f., généalogie des dieux ; — *théologie*, n. f., science des choses divines ; — *théosophie*, n. f., doctrine mystique qui a pour objet la connaissance de Dieu.

théodolite, n. m. [Astro.] Instrument destiné à mesurer les distances zénithales et les azimuts, c'est-à-dire les angles de deux plans verticaux.

théodosien, ienne [zi-in], adj. Qui appartient à Théodose le Grand ou à son petit-fils. || *Le code théodosien*, code promulgué en 438 par Théodose II.

théogonie, n. f. (gr. *théos*, dieu ; *gonê*, génération). Génération des dieux. Se dit des divinités de tout système religieux polythéiste. *La théogonie des Égyptiens, des Grecs, des Hindous.*
PAR. — V. THÉODICÉE.

théogonique, adj. Qui appartient à la théogonie.

1. **théologal,** n. m. Chanoine désigné pour enseigner la théologie et pour prêcher en certaines occasions. = Pl. *Des théologaux.*

2. **théologal, ale,** adj. Qui a rapport à la théologie. || *Les trois vertus théologales : la Foi, l'Espérance et la Charité.*

théologale, n. f. Dignité de théologal.

théologie [ji], n. f. (gr. *théos*, dieu ; *logos*, traité). Science qui a pour objet Dieu et les choses divines. *Docteur en théologie.* || Doctrine théologique. || Recueil des ouvrages théologiques d'un auteur. || *Études théologiques. Faire sa théologie.* V. tabl. RELIGIONS (*Idées suggérées par le mot*).

ÉPITHÈTES COURANTES : sacrée, dogmatique, pratique, positive, scolastique, morale, mystique, reçue, approuvée, profonde, sublime, compliquée, véritable, saine ; étudiée, traitée, enseignée, critiquée, expliquée, controversée, etc.
PAR. — V. THÉODICÉE.

VOCAB. — *Famille de mots.* — Théologie : théologien, théologique, théologiquement, théologal, théologale ; théodicée ; théisme, athée, athéisme ; monothéisme, monothéiste ; polythéisme, polythéiste ; panthéisme, panthéiste ; théocratie, théocrate, théocratiquement, théocratique, théosophe, théosophisme, théosophiste, théosophie ; théophilanthrope, théophilanthropie, théophilanthropique ; théogonie, théogonique ; théophanie ; enthousiasme, enthousiaste, enthousiastement, enthousiasmer.

PAR. — *Téléologie*, étude philosophique de la finalité.

théologien [té-o-lo-gi-in], n. m. Celui qui sait la théologie, qui écrit sur la théologie. || Par ext. Étudiant en théologie.

théologique, adj. Qui concerne la théologie. *Doctrine théologique.*
PAR. — *Téléologique*, relatif à la finalité.

théologiquement, adv. D'une manière théologique, selon les principes de la théologie, en théologien.

* **théophanie** [té-o-fa-ni], n. f. (gr. *théos*, Dieu ; *phainein*, faire paraître). Manifestation de la divinité aux hommes sous une forme matérielle.

théophilanthrope [fi-lan-tro-pe], n. m. (gr. *théos*, dieu ; *philos*, ami ; *anthrôpos*, homme). Membre d'une secte philosophico-religieuse qui se forma pendant la Révolution française.

théophilanthropie, n. f. Doctrine religieuse des théophilanthropes, qui n'admettait que deux dogmes : l'existence de Dieu et l'immortalité de l'âme.

* **théophilanthropique,** adj. Qui appartient à la théophilanthropie.

théorbe ou **téorbe,** n. m. [Mus.] Instrument de musique à cordes pincées, sorte de grand luth (XVIe et XVIIe s.). V. pl. MUSIQUE.

théorème, n. m. [Math.] Proposition qui doit être rendue évidente au moyen d'une démonstration ; se dit surtout en termes de mathématiques. V. tabl. SCIENCES (*Idées suggérées par le mot*).

* **théorétique,** adj. Qui a le caractère d'une théorie.

théoricien, ienne [té-o-ri-si-in], n. m. Qui connaît les principes d'un art. Se dit ordinairement par opposition à *praticien*.

1. **théorie,** n. f. (gr. *théôria*, contemplation). Connaissance qui s'arrête à la simple spéculation, sans passer à la pratique. *Ce que vous dites est beau en théorie, mais ne réussit pas dans la pratique.* || Ensemble de connaissances, ou simplement hypothèse donnant l'explication complète d'un ordre de faits. *Les théories de la physique.* || Système. *Théories artistiques.* [A. milit.] Principes de la manœuvre. *Faire la théorie,* l'enseigner. — *Leçons de théorie,* et livre où sont exposées ces leçons. = EN THÉORIE, loc. adv., conformément à la théorie pure. *En théorie, vous avez raison, mais...*

ÉPITHÈTES COURANTES : ancienne, nouvelle, vraie, vraisemblable, plausible, belle,

séduisante, contestable, fausse, spécieuse, pernicieuse, dangereuse, subversive, insoutenable, défendable; politique, sociale, morale, philosophique, scientifique, littéraire, artistique, économique; approuvée, soutenue, adoptée, rejetée, combattue, refusée, admise, reçue, abandonnée, etc.
ANT. — *Pratique.*

2. théorie, n. f. (gr. *théôria*, m. s.). [Antiq.] Chez les Grecs, députation solennelle qu'on envoyait à Olympie, à Delphes, à Délos, etc., soit pour assister à des jeux publics, soit pour consulter les oracles. ‖ Suite de personnes s'avançant en procession. *La théorie des pèlerins.*

théorique [té-o-ri-ke], adj. Qui appartient à la théorie; qui concerne la théorie.
CTR. — *Pratique.*

théoriquement, adv. D'une manière théorique.
CTR. — *Pratiquement.*

* **théoriser** [té-o-ri-zé], v. intr. Créer des théories, une théorie. = V. tr. Mettre en théorie.
PAR. — *Thésauriser*, amasser de l'argent.

théosophe [té-o-zo-fe], n. m. Partisan de la théosophie.

théosophie [té-o-zo-fi], n. f. (gr. *théos*, dieu; *sophia*, sagesse). Sorte de philosophie mystique ayant pour objet la connaissance de Dieu et l'union de l'esprit avec Dieu. ‖ Doctrine qui cherche à concilier le spiritisme et l'occultisme avec les traditions hindoues.
PAR. — V. THÉODICÉE.

* **théosophique**, adj. Qui a rapport à la théosophie.

* **théosophisme**, n. m. Caractère des spéculations théosophiques.

1. * **thèque** [tè-ke], n. f. (gr. *thêkê*, boîte). [Bot.] Cellule où se forment les spores des champignons ascomycètes.

2. * **thèque**, n. f. Jeu d'enfants, encore appelé *balle au camp.*

1. thérapeute, n. m. [Méd.] Médecin qui s'occupe de thérapeutique pratique.

2. thérapeute, n. m. [Hist. relig.] Solitaire appartenant à la secte des *Esséniens*, précurseurs du monachisme.

1. thérapeutique [té-ra-peu-tike], n. f. (gr. *thérapeuô*, je soigne). [Méd.] Partie de la médecine qui s'occupe du traitement des maladies, du choix et de l'administration des médicaments et des régimes à prescrire. V. tabl. MALADIE et MÉDECINE (*Idées suggérées par les mots*).

2. thérapeutique, adj. Qui a rapport aux thérapeutes. *La vie thérapeutique.* ‖ Qui concerne la thérapeutique.

* **thérapeutiste**, n. m. Celui qui s'occupe spécialement de thérapeutique.

thériacal, ale [ri-a-cal], adj. Qui contient de la thériaque. *Essence, eau thériacale.*

thériaque [té-ria-ke], n. f. [Pharm.] Électuaire opiacé contre la morsure des serpents, contre les poisons.

* **théridion**, n. m. [Zool.] Genre d'arachnides aranéides, araignées des vieux murs.

thermal, ale, adj. Qui a rapport aux eaux minérales chaudes. *Source thermale.*
LING. — Ce mot n'a pas de pluriel masc.

* **thermalité**, n. f. Qualité, nature, propriétés des eaux thermales.

thermes, n. m. pl. (gr. *thermos*, chaud). [Antiq.] Édifice destiné à l'usage des bains publics chez les anciens Romains.

‖ Aujourd'hui. Établissements médicaux d'eaux thermales.
HOM. — V. TERME.

thermidor, n. m. (gr. *thermê*, chaleur; *dôron*, don). Le 11e mois du calendrier républicain (du 19 ou 20 juillet au 18 ou 19 août). V. tabl. TEMPS (*Idées suggérées par le mot*).

thermidorien, ienne, adj. Se dit du parti de la réaction qui, le 9 thermidor an II, renversa Robespierre et mit fin au régime de la Terreur. = N. m. *Les thermidoriens.*

* **thermie**, n. f. [Phys.] Unité de quantité de chaleur (1.000 grandes calories).

thermique, adj. (gr. *thermos*, chaud). Relatif à la température, à la chaleur. — *Machine thermique*, machine motrice transformant la chaleur en travail. — *Centrale thermique*, centrale électrique dont les dynamos sont mues par des machines thermiques.
ANT. — *Centrale hydraulique.*

thermo-, préfixe tiré du gr. *thermos*, chaud, et indiquant une idée de chaleur.

thermocautère [tèr-mo-co], n. m. (gr. *thermos*, chaud; *kautêrion*, fer rouge). [Chir.] Appareil de cautérisation, constitué essentiellement par une tige portée et maintenue au rouge.

thermochimie [tèr-mo], n. f. Partie de la chimie qui étudie et mesure les quantités de chaleur dégagées ou absorbées dans les réactions. V. tabl. SCIENCES (*Idées suggérées par le mot*).

thermodynamique, n. f. Science qui s'occupe de l'équivalence entre la chaleur et le travail mécanique, du fonctionnement et du rendement des moteurs thermiques, etc. V. tabl. SCIENCES (*Idées suggérées par le mot*).

* **thermo-électricité**, n. f. Ensemble des phénomènes électriques et calorifiques qui se développent à la suite de variations calorifiques ou électriques.

* **thermo-électrique**, adj. Qui se rapporte à la thermo-électricité.

thermogène, adj. Qui engendre la chaleur. [Méd.] Substance que l'on applique sur la peau pour y déterminer une réaction locale.

* **thermographe**, n. m. Thermomètre enregistreur, appareil enregistrant graphiquement les variations de température.

* **thermologie** [tèr...ji], n. f. Partie de la physique qui se rapporte à la chaleur.

* **thermomagnétique**, adj. Qui se rapporte à la thermomagnétisme.

* **thermomagnétisme**, n. m. [Phys.] Modification subie par le magnétisme d'un corps lorsqu'on fait varier sa température.

thermomètre, n. m. (gr. *thermos*, chaud; *métron*, mesure). [Phys.] Instrument servant à indiquer le degré de la chaleur actuelle par le moyen de la dilatation ou de la condensation d'un liquide ou du mercure enfermé dans un tube de verre. *Thermomètre centigrade. Thermomètre Réaumur. Thermomètre Fahrenheit. Thermomètre enregistreur. Thermomètre à maxima. Thermomètre à minima.* V. tabl. SCIENCES (*Idées suggérées par le mot*). ‖ Fig. Indice qui permet de mesurer, de connaître le degré des sentiments, l'état d'esprit, etc. *Le thermomètre de l'opinion publique.*

* **thermométrie,** n. f. Mesure de la température.
thermométrique, adj. Qui appartient, qui a rapport au thermomètre ou à la thermométrie.
* **thermométrographe,** n. m. Syn. de *thermographe*.
* **thermorégulateur,** n. m. Appareil servant à régler la chaleur d'un four, d'une chaudière, etc.
* **thermoscope,** n. m. (gr. *thermos*, chaud ; *skopéô*, j'examine). [Phys.] Sorte de thermomètre différentiel, appareil indiquant sa propre température.
* **thermo-siphon** ou * **thermosiphon** [*tèr-mo-si-fon*], n. m. Appareil utilisant les courants qui prennent naissance dans une masse liquide dont les divers points ne sont pas à la même température (radiateurs de chauffage central, de moteurs à explosion, etc.).
* **thermostat,** n. m. [Phys.] Appareil régulateur de température.
* **thermothérapie,** n. f. [Méd.] Emploi de la chaleur comme agent thérapeutique.
* **thermotropisme,** n. m. [Hist. Nat.] Tropisme dû aux variations de température.
* **thésaurisation** [*té-zo-ri-za-sion*], n. f. Action de celui qui thésaurise.
thésauriser [*té-zo-ri-sé*], v. intr. (lat. *thesaurus*, trésor). Amasser de l'argent, former un trésor.
INCORR. — Ne pas dire *trésoriser*.
SYN. — V. CAPITALISER.
PAR. — *Théoriser*, créer des théories.
thésauriseur, euse, adj. et n. Celui, celle qui thésaurise.
thèse [*tè-ze*], n. f. (gr. *thésis*, action de poser). Proposition qu'on énonce, question qu'on avance avec l'intention de la défendre. *Une pareille thèse n'est pas défendable.* [Philos.] Toute proposition à laquelle s'en oppose une autre, l'*antithèse*, où se concilie avec la première dans une *synthèse*. ‖ Ensemble de propositions ou d'études de philosophie, de médecine, de littérature, d'histoire, de science, etc., qu'on soutient publiquement dans les écoles, dans les universités, pour obtenir le grade de docteur. *Soutenir une thèse.* — Ouvrage où les opinions de celui qui doit soutenir une thèse sont imprimées.
ÉPITHÈTES COURANTES : préparée, présentée, étudiée, soutenue, défendue ; répandue, réfutée, rejetée, contestée, admise, adoptée, abandonnée, plausible, vraisemblable, discutable, invraisemblable, indéfendable, etc.
HOM. — *Taise, es, ent,* du v. taire.

VOCAB. — *Famille de mots.* — Thèse : hypothèse, hypothétique, hypothétiquement, synthèse, synthétique, synthétiquement, synthétiser ; métathèse, diathèse ; hypothèque, hypothécairement, hypothécaire, hypothéquer, hypothéqué, hypothétique, hypothétiquement ; apothicaire, apothicairerie, boutique, boutiquier ; antithèse, antithétique ; thème, thématique ; anathème, anathématique, anathématisation, anathématiser ; parenthèse ; prothèse, prothétique ; bibliothèque, bibliothécaire ; glyptothèque, cinémathèque, pinacothèque, etc.

---

thesmophories [*tès-mo-fo-ri*], n. f. pl. [Antiq.] Fêtes qui se célébraient dans l'Attique en l'honneur de Déméter (Cérès), des semailles et de la fécondité des femmes.
thesmothète [*tes-mo-tê-te*], n. m. (gr. *thesmotétês*, législateur). [Antiq.] Titre à Athènes des six archontes préposés à la justice et à la préparation des lois.
* **thessalien, ienne,** adj. et n. Qui est de la Thessalie, qui en est originaire.
* **thessalonicien, ienne,** adj. et n. Qui est de la ville de Thessalonique (aujourd. *Salonique*).
PAR. — Ne pas confondre *thessalien* et *thessalonicien*.
* **thêta,** n. m. Huitième lettre de l'anc. alphabet grec (θ) ayant la valeur de notre *th* V. pl. ALPHABET GREC.
* **thète,** n. m. [Antiq.] Mercenaire, ouvrier salarié dans l'anc. Grèce.
théurgie [*té-ur-ji*], n. f. Sorte de magie par laquelle on prétendait se mettre en rapport avec les divinités bienfaisantes.
théurgique, adj. Qui a rapport à la théurgie.
* **théurgiste,** * **théurgite** ou * **théurge,** n. Adepte de la théurgie.
thibaude [*ti-bo-de*], n. f. Tissu grossier de poil de vache, dont on se sert pour doubler les tapis.
* **thionine,** n. f. (gr. *théion*, soufre). [Chim.] Matière colorante encore appelée *violet de Lauth*.
thlaspi [*tlas*], n. m. [Bot.] Genre de crucifères appelé aussi *tabouret*.
* **tholia,** n. f. [Antiq. gr.] Coiffure de femme, à larges bords et de forme conique. V. pl. COSTUME.
* **thomise,** n. m. [Zool.] Genre d'arachnides aranéides, comprenant des araignées de taille moyenne.
thomisme, n. m. [Théol. et Phil.] Doctrine de saint Thomas d'Aquin, essai de conciliation entre la doctrine d'Aristote et les dogmes chrétiens.
thomiste, adj. Qui concerne la doctrine de saint Thomas. = Nom. Partisan de cette doctrine.
thon [*ton*], n. m. [Zool.] Genre de poissons téléostéens de grande taille des mers chaudes ou tempérées. ‖ Chair du thon ; elle se consomme fraîche ou marinée dans l'huile.
HOM. — *Thon,* n. m., poisson de mer ; — *ton,* adj. poss. ; — *ton,* n. m., degré d'un son, de la voix ; — *tonds, tond,* du v. tondre.
* **thonaire,** n. m. [Pêche] Enceinte de filets dont on se sert pour pêcher les thons.
HOM. — *Thonaire,* n. m., enceinte de filets pour pêcher le thon ; — *tonnèrent,* du v. tonner ; — *tonnerre,* n. m., bruit produit par la foudre ; — *Tonnerre,* n. pr., ville de l'Yonne.
* **thonier,** n. m. [Mar.] Bateau pour la pêche du thon.
* **thoracentèse** [*to...san*] ou * **thoracocentèse,** n. f. [Méd.] Ponction d'un liquide épanché dans la cavité pleurale.
thoracique, adj. Qui appartient, a rapport au thorax, à la poitrine. — *Cage thoracique,* le squelette du thorax. — *Membres thoraciques,* les bras.
thorax, n. m. (gr. *thôrax,* poitrine). Partie du tronc, entre le cou et l'abdomen, qui, chez l'homme et les mammifères, renferme les poumons, le cœur, etc. V. tabl CORPS (*Idées suggérées par le mot*). [Zool.] Segment moyen du corps des insectes.

* **thorium** [ri-om'], n. m. [Chim.] Corps simple, métal rare, faiblement radioactif, dont l'oxyde, extrêmement réfractaire, est utilisé pour sa luminescence dans les manchons à gaz d'éclairage.

* **thran**, n. m. Huile de poisson, et, partic., huile de cétacés.

thrène, n. m. [Antiq.] Chant funèbre chez les anc. Grecs.

thridace, n. f. (gr. *thridax*, laitue). [Pharm.] Extrait concentré de suc de laitue, calmant et soporifique.

* **thrips**, n. m. [Zool.] Genre d'insectes pseudo-névroptères, très petits.

* **thrombose**, n. f. (gr. *thrombos*, caillot). [Méd.] Formation de caillots dans les vaisseaux sanguins.

* **thrombus**, n. m. [Méd.] Caillot sanguin qui oblitère un vaisseau.

* **thug**, n. m. Adepte d'une ancienne secte de l'Inde dont les membres faisaient le vœu à la déesse Kâli d'étrangler le plus possible d'étrangers.

* **thuïa** [tu-ia], n. m. V. THUYA.

thuriféraire, n. m. (lat. *thus*, encens; *fero*, je porte). Clerc qui porte l'encensoir. ‖ Fig. Flatteur, adulateur.

* **thurifère**, adj. Qui produit de l'encens.

thuya [tu-ia], n. m. [Bot.] Genre d'arbres gymnospermes de la famille des *conifères*. Plusieurs espèces sont cultivées pour l'ornement.

* **thyade**, n. f. [Antiq.] Prêtresse de Dionysos, bacchante.

* **thylacine**, n. m. [Zool.] Genre de mammifères marsupiaux carnivores de Tasmanie.

thym [tin], n. m. [Bot.] Genre de plantes aromatiques de la famille des *labiées*.
HOM. — V. TAIN.

* **thymélé**, n. m. [Antiq. gr.] Espèce d'autel qui s'élevait au milieu de l'orchestre d'un théâtre.

* **thyméléacées**, n. f. pl. [Bot.] Famille de végétaux dicotylédones. Syn. de *daphnoïdées*.

* **thymique**, adj. [Anat.] Qui se rapporte au thymus.

thymol, n. m. [Pharm.] Phénol extrait de certaines plantes de la famille des *labiées* ou des *ombellifères*, antiseptique intestinal et vermifuge.

thymus [ti-muss], n. m. [Anat.] Glande vasculaire placée à la partie inférieure du cou, qui n'existe que dans le bas âge, et s'atrophie bientôt. Le thymus du veau est connu sous le nom de *ris de veau*.

thyroïde, adj. et n. f. [Anat.] *Glande thyroïde*, glande à sécrétion interne placée contre les premiers anneaux de la trachée-artère, au-dessous du larynx.

* **thyroïdien, ienne**, adj. [Anat.] Qui a rapport à la glande thyroïde.

* **thyroïdisme**, n. m. [Méd.] Affection causée par le mauvais fonctionnement de la glande thyroïde.

thyrse, n. m. (lat. *thyrsus*, m. s.). [Antiq.] Lance ou long bâton dont l'extrémité était formée d'une pomme de pin, d'une touffe de lierre ou d'un bouquet de pampres, porté aux fêtes de Dionysos-Bacchus. [Bot.] Inflorescence qui est une panicule rameuse et dressée, comme dans les lilas.

* **thysanoures** [ti-za-nou...], n. m. pl. [Zool.] Groupe d'insectes aptères de petite taille, très primitifs.

...ti, tie, tis, tit

> ORTH. — *Finales.* — Le son final *ti* s'écrit sous diverses formes : *ti* dans agouti, apprenti, concetti, locati, parti, rôti, etc. ; *tie* dans amnistie, hostie, ortie, parti, patrie, rôtie, sortie, etc.; *tis* dans abatis, appentis, cliquetis, frottis, lattis, pilotis, tortis, etc. ; *tit* dans appétit, petit ; *thie* dans apathie, antipathie.

tiare, n. f. Coiffure nationale que portaient les Perses, les Parthes, et en général les peuples du N.-O. de l'Asie. ‖ Mitre à triple couronne que porte le pape comme marque de sa dignité. V. pl. COIFFURES. ‖ La dignité papale.

* **tibétain, aine**, adj. et n. Qui est du Tibet. = N. m. Langue parlée au Tibet.

tibia, n. m. (lat. *tibia*, flûte). Os long de la face interne de la jambe. V. pl. HOMME (squelette). ‖ Troisième article de la patte des insectes.

tibial, ale, adj. Qui appartient, qui a rapport au tibia.

tic, n. m. (orig. inc.). Habitude vicieuse que contractent les chevaux et les bêtes à cornes. ‖ Contraction convulsive de certains muscles du visage, qui donne lieu à des grimaces. ‖ Par ext. Se dit de certaines habitudes plus ou moins ridicules qu'on a contractées sans s'en apercevoir.
HOM. — *Tic*, n. m., mouvement nerveux; — *tique*, n. f., arachnide parasite des mammifères; — *tique, es, ent*, du v. tiquer.

* **ticage**, n. m. Existence d'un tic chez un animal.

...tice, tis, tisse

> ORTH. — *Finales.* — Le son final *tice* s'écrit sous cette forme dans: armistice, factice, interstice, justice, notice, solstice, subreptice, etc. ; sous la forme *tis* dans gratis et métis ; sous la forme *tisse* dans bâtisse et métisse.

* **ticket** [kè], n. m. (mot angl.) Billet d'admission dans un véhicule public, une exposition, etc.
HOM. — *Ticket*, n. m., billet d'admission; — *tiquet*, n. m., coléoptère nuisible; — *tiquais, ait, aient, ai*, du v. tiquer.
PAR. — *Tiquer*, avoir un tic.

tic-tac, n. m. Onomatopée dont on se sert pour exprimer le petit bruit cadencé qui accompagne un mouvement réglé. *Le tic-tac d'un moulin, d'une montre.* = Pl. *Des tic-tac.*

tiède, adj. (lat. *tepidus*, m. s.). Qui est entre le chaud et le froid. *De l'eau tiède.* — Ellipt. *Boire tiède*, boire sa boisson tiède. ‖ Poét. Qui répand une douce chaleur. *La tiède haleine des zéphyrs.* ‖ Fig. Nonchalant, qui manque d'ardeur, d'activité, d'enthousiasme ou même de conviction. *Une tiède dévotion.* = Nom. Celui qui manque d'ardeur dans les sentiments qu'il affiche.

tièdement, adv. Avec tiédeur, avec nonchalance et sans conviction.

tiédeur, n. f. Qualité de ce qui est tiède. ‖ Fig. Nonchalance, manque d'activité, de ferveur, de zèle. *Agir avec tiédeur.* = Pl. *Actes de tiédeur.*

tiédir, v. intr. Devenir tiède. *L'eau tiédit.* = V. tr. Rendre tiède. *Faire tiédir de l'eau.* ‖ Fig. *Son zèle a bien tiédi.*

tien, tienne, adj. poss. de la 2ᵉ pers. V. tabl. TIEN, TIENNE.

* **tiens !** interj. (impér. de *tenir*). Sert à attirer l'attention, à marquer la surprise, l'ironie. *Tiens ! une puce.*

* **tierçage**, n. m. [Vitic.]. Troisième binage donné à la vigne.

* **tierçoire** ou * **tierciaire**, n. Membre d'un tiers ordre religieux.
PAR. — *Tertiaire*, qui occupe le troisième rang.

tierce, n. f. (lat. *tertia*, troisième). [Astro. et Géom.] La soixantième partie d'une seconde dans la division du temps et dans la division des arcs. *On exprime la tierce par le signe* ('''). [Escrime] Position de l'épée, au dehors-haut, avec le poignet en pronation. V. pl. GYMNASE et ESCRIME. [Jeu] Série de trois cartes de la même couleur qui se suivent. [Mus.] Intervalle de deux notes en comprenant une entre elles, comme *do* et *mi*. ‖ Dernière épreuve d'imprimerie, après le bon à tirer. = Adj. fém. *Tierce personne.* V. TIERS.

tiercé, ée, adj. [Blas.] Se dit d'un écu divisé en trois parties. V. pl. BLASON. [Agri.] Se dit d'une terre qui a subi un troisième labour.

* **tierce-feuille**, n. f. [Blas.] Feuille à trois folioles pointues, sans queue. = Pl. *Des tierce-feuilles.*

tiercelet [*tier-se-lé*], n. m. [Faucon.] Nom donné au mâle de certains oiseaux de proie plus petit que la femelle d'environ un tiers.

* **tiercement** [*tièr-se-man*], n. m. Surenchère du tiers du prix principal pour lequel une adjudication avait été faite. ‖ Augmentation d'un tiers.

tiercer [*sé*], v. tr. et intr. Hausser d'un tiers le prix d'une chose. ‖ Donner aux terres un troisième labour. [Techn.] Réduire au tiers de sa dimension. — On dit aussi *tercer* ou *terser*. = Conjug. V. GRAMMAIRE.

TIEN, TIENNE, TIENS, TIENNES, mots possessifs de la 2ᵉ personne du singulier.

Étymologie. — Du latin *tuus, tua, tuum, ton, ta*.

Tien, tienne sont les formes toniques ; les formes atones sont *ton, ta, tes*, V. ce tableau.
HOM. — (de *tien*) : *tiens, tient*, du v. tenir ; *tiens*, interj. — (de *tienne*) : *tienne, es, ent*, du v. tenir.

Tien, tienne, adj. possessif de la 2ᵉ pers. du sing., indiquant que la possession est le fait d'une seule personne, celle à qui l'on parle. V. tabl. TON.
Qui est à toi, qui t'appartient — *Ces maisons sont tiennes.* Fam. *Tien* se joint parfois avec *un*, et se met alors devant le nom. *Un tien ami.*
Autrefois beaucoup plus fréquent qu'aujourd'hui — *Vis pour ton cher tyran, tandis que je meurs tienne* (CORNEILLE). *Ta Julie sera toujours tienne* (J.-J. ROUSSEAU).

Tien, tienne, pronom possessif relatif à la seconde personne du singulier.
C'est l'adjectif possessif *tien, tienne* employé avec l'article, et remplaçant un nom déjà exprimé ou qui va l'être.
— Qui t'appartient, qui est ton bien propre — *Voilà mes livres et voici les tiens.*

Tien, tienne employés comme noms.
Le bien qui t'appartient. *Le tien et le mien.* V. MIEN. Fam. *Mets-y du tien*, contribue à cela par ta bonne volonté, ton activité.
TIENS, n. m. pl. *Les tiens*, tes proches, tes parents, tes alliés. *Voilà un des tiens.*
TIENNES, n. f. pl. (Fam.) *On dit que tu fais ici des tiennes* (BEAUMARCHAIS), que tu fais des extravagances, des sottises, selon ton habitude.

---

tierceron, n. m. [Archit.] Nervure de voûte gothique qui partage en deux parties l'angle compris entre le formeret et la croisée d'ogive.

1. tiers, tierce, adj. Troisième, qui vient en troisième lieu. *Il se forma un tiers parti.* ‖ *Le Tiers État* ou absol., *le Tiers*, la partie de la nation française qui, avant la Révolution, n'était comprise ni dans le clergé, ni dans la noblesse. ‖ *Tiers ordre*, association de séculiers qui suivent en partie la règle d'un ordre religieux. *Le tiers ordre de saint François.* ‖ *Tierce personne*, personne qui vient en troisième lieu, en tiers. *Les deux compères s'en ouvrirent à une tierce personne.* [Méd.] *Fièvre tierce*, qui revient tous les trois jours.
INCORR. — *Tiers* signifiant *troisième*, il faut éviter de donner à l'expression *tierce personne* le sens de *personne adjointe* à une première personne et de dire, par exemple : certains mutilés ont besoin de l'assistance d'une tierce personne, *tierce* prenant alors ici, tout à fait abusivement, le sens de *second*.
ANT. — *Noblesse, clergé.*
HOM. — *Tiers*, adj., troisième ; — *tiers*, n. m., la troisième partie d'un tout ; — *Thiers*, n. pr., ville de France.

2. tiers, n. m. (lat. *tertius*, m. s.). Troisième personne. *Il ne faut point de tiers dans cette affaire.* — Fam. *Le tiers et le quart*, toutes sortes de personnes indifféremment. *Il médit du tiers et du quart.* ‖ Une des parties d'un tout qui est ou que l'on conçoit divisé en trois parties égales. *Le tiers de neuf est trois.* [Droit] *Tiers*, personne étrangère à un contrat. = EN TIERS, loc. adv. En troisième, en qualité de troisième.

tiers-point, n. m. Lime à section triangulaire. V. pl. OUTILS USUELS. [Archi.] Point d'intersection de deux arcs dans une ogive. = Pl. *Des tiers-points.*

tige, n. f. (lat. *tibia*, os de la jambe). [Bot.] La partie d'une plante qui, continuant la racine, s'élève hors de terre et porte les branches, les feuilles, les fleurs et les fruits. ‖ Partie allongée et ordinairement cylindrique de plusieurs objets. *La tige d'une colonne*, le fût. — *La tige d'une clef*, partie allongée qui est entre l'anneau et le panneton. — *La tige d'une botte, d'un bas*, la partie de la botte, du bas qui enveloppe la jambe. ‖ Fig., en parlant de généalogie, l'ancêtre duquel sont sorties toutes les branches d'une famille. *Il sort d'une tige illustre.*

ÉPITHÈTES COURANTES : haute, verticale, belle, droite, élancée, épaisse, basse, mince, branchue; illustre, royale, etc.
SYN. — *Tige*, partie de la plante qui se dresse hors de terre et porte les feuilles : *La tige d'un roseau.* — *Fût*, tige droite et élancée : *Les fûts des hêtres.* — *Souche*, le bas d'un tronc d'arbre avec les racines : *Extirper les souches pour défricher un coin de forêt.* — *Tronc*, la partie d'un arbre depuis sa sortie de terre (sans les racines) jusqu'aux premières branches : *Les chênes ont souvent des troncs magnifiques.*

tigelle, n. f. [Bot.] Partie supérieure de l'axe de l'embryon végétal, qui donne naissance à la tige.

tigette, n. f. [Archi.] Espèce de tige ornée de feuilles, d'où sortent des volute dans le chapiteau corinthien.

tignasse [gn mll.], n. f. Mauvaise perruque. ‖ Chevelure touffue et mal peignée (Pop.).

* **tignon** [gn mll.], n. m. Chignon (Pop. et Vx).

* **tignonner** [gn mll.]. Boucler les cheveux du chignon. = SE TIGNONNER, v. pr. Se prendre l'une l'autre par le chignon.

tigre, n. m. (lat. *tigris*, m. s.). [Zool.] Bête féroce, grand mammifère carnassier à griffes rétractiles, du genre *felis*. V. tabl. ANIMAUX. — V. pl. MAMMIFÈRES. — *Un tigre, un cœur de tigre*, un homme cruel et impitoyable. — *Jaloux comme un tigre*, jaloux jusqu'à la rage. ‖ *Tigre du poirier*, insecte hémiptère fort nuisible aux poiriers. = Adj. *Chevaux ou chiens tigres*, qui sont rayés à peu près comme le tigre. = Fém. *Tigresse.* V. ce mot.
— *Ce tigre altéré de tout le sang romain.*
(CORNEILLE.)
ÉPITHÈTES COURANTES : cruel, féroce, sanguinaire, impitoyable, sauvage, altéré de sang royal.

tigré, ée, adj. Rayé comme un tigre. *Une chienne tigrée.*

* **tigrer**, v. tr. Orner de taches, de raies semblables aux rayures du tigre.

tigresse, n. f. La femelle du tigre. ‖ Fig. Femme cruelle, insensible ou jalouse.

* **tigridie**, n. f. [Bot.] Genre d'*iridacées*, plantes bulbeuses d'Amérique.

tilbury [bu-ri], n. m. Cabriolet léger, à deux places, et ordinairement découvert.

* **tilde**, n. m. (esp. *tilda*, m. s.). Petit signe (˜) qu'on met en espagnol et en portugais, sur la lettre *n*, quand cette lettre doit prendre le son que nous représentons par *gn* mouillé. Ainsi *Doña* et *Mañana* se prononcent *dogna* et *Magnana*.

tiliacées, n. f. pl. [Bot.] Famille de plantes dicotylédones ayant pour type le *tilleul.*

tillac [ll mll.], n. m. [Mar.] Le pont d'un navire de commerce, d'un grand bateau, etc.

tillage [ll mll.], n. m. V. TEILLAGE.

* **tillandsie** [ll mll.], n. f. [Bot.] Genre de plantes de la famille des *broméliacées.*

tille [ll mll.], n. f. [Mar.] Portion de tillac formant une sorte de cabane à l'avant ou à l'arrière d'un petit bâtiment non ponté. ‖ Écorce de chanvre (*teille*). ‖ Liber du tilleul, servant à faire des cordes.

‖ Outil de tonnelier, de couvreur (*assette*), à la fois marteau et hachette.

tiller, v. tr. V. TEILLER.

* **tillette** [ll mll], n. f. Espèce d'ardoise échantillon.

tilleul [ll mll.], n. m. (lat. *tiliola*, dimin. de *tilia*, m. s.). [Bot.] Genre de plantes dicotylédones, type de la famille des *tiliacées.* ‖ Fleur de cette plante servant à faire des infusions. ‖ Infusion calmante et sudorifique préparée avec la fleur du tilleul. *Une tasse de tilleul.*

tilleur, n. m. V. TEILLEUR.

* **tillotte** [ll mll.], n. f. [Techn.] Instrument pour broyer le chanvre.

* **tillotter** [ll mll.], v. tr. Broyer le chanvre avec la tillotte.

* **timar**, n. m. Bénéfice d'un timariot.

* **timariot** [ri-o], n. m. Soldat turc qui jouissait d'un bénéfice militaire, au moyen duquel il devait s'entretenir, lui et quelques miliciens qu'il fournissait.

timbale [tin-ba-le], n. f. Espèce de tambour. V. pl. MUSIQUE. ‖ Gobelet de métal qui a la forme d'un verre sans pied. ‖ *Décrocher la timbale*, l'enlever au haut d'un mât de cocagne, fig. et, atteindre un but très disputé. ‖ Préparation culinaire enfermée dans une croûte de pâtisserie. ‖ Petite raquette pour jouer au volant.
PAR. — *Cymbales*, instrument formé de deux disques de cuivre.

timbalier [tin], n. m. Musicien qui joue des timbales.

timbrage [tin-bra-je], n. m. Action de timbrer, de marquer d'un timbre.

timbre, n. m. (lat. *tympanum*, tambour). Sorte de cloche métallique immobile et généralement en forme de demi-cercle, qui est frappée par un marteau. *Le timbre d'une pendule.* ‖ Partic. Signal avertisseur d'une bicyclette. — Fig. et fam. *Il a le timbre fêlé* se dit d'un homme un peu fou.
— *Et je lui crois, pour moi, le timbre un peu fêlé.* (MOLIÈRE.)
Par ext. Le son que rend un timbre. *Un timbre clair.* ‖ Partie du casque qui enveloppait le dessus et le derrière de la tête. [Blas.] L'ensemble des pièces que l'on place sur un écu pour désigner la qualité de celui qui le porte; se dit particulièrement du casque. V. pl. ARMURES. [Mus.] La qualité sonore d'une voix ou d'un instrument. *Sa voix a un timbre argentin.* ‖ Marque d'une administration, d'une maison de commerce. — Ce qui sert à apposer une marque. *Timbre humide.* ‖ Marque ou empreinte obligatoire apposée au nom de l'État sur le papier de certains actes, et portant l'indication du prix qu'elle coûte, ce prix variant avec la dimension de l'acte. — Administration de l'État où l'on appose cette marque sur le papier. *Un employé du timbre.* ‖ Marque de la poste oblitérant les timbres-poste et indiquant sur les lettres le lieu, le jour, l'heure du départ et de l'arrivée. — *Timbre-poste*, ou simplement *timbre.* V. TIMBRE-POSTE. ‖ *Timbre de quittance* ou *timbre-quittance*, timbre que l'on met sur les quittances, les factures acquittées, etc., et dont la valeur représente le montant des droits que l'État perçoit sur ces diverses opérations.
ÉPITHÈTES COURANTES : neuf, nouveau, imprimé, gravé, oblitéré, émis, collé, décollé; collectionné, échangé, acheté

vendu, catalogué, épuisé, retiré, rare, précieux, etc.
Syn. — V. cloche et ton.

> Vocab. — *Famille de mots.* — *Timbre* [rad. *tim, tym, tamb*] : timbrer, timbré, timbreur, timbrage ; timbre-poste, timbre-quittance, timbrophilie ; tympan, tympanique, tympanisme, tympanon, tympaniser, tympanite ; tambour, tambourin, tambouriner, tambourinaire, tambourinage, tambourineur, tambour-major ; tabouret, tabourin.

timbré, ée, adj. Sonore, qui résonne fort. *Voix timbrée.* || Fam. Détraqué, à moitié fou. || *Papier timbré*, papier officiel, marqué du timbre de l'État, employé pour certains actes.
timbre-poste ou **timbre,** n. m. Petite vignette que vend l'Administration des postes et qui sert à affranchir les lettres, les paquets confiés à la poste. = Pl. *Des timbres-poste.*
timbre-quittance, n. m. V. timbre. = Pl. *Des timbres-quittances.*
timbrer [*tin-bré*], v. tr. Munir d'un timbre. || Coller un timbre-poste sur une enveloppe, un timbre-quittance sur un reçu, etc. || Imprimer sur du papier, sur du parchemin, la marque ordonnée par la loi. || Imprimer sur une lettre une marque qui indique de quel bureau de poste elle part, la date, etc. || *Timbrer les livres d'une bibliothèque,* les marquer d'un cachet particulier qui sert à les faire reconnaître. [Blas.] Mettre le timbre au-dessus d'un écu.
timbreur, euse, n. Celui, celle qui marque avec le timbre.
*****timbrophilie,** n. f. Syn. de *philatélie.*
timide, adj. (lat. *timidus*, m. s., de *timeo*, je crains). Qui manque de hardiesse ou d'assurance, qui est d'une prudence excessive. || Qui marque la timidité. *Voix timide.* = Nom. *Un, une timide.*
Syn. — V. craintif.
Ctr. — *Hardi, audacieux, téméraire, présomptueux, arrogant, effronté, éhonté, cynique.*
timidement, adv. Avec timidité.
timidité, n. f. Manque d'assurance, de hardiesse.
Ant. — *Hardiesse, audace, témérité, présomption, effronterie, cynisme.*
*****timocratie** [*si*], n. f. Gouvernement dans lequel les fonctions, les honneurs sont réservés aux plus riches. On dit plutôt *ploutocratie.*
Ant. — *Démocratie.*
Par. — *Théocratie,* gouvernement par les prêtres.
*****timocratique,** adj. Qui appartient à la timocratie.
timon, n. m. (lat. *temo*, m. s.). Pièce de bois du train de devant d'un véhicule, qui est longue et droite, et aux deux côtés de laquelle on attelle des chevaux. [Mar.] La barre du gouvernail. || Fig. *Prendre le timon des affaires, de l'État,* prendre le gouvernement des affaires, etc.
timonerie [*ne-ri*], n. f. [Mar.] Service des signaux, compas, pavillonnerie, etc. || Lieu où sont placés la roue du gouvernail, les compas de route, les pavillons, etc. V. pl. navigation. || *Maître ou chef de timonerie,* officier subalterne chargé du service de la timonerie.

timonier [*nié*], n. m. Cheval qu'on met au timon. [Mar.] Matelot affecté au service de la timonerie.
Par. — *Limonier,* cheval qu'on attelle dans les limons.
Orth. — *Timonier* ne prend qu'*un n*, mais *tisonnier* en prend *deux.*
timoré, ée, adj. Pénétré d'une crainte salutaire. || Par ext. Qui porte très loin le scrupule, qui a toujours peur de mal faire et n'ose pas agir. *C'est une âme timorée.*
Syn. — V. craintif.
Ctr. — *Hardi, audacieux, osé, présomptueux.*

...tin, tain, tinct

> Orth. — *Finales.* — Le son final *tin* s'écrit sous cette forme dans argentin, bénédictin, bouquetin, bulletin, catin, crétin, fretin, galantin, latin, butin, matin, mutin, palatin, rotin, satin, trottin, etc. ; sous la forme *tain,* dans certain, châtain, étain, hautain, huitain, lointain, métropolitain, puritain, plantain, samaritain, sacristain, ultramontain etc. ; sous la forme *tinct* dans distinct, instinct.

tin, n. m. [Mar.] Billot qu'on emploie pour supporter la quille d'un bâtiment en chantier. V. pl. port. || Pièce de bois qui sert à soutenir les tonneaux dans une cave.
Hom. — V. tain.
*****tincal,** n. m. [Minér.] Borate hydraté de sodium.
tinctorial, ale, adj. (lat. *tingere,* teindre). Qui sert à teindre, qui se rapporte à la teinture. *Plantes, substances tinctoriales.* = Pl. masc. *tinctoriaux.*
tine, n. f. (lat. *tina,* vase). Espèce de tonneau qui sert à transporter de l'eau ou à porter la vendange de la vigne au pressoir. || Vaisseau de bois dans lequel on met le lait, la crème, etc.
*****tinea,** n. f. [Zool.] Nom scientif. des *teignes* ou *mites,* type de la famille dite des *tinéidés.*
tinette, n. f. Grand vase de bois ou de métal muni d'oreilles. *Une tinette de vidangeur.* || Petite tine. *Une tinette de beurre.*
tintamarre, n. m. Tout bruit éclatant accompagné de confusion et de désordre.
Syn. — V. fracas.
*****tintamarrer,** v. intr. Faire du tintamarre (Pop. et Vx). = V. tr. Étourdir par son tintamarre. *Tintamarrer ses gens* (Vx).
*****tintamarresque,** adj. Bruyant et bouffon.
tintement, n. m. Action de tinter. || Le son d'une cloche, et partic. le retentissement qui l'accompagne. [Méd.] *Tintement ou bourdonnement d'oreille,* bruit plus ou moins contenu que l'oreille perçoit quelquefois, en l'absence de toute excitation extérieure.
tintenague, n. f. V. toutenague.
1. tinter, v. tr. Faire sonner lentement une cloche, en sorte que le battant ne frappe que d'un côté. || Annoncer en tintant. = V. intr. *La cloche tinte.* || *Les oreilles lui tintent* se dit d'une personne qui croit entendre un tintement de cloche.
Syn. — V. résonner.
Hom. — V. teinter.
2. tinter, v. tr. ou intr. [Mar.] Appuyer sur les tins assujettir avec des tins.

tintinnabuler, v. intr. (lat. *tintinnabulum*, grelot). Sonner comme un grelot ou une clochette.
tintouin, n. m. Bourdonnement, bruit dans les oreilles. ‖ Fig. et Fam. Inquiétude, souci, embarras que cause une affaire.

...tion

> LING. — La finale *tion* se prononce généralement *sion* : nation, exposition, portion, etc. ; elle se prononce *tion* dans les mots terminés par *stion* ou *xtion* : bastion, question, digestion, combustion, mixtion, etc., et à la 1re pers. du plur. de l'imparfait de l'indicatif et du présent du subj. des verbes en *ter* et en *tir* : nous portions, nous sortions, que nous votions, etc.

* **tipule**, n. f. [Zool.] Genre d'insectes diptères, analogues au cousin; inoffensifs, ils vivent sur les plantes.
tique, n. f. [Zool.] Nom vulg. des *ixodes*, acariens appelés aussi *bêtes rouges*, qui vivent en parasites sur la peau des mammifères.
HOM. — V. TIC.
tiquer, v. intr. Avoir un tic, en parlant d'animaux domestiques. *Ce cheval tique.* ‖ Fam. Faire un mouvement d'étonnement, d'inquiétude, d'ennui, de désapprobation.
PAR. — *Tiquet*, coléoptère nuisible; — *ticket*, billet d'admission.
* **tiquet**, n. m. [Zool.] Nom vulgaire de *l'altise bleue*, petit coléoptère qui dévore les jeunes choux.
HOM. — V. TICKET.
tiqueté, **ée**, adj. Marqué de petites taches. *Un œillet tiqueté.*
* **tiqueture**, n. f. État d'un objet tiqueté.
tiqueur, euse, adj. Se dit des animaux domestiques qui ont contracté un tic.
tir, n. m. Action, art de lancer un projectile avec une arme dans une direction déterminée. ‖ Ligne suivant laquelle on lance le projectile d'une arme à feu. ‖ Lieu où l'on s'exerce à tirer. ‖ Partic. Tir d'artillerie. *Tir de barrage*, tir d'artillerie pour isoler une position ennemie de ses bases. — *Tir de plein fouet*, tir à projectoire rectiligne. — *Tir plongeant*, tir dont l'angle de chute des projectiles est d'environ 45°. V. tabl. GUERRE (*Idées suggérées par le mot*).
ÉPITHÈTES COURANTES : réel, réduit, à la cible, précis, juste, court, long, efficace, exact, serré, effroyable, infernal, ordonné, commencé, cessé, interrompu, repris, rectifié, contrebattu, neutralisé, etc.
HOM. — *Tir*, n. m., action de lancer un projectile; — *tire*, n. f., action de tirer : *Vol à la tire*; — *tire*, *es*, *ent*, du v. tirer; — *Tyr*, n. pr., ancienne ville de Phénicie.
tirade, n. f. (ital. *tirata*, m. s.). [Litt.] Morceau d'une certaine étendue faisant partie d'un ouvrage et relatif au même sujet qu'il développe sans interruption. ‖ Au théâtre, suite de phrases ou de vers qu'un personnage débite sans interruption. *La tirade d'Auguste dans Cinna.* ‖ En mauvaise part, suite développée de lieux communs. = TOUT D'UNE TIRADE, loc. adv. Tout d'un trait, sans s'arrêter (Fam.).
tirage, n. m. Action de tirer. — *Il y a du tirage*, les chevaux doivent faire de grands efforts pour tirer. — Fig. Il y a des difficultés à surmonter, des résistances à vaincre. ‖ *Tirage d'une cheminée*, mouvement par lequel l'air froid est attiré vers le foyer pour remplacer l'air échauffé qui s'élève et sort par le tuyau. ‖ *Tirage d'une loterie*, l'action de tirer les numéros. — *Tirage au sort*, opération qui avait pour but, avant la loi militaire de 1905, de classer suivant certaines catégories, d'après les numéros tirés, les conscrits d'une année. [Phot.] Action de tirer l'épreuve positive d'une plaque ou d'une pellicule négative. [Techn.] *Tirage des métaux*, action de les faire passer par la filière. — *Tirage de la soie*, action de faire passer le fil du cocon sur le dévidoir et résultat de cette action. — *Cordon de tirage*, cordon sur lequel on tire pour ouvrir ou fermer un rideau. [Typo.] Action de mettre les feuilles sous presse pour les imprimer; résultat de cette action. — Se dit aussi des estampes, lithographies, etc. ‖ Ensemble des exemplaires tirés en une seule fois.
tiraillé, ée [*ill* mll.], adj. Distendu, déformé par l'usage. *Vêtement tiraillé.*
tiraillement [*ill* mll.], n. m. Action de tirailler. ‖ Fig. et Fam. Contestations, absence de concert dans une affaire. ‖ Sensation interne pénible. *Tiraillements d'estomac.*
tirailler [*ill* mll.], v. tr. (fréquentatif de *tirer*). Tirer à diverses reprises. — Dans un sens péjor. Tirer mal à propos et avec violence. — Fig. et fam. Solliciter, poursuivre d'instances importunes. *Il s'est fait longtemps tirailler avant d'accepter.* ‖ En parlant des sentiments qui sollicitent dans des sens contradictoires. *Il est tiraillé entre les devoirs et l'intérêt.* = V. intr. [A. milit.] Tirer des coups irréguliers et répétés en amorçant une attaque.
* **tiraillerie** [*ra-ill* mll.], n. f. [A. milit.] Action de tirer sans ordre et sans but. ‖ Feu prolongé de tirailleurs.
tirailleur [*ra-ill* mll.], n. m. Celui qui tiraille. [A. milit.] Soldat qui tiraille en avant du gros de la troupe et harcèle l'ennemi de son feu. — *En tirailleurs*, se dit d'une troupe qui se déploie, les hommes s'espaçant en des lignes elles-mêmes espacées. ‖ Soldat faisant partie de formations indigènes d'infanterie aux colonies. *Tirailleurs algériens, annamites, sénégalais, malgaches.* V. tabl. ARMÉE (*Idées suggérées par le mot*).
tirant, n. m. (ppr. du v. *tirer*). Organe destiné à exercer un effort de traction. *Les tirants d'une bourse*, les cordons qui servent à la fermer et à la fermer. ‖ *Les tirants d'une botte, d'un soulier*, les anses, faites d'un tissu résistant, dans lesquelles on passe les crochets ou le doigt pour chausser plus facilement une botte, un soulier. V. pl. CHAUSSURES. [Archi.] Pièce de bois ou barre de fer arrêtée aux deux extrémités par des ancres pour empêcher l'écartement d'une charpente, de deux murs, d'une voûte, etc. — Poutre qui, dans une ferme, porte les arbalétriers et le poinçon. [Boucherie] Portion tendineuse de couleur jaunâtre qui se trouve dans la viande de boucherie. [Mar.] *Tirant d'eau*, la quantité exprimant en mètres et fractions de mètres l'immersion de la quille d'un navire mesurée à partir de la ligne de flottaison. *Ce paquebot a un tirant d'eau de 10 mètres.*
HOM. — V. TYRAN.

tirasse, n. f. Filet pour prendre des alouettes, des cailles, etc.

* **tirasser,** v. tr. Chasser à la tirasse, prendre à la tirasse. = V. intr. *Tirasser aux alouettes.*

* **tiraude,** n. f. [Techn.] Câble sur lequel on tire pour hisser le mouton qu'on laisse retomber sur les pieux qu'on enfonce.

tire, n. f. Action de tirer à soi. ‖ *Vol à la tire,* vol qui consiste à tirer ce que contiennent les poches des gens, dans une foule. ‖ *Tire d'aile.* V. ce mot. = TOUT D'UNE TIRE, loc. adv. Sans arrêt, de suite.

tiré, ée, adj. Fatigué, allongé, amaigri. *Visage tiré.* ‖ *Le vin est tiré, il faut le boire,* l'affaire étant engagée, il faut la continuer. ‖ *Tiré à quatre épingles,* habillé avec soin (Fam.). = N. m. Taillis dans lequel on chasse. *Les tirés de Marly. — Chasse au tiré,* chasse au fusil. ‖ Gibier ainsi chassé. [Banque] Celui sur lequel a été tirée une lettre de change et qui doit la payer.

ANT. — *Tireur.*

HOM. — *Tiré,* adj. et part. passé de *tirer; — tiré,* n. m., chasse au fusil, taillis pour cette chasse; — *tirer,* v., faire un tir; — amener vers soi; — *tirée,* n. f., métrage d'étoffe enroulée en une fois pendant le tissage.

PAR. — *Tiret,* petit trait horizontal.

* **tireau** [ti-rô], n. m. [Mar.] Sorte de bateau plat qui sert à décharger un bateau trop lourd pour remonter le courant.

* **tire-au-flanc,** n. m. inv. [Pop.] Soldat qui cherche à échapper aux exercices, aux corvées, etc.

* **tire-balle,** n. m. Instrument dont on se servait pour retirer les balles ou autres projectiles engagés dans une plaie. ‖ Se dit aussi pour *tire-bourre.* = Pl. Des *tire-balles.*

* **tire-bonde,** n. m. Outil pour retirer la bonde d'un tonneau. = Pl. Des *tire-bondes.*

* **tire-bord** [bor], n. m. inv. [Mar.] Instrument pour ramener un cordage à sa place.

tire-botte, n. m. Petite planche portant une entaille où peut s'emboîter le pied d'une botte, pour se débotter seul. ‖ Crochets de fer qu'on passe dans les tirants d'une botte pour la chausser. = Pl. Des *tire-bottes.*

tire-bouchon, n. m. Sorte de vis de fer ou d'acier dont on se sert pour tirer les bouchons des bouteilles. = EN TIRE-BOUCHON, loc. adv. En forme de spirale. *Les cheveux frisés en tire-bouchon.* = Pl. Des *tire-bouchons.*

* **tire-bouchonné, ée,** adj. En tire-bouchon, en hélice. *Boucles tire-bouchonnées.*

tire-bourre [bou-re], n. m. [A. milit.] Instrument qui servait à extraire la charge des bouches à feu se chargeant par la gueule. = Pl. Des *tire-bourres.*

tire-bouton, n. m. Sorte de crochet dont on se sert pour faire entrer les boutons des bottines, etc., dans les boutonnières. = Pl. Des *tire-boutons.*

* **tire-braise,** n. m. inv. Instrument pour retirer la braise des fours de boulanger.

* **tire-clou,** n. m. Outil de couvreur pour arracher les clous des chevrons. = Pl. Des *tire-clous.*

tire-d'aile, n. m. Battement d'aile d'un oiseau quand il vole vite. = À TIRE D'AILE, loc. adv. *Voler à tire-d'aile,* voler aussi rapidement qu'il est possible. = Pl. Des *tire-d'aile.*

* **tirée,** n. f. [Techn.] Métrage d'étoffe enroulée en une fois pendant le tissage.

HOM. — V. TIRÉ.

* **tire-feu,** n. m. [A. milit.] Instrument qui sert à mettre le feu à la charge d'un canon. V. pl. CANON. = Pl. Des *tire-feu.*

* **tire-filet,** n. m. [Techn.] Outil pour tracer des filets sur le bois, le métal, etc. = Pl. Des *tire-filets.*

tire-fond, n. m. Outil qui sert aux tonneliers pour faire entrer la dernière douve dans la rainure. — Vis servant à fixer un coussinet sur une traverse. V. pl. CHEMIN DE FER. ‖ Vis à bois de grand diamètre et à tête carrée. ‖ Anneau fixé à un plafond afin d'y suspendre un lustre. = Pl. Des *tire-fond.*

* **tire-fusée** [zé], n. m. [A. milit.] Instrument pour retirer les fusées de bois des anc. projectiles creux. = Pl. Des *tire-fusées.*

tire-laine, n. m. Voleur de manteaux (Vx). — Voleur en général. = Pl. Des *tire-laine.*

tire-lait, n. m. inv. Appareil utilisé pour tirer le lait d'une nourrice.

tire-larigot (à), loc. adv. V. LARIGOT.

tire-ligne, n. m. Petit instrument terminé par deux lames en forme de lance, qu'on peut écarter ou rapprocher au moyen d'une vis, et dont on se sert pour tracer à l'encre des lignes plus ou moins grosses. = Pl. Des *tire-lignes.* V. pl. DESSIN (Instruments de).

tirelire, n. f. Boîte ou vase clos ayant une fente dans laquelle on fait entrer des pièces de monnaie pour les mettre en réserve.

* **tire-lirer,** v. intr. Se dit de l'alouette qui chante.

* **tirement,** n. m. Action de tirer; son résultat.

* **tire-pavé,** n. m. Jouet d'enfant composé d'une sorte de ventouse qu'on fait adhérer aux objets. = Pl. Des *tire-pavés.*

tire-pied, n. m. Grande lanière de cuir dont les cordonniers et les selliers se servent pour fixer leur ouvrage sur le genou. = Pl. Des *tire-pieds.*

* **tire-plomb** [plon], n. m. Rouet de vitrier pour tirer le plomb en lames plates. — Pl. Des *tire-plomb.*

tire-point ou **tire-pointe,** n. m. Outil très pointu dont on se sert pour piquer. V. pl. OUTILS usuels. = Pl. Des *tire-points* ou *tire-pointes.*

tirer, v. tr. (orig. inc.).

1° Mouvoir vers soi, amener vers soi ou après soi. *Tirer quelqu'un par le bras. Tirer les oreilles à quelqu'un.* ‖ Fig. et fam. *Se faire tirer l'oreille.* V. OREILLE. — *Tirer le verrou,* le faire glisser pour le fermer ou l'ouvrir. — *Tirer la couverture à soi,* prendre ou chercher à prendre plus que sa part. — *Tirer le diable par la queue,* être gêné pécuniairement. — *Tirer le cordon,* actionner le cordon qui fait ouvrir la porte d'un immeuble. ‖ *Tirer un criminel à quatre chevaux,* l'écarteler. — Fam. Être *tiré à quatre épingles,* être très élégant, très recherché dans sa mise.

2° Oter, faire sortir une chose d'un lieu, d'une situation qu'elle occupait. *Tirer de l'or de la mine.* — Absol. *Tirer* de l'eau. — *Tirer du vin*, l'extraire d'un tonneau pour le mettre en bouteilles. — Fig. *Tirer au clair un fait, une difficulté*, l'éclaircir. ‖ *Tirer la langue*, avancer la langue hors de la bouche. ‖ *Tirer l'épée contre quelqu'un*, se battre contre lui. ‖ *Tirer son chapeau*, se découvrir pour saluer avec respect. ‖ *Tirer des larmes*, faire pleurer. — *Tirer du lait*, traire une vache, une chèvre, etc. — On dit aussi *tirer une vache*. ‖ Extraire. *Tirer le suc d'une plante.* — Fig. *Tirer des sons d'un instrument*, lui faire rendre des sons. — *Tirer les marrons du feu.* V. MARRON. — *Tirer à quelqu'un les vers du nez.* V. VER.

En parlant des personnes. Oter, faire sortir quelqu'un d'un endroit, l'éloigner d'une chose. *On l'a tiré de sa prison.* — Fig. *Tirer quelqu'un de la boue, de la poussière, de l'obscurité*, le faire sortir d'un état misérable ou abject, d'une situation humble. ‖ Délivrer, dégager quelqu'un. *Tirer quelqu'un d'embarras.* — *Tirer quelqu'un d'un mauvais pas.* V. PAS.

Recueillir, percevoir, obtenir, recevoir. *Tirer du profit.* — *Tirer de l'argent de quelqu'un*, se faire donner de l'argent par quelqu'un, soit par ruse, soit à force de le harceler. — *On ne peut rien tirer de lui*, il ne veut point répondre sur quelque chose; ou, par ignorance, il est incapable de répondre. — *Tirer raison d'une injure, d'une offense*, en obtenir la réparation. — *Tirer satisfaction d'une injure*, en obtenir satisfaction, et : *En tirer vengeance*, s'en venger. — *Tirer parti de quelqu'un, de quelque chose.* V. PARTI. — *Tirer vanité*, se vanter. — *Tirer avantage d'une chose*, la tourner, l'interpréter à son avantage. — *Tirer une chose au clair*, l'expliquer, l'éclaircir.

Tirer se dit aussi de la source, de l'origine d'une chose. *Cette rivière tire sa source des Alpes.* ‖ Fig. Extraire, emprunter. *Mots tirés du grec, du latin.* ‖ Fig. Inférer, conclure. *De cela, je tire cette conséquence.*

Étendre, allonger. *Tirer une courroie.* — *Tirer ses bas*, les bien tendre sur la jambe. — *Tirer les yeux*, les fatiguer par un effort excessif. — *Cela tire l'œil*, cela attire le regard, l'attention. ‖ *Tirer les rideaux*, les ouvrir ou les fermer. ‖ Fig. *Tirer une affaire en longueur*, en éloigner la conclusion.

Tracer. *Tirer une ligne.* — *Tirer copie, une copie*, copier. — Imprimer les feuilles définitives d'un ouvrage après que toutes les corrections typographiques ont été exécutées. Se dit aussi des estampes, des gravures. *Bon à tirer.* — Se dit encore des épreuves positives faites d'après un cliché photographique négatif. ‖ *Tirer une loterie*, tirer les numéros des gagnants d'une loterie. ‖ *Tirer les cartes*, chercher à prédire l'avenir au moyen des cartes.

3° Faire partir une arme à feu, lancer un projectile. *Tirer le canon. Tirer un coup de fusil, de pistolet.* — Absol. *Le canon a beaucoup tiré aujourd'hui.* ‖ *Tirer un oiseau, tirer un lièvre*, les viser avec une arme à feu. [Comm.] *Tirer une lettre de change*, faire un effet de commerce par lequel on charge un correspondant de payer la somme énoncée à celui qui présentera cette lettre. [Mar.] *Ce navire tire tant d'eau, tant de mètres d'eau*, il enfonce dans l'eau de tant de mètres, à partir de la ligne de flottaison.

TIRER, v. intr. Faire effort pour amener à soi une chose. *Cette corde tire*, elle est extrêmement tendue. ‖ *Cette cheminée tire bien*, le courant d'air y est énergique. ‖ Fam. Aller, s'acheminer. *Tirer au large, tirer au long*, s'esquiver, s'enfuir, et fig., apporter des délais dans une affaire. — *Cette affaire, cette maladie tire en longueur*, elle est trop longue, elle se prolonge indéfiniment. — *Tirer à sa fin*, être bien près de finir. ‖ *Tirer au sort*, décider d'une chose par la voie du sort. *Tirer à la courte paille*, même sens. ‖ Faire usage d'une arme de trait ou d'une arme à feu, la faire partir. *Tirer de l'arc. Tirer en l'air. Tirer juste.* — *Tirer dans le tas.* — *Tirer à boulets rouges sur quelqu'un*, en dire les choses les plus offensantes. [A. milit.] *Tirer au sort*, satisfaire à la loi du recrutement, qui, autrefois, comportait le tirage de numéros dont certains exemptaient du service militaire. [Argot] *Tirer au flanc*, chercher à esquiver les exercices, le service, les corvées.

En parlant des armes à feu, sign. quelquefois : partir, faire explosion. — *Ce fusil tire fort juste*, il ne fait point dévier le projectile. [Escrime] *Tirer des armes*, ou simpl. *tirer*, faire des armes. ‖ *Tirer sur*, avoir quelque rapport, quelque ressemblance; se rapprocher de. Se dit partic. des couleurs. *Ce vert tire sur le bleu, sur le jaune.* = SE TIRER, v. pr. Se dit de l'action ou de l'effort réciproque de deux personnes pour amener quelque chose à soi. *Ces deux enfants se tiraient par les cheveux.* ‖ Sortir, se délivrer de, se dégager de... *Se tirer d'affaire, d'embarras.* ‖ Venir à bout d'une chose, s'en acquitter de façon satisfaisante. *Il s'est heureusement tiré de ce sujet difficile.* [Argot] *Se tirer des pattes, se tirer des flûtes*, ou abs. *Se tirer*, s'enfuir, se sauver. — Absol. *S'en tirer, s'en bien tirer*, sortir heureusement d'une maladie, d'une affaire difficile ou fâcheuse.

CTR. — *Pousser.*
HOM. — V. TIRÉ.

VOCAB. — *Famille de mots.* — Tirer : tiré, tirée, tire, tireur, tir, tirant, tirement tirerie, tiret, tirette, tirage, tiroir, tirade ; tirailler, tiraillé, tiraillerie, tirailleur, tiraillement ; tirelire ; attirail, attirance, attirer, attirant ; détirer, détireuse ; retirer, retirade, retiration, retiré, retirement ; soutirer, soutirage ; étirer, étirable, étirage, étireur, et les nombreux mots composés commençant par *tire* : tire-bouchon, tire-larigot, tire-ligne, etc.

---

* **tirerie**, n. f. [Techn.] Atelier où l'on étire le fil de fer.

* **tire-sou**, n. m. Homme avide de gain. = Pl. *Des tire-sous.*

tiret [ti-rè], n. m. Petit morceau de parchemin coupé en long et tortillé servant à enfiler et à attacher des papiers ensemble. [Gram.] Petit trait horizontal qui sert à séparer un membre de phrase, à indiquer un changement d'interlocuteur, ou qu'on place à la suite d'un mot resté inachevé, à la fin d'une ligne, pour renvoyer à la ligne suivante. — Se dit aussi pour trait d'union.

HOM. — *Tirais, ait, aient*, du v. tirer.
PAR. — *Tirer*, v., faire un tir ; vers soi ; — *tiré*, n. m., chasse au fusil ; taillis pour cette chasse ; — *tirée*, n. f., métrage d'étoffe enroulée en une fois pendant le tissage.

TIRÉTAINE — TISSERAND

tirétaine, n. f. Sorte de droguet ou de drap grossier, moitié laine et moitié fil.

tirette, n. f. Ce qui sert pour tirer. — Cordon de tirage. — Cordon ou lacet pour serrer. [Techn.] Plaque coulissante servant à fermer une conduite. ‖ Petite tablette horizontale que l'on peut tirer hors d'un meuble ou y rentrer.

tireur, euse, n. Celui, celle qui tire. — *Tireur d'or,* ouvrier dont le métier est de tirer l'or en fils déliés. — *Tireur d'armes,* maître d'armes (Vx). — *Tireuse de cartes,* celle qui prédit aux personnes ce qui doit leur arriver d'après les diverses combinaisons des cartes à jouer. [A. milit.] Soldat qui tire au fusil, au fusil mitrailleur, etc. ‖ Celui qui chasse au fusil. *Un bon tireur,* celui qui manque rarement son but. ‖ Celui qui fait des armes. [Comm.] Celui qui émet une lettre de change sur une autre personne, appelée *tiré.*
ANT. — *Tiré.*

tiroir, n. m. (du v. *tirer*). Espèce de petite caisse qui s'emboîte dans une table, un meuble, et qu'on tire au moyen d'un bouton, d'une clef, etc. — Fig. *Pièce à tiroir,* pièce de théâtre dont les scènes, quoique réunies par un lien commun, ne forment pas une action. [Mécan.] Pièce mobile qui règle l'admission de la vapeur dans le cylindre d'une machine à vapeur.
V. pl. LOCOMOTIVE.

tironiennes, adj. f. pl. *Notes tironiennes,* ancien système de tachygraphie.

tisane, n. f. (bas lat. *tisana,* m. s.). Eau dans laquelle on a fait bouillir ou infuser en petite quantité une substance végétale à propriétés légèrement médicinales, et qui, sucrée, sert de boisson.

MÉTIER DE TISSERAND

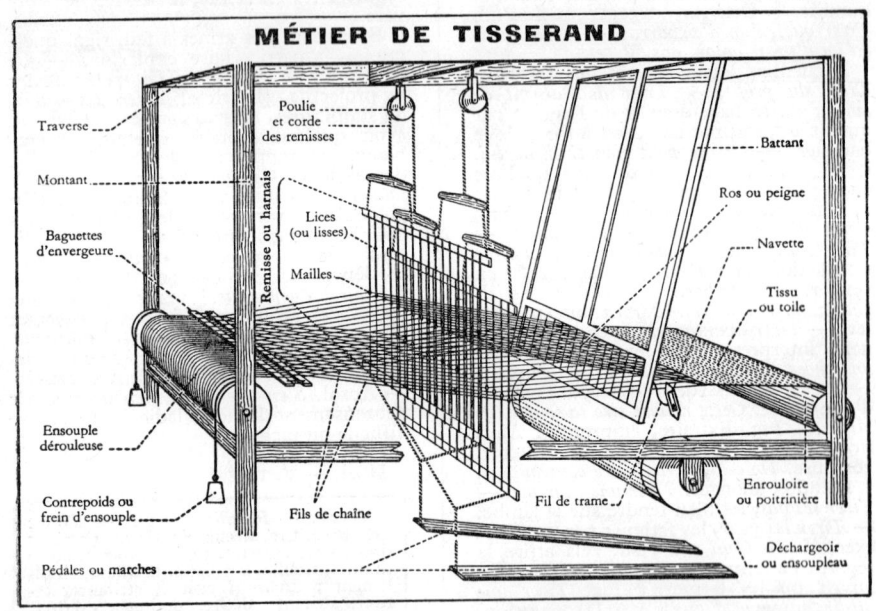

V. pl. MALADIE et MÉDECINE (*Idées suggérées par les mots*). ‖ *Tisane de Champagne,* vin de Champagne doux et peu alcoolisé.

* **tisanerie,** n. f. Endroit d'un hôpital où l'on prépare les tisanes.

* **tisard** [zar], n. m. Ouverture par où les fourneaux des métallurgistes sont alimentés en combustible.

* **tiser** [zé], v. intr. Introduire du combustible dans un four.
PAR. — *Tisonner,* remuer les tisons.

* **tiseur** [zeur], n. m. Ouvrier chargé de chauffer le four d'une verrerie.

* **tisoir** [zouar], n.m. [Techn.] Instrument pour attiser le feu d'un four de fusion.

tison [zon], n. m. Reste d'une bûche, d'un morceau de bois dont une partie a été brûlée. — *Tison de discorde,* homme ou chose qui provoque la discorde.

tisonné, ée [zo-né], adj. *Gris tisonné,* se dit d'un cheval sur le poil duquel on observe des taches noires irrégulières.

tisonner [zo-né], v. intr. Remuer les tisons sans besoin. = V. tr. *Tisonner le feu.*

PAR. — *Tiser,* mettre du combustible dans un four.

tisonneur, euse [zo-neur], n. Celui, celle qui aime à tisonner.

tisonnier [zo-ni-é], n. m. Tige de fer terminée par un crochet, pour attiser le feu.
ORTH. — *Tisonnier* prend *deux n,* mais *timonier* n'en prend *qu'un.*

tissage [tis-sa-je], n. m. Action de tisser. ‖ Ouvrage de celui qui tisse. ‖ Usine où l'on tisse. V. tabl. INDUSTRIE (*Idées suggérées par le mot*).

tisser [tis-sé], v. tr. (lat. *texere,* m. s.). Faire de la toile ou d'autres étoffes, en entrelaçant deux séries de fils, la *chaîne,* tendue sur le métier, et la *trame* que passe la navette.
INCORR. — *Tisser* ne s'employant qu'au sens propre et jamais au fig., ne dites pas : *C'est une intrigue savamment tissée* ; dites : *tissue* (pp. du vieux verbe *tistre*).

tisserand, ande [ran], n. Ouvrier, ouvrière qui tisse des étoffes quelconques. — Absol. Celui qui tisse de la toile. V. pl. TISSERAND.

tisseranderie, n. f. Profession de ceux qui tissent, ou qui vendent les ouvrages faits par les tisserands.

*** tisserin**, n. m. Espèce de *passereaux* de l'Afrique et de l'Asie, qui se construisent des nids remarquables.

tisseur, euse [*tis-seur*], n. Celui, celle qui exerce le métier de tisser des étoffes, des rubans.

1. tissu [*ti-su*], n. m. Dénomination générique de tous les produits de l'art du tissage. V. pl. TISSERAND. ‖ Par ext. Se dit aussi pour *tissure, texture*. *Le tissu de cette étoffe est lâche.* V. tabl. VÊTEMENT et PARURE (*Idées suggérées par les mots*). ‖ Par anal. Partie solide des corps, soit animaux, soit végétaux, formée d'éléments anatomiques plus ou moins enchevêtrés. *Tissus musculaires. Tissus osseux.* V. tabl. CORPS (*Idées suggérées par le mot*). ‖ Fig. Suite d'actions, d'idées, de discours, de choses enchaînées les unes aux autres. *Cet ouvrage est un tissu de mensonges.*

VOCAB. — *Famille de mots.* — *Tissu* : [rad. *tis. text*] : tisser, tissage, tisseur, tissutier, tissuterie, tissure, tisseranderie, tisserand, tisserin ; textile, textilité, texture ; texte, textuaire, textuel, textuellement ; contexture, contexte ; prétexte, prétexter.

---

2. * tissu, ue, adj. (pp. de *tistre*). Fait par entrelacements de fils. ‖ Fig. Imaginé, construit. *C'est lui qui a tissu cette fable, ce complot.*
GRAM. — Les verbes *tisser* et *tistre* étaient synonymes. — Le part. passé *tissé* ne s'emploie pas au figuré; c'est *tissu, ue* dont il faut se servir dans ce cas. *Des jours tissus de joies et de peines. Une conjuration habilement tissue.* V. TISTRE.

*** tissu-éponge**, n. m. Étoffe épaisse et spongieuse, tissue de coton et de fil, employée dans la confection des serviettes de toilette, d'articles d'hygiène, etc. = Pl. *Des tissus-éponges.*

tissure, n. f. Liaison entre les fils d'une étoffe tissée. Qualité, liaison de ce qui est tissu.

*** tissuterie**, n. f. Art du passementier, du rubanier.

*** tissutier**, n. m. Ouvrier qui fait des rubans, des ganses, etc.

tistre, v. tr. (lat. *texere*, m. s.). Anc. verbe remplacé le plus souvent, mais au sens propre seulement, par *tisser*. Verbe défectif, il est usité seulement dans les temps formés de son participe passé *tissu, ue*. *Il a tissu cette toile. Cette étoffe est tissue d'or et d'argent.* ‖ Fig., conduire, mener. *C'est lui qui a tissu cette intrigue.*

titan, n. m. (de *Titan*, géant mythol.). Personne, chose ayant un caractère de puissance, de grandeur extraordinaires. — *Un travail de titan*, qui semble dépasser les forces humaines.

*** titane**, n. m. [Chim.] Corps simple, métal que certaines propriétés rapprochent du silicium.

titanique ou *** titanesque**, adj. Relatif aux Titans ; digne des Titans, énorme, prodigieux, gigantesque.
PAR. — *Tétanique*, qui se rapporte au tétanos.

*** titanisme**, n. m. Esprit de révolte et d'usurpation.

*** titanite**, n. f. [Minér.] Silicate naturel de titane.

tithymale, n. m. [Bot.] Nom vulg. de l'*euphorbe cyprès*.

*** titi**, n. m. Gavroche, gamin faubourien (Pop.).

titillation [*til-la-sion*], n. f. Sensation légère de chatouillement. ‖ Légère agitation.

titiller [*til-lé*], v. tr. (lat. *titillare*, m. s.). Produire un chatouillement agréable.

titrage, n. m. Action de titrer les métaux précieux, les soies, les cotons, etc.

titre, n. m. (lat. *titulus*, m. s.). Inscription mise au commencement d'un livre pour faire connaître le sujet de l'ouvrage, le nom de l'auteur, celui de l'éditeur, et l'année de la publication. — Feuillet qui contient cette inscription. ‖ Subdivision employée dans les codes de lois, etc. *Article* X, *titre* 4. ‖ Indication du sujet d'une œuvre d'art. *Le titre d'un tableau.* — *Titre courant*, ligne placée en haut des pages d'un livre pour en indiquer le sujet. V. pl. LIVRE. ‖ Nom de dignité, qualification honorable. *Titre de duc, de comte.* ‖ Qualification qu'on ne peut prendre, profession qu'on ne peut exercer qu'en vertu d'un diplôme, d'un brevet, etc. *Le titre d'avocat, de médecin,* etc. ‖ Qualification qu'on donne aux personnes pour exprimer certaines relations. *Le titre de père, de bienfaiteur.* ‖ Propriété ou possession d'une charge, d'un office. *Professeur en titre* (par oppos. à *professeur suppléant*). — *Titre de rente*, pièce authentique qui donne à son propriétaire le droit à une rente. V. tabl. FINANCES (*Idées suggérées par le mot*). — Par ext. Toute valeur négociable en bourse. *Avance sur titres.* [Droit] Acte, écrit, pièce authentique qui sert à établir un droit, une qualité. *Titres de noblesse, de propriété.* — Le droit qu'on a de posséder, de demander, ou de faire quelque chose. *En fait de meubles, possession vaut titre.* ‖ *A juste titre, à bon titre,* justement, avec raison. ‖ Capacité, services, qualités qui permettent de prétendre à une chose. *Il a des titres à cette place.* ‖ Degré de fin de l'or et de l'argent, c'est-à-dire, le rapport du poids du métal fin au poids total de l'alliage. [Chim.] *Le titre d'une liqueur, d'une solution,* etc., la proportion d'alcool, d'acide, de base, etc., que cette liqueur ou cette solution contient. = À TITRE DE, loc. prép., en qualité de, sous prétexte de. *A titre d'héritier.*
ÉPITHÈTES COURANTES : beau, précis, exact, significatif, provisoire, définitif, régulier, exposé, omis, effacé, courant, faux; nominatif, au porteur; honorifique, sollicité, conféré; contesté, vain, glorieux, ambitieux, considérable, honorable, etc.

VOCAB. — *Famille de mots.* — *Titre* : titrer, titré, titrage ; attitrer, attitré ; titulaire, titulariat, titulariser ; intituler, intitulé.

---

titré, ée, adj. Qui a un titre de noblesse ou honorifique. [Chim.] Dont le titre est déterminé, dont la composition est connue.

titrer, v. tr. Donner un titre d'honneur à. ‖ Déterminer la proportion d'or, d'argent fin unie à l'alliage dans les métaux précieux, etc. ‖ Déterminer le titre d'une liqueur.

titubant, ante, adj. Qui chancelle.
titubation [*sion*], n. f. Action de tituber.
tituber, v. intr. Chanceler en étant debout ou en marchant; se dit partic. des ivrognes.
SYN. — V. CHANCELER.
titulaire, adj. et n. (lat. *titulus*, titre). Qui est revêtu d'un titre, soit qu'il en remplisse, soit qu'il n'en remplisse pas la fonction. *Professeur titulaire.* || S'emploie aussi comme nom. *Voici le titulaire de cet emploi.* || *Évêque titulaire,* par opp. à *in partibus.*
ANT. — *Suppléant, stagiaire, auxiliaire, délégué, remplaçant, intérimaire, surnuméraire.*
PAR. — *Tutélaire,* qui tient sous sa protection.
* **titulariat** [*la-ria*], n. m. Possession en titre d'une charge, d'une fonction.
titulariser, v. tr. Rendre titulaire, nommer en titre celui qui n'était que suppléant, auxiliaire, stagiaire, etc.
tmèse, n. f. (gr. *tmêsis,* coupure). [Gram.] Séparation d'éléments d'un mot entre lesquels sont intercalés d'autres mots. *Lors donc qu'il eut terminé* (pour *lorsqu'il...*).

---

to, tho...

ORTH. — *Initiales.* — Le son initial *to* (*o* ouvert) se rend le plus souvent par *to* : toast, toboggan, toge, tohu-bohu, tolérer, tomate, topaze, topinambour, toque, tore, toron, tory, etc. ; il s'écrit *tho* dans thomisme, thonaire, thoracentèse, thorax, thorite, thorium. — Le son *tô* (*o* fermé) s'écrit *tô* dans tôle et ses dérivés et dans tôt; il s'écrit *tau* dans taudis, taupe, taupin, taupinière, taure, taureau, tauromachie, tautologie, etc. ; *thau* dans thaulache, thaumaturge.

...to, tho...

ORTH. — *Médiales.* — Le son *to* s'écrit *to* dans : atome, cartographie, deltoïde, détonation, pantographe, rhétorique, etc. ; *tho* dans mythologie, orthographe, pléthore.

...to, tot, teau, tau

ORTH. — *Finales.* — Le son *to* s'écrit sous de multiples formes : *to* dans de nombreux mots d'origine étrangère, allegretto, concerto, dito, ex-abrupto, exvoto, incognito, in petto, in-quarto, ipso facto, loto, memento, porto, presto, recto, veto, etc. ; *tot* dans paletot ; *tôt* dans les composés de cet adverbe, aussitôt, bientôt, plutôt, sitôt, tantôt ; *tau* dans étau ; *taud* dans courtaud, pataud, rustaud ; *taut* dans quartaut ; *taux* dans taux ; *teau* dans bateau, chapiteau, château, coteau, couteau, écriteau, gâteau, linteau, liteau, louveteau, manteau, marteau, plateau, poteau, râteau, serpenteau, tréteau, etc.

---

* **toarcien, ienne,** adj. et n. De la ville de Thouars.
toast [*tôst*], n. m. (mot angl.). Proposition de boire à la santé de quelqu'un, à l'accomplissement d'un vœu, au souvenir d'un événement. || Tranche de pain rôtie et beurrée. *Du thé et des toasts.*
* **toaster** [*tos-té*], v. tr. et intr. Porter un toast, des toasts.
* **toboggan,** n. m. Petit traîneau bas, monté sur patins, qu'on dirige avec les pieds et dont on se sert pour descendre très vite les pentes glacées. V. tabl. JEUX et SPORTS (*Idées suggérées par les mots*). || Longue glissière en pente, attraction des fêtes foraines. || Glissière pour la manutention des marchandises, pour le chargement du charbon sur les locomotives. V. pl. CHEMIN DE FER.
toc, n. m. (onomatopée). Imitation d'un choc, d'un bruit. || Sonnerie sourde d'une montre à répétition sans timbre. *Une montre à toc.* || Fam. Ce qui est laid, mal fait, imité, faux. *Ce n'est que du toc.* || Imitation de métal précieux. *Bijoux en toc.*
HOM. — *Toc,* n. m., choc; imitation de métal précieux ; — *toque,* n. f., sorte de coiffure ; — *toque, es, ent,* du v. toquer.
* **tocane,** n. f. En Champagne, vin nouveau fait de la mère goutte.
* **tocante,** n. f. [Arg.] Montre.
* **tocard, arde,** adj. [Arg.] Usé ou de mauvaise qualité.
* **toccata** [*tok-ka-ta*], n. f. (mot ital.) [Mus.] Composition musicale écrite pour un instrument à touches, ne comprenant qu'un seul morceau.
* **tocologie,** n. f. Science des accouchements (Vx).
PAR. — *Toxicologie,* étude des poisons.
tocsin, n. m. Bruit d'une cloche qu'on tinte à coups pressés et redoublés pour donner l'alarme, pour avertir de l'incendie, etc. || Fig. *Sonner le tocsin,* dénoncer un danger public.
* **toc-toc,** interj. Onomatopée exprimant un bruit, un choc répété. — Pop. *Être toc-toc,* avoir le cerveau dérangé.
toge [*to-je*], n. f. (lat. *toga,* m. s.). [Antiq.] Principal vêtement des Romains, celui qui formait leur costume national : grande pièce d'étoffe de laine blanche qui se drapait par-dessus la tunique. || Robe des juges, des avocats, des professeurs.
tohu-bohu, n. m. (mot hébreu sign. *chaos*). Le chaos primitif. || Fig. Confusion, désordre bruyant.
toi, pron. pers. de la deuxième pers. du sing. et des deux genres. V. tabl. TU.
HOM. — *Toit,* couverture de maison.
* **toilage,** n. m. Ce qui forme le dessin, les fleurs sur un fond de guipure.
toile, n. f. (lat. *tela,* m. s.). Tissu de fils de lin, de chanvre ou de coton. *Toile fine. Toile d'emballage.* V. tabl. VÊTEMENT ET PARURE (*Idées suggérées par les mots*). || Se dit aussi de quelques autres tissus. *Toile d'amiante, toile métallique.* — *Toile d'araignée,* sorte de tissu que font les araignées avec des fils qu'elles tirent d'une glande et qu'elles tendent pour prendre des mouches. = N. f. pl. [Chasse] Pièces de toile formant enceinte en forme de parc pour prendre les cerfs, chevreuils, sangliers, etc. [Mar.] Ensemble des voiles d'un navire. [Peint.] Toile clouée sur un cadre de bois et recouverte d'un enduit blanchâtre, sur laquelle on peint. — Par ext. Peinture sur toile, tableau. *Les toiles de Rubens.* — *Toile cirée,* toile recouverte d'un enduit à base d'huile siccative, imprimée de dessins et vernie. [Théâtre] Le rideau qui cache la scène dans un théâtre. *On baissa la toile.* — *Toile de fond,* rideau qui forme le fond de la scène et sur lequel est peint un décor.
ÉPITHÈTES COURANTES : fine, déliée, ordinaire, grossière, de lin, de chanvre, de coton, grosse, cousue, lavée, séchée, repassée, tendue, pliée, peinte, huilée, cirée, etc.

> VOCAB. — *Famille de mots.* — *Toile* : toilerie, toilage, toilier, toilette, entoilage, entoiler, entoileur ; rentoilage, rentoiler, rentoileur, désentoilage, désentoiler.

* **toilerie**, n. f. Les tissus de coton et toutes les étoffes faites de matières végétales autres que le chanvre et le lin purs. *Commerce de toilerie.*

toilette, n. f. (dimin. de *toile*). Morceau de toile qui sert à envelopper certaines marchandises, partic. les vêtements que les tailleurs vont livrer. ‖ Boîtes, flacons, etc., qui servent à une femme lorsqu'elle se pare. *Toilette en argent.* — Meuble sur lequel sont rangés ces ustensiles. *Toilette d'acajou.* — *Garniture de toilette*, les vases, cuvettes, flacons, etc., qui garnissent ce meuble. — *Cabinet de toilette*, petite pièce dans laquelle on se lave, on s'habille, et l'on se déshabille. ‖ Par ext. *Toilette*, abs. *Cabinets d'aisance.* Action de se laver, de se peigner, de s'habiller, de se parer. ‖ Parure, recherche dans les ajustements. *Elle porte fort bien la toilette.* ‖ *Grande toilette*, costume de cérémonie. *Faire toilette*, s'habiller avec plus de recherche que de coutume. [Couture] Col de femme, de lingerie, de fourrure, etc., avec manchettes, poignets ou parements assortis. — Par ext. Tout costume féminin. *Toilette d'été, toilette du soir, de bal.* V. tabl. VÊTEMENT et PARURE (*Idées suggérées par les mots*). — *Marchande, revendeuse à la toilette*, femme qui va vendre dans les maisons des étoffes, de la lingerie féminine, etc., et qui joue souvent le rôle d'entremetteuse. ‖ Par ext. Se dit de tout ce qu'on nettoie. *Faire la toilette d'un jardin.* [Bouch.] Membrane graisseuse constituée par le péritoine, et qui sert à envelopper certains morceaux de viande.
ÉPITHÈTES COURANTES : matinale, complète, soignée, minutieuse, hygiénique; belle, jolie, simple, délicieuse, de soirée, de ville, de campagne, de bains de mer, de sport, etc. ; à la mode, démodée, remarquée, admirée, sensationnelle; extravagante, ridicule, ruineuse, excentrique, etc.

toilier, ière [*lié*], n. Celui, celle qui vend de la toile. ‖ Ouvrier, ouvrière qui fabrique de la toile. = Adj. Qui a rapport à la fabrication de la toile. *Industrie toilière.*

toise [*toi-ze*], n. f. Ancienne mesure de longueur française, longue de 6 pieds ou 1 m 949. ‖ Instrument gradué servant à mesurer la taille humaine. ‖ *Mesurer à sa toise*, estimer par comparaison avec soi.

toisé, n. m. Mesuré à la toise. ‖ Évaluation des travaux faits ou à faire. — On dit mieux *métré*.

toiser [*zé*], v. tr. Mesurer à la toise. *Toiser un bâtiment.* ‖ *Toiser un soldat*, mesurer sa taille. ‖ Fig. et fam. *Toiser un homme*, le regarder d'un air dédaigneux ou l'examiner avec attention pour apprécier son mérite.
SYN. — V. CONSIDÉRER.

* **toiseur** [*zeur*], n. m. Celui qui toise, dont la profession est de toiser. — On dit aussi *métreur*.

toison, n. f. (lat. *tonsio*, action de tondre). La laine d'une brebis, d'un mouton. ‖ Par plaisant. Cheveux trop longs, trop abondants. [Myth.] *La toison d'or*, la toison du bélier sur lequel Phrixos et Hellé passèrent la mer et que Jason et les Argonautes vinrent enlever. ‖ *La Toison d'or*, ordre de chevalerie institué par Philippe le Bon, duc de Bourgogne.
SYN. — *Toison*, laine des moutons et de quelques autres mammifères, considérée en tant que recouvrant l'animal : *Tondre la toison des moutons.* — *Laine*, le poil des moutons et d'autres animaux, considéré soit comme adhérant à l'animal, soit comme coupé et utilisé par l'industrie textile : *Une belle étoffe de laine.* — *Fourrure*, peau recouverte de poils de certains animaux : *La fourrure du renard.* — *Pelage*, ensemble de poils de telle ou telle couleur : *Le pelage de la loutre.*

toit [*toi*], n. m. (lat. *tectum*, m. s.). Partie supérieure des maisons qui sert à les couvrir. ‖ Par ext. Maison. *Le toit paternel.* — *Habiter sous le même toit*, dans la même maison. ‖ *Toit à cochons*, petite loge pour ces animaux. ‖ *Publier sur les toits*, annoncer bruyamment. — *Crier sur les toits*, divulguer partout.
HOM. — *Toi*, pron. pers. de la deuxième personne.

> VOCAB. — *Famille de mots.* — *Toit* [rad. *toi, tui, tect, teg.*]: toiture; tégument, tégumentaire ; tuiler, tuilerie, tuileau, tuilette, tuile, tuilier ; protecteur, protéger, protection, protectionnisme, protectionniste ; détecteur, détection, détective ; toge, épitoge.

toiture, n. f. (lat. *tectura*, couverture). L'ensemble du comble et du toit d'un bâtiment.

* **tokai** ou * **tokay**, n. m. Vin de Hongrie renommé.

* **tokharien**, n. m. Idiome de l'Asie centrale.

tôle, n. f. (lat. *tabula*, table). Fer, acier laminé en feuilles larges et assez minces.
HOM. — *Tôle*, n. f., table de l'enclume; prison.

tolérable, adj. Qu'on peut tolérer, qu'on peut supporter.

* **tolérablement**, adv. D'une manière tolérable.

tolérance, n. f. (lat. *tolerantia*, m. s., de *tolerare*, supporter). Action de tolérer. Condescendance, indulgence pour ce qu'on ne peut empêcher ou qu'on croit ne pas devoir empêcher. — *Tolérance religieuse*, respect des croyances d'autrui lorsqu'elles diffèrent des vôtres. ‖ Respect des opinions religieuses, philosophiques, politiques, sociales d'autrui. ‖ *Maison de tolérance*, maison de prostitution, fonctionnant sous la surveillance de la police. ‖ Différence que la loi tolère entre le poids réel et le poids nominal pour lequel on vend certaines denrées. ‖ *Tolérances orthographiques*, infractions à certaines règles grammaticales, pour lesquelles on ne compte pas de fautes aux examens.
— *Qu'est-ce que la tolérance ? C'est l'apanage de l'humanité ; nous sommes tous pétris de faiblesse et d'erreurs ; pardonnons-nous réciproquement nos sottises ; c'est la première loi de nature.* (VOLTAIRE.)
CTR. — *Intolérance.*
ÉPITHÈTES COURANTES : grande, longue, patiente, civile, religieuse, large, restreinte, générale, universelle, prônée, prêchée, recommandée, pratiquée, exercée, admise; orthographique, etc.

tolérant, ante, adj. Qui tolère. Se dit surtout en matière de religion. ‖ Qui est indulgent dans le commerce de la vie.
tolérantisme, n. m. Système de la tolérance en matière de religion (souvent péjor).
tolérer, v. tr. (lat. *tolerare*, m. s.). Supporter, avoir de l'indulgence pour. *Il faut tolérer les défauts de son prochain.* — Se dit en partic. pour des opinions, des doctrines qu'on ne partage pas, et surtout en matière de religion. ‖ On dit aussi, dans un sens anal. : *Tolérer quelqu'un*, et *se tolérer réciproquement.* = Conjug. V. GRAMMAIRE.
SYN. — V. SOUFFRIR.
CTR. — *Empêcher, défendre, interdire.*

VOCAB. — *Famille de mots.* — *Tolérer :* tolérant, tolérance, tolérable, tolérablement; intolérant, intolérance, intolérable, intolérablement, intoléramment, tolérantisme, intolérantisme.

tôlerie, n. f. Commerce et art du tôlier. ‖ Objets en tôle. ‖ Atelier du tôlier.
tolet [*to-lè*], n. m. [Mar.] Cheville fixée dans l'épaisseur du bord d'une embarcation, pour servir de point d'appui à l'aviron.
* **toletière,** n. f. [Mar.] Renfort de bois cloué sur le plat-bord d'un bateau à rames pour recevoir des tolets.
tôlier, n. m. Celui qui fabrique, qui vend de la tôle.
* **tolite,** n. f. Puissant explosif (trinitrotoluène).
tollé [*tol-lé*], n. m. (lat. *tolle*, enlève; cri par lequel les Juifs accueillirent Jésus quand Pilate le leur présenta). Cri d'indignation contre quelqu'un. ‖ Sentiment violent d'indignation ou de colère. = Pl. *Des tollés.*
* **tollénon** [*tol-lé*], n. m. [Antiq.] Machine romaine, sorte de bascule qui servait à tirer de l'eau d'un puits.
* **tolstoïsme,** n. m. Doctrine de Tolstoï.
* **tolu,** n. m. *Baume de tolu,* baume-résine produit par un arbre de la famille des *légumineuses,* employé contre la bronchite.
* **toluène,** n. m. [Chim.] Hydrocarbure très voisin du benzène, qu'on extrait du goudron de houille par distillation.
* **toluidine,** n. f. [Chim.] Amine, homologue de l'aniline, très employée dans l'industrie des matières colorantes.
tomahawk [*to-ma-hôk*], n. m. Nom que les Indiens d'Amérique donnent à leur hache de guerre.
tomaison [*mé-zon*], n. f. Indication du tome auquel appartient chaque feuille d'impression dans les ouvrages qui ont plusieurs tomes.
* **toman** ou * **thoman,** n. m. Monnaie de l'Iran.
tomate, n. f. [Bot.] Nom donné au *lycopersicum esculentum* (solanées) et à son fruit. ‖ Fruit de cette plante consommé comme légume. ‖ *Rouge comme une tomate,* très rouge.
* **tombac** [*ton-bac*], n. m. [Métall.] Alliage de cuivre, de zinc et d'arsenic.
tombal, ale, adj. Qui a rapport à la tombe. *Pierre tombale,* dalle funéraire, pierre qui recouvre une sépulture.
tombant, ante, adj. Qui pend vers le sol. ‖ *A la nuit tombante,* à cette partie du jour où la nuit commence à paraître. ‖ *Son tombant,* qui s'affaiblit graduellement. ‖

tombe [*ton-be*], n. f. (lat. *tumba,* m. s.). Table de pierre, de marbre, etc., dont on couvre une sépulture. ‖ Par ext. La sépulture elle-même. ‖ Fig. *Descendre dans la tombe,* mourir.
— *L'œil était dans la tombe, et regardait Caïn.* (Victor HUGO.)
SYN. — *Tombe,* fosse recouverte qui contient un mort : *Un cimetière rempli de tombes militaires.* — *Caveau,* construction souterraine pour les sépultures : *Les caveaux du Panthéon.* — *Fosse,* trou dans la terre pour déposer les morts : *Enterrer à la fosse commune.* — *Mausolée,* tombeau monumental : *Le mausolée d'Hadrien à Rome.* — *Sépulcre,* tombeau, dans le style soutenu : *Mettre un corps dans un sépulcre neuf.* — *Sépulture,* lieu où le mort est enterré : *Les anciens privaient de sépulture les grands criminels.* — *Tombeau,* monument funéraire élevé au-dessus de la fosse qui contient un mort : *Les tombeaux d'hommes célèbres au cimetière du Père-Lachaise.*
ANT. — *Berceau* (poét.).

VOCAB. — *Famille de mots.* — *Tombe* [rad. *tomb, tumul*] : tombelle, tombeau, tombal, tumulus, tumulaire.

tombeau, n. m. (de *tombe*). Sépulcre, monument élevé à la mémoire d'un mort dans l'endroit où sont ses restes. *Dresser, élever un tombeau.* — Par ext. Tout lieu où a été inhumé un cadavre humain. ‖ Fig. (poét. ou oratoire). La mort. — *Descendre au tombeau,* mourir. V. tabl. VIE et MORT (Idées suggérées par les mots). ‖ Fig. Endroit où un grand nombre de personnes ont trouvé la mort, où une chose a été anéantie. *La bombe atomique a fait d'Hiroshima un vaste tombeau.* ‖ Fig., en parlant des choses : fin, destruction. *L'anarchie est le tombeau de la liberté.* ‖ Lieu sombre, humide, partic. quand le lieu est souterrain. ‖ Lieu où l'on s'ennuie mortellement. *Cette petite ville est un vrai tombeau.*
— *Et dans ces grands tombeaux*
Où leurs âmes hautaines
Font encore les vaines,
Ils sont mangés des vers.
(MALHERBE.)
ÉPITHÈTES COURANTES : magnifique, superbe, monumental, simple, modeste, construit, creusé, élevé, érigé, détruit, antique, moderne, célèbre, visité, fameux, entretenu, sacré, honoré, respecté, ouvert, fermé, entouré, solitaire, abandonné, etc.
SYN. — V. TOMBE.
tombée [*ton-bé*], n. f. Chute. *La tombée des feuilles.* ‖ *A la tombée de la nuit,* au moment où la nuit approche; *à la tombée du jour,* au moment où le jour décline.
* **tombelier** [*ton-be-lié*], n. m. Charretier qui conduit un tombereau.
* **tombelle,** n. f. Tombe formée d'une éminence de terre.
tomber, v. intr. (orig. douteuse).
1° Être entraîné de haut en bas par son propre poids. Faire une chute. *Tomber de son haut. La pluie, la grêle tombe.* On dit aussi imperson. : *Il tombe de la pluie, de la grêle.* — Fig. *Tomber en ruine,* être tout délabré. — *Tomber raide mort,* mourir subitement et tomber par terre. — *Tomber aux genoux de,* s'y jeter. ‖ *Tomber des nues,* éprouver une grande surprise. — *Faire tomber les armes des mains de quelqu'un.*

le fléchir, l'apaiser. — *Laisser tomber ses paroles*, parler nonchalamment. — *Ce mot, ce propos n'est pas tombé à terre, n'est pas tombé dans l'oreille d'un sourd*, on l'a remarqué, on l'a relevé (Fam.).

Être pendant. *Ses cheveux lui tombent sur les épaules.* ‖ *Tomber sur quelqu'un*, se jeter sur lui, l'attaquer vigoureusement et souvent à l'improviste; parfois seulement : en dire beaucoup de mal. — *Tomber du ciel*, arriver inopinément et tout à fait à propos. ‖ Fig. *Tout le poids de la guerre est tombé sur cette province*, c'est elle qui a eu le plus à en souffrir. — *Toute la responsabilité tomba sur moi.* ‖ Ne pouvoir plus se soutenir, ou avoir peine à se soutenir. *Tomber de sommeil. Tomber en défaillance.*

2° Passer dans un état mauvais ou plus mauvais que celui où l'on était. *Tomber malade. Tomber en disgrâce. Tomber dans l'erreur. Le pays tomba dans l'anarchie.* — *Tomber en désuétude*, cesser d'être en usage. — *Tomber à rien*, se réduire à très peu de chose ou à néant. — *Tomber en poussière*, se réduire en poussière. ‖ Fig., se dit encore de toute position fâcheuse dans laquelle on se trouve jeté, engagé fortuitement ou malgré soi. *Tomber entre les mains de ses ennemis. Tomber dans un piège.* ‖ Cesser, discontinuer. *Laisser tomber la conversation.* — *La mer tombe*, la mer s'apaise. — Pop. *Laisser tomber*, abandonner, délaisser quelqu'un que l'on avait beaucoup fréquenté. Négliger une chose dont on avait coutume d'user, etc. ‖ Déchoir de réputation, dégénérer, descendre. *Il est tombé au niveau des plus vils.* — Cesser d'être en usage, d'avoir cours. *Cette mode commence à tomber.* — En parlant d'ouvrages dramatiques, ne pas réussir. *Cette comédie est tombée à plat.* ‖ Succomber, périr, s'anéantir, disparaître, s'évanouir. *Troie tomba sous les efforts des Grecs.* — *Le jour tombe*, il baisse, il disparaît peu à peu. *La nuit tombe*, la nuit descend sur la terre, l'enveloppe peu à peu. — *Le vent tombe*, il faiblit, il cesse de souffler. ‖ En parlant des personnes: s'affaiblir de corps et d'esprit. *Il est bien tombé depuis six mois.* ‖ En parlant d'une femme, se laisser séduire. ‖ Fig. *Sa voix tombe*, sa voix faiblit. ‖ Se dit aussi des dents, des cheveux, etc., que l'on perd par vieillesse, maladie, etc. *Ses cheveux tombent.* On dit aussi imperson. *Il m'est tombé une dent.*

Tomber, signifie encore: échoir, arriver par l'effet du hasard. *Cela est tombé dans son lot.* ‖ Fig. et fam. Rencontrer par hasard. *Ce document, cette pièce, cet écrit, etc., est tombé entre mes mains, m'est tombé sous les yeux.* ‖ Fig. et fam. *Tomber sous la main*, se dit quelquefois des choses qui se trouvent fortuitement, sans qu'on le cherche. — *Faire tomber la conversation sur quelque sujet*, l'y amener. ‖ Fig. *Le soupçon tomba sur lui*, se porta sur lui. — *Le sort tomba sur lui*, c'est lui qui fut désigné par le sort. On dira dans le même sens: *Il est tombé au sort.* ‖ Fig. *Tomber bien, tomber mal*, avoir bonne ou mauvaise chance dans une chose qui dépend du hasard en tout ou en partie. — *Cela tombe à pic*, la circonstance est aussi heureuse qu'imprévue.

Arriver à une certaine époque. *Noël tombe cette année un jeudi.* ‖ *Tomber d'accord avec quelqu'un*, convenir avec lui d'un commun accord; et simplement, *tomber d'accord*, avouer, convenir que... ‖ *Cela tombe sous le sens, sous les sens*, se dit d'une chose très facile à comprendre.

V. tr. Pop. Terrasser, jeter à terre. *Ce lutteur tombe tous ses adversaires.* ‖ *Tomber la veste*, retirer sa veste (loc. à éviter).

OBS. GRAM. — Le verbe *tomber* prend l'auxiliaire *être*, parce qu'il exprime généralement un état. Cependant, quand on veut désigner l'action même et non pas l'état qui en résulte, on peut employer l'auxiliaire *avoir*. On dira d'un auteur dont la réputation est bien déchue: *il est tombé de haut*, et l'on dira: *il a tombé de haut*, si l'on veut marquer la distance entre deux de ses ouvrages, le premier excellent et le dernier fort mauvais. — *Tomber par terre* et *tomber à terre.* V. TERRE.

SYN. — *Tomber*, être porté, par son propre poids, de haut en bas : *Tomber d'un arbre.* — *Affaisser (s')*, plier sous le poids : *Le toit vient de s'affaisser.* — *Choir* (Vx), être projeté vers le sol : *Il s'est laissé choir sur le plancher.* — *Crouler*, tomber d'une seule masse et avec bruit : *Le mur a croulé après les gelées.* — *Culbuter*, tomber en se renversant : *Le cheval a culbuté dans le fossé.* — *Dégringoler*, descendre rapidement et par bonds successifs : *Dégringoler de branche en branche.* — *Ébouler (s')*, se renverser en roulant : *Le mur s'est éboulé après l'orage.* — *Écrouler (s')*, tomber en s'affaissant sur soi-même : *Sous l'action du tremblement de terre, la maison s'est écroulée.* — *Glisser*, s'avancer sur une surface polie ou gluante en risquant de tomber: *Glisser sur la neige gelée.* — Pour *Faire tomber*, V. JETER.

> VOCAB. — *Famille de mots.* — *Tomber* : tombant, tombeur, tombola, tombereau, tombelier, tomberelle, tombée, retomber, retombée, retombe.

tombereau, n. m. (du v. *tomber*). Véhicule de transport à deux roues dont les quatre côtés sont entourés de panneaux de bois, et qu'on fait basculer pour le décharger. *Camion-tombereau*, véhicule automobile métallique, dont la partie arrière peut basculer comme les tombereaux en bois. [Ch. de fer] *Wagon-tombereau*, wagon pouvant basculer et vider son contenu sur le côté. Par ext. Le contenu d'un tombereau. *Un tombereau de sable.*

SYN. — V. CHAR.

* **tomberelle** [è-*le*], n. f. Grand filet avec lequel on prend les perdrix.

* **tombeur**, n. m. Ouvrier qui opère des démolitions. ‖ Fig. Celui qui terrasse, qui fait tomber.

tombola, n. f. (mot ital.). Loterie de société, dans laquelle les numéros sortants gagnent divers lots en nature.

tome, n. m. (gr. *tomê*, section). Livre ou cahier qui fait partie d'un même ouvrage imprimé ou manuscrit. *Une histoire en deux tomes. Tome I, Tome II.* ‖ Se dit aussi pour *volume.*

SYN. — V. VOLUME.

> VOCAB. — *Famille de mots.* — *Tome* : tomer, tomaison; atome, atomicité, atomique, atomiquement, atomiste, atomisme, épitomé ; entomologie, entomologiste, entomologique ; anatomie, anatomique, anatomiquement, anatomiser, anatomiste; dichotomie, laparotomie, tmèse.

TOMENTEUX — TONALITÉ

* **tomenteux, euse** [*to-man-teu*], adj. (lat. *tomentum*, bourre). Qui est couvert de poils courts et serrés.
* **tomer**, v. tr. Diviser par tomes.
* **tomme** [*to-me*], n. f. Sorte de fromage tendre et blanc de Savoie.
* **tommy**, n. m. Nom donné au soldat anglais. = Pl. *Des tommies.*
* **tom-pouce**, n. m. (nain des contes angl.). Homme très petit. ‖ Parapluie à manche court.

ton (son *tonn*), **tonn...**

> ORTH. — *Initiales.* — L'initiale *ton* s'écrit avec *un* seul *n* dans tonalité, tonique, tonitruer, tonus ; avec *deux n* dans tonnage, tonne, tonneau, tonnelet, tonnelier, tonnelle, tonner, tonnerre, etc.

1. ton, adj. poss. masc. sing. V. tabl. TON, TA, TES.
2. ton, n. m. (lat. *tonus*, tension). Degré d'élévation ou d'abaissement de la voix ou du son d'un instrument. *Ton fort.* V. tabl. SON (*Idées suggérées par le mot*). ‖ Inflexion de la voix. *Un ton orgueilleux. Un ton ferme.* — *Ne le prenez pas sur ce ton,* ne me parlez pas de cela avec ce ton (d'ironie, de colère, etc.). ‖ Manière d'exprimer ses pensées. *Un ton élégant, emphatique.* ‖ En parlant des ouvrages de l'esprit, caractère, genre, style. *Le ton oratoire d'un livre.* ‖ Manière d'être générale. *Bon ton, mauvais ton,* manières distinguées ou grossières, rustiques. — *Donner le ton,* lancer la mode ou inspirer une règle. — *Prendre le ton d'une compagnie,* en prendre les manières, les usages. ‖ *Hausser le ton,* parler d'une façon insolente. — *Changer de ton,* changer de manières, de langage. — *Demander une chose sur tous les tons,* de toutes les façons. [Mus.] Intervalle entre deux notes consécutives de la gamme. *De ut à ré il y a un ton ; entre mi et fa un demi-ton.* ‖ La gamme que l'on adopte. *Ton de ré, de sol.* — Mode dans lequel un morceau est composé. *Ton majeur, ton mineur.* V. tabl. MUSIQUE ET CHANT (*idées suggérées par les mots*). [Bx-Arts] Différentes teintes d'un

> **TON, TA, TES,** adjectifs possessifs de la deuxième personne du singulier.
> **Étymologie.** — Du latin *tuus, tua, tuum,* même sens, forme atone dont la forme tonique est *Tien, tienne.* V. ce tableau.
> **Emploi général.** — Ces adjectifs correspondent au pronom personnel *Tu, te, toi* (V. ce tableau). *Ton* est la forme masculine, *ta* la forme féminine (V. cependant ci-dessous), *tes* est le pluriel pour les deux genres. *Ton mari, ta mère, tes garçons et tes filles.*
> Par euphonie, on remplace *ta* par *ton* quand le nom féminin déterminé commence par une voyelle ou par une *h* muette. *Ton âme, ton épée, ton habitation,* mais *ta honte, ta haine.* V. pour la répétition de l'adjectif possessif *ton,* le tableau *mon* et *son* emploi général. V. tabl. GRAMMAIRE (*Possessifs*).
> HOM. — V. THON.
> **Sens et emplois particuliers** de *ton, ta, tes.*
> Désigne un seul possesseur, de la deuxième personne du singulier.
> Qui est à toi, qui t'appartient. *Ton livre, ta maison, ton devoir, tes parents.*
> Qui est habituel chez toi. *As-tu encore tes douleurs ?*
> Tours particuliers. Avec un sens emphatique, amené par le tour général de la phrase, mais portant sur le possessif. *Ton fameux...,* celui dont tu es fier. *Avec ton éloquence, tu peux arriver à tout.*
> Avec un sens péjoratif. *Voilà encore de tes facéties.*
> Avec le sens de quelque chose que l'on peut s'assimiler. *Sais-tu ta leçon ?*
> **Loc. particulière.** — *Tu n'as pas ton pareil,* un pareil à toi.

tableau, relativement à leur force et à leur éclat. *Ton chaud. Ton fin.* — Couleur dominante, tonalité générale d'un tableau. On dit de même : *Une épreuve photographique à ton chaud.* [Méd.] Fermeté, élasticité, tonicité des organes en bonne santé. *Un malade qui prend du ton.* — Fig. Énergie, vigueur. *Voici un morceau, une œuvre qui a du ton.*

— *Martin-bâton accourt, l'âne change de ton.*
    Ainsi finit la comédie.
                  (LA FONTAINE.)

ÉPITHÈTES COURANTES : haut, bas, ferme, solennel, sérieux, grandiloquent, doctoral, simple, familier, paternel, oratoire, pathétique, aigre, doux, aimable, amical, bourru, sec, rude, sévère, péremptoire, impérieux, fier, ridicule, badin, moqueur, plaintif, élevé, haussé, humble, changé, majeur, mineur, donné, bon, mauvais, etc.

ORTH. — Les dérivés et composés de *ton* s'écrivent avec *un seul n : atone, monotone, tonalité, tonique,* etc., sauf, *entonner* et *détonner* (*détoner,* avec un seul *n,* sign. faire explosion).

SYN. — *Ton,* manière de parler, expression de la voix : *Le ton dont il parla fit* *retentir les bois* (LA FONTAINE). — *Diapason,* ensemble des tons qu'une voix, qu'un instrument peut moduler depuis le plus grave jusqu'au plus aigu : *Ces deux instruments ne sont pas au même diapason.* — *Expression,* la manière de faire sentir sa pensée par le ton qu'on emploie : *Une lecture pleine d'expression.* — *Modulation,* passage d'un ton à un autre : *Les modulations de la voix.* — *Son,* bruit musical qui peut être noté : *Le son d'une corde qui vibre.* — *Timbre,* qualité du son qui permet de distinguer les instruments de musique, même s'ils donnent la même note : *Le timbre d'une cloche.*

> VOCAB. — *Famille de mots.* — *Ton :* tonique, tonicité, tonal, tonalement, tonarion, tonifier, tonifiant ; tonalité ; intonation ; atone, atonique, atonie ; détonation, détonner, entonner (une chanson) ; monotone, monotonement, monotonie ; oxyton, paroxyton.

* **tonal, ale,** adj. Relatif au ton. ‖ Qui a rapport à la tonalité.
* **tonalement,** adv. D'une façon tonale.
tonalité, n. f. [Mus.] Caractère particulier des tons et des modes ou des

morceaux écrits dans ces tons et ces modes. [Peint.] *Tonalité générale*, couleur qui semble dominer dans un tableau.

* **tonarion**, n. m. Flûte avec laquelle on donnait le ton aux orateurs antiques.
* **tondage**, n. m. Action de tondre.
* **tondaille**, n. f. Tonte des bêtes à laine, et laine qu'on en retire.

tondaison [zon], n. f. Syn. de *tonte*.
tondeur, euse, n. Celui, celle qui tond.
tondeuse [deu-ze], n. f. Machine à tondre les draps. ‖ Machine à tondre les cheveux, la barbe, les poils des animaux. ‖ Machine pour tondre le gazon.

* **tondin**, n. m. [Archit.] Petite baguette ou astragale, située au bas d'une colonne.

tondre, v. tr. (lat. *tondere, tonsum*, m. s.). Couper la laine ou le poil aux bêtes; couper ras les cheveux. — Fig. et fam. *Se laisser tondre* ou *se laisser manger la laine sur le dos*, se faire exploiter, voler. — *Tondre une province, un contribuable*, l'écraser d'impôts. ‖ Fam. et prov. *Trouver à tondre sur un œuf*, trouver à épargner sur tout. [Techn.] *Tondre les draps, les feutres*, etc., en couper les poils trop longs de manière à rendre la surface plus unie. ‖ Couper le gazon, les feuilles superflues, les haies, le buis, etc. ‖ *Les brebis ont tondu ce pré*, elles en ont brouté toute l'herbe. = Conjug. (comme *rendre*). V. VERBES.

tondu, ue, adj. Dont on a coupé le poil, les cheveux, la barbe, l'herbe, les feuilles, etc. — *Tondu de près*, coupé fort ras. = Nom. Personne tondue.

* **tondure**, n. f. Ce qui tombe quand on tond le drap. ‖ Action de tondre le drap, le feutre, etc.

PAR. — *Tonsure*, couronne faite sur la tête des ecclésiastiques en leur rasant les cheveux.

...tone, tonne, tomne

> ORTH. — *Finales.* — La finale *tone* s'écrit sous cette forme dans atone, acétone, monotone ; *tonne* dans cretonne et tonne ; enfin, par suite d'une anomalie de la prononciation, *tomne* dans automne.

* **tongrien, enne**, adj. et n. m. [Géol.] Se dit d'un terrain situé près de Tongres (Belgique).

tonicité, n. f. État de ce qui est tonique. ‖ État dans lequel se trouvent les muscles en dehors de l'état d'activité.

tonifiant, ante, adj. Qui tonifie.
tonifier, v. tr. Rendre ferme, élastique un tissu organique. ‖ Fortifier l'organisme, donner du ton. = Conjug. V. GRAMMAIRE.

PAR. — *Bonifier*, rendre meilleur.

tonique, adj. (gr. *tonikos*, m. s.). Qui reçoit le ton, sur qui porte l'accent. [Mus.] *Note tonique*, ou *la tonique*, n. f., la première note d'une gamme. [Gram.] *Accent tonique*, syllabe tonique. On ne prononce jamais avec la même force toutes les syllabes d'un même mot. L'élévation de la voix sur une syllabe particulière dans chaque mot s'appelle *accent tonique*, et la syllabe qui reçoit cette élévation de la voix, cet accent tonique, s'appelle *syllabe tonique*, ou, n. f., la *tonique*. V. GRAMMAIRE. [Méd.] Qui a la propriété d'augmenter la vigueur d'un tissu anatomique, d'un organe. *Un médicament tonique*, ou, n. m., *un tonique*.

CTR. — *Atone.* — *Débilitant.*

tonitruant, ante, adj. Retentissant comme le tonnerre.

* **tonka**, n. m. [Bot.] Nom vulg. du *coumarouna odorata*, arbre de la Guyane dont la graine (*fève de tonka*) renferme de la coumarine.
* **tonkinois, oise**, adj. Qui est du Tonkin, qui en est originaire.

tonlieu, n. m. Droit qu'on payait pour les places qu'on occupait dans un marché.

tonnage [to-na-je], n. m. [Mar.] Capacité d'un navire déterminée par le nombre de tonneaux qu'il peut contenir. ‖ Poids évalué en tonnes de marchandises. V. tabl. MARINE (*Idées suggérées par le mot*).

tonnant, ante [to-nan], adj. Qui tonne. *Jupiter tonnant.* ‖ Fig. *Une voix tonnante*, une voix forte et éclatante.

tonne, n. f. (lat. pop. *tunna*, m. s.). Vaisseau de bois à deux fonds, qui est plus grand et plus renflé vers le milieu que le tonneau. Contenu de ce vaisseau. *Tonne de vin.* ‖ Unité de poids. *La tonne métrique vaut 1.000 kilogrammes.* V. tabl. POIDS (*Idées suggérées par le mot*). [Mar.] Tonne métrique servant à évaluer le poids en charge ou le déplacement d'un navire. *Un cuirassé de 35.000 tonnes*, un cuirassé qui déplace ou pèse ce poids. [Zool.] Genre de mollusques gastéropodes, appelés aussi *dolium*.

SYN. — V. TONNEAU.

> VOCAB. — *Famille de mots.* — **Tonne** : tonnage, tonneau, tonnelet, tonnelage, tonneler, tonnellerie, tonneleur, tonnelier ; entonner ; (verser dans un tonneau), entonnage, entonnoir ; tonnelle ; tunnel.

tonneau, n. m. (de *tonne*). Grand récipient en bois, fait avec des douves assemblées par des cerceaux de bois ou de fer, limité à chaque extrémité par un fond plat, et généralement destiné à contenir un liquide. *Tonneau de vin, de cidre.* V. pl. TONNEAU et VOLUMES. ‖ Le contenu d'un tonneau. *Un tonneau de vin.* ‖ Se dit pour tonne, poids de 1.000 kg. [Mar.] *Tonneau* ou *tonneau de jauge*, mesure de capacité internationale pour jauger un navire, valant 2 m³ 830. *Un paquebot de 80.000 tonneaux.* — Mesure de capacité française pour le jaugeage d'une navire (1 m³ 440), en usage depuis Colbert (1681). ‖ Voiture légère à quatre roues ; automobile de forme analogue à celle de cette voiture. [Jeux] Jeu d'adresse qui consiste à lancer des palets de métal dans un appareil dont la planche supérieure est percée de trous.

ÉPITHÈTES COURANTES : plein, vide, percé, cerclé, couché, levé, rempli, roulé, encavé, neuf, vieux, grand, gros, petit.

SYN. — *Tonneau*, vaisseau de bois, composé de douves réunies par des cercles, et destiné à contenir un liquide : *Un tonneau de vin d'Algérie.* — *Baril*, tonneau de petite taille : *Un baril d'huile.* — *Barrique*, gros tonneau contenant environ 225 litres : *Une barrique de vin de Bourgogne.* — *Feuillette*, tonneau contenant la moitié d'une barrique : *Une feuillette de vin blanc.* — *Foudre*, très gros tonneau : *Certains foudres contiennent plus de 800 hectolitres.* — *Fût*, tonneau pour les liquides en général : *Un fût de bière.* — *Futaille*, vaisseau de bois contenant du vin ou d'autres liqueurs : *Mettre*

TONNELAGE — TONNERRE

le vin en futaille. — **Muid**, tonneau de la contenance d'un muid, variable selon les pays : *Un muid d'huile*. — **Pièce**, tonneau dont la contenance est voisine de celle de la barrique, mais très variable suivant les régions : *Mettre une pièce de vin dans sa cave*. — **Tonne**, gros tonneau : *Il y a plusieurs tonnes rangées dans ces caves*. — **Tonnelet**, petit tonneau : *Un tonnelet de vinaigre*.

* **tonnelage** [to-ne-la-je], n. m. Se dit quelquefois pour *tonnage*. ‖ Ce qui concerne la tonnellerie.

* **tonneler**, v. tr. Prendre des perdrix à la tonnelle. = Conjug. V. GRAMMAIRE.

tonnelet [to-ne-lé], n. m. Petit baril. ‖ Haut-de-chausses de cérémonie (XVIe s.).
Syn. — V. TONNEAU.

* **tonneleur**, n. m. Chasseur à la tonnelle.

tonnelier, n. m. Artisan qui fait et qui répare des tonneaux.

tonnelle [to-nè-le], n. f. Sorte de berceau de treillage couvert de verdure. ‖ Filet en forme de tonneau pour prendre des perdrix. [A. milit.] Barde de l'armure des anciens chevaliers. V. pl. ARMURES.

tonnellerie, n. f. Industrie, profession du tonnelier. ‖ Atelier où l'on fabrique des tonneaux.

ORTH. — *Tonnelle, tonnellerie* prennent deux *l*, mais *tonnelet, tonnelage, tonneler, tonneleur, tonnelier* n'en prennent qu'*un*.

tonner, v. impers. (lat. *tonare*, m. s.). Produire le bruit qui accompagne la foudre. *Il a tonné hier*. = V. intr. Produire

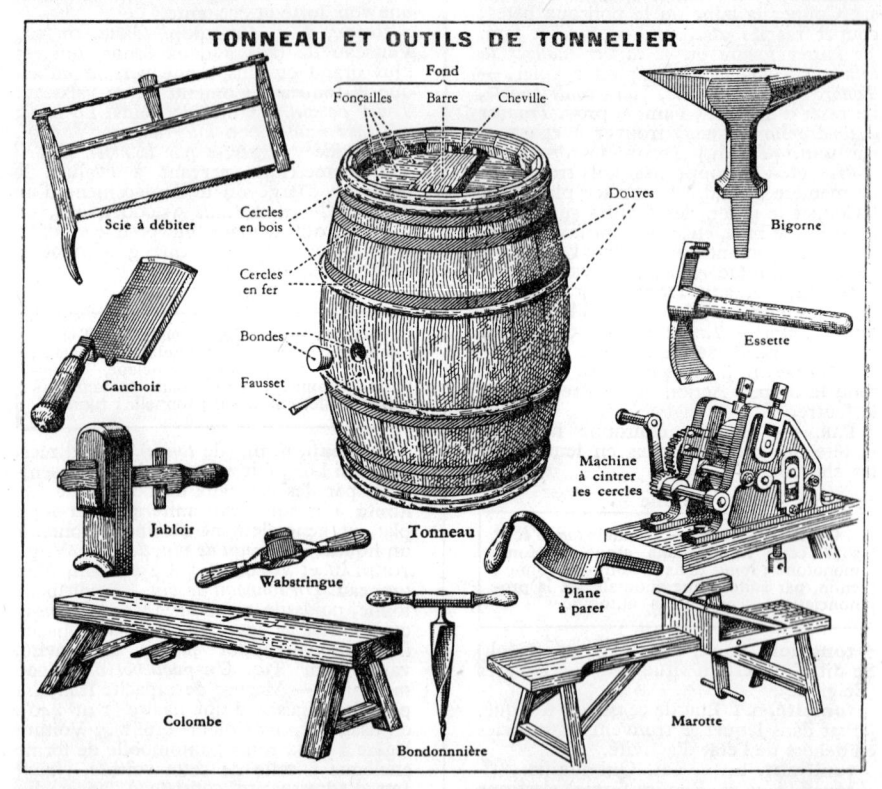

TONNEAU ET OUTILS DE TONNELIER

Fond — Fonçailles — Barre — Cheville — Scie à débiter — Cercles en bois — Cercles en fer — Douves — Bigorne — Cauchoir — Bondes — Fausset — Essette — Jabloir — Wabstringue — Tonneau — Machine à cintrer les cercles — Plane à parer — Colombe — Bondonnnière — Marotte

le bruit du tonnerre. ‖ Par ext. Se dit d'un bruit rappelant celui du tonnerre. *Le canon tonne*. ‖ Fig. Parler contre quelqu'un ou quelque chose avec une grande véhémence. *Tonner contre les abus*.

ORTH. — *Tonner, tonnerre, étonner, étonnement* prennent *deux n*, mais *tonitruant, détoner* (faire explosion), *détonation* n'en prennent qu'*un*.
Syn. — V. GRONDER.

> VOCAB. — *Famille de mots*. — Tonner : tonnant, tonnerre, tonitruant ; étonner, étonné, étonnant, étonnamment, étonnement ; détonant, détonateur, détonement, détoner, détonation.

tonnerre, n. m. (lat. *tonitru*, m. s.). Bruit qui accompagne la foudre. ‖ La foudre même. *Il fut frappé du tonnerre*.

V. tabl. TEMPÉRATURE et MÉTÉOROLOGIE. (Idées suggérées par les mots). ‖ Fig. Grand bruit comparable à celui du tonnerre. *Le tonnerre des canons*. ‖ *Coup de tonnerre*, événement fatal et imprévu. *Ce fut pour lui un coup de tonnerre*. ‖ Fig. et fam. *Une voix de tonnerre*, une voix très forte, éclatante. [Bx-Arts] Figuration des carreaux de la foudre, attribut de Jupiter [Techn.] Partie du canon d'une arme à feu portative, où l'on met la charge de poudre. = TONNERRE, interj. Sorte de juron.

— *O nuit désastreuse ! nuit effroyable ! où retentit tout à coup comme un éclat de tonnerre cette étonnante nouvelle : Madame se meurt, Madame est morte !* (BOSSUET.)

— *Ce n'est plus la vapeur qui produit le tonnerre
C'est Jupiter armé pour effrayer la terre*.
(BOILEAU.)

TONSURANT — TOQUER

Syn. — *Tonnerre*, l'explosion bruyante qui suit l'éclair : *On entend le roulement du tonnerre*. — *Éclair*, l'étincelle électrique qui jaillit entre deux nuages orageux ou entre un nuage et la terre : *On voyait dans la nuit d'immenses éclairs*. — *Foudre*, l'étincelle électrique qui se produit entre le nuage orageux et la terre : *La foudre a frappé le clocher du village*.
Nota. — Ces mots, différents pour leur sens précis, se prennent en poésie l'un pour l'autre.
Hom. — V. thonaire.
tonsurant, ante, adj. [Méd.] Qui produit la chute des cheveux, du poil. *Teigne tonsurante*.
tonsure, n. f. (lat. *tonsura*, m. s.). [Liturg.] Couronne faite sur la tête des ecclésiastiques en leur rasant les cheveux. ‖ Cérémonie de l'Église catholique par laquelle l'évêque donne le premier degré de la cléricature en coupant une partie des cheveux.
Par. — *Tondure*, ce qui tombe quand on tond le drap.
tonsuré, n. m. et adj. Qui porte la tonsure. — Ecclésiastique ayant seulement la tonsure.
tonsurer, v. tr. Donner la tonsure.
tonte, n. f. L'action de tondre. ‖ La laine qu'on retire en tondant un troupeau. ‖ Le temps où l'on a coutume de tondre les troupeaux. ‖ Action de tondre une étoffe. — On dit aussi *tondaison*.
1. **tontine**, n. f. (de *Tonti*, inventeur de ce genre d'association en 1635). Association dans laquelle plusieurs individus mettent en commun des capitaux destinés à être répartis *entre les survivants*, à une époque déterminée et au prorata des mises de chacun d'eux. ‖ Revenu annuel ainsi réparti.
2. * **tontine**, n. f. Revêtement de paille autour des racines d'un arbuste qu'on veut transplanter.
* **tontinier, ière**, adj. et n. Qui a des rentes de tontine. ‖ Aujourd'hui, qui a rapport à une tontine.
* **tontisse**, adj. f. Se dit de l'espèce de bourre qui résulte de la tonte des draps. = N. f. Sorte de tenture sur laquelle on a appliqué de la bourre tontisse.
* **tonture**, n. f. Action de tondre les draps. ‖ Bourre tontisse. ‖ Branche et feuilles que l'on coupe en taillant les palissades, les bordures de bois, etc. [Mar.] Courbure donnée au pont d'un bâtiment dans le sens de la longueur, pour l'écoulement des eaux.
Par. — *Tenture*, ce qui sert à tapisser une pièce.
* **tonturer**, v. tr. [Mar.] Donner au pont d'un bâtiment la tonture voulue.
topaze, n. f. (lat. *topazius*, m. s.). Pierre fine, transparente et de couleur jaune, plus ou moins pure. — *Topaze orientale*, variété jaune de corindon. V. tabl. minéraux, vêtement et parure (*Idées suggérées par les mots*).
* **tope !** ou * **tope là !** interj. sign. j'y consens.
Hom. — V. taupe.
toper ou * **tôper**, v. intr. Consentir à une offre, adhérer à une proposition.
* **topette** [pète], n. f. Petite bouteille longue et étroite. *Topette d'encre*. ‖ Son contenu.

* **tophacé, ée**, adj. [Méd.] Se dit des concrétions d'urates qui se produisent au niveau des articulations.
* **tophus**, n. m. [Méd.] Concrétion d'urates au niveau des articulations des goutteux.
Par. — *Typhus*, nom générique de plusieurs maladies.
topinambour, n. m. Plante dont les racines portent des tubercules comestibles; famille des *composées*. ‖ Ces tubercules eux-mêmes.
topique, adj. (lat. *topicus*, m. s., du gr. *topos*, lieu). Qui concerne un lieu particulier; local. *Divinités topiques*. ‖ Qui se rapporte exactement au sujet. *Argument topique*. = N. m. Médicament qu'on applique à l'extérieur sur la partie malade. *Un excellent topique*. = Au plur. [Rhét.] *Lieux communs*. = N. f. Science des lieux communs.

> Vocab. — *Famille de mots*. — *Topique* : topiquement, topographie, topographe, topographique, topographiquement; topo, toponymie, toponymique, topologie ; utopie, utopiste, utopique.

* **topiquement**, adv. D'une façon topique.
1. * **topo**, n. m. Fam. Plan topographique. *Le topo d'un lieu*. ‖ Par ext. Développement écrit ou sujet donné.
2. * **topo**, n. m. [Mar.] Petit bateau à deux mâts, de l'Adriatique.
topographe, n. m. Celui qui s'occupe de topographie.
topographie [fi], n. f. (gr. *topos*, lieu; *graphe*, description). Description détaillée et représentation graphique d'un lieu, d'un canton particulier. ‖ Art de lever le plan d'un pays, avec tous les accidents de terrain.
Par. — *Typographie*, art d'imprimer avec des caractères mobiles.
topographique, adj. Qui appartient à la topographie. *Description topographique. Carte topographique*.
* **topographiquement**, adv. D'une manière topographique, détaillée.
* **topologie**, n. f. Connaissance des lieux. [Rhét.] Connaissance des lieux communs.
toponymie, n. f. Désignation des localités par leur nom. ‖ Science des noms de lieu.
* **toponymique**, adj. Relatif aux noms des localités.
toquade [to-ka-de], n. f. Manie passagère. ‖ Engouement passager pour une personne, une chose (Fam.).
* **toquante**, n. f. Pop. Montre.
toque, n. f. Sorte de chapeau rond et sans bords, couvert de velours, de satin, etc. *Toque de juge, de professeur, de cuisinier*. V. pl. coiffures. ‖ Coiffure des jockeys, aux couleurs de leur écurie.
Hom. — V. toc.

> Vocab. — *Famille de mots*. — *Toque* : toquet, toquer, toqué, toquade.

toqué, ée [to-ké], adj. et n. Maniaque qui a le cerveau dérangé. — *Être toqué de*, avoir une toquade pour.
Syn. — V. maniaque.
toquer [to-ké], v. tr. Toucher, frapper. ‖ Fig. Rendre fou, toqué. = se toquer,

v. pr. *Se toquer de quelqu'un, de quelque chose*, s'engouer pour une personne, pour une chose.

* **toquerie** [*ke-ri*], n. f. Chaufferie ou endroit du foyer d'un fourneau de forge.

toquet [*to-ké*], n. m. Coiffure, bonnet de femme du peuple, de paysanne. ‖ Sorte de bonnet d'enfant.

* **toqueux** [*to-keu*], n. m. Longue barre de fer pour activer le feu dans les raffineries.

* **toraille** [*ill* mll.], n. f. Corail brut.

...tor, tore, taure

> ORTH. — *Finales.* — Le son final *tor* s'écrit sous cette forme dans butor, castor, mentor, stentor ; il s'écrit *tore* dans store ; *taure* dans centaure et minotaure ; *thore* dans pléthore ; *tors* dans retors.

torche, n. f. Flambeau grossier fait d'une grosse corde enduite de résine ou de cire, ou d'un bâton de bois résineux entouré de cire ou de suif. ‖ Fig. *La torche de la guerre civile.* ‖ Bouchon de paille, poignée de paille tortillée. ‖ Linge en rouleau que les paysannes mettent sur leur tête pour porter des fardeaux.

PAR. — *Torchère*, sorte de candélabre portant des flambeaux.

torché, ée, adj. Pop. *Mal torché*, fait grossièrement, bâclé; ou mal habillé.

* **torche-fer**, n. m. Torchon mouillé dont on se sert pour essuyer les fers à souder. = Pl. *Des torche-fer.*

* **torche-nez**, n. m. V. TORD-NEZ. = Pl. *Des torche-nez.*

torcher, v. tr. (de *torche*, bouchon de paille). Essuyer pour nettoyer, frotter pour ôter l'ordure. *Les nourrices torchent leurs enfants* (Pop.). ‖ Fig. et pop. *Torcher un travail*, le faire trop vite et mal. [Techn.] Faire un ouvrage avec du torchis. = SE TORCHER, v. pr. S'essuyer (Pop.).

torchère, n. f. Vase à jour dans lequel on met des matières combustibles pour donner de la lumière (Vx). ‖ Espèce de candélabre qui porte des flambeaux, des bougies, etc.

PAR. — *Torche*, flambeau fait d'un bâton entouré de résine enflammée.

* **torchette**, n. f. Petite torche. ‖ Petite poignée de paille.

torchis [*chi*], n. m. (du v. *torcher*). Espèce de mortier fait avec de la terre grasse et de la paille ou du foin coupé, qu'on emploie pour certaines constructions légères.

torchon, n. m. (de *torche*, bouchon de paille). Serviette de grosse toile dont on se sert pour essuyer la vaisselle, la batterie de cuisine, etc. [Techn.] Poignée de paille tortillée. ‖ Fig. Fille malpropre. — Loc. fig. et fam. *Être fait comme un torchon*, être habillé malproprement. — *Le torchon brûle*, il y a querelle dans le ménage, ou dans l'association. — *Coup de torchon*, dispute, querelle ; émeute, révolution politique.

* **torchonner** [*tor-cho-né*], v. tr. Fam. Frotter avec un torchon. ‖ Exécuter vite et sans soin.

torcol, n. m. [Zool.] Genre d'oiseaux grimpeurs, très voisins des pics; insectivores très utiles.

* **tordage**, n. m. Action de tordre. ‖ Façon donnée à la soie, appelée aussi *moulinage.*

* **tordant, ante**, adj. Pop. Qui fait tordre ou se tordre de rire.

tord-boyaux, n. m. inv. Mauvaise eau-de-vie très forte (Pop.).

* **tordeur, euse**, n. Celui, celle qui tord la laine, les soies, etc.

tord-nez ou * **torche-nez**, n. m. Instrument au moyen duquel on saisit et l'on tord la lèvre supérieure d'un cheval, afin de le maintenir pendant certaines opérations. = Pl. *Des tord-nez.*

* **tordoir**, n. m. Sorte de moulin à huile. ‖ Appareil pour tordre le linge. ‖ Bâton, garrot pour tordre une corde.

tordre, v. tr. (lat. *torquere*, m. s.). Tourner par ses deux extrémités un corps flexible en sens contraire, ou par l'une des deux, l'autre étant fixe. *Tordre du fil, du linge.* ‖ *Tordre le cou*, faire mourir en tournant le cou. — Tourner de travers. *Tordre la bouche.* — *Tordre les bras à quelqu'un*, les lui tourner violemment. ‖ Fig. *Tordre une loi, un passage*, etc., détourner une loi, un passage d'un auteur, etc., de son sens naturel, lui donner une interprétation fausse. — *Se tordre les mains*, les crisper en arrière dans un mouvement de désespoir. — *Se tordre le pied*, se le fouler. = SE TORDRE, v. pr. Se tortiller en tous sens. *Un ver qui se tord.* ‖ Fig. *Se tordre de rire*, ou absol. *Se tordre* (Fam.), rire convulsivement. = Conjug. (comme *rendre*). V. VERBES.

> VOCAB. — *Famille de mots.* — Tordre [Rad. *tort, torc*] : tort, torte, tortu, tortueusement, tortuosité, tortueux, tortue, tortuer, tortil, tortiller, tordant, tordage, tordoir, tord-boyaux, tord-nez, tortillage, tortillard, tortillère, tortillement tortis, tortois, tortillon, tortille, entortiller, entortillé, entortillage, entortillement ; torture, tortionnaire, tortionnairement, torturer, torturant ; tourment, tourmenter, tourmenté, tourmentant, tourmenteur, tourmenteux, tourmentin, tourmente ; torticolis ; tors, torse, torser, torsoir, torsade, torsion, contorsion, tortricidés ; torche, torchère, torcher, torché, torchon, torchonner, torche-fer, torche-nez, torchis ; détordre, entorse, extorquer, extorqueur, extorsion ; retordre, retors, rétorquer, retorsion, retordage, retordeur, retordoir.

tore, n. m. (lat. *torus*, corde). [Archi.] Moulure ronde, à forme circulaire, à la base d'une colonne. V. pl. COLONNES et MOULURES. [Géom.] Surface engendrée par un cercle qui tourne autour d'un axe situé dans son plan. V. pl. VOLUMES des corps ronds.

HOM. — V. TAURE.

toréador, n. m. (esp. *toro*, taureau). Celui qui combat les taureaux dans une arène, partic. en Espagne.

* **torero** [*ré*], n. m. Mot espagnol dont le français a fait *toréador.*

toreutique, n. f. (gr. *toreutikê*, m. s.). [Antiq.] L'art de ciseler le bois, l'ivoire, les métaux.

* **torgnole** ou * **torgniole** [*gn* mll.], n. f. [Méd.] Mal blanc qui fait le tour du doigt. ‖ Coup qui laisse une marque sur la peau (Pop.).

* **torii**, n. m. Au Japon, portique de pierre ou de bois à l'entrée des temples.

toril, n. m. Lieu où l'on enferme le taureau avant le combat.

tormentille, n. f. [Bot.] Nom vulg. du *potentilla tormentillia*.
* **torminal, ale** ou **tormineux, euse,** adj. (lat. *tormina*, tranchées). [Méd.] Qui a le caractère de la colique.
tornade, n. f. [Météor.] Mouvement circulaire très violent de l'atmosphère produisant des ravages partout où il passe. SYN. — V. ORAGE.
toron, n. m. Assemblage de plusieurs fils tordus ensemble pour constituer un cordage. [Archi.] Gros tore à l'extrémité d'une surface droite.
* **torpédo,** n. f. Voiture automobile découverte, de forme effilée.
torpeur, n. f. (lat. *torpor*, m. s.). Engourdissement, pesanteur extrême. ‖ Fig. État de l'âme qui cause son inaction.

> VOCAB. — *Famille de mots.* — *Torpeur :* torpide, torpille, torpillage, torpiller, torpilleur.

torpide, adj. Qui est atteint de torpeur.
torpillage, n. m. Action de torpiller; son résultat.
1. **torpille** [*ill* mll.], n. f. [Zool.] Genre de poissons de mer sélaciens, voisins de la raie, qui possèdent un appareil électrique.
2. **torpille,** n. f. (ital. *torpiglia*, m. s.). [Mar.] Engin de guerre, récipient métallique rempli d'un explosif puissant. — *Torpille dormante, torpille fixe* ou *mine,* torpille immergée, ancrée au fond, explosant au heurt d'un navire. — *Torpille automobile,* torpille contenant un moteur et des appareils assurant la direction, projetée d'un sous-marin, d'un torpilleur, à l'aide du tube lance-torpille. ‖ Engin de forme allongée analogue, muni d'ailettes, lancé par un avion. ‖ Engin explosif à ailettes projeté par un canon de tranchée. V. tabl. GUERRE et MARINE (*Idées suggérées par les mots*).
PAR. — *Tortille,* allée étroite et tortueuse.
torpiller [*ill* mll.], v. tr. Attaquer, couler à la torpille. ‖ Fig. et fam. *Torpiller un projet,* le rendre inexécutable, inefficace; détruire, ruiner.
* **torpillerie,** n. f. Atelier, magasin, service des torpilles.
torpilleur [*ill* mll.], n. m. [Mar.] Navire à grande vitesse, destiné à lancer des torpilles, à éclairer les escadres, à faire des patrouilles, etc. ‖ Marin qui manœuvre les torpilles. V. tabl. MARINE (*Idées suggérées par le mot*). = Adj. *Navire, marin torpilleur.*
* **torque,** n. f. (lat. *torques,* collier). [Blas.] Rouleau d'étoffe placé sur le casque. ‖ Fil de fer, de laiton roulé en cercle. ‖ Tabac à chiquer mis en rouleau.
* **torquer** [*ké*], v. tr. Tordre du tabac à chiquer, le mettre en rouleau.
* **torques** [*ku-èss*] ou **torquis** [*ku-iss*], n. m. [Antiq.] Collier métallique des Perses, des Grecs, des Romains, des Gaulois.
* **torquette** [*kè-te*], n. f. Panier d'osier qui sert à transporter le poisson de mer. ‖ Son contenu. ‖ Pêche d'une marée arrangée pour l'expédition.
* **torréfacteur,** n. m. Appareil pour torréfier diverses substances telles que le café, le tabac, etc.

torréfaction [*fak-sion*], n. f. Action de torréfier.
torréfier [*tor-ré*], v. tr. (lat. *torrefacere*, m. s.). Griller, soumettre à sec à l'action du feu une substance solide. *Torréfier du café, du cacao.* = Conjug. V. GRAMMAIRE.
torrent, n. m. (lat. *torrens*, m. s.). Courant d'eau rapide dévalant les pentes des montagnes, et sujet à des crues passagères, mais terribles. ‖ Fig. Grande et impétueuse abondance. *Un torrent d'injures, de larmes, de paroles.* — Ce qui détruit tout sur son passage comme un torrent. *Le torrent révolutionnaire.* ‖ Par exagération : *La pluie tombe à torrents,* elle tombe avec une extrême violence. V. tabl. EAU et MER (*Idées suggérées par les mots*).
ÉPITHÈTES COURANTES : furieux, écumant, roulant, déchaîné, rapide, impétueux, dévastateur; traversé, canalisé, régularisé, dompté.
SYN. — V. FLEUVE.
torrentiel, elle [*tor-ran-siel*], adj. Qui a rapport aux torrents; qui est produit par eux. ‖ Qui ressemble à un torrent, agit comme un torrent. *Eaux torrentielles, pluies torrentielles.*
* **torrentiellement** [*sièl*], adv. A la façon d'un torrent.
* **torrentueux, euse** [*tu-eux*], adj. Qui a l'impétuosité d'un torrent.
torride, adj. Brûlant, excessivement chaud. ‖ *Zone torride,* partie la plus chaude de la terre, comprise entre les deux tropiques.
ANT. — *Glacial, polaire.*

> VOCAB. — *Famille de mots.* — *Torride :* torréfier, torréfacteur, torréfaction, torrent, torrentiel, torrentiellement, torrentueux.

tors, torse [*tor*], adj. (anc. pp. de *tordre*). Qui est tordu ou qui paraît l'être. ‖ Fém. pop., *torte,* en parlant de ce qui est contourné, difforme. *Jambes tortes.* ‖ *Colonne torse,* colonne dont le fût est contourné en hélice. V. pl. COLONNE. = N. m. Action de tordre les brins qui forment le fil, la corde, etc.
HOM. — V. TAURE.
torsade, n. f. Tout objet tordu en hélice. ‖ Ornement d'architecture. V. pl. ORNEMENTS. ‖ Frange tordue en spirale qu'on emploie pour orner les tentures, les rideaux, les draperies, etc. ‖ Ornement d'or ou d'argent pour les épaulettes des officiers.
1. **torse,** n. m. Statue tronquée, corps humain auquel il manque la tête, ou les bras, ou les jambes. ‖ Par ext. Se dit du tronc d'une statue entière ou d'une personne vivante. *Bomber le torse.*
2. * **torse,** n. f. Outil servant à fabriquer, à tourner les colonnes en hélice.
* **torser,** v. tr. Contourner le fût d'une colonne pour en faire une colonne torse.
torsion, n. f. Action de tordre, et l'état de ce qui est tordu ou tourné de travers.
* **torsoir,** n. m. Bille de chamoiseur pour tordre les peaux.
tort [*tor*], n. m. (lat. *tortus,* tordu). Ce qui est contraire à la justice, à la raison. *Les torts sont de votre côté.* — *Donner tort à quelqu'un,* condamner ses idées, sa conduite. — *Se mettre en tort,* se rendre coupable d'une action blâmable. — *Avoir*

tort, n'avoir pas pour soi la justice, par oppos. à *avoir raison*. ‖ Lésion, dommage qu'on souffre ou qu'on fait souffrir. *Cela m'a fait grand tort.* = À TORT, loc. adv. Sans raison, injustement. *Accuser à tort.* = À TORT ET À TRAVERS, loc. adv. Sans considération, sans discernement. *Il parle à tort et à travers.* = À TORT OU À RAISON, loc. adv. Avec ou sans raison valable.
SYN. — V. PRÉJUDICE.
HOM. — V. TAURE.
torte, adj. f. Pop. Se dit pour *torse*. V. TORS.
torticolis [tor-ti-ko-li], n. m. (lat. *tortus*, tordu; *collum*, cou). [Méd.] Contraction douloureuse d'un muscle du cou qui force le malade à tenir la tête inclinée.
tortil [til'], n. m. [Blas.] Cercle d'or portant en spirale un collier de perles, insigne des barons.
tortillage [ll mll.], n. m. Façon de s'exprimer confuse et embarrassée. ‖ Petites intrigues, façons d'agir manquant de netteté.
* **tortillard** [ll mll.], adj. m. Qui est tordu en divers sens. — *Bois tortillard*, bois noueux dont les fibres ne sont pas droites. — *Orme tortillard*, l'orme champêtre. = N. m. Chemin de fer d'intérêt local qui fait beaucoup de détours (Fam.).
* **tortille** [tille, ll mll.], n. f. Petite allée étroite et tortueuse dans un bois, sous les ombrages d'un parc. — On dit aussi *tortillère*.
HOM. — *Tortille, es, ent*, du v. tortiller.
PAR. — *Torpille*, engin de guerre; poisson pourvu d'un appareil électrique.
tortillé, ée [ll mll.], adj. Tordu à plusieurs tours.
tortillement [ll mll., man], n. m. Action de tortiller, ou l'état d'une chose tortillée. ‖ Action de tourner de çà, de là. *Le tortillement des hanches.* ‖ Fig. Détour, finasserie.
tortiller [ll mll.], v. tr. Tordre à plusieurs tours. = V. intr. Fam. et par plaisant. *Tortiller des hanches*, marcher avec un balancement trop marqué des hanches. ‖ Absol. *Il n'y a pas à tortiller.* Se dit fig. et fam. pour chercher des détours, des subterfuges. = SE TORTILLER, v. pr. Se replier sur soi-même en plusieurs façons. ‖ Fam. S'agiter nerveusement en tous sens.
* **tortillère**, n. f. V. TORTILLE.
tortillon [ll mll.], n. m. Chose tortillée. *Un tortillon de papier.* ‖ Sorte de bourrelet qu'on met sur la tête pour porter plus commodément un pot, des marchandises, etc. ‖ Anc. coiffure des femmes du peuple; et, par ext., petite servante. ‖ Pâtisserie ou bonbon tortillé.
HOM. — *Tortillons* (nous), du v. tortiller.
* **tortillonner** [ll mll.], v. tr. Tortiller à plusieurs reprises. ‖ Fig. Contourner en mille manières. = V. intr. Prendre mille petits détours.
tortionnaire [tor-sio-nè-re], adj. Inique et violent. ‖ Qui sert à torturer. *Appareil tortionnaire.* = N. m. Bourreau qui appliquait la torture aux accusés.
* **tortionnairement** [tor-sio], adv. D'une manière tortionnaire.
tortis [tor-ti], n. m. Assemblage de plusieurs fils tordus ensemble. ‖ Espèce de couronne ou de guirlande de fleurs. [Blas.] Syn. de *tortil*.

* **tortoir**, n. m. Bâton qui sert à maintenir serrée la corde qui arrime le chargement d'une charrette.
PAR. — *Trottoir*, chaussée pour les piétons dans une voie publique; — *dortoir*, salle commune où se trouvent un grand nombre de lits.
* **tortricidés**, n. m. pl. [Zool.] Famille de serpents, non venimeux, à queue courte. ‖ Famille d'insectes lépidoptères dont les chenilles roulent les feuilles en étui.
tortu, ue, adj. Qui n'est pas droit, qui est de travers. ‖ Fig. et fam. *Avoir l'esprit tortu*, manquer de justesse dans l'esprit. — De même : *Un raisonnement tortu.* = Adv. De travers. *Aller tortu.*
HOM. — V. TORTUE.
PAR. — *Tortueux*, qui fait des détours, sinueux.
tortue, n. f. (bas lat. *tortuca*; du lat. *tortus*, tordu). [Zool.] Nom général donné aux reptiles de l'ordre des chéloniens, caractérisés par une carapace osseuse, dermique, formant une boîte ouverte seulement en avant et en arrière. V. pl. REPTILES. ‖ Fig. et fam. *Aller comme une tortue*, aller très lentement, être toujours en retard. ‖ Nom de deux espèces de papillons (vanesses). [Antiq.] Manœuvre de l'infanterie romaine montant à l'assaut groupée, les boucliers formant toit, bord à bord, au-dessus des têtes.
HOM. — *Tortue*, n. f., reptile chélonien; — *tortu, ue*, adj., qui est de travers; — *tortue, es, ent*, du v. tortuer.
* **tortuer**, v. tr. Rendre tortu. *Tortuer une aiguille.* = SE TORTUER, v. pron. Devenir tortu. *Cet arbre commence à se tortuer.*
PAR. — *Torturer*, soumettre à la torture.
tortueusement, adv. D'une manière tortueuse.
tortueux, euse [tu-eux], adj. Qui fait plusieurs tours et détours. Ne se dit guère que des rivières et des serpents. ‖ Fig. *Une conduite tortueuse*, une manière d'agir sans franchise, pleine de détours. — De même : *Ame, voies tortueuses.*
CTR. — *Droit.*
SYN. — *Tortueux*, qui fait des détours, des angles : *Un chemin tortueux.* — *Sinueux*, qui fait des détours, des boucles : *Le cours sinueux de la Seine en aval de Paris.*
PAR. — *Tortu*, qui est de travers.
tortuosité, n. f. État, caractère de ce qui est tortueux.
torturant, ante, adj. Qui torture. ‖ Fig. Qui cause une grande peine morale.
torture, n. f. (lat. *tortura*, m. s.). Gêne, tourment qu'on fait souffrir. ‖ Tourment qu'on faisait souffrir à quelqu'un par ordre de justice, pour l'obliger à confesser la vérité. ‖ *Instruments de torture*, instruments qui servaient à donner la torture. V. tabl. LOI et TRIBUNAL (*Idées suggérées par les mots*). ‖ Fig. *Mettre quelqu'un à la torture*, lui causer un embarras, une inquiétude très pénible ou une vive impatience. — *Mettre son esprit à la torture*, travailler, rechercher quelque chose avec une grande contention d'esprit.
torturer, v. tr. Soumettre à la torture. ‖ Causer une souffrance morale. ‖ *Torturer un texte*, lui faire signifier comme par violence ce qu'il ne dit pas.
PAR. — *Tortuer*, rendre tortu.
* **torula**, n. f. Levure qui cause le rancissement des graisses.

* **torve**, adj. De travers et qui couve une menace, en parlant de l'œil, du regard.

tory [*ri*], n. m. et adj. *Le parti tory*, parti aristocratique, parti conservateur, en Angleterre. = Pl. *Des tories.*
ANT. — *Whig* (parti libéral).

torysme, n. m. Système politique des tories.

toscan, ane, adj. Qui a rapport à la Toscane, qui habite ce pays. [Archi.] Un des cinq ordres de l'architecture classique (dorique simplifié). V. pl. COLONNES.
ANT. — *Dorique, ionique, corinthien.*

* **tost**, n. m. et * **toster**, v. tr. et intr. V. TOAST et TOASTER.

tôt, adv. de temps. V. tabl. TÔT.

total, ale, adj. Complet, entier. *Nombre total. Somme totale.* = N. m. Le tout, l'assemblage de plusieurs choses considérées comme faisant un tout. *Le total d'une addition.* = AU TOTAL, EN TOTAL, loc. adv. Tout compensé, en somme.

SYN. — V. ENTIER.
CTR. — *Partiel, fractionné.*

totalement, adv. Entièrement, tout à fait.

* **totalisateur** ou * **totaliseur** [*za*], adj. m. Qui totalise, qui donne l'ensemble de résultats partiels. = N. m. Sorte d'appareil enregistreur.

* **totalisation** [*sion*], n. f. Action de totaliser.

totaliser, v. tr. Réunir en total; faire la somme, additionner.

* **totalitaire**, adj. Se dit d'un régime politique dans lequel l'individu n'existe que pour l'État et voit ses libertés réduites en conséquence. ‖ Par ext. Régime politique où un dictateur a confisqué tout le pouvoir (Néol.).

totalité, n. f. Le total, le tout, l'intégralité. = EN TOTALITÉ, loc. adv. Dans son ensemble, sans être divisé.

totem [*tem*'], n. m. Animal, végétal, objet matériel auquel les races primitives se croient unies par un lien religieux, et qui devient par suite un emblème sacré, un fétiche protecteur pour un clan, une tribu.

* **totémique**, adj. Qui concerne les totems, leur culte. — *Clan totémique,* clan qui considère comme son ancêtre un certain totem.

totémisme, n. m. Croyance aux totems. ‖ Science des totems.

* **tôt-fait** [*to-fè*], n. m. Gâteau rapidement fait avec des œufs et du lait. = Pl. *Des tôt-faits.*

toton, n. m. (lat. *totum*, le tout). Espèce de dé traversé d'une petite cheville sur laquelle on le fait tourner, et qui est marqué de lettres ou de points sur ses faces latérales. ‖ Petite toupie qu'on fait marcher en roulant vivement son axe entre le pouce et l'index.

touage, n. m. Action de touer un bateau ou le résultat de cette action.

* **touaille** [*toua-ille, ill* mll.], n. f. Essuie-main sans fin placé sur un rouleau.

* **touareg**, n. Peuple berbère du Sahara. = Sing. Un *Targui.*

toucan, n. m. [Zool.] Oiseau d'Amérique, de l'ordre des grimpeurs, au bec énorme, mais léger et celluleux.

* **touchable**, adj. Qu'on peut toucher.

TÔT, mot invariable

Étymologie. — Origine incertaine.
CTR. — *Tard.*
HOM. — V. TAU.

Observations grammaticales. — *Tôt* a formé avec d'autres adverbes des locutions composées généralement écrites en deux mots, qu'il ne faut pas confondre avec les locutions homonymes, le plus souvent de même provenance, mais écrites en un seul mot. Il y a lieu de distinguer la locution *aussi tôt*, formé de l'adverbe de manière *aussi* et de *tôt*, avec l'adverbe de temps *aussitôt. Je ne croyais pas qu'il serait venu aussi tôt,* et *aussitôt qu'il arrive. Je ne croyais pas qu'il fût si tôt,* et *sitôt arrivé, sitôt reparti.* Même remarque pour *plus tôt* et *plutôt. Il a réussi plus tôt que je ne l'aurais cru,* et *plutôt souffrir que mourir* (V. PLUTÔT, tableau).

TÔT, adverbe de temps

Promptement, vite, dans peu de temps. *Vous ne sauriez venir trop tôt. Le plus tôt sera le mieux.* De bonne heure, par rapport à une heure considérée comme normale. *Se lever, se coucher tôt. Vous êtes arrivé trop tôt. En plein hiver, le soleil se couche très tôt. Venez plus tôt que plus tard,* de bonne heure de préférence (Fam.).
Quand on le joint aux adverbes *bien, aussi, si,* il forme des locutions qui, tantôt s'écrivent en deux mots, tantôt forment un seul mot, mais avec des acceptions différentes. V. OBS. GRAM. ci-dessus.

LOCUTIONS FORMÉES AVEC TÔT

AUSSITÔT, AUSSITÔT QUE. (V. ces mots). Dès que, du moment que.
SITÔT, SITÔT QUE. V. SITÔT (tableau). Même sens.
TÔT OU TARD, loc. adv. Dans un temps indéterminé, ou proche ou lointain, mais qui ne peut manquer d'arriver. *Nous mourrons tôt ou tard.* V. BIENTÔT, TANTÔT.

---

1. touchant, ante, adj. Qui touche le cœur, qui émeut. Ne se dit que d'émotions douces. *Ce fut une scène touchante.* = N. m. Ce qui est propre à toucher. *Le touchant de cette histoire.*
SYN. — *Touchant*, qui émeut, qui attendrit : *Adresser à quelqu'un des prières touchantes.* — *Attendrissant*, qui frappe la sensibilité : *Un spectacle attendrissant.* — *Émouvant*, qui cause une impression profonde sur l'âme : *Le récit émouvant des malheurs de quelqu'un.* — *Pathétique*, qui suscite une vive émotion, qui remue et trouble profondément : *Les épisodes pathétiques des tragédies grecques.* — *Poignant*, qui cause une impression pénible : *Éprouver des douleurs poignantes.* V. aussi DÉPLORABLE, PITOYABLE.

2. touchant, prép. Concernant, sur le sujet de. *Il m'a entretenu touchant vos intérêts.*

* **touchau**, n. m. Étoile d'or ou d'argent dont chaque branche est à un titre déterminé, pour apprécier, avec la pierre de touche, le titre d'un alliage.

touche, n. f. (du v. *toucher*). Action de toucher, de frapper. ‖ Chacune des petites pièces mobiles qui composent le clavier d'un orgue, d'un piano, d'un dactylotype, d'une linotype, etc. *Poser les doigts sur les touches.* ‖ Petite baguette recourbée à une extrémité, dont on se sert aux jonchets pour lever chaque pièce. [Techn.] Épreuve qu'on fait de l'or ou de l'argent par le moyen de la *pierre de touche*, qui est un morceau d'une variété de jaspe noir. — Fig. Au sens moral. *Pierre de touche*, épreuve, moyen d'éprouver. *L'adversité est la pierre de touche de l'amitié.* ‖ Au jeu de billard, action de toucher une bille avec sa bille. [Bx-Arts] Manière dont le peintre applique la couleur sur la toile avec le pinceau. *Une touche hardie, large, légère.* ‖ *Les coups de pinceau eux-mêmes. Procéder par petites touches.* ‖ Pop. Allure, genre, aspect. *Il en a une touche avec son grand chapeau !* ‖ Gaule, aiguillon pour toucher les bœufs. ‖ [Pêche] Le fait qu'un poisson mord à l'hameçon.

touché, ée, adj. Atteint, saisi. — *Touché jusqu'aux larmes*, atteint affectivement au point d'en pleurer.

touche-à-tout [tou-cha-tou], n. Celui, celle qui a l'habitude de toucher les objets qui sont à sa portée. ‖ Qui a l'habitude de se mêler de tout. = Pl. *Des touche-à-tout.*

1. toucher, v. tr. (lat. pop. *toccare*, m. s.). Mettre la main sur quelqu'un ou sur quelque chose. *Toucher légèrement.* ‖ Se mettre en contact avec un objet de quelque façon que ce soit. *Toucher quelque chose du pied.* — *Toucher la main à quelqu'un*, lui serrer la main en signe d'accord. — Fig. et fam. *Faire toucher une chose au doigt et à l'œil*, la démontrer clairement. ‖ A l'escrime, atteindre d'un coup de fleuret ou d'épée. *Il a été touché au bras.* ‖ Fig. *Toucher au vif*, atteindre un des points sensibles. *Cette remarque le toucha au vif.* ‖ En parlant de certains instruments de musique, en jouer. *Toucher l'orgue.* ‖ En parlant d'un objet d'or et d'argent, l'éprouver au moyen de la pierre de touche. ‖ En parlant d'une somme d'argent, la recevoir. *Toucher un chèque.* ‖ En parlant de certains animaux, les frapper pour les faire aller devant soi. *Toucher les bœufs.* ‖ Être en contact direct. *Ma maison touche la sienne.*

Fig. Faire impression, attendrir, émouvoir. *Son repentir m'a touché.* ‖ Fig. Concerner, regarder, intéresser. *Cela ne me touche point.* ‖ Fig. Traiter, exprimer. — *Toucher une chose, une matière*, en parler incidemment dans un discours. *Touchez-lui donc un mot de notre projet.* ‖ Être proche par le sang. *Il me touche de près, il est mon cousin.*

TOUCHER, v. intr. Mettre la main en contact avec une chose. *Ne touchez pas à cela.* — Fig. et fam. On dit d'un homme fin et dissimulé : *Il n'a pas l'air d'y toucher.* ‖ Se servir de quelque chose, en faire usage. *Ne plus vouloir toucher à une arme.* ‖ *Cette danseuse semble ne pas toucher terre*, elle est d'une grande légèreté. ‖ Fig. Être proche de. *Nous touchons au printemps.* ‖ *Toucher à quelque chose* signifie encore en prendre, en ôter. *Voilà des mets auxquels on n'a pas touché.* — Fig. *Toucher à une chose, à une affaire*, y apporter quelque changement. — *C'est une chose à laquelle il ne faut pas toucher devant lui*, dont il vaut mieux ne pas parler, qu'il ne faut pas

critiquer devant lui. ‖ Concerner, regarder, intéresser. *Les choses qui touchent à l'honneur.* [Mar.] *Le navire touche, le navire a touché*, se dit lorsque la quille touche le fond, ou lorsque le navire vient à toucher une roche, un banc de sable. — *Toucher à un port*, y aborder, y mouiller pour peu de temps. — Fig. *Toucher au port*, être sur le point d'atteindre son but. — *Toucher au but*, l'atteindre. — *Toucher à sa fin*, se dit d'une chose qui s'achève. — Fig. *Toucher du bois*, détourner un mauvais sort, un malheur en mettant la main sur un morceau de bois, pratique superstitieuse. = SE TOUCHER, v. pr. Se dit de deux choses contiguës. *Leurs maisons se touchent.* [Géom.] *Ces deux courbes, ces deux surfaces se touchent*, elles sont en contact par un de leurs points.
SYN. — V. CONCERNER.
CTR. — *Payer.*

> VOCAB. — *Famille de mots.* — Toucher : touche, touchau, touché, touchette, touche-à-tout, toucheur, attoucher, attouchement ; retouche, retoucher.

2. toucher, n. m. (du v. *toucher* 1). Celui des cinq sens qui nous fait connaître certaines propriétés physiques des corps, comme la forme, la température, la dureté, etc. [Chir.] Exploration de certaines cavités faite avec le doigt. [Mus.] Manière dont les musiciens jouent de certains instruments. *Ce pianiste a un toucher délicat.*

* **touchette,** n. f. Chacune des barrettes incrustées dans le manche de la guitare pour permettre de former les tons et les demi-tons.

toucheur, euse, n. Celui, celle qui touche. ‖ Celui, celle qui conduit les troupeaux de bestiaux.

toue, n. f. Espèce de bateau plat pour transporter les marchandises, en usage sur certaines rivières. ‖ Syn. de *touée*.
HOM. — V. TOUT (tableau).

touée, n. f. Action de touer, de se touer. ‖ Amarre servant au touage. ‖ Longueur de cette amarre (120 brasses, soit 200 m. environ).

touer, v. tr. (orig. scandinave). [Mar.] Faire avancer un navire, en le tirant au moyen d'une amarre. *Touer un navire.* — Avec le pron. personnel. *Se touer pour sortir d'un port.* — Sur les rivières, remorquer un train de bateaux en prenant appui sur une chaîne placée au fond de la rivière et attachée à chacune de ses extrémités.

toueur, adj. et n. m. Celui qui toue. ‖ *Bateau toueur*, ou simpl. *toueur*, remorqueur qui prend son point d'appui sur une chaîne, placée au fond de l'eau.

touffe, n. f. (orig. germ.). Assemblage de certaines choses, légères et de même nature, pressées les unes contre les autres. *Une touffe d'herbes, de cheveux, de plumes.* ‖ Partie d'un bois, d'un bosquet extrêmement garnie.

touffeur [tou-feur], n. f. (de *étouffer*). Exhalaison chaude qui saisit en entrant dans un lieu où la chaleur est extrême.

touffu, ue [tou-fu], adj. Qui est en touffe, qui est épais, bien garni. ‖ Surchargé d'épisodes, de détails inutiles qui alourdissent le récit. *Roman touffu.* — *Style touffu*, chargé de mots, d'images inutiles.
SYN. — V. DIFFUS.
CTR. — *Clairsemé.*

toug, **touc** ou **thoug**, n. m. Étendard turc, hampe terminée par une queue de cheval et une boule dorée.
* **touillage** [tou-illa-je, ill mll.], n. m. Action de touiller. — Son résultat.
* **touiller** [tou-illé, ill mll.], v. tr. Agiter pour mélanger.
* **touilloir** [ill mll.], n. m. Bâton recourbé, spatule qui sert à touiller.
toujours [tou-jour], adv. de temps. V. tabl. TOUJOURS.
* **touline**, n. f. [Mar.] Petite aussière servant à hâler ou remorquer de petits bâtiments.
* **touloupe**, n. f. Vêtement d'hiver des paysans russes, en peau de mouton, dont la laine est à l'intérieur.
toundra, n. f. [Géog.] Prairie arctique de la Russie, de la Sibérie, de l'Amérique septentrionale, etc., dont le sol ne dégèle que superficiellement en été. Végétation de mousses et de lichens.
toupet [tou-pé], n. m. Petite touffe de poils, de cheveux, de crin, de laine. ǁ Absol. Touffe de cheveux en haut du front. ǁ Fig. et fam. *Avoir du toupet*, avoir de la hardiesse, de l'audace, de l'effronterie. ǁ Partie de la crinière du cheval qui lui tombe sur le front.
SYN. — V. HARDIESSE.
toupie, n. f. Jouet de bois, en forme de poire, que les enfants font tourner au moyen d'une ficelle ou d'un ressort. — *La toupie dort*, elle tourne si vite, sans se déplacer, l'agilité, qu'elle semble immobile. ǁ Tour en forme de coin, servant à exécuter certaines moulures en bois. ǁ Pop. Personne indécise et sans volonté.
* **toupillage** [tou-pi-lla-ge, ll mll.], n. m. Action de toupiller.
toupiller [ill mll.], v. intr. Tournoyer comme une toupie; aller et venir sans cesse et sans but précis.
PAR. — *Torpiller*, détruire avec une torpille.
toupillon [ll mll.], n. m. Petit toupet. ǁ Branches inutiles d'un oranger. ǁ Petite touffe de poils.
1. **tour**, n. m. (lat. *tornus*, instrument à tourner). Mouvement circulaire, soit

---

TOUJOURS, adverbe

Étymologie. — *Toujours* est un mot composé français, pour *tous jours*, formé de l'adj. indéfini *tous* et du nom plur. *jours*.
CTR. — *Jamais, quelquefois, parfois, rarement.*

TOUJOURS, adverbe de temps

Continuellement (dans l'ensemble de l'avenir ou dans l'ensemble du passé), sans cesse, sans fin. *Cette source coule toujours. Le soleil se couche toujours vers l'ouest.*
Sans qu'il y ait de changement encore. *Je l'ai vu hier, il est toujours dans le même état.*
Sans exception, en toute rencontre, en toute occasion. *Les principes mathématiques sont vrais toujours et partout. Il veut toujours avoir raison.*
Le plus souvent, ordinairement, habituellement. *On le trouve toujours occupé.*
En attendant, cependant, du moins, néanmoins. *Je vous suivrai de près, allez toujours.*
En tout cas, en tout état de cause, du moins. *Prenez toujours cela à compte. C'est toujours cela de pris.*

LOCUTIONS FORMÉES AVEC TOUJOURS

À TOUJOURS, loc. adv. (rare) et POUR TOUJOURS, loc. adv. A perpétuité, sans esprit de retour. *Adieu pour toujours. Ils se sont dit adieu pour toujours*, ils se sont quittés pour ne plus se revoir.
On dit dans un sens anal. : *Pour jamais.* V. JAMAIS (tableau).
TOUJOURS EST-IL QUE, loc. conjonc. marquant une restriction. Quoi qu'il en soit, malgré cela. Il n'en est pas moins vrai que. *Vous l'excusez ; toujours est-il que son action est détestable.*

---

de rotation autour d'un axe, soit de translation autour d'un corps quelconque. *Un tour de roue.* — Fam. *A tour de bras*, de toute la force du bras. — Par exagér. *En un tour de main*, ou mieux, *en un tournemain*, en un instant. — *Tour de clef*, mouvement de rotation de la clef dans la serrure. *Fermer une porte à double tour.* ǁ Petite promenade faite par hygiène. *Je vais faire un tour.* ǁ Ce qui serpente et revient sur soi-même. *Les tours et les détours d'un labyrinthe.* ǁ Pop. *Tour de reins*, distension forcée et douloureuse des muscles lombaires. ǁ Pop. *Le sang ne lui a fait qu'un tour*, il s'est mis dans une violente colère. ǁ Aux cartes. *Jouer un tour, faire un tour*, jouer un certain nombre de coups. ǁ Circuit, circonférence d'un lieu ou d'un corps. *Cette ville a une lieue de tour.* ǁ *Faire le tour de*, parcourir toute la circonférence de, ou s'étendre autour de. *Faire le tour du monde.* ǁ *Faire un tour d'horizon*, regarder un panorama, et au fig., considérer rapidement l'ensemble d'une situation politique ou diplomatique. ǁ *Faire le tour du cadran*, dormir douze heures de suite (Fam.) ǁ *Faire son tour de France*, parcourir la France; se dit partic. des ouvriers qui voyagent pour travailler de leur état dans différentes villes. ǁ Choses taillées ou travaillées en rond, dont on se sert pour la parure. *Tour de cou; tour de gorge.*
Action qui exige la promptitude, la célérité et l'adresse de la main, ou la souplesse, l'agilité, la force du corps. *Tour de bateleur. Des tours de cartes.* — *Tour de force*, action qui demande une grande force corporelle, et, fig., grande difficulté qu'on a vaincue. — *Le tour de main d'un artisan*, la perfection de sa façon professionnelle. ǁ Fig. et fam. Fait d'habileté, de ruse, de finesse, procédé, manière d'agir où il entre ordinairement de l'adresse, mais qui souvent aussi est inspiré par une intention mauvaise. *Il a plus d'un tour dans son sac. Il lui a joué un tour, un mauvais tour.* ǁ Manière dont se présente, dont marche une entreprise. *Cette affaire prend un bon, un mauvais tour.* ǁ Manière dont on exprime ses pensées, ou dont on arrange ses termes, soit en parlant, soit en écrivant. *Ce tour de phrase est mauvais.* — *Tour d'esprit*, disposition naturelle de l'esprit à rendre, à exprimer les choses de telle ou telle manière. ǁ Rang successif, alternatif. *Céder son tour. Chacun à son tour. Tour*

de faveur, passe-droit fait en faveur de quelqu'un pour lui permettre de passer avant son tour. — *A tour de rôle*, dans l'ordre d'inscription, d'arrivée, etc. — TOUR À TOUR, loc. adv. L'un après l'autre, alternativement. *Les trois généraux commandaient tour à tour.*

SYN. — V. CIRCONFÉRENCE et FAÇON.

HOM. — *Tour*, n. m., mouvement circulaire; circuit; machine-outil; instrument; — *tour*, n. f., bâtiment élevé, clocher; — *Tours*, n. pr., ville de France; — *tourd*, n. m., grive commune; espèce de labre; — *toure*, *es*, *ent*, du v. tourer.

VOCAB. — *Famille de mots.* — *Tour*: touret, tourillon, tourner, tourné, tournée, tourneur, tournage, tournailler, tournebouler, tournière, tournille, tourniller, tournant, tournure, tournis, tourniole; autour, à l'entour; tourisme, touristique, touriste ; tourniquer, tourniquet, tournoyer, tournoiement, tournoi, tournois, entourner, entourer, entouré, entourant, entourage ; pourtour ; contour, contournable, contournement, contourner ; détour, détourner, détourné, détournement ; retour, retournage, retourner, retourner, retournement ; retourne, ristourne ; atourner, atours ; tournesol, tournevis, tournemain, tournebroche, tournebride, tournoyant, tournedos, tournoyer, tournement, tournerie, tourière, tournette, tournevent, tournevire, tournevirer, tournoir, tourne-à-gauche, tourne-feuille, tourne-oreille, tourne-pierre, etc.

---

2. tour, n. m. (même mot que le précéd.). [Techn.] Machine-outil permettant de façonner en rond le bois, les métaux, etc. ‖ *Tour de potier.* — Instrument permettant de modeler en rond l'argile, la faïence, la porcelaine. ‖ Espèce d'armoire ronde et tournant sur un pivot, posée dans l'épaisseur d'un mur, et qui sert aux religieuses cloîtrées à faire passer ce qu'elles reçoivent du dehors ou ce qu'elles veulent expédier. ‖ Fig. *Fait au tour*, parfaitement modelé. *Des jambes faites au tour.*

3. tour, n. f. (lat. *turris*, m. s.). Bâtiment fort élevé par rapport à sa base, de forme ronde, carrée ou polygonale. *Tour flanquante.* V. pl. FORTIFICATIONS. ‖ En parlant d'une église, se dit pour clocher. *Les tours de Notre-Dame.* V. pl. ÉGLISE. ‖ Fig. et fam. *C'est une tour, une vraie tour*, se dit d'une personne de haute stature et de forte corpulence. ‖ Fig. *Tour d'ivoire*, retraite hautaine et inaccessible, au propre ou au fig., dans laquelle se confine un écrivain, un artiste, qui dédaigne de ce que peuvent penser de lui ses contemporains. [Jeu]. Une des pièces du jeu d'échecs.

— *Restait cette redoutable infanterie de l'armée d'Espagne dont les gros bataillons serrés semblables à autant de tours, mais à des tours qui sauraient réparer leurs brèches, demeuraient inébranlables au milieu de tout le reste en déroute.* (BOSSUET.)

ÉPITHÈTES COURANTES : haute, grande, aérienne, élancée, grosse, énorme, circulaire, carrée, ronde, puissante, massive, crénelée, fortifiée, conique, ruinée, démantelée, ébréchée, ébranlée ; érigée, menaçante, rébarbative ; roulante, flanquante, métallique, etc.

SYN. — *Tour*, construction élancée, ronde, polygonale ou carrée, dominant des remparts, une ville, une église : *Les tours de la cité de Carcassonne.* — *Beffroi*, grosse tour d'une ville munie d'une cloche pour sonner l'alarme : *Les beffrois des villes des Flandres.* — *Clocher*, construction, partie terminée en pointe d'une tour d'église contenant les cloches : la tour elle-même avec son clocher : *Les clochers de la cathédrale de Chartres.* — *Donjon*, grosse tour, ronde ou carrée, dominant un château fort et servant de réduit à la défense : *Le donjon de Coucy était célèbre.* — *Tourelle*, petite tour : *La tourelle d'angle d'un château fort.*

* **touraco**, n. m. [Zool.] Genre d'oiseaux grimpeurs frugivores de l'Afrique.

* **touraille** [*ill* mll.], n. f. Étuve à air chaud pour sécher les grains dans les malteries.

* **touraillon** [*ill* mll.], n. m. Germes provenant du dégermage, utilisés pour l'alimentation du bétail.

* **tourangeau, elle**, adj. et n. De la Touraine.

* **touranien, ienne**, adj. Désignation de peuples de race turque répandus dans l'Asie moyenne occidentale. = N. m. Langue de ces peuples.

* **tourbage**, n. m. Exploitation de la tourbe.

1. tourbe, n. f. (lat. *turba*, foule). Multitude confuse composée de menu peuple. — Troupe méprisable. *La tourbe des solliciteurs.*

VOCAB. — *Famille de mots.* — *Tourbe* [rad. *tourb*, *troub*, *turb*] : tourbage, tourber, tourbier, tourbeur, tourbière ; turbulent, turbulemment, turbulence ; perturbation, perturber, perturbateur ; imperturbable, imperturbablement ; imperturbabilité, trouble, troublement, troubleur, trouble-fête, trouble-ménage, troubler, troublant ; tourbillon, tourbillonnaire, tourbillonner, tourbillonnant, tourbillonnement ; turbine, turbiné, turbiner, préf. *turbo*, etc..

---

2. tourbe, n. f. (all. *torf*). Matière combustible, noirâtre et spongieuse, qui se forme sous les eaux par l'accumulation et l'altération de certains végétaux toujours submergés.

* **tourber**, v. intr. Exploiter, extraire, enlever la tourbe.

tourbeux, euse, adj. Qui contient de la tourbe, qui est formé de tourbe. [Bot.] Qui pousse dans les tourbières.

* **tourbier, ière**, n. Ouvrier, ouvrière qui travaille dans les tourbières. ‖ Propriétaire d'un gisement de tourbe. = Adj. Qui a rapport à la tourbe.

tourbière, n. f. Endroit d'où l'on tire de la tourbe.

tourbillon [*ll* mll.], n. m. (dimin. du lat. *turbo*, m. s.). Vent impétueux qui va en tournoyant. ‖ Amas de matières légères qui vont en tournoyant sous l'action d'un tourbillon ou simplement du vent. *La cavalerie soulève des tourbillons de poussière.* ‖ Masse d'eau qui tourne avec violence autour d'une dépression qui se présente à la surface de la mer ou d'une rivière. ‖ Fig. Ce qui entraîne les hommes. *Être emporté par le tourbillon des plaisirs.* ‖ Ce qui entraîne, emmêle les idées, les sentiments, y jette le désordre. *Un tourbillon de sentiments contradictoires.* ‖ Fig. et fam. Personne d'une vivacité extrême, qui ne peut rester en place.

SYN. — V. ORAGE.

* **tourbillonnaire** [*ll* mll.], adj. Qui appartient à un tourbillon.
tourbillonnant, ante [*l* mll.], adj. Qui tourbillonne.
* **tourbillonnement** [*ll* mll.], n. m. Mouvement de ce qui tourbillonne.
tourbillonner [*ll* mll.], v. intr. Aller, se mouvoir en tournoyant rapidement.
1. **tourd**, n. m. [Zool.] Espèce de labre de la Méditerranée.
2. **tourd** [*tour*], n. m. ou **tourdelle**, n. f. [Zool.] Nom vulgaire de la grive commune.
Hom. — V. TOUR.
* **tourdille** [*ll* mll.], adj. *Poil gris tourdille*, d'un gris sale.
* **tourelé, ée**, adj. Qui imite une tour. [Blas.] Crénelé comme une tour.
tourelle, n. f. (dimin. de *tour*). [Hist.] Petite tour qui s'élevait sur un angle des demeures fortifiées, au Moyen Age, et qui servait à la surveillance. *La tourelle du guetteur.* V. pl. FORTIFICATIONS. [Archi.] Petite tour placée à un angle d'une habitation. [Mar.] Petite tour métallique qui, sur le pont d'un cuirassé, sert d'observatoire. — Dispositif circulaire, fortement blindé, mobile sur un axe vertical, renfermant les pièces de gros calibre des cuirassés et des croiseurs. V. pl. NAVIGATION. [A. milit.] Abri métallique ou bétonné dans un fort, sur une ligne de fortifications, pour une pièce d'artillerie ou pour un observateur.
Syn. — V. TOUR.
* **tourer**, v. tr. [Pâtiss.] Plier et replier plusieurs fois la pâte sur elle-même.
touret [*rè*], n. m. Rouet à filer. || Petite roue qui, dans une machine, reçoit son mouvement d'une plus grande pièce. || Grosse bobine. || Dévidoir, moulinet. || Tendeur métallique pour fil de fer. [Mar.] Syn. de *tolet*.
* **tourette**, n. f. [Bot.] Nom vulg. d'un genre de *crucifères* de nos pays.
tourie, n. f. Sorte de grande bouteille de grès entourée de paille, pour le transport des acides.
tourière, n. f. Dans les monastères de femmes, domestique du dehors qui fait passer au tour toutes les choses qu'on y apporte. = Adj. *Sœur, mère tourière*, religieuse préposée à la surveillance du *tour* en dedans.
tourillon [*ll* mll.], n. m. (dimin. de *tour* 2). [Techn.] Partie d'un arbre ou d'un axe métallique qui tourne à l'intérieur d'un coussinet et fournit à l'arbre un point d'appui pendant la rotation. *Les deux tourillons d'un travail.* — Pivot sur lequel tourne une grille, une porte cochère, etc. [A. milit.] Pièce cylindrique en métal, fixée en saillie de chaque côté d'un canon vers le milieu de sa longueur et qui sert à l'assujettir sur son affût.
* **touring**, n. m. (mot angl. sign. *promenade, voyage*). Voyage d'agrément, excursion.
tourisme, n. m. Action d'excursionner, de voyager pour son agrément.
touriste, n. Celui, celle qui voyage pour son agrément, pour visiter les sites naturels, les villes d'art, etc.
* **touristique**, adj. Qui se rapporte au tourisme.
* **tourlourou**, n. m. Fantassin (Pop.).
tourmaline, n. f. Minéral siliceux qui, étant chauffé ou frotté, s'électrise. On l'utilise aussi en bijouterie.

tourment, n. m. (lat. *tormentum*, m. s.). Supplices, tortures qu'on fait souffrir à quelqu'un. *Les tourments des martyrs.* || Douleur physique longue et violente. *Sa maladie lui fait souffrir d'affreux tourments.* — Fig. Grande peine d'esprit. *Cette affaire m'a donné bien du tourment.*
tourmentant, ante [*man-tan*], adj. Qui tourmente, qui aime tourmenter.
tourmente [*man-te*], n. f. Orage, bourrasque, tempête, violents mais courts. || Fig. Troubles qui agitent un pays. *La tourmente révolutionnaire.*
Syn. — V. ORAGE.
tourmenté, ée, adj. Très irrégulier. *Sol tourmenté.* || Qui dénote un tourment moral. *Visage tourmenté.* || Fig. *Style tourmenté*, travaillé avec un effort visible.
tourmenter, v. tr. (de *tourment*). Faire souffrir quelque tourment physique. || Se dit des douleurs causées par une maladie, une blessure, etc. || Fig. Au sens moral, donner de la peine, faire souffrir quelque peine d'esprit. *Être tourmenté de remords.* — Importuner, harceler. *Cet homme me tourmente avec ses demandes continuelles.* || Fig. Agiter violemment. *La tempête tourmentait le navire.* — Tourmenter un ouvrage, le travailler avec un effort qui se fait sentir. — SE TOURMENTER, v. pr. S'agiter, se remuer. || Fig. Au sens moral, s'inquiéter, se donner de la peine. *Elle se tourmente bien depuis que son fils est à la guerre.*
Syn. — V. AGACER.
* **tourmenteur, euse**, adj. Qui tourmente, qui donne du tourment.
* **tourmenteux, euse** [*man-teu*], adj. [Mar.] Se dit de certains passages fort sujets aux tempêtes.
* **tourmentin** [*man*], n. m. [Mar.] Petite trinquette pour tenir la cape en cas de mauvais temps.
tournage, n. m. Action de tourner, de façonner au tour. || Ce qui sert à tourner. [Mar.] Bout d'allonge pour tourner et amarrer les manœuvres.
tournailler [*na-illé, ill* mll.], v. intr. Faire beaucoup de tours et de détours sans s'éloigner du même lieu, du même point; rôder autour.
tournant, n. m. (ppr. du v. *tourner*). L'endroit où une rue, un chemin, une rivière, fait un coude et change de direction. *Tournants dangereux.* — Fig. Ce qui marque un changement brusque. *Les tournants de la fortune.* || L'espace où l'on fait tourner un véhicule. *Ce cocher a mal pris son tournant.* || Fig. et fam. Moyen détourné qu'on emploie pour réussir. *Prendre un tournant.* || *Tournant d'eau*, endroit où l'eau tourbillonne. = TOURNANT, ANTE, adj. Qui tourne, qui est susceptible de tourner. *Un pont tournant.* [A. milit.] *Mouvement tournant*, mouvement d'une troupe qui fait un circuit pour entourer l'ennemi, contourner ses positions.
* **tournasser**, v. tr. Façonner une poterie sur le tour.
* **tourne**, n. f. [Jeu] Retourne. || Maladie des vins.
tourné, ée, adj. Fait au tour. || *Un homme bien tourné*, qui a bon air. || *Esprit mal tourné*, personne qui prend les choses de travers. || *Compliment bien tourné*, fait avec art et esprit. || Altéré, détérioré, gâté. *Lait tourné, vin tourné.* || Orienté. *Maison tournée vers le nord.*

tourne-à-gauche, n. m. [Techn.] Levier qui sert à faire tourner une tige sur elle-même. ‖ Outil pour écarter les dents d'une scie. ‖ Outil pour former des pas de vis. V. pl. OUTILS USUELS. = Pl. *Des tourne-à-gauche.*

tournebouler, v. tr. Bouleverser, retourner complètement.

tournebride, n. m. Cabaret établi auprès d'un château ou d'une maison de campagne, pour recevoir les domestiques et les chevaux des visiteurs (Vx).

tournebroche, n. m. Machine qui sert à faire tourner la broche. ‖ Marmiton qui tourne la broche.

tournedos, n. m. Filet de bœuf coupé en tranches et cuit entre deux autres épaisseurs de viande.

tournée, n. f. Voyage qu'on fait en divers endroits; courses que certains fonctionnaires font dans leur ressort; voyage périodique pour affaires. ‖ Petite course rapide faite en plusieurs endroits. ‖ Consommation offerte par quelqu'un à tous ceux qui sont avec lui (Pop.). ‖ Volée de coups (Pop.).
HOM. — *Tourner,* mouvoir en rond.

tourne-feuille [*feu-ille, ill* mll.], n. m. Instrument pour tourner les feuilles d'un cahier de musique. = Pl. *Des tourne-feuille,* ou *tourne-feuilles.*

tournelle [*nè-le*], n. f. Petite tour. Ne se dit que pour désigner quelques vieux bâtiments. *Le pont, le quai de la Tournelle à Paris.*

tournemain, n. m. Usité seulement dans cette locution : *En un tournemain,* en aussi peu de temps qu'il en faut pour tourner la main. ‖ On dit aussi, mais moins couramment : *En un tour de main.*

tournement [*tour-ne-man*], n. m. Action de tourner (Vx). ‖ *Tournement de tête,* vertige.

tourne-oreille [... *no-rè-ille, ill* mll.], adj. et n. m. Charrue dont le versoir mobile se change de côté à chaque tour de labour. = Pl. *Des tourne-oreille.*

tourne-pierre, n. m. [Zool.] Nom vulg. d'un oiseau échassier de nos rivages. = Pl. *Des tourne-pierres.*

tourner, v. tr. (lat. *tornare,* modeler au tour). Mouvoir en rond. *Tourner la broche.* ‖ Faire un mouvement quelconque analogue au mouvement circulaire. *Tourner la tête.* — *Tourner les talons,* s'en aller, filer. ‖ Fig. *Tourner et retourner une idée dans son esprit,* l'examiner sous toutes ses faces. — *Tourner la tête à quelqu'un,* le faire changer de résolution, lui inspirer une violente passion ou le rendre fou. *Cet événement lui a tourné la tête.* ‖ Faire un détour pour prendre à revers. *Tourner l'ennemi.* ‖ Éluder; enfreindre en feignant de respecter. *Tourner la loi.* ‖ Mettre une chose dans un état opposé à celui où elle était auparavant. *Tourner une page.* — Fig. *Tourner bien, tourner mal une affaire, une chose,* lui donner un bon, un mauvais aspect. — *Tourner casaque.* V. CASAQUE. *Tourner bride.* V. BRIDE. — Fig. et pop. *Tourner le sang, les sangs,* causer une frayeur aussi vive que soudaine. ‖ Diriger, porter vers. *Tourner son activité vers le commerce.* ‖ Interpréter. *Tourner les choses à son avantage.* — Envisager dans un sens particulier et spécial. *Il tourne tout au tragique.* — *Tourner quelqu'un, quelque chose en ridicule.* ‖ Fig. Arranger d'une certaine manière les paroles, les pensées dans une œuvre de prose ou de vers. *Il tourne bien les vers. Savoir tourner un compliment.*
[Techn.] Façonner au tour des ouvrages de bois, d'ivoire, de métal, etc. *Tourner des colonnes, des chaises.*

TOURNER, v. intr. Se mouvoir en rond. *La terre tourne autour du soleil.* — *Tourner autour,* marcher, aller en décrivant un cercle, à l'intérieur ou à l'extérieur. *Tourner autour de sa chambre.* — Fig. et fam. *Tourner autour de quelqu'un,* ne pas oser s'adresser à quelqu'un tout en désirant le faire. — *Tourner autour du pot,* employer des circonlocutions, au lieu d'aller droit au fait. ‖ *La tête lui tourne,* se dit d'une personne qui a des étourdissements, des vertiges.
Se mouvoir à droite ou à gauche. *Tourner de côté et d'autre.* — Fig. et fam. *Tourner court,* abréger. *L'orateur tourna court.* — Se terminer, finir brusquement. *Cette maladie a tourné court.* ‖ Fig. *Tourner bien, tourner mal,* réaliser ou ne pas réaliser les espérances conçues. *Cette affaire a bien tourné.* — *Leurs rapports tournent à l'aigre,* ils s'aigrissent de plus en plus. — *La chose faillit tourner au tragique,* devenir tragique.
Absol. Arriver, prendre tel ou tel aspect, en parlant des événements. *On va voir comment cela tournera.* ‖ Changer de sens, de direction. *Le vent a tourné.* — Fig. *La chance a tourné.* ‖ Se transformer, dégénérer en. *Le soulèvement tourna peu à peu en révolution.* — Très fam. *Faire tourner quelqu'un en bourrique,* l'exaspérer au point de lui faire perdre la maîtrise de soi.
S'altérer, changer en mal, devenir aigre. *Ce vin commence à tourner. Le raisin les cerises commencent à tourner.* ‖ Pop. *Tourner de l'œil,* se trouver mal, ou mourir.
= SE TOURNER, v. pron. Se mettre dans une situation opposée à celle où l'on était. *Se tourner vers une personne.* ‖ Se diriger. *Tous les yeux se tournèrent vers lui.* — *Se tourner contre quelqu'un,* s'opposer à lui, se déclarer contre lui. ‖ *Ne savoir plus de quel côté se tourner,* ne savoir quel parti prendre, ou ne savoir que devenir, ou être tellement surchargé d'affaires, qu'on ne sait par où commencer. ‖ Se changer, se transformer, passer d'un état à un autre. *L'orgueil se tourne aisément en cruauté.*
HOM. — *Tournée,* voyage, course en divers lieux.

tournerie, n. f. Atelier où l'on tourne le bois, le marbre.

tournesol, n. m. [Bot.] Nom de plantes dont les fleurs se tournent vers le soleil : *l'hélianthe annuel,* famille des *composées, l'héliotrope,* fam. des *borraginées,* etc. [Chim.] *Teinture de tournesol,* matière colorante bleue qui rougit au contact des acides.

tournette [*nè-te*], n. f. [Techn.] Dévidoir à pivot vertical. ‖ Instrument coupant à l'usage des vitriers, relieurs, etc. ‖ Cage tournante pour les écureuils. ‖ Petit plateau rond, cylindre, cadran, etc.

1. tourneur, adj. m. Qui tourne longtemps et rapidement sur lui-même. *Derviche tourneur.*

2. tourneur, euse, n. Ouvrier qui fait des ouvrages au tour.

tournevent [*van*], n. m. Tuyau coudé mobile placé au-dessus d'une cheminée et que le vent fait tourner pour l'orienter convenablement.

* **tournevire,** n. f. [Mar.] Gros cordage roulé autour d'un cabestan, dont on se sert pour élever les ancres.
* **tournevirer,** v.tr. Faire tourner à son gré. *Elle s'entend à tournevirer un homme* (Fam.)
tournevis [*viss*], n. m. [Techn.] Instrument composé d'une lame de fer amincie, munie d'un manche, pour tourner les vis. V. pl. OUTILS usuels.
* **tournière,** n. f. [Agri.] Coin d'un champ sur lequel tourne la charrue.
* **touraille** [*ll* mll.], n. f. [Techn.] Instrument servant à relever les mailles tombées dans la fabrication des bas au métier.
* **tourniller** [*ll* mll.], v. intr. Tourner de côté et d'autre (Fam.). ‖ S'agiter beaucoup sans grand résultat.
* **tourniole,** n. f. Sorte de panaris. On dit aussi *torgnole*.
* **tourniquer,** v. intr. Syn. de *tourniller*.
tourniquet [*ni-ké*], n. m. Croix de bois ou de fer mobile posée horizontalement sur un pivot à une entrée ou à une sortie, pour ne laisser passer qu'une personne à la fois. [Jeu] Disque autour duquel sont marqués des numéros et portant au milieu un piton autour duquel une aiguille que l'on fait tourner, et qui, selon le chiffre devant lequel il s'arrête, indique la perte ou le gain. [Techn.] Petit anneau de bois mobile fixé au bord d'un châssis pour le soutenir quand il est levé. ‖ Pièce de fer en forme d'S, montée sur un axe, qui sert à fixer un contrevent. ‖ Nom de divers mécanismes mobiles. [Arg. milit.] Conseil de guerre.
tournis [*ni*], n. m. [Méd. vét.] Maladie parasitaire des ovins et des bovins, causée par un ver qui se développe dans le cerveau.
* **tournisse,** n. f. Chacun des poteaux verticaux d'un pan de bois, compris entre deux sablières. V. pl. CHARPENTE.
tournoi, n. m. Fête guerrière et publique du Moyen Age, où les chevaliers se réunissaient pour faire montre de leur valeur et de leur habileté au maniement des armes. [Sports et jeux] Concours comprenant plusieurs manches.
HOM. — *Tournoi*, n. m., joute de chevaliers armés; — *tournoie, es, ent*, du v. tournoyer; — *tournois*, adj. inv., s'applique à une monnaie ancienne.
tournoiement, ou * **tournoîment** [*noi-man*], n. m. Action de ce qui tournoie. *Le tournoiement de l'eau.* ‖ *Tournoiement de tête*, vertige dans lequel il semble que tous les objets tournoient.
* **tournoir,** n. m. [Techn.] Bâton qui sert au potier d'étain pour faire mouvoir son tour.
tournois [*noi*], adj. Se disait d'anciennes monnaies qu'on a d'abord frappées à Tours. *La livre tournois valait 20 sous.*

HOM. — V. TOURNOI.
tournoyant, ante, adj. Qui tournoie.
tournoyer [*noi-ié*], v. intr. Tourner en faisant plusieurs tours. ‖ Fig. et fam. Biaiser, chercher des détours dans une affaire. *Pourquoi tournoyer ? Allons droit au but !* = Conjug. V. GRAMMAIRE.
tournure, n. f. Manière dont une chose se présente. *L'affaire prend mauvaise tournure.* ‖ Taille, forme de corps. *Une tournure élégante.* ‖ Fig. Manière d'être de l'esprit. *Tournure d'esprit agréable.* ‖ Arrangement, construction. *La tournure d'un vers, d'une phrase.* ‖ Petit coussin que les femmes, à certaines époques, portaient par derrière sous la jupe pour la faire bouffer. V. pl. COSTUME.
ÉPITHÈTES COURANTES : bonne, mauvaise, intéressante, attendue, inattendue, nouvelle, particulière; jolie, agréable, élégante, prise, reçue; incorrecte, barbare, lourde, pénible.
* **touron** [*ronn'*], n. m. Sorte de confiserie catalane faite d'une pâte d'amandes additionnée de fruits confits, noisettes, pistaches, etc.
tourte, n. f. Sorte de pâtisserie dans laquelle on met des viandes, des fruits, etc. ‖ Fig. et pop. Personne niaise, peu intelligente.
tourteau, n. m. (de *tourte*). [Agri.] Masse pâteuse formée avec le résidu des graines de certains fruits, dont on a exprimé l'huile et qui est employée à la nourriture des bestiaux. [Blas.] Pièce ronde de couleur sur champ de métal. V. pl. BLASON. [Zool.] Nom vulg. d'une espèce de gros crabe comestible.
tourtereau [*te-ro*], n. m. Jeune tourterelle. ‖ Fig. *Des tourtereaux*, des amoureux qui s'aiment tendrement.
tourterelle [*rè-le*], n. f. (lat. *turturella*, dim. de *turtur*, m. s.). Genre d'oiseaux de la famille des pigeons et des colombes.
tourtière,, n. f. Ustensile de cuisine qui sert à faire cuire des tourtes.
tourtre, n. f. (lat. *turtur*, tourterelle). La tourterelle, quand on parle de cet oiseau comme bon à manger. *Manger des tourtres* (Vx).
touselle, n. f. [Agri.] Variété de froment précoce à gros grains.
tousser, v. intr. Faire l'effort et le bruit que la toux occasionne.
tousserie, n. f. Toux prolongée (Fam.).
tousseur, euse, n. Celui, celle qui tousse souvent.
toussoter, v. intr. Tousser légèrement mais fréquemment.
tout, toute, tous, toutes, adj. et pron. indéfini, n. m. et adv. V. tabl. TOUT, TOUTE.
* **tout-à-l'égout,** n. m. invar. Envoi à l'égout des eaux ménagères et des matières

---

TOUT, TOUTE, mots indéfinis

Prononciation : *tou*, devant une consonne, *tout* devant une voyelle ou devant *h* muette avec liaison; pl. **tous** (*tou* ou *tousses*, selon le cas), et **toutes**.

Étymologie. — Du latin *totus, a, um*, tout entier, dans son ensemble.

Observations grammaticales générales. — *Tout* peut être **adjectif indéfini, pronom indéfini, nom commun** ou **adverbe**.

Lorsque *tout* signifie : entièrement, complètement et équivaut à un adverbe, il est régulièrement invariable comme dans ces phrases : *Ces enfants sont tout pleins d'esprit. Ce succès l'a rendue tout heureuse.* — Cependant l'usage veut que *tout*, devant un adjectif féminin qui commence par une consonne ou par une *h* aspirée, reçoive le genre et le nombre du nom ou du pronom auquel cet adj. se rapporte. *Elles furent toutes surprises de le voir. Elle en est toute honteuse.*

Tout prend encore l'accord devant un adj. féminin, même commençant par une voyelle ou par une *h* muette, lorsqu'il veut dire *tout entier*, c.-à-d. lorsqu'il désigne l'ensemble, la totalité des différentes parties d'une chose, au lieu d'exprimer l'intensité, la plénitude d'action. C'est ainsi que l'on dit: *La forêt lui parut toute enflammée.* — On observe encore la même distinction, lorsque *tout* est suivi non d'un adj. fém., mais d'une expression équivalente. Ainsi, dans les phrases qui suivent, *tout* restera invariable, parce qu'il s'agit d'exprimer l'intensité. *Elle était tout en larmes. Elle est tout à son devoir. Cette femme est tout yeux, tout oreilles.* Au contraire, dans les exemples suivants, on fera accorder *tout* avec le nom, car il exprime la totalité d'une chose. *La maison était toute en feu. Cette propriété est toute à lui.* — Pour la même raison, une femme ne devra pas écrire indifféremment : *Je suis tout à vous* ou *Je suis toute à vous.* La première de ces phrases est une formule de politesse, qui signifie : Je suis entièrement disposée à vous rendre service; la seconde est une expression de tendresse qui veut dire : Je vous consacre ma vie, je vous appartiens.

Dans la locution *tout autre*, le mot *tout* est tantôt variable, et tantôt inv. Il est invariable quand il modifie l'adj. *autre*, et alors il est adverbe, car il peut se traduire par : entièrement. *La société en province est tout autre qu'à Paris. Voici de tout autres affaires.* — Au contraire, il est adjectif et variable, quand il modifie un nom exprimé ou sous-entendu, car il signifie alors *chaque* ou *quelconque*. *Son souvenir me rend toute autre affection impossible. Toute autre place qu'un trône eût été indigne d'elle.* — Pour le même motif, *tout* suivi de l'adjectif *entier*, *entière* reste inv. En effet, il représente simplement un adverbe qui modifie l'adjectif et équivaut à : complètement, absolument. *Une heure tout entière s'écoula. Les grands hommes ne meurent pas tout entiers.* On tolère, cependant, auj. *toute entière*.

Tout, joint à un nom de ville, prend le genre masc. quoique le nom de ville soit fém. parce qu'on sous-entend alors le mot « peuple ». *A l'approche des Turcs, tout Vienne fut consterné.* Il n'en est pas de même lorsqu'il est joint, avec l'article, à un nom de province, de royaume, d'une des cinq parties du monde et même d'une paroisse ou d'une rue; il prend alors le genre de ce nom. *Toute l'Europe. Toute la France.* On dirait de même *toute la ville de Rome.* — *Tout* reste aussi invariable devant un nom d'auteur, même féminin, dont on envisage l'œuvre dans sa totalité. *Il a lu tout Mme de Sévigné.*

Lorsque *tout* se rapporte à plusieurs noms, on doit le répéter avec chacun d'eux, quoiqu'ils soient synonymes. *Il a perdu toute l'inclination et toute l'affection qu'il avait pour moi.* A plus forte raison, *tout* se répète, lorsque les deux noms sont de genres différents. *Je suis avec toute l'ardeur et tout le respect possibles...*

Tous les deux signifient l'un et l'autre; *tous deux*, l'un avec l'autre, ensemble. Cette remarque s'applique également à *tous les trois, tous les quatre*, etc.

Tout, nom, conserve le *t* au pluriel; on doit écrire : *Plusieurs touts distincts les uns des autres*, et non *plusieurs tous*. V. GRAMMAIRE : *Indéfinis*.

HOM. — *Tout*, adj. et pr. ind., adv. et n. m. — *toue*, n. f., bateau plat; — *toux*, n. f. expiration saccadée de celui qui tousse; — *toue, es, ent*, du v. touer.

VOCAB. — *Famille de mots*. — *Tout* : toutefois, partout, surtout (n.) surtout (adv.), atout; total, totalité, totalitaire, totaliser, totalisateur, totalisation; tout-beau, toute-bonne, toute-épice, toute-puissance, tout-venant, tout-à-l'égout.

TOUT, adjectif indéfini

Contrairement aux autres adjectifs indéfinis, il peut être accompagné de l'article ou d'un adj. déterminatif, mais qui sont placés après lui. *Tout le monde. Tout ce peuple. Tout de suite.*

1º Se dit d'une chose considérée en son entier, dans son ensemble, par rapport à l'étendue, au nombre, à l'action, à l'intensité. *Tout l'univers. Toute la France. Toutes les plantes. Travaillez de toutes vos forces. Employer tout son pouvoir à quelque chose.*
A toutes fins. V. FIN.
Avec un nom de ville. *Toute la population de. Tout Paris pour Chimène a les yeux de Rodrigue* (BOILEAU).
Avec ellipse du nom. *Je vous le dis une fois pour toutes*, sans avoir besoin de le répéter désormais. — *Tous les deux*, l'un et l'autre. *Tous deux*, l'un avec l'autre, ensemble. Fig. *Somme toute.* V. SOMME.

2º Signifie aussi : chaque, et alors il n'est pas suivi de l'article. *Toute peine mérite salaire. En toute occasion. A tout moment. De toute part* (*tout* étant alors équivalent à *chaque*). On dit aussi, *A tous moments, de toutes parts* (parce que l'idée est collective). — *Tous les jours, tous les mois*, chaque jour, chaque mois, etc. — *Tous les deux jours, tous les deux mois*, etc., de deux jours en deux jours, etc.
A tout hasard. V. HASARD. — *A toute force.* V. FORCE.

3º Sign. parfois aussi seul, unique. *Le galant pour tout potage avait un brouet clair* (LA FONTAINE).

4º Avec valeur d'adjectif qualificatif et sens de : au plus haut point, au dernier degré. *Marcher à toute vitesse. Il a frappé de toutes ses forces. Être à toute extrémité*, n'avoir plus que quelques moments à vivre. *Une personne, une chose de toute beauté*, extrêmement belle.

5º Comme formule de politesse, et employé comme attribut. *Être tout, toute à quelqu'un*, lui être entièrement dévoué. Par abrév. *Tout (toute) à vous*, formule familière pour terminer une lettre. V. ci-dessus OBS. GRAM.

TOUS, TOUTES, pronom indéfini pluriel

L'ensemble des personnes. *Je le dis à tous. Tous m'ont assuré de leur concours. Ils ne mouraient pas tous, mais tous étaient frappés* (LA FONTAINE). *Tous tant que nous sommes.*
TOUT LE MONDE, loc. pron. invar. Tous, les gens en général. V. MONDE (tableau).

TOUT, pronom indéfini invariable, neutre le plus souvent

Toutes les parties d'une chose, toutes les choses qui forment un ensemble, ou la chose prise dans sa totalité. *Tout est bon dans cet ouvrage. Tout ou rien. Avez-vous tout dit? Une bonne à tout faire*, une bonne qui fait tous les ouvrages de la maison. — Pop. *Il a tout de l'imbécile*, il a tout ce qui caractérise un imbécile. — *Ce n'est pas tout, ce n'est pas le tout*, ce n'est pas assez. *Ce n'est pas tout d'être assidu, il faut encore... Un point, c'est tout*, se dit familièrement pour montrer la brièveté, la brusquerie d'une lettre, d'une réponse, etc., ou pour marquer qu'il n'y a pas à revenir sur une affaire décidée.

Souvent, résume une énumération. *Femmes, moine, vieillards, tout était descendu* (LA FONTAINE); ou l'annonce : *Mais tout dort, et l'armée, et les vents, et Neptune* (RACINE). — *Tout est bien qui finit bien*, prov. : le résultat seul compte. — *C'est tout ou rien*, c'est à prendre ou à laisser.

D'autres fois, il se dit pour : chaque chose, chose quelconque. *Prendre un peu de tout.* — Fam. *Se faire à tout, se prêter à tout*, s'habituer, se prêter aux usages, aux convenances, etc..., suivant les temps, les lieux et les personnes.

S'emploie parfois en parlant de personnes. *Il était nuit, tout dormait dans la ville.*

CTR. — RIEN.

TOUT, nom commun masculin

(Fait au pluriel *touts* : *Plusieurs touts distincts les uns des autres*). V. ci-dessus OBS. GRAM. GÉNÉRALES.
 Se dit d'une chose considérée dans son entier, par rapport aux parties qu'elle renferme. *Le tout est plus grand que la partie. Diviser un tout en plusieurs parties.* — *Mettre, risquer, jouer le tout, le tout pour le tout,* hasarder de tout perdre pour tout gagner. — *Il y a une différence du tout au tout,* se dit de deux choses qui diffèrent extrêmement l'une de l'autre. — *Il n'a d'yeux que pour son enfant, il en fait son tout,* il l'aime uniquement.
 Le tout se dit aussi après l'énumération de plusieurs choses, pour les joindre toutes ensemble. *Il fait telle et telle chose, le tout pour parvenir à son but.* — *Le tout ensemble,* ce qui résulte de l'assemblage de plusieurs parties formant un tout.
 Ce qu'il y a d'essentiel, de plus important dans une chose. *Le tout est de faire son devoir. La piété est le tout de l'homme* (BOSSUET). — *Mon tout,* ou *mon entier,* se dit, dans une charade, du mot composé qui forme le sujet à deviner. (Blas.) *Sur le tout. Brocher sur le tout.* ‖ Au fig. *Brocher sur le tout,* se dit d'une chose qui vient s'ajouter à d'autres. — *Va-tout.* V. ce mot. — *Le grand Tout,* l'Univers, le Dieu des panthéistes.
 ANT. — *Fraction, partie.*
— *Chacun est un tout à soi-même, car, lui mort, le tout est mort pour soi. Et de là vient que chacun croit être tout à tous.* (PASCAL.)

TOUT, adverbe

S'emploie devant un adjectif, un autre adverbe, un verbe au gérondif, et parfois un nom.
a) Devant un adjectif ou un participe ou un nom. Entièrement, complètement, sans exception, sans réserve. *C'est maintenant un tout autre homme. Il leur tomba du ciel un roi tout pacifique* (LA FONTAINE). — *Tout fait,* confectionné à l'avance. *Acheter un pardessus tout fait.* — Fam. *Cet enfant est tout le portrait de son père,* ou *C'est tout son père,* il lui ressemble entièrement. — Fam. *C'est tout un,* cela revient au même. (V. ci-dessus OBSERV. GRAM. sur *tout* adverbe pouvant prendre une forme féminine.)
b) Devant certains noms non déterminés. *Être tout cœur, tout esprit, tout zèle,* etc., être plein de cœur, plein d'esprit, plein de zèle, etc. — Fig. et fam. *Être tout yeux et tout oreilles,* regarder et écouter attentivement.
c) *Tout* devant un gérondif. *Tout en riant. Tout en marchant, Aristote enseignait sa doctrine.*
d) *Tout,* adverbe, se joint encore à plusieurs prépositions, adverbes, etc., pour leur donner plus d'énergie. *Il le lui dit tout net, tout franchement. Parler tout haut, tout bas. Tout au moins. Tout autant. Tout de travers. Tout court. Tout à côté. Tout contre. Tout autour.* — *Tout au plus,* à peine. *Tout juste,* pas plus.
e) *Tout,* adverbe, sert aussi à former certaines locutions dont on ne peut le retrancher sans détruire ou altérer le sens. *Tout à coup, tout de suite,* etc. (V. ces locutions ci-après.)

LOCUTIONS FORMÉES AVEC TOUT

À TOUT, loc. adv. Se dit de la couleur qui emporte toutes les autres dans un jeu de cartes. V. ATOUT.
 À TOUT PRENDRE, loc. adv. V. PRENDRE (tabl.).
 APRÈS TOUT, loc. adv. V. APRÈS.
 PAS DU TOUT, POINT DU TOUT, DU TOUT, loc. adv. où *tout* se joint avec *rien, point, pas,* pour rendre la négative plus forte, et signifie : en aucune façon, nullement, absolument rien. *Il n'aura rien du tout. M'y voici ? Point du tout* (LA FONTAINE). En répondant, on dit parfois elliptiq., *du tout* pour *pas du tout.*
 EN TOUT, loc. adv. Pour l'ensemble, sans en rien omettre, tout étant compris. *Cela lui revient en tout à mille francs. Il avait en tout dix mille soldats.* Fam. *En tout et pour tout,* entièrement, en toutes choses, dans tous les cas. *Je suis de votre avis en tout et pour tout.*
 SUR TOUT. V. SURTOUT.
 TOUT DE SUITE, loc. adv. de temps. Immédiatement. V. SUITE (tableau).
 TOUT À COUP, loc. adv. de temps. Soudain, inopinément, brusquement. *Un corps d'armée ennemi se montra tout à coup sur sa droite.*
 TOUT D'UN COUP, loc. adv. de temps. En même temps, tout à la fois, d'un seul coup. *Cette maison s'écroula tout d'un coup.*

Observation. — Ne pas confondre *tout à coup* et *tout d'un coup,* et ne pas dire, par ex. : *On entendit tout d'un coup un grand bruit ; il fut ruiné tout à coup,* mais : *On entendit tout à coup un grand bruit ; il fut ruiné tout d'un coup.* Au XVIIe siècle les deux locutions étaient parfois confondues.

 TOUT À FAIT, loc. adv. Entièrement, complètement. *Mon travail est tout à fait achevé.* Cette locution, fréquemment usitée, marque un superlatif renforcé. *Elle était tout à fait d'accord.*
 TOUT À L'HEURE, loc. adv. de temps. Dans quelques instants, un peu plus tard : *Je ne puis sortir maintenant, j'irai tout à l'heure ;* et, au XVIIe s. immédiatement. *Hors d'ici, et tout à l'heure* (MOLIÈRE). V. HEURE (tableau).
 TOUT DE BON, loc. adv. de manière. Sérieusement. *Je vous dis cela tout de bon.* — Définitivement. *Il va partir tout de bon pour l'Afrique.*
 TOUT PLEIN, COMME TOUT, loc. adv. de manière. Beaucoup (Fam.). *Il est tout plein mignon. Cet enfant est gentil comme tout.*
 TOUT DOUX, loc. adv. de manière. Doucement ! V. DOUX.
 TOUT DE MÊME. Malgré cela, cependant, néanmoins. *Il m'a combattu, je l'estime tout de même.* V. MÊME (tableau).
 TOUT AU PLUS. Au maximum. *Cette salle contient tout au plus cent places.*
 TOUT... QUE, loc. conj. employée devant les adjectifs et quelquefois devant les noms, marque la restriction. Quoique, quelque que, encore que. Dans ce cas, par raison d'euphonie, il prend l'accord devant les noms féminins qui commencent par une consonne ou une h aspirée. *Tout sage qu'il est. Tout Picard que j'étais, j'étais un bon apôtre* (RACINE).
 Cette locution se construit le plus souvent avec l'indicatif. Par analogie avec *quelque... que,* on la trouve parfois avec le subjonctif. *Tout novices que nous fussions dans la pratique de la mer...* (LAMARTINE). Les deux tours peuvent s'employer.

de vidange par une tuyauterie avec chasse d'eau. V. tabl. VILLE ET VILLAGE (Idées suggérées par les mots).

* **tout-beau**, interj. Autref. se disait pour imposer le silence. *Tout beau, ne les pleurez pas tous* (CORNEILLE). ‖ Aujourd. Doucement.

* **toute-bonne**, n. f. [Bot.] Sorte de sauge Sorte de poire. = Pl. *Des toutes-bonnes*.

* **toute-épice**, n. f. [Bot.] Nom donné à la nigelle et au fruit du *pimenta officinalis*. = Pl. *Des toutes-épices*.

toutefois [*foi*], adv. Néanmoins, cependant, mais, pourtant.

SYN. — V. POURTANT.

toutenague ou **tintenague** [*na-ghe*], n. f. [Métall.] Alliage blanc de cuivre, de zinc et de nickel.

toute-puissance, n. f. Puissance absolue, omnipotence. = Pl. inusité.

toutou, n. m. Nom que les enfants donnent aux chiens.

tout-puissant, toute-puissante, adj. et n. Qui peut tout. = N. m. *Le Tout-Puissant*, Dieu. = Pl. *Des tout-puissants, toutes-puissantes*.

tout-venant, n. m. Le premier venu, n'importe qui. [Techn.] Houille non triée, avec son poussier.

toux [*tou*], n. f. [lat. *tussis*, m. s.). [Méd.] Expiration subite et brusque dans laquelle l'air, en traversant rapidement les bronches, la trachée et le larynx, produit un bruit sonore et particulier.

ÉPITHÈTES COURANTES : tenace, grasse, sèche, violente, rauque, convulsive, saccadée, pénible, épuisante, cessée, guérie.

HOM. — V. tabl. TOUT.

* **touzelle**, n. f. V. TOUSELLE.

* **toxalbumine** [*tok-sal*], n. f. [Physiol.] Toxine de nature albuminoïde.

* **toxémie**, n. f. [Méd.] Ensemble des accidents dus au passage dans le sang de substances toxiques provenant d'organes fonctionnant mal.

* **toxicité**, n. f. Caractère de ce qui est toxique.

toxicologie, n. f. Science qui traite des poisons.

* **toxicologiste** ou * **toxicologue**, n. m. Celui qui s'occupe particulièrement de toxicologie.

* **toxicomane**, adj. et n. [Méd.] Qui est atteint de toxicomanie.

* **toxicomanie**, n. f. [Méd.] Habitude morbide de s'intoxiquer à l'aide de divers produits (cocaïne, morphine, etc.), qui procurent une ivresse particulière.

toxine [*tok-si-ne*], n. f. [Méd.] Substance excrétée par divers agents infectieux (microbes, partic.) et capable de déterminer des effets toxiques.

SYN. — V. POISON.

toxique [*tok-si-ke*], adj. (gr. *toxikon*, poison). Qui est vénéneux, qui empoisonne. *Substance toxique*. = N. m. Poison. *Un toxique violent*.

SYN. — V. POISON.

VOCAB. — *Famille de mots.* — *Toxique:* toxicité, toxalbumine, toxémie, toxicomane, toxicomanie, toxicologiste, toxicologie ; toxine ; intoxication, intoxiquer, désintoxiquer.

---

* **trabac**, n. m. [Mar.] Bâtiment à deux mâts de l'Adriatique.

traban, n. m. Dans les anc. régiments suisses, militaire chargé de veiller sur la personne du capitaine.

* **trabe**, n. f. [Blas.] Hampe de bannière ou jas d'une ancre.

PAR. — *Crabe*, crustacé.

* **trabée**, n. f. [Antiq.] Toge romaine de cérémonie que portaient les consuls, augures, etc. V. pl. COSTUME.

* **trabuco** ou * **trabucos** [*koss*], n. m. Cigare court de la Havane, en forme de trombion.

1. **trac**, n. m. Angoisse irraisonnée que l'on ressent au moment d'agir et, partic., de monter en scène.

SYN. — V. ALARME.

HOM. — *Trac*, n. m., angoisse irraisonnée ; piste des bêtes ; — *traque*, n. f., action de traquer ; — *traque, es, ent*, du v. traquer.

2. **trac**, n. m. La trace et la piste des bêtes (Vx). ‖ L'allure du cheval, du mulet.

3. * **trac (tout à)**, loc. adv. Étourdiment, sans réfléchir.

* **traçage**, n. m. Action de tracer.

traçant, ante, adj. [Bot.] Se dit d'une tige qui s'étend horizontalement sur la terre, s'y enracinant par endroits. [A. milit.] *Balle traçante*, balle qui laisse derrière elle un sillon lumineux.

tracas [*tra-ka*], n. m. Mouvement accompagné de désordre, d'embarras ‖ Fig. Au sens moral. Peine, souci, ennui. *Le tracas des affaires*. ‖ Ouverture dans le plancher d'une usine, par où passent les matériaux.

* **tracassement** [*tra-ka-se-man*], n. m. Action de tracasser ou de se tracasser.

tracasser [*tra-ka-sé*], v. intr. Aller et venir, s'agiter, se tourmenter pour peu de chose. = V. tr. Inquiéter, tourmenter quelqu'un. = SE TRACASSER, v. pr. Se tourmenter.

SYN. — V. AGACER.

tracasserie, n. f. Chicane, mauvais procédé, dispute sur des riens.

tracassier, ière [*ka-sié*], n. Celui, celle qui tracasse, qui cherche à créer des difficultés. = Adj. *Administration tracassière*.

SYN. — V. CHICANIER.

* **tracassin**, n. m. Inquiétude, léger tourment de l'esprit (Fam.).

trace, n. f. (du v. *tracer*). Marque, empreinte qui résulte du passage d'un homme, d'un animal ou d'une chose. *Trace de pas.* — Fig. *Marcher sur les traces, ou suivre les traces de quelqu'un*. V. MARCHER. ‖ Marque, vestige laissés par quelque chose. *Les traces d'une inondation*. ‖ Fig. Indice, mention, reste. *On ne trouve chez les historiens aucune trace de cet événement*. — Impression reçue par l'esprit, par la mémoire. *Cette aventure a laissé des traces profondes en lui.*
— *Il suit la trace où marchaient ses aïeux.*
(RACINE.)

ÉPITHÈTES COURANTES : visible, manifeste, certaine, authentique, probable, faible, imperceptible, légère, fraîche, profonde, sanglante, suivie, retrouvée, perdue, cherchée, découverte.

SYN. — V. MARQUE.

HOM. — *Trace*, n. f., marque, empreinte ; — *trace, es, ent*, du v. tracer ;
— *Thrace*, n. pr., région de la péninsule des Balkans.

tracé, n. m. Opération pratiquée sur le terrain pour indiquer les détails d'un jardin, l'emplacement d'un bâtiment à édifier, etc. [Techn.] Dessin représentant les lignes principales d'un plan. *Le tracé d'une rue.* — Dessin pratiqué sur une pièce de bois, ou de fer, pour délimiter le travail à effectuer. ‖ Parcours suivi par une route, une voie ferrée, un canal.

* **tracelet,** n. m. V. TRACERET.

* **tracement,** n. m. Action de tracer.

tracer, v. tr. (bas lat. *tractiare*, traîner). Tirer, disposer les lignes d'une figure géométrique, d'un plan, d'un dessin sur le papier, sur la toile, sur le terrain. *Tracer un plan, une allée.* — *Tracer des caractères*, écrire. — *Tracer un sillon*, creuser un sillon. ‖ Fig. *Tracer le chemin à quelqu'un*, lui donner l'exemple ou lui indiquer la marche à suivre. — Décrire, dépeindre, *Tracer le tableau de ses malheurs.* = V. intr. [Bot.] Se dit des végétaux dont les tiges s'étendent en rampant sur la terre. = Conjug. V. GRAMMAIRE.

* **traceret** [*se-rè*], n. m. [Techn.] Outil pointu avec lequel les charpentiers marquent l'ouvrage sur les pièces de bois. — On dit aussi *tracelet.*

HOM. — *Tracerais, ait, aient, ai*, du v. tracer.

* **traceur, euse** [*seur*], n. Ouvrier, ouvrière qui fait le traçage des pièces. = Adj. Qui laisse une trace. *Balle traceuse.*

* **trachéal, ale** [*tra-ké-al*], adj. Qui se rapporte à la trachée-artère.

trachée [*ché*], n. f. [Anat.] Syn. de *trachée-artère.* ‖ Chacun des tubes respiratoires des insectes, qui pénètrent tous leurs organes et débouchent à l'extérieur.

PAR. — *Tranchée*, excavation longue et assez profonde pratiquée dans le sol.

trachée-artère, ou simplement **trachée,** n. f. [Anat.] Canal qui fait communiquer le larynx avec les bronches, sert au passage de l'air dans l'acte de la respiration. V. pl. HOMME (viscères).

* **trachéen, enne** [*tra-ké-in*], adj. Qui appartient à la trachée, aux trachées.

trachéite [*tra-ké-ite*], n. f. [Méd.] Inflammation de la trachée-artère.

* **trachèle** [*chè-le*], n. f. [Mar.] Milieu du mât d'un navire.

trachéotomie [*tra-ké-o-to-mi*], n. f. [Chir.] Ouverture de la trachée et mise en place d'une canule pour laisser passer l'air.

* **trachome** [*kome*], n. m. [Méd.] Conjonctivite granuleuse.

trachyte [*kite*], n. m. [Minér.] Roche porphyroïde, fort rude au toucher.

* **traçoir,** n. m. [Techn.] Poinçon servant à tracer sur le bois, le métal, etc.

* **tract** [*aktt*], n. m. Petit placard, petite brochure de propagande.

tractation [*sion*], n. f. Façon de traiter une affaire ou un marché (souvent péjor.)

tracteur, n. m. Tout agent qui produit une traction. ‖ Machine automobile qui traîne un ou plusieurs véhicules, un canon, une charrue, une moissonneuse, etc. V. pl. MACHINES AGRICOLES et CHEMIN DE FER.

* **tractif, ive,** adj. Qui exerce une traction.

PAR. — *Attractif*, qui attire.

traction [*sion*], n. f. (bas lat. *tractio*, m. s., du lat. *trahere*, tirer). [Mécan.] Action de tirer; effet produit par cette action. *Traction animale, traction à vapeur.* [Chir.] Action de tirer sur un membre pour réduire une luxation. [Ch. de fer] *Service de la traction*, un des grands services de l'exploitation d'un réseau, qui s'occupe des locomotives et du matériel roulant. [Techn.] Effort à produire pour tendre un ressort, allonger un corps.

PAR. — *Attraction*, action d'attirer; force qui attire; sorte de spectacle.

ÉPITHÈTES COURANTES : verticale, latérale, horizontale, rythmique, violente, forte, puissante, légère, faible; humaine, animale, mécanique, électrique, à vapeur, automobile; exercée, employée, utilisée, calculée; supprimée, augmentée, réglée, calculée, diminuée, etc.

* **tractoire,** adj. Qui se rapporte à la traction.

* **trade mark** [*trèd*], n. m. (mot angl.). Marque de fabrique. — Pl. *Des trade marks.*

* **trade union** [*trè-diou-nieun*], n. f. En Angleterre, association d'ouvriers en vue de soutenir leurs intérêts corporatifs, analogue aux syndicats français. = Pl. *Des trade unions.*

* **traditeur,** n. m. Chrétien qui, à l'époque des persécutions, livrait aux païens les livres sacrés pour éviter les supplices.

PAR. — *Traducteur*, qui traduit d'une langue dans une autre.

tradition [*sion*], n. f. (lat. *traditio*, m. s.). Action par laquelle on livre une chose à quelqu'un. *La vente se consomme par la tradition de la chose vendue.* [Théol.] Voie par laquelle s'est transmise la connaissance des choses relatives à la religion et qui ne sont pas dans les Écritures Saintes. ‖ Faits historiques, doctrines qui nous ont été transmises d'âge en âge et qui se sont conservées en passant de bouche en bouche. ‖ Voie par laquelle ces faits, ces doctrines nous sont parvenues. *Tradition orale, écrite.* ‖ Opinions, procédés, usages, etc., qui se transmettent par le moyen de l'exemple ou de la parole. *Les traditions du théâtre.*

ÉPITHÈTES COURANTES : écrite, orale, sacrée, antique, paternelle, familiale, religieuse, nationale, patriotique, ethnique, locale, littéraire, musicale, artistique, philosophique; fausse, authentique, respectable, vénérable; défendue, condamnée, rejetée, abandonnée, soutenue, combattue, etc.

ORTH. — Les dérivés *traditionnaire, traditionnel* prennent *deux n*, mais *traditionalisme, traditionaliste* n'en prennent qu'un.

SYN. — V. COUTUME.

ANT. — *Histoire.*

PAR. — *Traduction*, action de faire passer d'une langue dans une autre.

traditionalisme, n. m. Système de croyances (religieuses, partic.) fondées sur la tradition. ‖ Attachement à la tradition, aux traditions. ‖ Doctrine philosophique qui, déniant à la raison le pouvoir d'atteindre la vérité, se réfère à la tradition.

traditionaliste, n. Celui qui tient à la tradition, aux traditions.

* **traditionnaire,** n. m. Israélite partisan de la tradition du Talmud.

traditionnel, elle [*tra-di-sio-nel*], adj. Fondé sur la tradition. ‖ Fig. et fam. Qui est passé dans les usages. *Notre banquet traditionnel.*

CTR. — *Historique.*

traditionnellement, adv. Par la voie, par le moyen de la tradition. — Selon la tradition.

traducteur, trice, n. Celui, celle qui traduit d'une langue dans une autre.
PAR. — *Traditeur*, chrétien qui, pour éviter les supplices, livrait les livres sacrés.

traduction [duk-sion], n. f. Action de traduire. ‖ La version d'un ouvrage dans une langue autre que celle dans laquelle il a été écrit. *Une nouvelle traduction d'Homère.*
ÉPITHÈTES COURANTES : fidèle, bonne, excellente, littérale, mot à mot, suivie, rigoureuse, exacte, approximative, inexacte, enjolivée, faible, affaiblie, infidèle, fantaisiste, vieille, mauvaise, pauvre, nouvelle, récente; donnée, faite, publiée, etc.
SYN. — V. VERSION.
PAR. — *Tradition*, transmission orale de faits, de doctrines.

traduire, v. tr. (lat. *traducere*, m. s.). Transférer d'un lieu à un autre; ne se dit que des personnes (Vx). — *Traduire en justice, devant les tribunaux*, citer ou renvoyer quelqu'un devant un juge. ‖ Faire passer un ouvrage d'une langue dans une autre. *Traduire du latin en français.* ‖ Par ext. Expliquer, interpréter. *Traduisez-moi votre pensée en termes clairs.* ‖ Exprimer, reproduire. *L'artiste traduit sa pensée par des moyens divers.* = SE TRADUIRE, v. pr. Être traduit, représenté, réalisé. = Conjug. (comme *cuire*). V. VERBES.
SYN. — V. RENDRE.

traduisible, adj. Qui peut se traduire.
CTR. — *Intraduisible*.

trafic, n. m. (ital. *traffico*, m. s.). Négoce; commerce de marchandises. ‖ Transport de marchandises, par oppos. au transport des voyageurs. — Fréquence des convois sur une ligne. ‖ Fig. et péjor. Profit illicite, malhonnête qu'on tire de certaines choses. *Trafic d'influence.*
SYN. — V. COMMERCE.
HOM. — *Trafique, es, ent*, du v. trafiquer.

trafiquant, ante, n. m. Celui, celle qui fait du trafic. *C'est un gros trafiquant* (souvent péjor.).
SYN. — V. NÉGOCIANT.

trafiquer [ké], v. intr. (de *trafic*). Faire trafic. *Trafiquer en gros, en détail.* ‖ Fig. Tirer de certaines choses un profit illicite, malhonnête. *Trafiquer de son crédit.* — *Trafiquer de ses charmes*, se prostituer. = V. tr. Négocier (Vx).

*** trafiqueur, euse**, n. Celui, celle qui fait un trafic suspect.

tragédie, n. f. (lat. *tragœdia*, m. s.). [Litt.] Poème dramatique qui représente des personnages héroïques dans des situations propres à exciter la terreur ou la pitié, exprimé en style noble et qui se termine ordinairement par un événement funeste. ‖ L'art de la tragédie, le genre tragique. *La tragédie au* XVIIe *siècle.* V. tabl. LETTRES (*Idées suggérées par le mot*) et GENRES LITTÉRAIRES. ‖ Fig. Se dit d'un événement funeste. *Cette affaire pourrait bien finir par une tragédie.*
— *Le peuple a souvent le plaisir de la tragédie : il voit périr sur le théâtre du monde les personnages les plus odieux, qui ont fait le plus de mal sur diverses scènes, et qu'il a le plus haïs.* (LA BRUYÈRE).
— *Ce n'est point une nécessité qu'il y ait du sang et des morts dans une tragédie : il* suffit *que l'action en soit grande, que les acteurs en soient héroïques, que les passions y soient excitées, et que tout s'y ressente de cette tristesse majestueuse qui fait tout le plaisir de la tragédie.* (RACINE.)
— *La tragédie, informe et grossière en naissant,*
N'était qu'un simple chœur, où chacun, en dansant,
Et du dieu des raisins entonnant les louanges,
S'efforçait d'attirer de fertiles vendanges.
(BOILEAU.)
— *La tragédie ne doit pas être un simple spectacle, qui touche le cœur sans le corriger. Qu'importent au genre humain les passions et les malheurs d'un héros de l'antiquité, s'ils ne servent pas à nous instruire?*
(VOLTAIRE.)
ANT. — *Comédie, farce.*

tragédien, ienne, n. Acteur, actrice qui interprète surtout les tragédies.
SYN. — V. ACTEUR.

tragi-comédie, n. f. Sorte de tragédie mêlée d'incidents et de personnages comiques et dont le dénouement est heureux. — Au XVIIe s., tragédie dont le dénouement est heureux (*le Cid*, par ex.). V. tabl. LETTRES (*Idées suggérées par le mot*) et GENRES LITTÉRAIRES. ‖ Événement mêlé de tragique et de comique. = Pl. *Des tragi-comédies.*

tragi-comique, adj. Qui appartient à la tragi-comédie. *Pièce tragi-comique.* ‖ Fig. Se dit d'un accident fâcheux qui tient du comique. = Pl. *Tragi-comiques.*

tragique, adj. (lat. *tragicus*, m. s.). Qui appartient à la tragédie. *Poème tragique.* ‖ Fig. Funeste, terrible, qui entraîne une mort violente. *Événement tragique.* = N. m. Le genre tragique. — Fig. *Cette affaire tourne au tragique*, elle menace d'avoir une issue funeste. — *Prendre les choses au tragique*, les regarder du côté le plus triste, le plus fâcheux. ‖ Auteur de tragédies. *Les tragiques grecs.*
CTR. — *Comique.*

tragiquement, adv. D'une manière tragique.

*** tragule**, n. m. [Antiq.] Grand javelot romain servant aussi de lance.

*** tragus** [guss], n. m. [Anat.] Éminence placée en avant de l'orifice de l'oreille externe.

trahir, v. tr. (lat. *tradere*, livrer). Se montrer perfide envers quelqu'un, tromper sa confiance. *Trahir son souverain. Trahir sa patrie, son pays*, passer à l'ennemi, ou avoir des intelligences avec lui, ou lui fournir des ressources, des renseignements faisant tort à son propre pays. — Fig. *Trahir la vérité*, parler contre la vérité. — *Trahir ses sentiments, sa conscience, son devoir*, etc., parler, agir contre ses sentiments, son devoir, etc. — En parlant d'une femme, d'un mari. *Trahir son mari, sa femme*, le ou la tromper. ‖ Découvrir, révéler, faire connaître. *Trahir le secret de quelqu'un.* ‖ Découvrir ce que l'on voulait dissimuler. *Son attitude trahissait son trouble.* ‖ En parlant des choses, ne pas seconder, rendre vain. *La fortune a trahi nos efforts.* = SE TRAHIR, v. pr. *Se trahir soi-même*, agir contre ses propres intérêts, ou découvrir par hasard ou imprudemment ce qu'on voulait tenir caché. *Il s'est trahi par un mot.*

trahison [tra-i-zon], n. f. Action de celui qui trahit, acte d'une méchanceté perfide. ‖ Intelligence avec l'ennemi.
ÉPITHÈTES COURANTES : haute, manifeste, perfide, détestable, honteuse, horrible, énorme, indigne; complotée, perpétrée, accomplie, déjouée, découverte, dénoncée, combattue, réprimée, punie.
SYN. — *Trahison*, acte de celui qui sert l'ennemi contre sa patrie : *La trahison du connétable de Bourbon.* — *Félonie*, violation de la foi jurée : *La félonie de Ganelon.* — *Traîtrise*, action d'user de perfidie envers quelqu'un : *C'est par traîtrise qu'il a vaincu.* V. aussi PERFIDIE.
ANT. — *Fidélité, loyalisme.*

traille [tra-ille, *ill* mll.], n. f. Espèce de bac. [Pêche] Se dit pour chalut.

*****trailler** [*ill* mll.], v. intr. [Pêche] Tirer de temps en temps une ligne pour remonter l'esche.

train [trin], n. m. (du v. *traîner*). Allure d'une bête de trait. *Le train d'un cheval.* ‖ Vitesse d'un mouvement quelconque. *Aller bon train,* aller à vive allure. ‖ Fig. *Aller son train,* continuer. *L'affaire va son train.* ‖ *Mener quelqu'un bon train,* ne pas le ménager. ‖ *Être en train de,* être occupé à faire une chose. ‖ *Être en train,* être dispos, de bonne humeur. — *L'affaire est en train,* elle est en bonne voie. ‖ *Mettre une affaire en train,* la commencer. ‖ Se dit aussi de la marche, de l'allure des affaires, des événements. *Le train des événements.* ‖ Manière de vivre. *Modifier le train de sa maison.* — *Mener grand train,* faire de grandes dépenses.
Fam. Bruit, tapage. *Faire du train.*
Suite de voitures, de chevaux, de domestiques. *Le train d'un prince.*
Le train d'une voiture, partie qui supporte la caisse, la carrosserie. [Aviat.] *Train d'atterrissage,* les roues d'un avion et les dispositifs d'amortissement. V. pl. AVION. ‖ *Avant-train, arrière-train,* partie de devant, de derrière, du corps d'un quadrupède.
[Ch. de fer] Suite de wagons reliés à une locomotive. *Train de voyageurs, de marchandises.* V. tabl. TRANSPORTS (*Idées suggérées par le mot*). — V. pl. CHEMIN DE FER. [Navig.] *Train de bateaux,* bateaux qui naviguent attachés les uns aux autres, et qui sont tirés par un remorqueur ou par l'un d'eux muni d'un moteur. — *Train de bois,* assemblage de troncs de bois que l'on fait flotter pour les transporter par eau. [A. milit.] *Train de combat,* ensemble des voitures portant les munitions ainsi que le matériel et les approvisionnements de première urgence. — *Train régimentaire,* ensemble des voitures qui transportent les vivres d'un régiment.
— Troupe qui conduit le matériel, les vivres, les ambulances, etc. *Le train des équipages.* [Sports] Vitesse d'un cheval, d'un coureur, etc. *Mener un train d'enfer.* = À FOND DE TRAIN, loc. adv. A toute vitesse.
ÉPITHÈTES COURANTES : bon (vx); grand, luxueux, seigneurial, princier, royal, magnifique, superbe; augmenté, diminué, réduit, réformé. — [Ch. de fer] grand, long, petit, de luxe, rapide, express, poste, transatlantique, direct, omnibus, mixte, commercial, de marchandises, de messageries; attendu, signalé, arrivé, retardé,

avancé, supprimé, dédoublé, accidenté, déraillé; pris, manqué, raté, etc.

traînage [trè-na-je], n. m. Action de traîner. Se dit principalement en parlant des *traîneaux*.

traînant, ante [trè], adj. Qui traîne à terre. *Robe traînante.* ‖ Fig. *Discours traînant. Style traînant,* discours, style languissant. ‖ *Voix traînante,* voix monotone et lente.
CTR. — *Vif, animé, rapide.* — *Expéditif.*

traînard [trè-nar], n. m. Soldat qui reste en arrière de la troupe avec laquelle il doit marcher. ‖ Par ext. et fam. Se dit d'un homme lent, négligent.

traînasse [trè-nas-se], n. f. Long filet d'oiseleur. ‖ Nom de certaines plantes à tiges ou à racines traînantes.

traînasser, v. tr. Faire traîner longuement une affaire. = V. intr. Tarder beaucoup. ‖ Être plein de lenteur, de négligence. ‖ Flâner, baguenauder. *Traînasser dans les rues.*

traîne, n. f. Action de traîner, d'être traîné. *Un bateau qui est à la traîne,* qui est traîné par un autre. ‖ *Pêche à la traîne,* qui se fait en traînant un crochet double sur le sable pour en tirer les coquillages. ‖ Pop. *Être à la traîne de quelqu'un,* vivre à ses crochets. — *Être à la traîne,* être en retard, être loin derrière les autres (Pop.). ‖ La queue d'une robe traînante. *Vous marchez sur ma traîne.* ‖ *Perdreau en traîne,* qui ne peut encore voler.
HOM. — *Traîne, es, ent,* du v. traîner.

traîneau [trè-nô], n. m. Sorte de voiture dont les roues sont remplacées par des patins, et qui sert pour aller sur la neige ou sur la glace. V. pl. VOITURES. ‖ Sorte de grand filet qu'on traîne dans les champs pour prendre du gibier, ou dans les rivières pour prendre du poisson. ‖ Petit chariot à patins qui sert au transport du minerai dans les mines.

*****traîne-buisson,** n. m. [Zool.] Nom vulgaire de la *fauvette d'hiver.* = Pl. *Des traîne-buisson.*

traînée [trè-né], n. f. Ligne plus ou moins large de choses pulvérulentes, répandue sur une certaine longueur. ‖ Pop. Fille ou femme de mauvaise vie.

traîner, v. tr. (étym. incert.). Tirer après soi. *Les chevaux qui traînent une charrette.* ‖ Déplacer en faisant glisser par terre un objet qu'on ne peut soulever. *Traîner un sac dans un coin.* — *Traîner les pieds,* marcher sans lever les pieds de terre. — *Traîner la jambe,* marcher avec difficulté. — *Traîner la voix,* parler d'une voix languissante et indolente. — *Traîner les rues,* y flâner, y chercher des aventures, y vagabonder. ‖ Mener après soi, entraîner. *Il traîne sa femme partout.* — Au sens moral. *Les misères que la guerre traîne après elle.* ‖ Fig., au sens moral. *Traîner une vie languissante et malheureuse,* être accablé d'infirmités ou de malheurs. — *Traîner une vie misérable,* mener une vie sans dignité. ‖ Faire attendre, différer. *Traîner une affaire en longueur.*
V. intr. Pendre jusqu'à terre. *Votre robe traîne.* ‖ Par ext., se dit des choses qu'on laisse exposées où elles ne devraient pas être, qu'on ne range pas. *Vous laissez traîner votre argent sur la table.* — Fig. *Cela traîne partout,* se dit d'une pensée, d'une expression, d'un fait, etc., qu'on

a déjà trouvé dans de nombreux livres. ‖ Se dit encore d'un malade qui languit sans pouvoir se rétablir. ‖ *Traîner en longueur*, ne pas avancer. *Cette affaire traîne*, elle n'avance point. = SE TRAÎNER, v. pron., se glisser en rampant. ‖ Marcher avec difficulté. — Fig. Être languissant. *Dans ce drame, l'action se traîne*.

traîneur, euse, n. Celui, celle qui traîne quelque chose. ‖ Celui, celle qui reste en arrière. ‖ *Traîneur de sabre*, militaire fanfaron et bravache.

* **trainglot** ou * **tringlot**, n. m. Soldat du train des équipages (Pop.).

* **traînoir**, n. m. Châssis de bois qu'on traîne dans les labourages pour rompre les mottes.

* **train-poste**, n. m. Train rapide comprenant plusieurs wagons postaux. = Pl. *Des trains-poste*.

train train ou **tran tran**, n. m. Cours régulier, routinier et monotone des choses.

traire [trè-re], v. tr. (lat. *trahere*, tirer). Tirer le lait des mamelles des vaches, des chèvres, etc. *Traire les vaches.* On dit de même : *Traire du lait.* ‖ Fig. Soutirer de l'argent à.

CONJUG. — V. trans., 3ᵉ groupe (inf. en *re*) [Rad. *trai*, *tray*].
Indicatif. — *Présent* : je trais, tu trais, il trait, nous trayons, vous trayez, ils traient. — *Imparfait* : je trayais ,... nous trayions, vous trayiez... *Passé simple* (N'existe pas). — *Futur* : je trairai, ... nous trairons...
Impératif. — Trais, trayons, trayez.
Conditionnel. — *Présent* : je trairais,... nous trairions, vous trairiez...
Subjonctif. — *Présent* : que je traie,... que nous trayions, que vous trayiez, qu'ils traient. *Imparfait* (N'existe pas).
Participe. — *Présent* : trayant. —
Passé. — Trait, traite.

---

1. trait, aite, adj. (pp. du v. *traire*). Dont on a tiré le lait. *Une vache traite.*

2. trait, n. m. (lat. *tractus*, tiré). Action de tirer et objet ainsi tiré. — *Arme de trait*, arme de jet (flèche, javelot, etc.). *Lancer, décocher un trait.* ‖ Fig. *Les traits de la foudre. Les traits de l'amour.* — Fam. *Comme un trait*, fort vite. *Il partit comme un trait.* ‖ Fig. Sarcasme, plaisanterie acerbe. *Des traits mordants.* ‖ *Trait de lumière*, pinceau de lumière perçant l'obscurité; au fig., pensée, réflexion qui survient tout à coup et qui éclaire une question obscure. ‖ Longe de corde ou de cuir avec laquelle les chevaux tirent. *Ces chevaux tirent à pleins traits.* — *Cheval de trait*, celui qui sert au tirage des voitures. V pl. CHEVAL. ‖ Action d'avaler quelque chose tout d'un coup, d'une seule gorgée. *Vider son verre d'un seul trait.* ‖ *D'un trait, d'un seul trait*, sans arrêter, sans discontinuer, et très rapidement. *L'avion réunit d'un trait Paris et Londres.* ‖ *Boire à longs traits*, boire lentement en savourant ce qu'on boit. Ligne qu'on trace d'un même mouvement avec la plume, le crayon, le pinceau, etc. *Trait de plume.* — Fig. Manière dont on exprime la pensée, dont on dépeint quelque chose. ‖ *Peindre à grands traits*, raconter, décrire d'une manière animée et rapide. — *Dessin au trait*, dessin dont les lignes ne donnent que les contours des objets, sans en indiquer les ombres. ‖ *Trait de scie*, chaque coupe qui est faite avec la scie.

Linéaments du visage. *Cet enfant a tous les traits de son père.* ‖ Fig. Ce qui distingue ou caractérise une personne, une chose. *Le trait caractéristique d'une époque.* ‖ *Un trait de caractère*, une action ou une parole bien conforme au caractère de celui qui l'a faite, qui l'a dite. ‖ Fig. Action qui a quelque chose de remarquable en bien ou en mal. *Un trait de courage.* ‖ Fig. Beau passage d'un discours. *Trait d'éloquence.* ‖ Fig. Pensée vive, brillante, imprévue. *Cet ouvrage est plein de traits, de traits d'esprit.* ‖ *Avoir trait à*, avoir du rapport avec, faire allusion à. ‖ *Ce qui a trait à un sujet*, ce qui s'y rapporte. [Gram.] Signe de ponctuation. *Trait d'union*, *de séparation.* V. ci-dessous et GRAMMAIRE (ponctuation). [Liturg.] Suite de versets que l'on chante certains jours à la messe après le graduel et avant l'évangile. [Mus.] Suite de notes rapides. Se dit aussi de phrases mélodiques ou de successions brillantes d'harmonie.

GRAM. — Le *trait d'union* est un des signes de ponctuation (-). Son adoption remonte à l'année 1573. Depuis, diverses réformes l'ont supprimé; celle de 1878 le supprima après *très* : *très bien*, etc. Une autre, plus récente, a unifié *grand-mère* (au lieu de *grand'mère*) et *grand-père*, etc. Mais on écrit toujours *au-dessus*, *au-dessous* et *au dedans*, *au dehors*... *vert-dragon* et *vert pomme*... L'emploi du trait d'union est si arbitraire et comporte tant d'exceptions qu'on ne peut connaître autrement que par l'usage, qu'il est impossible de formuler une règle.

SYN. — V. DARD et RAIE.

ÉPITHÈTES COURANTES : acéré, pointu, dardé, décoché, parti, lancé, reçu; joli, beau, piquant, spirituel, gracieux, mordant, satirique, cruel, blessant, malin, médisant, mortel, envieux, haineux, noir; célèbre, glorieux, mémorable, illustre, honteux, malfaisant; vif, agréable; long, grand, etc.

HOM. — *Trait*, n. m., action de tirer; tracé; manière dont on exprime sa pensée; — *trais*, *trait*, *traient*, du v. traire; — *très*, adv. marquant le superlatif.

VOCAB. — *Famille de mots.* — **Trait** [rad. *trai*, *trac*] : traite, traiter, traitant, traité, traitement, traiteur, traitable, intraitable; maltraiter; traction, tractif, tractoire, tracteur, tractation, trace, tracé, tracement, traceret, traceur; tracer; retracement, retracer; abstraire, abstrait, abstractif, abstractivement, abstraitement, abstraction, abstracteur; attracteur, attrait, attraire, (Vx); traire, trayon, trayeur; attraction attrayant, attractif, attractivement; contraction, contracter, contracté, contracture, contractable, contractant, contraction, contracte, contractif, contractile, contractilité, contracturer, contrat, contractuel, contractuellement, détracteur, détracter, détraction, distraire, distraitement, distrayant, distrait, distraction; extraire, extrait, extraction, extractible, extractif, extracteur; rétracter, rétractable, rétractif, rétractation; retrait, retraire, retraite, retraiter, retraité; portrait, portraire, portraitiste, portraiture, portraicturer; soustraire, soustractif, soustraction; traîner, traînant, traîneur, traînage, traînoir, traînard, traîneau, traîne, traînée; traînasse, traînasser, traîne-buisson; entraînable, entraîner, entraînant, entrain, entraîneur, entraînement; train, train-poste, train-train, boute-en-train; tringlot.

traitable, adj. Qui peut être traité. ǁ Doux, avec qui on peut facilement traiter. CTR. — V. ACARIÂTRE.

traitant, n. m. Celui qui, sous l'ancien régime, se chargeait du recouvrement des impositions, à certaines conditions réglées par un traité. ǁ Commerçant, trafiqueur, qui s'adonne à la traite des nègres, des femmes. = Qui traite. *Médecin traitant,* le médecin qui vous soigne habituellement.

1. traite, n. f. (du v. *traire*). Action de traire les femelles de certains mammifères domestiques (vache, chèvre, brebis, etc.).

2. traite, n. f. (du v. *traire* au sens de tirer). Étendue de chemin qu'un voyageur fait sans s'arrêter. *Tout d'une traite,* sans arrêter, sans interruption. ǁ Le transport de certaines marchandises d'un pays à un autre. *La traite des blés.* ǁ Transport, en parlant du commerce des banquiers. *Ce qui caractérise une lettre de change, c'est la traite de place à place.* — Par ext. Lettre de change, mandat, etc., payables dans un autre lieu. *Accepter une traite.* V. tabl. FINANCES (*Idées suggérées par le mot*). ǁ Trafic que faisaient les bâtiments sur la côte d'Afrique, en échangeant leurs marchandises contre des produits du pays. ǁ *Traite des nègres,* achat et vente qui se faisaient des esclaves noirs. ǁ *Traite des blanches, des femmes,* exploitation, embauche des filles, des femmes en vue de la prostitution.

traité, n. m. (lat. *tractatus*, m. s.). Ouvrage où l'on traite de quelque art, de quelque science. ǁ Convention faite entre des souverains, entre des Etats. *Traité de paix, de commerce, d'alliance.* ǁ Convention des particuliers entre eux ou avec l'État, l'administration.
ÉPITHÈTES COURANTES : complet, savant, pratique, didactique, élémentaire, théorique; simple, clair, précis, méthodique. — Diplomatique, de paix, commercial, international, bilatéral, négocié, convenu, signé, exécuté, prorogé, dénoncé, approuvé; glorieux, avantageux, honteux, fatal, désastreux, salutaire, secret, public, respecté, violé, etc.
SYN. — V. ACCORD.

traitement, n. m. (du v. *traiter*). Accueil, manière d'agir avec quelqu'un. *Il a reçu toutes sortes de bons traitements.* — Au plur. *Mauvais traitements,* violences, voies de fait. ǁ Appointements attachés à une place, à un emploi. Se dit partic. des émoluments des fonctionnaires civils de l'État. [Méd.] L'ensemble des moyens thérapeutiques, hygiéniques, etc., que prescrit le médecin pour prévenir une maladie, pour la guérir. *Traitement prophylactique.* [Chim. et Techn.] Manière de modifier une substance en vue d'un résultat industriel ou scientifique. *Le traitement de la soude.*
ÉPITHÈTES COURANTES : favorable, bon, mauvais, odieux, brutal, inhumain, barbare, féroce; doux, humain, équitable, juste, modéré; convenable, indigne; médical, énergique, sévère, vigoureux, efficace, indiqué, contre-indiqué; avantageux, insuffisant, augmenté, diminué, doublé, maigre, supprimé, etc.
SYN. — V. GAGES.

traiter, v. tr. (lat. *tractare*, fréq. de *trahere*, tirer). Discuter, discourir sur, raisonner sur, exposer, disserter sur. *Traiter un sujet, une matière.* ǁ Négocier, travailler à l'accommodement d'une affaire. *Traiter la paix.* ǁ Agir avec quelqu'un, en user avec lui de telle ou telle manière. *Bien traiter. Mal traiter.* — *Traiter quelqu'un de haut en bas,* afficher le plus parfait mépris à son égard. — *Traiter d'égal à égal,* à la manière de quelqu'un qui vous considère du même rang que lui. ǁ *Traiter de,* qualifier, donner à quelqu'un tel ou tel titre. *Il se fait traiter d'Excellence.* — *Traiter quelqu'un de fat,* etc., l'appeler fat, etc. ǁ Régaler, donner à manger. *Ce restaurateur nous a bien traités.* [Méd.] Avoir soin d'un malade, lui prescrire ce qu'il doit faire, l'opérer, etc. [Chim.] Soumettre une substance à l'action de quelque agent, pour y opérer un changement quelconque. [Bx-Arts] *Traiter un sujet,* exécuter une œuvre d'après un sujet.
V. intr. Discuter, agiter, donner des connaissances sur une matière. *Ce livre traite de philosophie.* ǁ Négocier. *Traiter de la paix.* ǁ Négocier pour vendre, acheter, etc. *Il a traité à tel prix.* = SE TRAITER, v. pr. Être traité. *Cette affaire s'est traitée fort secrètement.* ǁ Se donner mutuellement à dîner. ǁ Se soigner soi-même.

traiteur, n. m. (du v. *traiter*). Celui qui donne à manger pour de l'argent. *Marchand de vins traiteur.* — Celui qui fait de la traite avec des populations primitives.

*** traitoir,** n. m. ou *** traitoire,** n. f. [Techn.] Outil du tonnelier pour encercler les tonneaux.

traître, esse, adj. (lat. *traditor*, m. s., de *tradere*, livrer). Qui trahit, dont on doit craindre la trahison. *Cet homme est traître à sa patrie.* ǁ Par ext. Sur qui on ne peut compter. ǁ Se dit aussi des animaux qui font du mal, mordent, ruent quand on y pense le moins. *Ce chat, ce cheval est traître.* ǁ Qui révèle la trahison, la perfidie. *Un procédé fort traître.* ǁ Se dit aussi des choses qui sont plus dangereuses qu'elles ne le paraissent. *Insinuation traîtresse.* — *Ce vin est traître,* il enivre plus aisément qu'on ne croit. — FAM. *Il ne m'en a pas dit le traître mot,* il ne m'en a pas dit un seul mot, même un mot détourné. On dira de même : *Je n'en crois pas un traître mot.* = TRAÎTRE, ESSE, n. Celui, celle qui commet une trahison. *En temps de guerre, les traîtres sont passés par les armes.* = EN TRAÎTRE, loc. adv. D'une manière traîtresse. *Prendre quelqu'un en traître.*

traîtreusement, adv. En trahison, par trahison.

traîtrise [*ize*], n. f. Action de trahir. ǁ Caractère de traître, de ce qui est traître.
SYN. — V. TRAHISON.

trajectoire [*jek-toi-re*], n. f. La ligne courbe (arc de parabole) que décrit un projectile, un mobile, entre son point de départ et son point d'arrivée. [Mécan.] Lieu des positions successives d'un point en mouvement.

trajet [*jé*], n. m. (lat. *trajectus*, m. s.). L'espace parcouru ou à parcourir d'un lieu à un autre. = *Le trajet de Marseille à Naples.* ǁ Action de parcourir cet espace. *Le trajet dure quatre heures.* [Méd.] Canal, conduit que forme la cavité d'une plaie, d'une fistule.

tralala, n. m. (onomatopée). Ensemble de manières affectées, éclat trop pompeux, grand apparat. *Soirée à grand tralala.*

tram, n. m. Abrév. courante de *tramway*.

tramail ou **trémail** [*il* mll.], n. m. (lat. *tres,* trois; *macula,* maille). [Pêche] Filet composé ordinairement de trois rangs de mailles ou de trois réseaux pour prendre des oiseaux ou des poissons. = Pl. *Des tramails*.

trame, n. f. (lat. *trama,* m. s.). [Techn.] Dans les tissus, le fil qui croise les fils de la chaîne et qui est mis en place par la navette. V. pl. TISSERAND. — Fig. *La trame de la vie,* le cours de la vie et les événements dont elle est tissue. ‖ Fig. Complot, intrigue compliquée.

tramer, v. tr. [Techn.] Passer la trame entre les fils qui sont tendus sur le métier. *Tramer une étoffe.* ‖ Fig. Machiner, faire un complot. *Tramer la mort de quelqu'un.* — Impersonnellement et avec le pron. réfléchi. *Il se trame quelque chose.*
SYN. — V. OURDIR.

trameur, euse, n. Ouvrier, ouvrière qui dispose les fils sur la trame.

tramontane, n. f. (lat. *trans,* au delà; *mons,* montagne). Nom donné, en Italie, à l'étoile polaire. ‖ Fig. et fam. *Perdre la tramontane,* se troubler, ne plus savoir où l'on est, ce qu'on fait. ‖ Le vent du Nord, dans le sud de la France.
INCORR. — Ne pas prononcer *trémontane*.

tramway [tra-mouè], n. m. Voie ferrée établie dans une rue, sur une route, avec des rails qui ne présentent aucune saillie. ‖ Par ext. Voiture qui circule sur cette voie. *Tramway électrique.* V. tabl. TRANSPORTS (*Idées suggérées par le mot*).

tranchage, n. m. Action de trancher, de débiter les bois d'ébénisterie en lames minces.

1. tranchant, ante, adj. Qui tranche, qui coupe bien. *Couteau tranchant.* ‖ Fig. *Couleurs tranchantes,* couleurs fort vives qui, mises à côté l'une de l'autre, s'opposent fortement. ‖ Fig., au sens moral : décisif, péremptoire. *Argument tranchant.* ‖ Fig. Qui décide hardiment et d'une façon absolue. *Parler d'un ton tranchant.*
SYN. — V. AIGU et CASSANT.
ANT. — *Contondant*.

2. tranchant, n. m. Le fil d'une épée, d'un couteau, d'un rasoir, etc. *Une épée à deux tranchants.* ‖ *Raisonnement à deux tranchants,* qui peut se retourner contre celui qui en fait usage.

tranche, n. f. (du v. *trancher*). Morceau coupé un peu mince. *Une tranche de pain, de jambon.* ‖ Fraction d'une chose divisée en parties égales. *Tranche de loterie.* [Arith.] Division des nombres de trois en trois chiffres pour en faciliter la lecture. [Bouch.] Nom de morceaux pris dans les parties supérieures et moyennes de la cuisse du bœuf. ‖ Bord extérieur d'une pièce de monnaie, d'une médaille. ‖ Côté mince d'un objet, ou surface plane qui le termine. *La tranche d'une tablette.* ‖ Surface unie que présente l'épaisseur de tous les feuillets d'un livre du côté où on les a rognés. V. pl. LIVRE. Espèce de marteau tranchant. ‖ Fort ciseau pour couper le fer.
ÉPITHÈTES COURANTES : mince, fine, grosse, épaisse, saignante, grasse, maigre; dorée, jaspée.
SYN. — V. PART.

tranché, ée, adj. Séparé par une coupure. ‖ Net, bien marqué. *Couleurs tranchées.* [Blas.] Se dit de l'écu divisé en deux parties égales par une diagonale de l'angle dextre supérieur à l'angle senestre inférieur. V. pl. BLASON.

tranchée, n. f. (pp. du v. *trancher*). Excavation qu'on pratique dans la terre, afin d'asseoir les fondations d'un mur, de placer des conduites pour les eaux, de planter des arbres, d'exploiter les mines, de faire passer une voie ferrée, etc. V. pl. CHEMIN DE FER. (A. milit.) Fossé plus ou moins profond, coupure verticale pratiquée dans le sol pour se protéger contre le feu ennemi. *Guerre de tranchées.* V. pl. FORTIFICATIONS. = Au pl. [Méd.] Coliques violentes.
HOM. — *Tranchée,* n. f., excavation dans la terre; — *trancher,* v., couper, séparer en coupant.
PAR. — *Tranchet,* couteau sans manche; — *trachée,* tube respiratoire.

tranchée-abri, n. f. [A. milit.] Tranchée destinée à abriter les troupes. = Pl. *Des tranchées-abris.*

tranchefil, n. m. Petite chaîne de métal fort déliée qu'on met autour du mors d'un cheval.
HOM. — *Tranchefile* (v. le mot suivant).

tranchefile, n. f. Couture en forme de bordure faite dans l'intérieur des souliers. ‖ Petit morceau de papier ou de parchemin entouré de soie ou de fils de couleurs que le relieur colle au haut et au bas du dos d'un livre. V. pl. LIVRE.

tranchefiler, v. tr. Garnir de tranchefiles.

tranchelard [*lar*], n. m. Couteau à lame fort mince dont les cuisiniers se servent pour couper des tranches de lard.

tranche-montagne, n. m. Fanfaron qui fait grand bruit de ses prétendus exploits (Fam.). = Pl. *Des tranche-montagnes.*

trancher, v. tr. (lat. pop. *trincare,* m. s.). Couper, séparer en coupant. *Tout condamné à mort aura la tête tranchée* (Code). — Fig. *Trancher dans le vif.* V. VIF. — *Trancher la difficulté, le nœud de la difficulté,* résoudre tout d'un coup une question difficile. — *Trancher le mot.* V. MOT. = V. intr. Décider hardiment sans admettre la discussion. *Il tranche sur tout.* — Fam. *Trancher court,* terminer en peu de mots une conversation, un discours. — *Trancher net,* s'expliquer avec quelqu'un le moins de mots et sans ménagement. ‖ *Trancher du grand seigneur, trancher du bel esprit, trancher de l'important,* etc., prendre des allures décidées, faire le grand seigneur, le bel esprit, etc. ‖ Contraster. *Ces couleurs tranchent,* elles s'opposent nettement.
SYN. — V. DÉCIDER et COUPER.
PAR. et HOM. — V. TRANCHÉE.

tranchet [*ché*], n. m. Espèce de couteau sans manche, plat et acéré, pour couper le cuir. V. pl. CHAUSSURES.
PAR. — V. TRANCHÉE.

trancheur, n. m. Celui qui tranche. ‖ *Trancheur de morue,* celui qui ouvre les morues.

tranchoir, n. m. Plateau de bois fort épais sur lequel on tranche la viande. [Zool.] Nom vulg. du *zancle,* curieux poisson des mers chaudes de la Malaisie.

trangle, n. m. [Blas.] Chacune des fasces rétrécies qui alternent en nombre impair.
Ant. — *Burelle.*
Par. — *Tringle*, baguette de métal pour soutenir un rideau ; — *triangle*, surface qui a trois côtés et trois angles.

tranquille [ki-l'], adj. (lat. *tranquillus*, m. s.). Paisible, calme. *La mer était tranquille*, elle était calme et sans mouvement. ‖ Au sens moral, sans inquiétude, sans souci. *Mener une vie tranquille.* — Qui ne trouble pas le repos des autres. *Un village tranquille.*
— *Tranquilles cependant, Charlemagne et ses preux*
Descendaient la montagne et se parlaient entre eux. (A. de Vigny.)
— *Tranquille, souriant à la mitraille anglaise,*
La garde impériale entra dans la fournaise. (V. Hugo.)
Syn. — V. béat et pacifique.
Ctr. — *Agité, troublé, anxieux, dangereux, remuant, tumultueux, violent.*

tranquillement [ki-le-man], adv. D'une manière tranquille. ‖ Sans inquiétude ou émotion.
Ctr. — *Tumultueusement, violemment, anxieusement, dangereusement.*

tranquillisant, ante [tran-ki-li-zan], adj. Qui tranquillise.

tranquilliser [tran-ki-li-zé], v. tr. Calmer, rendre tranquille. *Tranquilliser les esprits.* = Se tranquilliser, v. pr. Se tenir tranquille. ‖ Cesser d'être inquiet.
Syn. — V. rassurer.
Ctr. — *Effrayer.*

tranquillité [tran-ki-li-té], n. f. État de ce qui est tranquille et, au moral, de ce qui est exempt d'inquiétude, de trouble, d'agitation.
Épithètes courantes : grande, sereine, parfaite, souveraine, absolue, totale, toute ; trompeuse, fatale, hypocrite, sournoise, mensongère, apparente ; perdue, retrouvée, troublée, recherchée, obtenue, sauvegardée, définitive, etc.
Syn. — V. repos.
Ant. — *Agitation, trouble, peur, crainte, anxiété.*

trans-, préfixe tiré du latin, qui signifie : *au delà, à travers*, comme dans *transalpin, transparent*, etc.
Ctr. — *Cis.*

transaction [zak-sion], n. f. (lat. *transactio*, m. s.). Contrat par lequel les parties terminent ou préviennent une contestation moyennant des concessions réciproques. *Terminer un procès par une transaction.* ‖ Se dit aussi des actes, des conventions, des relations d'intérêt entre les hommes, etc. *Les transactions commerciales.*
Épithètes courantes : commerciale, politique, diplomatique, judiciaire, favorable, défavorable, équitable, convenable, satisfaisante, proposée, demandée, réglée, faite, suivie, rejetée, observée, ménagée, accordée, négociée, etc.

transactionnel, elle [sio-nel], adj. Qui se rapporte à une transaction, qui constitue une transaction.

* **transactionnellement** [sio-nel], adv. Sous une forme transactionnelle.

transalpin, ine [tran-zal-pin], adj. Qui est au delà des Alpes, par rapport au lieu où l'on se trouve.
Ctr. — *Cisalpin.*

* **transaméricain, aine**, adj. Qui passe à travers l'Amérique ; nom donné aux voies ferrées transcontinentales américaines.

transatlantique [tran-zat-lan-tike], adj. Qui est au delà de l'océan Atlantique. ‖ Qui traverse l'océan Atlantique. *Câble, paquebot transatlantique.* = N. m. Paquebot, généralement luxueux et rapide, destiné à faire la traversée de l'océan Atlantique. V. pl. navigation et port. ‖ Sorte de chaise longue articulée et pliante.

transbordement [trans-bor-de-man], n. m. Action de transborder et le résultat de cette action.

transborder, v. tr. Transporter les voyageurs ou la cargaison d'un bâtiment qui reste en rade dans un autre qui aborde au quai.

transbordeur, adj. et n. m. Châssis servant à faire passer des wagons d'une voie à une autre voie parallèle. [Mar.] Bateau qui sert à transborder des voyageurs ou des marchandises. = Adj. Pont *transbordeur*, plate-forme, cabine reliée par des câbles d'acier à un tablier assez élevé (afin que les navires puissent passer dessous), et qui sert à faire passer d'une rive à l'autre piétons, marchandises, etc. V. pl. port.

* **transcaspien, ienne**, adj. Qui se trouve au delà de la mer Caspienne, par rapport au lieu où l'on est.

* **transcaucasien, ienne**, adj. Qui se trouve situé au delà du Caucase.

transcendance [trans-san], n. f. Supériorité marquée, éminente d'une personne ou d'une chose sur une autre. [Philos.] Qualité de ce qui est transcendant.
Ctr. — *Immanence.*

transcendant, ante [trans-san-dan], adj. Relevé, sublime, qui excelle en son genre. *Esprit transcendant. Mérite transcendant.* ‖ *Mathématiques transcendantes*, la partie des mathématiques qui a trait au calcul intégral et au calcul différentiel. [Philos.] Qui dépasse un certain ordre de réalités, ou qui dépasse toute expérience.
Syn. — V. sublime.
Ctr. — *Élémentaire.* — *Immanent.*

transcendental, ale, adj. [Philos.] Se dit de tout élément de la pensée qui ne tire pas son origine de l'expérience, et de la partie de la philosophie qui étudie les concepts de la raison et les jugements *a priori*. ‖ Par ext. Qui concerne les hautes spéculations philosophiques.

* **transcontinental, ale**, adj. Qui traverse un continent. *Voie transcontinentale.*
Ctr. — *Transocéanique.*

* **transcripteur**, n. et adj. m. Qui transcrit quelque chose.

transcription, n. f. (lat. *transcriptio*, m. s.). [Droit] Action de transcrire ; résultat de cette action. [Mus.] Action de noter de la musique pour un instrument ou un ton autre que celui pour lequel elle a été écrite. [Droit] Action de reproduire un titre ou un acte juridique sur les registres publics.

transcrire, v. tr. (lat. *transcribere*, m. s.). Copier un écrit, le reporter sur une autre feuille, sur un registre, etc. [Mus.] Noter de la musique pour un instrument autre que celui en vue duquel elle a été écrite.

transe, n. f. Frayeur, grande appréhension d'un malheur (surtout au plur.). [Spiritisme] État particulier du médium au cours d'une séance.
Syn. — V. angoisse.

transept, n. m. (lat. *trans* au delà; *septum*, clôture). [Archi]. Nef transversale dans une église gothique, coupant à angle droit la nef principale et formant avec celle-ci la *croisée du transept*. V. pl. église.

transfèrement, n. f. Action de transférer et le résultat de cette action.

transférer, v. tr. (lat. *transferre*, porter au delà). Transporter, faire passer d'un lieu à un autre. *Transférer des reliques*. ‖ Par ext. *Transférer une fête*, la remettre d'un jour à un autre. ‖ Fig. Céder, transporter une chose à quelqu'un, en observant les formalités requises. *Transférer une obligation*. ‖ Virer d'un compte à un autre. = Conjug. V. grammaire.

transfert [*trans-fer*], n. m. Action de transférer. ‖ Acte par lequel on transporte à un autre la propriété d'une chose.
Hom. — *Transfère, es, ent*, du v. transférer.

transfiguration [*sion*], n. f. Changement d'une figure en une autre. Ne se dit guère que de la transfiguration de Jésus-Christ sur le mont Thabor. ‖ Tableau représentant la transfiguration du Christ.
Syn. — V. changement.

transfigurer, v. tr. (lat. *transfigurare*, m. s.). Transformer, en changeant la figure, les traits extérieurs. *La joie le transfigure*. = se transfigurer, v. pr. Changer d'aspect, se présenter sous une nouvelle figure.

* **transfilage**, n. m. [Mar.] Action de lier deux choses bord à bord au moyen d'un cordage.

* **transfixion**, n. f. [Chir.] Procédé d'amputation par section de dedans en dehors

* **transformable**, adj. Qui peut être transformé.

transformateur, n. m. [Phys.] Appareil électrique qui transforme les courants de haute tension en courants de basse tension ou inversement. V. pl. t. s. f. = Adj. Qui transforme.

transformation [*sion*], n. f. (lat. *transformatio*, m. s.). Changement d'une forme en une autre. *La transformation des insectes*. — Changement qui modifie ou améliore une chose.
Syn. — V. changement.

transformer, v. tr. (lat. *transformare*, m. s., de *trans*, au delà, et *formare*, former). Donner à une personne ou à une chose une autre forme que celle qui lui est propre ou qu'elle avait précédemment. *Cette institution a transformé le pays*. ‖ Améliorer, au physique et au moral. *Ces jours d'épreuve l'ont transformé*. [Math.] *Transformer une équation, une expression algébrique*, la changer en une autre équivalente dont la forme soit différente. = se transformer, v. pr. Prendre une autre forme. — Fig. Changer, se modifier, soit en bien, soit en mal. *La société se transforme chaque jour*.

transformisme, n. m. [Biol.] Théorie selon laquelle les espèces vivantes, au lieu d'être fixes et distinctes, dérivent, par une évolution ininterrompue, d'un ou de plusieurs types primitifs.
Ant. — *Fixisme*.

transformiste, n. Partisan du transformisme. = Adj. Qui se rapporte au transformisme.

transfuge, n. m. (lat. *transfuga*, m. s., de *trans*, au delà, et *fugere*, fuir). Celui qui abandonne son parti pour passer dans le camp opposé. ‖ Soldat qui passe à l'ennemi.
Syn. — V. déserteur.

transfuser [*zé*], v. tr. Faire passer d'un récipient dans un autre. Se dit surtout de la transfusion du sang.

transfusion [*trans-fu-zion*], n. f. (lat. *trans*, au delà; *fundere, fusum*, verser). *Transfusion du sang*, opération qui consiste à injecter dans les veines d'un malade très affaibli, le sang d'un individu bien portant appelé *donneur*.

* **transgangétique**, adj. Situé au delà du Gange, par rapport au lieu où l'on est.

transgresser, v. tr. (lat. *transgressus*, de *transgredi*, aller au delà). Contrevenir à, enfreindre. *Transgresser les commandements de Dieu*.
Syn. — V. contrevenir.

transgresseur, n. m. Celui qui transgresse.

* **transgressif, ive**, adj. Qui transgresse.

transgression [*trans-grè-sion*], n. f. Action de transgresser.

transhumance [*tran-zu-man*], n. f. Action de transhumer; son résultat.

transhumant, ante [*tran-zu-man*], adj. *Troupeaux transhumants*, troupeaux qu'on mène paître pendant l'été dans les montagnes, d'où ils redescendent à la mauvaise saison.

transhumer [*tran-zu-mé*], v. tr. (lat. *trans*, au delà; *humus*, terre). Mener paître des moutons transhumants. = V. intr. Aller paître dans les montagnes.

transi, ie [*zi*], adj. Saisi, pénétré, engourdi. *Transi par le froid*. — Fig. *Amoureux transi*, que sa passion rend timide et tremblant.
Hom. — *Transit*, mouvement des voyageurs, des marchandises.

transiger [*tran-zi-jé*], v. intr. (lat. *transigere*, pousser, agir au delà). Accommoder un différend en se faisant des concessions réciproques. ‖ Fig. *Transiger avec son devoir*, s'autoriser de mauvaises raisons pour faire une chose contraire au devoir. = Conjug. V. grammaire.

* **transindochinois**, adj. Qui traverse l'Indochine.

transir [*zir*], v. tr. (lat. *transire*, aller au delà). Pénétrer et engourdir de froid ou de peur. = V. intr. *Transir de froid*, *ou de peur*, être saisi par le froid ou par la peur.

Conjug. — V. intrans., 3ᵉ groupe (inf. en *ir*) [rad. *trans*]. — Verbe défectif, usité seulement à l'*infinitif*, à l'*indicatif présent* : il transit, au *passé simple* : il transit, au *passé composé* : il a transi, et au *participe passé* : transi, transie. Il n'est plus guère employé qu'à l'infinitif et aux temps composés avec l'auxiliaire *être* et la forme *transi, ie*, peut être considérée aussi bien comme un adjectif.

---

* **transissement**, n. m. État de celui qui est transi.

transit [zitt'], n. m. (ital. *transito*, du lat. *transitus*, passage). Mouvement des voyageurs, des marchandises à travers une région. [Comm.] Faculté de faire traverser une ville, un État par des marchandises, sans payer de droits d'octroi ou de douane.
PAR. — *Transi*, pénétré de froid ou de peur.
* **transitaire** [zi-tère], adj. Qui se rapporte au transit. — *Pays transitaire*, qui permet le transit. = N. m. Commissionnaire qui fait voyager des marchandises en transit.
PAR. — *Transitoire*, de peu de durée, passager, intérimaire.
* **transiter**, v. tr. Passer en transit. = V. intr. Voyager en transit.
transitif, ive, adj. (lat. *transitivus*, m. s., de *transire*, passer). [Gram.] *Verbe transitif*, verbe qui marque que l'action est transmise du sujet sur un complément dit complément d'objet (direct ou indirect). On a dit autrefois, mais à tort, dans le même sens, *verbe actif*. C'est la *voix* qui est *active* ou *passive*. V. GRAMMAIRE.
CTR. — *Intransitif*.
transition [sion], n. f. (lat. *transitio*, m. s.). Manière de passer d'un raisonnement à un autre, de lier ensemble les parties d'un discours, d'un ouvrage. — Par ext. La phrase même qui marque ce passage. *Une transition factice*. [Mus.] Passage d'un mode, d'un ton à un autre. *Préparer une transition.* ‖ Fig. Passage d'un régime, d'un état de choses, d'un ordre à un autre. *Transition de température trop brusque.* — *Ménager les transitions*, ne pas passer brusquement d'un état à un autre.
ÉPITHÈTES COURANTES : naturelle, nécessaire, obligée, cherchée, factice, artificielle, forcée, pénible, habile, ménagée, négligée, manquante, etc.
transitivement, adv. D'une manière transitive.
transitoire, adj. Passager, qui n'est pas de longue durée.
CTR. — *Permanent, définitif, durable*.
PAR. — *Transitaire*, qui se rapporte au transit.
* **transitoirement**, adv. D'une manière transitoire.
* **transjuran, ane**, adj. Qui est au delà du Jura, par rapport au lieu où l'on se trouve.
translater, v. tr. (lat. *trans*, au delà ; *latus*, porté). Traduire d'une langue dans une autre (Vx).
translateur, n. m. Traducteur (Vx).
translatif, ive, adj. *Acte translatif de propriété*, acte par lequel on cède une chose, un droit à quelqu'un.
translation [sion], n. f. (lat. *translatio*, m. s.). Transport, action par laquelle on fait passer quelque chose d'un lieu à un autre. *La translation des cendres de Napoléon aux Invalides.* [Mécan.] Déplacement d'un corps de telle façon que tous ses points décrivent des trajectoires identiques entre elles. *Mouvement de translation de la terre autour du soleil.* [Géom.] Déplacement d'une figure dont tous les points décrivent des droites parallèles entre elles. [Droit] Action de faire passer d'une personne à une autre la propriété de quelque chose.
translucide, adj. (lat. *translucidus*, m. s.). [Phys.] Qui laisse passer la lumière sans permettre toutefois de distinguer la couleur ni la forme des objets. *Le verre devient translucide quand on le dépolit.*
SYN. — V. DIAPHANE.
ANT. — *Opaque. — Transparent.*
* **translucidité**, n. f. Propriété, état d'un corps translucide.
* **transmetteur**, adj. et n. m. [Techn.] Appareil qui sert à transmettre les signaux télégraphiques.
transmettre, v. tr. (lat. *trans*, au delà ; *mittere*, envoyer). Céder, mettre ce qu'on possède à la possession d'un autre. *Transmettre un droit.* ‖ Faire parvenir d'un lieu à un autre. *Transmettre télégraphiquement une nouvelle.* ‖ Faire passer. *Transmettre des ordres.* = SE TRANSMETTRE, v. pr. Passer, se communiquer, se propager. = Conjug. (comme *mettre*). V. VERBES.
transmigration [sion], n. f. Action d'un peuple, d'une troupe d'hommes qui abandonnent leur pays pour en habiter un autre. ‖ *Transmigration des âmes*, passage de l'âme d'un corps dans un autre ; métempsycose.
* **transmigrer**, v. intr. Faire une transmigration.
transmissibilité, n. f. Caractère de ce qui est transmissible.
transmissible, adj. Qui peut être transmis.
transmission, n. f. (lat. *transmissio*, m. s.). Action de transmettre ; résultat de cette action. *La transmission d'un droit*, action de la faire passer à un autre. ‖ Communication. *La transmission d'une maladie.* [Phys.] Se dit de la propagation d'un fluide ou d'un mouvement ondulatoire à travers un corps quelconque. [Mécan.] Ensemble des organes destinés à transmettre un mouvement d'un arbre à un autre plus ou moins éloigné. [Auto.] Ensemble des organes communiquant le mouvement du moteur aux roues motrices. [A. milit.] Se dit de l'ensemble des moyens et des services qui permettent de relier les divers échelons de troupes, de leur communiquer les ordres, les renseignements, etc. (agent de liaison, télégraphe, téléphone, T. S. F., etc.).
ÉPITHÈTES COURANTES : rapide, lente, exacte, régulière, mécanique, électrique, postale, télégraphique, téléphonique, radiophonique, militaire, secrète, chiffrée, et.
transmuable ou * **transmutable** adj. Qui peut être transmué.
transmuer, v. tr. (lat. *transmutare*, changer). Changer, en parlant des métaux. = SE TRANSMUER, v. pr. Être changé.
transmutabilité, n. f. Propriété de ce qui est transmuable.
transmutation [sion], n. f. Action de transmuer. Transformation d'une chose en une autre ; partic. le changement d'un métal vil en or, recherché par les alchimistes.
* **transocéanique**, adj. Qui se trouve situé au delà de l'océan. ‖ Qui traverse l'océan. *Câble transocéanique.*
CTR. — *Transcontinental.*
* **transpadan, ane**, adj. Qui est situé au delà du Pô, par apport au lieu où l'on est.
CTR. — *Cispadan.*
transparaître, v. intr. Paraître à travers quelque voile. ‖ Fig. Être deviné. *Ses intentions transparaissent* = Conjug. (comme *connaître*). V. VERBES.

transparence [ran-se], n. f. Qualité de ce qui est transparent.

transparent, ente, adj. (de *trans*, préf., et le vx. fr. *parant*, ppr. du verbe *paroir*, paraître). Diaphane, au travers de quoi on peut voir les objets très distinctement. *Le cristal est transparent.* ‖ Se dit souvent, à tort, pour translucide. *Ce papier est trop transparent.* ‖ Fig. *Cette allégorie, cette allusion est transparente*, on découvre facilement le sens, l'intention qu'elle cache. = N. m. Papier où sont tracées plusieurs lignes noires, et dont on se sert pour écrire droit, en le mettant sous la feuille de papier sur laquelle on écrit. [Couture] Étoffe de couleur mise sous un tissu léger ou brodé pour en changer la nuance ou en faire ressortir le dessin. [Techn.] Vernis translucide appliqué sur des couleurs pour en rehausser l'éclat. — Tableau sur toile ou sur papier huilé, éclairé par derrière, et sur lequel on fait paraître des nouvelles qui peuvent être lues de loin.
SYN. — V. DIAPHANE et VAPOREUX.
ANT. — *Translucide*.
CTR. — *Opaque*.

transpercer, v. tr. (du préf. *trans*, et de *percer*). Percer de part en part. — On dit aussi, avec le pron. pers.: *Se transpercer*. — Par exag. *Être transpercé par la pluie*, être mouillé par elle à travers les vêtements. ‖ Fig. *Transpercer le cœur de quelqu'un*, le pénétrer de douleur. = SE TRANSPERCER, v. pr. Se percer de part en part, ou se percer l'un l'autre. = Conjug. V. GRAMMAIRE.

* **transpirable,** adj. Apte à la transpiration.

transpiration [sion], n. f. Exhalation de la sueur par la surface externe de la peau. ‖ Le produit de la transpiration. ‖ Émission de vapeur d'eau par les feuilles des végétaux.

transpirer, v. intr. (lat. *trans*, au delà; *pirare*, exhaler). S'exhaler, sortir par une surface d'une manière imperceptible aux yeux. ‖ Se dit des corps qui sont le siège de cette exhalation. ‖ Suer. *On transpire souvent en été.* ‖ Fig. Se dit d'une chose qui devait rester secrète et qui commence à être connue.

* **transplantable,** adj. Que l'on peut transplanter.

transplantation [sion], n. f. Action de transplanter. *La transplantation des arbres.*

transplanter, v. tr. Oter une plante de l'endroit où elle est, et la replanter dans un autre endroit. ‖ Fig. Transporter. *Transplanter une colonie.* = SE TRANSPLANTER, v. pr. Passer d'un pays dans un autre.

transport, n. m. (du v. *transporter.*) Action par laquelle on transporte quelque chose d'un lieu à un autre. *Moyen de transport.* ‖ Véhicules de toutes sortes qui servent au transport des personnes ou des marchandises. *Une société de transports.* [Mar.] Bâtiment de la marine de guerre destiné à transporter les troupes ou les munitions. [Droit] Action d'une personne qui, par autorité de justice, se rend sur les lieux où sont les choses sujettes à examen, à vérification, à visite. ‖ Cession d'un droit qu'on a sur une chose, d'une créance, etc. *Faire le transport d'une rente.* ‖ Action de faire passer par virement une somme d'un compte à un autre. ‖ Fig. Passion violente qui met hors de soi. *Se livrer à un transport de colère.* — *Il fut accueilli, écouté avec transport.* ‖ Enthousiasme. *Transport poétique.* [Méd.] *Transport au cerveau*, ou absol., *transport*, délire, égarement d'esprit causé le plus souvent par une congestion cérébrale. V. tabl. TRANSPORTS (*idées suggérées par le mot*).
SYN. — V. DÉLIRE, EMPORTEMENT et ENTHOUSIASME.

transportable, adj. Qui peut être transporté.

TRANSPORTS

I. **Étymologie.** — Dans le mot *transport*, nom verbal tiré du verbe transporter, on distingue le verbe latin *portare* : porter, et le préfixe *trans* : au delà, à travers.

II. **Définition.** — Le *transport*, c'est l'action de faire passer quelqu'un ou quelque chose d'un lieu dans un autre, soit par un effort musculaire humain, soit à l'aide d'un véhicule. Les moyens de transport sont les divers procédés utilisés pour réaliser ces passages. Par abréviation on emploie fréquemment aujourd'hui ce terme de « transports » ou « moyens de transports », c'est-à-dire pour l'ensemble des moyens mis à la disposition de l'homme en vue de voyager ou de faire circuler les marchandises : routes de terre, voies de mer, voies de l'air, véhicules tels que voitures à traction animale ou automobile, chemins de fer, navires, ballons et avions. En langage maritime, un *transport* est un vaisseau de la marine de guerre destiné à transporter des troupes. On trouve aussi le mot *transport* dans la langue juridique, où il désigne soit l'acte des magistrats qui viennent enquêter sur le lieu même d'un crime : *transport de justice*, soit l'action de reporter le droit d'une personne sur une autre personne : *transport de créance*. Au figuré, *transport* se dit d'un mouvement de passion violente qui fait en quelque manière sortir l'individu de lui-même : *un transport de colère, de passion*.

III. **Mots de la même famille.** — V. PORT.

IV. **Principaux termes relatifs aux transports.**

A **Voies de communication et Transports.**

1° A LA CAMPAGNE : voie, route, chemin; route nationale, départementale, chemin de grande communication, chemin vicinal, rural, chemin de traverse, chemin de halage, chemin de ronde, voie privée, voie charretière, allée, contre-allée; promenade; carrefour, croisement, patte d'oie, bifurcation; route de grande circulation, auto-route ou autostrade; sentier, sente, laie, venelle, piste, raidillon, chemin de douanier, borne frontière, départementale, kilométrique, hectométrique; passage à niveau, en dessus, en dessous; pont, pont-route, pont-canal, aqueduc, viaduc, tunnel; ponceau, passerelle, pont de bateaux, pont-levis, butée, culée, pile, avant-bec, arche, tablier, parapet, pont tournant, pont suspendu, pont à péage; ruisseau, fossé, caniveau, cassis, dos d'âne, accotement, voie, chemin, chaussée, route pavée, empierrée, macadamisée, goudronnée, bitumée, cimentée, ornière, nid de poule; pente, levée, montée, descente, palier, côte, rampe, circuit, virage, tournant dangereux, route en lacets, route en épingle à cheveux, sinuosité, détour, route carrossable, praticable, en courbe, droite, accidentée, route en corniche, trottoir cyclable, chemin battu, frayé, dérobé, étroit. Circulation, voierie, viabilité, vicinalité, service routier, service et ingénieur des ponts et chaussées, sous-ingénieur, agent voyer, ingénieur du service vicinal, chef cantonnier, cantonnier, ébouage, balayage, réempierrement, rouleau compresseur; arrosage, ligne d'arbres, abri de cantonnier; signalisation routière, priorité, sens interdit, code de la route, pour voitures, cyclistes, piétons, bestiaux; plaque indicatrice, plan, carte routière, éclairage axial, etc.

2° A LA VILLE, V. tabl. VILLE ET VILLAGE.

3° TRANSPORT PAR VOIE FERRÉE : chemin de fer, voie ferrée, ligne de chemin de fer, compagnie, réseau, région de la S. N. C. F., exploitation ferroviaire, service de la voie, voie montante, descendante, à contre voie, voie en impasse, butoir, bifurcation, croisement, embranchement, saut de mouton, cisaillement, bretelle, aiguille, poste d'aiguillage, cabine d'aiguillage, rail, traverse, éclisse, tire-fond; rail conducteur d'électricité, ballast, caténaire, portique, tranchée, remblai, déblai, palier, pente, pont, viaduc, tunnel, passerelle; voie de garage, voie de formation des trains, voie principale, voie unique, fossé à piquer, quai, butoir, quai d'embarquement, de débarquement, en bout, passage à niveau, garde-barrière, arrêt, halte, station, gare, terminus; signalisation, sémaphore, poste sémaphorique, block système, bloc automatique, signal carré, disque, signal d'arrêt absolu, de ralentissement, de voie libre, panneau de signalisation. Couleurs conventionnelles : rouge, arrêt absolu; jaune, ralentissement; vert, voie libre; violet, arrêt de la voie de manœuvre; sonnerie, poteau télégraphique, lignes télégraphiques et téléphoniques, lanterne et signaux de manœuvre, pétard, crocodile sur la voie, etc. Réservoir, prise d'eau. Gare de transit, gare de triage, dépôt de machines, rotonde, plaque tournante, pont tournant, parc à charbon. Gare de voyageurs, de marchandises, salle d'attente, consigne, guichet, bascule d'enregistrement des bagages; expédition de colis, grande, petite vitesse, expéditions postales, colis postaux, cheminot, homme d'équipe, aiguilleur, lampiste, employé, serre-frein, distributeur de billets, sous-chef, chef de gare, régulateur, inspecteur principal, ingénieur, ingénieur en chef de la voie, de la traction, de l'exploitation, des services électriques, conducteur, chef de train, contrôleur, chauffeur, mécanicien, chef de dépôt; directeur, administrateur de la compagnie, de la région. Conseil d'administration de la société nationale des chemins de fer (S. N. C. F.). Billet, ticket, abonnement, carte de semaine, billet d'aller et retour, bulletin de bagage, itinéraire, indicateur de trains, horaire, tableau de marche, avance, retard des trains. Entrée, sortie des voyageurs. Matériel. V. ci-après pl. CHEMIN DE FER.

4° TRANSPORTS PAR EAU (V. tabl. EAU ET MER — MARINE) : cours d'eau, courant, fleuve, rivière navigable, canal latéral, de jonction, canal maritime, rivière canalisée, bief, barrage, bassin d'alimentation, lit, crue, étiage, maigres, basses-eaux, gare d'eau, berge, rive, talus, écluse, éclusier, chambre d'écluse, plafond, sas, radier, porte, vantail, vanne; amont, aval. Éclusage, trématage, quai, quai droit, flottage. — TRANSPORT PAR MER : passage, traversée, voyage au long cours, périple, croisière, embarquement, passeport, connaissement, faire relâche, relâcher, accostage, escale, descente à terre, débarquement, visite sanitaire, lazaret, quarantaine, douane, compagnie de navigation, gare maritime, train paquebot, quai d'embarquement, quai d'escale, transbordeur, transbordement, passerelle, coupée, monter à bord, appareiller, lever l'ancre, larguer les amarres, saluer la terre, pilote, rade, port d'attache, passager, rôle des passagers, émigrant, voyageur, de première, de seconde, de troisième classes, passager d'entrepont; déchargement, grue, engin de levage, docker; port, estacade, jetée, bassin de radoub, bassin, darse, phare, bouée, etc. V. pl. PORT et plus loin : MOYENS DE TRANSPORT.

5° TRANSPORT PAR AIR : air, courant aérien, aéronautique, aviation, trou d'air, vent dominant, aérodrome, aéroport, aérogare, champ d'aviation, terrain d'atterrissage, piste d'envol, piste cimentée, pelouse, pylône, signaux d'atterrissage, phare hertzien, hangar d'avion, hangar pour dirigeable, aviation postale, ligne aérienne, pilote de ligne, aviation commerciale, bulletin météorologique, ballon-sonde, T. S. F. aérienne. (V. tabl. AVIATION.)

B Moyens de transport.

a) VÉHICULES ET EMBALLAGE : transporter, transporteur, véhicule, porter, reporter, emporter, transférer, transmettre, circuler, importer, exporter, transiter, charger, décharger, colporter, véhiculer, translation, panier, manne, corbeille, cageot, sac, paquet, colis, havresac, besace, sacoche, valise, malle, mallette, cartable, serviette, balle, sachet, seau, broc, etc. Civière brancard, chaise à porteur, litière, vinaigrette, palanquin, filanzane, traîneau, pousse-pousse, chaise roulante; brouette, voiture à bras, poussette, crochet, diable, chariot à bagages; portefaix, colporteur, facteur de gare, débardeur, docker, déménageur, manutentionnaire, porte-balle.

b) VÉHICULES À TRACTION ANIMALE : attelage à cheval, âne, mulet, bœuf d'attelage, joug, timon, palonnier, harnais, guides, bricole, œillère, mors, frein, brancard, fouet, cheval de selle; voiture, caisse, châssis, roue, rayon, moyeu, ridelle, bandage, cercle, axe, essieu, limon, caisse, cheville ouvrière, capote, toit, portière, fenêtre, glace, siège, clayon, coffre, coupé, impériale, plate-forme, rotonde, char, chariot, charrette, fardier, camion, camionnette, tombereau, fourgon, voiture de livraison, cabriolet, cab, landau, carrosse, voiture de gala, voiture de noces, voiture de maître, victoria, coupé, fiacre, voiture de place, voiture de deuil, corbillard, affût, truck, char à bancs, coche, chaise de poste, diligence, calèche, coupé de ville, équipage, breack, mail-coach, omnibus, berline, voiture de louage, voiture de course, banc, limousine, phaéton, tapissière, drag, tilbury, tonneau, banquette, place, etc. (V. pl. CHEVAL ET VOITURE.)

c) VÉHICULES AUTOMOBILES : automobile, auto, autobus, car, autocar, torpédo, limousine, landau, cabriolet, coach, coupé, landaulet, conduite intérieure, carénage aérodynamique, moteur à essence, à gaz de ville, à gazogène, traction électrique, trolleybus, autochenille, chenillette, tank, char d'assaut, auto-mitrailleuse, jeep, etc. (V. tabl. GUERRE.) Carrosserie, tôle, capot, glace de sécurité, strapontin, coffre, valise, tableau de bord, garde-boue, pareboue, pneu, chambre à air, gonfleur, boulon, vérin, roue de rechange, châssis, moteur, radiateur, carburateur, bougie, cylindre, tuyau d'échappement, accumulateur, magnéto, starter, réservoir, axe, embrayage, boîte de vitesse, changement de vitesse, pédale, frein, volant, volant de manœuvre, arbre de transmission, levier, frein arrière, frein à main, au pied; allumage électrique, batterie, carte rose, grise, permis de conduire; garage, assurance, contravention, etc. (V. pl. AUTOMOBILES.)

d) Chemin de fer : locomotive à vapeur, machine, locomotive électrique, à moteur diesel, automotrice, locotracteur; foyer, grille, cheminée et tubes d'échappement, chaudière, tube d'eau, tube à feu, surchauffeur, tuyau conducteur, dôme, sablière, appareil moteur, piston, tiroir, soupape, cylindre à haute, à basse pression, système compound, soupape d'alimentation, tige de piston, bielle d'accouplement, manivelle, essieu, roue motrice, roue porteuse, bissel, boggie, soupape de sûreté, clé de vapeur, frein à vapeur, à vide, pompe, sifflet, tampon, carénage aérodynamique, écran, pare-fumée, enregistreur de vitesse, manomètre, thermomètre, prise d'eau, d'huile, combustible, charbon, etc. (V. pl. LOCOMOTIVE), wagon fourgon, voiture à voyageurs de 1ère, 2e, 3e classe, wagon-salon, restaurant, lit, pullmann, wagon-poste, ambulant, wagon de marchandises, wagon-tombereau, truck, plate-forme, wagon-citerne, wagon frigorifique ou réfrigérant, container, tampon, chaîne d'attelage, tuyau de vapeur, de frein, lavabo, intercommunication, soufflet, sonnette d'alarme, chauffage des trains; feux avant, arrière, train de marchandises, train de lait, de ballast, de charbon, de minerai, de messageries, de marée, train militaire, train sanitaire, train poste, train mixte, train de voyageurs, omnibus, semi-direct, direct, express, rapide, rapide de luxe, train transatlantique, train spécial, train normal, train de plaisir, train dédoublé, machine haut-le-pied, machine de manœuvre, machine de marchandises, de train de banlieue, de grande vitesse, type Atlantic, Pacific, Hudson, Mountain, Mikado, Décapod, etc., autorail, micheline, chemin de fer à crémaillère, funiculaire, chemin de fer à voie étroite, decauville, lorry. Marcher à 30, 80, 120 km/h., arrêt. Wagonnets sur rail de carrière, de mine, etc. Tramway à chevaux, à moteur mécanique, à vapeur, tramway électrique, trolley aérien, souterrain, trolleybus. Chemin de fer métropolitain, métro. Accident ou catastrophe de chemin de fer, déraillement, tamponnement, collision, télescopage, train de secours, relevage des véhicules déraillés, renversés, transbordement, voie de dérivation; réparation judiciaire, responsabilité, pension.

e) Navire : bateau de rivière, barque, chaloupe, canoë, canot, bac, péniche, chaland, remorqueur, coche d'eau, bateau-mouche, yacht, canot automobile, toueur, péniche à moteur, bateau-citerne, train de bateaux, drague. Navire de mer, bâtiment, embarcation, bateau à voile, à vapeur, à moteur, paquebot, paquebot-poste, liner, transatlantique, paquebot mixte, long-courrier, steamer, cargo, pétrolier, bananier, charbonnier; escadre, flotte, flottille, goélette, frégate, chaloupe, vedette, canot de sauvetage, porte-manteaux, radeaux, coque, carène, pont, agrès, voilure, mât, mât de charge, cheminée, machine, moteur, chaudière, arbre de couche, dynamo, hélice, etc. Tonnage, jauge, cale, étrave, étambot, chambre des cartes, passerelle, coursive, salon, carré des officiers, salle à manger, grand salon, fumoir, bar, salle de lecture, de correspondance, chapelle, salle de gymnastique, salle de jeux, cabine de pont, d'entrepont, appartement du commandant, commandant, second, commissaire du bord, officier, officier-mécanicien, timonier, matelot, mousse, maître d'hôtel, cuisinier, steward, femme de charge, garçon, navigateur, équipage, spardeck, pont-promenade. Armateur, armement, fret, affréter, gréer, gréement, cargaison. Prendre la mer, naviguer, filer 20, 30 nœuds, loch, T. S. F., sonde, ultra-sons, etc. Naufrage, abordage, S. O. S., sauvetage, bouée, ceinture de sauvetage, canot de sauvetage, mal de mer, nausée, etc. (V. tabl. MARINE. V. pl. NAVIGATION ET PORT.)

f) Transport par air : Aérostat, aéronef, aéronaute, montgolfière, ballon sphérique, ballon libre, ballon stratosphérique, ballon observatoire, dracken, saucisse, dirigeable souple, rigide, nacelle, moteur, filet, enveloppe, gaz d'éclairage, hydrogène, hélium, gonflement, manche de gonflement, soupape, corde de déchirure, sable, lest, ancre, guide-rope, jeter du lest, parachute, parachutiste, fuselage, gouvernail de hauteur, de profondeur, de direction, hélice (V. pl. AÉRONAUTIQUE). Avion, aéroplane, fuselage, aile, carlingue, moteur, plan, queue, gouvernail, stabilisateur, manche à balai, train d'atterrissage, pale d'hélice, réservoir à essence, monoplan, biplan, autogyre, hélicoptère, hydravion, flotteur, aviateur, pilote, navigateur, passager; avion de transport, de commerce, avion postal, avion de guerre, planeur, monoplace, biplace, polyplace, bimoteur, quadrimoteur (V. GUERRE) (V. pl. AVIONS). Rouler sur le sol, décoller, en plein vol, planer, altitude, altimètre, barographe, plafond, descendre en vol plané, glissé, en piqué, avoir des ratés, perte de vitesse, décollement de l'aile, piquer du nez, chute, casser du bois, feuille morte, looping, ressource, acrobaties aériennes; atterrir, amérir, etc.

transportation [*sion*], n. f. Action de transporter d'un lieu dans un autre. ‖ Action de transporter un condamné hors de la métropole pour y subir sa peine.

transporté, ée, adj. Qui est l'objet d'un transport. ‖ Fig. Enthousiasmé, ravi, excité. *Transporté de joie, de fureur.* = N. m. Condamné à la transportation.

transporter, v. tr. (lat. *transportare*, m.s.). Porter d'un lieu dans un autre. *Transporter des marchandises.* ‖ Fig. Établir ailleurs. — Mettre hors de soi-même. *La colère transporte cet homme.* [Comm. et Ind.] Faire passer par virement d'un compte à un autre. [Droit] *Transporter un droit à quelqu'un*, céder à quelqu'un le droit qu'on a sur une chose. ‖ Faire subir la peine de la transportation. = SE TRANSPORTER, v. pr. Être transporté d'un lieu dans un autre. ‖ Se rendre en un lieu, et particulièrement, se rendre par autorité de justice. *Le juge d'instruction se transporta sur les lieux.* ‖ Fig. Au sens moral. *Se transporter par la pensée dans la Rome des Césars.*
SYN. — V. PORTER.

transporteur, n. Celui qui transporte qui dirige une entreprise de transports. ‖ Engin, dispositif pour le transport, la manutention de matériaux, de marchandises.

*****transposable**, adj. Que l'on peut transposer. [Mus.] Que l'on peut mettre d'une tonalité dans une autre.

transposer [*po-zé*], v. tr. Mettre une chose à une autre place que celle où elle était. *Transposer des mots.* ‖ Exécuter, transcrire un morceau de musique dans un autre ton que celui dans lequel il est noté.

transpositeur, trice [*zi*], adj. et n. Qui transpose la musique. *Piano transpositeur.*

*****transpositif, ive** [*zi*], adj. Qui admet les transpositions. — *Langues transpositives*, celles où l'ordre des mots n'est pas fixé par des règles, leurs rapports étant suffisamment indiqués par leur terminaison.

transposition [*zi-sion*], n. f. Action de transposer. Résultat de cette action. ‖

Renversement de l'ordre logique des mots. [Alg.] Action de faire passer un terme d'un membre d'une équation à un autre. [Mus.] Changement de ton d'un morceau sans que la mélodie en soit affectée.

transrhénan, ane, adj. Qui est au delà du Rhin. *Pays transrhénan.*
Ctr. — *Cisrhénan.*

* **transsaharien, ienne,** adj. Qui traverse le Sahara. ‖ Relatif à la traversée du Sahara. *Chemin de fer transsaharien.* = N. n. *Le transsaharien.*

* **transsibérien, ienne,** adj. Qui est situé au delà de la Sibérie. ‖ Qui traverse la Sibérie. = N. m. Voie ferrée qui traverse la Sibérie.

transsubstantiation [*sub-stan-si-a-sion*], n. f. [Théol.] Changement d'une substance en une autre; ne se dit que de l'Eucharistie. V. tabl. religions (*Idées suggérées par le mot*).

transsubstantier [*trans-subs-tan-si-é*], v. tr. Changer une substance en une autre, en parlant de l'Eucharistie. = Conjug. V. grammaire.

transsudation [*trans-su-da-sion*], n. f. Action de transsuder.

transsuder, v. intr. (lat. *trans,* à travers; *sudare,* suer). Se dit d'un fluide qui passe à travers un corps pour se rassembler en gouttelettes à sa surface.

* **transvaluation** [*sion*], n. f. [Philos.] Renversement des valeurs. (Rare).

transvasement [*ze-man*], n. m. Action de transvaser. Son résultat.

transvaser [*va-zé*], v. tr. Faire passer le contenu d'un vase, d'un récipient dans un autre.
Incorr. — Ne dites pas *transvider du vin d'un fût dans un autre.* Le verbe *transvider* est à éviter.

* **transversaire,** adj. [Anat.] Qui concerne les apophyses transverses des vertèbres.

transversal, ale, adj. Qui coupe en travers. *Ligne transversale.* ‖ Oblique. *Muscle transversal.*

transversalement, adv. D'une manière transversale.

transverse, adj. Oblique, en travers. [Anat.] Oblique à l'axe du corps. — *Apophyses transverses,* apophyses qui s'implantent de côté sur les vertèbres cervicales, dorsales et lombaires et se dirigent en dehors. — *Muscle transverse* ou, n. m., *le transverse,* muscle de l'abdomen.
Par. — *Traverse,* pièce d'assemblage; chemin qui raccourcit.

* **transvider,** v. tr. Syn. de tranvaser. (Néol. à proscrire).

* **transylvain, aine** ou * **transylvanien, ienne,** adj. et n. De la Transylvanie.

tran tran, n. m. (du vx verbe *trantraner,* aller çà et là). V. train train.

trapèze, n. m. (gr. *trapéza,* table à quatre pieds). [Géom.] Quadrilatère plan dont deux côtés opposés sont parallèles et inégaux. V. pl. lignes et surfaces. [Anat.] Se dit d'un os et d'un muscle qui ont à peu près la forme d'un trapèze. V. pl. homme (*muscles*). [Gymn.] Appareil mobile qui se compose d'une barre de bois horizontales, suspendue à ses extrémités par deux cordes fixées à leur partie supérieure. V. pl. gymnase.

* **trapéziste,** n. Acrobate spécialisé dans les exercices de trapèze.

* **trapézoèdre,** n. m. Solide compris sous 24 faces, qui sont des quadrilatères.

* **trapézoïdal, ale** [*zo-i-dal*], adj. Qui ressemble à un trapèze.

trapézoïde [*zo-i-de*], n. m. et adj. Qui a la forme d'un trapèze.

* **trapillon** ou * **trappillon,** n. m. Dispositif qui maintient une trappe ouverte ou fermée. [Théâtre] Ouverture dans le plancher de la scène pour le passage des fermes.

1. **trappe,** n. f. (bas lat. *trappa*). Espèce de porte posée horizontalement sur une ouverture à rez-de-chaussée, ou au niveau d'un plancher, qui permet de faire apparaître ou disparaître un acteur. *Lever, ouvrir une trappe.* ‖ Porte ou fenêtre verticale à coulisse. ‖ L'ouverture que ferme cette porte. ‖ Ouverture munie d'un abattant, ménagée dans un plancher pour donner accès à une cave, au plafond pour introduire au grenier. ‖ Sorte de piège, trou creusé en terre et dissimulé par des branchages, pour prendre des animaux. ‖ Fig. *Piège tendu. Tomber dans la trappe.*
Orth. — *Trappe, trappeur, trappiste* s'écrivent avec *deux p.* Au contraire, et bien qu'étant de la même famille, *attrape, attraper, chausse-trape* ne prennent qu'*un p.*
Hom. — *Trappe,* n. f., espèce de porte horizontale, tablier, piège; — *trappe,* n. f., couvent de l'ordre des Trappistes; — *trappe, es, ent,* du v. trapper, chasser à la manière des trappeurs.

> Vocab. — *Famille de mots.* — *Trappe :* trappon, trappeur; attrape, attraper, attrapoire, attrapeur; chausse-trape; tremplin; trépigner, trépignement; attrape-nigaud, attrape-mouches.

2. * **trappe,** n. f. (de *La Trappe,* non de lieu). Abbaye de l'ordre des *Trappistes.* — Par ext. Lieu de calme et de silence.

* **trapper,** v. intr. Poser des trappes.

trappeur, n. m. Dans l'Amérique du Nord, chasseur de profession, chasseur de bêtes à fourrures.

* **trappillon,** n. m. V. trapillon.

trappiste, n. m. Religieux de l'ordre contemplatif de la Trappe, à la règle très austère.

trappistine, n. f. Religieuse de l'ordre de la Trappe. ‖ Liqueur fabriquée par les trappistes.

* **trappon,** n. m. Trappe de niveau avec le sol, fermant une cave.

trapu, ue, adj. Gros et court.
Ctr. — *Élancé, svelte.*

traque, n. f. Action de traquer.
Hom. — V. trac.

traquenard [*tra-ke-nar*], n. m. Piège en forme de trébuchet pour prendre certains animaux. ‖ Fig. *Tomber dans un traquenard,* dans un piège. ‖ Allure défectueuse du cheval, sorte de trot décousu.
Syn. — V. amorce.

traquer, v. tr. (de *trac* 2). [Chasse] Faire une enceinte dans un bois, de manière qu'en la resserrant toujours, on oblige les bêtes que l'on chasse à entrer dans les toiles ou à passer sous le coup des chasseurs. ‖ Par ext. Resserrer quelqu'un dans un espace de plus en plus restreint, pour le prendre. *Il est traqué par les gendarmes.* ‖ Serrer de près, poursuivre. *Traquer l'ennemi.*
Par. — *Traquet,* piège; claquet d'un moulin; oiseau.

traquet [ké], n. m. Piège qu'on tend aux bêtes puantes. ‖ *Traquet de moulin*, morceau de bois qui passe au travers de la trémie et dont le mouvement fait tomber le blé sous la meule. ‖ Genre de petits oiseaux passereaux de nos régions, de la famille des grives.
Hom. — *Traquais, ait, aient, ai*, du v. traquer.
Par. — *Traquer*, resserrer vers un piège.
traqueur [tra-keur], n. m. Celui qu'on emploie pour traquer le gibier.
*****traulet**, n. m. Pointe d'acier servant à piquer un dessin.
Hom. — *Trolley*, n. m., appareil amenant le courant d'un fil aérien à un tramway.
traumatique, adj. (gr. *trauma*, blessure). Qui a rapport aux plaies et aux blessures, ou qui est causé par elles.
traumatisme, n. m. État général mauvais qui résulte d'une blessure.
Syn. — V. blessure.
1. travail [va-ill mll.], n. m. (bas lat. *tripalium*, de *tres*, trois, et *palus*, pieu, instrument à 3 pieux). [Écon. rurale] Appareil de contention à quatre piliers en bois entre lesquels on maintient les chevaux ou les bœufs pour les ferrer ou les opérer. = Pl. *Des travails*.
2. travail [va-ill mll.], n. m. (du v. *travailler*, dérivé lui-même de *travail* 1). Effort que l'on fait, peine que l'on prend pour faire une chose. *Se mettre au travail*. — *Ces vers sentent trop le travail*, ils sentent trop l'effort. — *Maison de travail*, maison de détention où l'on fait travailler les détenus. — *Le monde du travail*, les ouvriers. — *L'organisation du travail; le ministère du Travail*. V. tabl. industrie et société. ‖ Manière dont on travaille habituellement. *Il a le travail facile* V. tabl. sciences (*idées suggérées par le mot*). ‖ Occupation rétribuée à laquelle on se livre pour gagner sa vie. *Chercher du travail*. ‖ Ouvrage qui est à faire, ou que l'on fait actuellement. *Distribuer le travail aux ouvriers*. ‖ L'ouvrage même et la manière dont il est fait. *Ce bijou est d'un beau travail*. ‖ Transformation industrielle d'une matière pour la rendre apte à un usage donné. *Le travail du fer*. ‖ Ouvrage écrit sur une question après étude préalable. *Il est l'auteur de nombreux travaux historiques*. ‖ Examens, discussions, délibérations d'une assemblée. *L'Académie suspendit ses travaux*. ‖ Transformations qui, sous l'action de certains agents, se produisent au sein d'une matière et en modifient l'apparence, la nature, etc. *Le travail du vin dans les cuves, du bois sous l'action de l'humidité*.
Au pluriel. Ouvrages faits pour la fortification d'une place; ouvrages d'utilité publique entrepris aux frais et sous la direction de l'État, des départements, etc., pour la construction des routes, ponts, chemins de fer, etc., ou pour l'embellissement ou l'assainissement des villes. *Le ministère, le budget des Travaux publics*. ‖ *Travaux d'art*, constructions exigeant des connaissances techniques étendues (ponts, viaducs, etc.). ‖ Entreprise remarquable. *Les travaux d'Hercule*. ‖ *Travaux forcés*, peine afflictive et infamante. *Travaux forcés à temps, à perpétuité*. [Méd.] Douleurs de l'enfantement et succession des phénomènes de l'accouchement. [Phys.] *Travail d'une force*, produit de cette force par la projection du déplacment sur elle = Pl. *Des travaux*.
— *Tirer de son travail un tribut légitime.* (Boileau.)
— *Le travail est souvent le père du plaisir.*
Je plains l'homme accablé du poids de son loisir. (Voltaire.)
— *Le fruit du travail est le plus doux des plaisirs.* (Vauvenargues.)
Syn. — V. besogne, labeur, ouvrage.
Ant. — *Paresse, oisiveté, repos, loisir*.
Hom. — *Travaille, es, ent*, du v. travailler.

> Vocab. — *Famille de mots.* — Travail : travailler, travailleur; travaillant, travaillé, travailliste.

*****travaillant, ante**, adj. Se dit des parties d'une machine qui exécutent le travail effectif.
travaillé, ée [ill mll.], adj. Qui est le résultat d'un travail, de beaucoup de travail. ‖ Raffiné, fait avec grand soin. *Style travaillé*. ‖ Tourmenté, obsédé. *Travaillé par la fièvre*.
travailler, v. intr. Faire un ouvrage, faire de l'ouvrage; se donner de la peine pour faire, pour exécuter quelque chose. *Travailler à la terre, à un bâtiment, à un tableau*, etc. ‖ Avoir de l'occupation, de l'ouvrage. *Ce cordonnier travaille beaucoup.* ‖ Faire des efforts pour arriver à un résultats, s'entremettre. *Travailler à sa fortune.* — *Travailler pour quelqu'un, contre quelqu'un, ou quelque chose*, s'efforcer de le faire réussir, ou de le faire échouer. ‖ Fig. En parlant des choses. Être soumis à une force intérieure ou extérieure. *Ce bois travaille. Le vin travaille*, il fermente. ‖ Fig. *Faire travailler son argent*, le placer de manière qu'il produise un revenu. ‖ Fig. *Son esprit, sa tête travaille*, se dit de quelqu'un qui est fort préoccupé par quelque projet. ‖ Fig. et pop. *Travailler du chapeau*, avoir des idées extravagantes. = V. tr. Façonner. *Travailler le marbre. Travailler son champ.* ‖ Exécuter avec soin, soigner. *Il faudrait travailler un peu plus votre style.* ‖ Agiter, exciter à la révolte. ‖ Fig. Tourmenter, causer de la peine. *L'inquiétude, la maladie le travaille.* = Se travailler, v. pr. Être travaillé. *Le bois se travaille plus facilement que le fer.* ‖ Se tourmenter, s'inquiéter. *Se travailler à dire de bons mots.*
— *Travaillez, prenez de la peine,*
C'est le fonds qui manque le moins.
(La Fontaine.)
travailleur, euse [va-ill mll.], n. Celui, celle qui travaille. *C'est une travailleuse infatigable.* ‖ Spécialement, celui qui travaille de ses mains, par oppos. à intellectuel, à rentier, etc. = Travailleuse, n. f. Sorte de sac d'étoffe tendu sur un bâti de bois, dans lequel les femmes mettent leur ouvrage, le linge à raccommoder, leurs objets de couture, etc.
Ant. — *Paresseux, fainéant*. — *Intellectuel, rentier, capitaliste, retraité*.
*****travailliste** [ill mll.], n. m. En Angleterre, membre du Labour-party (section anglaise de l'Internationale ouvrière). = Adj. *Politique travailliste.*

* **traveau**, n. m. ou * **travette**, n. f. Soliveau.
HOM. — *Travaux*, pl. de travail.

travée, n. f. (lat. *trabs*, poutre). Espace compris entre deux poutres, deux piliers, etc., et qui est rempli par des solives. ‖ Galerie supérieure au-dessus des arcades de la nef d'une église. V. pl. ÉGLISE. ‖ *Travée d'un pont*, espace compris entre deux piles. ‖ Partie comprise entre deux supports, deux points d'appui.

travers [vèr], n. m. (lat. pop. *traversum*, placé en travers). Étendue d'un corps considéré dans sa largeur ou son épaisseur. *Il s'en faut de deux travers de doigt que ces planches ne se joignent.* ‖ Biais, irrégularité d'un lieu, d'un jardin, d'un bâtiment. ‖ Fig. Fausse direction, ce qui est à contresens. — Bizarrerie, caprice, irrégularité d'esprit et d'humeur. *Les travers de l'esprit. Les travers d'une époque.* V. tabl. CARACTÈRE (*Idées suggérées par le mot.*) [Mar.] Le flanc, le côté d'un bâtiment. *Notre navire présentait le travers à l'ennemi.*
À TRAVERS, AU TRAVERS DE, loc. prép. Au milieu, par le milieu. *Aller à travers champs.* — Fig. *Je vois clair au travers de toutes ces finesses.* ‖ Sign. encore de part en part. *Un coup d'épée au travers du corps.* = DE TRAVERS, loc. adv. Obliquement. *Regarder quelqu'un de travers*, avec méfiance, malveillance. ‖ De mauvais sens, à contresens, tout autrement qu'il ne faudrait. *Écrire tout de travers.* — *Cet homme a l'esprit de travers*, il a l'esprit mal fait, mal tourné, il prend tout à contresens. = EN TRAVERS DE, loc. prép. D'un côté à l'autre, suivant la largeur. *Mettre des barres en travers de la porte.* Ellipt. *Mettez une barre en travers.* ‖ Fig. *Se mettre en travers*, faire tous ses efforts pour empêcher quelque chose de s'accomplir. = À TORT ET À TRAVERS, loc. adv. V. TORT. = PAR LE TRAVERS DE, loc. prép. A la hauteur, vis-à-vis. *La flotte était par le travers de tel cap.*
GRAM. — *A travers* est toujours suivi d'un régime direct, tandis qu'*au travers* l'est toujours d'un régime indirect construit avec la prép. *de*. *On va à travers champs ;* on navigue *au travers des écueils.* Ces deux locutions s'appliquent dans des sens très différents. *A travers* désigne l'action de passer par un milieu vide et libre, d'aller par delà ou d'un bout à l'autre. *Au travers* exprime l'action de pénétrer dans un milieu en traversant des obstacles, de le percer de part en part. Un fil passe *à travers* l'aiguille qui est percée ; l'aiguille passe *au travers* de la peau qu'elle perce.
SYN. — V. DÉFAUT.

traverse, n. f. (lat. pop. *traversa*, placée en travers). Pièce de bois ou de fer qu'on met en travers dans certains ouvrages, pour assembler ou affermir certaines pièces. *Les traverses d'une porte, d'une fenêtre, d'un métier.* V. pl. TISSERAND ; *d'un moteur*, v. pl. MOTEUR. [Ch. de fer] Pièce de bois placée en travers de la voie pour supporter les rails. V. pl. CHEMIN DE FER. ‖ Route qui conduit à un lieu où ne mène pas le grand chemin, ou qui est plus courte. — On dit de même *prendre un chemin de traverse*. [A. Milit.] Masse de terre élevée en travers d'un parapet contre les feux d'enfilade. V. pl. FORTIFICATIONS. ‖ Fig. Voie détournée. *Il dut prendre des traverses pour parvenir à ses fins.* ‖ Fig. Obstacle, empêchement, opposition, revers, affliction. *Essuyer de grandes traverses.* = À LA TRAVERSE, loc. adv. Se dit de ce qui survient inopinément et apporte quelque obstacle. *Se mettre à la traverse.*
INCORR. — Dites bien : *prendre un chemin de traverse*, et non : *un chemin de travers*.
SYN. — V. DIFFICULTÉ.

traversée, n. f. [Mar. et. Aviat.] Trajet qui se fait par mer ou par la voie des airs, d'un pays à un autre. *La traversée de l'Atlantique.* ‖ Par ext. Action de parcourir d'une extrémité à l'autre. *La traversée de la France en automobile.* [Ch. de fer] Croisement de deux voies.

* **traversement**, n. m. Action de traverser.

traverser, v. tr. (lat. pop. *traversare*, m. s.). Passer à travers, d'un côté à l'autre. *Traverser une plaine, une rivière.* ‖ Fig. *Traverser de grands ennuis.* ‖ Se dit aussi des choses. *La Seine traverse Paris.* — *Traverser l'esprit*, une idée qui se présente un seul instant à l'esprit. ‖ Percer de part en part. *La pluie a traversé son manteau.* ‖ Fig. Susciter des obstacles. *Traverser quelqu'un dans ses desseins.*
TRAVERSER, v. intr. Être posé en travers. *Cette poutre traverse d'un mur à l'autre.* = SE TRAVERSER, v. pr. Être traversé. *Cette rivière peut se traverser à la nage.*
INCORR. — On ne doit pas dire : *nous avons traversé le pont*, mais nous avons passé *le pont ;* ou *traversé la rivière sur le pont*.
CTR. — *Séjourner*.

traversier, ière, adj. Qui est dirigé de travers, qui traverse ou sert à traverser. *Rue traversière.* ‖ *Flûte traversière*, qu'on applique presque horizontalement sur les lèvres. [Mar.] *Vent traversier*, qui souffle dans la direction d'un port et empêche d'en sortir.

traversin, n. m. Oreiller long et cylindrique qui occupe toute la largeur du lit. ‖ Pièces de bois posées en travers. ‖ Pièce de bois qui renforce le fond d'un tonneau.

* **traversine**, n. f. Pièce de bois reliant les pilotis ou les éléments d'un train de bois les uns aux autres. ‖ Planche qui sert à passer d'un bateau sur un autre. ‖ Traverse d'une palissade.

travertin, n. m. [Géol.] Tuf calcaire des environs de Tivoli (Italie).

travesti, ie, adj. Qui porte l'habit d'un autre sexe, d'une autre condition. — *Bal travesti*, bal où l'on est déguisé. = Nom. Celui, celle qui est travesti. = N. m. Rôle d'homme joué par une actrice. ‖ Costume de travestissement. *Elle porte fort bien le travesti.*
SYN. — V. DÉGUISEMENT.

travestir, v. tr. (ital. *travestire*, m. s.). Déguiser en faisant prendre l'habit d'un autre sexe ou d'une autre condition. ‖ Fig. *Travestir un auteur, un ouvrage*, faire une traduction libre d'un ouvrage sérieux, pour le rendre comique, burlesque. *Scarron a travesti l'Énéide.* — *Travestir la pensée de quelqu'un*, l'interpréter mal, la rendre d'une manière inexacte. = SE TRAVESTIR, v. pr. se déguiser, prendre l'habit d'un autre sexe, d'une autre condition. ‖ Fig. Déguiser son caractère.

travestissement, n. m. Action de travestir ou de se travestir; déguisement. ‖ Fig. *Le travestissement de la vérité.*
* **travestisseur, euse,** n. Celui, celle qui travestit les œuvres littéraires.
* **travon,** n. m. [Charp.] Pièce de charpente appelée aussi *sommier*.
* **travoul** ou * **travouil** [*il* mll.], n. m. Dévidoir pour mettre du fil en écheveaux. [Pêche] Petit cadre de bois où l'on enroule le fil d'une ligne.
* **trayeur, euse,** n. Celui, celle qui trait les vaches.
trayon [*trè-ion*], n. m. Bout du pis d'une vache, d'une chèvre, par où s'échappe le lait.
Hom. — *Trayons* (nous), du v. traire.
trébuchant, ante, adj. Qui trébuche. ‖ Qui est de poids, en parlant de monnaies d'or et d'argent.
trébuchement, n. m. Action de trébucher.
trébucher, v. intr. (orig. germ.). Faire un faux pas et perdre l'équilibre. *Une pierre le fit trébucher.* ‖ Fig. Avoir des défaillances. — Fig. *Trébucher dans une affaire,* faire un faux pas dans une affaire. ‖ En parlant d'une balance, pencher d'un côté. — *Une pièce qui trébuche,* qui fait pencher la balance. = V. tr. Faire passer par le trébuchet une pièce de monnaie.
Syn. — V. broncher et chanceler.
Par. — *Trébuchet,* sorte de piège.
trébuchet [*ché*], n. m. Piège en forme de cage dont le haut bascule, qui sert à attraper les oiseaux. ‖ Fig. Piège, traquenard. ‖ Petite balance pour peser les corps légers, les monnaies. ‖ Au Moyen Age, sorte de catapulte à contre poids.
Hom. — *Trébuchais, ait, aient, ai,* du v. trébucher, faire un faux pas.
* **trécentiste,** n. m. Écrivain, artiste du XIVe s. en Italie.
tréfilage, n. m. Action de tréfiler; son résultat.
tréfiler, v. tr. Faire passer une tige métallique par la filière pour la réduire en fil.
tréfilerie, n. f. Art de réduire les métaux en fils plus ou moins déliés. ‖ Atelier, usine où l'on tréfile. ‖ Machine à tréfiler.
tréfileur, n. m. Ouvrier qui tréfile.
trèfle, n. m. (lat. *trifolium,* m. s., de *tres, trois,* et *folium,* feuille). [Bot.] Genre de plantes fourragères de la famille des *légumineuses,* excellente nourriture pour les bestiaux. ‖ *Trèfle à quatre feuilles,* espèce de trèfle plus rare que le trèfle normal à trois feuilles, et qui passe pour porter bonheur. [Archi.] Ornement à trois lobes dont le contour est imité de la feuille de trèfle. [Jeu] Une des quatre couleurs du jeu de cartes dont le signe est en forme de feuille de trèfle. — Carte marquée de cette couleur.
* **tréflé, ée,** adj. En forme de feuille de trèfle. [Blas.] *Croix tréflée,* croix dont les extrémités se terminent par un trèfle. ‖ *Médaille tréflée,* qui présente plusieurs empreintes.
* **tréfler,** v. tr. Engager défectueusement une pièce ou une médaille sous le coin, de sorte qu'elle présente plusieurs empreintes. = Conj. V. grammaire.
* **tréflière,** n. f. Champ ensemencé en trèfle.

* **tréfoncier,** n. m. Propriétaire du fonds et du tréfonds. = Adj. Relatif au tréfonds.
tréfonds [*fon*], n. m. Fonds qui est sous le sol et qu'on possède comme le sol même. ‖ Fam. *Savoir le fonds et le tréfonds d'une affaire,* la posséder entièrement.
* **tréhala,** n. m. [Bot.] Galle creuse produite par la piqûre d'un petit coléoptère sur certaines *composées.*
* **tréhalose,** n. f. [Chim.] Sucre retiré de certains champignons.
treillage [*tré-illa-je,* ill mll.], n. m. Assemblage de lattes, de perches liées entre elles de façon à constituer un réseau. ‖ Fils de fer tendus formant support pour la vigne.
Hom. — *Treillage, es, ent,* du v. treillager.
Par. — *Treillage,* assemblage de lattes formant espaliers, palissades; — *treille,* espèce de berceau fait de ceps de vigne soutenus par un treillage; — *treillis,* sorte de grillage, grosse toile, ouvrage de fer formé de poutres entrecroisées.
treillager [*ill* mll., *jé*], v. tr. Garnir d'un treillage. = Conjug. V. grammaire.
treillageur [*ill* mll., *jeur*], n. m. Ouvrier qui fait des treillages ou des treillis.
treille [*tré-ille,* ill mll.], n. f. Berceau fait de ceps de vigne soutenus par un treillage. ‖ Par ext. Vigne cultivée et espalier. ‖ *Le jus de la treille,* le vin.
Syn. — V. jardin.
Par. — V. treillage.
treillis [*tré-illi,* ill mll.], n. m. Réseau de métal ou de bois qui imite les mailles d'un filet et sert de clôture. ‖ Ouvrage formé de poutrelles d'acier rivées, disposées à angle droit. ‖ Grosse toile de chanvre. ‖ Vêtement de travail, d'exercice fait avec cette étoffe. [Bx Arts] Châssis divisé en plusieurs compartiments pour agrandir ou réduire un tableau que l'on copie.
Par. — V. treillage.
treillisser [*tré-illi-sé,* ill mll.], v. tr. Garnir de treillis.
* **treizaine,** n. f. Groupe de treize unités, de treize objets.
treize [*trè-ze*], adj. numéral. Nombre impair composé de *dix* et de *trois.* ‖ Se dit pour *treizième. Page treize.* = N. m. Le nombre, le chiffre treize (13). ‖ Le treizième jour du mois.
treizième [*trè-ziè-me*], adj. numéral ordinal de *treize.* = N. m. La treizième partie d'un tout. *Deux treizièmes.*
treizièmement, adv. En treizième lieu.
* **tréjetage,** n. m. [Techn.] Dans la fabrication des glaces, transvasement du verre fondu des creusets dans les récipients qui servent à le répandre.
* **tréjeter,** v. tr. Soumettre au tréjetage. = Conjug. V. grammaire.
trélingage, n. m. [Mar.] Gros filin qui relie les bas haubans de tribord à ceux de bâbord.
* **trélinguer,** v. tr. [Mar.] Consolider par un trélingage.
tréma, n. m. Signe d'accentuation consistant en deux points (¨) qu'on place sur une voyelle, ë, ï, ü, pour avertir qu'elle doit se prononcer séparément. Ex. *Noël, naïf.* V. tabl. accent.
Hom. — *Trémat,* n. m. banc de sable aux tournants des cours d'eau.

* **trémail,** n. m. V. TRAMAIL.
* **trémandre,** n. m. [Bot.] Genre de plantes dicotylédones dialypétales, type de la famille dite des *trémandrées*.
* **trémat,** n. m. Banc de sable qui se forme dans les tournants des rivières.
HOM. — *Tréma,* n. m., signe d'accentuation.
* **trématage,** n. m. [Navig.] Droit de priorité à l'écluse pour les bateaux à moteur.
* **trémater,** v. intr. [Navig.] Dépasser un autre bateau. || Doubler les bancs de sable.
* **trématiser,** v. tr. Mettre un tréma sur.
* **trématodes,** n. m. pl. [Zool.] Groupe de vers plathelminthes au corps aplati pourvu de suçoirs (douve du foie).
tremblaie [tran-blè], n. f. Lieu planté de trembles.
HOM. — *Tremblais, ait, aient, ai,* du v. trembler.
tremblant, ante [tran-blan], adj. Qui tremble. *Tremblant de froid.* — *Voix tremblante,* voix mal assurée. || Fig. *Tremblant de colère,* violemment agité par la colère. || Fig. Plein de crainte, de frayeur.
tremble [tran-ble], n. m. [Bot.] Arbre du genre peuplier, famille des *salicinées*, dont les feuilles tremblent au moindre souffle.
HOM. — *Tremble, es, ent,* du v. trembler.
tremblé, ée [tran], adj. Écriture tremblée, tracée par une main tremblante. [Mus.] *Sons tremblés,* sons produits en exécutant un tremblement.
tremblement [tran-ble-man], n. m. Agitation involontaire du corps, d'un membre, par petites oscillations. || Agitation de ce qui tremble. [Géol.] *Tremblement de terre,* ébranlement qu'éprouve la croûte terrestre. V. tabl. UNIVERS (*Idées suggérées par le mot*). || Fig. Grande crainte. || Pop. *Tout le tremblement,* tout ce qui compose un ensemble trop riche.
trembler, v. intr. (lat. pop. *tremulare,* m. s.). Être agité, être mû par de fréquentes secousses. *Trembler de peur.* || Qui n'est pas ferme, qui s'ébranle facilement. *Ce pont tremble. Sa voix tremble,* elle est mal assurée, elle chevrote. || Fig. Craindre, appréhender. *Je tremble pour son bonheur.* — Se construit aussi avec *que* et une prop. complétive. *Je tremble qu'il n'apprenne cette nouvelle.* = V. tr. et pop. *Trembler la fièvre,* éprouver le frisson de la fièvre.
GRAM. — Le verbe *trembler* est suivi du subj., comme le verbe *craindre* quand il est employé affirmativement, et le verbe de la proposition complétive doit être précédé de *ne. Je tremble que mon ami ne meure. Je tremble qu'il ne soit trop tard.* Lorsque *trembler* est employé négativement, le verbe de la proposition complétive n'est pas précédé de *ne*.
SYN. — *Trembler,* être pris d'une agitation nerveuse, particulièrement sous l'influence de la peur : *Trembler de tous ses membres.* — *Frémir,* être saisi de secousses nerveuses sous l'effet de la joie, de la colère, etc. : *Frémir d'horreur.* — *Frissonner,* être pris d'une agitation nerveuse mêlée d'une sensation de froid sous l'influence d'une vive émotion : *C'est une histoire à faire frissonner.* — *Grelotter,* trembler de froid : *On grelotte dans cette pièce sans feu.* — *Tressaillir,* s'agiter vivement et pour peu de temps : *Le bruit le fit tressaillir.*

trembleur, euse [tran], n. Qui tremble. Timide, craintif. [Hist. relig.] Nom donné quelquefois aux *quakers*. [Techn.] Appareil automatique d'ouverture et de fermeture d'un circuit électrique par mouvement oscillatoire. [Ch. de fer] Sonnerie qui sonne tant qu'un signal est fermé.
tremblotant, ante [tran], adj. Qui tremblote, qui vacille.
tremblotement [tran], n. m. Action de trembloter.
trembloter [tran], v. intr. (dimin. de *trembler*). Éprouver un léger tremblement. *Le froid le faisait trembloter.* Fam. || En parlant d'une lumière, vaciller.
* **trémelle,** n. f. [Bot.] Genre de champignons basidiomycètes qui croissent sur le bois mort, type de la famille dite des *trémellacées*.
trémie, n. f. Grande auge en forme de pyramide renversée, où l'on met le grain, et d'où il passe entre les meules du moulin. || Auge d'alimentation, dont le fond est un treillis métallique, des machines à couper, à malaxer à défruiter. *Trémie à charbon.* V. pl. LOCOMOTIVE. || Conduit pyramidal en planches par lequel on fait couler du mortier, du béton. || Ouverture dans un comble pour donner passage au tuyau d'une cheminée; ouverture dans un plancher pour placer le foyer d'une cheminée. [Minér.] *Cristaux en trémie,* groupe de cristaux disposés en pyramide.
PAR. — *Trémue,* entourage de l'écoutille des petits navires.
trémière, adj. f. [Bot.] *Rose trémière,* nom vulg. de l'*althaea rosea* ou passe-rose, famille des *malvacées*.
ORTH. — Dites bien *trémière* et non *trénière*.
trémolo, n. m. [Mus.] Roulement, mouvement rapide et continu sur une même note.
trémoussement [man], n. m. Action de se trémousser.
trémousser (se), v. pr. Se remuer, s'agiter d'un mouvement vif et irrégulier. || Fam. Faire beaucoup de démarches. = V. intr. Ces oiseaux trémoussent de la queue.
trempage [tran-pa-je], n. m. Action de tremper. [Typo.] Action de tremper le papier pour l'impression.
trempe, n. f. (du v. *tremper*). Action de tremper dans un liquide, d'humecter. [Techn.] Opération qui consiste à refroidir brusquement un métal ou du verre en le plongeant dans l'eau froide après l'avoir porté à une température élevée. || Qualité qu'un métal acquiert par cette opération. *La trempe de cet acier est excellente.* || Fig. Constitution du corps de l'homme, qualité de son âme, de son caractère. *Une âme d'une trempe exceptionnelle.* [Techn.] Eau avec laquelle on arrose le grain, dans les brasseries, pour le faire entrer en fermentation. [Argot] Volée de coups.
HOM. — *Trempe, es, ent,* du v. tremper.
trempé, ée, adj. Mouillé. *Il est trempé jusqu'aux os.* || *Vin trempé,* vin mêlé de beaucoup d'eau. || Couvert. *Trempé de sueur.* || Fig. *Caractère bien trempé,* qui a contracté de la fermeté.
* **trempée,** n. f. Façon, apprêt donné à une chose, à une matière en la trempant dans un liquide.

tremper, v. tr. (lat. *temperare*, modérer, doublet de *tempérer*). *Tremper son vin*, y ajouter de l'eau pour diminuer sa force. ‖ Mouiller une chose en la mettant dans un liquide. *Tremper du linge dans de l'eau.* — *Tremper la soupe*, verser le bouillon sur les tranches de pain. [Typo.] *Tremper le papier*, l'humecter pour lui donner de la souplesse, avant de le soumettre à l'impression. ‖ Fig. *Tremper ses mains dans le sang*, commettre un meurtre, l'ordonner. [Techn.] *Tremper du fer, de l'acier*, le plonger tout rouge dans de l'eau ou dans de l'huile pour le refroidir brusquement. ‖ Fig. *Les épreuves ont trempé son caractère*, elles lui ont donné de la fermeté, de l'énergie. ‖ *La pluie a trempé la terre*, il a plu abondamment, et la terre est pénétrée d'eau.

TREMPER, v. intr. Demeurer quelque temps dans un liquide. *Mettez ce linge tremper.* — Fig. *Tremper dans un crime, un complot*, etc., y prendre part, en être complice. = SE TREMPER, v. pr. Être trempé.

tremperie [*tran*], n. f. Endroit d'une imprimerie où l'on trempe le papier.
PAR. — *Tromperie*, action de tromper.

trempette [*tran-pè-te*], n. f. Action de tremper du pain dans du vin, etc. ‖ Fam. Mince tranche de pain que l'on trempe ainsi. ‖ Fam. *Faire trempette*, prendre un bain court et incomplet.

* **trempeur,** n. m. Ouvrier qui trempe l'acier ou le papier.

tremplin [*tran-plin*], n. m. Planche élastique sur laquelle courent les sauteurs pour s'élancer. ‖ Fig. Ce qui aide, pousse dans l'exécution d'un projet, le succès d'une affaire. *Tremplin électoral.*

* **trempoir,** n. m. ou * **trempoire,** n. f. [Techn.] Cuve, bassin où l'on met à tremper une matière d'œuvre (drap, papier, etc.).

* **trémue,** n. f. [Mar.] Entourage en planches de l'écoutille des petits navires. — Gouttière par où l'on fait passer la chaîne sur le pont.
PAR. — *Trémie*, grande auge où l'on met le grain.

* **trémulation** [*sion*], n. f. (lat. *tremulare*, trembler). [Méd.] Tremblement rapide et involontaire d'un membre, par petites oscillations.

* **trémuler,** v. tr. Donner un mouvement de trémulation à.

* **trénail** [*il* mll.], n. m. Cheville qui sert à assujettir les tirefonds dans les traverses des voies ferrées.
PAR. — *Trémail* ou *tramail*, grand filet à trois nappes.

* **trentain,** adj. invar. [Jeu de paume] Terme sign. que les joueurs ont chacun trente points.

trentaine [*tran-tè-ne*], n. f. coll. Nombre de trente ou environ. ‖ Absol. et fam. L'âge de trente ans. *Elle a passé la trentaine.*

trente [*tran-te*], adj. numéral. Nombre pair composé de trois fois dix. *Trente hommes.* ‖ Se dit pour *trentième*. *Page trente.* — N. m. Nombre composé de trente unités. *Le numéro trente* (30). ‖ Le trentième jour du mois. ‖ *Trente et quarante, trente et un*, sortes de jeu de cartes.
‖ Fam. *Se mettre sur son trente-et-un*, faire toilette.

trentenaire [*tran-te-nè-re*], adj. [Jurisp.] De trente ans, par trente ans. *Possession trentenaire.*

trentième, adj. numéral ordinal de trente. = N. m. La trentième partie d'un tout. *Il est intéressé pour un trentième.*

* **trentièmement,** adv. En trentième lieu, à la trentième place.

* **tréou,** n. m. [Mar.] Voile carrée employée par gros temps, en place d'une voile latine.

trépan, n. m. (bas lat. *trepanum*, tarière). [Techn.] Sorte de tarière très forte dont on se sert pour percer la pierre, le marbre, etc. — Vilebrequin de serrurier. [Chir.] Sorte de scie cylindrique actionnée par un vilebrequin, qui sert à percer les os, surtout ceux du crâne. ‖ *Opération du trépan*, la trépanation.

trépanation [*sion*], n. f. [Chir.] Opération qui consiste à pratiquer, avec le trépan, une ouverture sur les os, le plus souvent sur le crâne.

* **trépané, ée,** n. Celui, celle qui a subi une trépanation.

trépaner, v. tr. Faire l'opération du trépan.

trépas [*tré-pa*], n. m. (lat. *trans*, au delà; *passus*, pas, passage). Décès, passage de la vie à la mort. ‖ *Aller, passer de vie à trépas*, mourir (Fam.).
ANT. — *Naissance.*

trépassé, ée, n. Mort. ‖ *Jour, fête des trépassés*, la fête des morts (le 2 novembre).
SYN. — V. DÉFUNT.

* **trépassement,** n. m. Trépas (Vx).

trépasser, v. intr. Mourir, décéder.
SYN. — V. MOURIR.
CTR. — *Ressusciter, naître.*

trépidant, ante, adj. Qui trépide. ‖ Fig. Agité, fiévreux.

trépidation [*sion*,] n. f. Mouvement vibratoire qui a lieu de bas en haut. ‖ Léger mouvement sismique. [Méd.] Tremblement nerveux.

* **trépider,** v. intr. Trembler par petites secousses. ‖ Fig. S'agiter avec impatience.

trépied [*pié*], n. m. (lat. *tripes*, à trois pieds). Tout meuble, siège, ou support à trois pieds. ‖ Ustensile de cuisine à trois pieds servant à supporter sur le feu, une marmite, une bassine, etc.
INCORR. — Ne dites pas *un trois-pieds*, comme le font certaines personnes qui croient ainsi mieux parler.

trépignement [*gn* mll., *man*], n. m. Action de trépigner.

trépigner [*gn* mll.], v. intr. Frapper des pieds contre terre d'un mouvement prompt et fréquent.

* **trépigneuse** [*gn* mll.], n. f. Variété de manège à cheval, dans lequel un tablier roulant se déplace en glissant sous les pieds de l'animal qui fait une marche sur place continuelle.

trépointe, n. f. Bande de cuir mince pour soutenir la couture de deux cuirs plus épais.

* **tréponème,** n. m. [Zool.] Genre de protozoaires flagellés de très petite taille, agents de la syphilis, de la fièvre jaune, etc.

très, adv. (lat. *trans*, au delà). Particule qui marque le superlatif absolu et qui se joint sans trait d'union à un adjectif, à un participe ou à un adverbe. *Très bon. très estimé.*
INCORR. — Ne dites pas : *j'ai très faim, j'ai très peur*; dites : *j'ai grand faim, j'ai*

grand peur. (*Très* servant à former un superlatif ne peut précéder qu'un adjectif ou un adverbe.)
SYN. — V. BEAUCOUP.
HOM. — V. TRAIT (n. m.).
* **trésaille** [*za-ill* mll.], n. f. [Techn.] Pièce de bois horizontale qui maintient les ridelles d'une charette.
* **trésaillé, ée** [*za-ill* mll.], ou * **trésallé, ée** [*za*], adj. Gercé, fendillé, écaillé, en parlant d'une peinture, d'un émail, d'une poterie.
* **trésaillure** ou * **tressaillure,** n. f. Fente, gerçure d'une peinture, d'un émail, d'une poterie.
* **trésaller (se),** v. pr. Se fendiller, s'écailler (n'est guère employé qu'au part. passé).
* **trescheur** [*tress*] ou * **trécheur** [*trékeur*], n. m. [Blas.] Orle fleuronné qui figure une tresse.
* **trésillon** [*ll* mll.], n. m. [Mar.] Petit levier qui sert à trésillonner.
* **trésillonner** [*ll* mll.], v. tr. [Mar.] Rapprocher avec un petit filin deux cordages tendus qu'on veut réunir par un amarrage.
trésor, n. m. (alt. *thesaurus*, m. s.). Amas d'or, d'argent ou d'autres choses précieuses mises en réserve. *Enfouir des trésors.* — Le lieu où le trésor est renfermé. *Trésor public* ou *trésor de l'État*, les sommes appartenant à l'État, et destinées aux services publics. — Lieu où les revenus de l'État sont déposés et gérés; administration chargée de cette gestion; bureaux de cette administration. *Employé du Trésor.* ‖ Collections d'objets précieux. Lieu où ces objets sont conservés. *Le trésor de Notre-Dame de Paris.* ‖ Au plur. Grandes richesses. *Les trésors de Crésus.* [Droit] Chose cachée ou enfouie découverte par hasard et dont nul ne peut justifier la propriété. ‖ Fig. Personne ou chose que l'on aime exclusivement. *Cet enfant est son trésor.* — Bien précieux, ensemble de choses précieuses. *La santé est un grand trésor.* ‖ Poét. *Les trésors de la terre*, les productions de la terre. De même : *les trésors de Cérès* (les moissons), *de Bacchus* (les raisins, le vin). ‖ Réunion de diverses choses bonnes ou mauvaises. *Il y a dans son cœur des trésors de méchanceté.*
— *Le père fut sage*
De leur montrer avant sa mort,
Que le travail est un trésor.
(LA FONTAINE.)
ÉPITHÈTES COURANTES : beau, grand, riche, précieux, fabuleux, sacré, admirable, inestimable, rare, magnifique; public, privé, trouvé, découvert, caché, volé, perdu, confié, amassé, enfoui, plein, vide, etc.
trésorerie, n. f. (de *trésor*). Lieu où l'on garde et administre le trésor public. — *Service de trésorerie, opérations de trésorerie*, mouvement des fonds qui appartiennent au Trésor, et opérations de finances faites par le Trésor public. ‖ Bureaux d'un trésorier-payeur général.
trésorier, n. m. (de *trésor*). Officier, fonctionnaire établi pour recevoir et pour distribuer les deniers d'un prince, d'une communauté, etc. ‖ Celui qui, dans une société, une association, reçoit les cotisations des membres, le montant des souscriptions, etc. *Capitaine trésorier*, l'officier comptable d'un régiment. — *Trésorier-payeur général*, fonctionnaire chargé, dans un département, de surveiller les receveurs particuliers et les percepteurs.
trésorière, n. f. Celle qui, dans une communauté, une association de femmes, reçoit les revenus, les souscriptions paye les dépenses, etc.
* **tressage,** n. m. Action de tresser.
tressaillement [*tré-sa-ille-man*; *ill* mll.], n. m. Action de tressaillir, brusque mouvement involontaire, dû à une émotion subite.
tressailli, ie [*ill* mll.], adj. *Nerf tressailli*, tendon déplacé à la suite d'un effort trop violent.
tressaillir [*ill* mll.], v. intr. Faire un mouvement subit et convulsif, sous le coup d'une émotion vive. = Conjug. (comme *assaillir*). V. VERBES.
INCORR. — Éviter la faute souvent commise dans la conjugaison du futur : « *je tressaillerai, tu tressailleras...* » pour *je tressaillirai, tu tressailliras..*
SYN. — V. TREMBLER.
tressauter [*tré-so-té*], v. intr. Tressaillir fortement, sursauter.
tresse, n. f. Tissu plat fait de fils, de cheveux, etc., entrelacés. ‖ Façon donnée aux cheveux longs partagés en trois mèches qu'on entrelace. [Archi.] Ornement formé de bandelettes entrelacées ‖ Sorte de galon de laine.
HOM. — *Tresse, es, ent,* du v. tresser.
tresser, v. tr. Mettre en tresse.
tresseur, euse, n. Qui tresse des cheveux, des fils, etc.
tréteau [*tré-to*], n. m. Pièce de bois longue et étroite, portée sur quatre pieds et qui sert à soutenir des tables, un théâtre, une estrade, etc. = Au plur. Théâtre des saltimbanques. *Les tréteaux de la foire.* — *Monter sur les tréteaux*, se faire comédien.
treuil [*treu-il* mll.], n. m. (lat. *trochlea*, poulie). [Mécan.] Machine constituée par un arbre ou un cylindre qui tourne sur son axe, porté sur un bâti à ses extrémités, et autour duquel s'enroule une corde, un câble utilisée pour élever ou tirer les fardeaux.
HOM. — *Treuille*, filet à crevettes.
* **treuille** [*ill* mll.], n. f. Poche du filet à crevettes à manche.
HOM. — *Treuil*, cylindre qui tourne autour de son axe en enroulant un câble.
* **treuver,** v. tr. Forme ancienne de *trouver*.
trêve, n. f. (anc. haut allem. *triwa*, sécurité). Suspension temporaire des hostilités entre deux belligérants. ‖ Relâchement dans une lutte de partis, d'opinions, etc. ‖ Fig. Suspension d'une action; relâche. *Son mal ne lui laisse aucune trêve.* — *Sans paix, ni trêve*, sans un instant de repos. — *Faire trêve à ses gémissements*, suspendre ses gémissements. ‖ Ellipt. *Trêve de*, s'emploie pour faire cesser quelque chose. *Trêve de discussions, de plaisanteries.*
ÉPITHÈTES COURANTES : longue, courte, générale, particulière, conclue, observée, rompue, enfreinte, accordée, dénoncée, etc.
HOM. — *Trèves*, ville d'Allemagne.
* **trévire,** n. f. [Mar.] Cordage plié en deux dont on se sert pour rouler une barrique sur un plan incliné.

trévirer, v. tr. [Mar.] Monter ou descendre des charges cylindriques à l'aide de trévires.

1. tri-, préf. tiré du gr. *treis*, trois, ou du lat. *tres*, trois, qui entre dans la composition d'un grand nombre de mots.

2. tri ou **trick**, n. m. Sorte de jeu d'hombre qu'on joue à trois.

3. tri, n. m. Action de trier, triage.
Hom. — *Tri* ou *trick*, n. m., sorte de jeu ; — *tri*, n. m., action de trier ; — *trie*, n. f., sorte de morue verte ; — *trie*, *es*, *ent*, du v. trier.

triade, n. f. Assemblage de trois unités, de trois personnes, de trois divinités.

triadelphe, adj. [Bot.] Qui a trois faisceaux d'étamines.

triage, n. m. Action par laquelle on trie. Choses choisies. ‖ Action d'enlever les corps étrangers mélangés à certains produits. [Ch. de fer] Opération consistant à composer les trains de marchandises et ensemble des voies où se fait cette opération. *Gare de triage*. V. pl. CHEMIN DE FER.

triaire, n. m. (lat. *triarius*, m. s.). [Antiq. rom.] Nom donné aux soldats qui formaient le troisième rang de la légion.
Hom. — *Triaire*, n. m., troisième rang d'une légion ; — *trière*, n. f., galère antique à trois rangs de rameurs ; — *trièrent*, du v. trier.

triandre, adj. [Bot.] Qui a trois étamines libres et égales.

triangle, n. m. [Géom.] Figure qui a trois angles et trois côtés. V. pl. SURFACES (planes) et LIGNES. ‖ Se dit d'un grand nombre d'objets en forme de triangle. [Mus.] Instrument de percussion formé d'une tige d'acier pliée en forme de triangle. V. pl. MUSIQUE. ‖ Attribut de la franc-maçonnerie.
PAR. — *Trangle*, terme de blason.

triangulaire, adj. Qui a la forme d'un triangle, qui présente trois angles. *Feuille triangulaire*. [Anat.] Se dit, comme adj. et n., de certains muscles.

triangulairement, adv. En forme de triangle.

triangulation [sion], n. f. Opération par laquelle on dresse la carte d'une région au moyen d'un réseau de triangles dont on mesure les angles.

trianguler, v tr. Faire la triangulation.

trias [ass], n. m. [Géol.] L'étage le plus ancien des terrains secondaires.

triasique [tri-a-si-ke], adj. [Géol.] Qui appartient au trias. *Terrains triasiques*.

triatomique, adj. [Chim.] Se dit d'un corps simple qui renferme trois atomes dans sa molécule.

tribade, n. f. Femme qui pratique l'amour homosexuel.

tribal, ale, als, adj. Qui vit en tribus.

triballe, n. f. Tringle de fer pour assouplir les peaux.

tribart, n. m. Sorte de collier formé de bâtons liés ensemble en forme de triangle et que l'on met aux animaux pour les empêcher de passer au travers des haies.

tribasique, adj. [Chim.] Se dit d'une base, d'un sel susceptible de libérer trois ions.

tribomètre, n. m. (gr. *tribien*, frotter, et *métron*, mesure). Instruments pour mesurer la force des frottements.

tribord [*bord*], n. m. [Mar.] Partie du navire située à droite quand, placé à l'arrière, on regarde vers l'avant. — *Bordée de tribord*, moitié de l'équipage qui alterne avec l'autre le service du quart.
Ant. — *Bâbord*.

tribordais, n. m. [Mar.] Homme de la bordée de tribord.
Ant. — *Bâbordais*.

tribraque, n. m. (gr. *tribrakhus*, de trois brèves). [Versif.] Pied d'un vers grec ou latin formé de trois syllabes brèves.

tribu, n. f. (lat. *tribus*, m. s.). Une des divisions du peuple chez les Anciens. *Les trois tribus primitives de Rome*. ‖ Chez les Juifs, ensemble des sujets issus d'un des douze patriarches. *Les douze tribus d'Israël*. ‖ Auj. Groupement autour d'un chef d'un nombre plus ou moins important de familles appartenant à la même peuplade ou à la même race. *Une tribu nègre*. ‖ Fam. Les membres d'une famille nombreuse. [Hist. Nat.] Groupement de plusieurs genres animaux ou végétaux ayant des caractères communs. *Plusieurs tribus forment une famille*.
ÉPITHÈTES COURANTES : sacrée, sainte, israélite, romaine, sauvage, africaine, barbare, entière, armée, soumise, vaincue, révoltée, etc.
SYN. — V. NATION.
HOM. — *Tribut*, n. m., redevance payée au vainqueur.

> VOCAB. — *Famille de mots.* — *Tribu* : tribun, tribunat, tribunitien, tribunal, tribune ; tribut, tributaire ; attribut, attribuable, attribuer, attribution, attributaire, attributif ; contribuer, contribuant, contributif, contribution, contribuable ; distribuer, distribué, distribuable, distributaire, distribution, distributeur, distributif, distributivement ; rétribuer, rétribution, rétributeur.

tribulation [sion], n. f. (lat. *tribulatio*, m. s.). Affliction, adversité.

tribun, n. m. (lat. *tribunus*, m. s.). [Antiq.] Un des officiers supérieurs qui commandaient une légion romaine. — Magistrat civil chargé de défendre les droits et les intérêts des plébéiens romains. [Hist.] En France, membre de l'ancien *Tribunat* (constitution de l'an VIII). ‖ Orateur populaire. *Une éloquence de tribun*.

tribunal, n. m. (lat. *tribunal*, m. s., propr. le siège élevé sur lequel se plaçait le tribun, *tribunus*). Siège du juge, du magistrat. ‖ Lieu où se rend la justice. ‖ La juridiction d'un magistrat ou de plusieurs qui jugent ensemble ; ces magistrats mêmes. *Tribunal civil, criminel, militaire. Tribunal de commerce*. ‖ Fig. *Le tribunal de la pénitence*, le confessionnal. — *Le tribunal de la conscience*, la conscience même. — *Le tribunal de Dieu*, la justice de Dieu.
ÉPITHÈTES COURANTES : réuni, assemblé, choisi, désigné, élu, nommé, juste, impartial, illégal, irrégulier, équitable, attentif, sévère, cruel, injuste, partial, improvisé, populaire, révolutionnaire, souverain, suprême, civil, correctionnel, criminel, militaire, exceptionnel, international, etc.

tribunat [*na*], n. m. Charge de tribun à Rome. ‖ Temps de l'exercice de cette charge. *Durant son tribunat*. ‖ Assemblée établie par la Constitution de l'an VIII, pour concourir à l'élaboration des lois.

tribune, n. f. (ital. *tribuna*, du lat. *tribunal*). Estrade d'où les orateurs antiques haranguaient le peuple et d'où parlent les orateurs modernes dans les assemblées délibérantes. *Monter à la tribune.* — *L'éloquence de la tribune,* le genre d'éloquence propre aux débats des assemblées politiques. ‖ Lieu plus ou moins élevé, où se mettent certaines personnes dans certaines églises, dans les grandes salles d'assemblées publiques, etc. — *Tribune d'orgues,* grande tribune où est placé le buffet d'orgues, dans une église. ‖ Gradins le plus souvent couverts où prennent place ceux qui assistent à une course de chevaux, à une fête, à une manifestation sportive etc.

tribunitien, ienne [*ni-si-in*], adj. Qui appartient au Tribunat. ‖ *Puissance tribunitienne,* droit attribué à l'empereur romain d'être *sacro-sanctus* et de pouvoir mettre son *veto* sur les actes du sénat et des magistrats.

tribut [*bu*], n. m. Redevance qu'un État vaincu paie à un autre, comme marque de dépendance. ‖ Se dit parfois pour impôt. ‖ Ce qu'on est obligé d'accorder, de souffrir, de faire. *Tribut d'estime.* — *Payer le tribut à la nature,* mourir.
Syn. — V. prix.
Hom. — *Tribu,* groupement de familles.

tributaire, adj. et n. Qui paie tribut à un prince. ‖ Fig. *Tout homme est tributaire de la mort.* ‖ *Fleuve tributaire d'une mer,* qui s'y jette.

*** tricage,** n. m. [Mar.] Action de dresser les faces opposées des pièces avec lesquelles on veut construire un mât d'assemblage.

tricéphale, adj. (gr. *treis,* trois; *képhalê,* tête). Qui a trois têtes ou trois sommets.

triceps [*seps*], adj. et n. [Anat.] Muscle dont l'extrémité supérieure présente trois faisceaux distincts. V. pl. homme (*muscles*).

*** triche,** n. f. Action de tricher. *C'est de la triche* (Pop.).
Hom. — *Triche, es, ent,* du v. tricher.

tricher, v. intr. Tromper au jeu. ‖ Fig. Tromper sur de petites choses et par des voies mesquines. ‖ Dissimuler habilement un défaut.

tricherie, n. f. Action de tricher.

tricheur, euse, n. Qui a l'habitude de tricher au jeu ou de tromper de quelque manière.

*** trichie** [*tri-ki*], n. f. [Zool.] Genre d'insectes coléoptères du groupe des scarabées.

*** trichinal, le,** adj. Qui a rapport à la trichine.

trichine [*chine* ou *kine*], n. f. (gr. *trix, trikhos,* cheveu). Ver qui vit dans l'intestin du porc, de l'homme, puis émigre dans les muscles où il s'enkyste.

*** trichiné, ée,** adj. Envahi par les trichines.

*** trichinose** [*chi* ou *ki-noze*], n. f. [Méd.] Affection morbide causée par la présence dans l'organisme des trichines ingérées avec la viande.

*** trichocéphale** [*ko*], n. m. [Zool.] Genre de vers nématodes longs de 3 à 4 cm., vivant dans le cœcum et l'appendice de l'homme.

*** tricholome** [*ko*], n. m. [Bot.] Genre de champignons de la famille des *agaricinées,* à pied épais et plein, comprenant entre autres le mousseron.

*** trichome** [*ko*], n. m. [Méd.] Syn. de *plique.*

*** trichophytie** [*ko*], n. f. [Méd.] Affection cutanée (cuir chevelu, barbe, peau nue) causée par le développement du trichophyton.

*** trichophyton** [*ko*], n. m. [Bot.] Genre de champignons qui végètent sur le cuir chevelu.

*** trichrome** [*krome*], adj. (préf. *tri* et gr. *khrôma,* couleur). En trois couleurs; se dit d'un procédé de photographie en couleurs, et d'un procédé d'impression en couleurs par superposition de trois teintes seulement.

*** trichromie** [*kro*], n. f. Procédé de photographie ou d'impression en couleurs par le jeu de trois couleurs seulement.

*** trick,** n. m. V. tri 2.
Hom. — *Trique,* gros bâton, gourdin.

triclinium [*niom'*], n. m. [Antiq. rom.] Salle à manger romaine constituée par trois lits à angle droit où s'allongeaient les convives autour de la table.

tricoises [*oi-ze*], n. f. pl. Tenailles dont on se sert pour ferrer et déferrer les chevaux. — Tenailles de menuisier, de charpentier.

*** tricolor,** n. m. (mot lat.). [Bot.] Espèce d'amarante dont les feuilles, d'abord vertes, deviennent mêlées de jaune, de vert et de rouge.

tricolore, adj. Qui est de trois couleurs. ‖ Se dit particulièrement des couleurs nationales : bleu, blanc, rouge, adoptées en 1789 par les Français.
Hom. — *Tricolor,* espèce d'amarante.

tricorne, adj. Qui a trois cornes. = N. m. Chapeau à trois cornes (XVIIe et XVIIIe s.). V. pl. coiffures.

1. **tricot** [*tri-ko*], n. m. Tissu de laine, de soie, de coton, etc., fait en mailles, soit à la main, soit au métier. ‖ Vêtement fait avec ce tissu.

2. *** tricot,** n. m. (de *trique*). Gros bâton court.

tricotage, n. m. Travail d'une personne qui tricote; son résultat.

tricoter, v. tr. (orig. incert.). Faire en tricot. = V. intr. Faire du tricot. ‖ Fig. Marcher à pas pressés. *Tricoter des jambes* (Pop).

tricoteur, euse, n. Qui tricote. = N. f. pl. [Hist.] *Les tricoteuses,* femmes du peuple qui assistaient en tricotant aux exécutions et aux séances des assemblées, pendant la Révolution. = N. f. Machine à tricoter.

*** tricotoir,** n. m. Petit bâton percé porté à la ceinture pour fixer une des aiguilles à tricoter.

trictrac, n. m. Jeu de dames et de dés, qui se joue sur une tablette à deux compartiments où sont peintes 24 flèches de deux couleurs opposées pointe à pointe. ‖ Cette tablette elle-même.

tricuspide, adj. Qui a trois pointes ou trois sommets. [Anat.] Se dit d'une valvule qui se trouve à l'orifice auriculo-ventriculaire du cœur droit.

tricycle [*si-cle*], n. m. (gr. *treis,* trois *kyklos,* roue). Petite voiture à trois roues. V. pl. voitures. ‖ Vélocipède à trois roues.

*** tridacne,** n. m. [Zool.] Genre de mollusques lamellibranches des mers chaudes, à très grandes valves (vulg. *bénitiers*).

tride, adj. [Man.] Vif, prompt, en parlant des mouvements d'un cheval.

trident [*dan*], n. m. (lat. *tridens*, m. s.). Fourche à trois dents qu'on donne pour sceptre à Neptune. [Agri.] Sorte de bêche à trois dents.

* **tridenté, ée**, adj. Qui a trois divisions en forme de dents.

tridi, n. m. (lat. *tres*, trois; *dies*, jour). Le troisième jour de la décade dans le calendrier républicain.

triduum [*du-om*'] ou * **triduo**, n. m. Exercice religieux prolongé pendant trois jours.

* **trie**, n. f. [Zool.] Nom. vulg. d'une sorte de morue verte.

Hom. — V. TRI.

trièdre, adj. et n. m. (préf. *tri*; gr. *hédra*, base). [Géom.] Qui a trois faces. Se dit d'un angle solide formé par trois plans qui se coupent et sont limités à leurs intersections.

triennal, adj. Qui dure trois ans. ‖ Qui revient tous les trois ans. ‖ Qui est conféré pour trois ans. ‖ Élu pour trois ans.

* **triennalité**, n. f. Durée de trois ans. ‖ Qualité de ce qui revient tous les trois ans.

triennat [*na*], n. m. Espace de trois ans. ‖ Exercice d'un emploi pendant trois ans.

* **triennium**, n. m. Au Moyen Age, durée de trois ans des études de théologie.

trier, v. tr. Séparer d'un plus grand nombre; choisir. = Conjug. V. GRAMMAIRE.

Hom. — *Triller*, orner de trilles.

triérarchie, n. f. Charge de triérarque.

triérarque, n. m. [Antiq.] Commandant d'une trière dans l'anc. Grèce. ‖ Citoyen chargé d'armer et d'équiper une trière.

trière, n. f. Galère des anc. Grecs à trois rangs de rameurs superposés.

Hom. — V. TRIAIRE.

Par. — *Trirème*, galère romaine.

trieur, euse, n. Ouvrier, ouvrière qu'on emploie à trier. = N. m. Machine à nettoyer le grain. ‖ Nom de diverses machines destinées à séparer différents matériaux suivant leurs dimensions.

trieuse, n. f. Machine à éplucher la laine.

* **trifacial**, adj. m. [Anat.] *Nerf trifacial*, nerf de la face qui se divise en trois, appelé aussi *trijumeau*.

trifide, adj. [Bot.] Divisé en trois parties, segments ou lobes.

Par. — *Tripile*, qui porte trois poils ou soies.

* **triflore**, adj. [Bot.] Qui a trois fleurs.

trifolié, ée, adj. [Bot.] Qui porte trois feuilles.

triforium, n. m. [Archi.] Dans une église, ensemble des ouvertures par lesquelles la galerie placée au-dessus des bas-côtés prend jour sur l'intérieur de la nef. — Galerie qui se trouve autour de la nef.

* **trifouiller**, v. tr. Pop. Tripoter, farfouiller. = V. intr. Fouiller en mettant du désordre.

* **trigame**, adj. Qui a contracté trois mariages sans qu'aucun d'eux soit dissous. [Bot.] Qui porte trois fleurs de sexe différent (mâle, femelle, hermaphrodite). = N. m. *Un, une trigame*.

* **trigamie**, n. f. État, faute du trigame, de la trigame.

* **trigaud, aude**, adj. et n. Qui n'agit pas franchement, qui use de détours (Pop.).

* **trigauder**, v. intr. N'agir pas franchement, ruser, finasser (Pop. et Vx).

* **trigauderie**, n. f. Action de trigaud.

* **trige**, n. m. [Antiq.] Char à trois chevaux.

* **trigémellaire**, adj. [Méd.] Se dit d'une grossesse où la mère porte trois fœtus qui pourront donner trois jumeaux.

* **trigéminé, ée**, adj. Qui a trois couples, six éléments disposés deux par deux.

* **trigle**, n. m. [Zool.] Genre de poissons téléostéens appelés vulg. *rougets-grondins*.

* **triglotte**, adj. (gr. *treis*, trois; *glôtta*, langue). Syn. de *trilingue*.

triglyphe [*gli-fe*], n. m. (gr. *triglyphos*, à triple ciselure). [Archit.] Ornement de la frise dorique, présentant trois entailles profondes et rectilignes figurant l'extrémité des solives qui posent sur l'architrave. V. pl. TEMPLE GREC.

* **trigone**, adj. Qui a trois faces et trois angles. = N. m., [Anat.] *Trigone cérébral*, voûte à trois piliers du cerveau.

* **trigonelle**, n. f. [Bot.] Genre de plantes de la famille des *légumineuses*, renfermant le fenugrec.

trigonocéphale, n. m. (gr. *trigônos*, triangle; *képhalê*, tête). [Zool.] Genre de reptiles ophidiens voisins des crotales, comprenant de grands serpents très venimeux.

trigonométrie, n. f. (gr. *trigônos*, triangle; *métron*, mesure). [Géom.] Partie de la géométrie qui a pour objet la détermination, par le calcul, de tous les éléments des triangles pour lesquels on a un nombre suffisant de données.

trigonométrique, adj. Qui se rapporte à la trigonométrie.

trigonométriquement, adv. Suivant les règles de la trigonométrie.

* **trigrille**, n. f. Lampe de T. S. F. possédant trois grilles.

* **trigyne**, adj. [Bot.] Qui a trois pistils ou styles.

* **trihebdomadaire**, adj. Qui a lieu trois fois par semaine.

trijumeau, n. et adj. Se dit des deux nerfs de la cinquième paire cranienne, divisés en trois branches.

* **trilatéral, ale**, adj. (lat. *tres*, trois; *latus*, côté). Qui a trois côtés.

trilingue [*lin-ghe*], adj. (lat. *trilinguis*, m. s.). Qui est en trois langues. *Inscription trilingue*.

* **trilittéral, ale** ou **trilittère**, adj. [Gram.] Dont les mots contiennent trois consonnes.

trille [*tril* ou *tri-ille*, *ill* mll.], n. m. [Mus.] Battement rapide et répété de deux notes présentant l'intervalle d'un ton ou d'un demi-ton. V. pl. MUSIQUE.

* **triller**, v. tr. Orner de trilles.

Hom. — *Trier*, séparer avec choix.

trillion [*tri-lion*], n. m. Un million de millions ou mille billions; s'écrit : 1.000.000.000.000 ou 10^{12}.

trilobé, ée, adj. [Bot.] Qui a trois lobes. [Archit.] Se dit d'une arcature à trois lobes. V. pl. ARCS.

trilobites, n. m. pl. [Paléont.] Ordre de *crustacés*, qui ne renferme que des espèces fossiles.

* **triloculaire**, adj. (lat. *tres*, trois; *loculus*, compartiment). [Bot.] Divisé en trois loges.

trilogie, n. f. (gr. *trilogia,* m. s.). Ensemble de trois tragédies grecques dont les sujets se lient ensemble. ‖ Poème en trois parties distinctes dans une même unité.
* **trimard,** n. m. [Argot] Chemin, route.
trimardeur, n. m. Cheminau; ouvrier allant de ville en ville chercher du travail.
* **trimbalage** [*trin-ba-la-je*], n. m. Action de trimbaler (Fam.).
trimbaler [*trin*], v. tr. Mener, porter partout avec soi. *Elle trimbale son enfant* (Pop.).
trimer, v. intr. Marcher longtemps et avec fatigue. ‖ Faire un travail long et fatigant (Pop.).
* **trimère,** adj. [Zool.] Se dit des animaux dont le corps est formé de trois parties.
Hom. — *Trimèrent,* du v. trimer.
trimestre, n. m. (lat. *trimestris,* de trois mois). Espace de trois mois. ‖ Ce que l'on paie ou ce que l'on reçoit à chaque trimestre.
trimestriel, elle, adj. Qui dure trois mois, qui paraît ou qui revient tous les trois mois.
* **trimestriellement,** adv. Tous les trois mois.
trimètre, n. m. [Versif. anc.] Vers de trois mesures, de deux pieds chacun.
* **trimmer** [*tri-meur*], n. m. (mot angl.). [Pêche] Flotteur de ligne, de forme plate et circulaire, dont le pourtour porte une gorge où s'enroule la ligne.
* **trimorphe,** adj. [Chim.] Se dit des corps qui peuvent exister sous trois formes cristallines différentes.
* **trimoteur,** adj. et n. m. Pourvu de trois moteurs. *Avion trimoteur.*
* **trin, ine,** ou * **trine,** adj. Qui est divisé en trois. [Théol.] Qui forme une trinité. [Astro.] *Trin aspect,* aspect que présentent deux planètes quand elles sont distantes l'une de l'autre d'un tiers du zodiaque.
Hom. — *Train* (de chemin de fer).
* **trinaire,** adj. Qui se divise en trois.
* **trinervé, ée,** adj. [Bot.] Se dit des feuilles qui présentent trois nervures.
tringa, n. m. [Zool.] Genre d'oiseaux échassiers (*bécasseaux*).
tringle, n. f. (holl. *tingel,* m. s.). Baguette de bois ou de fer, ronde et longue, qui sert à soutenir des rideaux, des draperies. [Techn.] Baguette de bois longue, plate et étroite. — Pièce de bois longue et étroite, garnie de clous, de chevilles ou de crochets, auxquels les bouchers, les merciers, etc., suspendent les marchandises. [Archi.] Moulure plate à la partie inférieure du triglyphe dorique.
tringler, v. tr. Tracer au cordeau une ligne droite sur une pièce de bois qu'on veut façonner.
* **tringlette** [*glè-te*], n. f. Petite tringle.
* **tringlot,** n. m. (Pop.) Soldat du train des équipages.
trinitaire, adj. Qui a rapport à la Trinité. = N. f. [Bot.] Nom vulg. de l'*hépatique* à trois lobes. = N. m. Membre d'un ordre religieux fondé en 1198 pour le rachat des captifs chez les infidèles.
trinité, n. f. (lat. *trinitas,* m. s., de *trinus,* triple). [Théol.] Dans la doctrine catholique, union de trois personnes distinctes et ne formant cependant qu'un seul et même Dieu : le Père, le Fils et le Saint-Esprit. *Le mystère de la Trinité.* ‖ Par ext. Toute triade de dieux. ‖ Fête que l'Église célèbre le premier dimanche après la Pentecôte.
* **trinitrotoluène,** n. m. [Chim.] Toluène trinitré, explosif chargeant les torpilles, mines, bombes d'avion.
trinôme, n. m. [Alg.] Polynôme algébrique composé de trois termes.
* **trinquart** [*kar*], n. m. [Mar.] Petit bâtiment, lourd et robuste, pour la pêche du hareng.
trinquer [*ké*], v. intr. (all. *trinken,* boire). Choquer amicalement les verres avant de boire. Fam.). ‖ Pop. Éprouver un ennui, un dommage.
Par. — *Trinquet,* n. m., mât de misaine particulier.
trinquet, n. m. [Mar.] Mât de misaine incliné sur l'avant, dans les bâtiments qui portent des voiles sur antenne.
Par. — *Trinquer,* v., choquer les verres avant de boire.
trinquette [*trin-kè-te*], n. f. [Mar.] Voile de misaine des bâtiments gréés en voiles latines. V. pl. NAVIGATION.
* **trinqueur,** n. m. Celui qui aime boire.
trio, n. m. (ital. *trio,* m. s.). Morceau de musique à trois voix ou trois instruments. ‖ Ensemble de trois musiciens jouant ensemble. ‖ Par raillerie. Groupe de trois personnes.
* **triobole,** n. m. Anc. monnaie grecque d'argent, valant trois oboles.
triolet [*tri-o-lè*], n. m. Pièce de huit vers dont le quatrième et le septième sont la répétition du premier, et le huitième la répétition du second. [Mus.] Groupe de trois notes en valant deux. V. pl. MUSIQUE.
triomphal, ale [*tri-on-fa*], adj. Qui appartient au triomphe. *Char triomphal.* ‖ Qui tient du triomphe. *Une rentrée triomphale.*
triomphalement, adv. En triomphe.
triomphant, ante [*fan*], adj. Qui triomphe, qui marque le triomphe. ‖ Qui a vaincu, victorieux. *Guerrier triomphant. Le parti triomphant.* ‖ Superbe, pompeux. *Entrée triomphante.* ‖ *Argument triomphant,* argument décisif, irrésistible. ‖ *Air triomphant,* l'air de confiance et de contentement que donne un succès obtenu ou espéré.
Ctr. — *Piteux, penaud, défait, abattu.*
triomphateur, trice, n. À qui on a accordé les honneurs du triomphe. ‖ Qui est victorieux. = Nom. Général qui rentrait en triomphe à Rome, après une victoire. ‖ Par ext. Celui qui a remporté une victoire, un grand succès.
Syn. — V. VAINQUEUR.
1. **triomphe** [*trion-fe*], n. m. (lat. *triumphus,* m. s.). Honneurs accordés chez les Romains à des généraux d'armée après de grandes victoires. ‖ *Arc de triomphe,* monument en forme d'arc, élevé pour rappeler le souvenir d'une victoire. ‖ *Porter quelqu'un en triomphe,* le porter sur les bras pour lui faire honneur. ‖ Victoire, succès éclatant. *J'ai joui de votre triomphe.* ‖ *C'est son triomphe,* se dit d'une chose où quelqu'un excelle.
Épithètes courantes : grand, beau, magnifique, pompeux, considérable, splendide; mérité, inespéré, total, définitif, conduit, mené; passager, obtenu; complet, frivole, passager, incertain, fragile, aisé, etc.

2. * **triomphe,** n. f. Anc. jeu de cartes ressemblant à l'écarté.
Hom. — *Triomphe, es, ent,* du v. triompher.

triompher, v. intr. (lat. *triumphare,* m. s.). [Antiq.] En parlant des anciens Romains, faire une entrée pompeuse et solennelle dans Rome après quelque grande victoire. ‖ Vaincre par la force des armes. *Ce prince triompha de tous ses ennemis.* ‖ Fig. Remporter un avantage décisif sur quelqu'un. *Triompher de ses adversaires.* ‖ Fig. Au sens moral, vaincre, subjuguer. *Triompher de ses passions.* ‖ Exceller en traitant un sujet, en faisant une chose ‖ Être ravi de joie. *Quand on lui parle de ses enfants, elle triomphe.*
Syn. — V. vaincre.
— *Je triomphe aujourd'hui du plus juste courroux,*
De qui le souvenir puisse aller jusqu'à vous. (Corneille.)

* **trionyx,** n. m. [Zool.] Genre de reptiles chéloniens, tortues carnassières des fleuves tropicaux.

tripaille [*tri-pa-ille, ill* mll.], n. f. Amas de tripes. ‖ Terme de mépris. *Des tripailles de morues.*

* **tripang,** n. m. [Zool.] Genre d'holothuries comestibles de l'Extrême-Orient.

triparti, ie et **tripartite,** adj. Partagé en trois divisions. [Hist.] *Chambre tripartite,* tribunal où un tiers seulement des magistrats appartenaient à la religion réformée.

* **tripartition** [*sion*], n. f. Action de diviser en trois parties égales.

* **tripatouiller** [*ill* mll.], v. tr. Tripoter. ‖ Fig. Faire des modifications, des changements illicites.

tripe, n. f. Intestins des animaux. ‖ Estomac des ruminants préparés pour servir d'aliment. ‖ Pop. Viscères humains. ‖ *Œufs à la tripe,* œufs durs coupés par tranches et fricassés avec de l'oignon. ‖ *Tripe de velours,* étoffe veloutée de laine et de chanvre, pour l'ameublement.
Syn. — V. boyau.

* **tripenné, ée,** adj. [Bot.] Dont le pétiole se subdivise en pétioles secondaires et tertiaires.

triperie, n. f. Boutique où l'on vend des tripes. ‖ Marchandises qui y sont vendues.

* **tripétale,** adj. [Bot.] Dont la corolle est formée de trois pétales.

tripette [*pè-te*], n. f. Petite tripe. ‖ Pop. *Cela ne vaut pas tripette,* cela ne vaut rien du tout.

triphasé, ée, adj. [Électr.] Se dit de trois courants alternatifs semblables dont chacun est en retard de 1/3 de période sur celui qui le précède.

* **triphénylméthane,** n. m. [Chim.] Carbure cyclique duquel dérivent tous les colorants du groupe de la fuchsine.

triphtongue, n. f. (préf. *tri,* et gr. *phthongos,* son). [Gram.] Syllabe formée de trois voyelles consécutives prononcées d'une seule émission de voix (*eau, août*).

triphylle, adj. [Bot.] Dont les feuilles sont disposées trois par trois.

1. tripier, adj. [Faucon.] Se dit des oiseaux destinés à la chasse, qui ne peuvent être dressés.

2. tripier, ière, n. Celui, celle qui vend au détail les tripes et issues des animaux de boucherie.

* **tripile,** adj. [Zool.] Qui porte trois poils ou soies. *Mouche tripile.*
Par. — *Trifide,* divisé en trois parties.

* **triplace,** adj. A trois places. *Avion triplace.*

triplan, n. m. [Aviat.] Avion à trois plans de sustentation.

triple, adj. (lat. *triplex,* m. s.). Qui contient trois fois une chose, une grandeur, un nombre. *Des souliers à triple semelle.* — Fig. et fam. *C'est un triple idiot,* c'est un parfait idiot. = N. m. Quantité trois fois plus grande. *Neuf est le triple de trois.*

1. triplement, n. m. Action de tripler.

2. triplement, adv. En trois façons, d'une manière triple.

tripler, v. tr. Rendre une quantité trois fois plus grande. = V. intr. Être augmenté au triple.
Par. — *Triplet,* n. m., combinaison de trois lentilles.

* **triplet,** n. m. [Optiq.] Combinaison de trois lentilles.
Par. — *Tripler,* rendre trois fois plus grand.

* **triplette,** n. f. Bicyclette à trois places.

triplicata, n. m. Troisième copie. = Pl. *Des triplicata* (très rare).

triplicité, n. f. Quantité ou nombre triplé. ‖ Qualité de ce qui est triple.

* **tripode,** adj. Qui a trois pieds. *Mât tripode.*

* **tripodie,** n. f. [Versif.] Vers composé de trois pieds.

tripoli, n. m. Substance minérale siliceuse, pulvérulente, jaune ou rougeâtre, servant à polir. Elle provenait surtout autrefois de Tripoli de Syrie.

* **tripolir,** v. tr. Polir avec du tripoli.

triporteur ou * **tri-porteur,** n. m. Tricycle muni d'une caisse pour faire les livraisons.
Par. — *Tripoteur,* qui fait des tripotages.

tripot [*po*], n. m. Maison de jeu. ‖ Maison où s'assemble de la mauvaise compagnie.

tripotage, n. m. (du v. *tripoter*). Fam. Action de tripoter. ‖ Fig. Intrigues, manigances, opérations plus ou moins louches, qui tendent à brouiller une affaire, à semer la discorde, à frauder, etc. *Des tripotages de Bourse.*

tripotée, n. f. Volée de coups (Fam.). ‖ Grande quantité. *Une tripotée d'enfants* (Pop.).

tripoter, v. tr. Brouiller, mélanger malproprement. — Mêler sans soins, gâter. ‖ Toucher sans cesse et machinalement. *Tripoter sa chaîne de montre.* = V. intr. Faire des opérations ou des combinaisons louches; intriguer, manigancer.

tripoteur, euse ou * **tripotier, ière,** n Celui, celle qui fait des tripotages, des intrigues, des combinaisons peu nettes.

triptyque [*ti-ke*], n. m. (gr. *triptychos,* m. s.). Tableau sur trois volets, dont les extrêmes peuvent se rabattre sur celui du milieu. ‖ Fig. Ouvrage littéraire en trois parties.

trique, n. f. Gros bâton. *Coups de trique* (Pop.).
Hom. — *Trick,* sorte de jeu d'hombre.

triqueballe, n. m. Voiture propre à transporter des pièces de canon. ‖ Fardier

pour transporter, suspendus au-dessous de l'essieu, les troncs d'arbre, les grosses pièces de charpente, etc. V. pl. CHARRETTE.
* **trique-madame**, n. f. [Bot.] Nom vulg. de *l'orpin blanc*.
* **triquer**, v. tr. [Mar.] Faire le tricage des pièces dont un mât se compose. ‖ Donner des coups de trique à.
triquet [*kè*], n. m. Battoir fort pour jouer à la paume. ‖ Échafaudage triangulaire de couvreur. ‖ Échelle double.
* **triquètre**, adj. (lat. *triquetrum*, triangle). [Géom.] Qui a trois angles saillants séparés par trois angles rentrants. = N. f. [Numism.] Réunion de trois jambes qu'on trouve sur certaines médailles antiques.
* **triqueur, euse**, n. Chiffonnier, chiffonnière qui fait le triage des chiffons, des ferrailles.
* **trirectangle**, adj. [Géom.] Qui a trois angles droits.
trirème, n. f. (lat. *triremis*, m. s.). Galère romaine à trois rangs de rameurs superposés.
PAR. — *Trière*, galère grecque.
trisaïeul, eule [*tri-za-illeul, ill* mll.], adj. et n. Père, mère du bisaïeul ou de la bisaïeule.
* **trisannuel, elle** [*tri-za-nu-èl*], adj. Qui dure trois ans. ‖ Qui revient tous les trois ans.
trisecteur, trice, adj. [Géom.] Qui divise en trois parties égales.
trisection [*sion*], n. f. [Géom.] Division en trois parties égales; division d'un angle en trois angles égaux.
trisépale, adj. [Bot.] Dont le calice est formé de trois sépales.
* **triséquer**, v. tr. Partager en trois. = Conjug. V. GRAMMAIRE.
trismégiste, adj. [Myth.] (gr. *trismégistos*, trois fois très grand). Trois fois grand. Surnom grec de l'Hermès égyptien (Thôt).
* **trismus**, n. m. [Méd.] Perte du mouvement d'abaissement de la mâchoire inférieure, due à la contracture des muscles masticateurs.
* **trisoc**, n. m. [Agri] Sorte de charrue à trois socs.
* **trisperme**, adj. [Bot.] Qui renferme trois graines.
* **trisse**, n. f. [Mar.] Corde ou palan pour approcher ou éloigner les canons des sabords (Vx).
HOM. — *Trisse, es, ent*, du v. trisser.
1. * **trisser**, v. tr. Faire jouer trois fois de suite un morceau de chant ou de musique.
2. * **trisser**, v. intr. Crier, en parlant de l'hirondelle.
trissyllabe [*tri-sil-la-be*], adj. et n. Qui est composé de trois syllabes. *Le mot amitié est trissyllabe.*
trissyllabique, adj. Qui concerne un trissyllabe.
triste, adj. (lat. *tristis*, m. s.) Affligé, chagriné, mélancolique. *Avoir l'air triste.* — Fam. *Avoir triste figure, avoir triste mine*, mauvaise mine. Loc. fam. *Être triste comme une porte de prison; comme un bonnet de nuit.* — *Faire triste mine à quelqu'un*, lui faire un mauvais accueil. *Faire une triste figure*, avoir l'air gêné. ‖ Porté à la mélancolie, aux sombres rêveries. *Un naturel triste.* ‖ Qui est inspiré par le chagrin, par la mélancolie. *Tomber dans une triste rêverie.* ‖ Qui inspire de la mélancolie, du chagrin; affligeant, désolant. *Un triste souvenir. Une triste nouvelle.* ‖ Pénible, fâcheux, difficile à supporter. *Il est triste de se voir traité de la sorte.* ‖ Malheureux, funeste, déplorable. *Le triste effet de la négligence.* ‖ *Un triste sire, un triste personnage*, un homme méprisable. ‖ Obscur, sombre, ou qui a un aspect peu agréable. *Cette chambre est triste. — Le temps est triste*, il est obscur, couvert, etc. ‖ Qui offre peu de ressources, qui est fort au-dessous de ce qu'on attendait; dans ce sens, *triste* précède toujours le nom. *Un triste divertissement.*
CTR. — *Joyeux, radieux, gai, heureux.*

> VOCAB. — *Famille de mots.* — *Triste :* tristesse, tristement ; attristé, attristant, attrister ; contrister, contristant.

tristement, adv. D'une manière triste.
tristesse, n. f. (de *triste*). Affliction, déplaisir, abattement de l'âme. *Être accablé de tristesse.* ‖ Mélancolie de tempérament. *Sa tristesse naturelle déteint sur son entourage.* ‖ Fam. État de ce qui manque d'agrément, en parlant des choses. *La tristesse d'un paysage.* V. tabl. SENSIBILITÉ (*Idées suggérées par le mot*).
ÉPITHÈTES COURANTES : grande, profonde, extrême, lugubre, infinie, mortelle, douloureuse, pénible, incurable, inconsolable, accablante; sincère, fausse, apparente, simulée, jouée, feinte, hypocrite; éprouvée, causée augmentée, prolongée, comprise, consolée, dissipée, etc.
SYN. — V. CHAGRIN.
ANT. — *Joie, gaieté, réjouissance, bonheur.*
1. **triton**, n. m. [Myth.] Demi-dieu marin ayant l'apparence humaine depuis la tête jusqu'à la ceinture et se terminant en poisson.
2. **triton**, n. m. [Zool.] Genre de batraciens urodèles du groupe des salamandres. — Genre de mollusques gastéropodes dont on utilise la coquille comme trompe.
3. **triton**, n. m. (préf. *tri*, et *ton*). [Mus.] Intervalle de quatre notes, composé de trois tons et appelé aujourd'hui *quarte augmentée*.
* **tritonien, ienne** [*to-ni-in*], adj. [Géol.] Se dit d'un terrain qui contient des débris fossiles d'animaux marins.
tritoxyde, n. m. [Chim.] Troisième oxyde d'un métal.
triturable, adj. Qui peut être trituré.
* **triturateur**, n. m. Appareil pour triturer.
trituration [*sion*], n. f. Action de triturer; son résultat.
* **triture**, n. f. Pratique des affaires.
triturer, v. tr. (bas lat. *triturare*, m. s., du lat. *terere*, broyer). Réduire en poudre, en parties très menues, en broyant. *Les molaires triturent les aliments.* ‖ Fig. *Triturer les affaires*, les manier à fond.
SYN. — V. BROYER.

> VOCAB. — *Famille de mots.* — *Triturer :* triture, trituration, triturable, triturateur ; contrit, contrition ; détriment ; détritus, détritif, détritique.

triumvir [*tri-om'-vir*], n. m. [Antiq.] Titre qui, à Rome, se donnait à divers magistrats lorsqu'ils étaient au nombre de trois. ‖ On désigne encore par le nom de *Triumvirs* plusieurs personnages qui s'associèrent à Rome pour s'emparer du pouvoir.

triumviral, ale, adj. [*tri-om'*]. Qui appartient aux trumvirs.

triumvirat [*tri-om'-vi-ra*], n. m. [Antiq.] Charge, pouvoir, dignité d'un triumvir. — Temps que durait sa charge. ‖ Association de triumvirs et, par ext., de trois personnages exerçant en commun une grande influence.

* **trivalent,** adj. [Chim.] Qui possède une valence égale à trois.

trivalve, adj. [Hist. nat.] Qui a trois valves.

* **trivelin,** n. m. (Nom d'un comédien de la troupe italienne). [Théâtre] Acteur qui joue dans une farce ou qui interprète un rôle de bouffon.

* **trivelinade,** n. f. Bouffonnerie.

* **triviaire,** adj. Où aboutissent trois routes.

trivial, ale, aux, adj. (lat. *trivialis*, m. s., de *trivium*, carrefour). Qui est extrêmement commun, rebattu. *Une pensée triviale.* ‖ Grossier, trop cru, trop libre, malséant. *Mot trivial; détails triviaux.* = N. m. Ce qui est trivial. *Tomber dans le trivial.*

Syn. — V. COMMUN et ORDINAIRE.
Ctr. — *Distingué.* — *Choisi, rare.*

trivialement, adv. D'une manière triviale.

* **trivialiser,** v. tr. Rendre trivial.

trivialité, n. f. Caractère de ce qui est trivial. ‖ Chose, expression triviale. *Discours plein de trivialités.*

trivium, n. m. Au Moyen Age, branche de l'enseignement comprenant la grammaire, la dialectique et la rhétorique.

Ant. — *Quadrivium.*

troc, n. m. Échange d'une chose contre une autre sans usage de monnaie; échange en nature.

Syn. — V. COMMERCE.
Hom. — *Troc,* n. m., échange; — *troque,* n. f., commerce sur la côte O. de l'Afrique, entre les Européens et les indigènes; — *troque, es, ent,* du v. troquer, échanger, donner en troc; — *troque,* n. m., genre de mollusques.

trocart [*tro-kar*] ou **trois-quarts,** n. m. [Chir.] Pointe métallique glissant dans une canule, servant à pratiquer les ponctions.

trochaïque [*tro-ka-ïke*], adj. et n. m. [Versif. anc.] Qui a rapport au trochée; qui est composé de trochées.

trochanter [*kan-tèrr*], n. m. [Anat.] *Grand et petit trochanter,* nom de deux apophyses du fémur.

* **trochantérien, ienne** [*kan*], adj. [Anat.] Qui se rapporte au trochanter.

* **troche,** n. f. Assemblage de choses de même nature. ‖ Espèce de coquillage en sabot.

1. **trochée** [*ché* ou *ké*], n. m. (gr. *trokhos,* m. s. de roue). [Versif. anc.] Pied qui se compose d'une longue et d'une brève.

2. **trochée,** n. f. (de *troche*). [Bot.] L'ensemble des rameaux que pousse un arbre venu de graine, quand on l'a coupé à quelques centimètres de terre.

trochet [*chè*], n. m. Fleurs et fruits qui viennent par bouquets. *Un trochet de noisettes* (Peu us.).

* **trochile** [*kile*], n. m. [Zool.] Genre d'oiseaux du groupe des colibris, appelés vulg. *petits rubis.*

* **trochin** [*kin*], n. m. [Anat.] Petite tubérosité située à l'extrémité supérieure de l'humérus.

* **trochisque** [*chiss*], n. m. [Pharm.] Petite pyramide de substances médicamenteuses que l'on enflamme pour produire des fumigations.

* **trochiter** [*ki-tèrr*], n. m. [Anat.] Grosse tubérosité qui est à l'extrémité de l'humérus.

* **trochléaire** [*klé*], adj. [Méd.] Qui ressemble à une poulie, à une bobine.

* **trochlée** [*klè*], n. f. (lat. *trochlea,* poulie). [Anat.] Articulation osseuse composée d'un os dont la tête offre la forme d'une poulie, et d'un autre qui roule autour de cette poulie.

* **trochoïde** [*ko-i-de*], adj. [Anat.] Se dit d'une articulation qui permet à un os de tourner autour d'un autre qui lui sert d'axe.

trochure, n. f. [Vén.] Quatrième andouiller de la tête du cerf.

troène, n. m. [Bot.] Arbuste à fleurs blanches, d'une odeur forte, famille des *oléacées.*

troglodyte, n. m. Race d'hommes qui vivaient en Afrique dans des cavernes. ‖ Groupe d'hommes vivant dans des cavernes, dans des carrières aménagées. [Zool.] Nom donné à une espèce de singes voisins des chimpanzés et à une espèce de très petits passereaux.

* **troglodytique,** adj. Qui concerne les troglodytes. *Habitations troglodytiques.*

trogne [*gn* mll.], n. f. Se dit fam. et par plaisant. d'un visage plein et enluminé qui annonce l'amour du vin et de la bonne chère. *Une fille de belle trogne.*

trognon [*gn* mll.], n. m. Le milieu d'un fruit à pépin. *Trognon de pomme.* — *Trognon de chou,* tige d'un chou dont on a ôté les feuilles.

* **troïka,** n. f. Traîneau russe attelé de trois chevaux de front.

trois [*troi*], adj. numér. (lat. *tres,* m. s.). Nombre impair qui contient deux et un. — Fam. *Les trois quarts du temps,* le plus ordinairement. ‖ Troisième. *Page trois Napoléon trois.* = N. m. Le nombre trois. *Trois multiplié par trois donne neuf.* — *Jamais deux sans trois,* loc. prov. selon laquelle les accidents, les malheurs arrivent toujours par séries de trois. ‖ Troisième jour du mois. ‖ Chiffre qui exprime le nombre trois. *Trente-trois s'écrit par deux trois (33).* ‖ Au jeu de dés, de dominos, *un trois,* la face du dé marquée de trois points. ‖ (Fam. et par dénigrement) *Frères trois points,* francs-maçons, le nom de ceux-ci étant précédé du signe *Le F∴.* [Math.] *Règle de trois,* procédé de calcul dans lequel on cherche à trouver ce que devient une grandeur connue quand changent d'autres grandeurs auxquelles elle est proportionnelle. [Fin.] *Le trois pour cent,* rente sur l'État qui rapporte annuellement trois francs pour cent francs de capital nominal.

Hom. — *Trois,* adj. num., deux plus un; — *Troie,* n. pr., ville de l'ancienne

Asie mineure ; — *Troyes*, n. pr., ville de l'Aube.

VOCAB. — *Famille de mots.* — **Trois** [rad. *troi, tri, ter, tré, tren*] : troisième, troisièmement ; trois-six, trois-deux, trois-quatre, trio, triolet ; trèfle ; tresse, tresser, tresseur ; trépied ; trimestre, trimestriel, trimestriellement ; trisannuel, triennat, triennalité, triennium, triennal ; triangle, triangulaire, triangulairement, triangulation ; tricycle ; trisaïeul ; trinitaire, trinité ; tertio; tiers, tierçon, tierce, tiercé, tiercement, tiercelet ; tercer, tercet ; tertiaire ; terne, ternaire ; treize, treizième, treizièmement, treizaine, trente, trentième, trentièmement, trentain, trentaine, tricennal, trentenaire ; triple, triplement, triplet, triplette, triplicité, tripler ; tricentenaire ; triptyque ; triade ; tri ; tramail ; triaire, triatomique, tribart, tribasique, tribraque, tricéphale, triceps, trichrome, trichromie, triclinium, tricolor, tricolore, tricorne, tricuspide, trisection, trident, tridi, triduum, trièdre, trière, triérarque, triérarchie, trifacial, trifide, triflore, trifolie, trigame, trigamie, trige, trigémellaire, trigéminé, triglotte, triglyphe, trigone, trigonométrie, trigonométrique, trigonométriquement, trigrille, trigyne, trihebdomadaire, trijumeau, trilatéral, trille, triller, trillon, trilobé, triloculaire, trilogie, trimère, trimètre, trimorphe, trimoteur, trin, trinaire, trinervé, trinôme, triobole, tripartite, tripartition, tripenné, tripétale, triphasé, triphtongue, triphylle, tripile, triplace, triplan, triplicata, triporteur, triquètre, trirectangle, trirème, trisépale, triséquer, trismégiste, trisoc, trisperme, trisser, trissyllabe, trissyllabique, triumvir, triumviral, triumvirat, trivalent, trivalve, triviaire, trivium.

---

* **trois-deux**, n. m. inv. [Mus.] Une des mesures à trois temps, comprenant trois blanches.

* **trois-étoiles**, n. m. inv. Désigne une personne qu'on ne veut pas nommer, et s'écrit avec trois astérisques. *Madame * * **.

* **trois-huit**, n. m. inv. [Mus.] Mesure à trois temps comprenant trois croches.

troisième [*ziè-me*], adj. numéral ordinal de trois. *Troisième étage*. = Nom. La troisième personne. = N. m. Le troisième étage d'une maison. = N. f. La troisième classe d'un lycée, d'un collège.

troisièmement, adv. En troisième lieu.

trois-mâts, n. m. inv. [Mar.] Navire de commerce à voiles muni de trois mâts. *Trois-mâts carré, trois-mâts barque,* etc. V. pl. NAVIGATION.

* **trois-ponts**, n. m. inv. [Mar.] Anc. bâtiment de guerre à trois étages de canons ou à trois batteries couvertes.

1. trois-quarts, n. m. V. TROCART.

2. * **trois-quarts**, n. m. inv. Petit violon pour enfant. || Grosse lime triangulaire. || Anc. nom des fiacres. [Sports] Au rugby, groupe de quatre joueurs entre les demis et l'arrière.

* **trois-quatre**, n. m. inv. [Mus.] Une des mesures à trois temps, comprenant trois noires.

trois-six [*troi-sis*], n. m. inv. Alcool très concentré, titrant 90° environ.

trôle, n. f. Colportage par un ouvrier, partic. par un ébéniste, de la marchandise qu'il a fabriquée lui-même,

HOM. — *Trôle*, n. f., sorte de colportage ; — *troll*, n. m., lutin des légendes scandinaves ; — *trolle*, n. f., clôture de branchages ; découplement de chiens ; — *trôle, es, ent*, du v. trôler.

trôler, v. tr. Mener, promener de tous côtés et hors de propos. || Promener un meuble pour le vendre. = V. intr. Aller çà et là.

* **trôleur**, n. m. Celui qui trôle, qui vagabonde. || Ébéniste qui fait la trôle.

* **troll**, n. m. Lutin ou gnome des légendes scandinaves.
HOM. — V. TRÔLE.

trolle, n. f. Clôture de branchages entrelacés à des pieux. || Découplement des chiens dans la chasse au cerf.
HOM. — V. TRÔLE.

trolley [*tro-lè*], n. m. (mot anglais). Roulette placée en haut d'une tige mobile dressée au-dessus d'un tramway ou d'un omnibus électrique, et par laquelle le moteur reçoit le courant.
HOM. — *Traulet*, pointe d'acier pour piquer un dessin.

* **trolleybus**, n. m. Autobus à trolley.

trombe, n. f. (étym. incert.). [Météor.] Masse nuageuse en forme de cône renversé qui descend jusqu'au sol, animée d'un mouvement violent et rapide de giration et de translation. || Ouragan. || Fig. Mouvement violent. *Arriver en trombe.*
SYN. — V. ORAGE.

* **trombidion**, n. m. [Zool.] Genre d'arachnides encore appelés *aoûtats, rougets,* qui causent en été des démangeaisons insupportables.

* **trombidiose**, n. f. [Méd.] Rougeurs, boutons et démangeaisons occasionnés par les trombidions.

tromblon, n. m. Anc. arme à feu portative dont l'ouverture du canon s'évasait en entonnoir. V. pl. ARMES. || Chapeau évasé à sa partie supérieure (Vx).

trombone [*tron-bo-ne*], n. m. Instrument à vent, en cuivre, du genre de la trompette, mais beaucoup plus grand. V. pl. MUSIQUE. || *Trombone à coulisse,* trombone comportant deux tubes qui s'emboîtent et glissent l'un dans l'autre. — *Trombone à pistons,* trombone comportant un jeu de pistons.

* **tromboniste**, n. m. Celui qui joue du trombone.

trompe, n. f. (germ. *trumpa,* m. s.). [Mus.] Instrument à vent recourbé appelé aussi *cor de chasse.* || Trompette. V. pl. MUSIQUE. || Fig. *Publier à son de trompe,* annoncer une chose à beaucoup de gens, afin qu'elle se divulgue. || Appareil avertisseur. *Une trompe d'auto.* [Mar.] Sorte de porte-voix. [Anat.] *Trompe d'Eustache,* conduit qui fait communiquer la cavité tympanique ou oreille moyenne avec l'arrière-cavité des fosses nasales. V. pl. OREILLE. — *Trompes de Fallope,* conduits unissant les ovaires à l'utérus. [Archi.] Arc diagonal, bandé à chacun des angles d'une construction carrée, fournissant 4 pans coupés et permettant de passer du plan carré au plan octogonal, base de la coupole. || Portion de voûte en saillie supportant une construction en encorbellement. V. pl. VOÛTES. [Phys.] Appareil dans lequel on utilise l'écoulement d'un liquide pour aspirer l'air ou un gaz quelconque, soit afin d'obtenir un courant d'air, soit pour faire le vide. *Trompe à eau, à mercure.* [Techn.] Sifflet d'alarme des

chaudières à vapeur. [Zool.] Appendice nasal démesurément allongé des éléphants. — Mâchoires allongées et accolées des papillons.
Hom. — *Trompe, es, ent,* du v. tromper.
* **trompe-la-mort**, n. m. Personne qui reste en vie contre toute attente. ǁ Personne d'une folle témérité. = Pl. *Des trompe-la-mort.*

trompe-l'œil [tron-pe-leuill, *il* mll.], n. m. Tableau où des objets sont représentés avec une vérité qui fait illusion. ǁ Fig. Apparence trompeuse. *Sa vertu n'est qu'un trompe-l'œil.* = Pl. *Des trompe-l'œil.*

tromper, v. tr. (orig. incert.). Duper, user d'artifice pour induire en erreur. *Tromper par de belles promesses. — Cette femme trompe son mari,* elle lui est infidèle. On dit de même d'un mari *qu'il trompe sa femme.* ǁ Fig. Donner lieu à une erreur, à une méprise. *La ressemblance m'a trompé.* — Fam. *C'est ce qui vous trompe,* à cet égard, vous êtes dans l'erreur. ǁ Fig. Éluder, mettre en défaut. *Tromper la vigilance de ses gardes.* ǁ Ne pas répondre à l'attente de. *L'événement a trompé leurs calculs.* ǁ Fig. Faire diversion à. *Tromper sa faim. — Tromper son ennui,* se distraire. — *Tromper le temps,* s'occuper à quelque chose, afin de ne pas trouver le temps long. = SE TROMPER, v. pr. Faire erreur, s'abuser. *L'homme se trompe bien souvent.* — Errer, s'abuser. *Il s'est trompé de chemin.* — *Si je ne me trompe,* se dit quand on n'est pas parfaitement certain d'un fait. *Ou je me trompe fort, ou telle chose est ainsi,* je m'abuse fort si telle chose n'est pas ainsi.

— *Car c'est double plaisir de tromper le trompeur.* (La Fontaine.)
— *Le vrai moyen d'être trompé, c'est de se croire plus fin que les autres.*
(La Rochefoucauld.)

Syn. — V. abuser.
Ctr. — *Détromper, désabuser.*

> Vocab. — *Famille de mots.* — *Tromper* : tromperie, trompeur ; détromper, détrompement ; trompe-l'œil, trompe-la-mort.

tromperie, n. f. Action de tromper. ǁ Fraude, artifice employé pour tromper.
Épithètes courantes : honteuse, déloyale, criminelle, odieuse, malhonnête, malfaisante, méprisable ; employée, ajoutée, concertée, décelée, découverte, réprimée, punie, etc.
Par. — *Tromperie,* lieu où l'on trempe le papier.

trompeter [tron-pe-té], v. tr. Publier à son de trompe. ǁ Divulguer une chose qui devait rester cachée. (Fam.). = V. intr. Se dit du cri de l'aigle. ǁ Jouer de la trompette. — Conjug. V. grammaire.
* **trompeteur**, n. m. Celui qui sonne de la trompette.

1. trompette [tron-pè-te], n. f. Instrument à vent qui consiste essentiellement en un tuyau de métal, et qui a un son éclatant. V. pl. musique. ǁ *Sans tambour ni trompette,* en cachette, sans bruit. ǁ *Nez en trompette,* nez relevé. ǁ *Emboucher la trompette,* prendre le ton relevé, sublime, en parlant des poètes. ǁ Fig. Personne qui a coutume de publier tout ce qu'elle sait.

Hom. — *Trompette,* n. f., sorte d'instrument à vent ; — *trompette,* n. m., celui qui sonne de la trompette ; — *trompète, es, ent,* v. trompeter, publier.
2. trompette, n. m. Celui qui sonne de la trompette. *Trompette dans les hussards.* ǁ Fig. Celui qui publie quelque chose.

trompettiste, n. m. Joueur de trompette dans un orchestre.

trompeur, euse [tron], adj. et n. Qui trompe. *Visage trompeur.* — *A trompeur, trompeur et demi,* un trompeur trouve souvent trompeur plus fin que lui.
Syn. — V. faux et fourbe.
Ctr. — *Franc, loyal, vrai.*

* **trompeusement**, adv. D'une manière trompeuse.

trompillon [*ill* mll.], n. m. Petite trompe. [Archit.] *Trompillon de voûte,* petite ronde faisant partie des voussoirs d'une niche. ǁ Petite ouverture dans une machine soufflante hydraulique.

...tron, tronc

> Orth. — *Finales.* — Le son final *tron* s'écrit sous cette forme dans citron, litron, mitron, patron, etc. — Seul le mot tronc prend un *c* final.

tronc [tron], n. m. (lat. *truncus,* m. s.). [Bot.] Tige ligneuse des arbres depuis le sol jusqu'aux premières branches. V. pl. botanique. [Anat.] Partie principale du corps, à laquelle les membres sont attachés. ǁ Cette partie, privée de la tête et des membres. *Un tronc mutilé.* ǁ Fragment inférieur du fût d'une colonne. V. pl. colonnes. ǁ Fig. En parlant de généalogie, ligne directe des ascendants et des descendants. ǁ Boîte percée d'une petite fente pour recevoir les aumônes. *Tronc des pauvres.* [Géom.] *Tronc de cône, de pyramide,* cône, pyramide dont on a enlevé le sommet. V. pl. volumes (corps ronds). [Anat.] Partie la plus considérable d'une veine, d'une artère, d'un nerf.
Syn. — V. tige.

> Vocab. — *Famille de mots.* — *Tronc* : troncature, tronchet, tronconique, troncule, tronçon, tronçonner, tronquer, tronqué ; trancher, tranchant, tranché, tranchée, tranchet, tranchoir, tranchage, tranchefil, tranchefile, tranchefiler ; retrancher, retranché, retranchement.

* **troncature**, n. f. Endroit où un objet est tronqué. ǁ État d'un objet tronqué.
* **tronce** ou * **tronche**, n. f. Grosse bûche, grosse souche de bois. [Techn.] Pièce de bois grosse et courte.

tronchet [chè], n. m. Gros billot de bois sur trois pieds.

tronçon [son], n. m. Morceau rompu ou coupé d'un objet plus long que large. *Tronçon de lance.* ǁ *Tronçons d'une rue, d'un chemin de fer,* etc., parties non encore réunies entre elles. ǁ Morceau d'un poisson, d'un reptile coupé. ǁ Le gros de la queue du cheval, qui la rattache à la croupe.

tronconique, adj. En forme de tronc de cône.

* **tronçonnement**, n. m. Action de tronçonner.

tronçonner [*so-né*], v. tr. Couper par tronçons. *Tronçonner une anguille.*
CTR. — *Réunir, assembler.*

*__troncule__, n. m. [Anat.] Tronc très petit d'un nerf, d'un vaisseau.

trône, n. m. (lat. *thronus*, m. s.). Siège élevé où les rois, les empereurs se placent dans certaines cérémonies solennelles. *La salle du trône.* ‖ Fig. Puissance souveraine des rois, des empereurs, etc. — *Monter sur le trône,* prendre possession de la royauté. ‖ *Trône épiscopal,* dans les cathédrales, siège où l'évêque se place quand il officie pontificalement. V. pl. ÉGLISE. — *Le trône de saint Pierre, le trône pontifical, le trône du pape,* et par ext., la papauté. [Théol.] L'un des neuf chœurs des anges.
— *Il juge les mortels avec d'égales lois, Et du haut de son trône interroge les rois.*
(RACINE.)
ÉPITHÈTES COURANTES : royal, impérial, pontifical, épiscopal; magnifique, glorieux, superbe, fastueux, envié, respecté, honoré, révéré; désiré, convoité, obtenu; élevé, abaissé; occupé, usurpé, renversé, détruit, soutenu, abattu, raffermi, quitté, abandonné, etc.
ORTH. — *Trône, trôner, détrôner* prennent un accent circonflexe, mais *introniser, intronisation,* mots pourtant dérivés de trône, n'en prennent pas.
ANT. — *Autel.*

> VOCAB. — *Famille de mots.* — *Trône :* trôner, détrônement, détrôner, détrôné; introniser, intronisation.

trôner, v. intr. Être sur le trône. ‖ Fig. Se donner trop d'importance. *Elle trône dans son salon* (Fam.).

tronqué, ée [*ké*], adj. Dont on a retranché la partie supérieure. *Cône tronqué.* ‖ *Statue tronquée,* à laquelle il manque une partie. ‖ *Ouvrage tronqué,* privé d'une partie essentielle.

TROP (Le *p* ne se fait sentir que devant une voyelle ou une *h* muette), **mot invariable.**
Étymologie. — Origine douteuse.
 INCORR. — Ne dites pas : *c'est de trop,* dites : *c'est trop.*
 CTR. — *Assez, suffisamment.* — *Moins.*
 HOM. — *Trot,* allure du cheval.

SENS ET EMPLOIS DE **TROP**, ADVERBE DE QUANTITÉ
 Plus qu'il ne faut, avec excès. *Ce vase est trop plein.* — *De trop, en trop,* en excès. Fam. *Vous n'êtes pas de trop,* se dit à une personne pour lui témoigner qu'elle peut rester, qu'on n'a rien à lui cacher de ce qu'on veut dire. — *C'en est trop,* cela dépasse la mesure. — *Par trop,* excessivement, d'une manière fatigante, importune, révoltante. *Cet homme est par trop ennuyeux.* — *Pas trop,* guère, médiocrement. *Cela n'est pas trop bien.* — *Trop peu,* pas assez. *Il est trop peu prudent.* Avec le sens de très, en marquant que quelque chose n'était pas espéré. *Il a été trop heureux que vous songiez à lui.*
 Avec idée de extrêmement, à l'excès, sans comparaison avec une quantité donnée comme limite. *Ah ! Madame, pour moi j'ai vécu trop d'un jour* (un jour de trop) (RACINE).
 Trop EMPLOYÉ COMME NOM MASCULIN. — Excédent, excès. *Le trop en tout est un défaut.* Prov. *Trop est trop, et trop peu est trop peu,* l'excès est toujours fâcheux. — On dira aussi : *Il expie son trop peu de prudence,* son manque exagéré de prudence.

LOCUTIONS FORMÉES AVEC **TROP**
 TROP POUR, loc. prép. suivie de l'infinitif et marquant la conséquence. Plus qu'il ne faut pour. *Il est trop bête pour être méchant.*
 TROP... POUR QUE, loc. conj. suivie du subjonctif et marquant la conséquence. *Certains vins sont trop vieux pour qu'ils soient supportables* (ROLLIN).

---

tronquer [*ké*], v. tr. Oter une portion d'une chose si bien qu'elle s'en trouve défigurée, mutilée. Ne se dit que des statues et, au fig., des ouvrages de l'esprit.
trop, adv. de quantité. V. tabl. TROP.
trope, n. m. Figure qui a pour effet de modifier, de changer la signification propre des mots. Ex. la *métaphore,* l'*allégorie,* etc. V. tabl. FIGURES.
*__tropéolées__, n. f. pl. [Bot.] Famille de plantes dicotylédones souvent rattachée aux *géraniacées.*
trophée, n. m. (lat. *tropaeum*, m. s.). Dépouille d'un ennemi vaincu. [Antiq.] Assemblage d'armes disposées avec art sur le champ de bataille, dans un temple, etc., pour conserver le souvenir d'une victoire. ‖ Fig. Victoire. *Tout fier de ses trophées.* ‖ Assemblage d'armes disposées avec art, ou de drapeaux mis en faisceaux. [Bx-Arts] Ornement sculpté ou peint représentant un assemblage de divers objets employés dans une science ou dans un art, et qui en sont comme les attributs.
trophique [*fi-ke*], adj. (gr. *trophikos,* m. s., de *trépho,* je nourris). Qui concerne la nutrition des tissus. ‖ *Centres, nerfs, trophiques,* partie du système nerveux qui préside au développement et à la nutrition des tissus.
 PAR. — *Tropique,* cercle de la sphère terrestre.
*__trophologie__, n. f. [Méd.] Science de l'alimentation.
tropical, ale, adj. Qui appartient au tropique, qui vit sous les tropiques. *Plantes tropicales.* ‖ Fig. Très chaud. *Température tropicale.*
 CTR. — *Tempéré.*
tropique [*pi-ke*], n. m. (gr. *tropikos,* m. s.). [Astro.] Chacun des deux petits cercles de la sphère terrestre, parallèles à l'équateur, qui passent par les points solsticiaux. *Tropique du Cancer,* au nord, *tropique du Capricorne,* au sud, chacun à 23° 27' de l'équateur. [Géog.] *Tropiques terrestres,* chacun des deux parallèles qui limitent la zone torride. = Adj. [Bot.] *Plantes tropiques,* celles dont les fleurs s'ouvrent le matin et se ferment le soir.
 PAR. — *Trophique,* qui concerne la nutrition des tissus.
*__tropisme__, n. m. [Biol.] Croissance d'un organe dans une direction déterminée sous l'action de facteurs externes (pesanteur, lumière, humidité).

tropologie, n. f. Langage figuré. ‖ Science des tropes. ‖ Allégorie qui recouvre une moralité.

troposphère, n. f. [Météor.] Partie de l'atmosphère terrestre depuis son contact avec la terre, jusqu'à une altitude de 10 à 12 km.
Ant. — *Stratosphère, lithosphère, ionosphère.*

trop-perçu, n. m. Ce qui, dans un compte, a été perçu en trop. = Pl. *Des trop-perçus.*

trop-plein [trop-plin], n. m. Ce qui déborde d'un vase, en excède la capacité. = Pl. *Des trop-pleins.*

1. **troque** [tro-ke], n. m. [Zool.] Genre de mollusques gastéropodes à coquille en spirale.
Hom. — V. TROC.

2. **troque**, n. f. Commerce de troc entre Européens et indigènes d'Afrique.

troquer [tro-ké], v. tr. Faire un troc, échanger une chose contre une autre, sans employer l'intermédiaire de la monnaie. *Il a troqué son cheval contre un tableau*

troqueur, euse, n. Celui, celle qui troque.

trot [tro], n. m. Allure du cheval et de certaines bêtes de somme, intermédiaire entre le pas et le galop.‖ Fig. *Faire une chose au trot*, la faire vivement et sans délai.
Ant. — *Galop, pas.*
Hom. — *Trop*, plus qu'il ne faut, avec excès.

trottable [tro-ta-ble], adj. Où l'on peut trotter. *Route trottable.*

trottade, n. f. Petite course faite en voiture ou à cheval.

trotte [tro-te], n. f. Espace de chemin à parcourir. *Il y a une bonne trotte d'ici là* (Pop.).
Hom. — *Trotte, es, ent*, du v. trotter.

trotte-menu, adj. inv. Qui trotte à très petits pas. — *La gent trotte-menu*, les souris.

trotter, v. intr. (orig. inc.). Aller le trot; se dit du cheval ou du cavalier. ‖ Se dit également de certains animaux dont l'allure rappelle le trot du cheval. *Les souris trottent.* ‖ Fig. et fam. Marcher beaucoup à pied, faire beaucoup de courses, de démarches pour une affaire. ‖ Fig. et fam. Aller et venir, se mouvoir en divers sens. — *Cette idée lui trotte dans la cervelle*, cette idée l'occupe, il y pense souvent.
Ctr. — *Galoper, marcher.*

Vocab. — *Famille de mots.* — *Trotter :* trot, trottiner, trottable, trottade, trotte, trottinette, trottoir, trottin, trotteur ; trotte-menu.

---

trotteur, euse, n. Cheval, jument qu'on a dressés à trotter ou à n'aller que le trot. = N. f. Petite aiguille qui marque les secondes sur les cadrans des montres, des pendules. ‖ Jupe qui laisse aux jambes toute leur liberté.

trottin [tro-tin], n. m. Jeune fille employée à faire des courses dans les ateliers de mode, de couture (Fam.).

trottiner [tro-ti-né], v. intr. Trotter en raccourci, en parlant du cheval. ‖ Fig. et fam. Marcher à pas petits et pressés.

trottinette, n. f. Planchette montée sur roues et commandée par une tige de direction, sur laquelle un enfant se tient debout sur un seul pied.

trotting [ti-gn], n. m. Exercice de trot dans les épreuves hippiques.

trottoir [tro-toir], n. m. Chemin surélevé à droite et à gauche des rues et réservé aux piétons. V. tabl. VILLE et VILLAGE (*Idées suggérées par les mots*). ‖ *Faire le trottoir*, raccrocher les passants.
Ant. — *Chaussée.*
Par. — *Tortoir*, bâton qui sert à maintenir la corde qui arrime le chargement d'une charrette.

1. **trou**, n. m. (orig. inc.). Ouverture naturelle ou artificielle. *Faire un trou à la muraille.* ‖ Loc. pop. *Faire un trou à la lune*, s'enfuir sans payer ses créanciers. — *Faire son trou*, parvenir à une situation assez importante. ‖ Pop. Fosse, tombe. *Aller au trou.* ‖ Petite cavité dans laquelle se retirent certains animaux. *Trou de souris.* — *Boire comme un trou*, boire énormément. ‖ Partic. Accroc ou solution de continuité causée par l'usure dans un tissu. ‖ Fig. et fam. Lieu dont on veut indiquer la petitesse d'une manière exagérée. *On m'a logé dans un trou.* — Petite ville, petite localité perdue. *Un trou de province.* [Anat.] Nom donné à certaines cavités percées de part en part. *Trou occipital.* ‖ Lacune. *Il y a des trous dans cette comédie. Avoir des trous dans la mémoire.* [A. milit.] *Trou de loup*, trou disposé devant un retranchement, creusé en forme d'entonnoir et au fond duquel se dresse la pointe acérée d'un pieu. [Techn.] *Trou d'homme*, trou pratiqué dans la partie supérieure d'une chaudière pour faciliter le nettoyage. — *Trou du souffleur*, ouverture pratiquée dans le plancher de l'avant-scène, où se tient le souffleur, sous un petit toit.
Épithètes courantes : grand, petit, profond, obscur, noir, percé, creusé, ouvert, ménagé, approfondi, bouché, comblé, rempli, etc.
Hom. — *Troue, es, ent*, du v. trouer.
Syn. — V. ABÎME.

2. **trou**, n. m. Trognon.

troubadour, n. m. Nom des poètes du Moyen Age répandus dans le Midi de la France, qui écrivaient en langue d'oc des poésies le plus souvent du genre lyrique et destinées à être chantées.
Ant. — *Trouvère.*

troublant, ante, adj. Qui trouble, qui inquiète.

1. **trouble**, n. m. (du v. *troubler*). État contraire à celui de paix, de tranquillité; désordre, confusion, agitation désordonnée; mouvement tumultueux; mésintelligence. *Le trouble s'est mis dans cette famille.* ‖ Inquiétude, agitation de l'esprit ou du cœur. *Sa rougeur trahissait son trouble.* = TROUBLES, au pl. Dissensions civiles et politiques, émeutes. *Fomenter des troubles dans l'État.* [Méd.] Tout désordre dans les fonctions d'un organe. *Troubles de la vision.*
Épithètes courantes : grand, profond, sérieux, grave, funeste, fatal, mortel, politique, révolutionnaire, religieux, social, économique, subit, imprévu, ancien, nouveau, fomenté, excité, déchaîné, causé, apaisé, évité, calmé, réprimé.
— *Quel trouble vous agite et quel effroi vous blesse ?* (RACINE.)
Hom. — *Trouble*, n. m., agitation désordonnée ; — *trouble*, n. f., filet de pêche ; —

trouble, adj., qui n'est pas clair ; — *trouble, es, ent*, du v. troubler.
Syn. — V. aberration, bagarre et confusion.
Ant. — Sécurité, tranquillité, quiétude.
2. trouble, adj. (bas lat. *turbulus*, lat. *turbidus*). Qui est brouillé, qui n'est pas clair. *Vin trouble.* — Fig. *Pêcher en eau trouble*, chercher son profit dans le désordre public ou privé. — *L'air est trouble, le temps est trouble*, il y a du brouillard, le ciel est couvert. — *Ce verre est trouble*, il n'est pas bien transparent. ‖ *Avoir la vue trouble*, et adverbial. *Voir trouble*, ne pas voir nettement, distinctement, au propre et au fig. ‖ Fig. Louche, suspect, peu net. *Conduite trouble.*
Ctr. — *Clair, net, pur, limpide.*
Hom. — V. trouble 1.
3. trouble, n. f. [Pêche]. V. truble.
Hom. — V. trouble 1.
troublé, ée, adj. Qui éprouve du trouble, qui est dans le trouble.
Ctr. — *Tranquille, serein.* — *Imperturbable.*
trouble-fête, n. m. inv. Importun qui vient interrompre la joie d'une réunion. ‖ Se dit aussi des choses (Fam.).
troubler, v. tr. (lat. pop. *turbulare*, m. s.). Rendre trouble. *L'orage a troublé les eaux de la rivière.* ‖ Agiter d'une manière désordonnée ; détruire l'ordre, la tranquillité, la bonne intelligence. *Troubler l'ordre public* ‖ Interrompre d'une manière désagréable. *On est venu troubler mon sommeil.* ‖ Apporter une perturbation dans la marche, dans le fonctionnement de quelque chose. *Cela trouble la digestion.* ‖ *Troubler quelqu'un*, l'interrompre dans ses occupations, dans ses plaisirs ; distraire son attention ; lui faire perdre sa présence d'esprit, ses moyens. *J'écrivais, il est venu me troubler.* ‖ Inquiéter moralement. *Cette affaire lui trouble la conscience.* = se troubler, v. pr. Devenir trouble. — *Le temps commence à se troubler*, il commence à se charger de nuages. — *Son esprit se trouble*, il perd sa lucidité. ‖ Éprouver une émotion, qui fait qu'on ne sait plus que dire. *Elle s'est troublée et n'a pu répondre.* On dit dans un sens anal. *Sa mémoire se trouble.*
Syn. — V. agiter.
Ctr. — *Clarifier.* — *Tranquilliser.*
trouée [trou-é], n. f. Espace vide au travers d'un bois, d'une haie. ‖ Ouverture que fait dans une ligne ennemie le canon, une charge de cavalerie, de chars d'assaut, etc. ‖ Passage entre deux montagnes ; défilé. *Trouée de Belfort.*
trouer, v. tr. Percer, faire un trou dans. *Trouer une planche.* = se trouer, v. pr. Se percer.
* **troufion**, n. m. [Arg.] Soldat, troupier.
* **trouille** [*ill* mll.], n. f. [Arg.] Peur.
trou-madame, n. m. Jeu auquel on joue avec de petites boules que l'on pousse dans des ouvertures marquées de chiffres. = Pl. *Des trous-madame.*
troupe, n. f. (orig. incert.). Nombre plus ou moins considérable de gens assemblés. *Une troupe de paysans.* ‖ Réunion de gens associés ou formant compagnie. *Une troupe de brigands.* — Se dit des animaux. *Une troupe d'oies sauvages.* — *Troupe de comédiens*, ou, absol., *troupe*, acteurs associés, ou réunis par un directeur. — *Aller, marcher en troupe*, en parlant de personnes ou d'animaux, aller ensemble en grand nombre. — *Marcher par troupes*, en formant plusieurs bandes ou troupes distinctes. *Ils marchent par troupes de dix.* = troupes, n. f. pl. Corps de gens de guerre qui composent une armée. — Au sing. Corps de troupes considéré isolément. *Le capitaine marchait en tête de sa troupe.* — *Homme de troupe*, soldat non gradé. — *Enfant de troupe*, fils de militaire, autrefois élevé avec la troupe, aujourd'hui dans les écoles spéciales.

— *Sans moi donc cette troupe s'avance
Et porte sur le front une mâle assurance.*
(Corneille.)

Épithètes courantes : grande, grosse, nombreuse, considérable, petite, faible, forte, armée, équipée, belle, disciplinée, fraîche, nouvelle, réglée, ordonnée, encadrée, commandée, conduite, courageuse, excitée, enthousiaste, intrépide, exposée ; confuse, indisciplinée, désordonnée, barbare, criminelle, débandée, rebelle, furieuse, déchaînée, révoltée, suspecte ; craintive, affolée, fatiguée, peureuse ; hardie, cynique fidèle, céleste, savante, comique ; réunie, rassemblée, rameutée, dispersée, éparpillée rejetée, repoussée, détruire, anéantie, etc.
Syn. — V. bande.
troupeau, n. m. (de *troupe*). Troupe d'animaux domestiques de même espèce, élevés et nourris dans un même lieu. *Troupeau de bœufs.* — Employé absol. Sign. en général un troupeau de moutons et de brebis. *Le berger et son troupeau.* ‖ Fig. *Le troupeau de Jésus-Christ*, l'Église. — *Le troupeau de l'évêque, du curé*, les fidèles dont il est le pasteur. ‖ Fig. et péjor. Multitude qui suit aveuglément quelqu'un. ‖ Bande de soldats, de gens démoralisés, désordonnés.
* **troupiale**, n. m. [Zool.] Genre d'oiseau passereaux d'Amérique vivant en troupes.
troupier, n. m. Soldat, homme de troupe (Fam.).
* **troussage**, n. m. Action de trousser une volaille.
trousse, n. f. (du v. *trousser*). Faisceau de plusieurs choses liées ensemble. ‖ Sorte d'étui de poche où les chirurgiens, les médecins, les vétérinaires, etc., mettent les instruments dont ils se servent le plus habituellement. — *Trousse de toilette*, qui contient tout ce qui est nécessaire à la toilette. ‖ Bagages qu'un cavalier porte derrière lui sur son cheval. Petite sacoche de bicycliste, d'automobiliste, contenant les outils nécessaires aux petites réparations. Au plur. Chausses bouffantes que portaient autrefois les pages. = aux trousses de, loc. prép. A la poursuite de (Fam.). — *Être aux trousses de quelqu'un*, être toujours à sa suite, ne pas le quitter. — *Avoir la police à ses trousses*, être poursuivi par elle. = en trousse, loc. adv. En croupe.
Hom. — *Trousse, es, ent*, du v. trousser.

Vocab. — *Famille de mots.* — *Trousse* : trousser, troussé, troussage, troussis, trousseur, trousseau ; retrousser, retroussé, retroussage, retroussement, retroussis ; détrousser, détroussement, détrousseur ; troussequin, trousse-barre, trousse-étriers, trousse-galant, trousse-nez, trousse-queue.

troussé, ée, adj. Dont la robe est relevée, retroussée, en parlant d'une femme. ‖ Bien fait, bien tourné, qui a bonne grâce. *Compliment bien troussé.*

trousseau [*trou-so*], n. m. Petite trousse. *Trousseau de clés.* ‖ Habits, linge qu'on donne à une fille lorsqu'on la marie ou qu'elle se fait religieuse, à un enfant lorsqu'il entre en pension.

* **trousse-barre,** n. f. Barre de bois qui réunit les élément d'un train de bois flotté. = Pl. *Des trousse-barre.*

* **trousse-étriers,** n. m. Porte-étriers. = Pl. *Des trousse-étriers.*

* **trousse-galant,** n. m. Maladie violente, suraiguë, qui emporte le malade en peu de temps (Vx). — Pl. *Des trousse-galants.*

* **trousse-nez,** n. m. Syn. de *tord-nez.* = Pl. *Des trousse-nez.*

trousse-queue [*keu*], n. m. Morceau de cuir dans lequel on fait passer le haut de la queue d'un cheval. = Pl. *Des trousse-queue.*

1. **troussequin** [*kin*], n. m. Partie postérieure et élevée de l'arçon de la selle.

2. **troussequin,** n. m. V. TRUSQUIN.

trousser, v. tr. (de *trou*, dans le sens de *trognon*). Enlever (Vx). ‖ *Trousser bagages,* déloger furtivement; s'enfuir; mourir. ‖ Fig. et fam. *C'est un mal qui a vite fait de trousser un homme,* qui a vite fait de l'emporter. ‖ Par ext. En parlant des vêtements qu'on a sur soi : replier, relever. *Trousser son manteau, sa jupe.* — En parlant des personnes : Relever leur vêtement. ‖ *Trousser une volaille,* rapprocher du corps les ailes et les cuisses pour la mettre à rôtir. ‖ Fig et fam. *Trousser une affaire,* l'expédier précipitamment. — *Trousser un compliment,* le faire d'une façon galante et gracieuse. = SE TROUSSER, v. pr. Relever ses vêtements.

troussis [*trou-si*], n. m. Pli à une robe, à une jupe pour la raccourcir.

trouvable, adj. Qui peut être trouvé. CTR. — *Introuvable.*

trouvaille [*va-ille,-ill* mll.], n. f. Chose trouvée heureusement (Fam.). ‖ *Trouvaille d'expression,* expression neuve et heureuse.

trouvé, ée, adj. Bien imaginé. *Mot trouvé.* ‖ *Enfant trouvé,* enfant abandonné par ses parents et qu'on a recueilli. ‖ *Objet trouvé,* objet perdu sur la voie publique, ramassé et placé en dépôt.

trouver, v. tr. (orig. incert.). Rencontrer quelqu'un ou quelque chose que l'on cherchait ou que l'on ne cherchait pas. *J'ai trouvé cela dans la rue.* — *On le trouve tous les matins chez lui.* — *Aller trouver, venir trouver quelqu'un,* l'aller voir, venir lui parler. ‖ Surprendre. *On le trouva prêt à s'évader.* ‖ Voir, se présenter une personne ou une chose dans tel ou tel état. *Je l'ai trouvé malade.* ‖ Fig. Sentir, éprouver. *Il trouve un malin plaisir à contredire tout le monde.* ‖ Fig. Rencontrer. *Il a trouvé la mort dans les combats.* — *Trouver à qui parler,* rencontrer quelqu'un qui saura vous tenir tête. ‖ Découvrir, inventer au moyen de l'étude, de la méditation. *Trouver la solution d'un problème.* — Fam. et par reproche. *Où avez-vous trouvé cela ? Qu'est-ce qui vous fait imaginer une pareille chose ?* ‖ Estimer, juger. *Je trouve ces vers fort beaux.* — *Trouver bon, trouver mauvais que l'on fasse une chose,* approuver, désapprouver, accepter, ne pas accepter qu'on la fasse. — Fam. *La trouver mauvaise,* être très mécontent, très ennuyé de quelque chose. — Avec un sens plus fort. *La trouver raide, la trouver saumâtre* (Fam.). — *Trouver le temps long,* s'ennuyer. ‖ Remarquer, reconnaître en quelqu'un, en quelque chose, certaines qualités, certain état. *Je vous trouve bon visage.* ‖ *Trouver à redire,* trouver quelque défaut, quelque sujet de blâme. — Fam. *Trouver à dire,* se dit quelquefois dans l'acception précédente.

SE TROUVER, v. pr. Se rencontrer quelque part, ou se rendre en un lieu, y être. *Je me trouverai chez vous à telle heure.* — En parlant des choses, être dans tel lieu, dans tel endroit. *Son livre se trouve chez tel libraire.* ‖ Fig. Être dans tel ou tel état, telle ou telle situation, en parlant d'une personne ou d'une chose. *Se trouver en danger.* ‖ Estimer, juger, sentir qu'on est dans telle situation. *Se trouver bien mal.* — *Bien se trouver d'une chose,* avoir sujet d'en être content, satisfait. — Partic. *Se trouver mal,* s'évanouir, avoir une syncope. ‖ *Se trouver,* s'emploie quelquefois impersonnellement dans le sens de : être, exister, arriver. *Il se trouva que,* il arriva que, on reconnut que...

SYN. — V. DÉCOUVRIR.

> VOCAB. — *Famille de mots.* — *Trouver:* trouvé, trouvable, trouvaille, trouvère, trouveur, troubadour; introuvable; contrefouer, retrouver.

trouvère ou * **trouveur,** n. m. Poète de la langue d'oil, au Moyen Age, auteur de chansons de geste, de fabliaux.
HOM. — *Trouvèrent,* du v. trouver.
ANT. — *Troubadour.*

* **trouveur, euse,** n. Qui trouve.

* **troyen, enne,** n. et adj. De Troie ou de Troyes.

truand, ande [*tru-an*]. n. Vaurien, vagabond, mendiant par paresse (Vx).

truandaille [*tru-an-da-ille, ill* mll.], n. f. coll. Ceux qui truandent (Vx).

truander, v. intr. Mendier, gueuser, vagabonder (Vx).

truanderie, n. f. État de truand (Vx).

truble ou **trouble,** n. f. [Pêche] Filet en forme de poche monté sur un cercle auquel est ajusté un manche.

trubleau, n. m. Petite truble.

trublion, n. m. Celui qui apporte du trouble.

1. **truc,** n. m. (provenc. *truc,* choc, coup). Sorte de billard de grande taille. ‖ Jeu de cartes. [Théâtre] Appareil propre à faire mouvoir certains décors et à exécuter des changements à vue. ‖ Moyen propre à exécuter un tour de passe-passe. — Moyen adroit employé par les ouvriers, les artistes, etc., pour esquiver une difficulté technique. *Connaître tous les trucs du métier.* — Fig. et pop. *Avoir, connaître le truc,* être habile dans un métier, dans un art.

LING. — *Truc* a fini, dans la langue pop., par être un mot très général, désignant des choses, objets, métiers, ou même des personnes dont le nom ne vient pas immédiatement à la pensée. Cf. *Chose, machin, système,* etc.

HOM. — *Truc,* n. m., moyen adroit pour exécuter quelque chose; *truc* ou

truck, n. m., plate-forme montée sur châssis et sur roues; — *truque, es, ent,* du v. truquer.
2. * truc ou ***truck** [truk], n. m. (anglais *truck,* m. s.). [Ch. de fer] Plate-forme montée sur châssis et sur roues, munie de côtés peu élevés et pouvant se rabattre, pour transporter par voie ferrée les camions, automobiles, etc. V. pl. CHEMINS DE FER. ‖ Chariot pour transporter des marchandises.
***trucage,** n. m. V. TRUQUAGE.
truchement ou ***trucheman,** n. m. Interprète. ‖ Fig. Personne qui parle à la place d'une autre, qui explique les intentions d'une autre. — Chose qui fait comprendre ce qu'on ne veut ou ne saurait dire.
truculence, n. f. Caractère de celui ou de ce qui est truculent.
truculent, ente, adj. (lat. *truculentus,* m. s.). Brutal et sauvage. — Se dit partic. d'un langage libre et grossier.
PAR. — *Succulent, ente,* qui a beaucoup de suc, savoureux.
CTR. — *Amène, doux.* — *Châtié, correct.*
***trudgeon,** n. m. [Sports] Sorte de nage très rapide. V. pl. STADE et PISCINE.
truelle, n. f. (lat. pop. *truella,* m. s.). Instrument formé d'une lame triangulaire ou quadrangulaire et d'un manche, dont les maçons se servent pour appliquer le plâtre et le mortier. *Enduire avec la truelle.* V. pl. BÂTIMENT. ‖ Instrument avec lequel on découpe et l'on sert le poisson à table. ‖ Emblème de la franc-maçonnerie.
truellée, [*tru-é-lé*], n. f. Quantité de plâtre qui peut tenir sur une truelle.
truffe, n. f. (lat. pop. *tufera,* class. *tuber,* tubercule). [Bot.] Genre de champignons souterrains, comestibles et fort savoureux. ‖ Fig. Objet, pâtisserie en forme de truffe. *Truffe au chocolat.* ‖ Fig. et fam. Nez gros et épaté. ‖ Nez de chien.

VOCAB. — *Famille de mots.* — *Truffe* [rad. *truff, tub*] : truffer, truffé, truffier; trufficulture, truffière ; tubéreux, tubérifier (se), tubérisation, tubérosité, tubéreuse; tubercule, tuberculeux, tuberculose, tuberculiforme, tuberculine, tuberculination, tuberculiner, tuberculiser, tuberculisation, protubérance, protubérant.

---

truffé, ée, adj. Garni de truffes. ‖ Fig. Où, au fond principal se trouvent mêlées beaucoup d'autres choses. *Discours truffé de citations, de gaillardises.*
truffer [*tru-fé*], v. tr. Garnir de truffes. ‖ Fig. Garnir abondamment. *Truffer un livre de citations.*
***trufficulture,** n. f. Culture de la truffe.
truffier, ière [*tru-fié*], adj. Qui concerne les truffes. — *Chêne truffier,* chêne dans le voisinage duquel on trouve des truffes. — *Chien truffier,* dressé à découvrir les truffes.
truffière, n. f. Terrain dans lequel on trouve des truffes.
truie [*tru-i*], n. f. Femelle du cochon.
SYN. — V. COCHON.
truisme, n. m. Vérité si évidente qu'il semble inutile de l'énoncer; vérité de La Palisse.
PAR. — *Altruisme,* penchant à obliger les autres.

truite, n. f. [Zool.] Espèce de poisson téléostéen du groupe des saumons. — *Truite saumonée,* qui a la couleur et la saveur du saumon.
truité, ée, adj. Marqué de petites taches rougeâtres. ‖ *Fonte truitée,* fonte blanchâtre, tachetée de gris. ‖ *Poterie truitée,* dont la couverte, par suite d'un accident de cuisson, est parsemée de craquelures.
***truiter (se),** v. pr. [Techn.] Se dit d'une porcelaine dont la couverte s'est fendillée au feu.
***truitelle,** n. f. Petite truite.
***trullisation** [*trul-li-za-sion*], n. f. [Archit.] Travail d'enduits ou de crépis qu'on fait avec la truelle.
trumeau, n. m. (orig. inc.). [Boucherie] Jarret d'un bœuf, partie d'au-dessus de la jointure du genou. [Archi.] Portion d'un mur qui est entre deux fenêtres, entre deux baies. ‖ Par ext. Glace qui occupe l'espace d'un mur entre deux fenêtres, ou le dessus d'une cheminée, revêtement de menuiserie, etc. — Pilier, souvent sculpté ou masqué par une statue, qui, dans les grandes églises gothiques, soutient le linteau d'un portail.
truquage ou ***trucage,** n. m. Industrie qui consiste à donner frauduleusement à des objets modernes l'apparence, la patine d'objets anciens. ‖ Procédé adroit pour tromper.
truquer, v. intr. User de trucs. = V. tr. Donner une fausse apparence, une apparence ancienne à.
***truqueur, euse,** n. Celui, celle qui truque les objets d'art.
***trusquin** ou **troussequin,** n. m. Outil de menuisier qui sert à tracer des lignes parallèles. — Outil d'ajusteur-mécanicien pour le traçage. V. pl. OUTILS usuels.
PAR. — *Troussequin,* partie de l'arçon de la selle.
***trusquiner,** v. tr. Tracer des parallèles avec le trusquin.
***trust** [*treust*], n. m. (mot angl.). Association de capitalistes ou de sociétés exploitant des industries similaires et constituant des monopoles de fait en contrôlant le marché.
SYN. — V. ASSOCIATION.
***truste** ou ***trustis,** n. f. [Hist.] Association de guerriers libres groupés autour d'un roi, d'un chef, chez les Francs.
***truster** [*treus-té*], v. tr. Faire le trust d'une marchandise, d'un produit.
***trusteur** [*teus*], n. m. Celui qui truste.
***truxale,** n. m. [Zool.] Genre d'insectes orthoptères sauteurs des régions chaudes.
***trypanose** [*tri-pa-no-ze*], n. f. [Méd.] Maladie causée par la présence de trypanosomes dans le sang.
trypanosome, n. m. [Zool. et Méd.] Genre d'infusoires vivant dans le sang des insectes et des vertébrés, et dont une espèce est l'agent de la maladie du sommeil.
***trypanosomiase,** n. f. [Méd.] Affection due au trypanosome de la mouche *tsé-tsé,* qui s'observe en Afrique équatoriale, connue sous le nom de *maladie du sommeil.*
trypsine, n. f. [Physiol.] Ferment qui existe dans le suc pancréatique.

tsar, * **tzar** ou **czar,** n. m. Titre que l'on donnait à l'empereur de Russie. Se dit aussi du souverain de Bulgarie. La forme *tsar* seule est consorme à la prononciation russe.
Syn. — V. ROI.
* **tsarévitch,** n. m. Titre que portait le fils aîné du tsar de Russie.
* **tsarevna,** n. f. Titre que l'on donnait aux filles du tsar.
* **tsarien, ienne,** adj. Qui appartient au tsar.
tsarine, * **tzarine** ou * **czarine,** n. f. Titre que portait l'impératrice de Russie.
tsarisme, n. m. Régime politique de la Russie avant 1917.

tsé-tsé ou * **tsétsé,** n. f. [Zool.] Nom vulg. d'une mouche des régions chaudes de l'Afrique, dont la piqûre transmet la maladie du sommeil.
* **t. s. f.,** abrév. de *télégraphie sans fil* ou de *téléphonie sans fil.* V. tabl. P. T. T. et T. S. F. (*Idées suggérées par les mots*).
* **tsigane,** n. et adj. V. TZIGANE.
tu, toi, te, pron. pers., 2ᵉ pers. V. tabl. TU, TE, TOI.
* **tuable,** adj. Bon à tuer. ǁ Fam. Qui mérite d'être tué.
* **tuage,** n. m. Abattage d'un animal de boucherie.
tuant, ante, adj. Fatigant, qui cause beaucoup de peine. ǁ Ennuyeux, assommant (Fam.).

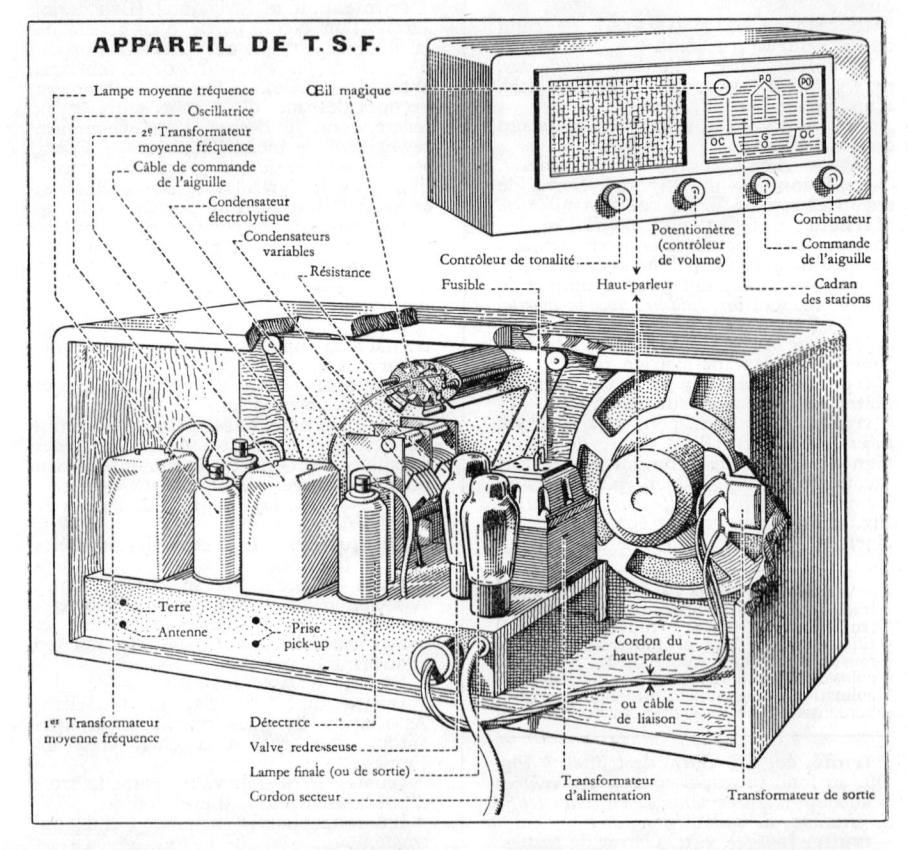

APPAREIL DE T.S.F.

tub [*teub'*], n. m. (mot angl.). Vaste cuvette de métal, de tissu caoutchouté pour ablutions. ǁ Ces ablutions elles-mêmes. *Prendre un tub.*
* **tuba,** n. m. [Mus.] Instrument à vent de la famille des saxhorns.
* **tubage,** n. m. Action de tuber. ǁ Action d'introduire un tube dans un trou de sondage pour empêcher les éboulements. [Chir.] Introduction dans le larynx des enfants atteints de croup d'un tube permettant le passage de l'air.
* **tubaire,** adj. Qui a rapport à un tube. ǁ *Grossesse tubaire,* celle où l'œuf se développe dans une trompe utérine.
tube, n. m. (lat. *tubus,* m. s.). Tuyau cylindrique d'un diamètre généralement

étroit. Tube en caoutchouc, en métal. Le tube d'un télescope, d'un canon, d'une chaudière. V. pl. LOCOMOTIVE. ǁ Pop. Chapeau haut de forme. [Anat.] Conduit naturel. *Le tube digestif.* [Bot.] Nom donné à la portion rétrécie d'une corolle gamopétale. [Chim.] Cylindres de verre de formes, de tailles et d'usages variés. *Tubes en U. Tubes d'essais,* etc. [Phys.] *Tube acoustique,* sorte de porte-voix. — *Tube de Torricelli,* tube renversé sur une cuve à mercure, et qui constitue un baromètre. — *Tube à vide,* syn. de lampe de T. S. F. — *Tube de Geissler,* tube de verre, de cristal, etc., contenant un gaz très raréfié, qui, traversé par la décharge électrique, produit certains effets lumineux. [Techn.] Petit

TU, TE, TOI, pronom pers. de la 2ᵉ pers., des deux genres et du sing.

Ces pronoms sont les formes d'une véritable déclinaison dont *tu*, forme tantôt tonique, tantôt atone, est le cas sujet, *toi* la forme tonique du cas complément, et *te* la forme atone de ce même cas complément. Ils ne diffèrent entre eux que par la fonction qui leur est assignée dans la proposition.

Observations grammaticales. — Les pronoms *tu*, *te*, *toi*, ne désignent que des personnes et des choses personnifiées. On s'en sert surtout en parlant à des inférieurs ou à des personnes avec lesquelles on vit familièrement. Cependant on les emploie dans le style poétique ou oratoire en s'adressant aux personnages les plus élevés, à Dieu, par exemple, ou au roi. *O mon souverain Roi, Me voici donc tremblante et seule devant toi!* (RACINE, prière d'Esther).
V. Vous (tableau) et GRAMMAIRE (pronoms personnels).
HOM. — *Tu, tue, tus, tut, tût*, du v. taire, ne pas dire; — *tu*, pronom pers.; — *tue, es, ent*, du v. tuer.

TU (forme atone et tonique).

Tu, ainsi que le pronom *je*, ne peut jamais être que le sujet de la proposition. Placé devant le verbe, il est toujours atone. *Tu es, tu viens.* Il ne peut être séparé du verbe que par un autre pronom personnel ou par une des particules *en, en, y* : *Tu ne peux le nier. Tu y étais. Tu en sortiras*.
Quand la phrase est interrogative, *tu* est tonique et se met immédiatement après le verbe, auquel on le joint par un trait d'union. *Iras-tu? Connais-tu cette personne?*
Employé comme nom masculin :
Employer le tu, tutoyer une personne. — Fam. *Être à tu et à toi avec quelqu'un*, être tellement lié avec lui, qu'on le tutoie et qu'on est tutoyé par lui.

TE (forme atone).

Te, de même que *me*, ne peut jamais être que le régime direct ou le régime indirect du verbe. En outre, on l'élide devant une voyelle. *Il te prie d'y aller. Il t'en avais prévenu.* — Comme on le voit, *te* se place avant le verbe dont il est le régime : *Je veux te convaincre. Comment a-t-elle pu te faire consentir à cela?* Cependant on dit aussi, surtout dans la langue archaïque, *Je te veux convaincre. Je te viens chercher*; mais cette séparation ne peut avoir lieu dans un temps composé.
On l'emploie :
a) Comme complément direct d'objet. *Je te prie de te taire.*
b) Comme complément d'attribution. *Je te parle. Il te plaît de dire que.*
c) Parfois au lieu de *toi*; lorsque *toi* se trouve après la seconde personne de l'impératif et qu'il est suivi de l'une des particules *en* ou *y*, dit l'Académie, on élide toujours la diphtongue *oi* : *Va-t'en. Garde-t'en bien. Mets-t'y. Jette-t'y.* Mais cette construction n'est elle-même usitée qu'avec un très petit nombre de verbes. Ainsi, par ex., on ne dirait pas : *Accroche-t'y. Réfugie-t'y*, etc.; il faut employer un autre tour.
d) D'une façon explétive, dans des tournures familières expressives où il donne plus de vivacité à la phrase en marquant seulement l'intérêt que peut prendre à l'action la personne indiquée par le pronom. *Je te vais lui régler son compte, et vite.*

TOI (forme tonique).

1º Comme pron. tonique.
a) Il peut être *sujet*. *Toi seule es sincère.*
b) Le plus souvent, il est construit en opposition à un autre nom ou à un pronom, mais alors on les fait suivre du pronom *nous* ou *vous* qui devient le sujet ou le régime du verbe. *Toi et moi, nous avons fait ce que nous devions* ; *Ton frère et toi, vous êtes de mes amis*.
Quand on l'emploie seul comme réponse, *toi*, par ellipse, tient lieu d'une phrase entière, et alors il doit être considéré selon les cas, comme sujet ou comme régime direct. *Qui sera chargé de la reconduire? Toi*, c.-à-d., tu seras chargé de la reconduire.
2º Il se construit avec *tu*, sujet en apposition. *Toi, tu n'oserais jamais!* On dit aussi elliptiq. *Toi, me trahir!* pour signifier, seras-tu capable de me trahir? ou bien, as-tu pu me trahir?
3º Comme *attribut*, *toi* se construit avec les pronoms *ce* et *il* dans les phrases suivantes et autres semblables. *C'est toi qui l'as fait* ; *Ce ne peut être que toi* ;
4º Comme *complément d'objet direct*, seulement après un impératif non accompagné d'une négation et joint au verbe par un trait d'union. *Méfie-toi. Tais-toi.*
5º Comme *complément d'attribution* ou *d'intérêt* sans préposition. *Figure-toi que. Fais-toi rendre ton argent.* (V. ci-dessus *te*, forme atone *c*.)
6º Après un comparatif. *Il est plus faible que toi.*
7º Comme complément *indirect d'objet* ou comme *complément circonstanciel*, avec une préposition, on emploie toujours le pronom *toi* pour exprimer la seconde personne du singulier. *On a parlé de toi. Je pensais à toi. Je compte sur toi. Cela est pour toi.* — *Chez toi.* V. tableau CHEZ.
Il en est de même après une conjonction de coordination. *Ta sœur et toi. Ni ton frère ni toi.*

---

récipient cylindrique, en métal souple, dont le contenu pâteux s'écroule, quand on le presse, par un orifice muni d'un bouchon à vis. *Pâte dentifrice en tube.* — *Tube Berlier*, revêtement métallique dont on munit quelquefois l'intérieur du tunnel des chemins de fer souterrains.

INCORR. — C'est un pléonasme de dire : *un tube creux* (un tube ne saurait être fait autrement).

HOM. — *Tube, es, ent*, du v. tuber.

1. *****tuber**, v. tr. (de *tube*). [Techn.] Revêtir de tubes un trou foré dans la terre pour empêcher son obstruction. Placer les tubes d'une chaudière tubulaire. [Chir.] Placer un tube dans le larynx pour faciliter la respiration.

2. *****tuber** [*teubé*], v. tr. (de *tub*). Soumettre à l'hydrothérapie dans un tub. *Elle tube son enfant.* = SE TUBER, v. pr. Prendre un tub.

*****tubéracé, ée**, adj. (lat. *tuber*, truffe). [Bot.] Relatif à la truffe. = TUBÉRACÉES, n. f. pl. Groupe de champignons ascomycètes ayant pour type la truffe.

tubercule, n. m. (lat. *tuberculum*, m. s.). [Bot.] Excroissance ordinairement riche en fécule qui se développe sur les tiges souterraines de certaines plantes. V. pl. BOTANIQUE. [Anat. et Méd.] Éminence naturelle ou pathologique que présente un tissu ou un organe. — Partic. Petites masses arrondies, jaunâtres, dues au bacille de Koch, que l'on rencontre dans les tissus tuberculeux.

tuberculeux, euse, adj. [Hist. nat.] Qui offre de petites saillies en forme de tubercules. ‖ Qui est de la nature du tubercule. [Méd.] Qui est le siège de tubercules. ‖ Qui est une manifestation de la tuberculose. ‖ Qui est affecté de tuberculose. = Nom. Personne atteinte de tuberculose.

* **tuberculiforme,** adj. Qui a la forme d'un tubercule.

* **tuberculination** ou **tuberculinisation** [sion], n. f. [Méd.] Injection de tuberculine diluée pour le diagnostic de la tuberculose.

* **tuberculine,** n. f. [Méd.] Liquide extrait des cultures du bacille de Koch, servant à diagnostiquer la tuberculose.

* **tuberculiner** ou * **tuberculiniser,** v. tr. [Méd.] Pratiquer la tuberculination sur.

tuberculisation [sion], n. f. Formation de tubercules.

* **tuberculiser,** v. tr. [Méd.] Produire des tubercules. = SE TUBERCULISER, v. pr. Devenir tuberculeux.

tuberculose, n. f. [Méd.] Maladie contagieuse et inoculable, due au *bacille de Koch*, caractérisée par la dissémination de ce microbe dans une partie ou dans la totalité de l'organisme, et la formation autour des centres bactériens de productions inflammatoires ayant l'aspect de tubercules. *Tuberculose pulmonaire, intestinale, osseuse.*

tubéreuse, n. f. [Bot.] Nom vulg. d'une plante ornementale de la famille des *amaryllidées*.

tubéreux, euse, adj. [Bot.] Qui présente des tubérosités.

* **tubérifier (se),** v. pr. [Bot.] Se couvrir de tubercules. = Conjug. V. GRAMMAIRE.

* **tubérisation** [sion], n. f. [Bot.] Transformation en tubercules de la partie inférieure de certains végétaux.

tubérosité [zi], n. f. (lat. *tuber*, bosse). [Anat.] Éminence à surface inégale qui se trouve sur un os et où s'attachent des muscles ou des ligaments. — Renflement sur un organe. [Bot.] Épaississement ou nodosité en forme de tubercule.

* **tubicoles,** n. m. pl. [Zool.] Annélides qui vivent dans des tubes calcaires, sableux ou membraneux.

* **tubifère,** adj. [Hist. nat.] Qui porte un ou plusieurs tubes.

* **tubipore,** n. m. [Zool.] Genre de polypiers alcyonnaires appelés vulg. *orgues de mer.*

* **tubitèle,** adj. [Zool.] Se dit des araignées dont la toile est munie d'un tube.

tubulaire, adj. (lat. *tubulus*, m. s.). Qui a la forme d'un tube, d'un mince cylindre allongé. — *Chaudière tubulaire*, chaudière dans laquelle l'eau est admise dans des tubes chauffés par le foyer, ou dans laquelle la masse d'eau est traversée par des tubes à feu. V. pl. MOTEURS et LOCOMOTIVE. ‖ *Pont tubulaire*, dont l'armature est constituée de tubes d'acier.

PAR. — *Tumulaire*, qui a rapport aux tombeaux.

tubulé, ée, adj. Qui a une ou plusieurs tubulures.

tubuleux, euse, adj. Long et creux comme un tube. *Calice tubuleux.*

tubulure, n. f. Ouverture de certains vases, destinée à recevoir un tube. [Bot.] Petit tube dont certaines productions naturelles sont traversées. ‖ Raccord de tubes métalliques.

tudesque, adj. et n. (all. *deutsch*, allemand). Se dit de la langue allemande ancienne. ‖ Fig. Rude, grossier.

tudieu, interj. Sorte de juron.

tué, ée, adj. Qui a perdu la vie de manière violente. ‖ Fig. *Être tué*, n'en pouvoir plus de fatigue. ‖ *Vin tué*, qui a perdu sa saveur. = Nom. Celui, celle qui a été tué. *Les tués et les blessés.*

* **tue-chien,** n. m. [Bot.] Nom vulgaire du *colchique d'automne*, famille des *liliacées*. = Pl. *Des tue-chien.*

* **tue-diable,** n. m. [Pêche] Sorte de poisson artificiel métallique, muni de plusieurs hameçons triples. = Pl. *Des tue-diable.*

* **tue-mouche,** n. m. inv. [Bot.] Nom vulgaire de l'*amanite fausse oronge*, champignon vénéneux. = Employé adjectivement. *Papier tue-mouches*, papier empoisonné pour tuer les mouches.

tuer, v. tr. (orig. incert.). Arracher la vie d'une manière violente; mettre à mort. *Tuer d'un coup de fusil.* ‖ Se dit aussi d'un accident, d'une maladie, etc., qui provoque la mort. *La tuberculose, le chagrin l'a tué.* ‖ Assommer ou égorger un animal. *Tuer le cochon.* ‖ Faire périr, en parlant des animaux ou des plantes. *Le froid a tué les oliviers.* ‖ Fig. et par exagér. Fatiguer excessivement (au sens physique ou au sens moral). *L'excès de travail le tue.* ‖ Importuner extrêmement. *Ce bruit continuel me tue.* ‖ En parlant des choses, discréditer, ruiner, anéantir. *Cette révolution va tuer le crédit.* ‖ Fig. *Tuer le temps*, s'amuser à des riens pour passer le temps sans ennui. ‖ Pop. *Tuer le ver*, boire le matin, à jeun, un verre d'eau-de-vie. — *Il est bon à tuer*, se dit fam. de quelqu'un d'insupportable.

SE TUER, v. pr. Se donner la mort. ‖ Être tué par accident. *Le couvreur tomba du haut du toit et se tua.* ‖ Se fatiguer excessivement au point d'altérer sa santé. *Se tuer de travail.* ‖ *Se tuer à*, se donner beaucoup de peine pour. — Fam. *Se tuer de*, répéter une chose un grand nombre de fois. *Je me tue de vous dire...*
— *La main destructive de l'homme n'épargne rien de ce qui vit; il tue pour se nourrir, il tue pour se vêtir, il tue pour se parer, il tue pour attaquer, il tue pour se défendre, il tue pour s'instruire; il tue pour s'amuser; il tue pour tuer: roi superbe et terrible, il a besoin de tout, et rien ne lui résiste.* (Joseph de MAISTRE.)

OBS. — Veiller à l'ordre des mots dans les phrases où l'on emploie le verbe *tuer*, afin d'éviter des absurdités comme: *Il est si imprudent qu'il a failli se tuer plusieurs fois.* Il faut construire autrement et dire : *Il est si imprudent que plusieurs fois il a failli se tuer.*

SYN. — V. ASSASSINER.

tuerie [tû-ri], n. f. Massacre, carnage.
SYN. — V. CARNAGE.
tue-tête (à) [tû], loc. adv. Fam. *Crier à tue-tête*, de toute sa force.
tueur, euse, n. Celui, celle qui tue. ‖ Celui qui abat les animaux domestiques. ‖ Assassin à gages.
SYN. — V. ASSASSIN.
tuf, n. m. [Géol.] Sorte de roche sédimentaire blanchâtre, volcanique ou calcaire, qu'on trouve souvent au-dessous de la terre végétale. ‖ Fig. *On en rencontre vite le tuf,* se dit d'un homme superficiel qui ne sait rien à fond.
* **tufacé, ée,** adj. Qui contient du tuf, ou qui en a la nature.
* **tufeux, euse,** adj. [Géol.] Relatif au tuf.
tuffeau ou * **tufeau,** n. m. [Géol.] Craie blanche et tendre qui durcit à l'air.
tufier, ière, adj. [Géol.] Qui est de la nature du tuf. = N. f. Carrière de tuf.
* **tuilage,** n. m. Action de tuiler.
tuile, n. f. (lat. *tegula,* m. s., de *tego,* je couvre). Pièce d'argile cuite peu épaisse ou morceau de zinc, de fibrociment, de pierre, etc., dont on se sert pour couvrir les maisons. ‖ Accident, ou événement imprévu et fâcheux. *Une tuile m'est tombée sur la tête* (Fam.).
HOM. — *Tuile, es, ent,* du v. tuiler.
tuileau, n. m. Morceau de tuile cassée.
* **tuiler,** v. tr. Donner au drap le dernier apprêt. ‖ Faire constater si celui qui se dit franc-maçon l'est réellement.
tuilerie, n. f. Lieu où l'on fabrique des tuiles.
* **tuilette,** n. f. Petite tuile.
* **tuileur,** n. m. Frère qui, dans une loge maçonnique, est chargé de tuiler les visiteurs.
tuilier, n. m. Ouvrier qui fait les tuiles.
tulipe, n. f. [Bot.] Genre de plantes ornementales de la famille des *liliacées,* à belles fleurs de couleurs vives et diverses. ‖ Globe de verre découpé un peu à la manière des tulipes.
tulipier, n. m. Plante de la famille des *magnoliacées,* arbre ornemental à grandes fleurs solitaires.
tulle, n. m. (de *Tulle,* n. de ville). Tissu de fil, de coton ou de soie, formant un réseau léger et transparent, à mailles rondes ou polygonales. *Un voile, des rideaux de tulle.*
* **tullerie,** n. f. Fabrique de tulle.
* **tullier, ière,** adj. Qui a rapport au tulle. *Industrie tullière.*
* **tulliste,** n. Celui, celle qui fabrique ou vend du tulle.
tuméfaction [sion], n. f. Enflure, grosseurs, de nature inflammatoire ou non.
tuméfier, v. tr. (lat. *tumefacere,* m. s.). Causer de la tuméfaction. = SE TUMÉFIER, v. pr. Enfler. = Conjug. V. GRAMMAIRE.
* **tumescence,** n. f. État de ce qui est tumescent; gonflement.
* **tumescent, ente,** adj. [Méd.] Qui s'enfle, se gonfle.
tumeur, n. f. (lar. *tumor,* m. s., de *tumescere,* enfler). [Méd.] Nom générique donné à des productions pathologiques constituées par un tissu de nouvelle formation, résultant d'une activité anormale des cellules. — *Tumeur maligne,* le cancer (tumeur ayant tendance à récidiver après ablation et à se généraliser).

tumulaire, adj. (lat. *tumulus,* tombeau). Qui a rapport aux tombeaux.
PAR. — *Tumulaire,* qui appartient aux tombeaux : *Pierre tumulaire;* — *tumultuaire,* qui est fait avec tumulte, avec désordre; — *tumultueux,* où règne le tumulte, l'agitation; — *tubulaire,* qui a la forme d'un tube.
tumulte, n. m. (lat. *tumultus,* propr. levée en masse). Grand mouvement accompagné de bruit et de désordre. *Apaiser le tumulte.* ‖ Bruit que font les éléments déchaînés, et leur déchaînement même. *Le tumulte des flots.* ‖ Fig. *Le tumulte des passions,* le trouble que les passions excitent dans l'âme. — *Le tumulte du monde, des affaires,* l'agitation qui règne dans le monde, celle que causent les affaires. = EN TUMULTE, loc. adv. En confusion, en désordre.
— *Ici, loin du tumulte, aux devoirs les plus saints*
Tout un peuple naissant est formé par mes mains. (RACINE.)
SYN. — V. BAGARRE, CRI et FRACAS.
ÉPITHÈTES COURANTES : grand, violent, affreux, effroyable, scandaleux, populaire, excité, déchaîné, à son comble, calmé, réprimé, apaisé, etc.
tumultuaire [tu-ère], adj. Qui est fait avec tumulte, avec précipitation, contre les formes et les lois. *Assemblées tumultuaires.*
PAR. — V. TUMULAIRE.
tumultuairement, adv. D'une manière tumultuaire.
tumultueusement, adv. D'une manière tumultueuse.
tumultueux, euse [tu-mul-tu-eu], adj. Où règne le tumulte, le désordre, l'agitation.
CTR. — *Calme, tranquille.*
PAR. — V. TUMULAIRE.
tumulus [luss'], n. m. (mot lat.). [Archéol.] Amas de terre ou de pierres maçonnées ou non, que certains peuples élevaient au-dessus de leurs sépultures. = Pl. *Des tumulus* ou *des tumuli.*
* **tunage,** n. m. ou * **tune,** n. f. Digue formée de fascines et de graviers pour arrêter l'action des eaux.
tungstène [tun], n. m. (orig. suédoise). Métal blanc, très difficilement fusible, d'une densité considérable, employé pour la fabrication des filaments des lampes à incandescence.
* **tungstique,** adj. [Chim.] Se dit de l'oxyde ou de l'acide dérivé du tungstène.
* **tuniciers,** n. m. pl. Animaux marins assez voisins des mollusques, ayant, au lieu de coquille, une enveloppe cartilagineuse (tunique).
tunique, n. f. (lat. *tunica,* m. s.). Vêtement de dessous des anciens. V. pl. costumes. ‖ Vêtement que portent les évêques sous leurs habits sacerdotaux quand ils officient. — Partie du vêtement des religieux de certains ordres. ‖ Vêtement d'uniforme serré à la taille et sans basque. *Une tunique d'officier.* ‖ Vêtement de femme. *Cette robe se compose d'un fourreau sur lequel retombe une tunique.* [Hist. Nat.]. Enveloppe membraneuse, pellicule ou gaine qui protège certains organes. *Les tuniques d'un oignon.*
* **tuniqué, ée,** adj. Enveloppé d'une ou de plusieurs tuniques.

* **tunisien, ienne,** adj. et n. De Tunis ou de la Tunisie.
tunnel [*tu-nèl'*], n. m. (mot anglais). Voie pratiquée au travers d'un massif de terrains, sous une agglomération, sous un fleuve, etc., pour donner passage à un chemin de fer, un canal, une route, etc. V. pl. CHEMIN DE FER. [Mar.] Emboîtement qui entoure l'arbre reliant l'hélice à l'appareil moteur. V. pl. NAVIGATION.
ANT. — *Viaduc.*
* **tupaja** ou * **tupaïa,** n. m. [Zool.] Genre de mammifères insectivores grimpeurs d'Asie.
1. **turban,** n. m. (pour *tulban*, du persan *dulband*, écharpe mise en tour). Coiffure des anc. Turcs et de plusieurs peuples orientaux, faite avec une longue pièce d'étoffe enroulée autour d'un bonnet. ‖ Coiffure féminine en forme de turban. V. pl. COIFFURES.
2. * **turban** ou **turbanet** [*nè*], n. m. [Hortic.] Variété de courge. [Bot. et Zool.] Nom de diverses fleurs, de diverses coquilles affectant la forme du turban.
* **turbe,** n. f. (lat. *turba*, troupe). [Droit] *Enquête par turbes*, enquête faite en prenant le témoignage de plusieurs habitants pour constater les usages, les coutumes des lieux.
* **turbeh,** n. f. Petite chapelle cubique, recouverte d'une coupole en pierre, élevée sur le tombeau d'un saint personnage dans les pays musulmans.
* **turbellariés,** n. m. pl. [Zool.] Groupe de vers plathelminthes au corps déprimé.
* **turbidité,** n. f. État d'un liquide qui est trouble.
* **turbin,** n. m. [Argot] Travail, tâche fatigante.
* **turbinage,** n. m. Action de soumettre à l'action de la turbine.
* **turbinaire,** n. f. [Zool.] Genre de polypiers madréporaires.
turbine, n. f. (lat. *turbo*, toupie). [Mécan.] Moteur dans lequel un fluide, agissant sur des sortes d'ailettes appelées *aubes*, portées par la périphérie d'une roue, provoque la rotation de celle-ci. *Turbine à eau, à vapeur, à air comprimé.*
* **turbiné, ée,** adj. Qui a la forme d'une toupie, d'un cône renversé.
* **turbinelle,** n. f. [Zool.] Genre de mollusques gastéropodes des mers tropicales.
* **turbiner,** v. intr. [Argot] Travailler, faire un travail pénible.
* **turbo,** n. m. [Zool.] Genre de mollusques gastéropodes des mers chaudes.
HOM. — *Turbot*, n. m., poisson osseux et plat.
* **turbo-alternateur,** n. m. [Électr.] Ensemble formé par un alternateur destiné à fonctionner à grande vitesse, accouplé avec une turbine. = Pl. *Des turbo-alternateurs.*
* **turbo-compresseur,** n. m. [Techn.] Groupe formé d'un compresseur monté sur l'axe d'une turbine qui l'actionne. = Pl. *Des turbo-compresseurs.*
* **turbo-moteur,** n. m. [Techn.] Groupe dynamique comprenant une turbine et un moteur montés sur le même arbre. = Pl. *Des turbo-moteurs.*
turbot [*bô*], n. m. [Zool.] Nom vulg. d'un poisson osseux, plat, à chair, très estimée, du groupe des *pleuronectes*.
HOM. — *Turbo*, n. m., mollusque des mers chaudes.

turbotière, n. f. Récipient en forme de losange, destiné à faire cuire des turbots.
turbotin, n. m. Petit turbot.
* **turbulemment** [*tur-bu-la-man*], adv. D'une manière turbulente (peu usité).
CTR. — *Placidement, calmement, docilement.*
turbulence [*lan-ce*], n. f. Défaut de celui qui est turbulent.
SYN. — V. PÉTULANCE.
turbulent, ente [*lan*], adj. (lat. *turbulantus*, m. s.). Qui est porté à faire du bruit, à s'agiter ou à exciter au trouble, au désordre. *Enfant turbulent. Caractère turbulent.* ‖ Qui se manifeste par du bruit, du désordre. *Joie turbulente.* = N. m. Appareil utilisé pour agiter certains produits pendant leur préparation.
CTR. — *Placide, calme, docile.*
1. **turc, turque,** adj. et n. De Turquie. ‖ Fam. *Fort comme un Turc*, extrêmement robuste. ‖ Fig. *Cet homme est un vrai Turc*, il est inexorable, sans pitié. ‖ *Tête de Turc*, personne dont tout le monde se moque. = À LA TURQUE, loc. adv. À la façon des Turcs. *Être habillé à la turque.* ‖ Pop. *Traiter quelqu'un à la turque*, le traiter sans ménagement. = N. m. La langue turque.
2. **turc,** n. m. [Zool.] Larve d'insecte, très nuisible, qu'on trouve entre l'écorce et le bois de certains arbres. — Larve du hanneton. ‖ Outil de chaudronnier pour la pose des rivets.
turcie, n. f. Levée au bord d'une rivière pour en contenir les eaux.
* **turcique,** adj. f. [Anat.] *Selle turcique*, portion de l'os sphénoïde, appelée aussi *fosse pituitaire.*
turco, n. m. Tirailleur algérien (Vx).
* **turcoman, ane,** adj. et n. Qui appartient aux Turcomans.
* **turcophile,** adj. et n. Qui aime les Turcs.
* **turcophobe,** adj. et n. Qui hait, qui redoute les Turcs.
* **turdus,** n. m. [Zool.] Genre d'oiseaux passereaux comprenant les grives et les merles, type de la famille dite des *turdidés.*
* **turelure,** n. f. Mot sans signification qui sert de refrain à certaines chansons populaires. ‖ Fam. *C'est toujours la même turelure*, c'est toujours la même chose.
turf, n. m. (mot anglais sign. *gazon*). Lieu où se font les courses de chevaux. ‖ Ce qui se rattache aux courses de chevaux, au moins des courses. V. tabl. JEUX et SPORTS (*Idées suggérées par les mots*).
* **turfiste,** n. m. Habitué des champs de courses.
* **turfol,** n. m. [Chim.] Substance huileuse extraite de la tourbe.
turgescence [*tur-jès-san-ce*], n. f. [Pathol.] Enflure, gonflement physiologique ou pathologique, qui résulte d'un afflux de liquide dans les tissus (érection de la caroncule du dindon, par ex.).
turgescent, ente [*tur-jès-san*], adj. (lat. *turgesco*, j'enfle). Qui se gonfle, qui est gonflé.
* **turion,** n. m. [Bot.] Bourgeon souterrain propre aux plantes vivaces, comme l'asperge, dont la partie aérienne meurt chaque année.
1. **turlupin,** n. m. Surnom d'un anc. acteur qu'on donne par mépris à un homme qui fait des plaisanteries basses et insipides.

2. *****turlupin**, n. m. Chardon souple, employé pour le lainage des draps fins.
turlupinade, n. f. Mauvaise plaisanterie digne de Turlupin. — Calembour inepte.
*****turlupinage**, n. m. Action de turlupiner.
turlupiner, v. intr. Faire des turlupinades. = V. tr. Se moquer de quelqu'un, le tourner en ridicule ou l'importuner vivement.
turlurette, n. f. Sorte de guitare du XIVe s. ‖ Refrain de vieilles chansons. = Interjection ironique marquant le détachement moqueur.
turlutaine [tè-ne], n. f. Ce qu'on répète sans cesse, marotte.
*****turlutte**, n. f. [Pêche] Engin constitué par une masse de plomb entourée d'hameçons.
*****turlututu**, n. m. (Onomatopée). Interj. de refus, de moquerie ironique, dont on se sert pour interrompre un fâcheux, un quémandeur.
*****turnep** ou *****turneps**, n. m. [Bot.] Autre nom de la rave.
*****turnéracées**, n. f. pl. [Bot.] Famille de plantes dicotylédones tropicales.
*****turnère**, n. f. [Bot.] Genre de plantes, type de la famille des *turnéracées*.
*****turonien, enne**, adj. [Géol.] Se dit d'un étage du crétacé. = N. m. *Le turonien*.
turpitude, n. f. (lat. *turpitudo*, m. s.). Ignominie qui résulte de quelque action honteuse.
SYN. — V. HONTE.
turquerie, n. f. Représentation de scènes turques par la peinture, au théâtre, etc. ‖ Dureté, avarice.
*****turquet** [ké], n. et adj. m. Nom vulgaire du *maïs* ou *blé de Turquie*. ‖ Petit chien d'origine turque.
turquette, n. f. [Bot.] Nom vulg. de l'*herniaire glabre*.
turquin [kin], adj. m. Se dit d'un bleu foncé. *Bleu turquin*.
turquoise [koi-ze], n. f. [Joaill.] Pierre précieuse opaque d'un bleu clair ou verdâtre, employée en joaillerie.
*****turriculé, ée**, adj. [Zool.] Se dit des coquilles univalves dont la spire est en forme de petite tour.
*****turritelle**, n. f. [Zool.] Genre de mollusques gastéropodes univalves.
*****tussah** ou **tussau**, n. m. Nom générique des soies produites par d'autres bombyx que celui du mûrier (celui du ricin, par ex.).
tussilage [la-je], n. m. [Bot.] Genre de plantes de la famille des *composées;* les fleurs et feuilles d'une espèce, dite *pas d'âne*, se prescrivent contre la toux.
tussor ou *****tussore**, n. m. Étoffe de soie légère.
tutélaire, adj. Qui tient sous sa garde, sous sa protection. *Un Dieu tutélaire*. *Bonté tutélaire*.
PAR. — *Titulaire*, qui est régulièrement pourvu d'un emploi.
tutelle, n. f. (lat. *tutela*, protection). [Droit] Autorité donnée, conformément à la loi, pour avoir soin gratuitement de la personne et des biens d'un mineur ou d'un interdit. ‖ Fig. *On le tient en tutelle*, se dit d'un homme qui est gêné et contraint par quelque personne qui a pris une grande autorité sur lui. ‖ Fig. Protection. *Les citoyens sont sous la tutelle des lois*.
ORTH. — *Tutelle* prend deux *l*, mais *tutélaire* n'en prend qu'un.
tuteur, trice, n. (lat. *tutor*, protecteur). Celui, celle à qui la tutelle est confiée. ‖ Soutien, protecteur. = N. m. [Hortic.] Perche plantée en terre et à laquelle on attache une plante, un jeune arbre pour les soutenir ou les redresser.
ANT. — *Pupille*.

> VOCAB. — *Famille de mots.* — *Tuteur :* tuteurer, tuteurage, tutoral, tutelle, tutélaire; intuitif, intuition, intuitivement.

*****tuteurage**, n. m. [Hortic.] Action de tuteurer.
*****tuteurer**, v. tr. [Hortic.] Munir d'un tuteur.
tutie, n. f. [Chim.] Oxyde de zinc, sous-produit du traitement de certains minerais.
tutoiement ou **tutoîment** [tu-toî-man], n. m. Action de tutoyer.
*****tutorial, ale**, adj. Qui concerne la tutelle.
tutoyer [tu-to-ié ou toi-ié], v. tr. User des mots *tu*, *te* et *toi*, au lieu de *vous*, en parlant à quelqu'un. *Il tutoie tout le monde*. = Conjug. V. GRAMMAIRE.
*****tutoyeur, euse**, n. Celui, celle qui a l'habitude de tutoyer.
tutti [tut-ti], n. m. (ital. *tutti*, tous). [Mus.] Passage où toutes les parties d'un orchestre jouent ensemble. = Au plur. Tous les instruments de l'orchestre.
tutti quanti, loc. ital. sign. *Tous, tant qu'ils sont*, qu'on emploie après une énumération incomplète.
tutu, n. m. Jupe de gaze courte et évasée des danseuses de ballet. ‖ Caleçon bouffant de danseuse.
tuyau [tui-yo ou tu-yo], n. m. (néerl. *tuit*, m. s.). Canal ou conduit tubulaire, qui sert à l'écoulement des liquides, de l'air, de la vapeur, des gaz, de la fumée, etc., et qu'on fait de métal, de bois, de terre cuite, etc. *Tuyau de poêle. Tuyau d'orgue. Tuyau d'arrosage.* ‖ Conduit qui mène à l'extérieur la fumée des cheminées. *Le tuyau d'une locomotive.* ‖ Bout creux de la plume des oiseaux; tige fistuleuse des graminées. *Le tuyau d'une plume d'oie. Un tuyau de paille.* ‖ Pli cylindrique que l'on fait au linge empesé. *Collerette à tuyaux.* ‖ *Le tuyau de l'oreille*, le conduit auditif. — Fam. *Parler dans le tuyau de l'oreille*, parler bas à quelqu'un, lui dire quelque chose en secret. [Argot des courses] Renseignement secret donné aux parieurs sur le gagnant probable. ‖ Par ext. Renseignement sur un sujet quelconque. ‖ Pop. *Tuyau de poêle*, chapeau haut de forme.
*****tuyautage** [tui-yo ou tu-yo], n. m. Ensemble, disposition des tuyaux d'une machine. ‖ Action de tuyauter.
tuyauté [tui-yo ou tu-yo], n. m. Façon dont le linge est tuyauté par la repasseuse.
tuyauter [tui-yo ou tu-yo], v. tr. Faire avec un fer chaud des plis cylindriques dans un linge empesé. ‖ Fam. Donner des renseignements confidentiels. = SE TUYAUTER, v. pr. Se documenter sur (Fam.).

tuyauterie [*tui-yo* ou *tu-yo*], n. f. Fabrique de tuyaux. ‖ Ensemble des tuyaux d'une machine ou de toute installation qui comporte des conduits (distribution de l'eau, du gaz, etc.).

* **tuyauteur, teuse** [*tui-yo* ou *tu-yo*], n. Celui, celle qui donne des tuyaux (Pop.).

tuyère [*tui-yère* ou *tu-yère*], n. f. [Techn.] Ouverture à la partie inférieure et latérale d'un foyer, d'un fourneau, destinée à recevoir le bec des souffleries. ‖ Tube conique adapté à cette ouverture. V. pl. LOCOMOTIVE.

* **tweed** [*touîd*], n. m. (mot angl.). Etoffe de laine épaisse et très souple, fabriquée en Ecosse.

* **tylose**, n. f. (gr. *tylosis*, callosité) [Méd.] Œil de perdrix, cor au pied.

tympan, n. m. (lat. *tympanum*, tambour). [Anat.] Cavité creusée dans l'intérieur du temporal, qui constitue l'oreille moyenne et qui est fermée par une membrane la séparant de l'oreille interne. — Cette membrane elle-même. ‖ Fig. *Briser ou rompre le tympan à quelqu'un*, crier ou parler trop fort. [Archi.] Espace triangulaire, uni ou décoré de sculptures, qui résulte d'une arcade circonscrite par des arcs ou des lignes droites. ‖ Espace uni ou orné de sculptures, encadré entre les trois corniches du fronton. V. pl. VOUTES et TEMPLE grec. — Maçonnerie qui se trouve au-dessus des piles d'un pont, entre les moulures. [Typo.] Cadre de bois sur lequel on place les feuilles à imprimer. [Mécan.] Sorte de roue hydraulique élévatoire. — Pignon enté sur un arbre et qui engrène dans les dents d'une roue.
PAR. — *Tympanon*, instrument de musique à cordes d'acier.

* **tympanal, ale**, adj. [Anat.] Qui concerne le tympan. [Mus.] Qui se rapporte au tambour.

* **tympanique** [*tin*], adj. [Anat.] Qui a rapport au tympan. [Mus.] Qui se rapporte au tambour. [Méd.] *Son tympanique*, son d'une cavité organique remplie de gaz.

tympaniser [*tin-pa-ni*], v. tr. Décrier hautement et publiquement (Fam.). = SE TYMPANISER, v. pr. [Méd.] Se dit des cavités intestinales quand elles se remplissent de gaz qui les distendent.

* **tympanisme** [*tin-pa-nis*], n. m. [Méd.] Gonflement de l'abdomen causé par l'accumulation des gaz dans l'intestin.

tympanite [*tin-pa-ni*], n. f. [Méd.] Gonflement de l'abdomen par les gaz accumulés dans les intestins ou le péritoine. [Méd. vét.] Météorisation.

tympanon [*tin-pa-non*], n. m. [Mus.] Instrument de musique en forme de trapèze, monté avec des cordes d'acier, que l'on frappe avec une baguette de bois. V. pl. MUSIQUE.
PAR. — *Tympan*, cavité de l'oreille fermée par une membrane; espace compris entre les corniches d'un fronton.

* **tyndallisation** [*sion*], n. f. (de Tyndall, son inventeur). Procédé de stérilisation par chauffage à 60° à deux reprises pendant deux heures.

type, n. m. (lat. *typus*, caractère). Empreinte servant à faire de nouvelles empreintes semblables. ‖ Modèle, figure originale. *Le type du beau*. ‖ En sciences physiques et naturelles, ensemble des caractères distinctifs d'un groupe, d'une famille, d'une race. *Le type mongol, le type des vertébrés*. — Individu qui présente les caractères distinctifs d'un groupe, d'une famille, etc. *Le faucon est le type des oiseaux de proie*. — Par ext. *Il est le type du malhonnête homme*. ‖ Personnage d'une œuvre littéraire présentant un caractère bien tranché. *Harpagon est le type de l'avare*. ‖ Fam. Personnage original, excentrique. *Quel type !* — Individu quelconque. *Un chic type* (Pop.). [Numism.] Sujet représenté sur une médaille. [Typo.] Caractère d'imprimerie. *Des types mobiles*.
ÉPITHÈTES COURANTES : premier, essentiel, parfait, achevé, normal, classique, habituel, ancien, archaïque, nouveau, moderne, récent, convenu, reçu, adopté, accepté, créé, admis, courant, etc.
SYN. — V. SPÉCIMEN.

* **typesse**, n. f. Pop. Femme, fille.

* **typha** [*fa*], n. m. [Bot.] Nom scientifique du genre *massette*.

* **typhacées** [*fa-sé*], n. f. pl. [Bot.] Famille de plantes monocotylédones herbacées, à feuilles rubanées, qui croissent dans les marécages.

typhique [*ti-fi-ke*], adj. [Méd.] Qui a rapport au typhus ou à la fièvre typhoïde. = Nom. Malade atteint d'une de ces maladies.

* **typhlite** [*ti-fli-te*], n. f. (gr. *typhlos*, aveugle). [Méd.] Inflammation du cæcum.

* **typhlophile** [*flo-fil*], adj. (gr. *typhlos*, aveugle; *philia*, amitié). Qui s'intéresse aux aveugles, à leur sort.

* **typhlops** [*tî-flop-ss*], n. m. [Zool.] Genre de reptiles ophidiens des pays chauds.

* **typho-bacillose**, n. f. [Méd.] Forme aiguë de tuberculose ayant l'apparence d'une fièvre typhoïde. = Pl. *Des typho-bacilloses*.

* **typhogène**, adj. Qui engendre le typhus ou la fièvre typhoïde.

typhoïde, adj. (gr. *typhos*, stupeur; *eidos*, forme). [Méd.] Qui ressemble au typhus. ‖ *Fièvre typhoïde* ou, n. f. *la typhoïde*, maladie infectieuse et contagieuse due au *bacille d'Eberth*, caractérisée par des lésions intestinales, un état de stupeur et d'abattement (*état typhoïde*) et une température élevée à marche cyclique.

* **typhoïdique**, adj. [Méd.] Qui a rapport à la fièvre typhoïde ou à une maladie présentant les mêmes symptômes.

typhon, n. m. (chin. *tafang*, m. s.). [Météor.] Tempête tourbillonnaire des mers de la Chine, de peu d'étendue, mais de très grande violence. V. tabl. TEMPÉRATURE et MÉTÉOROLOGIE (*Idées suggérées par les mots*).
SYN. — V. ORAGE.

typhus [*fuss*], n. m. (gr. *typhos*, stupeur). [Méd.] Nom générique de diverses maladies contagieuses épidémiques. — *Typhus exanthématique* (typhus proprement dit), maladie infectieuse et contagieuse, transmise par le pou du corps, caractérisée par une fièvre intense, un exanthème généralisé et un état typhoïde.
PAR. — *Tophus*, concrétion d'urates au niveau des articulations.

typique, adj. (lat. *typicus*, m. s.). Symbolique, allégorique. *Caractères typiques.* ‖ Essentiel au type d'un genre, d'un groupe. ‖ Caractéristique. *Exemple typique.*
* **typochromie** [*kro*], n. f. Impression typographique en couleurs.
typographe, n. (gr. *typos*, caractère; *graphô*, j'écris). Celui, celle qui sait, qui exerce l'art de la typographie; imprimeur.
typographie [*ti-po-gra-fi*], n. f. Art de reproduire un manuscrit au moyen de types ou caractères métalliques mobiles. V. pl. LIVRE. V. tabl. MÉTIERS ET PROFESSIONS (*Idées suggérées par les mots*).
PAR. — *Topographie*, description et représentation graphique d'un lieu.
typographique, adj. Qui a rapport à la typographie. — *Corrections typographiques,* celles qui portent sur les fautes d'impression.
* **typographiquement,** adv. D'après les procédés de la typographie.
* **typolithographie,** n. f. Impression sur pierre à lithographier.
* **typomètre,** n. m. [Typo.] Règle portant des divisions correspondant à un certain nombre de points typographiques, en usage chez les imprimeurs.
* **typophotographie,** n. f. Procédé qui donne des clichés typographiques par la photographie.
* **typotélégraphie,** n. f. Procédé par lequel les caractères des télégrammes sont automatiquement typographiés.
* **typtologie,** n. f. Moyen d'obtenir des communications spirites par coups frappés.
tyran, n. m. (lat. *tyrannus*, m. s.). Dans l'antiquité, celui qui possédait ou avait usurpé la puissance souveraine dans un État libre auparavant. *Denys le Tyran.* ‖ Chef d'État qui gouverne avec cruauté, et sans aucun respect des lois. *Tibère finit par être un tyran soupçonneux.* ‖ Par ext. Celui qui abuse son autorité contre le droit et la raison. *Il est le tyran de sa famille.* ‖ Fig. *L'opinion est souvent un tyran bien absurde.* — *L'usage est le tyran des langues,* l'usage prévaut sur les règles de la grammaire. [Zool.] Genre d'oiseaux passereaux de la famille des *tyrannidés.*

— *Aux noces d'un tyran, tout le peuple en liesse*
Noyait son souci dans les pots.
(LA FONTAINE.)

— *Et ton nom paraîtra dans la race future.*

Aux plus cruels tyrans une cruelle injure.
(RACINE.)
ÉPITHÈTES COURANTES : affreux, odieux, exécrable, sinistre, détesté, haï, exécré, redouté, cruel, féroce, impitoyable, inflexible, inexorable, impérieux, grand, petit, domestique; imposé, installé, renversé, tué, massacré, etc.
HOM. — *Tyran,* n. m., despote cruel; — *tirant,* n. m., organe destiné à tirer, quantité dont un navire s'enfonce dans l'eau; — *tirant,* ppr du v. tirer.
tyranneau [*ti-ra-nô*], n. m. Tyran subalterne; tyran domestique (Fam.).
tyrannicide, n. m. Meurtre d'un tyran. = N. m. ou f. Celui, celle qui tue un tyran.
tyrannie, n. f. (de *tyran*). [Antiq.] Puissance souveraine. Partic., autorité suprême usurpée par un citoyen dans une cité libre. *Pisistrate établit sa tyrannie à Athènes.* ‖ Toute domination usurpée et illégale. *Il aspire à la tyrannie.* V. tabl. GOUVERNEMENT (*Idées suggérées par le mot*). ‖ Gouvernement injuste et cruel. *Des actes de tyrannie.* ‖ Toute sorte d'oppression et de violence. ‖ Fig. Pouvoir que certaines choses ont ordinairement sur les hommes, et plus partic. sur les femmes. *La tyrannie de la mode.*
tyrannique [*ti-ra-ni-ke*], adj. Qui tient de la tyrannie. *Pouvoir tyrannique,* pouvoir injuste et violent. — *Amitié tyrannique,* amitié trop exigeante.
SYN. — V. ARBITRAIRE.
tyranniquement, adv. D'une manière tyrannique.
tyranniser [*ti-ra-ni-zé*], v. tr. Traiter tyranniquement. *Tyranniser les consciences.* ‖ Se dit des choses morales. *Les passions tyrannisent l'âme.*
* **tyrien, ienne,** adj. et n. De la ville de Tyr.
* **tyroglyphe,** n. m. [Zool.] Genre d'acariens (mites du fromage).
* **tyroïde,** adj. (gr. *tyros*, fromage; *eidos*, aspect). Qui a l'aspect du fromage.
tyrolien, ienne [*ti-ro-li-in*], adj. et n. Du Tyrol. = TYROLIENNE, n. f. Chanson montagnarde passant en sauts brusques de la voix de poitrine à la voix de tête.
* **tzar,** n. m., * **tzarine,** n. f., etc. V. TSAR, etc.
tzigane ou * **tsigane,** adj. et n. Bohémien; musicien ambulant d'origine étrangère. ‖ Langue de ces nomades. ‖ Musicien de café-concert, etc.

U

u, n. m. Vingt et unième lettre de l'alphabet, et la cinquième des voyelles.
[Numér.] Dans une classification, le vingt et unième terme d'une série. *Le casier U.* [Numism.] Sur les pièces de monnaie françaises, désigne l'anc. atelier de frappe de Turin. [Chim.] Symbole de l'uranium. [Techn.] Sert à déterminer tout objet en forme d'U.

Ling. — Les lettres U et V étaient autrefois représentées par le seul caractère V; on distinguait alors le V voyelle et le V consonne. L'emploi du caractère U date du début du XVIIe siècle.

La prononciation de l'U varie selon les langues. Il se prononce généralement *ou*; les quelques pays où le son de l'U français est usité le désignent d'une manière spéciale : *ü* ou *ue* en Allemagne, *ü* en Turquie, etc. Dans notre langue, la voyelle U n'a en général qu'un son unique, celui qu'on lui donne dans les mots : *ulcère, lune, musulman,* etc. Il est généralement muet après *q*, sauf dans quelques mots tirés du latin : *aquatique, équateur, équatorial, équation, quadragésime, quadragénaire, quaternaire, quadrilatère, loquace,* etc., dans lesquels il se prononce *ou*, et dans quelques autres dans lesquels il se prononce *u* : *équilatéral, équidistant, quintuple, quinquennal,* etc. *Quinquagésime, quinquagénaire* se prononcent *kuin-koua...* — Sauf dans *jaguar* [*gouar*], *u* est aussi muet après le G, dont il rend le son guttural, comme on le voit dans les mots *guitare, figue,* etc. Enfin, lorsqu'il est placé devant une autre voyelle, U forme avec elle une diphtongue, comme *huer, lui, puits.* — Lorsqu'on ne veut pas qu'il y ait liaison entre l'U et la voyelle qui le précède, on doit le surmonter d'un tréma, comme dans *Ésaü, Saül,* que l'on prononce *Éza-u, Sa-ull.* Dans les mots *ciguë, aiguë,* etc., le tréma se place sur la seconde voyelle pour indiquer qu'elle a sa valeur propre et ne forme pas diphtongue avec l'*u*.

...u, ue, etc.

ORTH. — *Finales.* — Le son final *u* s'écrit le plus souvent sous cette forme simple : barbu, déchu, écru, écu, fourbu, glu, goulu, herbu, tribu, etc. ; *ue* dans les féminins : crue, étendue, grue, mue, etc.; *uë* dans aiguë, bisaiguë, ciguë, etc. ; *us* dans abus, cabus, confus, diffus, infus, inclus, jus, obtus, plus, pus, surplus, talus, etc. ; *ut* dans bahut, but, attribut, début, rebut, scorbut, tribut, salut, etc. ; *ux* dans flux et reflux.

...uance, uence.

ORTH. — *Finales.* — La finale *uance* ne s'écrit sous cette forme que dans nuance ; ailleurs, on écrit *uence*: affluence, influence.

...uant, uent.

ORTH. — *Finales.* — Le son final *uant* s'écrit le plus souvent sous cette forme : chat-huant, gluant, insinuant et d'une façon générale dans les participes présents des verbes en *uer* ; mais on écrit *uent* dans affluent, confluent, influent, et *uand* dans truand.

* **ubéral, ale, aux,** adj. (lat. *uber*, sein). Qui concerne le sein, la mamelle.
* **ubiquiste** [*kui*], n. m. (lat. *ubique*, partout). Autrefois, docteur en théologie qui ne dépendait d'aucune faculté particulière. ‖ Celui qui semble avoir le don d'ubiquité, ou qui se trouve bien partout.
* **ubiquitaire** [*kui*], n. (lat. *ubique*, partout). Membre d'une secte protestante qui, pour repousser le dogme de la transsubstantation, admettait que le corps de Jésus-Christ est partout présent.

ubiquité [*kui*], n. f. (lat. *ubique*, partout). État de ce qui est partout en même temps. — *Avoir le don d'ubiquité,* avoir le don d'être ou de sembler être partout à la fois.

...uce, us.

ORTH. — *Finales.* — La finale *uce* s'écrit sous cette forme dans astuce, prépuce et puce. Le même son final est traduit par *us* dans autobus, choléra-morbus, omnibus qui sont formés, parfois abusivement, de mots latins. De rares mots se terminent par *usse* : aumusse, russe.

* **uddevallite,** n. f. [Minér.] Minerai de fer titané.
* **udomètre,** n. m. Syn. de *pluviomètre.*

...ueil, euil.

ORTH. — *Finales.* — Il est curieux de constater que le son final *euil* s'écrit tantôt *euil,* tantôt *ueil* sans distinction pour l'oreille. Ainsi bouvreuil, cerfeuil, chevreuil, écureuil, fauteuil, etc.; mais accueil, cercueil, écueil, orgueil, recueil. Le même son se retrouve dans le mot œil.

...uf, uff...

ORTH. — *Médiales.* — Le son *uf* s'écrit avec un seul *f* dans : génuflexion, manufacture, mufle, nénufar, tartuferie, etc. ; avec deux *f* dans : buffle, insuffisance, insuffler, rebuffade, truffer.

uhlan, n. m. [A. milit.] Lancier de la cavalerie légère prussienne ou autrichienne, qui jouait surtout le rôle d'éclaireur. — On écrit aussi *hulan* (h aspiré).

...ui, uie, uis, etc.

ORTH. — *Finales.* — Le son final *ui* s'écrit sous les formes suivantes : *ui*, dans appui, aujourd'hui, autrui, celui, ennui, essui, étui, lui, etc.; *uie* dans parapluie, pluie, suie, truie ; *uis* dans buis, huis, depuis, pertuis ; *uit* dans biscuit, bruit, circuit, conduit, enduit, fortuit, fruit, gratuit, nuit, produit, réduit, sauf-conduit, usufruit ; *uid* dans muid ; *uits* dans puits ; *uy* dans puy.

...uire, uir

ORTH. — *Finales.* — A l'exception de cuir et fuir, la finale *uire* s'écrit toujours sous cette dernière forme : bruire, conduire, construire, cuire, etc.

ukase ou * **oukase**, n. m. (russe *ukasati*). Autrefois, édit du tsar. ‖ Par ext. Ordre impératif, décision sans appel.
* **ukrainien** ou * **ukranien, enne**, adj. et n. De l'Ukraine.

...ul, ule, ulle

ORTH. — *Finales.* — Le son final *ul* s'écrit ainsi dans calcul, consul, nul, recul, tape-cul, etc. ; il s'écrit *ule* dans conciliabule, canule, funambule, globule, etc., canicule et *ulle* dans bulle.

* **ulcératif, ive**, adj. [Méd.] Qui a la propriété d'ulcérer.
ulcération [*sion*], n. f. (lat. *ulceratio*, m. s.). [Méd.] Formation d'un ulcère. — Ulcère superficiel.
ulcère, n. m. (lat. *ulcus, eris*, m. s.). [Méd.] Lésion organique qui ne cicatrise pas, et qui tend toujours à s'étendre et à suppurer.
HOM. — *Ulcère, es, ent*, du v. ulcérer.
ulcéré, ée, adj. Atteint d'ulcération. ‖ Fig. Conscience ulcérée, chargée de remords. — *Être ulcéré*, avoir beaucoup de ressentiment.
ulcérer, v. tr. (lat. *ulcerare*, m. s.). [Méd.] Causer un ulcère. ‖ Fig. Provoquer un profond ressentiment. *Ce discours l'a fort ulcéré.* = S'ULCÉRER, v. pr. Prendre le caractère d'un ulcère. *Sa plaie s'est ulcérée.* = Conjug. V. GRAMMAIRE.
* **ulcéreux, euse**, adj. [Méd.] Qui a le caractère de l'ulcère; qui est couvert d'ulcères.
* **ulcéroïde**, adj. [Méd.] Qui a l'apparence d'un ulcère.
uléma, n. m. (arabe *oulama*, pl. de *alim*, savant). Docteur musulman de la loi, interprète du Coran.
* **ulex**, n. m. [Bot.] Nom scientifique de l'ajonc.
* **uliginaire** ou * **uligineux, euse**, adj. (lat. *uligo, uliginis*, humidité). [Hist. nat.] Se dit des terrains marécageux et des plantes qui croissent sur ces terrains.
* **ulite**, n. f. [Méd.] Ulcération des gencives.
* **ulluque**, n. m. [Bot.] Genre de plantes de la famille des *chénopodiées* ; certaines sont cultivées pour leurs tubercules alimentaires.
* **ulmacées**, n. f. pl. (lat. *ulmus*, orme). [Bot.] Famille de plantes dicotylédones apétales, arborescentes, dont l'orme est le type.
ulmaire, n. f. [Bot.] Un des noms vulg. de la *spiræa ulmaria*, appelée aussi *reine des prés*.

* **ulmique**, adj. [Chim.] Se dit d'un acide formé dans le terreau par décomposition des matières animales et végétales.
* **ulome**, n. f. [Zool.] Genre de coléoptères *ténébrionidés*, vivant dans le vieux bois
* **ulster**, n. m. Sorte de long manteau sans manches, à larges pans d'étoffe qui tombent des épaules.
* **ulstérien, enne**, adj. et n. De l'Ulster, province de l'Irlande.
ultérieur, eure, adj. (lat. *ulterior*, m. s.). [Géog.] Au delà, par oppos. à *citérieur*. ‖ Fig. Qui se fait, qui arrive après; postérieur.
CTR. — *Antérieur.* — *Citérieur.*
OBS. GRAM. — Ultérieur étant un comparatif n'admet pas les degrés de comparaison. On ne doit donc pas dire : *plus ultérieur.*
ultérieurement, adv. Postérieurement, ensuite; plus tard.
CTR. — *Antérieurement.*
* **ultième**, adj. Syn. de *ultime.*
ultimatum [*tomm*], n. m. inv. (lat. *ultimus*, dernier). Dernière et formelle mise en demeure d'un pays à un autre, et dont le rejet entraîne la déclaration de guerre. ‖ Résolution irrévocable; dernier mot. *Je lui adresse un ultimatum* (Fam.).
* **ultime**, adj. (lat. *ultimus*, dernier). Qui est placé au dernier rang; qui arrive à la fin.
OBS. GRAM. — *Ultime* étant un superlatif n'admet pas les degrés de comparaison. Il ne faut donc pas dire *plus ultime.*
* **ultimo**, adv. (lat. *ultimus*, dernier). A la fin, dans une énumération commençant par *primo, secundo*, etc.
ultra, adv. lat. sign. *au delà*, employé comme préf. dans la formation d'un grand nombre de mots, dont nous ne donnerons ici que les principaux. = N. m. Partisan absolu de la prérogative royale. — Homme qui se montre excessif dans ses opinions, dans ses actions. = Adj. Supérieur en qualité. *Du velours ultra.* = NEC PLUS ULTRA, loc. lat. signifiant *et rien de plus, au delà*, employée comme n. m. La limite qu'on ne saurait dépasser. *Le nec plus ultra du pédantisme.*
* **ultra-libéral**, adj. et n. Qui pratique à l'excès le libéralisme.
* **ultra-microscope**, n. m. [Phys.] Microscope très puissant utilisant la lumière diffractée pour conserver leur netteté aux objets extrêmement petits.
* **ultra-microscopie**, n. f. Ensemble des procédés permettant l'observation d'objets très petits au moyen de l'ultra-microscope.
ultramontain, aine, adj. (lat. *ultra*, au delà ; *mons, montis*, montagne). Qui est situé, qui habite au delà des monts ; partic., par rapport à la France, au delà des Alpes. [Théol.] Spécial., se dit des doctrines romaines sur l'infaillibilité et l'autorité absolues du pape, par oppos. aux doctrines gallicanes. = N. m. Partisan des doctrines ultramontaines.
ANT. — *Gallican.*
ultramontanisme, n. m. Doctrine des ultramontains.
ANT. — *Gallicanisme.*
* **ultra-petita** [*pé*], n. m. (lat. *ultra*, au delà, et *petitus*, réclamé). [Droit.] Le fait, pour un tribunal, de prononcer sur choses non demandées, d'adjuger plus qu'il n'a été demandé, etc., ce qui donne lieu à requête civile ou à pourvoi en cassation.

* **ultra-révolutionnaire** [*sio*], adj. et n. Qui pousse à l'excès les revendications ou les actes d'un parti révolutionnaire. = Pl. *Des ultra-révolutionnaires*.
* **ultra-rouge**, n. m. [Phys.] Syn. de *infra-rouge*.
* **ultra-royaliste**, n. et adj. Qui réclame pour un roi, un pouvoir sans aucune limite. *Des opinions ultra-royalistes*. ‖ En abrégé, *ultra*, n. m. V. ce mot.
* **ultra-son**, n. m. [Phys.] Son inaudible par suite de la trop haute fréquence de ses mouvements vibratoires. = Pl. *Des ultra-sons*.
  Ant. — *Infra-son*.
ultra-violet, ette, adj. [Phys.] Se dit des rayons qui, dans le spectre, sont au delà du violet. Ils sont invisibles mais impressionnent la plaque photographique.
  Ant. — *Infra-rouge*.
* **ultra-zodiacal, ale**, adj. [Astro.] Dont l'orbite est en dehors de la largeur du zodiaque. *Planètes ultra-zodiacales*.
ululement, n. m. [Zool.] Cri de la chouette, du hibou, de la hulotte. — On dit aussi *ululation*, n. f.
ululer, v. intr. (lat. *ululare*, crier comme la chouette). Crier en gémissant; se dit de la chouette, du hibou, etc.
* **ulvacées**, n. f. pl. [Bot.] Famille d'algues vertes des eaux douces ou salées.
* **ulve**, n. f. [Bot.] Genre d'algues de la famille des *ulvacées*.
umble [*onble*], n. m. [Zool.] V. OMBLE.
* **umbo**, n. m. [Antiq. rom.] Saillie au centre du bouclier romain. ‖ Pli de la toge romaine. V. pl. COSTUME.
* **umbre** [*on-bre*], n. m. [Zool.] V. OMBRE.
  Hom. — *Umbre* et *ombre*, n. m., genre de poissons; — *ombre*, n. f., obscurité produite par un corps opaque; — *ombre, es, ent*, du v. ombrer.
un, une, adj. art. et pr. V. tabl. UN.
unanime, adj. (lat. *unus*, un; et *animus*, esprit). Qui a même sentiment; qui est d'un commun accord. *Consentement unanime*.
unanimement, adv. D'une manière unanime; tous ensemble.
  Obs. gram. — On ne doit pas dire : *tous ensemble unanimement*. L'idée d'unanimité est suffisamment exprimée par la réunion des deux mots *tous ensemble*.
unanimité, n. f. Accord, sans exception, de sentiments, d'opinions, de suffrages.
  Ant. — *Pluralité, majorité*.
* **unau**, n. m. [Zool.] Mammifère édenté de l'Amérique tropicale, voisin du paresseux.
* **uncial, ale, aux** [*on-sial*], adj. V. ONCIAL.
* **unciforme** [*on-si*], adj. (lat. *uncus*, crochet, et *forma*, forme). [Hist. nat.] En forme de crochet.
* **undecimo** [*on-dé*], adv. (mot lat.). En onzième lieu.
* **unguéal, ale, aux** [*on-ghé*], adj. (lat. *unguis*, ongle). Qui se rapporte aux ongles.
* **unguifère** [*on-gui*], adj. Qui porte un ongle ou des ongles.
* **unguineux, euse** [*on-gui-neû*], adj. (lat. *ungere*, oindre). Syn. de *onctueux*.
unguis [*on-guiss*], n. m. (mot lat. sign. *ongle*). [Anat.] Petit os de la face, mince et transparent comme un ongle.

1. * **uni-**, préf. qui vient du lat. *unus*, un; il entre dans la composition de nombreux mots pour indiquer le caractère unique d'une chose.
2. **uni, ie**, adj. (pp. d'*unir*). Sans aspérités, bien aplani. *Surface unie*. ‖ *Teinte unie, teinte uniforme*. ‖ Sans aucun ornement. *Étoffe unie*. ‖ Fig. *Style uni*, simple, sans ornement. — *Une vie unie*, sans complications, uniforme. — *Un ménage uni*, où règne la concorde. = N. m. Surface bien plane, ou qui ne présente qu'une seule teinte. = UNI, adv. Uniment, également. *Cela est filé bien uni*.
  Ctr. — *Désuni*. — *Raboteux, inégal, varié, accidenté*.
* **uniate**, n. m. Chrétien oriental qui admet l'autorité du pape.
* **unicaule**, adj. [Bot.] Qui n'a qu'une seule tige.
* **unicellulaire**, adj. [Biol.] Formé d'une seule cellule. = N. m. pl. [Zool.] Syn. de *protozoaires*.
* **unicité**, n. f. Caractère de ce qui est unique.
* **unicolore**, adj. Qui n'a qu'une seule couleur.
* **unicorne**, adj. [Zool.] Pourvu d'une seule corne.
* **unicotylédone**, adj. [Bot.] Syn. de *monocotylédone*.
unième, adj. Nombre ordinal de *un*, employé seulement lorsqu'il est précédé d'un autre nombre : *le trente et unième jour de mars* (au lieu de : *unième*, on dit *premier*, au commencement d'une énumération).
unièmement, adv., employé seulement à la suite de vingt, trente, etc. *Trente et unièmement*, en trente et unième lieu.
unification [*sion*], n. f. Action d'unifier, son résultat.
unifier, v. tr. Faire un tout de plusieurs parties. = Conjug. V. GRAMMAIRE.
* **unifilaire**, adj. Où il n'y a qu'un seul fil.
uniflore, adj. [Bot.] Qui n'a qu'une fleur.
unifolié, ée, adj. [Bot.] Qui n'a qu'une feuille.
1. **uniforme**, adj. Qui est toujours égal, qui ne subit aucun changement. [Mécan.] *Mouvement uniforme*, dont la vitesse est constante. ‖ Où l'on ne remarque aucune variété. *Plaine uniforme*.
  Ctr. — *Varié, divers*.
2. **uniforme**, n. m. Vêtement d'un modèle prescrit; costume imposé aux différents corps de l'armée, aux employés de certaines administrations, aux élèves de certains pensionnats, etc. ‖ Employé absol., *uniforme* signifie l'uniforme militaire. *Endosser l'uniforme*, devenir militaire. V. les tabl. ARMÉE, VÊTEMENTS et PARURE (*Idées suggérées par les mots*).
  Syn. — V. VÊTEMENTS et NIPPES.
uniformément, adv. D'une façon uniforme.
* **uniformisation** [*sion*], n. f. Action d'uniformiser; son résultat. (Néol.)
uniformiser, v. tr. Rendre uniforme.
uniformité, n. f. Ressemblance des parties d'une chose, ou de plusieurs choses entre elles. ‖ Qualité de ce qui est uniforme.
  Syn. — V. CONFORMITÉ.
  Ant. — *Variété, diversité*.

UN, UNE, adjectif, article, nom, pronom.

Étymologie. — Latin *unum, unam*, acc. de *unus, una, unum*, un seul, une unité considérée à part.

UN, UNE, adjectif numéral cardinal.

Seul de tous les adjectifs numéraux *un* possède un féminin.
Comme unité ajoutée aux dizaines, il est accompagné de *et. Trente et un*, mais on dit *quatre-vingt-un, cent un, mille un*, sauf dans les expressions consacrées : *les Mille et une nuits. De mille et une manières*.
Le premier de tous les nombres entiers qui contient exactement la quantité servant de base aux évaluations. *Un mètre, un franc, un litre*.
Un, seul. *Une hirondelle ne fait pas le printemps* (Prov.).
Souvent accompagné de *seul. Il a fait cet ouvrage en une seule fois. Ils ont répondu comme un seul homme*. — *Pas un seul*, aucun. *Pas un seul n'en réchappa* (V. SEUL).
Un à un, loc. adv. *Un seul à la fois. Passez sur ce pont un à un*.
Ne faire qu'un. Être un même homme, une même chose. J.-B. Poquelin et Molière ne font qu'un.

UN, UNE, adjectif numéral ordinal.

Premier. *Livre un. Il était une heure de l'après-midi.* Fam. *Sur les une heure*, à une heure environ. (Dans cette expression, on ne fait pas de liaison entre entre *les* et *une*.)
Par extension, n. m. Première syllabe d'un mot ou premier mot d'une charade. *Mon un est un animal domestique*. (Théâtre) Le premier acte. *En scène pour le un !*

UN, nom masculin invariable.

Chiffre (1) qui exprime la quantité de base des évaluations, l'unité. *Onze s'écrit avec deux un* (11). (Jeu) Carte, domino, dé marqué d'un point; as.
HOM. — *Huns*, n. pr., ancien peuple.

UN, UNE, article indéfini.

Accompagne un nom de personne ou de chose indéterminé, inconnu ou non dénommé. Son pluriel est *des*.
A peu près inconnu dans l'ancien français, *un*, article indéfini, s'est répandu au XVIe s. et est devenu obligatoire au XVIIIe s., sauf dans des locutions figées. On trouve encore chez les classiques des tours comme : *C'est médisance, c'est calomnie* (LA BRUYÈRE). Certain, quelque, quelconque. *Un jour. Il était une fois un roi. Un philosophe a dit que...*
Un quelconque. Passez-moi un journal, un clou. Donnez-moi un conseil. Tout (indéfini). *Une terre bien cultivée doit produire. Qu'un ami véritable est une douce chose* (LA FONTAINE).
Avec une valeur dépréciative. *Un être tel que. Un Néron a pu être adoré comme Dieu !*
Avec le sens d'un article défini (Vx). *Je suis dans une confusion la plus grande du monde.*
(MOLIÈRE).

UN, UNE, adj. qualificatif masc., fém. et neutre.

Simple, qui n'admet pas de division, de pluralité. *Dieu est un* (BOSSUET). *La nature est une. La vérité est une*, elle n'est jamais contraire à elle-même. — Fam. *C'est tout un*, cela revient au même, c'est égal, cela importe peu.
Dont les parties forment un tout. *Il faut que dans un poème l'action soit une. La France doit être une*.

UN, UNE, UNS, UNES, pronom indéfini.

Le pronom indéfini *Un* a un pluriel.
1° Employé seul (rare). Quelqu'un. Une personne. *On a souvent besoin d'un plus petit que soi* (LA FONTAINE). Une chose. *Promettre est un et tenir est un autre* (LA FONTAINE).
2° Employé le plus ordinairement avec l'article défini *le, la, les*. Il a, dans ce cas, un pluriel.
   a) Isolé. *De deux choses l'une. L'un des deux frères a très bien réussi.*
   b) En corrélation et en opposition avec *l'autre. L'un est riche et l'autre est pauvre. On les a pris l'un pour l'autre.*
      L'UN ET L'AUTRE, tous deux (avec le verbe au sing. ou au pluriel). *L'un et l'autre sont tombés dans le précipice. L'un et l'autre a menti. L'un et l'autre se dit* ou *se disent.* Souvent renforcé par le pronom pers. *les. Je les attends l'un et l'autre.* Parfois employé comme adjectif. *Dans l'une et l'autre armée* (CORNEILLE).

Observation grammaticale. V. tabl. AUTRE.
LES UNS ET LES AUTRES. Tout le monde sans distinction. *On arrêta les uns et les autres.*
L'UN OU L'AUTRE (se construit avec le verbe au sing.), l'un des deux, à l'exclusion de l'autre. *L'un ou l'autre fera l'affaire.*
L'UN L'AUTRE. LES UNS LES AUTRES. Réciproquement. *En ce monde, il se faut l'un l'autre secourir* (LA FONTAINE). *Ils se sont dénoncés les uns les autres.*
NI L'UN NI L'AUTRE, aucun des deux.

Observation grammaticale. — Avec *ni l'un ni l'autre*, le verbe peut être au sing. ou au pluriel.
Ni l'un ni l'autre n'a paru. Plus n'ont voulu l'avoir fait ni l'un ni l'autre. (RACINE, *Épigr.*).
L'UN DANS L'AUTRE, L'UN PORTANT L'AUTRE, loc. adv. En moyenne. *J'ai eu ces livres pour cent francs l'un dans l'autre.*
UN TEL. V. TEL (tableau).
PAS UN. UN CERTAIN. UN NOMMÉ. V. PAS (tableau), CERTAIN, NOMMÉ.
PLUS D'UN. V. PLUS (tableau).

VOCAB. — *Famille de mots.* — *Un* : unième, unièmement, unité, uniment, unitif, unitaire, unitarisme, unique, uniquement; union, unionisme, unioniste, unir, uni, unifier, unification; réunir, réuni, réunion, réunissage, réunisseuse; désunir, désuni, désunion; unanime, unanimité, unanimement; uniforme, uniformément, uniformiser, uniformité; uninominal; unipersonnel, unipersonnellement; unisexuel, unisexualité; unisson; univers, universel, universellement, universalité, universalisation, universaliser, universalisme, universaliste, université, universitaire, universaux, et les mots scientifiques commençant par *uni* : unifolié, unipare, etc.; oignon; aucun, aucunement, chacun, quelqu'un.

— *C'est un grand agrément que la diversité,*
Nous sommes bien comme nous sommes :
Donnez le même esprit à tous hommes
Vous ôtez tout le sel de la société.
L'ennui naquit un jour de l'uniformité.
(LAMOTTE-HOUDARD.)

★ **unijugué, ée,** adj. [Bot.] Qui n'a qu'une paire de folioles.

★ **unilabié, ée,** adj. [Bot.] Qui n'a qu'une lèvre. *Corolle unilabiée.*

unilatéral, ale, aux, adj. (préf. *uni*, et lat. *latus, lateris*, côté). [Bot.] Qui est disposé d'un seul côté. *Les fleurs unilatérales.* [Droit] *Contrat unilatéral*, qui n'oblige qu'une seule des parties contractantes.
CTR. — *Bilatéral.*

★ **unilatéralement,** adv. D'une manière unilatérale.

★ **unilobé, ée,** adj. [Bot.] Qui n'a qu'un seul lobe.

★ **uniloculaire,** adj. [Bot.] Qui n'a qu'une seule loge. *Gousse uniloculaire.*

uniment, adv. D'une manière unie, régulière. *Peinture uniment répartie.* ‖ Fig. Sans façon, très simplement. *Agir tout uniment.*

uninominal, ale, aux, adj. Où l'on n'indique qu'un seul nom. Ne s'emploie guère qu'en parlant de scrutin.

union, n. f. (lat. *unio*, m. s. de *unire*, unir). Jonction de deux ou de plusieurs choses ensemble. *L'union des parties d'un même tout.* [Droit] *Union des créanciers*, état où se trouvent les créanciers d'un failli qui n'a pas obtenu de concordat. [Politiq.] *Unions internationales*, unions de plusieurs nations réunies sur des conventions faites pour défendre des intérêts communs (améliorations, unification de tarifs, etc.). *Union postale universelle.* [Gram.] *Trait d'union.* Tiret placé horizontalement entre les parties de certains mots composés. V. tabl. PONCTUATION. [Hist.] Traité d'alliance. = Association, alliance. *L'union fait la force.* ‖ Association politique, confédération. *L'Union helvétique.* ‖ Mariage. *Une union bien assortie.* ‖ Fig. Concorde, liaison étroite, bonne intelligence. *Esprit d'union.*
ÉPITHÈTES COURANTES : complète, parfaite, intime, profonde, sincère, durable, souhaitable, désirable, indissoluble, fragile; politique, internationale, postale, commerciale, industrielle, financière, intellectuelle, sociale, scientifique; conjugale, fraternelle, familiale; conclue, établie, souhaitée, désirée, brisée, rompue, rétablie, détruite, etc.
SYN. — V. ACCORD, CONCORDE et MARIAGE.
ANT. — *Désunion, discorde, mésentente*

★ **unionisme,** n. m. Doctrine des unionistes.

★ **unioniste,** n. m. Partisan de l'union des différentes régions d'un pays en un seul État confédéré, ou partisan du maintien de cette union. ‖ Membre d'une union ouvrière. = Adj. *Le parti unioniste.*

★ **unipare,** adj. (préf. *uni*, et lat. *parere*, enfanter). [Physiol.] Qui n'a, normalement, qu'un petit à chaque portée.

unipersonnel, elle, adj. [Gram.] Se dit des verbes que l'on n'emploie qu'à la troisième personne du singulier. *Il neige. Il faut.* — On les appelle aussi *impersonnels*, parce que le sujet n'est pas exprimé d'une façon formelle. V. GRAMMAIRE.

★ **unipersonnellement,** adv. A la manière d'un verbe unipersonnel.

★ **unipétale,** adj. [Bot.] Qui n'a qu'un pétale.

★ **unipolaire,** adj. [Phys.] Qui n'a qu'un seul pôle.

★ **uniprix,** adj. inv. et n. m. Se dit des magasins où les objets mis en vente sont d'un prix réduit et exprimé en chiffres ronds. On dit aussi *monoprix.*

unique, adj. (lat. *unicus*, m. s.). Seul de son espèce. *Fille unique.* ‖ Exceptionnel, sans précédent, qui n'a pas son semblable. *C'est un fait unique dans l'histoire.* ‖ Ridicule, extravagant. *Un homme unique en son espèce.* ‖ *Sens unique*, obligation, pour les véhicules, de prendre, dans certaines rues, la seule direction indiquée.
OBS. GRAM. — On ne doit pas dire : *seul et unique en son genre.* Celui qui est seul est évidemment unique.
SYN. — *Unique*, tel qu'il n'y en a pas deux : *Être fils unique*; ou pas deux de semblables : *Il croit qu'il est unique au monde.* — *Seul*, séparé des autres : *Les autres l'ont abandonné, il est resté seul à son poste.*
CTR. — *Multiple, nombreux, commun.*

uniquement, adv. Exclusivement à toute autre chose. ‖ Au-dessus de tout. *Il l'aime uniquement.*

unir, v. tr. (lat. *unire*, m. s.). Joindre deux ou plusieurs choses ensemble, de telle sorte qu'elles n'en fassent plus qu'une. *Ils ont uni leurs armées.* ‖ Mettre en communication. *Unir deux fleuves par un canal.* ‖ Rendre égal; aplanir. ‖ Fig. Associer par des liens d'affection, d'intérêt. *L'amitié les unit.* — Marier. *Unir des fiancés.* — S'UNIR, v. pr. Se joindre, s'associer, s'allier, et, spécialement, se marier.
GRAM. — *Unir* peut se construire avec *à* ou *avec;* la construction avec *à* est la plus fréquente. *Unir la science à la sagesse* ou *avec la sagesse.*
SYN. — V. ASSEMBLER.
CTR. — *Désunir, rompre, diviser, séparer; — divorcer.*

★ **uniréfringent, ente,** adj. [Phys.] Qui ne produit qu'un seul rayon réfracté.

★ **unisérié, ée,** adj. Qui ne renferme qu'une seule série. ‖ Disposé sur un seul rang.

★ **unisexualité,** n. f. [Bot.] État d'une fleur unisexuée. [Pathol.] Passion d'une personne pour quelqu'un de son sexe; homosexualité.

unisexuel, elle ou ★ **unisexué, ée,** adj. [Bot.] Qui ne porte que des étamines ou que des pistils. ‖ Qui se rapporte à une personne du même sexe; homosexuel. *Passion unisexuée.*

unisson, n. m. [Mus.] Accord de plusieurs voix, de plusieurs instruments qui émettent des sons de même hauteur dans un même temps. ‖ Fig. Accord, ressemblance. — *Se mettre à l'unisson de quelqu'un*, régler sa conduite sur la sienne.
HOM. — *Unissons*, du v. unir.

unitaire, adj. Qui tend vers l'unité. = Adj. et n. Partisan de l'unité politique. [Théol.] Hérésiarque qui ne reconnaît qu'une seule personne en Dieu.

unitarisme, n. m. [Théol.] Doctrine des unitaires.

unité, n. f. (lat. *unitas*, m. s.). Principe des nombres exprimant une seule chose; chacune des parties entières qui composent ce nombre. ‖ Qualité de ce qui est un ou unique. *L'unité de l'Église.* ‖ Caractère de ce qui forme un tout organisé. *L'unité du moi.* ‖ Caractère d'un ouvrage dont toutes les parties se tiennent étroitement. *Ce livre manque d'unité.* ‖ Action d'ensemble en vue d'arriver à un même but. *Il y a unité de volonté entre eux.* [Litt.] Règle des trois unités, règle d'après laquelle, dans une œuvre dramatique, l'action doit : 1° se limiter à un événement principal (*unité d'action*); 2° se passer en une seule journée (*unité de temps*); 3° s'accomplir dans le même endroit (*unité de lieu*). [A. milit.] *Unité tactique* ou *grande unité*, groupe militaire important (par ex., une division), capable de combattre par ses propres moyens. [Math.] Les nombres plus petits que dix. *La colonne des unités dans une addition.* — Grandeur type choisie comme terme de comparaison pour mesurer les grandeurs de même espèce. *Le mètre est l'unité des mesures de longueur.* V. tableaux ESPACE et DIMENSION, POIDS, QUANTITÉ et TEMPS (*Idées suggérées par les mots*).

ANT. — *Fraction, multiple ;* — *diversité, pluralité.*

unitif, ive, adj. Qui sert à unir. [Théol.] *Vie unitive,* état de l'union définitive avec Dieu.

univalve, adj. [Zool.] Dont la coquille n'est composée que d'une seule pièce. [Bot.] Se dit d'un péricarpe qui ne s'ouvre que d'un côté.

univers, n. m. (lat. *universus,* entier). Le monde entier; ensemble de tous les astres existant ou en voie de formation. *Les astronomes étudient la structure de l'Univers.* ‖ Dans un sens particulier, la terre, ou même une partie de la terre. *Son nom vole par tout l'univers.* ‖ Les habitants de la terre. *Tout l'univers tremblait devant Alexandre.* ‖ Fig. Le coin de pays, l'ensemble des choses qui nous intéressent *Son village est tout son univers.* V. tabl. UNIVERS (*Idées suggérées par le mot*).
— *Je suis maître de moi comme de l'univers,
Je le suis, je veux l'être.* (CORNEILLE.)
ÉPITHÈTES COURANTES : entier, grand, immense, incommensurable, fermé, borné, infini, visible, invisible; scruté, étudié, visité, parcouru, etc.
SYN. — V. MONDE.

UNIVERS.

I. **Étymologie.** — Le mot *univers* est tiré du mot latin *universus,* adjectif signifiant tout entier et qualifiant un *ensemble ; universus* est formé lui-même de *unus,* un, et de *versus,* participe passé de *vertere,* tourner; il indique donc l'idée de quelque chose tourné vers un seul, ramené à un seul, à un ensemble : le mot comporte ainsi à la fois l'idée d'ensemble et d'unité; le contraire *diversus* (préfixe *di* marquant la séparation et *versus*), d'où notre mot *divers,* implique la séparation et la pluralité.

II. **Définition.** — L'univers est *l'ensemble* de tout ce qui *existe* dans l'espace. Plus particulièrement, c'est l'ensemble du *système solaire.* Dans un sens plus restreint encore, c'est l'ensemble du *globe terrestre : Il a parcouru tout l'univers.* Par une application particulière de ce dernier sens, c'est la *totalité des habitants* du globe terrestre, principalement des êtres humains : *L'univers entier parle de lui.*

III. **Mots à rapprocher.** — UNIVERS, MONDE, TERRE, GLOBE, COSMOGRAPHIE.
Le mot *monde* présente la même dégradation de sens encore plus divers : tout ce qui existe (*la création du monde*); une partie de l'univers (*les mondes habités*); la terre (*faire le tour du monde*); une partie de la terre (*l'Ancien, le Nouveau Monde*); les gens en général (*tout le monde vous approuvera*); certaines catégories de la société (*le grand monde*); la vie séculière (*quitter le monde pour le cloître*).
Le mot *terre* ne désigne que notre planète. Le mot *globe* ne se dit pas des habitants, et l'idée en est inséparable de celle de sphéricité.
La *cosmographie* (racine grecque *kosmos,* monde) est la description de l'univers et des corps célestes qui le composent. Une *cosmogonie* est une doctrine sur la formation de l'univers.

IV. **Mots de la même famille.** — V. UN et VERS.

V. **Principaux termes relatifs à l'univers.**
a) CE QUI CONSTITUE L'UNIVERS. — Cosmographie, astronomie, astrologie, astrophysique, astrochimie, uranographie, physique céleste, cosmique, matière cosmique, héliographie, sélénographie, géodésie, géologie, géographie, géométrie, géophysique. — L'espace, l'infini, le chaos, le fini, l'immensité, l'infiniment grand, l'infiniment petit, la relativité, le relativisme; la matière, l'esprit, solide, fluide, visqueux, liquide, gazeux; l'éther, radiation, rayon, rayonnement; ondes, ondulation, vibration; corps, corpuscule, quanta, atome, atomique, cellule, cellulaire, ion, proton, électron, neutron, bombardement des électrons, désagrégation de l'atome, noyau, molécule (V. SCIENCES, ESPACE, TEMPÉRATURE). Le néant, le chaos, la création, le Créateur, la créature; l'ordre, l'organisation, la nature, le vide, les systèmes du monde, cosmogonie.
b) LE CIEL. — Les cieux, la sphère, la voûte, la calotte céleste, firmament, empyrée, zénith, nadir, pôle céleste; espaces interplanétaires, matière, poussière, rayons cosmiques; nébuleuse, nébuleuse spirale, amas d'étoiles, voie lactée, galaxie; astre, astral, révolution astrale, monde sidéral, jour sidéral, constellation, constellations boréales, australes, grande, petite ourse, zodiaque, signes du zodiaque, lumière zodiacale, étoiles rouges, jaunes, blanches, étoile double, nova, étoile fixe, étoile vieille, jeune, étoile temporaire, étoile polaire, étoile de première, de deuxième, de troisième, etc..., grandeur, magnitude; primaire; visible, invisible à l'œil nu, étoiles télescopiques, distance des étoiles à la terre, année lumière, parsec; rotation, translation des étoiles, scintillement. — Orion, Sirius, comète, noyau, chevelure, périodicité, éclipse, parabole, hyperbole de leur marche, astéroïde, étoile filante, léonides, laurentides, bolide, aérolithe, météorite. Attraction universelle, potentiel énergétique, gravitation, centre de gravité, parallaxe, spectre, analyse spectrale de la lumière des astres, spectre magnétique, électromagnétique, raies. — Observatoire, coupole, télescope équatorial, lunette, cercle d'ascension droite, de déclinaison, sidérostat; machine à calculer; azimut, cercle azimutal, méridien, longitude, latitude céleste, photographie des astres, carte du ciel, catalogue des étoiles, heure sidérale, heure astronomique.

c) Le soleil et le monde solaire. — *Soleil*, solaire, disque, rayon, jour, heure solaire, centre, périphérie du soleil, noyau, photosphère, facule, tache solaire, éruption solaire, chromosphère, protubérances, flammes solaires, couronne solaire, halo, tourbillon, chaleur, lumière solaire, radiation, lumière blanche, spectre solaire, radiation infrarouge, ultra-violette, rayon pénétrant, champ électrique, magnétique. Mouvement apparent du soleil, orbite, écliptique, apogée, périgée, aphélie, périhélie, lever, coucher, est, ouest, le soleil au zénith, haut, bas sur l'horizon; aube, aurore, matin, jour, midi, soir, crépuscule; mouvement réel, déplacement du soleil vers la constellation d'Hercule, diamètre apparent, réel, distance du soleil à la terre. — Mesure du temps (V. temps). — *Les planètes*, grandes et petites planètes, anneaux, satellites, lumière empruntée des planètes, mouvement autour du soleil, rotation sur leur axe, révolution autour du soleil, orbite, ellipse, excentricité, petit axe, grand axe, foyer, apside, plan de l'écliptique. — Mercure, Vénus, Mars, Jupiter, Saturne, Uranus, Neptune, Pluton, petites planètes. — *La lune*, lunaison, mois lunaire, aspect lunaire, montagnes, cirques, cratères, dépressions, mers, libration, phases de la lune, nouvelle lune, lumière cendrée, premier quartier, pleine lune, dernier quartier, croissant, cornes, lune rousse; attraction de la lune, marées, opposition, syzygie (V. Eau et Mer); mouvement de la lune autour de la terre, sa rotation, éclipse de soleil, de lune, éclipse totale, partielle, annulaire, échancrure, cône d'ombre, la lune astre mort sans atmosphère, sans eau, la lune qui éclaire la nuit de la terre.

d) La terre dans le ciel. — La planète *Terre*, sa rotation annuelle autour du soleil, l'écliptique, mouvement de la terre autour du soleil, les saisons, équinoxe, solstice, mouvement de rotation de la terre autour de son axe; le jour et la nuit; les points cardinaux : nord ou septentrion, sud ou midi, est, orient ou levant, ouest, ponant ou couchant, boréal, septentrional, méridional, austral, oriental, occidental; hémisphères nord et sud, pôle nord ou boréal ou arctique, pôle sud ou austral ou antarctique, antipodes, pôle géographique, pôle magnétique, cercle polaire, boréal, austral, équateur, la ligne, tropique, Cancer, Capricorne, zone polaire, tempérée, torride, équatoriale; cercles, degré, minute, seconde, longitude, latitude, méridien, méridienne, bureau des longitudes, parallèles, orientation, faire le point, sextant, boussole. Géodésie, topographie, planimétrie, triangulation, géologie, globe, sphère, atmosphère, stratosphère, lithosphère, pyrosphère, troposphère, hydrosphère, hémisphère (V. sciences).

e) Le globe terrestre. — Le monde terrestre, les parties du monde, océans, ancien, nouveau continent, continent européen, asiatique, africain, américain, océanien, cosmopolite, œcuménique. Contrée, région, pays, habitat, agglomération. — *Terre ferme*, terrien, méditerranéen, pays plat, plaine, pénéplaine, bas-fond, champ, campagne (V. Agriculture), polder, savane, pampa, bled, steppe, toundra, jungle, llano; bois, boisé, sylvestre, sylve, forêt, forêt tropicale, forêt vierge, bosquet, bocage, boqueteau, désert, désertique, mer de sable, dune de sable, erg, oasis, île, îlot, insulaire, attoll, archipel. — Relief du sol, terrain accidenté, terrain plat, thalweg, vallée, val, vallon, ravin, ondulation de terrain, plissement, hauteur, éminence, tertre, butte, coteau, colline, montagnes, mont, chaîne de montagnes, contrefort, faîte, sommet, cime, crête, aiguille, pic, dôme, ballon, croupe, piton, mamelon, puy, ligne de faîte, col, défilé, passage, pas, gorge, pertuis, versant, flanc, pente, déclivité, rampe, escarpement, précipice, abîme, crevasse, grimpette, raidillon, neige, sommet neigeux, neiges éternelles, enneigement, névé, glacier, moraine, blocs erratiques, sérac, caverne, gouffre, aven, abîme, précipice, cirque, volcan, cône, cratère, éruption, grondement, flammes, blocs, gaz, cendres, lave, coulée de lave, lapilli, bombe volcanique, fumerolle, basalte, pierre ponce, volcan éteint, soufrière, soufre, solfatare, geyser, eau thermale; mine, couche, gisement, pierres, métaux, métalloïdes, sels, minerais, etc. (V. Minéraux), tremblement de terre, séisme (V. Sciences et Minéraux). — *L'Eau* (V. Eau et Mer). — *L'Air*, air, aérien, atmosphère, aérologie, aéronautique, troposphère, stratosphère, ballon sonde, ballon, avion, fusée stratosphérique, hautes couches de l'atmosphère, pression atmosphérique, courants aériens, air pur, serein, air vicié, méphitique; courant d'air, vent, nuages, etc. (V. Température et Météorologie).

f) L'homme dans l'univers. — Origine, apparition de l'homme dans l'univers, les races primitives, paléontologie humaine, races blanche, noire, jaune, rouge; caucasique, sémitique, chamite, japhétiste, aryens, indo-européens, finnois, mongolique, malais, mélanésiens, tibétains, touraniens, helléniques, latins, celtes, nordiques, etc., métis, métissage, mulâtre, quarteron. — Ethnographie, ethnologie, peuplement, géographie humaine, contrée, peuple, tribu, nation, etc. (V. Société, Gouvernement, etc.). — V. tabl. Animaux, Végétaux, Minéraux, Eau et Mer, Température et Météorologie, Temps.

* **universalisation** [sion], n. f. Le fait d'universaliser.

* **universaliser**, v. tr. Rendre universel, répandre partout.

* **universalisme**, n. m. [Philos.] Opinion de ceux qui ne voient d'autorité que dans le consentement universel. [Théol.] Doctrine selon laquelle Dieu a voulu la rédemption de tous les hommes, sans exception.

* **universaliste**, n. m. [Philos.] Celui qui n'admet comme vrai que ce qui est reconnu comme tel par tous les hommes.

universalité, n. f. Caractère de ce qui est universel. ‖ Ensemble, totalité des choses dont on parle. — *L'universalité d'un esprit, d'un génie*, son aptitude à tout comprendre. [Droit] Totalité. *L'universalité des biens*.

Par. — *Université*, ensemble d'établissements d'enseignement supérieur.

universaux, n. m. pl. [Philos.] Dans la philosophie scolastique, notions générales qui, appliquées à un être, en permettent la connaissance complète.

universel, elle, adj. Général; qui s'étend à tout et partout. *Déluge universel*. ‖ Qui embrasse, qui renferme tout, qui s'applique à tout. *Science universelle*. — *Histoire universelle*, histoire comparée des divers peuples pendant une période déterminée. ‖ Qui est le fait de tous, qui provient de tous. *Admiration universelle*. [Droit] *Légataire universel*, à qui on a légué la totalité des biens. ‖ *Suffrage universel*, donné à tous les citoyens sans exception. [Logiq.] *Proposition universelle*, proposition dans laquelle le sujet est pris

dans toute son extension. Ex. *Tous les hommes sont mortels.* ‖ Qui comprend, qui embrasse tout. *Un génie universel.* — Par exagération on dit de quelqu'un qui a une grande étendue de connaissances, *c'est un homme universel.* ‖ Que l'on retrouve chez tous les peuples, dans tous les pays. *La croyance à une survie est universelle.*
CTR. — *Particulier, spécial.*
universellement, adv. Généralement; d'une manière universelle.
universitaire, adj. Qui appartient à l'Université. = N. m. Professeur qui fait partie de l'Université.
université, n. f. Réunion de facultés (lettres, sciences, droit, médecine, pharmacie) groupées dans une ville pour donner l'enseignement supérieur et conférer des grades. ‖ *Université de France,* l'ensemble du corps enseignant français recruté par l'État. V. tabl. ÉDUCATION et ENSEIGNEMENT (*Idées suggérées par les mots*).
PAR. — *Universalité,* caractère de ce qui est universel.
* **univocation** [*sion*], n. f. (lat. *univocatio*, m. s.). [Philos.] Caractère de ce qui est univoque.
* **univoque,** adj. (lat. *univocus*, m. s.). [Log.] Se dit des noms qui s'appliquent dans le même sens à plusieurs choses : *animal* est un terme univoque à l'*aigle* et au *lion.* [Gram.] Se dit des mots qui ont le même son, quoiqu'ils aient une signification différente. *Baie est univoque à un petit golfe et à un fruit charnu.*
upas [*u-pass*], n. m. [Bot.] Arbre à suc très vénéneux. ‖ Ce suc lui-même, que les naturels des îles de la Sonde employaient pour empoisonner leurs flèches.

...uppe, upe

ORTH. — *Finales.* — La finale *uppe* s'écrit avec deux *p* dans huppe et avec un seul *p* dans les autres mots : dupe, jupe, etc.

* **uppercut** [*a-pèrr-keutt'*], n. m. [Boxe] Coup de poing donné de bas en haut sous le menton.
* **upsilon** [*lonn*], n. m. Vingtième lettre de l'alphabet grec (υ). Elle équivaut à notre *u,* et elle est devenue *y* dans les mots français tirés du grec. V. pl. ALPHABET GREC.

...ur, ure

ORTH. — *Finales.* — Le son final *ur* s'écrit ainsi dans : azur, dur, fémur, futur, mur, obscur, pur, etc. ; il s'écrit *ure* dans la plupart des autres mots : bavure, bure, criblure, courbure, découpure, écriture, hure, nature, pâture, pourriture, etc.

ur, hur...

ORTH. — *Initiales.* — L'initiale *ur* s'écrit sans *h* initial dans : urane, uranium, urate, urée, urémie, uretère, urètre, urine, urus, etc. ; avec un *h* dans hure, hurler, hurluberlu, huron, hurrah.

* **uraète,** n. m. [Zool.] Grand oiseau rapace d'Australie.
* **uraeus,** n. m. (mot lat.). Ornement en forme de serpent, symbole de la royauté dans l'anc. Égypte. V. pl. COSTUMES.

urane, n. m. [Chim.] Ancien nom de l'oxyde d'uranium que l'on croyait être un corps simple.

* **uranides,** n. f. pl. [Mythol.] Nymphes du ciel.
* **uranie,** n. f. [Zool.] Genre d'insectes lépidoptères, papillons de grande taille des régions tropicales.
* **uranique,** adj. [Chim.] Relatif à l'uranium. *Rayons uraniques.*
* **uranisme,** n. m. [Pathol.] Inversion sexuelle; homosexualité.

1. * **uraniste** ou * **uranin,** n. m. [Litt.] Nom donné aux partisans du *sonnet à Uranie,* de Voiture, auxquels s'opposaient dans la *Querelle des sonnets,* les partisans du *sonnet de Job,* par Benserade.

2. * **uraniste,** n. m. Homme atteint d'inversion sexuelle.

uranium [*ni-om*], n. m. [Chim.] Corps simple métallique rare, radio-actif, qu'on extrait de l'*oxyde d'uranium.* Sa désintégration libère une quantité énorme d'énergie qui donne aux *bombes atomiques* leur puissance exceptionnelle.

* **uranographe,** n. m. Celui qui s'occupe d'uranographie.

uranographie, n. f. (gr. *ouranos,* ciel, et *graphein,* décrire). Description du ciel. ‖ Science qui s'occupe de cette description.

uranographique, adj. Qui concerne l'uranographie.

* **uranométrie,** n. f. Art de mesurer les distances qui séparent les astres.

uranoscope, n. m. (gr. *ouranos,* ciel; *skopéô,* je regarde). [Zool.] Poisson des mers chaudes, dont les yeux, situés au sommet de la tête, sont dirigés vers le ciel.

urate, n. m. [Chim.] Sel de l'acide urique.

urbain, aine, adj. (lat. *urbanus,* de *urbs,* ville). De la ville, propre à la ville, par opp. à *rural.*
CTR. — *Rural, campagnard, rustique, agreste.*

* **urbaniser** [*zé*], v. tr. Transformer une ville conformément aux principes de l'urbanisme.

urbanisme, n. m. Ensemble des questions qui concernent l'aménagement, l'embellissement, l'hygiène des villes. V. tabl. VILLE et VILLAGE (*Idées suggérées par les mots*).
PAR. — *Urbanité,* raffinement dans la politesse.

* **urbaniste,** adj. Qui se rapporte à l'urbanisme. = N. m. Celui qui s'occupe d'urbanisme.
* **urbanistes,** n. f. pl. Religieuses de Sainte Claire qui doivent la règle de leur ordre au pape Urbain IV.

urbanité, n. f. (lat. *urbanitas,* m. s.). Civilité, raffinement dans la politesse que l'on acquiert par l'usage du monde.
SYN. — V. CIVILITÉ.
ANT. — *Rusticité.*
PAR. — *Urbanisme,* ensemble de questions concernant l'aménagement, l'hygiène et l'embellissement des villes.

* **urcéolaire,** n. m. [Bot.] Genre de lichens dont certaines espèces sont communes en France.
* **urcéole,** n. m. (lat. *urceolus,* petite tasse). [Bot.] Disque charnu qui entoure les ovaires ou le pistil de certaines fleurs. — Tube formé par les étamines des *synanthérées.*

urcéolé, ée, adj. En forme de vase ventru à goulot étroit.
* **ure,** n. m. [Zool.] Syn. d'*aurochs* et d'*urus*.
* **urédinées,** n. f. pl. [Bot.] Groupe de champignons basidiomycètes parasites, produisant des maladies appelées communément *rouilles*.
* **urédo,** n. m. [Bot.] Formes conidiennes produites au cours de l'évolution de certaines urédinées; elles produisent notamment la *rouille des blés*.
urée, n. f. (de *urine*). [Physiol.] Substance azotée, produit de dégradation des matières albuminoïdes, en dissolution dans l'urine.
urémie, n. f. [Méd.] Ensemble des accidents toxiques provoqués par l'accumulation dans le sang de poisons que le rein ne peut plus éliminer.
* **urémique,** adj. [Méd.] Qui concerne l'urémie, qui s'y rapporte.
* **urétéral, ale,** adj. [Anat.] Qui a rapport aux uretères.
PAR. — *Urétral*, qui a rapport à l'urètre
* **urétéralgie,** n. f. [Méd.] Douleur dans les uretères, non accompagnée d'inflammation.
uretère, n. m. [Anat.] Chacun des deux canaux qui conduisent l'urine des reins dans la vessie.
* **urétérique,** adj. [Anat.] Qui concerne les uretères.
* **urétérite,** n. f. [Méd.] Inflammation des uretères.
* **urétral, ale,** adj. [Anat.] Qui appartient, qui a rapport à l'urètre.
PAR. — *Urétéral*, qui a rapport aux uretères.
urètre, n. m. (gr. *ourêthra*, m. s.). [Anat.] Canal excréteur de l'urine, et, sur une partie de sa longueur, du sperme chez les mammifères mâles.
* **urétrite,** n. f. [Méd.] Inflammation de l'urètre.
* **urgemment** [ja-man], adv. D'une manière urgente.
urgence [janss], n. f. Caractère de ce qui est urgent.
ÉPITHÈTES COURANTES : grande, extrême, pressante, toute; décidée, réclamée, proclamée, votée, etc.
urgent, ente [jan], adj. (lat. *urgens, entis,* pressant). Pressant, qui ne souffre point de retard.
SYN. — V. PRESSANT.
* **urgonien, enne,** adj. (de *Orgon,* Bouches-du-Rh.). [Géol.] Se dit d'un étage de crétacé inférieur. — N. m. *L'urgonien.*
* **uricémie,** n. f. [Méd.] Affection caractérisée par une accumulation d'acide urique dans le sang.
urinaire, adj. Qui concerne l'urine. — Nom. Malade atteint d'affections rénales ou vésicales.
urinal, n. m. Récipient à col incliné, où les malades alités urinent.
* **urination** [*sion*], n. f. Action d'uriner. || Production de l'urine.
* **urinatoire,** adj. Qui favorise ou détermine l'urination.
urine, n. f. (lat. *urina,* m. s.). Liquide organique excrémentitiel qui, sécrété par les reins, séjourne un certain temps dans la vessie, puis est éliminé au dehors par l'urètre.

> VOCAB. — *Famille de mots* — *Urine* : uriner, urineux, urinoir, urinipare, urinaire, urinal, urination, urinatoire, uricémie; urée, urémique, urémie, urétéralgie, urétérique, urétérite, uretère, urètre; urate; urobiline, urocystite, urodynie, urolithe, uromètre, urologie, uroscopie.

uriner, v. intr. Évacuer l'urine. — V. tr. *Uriner le sang.*
urineux, euse, adj. Qui concerne l'urine; de la nature de l'urine.
* **urinifère** ou * **urinipare,** adj. (de *urine* et lat. *fero,* je porte, ou *pario,* je produis). [Anat.] Se dit des tubes qui composent le parenchyme du rein.
urinoir, n. m. Endroit, édicule disposé pour uriner.
urique, adj. [Chim.] Se dit d'un acide très difficilement soluble qui existe dans l'urine humaine et dans les calculs urinaires.
urne, n. f. (lat. *urna,* m. s.). [Antiq.] Vase que les anciens employaient à divers usages. — Partic., vase destiné à recevoir les cendres des morts. || Auj., vase décoratif rappelant plus ou moins, par sa forme, l'urne antique. || Boîte où l'on dépose les bulletins de vote. [Bot.] Chez les mousses, organe de la fructification.
ÉPITHÈTES COURANTES : antique, sépulcrale, funéraire, artistique, ornée, droite, penchée, scellée, brisée, remplie, vidée; électorale, scellée, ouverte, etc.
* **urobiline,** n. f. Une des matières colorantes de l'urine, d'origine biliaire.
* **urocystite,** n. f. [Méd.] Inflammation de la vessie.
* **urodèles,** n. m. pl. [Zool.] Ordre de batraciens à queue persistante (salamandre, triton).
* **urodynie,** n. f. (gr. *ouron,* urine, et *odynê,* douleur). [Méd.] Douleur éprouvée en urinant.
* **urogénital, ale,** adj. [Anat.] Syn. de *génito-urinaire.*
* **urolithe,** n. m. [Méd.] Calcul urinaire.
urologie, n. f. [Méd.] Science qui traite des voies urinaires, de leurs maladies et du traitement de ces maladies.
* **urologiste** ou * **urologue,** n. m. Médecin spécialisé dans l'urologie.
* **uromètre,** n. m. Instrument pour doser l'urée contenue dans l'urine. — On dit aussi *uréomètre.*
* **uropode,** n. m. (gr. *oura,* queue, et *pous, podos,* pied). [Zool.] Appendice de l'abdomen de certains crustacés.
* **uropygial, ale, aux,** adj. (gr. *oura,* queue, et *pygê,* croupion). [Zool.] Qui a rapport au croupion de l'oiseau.
* **uroscopie,** n. f. [Méd.] Inspection et analyse des urines.
* **ursidés,** n. m. pl. (lat. *ursus,* ours). [Zool.] Famille de mammifères plantigrades comprenant les ours.
ursuline, n. f. Religieuse cloîtrée de l'ordre de Sainte-Ursule, fondé en 1537.
* **urticacées,** n. f. pl. V. URTICÉES.
urticaire, n. f. (lat. *urtica,* ortie). [Méd.] Éruption cutanée produite par les piqûres de certains insectes, par l'ingestion de certains aliments, et semblable à celle que produit le contact de l'ortie.
urticant, ante, adj. (lat. *urtica,* ortie). Qui produit une sensation analogue à celle que cause la piqûre des orties.

* **urtication** [sion], n. f. (lat. *urtica*, ortie). Action caractéristique des poils de l'ortie sur la peau et, par ext., de tous les urticants. [Méd.] Flagellation faite avec des orties fraîches pour déterminer une excitation révulsive locale.

urticées ou * **urticacées**, n. f. pl. [Bot.] Famille de plantes dont les caractères principaux sont ceux de l'ortie.

* **urubu**, n. m. [Zool.] Genre d'oiseaux rapaces, petits vautours de l'Amérique tropicale.

* **urus** [uss], n. m. [Zool.] Nom donné à l'*aurochs* et au *bison d'Europe*.

1. -us [uss], terminaison de nombreux mots latins ou de mots scientifiques tirés du latin. ‖ *Savant en us*, pédant.

2. us [uss], n. m. pl. (lat. *usus*, m. s.). [Droit] Mot qui sign. *usages*, et se joint presque toujours avec *coutumes* (Vx).

* **usable**, adj. Qui peut s'user.
  Ctr. — *Inusable*.

usage, n. m. (de *us* 2). Emploi d'une chose ; profit qu'on en retire. *Une étoffe d'un bon usage*. ‖ Faculté. *Perdre l'usage de l'ouïe*. ‖ Coutume, habitude. *C'est l'usage*. ‖ Pratique d'une chose. *Les langues ne s'apprennent bien que par l'usage*. ‖ Emploi ordinaire des mots, conformément aux règles. *Ce mot est hors d'usage*. ‖ Expérience de la société, habitude d'en pratiquer les devoirs, d'en observer les manières. *L'usage du monde*. ‖ Droit qu'ont, en quelques lieux, les voisins d'une forêt ou d'un pacage d'y couper du bois ou d'y mener paître leur bétail. — Droit de participer à certains produits de la propriété d'autrui. Dans ces deux derniers sens, on dit aussi *droit d'usage*. — À L'USAGE DE, loc. prép. Destiné spécialement à. *Livres à l'usage de la jeunesse*.
ÉPITHÈTES COURANTES : vieil, noble, archaïque, ancien, antique, immémorial, solennel, long, perpétuel, gardé, conservé, respecté, suivi, aboli ; consacré, bon, mauvais, meilleur, excellent, fâcheux, regrettable, déplorable, condamnable ; primitif, moderne ; concerté, fait, condamné, rejeté, interprété, modifié, etc.

— *L'usage est appelé avec raison le père des langues, le droit de l'étudier, aussi bien que de les régler, n'a jamais été disputé à la multitude ; mais si cette liberté ne veut pas être contrainte, elle souffre toutefois d'être dirigée.* (BOSSUET.)
— *L'usage est le roi et le tyran des langues.*
— [L'usage, c'est] ... *la façon de parler de la plus saine partie de la cour, conformément à la façon d'écrire de la plus saine partie des auteurs du temps.*
(VAUGELAS.)

SYN. — V. COUTUME.

usagé, ée, adj. Qui a déjà beaucoup servi. *Pantalon usagé*.
PAR. — *Usé*, détérioré par l'usage.

usager, n. m. [Droit] Celui qui a le droit d'usage. ‖ Celui qui fait habituellement ou fréquemment usage d'une chose. *Les usagers du chemin de fer* (Néol.). = Adj. [Douane] *Effets usagers*, ceux qui ne sont pas soumis aux droits.

* **usance**, n. f. Coutumes, usages (Vx). [Fin.] Terme fixé par l'usage pour le payement d'une lettre de change (généralement trente jours à dater de la fin du mois).

...usc, usque

> ORTH. — *Finales*. — La finale *usc* ne s'écrit sous cette forme que dans *busc* et *musc*. Dans les autres mots, elle s'écrit *usque* : brusque, jusque, mollusque, étrusque, etc.

usé, ée, adj. Détérioré par l'usage ; qui ne peut plus guère servir. ‖ Affaibli. *Un homme usé*. ‖ Banal, rebattu. *Une pensée usée*.
CTR. — *Neuf, inédit*.
PAR. — *Usagé*, qui a beaucoup servi.

1. user, v. intr. (dérivé du lat. *usum*, supin de *uti*, se servir). Faire usage d'une chose, l'employer, s'en servir. Ne s'emploie qu'avec la prép. *de*, ou avec le pronom *en*, qui est l'équivalent de : *de cette chose. User d'un mot. User de menaces*. ‖ *User bien, user mal d'une chose*, en faire un bon ou un mauvais usage. ‖ *En user bien, en user mal avec quelqu'un*, agir bien ou mal avec lui.
V. tr. Consommer les choses dont on se sert. *User beaucoup de charbon*. ‖ Détériorer les choses à force de s'en servir. *User beaucoup de souliers*. ‖ Amincir, polir par le frottement. *User sur la pierre la pointe d'un couteau*. ‖ Fig. *User ses ressources*, les épuiser. — Affaiblir. *Les chagrins l'ont usé*. = S'USER, v. pr. Se détériorer par l'usage ou par le temps. *Ce linge s'use vite*. ‖ Fig. *Tout s'use à la longue*. ‖ Perdre son prestige aux yeux d'autrui.

SYN. — *User*, appliquer à tel ou tel besoin : *User noblement de son influence*. — *Employer*, mettre en œuvre pour une destination : *Employer tout son temps à s'instruire*. — *Se servir*, employer à son service : *Se servir de ses jambes pour marcher* (La Bruyère). — *Utiliser*, employer à son usage : *Utiliser au mieux ses ressources*.

INCORR. — On ne dit pas : Voici d'excellent cognac ; en *usez-vous* ? On dit : en *désirez-vous* ?

> VOCAB. — *Famille de mots*. — *User* [rad. *us, ut, ust*]: useur, usance, usager, inusable, usé, inusé ; usuel, usuellement, usité, inusité ; usure, usurier, usuraire, usurairement ; mésuser, mésusage ; abus, abuser, abusif, abusivement ; désabuser, désabusé, désabusable, désabusement ; utile, utilement, utiliser, utilisable, utilisation, utilité, utilitaire, utilitarisme ; inutile, inutilement, inutiliser, inutilisé, inutilisable, inutilité, ustensile ; outil, outillage, outiller, outillement, outillerie ; usurper, usurpateur, usurpation, usurpatoire ; usufruit, usufruitier, usufructuaire, usucapion.

2. user, n. m. Usage, emploi. *Étoffe qui embellit à l'user* (Vx).

* **useur, euse**, adj. Qui use, qui détériore rapidement. *Cet enfant est très useur* (Fam.).

* **usinage**, n. m. [Techn.] Série d'opérations par lesquelles une matière brute devient un objet terminé. *Usinage de pièces d'automobile*.

usine, n. f. (lat. *officina*, atelier). Grand établissement industriel où l'on emploie des machines pour exécuter des ouvrages d'industrie ou d'art. V. tabl. INDUSTRIE (*Idées suggérées par le mot*).

SYN. — *Usine*, grand établissement industriel : *Il travaille à l'usine métallurgique*. — *Manufacture*, établissement industriel généralement spécialisé dans une seule fabrication : *La manufacture des tabacs*. — *Fabrique*, établissement moins important que l'usine ou la manufacture : *une fabrique de carreaux en ciment*. — *Atelier*, usine peu importante, ou partie d'une usine, d'une manufacture : *L'atelier d'ajustage*.

* **usiner**, v. tr. [Techn.] Fabriquer dans une usine. — Traiter à l'aide de machines-outils.

usinier, ière, n. Celui, celle qui exploite une usine. = Adj. Relatif à une usine.

usité, ée, adj. (lat. *usitatus*, m. s.). Qui est pratiqué communément. *Une façon de parler peu usitée*.

* **usquebac**, n. m. Eau-de-vie de grains fabriquée en Écosse, aromatisée avec du safran.

ustensile, n. m. (bas lat. *utensilia*). Tout objet servant au ménage, et principalement à la cuisine. — Par ext. Instruments divers nécessaires à l'exercice de certains métiers. *Les ustensiles aratoires*. V. tabl. HABITATION (*Idées suggérées par le mot*).
SYN. — V. ENGIN.

* **ustilaginées**, n. f. pl. [Bot.] Groupe de champignons basidiomycètes, parasites des végétaux, auxquels ils communiquent le *charbon* et la *carie*.

* **ustion** [*tion*], n. f. (lat. *ustio*, m. s.). Action de brûler. [Chir.] Cautérisation par le cautère actuel.

usucapion, n. f. (lat. *usucapio*, m. s.). [Droit] En droit romain, manière d'acquérir par la possession, par l'usage. — Auj., on dit plutôt *prescription acquisitive*.

usuel, elle, adj. Dont on se sert habituellement. *Mots usuels*.
CTR. — *Rare, recherché*.

usuellement, adv. D'une manière usuelle.

usufructuaire, adj. (lat. *usufructuarius*, m. s.). [Droit] Qui tient de l'usufruit; qui a rapport à l'usufruit.
INCORR. — Ne pas dire *usufruitaire*, comme on le fait trop souvent.
SYN. et PAR. — *Usufruitier*, qui concerne l'usufruit.

usufruit, n. m. (lat. *usufructus*, m. s.). Droit de jouir des choses dont un autre a la propriété, à la charge d'en conserver la substance.

usufruitier, ère, n. Celui, celle qui a l'usufruit d'un bien. = Adj. Se dit de ce qui est à la charge ou au profit de l'usufruitier.
PAR. — *Usufructuaire*, qui tient de l'usufruit.

usuraire, adj. (lat. *usurarius*, m. s.). Qui est entaché d'usure.
PAR. — *Usurier*, qui prête à usure.

usurairement, adv. D'une façon usuraire.

1. **usure**, n. f. (lat. *usura*, m. s.). Intérêt, profit illégitime qu'on exige d'un argent ou d'une marchandise prêtée au-dessus du taux établi par la loi ou l'usage.
— AVEC USURE, loc. adv. Au delà de ce qu'on a reçu. *Recevoir des coups et les rendre avec usure*.
— *Babylone paya nos pleurs avec usure*. (RACINE.)

2. **usure**, n. f. (du v. *user*). Détérioration de certains objets par le long usage qu'on en fait. ‖ Dépérissement d'un organisme usé par l'âge ou les excès. *Il est mort d'usure*.

usurier, ère, n. Celui, celle qui prête à usure.
PAR. — *Usuraire*, entaché d'usure.

usurpateur, trice, n. (lat. *usurpator, trix*, m. s.). Celui, celle qui s'empare, par violence ou par ruse, d'un bien, d'un pouvoir, d'une dignité, d'un titre. ‖ Absol. Celui qui a usurpé la souveraineté dans un pays. = Adj. *Prince usurpateur*.

usurpation [*sion*], n. f. Action d'usurper, ou occupation de la chose usurpée. ‖ La chose même qui est usurpée.

* **usurpatoire**, adj. Qui a le caractère de l'usurpation.

usurper, v. tr. (lat. *usurpare*, m. s.). S'emparer, par violence ou par ruse, d'un bien, d'une dignité, d'un pouvoir, d'un titre appartenant à un autre. ‖ Fig. *Usurper la réputation, la gloire*, l'obtenir par fraude. = V. intr. Empiéter sur le bien d'autrui. *Ce paysan essaie d'usurper sur ses voisins*.

ut [*utt*], n. m. (premier mot de l'hymne de saint Jean : *Ut queant laxis*...). [Mus.] Première note de la gamme dite d'*ut* majeur, auj. appelée *do*. ‖ Signe servant à représenter cette note sur les portées. V. pl. MUSIQUE.
HOM. — V. HUTTE.

* **utéralgie**, n. f. (lat. *uterus*, matrice, et gr. *algos*, douleur). [Méd.] Douleur nerveuse de l'utérus.

utérin, ine, adj. (lat. *uterinus*, m. s.). Qui concerne l'utérus. [Droit] Se dit des enfants nés de la même mère, mais n'ayant pas le même père. = N. m. pl. *Les utérins*.
CTR. — *Consanguin, germain*.

* **utérinité**, n. f. Droit, qualité d'un parent utérin.

utérus [*russ*], n. m. (mot lat. sign. *matrice*). Organe de la gestation chez les femmes et chez les femelles des mammifères. — On dit aussi *matrice*.

...ut, uth, ute, etc.

> ORTH. — *Finales*. — Le son final *ut* s'écrit sous les formes suivantes : *ut* dans brut, but, chut, azimut, comput, occiput, précipit ; *uth* dans bismuth et luth ; *ute* dans cahute, culbute, brute, chute, dispute, minute, etc. ; *ûte* dans flûte ; *utte* dans butte, hutte, lutte.

utile, adj. (lat. *utilis*, m. s.). Qui sert à quelque chose, qui est propre à satisfaire un besoin. *Découverte utile*. — Qui est propre à rendre un service. *Les animaux utiles*. ‖ *En temps utile*, dans le temps prescrit, déterminé. ‖ *Travail utile d'un moteur*, différence entre le travail moteur et le travail des résistances. = N. m. Ce qui rend service. *Joindre l'agréable à l'utile*.
SYN. — *Utile*, qui sert à quelque chose : *Les animaux utiles à l'homme*. — *Avantageux*, qui apporte un avantage : *Faire des placements d'argent avantageux*. — *Inappréciable*, d'un très grand prix, d'une très grande utilité : *Vous m'avez rendu là un service inappréciable*. — *Précieux*, qui est d'un grand prix, d'une grande utilité : *Des renseignements précieux*. — *Profitable*, qui donne un profit : *Faire des lectures profitables*. V. aussi NÉCESSAIRE.
CTR. — *Inutile, nuisible, fâcheux*.

utilement, adv. D'une manière utile.

utilisable, adj. Que l'on peut utiliser. Ctr. — *Inutilisable.*
* **utilisation** [*sion*], n. f. Action d'utiliser; manière d'utiliser.
utiliser, v. tr. Tirer parti d'une chose. = s'utiliser, v. pr. Être employé utilement, ou se rendre utile. Syn. — V. user.
utilitaire, adj. Qui se rapporte à l'utilité. ‖ Qui prend l'utilité comme principe. ‖ Qui concerne l'utilitarisme. *Morale utilitaire.* = N. m. Partisan de l'utilitarisme.
Incorr. — *Utilitaire* ne doit pas être employé avec le sens d'*utile.*
Ant. — *Idéaliste.*
* **utilitairement,** adv. D'une manière utilitaire. ‖ Comme le voudraient les utilitaires.
utilitarisme, n. m. [Philos.] Doctrine morale selon laquelle l'intérêt particulier ou général doit être la règle de nos actions.
utilité, n. f. (lat. *utilitas,* m. s.). Qualité de ce qui est utile, de ce qui est propre à rendre service, à satisfaire un besoin quelconque. ‖ Profit, avantage. [Droit] *Utilité publique,* se dit de ce qui est un avantage, pour la plus grande partie du public. *Expropriation pour cause d'utilité publique.* = N. f. pl. Au théâtre, rôle de peu d'importance. *Jouer les utilités.*
Épithètes courantes : grande, publique, particulière, personnelle, pratique, nulle, mince, douteuse, contestable, prouvée, certaine, incontestable, marquée, reconnue, etc.
utopie, n. f. (gr. *ou,* non, et *topos,* lieu). Plan de gouvernement, de société imaginaire où tout est parfaitement réglé pour le bonheur de chacun, comme dans *Utopia,* ouvrage de Thomas Morus. ‖ Fig. Projet imaginaire, de réalisation impossible.
utopique, adj. Qui tient de l'utopie.
utopiste, n. Celui, celle qui a imaginé une utopie ou qui y croit. = Adj. *Doctrine utopiste.*

* **utraquiste,** n. (lat. *utraque,* l'une et l'autre). Hussite de Bohême qui communiait sous les deux espèces.
1. * **utriculaire,** adj. [Bot.] En forme d'utricule.
2. * **utriculaire,** n. f. [Bot.] Genre de plantes, type de la famille des *utriculariées.*
* **utriculariées,** n. f. pl. [Bot.] Famille de végétaux dicotylédones comprenant des plantes voisines des scrofularinées.
utricule, n. m. (lat. *utriculus,* dimin. de *uter,* outre, et de *uterus,* matrice). [Hist. nat.] Organe ressemblant à une petite outre membraneuse. *Utricule cellulaire. Utricule de l'oreille.*
* **utriculeux, euse,** adj. Qui a l'aspect d'un utricule. ‖ Garni d'utricules.
* **uvaire,** n. m. (lat. *uva,* grappe de raisin). [Bot.] Genre de plantes dicotylédones de la famille des *anonacées.* = Adj. Qui ressemble à une grappe de raisin.
* **uval, ale,** adj. Qui concerne le raisin. Par ext. Où l'on peut faire une cure de raisin ou de jus de raisin; où l'on vend du raisin. *Station uvale.*
* **uva-ursi,** n. m. (mots lat. sign. *raisin d'ours*). Nom pharmaceutique de la *busserole,* dont les feuilles ont des propriétés diurétiques.
* **uve,** n. f. Ancien nom d'une pommade à base de blanc de plomb.
* **uvéal, ale,** adj. Relatif à l'uvée.
uvée, n. f. (lat. *uvea,* grappe de raisin). [Anat.] Tunique moyenne de l'œil, entre la sclérotique et la rétine.
* **uvéite,** n. f. [Méd.] Inflammation de l'uvée.
* **uvifère,** adj. (lat. *uva,* raisin, et *ferre,* porter). Qui produit du raisin.
* **uviforme,** adj. Qui a la forme d'une grappe de raisin.
* **uvulaire,** n. f. (lat. *uvula,* dimin. de *uva,* raisin). [Bot.] Genre de plantes monocotylédones de la famille des *liliacées.* = Adj. Qui se rapporte à l'uvule.
* **uvule,** n. f. Syn. de *luette.*
* **uxorien, enne,** adj. (lat. *uxor,* épouse). Relatif à l'épouse. *Un neveu uxorien,* un neveu du côté de la femme (Rare).

V

V [*vé* ou *ve*], n. m. Vingt-deuxième lettre et dix-septième des consonnes de l'alphabet français, appelée autrefois abusivement *U consonne*. — Dans la numération romaine, V représentait le nombre 5. — Employé comme abréviat. V sign. votre; V. M., Votre Majesté; V. A., Votre Altesse; V. G., Votre Grandeur. — Abréviat. de Voyez, pour indiquer un renvoi.

LING. — La lettre V représente l'articulation semi-labiale faible dont la forte est F; aussi ces deux lettres sont-elles quelquefois substituées l'une à l'autre. Ainsi, par ex., à la fin des mots placés devant ceux qui commencent par une voyelle, l'F, pour adoucir la prononciation, se prononce comme V : *Neuf arbres, neuf hommes*, se prononcent *neu-varbres, neu-vomes*. Les adjectifs terminés en F changent l'F en V lorsqu'ils passent au genre féminin. Ainsi *bref, vif, veuf*, font *brève, vive, veuve*.

va, 2ᵉ pers. du sing. de l'impératif du v. aller. = Adverbial., sign. soit, j'accepte. *Va pour mille francs*. = Interj. *C'est triste, va !*

* **vaca**, n. m. [Mar.] Pirogue à balancier des îles du Pacifique.

vacance, n. f. (lat. *vacare*, être vacant). Temps pendant lequel une place, une dignité n'est pas remplie par suite du défaut de titulaire. État de cette place, de cette dignité. *La vacance du trône*. = VACANCES, n. f. pl. Temps pendant lequel les études cessent dans les écoles, les séances des tribunaux sont suspendues. ‖ Temps pendant lequel on interrompt ses occupations habituelles pour prendre du repos. *Vacances parlementaires*. ‖ Période pendant laquelle quelque chose est suspendu. *Les vacances de la légalité*.

ÉPITHÈTES COURANTES : bonnes, longues, grandes, reposantes, amusantes, intéressantes, souhaitées, désirées, prises, allongées, écourtées, terminées, etc.

SYN. — *Vacances*, temps pendant lequel les tribunaux, les écoles, etc., cessent leurs travaux : *Les écoliers sont en vacances dès le milieu de juillet*. — *Congé*, jour ou série de jours pendant lesquels le travail est suspendu : *Les congés de Pâques*. Permission de quitter son travail pendant un temps donné : *Ce fonctionnaire a droit à un congé d'un mois*. — *Permission*, période pendant laquelle un militaire est autorisé à quitter son corps : *Permission de huit jours*. — *Relâche*, temps pendant lequel la troupe d'un théâtre ne joue pas : *Il y a relâche cette semaine au Théâtre-Français*. — *Vacation*, période pendant laquelle un tribunal cesse ses séances : *La vacation du tribunal civil*. V. aussi RELÂCHE, REPOS et RELÂCHEMENT.

ANT. — *Rentrée*.

vacant, ante, adj. Qui n'est pas occupé, qui est à remplir. *Une place vacante. Appartement vacant*. ‖ *Succession vacante*, succession que personne ne réclame, ou à laquelle on a renoncé.

CTR. — *Occupé*.

HOM. — *Vaquant*, ppr. du v. vaquer.

vacarme, n. m. (néerl. *wacharme*). Tumulte, grand bruit, fracas, tapage.

ANT. — *Calme, silence, tranquillité*.

SYN. — V. FRACAS.

1. vacation [*sion*], n. f. (de *vaquer*). Temps que certains officiers publics emploient à travailler à quelque affaire. *On paye tant aux experts pour chaque vacation*. = Au pl. Se dit des honoraires qu'on paye aux gens d'affaires. *On lui a taxé ses vacations*.

2. vacation [*sion*], n. f. (lat. *vacatio*, congé). Cessation des séances des gens de justice. *Le temps des vacations*. — *Chambre des vacations*, chambre qui rend la justice pendant les vacances.

SYN. — V. VACANCES.

PAR. — *Vocation*, inclination vers une carrière; aptitude spéciale.

* **vaccaire**, n. f. [Bot.] Nom vulg. d'une espèce de saponaire.

HOM. — *Vaquèrent*, du v. vaquer.

vaccin [*vak-sin*], n. m. (lat. *vaccinus*, de vache). [Méd.] Principe virulent qui, sous forme liquide, est inoculé à un sujet pour le préserver de l'atteinte d'une maladie contagieuse déterminée. *Le vaccin antipesteux*. ‖ Partic., liquide recueilli dans des pustules du pis des vaches, et qui est employé contre la variole. = Adj. Qui concerne le vaccin. *Virus vaccin*.

* **vaccinable**, adj. Qui peut être vacciné.

* **vaccinal, ale**, adj. Qui a rapport au vaccin ou à la vaccine. *Pustule vaccinale*.

* **vaccinateur**, adj. et n. m. Celui qui vaccine.

vaccination [*sion*], n. f. Action de vacciner. — Inoculation de la vaccine pour préserver contre la variole. Par ext. Toute inoculation d'un vaccin quelconque dans une vue thérapeutique.

1. vaccine [*vak-sinn*], n. f. (lat. *vaccina*, variole de vache). Maladie éruptive contagieuse de la vache (*cow-pox*); transmise à l'homme, elle l'immunise contre la variole.

2. vaccine [*vak-sinn*], n. f. (de *vacciner*). [Méd.] Inoculation du vaccin pour rendre l'organisme réfractaire à la variole.

HOM. — *Vaccine, es, ent*, du v. vacciner.

* **vaccinées** ou * **vacciniées**, n. f. pl. (lat. *vacca*, vache). [Bot.] Famille de plantes dicotylédones ayant pour type le genre *vaccinium* ou *airelle*. Certains auteurs en font une tribu des *éricacées*.

* **vaccinelle**, n. f. (de *vaccin*). [Méd.] Éruption cutanée vaccinale bénigne.

vacciner, v. tr. Pratiquer la vaccination sur.

* **vaccinide**, n. f. (de *vaccin*). [Méd.] Éruption vaccinale généralisée, peu grave.

* **vaccinier**, n. m. [Bot.] Autre nom de *l'airelle* (vaccinium).

* **vaccinique**, adj. Qui a rapport au vaccin ou à la vaccine.

* **vaccinoïde**, adj. Qui a l'apparence de la vaccine.

* **vaccinostyle**, n. m. (de *vaccin* et du gr. *stylos*, pointe). [Méd.] Petite lame métallique acérée qui sert à vacciner.

* **vaccinothérapie**, n. f. (de *vaccin*, et gr. *thérapéia*, traitement). [Méd.] Méthode thérapeutique qui prend pour base l'emploi des vaccins.

vache, n. f. (lat. *vacca*, m. s.). [Zool.] Femelle du taureau. *Du lait de vache.* ‖ *Viande de vache.* ‖ Fam. *Poil de vache*, poil roux. ‖ Fig. et prov. *Manger de la vache enragée* éprouver beaucoup de privations et de misères. ‖ Triv. Fille ou femme très grosse. ‖ *Le plancher des vaches*, la terre ferme, par oppos. à la mer. — *Le ranz des vaches.* V. RANZ. — *Coup de pied en vache*, coup de pied de côté. — Fig. et fam. *Vache à lait*, personne ou chose dont on tire un profit continuel. — *Période de vaches maigres*, période de disette, de restrictions. — *Chacun son métier et les vaches seront bien gardées*, tout va bien quand chacun ne se mêle que de ce qu'il connaît. — *Parler français comme une vache espagnole*, parler incorrectement le français (le mot *vache* est sans doute ici une déformation de *basque*). [Zool.] *Vache marine*, nom vulg. du *dugong*. [Techn.] Peau de vache corroyée et propre à faire des souliers, des bottes, des harnais. *Serviette en vache.* ‖ Panier recouvert de cuir. [Argot] Agent de police, policier. — Adj. [Argot] Dur, sévère. *Un professeur vache.*

vacher, ère, n. Celui, celle qui mène paître les vaches et qui les garde.

vacherie, n. f. Étable à vaches. ‖ Pop. Caractère de celui qui est vache (dur, intraitable). — Action de celui qui est vache; méchanceté, injustice. *On lui a fait une vacherie.*

* **vacherin**, n. m. Nom régional de divers fromages, dont le gruyère.

* **vachette**, n. f. Jeune vache. ‖ Cuir de jeune vache.

vacillant, ante [*sil-lan*], adj. Qui vacille. *Démarche vacillante. Lueur vacillante.* ‖ Fig. Incertain, irrésolu. *Esprit vacillant.*

CTR. — *Droit, ferme.*

vacillation [*sil-la-sion*], n. f. (lat. *vacillatio*, m. s.). Mouvement de ce qui vacille. *La vacillation d'une barque.* ‖ Fig. Irrésolution, incertitude, variation. *Vacillation dans les sentiments.*

* **vacillatoire** [*sil-la*], adj. Qui est de la nature de la vacillation.

* **vacillement** [*sil-le*], n. m. Action de vaciller.

vaciller [*sil-lé*], v. intr. (lat. *vacillare*, m. s.). Chanceler, branler, n'être pas bien ferme. *La main lui a vacillé.* ‖ Osciller, sautiller. *Cette lumière vacille.* ‖ Fig. *Cet homme ne fait que vaciller*, il est incertain, irrésolu.

SYN. — V. CHANCELER.

* **vacive**, n. f. V. VASSIVE.

vacuité, n. f. (lat. *vacuitas*, m. s.). État d'une chose vide.

* **vacuole**, n. f. (lat. *vacuus*, vide). [Biol.] Petite cavité d'un tissu ou d'un élément anatomique pleine de gaz ou de liquide.

* **vade**, n. f. (de l'ital. *vada*, qu'il aille). [Jeu] Première mise avec laquelle un des joueurs ouvre la partie, dans certains jeux de cartes.

vade-in-pace [*va-dé-inn' pa-sé*], n. m. (Mots latins sign. *va en paix*.) Prison de couvent.

vade-mecum [*dé-mé-komm*], n. m. (m. lat. sign. *viens avec moi*). Se dit d'une chose qu'on porte ordinairement et commodément sur soi. *Ce petit livre est mon vade-mecum.* = Pl. *Des vade-mecum.*

* **vadrouille** [*ill* mll.], n. f. (orig. inc.) [Mar.] Tampon de laine fixé au bout d'un bâton pour nettoyer le pont. [Argot] Promenade à la recherche d'une aventure; promenade sans but. ‖ Fille de rues.

HOM. — *Vadrouille, es, ent*, du v. vadrouiller.

* **vadrouiller** [*ill* mll.], v. intr. Faire une vadrouille.

va-et-vient, n. m. (3e pers. sing. des présents d'*aller* et de *venir*). Mouvement de tout ce qui se déplace alternativement d'un point à l'autre. ‖ En parlant des personnes, mouvement qui consiste en allées et venues continuelles. [Techn.] Partie d'une machine qui se déplace dans les deux sens, d'un point à un autre. ‖ Petit bac qui sert à traverser une rivière. [Mar.] Cordage reliant un navire à la terre et servant à des opérations de transbordement. [Électr.] Branchement qui permet d'allumer et d'éteindre une lampe de deux endroits différents.

vagabond, onde, adj. (lat. *vagabundus*, m. s.). Qui erre çà et là. ‖ Qui aime à errer. *Une humeur vagabonde.* ‖ Fig. Inconstant, désordonné, déréglé. *Une vie vagabonde.* = Nom. Celui ou celle qui n'a ni domicile, ni profession, et qui vit d'aumône ou de vol.

CTR. — *Sédentaire, casanier.*

vagabondage, n. m. État, habitude de vagabond. — *Vagabondage spécial*, action de tirer sa subsistance de la prostitution des femmes.

vagabonder, v. intr. Faire le vagabond.

vagin [*jin*], n. m. (lat. *vagina*, gaine). [Anat.] Canal qui, chez la femme et chez les femelles des mammifères, fait communiquer la vulve avec l'utérus.

vaginal, ale, adj. Qui est en forme de gaine. *Enveloppe vaginale.* ‖ Qui se rapporte au vagin.

* **vaginé, ée**, adj. [Bot.] Entouré d'une gaine.

* **vaginisme**, n. m. (de *vagin*). [Méd.] Affection causée par une exagération de la sensibilité du vagin.

* **vaginite**, n. f. [Méd.] Inflammation aiguë ou chronique du vagin.

* **vagino-utérin**, adj. [Anat.] Qui concerne à la fois le vagin et l'utérus.

* **vaginule**, n. f. [Bot.] Gaine entourant la base du sporogone de certaines hépatiques.

vagir, v. intr. (lat. *vagire*, m. s.). Pousser des vagissements.

vagissant, ante, adj. Qui vagit.

vagissement, n. m. Cri d'un enfant nouveau-né.

VAGON — VAINCRE

* **vagon**, n. m. V. WAGON.

1. vague, n. f. (anc. haut all. *vâg*). Ride plus ou moins volumineuse de la surface d'une mer, d'un lac, d'un fleuve, quand l'eau est agitée. *La fureur des vagues.* V. tabl. EAU et MER (*Idées suggérées par les mots*). ‖ Par ext. Tout ce qui rappelle la forme ou le mouvement des vagues. *Des vagues de sable. Vague de chaleur.* [A. milit.] *Vague d'assaut*, ligne de soldats lancés à l'assaut d'une position ennemie. [Archi.] Ornement qui imite les flots de la mer.

ÉPITHÈTES COURANTES : grosse, énorme, immense, furieuse, menaçante, longue, courte, recourbée, écumante, blanche, déferlante, déchaînée, brisée, vaincue, fendue, surmontée, etc.

HOM. — *Vague*, n. f., flot ou lame de la mer; — *vague*, adj., indéfini ou mal défini; — *vague, es, ent*, des v. vaguer 1 et 2.

2. vague, adj. (lat. *vagus*, m. s., cf. *vagari*, errer). Indéfini, qui n'a point de bornes fixes et déterminées. *Lieux vagues.* — *Terrain vague*, terres incultes et dont rien ne marque les limites. ‖ Fig. Incertain, qui manque de fixité, de netteté, de précision. *Esprit vague. Propositions vagues.* — Qu'on ne saurait analyser d'une façon précise; qui n'est pas tout à fait du domaine de la conscience. *Une vague rêverie.* — Comme n. m. *Avoir du vague dans la pensée.* [Anat.] *Nerf vague*, syn. de *nerf pneumogastrique.* = N. m. Espace vide, ou qu'on se figure comme tel. *Le vague de l'air.* ‖ Fig. *Se perdre dans le vague*, faire des raisonnements sans solidité, sans conclusion.

SYN. — V. INDÉTERMINÉ.
CTR. — *Précis, net, déterminé, délimité, fixe, défini, certain; distinct.*

VOCAB. — *Famille de mots.* — Vague: vaguement, vaguer, vaguesse, vagabond, vagabondage, vagabonder, divaguer, divagation, divagateur, extravaguer, extravagant, extravagance.

---

vaguement, adv. D'une manière vague, imprécise.

vaguemestre, n. m. (all. *Wagenmeister*, maître des équipages). Officier chargé des équipages d'une armée. ‖ *Vaguemestre du régiment*, sous-officier chargé d'aller chercher à la poste les envois adressés aux officiers et soldats du régiment, et de les distribuer aux destinataires.

1. vaguer, v. intr. (lat. *vagari*, m. s.). Errer çà et là.

2. * **vaguer**, v. tr. [Brasserie] Brasser le moût.

* **vaguesse**, n. f. [Bx-A.] Formes vaporeuses et indécises.

* **vahé**, n. m. [Bot.] Genre d'apocynées de Madagascar fournissant du caoutchouc.

* **vaiçya**, n. m. Dans l'Inde, membre de la caste des commerçants et agriculteurs.

* **vaigrage**, n. m. [Mar.] Action de vaigrer. ‖ Ensemble des vaigres d'un navire.

* **vaigre**, n. f. (holl. *weeger*, m. s.). [Mar.] Planche ou bordage servant à revêtir la muraille intérieure d'un bâtiment.

HOM. — *Vaigre, es, ent*, du v. vaigrer.

* **vaigrer**, v. tr. [Mar.] Revêtir un bâtiment de ses vaigres.

vaillamment, adv. Avec vaillance.
CTR. — *Peureusement, pusillanimement, lâchement.*

vaillance [*ill* mll.], n. f. (de *vaillant* 1). Valeur, courage, bravoure, intrépidité. ‖ Courage dans l'adversité. *Supporter les épreuves avec vaillance.*

SYN. — V. CŒUR.
ANT. — *Poltronnerie, peur, couardise, lâcheté, pusillanimité.*

1. vaillant, ante [*ill* mll.], adj. (anc. ppr. de *valoir*). Valeureux, courageux, plein de vaillance. ‖ Qui montre du courage de la force d'âme dans l'adversité.

SYN. — V. BRAVE.
CTR. — *Pusillanime, peureux, poltron, lâche, couard.*

2. vaillant [*ill* mll.], n. m. (de *vaillant* 1). Tout ce qui compose le bien d'une personne. *Il a mis tout son vaillant à cette terre* (Vx). = Adj. *Il n'a pas un sou vaillant*, il ne possède rien.

* **vaillanties** [*ill* mll.], n. f. [Bot.] Genre de *rubiacées* du bassin de la Méditerranée.

vaillantise [*ill* mll.], n. f. (de *vaillant*). Vaillance. ‖ Acte de vaillance (Souvent iron.).

vain, vaine, adj. (lat. *vanus*, m. s.). Inutile, qui ne produit rien, qui reste sans effet. ‖ *Vaine pâture*, terrain non cultivé où chacun peut faire paître son bétail. ‖ Frivole, futile. *Vains propos.* ‖ Sans fondement, illusoire, chimérique. *Des promesses vaines.* ‖ Orgueilleux, superbe, plein de vanité. *Une âme vaine.* — *Vaine gloire*, orgueil, sotte gloire du vaniteux. = EN VAIN, loc. adv. Inutilement, sans aucun résultat. Sans nécessité. *Prendre des précautions en vain.*

SYN. — V. AVANTAGEUX, FRIVOLE et SUPERFLU.
CTR. — *Modeste, humble, simple.*

HOM. — *Vain*, adj., inutile, qui reste sans effet; — *vaincs, vainc*, du v. vaincre; — *vins, vint, vînt*, du v. venir; — *vin*, n. m. boisson; — *vingt*, adj. num., deux fois dix.

vaincre, v. tr. (lat. *vincere*, m. s.). Remporter un grand avantage sur l'ennemi, dans la guerre. ‖ Remporter des avantages sur ses concurrents, ses compétiteurs. *Vaincre quelqu'un à la course.* ‖ Surpasser, lorsqu'il y a une sorte d'émulation entre les personnes. *Vaincre quelqu'un en générosité.* ‖ Surmonter. *Vaincre des obstacles. Vaincre sa colère, ses passions*, etc. ‖ Avoir raison de, triompher de. *Vous ne sauriez vaincre son obstination.* = SE VAINCRE, v. pr. Dompter ses passions.

A vaincre sans péril, on triomphe sans gloire. (CORNEILLE.)

SYN. — *Vaincre*, triompher de l'ennemi, remporter des avantages sur : *Vaincre sur le champ de bataille. Vaincre ses passions.* — *Dompter*, venir à bout de, soumettre à sa volonté : *Dompter des rebelles. Dompter un lion.* — *Mater*, dompter complètement : *Mater une révolte.* — *Surmonter*, montrer sa supériorité sur : *Surmonter toutes les difficultés.* — *Triompher*, remporter un avantage définitif sur : *Triompher de tous ses rivaux.* V. aussi BATTRE.

CONJUG. — V. trans. 3ᵉ groupe (inf. en re) [rad. *vainqu, vainc*].
Indicatif. — *Présent* : je vaincs, tu vaincs, il vainc, nous vainquons, vous vainquez, ils vainquent. — *Imparfait* : je vainquais, tu vainquais..., nous vainquions, vous vainquiez... — *Passé simple* : je vainquis..., nous vainquîmes, vous vainquîtes... — *Futur* : je vaincrai, tu vaincras..., nous vaincrons, vous vaincrez, ils vaincront.
Impératif. — Vaincs, vainquons, vainquez.
Conditionnel. — *Présent* : je vaincrais..., nous vaincrions, vous vaincriez...
Subjonctif. — *Présent* : que je vainque..., qu'il vainque, que nous vainquions, que vous vainquiez.... — *Imparfait* : que je vainquisse..., qu'il vainquît que nous vainquissions, que vous vainquissiez...
Participe. — *Présent* : vainquant. — *Passé* : vaincu, vaincue.

VOCAB. — *Famille de mots.* — *Vaincre* [rad. *vain, vic*] : vainqueur, vaincu; invaincu, invincible, invincibilité, invinciblement; victoire, victorieux, victorieusement; victimer, victime, victimaire; convaincre, convaincu, convaincant, conviction; évincer, évincement, éviction.

vaincu, ue, adj. (pp. du verbe *vaincre*). Qui a subi une défaite. ‖ Fig. Fléchi, persuadé par un raisonnement. = N. m. *Épargner les vaincus.*
ANT. — *Vainqueur, victorieux, triomphant.*

vainement, adv. En vain, inutilement.
vainqueur [keur] n. m. Celui qui a vaincu dans un combat. ‖ Celui qui a remporté quelque avantage sur son concurrent. ‖ Celui qui a surmonté des obstacles, celui qui a dompté ses passions. *Le sage est vainqueur de ses passions.* = Adj. *Des charmes vainqueurs.* ‖ Iron. *Un air vainqueur*, un air de hardiesse, de suffisance.
— *Tout vainqueur insolent à sa perte travaille.* (LA FONTAINE.)
— *Il* (Henri IV) *fut de ses sujets le vainqueur et le père.* (VOLTAIRE.)
ÉPITHÈTES COURANTES : triomphant, noble, généreux, magnanime, cruel, impitoyable, implacable, inhumain, orgueilleux, superbe, grand, fêté, couronné, célèbre, chanté, etc.
SYN. — *Vainqueur*, qui a triomphé de l'ennemi : *Les vainqueurs de Salamine; un air vainqueur.* — *Gagnant*, celui qui a obtenu un avantage : *Le gagnant d'un gros lot ; un cheval gagnant aux courses.* — *Triomphateur*, qui a vaincu définitivement en terminant une guerre : *A Rome, le triomphateur montait au Capitole sur un char tiré par des chevaux blancs.* — *Victorieux*, qui a remporté la victoire : *Les armées victorieuses.*
ANT. — *Vaincu, battu.*

vair, n. m. (lat. *varius*, varié). Fourrure blanche et grise de certains écureuils, dite aussi de petit-gris. ‖ Une des fourrures du blason.
INCORR. — Ne dites pas : *la pantoufle de verre de Cendrillon*, dites : *la pantoufle de vair.*
HOM. — *Vair*, n. m. fourrure; — *ver*, n. m., animal invertébré; — *verre*, n. m., substance transparente et vase pour boire; — *vers*, n. m., assemblage de mots mesurés et cadencés; — *vers*, prép., du côté de; — *vert*, n. m. et adj., couleur (des prés, des feuilles).

★ **vairé, ée,** adj. [Blas.] Se dit d'un écu dont les vairs sont d'un autre métal et d'un autre émail qu'argent et azur.
HOM. — *Vairé*, adj., terme de blason; — *verré*, adj., couvert d'une couche ou d'une poudre de verre; — *verrée*, n. f., ce que peut contenir un verre; — *verrez*, du v. voir.

1. vairon, adj. m. (du lat. *varius*, varié). Se dit des hommes et des chevaux qui n'ont pas les deux yeux de la même couleur.
HOM, — *Vairon*, adj., de couleur dissemblable, en parlant des yeux; — *vairon* ou *véron*, n. m., poisson de rivière; — *verrons*, du v. voir.

2. vairon ou ★ **véron,** n. m. [Zool.] Espèce de petit poisson osseux de rivière, à peau tachetée.

vaisseau, n. m. (bas lat. *vascellum*, m. s.). Récipient quelconque, vase, destiné à contenir un liquide. [Mar.] Bateau important, capable de tenir la mer. *Un vaisseau de guerre.* — *Vaisseau de ligne*, navire de guerre de premier rang dans l'ancienne marine. *Vaisseau amiral*, sur lequel l'amiral a son pavillon. — *Capitaine de vaisseau, lieutenant, enseigne de vaisseau*, grades de la marine de guerre. — V. GRADES et tabl. MARINE (*Idées suggérées par le mot*). — V. pl. NAVIGATION. ‖ Fig. *Brûler ses vaisseaux*, s'engager dans une affaire en s'enlevant tout moyen de s'en retirer. ‖ Fig. *Le vaisseau de l'État*, le gouvernement d'un État, soumis au sort des événements, comme un vaisseau en mer. [Archit.] Espace intérieur d'un grand édifice. *Le vaisseau de Notre-Dame de Paris.* [Anat.] Canal dans lequel circule un liquide organique (sang, lymphe, lait, etc.). *Vaisseaux sanguins, capillaires, lymphatiques.* [Bot.] Conduit tubulaire dans lequel circule la sève.
ÉPITHÈTES COURANTES : grand, long, large, plat, lourd, petit, léger, rapide, lent, neuf, vieux, ancien; armé, ponté, mâté, démâté, calfaté, radoubé, protégé, cuirassé, monté, commandé, lancé, coulé torpillé, naufragé, perdu, renfloué, — engorgé, sclérosé, etc.
SYN. — V. BATEAU.

vaisselier, n. m. Meuble servant à ranger la vaisselle.
vaisselle, n. f. coll. (lat. pop. *vascella*, petits vases). Ensemble des vases qui servent à l'usage ordinaire de la table, comme plats, assiettes, soupières, etc. — *Vaisselle montée*, vaisselle d'or ou d'argent, composée de pièces soudées ensemble. — *Vaisselle plate*, vaisselle d'argent ou d'or, d'une seule pièce. — *Faire la vaisselle*, nettoyer la vaisselle après un repas. *Eau de vaisselle*, eau dans laquelle on a lavé la vaisselle. — V. tabl. HABITATION (*Idées suggérées par le mot*).
ORTH. — *Vaisselle, vaissellerie* s'écrivent avec *deux l*, mais *vaisselier* n'en prend qu'*un*.

★ **vaissellerie,** n. f. (de *vaisselle*). Ensemble des articles de vaisselle. ‖ Industrie qui s'occupe de leur fabrication.

★ **vakouf,** n. m. (mot arabe). Bien, propriété dépendant d'une mosquée.

val, n. m. (lat. *vallis*, m. s.). Petite vallée (n'est plus guère usité qu'en géogra-

VALABLE — VALEUR

phie et en poésie). = Le pluriel *vaux* ne se dit que dans la locut. : *Par monts et par vaux* (par tous les chemins), et dans quelques noms de lieux, comme : *Les Vaux de Cernay*. — On rencontre parfois le pluriel *vals* : *Les vals du Rhône*, et le singulier *vau* : *A vau-de-route, à vau-l'eau*.

> VOCAB. — *Famille de mots.* — *Val*: vallée, valleuse, vallon, vallonner, vallonné, vallonnement; vau-l'eau (à); vaudeville, vaudevilliste; avalage, avalaison, avalant, avaler, avalement, avalanche; dévaler; ravaler, ravaleur, ravalement.

valable, adj. (lat. *valere*, valoir). Qui doit être reçu en justice, étant dans les formes requises. *Quittance valable.* Fam. Acceptable, admissible. *Cette cause, cette raison n'est pas valable.*

valablement, adv. D'une manière valable.

* **valaque**, adj. et n. De la Valachie.

* **valdisme**, n. m. Doctrine religieuse des Vaudois.

* **valdotain, aine**, adj. et n. De la vallée d'Aoste.

1. * **valence** [*lan*], n. f. (lat. *valere*, valoir). [Chim.] Valeur numérique exprimant le rapport suivant lequel les atomes, les radicaux et les ions se combinent entre eux, l'un d'eux étant pris comme terme de comparaison.

2. * **valence**, n. f. Orange de Valence (Espagne). Se dit souvent impropr. de toutes les oranges.

valenciennes, n. f. Dentelle très fine qu'à l'origine on fabriquait à Valenciennes.

* **valentin**, n. m. Cavalier servant que chaque jeune fille choisissait, en certaines régions, à l'occasion de certaines fêtes.

* **valentine**, n. f. Jeune fille qui a choisi un valentin.

* **valentianisme**, n. m. Doctrine d'une secte gnostique fondée par Valentin d'Alexandrie, au IIe s.

* **valentinien, enne**, n. et adj. Partisan des doctrines de Valentin d'Alexandrie.

* **valentinite**, n. f. [Minér.] Oxyde naturel d'antimoine.

* **valérianacées** ou **valérianées**, n. f. pl. [Bot.] Famille de végétaux dicotylédones gamopétales des régions tempérées Ex. *Valériane, mâche*, etc.

* **valérianate**, n. m. [Chim.] Nom des différents sels et éthers-sels de l'acide valérianique.

valériane, n. f. (lat. *valere*, être en bonne santé, cette plante ayant des propriétés médicales). [Bot.] Genre de plantes dicotylédones (*valeriana*), de la famille des *valérianées*.

* **valérianées**, n. f. pl. [Bot.] Syn. de *valérianacées.*

* **valérianelle**, n. f. [Bot.] Genre de *valérianacées* dont une espèce est connue sous le nom de *mâche* ou *boursette*.

* **valérianique** ou * **valérique**, adj. [Chim.] Se dit des acides isomères extraits de la valériane.

valet [*lé*], n. m. (anc. fr. *vaslet*, du bas lat. *vassus*, m. s.). Autref. jeune écuyer au service d'un seigneur. [Jeu] Carte sur laquelle est peinte la figure d'un valet. *Valet de cœur.* ‖ Auj. Domestique, serviteur. *Valet de ferme.* — *Valet de chambre*, domestique attaché particulièrement au service de la personne du maître et à l'entretien de sa garde-robe. — *Valet de pied*, valet qui suit à pied son maître au dehors ou monte sur le siège de la voiture à côté du cocher. ‖ Prov. *Tel maître, tel valet.* V. TEL. — *Les bons maîtres font les bons valets*, en traitant bien ses domestiques, on s'en fait bien servir. — Fam. *Je suis votre valet*, se dit quand on refuse de faire ou de croire quelque chose. ‖ Fig. Homme à l'âme servile et basse. *C'est un bas valet. Ame de valet.* [Théâtre] *Valet de comédie*, valet adroit et propre à l'intrigue. [Techn.] Outil, organe mécanique qui fait la fonction d'un serviteur, d'un aide. — Contrepoids derrière une porte, pour qu'elle se referme seule. *Valet à patin*, petite pièce de fer mobile qui retombe dans une entaille du verrou pour le maintenir fermé; pince chirurgicale pour comprimer les vaisseaux. — *Valet d'établi*, solide pièce de fer recourbée et qui sert à maintenir les pièces à travailler sur l'établi du menuisier. V. pl. OUTILS USUELS.

ANT. — *Maître.*

* **valetage**, n m. Service de valet. [Agric.] Exploitation d'un domaine à l'aide de valets.

valetaille [*ill* mll.], n. f. Péjor. Ensemble des valets d'une maison; race de valets.

valeter, v. intr. Avoir une assiduité servile auprès de quelqu'un, par intérêt. ‖ Faire beaucoup de courses, de démarches qui donnent de la peine. = Conjug. V. GRAMMAIRE.

valétudinaire, adj. et n. (lat. *valetudinarius*, malade). Maladif, de frêle santé.

SYN. — *Valétudinaire*, dont la santé laisse à désirer : *Un vieillard valétudinaire.* — *Cacochyme*, qui est d'une constitution débile : *Le mot cacochyme est vieilli.* — *Décrépit*, cassé par l'âge : *Un pauvre mendiant décrépit.* — *Incurable*, qui ne peut plus être guéri : *Un hospice d'incurables.* — *Infirme*, malade ou estropié : *Ce vieillard infirme ne guérira pas.* — *Maladif*, qui est fréquemment malade : *Cet enfant maladif a besoin de l'air de la campagne.* — *Rachitique*, affecté d'une déformation du système osseux : *Un enfant rachitique.* — *Souffrant*, atteint d'un commencement de maladie, d'une indisposition : *Je n'ai pu le voir, il était souffrant.* — *Souffreteux*, épuisé par la misère physique : *Des petits malheureux tout souffreteux.* V. aussi AFFAIBLI, DÉLICAT, IMPOTENT, MALADE.

valeur, n. f. (lat. *valor, valoris*, m. s.). Ce que vaut une chose suivant la juste estimation qu'on en peut faire. *Ce bien n'a pas été vendu à sa valeur. Valeur intrinsèque*, valeur propre et essentielle d'une chose. *Valeur intrinsèque*, valeur attribuée à une chose indépendamment de sa valeur propre. — *Mettre en valeur une terre*, y faire les travaux nécessaires pour qu'elle donne un produit convenable. ‖ Intérêt. *Cela n'est pour moi d'aucune valeur.* ‖ Haut prix, cherté de quelque chose. *Un objet de valeur.* ‖ Estime particulière qu'on a d'une chose. *Attacher de la valeur à quelque chose.*

En parlant des personnes : Importance des services qu'on peut attendre d'elles, etc. *C'est un homme sans valeur, une non-valeur.*

‖ Particul. Courage, bravoure, vaillance, vertu guerrière. *Un chef plein de valeur.*
[Bx-A.] Intensité d'une couleur, épaisseur d'une ligne par rapport à une ou plusieurs autres couleurs ou lignes voisines. *Le jeu des valeurs.* ‖ *Valeur nominale,* par oppos. à *valeur réelle,* la valeur arbitraire que la loi attribue à une pièce de monnaie.
[Comm.] Toute espèce de biens disponibles, et particulièrement titres de rente, actions industrielles, effets négociables de tout genre. *Les valeurs cotées à la Bourse.* V. tabl. FINANCES (*Idées suggérées par le mot*). [Gram.] Juste signification des termes, suivant l'usage reçu. *Cet homme ne connaît pas la valeur des termes dont il se sert.* [Math.] Nombre qui mesure une grandeur, ou nombre par lequel on remplace une lettre ou une expression algébrique, ou encore expression algébrique équivalente à une autre. *Valeur arithmétique. Valeur algébrique.* [Mus.] Durée que doit avoir chaque note, et qu'indique sa figure. *La valeur d'une blanche est le double de la valeur d'une noire.* [Philos.] Caractère de ce qui est estimable ; ou la chose même qui est digne d'estime. *Les valeurs morales, esthétiques, religieuses.* — *Table des valeurs,* hiérarchie suivant laquelle les choses, les actes sont classés. = LA VALEUR DE, loc. dont on se sert pour exprimer une estimation approximative. *Il n'a pas bu la valeur d'un verre de vin.*
— *Je suis jeune, il est vrai, mais aux âmes bien nées*
La valeur n'attend pas le nombre des années. (P. CORNEILLE.)
— *La parfaite valeur est de faire sans témoins ce qu'on serait capable de faire devant tout le monde.*
(LA ROCHEFOUCAULD.)
— *C'est le hasard qui fait les héros, c'est une valeur de tous les jours qui fait le juste.* (MASSILLON.)
ÉPITHÈTES COURANTES : grande, énorme, immense, remarquable, extrême, médiocre, nulle ; réelle, estimée, reconnue, éprouvée, etc.
SYN. — V. CŒUR.
ANT. — *Non-valeur, inutilité.*
* **valeur à recouvrer,** n. f. [Comm.] Effet de commerce qu'on présente, à l'échéance, au débiteur pour en percevoir le montant.
valeureusement, adv. Avec valeur, courage, vaillance. *Il a combattu valeureusement.*
CTR. — *Lâchement, peureusement, pusillanimement.*
valeureux, euse, adj. Qui a de la valeur, de la vaillance. *C'est un valeureux soldat.*
SYN. — V. BRAVE.
CTR. — *Lâche, poltron, couard, pusillanime.*
* **valgue** ou * **valgus,** n. m. [Zool.] Genre d'insectes coléoptères lamellicornes.
* **valgus** [*guss*], ou * **valgum** [*gomm*], adj. et n. m. (mot lat. sign. *cagneux*). [Méd.] Se dit d'une malformation du genou ou du pied, qui sont déviés en dehors.
* **vali,** n. m. Gouverneur de vilayet dans l'anc. Turquie.
validation [*sion*], n. f. Action de valider.

ANT. — *Invalidation.*
PAR. — *Validité,* caractère de ce qui est valide.
valide, adj. (lat. *validus,* m. s., de *valere,* être fort). Sain, vigoureux, par opposition à malade ou infirme. *Un homme valide.* = Nom. *Les valides et les invalides.* ‖ En parlant des choses : valable, qui a les conditions requises par les lois pour produire son effet. *Cet acte n'est pas valide.*
CTR. — *Invalide, malade, faible, valétudinaire, infirme.*
validé, adj. et n. f. Chez les Turcs, mère du sultan régnant.
validement, adv. D'une manière valide.
valider, v. tr. (bas lat. *validare,* m. s.). Rendre valide. *Valider un acte.* ‖ Déclarer valide. *Valider une élection.* — *Valider un député,* déclarer son élection valide.
CTR. — *Invalider.*
validité, n. f. (bas lat. *validitas,* m. s.). Force conférée à certaines choses par l'accomplissement de formalités qui leur sont nécessaires. *La validité d'un acte.*
ANT. — *Invalidité.*
PAR. — *Validation,* action de valider, de reconnaître la valeur d'un acte.
valise, n. f. (ital. *valigia,* m. s.). Sac de voyage, ou petite malle légère qui se porte à la main. ‖ *Valise diplomatique,* paquet qui contient des correspondances envoyées par un ambassadeur, ou qui lui sont destinées, et dont le secret est garanti.
SYN. — V. CASSETTE.
valkyrie, n. f. V. WALKYRIE.
vallée [*va-lé*], n. f. (de *val*). [Géogr.] Dépression enfermée entre des montagnes et généralement arrosée par des cours d'eau. ‖ Fig. *Vallée de larmes, vallée de misères,* le séjour sur la terre par opposition au ciel. ‖ Bassin d'un fleuve.
ÉPITHÈTES COURANTES : profonde, verte, arrosée, boisée, humide, tiède, froide, sèche, désolée, encaissée, large, étroite, belle, fertile, peuplée, prospère, etc.

> ORTH. — *Vallée, vallon, vallonnement* prennent deux *l*, mais *avalanche, avaler, dévaler* n'en prennent qu'un.

ANT. — *Montagne, colline.*
* **valleuse,** n. f. [Géogr.] Vallée côtière sèche se terminant en abrupt sur la falaise.
* **vallisnerie,** n. f. [Bot.] Genre de plantes de la famille des *hydrocharidées.*
vallon [*va-lon*], n. m. (ital. *vallone,* vallée). Petite vallée. ‖ Poét. *Le sacré vallon,* le séjour des Muses, entre les deux croupes du Parnasse.
HOM. — *Valons,* du v. valoir.
vallonné, ée, adj. En forme de vallon, abondant en vallons. *Terrain vallonné.*
vallonnement [*va-lo*], n. m. État d'un terrain vallonné. ‖ Action de disposer en forme de vallon.
* **vallonner** [*va-lo*], v. tr. Disposer en forme de vallons.
valoir, v. tr. et intr. V. tabl. VALOIR.
* **valoise,** n. f. Étoffe de soie employée au XVIIIe s.
valorem (ad), loc. lat. sign. *selon la valeur des choses. Taxe ad valorem.*
* **valorisation** [*sion*], n. f. Action de valoriser. ‖ Hausse artificielle de la valeur d'une denrée.
ANT. — *Dévalorisation, dévaluation.*

VALOIR, verbe.

Étymologie. — Latin *valere*, m. s., proprement être fort, cf. *valeur* et *valide*.

Remarques grammaticales.

a) Les compléments directs du verbe valoir sont des compléments circonstanciels quand le verbe est employé dans son sens propre de « avoir un prix, une valeur » (valeur intransitive), et des compléments d'objet quand il est employé au sens figuré de « procurer » (valeur transitive). D'où l'orthographe du participe : *Les vingt francs que ce travail m'a valu;* et : *La peine que ce travail m'a value.* Mais lorsque le verbe a deux compléments, l'un au sens propre, l'autre au sens figuré, l'usage n'est pas fixé. Il vaut donc mieux éviter cette construction.

b) Valoir, suivi d'un autre verbe, se construit soit avec une proposition complétive introduite par la conj. *que. Cela ne vaut pas la peine que l'on y pense;* soit avec l'infinitif précédé de la prép. *de. Cela ne vaut pas la peine d'y penser.*

CONJUG. — V. trans. et intrans., 3ᵉ groupe (inf. en *oir*). (rad. *val, vau, vaill*).

Indicatif. — *Présent :* je vaux, tu vaux, il vaut, nous valons, vous valez, ils valent. — *Imparfait :* je valais..., nous valions, vous valiez... — *Passé simple :* je valus, tu valus, il valut, nous valûmes, vous valûtes, ils valurent. — *Futur :* je vaudrai, tu vaudras, il vaudra, nous vaudrons, vous vaudrez...

Impératif. — Vaux, valons, valez.

Conditionnel. — *Présent :* je vaudrais..., nous vaudrions, vous vaudriez...

Subjonctif. — *Présent :* que je vaille, que tu vailles..., que nous valions, que vous valiez, qu'ils vaillent. — *Imparfait :* que je valusse, que tu valusses, qu'il valût, que nous valussions, que vous valussiez...

Participe. — *Présent :* valant. — *Passé :* valu, value.

(Voir ci-dessus l'accord du part. passé.) [Bien noter que le subjonctif présent est : *que je vaille*, et non *que je vale*, qui est un barbarisme trop fréquent.]

VALOIR, verbe intransitif.

Être bon à quelque chose, avoir un certain mérite, être estimé. Valoir beaucoup, peu. *Cet habit ne vaut plus rien.*

NE RIEN VALOIR. — N'avoir aucun mérite, aucune qualité. *Ces vers ne valent rien.* ‖ Ne signifier rien de bon. *Cela ne vaut rien.* ‖ Être mauvais, nuisible. *Ce régime ne vaut rien pour vous. Cela ne me (ne lui, ne vous) vaut rien,* cela est nuisible à la santé, à la moralité, à l'intelligence de la personne dont il s'agit. ‖ Être méchant, dangereux. *Cette personne ne vaut rien.* Cf. un vaurien. — On dit de même : *Cette personne, cette chose ne vaut pas cher.*

RIEN QUI VAILLE. — Fam. *Ne faire rien qui vaille,* faire de mauvaise besogne. — Absol. Se dit d'une chose qui n'a aucune valeur. *Pour faire un plat ? Quel plat ! Croyez-moi, rien qui vaille. — Rien qui vaille, eh bien soit !* (LA FONTAINE.)

Avoir un prix, être l'équivalent en prix de. *Cette étoffe vaut cent francs le mètre.* — Prov. *Valoir son pesant d'or,* être d'un prix considérable, et fig., avoir une grande valeur morale. V. PESANT et BESANT. ‖ Rapporter, produire. *Cette ferme vaut cent mille écus par an.* — Prov. *Tant vaut l'homme, tant vaut la terre.* V. TANT.

ABSOL. — Avoir une grande valeur intellectuelle ou morale. *Je sais ce que je vaux et crois ce qu'on m'en dit* (CORNEILLE). ‖ *Cela ne vaut pas un sou, ne vaut pas le diable,* etc., ne vaut rien du tout. — *Savoir ce qu'en vaut l'aune.* V. AUNE. — *Le jeu ne vaut pas la chandelle.* V. JEU. ‖ Prov. *Un homme averti en vaut deux,* celui qui a été sérieusement avisé des précautions à prendre est doublement armé pour se prémunir. — Se dit parfois en forme de menace.

Tenir lieu, avoir la force, la signification de. *En chiffres romains, M vaut mille. Une blanche vaut deux noires.* — *Autant vaut,* ou *vaudrait.* V. AUTANT. ‖ *Donner et retenir ne vaut,* quand on a fait don de quelque chose, ce doit être sans restriction.

VALOIR, verbe transitif.

Procurer, faire obtenir, produire. *Cette affaire ne lui a valu que de la honte, que des ennuis. Cette victoire lui valut le bâton de maréchal.* ‖ *Valoir la peine de* ou *que,* avoir assez d'importance pour. *Cette chose ne vaut la peine d'y penser ou qu'on y pense.* (V. ci-dessus), elle est de peu de conséquence. — *Cela n'en valait pas la peine,* formule de politesse pour s'excuser d'un dérangement, réel ou supposé, causé à une personne. ‖ Mériter. *Le reste ne vaut pas l'honneur d'être nommé* (CORNEILLE). — Mériter que. *Cette lettre ne vaut pas la peine qu'on lui réponde.*

SE VALOIR, verbe pronominal, réciproque.

Avoir la même valeur. *Ces deux œuvres se valent.* — Se prend souvent en mauvaise part. *Ces individus se valent.*

LOCUTIONS FORMÉES AVEC VALOIR.

1° *Locutions verbales.*

FAIRE VALOIR. — 1° Tirer profit, avantage de. *Faire valoir une terre, ses talents.* — 2° Donner du prix à, faire paraître meilleur, plus beau. *Cet acteur fait valoir ses rôles.* — 3° Relever le mérite, vanter l'importance de. *Il fait trop valoir ses services. Faire valoir sa marchandise.* — Fig. Louer beaucoup ce que l'on possède. — 4° Exposer, avancer, donner à considérer. *Faire valoir ses raisons. Faire valoir ses droits à la retraite.*

SE FAIRE VALOIR, soutenir sa dignité, ses droits, ses prérogatives. *Il est bon quelquefois de se faire un peu valoir.* — En mauvaise part : S'attribuer des qualités qu'on n'a pas.

VALOIR MIEUX, être meilleur, préférable. *Ton terrain vaut mieux que le mien.* Dans le cas contraire, on dira : Ne pas valoir. *Son chien ne vaut pas le mien.* — Prov. *Un tiens vaut mieux que deux tu l'auras.* V. TIENS et TENIR.

IL VAUT MIEUX, v. impersonnel. Il est préférable de. *Il vaut mieux se taire que de parler inutilement.* — On dit aussi : MIEUX VAUT. *Mieux vaut tenir que courir.*

2° *Locutions diverses.*

À VALOIR, terme de commerce qu'on emploie lorsqu'on fournit, soit en espèces, soit en billets, soit en marchandises, un acompte sur une plus forte somme qu'on doit. *Je vous envoie trois cents francs à valoir sur ce que je vous dois.*

VAILLE QUE VAILLE, loc. adv. et fam. A tout hasard. *Donnez votre pétition vaille que vaille.* ‖ *Tant bien que mal, quoi qu'il arrive. Enfin, vaille que vaille, j'aurais, sur le marché, fort bien fourni la paille* (RACINE).

VOCAB. — *Famille de mots.* — *Valoir :* vaillant, vaillamment, vaillance, vaillantise; valeur, valeureux; valable, valablement; valide, validité, validement, valider; validation, invalide, invalidement, invalidité, invalider, invalidation; revalider, revalidation; valétudinaire; équivaloir, équivalent, équivalence; prévaloir; revaloir, convalescent, convalescence; ravauder, ravaudage, ravaudeuse; plus-value, moins-value; évaluer, évaluable, évaluation, dévaluer, dévaluation, dévaloriser, dévalorisation; revaloriser.

* **valoriser**, v. tr. (lat. *valor*, valeur). Attribuer une valeur déterminée à. ‖ Rendre sa valeur à un titre, à une monnaie dépréciée.

valse, n. f. (de l'allem. *Walzer*, m. s.). Danse à trois temps dans laquelle un couple tourne sur lui-même en remplissant chaque mesure par une évolution. ‖ Air à trois temps sur lequel on exécute cette danse. V. tabl. MUSIQUE et CHANT (*Idées suggérées par les mots*).
Hom. — *Vals*, n. pr., ville d'eaux; — *valse, es, ent*, du v. valser.

valser, v. tr. Danser la valse.

valseur, euse, n. Celui, celle qui valse; celui, celle avec qui l'on valse.

value, n. f. (pp. de *valoir*). Prix, valeur. S'emploie seulement dans les locut. : *Plus-value*, somme dont la valeur est devenue supérieure au prix où la chose avait été achetée, et *moins-value* dans le sens contraire.

* **valvacé, ée**, adj. [Bot.] Formé de valves, mais indéhiscent.

* **valvaire**, adj. [Bot.] Qui a rapport aux valves ou qui offre l'aspect de valves.

* **valvate** ou **valvée**, n. f. [Zool.] Genre de mollusques gastéropodes d'eau douce.

valve, n. f. (lat. *valva*, battant de porte). [Zool.] Chacune des deux parties d'une coquille bivalve. [Bot.] Pièces qui composent les glumes, les spathes et les péricarpes secs, et qui se soulèvent au moment de la déhiscence. [Chir.] Écarteur fort large. [Techn.] Soupape maintenue fermée par la pression, qui sert à retenir l'air comprimé dans les bandages pneumatiques des roues.

* **valvé, ée**, adj. Muni ou formé de valves.

* **valviforme**, adj. Qui a la forme d'une valve.

* **valvulaire**, adj. Qui a des valvules. — Relatif aux valvules.

valvule, n. f. (lat. *valvula*, gousse). [Anat.] Tout repli qui, dans les vaisseaux et autres conduits du corps, empêche les liquides ou autres matières de refluer, et en assure ainsi le cours.

* **valvulite**, n. f. [Méd.] Inflammation des valvules.

vampire, n. m. (all. *Vampir*, m. s.). Revenant qui, selon certaines croyances populaires, sort du tombeau pour venir sucer le sang des vivants pendant leur sommeil. ‖ [Zool.] Espèce de chauves-souris qui sucerait le sang des animaux endormis. ‖ Fig. Homme qui s'enrichit aux dépens du peuple et par des voies illicites. ‖ Assassin par sadisme.

* **vampirisme**, n. m. Cruautés, crimes exercés par les vampires. ‖ Fig. Avidité insatiable s'exerçant aux dépens d'autrui.

...van, vant, vent

ORTH. — *Finales*. — La finale *van* ne se trouve que dans *divan*; elle s'écrit *vant* dans les mots avant et ses composés : auparavant, devant, dorénavant, passavant; dans les autres mots, on écrit *vent* : auvent, avent, contrevent, couvent, fervent, paravent, souvent, etc.

---

1. **van**, n. m. (lat. *vannus*, m. s.). [Agric.] Sorte de panier très plat, muni de deux anses, pour vanner le grain. V. pl. OUTILS USUELS. [Techn.] Récipient servant à cuber le charbon.

HOM. — *Van*, n. m., sorte de panier plat; — *vent*, n. m., mouvement de l'air; — *van*, n. m., voiture pour le transport des chevaux; — *vends*, *vend*, du v. vendre.

2. * **van**, n. m. (mot angl.). Voiture de forme spéciale pour le transport des chevaux de prix.
Hom. — V. VAN 1.

* **vanadate**, n. m. [Chim.] Un des sels correspondant à l'anhydride vanadique.

* **vanadifère**, adj. [Chim.] Qui contient du vanadium.

* **vanadique**, adj. [Chim.] Se dit d'un anhydride et de divers composés du vanadium.

vanadium [*diomm*], n. m. (de *Vanadis*, divinité scandinave). [Chim.] Corps simple, gris blanc, extrêmement dur, très tenace, employé en sidérurgie.

...vance, vence

ORTH. — *Finales*. — Le son final *vance* s'écrit le plus souvent sous cette forme : avance, mouvance, observance, redevance, survivance, etc. Mais il s'écrit *vence* dans connivence et jouvence.

---

* **vanda**, n. m. [Bot.] Genre de plantes de la famille des *orchidées*.

vandale, n. m. (nom d'un anc. peuple). Celui qui détruit ou mutile une œuvre d'art par haine ou sottise.

vandalisme, n. m. Attitude d'esprit de ceux qui sont ennemis de l'intelligence et des arts. ‖ Action de détruire des productions artistiques ou des beautés naturelles.

* **vandellie**, n. f. [Bot.] Genre de plantes de la famille des *scrofularinées*.

vandoise, n. f. [Zool.] Espèce de poissons téléostéens de rivière de la famille des *cyprinidés*.

* **vanesse**, n. f. [Zool.] Genre d'insectes lépidoptères, papillons diurnes à vives couleurs (*Paon du jour*, etc.).

vanille [*ll* mll.], n. f. (esp. *vanilla*, de *vagina*, gaine). [Bot.] Genre de plantes grimpantes de la famille des *orchidées*. ‖ Fruit de ces plantes, capsule improprement appelée gousse. ‖ Parfum, saveur de ce fruit.

vanillé, ée [*ll* mll.], adj. Parfumé avec de la vanille.

* **vanillerie** [*ll* mll.], n. f. Lieu où l'on cultive les plants de vanille.

* **vanilliculteur** [*ll* mll.], n. m. Planteur qui cultive les vanilliers.

* **vanillier** [*ll* mll.], n. m. [Bot.] Syn. du genre *vanille*.

* **vanilline** [*ll* mll.], n. f. [Chim.] Aldéhyde trouvée dans les fruits de diverses vanilles.

* **vanillisme** [*ll* mll.], n. m. [Méd.] Ensemble des accidents causés par la manipulation habituelle de la vanille. (maux de tête, vertiges, larmoiement).

* **vanillon** [*ll* mll.], n. m. [Bot.] Vanille des Antilles, de qualité inférieure.

vanité, n. f. (lat. *vanitas*, m. s., de *vanus*, vain). Inutilité, manque de solidité, fragilité, inconsistance. *La vanité des plaisirs terrestres.* = Au plur. Chose vaine, futile, frivole. *Il est revenu des vanités du monde.*
Amour-propre qui a pour objet des choses frivoles et qui pousse à rechercher

l'estime, l'admiration d'autrui; désir de paraître. — *Tirer vanité d'une chose*, s'en glorifier. = SANS VANITÉ, loc. adv. Fam. Sans en tirer vanité. Se dit pour faire passer ce qu'on dit d'avantageux en parlant de soi-même. *Sans vanité, j'en sais plus que lui sur ce sujet.*
— *Si la vanité ne renverse pas entièrement les vertus, du moins elle les ébranle toutes.* (LA ROCHEFOUCAULD.)
— *O vanité, ô néant, ô mortels ignorants de leur destinée.* (BOSSUET.)
— *On ne voit point mieux le ridicule de la vanité, et combien elle est un vice honteux, qu'en ce qu'elle n'ose se montrer, et qu'elle se cache souvent sous les apparences de son contraire.* (LA BRUYÈRE.)
ÉPITHÈTES COURANTES : extrême, absolue, grande, futile, puérile, absurde, injustifiée, hautaine, déplaisante, méprisante, blessante, sotte, ridicule; connue, jugée, punie, etc.
SYN. — V. ORGUEIL.
ANT. — *Modestie, simplicité, effacement, humilité.*

* **vaniteusement**, adv. D'une manière vaniteuse.
CTR. — *Modestement, simplement.*

vaniteux, euse, adj. Qui a une vanité puérile et ridicule. ‖ Qui témoigne de la vanité. — Nom. Personne vaniteuse.
SYN. — V. AVANTAGEUX.
CTR. — *Simple, modeste.* — *Humilié.*

1. **vannage**, n. m. Action de vanner. ‖ Balles, matières étrangères résultant du vannage.

2. **vannage**, n. m. Système de vannes. Lieu où l'on a installé des vannes.

1. **vanne**, n. f. (bas lat. *venna*, m. s., d'orig. celtique). Sorte de porte de bois qui se lève ou se baisse verticalement entre deux coulisses pour lâcher ou retenir à volonté les eaux d'un étang, d'un moulin, d'un canal, d'une écluse, d'un barrage, etc. ‖ Dispositif analogue pour régler le débit d'écoulement du grain, de la houille pulvérisée, etc.
HOM. — *Vanne*, n. f., sorte de porte pour arrêter l'eau; — *vannes*, adj. pl., les eaux vannes, partie liquide contenue dans les fosses d'aisance; — *Vannes*, n. pr., ville du Morbihan; — *vanne, es, ent,* du v. vanner.

2. **vannes** (eaux), adj. f. pl. V. EAUX VANNES.

vanneau, n. m. [Zool.] Genre d'oiseaux échassiers; les *vanneaux huppés* vivent en troupes au bord des rivières et des marécages.
PAR. — V. VANNEUR.

* **vannelle** ou * **vantelle**, n. f. [Techn.] Petite vanne commandant le sas des écluses.

1. **vanner**, v. tr. (lat. *vannare*, m. s.). [Agric.] Nettoyer les grains au moyen d'un van, d'un tarare, etc. ‖ Fig. et pop. Causer une fatigue extrême. *Cet effort m'a vanné.*

2. * **vanner**, v. tr. (de vanne 1). Pourvoir de vannes.

* **vannereau**, n. m. [Zool.] Jeune vanneau.

vannerie, n. f. (de van). Métier de vannier. ‖ Marchandise qu'il fabrique.

* **vannet**, n. m. (dim. de van). [Blas.] Coquilles qui montrent leur intérieur et ressemblent ainsi à un petit van.

vannette, n. f. (dimin. de van). [Écon. rurale] Sorte de petit van pour les grains que l'on donne aux animaux.

vanneur, euse, n. Celui, celle qui vanne les grains. = N. f. Machine servant à vanner le grain. On dit mieux tarare.
PAR. — *Vanneur*, n. m., celui qui nettoie les grains au van; — *vannier*, n. m., celui qui fait des ouvrages en osier; — *vanneau*, n. m., oiseau échassier.

vannier, ière, n. (de van). Celui, celle qui fabrique des objets en osier, en rotin, en paille, etc., tels que vans, paniers, corbeilles, meubles de jardin, etc.
HOM. — *Vanniez*, du v. vanner.
PAR. — V. VANNEUR.

* **vannoir**, n. m. (du v. *vanner*). [Techn.] Grand bassin dans lequel on agite, afin de les rendre plus clairs, des morceaux de laiton coupés destinés à la fabrication d'épingles.

* **vannure**, n. f. (du v. *vanner*). [Agric.] Matières résiduaires séparées du grain par le vannage.

vantail [*il* mll.], n. m. (de *vent*, l'orth. devrait être *ventail*). Battant d'une porte, d'une fenêtre qui s'ouvre des deux côtés. = Pl. Des *vantaux*.
HOM. — *Vantail*, n. m., ouverture inférieure d'un casque.

vantard, arde [*tar*], adj. et n. Qui a l'habitude de se vanter.
SYN. — V. HABLEUR.

* **vantarderie**, n. f. Propos de vantard.

vantardise, n. f. Disposition habituelle à se vanter. ‖ Ce que l'on dit pour se vanter.
SYN. — V. RODOMONTADE.

...vante, vente

> ORTH. — *Finales.* — La finale *vante* s'écrit avec un *a* dans épouvante et servante; avec un *e* dans vente et ses composés : mévente, revente, survente.

vanter, v. tr. (bas lat. *vanitare*, être vain). Louer, priser quelqu'un ou quelque chose. = SE VANTER, v. pr. Se louer avec exagération. ‖ Avec la prép. *de* ou le pronom *en*. Se glorifier. *Il se vante d'avoir réussi. Il ne s'en est pas vanté.* ‖ Se faire fort de. *Il se vante de réussir.*
SYN. — V. LOUER et PRONER.
CTR. — *Déprécier, dénigrer, décrier.*
HOM. — *Venter*, faire du vent.

vanterie, n. f. Vaine louange qu'on se donne à soi-même.

* **vanteur, euse**, n. Celui, celle qui vante (Vx).

* **vantiler**, v. tr. (de *vantail*). Faire une digue en planches pour retenir l'eau.
HOM. — *Ventiler*, v. tr., aérer.

va-nu-pieds, n. m. Mendiant, homme très misérable qui n'a même plus de chaussures. ‖ Vagabond, chemineau. = Pl. Des *va-nu-pieds.*

1. **vapeur**, n. f. (lat. *vapor*, m. s.). [Phys.] Produit gazeux dont le liquide générateur bout au-dessus de la température ordinaire sous la pression atmosphérique. *La vapeur de l'iode est violette.* — Absol. Vapeur d'eau. *Bain de vapeur.* — *Machine à vapeur,* machine dont le mouvement est produit par la force élastique de la vapeur d'eau, qui pousse un piston dans un cylindre. *Bateau à vapeur.*

V. VAPEUR 2. — *A toute vapeur*, à toute vitesse, en parlant d'un véhicule à vapeur. — *Par ext. et fam. Aller à toute vapeur*, aller très vite, se presser. [Mécan.] *Cheval-vapeur.* V. CHEVAL.
Toute espèce d'exhalaison qui s'élève des corps humides. *Des vapeurs s'élevaient au-dessus du marais.* — Par ext. Nuages légers. ‖ *Les vapeurs du vin*, l'effet que le vin, bu en trop grande quantité, produit sur le cerveau. — Fig. *Les vapeurs de l'orgueil, de l'ambition*, etc. [Méd.] *Vapeurs*, au pl. Malaises d'origine nerveuse, sorte de neurasthénie.
ÉPITHÈTES COURANTES : légère, dense, épaisse, confuse, bleuâtre, blanche, matinale, sombre, grossière, noire, subtile, transparente, opaque, compacte, méphitique, sulfureuse, dangereuse, suffocante; condensée, chauffée, surchauffée, émise, lancée, produite, etc.
SYN. — *Vapeur*, substance gazeuse résultant de l'évaporation d'un corps en ébullition : *Des vapeurs de chlore.* — *Effluve*, émanation invisible qui s'échappe d'un corps : *Des effluves de chlore.* — *Émanation*, particule qui se détache d'un corps : *Le parfum est une émanation des fleurs.* — *Exhalaison*, particules dégagées par un corps et qui se perçoivent sous forme d'odeurs, de miasmes : *Les exhalaisons pestilentielles d'un marais.* — *Fluide*, tout ce qui n'est pas solide : *Les liquides et les gaz sont des fluides.* — *Fumée*, produit gazeux qui se dégage d'un corps en combustion : *La fumée des cheminées d'usine.* — *Gaz*, tout fluide aériforme : *Un gaz asphyxiant.* — *Miasme*, exhalaison putride engendrant des maladies : *Les miasmes des fièvres paludéennes.* — *Relent*, effluve nauséabond provenant d'un corps soumis à l'humidité : *Des relents de viande avariée.* V. aussi NUAGE.

VOCAB. — *Famille de mots.* — *Vapeur* : vaporeux, vaporeusement, vaporiseur, vaporisage, vaporiser, vaporisation, vaporisateur; évaporer, évaporé, évaporation, évaporable, évaporateur, évaporatoire.

2. * **vapeur**, n. m. [Mar.] Bateau mû par une machine à vapeur.
ANT. — *Voilier.*
* **vaporeusement**, adv. D'une manière vaporeuse.
vaporeux, euse, adj. (lat. *vaporosus*, m. s.). Se dit d'un ciel où les vapeurs sont répandues de manière à éclairer doucement les objets, tout en les laissant plongés dans un brouillard léger et lumineux. *Une lumière vaporeuse.* — Se dit, en peinture, des contours lointains ou indécis, du flou. ‖ Qui a l'apparence, la légèreté de la vapeur. *Toilette vaporeuse.* — Fig. *Un style vaporeux*, un style imprécis, nébuleux.
SYN. — *Vaporeux*, où il y a des vapeurs, voilant l'atmosphère sans l'obscurcir : *Un paysage vaporeux.* — *Éthéré*, pur et subtil comme les couches supérieures de l'air : *Une soirée éthérée.* — *Gazeux*, qui est à l'état de gaz : *Acide chlorhydrique gazeux.* — *Nébuleux*, obscurci et embrumé par les nuages : *Un ciel nébuleux d'orage.* — *Transparent*, qui laisse passer la lumière et permet de voir distinctement les objets : *L'air transparent des montagnes.* V. aussi DIAPHANE.
* **vaporisage**, n. m. [Techn.] Opération par laquelle on donne *l'apprêt* aux fils ou aux tissus en les soumettant à un courant de vapeur.
vaporisateur, n. m. (du v. *vaporiser*). Instrument qui sert à lancer un liquide en fines gouttelettes. — Partic. Instrument de toilette, servant à pulvériser les parfums liquides.
vaporisation [*sion*], n. f. (du v. *vaporiser*). [Phys.] Action de faire passer une substance de l'état liquide à celui de vapeur, ou action de passer à l'état de vapeur. ‖ Dispersion d'un liquide en fines gouttelettes.
SYN. — V. ÉBULLITION.
ANT. — *Condensation, solidification.*
vaporiser, v. tr. (lat. *vapor*, vapeur). Faire passer une substance de l'état liquide ou solide à celui de vapeur. ‖ Disperser en fines gouttelettes. = SE VAPORISER, v. pr. Passer à l'état de vapeur.
* **vaporiseur**, n. m. Récipient où s'opère la vaporisation.
vaquer [*ké*], v. intr. (lat. *vacare*, m. s.). Être vacant, n'être point occupé; se dit des logements, des emplois, des dignités. etc. *Voilà un emploi qui vaquera bientôt.* ‖ En parlant des tribunaux, etc. Cesser de tenir ses séances pendant quelque temps. = VAQUER À, s'occuper d'une chose, s'y appliquer. *Vaquer à ses affaires.*

VOCAB. — *Famille de mots.* — *Vaquer* [rad. *vaq, vac, vain, van, vid*] : vacant, vacance, vacation, vacuité; évacuer, évacuatif, évacuation; vide, vider, vidage, videur, vidoir, vide-bouteilles, vide-gousset, vide-poches; vidange, vidanger, vidangeur; dévidage, dévider, dévideur, dévidoir; évider, évidage, évidement, évidoir; vain, vainement, vanité, vaniteux, vaniteusement; vantard, vantarderie, vanteur, vantardise, vanterie; (s') évanouir, évanouissement.

* **vaquero**, n. m. En Espagne, conducteur de bœufs et, partic., de taureaux.
varaigne [*gn mll.*], n. f. Ouverture par laquelle l'eau de mer entre dans le premier réservoir d'un marais salant.
* **varan**, n. m. (ar. *ouaral*, lézard). [Zool.] Genre de reptiles sauriens comprenant de grands lézards des régions chaudes, bons nageurs, à queue comprimée latéralement.
HOM. — *Warrant*, sorte de récépissé négociable.
varangue, n. f. (du scandin.). [Mar.] Partie basse et fondamentale de chaque membre d'un navire, fixée à la quille, perpendiculairement à celle-ci.
* **varappe**, n. f. (mot savoyard). Escalade de rocher, terme d'alpinisme.
* **varapper**, v. intr. Escalader un rocher.
varech [*rek*] ou * **varec**, n. m. Se dit de tous les débris que la mer rejette sur ses côtes (Vx). [Bot.] Genre d'algues marines phéophycées (*fucus*), vivant le long des côtes.
varenne, n. f. (bas lat. *varenna*, m. s.). Marécage. Par extens. Friche où abonde le gibier (Autre forme de *garenne*).
vareuse, n. f. (orig. inc.) Sorte de blouse de grosse toile, qui ne descend pas plus bas que les reins, à l'usage des matelots. V. tabl. VÊTEMENT et PARURE

(*Idées suggérées par les mots*). — Veste courte des officiers en campagne, des soldats de certains corps.

* **vargue**, n. f. [Techn.] Partie d'un moulin à dévider la soie.

* **vari**, n. m. [Zool.] Le *maki* de Madagascar.

* **varia**, n. m. pl. (mot lat. signif. *choses variées*). Collection de morceaux, d'extraits variés, soit d'un même auteur, soit d'auteurs divers, mais relatifs à une même question.

Hom. — *Varias, varia*, du v. varier.

variabilité, n. f. (de *variable*). Disposition habituelle à varier. [Gram.] Caractère des mots variables.

variable, adj. (lat. *variabilis*, m. s.). Sujet à varier, qui change souvent. *Temps variable*. [Gram.] *Mot variable*, mot dont la désinence varie selon le genre, le nombre, le cas, le temps, le mode, la personne, la voix, etc. [Math.] *Quantités variables*, celles qui sont susceptibles de changer de grandeur. = N. m. Position du baromètre qui indique un temps incertain.

Ctr. — *Stable, fixe, constant, persistant, immuable*. — *Invariable*.

* **variablement**, adv. D'une manière variable.

Ctr. — *Invariablement, fixement, constamment, immuablement*.

variant, ante, adj. Qui change souvent. *Humeur variante*.

variante, n. f. Se dit de diverses leçons d'un même texte. *Imprimer le texte avec les variantes*.

Syn. — V. différence.

Par. — Ne pas confondre avec le mot suivant.

variation [*sion*], n. f. (lat. *variatio*, m. s.). Changement. *Les variations d'une doctrine*. [Biol.] Apparition, chez un individu, d'un caractère nouveau, qu'aucun de ses ancêtres n'avait possédé et qu'il transmettra à sa descendance. [Mus.] *Variations*, n. f. pl. Pièces de musique composées sur un thème ou un motif donné, en ajoutant à celui-ci des ornements.

Syn. — V. changement.

Par. — Ne pas confondre avec le mot précédent.

varice, n. f. (lat. *varix, varicis*, m. s.). [Méd.] Inflammation des parois d'une veine, caractérisée par une dilatation permanente.

varicelle, n. f. (de *variola*). [Méd.] Maladie infectieuse et contagieuse des enfants, fièvre éruptive, sans grande gravité, appelée aussi *petite vérole volante*.

varicocèle, n. m. (lat. *varix*, varice; gr. *kêlê*, tumeur). [Méd.] Varices des veines spermatiques.

varié, ée, adj. Dont les parties présentent des différences, de la variété. [Mus.] Où l'on a introduit des variations. *Air varié*.

Syn. — *Varié*, qui est composé de parties, de couleurs diverses : *Avoir des occupations variées. Un jardin de fleurs variées*. — *Changeant*, qui n'est pas toujours le même : *L'humeur changeante des hommes*. — *Différent*, qui n'est pas semblable : *Ces deux frères sont très différents de caractère*. — *Divers*, qui offre des caractères différents : *Recueillir des opinions diverses*. — *Multicolore*, qui a des couleurs variées : *L'aspect multicolore de la mer*. — *Multiforme*, qui se présente sous plusieurs formes : *La masse multiforme des nuages*. — *Nuancé*, qui présente des différences légères de couleur, d'opinion, de style, etc. : *Une marqueterie délicatement nuancée. Une série d'épithètes nuancées*.

Ctr. — *Simple, uni, uniforme; monotone*.

varier, v. tr. (lat. *variare*, m. s., de *varius*, varié). Diversifier, apporter de la variété. *Varier ses plaisirs*. [Mus.] *Varier un air*, le changer en y ajoutant des notes et des ornements qui en laissent subsister le motif, la mélodie. = V. intr. Changer, se modifier; présenter des formes, des qualités différentes, suivant les diverses circonstances. *Les mœurs varient suivant les pays*. ‖ Changer d'avis, d'affections. *Souvent femme varie*. ‖ En parlant de plusieurs personnes : Être d'un avis différent, rapporter diversement le même fait. *Les philosophes ont souvent varié sur ce point*. = Conjug. V. grammaire.

> Vocab. — *Famille de mots*. — *Varier* : variable, varié, variant, variabilité, variablement, varia, variété, variation, variante, invariable, invariant, invariablement, invariabilité; vair, vairé, vairon; variole, varioleux, varicelle, variolaire, variolé, variolette, varioliforme, variolique, variolisation, varioloïde.

variété, n. f. (lat. *varietas*, m. s.). Ensemble formé par un assortiment de choses dissemblables. *La variété d'un parterre*. ‖ Qualité des choses qui diffèrent entre elles; diversité. *La variété des opinions*. [Biol.] Individu ou groupe d'individus qui, bien qu'appartenant à une même espèce d'êtres ou de minéraux, se distinguent des autres individus ou du type de l'espèce par quelques particularités. *Les variétés de la race humaine*. = variétés, n. f. pl. Recueils qui contiennent des morceaux sur différents sujets.

Syn. — V. différence.

varietur (ne), loc. lat. qui sign. *qu'il ne soit pas changé*. Formule dont on se sert au Palais, pour constater l'état actuel d'une pièce et prévenir qu'il n'y soit rien changé. ‖ *Édition ne varietur*, édition définitive d'un texte.

* **variolaire**, adj. [Zool.] Qui présente des taches, des pustules analogues à celles de la variole.

variole, n. f. (bas lat. *variola*, de *varius*, tacheté). [Méd.] Maladie fébrile et contagieuse, fort grave, caractérisée par une éruption pustuleuse généralisée, appelée aussi *petite vérole*. On la prévient par la vaccine.

* **variolé, ée**, adj. Marqué de la variole.

* **variolette**, n. f. Variole légère.

varioleux, euse, adj. [Méd.] Qui a rapport à la variole. = Adj. et n. Qui a la variole.

* **varioliforme**, adj. [Méd.] Qui présente l'aspect de la variole.

variolique, adj. [Méd.] Qui appartient à la variole.

* **variolisation** [*sion*], n. f. [Méd.] Inoculation d'une variole légère pour éviter une variole grave, remplacée aujourd'hui par la vaccination antivariolique.

varioloïde, n. f. (de *variole*, et du gr. *eidos*, aspect). [Méd.] Variole qui ne suppure pas, ou qui suppure peu.
variorum [*romm*], adj. (mot lat. sign. *de plusieurs*). Se dit d'une édition d'un auteur, imprimée avec des notes de plusieurs commentateurs.
variqueux, euse, adj. (lat. *varicosus*, m. s.). [Méd.] Qui est affecté de varices, qui a la nature des varices. *Ulcère variqueux.* ‖ Qui ressemble à une veine gonflée par une varice.
varlet, n. m. (même mot que *valet*). Page au Moyen Age.
* **varleton,** n. m. Jeune varlet (Vx).
* **varlopage,** n. m. Action de varloper; son résultat.
varlope, n. f. (néerl. *voorlooper*, qui court devant). Sorte de grand rabot à fût très long, qui se guide avec une poignée. V. pl. OUTILS USUELS.

* **varloper,** v. tr. Dresser, aplanir une pièce de bois à la varlope.
* **varlopeuse,** n. f. (de *varlope*). [Techn.] Machine-outil qui fait office de varlope.
* **varme,** n. m. [Techn.] Côté d'un creuset, d'un fourneau d'affinage où se trouve la tuyère.
* **varoque,** n. f. [Techn.] Bâton, ou tige de fer, qui sert à tordre, pour assurer leur tension, les cordes arrimant le chargement d'un camion, d'un wagon.
* **varpié,** n. m. [Agric.] Plaque de fer qui se fixe au versoir de la charrue pour en augmenter la surface.
* **varre,** n. f. [Pêche] Sorte de harpon qui sert à prendre les tortues de mer.
* **varreur,** n. m. [Pêche] Celui qui lance la varre.
* **varsoviana** ou * **varsovienne,** n. f. (de *Varsovie*, n. pr.). Danse à trois temps, qui combine le pas de polka au pas de mazurka.

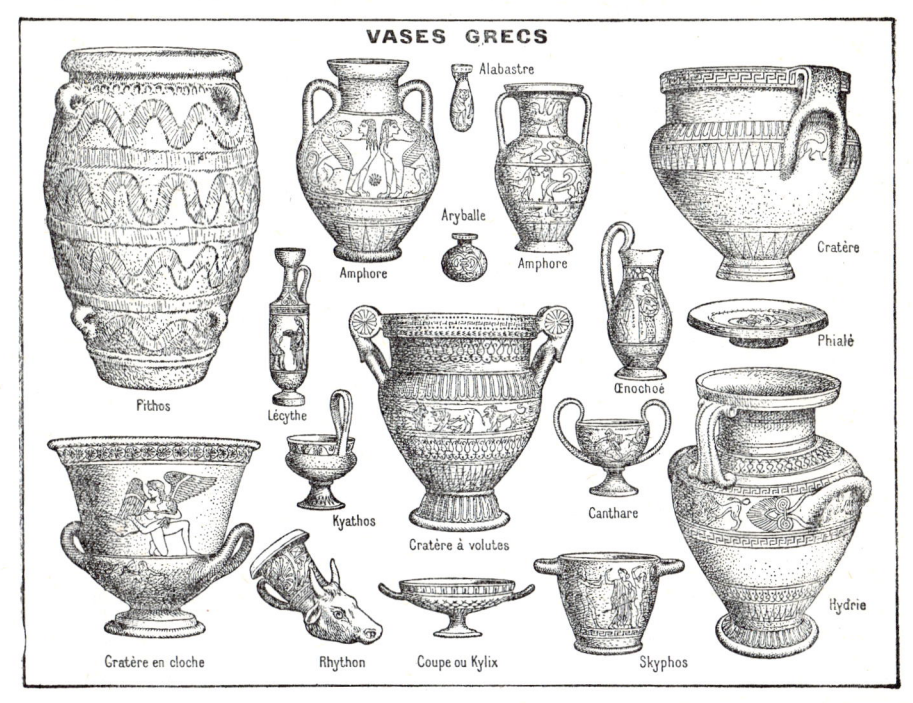

VASES GRECS — Alabastre, Amphore, Aryballe, Amphore, Cratère, Pithos, Lécythe, Phialé, Œnochoé, Kyathos, Cantharе, Cratère à volutes, Hydrie, Cratère en cloche, Rhyton, Coupe ou Kylix, Skyphos.

* **varsovien, enne,** adj. et n. De Varsovie.
* **varum,** * **varus,** adj. m. (mot lat. sign. *cagneux*). [Méd.] Se dit d'une déformation du genou ou du pied déviés en dedans.
* **vasais** [*zè*], n. m., ou * **vasière,** n. f. Réservoir supérieur d'un marais salant, où se dépose la vase.
* **vasard** [*zar*], **arde,** adj. [Mar.] Vaseux. = N. m. Fond de vase molle.
* **vasa-vasorum** [*romm*], n. m. pl. (mots lat. signif. *vaisseaux des vaisseaux*). [Anat.] Vaisseaux sanguins irriguant les éléments anatomiques des vaisseaux sanguins importants.
vasculaire et * **vasculeux, euse,** adj. (lat. *vasculum*, vaisseau). [Anat. et Bot.] Qui a rapport aux vaisseaux. *Système vasculaire.* ‖ Qui est rempli, formé de vaisseaux. *Tissu vasculaire.*

* **vascularisation** [*sion*], n. f. (de *vasculaire*). [Physiol.] Manière dont les vaisseaux sanguins se disposent dans tel point de l'organisme.
* **vascularité,** n. f. (de *vasculaire*). [Anat.] État d'un organe, d'un tissu relativement aux vaisseaux qu'il contient.
1. vase, n. f. (néer. *wase*, m. s.). Boue, mélange de sable ou de terre et de matières organiques en décomposition, qui est déposé au fond des eaux (mers, fleuves, lacs, marais, etc.).
SYN. — V. BOUE.
2. vase, n. m. (lat. *vas*, m. s.). Récipient de formes variées, fait de diverses matières, destiné à contenir des liquides, des fleurs, etc. ‖ Vaisseau de forme élégante et à bords évasés, qui sert d'ornement dans les jardins, dans les palais, etc. *Vase de bronze, de marbre.* V. pl. VASES GRECS. ‖

Vase de nuit, pot de chambre. [Liturg.] *Vases sacrés*, le calice, le ciboire. — Fig. En style mystique. *Vase d'élection*, sainte âme choisie, élue par Dieu. [Archi.] *Vase de chapiteau*, partie centrale du chapiteau corinthien. [Phys.] *Vases communicants*, ensemble de vases qui communiquent par leurs bases et qui, quelles que soient leurs formes, s'emplissent à la même hauteur lorsqu'on verse un liquide dans l'un d'eux.
ÉPITHÈTES COURANTES : grand, petit, de terre, d'argile, de métal, de bronze, d'argent, d'or, etc.; usuel, artistique, ornemental, grec, étrusque, chinois, etc.; allongé, évasé, pansu, haut, long, étroit, étranglé, recourbé, ciselé, sculpté, peint; sacré, brisé, fêté, etc.

> VOCAB. — *Famille de mots.* — *Vase* [rad. *vas, vais*] : vason, vasque, vasculaire, vasculeux, vascularisation, vascularité, vasoconstricteur, vaso-dilatateur, vaso-dilatation, vaso-moteur; vaisseau, vaisselle, vaissellerie, vaisselier; évaser, évasé, évasement; extravaser, extravasation; transvaser, transvasement.

* **vasé, ée**, adj. Rempli, souillé de vase, de boue.
vaseline, n. f. (allem. *Wasser*, eau; gr. *élaion*, huile). [Chim.] Graisse minérale extraite du pétrole, inaltérable à l'air, employée dans la préparation de pommades, d'onguents, pour la lubrification, etc.
vaseux, euse, adj. Qui a de la vase, qui est de la nature de la vase. || Pop. Hébété, endormi, confus. *Air vaseux*.
SYN. — V. SALE.
* **vasier, ière**, adj. Qui se rapporte à la vase. *Engrais vasiers*.
* **vasière**, n. f. Trou de vase.
vasistas [*stass*], n. m. (corrupt. de l'all. *was ist das?* qu'est cela?). Partie mobile d'une porte ou d'une fenêtre que l'on ouvre pour l'aération sans ouvrir la fenêtre ou la porte elle-même.
* **vaso-constricteur**, adj. et n. m. [Anat.] Se dit des nerfs qui déterminent la contraction des vaisseaux. = Pl. *Des vaso-constricteurs*.
* **vaso-dilatateur**, adj. et n. m. [Anat.] Se dit des nerfs qui déterminent la dilatation des vaisseaux. = Pl. *Des vaso-dilatateurs*.
* **vaso-dilatation** [*sion*], n. f. [Physiol.] Dilatation des vaisseaux. = Pl. *Des vaso-dilatations*.
vaso-moteur, vaso-motrice, adj. (lat. *vas*, vaisseau, et fr. *moteur*). [Physiol.] Se dit des nerfs qui agissent sur les vaisseaux, et de l'action qu'ils exercent. = N. m. *Les vaso-moteurs*.
* **vason**, n. m. [Techn.] Masse de terre argileuse préparée pour la fabrication d'une pièce de poterie.
vasque, n. f. (ital. *vasca*, m. s.). Sorte de bassin rond et peu profond qui reçoit l'eau d'une fontaine, d'un jet d'eau.
* **vasquine** ou * **basquine**, n. f. Corsage sans manches, décolleté, lacé, serré à la taille, parfois baleiné, que les femmes portaient du XVIᵉ au XVIIIᵉ siècle.
vassal, ale, n. (bas lat. *vassalus*). [Féod.] Celui, celle qui dépendait d'un seigneur (*suzerain*) dont il avait reçu un fief. — *Arrière-vassaux* ou *vavasseurs* ou *vassaux d'un vassal*. — *Les grands vassaux*, ceux qui dépendaient directement du roi de France. || Fig. Personne qui dépend d'une autre, qui lui est subordonnée.
ANT. — *Suzerain*.
vassalat, n. m. État d'un vassal (Peu us.).
vassalité, n. f. [Féod.] Dépendance, condition d'un vassal. — Le corps des vassaux. || Fig. Dépendance, subordination. *Vivre en vassalité*.
vasselage, n. m. [Féod.] Condition de vassal. Ensemble des devoirs du vassal envers son suzerain. || Fig. État de subordination.
* **vasseur**, n. m. Vassal (Vx).
* **vassive**, n. f. [Écon. rurale] Brebis de moins de deux ans. || Ensemble des agneaux d'une bergerie.
* **vassiveau**, n. m. [Écon. rurale] Mouton de moins de deux ans.
* **vassole**, n. f. [Mar.] Chambranle à rainure qui borde une écoutille.
vastadour, n. m. [Hist.] Soldat des armées royales que l'on occupait exclusivement aux terrassements, aux fortifications, aux travaux de mine, etc.
vaste, adj. (lat. *vastus*, m. s.). D'une grande étendue. || Fig. De grande envergure. Se dit des choses morales. *C'est un homme d'une vaste ambition. Un esprit vaste.* = N. m. [Anat.] *Vaste interne, vaste externe*, nom de deux faisceaux musculaires qui concourent, avec le muscle crural, à former le triceps crural.
SYN. — *Vaste*, qui a une grande étendue, en tous sens : *Une vaste salle*. — *Étendu*, qui s'étend sur un vaste espace : *De ce sommet on a une vue de pays très étendue*. — *Spacieux*, qui présente beaucoup de longueur et de largeur : *Des cours spacieuses*. V. aussi AMPLE, COLOSSAL, DÉMESURÉ, GRAND.
CTR. — *Exigu, étroit, resserré*.
* **vastement**, adv. D'une manière vaste.
* **vastitude**, n. f. Grande étendue (Vx).
* **vaticane**, adj. f. Qui appartient au Vatican. *Bibliothèque vaticane*.
* **vaticinateur, trice**, n. (lat. *vaticinator*, prophète). Celui, celle qui annonce l'avenir; devin, prophète.
* **vaticination** [*sion*], n. f. (du lat. *vaticinatio*, prophétie). Action de révéler l'avenir. || Prophétie généralement poétique.
vaticiner, v. intr. (lat. *vaticinari*, m. s.). Prédire l'avenir (Pris souvent en mauvaise part).
va-tout, n. m. [Jeu] Coup où l'on risque tout l'argent dont on dispose. || Fig. *Jouer son va-tout*, tenter une entreprise où l'on risque tout. = Pl. *Des va-tout*.
1. * **vau**, n. m. Anc. forme du mot *val*.
HOM. — *Vau*, n. m., ancienne forme du mot *val* (*à vau-l'eau*); sixième lettre de l'alphabet hébreu; — *Vaud*, n. pr., canton de la Suisse; — *vos*, adj. poss.; — *veau*, n. m., petit de la vache; — *vaux*, *vaut*, du verbe valoir.
2. * **vau** ou * **vav**, n. m. [Ling.] Sixième lettre de l'alphabet hébreu, correspondant au V français.
* **vauchérie**, n. f. [Bot.] Genre d'algues chlorophycées.
* **vauclusien, enne**, n. et adj. (de *Vaucluse*). Du Vaucluse. || Qui concerne la fontaine de Vaucluse, qui est du même type qu'elle.

* **vaucour,** n. m. [Techn.] Table du potier, pour poser les masses de terre à tourner ou les pièces tournées.

* **vau-de-route (à),** loc. adv. Dans une déroute complète.

vaudeville [*vi-le*], n. m. (altération de *vau de Vire*, chanson satirique de la vallée de Vire). ‖ Pièce de théâtre où le dialogue est entremêlé de couplets. ‖ Aujourd. Comédie légère riche en quiproquos et en situations inattendues. ‖ Théâtre où l'on joue ces pièces.

* **vaudevillesque,** adj. Qui tient du vaudeville.

vaudevilliste [*vi-liste*], n. Celui, celle qui fait des vaudevilles.

* **vaudois, oise,** adj. et n. Qui est du canton de Vaud (Suisse). ‖ Qui se rapporte aux Vaudois, secte provençale hérétique fondée au XIIe s., en partie exterminée sous François Ier.

* **vaudou,** n. m. Culte des nègres d'Afrique et d'Amérique, dont les adeptes forment une société secrète. ‖ Cette société. ‖ Sorcier noir.

vau-l'eau (à), loc. adv. En suivant, comme l'eau courante, la direction de la vallée. Au gré du courant. ‖ Fig. En déroute, à la débandade.

vaurien, ienne, n. Celui, celle qui ne vaut rien, qui est vicieux. ‖ Personne malicieuse. *Mon vaurien de fils.*
Syn. — V. COQUIN.

* **vautoir,** n. m. [Techn.] Dans un métier à tapisser, traverse horizontale sur laquelle se fixe la chaîne.

vautour, n. m. (lat. *vultur,* m. s.). [Zool.] Genre d'oiseaux rapaces de grande taille, au cou grêle, long et déplumé, qui se nourrissent habituellement de proies mortes. ‖ Fig. Usurier, homme dur et rapace.

vautrait [*trè*], n. m. [Vén.] Équipage de chasse pour le sanglier.

* **vautre,** n. m. (orig. celt.). [Vén.] Chien qui fait partie du vautrait.
HOM. — *Vautre, es, ent,* des v. vautrer et se vautrer; — *vôtre;* pr. poss.

* **vautrement,** n. m. Action de se vautrer.

1. * **vautrer,** v. tr. [Vén.] Chasser (le sanglier) avec les vautres.

2. **vautrer (se),** v. pr. Se rouler dans la boue. ‖ S'étendre, se rouler. *Se vautrer sur un canapé.* ‖ Fig. *Se vautrer dans le vice,* s'y abandonner entièrement.

* **vau-vent (à),** loc. adv. [Chasse] En ayant le vent par derrière.

* **vauvert,** n. m. Mot usité dans la loc. *aller au diable vauvert* (souvent altérée en *diable vert*), faire une longue course; c'est *au diable vauvert,* c'est dans un endroit très éloigné.

* **vauxhall** [*vô-ksal*], n. m. (mot angl.). Jardin, établissement public où se donnent des concerts, des bals, etc.

* **vavain,** n. m. [Mar.] Gros câble.

vavasseur ou * **vavassal, ale,** n. (bas lat. *vassus vassorum,* vassal des vassaux). [Féod.] Vassal d'un autre vassal, arrière-vassal.

* **vavassoire,** n. f. [Féod.] Femme vavassale.

* **vavassorie** ou * **vavasserie,** n. f. [Féod.] Fief à la tête duquel était un vavassal.

veau, n. m. (lat. *vitellus,* m. s.). [Zool.] Le petit de la vache. ‖ *Veau marin,* nom vulg. de certaines espèces de phoques. ‖ Chair du veau. *Veau rôti.* V. pl. BOUCHERIE. ‖ Cuir de veau. *Des souliers de veau.* ‖ Fam. *S'étendre comme un veau, faire le veau,* s'étendre nonchalamment, se vautrer. ‖ Pop. *Pleurer comme un veau,* pleurer immodérément. — Fig. et fam. *Tuer le veau gras,* faire une grande fête pour marquer la joie qu'on a du retour de quelqu'un. — Fig. *Adorer le veau d'or,* faire la cour à ceux qui n'ont d'autres mérites que leurs richesses, leur pouvoir, etc.
HOM. — V. VAU.

* **veau-laq** [*lak'*], n. m. Cuir très souple dont on fait des gants, des bandages, etc.

vecteur, trice, adj. (lat. *vector,* m. s.). [Géom.] Qui entraîne, qui conduit. *Rayon vecteur.* = N. m., *Un vecteur,* grandeur géométrique définie par une valeur ou intensité et par une direction.
PAR. — *Velteur,* n. m., celui qui jauge à la velte.

* **vectoriel, elle,** adj. [Géom.] Qui concerne les vecteurs.

vécu, ue, adj. (pp. de *vivre*). Écoulé, passé avec le temps. ‖ Qui s'est passé ou aurait pu se passer réellement. *Roman vécu.*

véda, n. m. Livres sacrés des Hindous; au nombre de quatre, les Védas sont antérieurs à la Bible et aux poèmes homériques.

* **védanta,** n. m. Système philosophique hindou, qui constitue le fondement de la religion brahmanique actuelle.

* **védantisme,** n. m. Doctrine du védanta.

* **védasse,** n. f. Teinture bleue qui se tirait autref. de la plante appelée *guède* ou *pastel.*

vedette, n. f. (ital. *vedetta,* m. s., de *vedere,* voir). Sentinelle de cavalerie. *Une vedette avancée.* [Mar.] Petit bâtiment de guerre pour l'observation. Petite embarcation rapide qui sert aux communications en rade. *La vedette de l'amiral.* — Petit bateau à vapeur ou à moteur faisant un service régulier. — Petit torpilleur à marche très rapide. — Petit ballon dirigeable chargé d'une surveillance. V. pl. AÉRONAUTIQUE.
Dans une lettre, titre de la personne à qui l'on écrit, détaché et mis seul au-dessus de la première ligne de la lettre. ‖ *Mettre en vedette le nom de quelqu'un,* imprimer sur une affiche, sur une proclamation, ce nom en gros caractères qui attirent le regard. ‖ Artiste dont le nom est imprimé en vedette sur une affiche théâtrale. *Engager une vedette.* — En général, artiste de théâtre ou de cinéma en renom. *Les grandes vedettes de l'écran.*
Syn. — V. GARDE.

védique, adj. Relatif aux Védas.

* **védisme,** n. m. [Hist. relig.] Nom sous lequel on désigne la forme primitive de la religion hindoue.

* **védiste,** n. Personne versée dans la science des Védas.

* **végétabilité,** n. f. (de *végétable*). [Bot.] Manière de vivre et de croître des végétaux. *La végétabilité des céréales.* ‖ Faculté de faire croître les végétaux. *La végétabilité d'un sol.*

* **végétable,** adj. Qui peut végéter.

1. **végétal, ale,** adj. (lat. scol. *vegetalis,* m. s.). Qui appartient, qui a rapport aux

VÉGÉTAL — VÉGÉTARISME

plantes; ou qui en provient, qui en est tiré. *Le règne végétal. Substances végétales.* ‖ Qui fait pousser les plantes. *Terres végétale*, l'humus.

ANT. — *Animal, minéral.*

2. végétal, n. m. [Bot.] Plante, être vivant généralement pourvu de chlorophylle et pouvant ainsi fabriquer, avec l'aide de la lumière et au moyen des substances minérales contenues dans l'air et dans le sol, les substances dont son corps est constitué. *Les végétaux sont dépourvus d'organes des sens et généralement d'organes du mouvement.* V. tabl. VÉGÉTAUX *(Idées suggérées par le mot).*

SYN. — *Végétal*, tout être vivant qui prend racine dans la terre : *Le mot végétal est surtout un terme scientifique.* — *Arbre*, grand végétal ligneux ayant un tronc et des branches : *Le baobab est le plus gros des arbres.* — *Arbrisseau*, petit arbre de moins de six mètres dont le tronc est ramifié dès la base : *Les aubépines sont des arbrisseaux.* — *Arbuste*, petit arbrisseau de moins de deux mètres : *Le noisetier est un arbuste.* — *Buisson*, groupe d'arbustes ou d'arbrisseaux épineux et poussant en touffe : *Un buisson épineux.* — *Hallier*, groupe de buissons épais : *Le gibier a traversé les halliers.* — *Herbe*, végétal à la tige verte et tendre et qui s'élève peu au-dessus du sol : *Les graminées, les légumes sont des herbes.* — *Plante*, tout être vivant qui n'est pas un animal et particulièrement les végétaux herbacés considérés par rapport à leur utilité pour l'homme : *Des plantes vivaces, fourragères, textiles,* etc.

* **végétalien, ienne**, adj. Qui se rapporte au végétalisme. = Nom. Partisan du végétalisme.

* **végétalisme**, n. m. Régime d'alimentation où il n'entre que des végétaux, à l'exclusion même du lait et des œufs.

PAR. — *Végétarisme*, régime alimentaire admettant les végétaux, le lait, le fromage et les œufs.

végétarien, enne, adj. (de *végétarisme*). Qui se rapporte au végétarisme. *Régime végétarien.* ‖ Qui pratique le végétarisme. = Nom. Celui, celle qui pratique le végétarisme. *Un végétarien.*

CTR. — *Carné.* — *Carnivore.*

végétarisme ou * **végétarianisme**, n. m. (de *végétal*). Régime d'alimentation dans lequel il n'entre aucune chair animale

---

VÉGÉTAUX

Étymologie. — Le nom *végétal* est tiré de l'adjectif de même forme, venu du latin scolastique *vegetalis*, qui a le même sens, dérivé du latin classique *vegetus*, plein de vie, vigoureux. Le végétal est donc avant tout un être plein de vie et de vigueur, qui croît, qui augmente.

Définition. — Le végétal est un être vivant qui, en général, sous l'influence de la chlorophylle et de la lumière, se développe aux dépens du règne minéral, et qui est, le plus souvent, dépourvu d'organes des sens, d'organes nerveux et d'organes du mouvement. Le mot *plante* s'emploie, en général, comme un synonyme complet du mot végétal; néanmoins, il désigne parfois les végétaux non arborescents, par opposition aux *arbres*. Ceux-ci sont des végétaux ligneux, d'une dimension assez considérable, qui ont un *tronc* ramifié en *branches*, puis en *rameaux*, à partir d'une certaine hauteur; un arbre peut avoir de 6 m à 150 m parfois; un *arbrisseau* a moins de 6 m et se ramifie dès sa base; un *arbuste* atteint à peine deux mètres et se ramifie également dès sa base; les autres végétaux sont des *plantes herbacées*, des *mousses* ou des *champignons*.

Mots de la même famille. V. VIGUEUR.

Mots à rapprocher : *Végétaux.* — *Animaux.* — *Minéraux.* — Les *animaux* et les *végétaux* sont des êtres vivants, organisés. Les *minéraux* sont des êtres inorganisés. Mais il n'y a pas de ligne de démarcation absolue entre ceux-ci et ceux-là. C'est ainsi qu'il y a des corps minéraux dont on ne peut dire avec certitude si ce sont des minéraux ou des végétaux. De même, il n'y a pas de ligne de démarcation bien nette entre les *animaux* et les *végétaux* : il y a des êtres dont on ne peut dire s'ils sont des végétaux ou des animaux inférieurs.

Principaux termes relatifs aux végétaux. — On ne saurait donner ici une liste, même fortement abrégée, des innombrables végétaux qui existent; nous citerons seulement, en dehors des idées générales que suggère le mot végétal, quelques plantes connues de tous, en dehors de tout système de classement scientifique; nous donnons néanmoins ci-après, comme au mot ANIMAUX, un bref tableau de la classification générale des groupements végétaux.

  a) TERMES GÉNÉRAUX CONCERNANT LES VÉGÉTAUX. — Plante, végétal, botanique, règne végétal, flore, plantation, arbre, arbrisseau, arbuste, arboriculture, herbe, herbage, parasite, champignon, moisissure, bactérie, baliveau, rejet; essence d'arbre; plantes herbacées, vivaces, annuelles, bisannuelles, sarmenteuses, sauvages, cultivées, indigènes, exotiques, importées, etc., plantes, médicinales, simples, plantes potagères, fourragères. Ligneux, fibreux, verdure; planter, déplanter, replanter, transplanter, repiquer, ébrancher, tailler, élaguer, émonder, têter, abattre, abatis, arracher, déraciner, extirper, couper, faucher, moissonner, faner, récolter, cueillir, gauler, etc.

  b) PHASES DE LA VIE DES VÉGÉTAUX. — Semence, germe, spore, germination, cotylédon, acotylédone, monocotylédone, dicotylédone; graine, grain, tubercule, racine, rhizome, souche, griffe, bulbe, oignon; plant, bouture, marcotte, greffe, greffe en écusson, greffon, sujet, pousse; pousser, croître, grandir, se développer, verdir, jaunir, végéter, s'étioler, bourgeonner, éclore, fleurir, s'épanouir, floraison, défleurir, se flétrir, se faner, sécher; fructifier, monter en graine; passer, se dessécher, se dépouiller; végétation lente, hâtive, précoce, luxuriante, maigre, etc.

  c) ORGANES DE LA PLANTE ET LEUR ACTIVITÉ.

  1º *Racine* : radicelle, radicule, chevelu, collet, base, racine pivotante, traçante, adventive, souche, coiffe, tubercule, oignon, bulbe, etc.

  2º *Tige* : tige aérienne, souterraine, herbacée, légumineuse, stipe, chaume, fétu, éteule, tronc, fût, futaie, écorce, liège, liber, écorçage, décortiquer; sève, canaux, aubier, cœur, bois, bois de chauffage, de construction, d'ébénisterie, bois précieux, bois des îles; nœud, entre-nœud, loupe, piquant, poil, épine; cime, tête, branche, rame, ramille, rameau, ramée, ramure; se ramifier; scion, brin, sarment, brindille, gourmand, coulant, provin; bourgeon, bourgeon terminal; bouton, gomme, drugeon, surgeon, vrille, rejet.

3° *Feuille* : feuillée, feuillage, foliole, frondaison, feuilles caduques, persistantes, simples, composées, dentées, palmées, pennées; bractées, feuilles isolées, opposées, verticillées; gaine, nervure, côte, pétiole, limbe, stipule; feuille sessile, parenchyme, lacune, pampre, aiguille, verticille, chlorophylle, treillis.

4° *Fleur* : floraison, fleuron, effleurer, déflorer, efflorescence, florifère, multiflore; s'épanouir, s'ouvrir; fleurs unisexuelles, mêlées, mâles, femelles, hermaphrodites; bouton, fleurs simples, doubles, composées, apétales, monopétales, polypétales, dialypétales, gamopétales; carpelle, ovaire, tégument, pollinisation, fécondation, corolle, pétale, calice, sépale, étamine, filet, anthère, pollen, pistil, stigmate, style, ovule, capitule, corymbe, cyme, ombelle, épi, chaton, grappe, régime, bouquet, gerbe, guirlande. (V. tabl. FLEURS).

5° *Fruit* : peau, zeste, vitamine, chair, pulpe, noyau, pépin, amande, péricarpe, réceptacle, fructifier, être mûr, arriver à maturité; fruit vert, sec, charnu; primeur, précoce, hâtif, tardif, blet, gâté, pourri; fruit déhiscent, akène, cosse, capsule, silique, grappe, cône, pomme de pin, etc. (pour les divers fruits, V. NOURRITURE).

d) QUELQUES FAMILLES DE VÉGÉTAUX (V. tabl. ci-après). — Renonculacées, caryophyllées, papavéracées, légumineuses, papilionacées, crucifères, rosacées, cactées, ombellifères, labiées, caprifoliacées, primulacées, borraginées, convolvulacées, solanées, scrofulacées, rubiacées, composées, cupulifères, polygonées, liliacées, iridiées, orchidées, graminées, conifères, cryptogames, fougères, muscinées (mousses), thallophytes, hépatiques, champignons, algues, bactéries. Plantes potagères (V. ALIMENTATION).

e) GROUPEMENTS DE VÉGÉTAUX. — Plantation, jardin, en palier, parc, verger, potager, treille, vigne, vignoble, pépinière, semis, massif, bois, plates-bandes, corbeilles, parterres; fougeraie, rizière, chenevière, houblonnière, cressonnière, oseraie, roseraie, fraisière, cerisaie, pommeraie, saussaie, châtaigneraie, chênaie, hêtraie, noiseraie, aulnaie, charmille; pré, prairie, pâture, paquis; forêt, bois, bosquet, boqueteau, taillis, fûtaie, buisson, hallier, brousse, maquis, jungle, forêt vierge, sylve, savane, steppe.

f) UTILISATION INDUSTRIELLE DES VÉGÉTAUX. — Gomme, résine, noix de galle, laque, ambre, latex, copal, myrrhe, térébenthine, caoutchouc, huile, bois de construction, de charpente, de chauffage, de carbonisation, d'ébénisterie, de menuiserie, de marqueterie; parfumerie, encens, essences, liège, tanin, fruits, plantes potagères, plantes médicinales, amidon, fécule, farine, alcool, huile, sucre, confiture, etc.

g) QUELQUES ARBRES ET ARBUSTES. — Aulne, bouleau, chêne, châtaignier, frêne, hêtre, orme, platane, pin, sapin, cèdre, cyprès, tilleul, marronnier, sycomore, charme, érable, peuplier, tremble, saule, saule pleureur, cytise, acacia, robinier, mûrier, arbre de Judée, magnolia, mélèze, palmier, poivrier, eucalyptus, thuya, if, araucaria, baobab, sequoia, hévéa, ébène, acajou, sophora. Cerisier, prunier, mirabellier, cognassier, poirier, pommier, pêcher, abricotier, oranger, citronnier, grenadier, dattier, figuier, cocotier, noyer, noisetier, néflier, olivier. Vigne, groseillier, framboisier, cassis, tamaris, buis, houx, lilas, rosier, fusain, troène, seringa, houblon, agave, jonc, roseau, cactus, ajonc, ronce, bambou, canne à sucre, colza, soja, pomme de terre, topinambour, lin, etc.

h) QUELQUES FLEURS (V. tabl. FLEURS).

Tableau des grandes divisions du règne végétal

1° Phanérogames ou Plantes à fleurs

Embranchement	Sous-Embranchement	Classes	Ordres
Phanérogames	**Angiospermes** (ovule enfermé dans un ovaire) (prunier)	**Dicotylédones** (2 cotylédons chez l'embryon de la graine) (haricot)	**Gamopétales** (fleurs à pétales soudés) (primevère) **Dialypétales** (fleurs à pétales libres) (renoncule) **Apétales** (fleurs sans pétales) (ortie)
		Monocotylédones (1 seul cotylédon chez l'embryon de la graine) (lys)	
	Gymnospermes (ovule à nu) (pin)		(Les ordres sont divisés en familles.)

2° Cryptogames ou Plantes sans fleurs

Embranchement			
Cryptogames	**Cryptogames vasculaires** (racines, tiges, feuilles, vaisseaux libériens et ligneux) (fougères)		
	Muscinées (tige et feuilles, mais vaisseaux peu différenciés) (mousses)		
	Thallophytes (plantes formées de cellules — ou thalles sans tiges ni feuilles, ni racine)	**algues** (thalle à chlorophylle)	algues bleues — vertes — brunes — rouges
		champignons (thalle dépourvu de chlorophylle)	basidiomycètes ascomycètes champignons inférieurs
		bactéries	

mais acceptant, outre les végétaux, le lait, le fromage, les œufs.

PAR. — *Végétalisme*, régime alimentaire admettant uniquement les végétaux.

végétatif, ive, adj. (lat. *vegetativus*, m. s., de *vegetare*, végéter). Qui fait végéter. ‖ *Vie végétative*, ensemble des fonctions que les animaux ont en commun avec les végétaux. ‖ Par ext. En parlant des personnes. *Une vie purement végétative.*

végétation [*sion*], n. f. (bas lat. *vegetatio*, m. s.). Action de végéter. ‖ Développement de toutes les parties d'un végétal, et ensemble des fonctions permettant ce développement. ‖ Ensemble des arbres et des plantes. *La végétation est magnifique dans cette vallée.* [Méd.] Production pathologique charnue qui se forme à la surface d'une plaie ou d'un organe.

ÉPITHÈTES COURANTES : riche, luxuriante, magnifique, touffue, pauvre, grêle; nulle; verte, vigoureuse, desséchée; équatoriale, tropicale, méditerranéenne, des zones tempérée, nordique, polaire; arborescente, herbeuse.

végéter, v. intr. (bas lat. *vegetare*, m. s.). [Bot.] Se nourrir et croître, en parlant des plantes. ‖ Vivre d'une existence réduite aux seules fonctions physiologiques. ‖ Vivre dans une situation gênée ou obscure. *Un petit emploi qui fait végéter une famille.* = Conjug. V. GRAMMAIRE.

* **végéto-animal, ale, aux,** adj. Qui appartient et au règne végétal et au règne animal.

* **végéto-minéral, ale, aux,** adj. Qui tient du règne végétal et du règne minéral.

* **veglione** [*vé-lio-né*], n. m. (mot ital., de *veglia*, veillée). Fête de nuit costumée. = Pl. des *veglioni*.

véhémence, n. f. (lat. *vehementia*, m. s.). Impétuosité, violence, mouvement fort et rapide. *La véhémence de la tempête, des passions.* ‖ Fig. Entrain exagéré, surexcitation. *Parler avec véhémence.*

SYN. — V. FOUGUE.

véhément, ente, adj. (lat. *vehemens*, m. s.). Qui se porte avec impétuosité, avec ardeur à ce qu'il fait. *Esprit véhément.* ‖ *Discours véhément*, discours plein de chaleur, de force.

CTR. — *Doux, calme; inerte, indolent.*

véhémentement, adv. D'une façon véhémente; très fort.

véhicule, n. m. (lat. *vehiculum*, m. s., de *vehere*, porter). Ce qui sert à conduire d'un lieu dans un autre, à transmettre. Se dit de toute espèce de moyen de transport (voiture, brouette, chariot, train, navire, avion, etc.). V. pl. VOITURES, AUTOMOBILES. ‖ Ce qui sert à conduire, à transmettre. *L'air est le véhicule du son.* ‖ Liquide qui sert à dissoudre ou à tenir en suspension une substance. ‖ Fig. Ce qui conduit l'esprit vers quelque chose. *La presse est aujourd'hui le grand véhicule, de la pensée.*

SYN. — V. CHAR.

HOM. — *Véhicule, es, ent*, du v. véhiculer.

véhiculer, v. tr. Transporter au moyen d'un véhicule.

SYN. — V. PORTER.

vehme [*vèmm*], n. f. Tribunal secret de l'anc. Allemagne; aboli par Charles Quint.

* **véien, enne,** adj. Qui est de la ville de Véies.

veille [*vé-ill* mll.], n. f. (n. verbal de *veiller*). Action de veiller. Privation ou absence de sommeil. *Longue veille.* — *L'état de veille*, l'état dans lequel les sens externes sont en action, par opposition à *l'état de sommeil*, dans lequel cette action est suspendue. ‖ *La veille* ou *veillée des armes*, nuit que passait, en armes, dans une chapelle, celui qui devait être armé chevalier le lendemain. ‖ Garde qui se fait pendant la nuit. ‖ *Veilles*, au pl. Fig. Grande et longue application qu'on donne à l'étude, aux affaires, et qui se prolonge par des travaux la nuit. ‖ Tourments, insomnies que causent l'angoisse et l'inquiétude.

Le jour précédent. *La veille de Pâques.* — Fig. *Être à la veille de*, être sur le point de. [Antiq.] Chez les anciens Romains, chacune des quatre parties qui composaient la nuit.

— *Ce siècle...*
Qui rendu, plus fameux par tes illustres
  veilles,
Vit naître sous ta main ces pompeuses
  merveilles.   (BOILEAU à RACINE.)

ÉPITHÈTES COURANTES : courte, longue, prolongée, écourtée, continuelle, fréquente, angoissante, horrible, anxieuse; docte, savante, poétique, profitable, glorieuse, pénible, fatigante, etc.

SYN. — *Veille*, le jour qui précède celui dont on parle : *La veille de sa mort, il travaillait encore à son œuvre.* — *Vigile*, la veille d'une fête de l'Église : *La vigile de la Pentecôte.* — *Hier*, le jour qui précède immédiatement celui où l'on est : *Je l'ai vu hier même.*

ANT. — *Sommeil.* — *Lendemain.*

HOM. — *Veille, es, ent*, du v. veiller.

veillée [*vé-ill* mll.], n. f. (pp. de *veiller*). Veille que plusieurs personnes font ensemble. — Assemblée que les paysans ou les artisans font le soir, après le repas, pour travailler ensemble en causant. ‖ Action de garder un malade ou un mort pendant la nuit. *Veillée funèbre.* ‖ *Veillée des armes.* V. VEILLE.

veiller [*vé-ill* mll.], v. intr. (lat. *vigilare*, m. s., de *vigil*, celui qui veille). S'abstenir de dormir pendant le temps destiné au sommeil. *Veiller auprès d'un malade.* — Absol. Ne pas dormir, être bien éveillé. ‖ Travailler fort tard dans la nuit, ou même toute la nuit. ‖ Être de garde pendant la nuit.

Veiller à, prendre garde, appliquer ses soins, son attention à quelque chose. *Veiller au salut de l'État.* ‖ *Veiller sur une personne, sur une chose*, prendre soin de sa sûreté, de sa conservation. [Mar.] *Veiller au grain*, surveiller un orage qui menace. — Fig. Être sur ses gardes, être prêt à toute éventualité dans un cas donné.

= VEILLER, v. tr. Veiller auprès de quelqu'un la nuit. *Veiller un malade.*

— *Est-ce donc pour veiller qu'on se*
  couche à Paris!   (BOILEAU.)

— *Mais veille qui voudra, voici mon*
  oreiller.   (RACINE.)

OBS. — *Veiller sur*, c'est s'occuper d'une personne ou d'une chose présentes : *Je*

veillerai sur votre fils; veillez sur mes bagages. — Veiller à, c'est être attentif à une chose à venir : Veiller à la bonne organisation d'une affaire.
Syn. — V. GUETTER.
Ctr. — Dormir.
veilleur, euse [vé-ill mll.], n. Celui, celle qui veille. ‖ *Veilleur de nuit*, surveillant chargé de faire, la nuit, des rondes dans les diverses parties d'un établissement, dans un quartier de ville, etc.
Syn. — V. GARDE.
veilleuse [vé-ill mll.], n. f. (du v. *veiller*). Petite lampe qu'on laisse brûler pendant la nuit dans une chambre à coucher.
* **veilloir** [vé-ill mll.], n. m. [Techn.] Table des bourreliers, des cordonniers.
***veillotte** [vé-ill mll.], n. f. [Agric.] Petit tas de foin séché. — Petit tas de blé coupé.
* **veinard** [nar], **arde**, adj. Qui a de la chance, de la veine (Pop.). = Nom m. *Un veinard*.
veine, n. f. (lat. *vena*, m. s.). [Anat.] Canal par lequel le sang venant des artères retourne au cœur. ‖ Fig. *N'avoir pas de sang dans les veines*. V. pl. HOMME (viscères). [Bot.] Nervure secondaire peu saillante d'une feuille. [Géol.] Partie longue et étroite où une roche est d'une autre nature, d'une autre couleur que celle qui est contiguë. — Filon. *Veine de quartz, d'or, d'argent.* ‖ Marque longue et étroite qui va en serpentant dans le bois et dans les pierres dures. *Ce marbre a des veines rouges.* ‖ Fig. *Cet homme est tombé sur une bonne veine*, il a eu de la chance. ‖ Fig. *Veine poétique*, et absol., *Veine*, le génie poétique. *Sa veine est tarie. — Il est en veine*, il est dans une disposition d'esprit favorable au travail de la poésie, des arts. ‖ Fam. Chance. *Avoir de la veine, être en veine.*
ÉPITHÈTES COURANTES : [Anat.] cave, jugulaire, porte, brachiale, crurale, etc.; gonflée, enflée, coupée; rompue. [Poésie] noble, poétique, féconde, riche, abondante, intarissable, heureuse, etc.
Syn. — V. DESTIN.
Hom. — *Vaine*, fém. de *vain*, inutile, sans effet; — *veine, es, ent,* du v. *veiner*; — *vène, es, ent,* du v. *vener*.

> VOCAB. — *Famille de mots. — Veine,* veiner, veiné, veinette, veinule, veineux; veinard; venelle, déveine, déveinard.

veiné, ée, adj. Qui a des veines; qui présente des filets appelés veines.
veiner, v. tr. Imiter par des couleurs les veines du marbre ou du bois.
* **veinette**, n. f. Pinceau pour tracer des veines sur une boiserie.
veineux, euse, adj. Qui a rapport aux veines. *Le sang veineux.* ‖ Plein de veines. *Le bois de noyer est très veineux.*
Ctr. — *Artériel.*
veinule, n. f. (lat. *venula*, m. s.). Petite veine.
* **vêlage** ou * **vêlement**, n. m. Action d'une vache qui vêle.
* **vélaire**, adj. [Ling.] Se dit d'un son qui s'articule dans l'arrière-bouche, près du voile du palais, et que l'on distingue du son palatal. *U, o, â sont vélaires.*
* **vélanède**, n. f. (gr. *balanos*, gland). [Bot.] Nom donné souvent au chêne velani.

* **vélani**, n. m. [Bot.] Espèce de chêne dont les cupules sont recherchées pour le tannage.
* **vélar**, n. m. [Bot.] Genre de plantes de la famille des *crucifères*.
* **velarium** [vé...riomm], n. m. (mot lat.). [Antiq.] Grand voile rouge que les Romains étendaient au-dessus des théâtres et des amphithéâtres pour protéger les spectateurs du soleil ou de la pluie. ‖ Grande tente.
* **vélaunien, ienne**, adj. et n. Du Velay.
vélaut! interj. [Chasse] Cri que l'on pousse, dans la chasse au sanglier, au loup, au renard ou au lièvre, pour indiquer que le gibier a été vu.
* **velche** ou **welche**, n. m. Nom donné par les Allemands aux Français, aux étrangers. ‖ Homme ignorant ou sans goût, ennemi de la raison et des lumières.
* **veld** ou * **veldt**, n. m. Steppe à herbe courte et dure, en Afrique australe.
vêler, v. intr. (de *vel*, anc. forme de *veau*). Se dit d'une vache qui met bas.
* **velet**, n. m. Doublure blanche du voile de dessous de certaines religieuses.
* **vélie**, n. f. [Zool.] Genre d'insectes hémiptères hétéromères comprenant des punaises d'eau douce.
vélin, n. m. (de *veau*). [Techn.] Peau de veau qui a l'apparence d'un parchemin très mince et très fin. *Une reliure en vélin.* = Adj. *Papier vélin*, papier blanc et uni qui imite le vélin. — *Dentelle véline*, ou simplement *vélin*, n. m., dentelle fine fabriquée originairement à Alençon.
vélite, n. m. (lat. *veles, velitis*, m. s.). [Hist. rom.] Soldat romain armé légèrement. ‖ Corps de chasseurs légers créé en France par Napoléon en 1804.
* **velléitaire**, adj. (de *velléité*). Qui n'a que des velléités. = Nom. *Un velléitaire.*
velléité, n. f. (lat. scol. *velleitas*, m. s., de *velle*, vouloir). Volonté faible et indécise, qui n'est suivie d'aucun effet. *Avoir la velléité de résister.*
Syn. — V. VOLONTÉ.
* **vélo**, n. m. (abrév. pop. de *vélocipède*). Bicyclette.
* **véloce**, adj. (lat. *velox, velocis*, m. s.). Qui se meut avec rapidité.
* **véloceman** [mann], n. m. (de *véloce* et de l'angl. *man*). Vélocipédiste, cycliste. = Pl. *Des vélocemen.*
* **vélocifère**, n. m. (lat. *velox, ocis*, rapide, et *ferre*, porter). Ancienne diligence qui roulait à grande vitesse.
* **vélocimane**, n. m. (du lat. *velox, ocis*, rapide, et *manus*, main). Jouet appelé plus savamment *cheval mécanique*.
vélocipède, n. m. (lat. *velox*, rapide, *pes*, pied). Nom générique de tous les appareils de locomotion à deux roues, dont une roue motrice qui est actionnée par des manivelles que l'on fait mouvoir avec les pieds. Il en a existé divers genres avant la bicyclette actuelle. V. pl. BICYCLETTE.
* **vélocipédie**, n. f. Ce qui concerne les vélocipèdes, les bicyclettes.
* **vélocipédique**, adj. Qui a rapport au vélocipède, à la bicyclette.
* **vélocipédiste**, n. Celui, celle qui fait usage du vélocipède, de la bicyclette.
vélocité, n. f. (lat. *velocitas*, m. s.). Vitesse, rapidité. *Courir avec vélocité.*

vélodrome, n. m. (lat. *velox*, rapide, et gr. *dromos*, course). [Sport] Piste aménagée pour les courses de bicyclettes, de motocyclettes, etc.

* **vélomoteur**, n. m. Bicyclette munie d'un moteur léger.

* **velot** [*lo*], n. m. (de *veau*). [Techn.] Peau de veau mort-né dont on fait le vélin.

velours [*lour*], n. m. (vx fr. *velous*, du lat. *villosus*, velu). Étoffe de laine, de coton ou de soie, dont l'endroit offre un poil court et serré et dont l'envers est ras. ‖ Fig. et fam. Ce qui est doux au toucher ou ce qui produit sur certains sens la même impression que le velours sur le toucher. *Ce vin est un velours.* — *Chemin de velours*, voie douce et agréable, au prop. et au fig. — *Jouer sur le velours*, jouer sur son gain, ou, au fig., agir dans des conditions très favorables. — *Faire patte de velours.* V. PATTE. ‖ Fam. Liaison incorrecte dans le langage parlé, consistant à mettre une *s* là où il n'y en a pas. *Les quatre z'angles.*
ÉPITHÈTES COURANTES : frappé, écossais, de laine, de coton, de soie, vert, rouge, blanc, noir, etc.; moiré, râpé, etc.

* **velouté, ée,** adj. Qui imite le velours. *Papier velouté.* ‖ Qui est doux au toucher comme le velours, qui a l'apparence du velours. *Pêche veloutée.* — *Vin velouté*, vin moelleux. = VELOUTÉ, n. m. Qualité de ce qui est doux au toucher ou de ce qui produit sur certains sens la même sensation que le velours sur le toucher. *Le velouté d'un fruit, d'un vin.* ‖ Sorte de sauce très onctueuse.

* **velouter**, v. tr. Donner l'apparence du velours. *Velouter du papier.*

* **velouteux, euse,** adj. Velu ou doux au toucher comme le velours.

* **veloutier**, n. m. Ouvrier qui fabrique du velours. = Adj. *Un patron veloutier.*
HOM. — *Veloutiez* (vous), du v. velouter.

* **veloutine**, n. f. [Techn.] Lourd tissu d'ameublement, broché or et argent. ‖ Tissu de coton pelucheux, appelé encore *pilou.*

* **veltage**, n. m. [Techn.] Mesure de la capacité d'un tonneau pratiquée avec la velte.

* **velte**, n. f. Règle graduée dont on se sert pour jauger les tonneaux. ‖ Anc. mesure de capacité pour le vin (de 7 à 8 litres).

* **velter**, v. tr. Mesurer à la velte.

* **velteur**, n. m. Celui qui jauge à la velte.
PAR. — *Vecteur*, adj., qui entraîne, qui conduit.

* **velture**, n. f. [Mar.] Amarrage pour lier deux pièces qui ne se touchent pas.

velu, ue, adj. (lat. pop. *villutus*, m. s.). Couvert de poils. = N. m. État de ce qui est couvert de poils.
CTR. — *Imberbe, glabre, pelé.*
PAR. — *Pelu, ue*, garni de poils.

velum [*velomm*], n. m. (mot lat.). Grand voile qui sert de toiture improvisée ou qui protège du soleil dans une salle vitrée.

* **velvet**, n. m. Velours de coton lisse. ‖ Papier photographique à surface veloutée.

* **velvote**, n. f. (de *velu*). [Bot.] Nom vulgaire de diverses plantes velues (véronique des champs, partic.).

venaison, n. f. (lat. *venatio*, chasse). Chair de bête fauve (cerf, chevreuil, daim, sanglier, etc.).
PAR. — *Fenaison*, action de faucher les foins.

vénal, ale, adj. (lat. *venalis*, m. s.). Qui se vend, qui se peut vendre. *Charge vénale.* ‖ *Valeur vénale*, valeur actuelle d'une chose dans le commerce. ‖ Fig. Qui ne fait rien que par un intérêt sordide, que pour de l'argent. *Une âme vénale.* ‖ *Amour vénal*, prostitution.
CTR. — *Intègre, incorruptible.*

> VOCAB. — *Famille de mots.* — *Vénal* [rad. *ven, vend*] : vénalement, vénalité; vendre. vendu, vente, vendeur, vendable; mévendre, mévente; revendre, revente, revendeur, revendage.

vénalement, adv. D'une manière vénale.

vénalité, n. f. (bas lat. *venalitas*, m. s.). Caractère de ce qui est vénal.

venant, adj. m. (ppr. du v. *venir*). Qui vient. *Un enfant bien venant*, un enfant dont la croissance s'effectue bien. ‖ *Tout venant*, non trié. *Du charbon tout venant.* = N. m. Personne qui vient. *Les allants et les venants*, ceux qui vont et viennent. ‖ *A tout venant*, au premier venu.

vendable, adj. Qui peut être vendu.
CTR. — *Invendable.*

vendange, n. f. (lat. *vindemia*, m. s.). [Vitic.] Récolte du raisin destiné à faire du vin. *Faire la vendange.* ‖ Ce raisin lui-même. *La vendange est transportée au moyen de hottes.* ‖ Au pl. *Les vendanges*, le temps où se fait la récolte des raisins.
HOM. — *Vendange, es, ent*, du v. vendanger.

* **vendangeable**, adj. Qui peut être vendangé.

* **vendangeoir**, n. m. [Vitic.] Hotte ou panier de vendange. ‖ Local où l'on rassemble le produit de la vendange.

* **vendangeon** ou * **vendangeron**, n. m. [Zool.] Nom vulg. du *rouget* ou *lepte automnal*, qui apparaît vers le moment des vendanges.

vendanger, v. tr. Faire la récolte du raisin. ‖ Fig. *La grêle a tout vendangé.* elle a tout dévasté. = Conjug. V. GRAMMAIRE.

* **vendangerot** [*ro*], n. m. (du v. *vendanger*). [Vitic.] Panier d'osier du vendangeur.

* **vendangette**, n. f. (de *vendange*). [Zool.] Nom vulg. de la grive, parce qu'elle mange le raisin.

vendangeur, euse, n. (lat. *vindemiator*, m. s.). Celui, celle qui cueille les raisins pour faire le vin.

* **vendéen, enne,** adj. et n. Qui est de la Vendée. [Hist.] *Les Vendéens*, n. m. pl., royalistes soulevés en 1793 contre la Première République.

* **vendelin**, n. m. Petit canot allongé, employé pour la confection d'un pont de bateaux.

vendémiaire, n. m. (lat. *vindemia*, vendange). Premier mois de l'année dans le calendrier républicain, du 22 ou 23 septembre au 22 ou 23 octobre. V. tabl. TEMPS (*Idées suggérées par le mot*).

venderesse, n. f. (fém. de *vendeur*). V. VENDEUR.

vendetta [*vin*], n. f. (mot ital. qui sign. *vengeance*). Ancienne coutume corse, consacrée par les mœurs : poursuite d'une vengeance que toute une famille exerçait contre une autre, lorsqu'un de ses membres avait été offensé ou tué.

1. vendeur, venderesse, n. [Droit] Celui, celle qui a vendu, qui vend un bien meuble ou immeuble.

2. vendeur, euse, n. Celui, celle dont la profession est de vendre.

vendre, v. tr. (lat. *vendere*, m. s.). Céder à quelqu'un la propriété d'une chose pour un certain prix. *Vendre aux enchères, à l'amiable. Vendre à bon marché* (et non *vendre bon marché*, qui est incorrect). ‖ Exercer un commerce. *Vendre en gros et en détail.* ‖ Fournir à prix d'argent. *Vendre ses services. — Vendre son suffrage,* etc., se faire payer pour donner son suffrage, etc. ‖ Fig. *Vendre chèrement sa vie,* faire périr beaucoup d'ennemis avant de succomber.
Fig. et fam. *Vendre la mèche* (déformation pop. de : *Éventer la mèche*), dévoiler ce qui devait rester secret pour qu'une chose réussisse. ‖ Trahir par intérêt. *Vendre sa patrie, son ami.* = SE VENDRE, v. pr. Être vendu, trouver du débit. *Le blé s'est vendu sept cents francs.* ‖ Devenir l'objet d'un commerce. *Dans un État corrompu tout se vend.* ‖ En parlant des personnes : Faire un trafic honteux de sa personne, de ses services, de ses opinions. ‖ Se livrer, se trahir par inadvertance. *Le coupable se vendit en voulant trop ruser.* = Conjug. (comme *rompre*). ‖ VERBES.
SYN. — *Vendre,* transmettre la propriété de quelque chose à quelqu'un contre de l'argent : *Vendre un château. — Aliéner,* faire passer à un autre ce qui est en sa possession : *Aliéner des terres. — Bazarder,* (fam.), vendre des objets dont on veut se débarrasser : *Bazarder de vieux livres. — Céder,* abandonner la propriété, la jouissance de quelque chose sous certaines conditions : *Céder un fonds de commerce. — Débiter,* vendre au détail : *Débiter des bouteilles de vin. — Liquider,* vendre un ensemble de biens pour équilibrer son actif et son passif : *Liquider ses propriétés.*
CTR. — *Acheter, acquérir.*

vendredi, n. m. (lat. *Veneris dies,* le jour de Vénus). Sixième jour de la semaine. ‖ *Vendredi saint,* jour anniversaire de la mort de Jésus-Christ, le vendredi qui précède le jour de Pâques. V. tabl. TEMPS (*Idées suggérées par le mot*).

vendu, ue, adj. (pp. du v. *vendre*). Cédé à prix d'argent. ‖ *C'est un homme vendu* se dit d'un homme livré à quelqu'un par intérêt.
CTR. — *Intègre, incorruptible.*

vénéfice, n. m. Crime d'empoisonnement avec sortilèges.
PAR. — *Bénéfice,* différence entre le prix de vente et le prix de revient.

venelle, n. f. (dimin. de *veine*). Petite ruelle, petit chemin.
SYN. — V. RUE.
PAR. — *Venette,* peur, inquiétude.

vénéneux, euse, adj. (lat. *venenosus,* m. s., de *venenum,* poison). Qui contient du poison, qui empoisonne, en parlant des végétaux ou des substances minérales et animales qui agissent après ingestion. *Plante vénéneuse.*

LING. et PAR. — *Vénéneux* se dit des végétaux ou substances diverses qui empoisonnent après ingestion; *venimeux* se dit des animaux qui empoisonnent par piqûre ou morsure. *Serpent, poisson venimeux.*

*** vénénifère,** adj. Qui contient ou produit du poison.

*** vénénosité,** n. f. Propriété de ce qui est vénéneux.

*** vener,** v. tr. (lat. *venari,* chasser). Faire courir (un animal) pour attendrir sa chair. *Vener un mouton.* = Conjug. V. GRAMMAIRE.

vénérable, adj. Digne de vénération, de respect. = N. m. Titre correspondant au premier degré de la béatification. ‖ Titre que donnent les francs-maçons au président d'une loge.

*** vénérablement,** adv. Avec vénération.

*** vénérateur, trice,** n. (lat. *venerator,* m. s.). Qui vénère.

vénération [*sion*], n. f. (lat. *veneratio,* m. s.). Respect qu'on a pour les choses saintes, honneur qu'on leur rend. ‖ Profond respect qu'on a pour certaines personnes.
SYN. — V. RESPECT.

*** vénéréologie,** n. f. (lat. *Venus, eris,* Vénus, déesse de l'amour, et gr. *logos,* traité). Traité des maladies vénériennes. Partie de la médecine qui traite de ces maladies.

vénérer, v. tr. (lat. *venerari,* m. s.). Avoir de la vénération, du respect, de l'estime respectueuse pour; révérer. *Vénérer les saints. Je vous vénère comme un bienfaiteur.* = Conjug. V. GRAMMAIRE.
SYN. — V. ADORER.

vénerie, n. f. (de *vener*). Art de chasser avec des chiens courants. ‖ Tout ce qui concerne cet art.

vénérien, ienne, adj. (de *Vénus,* déesse de l'amour). Relatif aux rapports sexuels entre homme et femme. *Acte vénérien.* [Méd.] Se dit des maladies particulières qui peuvent se communiquer au cours de ces rapports. = Nom. Personne atteinte d'une maladie vénérienne.

*** venet,** n. m. [Pêche] Barrage de filets retenus par des pieux verticaux.

*** vénète,** adj. et n. De la Vénétie.

venette, n. f. (Dimin. du vx fr. *vene, vesne, vesse*). Peur, inquiétude. *Avoir la venette* (Pop.).
PAR. — *Venelle,* ruelle, petit chemin.

veneur, n. m. (lat. *venator,* chasseur). [Vén.] Celui qui est chargé de faire chasser les chiens courants. — *Grand veneur,* chef de la vénerie royale.

*** vénézuélien, enne,** adj. et n. Qui est du Vénézuéla.

vengeance, n. f. (du v. *venger*). Action par laquelle on se venge ou on punit une offense. — *Crier vengeance,* demander le châtiment d'un crime, demander à être vengé. *Ce meurtre crie vengeance.* ‖ Par ext. Désir de se venger. *Il a toujours la vengeance dans le cœur.* = PAR VENGEANCE, loc. adv. Avec le désir, dans l'intention de se venger. *Agir par vengeance.*
— *La vengeance procède toujours de la faiblesse de l'âme, qui n'est pas capable de supporter les injures.*
(LA ROCHEFOUCAULD.)

— *Quand la vengeance est en nous,
vois-tu bien,
Dans le cœur le plus mort, il n'est plus
  rien qui dorme,
Le plus chétif grandit, le plus vil se
  transforme,
L'esclave tire alors sa haine du fourreau,
Et le chat devient tigre, et le bouffon
  bourreau.* (V. Hugo.)
ÉPITHÈTES COURANTES : cruelle, sauvage, féroce, brutale, éclatante, terrible; mémorable, totale, pleine, entière; tirée, jurée, exercée, assouvie, respirée, poursuivie, jurée, satisfaite, etc.

venger, v. tr. (lat. *vindicare*, m. s.). Dédommager quelqu'un du mal qui lui a été fait en punissant l'auteur de ce mal. *Venger sa famille.* ‖ Punir une offense personnelle. *Venger un affront.* ‖ Punir. *La justice venge le crime.* = SE VENGER, v. pr. Se dédommager en rendant le mal pour le mal; tirer vengeance de quelque affront. *Se venger de ses ennemis.* = Conjug. V. GRAMMAIRE.

> VOCAB. — *Famille de mots.* — *Venger* [rad. *veng*, *vend*] : vengeance, vengeur; revendiquer, revendication, revendicateur; vindicte, vindicatif, vindicativement; vendetta; revanche, revancher (Vx), revanchard (Vx).

vengeur, geresse, n. Qui venge, qui punit. *Susciter des vengeurs.* = Adj. *Un Dieu vengeur. Satire vengeresse.*

veniat [vé-niatt], n. m. (mot lat. : *qu'il vienne*) Ordre donné par un juge supérieur à un juge inférieur de venir rendre compte de sa conduite.

véniel, elle, adj. (lat. *venia*, pardon). [Théol.] Qui peut être pardonné. Se dit des péchés légers.
CTR. — *Mortel, grave.*

véniellement, adv. D'une manière vénielle. *Pécher véniellement*, faire une faute légère.
CTR. — *Gravement, mortellement; sérieusement.*

venimeux, euse, adj. (de *venin*). Qui a du venin (se dit des animaux). *La vipère est venimeuse.* ‖ Fig. Malveillant, méchant. *C'est une langue venimeuse, c'est une personne médisante et maligne.*
PAR. — V. VÉNÉNEUX.

* **venimosité**, n. f. Caractère, propriété de ce qui est venimeux.

venin, n. m. (lat. *venenum*, m. s.). Liquide malfaisant sécrété par certains animaux, qui s'en servent comme moyen d'attaque ou de défense. *Venin de vipère, de scorpion.* ‖ Fig. Rancune, haine cachée, malignité. *Le venin de la calomnie.* — *Jeter tout son venin*, dans la colère, dire tout ce qu'on avait sur le cœur contre quelqu'un. ‖ Le poison, le danger que recèlent certaines doctrines. *Le venin de l'hérésie.*
ÉPITHÈTES COURANTES : traître, funeste, dangereux, mortel, prompt, jeté, injecté, etc.
SYN. — V. POISON.

venir, v. intr. V. tabl. VENIR.

* **vénitien, ienne** [si-in], adj. et n. De Venise.

> **VENIR, verbe intransitif.**
>
> **Étymologie.** — Latin *venire*, même sens.
> CONJUG. — Se conjugue comme *tenir*, mais, aux temps composés, exclusivement avec l'auxiliaire *être* V. VERBES.
> VENU, UE, pp., adj. et n. V. ces mots.
>
> **A. En parlant des personnes.**
> Se transporter d'un lieu à un autre, en se rapprochant de celui qui parle ou dont on parle. *Il est venu à pied, en voiture, en bateau, en chemin de fer, en avion. Il est venu me trouver.* ‖ Arriver au lieu où se trouve celui qui parle. *Il viendra dans une heure.*
> VENIR se dit : 1° Par rapport au lieu d'où l'on est parti. *Je viens de Rome.* Fig. *Le vent venait du nord.* — 2° Par rapport au lieu où l'on se rend. *Venez avec moi en promenade.* — Prov. On dit d'un homme qui paraît ignorer ce qui se passe publiquement, et les choses que tout le monde sait : *Il semble qu'il vienne de l'autre monde.* On dit aussi prov. dans le même sens : *De quel pays venez-vous?*
> Construit avec une prop. infinitive : S'approcher d'une personne. *Je sens venir la mort.*
> **S'en venir.** — *Venir* se construit quelquefois avec les pronoms personnels et la particule *en*, sans que cela change rien au sens. *Dites-lui qu'il s'en vienne.*
> *Ne faire qu'aller et venir*, être toujours en mouvement. V. ALLER (tableau).
> **Faire venir.** — (*Venir* est, dans ce cas, le verbe d'une proposition infinitive dont le sujet vient immédiatement après.) *Faire venir quelqu'un ou quelque chose*, mander quelqu'un, lui donner l'ordre de venir, ou d'envoyer une chose du lieu où elle est à celui où l'on est. *On a fait venir le médecin.* — Fig. *Il fait venir ses provisions de la campagne.* — Prov. *Faire venir l'eau à la bouche.* V. BOUCHE. *Faire venir l'eau au moulin.* V. EAU.
> **Laisser venir. Voir venir.** (*Venir*, verbe de proposition infinitive.) *Laisser venir*, laisser approcher. *Laissez venir à moi les petits enfants* (parole évangélique). — Fig. *Laisser venir, voir venir*, attendre, ne pas se presser. *Dans cette affaire, nous n'avons qu'à voir venir, qu'à laisser venir.* — On dit aussi : *Je le verrai venir, il faut le voir venir*, je verrai, il faut voir ce qu'il fera ou quel est son dessein. — On dit encore : *Je vous vois venir*, je devine ce que vous pensez, ce que vous allez faire ou dire. — Iron. *Je vous vois venir avec vos gros sabots*, je devine vos intentions, malgré vos efforts pour les dissimuler.
>
> **B. En parlant des choses.**
> Sortir, s'échapper. *L'eau venait en abondance de cette fontaine.* ‖ Monter, s'élever, et quelquefois descendre. *Les eaux venaient jusqu'au premier étage. Son manteau ne lui vient qu'aux genoux.*
> Tirer son origine. *Ce mot vient du grec.* ‖ Provenir, procéder, émaner. *Cette marchandise vient de tel pays. Son erreur vient de là.*
> Échoir par succession. *Cette maison lui vient de sa tante.*
> Succéder, arriver suivant l'ordre naturel des choses. *Le jour vient après la nuit.* ‖ Arriver normalement. *Le moment du départ est venu.* — Fam. *La semaine, le mois qui vient*, la semaine prochaine, le mois prochain (loc. à éviter). ‖ Survenir, arriver inopinément. *Il vint un grand orage. Un malheur ne vient jamais seul.* ‖ Prov. *Tout vient à point (à) qui peut ou sait attendre.* V. POINT.

Parvenir. *Le bruit en est venu jusqu'à moi.* ‖ *L'heure dernière. Sa dernière heure est venue* (on dit mieux : *sa dernière heure a sonné, est arrivée*).
Impersonnellement. *Il est venu des lettres pour vous.*

C. En parlant d'un fait.
Naître, croître, être produit. *Venir au monde. Les orangers viennent là en pleine terre.* — Fig. *La raison lui est venue avant l'âge.* — Se produire, se manifester. *L'appétit vient en mangeant. La fortune vient en dormant.*

Venir bien, mal. — *Venir bien,* profiter, croître comme il faut, réussir; on dit dans un sens contraire : *Venir mal. Cet arbre ne vient pas bien, il a peine à venir.* On dit, au sujet d'un accouchement, que *l'enfant vient bien,* lorsqu'il se présente de la manière la plus naturelle. ‖ *Se faire bien venir de quelqu'un,* attirer sa bienveillance, son amitié. ‖ Avec un nom de personne. *Être le bien venu* ou *le bienvenu,* être accueilli avec faveur. = *Bien venu, mal venu.* V. VENU.
Venir bien à, être approprié à la personne, à la chose, lui convenir. *Cette observation vient bien à mon sujet,* elle convient au sujet de mon discours.
En venir, y venir, venir à. V. ci-après.
GRAM. — Au subjonctif, on peut ne pas exprimer le *que* dans certaines formules comme : *Vienne l'hiver, les marmottes s'endorment ; viennent les mauvais jours, les amis vous abandonnent.*

LOCUTIONS FORMÉES AVEC **VENIR.**

EN VENIR (*en* dans cette locution est un simple outil grammatical. V. EN, tableau). Arriver à un point, à un acte, à un résultat. *La chose en est venue à ce point,* la chose en est arrivée à ce point. *En venir aux reproches, aux injures, aux coups,* etc. *En venir aux mains,* se battre, et, au fig., en parlant d'armées, engager le combat. — *En venir là,* se résoudre à. — *Il faut en venir là,* il faut prendre son parti de tout ce qui est nécessaire, inévitable (la mort, par ex.), ou simplement de ce qu'on regarde comme la meilleure solution. — *C'est là que je voulais en venir, c'est où j'en voulais venir,* c'est à ce but que tendaient mes actions, mes discours.
VENIR À. Arriver à tel ou tel résultat. *Venir à bien,* réussir, pris dans le même sens. *L'affaire est venue à bien.* — *Venir à rien,* dépérir. — *Venir à bout de,* réussir, triompher de. — Parvenir à. *Les fruits ne viendront pas à maturité. Venir au fait, à la question, à la discussion,* passer à l'exposition, à l'examen, à la discussion, etc., d'une chose que l'on avait négligée ou différée, ou dont on s'était écarté. — *Venir à composition,* composer.
Y VENIR. — Arriver là. *J'y viens,* j'arrive à tel point, à tel développement. *Vous y venez,* vous vous rangez petit à petit à mon opinion (Fam.). — Par menace, on dit : *Qu'il y vienne,* pour qu'il s'en avise, qu'il ait cette hardiesse. — Se dit aussi en manière de défi. : *Venez-y donc voir un peu!*
À VENIR, loc. qui tient lieu d'adjectif, et signifie, qui doit venir, qui doit arriver. *Les siècles à venir.* V. AVENIR.

VENIR, verbe auxiliaire.

1° **Venir,** *auxiliaire de temps.*
a) Employé avec *de* suivi de *l'infinitif :*
Marque un *passé récent,* et correspond à l'adverbe: Récemment. *Il vient de mourir. Quand je suis arrivé, il venait de sortir. Je viens de le voir.* — Fam. On dit de même : *Il vient de venir.*
b) Employé avec *à* et *l'infinitif,* dans une proposition conditionnelle commençant par *si :*
Exprime un futur éventuel, le caractère fortuit d'une circonstance, et correspond à : *par hasard. S'il venait à réussir, ses envieux seraient bien déçus. Si je viens à mourir d'ici là.* Impersonnellement. *S'il vient à pleuvoir.*

2° **Venir,** *auxiliaire de mode.*
Suivi de *l'infinitif.* Marque une atténuation, une attitude déférente et réservée de celui qui parle. *Je viens solliciter votre suffrage.*
S'emploie aussi pour marquer une circonstance fortuite. *Un loup vint à passer.*

VOCAB. — *Famille de mots.* — *Venir* [rad. *ven, vent*] : venu, venue, advenir, adventif, adventice; avenir, à venir, avenant, avenu, avenue; averti, avènement, aventure, aventurer, aventureux, aventureusement, aventurier, mésaventure, mésavenir, mésavenant, mésavenance; circonvenir, circonvenu, convenir, convenant, convenu, convenable, convenablement, convenance, inconvenant, inconvenance, inconvénient; couvent, convent, conventuel, conventuellement, conventualité, convention, conventionnel, conventionnellement, conventionalisme; reconvention, reconventionnel, reconventionnellement; disconvenir, disconvenance, contrevenir, contrevenant, contravention; devenir; événement, éventuel, éventuellement, éventualité; inventer, inventeur, invention, inventif, inventorier, inventaire.
Intervenir, intervenant, intervention; parvenir, parvenu; prévenir, prévenant, prévenu; prévenance, prévention, préventif, préventivement; provenir, provenant, provenance; revenir, revenant, revenu, revenez-y, revenue, revient; subvenir, subvention, subventionner, subventionnel; souvenir, souvenance; survenir, survenant, survenance; bienvenir, bienvenu, bienvenue; malvenir, malvenu; tout-venant.

vent [*van*], n. m. (lat. *ventus,* m. s.). [Météor.] Mouvement plus ou moins rapide d'une masse d'air qui se transporte d'un lieu dans un autre suivant une direction déterminée. *Les vents du nord, du sud, d'est, d'ouest.* V. tabl. TEMPÉRATURE et MÉTÉOROLOGIE (*Idées suggérées par les mots*). — *Rose des vents.* V. ce mot. *Le lit du vent,* le sens dans lequel il souffle. [Mar.] *Coup de vent,* vent violent et subit. *Avoir vent arrière, avoir bon vent,* avoir un vent qui porte directement le navire vers le point où l'on veut aller; et, dans un sens opposé : *Avoir vent debout, avoir vent contraire.* ‖ Par exagération. *Aller comme le vent, aller plus vite que le vent,* se dit d'un homme, d'un cheval, etc., qui est fort léger et rapide à la course. ‖ *Vent coulis,* vent froid qui s'insinue par de petites ouvertures; petit courant d'air. ‖ Fig., dans le style soutenu. *Le vent de l'adversité,* la fortune défavorable. ‖ *Des quatre vents,* de tous les points du globe. — Fig. et fam. *Être logé aux quatre vents,* être logé dans une maison mal close. — Fig. et prov. *Petite pluie abat grand vent.* V. PLUIE. — *Autant en emporte le vent.* V. EMPORTER. [Chasse] *Aller dans le vent,* aller contre le vent. [Hortic.] *Arbres en plein vent, de plein vent,* arbres fruitiers de haute tige, qui ne sont abrités d'aucun côté. —Par anal. *Étalage en plein vent.* ‖ Fig. *Aller contre vent et marée,* contre toutes les difficultés qui s'opposent à un dessein. ‖ *Fig. Quel bon vent vous amène?* Se dit à une personne qui arrive, pour lui témoigner qu'on est bien aise de la voir. ‖ *Fig. Le vent tourne*, le cours des choses change. — *Aller selon le vent*, s'accommoder aux temps et aux circonstances.

Air qui est agité par quelque moyen particulier. *Faire du vent avec un éventail.* [Mus.] *Instruments à vent*, les instruments de musique dont le son est formé par les vibrations de l'air qu'on y souffle. *La trompette, le cor sont des instruments à vent.* ‖ L'air proprement dit. *Un ballon gonflé de vent.* ‖ *Fig.* Vanité, chose vaine. *Toute cette apparence n'est que du vent.* ‖ Respiration, souffle, haleine. *Tenir son vent* (La Fontaine). ‖ Air ou gaz retenus dans le corps de l'homme ou des animaux et qui s'échappent par l'anus. [Artill.] Intervalle qui existe entre le projectile et les parois d'une pièce, et par lequel les gaz s'échappent sans produire l'effet utile. [Véner.] Odeur qu'une bête laisse dans les lieux où elle a passé. — Odeur qui vient des émanations d'un corps. — *Ce chien prend vent*, il flaire de tous côtés. — *Fig. Prendre le vent*, bien observer le cours des choses avant d'agir. — *Fig.* et *fam. Avoir vent d'une chose*, en recevoir quelque avis, en être informé.

— *Tous ces mille vaisseaux qui, chargés de vingt rois*
  N'attendaient que les vents pour partir sous vos lois. (Racine.)
— *Mais vous naissez le plus souvent*
  Sur les humides bords des royaumes du vent. (La Fontaine.)

ÉPITHÈTES COURANTES : doux, agréable, frais, léger, grand, fort, violent, impétueux, terrible, déchaîné, furieux, chaud, torride, froid, glacial; soufflant, calmé, tombé; favorable, contraire; alizé, périodique, régulier, terrestre, marin, etc.

Hom. — V. van.

> Vocab. — *Famille de mots.* — Vent : venteux, ventôse, ventage, ventaison, venteaux, ventouser, ventouseuse, ventouse, ventail, venter, venté, ventis, ventiler, ventilateur, ventilation; ventileuse, ventillon, ventolier, ventosité, auvent, contrevent, contrevenement, paravent; éventer, éventé, éventail, éventaillerie, éventailler, éventailliste, éventoir, évent, éventaire; vol-au-vent, plein-vent; vantail.

* **ventage**, n. m. Action de nettoyer les grains avec un van ou un tarare.

ventail, n. m., ou * **ventaille**, n. f. [Blas]. Partie inférieure de l'ouverture d'un casque, d'un heaume. = Pl. *Des ventaux*.

Hom. — *Vantail*, battant d'une porte, d'une fenêtre.

* **ventaison**, n. f. (de *vent*). [Agric.] Maladie des céréales, provoquée par le vent.

vente, n. f. (lat. *vendita*, choses vendues). Contrat par lequel on aliène une chose moyennant le paiement d'une somme qui représente sa valeur. *Une vente aux enchères.* ‖ Commerce. *La vente des produits de luxe semble centralisée dans ces rues.* — *Mettre une chose en vente*, déclarer, faire savoir qu'on veut la vendre. V. tabl. COMMERCE (idées suggérées par le mot). ‖ Débit. *Cette marchandise est de bonne vente.* — *La vente va, ne va pas*, les marchands ont ou n'ont pas de débit.

[Forest.] Chacune des coupes qui se font dans une forêt, en des temps réglés. *Vieille vente*, vente où le bois a assez repoussé pour être exploité de nouveau. — *Jeune vente*, vente où le bois commence à repousser. — Partie d'une forêt ou d'un bois qui vient d'être coupée.

Loge ou section secrète de la société des carbonari.

Ant. — *Achat, acquisition.*

Hom. — *Vente*, n. f., marché, coupe de bois; — *vente*, du v. venter; — *vante, es, ent*, du v. vanter.

ÉPITHÈTES COURANTES : privée, publique, libre, contrôlée, judiciaire, aux enchères; annoncée, publiée, faite; fructueuse, achevée, improductive, nulle, etc.

venté, ée, adj. [Mar.] Poussé par le vent.

* **venteaux** [van-tô], n. m. pl. (de *vent*). [Techn.] Ouvertures par lesquelles l'air s'introduit dans une soufflerie.

Hom. — *Vantaux*, pluriel de *vantail* (battant de porte, de fenêtre).

venter [*van*], v. intr. Se dit du vent qui souffle. V. impers. Faire du vent. *Il a venté toute la nuit.* ‖ *Fig. Qu'il pleuve, qu'il vente*, quoi qu'il arrive. = V. tr. Agiter, en parlant du vent. *Nous avons été ventés par la tempête.* ‖ *Venter des grains*, les vanner.

Hom. — *Vanter*, louer, priser.

Par. — *Ventiler*, aérer par un courant d'air.

venteux, euse, adj. (lat. *ventosus*, m. s.). Sujet aux vents. *La plage est très venteuse.* ‖ Qui cause des flatuosités dans le corps. *Légume venteux.*

ventilateur, n. m. (angl. *ventilator*, m. s.). Appareil qui permet de faire un courant d'air pour renouveler l'air dans un endroit clos. V. pl. NAVIGATION. ‖ Machine produisant un courant d'air pour activer le feu d'un fourneau, le fonctionnement d'un moteur. V. pl. MOTEUR.

ventilation [*sion*], n. f. (lat. *ventilatio*, m. s.). [Techn.] Action de renouveler l'air d'un local, d'une mine, etc. [Droit] Évaluation de chaque lot d'un tout proportionnée à la valeur du tout, et non d'après la valeur réelle de chaque lot. [Compt.] Action de répartir une somme entre différents comptes.

ventiler, v. tr. (lat. *ventilare*, m. s., de *ventus*, vent). [Techn.] Aérer en produisant un courant d'air. ‖ Permettre la circulation de l'air en pratiquant des ouvertures. *Ventiler une meule.* [Droit] Agiter une question en particulier avant de la mettre en délibération. — Estimer, évaluer chacune des portions d'un tout, ou chacun des objets qui ont été vendus en bloc pour un seul et même prix. [Compt.] Répartir une somme entre différents comptes.

Hom. — *Vantiler*, v. tr., faire une digue en planches.

Par. — *Venter*, faire du vent, souffler, en parlant du vent.

* **ventileuse**, n. f. [Apic.] Abeille qui bat des ailes à l'entrée d'une ruche pour y abaisser la température.

* **ventillon** [*ll* mll.], n. m. (de *vent*). [Techn.] Soupape qui ferme les venteaux d'une soufflerie.

* **ventis** [*ti*], n. m. pl. (de *vent*). [Forest.] Arbres abattus par le vent.

* **ventolier,** n. m. (de *vent*). [Fauc.] Qui se plaît au vent. *Oiseau bon ventolier,* celui qui résiste au vent.

ventôse, n. m. (lat. *ventosus,* venteux). Sixième mois du calendrier républicain, du 20 ou 21 février au 19 ou 20 mars, suivant les années. V. tabl. TEMPS (*Idées suggérées par le mot*).

* **ventosité,** n. f. (lat. *ventositas,* m. s.). [Méd.] Flatuosité, amas de gaz dans le tube digestif.

ventouse, n. f. (lat. médic. *ventosa cucurbita,* courge pleine de vent). Petite cloche de verre qu'on applique sur la peau et dans laquelle on a raréfié l'air, de manière à faire affluer le sang pour décongestionner un organe. ‖ Soulèvement de la peau ainsi produit. — *Ventouse scarifiée,* ventouse après la pose de laquelle on a incisé la peau pour tirer le sang.
Organe de succion de certains animaux leur permettant de s'attacher à différents corps. *La sangsue a des ventouses.*
Ouverture pratiquée dans un conduit pour donner passage à l'air, au moyen d'un tuyau. *La ventouse d'un foyer.*

ventouser, v. tr. Appliquer des ventouses à. *Ventouser un malade.*

ventouseur, euse, n. Celui, celle qui applique des ventouses.

ventral, ale, adj. Qui a rapport au ventre. *Nageoires ventrales.*

ventre, n. m. (lat. *venter, tris,* m. s.). [Anat.] Grande cavité splanchnique qui renferme les intestins. *Avoir mal au ventre.* ‖ Partie antérieure du corps sous laquelle se trouve cette cavité. *La peau du ventre.* V. tabl. CORPS (*Idées exprimées par le mot*). V. pl. HOMME. — *Se coucher sur le ventre, à plat ventre,* se coucher sur le devant du corps. — Fig. *Être à plat ventre devant quelqu'un,* lui faire bassement la cour. — *Ce cheval va ventre à terre,* il court avec une grande vitesse. — *Taper sur le ventre à quelqu'un,* être trop familier avec lui. — *Savoir ce qu'un homme a dans le ventre,* éprouver sa valeur, ou découvrir ce qu'il a dans la pensée. — *Remettre du cœur au ventre à quelqu'un,* lui redonner du courage. *Prendre du ventre,* commencer à prendre de l'embonpoint.
Le ventre, considéré comme principal organe de la digestion. *Avoir le ventre plein après un bon dîner.* — *Lâcher le ventre,* faire cesser la constipation. — *Bouder contre son ventre,* refuser de manger. — *Avoir les yeux plus grands que le ventre,* se servir plus d'aliments qu'on ne saurait en manger.
Partie du corps de la mère où se forme et se développe le fœtus. *L'enfant se retourne dans le ventre de la mère.* — *Noblesse de ventre,* noblesse transmise par les femmes. — *Curateur au ventre,* curateur chargé de veiller sur les intérêts d'un enfant avant la naissance duquel le père est mort.
Par analogie, *le ventre d'une bouteille, d'un flacon,* etc., la partie la plus grosse et la plus large d'une bouteille, etc. ‖ Bombement, convexité que forme un mur qui n'est plus d'aplomb. *Cette muraille fait ventre.* [Mar.] Partie centrale de la coque d'un navire. [Phys.] *Ventre de vibration,* partie d'une onde stationnaire où le mobile vibre au maximum.

> VOCAB. — *Famille de mots.* — *Ventre*: ventru, ventrée, ventral, ventriloquie, ventriloque, ventricule, ventriculaire, ventrière, ventripotent, ventrebleu.

ventrebleu, interj. Sorte de juron (Vx).

ventrée, n. f. (de *ventre*). Ensemble des petits qu'un animal femelle met bas en une fois. ‖ Grosse quantité de nourriture ingurgitée (Pop.).

* **ventriculaire,** adj. Qui a rapport aux ventricules.

ventricule, n. m. (lat. *ventriculus,* petit ventre). [Zool.] Se dit de l'estomac de certains animaux. *Le ventricule succenturié des oiseaux.* [Anat.] Chacune des deux cavités du cœur qui correspond avec une oreillette. — Chacune des cinq cavités de la masse encéphalique.

ventrière, n. f. (de *ventre*). Sangle dont on se sert pour soulever les chevaux. — Se dit aussi pour *sous-ventrière,* pièce du harnais qui passe sous le ventre du cheval. ‖ Ceinture orthopédique pour soutenir les parois du ventre. [Techn.] Pièce de bois soutenant par le milieu deux ou plusieurs pièces de bois jointes. [Mar.] Chacune des pièces de bois arquées sur lesquelles pose un navire en construction.

ventriloque, adj. et n. (lat. *venter,* ventre; *loquor,* je parle). Personne qui peut émettre des sons articulés en conservant la bouche presque fermée.

ventriloquie [*lo-ki*], n. f. Aptitude du ventriloque.

ventripotent, ente, adj. (lat. *venter,* ventre; *potens,* puissant). Fam. Qui a un gros ventre.

ventru, ue, adj. et n. (de *ventre*). Qui a un gros ventre. *Un bébé ventru* (Fam.). — Se dit aussi de certaines choses rebondies. *Un vase ventru.*

venu, ue, adj. *Soyez le bien venu, la bien venue,* formule de politesse à l'égard d'une personne qui arrive. — *Bien venu* bien fait, bien réussi; *mal venu,* qui présente des défauts. *Épreuve bien venue, mal venue.* — Nom. *Nouveau venu,* personne qui vient d'arriver ou d'être admise dans une société. ‖ *Le premier venu,* celui qui arrive le premier. — Fig. Une personne prise au hasard.

venue, n. f. Action de venir, arrivée. — *Allées et venues,* démarches répétées en allant et en venant. ‖ État de ce qui grandit, croît, se développe. — *Il est d'une belle venue,* il est grand et bien fait. ‖ Fam. *Il est tout d'une venue* se dit d'un homme grand et mince, d'un végétal à tige bien droite.

* **Vénus,** n. prop. f. (lat. *Venus,* m. s.). [Myth.] Déesse de la beauté, mère de l'Amour. — *Les plaisirs de Vénus,* les plaisirs de l'amour. = N. f. Statue de Vénus. ‖ Femme d'une grande beauté. [Anat.] *Mont de Vénus,* le pubis. [Zool.] Genre de mollusques lamellibranches communs sur nos côtes.

vénusté, n. f. (lat. *venustus,* gracieux). Charme, grâce, élégance d'une personne ou d'une chose.

PAR. — *Vétusté,* état de détérioration dû à la vieillesse.

venvole (à la), loc. adv. (de *vent* et *voler*). A la légère.

* **vêpre,** n. m. (lat. *vesper,* m. s.). Soir, fin du jour (Vx).

VERS

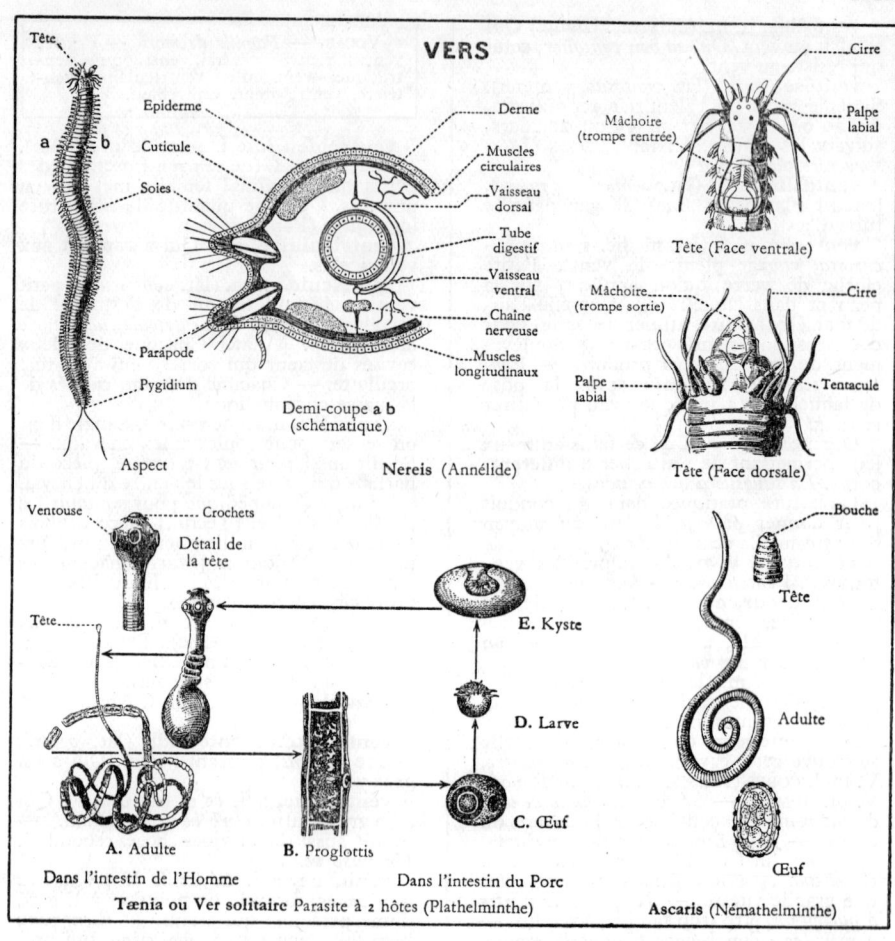

Figure : Nereis (Annélide) — Aspect, Demi-coupe a b (schématique), Tête (Face ventrale), Tête (Face dorsale). Légendes : Tête, Épiderme, Cuticule, Soies, Parapode, Pygidium, Derme, Muscles circulaires, Vaisseau dorsal, Tube digestif, Vaisseau ventral, Chaîne nerveuse, Muscles longitudinaux, Mâchoire (trompe rentrée), Mâchoire (trompe sortie), Cirre, Palpe labial, Tentacule.

Tænia ou Ver solitaire, Parasite à 2 hôtes (Plathelminthe) : A. Adulte, B. Proglottis (Dans l'intestin de l'Homme) ; C. Œuf, D. Larve, E. Kyste (Dans l'intestin du Porc). Détail de la tête : Ventouse, Crochets, Tête.

Ascaris (Némathelminthe) : Adulte, Œuf. Bouche, Tête.

* vêprée, n. f. (de *vêpre*). Soirée (Vx).

vêpres, n. f. pl. (lat. eccl. *vesperae*, m. s., de *vesper*, soir). [Liturgie] Office de l'Église catholique qui se célébrait autrefois le soir, et qui se dit maintenant vers deux ou trois heures de l'après-midi.

...ver, vère, vers

> ORTH. — *Finales.* — Le son final *ver* se rend : par *ver* dans hiver ; par *vère* dans primevère, sévère, trouvère ; par *vers* dans avers, convers, devers, divers, envers, pervers, revers, travers, univers ; par *vert* dans couvert, ouvert, pivert ; par *vaire* dans calvaire, olivaire, ovaire, salivaire.

ver, n. m. (lat. *vermis*, m. s.). [Zool.] Animal invertébré, de forme allongée, dont le corps est mou, contractile, divisé comme par anneaux, et dont la tête est peu ou point distincte. *Ver de terre. Ver intestinal.* — *Ver solitaire*, le ténia. V. pl. VERS. — Prov. *Être nu comme un ver*, être entièrement nu. ǁ Fig. *C'est un ver de terre* se dit d'un homme qui est dans un état d'abjection. — *Ver rongeur*, remords, chagrin secret. — Fig. et fam. *Tirer les vers du nez à quelqu'un*, l'amener, par des détours adroits, à révéler ce qu'il voulait garder secret. — Pop. *Tuer le ver*, boire un verre de vin blanc à jeun. ǁ Par ext., se dit des larves des insectes : *Ver blanc*, larve du hanneton ; *ver à soie*, chenille du bombyx et de certains autres insectes. *Ver luisant*, le lampyre ; *ver de farine*, larve du ténébrion. — *Ver-coquin.* V. ce mot.

ÉPITHÈTES COURANTES : rampant, de terre, blanc, marin, rouge, long, gros, mou, mince, petit, rongeur, dévorant, solitaire, intestinal, luisant, etc.

HOM. — V. VAIR.

> VOCAB. — *Famille de mots.* — *Ver* [Rad. *ver, verm*] : ver à soie, ver blanc, vercoquin, ver luisant, etc. ; véreux, véroter ; vermeil, vermeille, vermet, vermillon, vermillonner, vermillonné ; vermine, vermière, vermineux, vermis, vermiller ; vermiculaire, vermiculage, vermiculure, vermisseau, vermiforme, vermicelle, vermicelier, vermicellerie ; vermification, vermilingues ; vermifuge, vermicide, vermivore ; se vermouler, vermoulu, vermoulure, verrot.

véracité, n. f. (lat. *verax, acis*, véridique). Attachement constant à la vérité. ǁ Qualité de ce qui est vrai, conforme à la vérité.

SYN. — V. FRANCHISE.
ANT. — *Fausseté*.
PAR. — *Voracité*, avidité à manger.

* **véraison**, n. f. [Hortic.] État des fruits qui commencent à prendre la couleur qu'ils auront quand ils seront mûrs.

véranda, n. f. (mot de l'Inde). Espèce de galerie couverte en saillie autour de la façade d'une habitation. ‖ Balcon couvert et clos par un vitrage.

* **vératre**, n. m. [Bot.] Genre de plantes de l'Amérique centrale, famille des *liliacées*. Le vératre blanc est appelé aussi *ellébore blanc*.

* **vératrine**, n. f. [Chim.] Alcaloïde très toxique extrait du vératre blanc.

verbal, ale, adj. (lat. *verbum*, parole). Qui n'est que de vive voix et non par écrit. *Promesse verbale. — Procès-verbal.* V. ce mot. [Gram.] Qui concerne le verbe; qui vient du verbe. *Forme verbale. Adjectif verbal. — Locution verbale*, expression dérivant directement d'un verbe, par ex. : *Tenir tête, avoir part à, prendre garde, avoir chaud, avoir faim,* etc. [Diplomatie] *Note verbale*, note écrite remise, sans signature, à un ambassadeur ou à un cabinet étranger.
CTR. — *Écrit.*
ANT. — *Verbeux*, qui abonde en paroles.

verbalement, adv. De vive voix.

* **verbalisateur** [*za*], adj. et n. m. (du v. *verbaliser*). Qui verbalise, qui dresse procès-verbal.

* **verbalisation** [*za-sion*], n. f. Action de dresser un procès-verbal.

verbaliser, v. intr. Dresser un procès-verbal.

verbalisme, n. m. (de *verbal*). Raisonnement qui ne repose que sur des mots. ‖ Abondance de paroles, au détriment des idées.

verbe, n. m. (lat. *verbum*, mot, parole). Parole, ton de voix. *Avoir le verbe haut*, parler très haut, et Fig., parler avec présomption. [Gram.] Partie du discours qui exprime une idée d'action accomplie ou subie : *Être, sembler, courir, manger, travailler, dormir,* etc. V. tabl. VERBE et GRAMMAIRE. — V. les tableaux alphabétiques de la conjugaison des principaux verbes. [Théol.] Seconde personne de la Trinité chrétienne, le Fils de Dieu. *Le Verbe s'est fait chair.*
ÉPITHÈTES COURANTES : [Parole] haut, tranchant, sec, impérieux, acerbe. [Gram.] régulier, irrégulier, défectif, actif, passif, positif, pronominal, transitif, intransitif, auxiliaire, semi-auxiliaire, réfléchi, déponent; conjugué, récité, appris, copié; substantif, personnel, impersonnel, inchoatif, itératif, partitif, simple, dérivé, composé, etc.
SYN. — V. EXPRESSION.

VOCAB. — *Famille de mots*. — *Verbe* : verbeux, verbal, verbalement, verbalisateur, verbalisation, verbosité, verbiage, verbiager, verbiageur, verbalisme; adverbe, adverbial, adverbialement, adverbialité; proverbe, proverbial, proverbialement, procès-verbal, verbaliser; verve.

---

verbénacées, n. f. pl. (lat. *verbena*, verveine). [Bot.] Famille de végétaux dicotylédones gamopétales dont la *verveine* est le type.

* **verbération** [*sion*], n. f. Choc de l'air qui produit le son (Vx).

verbeux, euse, adj. (lat. *verbosus*, m. s.). Qui abonde en paroles, diffus.
SYN. — V. DIFFUS.
CTR. — *Laconique, succinct, bref.*
PAR. — *Verbal*, qui n'est que de vive voix; qui concerne le verbe. — *Verveux*, plein de verve.

verbiage, n. m. (de l'anc. v. *verbier*, bavarder). Abondance de paroles qui contiennent peu de sens; bavardage inutile.

* **verbiager**, v. intr. Employer beaucoup de paroles pour dire peu de choses (Vx). = Conjug. V. GRAMMAIRE.

* **verbiageur, euse**, n. Celui, celle qui a le défaut de verbiager (Vx).

* **verboquet**, n. m. Cordage attaché à un fardeau qu'on hisse, pour le guider.

verbosité, n. f. (lat. *verbositas*, m. s.). Caractère, défaut de celui, de ce qui est verbeux.

* **ver-coquin**, n. m. [Zool.] Larve d'un lépidoptère qui s'attaque à la vigne. ‖ Helminthe qui, se développant dans la tête du mouton, est cause du tournis. ‖ Fig. Ce qui tourne la tête à quelqu'un; caprices, lubies.

* **verdage**, n. m. [Agric.] Plante herbacée qu'on enterre en vert pour servir d'engrais. On dit encore *engrais vert*.

* **verdagon**, n. m. [Œnologie] Vin très vert et acide.

* **verdal**, n. m. [Techn.] Masse épaisse de verre coulé.

* **verdale**, n. f. (vx franç. *verd*, m. s.). [Arbor.] Variété d'olivier qui porte des fruits très verts.

verdâtre, adj. Qui tire sur le vert.

* **verdaud, aude**, adj. Qui n'est pas mûr. *Fruits verdauds.*

verdelet, ette, adj. Un peu vert. ‖ *Vin verdelet*, vin un peu acide. ‖ *Vieillard verdelet*, qui a encore la vigueur.

* **verdelier**, n. m. [Bot.] Nom vulgaire de l'osier.

* **verderie**, n. f. [Eaux et Forêts] Étendue de bois soumise à la juridiction d'un verdier. ‖ Cette juridiction même (Vx).

verdet [*dè*], n. m. (de *vert*). [Chim.] Nom vulg. de l'acétate de cuivre appelé aussi *vert-de-gris*. [Bot.] Nom vulg. de champignons comestibles du genre *russule*.

verdeur, n. f. Sève qui est dans le bois lorsqu'il n'est pas encore sec. ‖ État d'un fruit qui est encore vert, qui n'est pas mûr. — Fig. Jeunesse et vigueur des hommes. *Dans la verdeur de l'âge.* ‖ Acidité du vin. — Fig. Acreté des paroles. *La verdeur d'une réponse.* ‖ Liberté, crudité du langage. *La verdeur des propos.*
SYN. — V. VERDURE.

verdict [*dikt*], n. m. (mot angl. *verdict*, m. s.). [Droit] Déclaration du jury en réponse aux questions posées en Cour d'assises au sujet de la culpabilité d'un accusé. V. tabl. LOI et TRIBUNAL (*Idées suggérées par les mots*). ‖ Jugement à la suite d'un concours, d'une compétition. *Le jury de l'Exposition a rendu son verdict.* ‖ Fam. Appréciation, jugement quelconque.
SYN. — V. ARRÊT.

verdier, n. m. (de *vert*). [Eaux et Forêts] Officier qui, autrefois, commandait aux gardes d'une forêt éloignée des maîtrises. [Zool.] Genre d'oiseaux passereaux souvent confondus avec les bruants.

VERBE

Si les grammairiens n'ont pas toujours été d'accord sur la *définition complète du verbe*, on peut admettre que cette définition substantielle : *le verbe est la partie du discours qui exprime l'existence ou une idée d'action*, mais accompagnée d'une idée de temps, ou *une idée d'action ou accomplie ou subie*, est acceptée par tous. Une définition plus générale le désigne souvent ainsi au j. « le mot de la proposition qui exprime ce qu'on dit du sujet ». Le verbe subit cinq modifications : la *personne*, le *nombre*, le *temps*, le *mode*, la *voix*. Les verbes sont rangés en deux grandes classes : les verbes *transitifs* et les verbes *intransitifs*.

Les VERBES TRANSITIFS expriment une action reçue, subie par un complément dit complément d'objet ; quand ce complément est direct (c.-à-d. non précédé d'une préposition), le verbe est dit *transitif direct* : *Je mange un fruit. J'appelle un ami. Il lit le journal. Vous chantez une romance.* Quand le complément est indirect (c.-à-d. introduit par une préposition), le verbe est dit *transitif indirect* : *Manger de la soupe*. Les verbes intransitifs ne peuvent avoir de complément d'objet : *Il cause bien. Vous riez trop fort. Ils meurent d'inanition.* — Un verbe transitif peut aussi prendre la forme *pronominale*. Il est alors accompagné de deux pronoms de la même personne, l'un faisant office de sujet, et l'autre de complément d'objet ou d'attribution : *Je me promène. Vous vous dérobez à mon invitation. Il se sauve. Ils se battent.* Un verbe transitif direct peut être conjugué à la *voix active* quand le sujet fait l'action et à la *voix passive* quand le sujet subit cette action (qui est faite par le complément d'agent). On peut aussi distinguer : des verbes *transitifs simples* (*l'enfant aime sa mère*) ; des verbes *transitifs complexes* (exigeant derrière le substantif complément d'objet, un adjectif qui le détermine : *il a rendu ses enfants malheureux*) ; des verbes *transitifs doubles* (ayant un complément d'objet direct et un complément d'objet indirect : *j'ai donné quelque chose à quelqu'un*) ; des verbes *faussement transitifs* (*dormir son sommeil*), le complément n'ajoutant rien à l'idée du verbe, et n'étant qu'un artifice de style.

On appelle VERBES INTRANSITIFS, ceux qui expriment une action intéressant seulement le sujet : *j'aime*. On a longtemps appelé cet emploi *emploi absolu* (car la distinction de verbes transitifs et de verbes intransitifs est issue d'une différence d'emploi bien plutôt que d'une différence de catégorie). Il y a enfin des verbes capables d'être TRANSITIFS ou INTRANSITIFS. (*La cloche sonne je sonne la cloche, je monte l'escalier, je monte un colis*), autrement dit, ce sont des verbes dont l'idée se présente à l'esprit comme incomplète, et exige une détermination.

On distingue enfin les verbes *impersonnels* ou *unipersonnels*, qui expriment une action dont le sujet n'est pas explicitement énoncé et qui ne se conjuguent qu'à la troisième personne du sing. *Il pleut. Il neige. Il fait beau. Il faut que je sorte. Il arrive que*.

Il y a encore les *verbes auxiliaires*, qui aident à conjuguer les autres (*être, avoir*), et les *semi-auxiliaires* ou auxiliaires de mode (*devoir, aller, sembler, paraître, faillir*, etc.).

Les verbes étaient, jusqu'à la nomenclature grammaticale de 1910, rangés dans quatre groupes ou *conjugaisons*, qui se distinguaient par la terminaison de l'infinitif. Les verbes de la 1re conjugaison avaient leur infinitif terminé par *er* : *manger, parler, travailler*, etc. ; ce groupe comptait environ 5.000 verbes. — Les verbes de la 2e conjugaison avaient leur infinitif terminé en *ir* : *finir, mourir, accourir*, etc. ; ce groupe comptait environ 450 verbes. — La 3e conjugaison avait son infinitif terminé en *oir* (*avoir, apercevoir, recevoir*, etc.) et ne comptait que 43 verbes. — La 4e conjugaison, dont l'infinitif était en *re* (*rendre, mordre, mettre*, etc.), renfermait environ 250 verbes.

Depuis 1910, les verbes français sont répartis en deux conjugaisons, la *conjugaison vivante* et la *conjugaison morte*. Ces conjugaisons forment 3 groupes ; les deux premiers constituant la conjugaison vivante, c.-à-d. celle sur laquelle peuvent se conjuguer les verbes nouveaux (radiographier, amérir) : *a*) groupe des verbes en *er* (aimer, téléphoner) ; *b*) groupe des verbes en *ir* dont l'imparfait indicatif et le ppr. sont en *issais, issant* (finir, amincir). — La conjugaison morte constitue le 3e groupe qui comprend les autres verbes en *ir* (mourir) ; les verbes en *oir* (pouvoir) et les verbes en *re* (prendre). V. tableau GRAMMAIRE.

Tolérances orthographiques

VERBES COMPOSÉS. — On tolérera la suppression de l'apostrophe et du trait d'union dans les verbes composés. Ex. : *entrouvrir, entrecroiser*.

TRAIT D'UNION. — On tolérera l'absence de trait d'union entre le verbe et le pronom sujet placé après le verbe. Ex. : *est il*.

DIFFÉRENCE DU SUJET APPARENT ET DU SUJET RÉEL. — Ex. : *sa maladie sont des vapeurs*. Il n'y a pas lieu d'enseigner de règles pour des constructions semblables, dont l'emploi ne peut être étudié utilement que dans la lecture et l'explication des textes. C'est une question de style et non de grammaire, qui ne saurait figurer ni dans les exercices élémentaires ni dans les examens.

ACCORD DU VERBE PRÉCÉDÉ DE PLUSIEURS SUJETS NON UNIS PAR LA CONJONCTION *et*. — Si les sujets ne sont pas résumés par un mot indéfini tel que *tout, rien, chacun*, on tolérera toujours la construction du verbe au pluriel. Ex. : *sa bonté, sa douceur le font admirer*.

ACCORD DU VERBE PRÉCÉDÉ DE PLUSIEURS SUJETS AU SINGULIER UNIS PAR *ni, comme, ainsi que* ET AUTRES LOCUTIONS ÉQUIVALENTES. — On tolérera toujours le verbe au pluriel. Ex. : *ni la douceur ni la force n'y peuvent rien* ou *n'y peut rien* ; *la santé comme la fortune demandent à être ménagées* ou *demande à être ménagée* ; *le général avec quelques officiers sont sortis* ou *est sorti du camp* ; *le chat ainsi que le tigre sont des carnivores* ou *est un carnivore*.

ACCORD DU VERBE QUAND LE SUJET EST UN MOT COLLECTIF. — Toutes les fois que le collectif est accompagné d'un complément au pluriel on tolérera l'accord du verbe avec le complément. Ex. : *un peu de connaissances suffit* ou *suffisent*.

ACCORD DU VERBE QUAND LE SUJET EST *plus d'un*. — L'usage actuel étant de construire le verbe au singulier, avec le sujet *plus d'un*, on tolérera la construction du verbe au singulier, même lorsque *plus d'un* est suivi d'un complément au pluriel. Ex. : *plus d'un de ces hommes était* ou *étaient à plaindre*.

ACCORD DU VERBE PRÉCÉDÉ DE *un de ceux* (*une de celles*) *qui*. — Dans quels cas le verbe de la proposition relative doit-il être construit au pluriel, et dans quel cas au singulier ? C'est une délicatesse de langage qu'on n'essaiera pas d'introduire dans les exercices élémentaires ni dans les examens.

C'EST, CE SONT. — Comme il règne une grande diversité d'usages relativement à l'emploi régulier de *c'est* et de *ce sont*, et que les meilleurs auteurs ont employé *c'est* pour annoncer un substantif au pluriel ou un pronom de la troisième personne au pluriel, on tolérera dans tous les cas l'emploi de *c'est*, au lieu de *ce sont*. Ex. : *c'est* ou *ce sont des montagnes et des précipices*.

CONCORDANCE OU CORRESPONDANCE DES TEMPS. — On tolérera le présent du subjonctif, au lieu de l'imparfait, dans les propositions subordonnées dépendant de propositions dont le verbe est au conditionnel présent. Ex. : *il faudrait qu'il vienne* ou *qu'il vînt*.

A. Verbes semi-auxiliaires.

I. Verbes semi-auxiliaires servant à rendre une nuance de temps

NUANCE DE TEMPS	AUXILIAIRES	EXEMPLES
Passé récent	Ne faire que de Venir de S'en venir de Sortir de	Il *ne fait que* d'arriver. Il *vient de* sortir. Je *m'en viens de* me promener. (Tour populaire). Il *sort d'*être malade. (Familier).
Présent (action qui s'accomplit)	Être à Être en train de Être après à (Vx)	Ils *sont à* écrire. (Tour populaire). Il *est en train de* travailler. Je *suis après à* m'équiper. (Molière.)
Futur indéterminé	Devoir Être pour Vouloir (dialectal.)	Je *dois* sortir. Monsieur, je ne *suis pas pour* vous désavouer. (Racine.) Ce mur ne *veut* pas tomber (= il ne tombera pas).
Futur proche	Aller S'en aller	Nous n'*allons* point de fleurs parfumer son chemin. (Racine.) Un de ses fils *s'en va* mourir encore. (Mme de Sévigné.)
Futur très proche	Être sur le point de Penser	Je *suis sur le point de* sortir. Il en *pensa* perdre la vie. (La Fontaine.)

II. Verbes semi-auxiliaires servant à rendre une nuance modale

NUANCE MODALE	AUXILIAIRES	EXEMPLES
Atténuation	Aller Devoir Falloir Venir Se permettre de	Je *vais* vous demander l'autorisation... Il ne *devait* pas y comprendre grand chose. (Flaubert.) Je ne sais ce que font mes domestiques; il *faut* qu'ils soient tous sortis. (Musset.) Je *viens* solliciter la permission... Je *me permets de* vous faire remarquer...
Commencement (inchoatif)	Se mettre à Se prendre à	Il *se met à* travailler. Elle *se prit à* pleurer.
Continuité	Aller	La rivière *va* serpentant. — Cet animal *va* dépérissant.
Entremise (factitif)	Faire	Je *fais* bâtir.
Hypothèse	Venir à	S'il *venait à* tomber.
Intention	Compter Croire Devoir Faillir Manquer Penser Songer à Vouloir	Je *compte* partir demain. Il *avait cru* ne pas partir. Tu *dois* partir en voyage. Il *faillit* partir le lendemain. Il *manqua* donner sa démission. Nous *pensons* vous faire bientôt nos adieux. Il *songe à* se marier. Vous *voulez* partir bientôt.
Obligation	Devoir Falloir	Les hommes *doivent* mourir. Frères, il *faut* mourir.
Possibilité	Savoir	Je ne *saurais* vous répondre.
Progression	Aller	Le prix de la vie *va* augmentant chaque jour.
Recommandation	Aller Se garder de	N'*allez* pas lui dire cela. *Gardez-vous de* juger les gens sur la mine.
Souhait (optatif)	Pouvoir	*Puisse-t-il* guérir !
Supposition	Devoir	C'est lui qui *doit* avoir fait cela.
Vraisemblance	Devoir Pouvoir	Vous *devez* être fatigué. Il *peut* avoir trente ans.

III. Verbes semi-auxiliaires permettant de former avec un verbe intransitif une locution verbale transitive

AUXILIAIRES	EXEMPLES
Faire Laisser	Le vent *fit* tomber son chapeau Il ouvre un large bec, *laisse* tomber sa proie. (La Fontaine.)

VERBE

B. Verbes de

INFINITIF Présent	INDICATIF			
	Présent	Imparfait	Passé simple	Futur

1° Verbes

aller	je vais nous allons	j' allais nous allions	j' allai nous allâmes	j' irai nous irons
envoyer	j' envoie nous envoyons	j' envoyais nous envoyions	j' envoyai nous envoyâmes	j' *enverrai* nous *enverrons*
puer	je pue nous puons	je puais nous puions	(inus.)	je puerai nous puerons

Remarque. — Aller a 3 radicaux : **all** : *aller, nous allons, j'allais, j'allai, allant, allé ;* i[r] comme *aller ; en* doit toujours précéder l'auxiliaire.
Les verbes du 1er groupe sont très rarement employés à l'imparfait du subj., sauf à[...] temps, sauf à la 3° pers. du sing.

2° Verbes en ir

cueillir	je cueille nous cueillons	je cueillais nous cueillions	je cueillis nous cueillîmes	je cueillerai nous cueillerons
tressaillir	je tressaille nous tressaillons	je tressaillais nous tressaillions	je tressaillis nous tressaillîmes	je tressaillirai nous tressaillirons

3° Verbes en ir

acquérir	j' acquiers nous acquérons	j' acquérais nous acquérions	j' acquis nous acquîmes	j' acquerrai nous acquerrons
bouillir	je bous nous bouillons	je bouillais nous bouillions	je bouillis (rare)	je bouillirai nous bouillirons
courir	je cours nous courons	je courais nous courions	je courus nous courûmes	je courrai nous courrons
dormir	je dors nous dormons	je dormais nous dormions	je dormis nous dormîmes	je dormirai nous dormirons
faillir	» »	» »	je faillis nous faillîmes	je faudrai ou je faillirai (rare)
fuir	je fuis nous fuyons	je fuyais nous fuyions	je fuis nous fuîmes	je fuirai nous fuirons
haïr	je hais nous haïssons	je haïssais nous haïssions	(inus.)	je haïrai nous haïrons
mentir	je mens nous mentons	je mentais nous mentions	je mentis nous mentîmes	je mentirai nous mentirons
mourir	je meurs nous mourons	je mourais nous mourions	je mourus nous mourûmes	je mourrai nous mourrons
servir	je sers nous servons	je servais nous servions	je servis nous servîmes	je servirai nous servirons
sortir	je sors nous sortons	je sortais nous sortions	je sortis nous sortîmes	je sortirai nous sortirons
souffrir	je souffre nous souffrons	je souffrais nous souffrions	je souffris nous souffrîmes	je souffrirai nous souffrirons
tenir	je tiens nous tenons	je tenais nous tenions	je tins nous tînmes	je tiendrai nous tiendrons
vêtir	je vêts nous vêtons (pl. peu usité)	je vêtais nous vêtions	je vêtis nous vêtîmes	je vêtirai nous vêtirons

Remarques. — Faillir : Est employé au présent dans l'expression : *Le cœur me faut*. Vêtir :

Verbes en oir.

asseoir	j' assois nous assoyons ou j' assieds nous asseyons	j' assoyais nous assoyions ou j' asseyais nous asseyions	j' assis nous assîmes » »	j' assoirai nous assoirons ou j' assiérai et j' asseyerai (plus rare) nous assiérons

formes irrégulières

SUBJONCTIF		CONDITIONNEL	IMPÉRATIF	PARTICIPE	
Présent	Imparfait	Présent	Présent	Présent	Passé

en **er.**

que j' aille	que j' allasse	j' irais	va	allant	allé
que nous allions	que nous allassions	nous irions	allons		
que j' envoie	que j' envoyasse	j' *enverrais*	envoie	envoyant	envoyé
que nous envoyions	rare aujourd'hui (sauf 3ᵉ pers. du sing.)	nous *enverrions*	envoyons		
(inus.)	(inus.)	je puerais	(inus.)	puant	(inus.)
		nous puerions			

j'irai, j'irais ; **va** à l'indicatif présent : *je vais, tu vas, il va*, et à l'impératif : *va*. — *S'en aller* se conjugue la 3ᵉ pers. du sing. Il en est de même des verbes où se trouve la note « rare » qui se rapporte à tout le

Présent en **e.**

que je cueille	que je cueillisse	je cueillerais	cueille	cueillant	cueilli
que nous cueillions	(rare)	nous cueillerions	cueillons		
que je tressaille	que je tressaillisse	je tressaillirais	tressaille	tressaillant	tressailli
que nous tressaillions	(rare)	nous tressaillirions	tressaillons		

Présent en **s.**

que j' acquière	que j' acquisse	j' acquerrais	acquiers	acquérant	acquis
que nous acquérions	que nous acquissions	nous acquerrions	acquérons		
que je bouille	que je bouillisse	je bouillirais	bous	bouillant	bouilli
(rare)	(rare)	nous bouillirions	bouillons		
que je coure	que je courusse	je courrais	cours	courant	couru
que nous courions	que nous courussions	nous courrions	courons		
que je dorme	que je dormisse	je dormirais	dors	dormant	dormi
que nous dormions	que nous dormissions	nous dormirions	dormons		(invar.)
»	»	je faudrais ou je faillirais (rare)	»		failli
que je fuie	que je fuisse	je fuirais	fuis	fuyant	fui
que nous fuyions	(rare)	nous fuirions	fuyons		
que je haïsse	»	je haïrais	hais	haïssant	haï
que nous haïssions		nous haïrions	haïssons		
que je mente	que je mentisse	je mentirais	mens	mentant	menti (invar.)
que nous mentions	que nous mentissions	nous mentirions	mentons		
que je meure	que je mourusse	je mourrais	meurs	mourant	mort
que nous mourions	que nous mourussions	nous mourrions	mourons		
que je serve	que je servisse	je servirais	sers	servant	servi
que nous servions	que nous servissions	nous servirions	servons		
que je sorte	que je sortisse	je sortirais	sors	sortant	sorti
que nous sortions	que nous sortissions	nous sortirions	sortons		
que je souffre	que je souffrisse	je souffrirais	souffre	souffrant	souffert
que nous souffrions	que nous souffrissions	nous souffririons	souffrons		
que je tienne	que je tinsse	je tiendrais	tiens	tenant	tenu
que nous tenions	que nous tinssions	nous tiendrions	tenons		
que je vête	que je vêtisse	je vêtirais	vêts (peu usité)	vêtant	vêtu
que nous vêtions	que nous vêtissions	nous vêtirions	vêtons		

Imparfait rare et discutable : *Je vêtissais*.

Présent en **s** *ou en* **x.**

que j' assoie	que j' assisse	j' assoirais	assois	assoyant	assis
que nous assoyons	(rare)	nous assoirions	assoyons	ou	
que j' asseye	»	ou j' assiérais	ou assieds	asseyant	
que nous asseyions		nous assiérions	asseyons		

VERBE

INFINITIF Présent	INDICATIF Présent	Imparfait	Passé simple	Futur
déchoir	je déchois (plur. rare)	je déchoyais nous déchoyions	je déchus nous déchûmes	je décherrai (rare)
devoir	je dois nous devons	je devais nous devions	je dus nous dûmes	je devrai nous devrons
mouvoir	je meus nous mouvons	je mouvais nous mouvions	je mus (rare)	je mouvrai nous mouvrons
pourvoir	je pourvois nous pourvoyons	je pourvoyais nous pourvoyions	je pourvus nous pourvûmes	je pourvoirai nous pourvoirons
pouvoir	je peux, je puis nous pouvons	je pouvais nous pouvions	je pus nous pûmes	je pourrai nous pourrons
recevoir	je reçois nous recevons	je recevais nous recevions	je reçus nous reçûmes	je recevrai nous recevrons
savoir	je sais nous savons	je savais nous savions	je sus nous sûmes	je saurai nous saurons
surseoir	je sursois nous sursoyons	je sursoyais nous sursoyions	je sursis (rare)	je surseoirai nous surseoirons
valoir	je vaux nous valons	je valais nous valions	je valus nous valûmes	je vaudrai nous vaudrons
voir	je vois nous voyons	je voyais nous voyions	je vis nous vîmes	je verrai nous verrons
vouloir	je veux nous voulons	je voulais nous voulions	je voulus nous voulûmes	je voudrai nous voudrons

4° Impersonnels

falloir	il faut	il fallait	il fallut	il faudra
pleuvoir	il pleut (au fig. 3ᵉ p. du pl.)	il pleuvait (au fig. 3ᵉ p. du pl.)	il plut	il pleuvra
seoir	il sied ils siéent	il seyait ils seyaient	(inus.)	il siéra ils siéront

Remarque. — **Seoir**, signifiant *convenir, être convenable*, a les formes indiquées ci-dessus

5° Verbes en **re**.

battre	je bats nous battons	je battais nous battions	je battis nous battîmes	je battrai nous battrons
boire	je bois nous buvons	je buvais nous buvions	je bus nous bûmes	je boirai nous boirons
conclure	je conclus nous concluons	je concluais nous concluions	je conclus nous conclûmes	je conclurai nous conclurons
confire	je confis nous confisons	je confisais nous confisions	je confis nous confîmes	je confirai nous confirons
connaître	je connais nous connaissons	je connaissais nous connaissions	je connus nous connûmes	je connaîtrai nous connaîtrons
coudre	je couds nous cousons	je cousais nous cousions	je cousis (rare)	je coudrai nous coudrons
craindre	je crains nous craignons	je craignais nous craignions	je craignis nous craignîmes	je craindrai nous craindrons
croire	je crois nous croyons	je croyais nous croyions	je crus nous crûmes	je croirai nous croirons
croître	je croîs nous croissons	je croissais nous croissions	je crûs (rare)	je croîtrai nous croîtrons
cuire	je cuis nous cuisons	je cuisais nous cuisions	je cuisis (rare)	je cuirai nous cuirons
dire	je dis nous disons, v. dites	je disais nous disions	je dis nous dîmes, v. dîtes	je dirai nous dirons
écrire	j'écris nous écrivons	j'écrivais nous écrivions	j'écrivis nous écrivîmes	j'écrirai nous écrirons
faire	je fais nous faisons, v. faites	je faisais nous faisions	je fis nous fîmes	je ferai nous ferons

SUBJONCTIF Présent	SUBJONCTIF Imparfait	CONDITIONNEL Présent	IMPÉRATIF Présent	PARTICIPE Présent	PARTICIPE Passé
que je déchoie (plur. rare)	que je déchusse (rare)	je décherrais (rare)	déchois déchoyons (rare)	(inus.)	déchu
que je doive que nous devions	que je dusse que nous dussions	je devrais nous devrions	(inus.)	devant	dû, due (sing.) dus, dues (pl.)
que je meuve que nous mouvions	que je musse (rare)	je mouvrais nous mouvrions	meus mouvons	mouvant	mû, mue (sing.) mus, mues (pl.)
que je pourvoie que nous pourvoyions	que je pourvusse que nous pourvussions	je pourvoirais nous pourvoirions	pourvois pourvoyons	pourvoyant	pourvu
que je puisse que nous puissions	que je pusse que nous pussions	je pourrais nous pourrions	(inus.)	pouvant	pu (invar.)
que je reçoive que nous recevions	que je reçusse (rare)	je recevrais nous recevrions	reçois recevons	recevant	reçu
que je sache que nous sachions	que je susse que nous sussions	je saurais nous saurions	sache sachons	sachant	su
que je sursoie que nous sursoyions	que je sursisse (très rare)	je surseoirais nous surseoirions	sursois sursoyons	sursoyant	sursis (inus) au fém.)
que je vaille que nous valions	que je valusse que nous valussions	je vaudrais nous vaudrions	(inus.)	valant	valu
que je voie que nous voyions	que je visse que nous vissions	je verrais nous verrions	vois voyons	voyant	vu
que je veuille que nous voulions	que je voulusse que nous voulussions	je voudrais nous voudrions	veuille veuillons ou veux, voulons (rare)	voulant	voulu

en **oir.**

qu'il faille	qu'il fallût	il faudrait	(inus.)	(inus.)	fallu (inv.)
qu'il pleuve	qu'il plût	il pleuvrait	(inus.)	pleuvant	plu (inv.)
qu'il siée (rare) qu'ils siéent	(inus.)	il siérait ils siéraient	(inus.)	seyant, séant	»

Quand il signifie *être situé*, il ne s'emploie qu'au part. prés. *séant* et au part. passé *sis, sise*.

Présent en **s.**

que je batte que nous battions	que je battisse que nous battissions	je battrais nous battrions	bats battons	battant	battu
que je boive que nous buvions	que je busse (rare)	je boirais nous boirions	bois buvons	buvant	bu
que je conclue que nous concluions	que je conclusse (rare)	je conclurais nous conclurions	conclus concluons	concluant	conclu
que je confise que nous confisions	que je confisse (rare)	je confirais nous confirions	confis confisons	confisant	confit
que je connaisse que nous connaissions	que je connusse que nous connussions	je connaîtrais nous connaîtrions	connais connaissons	connaissant	connu
que je couse que nous cousions	que je cousisse (rare)	je coudrais nous coudrions	couds cousons	cousant	cousu
que je craigne que nous craignions	que je craignisse que nous craignissions	je craindrais nous craindrions	crains craignons	craignant	craint
que je croie que nous croyions	que je crusse que nous crussions	je croirais nous croirions	crois croyons	croyant	cru
que je croisse que nous croissions	que je crûsse que nous crûssions	je croîtrais nous croîtrions	croîs croissons	croissant	crû
que je cuise que nous cuisions	que je cuisisse (rare)	je cuirais nous cuirions	cuis cuisons	cuisant	cuit
que je dise que nous disions	que je disse que nous dissions	je dirais nous dirions	dis disons, dites	disant	dit
que j'écrive que nous écrivions	que j'écrivisse (rare)	j'écrirais nous écririons	écris écrivons	écrivant	écrit
que je fasse que nous fassions	que je fisse que nous fissions	je ferais nous ferions	fais faisons, faites	faisant	fait

VERBE

INFINITIF Présent	INDICATIF			
	Présent	Imparfait	Passé simple	Futur
joindre	je joins nous joignons	je joignais nous joignions	je joignis nous joignîmes	je joindrai nous joindrons
lire	je lis nous lisons	je lisais nous lisions	je lus nous lûmes	je lirai nous lirons
luire	je luis nous luisons	je luisais nous luisions	je luisis nous luisîmes	je luirai nous luirons
médire	je médis nous médisons vous médisez	je médisais nous médisions	je médis nous médîmes	je médirai nous médirons
mettre	je mets nous mettons	je mettais nous mettions	je mis nous mîmes	je mettrai nous mettrons
moudre	je mouds nous moulons	je moulais nous moulions	je moulus nous moulûmes	je moudrai nous moudrons
naître	je nais, il naît nous naissons	je naissais nous naissions	je naquis nous naquîmes	je naîtrai nous naîtrons
peindre	je peins nous peignons	je peignais nous peignions	je peignis nous peignîmes	je peindrai nous peindrons
plaire	je plais, il plaît nous plaisons	je plaisais nous plaisions	je plus nous plûmes	je plairai nous plairons
prendre	je prends nous prenons	je prenais nous prenions	je pris nous prîmes	je prendrai nous prendrons
résoudre	je résous nous résolvons	je résolvais nous résolvions	je résolus nous résolûmes	je résoudrai nous résoudrons
rire	je ris nous rions	je riais nous riions	je ris nous rîmes	je rirai nous rirons
rompre	je romps nous rompons	je rompais nous rompions	je rompis nous rompîmes	je romprai nous romprons
suffire	je suffis nous suffisons	je suffisais nous suffisions	je suffis nous suffîmes	je suffirai nous suffirons
suivre	je suis nous suivons	je suivais nous suivions	je suivis nous suivîmes	je suivrai nous suivrons
taire	je tais nous taisons	je taisais nous taisions	je tus nous tûmes	je tairai nous tairons
vaincre	je vaincs, il vainc nous vainquons	je vainquais nous vainquions	je vainquis nous vainquîmes	je vaincrai nous vaincrons
vivre	je vis nous vivons	je vivais nous vivions	je vécus nous vécûmes	je vivrai nous vivrons

Verbes en **re** ; *verbes*

absoudre	j' absous nous absolvons	j' absolvais nous absolvions	(inus.)	j' absoudrai nous absoudrons
braire	il brait ils braient	il brayait ils brayaient	—	il braira ils brairont
bruire	il bruit	il bruissait ils bruissaient	—	(inus.)
clore	je clos, il clôt ils closent	(inus.)	—	je clorai nous clorons
éclore	j' éclos nous éclosons	—	—	j' éclorai nous éclorons
frire	je fris, il frit (pas de pluriel)	—	—	je frirai nous frirons
paître	je pais il paît nous paissons	je paissais nous paissions	—	je paîtrai nous paîtrons
traire	je trais nous trayons	je trayais nous trayions	—	je trairai nous trairons

SUBJONCTIF Présent	SUBJONCTIF Imparfait	CONDITIONNEL Présent	IMPÉRATIF Présent	PARTICIPE Présent	PARTICIPE Passé
que je joigne que nous joignions	que je joignisse que nous joignissions	je joindrais nous joindrions	joins joignons	joignant	joint
que je lise que nous lisions	que je lusse que nous lussions	je lirais nous lirions	lis lisons	lisant	lu
que je luise que nous luisions	(inus.)	je luirais nous luirions	luis luisons	luisant	lui (invar.)
que je médise que nous médisions	que je médisse que nous médissions	je médirais nous médirions	médis médisons médisez	médisant	médit
que je mette que nous mettions	que je misse que nous missions	je mettrais nous mettrions	mets mettons	mettant	mis
que je moule que nous moulions	que je moulusse (rare)	je moudrais nous moudrions	mouds moulons	moulant	moulu
que je naisse que nous naissions	que je naquisse que nous naquissions	je naîtrais nous naîtrions	nais naissons	naissant	né
que je peigne que nous peignions	que je peignisse (rare)	je peindrais nous peindrions	peins peignons	peignant	peint
que je plaise que nous plaisions	que je plusse que nous plussions	je plairais nous plairions	plais plaisons	plaisant	plu (invar.)
que je prenne que nous prenions	que je prisse que nous prissions	je prendrais nous prendrions	prends prenons	prenant	pris
que je résolve que nous résolvions	que je résolusse (rare)	je résoudrais nous résoudrions	résous résolvons	résolvant	résolu, * résous
que je rie que nous riions	que je risse (rare) qu' il rît	je rirais nous ririons	ris rions	riant	ri (invar.)
que je rompe que nous rompions	que je rompisse que nous rompissions	je romprais nous romprions	romps rompons	rompant	rompu
que je suffise que nous suffisions	que je suffisse (peu us.)	je suffirais nous suffirions	suffis suffisons	suffisant	suffi (invar.)
que je suive que nous suivions	que je suivisse que nous suivissions	je suivrais nous suivrions	suis suivons	suivant	suivi
que je taise que nous taisions	que je tusse que nous tussions	je tairais nous tairions	tais taisons	taisant	tu
que je vainque que nous vainquions	que je vainquisse que nous vainquissions	je vaincrais nous vaincrions	vaincs vainquons	vainquant	vaincu
que je vive que nous vivions	que je vécusse que nous vécussions	je vivrais nous vivrions	vis vivons	vivant	vécu

incomplets ou *verbes défectifs.*

que j' absolve que nous absolvions	(inus.)	j' absoudrais nous absoudrions	absous absolvons	absolvant	absous absoute
(inus.)	—	il brairait ils brairaient	—	brayant	brait (non employé seul : *l'âne a brait*)
—	—	(inus.)	—	bruissant (néol. formé sur l'imparfait bruissait) ; bruyant, anc. ppr. auj. adj.	
que je close que nous closions	—	je clorais nous clorions	clos (inus. au pl.)	closant	clos
que j' éclose que nous éclosions	—	j'éclorais nous éclorions	(inus.)	éclosant	éclos
(inus.)	—	je frirais nous fririons	fris (pas de pl.)	(inus.)	frit
que je paisse que il paisse		je paîtrais nous paîtrions	pais paissons	paissant	inus., sauf en terme de fauconnerie : *pu,* invar.
que je traie que nous trayions	—	je trairais nous trairions	trais trayons	trayant	trait

VERBE

C. — Verbes irréguliers qui ne figurent pas sur la liste précédente.

Le verbe	se conjugue comme	Observations
abattre	battre	
abstenir (s')	tenir	
abstraire	traire	
accourir	courir	
accroire		usité seulement à l'infin. prés., après le v. faire.
accroître	croître	part. passé sans accent circonflexe.
accueillir	cueillir	
adjoindre	joindre	
admettre	mettre	
advenir	tenir	se conjugue seulement à la 3ᵉ pers. du sing. de chaque temps.
apercevoir	recevoir	
apparaître	connaître	
apparoir		usité seulement à la forme : *il appert*.
appartenir	tenir	
apprendre	rendre	
assaillir	tressaillir	
assavoir		inusité, sauf, rarement, à l'infin. prés.
asservir	finir	et non comme servir.
assortir	finir	et non comme sortir.
astreindre	peindre	
atteindre	peindre	
attendre	rompre	
attraire		usité seulement à l'infin. prés.
aveindre	peindre	
avenir	tenir	se conj. seulement à la 3ᵉ pers. du sing. de chaque temps.
bienvenir		usité seulement à l'infin. prés. et au pp.
ceindre	peindre	
chaloir		employé seulement dans l'expression : *il ne m'en chaut ; peu m'en chaut*.
choir		usité à l'infin. prés., et au pp. *chu, chue*. On trouve le futur, *cherra*, dans un conte de Perrault.
circoncire	confire	
circonscrire	écrire	
circonvenir	tenir	
combattre	battre	
commettre	mettre	
comparaître	connaître	
comparoir		usité seulement à l'infin. pr., et au part pr. *comparant ;* part. passé invar.
complaire	plaire	
comprendre	prendre	
compromettre	mettre	
concevoir	recevoir	
concourir	courir	
condescendre	rompre	
conduire	cuire	
confondre	rompre	
conjoindre	joindre	
conquérir	acquérir	
consentir	mentir	
construire	cuire	
contenir	tenir	
contraindre	craindre	
contrebattre	battre	
contredire	médire	
contrefaire	faire	
contrevenir	tenir	
convaincre	vaincre	part. prés. : convainquant.
convenir	tenir	
correspondre	rompre	
corrompre	rompre	
couvrir	souffrir	
débattre	battre	
débouillir	bouillir	
décevoir	recevoir	
déclore	clore	
déconfire	confire	
découdre	coudre	
découvrir	souffrir	
décrire	écrire	
décroître	croître	part. passé sans accent circonflexe.
décuire	cuire	
dédire	médire	
déduire	cuire	
défaillir		INDIC. — *Présent :* nous défaillons, vous défaillez, ils défaillent. — *Imparfait :* je défaillais..., nous défaillions... — *Passé simple :* je défaillis..., nous défaillîmes... — SUBJ. —

Le verbe	se conjugue comme	Observations
défaillir		*Imparfait* : que je défaillisse..., qu'il défaillît, que nous défaillissions... — PART. — *Présent* : défaillant. — *Passé* : défailli. — Temps composés conjugués avec avoir. — Les temps non indiqués sont inusités.
défaire	faire	
défendre	rompre	
déjoindre	joindre	
démentir	mentir	
démettre	mettre	
démordre	rompre	
départir	partir	
dépeindre	peindre	
dépendre	rompre	
déplaire	plaire	part. passé invariable.
dépourvoir	pourvoir	ne s'emploie qu'au passé simple, à l'infin., au part. passé et aux temps composés.
déprendre	prendre	
désapprendre	prendre	
descendre	rompre	
desservir	servir	
déteindre	peindre	
détendre	rompre	
détenir	tenir	
détordre	rompre	
détruire	cuire	
devenir	tenir	
dévêtir	vêtir	
disconvenir	tenir	
discourir	courir	
disjoindre	joindre	
disparaître	connaître	
dissoudre	absoudre	
distendre	rompre	
distordre	rompre	
distraire	traire	
ébattre (s')	battre	
ébouillir	bouillir	
échoir		n'est guère usité qu'aux 3ᵉ pers. suivantes., il échoit ou il échet, ils échoient ; — il échut, ils échurent; — il écherra, ils écherront ; — il écherrait, ils écherraient ; — qu'il échée, qu'ils échéent ; — qu'il échût, qu'ils échussent; au part. pr. échéant, et au pp. échu, ue.
éconduire	cuire	
élire	lire	
embatre	battre	
emboire	boire	
émoudre		n'est guère employé qu'au pp. *émoulu*.
émouvoir	mouvoir	part. passé sans accent circonflexe.
empreindre	peindre	
enceindre	peindre	
enclore	clore	
encourir	courir	
endormir	dormir	part. passé variable.
enduire	cuire	
enfreindre	peindre	
enfuir (s')	fuir	
enjoindre	joindre	
enquérir (s')	acquérir	
ensuivre (s')	suivre	usité seulement aux 3ᵉ personnes.
entendre	rompre	
entre-luire	cuire	
entremettre (s')	mettre	
entre-nuire (s')	cuire	
entreprendre	prendre	
entretenir	tenir	
entrevoir	voir	
entr'ouvrir	souffrir	
épandre	rompre	
épreindre	peindre	
éprendre (s')	prendre	
équivaloir	valoir	
ester		usité seulement à l'infin. présent.
éteindre	peindre	
étendre	rompre	
étreindre	peindre	
exclure	conclure	
extraire	traire	
feindre	peindre	
fendre	rompre	
férir		usité seulement à l'infin. présent.

VERBE

Le verbe	se conjugue comme	Observations
fondre	rompre	
forclore		usité seulement à l'infin. présent, et au part. passé *forclos*.
forfaire		usité seulement à l'infin. présent, et au part. passé *forfait*.
geindre	peindre	
gésir		ne s'emploie qu'a l'indic. pr. : je gis..., nous gisons... ; à l'imparf. : je gisais..., nous gisions..., et au part. prés. : gisant.
imboire		ne s'emploie qu'au pp. *imbu, ue*.
inclure	conclure	pp. : *inclus, use*.
induire	cuire	
infondre	rompre	
inscrire	écrire	
instruire	cuire	
interdire	médire	
interrompre	rompre	
intervenir	tenir	
introduire	cuire	
issir		ne s'emploie qu'au pp. *issu, ue*.
maintenir	tenir	
malfaire		usité seulement à l'infin. présent.
maudire	finir	pp. : *maudit, ite*.
méconnaître	connaître	
méfaire	faire	n'est guère usité qu'à l'infin. prés.
méprendre (se)	prendre	
mésavenir	tenir	se conj. seulement à la 3ᵉ pers. du sing. de chaque temps.
mésoffrir	souffrir	
messeoir	seoir	se conj. seulement à la 3ᵉ pers. du sing. de chaque temps.
mévendre	rompre	
mordre	rompre	
morfondre	rompre	
nuire	cuire	part. passé : *nui*.
obtenir	tenir	
obvenir	tenir	
occire		ne s'emploie guère qu'aux temps composés, à l'inf. pr., et au pp. *occis, ise*.
occlure	conclure	
offrir	souffrir	
oindre	joindre	n'est guère usité qu'à l'infin. prés., et au pp. *oint*.
omettre	mettre	
ouïr		n'est usité qu'au passé simple : j'ouïs..., nous ouïmes..., à l'inf. pr., au pp. *ouï*, et aux temps composés.
ouvrir	souffrir	
paraître	connaître	
parcourir	courir	
parfaire	faire	n'est guère usité qu'à l'indic. pr., à l'inf. pr. et au part. passé.
partir	mentir	
parvenir	tenir	
pendre	rompre	
percevoir	recevoir	
perdre	rompre	
permettre	mettre	
plaindre	craindre	
poindre	joindre	n'est guère usité qu'à l'infin. prés., et au part. prés. *poignant*.
pondre	rompre	
pourfendre	rompre	
poursuivre	suivre	
préconcevoir	recevoir	
prédire	médire	
prescrire	écrire	
pressentir	mentir	
prétendre	rompre	
prévaloir	valoir	sauf au subj. prés. : que je prévale..., que nous prévalions...
prévenir	tenir	
prévoir	voir	sauf au futur : je prévoirai..., nous prévoirons..., et au condit. pr. : je prévoirais..., nous prévoirions...
produire	cuire	
promettre	mettre	
promouvoir	mouvoir	pp. sans accent circonflexe. — Ne s'emploie guère qu'à l'inf. pr., au pp. et aux temps composés.
proscrire	écrire	

2034

Le verbe	se conjugue comme	Observations
provenir	tenir	
quérir		ne s'emploie qu'à l'infinitif présent.
rabattre	battre	
raire	traire	
rapprendre	prendre	
rasseoir	asseoir	
ravoir		ne s'emploie qu'à l'infinitif présent.
réadmettre	mettre	
réapparaître	connaître	
rebattre	battre	
rebouillir	bouillir	
reclure		ne s'emploie qu'à l'inf. pr., au pp. *reclus, use,* et aux temps composés.
reconduire	cuire	
reconnaître	connaître	
reconquérir	acquérir	
reconstruire	cuire	
recoudre	coudre	
recourir	courir	
recouvrir	souffrir	
récrire	écrire	
recroître	croître	
recueillir	cueillir	
recuire	cuire	
redéfaire	faire	
redescendre	rompre	
redevenir	tenir	
redevoir	devoir	
redire	dire	
redormir	dormir	part. passé variable.
réduire	cuire	
réélire	lire	
refaire	faire	
refendre	rompre	
refondre	rompre	
refuir	fuir	
rejoindre	joindre	
relire	lire	
reluire	cuire	pp. *relui.* — Pas de passé simple.
remettre	mettre	
remordre	rompre	
remoudre	moudre	
renaître	naître	pas de pp.; par suite, pas de temps composés.
rendormir	dormir	
rendre	rompre	
renduire	cuire	
rentraire	traire	
rentr'ouvrir	souffrir	
repaître	paître	plus : passé simple, je repus,... nous repûmes, ... ; subj. imparf., que je repusse,... qu'il repût, que nous repussions,... ; pp. repu, et tous les temps composés.
répandre	rompre	
reparaître	connaître	
repartir	mentir	
répartir	finir	et non comme partir.
repeindre	peindre	
repondre	rompre	
repentir (se)	mentir	part. passé variable.
reperdre	rompre	
repleuvoir	pleuvoir	
répondre	rompre	
reprendre	prendre	
reproduire	cuire	
requérir	acquérir	
resavoir	savoir	
ressentir	mentir	
resservir	servir	
ressortir	mentir	(sens : sortir de nouveau)
ressortir	finir	(sens : dépendre de)
ressouvenir (se)	tenir	
restreindre	peindre	
reteindre	peindre	
retendre	rompre	
retenir	tenir	
retondre	rompre	
retordre	rompre	
retraduire	cuire	
retraire	traire	

VERDILLON — VÉRÉTILLE

Le verbe	se conjugue comme	Observations
retranscrire	écrire	
revaloir	valoir	
revendre	rompre	
revenir	tenir	
revêtir	vêtir	
revivre	vivre	
revoir	voir	
rouvrir	souffrir	
saillir	tressaillir	dans le sens de *jaillir*, n'est usité qu'aux 3ᵉ personnes et se conjugue comme finir.
satisfaire	faire	
secourir	courir	
séduire	cuire	
sentir	mentir	
sortir	mentir	
soumettre	mettre	
sourdre		ne s'emploie qu'à l'inf. prés., et dans les expressions : *il sourd, ils sourdent*.
sourire	rire	
souscrire	écrire	
sous-entendre	rompre	
soustraire	traire	
soutenir	tenir	
souvenir (se)	tenir	
subvenir	tenir	
surcroître	croître	
surfaire	faire	
surprendre	prendre	
surtondre	rompre	
survendre	rompre	
survenir	tenir	
survivre	vivre	
suspendre	rompre	
teindre	peindre	
tendre	rompre	
tistre		ne s'emploie qu'au pp. *tissu, ue*, et aux temps composés.
tondre	rompre	
tordre	rompre	
traduire	cuire	
transcrire	écrire	
transmettre	mettre	
transparaître	connaître	
vendre	rompre	
venir	tenir	temps composés conj. avec l'auxiliaire *être*.

* **verdillon** [*ll* mll.], n. m. [Techn.] Levier pour détacher les blocs d'ardoise. ‖ Tringle de bois d'un métier de haute lice à laquelle on fixe les bouts de la chaîne.

verdir, v. tr. Peindre en vert, donner une couleur verte. *Il faut verdir cette porte.* = V. intr. Devenir vert. *Au printemps lorsque tout verdit.* ‖ En parlant du cuivre, se couvrir de vert-de-gris.

* **verdissage**, n. m. Action de rendre vert ou de devenir vert.

verdissant, ante, adj. Qui verdit.

* **verdissement**, n. m. Action de verdir, de devenir vert. *Le verdissement des huîtres.*

* **verdoiement** ou * **verdoîment**, n. m. Action de verdoyer, de devenir vert.

verdoyant, ante, adj. Qui verdoie. *Des arbres verdoyants.* ‖ *Couleur verdoyante*, tirant sur le vert.

verdoyer, v. intr. (de *vert*). Devenir vert en parlant des végétaux. = Conjug. V. GRAMMAIRE.

* **verdunisation** [*sion*], n. f. (de *Verdun*). [Hyg.] Méthode de désinfection de l'eau par les hypochlorites (eau de Javel, partic.).

* **verduniser**, v. tr. Purifier l'eau par verdunisation.

verdure, n. f. (de *vert*). Couleur verte des plantes, des feuilles. *La verdure des arbres.* ‖ Par ext. Les plantes, les feuilles. *Se coucher sur un tapis de verdure.* ‖ Plantes potagères dont on mange les feuilles (laitue, persil, cerfeuil, etc.). *Marchand de verdure.* ‖ Tapisserie représentant des plantes, des feuillages. ‖ *Théâtre de verdure*, théâtre en plein air dans un endroit verdoyant.

SYN. — *Verdure*, ensemble vert, agréable à la vue, fourni par la végétation au printemps et en été : *Aimer à se reposer en pleine verdure.* — *Feuillage*, l'ensemble des feuilles vertes des arbres : *Les oiseaux nichent dans le feuillage.* — *Frondaison*, l'époque où paraissent les feuilles, et par extension, l'ensemble des feuilles : *La frondaison vert tendre du printemps.* — *Ramée*, branches coupées avec leurs feuilles vertes : *Aller au bois chercher de la ramée.* — *Verdeur*, couleur verte des jeunes plantes vigoureuses, feuilles et fruits non mûrs : *Un groseillier dans toute sa verdeur.*

* **verdurette**, n. f. Broderie verte.

verdurier, ière, n. Marchand, marchande de légumes verts, de salades, etc.

* **vérétille** [*ll* mll.], n. m. [Zool.] Genre de cœlentérés des mers chaudes et tempérées.

véreux, euse, adj. Qui contient des vers. *Fromage véreux.* ‖ Fig. Louche, suspect d'un vice caché. *Affaire véreuse. Homme d'affaires véreux.*

* **vergadelle,** n. f. [Pêche] Autre nom de la merluche.

verge, n. f. (lat. *virga,* m. s.). Petite baguette longue et flexible. ‖ Baguette de prestidigitateur, de magicien. ‖ Baguette qui est l'insigne des fonctions des bedeaux, de certains huissiers. ‖ Menu brin d'osier, de bouleau, etc., avec lequel on fouette, on fustige. Dans ce sens, on dit le plus souvent *verges,* au plur. *Être condamné aux verges, à la peine des verges.* — Fig. *Donner des verges pour se fouetter,* donner des armes contre soi-même. ‖ Fig. Direction, autorité sévère. *Être sous la verge d'un tyran.* ‖ Anc. mesure de longueur. [Anat.] Membre génital de l'homme. [Mar.] Tige de l'ancre, qui va du pas au diamant. [Techn.] Tige ou tringle droite plus ou moins longue. *La verge d'un balancier.*

Hom. — *Verge, es, ent,* du v. verger.

VOCAB. — *Famille de mots.* — *Verge*: verger (verbe), vergée, vergette, vergetier, vergeture, vergeure; vergue, enverger, enverguer, envergure; virgule, virguler.

vergé, ée, adj. Se dit d'une étoffe où se trouvent quelques fils plus grossiers ou d'une teinture plus forte ou plus faible. ‖ *Papier vergé,* papier fait à la main et marqué de raies appelées *vergeures.*

* **vergée,** n. f. Ancienne mesure de superficie valant environ 2.000 mètres carrés.

* **vergelet** ou ***vergelé,** n. m. [Géol.] Pierre calcaire d'un blanc jaunâtre, du bassin parisien, très employée en maçonnerie.

* **vergeoise,** n. f. Sucre fabriqué avec des sirops de qualité inférieure.

1. **verger,** n. m. (lat. *viridarium,* bosquet). Lieu planté d'arbres fruitiers.

SYN. — V. JARDIN.

2. * **verger,** v. tr. (de *verge*). Mesurer avec la verge. ‖ Rayer comme de marques de verges. = Conjug. V. GRAMMAIRE.

vergeté, ée, adj. Qui présente des raies de différentes couleurs, surtout de couleur rouge, comme la peau fouettée de verges.

* **vergeter,** v. tr. Nettoyer avec une vergette. *Vergeter un chapeau.* ‖ Marquer de raies, de vergetures. = Conjug. V. GRAMMAIRE.

* **vergetier,** n. m. Artisan qui fait des vergettes, des décrottoirs, des brosses, etc.

vergette, n. f. (dimin. de *verge*). Petite verge. [Blas.] Bande verticale de peu de largeur au milieu de l'écu. = VERGETTE ou VERGETTES, n. f. pl. Époussette, brosse, dont on se sert pour nettoyer les habits, les étoffes, etc.

vergeture, n. f. (de *vergette*). Ecchymoses produites par des coups de verges.‖ Par anal., éraillures blanchâtres que présente la peau après la grossesse. — Marques et impressions quelconques sur la peau.

vergeure [*jurr*], n. f. (de *verge*). Marque laissée sur le papier vergé par les fils de cuivre de la forme. ‖ Ces fils eux-mêmes.

* **verglacer** ou * **verglasser,** v. intr. impersonnel. En parlant du verglas, se former sur la terre. Faire du verglas. = Conjug. (pour verglacer). V. GRAMMAIRE.

verglas [*gla*], n. m. (de *verre* et *glace*). Glace mince, très glissante, étendue sur la terre et formée par une petite pluie qui se gèle au contact du sol.

vergne ou **verne,** n. m. (du celtique). [Bot.] Nom dialectal de l'aune.

* **vergobret** [*brètt*], n. m. (mot celt. signif. *l'homme au jugement efficace*). [Hist.] Magistrat suprême chez plusieurs peuples de l'anc. Gaule.

vergogne [*gn* mll.], n. f. (lat. *verecundia,* respect). Honte, pudeur, modestie. — *Agir sans vergogne,* agir effrontément, sans scrupule.

VOCAB. — *Famille de mots.* — *Vergogne*: vergogneux; dévergondé, dévergonder, dévergondage; révérer, révérence, révérend, révéremment, révérenciel, révérendissime; révérencieux, révérencieusement; irrévérence, irrévérent, irrévérencieux, irrévérencieusement.

* **vergogneux, euse,** adj. Honteux, qui a de la pudeur (Vx).

vergue [*vergh'*], n. f. (lat. *virga,* verge). [Mar.] Pièce de bois longue et ronde qui est attachée transversalement sur l'avant d'un mât de navire pour soutenir une voile. *La vergue de misaine, d'artimon.* V. pl. NAVIGATION. [Vitic.] Branche à fruits.

* **véricle,** n. f. (altérat. de *béricle,* anc. forme de *besicle*). [Joaill.] Pierre fausse fabriquée avec du verre ou du cristal. *Diamants de véricle.*

véridicité, n. f. Conformité à la vérité. ‖ Se dit aussi pour véracité.

véridique, adj. (lat. *verum,* vrai; *dico,* je dis). Qui dit la vérité, qui a l'habitude de la dire.‖ Conforme à la vérité. *Témoignage véridique.*

SYN. — V. SINCÈRE.

CTR. — *Erroné, fourbe, faux, mensonger; fabuleux.*

véridiquement, adv. D'une manière véridique.

vérifiable, adj. Que l'on peut vérifier.

vérificateur, n. m. Celui qui vérifie, qui est commis pour vérifier.

* **vérificatif, ive,** adj. Qui sert à vérifier.

vérification [*sion*], n. f. Action de vérifier. [Droit] *Vérification des écritures,* examen d'un acte privé pour constater s'il a bien été écrit ou signé par la personne à laquelle il est attribué. ‖ *Vérification des pouvoirs,* examen des titres d'un député, de la validité de son élection.

vérifier, v. tr. (lat. scol. *verificare,* m. s., de *verum,* vrai; *facere,* faire). Examiner, rechercher si une chose est vraie, si elle est telle qu'elle doit être ou qu'on l'a déclarée. *Vérifier un calcul, une date.* ‖ Faire voir la vérité, l'exactitude d'une chose, d'une proposition, d'une assertion. *L'événement a vérifié votre prédiction.* = Conjug. V. GRAMMAIRE.

vérin, n. m. (orig. inc.). [Techn.] Appareil de levage, à vis ou à pression hydraulique, servant à lever de grosses charges, à décintrer des voûtes et des arches de pont, etc.

1. **vérine,** n. f. [Mar.] Petit bout de filin servant à divers usages. V. aussi VERRINE.

2. * **vérine**, n. f. Espèce de tabac très appréciée de l'Amérique du Sud.
* **vérisme**, n. m. (ital. *verismo*, m. s., lat. *verus*, vrai). École littéraire et artistique italienne issue du réalisme et du naturalisme (début du XXe siècle).
* **vériste**, adj. Qui appartient au vérisme. = Nom. Partisan du vérisme.
véritable, adj. Qui est conforme à la vérité. *Histoire véritable*. ‖ *Être véritable dans ses paroles*, dire toujours la vérité. ‖ Vrai, réel, naturel, par oppos. à feint, factice. *Un véritable ami*. ‖ Achevé dans son genre. *Un véritable bandit*.
— *Ce n'est pas assez de ne dire que des choses véritables, il faut encore ne pas dire toutes celles qui sont véritables, parce qu'on ne doit rapporter que les choses qu'il est utile de découvrir, et non pas celles qui ne pourraient que blesser sans apporter aucun fruit.* (PASCAL.)
SYN. — V. AVÉRÉ.
CTR. — *Simulé, feint, factice, fictif, faux, mensonger.*
véritablement, adv. Conformément à la vérité. ‖ Réellement, de fait. *Je suis véritablement accablé.*
vérité, n. f. (lat. *veritas*, m. s.). Qualité de ce qui est vrai; conformité de l'idée avec son objet. *La recherche de la vérité.* ‖ Conformité d'un récit, d'une relation avec un fait. *Altérer, dissimuler la vérité.* ‖ Conformité de ce qu'on dit avec ce qu'on pense. *Cacher, déguiser, confesser la vérité.* ‖ Sincérité, bonne foi. *C'est un homme plein de vérité.* ‖ Proposition vraie, ou dont l'énoncé exprime la conformité d'une idée avec son objet, d'un récit avec un fait, de la parole avec la pensée. *Les vérités mathématiques.* ‖ Dogmes d'une religion, partic. du christianisme. *Les vérités révélées.* — Prov. *Il n'y a que la vérité qui blesse*, un reproche est plus pénible lorsqu'on sent qu'il est mérité. — *Toutes vérités ne sont pas bonnes à dire*, il n'est pas toujours bon de dire ce que l'on sait. ‖ Fam. *Dire à quelqu'un ses vérités*, dire librement à quelqu'un ses fautes, ses défauts ou ses vices. [Bx-A.] Représentation symbolique de la Vérité personnifiée. — Expression fidèle de la nature. *Portrait d'une grande vérité.* =En VÉRITÉ, loc. adv. certainement, assurément, de bonne foi. *Cela est, en vérité, fort étrange.* = À LA VÉRITÉ, loc. adv. Il est vrai que (locut. employée quand, en avouant une chose, on l'explique ou on la restreint aussitôt). *A la vérité, je l'ai frappé, mais il m'avait insulté.*
— *Dire la vérité est utile à celui à qui on la dit, mais désavantageux à ceux qui la disent, parce qu'ils se font haïr.* (PASCAL.)
— *Le plus grand outrage que l'on puisse faire à la vérité, c'est de la connaître, et en même temps de l'abandonner ou de l'affaiblir.* (BOSSUET.)
— *L'homme est de glace aux vérités,*
 Il est de feu pour les mensonges.
(LA FONTAINE.)
— *L'ardeur de se montrer et non pas de médire*
 Arma la vérité du fouet de la satire .
(BOILEAU.)
— *Soyez vrai, mais discret, soyez ouvert, mais sage :*
 Et sans la prodiguer aimez la vérité;
 Cachez-la sans duplicité,
 Osez la dire avec courage. (VOLTAIRE.)

ÉPITHÈTES COURANTES : totale, entière, complète, pure, nue, dure, cruelle, sensible, palpable, importante, nécessaire, impitoyable, affreuse; déguisée, cachée, voilée, dissimulée, étouffée, trahie; cherchée, recherchée, dite, établie, prêchée, proclamée, découverte, vue, éclaircie, reconnue, dévoilée, discernée, tirée; méconnue, combattue, niée, triomphante, etc.
ANT. — *Mensonge, erreur.*
verjus [*ju*], n. m. (de *vert*, et *jus*). Suc acide des raisins avant leur maturité. ‖ Vin trop vert. ‖ Raisin cueilli vert, ou espèce de raisin au suc toujours acide, pour assaisonner les mets.
verjuté, ée, adj. Assaisonné avec du verjus. ‖ *Vin verjuté*, acide comme le verjus.
* **verjuter**, v. tr. Assaisonner avec du verjus.
1. **vermeil, eille** [*ill* mll.], adj. (lat. *vermiculus*, petit ver, cochenille). Qui est d'un rouge un peu plus foncé que l'incarnat. *Cerises vermeilles.* V. tabl. COULEURS (*Idées suggérées par le mot*).
2. **vermeil**, n. m. Argent doré. *Un service de vermeil.* [Techn.] Composition dont on se sert pour donner de l'éclat aux dorures.
* **vermeille**, n. f. [Joaill.] Nom vulg. de plusieurs pierres précieuses de couleur rouge.
* **vermet** [*mè*], n. m. (lat. *vermis*, ver). [Zool.] Genre de mollusques gastéropodes marins à coquille conique assez longue.
vermicelier, ière, n. (de *vermicelle*). Celui, celle qui fabrique, qui vend du vermicelle, des macaronis, etc.
vermicelle ou * **vermicel**, n. m. (ital. *vermicello*, propr. petit ver). Pâte alimentaire faite avec du gruau de froment et façonnée en fils minces. ‖ Potage fait avec cette pâte.
ORTH. — *Vermicelle* et *vermicelier* s'écrivent avec un *c*, mais *vermisseau*, bien que venant aussi du mot *ver*, s'écrit avec deux *s*.
vermicellerie, n. f. (de *vermicelle*). [Techn.] Établissement où l'on fabrique le vermicelle. Cette fabrication elle-même.
* **vermicide**, adj. [Méd.] Qui tue les vers.
* **vermiculage**, n. m. (lat. *vermiculus*, petit ver). [Archi.] Ornement représentant des saillies longitudinales en forme de vers.
vermiculaire, adj. (lat. *vermiculus*, vermisseau). Qui ressemble à un ver. *Appendice vermiculaire.* ‖ Qui a des traits de ressemblance avec un ver. *Le mouvement vermiculaire ou péristaltique des intestins.*
vermiculé, ée, adj. (lat. *vermiculatus*, m. s.). [Archi.] Orné de saillies qui imitent des traces de vers.
* **vermiculure**, n. f. (lat. *vermiculus*, petit ver). [Archi.] Ornement consistant en raies sinueuses creusées dans la surface d'une pierre.
* **vermification** [*sion*], n. f. (lat. *vermis*, ver, et *facere*, faire). Production de vers. *La vermification dans un fromage.*
vermiforme, adj. (lat. *vermis*, ver, et *forma*, forme). Qui a la forme d'un ver. *Muscles vermiformes.*
vermifuge, adj. et n. m. (lat. *vermis*, ver; *fugare*, chasser). [Méd.] Se dit des remèdes propres à l'expulsion des vers intestinaux.
* **vermilingues**, n. m. pl. [Zool.] Famille de mammifères édentés au corps couvert

de poils, à langue filiforme très longue, appelés aussi *fourmiliers.*
* **vermille** [*ll* mll.], n. f. (lat. *vermis*, ver). [Pêche] Ligne de fond pour la pêche aux anguilles.
vermiller [*ll* mll.] v. intr. Se dit des sangliers qui fouillent la terre avec le groin pour y chercher des vers.
vermillon [*ll* mll.], n. m. (de *vermeil*). [Chim.] Cinabre ou sulfure rouge de mercure réduit en poudre fine, qui s'emploie dans la peinture. ‖ Couleur rouge clair vif, obtenue en partant du cinabre. ‖ V. tabl. COULEURS (*Idées suggérées par le mot*). ‖ Par analogie. Couleur vermeille. *Le vermillon de ses lèvres.*
vermillonné, ée [*ll* mll.], adj. Enduit de vermillon. ‖ De couleur vermeille.
1. **vermillonner** [*ll* mll.], v. tr. Peindre de vermillon. Donner la couleur du vermillon.
2. **vermillonner** [*ll* mll.], v. intr. Même sens que vermiller, en parlant du blaireau.
vermine, n. f. (lat. *vermis*, ver). Nom donné à toutes sortes d'insectes malpropres, nuisibles et incommodes, comme poux, puces, punaises, etc. *Il est rongé de vermine.* ‖ Fig. Toutes sortes de gens de mauvaise vie ; populace, canaille. *Toute la vermine du quartier.*
vermineux, euse, adj. [Méd.] Qui est causé par des vers intestinaux. *Fièvre vermineuse.*
* **verminière**, n. f. (de *vermine*). Accumulation de vermine (Vx). ‖ Au XVIe s., tout petit animal : *O pauvre verminière ! Tu n'as sur toi instrument ni manière* (MAROT).
* **vermis** [*miss*], n. m. (lat. *vermis*, ver). [Anat.] Mot servant à désigner les parties du cervelet qui offrent un aspect vermiforme.
PAR. — *Vernis*, enduit brillant et lisse.
vermisseau, n. m. (lat. vulg. *vermiscellus*, petit ver). Petit ver de terre. ‖ Fig. Homme chétif et misérable.
* **vermivore**, adj. Qui mange des vers.
* **vermouler (se)**, v. pr. (de *vermoulure*). Être rongé, piqué des vers. — S'emploie surtout à l'infinitif et au pp.
vermoulu, ue, adj. (de *ver*, et *moudre*). Piqué des vers.
vermoulure, n. f. Trace que les vers laissent dans ce qu'ils ont rongé. ‖ Poudre qui sort d'un meuble rongé par les vers.
vermouth ou * **vermout**, n. m. (all. *Wermut*, absinthe). Vin blanc renforcé en alcool dans lequel on a fait infuser diverses plantes aromatiques, amères et toniques.
* **vernaculaire**, adj. (lat. *vernaculus*, m. s.). Qui est du pays ; propre au pays. *Langue vernaculaire*, langue indigène.
vernal, ale, adj. (lat. *ver, veris*, printemps). Qui appartient au printemps ou qui arrive au printemps. *Fièvres vernales.* [Astro.] *Point vernal*, équinoxe de printemps.
CTR. — *Estival, automnal, hivernal.*
* **vernation** [*sion*], n. f. [Bot.] Syn. de *préfoliation.*
verne, n. m. V. VERGNE.
* **vernicifère**, adj. [Bot.] Qui produit une substance dont on retire un vernis.
* **vernier**, n. m. (du n. de l'inventeur). [Phys.] Instrument servant à mesurer de petites longueurs ou de petits arcs avec une très grande exactitude.

* **vernière**, n. f. Lieu planté de vernes, d'aunes.
vernir, v. tr. Enduire de vernis.
vernis [*ni*], n. m. (de *Bérénikê*, ville de Cyrénaïque). Enduit formé généralement de gomme dissoute dans l'alcool ou dans l'essence de térébenthine, qu'on applique sur la surface des corps pour la rendre lisse et luisante. ‖ Par ext. Enduit composé de substances vitrifiables, dont on couvre les vases de terre et la porcelaine. ‖ Fig. Ce qui donne une apparence, une couleur favorable. *Il couvre ses vices d'un vernis d'élégance.* [Bot.] Nom de divers arbres ou arbustes vernicifères. *Vernis du Japon* (arbre du genre sumac).
HOM. — *Vernis, it*, du v. vernir.
PAR. — *Vermis*, partie du cervelet d'aspect vermiforme.
vernissage, n. m. Action de vernir ou de vernisser ; résultat de cette action. ‖ Séance qui précède l'ouverture officielle d'un salon de peinture, et où les artistes sont censés vernir leurs toiles. ‖ Par ext, Séance d'ouverture de diverses expositions.
vernissé, ée, adj. Enduit de vernis. *Poterie vernissée.* ‖ Qui paraît couvert d'un vernis. *Feuille vernissée.*
vernisser, v. tr. Recouvrir (de la poterie, de la faïence) d'un vernis qui forme émail.
vernisseur, euse, n. Celui, celle qui vernit ou vernisse.
vernissure, n. f. Application du vernis. ‖ Vernis appliqué.
* **vernonie**, n. f. [Bot.] Genre de plantes de la famille des *composées.*
vérole, n. f. (lat. *varius*, tacheté). Syphilis. (ce terme employé couramment autrefois, est auj. pop. et grossier). [Méd.] *Petite vérole*, la variole.
vérolé, ée, adj. et n. Qui a la vérole ou syphilis (il est correct de dire *syphilitique*.) ‖ Qui porte au visage des traces de la petite vérole ou variole.
* **véron**, n. m. [Zool.] V. VAIRON.
* **véronais, aise**, adj. De la ville de Vérone.
* **véronal**, n. m. [Méd.] Médicament dérivé de l'urée, hypnotique puissant.
véronique, n. f. [Bot.] Genre de plantes adventices dans les fourrages et céréales, de la famille des *scrofulariées.*
* **véroter**, v. intr. [Pêche] Fouiller le sable, la terre pour y chercher des vers.
verrat [*vè-râ*], n. m. (lat. *verres*, m. s.). Pourceau mâle non châtré.
SYN. — V. COCHON.
HOM. — *Verras, verra*, futur du v. voir.
verre, n. m. (lat. *vitrum*, m. s.). Corps transparent et fragile qu'on obtient en faisant fondre du sable avec un alcali et de la chaux, ou avec un alcali et de l'oxyde de plomb. *Tasse, coupe de verre.* ‖ Objet en verre. — Plaque de verre dont on se sert pour conserver un tableau, une gravure, etc. — *Sous-verre.* V. ce mot. ‖ *Verre de montre*, disque de verre servant à protéger le cadran et les aiguilles d'une montre. — Pop. Derrière. — *Maison de verre*, maison où rien n'est caché.
Vase à boire avec ou sans pied, fait de verre. *Verre à champagne. — Petit verre*, verre à liqueur. — Fig. et proverb. *Qui casse les verres les paye*, celui qui fait quelque dommage doit le réparer. ‖ Liqueur que contient ou que peut contenir un

verre ordinaire. *Verre de vin. Prendre un verre.* ‖ *Casser comme du verre*, très facilement, le verre étant très fragile. ‖ *Verre de lunettes*, verre convergent, divergent, etc., adapté aux lunettes. — Les lunettes elles-mêmes. *Il porte des verres.* ‖ *Papier de verre*, papier sur lequel on a collé de petits fragments de verre et qui sert à gratter, à polir.
ÉPITHÈTES COURANTES : clair, transparent, translucide, dépoli, opaque, double, mince, épais, douci, clair, net, incassable, dormant, incolore, coloré, blanc, rouge, etc.; filé, fondu, soufflé, moulé, taillé, plat, bombé, concave, convexe; verre à boire, grand, petit, à pied, fendu, fêlé, cassé, brisé, pilé, coupant, etc.
HOM. — V. VAIR.

> VOCAB. — *Famille de mots.* — *Verre* [rad. *ver, vitr*] : verré, verrée, verrine, vitrescibilité, vitrescible, verrerie, verrier, verroterie, verrière; vitre, vitrerie, vitrier, vitreux, vitrage, vitrail, vitrine, vitrer, vitré, vitrière; vitriol, vitrioler, vitriolage, vitrioleur, vitriolique, vitriolerie; vitrifier, vitrification, vitrifiabilité, vitrificatif.

* **verré, ée**, adj. Couvert d'une poudre de verre. ‖ Recouvert d'une couche de verre.
HOM. — V. VAIRÉ.
verrée, n. f. (de *verre*). Ce que peut contenir un verre. *Une verrée de vin.*
HOM. — V. VAIRÉ.
verrerie, n. f. (de *verre*). [Techn.] Fabrique où l'on fait le verre, les ouvrages de verre. ‖ Art de faire le verre. ‖ Ensemble d'ouvrages de verre. *Un magasin de verrerie.*
verrier, n. m. Ouvrier qui fabrique du verre et des ouvrages de verre. — Partic. Celui qui fait des verrières, des vitraux. ‖ Ustensile de ménage, dans lequel on range les verres à boire, les carafes. = Adj. *Peintre verrier*, artiste qui peint sur verre, qui fabrique des vitraux.
HOM. — *Verriez* (vous), du v. voir.
verrière, n. f. Espèce de cuvette remplie d'eau, dans laquelle on place les verres. ‖ Carreau de verre qu'on met au-devant des châsses ou des tableaux pour les conserver. [Archi.] Grand vitrail d'une église. [Hortic.] Cloche de jardinier.
verrine, n. f. (de *verre*). [Hortic.] Cloche de jardinier, dite aussi verrière. [Mar.] Lampe de verre qu'on suspendait au-dessus du compas de route.
* **verrot** [*ro*] ou * **verreau**, n. m. (de *ver*) [Hortic.] Nom que donnent les jardiniers à tous les insectes, vers ou larves nuisibles.
verroterie, n. f. Menue marchandise de verre servant surtout au troc avec les nègres.
verrou, n. m. (lat. *veruculum*, dimin. de *veru*, broche). Pièce de fer qu'on applique à une porte afin de pouvoir la fermer, et qui vient se loger entre deux crampons. *Mettre, tirer le verrou.* — *Il est sous les verrous*, il est en prison. ‖ *Verrou de sûreté*, verrou auquel est adjointe une serrure.
verrouiller [*ill* mll.], v. tr. Fermer au verrou. = SE VERROUILLER, v. pr. S'enfermer au verrou.
* **verrucaire**, n. f. (lat. *verruca*, verrue). [Bot.] Genre de lichens qui se développent sur les écorces et sur les branches mortes.

* **verrucosite**, n. f. (lat. *verruca*, verrue). Groupement de petites nodosités sur un tissu animal ou végétal.
verrue, n. f. (lat. *verruca*, m. s.). [Pathol.] Petite excroissance superficielle qui apparaît surtout aux doigts et sur la face dorsale de la main. [Bot.] Protubérance sur le tronc ou les branches d'un arbre, sur une feuille, etc. ‖ Fig. Défaut, imperfection physique ou morale. *Les verrues d'une société.*
* **verruga**, n. f. (mot espagn. signif. *verrue*). [Méd.] Affection éruptive des pays chauds, caractérisée par des pustules ulcéreuses.
verruqueux, euse, adj. Qui porte des verrues ou qui a l'apparence d'une verrue.
1. vers [*vèrr*], n. m. (lat. *versus*, m. s., de *vertere*, tourner). [Litt.] Assemblage de mots mesurés et cadencés selon certaines règles. *Vers alexandrin.* ‖ *Vers blancs*, vers syllabiques non rimés. — *Vers libres*, vers de différentes mesures dont les rimes se mêlent ou se croisent. — *Vers libre moderne*, vers qui s'affranchit de toutes les anciennes règles de la versification. —*Verslibrisme.* V. ce mot. ‖ *Vers hexamètre, pentamètre*, etc. V. HEXAMÈTRE, etc. ‖ *Petits vers*, petite pièce de vers sur un sujet léger. V. tabl. VERSIFICATION.
— *Un vers, pour être bon, doit être semblable à l'or, en avoir le poids, le titre et le son; le poids, c'est la pensée; le titre, c'est la pureté élégante du style; le son, c'est l'harmonie.* (VOLTAIRE.)
ÉPITHÈTES COURANTES : poétique, prosaïque, juste, faux, rimé, libre; épique, dactylique, spondaïque, iambique, trochaïque, hexamètre, pentamètre, trimètre, alexandrin; décasyllabe, octosyllabe, etc.; grec, latin, français, etc.; blanc, coupé, harmonieux, rythmé, cadencé, coulant; héroïque, galant, burlesque; beau, rude, pompeux, facile, élégant, tendre, passionné, amoureux; méchant, mauvais, fade, rude, dur, rocailleux, plat, banal; bien ou mal tourné; lu, dit, récité, chanté, rimé, envoyé, composé, fait, etc.
ANT. — *Prose.*
HOM. — V. VAIR.
2. vers, prépos. V. tabl. VERS.
* **versade**, n. f. (du v. *verser*). Action de verser en voiture (Rare).
* **versage**, n. m. (du v. *verser*). Action de verser. [Techn.] Opération qui consiste à vider les bennes, les wagons. [Agric.] Première façon donnée à un terrain demeuré en jachère.
* **versaillais, aise**, adj. et n. De Versailles.
1. * versant, ante, adj. Qui verse facilement, en parlant des voitures.
2. versant, n. m. Pente d'un des côtés d'une chaîne de montagnes. *Le versant septentrional des Pyrénées.* V. pl. GÉOGRAPHIE. [Archi.] Chacune des deux surfaces inclinées d'un comble.
versatile, adj. (lat. *versatilis*, m. s.). Qui est sujet à changer d'opinion; inconstant, qui ne sait pas se fixer. *Un esprit versatile.*
SYN. — V. CAPRICIEUX.
CTR. — *Persévérant.*
versatilité, n. f. Qualité de ce qui est versatile.
1. verse, n. f. (de *verser*). Action de verser. ‖ État d'une récolte couchée par

VERS, préposition.

Étymologie. — Latin *versus*, adv. et prép. : dans la direction de, du côté de.
La préposition française *vers* a formé les prépositions composées *devers* (et *par devers*) et *envers*. V. ces mots.
Hom. — V. VAIR.

VERS, préposition marquant la direction dans l'espace.
Du côté de. — *Des lueurs apparurent vers l'Occident.*
Dans la direction de. — *Lève-toi, m'a-t-il dit, prends ton chemin vers Suse.* (RACINE.)
Auprès de (avec mouvement). — *Il dépêcha des ambassadeurs vers l'empereur.*

VERS, prép. marquant le temps approximatif.
A l'approche de, aux environs de. — *Vers le soir, la tempête se calma. Il arriva vers la fin de l'après-midi.*
Avec un nom de nombre. — *Vers les seize heures, le bruit recommença.* — *Vers midi.*
Obs. gram. Les expressions : *Vers le midi, vers la minuit* sont à éviter ; les tours : *vers les midi* et *vers les minuit* sont tout à fait incorrects.

VOCAB. — *Famille de mots.* — *Vers* (prép.) [rad. *vers*, *vert*] : devers, envers (prép.), par devers, vers (n.), versiculet, vers-librisme, vers-libriste, verset, versifier, versificateur, versification; verso, version, verse, verser, versade, versage, versé, verseuse, versant, versement, à verse, inversable, inverse, inverser, inverseur, inversement; versatile, versatilité, verseau; déverser, déversement, déversoir; reverser, reversement, reversal; converse, conversible, converser, conversation; malverser, malversation; tergiverser, tergiversation; vertical, verticalement, verticalité, verticille, verticillé, vertigo, vertige, vertigineux, vertigineusement; vertèbre, vertébré, vertébral, vertébro-iliaque, invertébré; verveux; avertir, avertissement, avertisseur, inadvertance; adverse, adversité, adversaire, adversatif; animadversion; avers, aversion; avertin; convertir, converti, conversion, convertible, convertibilité, convertissage, convertissement, convertissable, convertisseur; inconvertible; controversable, controversiste, controverse, controverser; divertir, diversion, divertissement, divertissant; divorce, divorcé, divorcer; intervertir, intervertissement, interversion; invertir, inverti, inversion, inverse; envers (n.), à l'envers; pervers, perversement, pervertissable, pervertisseur, pervertir, perversion, perversité, pervertissement; renverser, renversable, renversé, renversement, renverse; réversible, réversion, réversibilité; revers, à revers; subversif, subversivement; transverse, transversal, transversalement; travers, traversable, traverser, traversée, traversier, traversin, traverse; bouleverser, bouleversant, bouleversement.

l'orage, la pluie. *La verse des blés.* ‖ A VERSE, loc. adv. *Comme si on versait l'eau abondamment. Il pleut à verse.*
Hom. — *Verse, es, ent,* du v. verser.
2. verse, adj. m. [Géom.] *Sinus verse,* anc. nom du cosinus.
versé, ée, adj. (lat. *versatus*), expérimenté). Répandu. *Sang versé.* ‖ Rompu à la pratique d'un art, d'une science, d'un métier. *Versé dans les affaires, dans la philosophie.* [Blas.] Se dit du croissant dont les cornes sont tournées vers la pointe de l'écu.
verseau, n. m. (de *verser* et *eau*, prop. qui verse de l'eau). [Astr.] La 11e constellation zodiacale, comprise entre le 20 janvier et le 20 février.
Hom. — *Verso,* revers d'un feuillet (opposé au recto).
versement, n. m. Action de verser. ‖ Partic. Action de verser de l'argent dans une caisse. *Faire un versement.*
verser, v. tr. (lat. *versare,* tourner). Épancher, répandre, transvaser. *Verser du blé dans un sac.* — Absol. Mettre, faire couler une boisson dans un verre. *Verser à boire.* ‖ *Verser des larmes,* pleurer. — *Verser son sang pour la patrie,* etc. ‖ Fig. Épancher. *Verser ses chagrins dans le cœur d'un ami.*
En parlant d'argent, l'apporter à une caisse. *Verser des fonds dans une affaire.* [Agric.] Coucher à terre. *L'orage a versé les moissons.* ‖ Faire tomber. *Le charretier a versé son tombereau.* = VERSER, v. intr. En parlant d'une voiture et de son contenu, tomber sur le côté. ‖ Fig. *Verser dans l'ivrognerie,* tomber dans l'ivrognerie. ‖ Se dit encore des blés, lorsque le vent ou la pluie les couche. *Les blés ont versé.*
Syn. — V. PAYER.
verset, n. m. (dimin. de *vers* 1). [Litt.] Petit paragraphe des livres de l'Écriture, composé ordinairement de quelques lignes qui forment le plus souvent un sens complet. ‖ Par ext. Signe typographique qui sert à marquer les versets (V barré.)
Syn. — V. CHAPITRE.
Hom. — *Versais, ait, aient,* du v. verser.
verseur, euse, n. Celui, celle qui verse. ‖ Celui, celle qui sert le café dans les restaurants, les cafés. = N. m. Aux halles, agent qui répartit en lots égaux le poisson qui va être vendu. = VERSEUSE, n. f. Récipient à poignée horizontale pour verser le café dans les tasses.
* **versicolore,** adj. Dont la couleur est changeante, ou qui présente des couleurs variées.
versiculet ou * **versicule,** n. m. (lat. *versiculus,* m. s.). Petit vers (péjor.).
versificateur, trice, n. (lat. *versificator,* m. s.). Celui, celle qui fait des vers. — Partic. Celui qui fait facilement les vers, mais est dépourvu de génie poétique.
Ant. — *Poète.*
versification [*sion*], n. f. (lat. *versificatio,* m. s.). Ensemble des règles auxquelles on doit obéir quand on compose des vers. ‖ Manière dont une pièce est versifiée ; facture des vers. — V. tabl. VERSIFICATION.
versifier, v. intr. (lat. *versificare,* m. s.). Faire des vers. = V. tr. Mettre en vers un ouvrage de prose. = Conjug. V. GRAMMAIRE.
version, n. f. (lat. *versio,* m. s., de *verto,* je tourne). Traduction d'une langue dans une autre. *Version fidèle.* ‖ Traduction que les élèves font d'un texte étranger en leur propre langue. *Version latine, grecque, anglaise.* ‖ Fig. Manière de raconter un fait. *Cette version n'est pas fidèle.* [Chir.] Changement de position que l'accoucheur fait éprouver au fœtus en mauvaise position.
Syn. — *Version,* action de donner le sens exact d'un texte écrit dans une langue

VERS-LIBRISME — VERTICALEMENT 2042

étrangère : *Faire une version grecque.* — *Adaptation*, reproduction d'un ouvrage de langue étrangère donnant l'idée générale, mais non la traduction littérale de l'original : *Une adaptation d'Homère.* — *Paraphrase*, traduction amplifiée d'un texte : *Les poètes du dix-septième siècle ont souvent fait des paraphrases des psaumes.* — *Traduction*, action de mêler l'élégance à l'exactitude en faisant passer un texte original dans une autre langue : *Une traduction élégante de Tacite.*
Ant. — *Thème.*
Hom. — *Versions*, du v. verser.

* **vers-librisme**, n. m. (de *vers libre*). [Litt.] École littéraire moderne, fondant la poésie sur le rythme et se libérant des règles traditionnelles de la versification (Néol.).
* **vers-libriste**, n. (de *vers libre*). Poète composant des vers libres.
verso, n. m. (lat. *verso folio*, la feuille étant retournée). Deuxième page, revers d'un feuillet imprimé. V. pl. LIVRE. = Pl. *Des versos.*
Ant. — *Recto.*
Hom. — *Verseau*, signe du zodiaque.
* **versoir**, n. m. (du v. *verser*). [Agric.] Partie de la charrue qui sert à renverser la terre sur le côté. V. pl. AGRICOLES (machines).
verste, n. f. Mesure itinéraire usitée en Russie, et qui vaut 1.067 m.
1. vert, verte, adj. (lat. *viridis*, m. s.). Qui est de la couleur des herbes et des feuilles des arbres. *Une robe verte.* V. tabl. COULEURS (*Idées exprimées par le mot*). ‖ En parlant des arbres et des plantes : Qui a encore de la sève. *Cet arbre est encore vert.* — Fig. et fam. *Il est encore vert* se dit d'un homme âgé qui a encore de la vigueur. ‖ En parlant du bois : Qui n'a pas encore perdu son humidité naturelle depuis qu'il est coupé. *Ce bois ne brûlera pas, il est trop vert.* — Fig. *Une volée de bois vert*, une volée vigoureuse et bien appliquée. ‖ En parlant des fruits : Qui n'a pas encore atteint sa maturité complète. *Des raisins encore verts.* — En parlant des légumes : Qui est bien frais, qui vient d'être cueilli, par oppos. à *légumes secs.* — *Haricots verts*, cueillis avant qu'ils aient grossi et formé leurs graines. — Prov. *Il trouve les raisins trop verts*, il dénigre et fait semblant de dédaigner ce qu'il ne peut obtenir. — Par anal. *Vin vert*, vin qui n'est pas encore assez fait. — *Vert-galant*, celui qui est porté aux choses de l'amour. ‖ Fam. *En être vert*, devenir livide d'épouvante.
Fig. Ferme, résolu. *Une verte semonce.* ‖ *La langue verte*, l'argot.
[Techn.] *Cuir vert*, cuir qui n'a pas été corroyé. — *Morue verte*, morue salée, mais non séchée. — *Café vert*, café non torréfié.
2. vert, n. m. (de *vert* 1) Une des sept couleurs du spectre solaire, comprise entre le bleu et le jaune. ‖ Couleur verte, couleur des herbes et des feuilles des arbres. *Vert clair. Vert d'eau.* ‖ Herbes qu'on fait manger vertes aux chevaux au printemps. *Mettre des chevaux au vert.* ‖ Fig. et fam. *Se mettre au vert*, aller à la campagne. — Fig. et prov. *Prendre quelqu'un sans vert*, le prendre au dépourvu (par allus. à un jeu du XVIIe s.). [Bot.] *Vert de feuille*, la chlorophylle. ‖ Acidité du vin qui n'est pas encore fait. [Chim.] Nom de matières colorées ou colorantes. *Vert de chrome. Vert malachite.* — *Vert-de-gris.* V. ce mot. = VERTE, n. f. Pop. Absinthe. *Boire une verte.* ‖ *En dire de vertes*, avoir des propos très libres.
Ant. — *Mûr.*
Hom. — V. VAIR.

> VOCAB. — *Famille de mots.* — *Vert* : vertement, verdir, verdâtre, verdoiement, verdure, verdurette, verdurier, verdage, verdagon, verdale, verdaud, verdelet, verderie, verdet, verdissage, verdissement, verdeur, verdier, verdoyer, verdoyant; verger; reverdir, reverdissant, reverdissement; vert-de-gris, vert-de-griser.

vert-de-gris, n. m. [Chim.] Nom vulgaire du carbonate basique de cuivre, qui se forme à la surface des objets en cuivre exposés à l'air humide.
* **vert-de-grisé, ée**, adj. Couvert de vert-de-gris.
* **vert-de-griser (se)**, v. pr. Se couvrir de vert-de-gris.
vertébral, ale, adj. Qui a rapport aux vertèbres ou à la région des vertèbres. — *Colonne vertébrale*, l'épine dorsale constituée par la superposition des vertèbres. V. tabl. CORPS (*Idées suggérées par le mot*). V. pl. HOMME (squelette). *Canal vertébral*, canal intra-vertébral qui contient la moelle épinière.
vertèbre, n. f. (lat. *vertebra*, m. s., de *vertere*, tourner). [Anat.] Chacun des os dont la superposition forme la *colonne vertébrale*, axe du corps chez l'homme et chez les animaux supérieurs. Les vertèbres sont au nombre de 26 chez l'homme (de 33 si on considère le coccyx et le sacrum comme formés chacun par plusieurs vertèbres) : 7 vertèbres *cervicales*, 12 *dorsales*, 5 *lombaires*, le *sacrum* et le *coccyx*. V. pl. HOMME (squelette).
vertébré, ée, adj. (de *vertèbre*). Pourvu de vertèbres. = VERTÉBRÉS, n. m. pl. [Zool.] Animaux qui ont un squelette osseux interne dont l'axe est la colonne vertébrale. Les vertébrés forment un grand embranchement du règne animal, comprenant les animaux supérieurs : *mammifères, oiseaux, reptiles, batraciens et poissons*. V. tabl. ANIMAUX.
* **vertébro-iliaque**, adj. [Anat.] Qui a rapport à la fois aux vertèbres et à l'os iliaque.
vertement, adv. Avec vigueur et sévérité. *On le tança vertement.*
* **vertenelle** ou * **vertevelle**, n. f. [Techn.] Anneau en fer dans lequel s'engage le verrou d'une porte. = N. f. pl. [Mar.] Charnières autour desquelles tourne un gouvernail.
* **vertet** [tè], n. m. (lat. *verto*, je tourne.) [Techn.] Cône en métal qui surmontait le fuseau d'une quenouille.
* **vertex**, n. m. (mot lat. sign. *sommet*). [Anat.] Sommet de la tête.
vertical, ale, adj. (lat. *verticalis*, m. s.). [Math.] Se dit de la direction perpendiculaire au plan de l'horizon, suivant laquelle agit la pesanteur. *Ligne verticale*, et n. f., *la verticale*, ligne droite qui a la direction du fil à plomb. *Plan vertical*, plan contenant une verticale.
Ctr. — *Horizontal.*
verticalement, adv. Suivant la verticale.
Ctr. — *Horizontalement.*

NOTIONS SOMMAIRES DE VERSIFICATION

La versification groupe l'ensemble des règles qui s'imposent à celui qui veut écrire en vers. Elle est indépendante de *l'inspiration poétique* et du choix des sujets — Elle est la *forme* obligée, et non le fond de la poésie.

I. — Nature du vers français — Valeur et groupement des syllabes

Le vers français n'est ni métrique, ni rythmique ; il est *syllabique*, c'est-à-dire qu'il se construit, non d'après la *quantité* des syllabes, brèves ou longues, comme le vers latin ou le grec, non d'après leur *accentuation*, comme le vers allemand ou l'anglais, mais d'après leur *nombre*.

Chaque syllabe d'un vers est parfois appelée *pied*, mais ce terme doit être évité, car le pied du vers antique est une *mesure*, formée de plusieurs syllabes.

En principe, toute syllabe, muette ou sonore, peut compter dans la mesure du vers français.

1° *Règles concernant l'e muet :* assez compliquées.

a) *Valeur de l'e muet :*

Il ne compte jamais, pas plus d'ailleurs qu'une syllabe muette, à la fin d'un vers. Il ne compte pas non plus, dans le corps du vers, après une voyelle atone (ex. tu joueras) (2 syll.). S'il vient après une voyelle tonique, comme dans prie, le mot n'est pas admis à l'intérieur du vers, à moins que l'*e* ne puisse s'élider. Les mots terminés par *ie*, *ée*, *ue*, etc., doivent obligatoirement se trouver devant une voyelle, s'ils sont à l'intérieur d'un vers :

Et sa perfide *joie* éclate malgré lui (RACINE) ; chez les poètes symbolistes toutefois, on trouve *ie*, *ée*, *ue*, devant une consonne ; mais l'*e* muet ne compte pas dans la mesure du vers.

Dans l'intérieur d'un mot, et quand il suit une voyelle, l'*e* ne compte pas (dénouement, dévouement, etc., ne comptent que pour trois syllabes).

b) *Élision :*

En français, seul l'*e* final s'élide. Cette élision a obligatoirement lieu devant une voyelle et une *h* muette. Devant la césure du vers (V. plus loin *Structure interne du vers*), un mot ne peut se terminer par un *e* muet que si cet *e* est élidé.

Oui je viens dans son templ(e) || adorer l'éternel. Un groupe de syllabes comme celui-ci : Oui je viens dans son temple || vénérer l'éternel, ne saurait être admis dans la versification française.

2° *Les groupes de deux voyelles commençant par i, o, ou, u :*

La question du compte dans ces groupes (1 ou 2 syllabes) est fort complexe et controversée (V. les traités spéciaux).

3° *L'hiatus*, ou rencontre de deux voyelles, dont l'une finit un mot, et dont l'autre commence le mot suivant, est en principe banni depuis le dix-septième siècle. Il était admis pendant le Moyen Age et, dans certains cas, à la Renaissance : Malherbe l'a banni sévèrement ; Boileau a suivi et a formulé cette exclusion dans son *Art Poétique* :

Gardez qu'une voyelle, à courir trop hâtée,
Ne soit d'une voyelle en son chemin heurtée.

Les classiques ont obéi ; la plupart des romantiques aussi ; il est vrai qu'on trouve chez Victor Hugo ceci qui semble bien donner raison à Malherbe :

L'Océan *en* créant Cypris voulut s'absoudre (hiatus de voyelles nasalisées). Mais s'il est vrai que certains hiatus — surtout ceux où la même voyelle se répète — sont choquants ou simplement désagréables, il est incontestable que d'autres peuvent servir à certains effets poétiques (suggestions de dureté, de heurt, etc., ou au contraire de fluidité), et qu'il en est de charmants, aussi bien entre deux mots distincts qu'à l'intérieur d'un même mot :

La fille de Minos et de *Pasiphaé*. (RACINE.)

par ex., et celui-ci de La Fontaine :

Le coche arrive *au haut*.

Aussi, les symbolistes se sont-ils affranchis de l'interdiction.

II. — Différentes mesures de vers

Il existe des vers de 1 à 12 syllabes, exceptionnellement de 13 à 15 ; ces derniers ne peuvent figurer que dans des pièces de fantaisie. Quant aux petits vers de 1, 2, 3, 4 syllabes, ils sont le plus souvent mêlé en d'autres plus longs.

Voici, par exemple, mêlés à d'autres vers, des vers d'*une seule syllabe* :

Et l'on voit des commis
Mis
Comme des princes,
Qui jadis sont venus
Nus
De leurs provinces.   (PANARD.)

Très rare, le vers de *deux syllabes* se trouve, parfois, mêlé à d'autres :

Mais qu'en sort-il souvent ?
Du vent !   (LA FONTAINE.)

Les vers de *trois syllabes* sont presque toujours employés avec d'autres : ainsi ces vers de Musset :

Peureuse, elle part sans bruit
Et s'enfuit.

On connaît la « Chanson d'Automne » de Verlaine, où deux vers de *quatre syllabes* sont suivis d'un vers de *trois* :

Les sanglots longs
Des violons
De l'automne
Bercent mon cœur
D'une langueur
Monotone.

VERSIFICATION

Le vers de *cinq syllabes* ne se trouve guère que dans les chansons:
> Des lacs de délice
> Où le poisson glisse. (V. Hugo.)

Le vers de *six syllabes* est rare aussi ; on le trouve employé en distique (groupe de deux vers) après un alexandrin, et parfois indépendamment de tout autre système :
> Le vent, qui sur les tombes
> Sème les romarins,
> Comme un vol de colombes
> Emporte nos chagrins. (G. Vicaire.)

La poésie lyrique admet aisément les vers courts, de même le conte, la fable, l'épigramme, et en général les pièces d'un caractère vif et plaisant. Mais les vers plus longs, ayant plus de majesté, conviennent mieux aux genres sérieux, tels sont surtout l'octosyllabe, le décasyllabe et l'alexandrin. Les moins usités sont ceux de sept, de neuf et de onze syllabes, encore qu'on les rencontre, et chez les poètes de la Pléiade, et chez les symbolistes.

L'octosyllabe fut très employé à la Renaissance ; il a été repris, soit indépendamment de tout autre système :
> Aux étoiles j'ai dit un soir:
> « Vous ne paraissez pas heureuses ;
> Vos lueurs, dans l'infini noir,
> Ont des tendresses douloureuses ». (Sully Prudhomme.)

Souvent mêlé à des alexandrins (distique):
> O Corse à cheveux plats, que la France était belle
> Au grand soleil de Messidor !   (A. Barbier : *la Cavale*.)

Le vers *ennéasyllabe* (9 syll.) est plus rare ; Molière l'a employé dans les divertissements. Quant au *décasyllabe* (10 syll.), il est fréquent. Le Moyen Age l'emploie dans les Chansons de geste *(Roland)* et les poètes modernes dans la poésie légère ou dans la poésie lyrique :
> Tu n'as que moi pour contenir tes craintes !
> Mes repentirs, mes doutes, mes contraintes
> Sont le défaut de ton grand diamant... (P. Valéry : *Le Cimetière marin*.)

L'hendécasyllabe ou vers de onze syllabes est fort rare, l'oreille le distingue mal de l'alexandrin. Le vers de *douze syllabes* ou *vers alexandrin* est, en revanche, le vers français par excellence, et il sera étudié spécialement plus loin.

Les poètes ont parfois employé des vers de *treize* ou même de *quinze syllabes*, mais exceptionnellement, et l'oreille ne les distingue plus guère de la prose.

Les vers d'une longueur déterminée s'emploient tantôt *seuls*, en séries complètes ou en *strophes*, tantôt groupés en *distiques :* un vers plus long suivi d'un plus court (*ïambes* par ex.). Parfois, les poètes ont groupé dans un même morceau des strophes faites de vers de longueurs différentes, et l'on sait quels effets curieux V. Hugo a tirés de ce procédé dans sa pièce des *Djinns* (*Orientales*).

On appelle enfin *versification libre* celle dans laquelle des vers de toutes mesures sont mêlés selon le caprice du poète : c'est celle des *Fables de La Fontaine*.

III. — La rime

1° *La rime. Définition. L'assonance, le vers blanc.* — La rime caractérise la poésie française. Son origine doit être cherchée dans les hymnes latines de l'Église au Moyen âge. Elle consiste essentiellement dans la répétition, à la fin de deux ou de plusieurs vers groupés ensemble, de la même voyelle accentuée suivie des mêmes articulations. Dans les chansons de geste du Moyen âge, la répétition de la syllabe accentuée porte seulement sur la voyelle, quelle que soit l'articulation qui la suit ; c'est ce qu'on appelle *l'assonance*. Une même *laisse* terminée par ex. par la voyelle tonique *a* présentera une suite de mots qui pourront rimer : table, masse, message, patte, etc. Les *vers blancs* (qui ne riment pas) sont difficilement admis, le rythme n'y paraît pas assez marqué, et ils sont trop voisins de la prose.

Certaines écoles modernes, surtout les symbolistes, rejettent même complètement la rime, composant des strophes libres, où le rythme n'est plus marqué que par des espèces de refrains, des répétitions de mots, des allitérations. D'autres enfin ont voulu introduire une sorte de prose rythmée, formée de membres d'une longueur à peu près égale, avec une sorte d'assonance (Versets de P. Claudel, etc.). Malgré ces tentatives, il semble que la rime reste définitivement un élément essentiel du vers français.

2° *La forme acoustique de la rime.* — Du point de vue purement acoustique, on distingue la *rime masculine* et la *rime féminine*.

   a) *La rime masculine* est celle qui porte sur la dernière syllabe du mot, qui se termine par une syllabe sonore. Ex. : éter*nel* et solen*nel*, *noir* et *voir*, *mort* et *sort*.

   b) *La rime féminine* est celle où la syllabe sonore est suivie d'un *e* muet, qui ne compte pas dans la mesure du vers, la rime portant ainsi sur l'avant-dernière syllabe. Ex.: épr*euv*(e) et v*euv*(e), v*oil*(e) et ét*oil*(e).

A noter que cet *e* muet peut être suivi de l'*s* du pluriel : magni*fiqu*(es) et por*tiqu*(es), ou du groupe de consonnes *nt* de la 3ᵉ pers. du pluriel : m*eur*(ent) et pl*eur*(ent).

La syllabe tonique *ent* ne saurait rimer avec les syllabes atones de ces formes : cou*vent* (n.) et cou*vent* (verbe). — A noter encore que les 3ᵉ pers. pl. imparfait et conditionnel en *aient* ainsi que les subjonctifs *soient* et *aient* forment des rimes masculines.

Pour le groupement des rimes masculines et des rimes féminines, V. ci-après § 4°.

3° *La valeur des rimes.*

   a) Une rime est dite *suffisante* quand elle porte sur une syllabe accentuée *suivie* des mêmes articulations, c.-à-d. des mêmes consonnes : ter*rible* et in*vincible*, *brume* et *plume*.

   b) Elle est dite *riche* quand, dans les deux mots qui riment, la voyelle sonore, est en plus, *précédée* de la même articulation, de la ou des mêmes consonnes, dites « consonnes d'appui ». Redou*table* et épouvan*table*, ré*gler* et cin*gler*.

Le XVIIᵉ et le XVIIIᵉ s. se sont contentés, le plus souvent, de la rime suffisante, les romantiques et surtout les parnassiens ont recherché la rime riche.

La rime est faite pour l'oreille, et non pour l'œil ; l'identité de sons est donc exigible pour les dernières syllabes, mais non l'identité orthographique ; et, bien que Malherbe ait admis la « rime pour l'œil », on l'évite de plus en plus, et on pense que par exemple *aimer* ne rime nullement avec *amer* (ce qui constituerait ce qu'on appelle la *rime normande*).

Certaines rimes, pour leur banalité, doivent être évitées comme trop faciles : telles sont celles d'un mot simple et de son composé : *voir* et *prévoir*, *lire* et *relire*, *battre* et *combattre*, etc. — de même celles de mots qui s'appellent presque invinciblement : *gloire* et *victoire*, *honneur* et *bonheur*, — ou encore celles de mots qui expriment des idées trop manifestement analogues ou contraires, comme *douleur* et *malheur*, *bonheur* et *malheur*, *campagne* et *montagne*, etc. Les rimes où la voyelle serait longue dans un mot, brève dans l'autre, sont également à blâmer, par ex. *âme* et *flamme*, *côte* et *note*. — La versification classique exige aussi qu'un singulier ne rime pas avec un pluriel, règle que rejettent aujourd'hui certains poètes.

c) *Variété de rimes* :

Le souci de la variété des rimes avait poussé les poètes de la Renaissance à rechercher des combinaisons variées. Alors parurent les *rimes couronnées*, répétant deux fois la même syllabe :

> La blanche *colombelle*, *belle*   (MAROT) ;

la *rime empérière*, les répétant trois fois :

> Prenez en gré nos impar*faits fais faits*   (MASSIEU) ;

la *rime équivoquée*, véritable jeu de mots :

> On voit à l'hôpital maint *prodigue alité*,
> Qui pleure amèrement sa *prodigalité*   (V. HUGO) ;

les *rimes enchaînées* ou *fraternisées*, où la dernière syllabe du vers est répétée au début du vers suivant :

> ...cingle vers nous, *Caron*,
> *Car on* t'attend...

les *rimes en écho*, où la dernière syllabe est reprise pour former le vers suivant :

> Que des tours leur corps dans la *tombe*
> *Tombe*!   (V. HUGO.)

Mais, à ces tours de virtuosité, les poètes préfèrent ordinairement les rimes expressives, riches ou simplement suffisantes, mais éclatantes, s'ils veulent par exemple donner la sensation de gloire, de bataille, de mort, etc. (*cor*, *or*), ou au contraire sourdes et comme étouffées s'ils veulent créer une expression de calme ou de mélancolie (*ombre*, *sombre*).

Ainsi : V. HUGO (*Hymne*) :

> Gloire à notre France é*ternelle*
> Gloire à ceux qui sont morts pour *elle*
> Aux martyrs, aux vaillants, aux *forts*...
> Et qui mourront comme ils sont *morts*.

4° *Groupement des rimes*. — Depuis le XVIᵉ siècle s'est établie la règle de l'alternance des rimes. En principe, les vers se trouvent groupés par 4, comprenant deux rimes masculines et deux rimes féminines, le groupe pouvant débuter indifféremment par les rimes masculines ou par les rimes féminines. Ronsard a fini par se faire une règle de cette alternance, Malherbe l'érige en loi, et on l'observe encore de nos jours.

Les systèmes de combinaisons les plus employés sont les suivants :
[Pour marquer schématiquement ces groupements, nous désignerons par A les rimes masculines, par B les rimes féminines.]

a) Un premier système de groupement, le plus simple, mais aussi le plus monotone, est celui des *rimes continues*, le morceau entier ou toute une série de vers se terminant par la même rime (A A A A). Telles sont les *laisses* assonancées des chansons de geste ; cette combinaison n'a plus guère été employée que comme un tour de force de versification plaisante :

> A Nous fûmes donc au château d'*If*
> A C'est un lieu peu récré*atif*
> A Défendu par le fer ois*if*
> A De plus d'un soldat mal*adif*.   (LEFRANC DE POMPIGNAN.)

b) *Les rimes plates* (A A B B ou B B A A).

Après deux rimes masculines ou féminines viennent deux rimes féminines ou masculines ; elles alternent d'un bout à l'autre régulièrement deux par deux.

> B Eh bien ! de leur amour tu vois la violence.
> B Narcisse : elle a paru jusque dans son silence !
> A Elle aime mon rival, je ne puis l'ignorer ;
> A Mais je mettrai ma joie à la désespérer.
> B Je me fais de sa peine une image charmante ;
> B Et je l'ai vu douter du cœur de son amante.
> A Je la suis. Mon rival t'attend pour éclater ;
> A Par de nouveaux soupçons, va, cours le tourmenter.   (RACINE : *Britannicus*.)

Le plus souvent, dans les genres tragique, épique ou didactique, dans la comédie en vers, la satire, l'épître, les vers sont à rimes plates.

c) *Les rimes croisées* (A B A B ou B A B A).

Une rime masculine succède à une rime féminine ou inversement, les rimes impaires d'une part, les rimes paires, d'autre part, rimant entre elles.

> B Je marcherai les yeux fixés sur mes pensées
> A Sans rien voir au dehors, sans entendre aucun bruit,
> B Seul, inconnu, le dos courbé, les mains croisées,
> A Triste, et le jour pour moi sera comme la nuit.   (VICTOR HUGO.)

VERSIFICATION

d) *Les rimes embrassées* (A B B A ou B A A B).
Deux rimes féminines sont placées entre deux masculines ou inversement.

B Dans ma cervelle se promène,
A Ainsi qu'en son appartement,
A Un beau chat, fort, doux et charmant.
B Quand il miaule, on l'entend à peine. (BAUDELAIRE : *Le Chat*.)

e) *Les rimes mêlées* : Leur ordre est quelconque; elles se mêlent librement. Ce sont souvent celles des poésies légères (très fréquentes dans les fables de La Fontaine).

f) *Les rimes redoublées* : La même rime est répétée plus de deux fois.

Il fond dessus, l'enlève et par même *moyen*
La grenouille et le *lien*.
Tout en fut, tant et si *bien*
Que de cette double proie
L'oiseau se donne au cœur joie.
 (LA FONTAINE. IV-11-*La Grenouille et le Rat*.)

IV. — Structure interne du vers

La rime n'est pas le seul élément rythmique du vers. Elle n'est qu'un des temps forts dont le retour, à intervalles réguliers, assure le rythme. Les autres varient quant au nombre et à la place suivant la longueur du vers. Chaque temps fort est marqué par une accentuation de la syllabe sur laquelle il porte dans la déclamation.

1º *La césure* est une pause dans l'intérieur du vers, à place fixe, après une syllabe accentuée. Elle ne doit pas être artificielle; il faut que la syntaxe la demande ou tout au moins la permette. Elle divise le vers en deux parties, appelées *hémistiches*, qui n'ont pas nécessairement le même compte de syllabes. La césure est un peu moins forte que la pause qui vient à la fin du vers, après la rime, et qui seule admet la respiration. Malherbe et Boileau l'exigèrent, et elle est devenue coupe simple, c'est-à-dire une séparation de mots à une place déterminée.

Place de la césure : Les césures ont une place variable dans le vers de 8 syllabes. Dans le décasyllabe, elles doivent se trouver obligatoirement, soit après la quatrième, soit après la cinquième syllabe.

Le vers français par excellence est le *vers alexandrin* (nom qui lui vient de son emploi, au XIIᵉ siècle, dans un poème sur Alexandre). Aux XVIᵉ et XVIIᵉ siècles, il devient le grand vers français, et depuis n'a cessé de l'être. Mais les classiques et les romantiques l'ont conçu d'une façon un peu différente, tout au moins en ce qui concerne la césure.

L'alexandrin doit être partagé en deux *hémistiches* égaux, c'est-à-dire que, avant la septième syllabe, il doit y avoir une séparation de mots marquant, soit un repos, soit à tout le moins une division du sens, c'est-à-dire que la césure ne doit pas, par ex., se trouver entre l'article et le nom, entre la préposition et son régime. Une période de douze syllabes qui n'aurait pas cette séparation de mots après la sixième syllabe ne serait pas un vers. Cette césure à l'hémistiche doit se trouver après une syllabe accentuée, aussi l'*e* muet non élidé ne peut être admis à cette place. Seuls, quelques symbolistes ont essayé de l'introduire.

Les « législateurs du Parnasse » du XVIIᵉ siècle avaient établi la règle de l'hémistiche, coupure principale des vers, le divisant en deux groupes égaux 6+6.

Que toujours dans vos vers, ‖ le sens coupant les mots
Suspende l'hémistiche, ‖ en marque le repos. (BOILEAU.)

On sait l'heureux parti que Corneille a su tirer de ce procédé dans ses « vers formules » où les deux hémistiches forment antithèse :

Ton bras est invaincu, ‖ mais non pas invincible.
Albe vous a nommé, ‖ je ne vous connais plus.

Mais il serait inexact de croire que tous les vers classiques se présentaient ainsi, Corneille avait déjà employé la coupe ternaire :

Toujours aimer, ‖ toujours souffrir, ‖ toujours mourir   4+4+4

et Racine, tout en respectant la règle, avait su donner à l'alexandrin une très grande souplesse, n'hésitant pas à briser la cadence 6+6, et mettant les coupes principales de vers à d'autres places.

Tremble, ‖ m'a-t-elle dit, ‖ fille digne de moi   2+4+6
Le cruel Dieu des Juifs l'emporte aussi sur toi   12 (coupe très peu sensible)
Je te plains ‖ de tomber dans ses mains redoutables,   3+9
Ma fille ! ‖ En achevant ces mots épouvantables   2+10
Son ombre ‖ vers mon lit ‖ a paru se baisser   3+3+6
Et moi, ‖ je lui tendais les mains pour l'embrasser (*Athalie*). 2+10

Les romantiques se sont attaqués violemment à la théorie de la césure après la sixième syllabe, repos principal du vers, et ils ont disloqué l'alexandrin.

« Nous faisons basculer la balance hémistiche.
... Le vers qui, sur son front,
Jadis portait toujours douze plumes en rond
Et sans cesse sautait sur la double raquette
Qu'on nomme prosodie et qu'on nomme étiquette,
Rompt désormais la règle et trompe le ciseau,
Et s'échappe, volant qui se change en oiseau,
De la cage césure...   (V. HUGO : *Réponse à un acte d'accusation*.)

Ils ont mis en usage le *vers ternaire* pourvu de deux coupes mobiles :

Songez ‖ que pour cette œuvre, ‖ enfants, ‖ il se dévoue,   2+4+2+4
Brûle ses feux, ‖ meurtrit son cœur, ‖ tourne la roue,   4+4+4
Traîne la chaîne ‖ Hélas, ‖ pour lui, ‖ pour son destin,   4+2+2+4
Pour ses espoirs ‖ perdus à l'horizon lointain,   4+8
Pour ses vœux, ‖ pour son âme aux fers, ‖ pour sa prunelle   3+5+4
Votre cage d'un jour ‖ est prison éternelle !   6+6
 (V. HUGO : *Le maître d'études*.)

L'alexandrin classique peut avoir une allure égale, s'il est coupé en quatre parties égales; il est alors inexpressif. Mais il peut avoir des mesures différentes selon les effets cherchés. Car

si une mesure est petite et une autre très longue, pour éviter que par les inégalités de ces intervalles le rythme ne soit détruit, il faut ralentir ou accélérer le débit. Ces modifications d'allure rendent le vers expressif. C'est ainsi qu'on peut avoir :
  des mesures lentes traduisant un mouvement lent :
> Et le char ‖ vaporeux ‖ de la reine des ombres
> Monte, ‖ et blanchit déjà les bords de l'horizon. (LAMARTINE : *Isolement*.)

des mesures lentes servant à insister sur un mot :
> Zeus, ‖ sur le pavé d'or, ‖ se lève ‖ furieux,
> (LECONTE DE LISLE : *Le combat homérique*.)

ou encore des mesures rapides pour un mouvement rapide :
> Donne :... pourquoi frémir ? et quel trouble soudain
> Me glace à cet objet, et fait trembler ma main ? (RACINE : *Bajazet*.)

2° Il est possible encore de produire un effet de mouvement, une mise en relief, grâce à l'*enjambement* et au *contre-rejet*. L'enjambement le plus fréquent est le renvoi, au début d'un deuxième vers, d'un ou de plusieurs mots qui complètent le sens d'un premier vers et qui forment le *rejet*. On le trouve déjà chez Villon et chez Ronsard. Malherbe le proscrit, et Boileau recommande de l'éviter, ce que font généralement les classiques, encore que La Fontaine en use volontiers :
> Même, il m'est arrivé quelquefois de manger
> Le berger.

L'enjambement peut se trouver à l'hémistiche : Dans ce cas, la première mesure du deuxième hémistiche est plus étroitement liée au mot qui précède qu'au mot qui suit, et la coupe est néanmoins observée :
> Dites lui seulement que je viens
> De la part de Monsieur Tartufe pour son bien. (MOLIÈRE : *Tartufe*.)

L'enjambement étant une discordance entre la syntaxe et le rythme, puisque l'élément syntactique déborde la rythmique, il convient de ne l'employer qu'avec précaution, et de s'efforcer de conserver la pause à la fin du vers.

Il ne faut pas oublier que *l'harmonie des vers* tient, non seulement à la fermeté du rythme et aux justes proportions des mesures, mais aussi à la *musique des mots*. Les voyelles en constituent les notes, qui se distinguent par leur *timbre*. On peut former des lois, quant aux modalités de leur groupement, comme on en forme pour la mesure des syllabes ; il n'est pas indifférent que les sons changent en modulant, qu'ils se reproduisent ou qu'ils s'opposent, ou qu'ils se correspondent symétriquement au lieu de se suivre au hasard. Musset s'est servi en maître de l'harmonie des sons :
> Voici la *verte* É*co*sse et la br*un*e I*ta*lie...
> Ce m*a*tin, quand le *jour* a frappé ta *pau*pière,
> Quel sér*a*phin pensif *cour*bé sur ton ch*e*vet,
> Secouait des *li*las dans sa *ro*be lé*gè*re,
> Et te con*tait* tout *bas* les am*ours* qu'il r*ê*vait ? (*Nuit de Mai*.)

Ces combinaisons, ces trouvailles sont le fait du poète, elles lui viennent naturellement à l'esprit, elles relèvent de l'inspiration, du goût, de l'oreille et non de la technique. L'étude de la versification peut seulement noter à part :

a) Les *allitérations*, répétitions des mêmes consonnes ou groupes de consonnes produisant certains effets d'*harmonie imitative* :
  Avec la sifflante *s* (sifflement).
> Pour qui *s*ont *ces s*erpent*s* qui *s*ifflent *s*ur nos têtes ? (RACINE.)

  Avec la vibrante *r* (grincement, roulement).
  Avec les combinaisons d'*r* et de *f* et de *l* (souffles, exhalaisons).
> Un *f*rais pa*rf*um so*r*tait des touff*es* d'asp*ho*dè*le* ;
> Les sou*ff*les de *la* nuit *f*lottaient sur Galgala. (V. HUGO : *Ruth et Booz*.)

b) Les *assonances* (qu'il ne faut pas confondre avec l'assonance, rime imparfaite du Moyen Age), reprise de la même voyelle ou de la même diphtongue dans un vers ou un groupe de vers.
> Tout m'afflige et me n*ui*t, et conspire à me n*ui*re. (RACINE.)

Les deux effets peuvent être joints (allitération et assonance) :
> Ariane ma *s*œur, de quel amour bl*essée*
> *V*ous mour*û*tes aux bords *où v*ous f*û*tes l*aissée*. (RACINE.)

La recherche excessive de ces effets et d'autres encore (audition colorée, etc.) chez certains poètes, tient plus de la virtuosité que de l'art, et ils ne sauraient plaire à l'esprit et au goût que s'ils sont rares et imprévus.

V. — Les combinaisons de vers et les poèmes à forme fixe

1° *Groupes de vers uniformes* : La tragédie, la comédie, l'épopée, et, d'une façon générale, les grands genres, utilisent le même vers du début à la fin du poème, et cette régularité leur donne une sorte de majesté.

Les alexandrins cependant peuvent se mêler à d'autres vers ; quand ils alternent régulièrement avec ceux de huit pieds, on a la forme des « ïambes » qui frappe l'esprit du lecteur, tant pour sa difficulté (car, à chaque changement de rythme, donc à chaque vers, il faut que corresponde une nouveauté de l'idée), que par sa force, venant de ce que tout est mis en relief :
> Pour consoler leurs fils, leurs veuves, leur mémoire ;
>   Pour que des brigands abhorrés
> Frémissent aux portraits noirs de leur ressemblance ;
>   Pour descendre jusqu'aux enfers
> Chercher le triple fouet, le fouet de la vengeance,
>   Déjà levé sur ces pervers ;
> Pour cracher sur leurs noms, pour chanter leur supplice
>   Allons, étouffe tes clameurs,
> Souffre, ô cœur gros de haine, affamé de justice.
>   Toi, vertu, pleure si je meurs. (ANDRÉ CHÉNIER : *Saint Lazare*.)

VERSIFICATION

2º *L'ode. La strophe* ou *stance* : A côté de ces poèmes, il en est d'autres, surtout dans le genre lyrique, qui ne sont pas composés de séries de vers isolés, mais de *groupes de vers* arrangés dans un ordre régulier, formant une période à la fois pour le rythme et pour le sens. Ces poèmes, généralement appelés *odes*, sont formés d'un certain nombre de ces groupes, appelés *strophes* ou *stances*. L'ode entière peut être construite sur un système de stances uniformes ou admettre simultanément plusieurs systèmes variés.

La stance est composée d'un certain nombre de vers, qui ne sont ordinairement ni moins de quatre ni plus de douze. On appelle *tercet* une stance de trois vers, *quatrain*, une de quatre. Les stances sont régulières lorsqu'elles ont un même nombre de vers, un mélange égal de rimes croisées, et lorsque les grands vers et les petits y sont distribués également; elles sont irrégulières quand cette symétrie n'existe pas. Pour qu'elles soient correctes il faut de plus : que le sens finisse avec le dernier vers de chacune; que le dernier vers d'une stance ne rime pas avec le premier de la suivante; que les mêmes rimes enfin ne reparaissent pas dans deux stances consécutives.

3º *Poèmes à forme fixe.* — On appelle ainsi des pièces de vers dans lesquelles le nombre des vers et la disposition des rimes sont commandés par des règles immuables.

Telles sont d'abord les petites pièces, telles que les *épigrammes, madrigaux, épitaphes, acrostiches, inscriptions*, présentées sous forme de distiques (pièce en 2 vers), de quatrains (4), de sixains (6), de huitains (8), de dizains (10 vers). Ce sont de véritables strophes, mais chacun de ces poèmes n'en comporte qu'une.

Tels étaient aussi les poèmes à forme fixe employés au Moyen âge et à la Renaissance : *triolet, rondel, chant royal, lai, virelai, villanelle, terza rima*, etc.

Les trois poèmes à forme fixe les plus employés sont :

a) **La *ballade*.** Elle comprend trois couplets de huit à dix vers en principe, écrits sur la même rime, ainsi que l'envoi qui termine la pièce. En principe, les ballades sont écrites en vers *décasyllabiques* ou *octosyllabiques*. Dans le premier cas, chaque couplet a dix vers et l'envoi cinq ; — dans le second, les couplets sont de huit vers et l'envoi de quatre. Le dernier vers de chaque couplet est répété, comme un refrain, à la fin des autres couplets et de l'envoi.

b) Pour *le rondeau*, pièce de treize vers (deux strophes de cinq vers séparées par un tercet), on ne saurait mieux faire que de reproduire celui de Voiture, qui explique les règles du genre et en donne en même temps un exemple :

> Ma foi, c'est fait de moi, car Ysabeau
> M'a conjuré de lui faire un rondeau :
> Cela me met en une peine extrême.
> Quoi ! treize vers, huit en *eau*, cinq en *ème*,
> Je lui ferais aussitôt un bateau.
>
> En voilà cinq, pourtant, en un monceau ;
> Faisons-en huit en invoquant Brodeau ;
> Et puis mettons, par quelque stratagème,
> « Ma foi, c'est fait. »
>
> Si je pouvais encor de mon cerveau
> Tirer cinq vers, l'ouvrage serait beau ;
> Mais cependant me voici dans l'onzième,
> Et si je crois que je fais le douzième,
> En voilà treize ajustés au niveau.
> « Ma foi, c'est fait. »

c) *Le sonnet.* Le sonnet, qui est un genre plus rigoureux, est composé de 14 vers d'une mesure égale (les sonnets peuvent être faits sur des vers de toutes dimensions de 1 à 12 syllabes) : ces vers sont répartis en deux quatrains (strophes de 4 vers) et deux tercets (strophes de 3 vers). Les deux quatrains sont faits sur les mêmes rimes masculines et féminines, rimes embrassées. La disposition des rimes dans les deux tercets peut être établie de deux façons, deux rimes plates puis quatre rimes croisées, ou deux rimes plates et quatre rimes embrassées. On a ainsi le schéma suivant :

1ᵉʳ quatrain { A B B A }   2ᵉ quatrain (mêmes rimes) { A B B A }   1ᵉʳ tercet { C C D | C C D }   2ᵉ tercet { E D E | E E D }

Le sonnet n'admet aucune faiblesse de langue et le dernier vers doit contenir une idée brillante ou inattendue.

Ex. de sonnet :

> A Doris, qui sait qu'aux vers quelquefois je me plais,
> B Me demande un sonnet, et je m'en désespère.
> B *Quatorze vers*, grand Dieu ! Le moyen de les faire ?
> A En voilà cependant déjà quatre de faits.
>
> A Je ne pouvais d'abord trouver de rime, mais
> B En faisant, on apprend à se tirer d'affaire.
> B Poursuivons : les *quatrains* ne m'étonneront guère
> A Si du premier *tercet* je puis faire les frais.
>
> C Je commence au hasard, et, si je ne m'abuse,
> C Je n'ai pas commencé sans l'aveu de ma muse,
> D Puisqu'en si peu de temps je m'en tire tout net.
>
> E J'entame le second, et ma joie est extrême,
> E Car des vers commandés j'achève le treizième,
> D Comptez s'ils sont *quatorze*, et voilà le *sonnet*.

(Poète anonyme du XVIIᵉ s.)

Les poèmes en vers libres, c'est-à-dire ceux où, aux libertés de rythme se joignent les libertés des rimes et celles du nombre des syllabes, sont des œuvres difficiles, car il s'agit d'accorder les variations de rythmes et de mètres avec les idées exprimées.

— Pour la langue de la poésie, v. le tabl. POÉSIE.

verticalité, n. f. État de ce qui est vertical.
Ant. — *Horizontalité.*

verticille [*sil-le*], n. m. (lat. *verticillus*, touffe). [Bot.] Ensemble d'organes disposés en cercle sur un même plan, autour d'un axe commun. *La fleur se compose de plusieurs verticilles.*

verticillé, ée [*sil-lé*], adj. [Bot.] Qui est disposé en verticille. V. pl. BOTANIQUE.

vertige, n. m. (lat. *vertigo*, m. s., de *verto*, je tourne). Sensation de perte d'équilibre et de tourbillonnement qui saisit lorsqu'on voit le vide s'ouvrir devant soi. *Ne vous penchez pas, vous auriez le vertige.* [Méd.] État dans lequel il semble que tous les objets tournent, étourdissement. *Il est sujet à des vertiges.* ‖ Fig. Égarement des sens ou de l'esprit.
— *Cet esprit de vertige et d'erreur De la chute des rois funèbre avant-coureur.*
(RACINE.)

* **vertigineusement,** adv. De manière à donner le vertige.

vertigineux, euse, adj. (lat. *vertiginosus*, m. s.). Qui s'accompagne de vertiges. *Accidents vertigineux.* ‖ Qui cause le vertige, qui est propre à donner le vertige. *Hauteur vertigineuse.*

vertigo, n. m. (mot. lat.). Maladie des chevaux et des bœufs qui se manifeste par des phénomènes de somnolence et des mouvements désordonnés. ‖ Fig. et Fam. Caprice, fantaisie. *Elle a de singuliers vertigos.*

vertu, n. f. (lat. *virtus, virtutis,* force). Force, énergie de caractère nécessaire pour faire quelque chose; courage. *C'est un homme qui n'a ni force ni vertu.* — Prov. *Faire de nécessité vertu.* V. NÉCESSITÉ. ‖ Disposition ferme et constante de l'âme, qui porte à faire le bien et à fuir le mal. *On a mis sa vertu à l'épreuve.* ‖ Loi morale qui est l'objet de la vertu. *Pratiquer la vertu.* ‖ Disposition particulière propre à telle ou telle espèce de devoirs ou de bonnes actions. *Les vertus guerrières.* ‖ En parlant des femmes, chasteté, pudicité. — *Dragon de vertu,* femme dont la vertu n'a pas su se rendre aimable. ‖ Personnes vertueuses. *Récompenser la vertu.* ‖ En parlant des choses, qualité qui les rend propres à produire un certain effet. *Les vertus des plantes, des minéraux.* [Théol.] Classe d'anges. = EN VERTU DE, loc. prép. En conséquence de, à cause du droit, du pouvoir de. *Saisir en vertu d'un jugement.*
— *Les vertus se perdent dans l'intérêt comme les fleuves dans la mer.*
(LA ROCHEFOUCAULD.)
— *Préférez la vertu à tout : vous n'y aurez jamais de regret. Il peut arriver que les hommes qui sont envieux et légers vous fassent éprouver un jour leur injustice. C'est un mal; mais il n'est pas tel que le monde se le figure; la vertu vaut mieux que la gloire.*
(VAUVENARGUES.)
ÉPITHÈTES COURANTES : haute, sublime, rare, éminente, héroïque, stoïque, parfaite, grande, rigide, reconnue, admirée, célébrée; modeste, cachée, timide, secrète; agissante, chrétienne, morale; pratiquée, éprouvée, opprimée, persécutée, méprisée, méconnue; naturelle, acquise, surnaturelle; guerrière, civile, royale, sociale; privée, publique, domestique; grande, petite, mince, etc.

Ant. — *Vice, défaut, dépravation; lubricité, licence.*

* **vertubleu,** * **vertuchou,** interj. (pour *Vertu Dieu*). Juron comique.

vertueusement, adv. D'une manière vertueuse.

vertueux, euse, adj. Qui a de la vertu. ‖ *Une femme vertueuse,* une femme chaste, pudique. ‖ Inspiré par la vertu. *Une pensée vertueuse.*
Ctr. — *Débauché, vicieux, libertin, impudique, dépravé, licencieux.*

vertugadin ou * **vertugade,** n. m. (espagn. *verdugado,* baguette). Espèce de bourrelet que les dames portaient jadis sous leur jupe pour faire bouffer leur robe. ‖ Sorte de crinoline qui évasait la base des jupes en forme de cloche. V. pl. COSTUMES.

* **vérumontanum** [*nomm*], n. m. [Anat.] Petite éminence située devant le col de la vessie, au niveau de la prostate.

verve, n. f. (orig. inc.). Caprice, bizarrerie, fantaisie (Vx et fam.). ‖ Chaleur d'imagination qui anime le poète, l'orateur, l'artiste. *Verve poétique. Être en verve.*
Syn. — V. ESPRIT.

verveine, n. f. (lat. *verbena,* m. s.). [Bot.] Genre de plantes aromatiques, type de la famille des *verbénacées.*

vervelle, n. f. (lat. *vertibula,* vertèbre). [Fauc.] Anneau au nom du propriétaire qu'on mettait au pied d'un oiseau de fauconnerie.

1. verveux [*veû*], n. m. (lat. *vertibulum,* articulation). [Pêche] Sorte de filet en entonnoir, muni, à l'intérieur, de cônes permettant l'entrée du poisson mais s'opposant à sa sortie.

2. * **verveux, euse,** adj. Plein de verve.
Par. — *Verbeux,* qui abonde en paroles; diffus.

vésanie, n. f. (lat. *vesania,* m. s.). [Méd.] Nom générique des maladies mentales.

* **vésanique,** adj. [Méd.] Qui a rapport à la vésanie.

vesce [*vèss*], n. f. (lat. *vicia,* m. s.). [Bot.] Genre de plantes fourragères, de la famille des *légumineuses.* ‖ Graine de cette plante.
Hom. — *Vesse,* incongruité.

* **vesceron** ou * **vesseron,** n. m. (de *vesce*). [Bot.] Nom vulgaire de la *gesse* et de certaines vesces sauvages.

vésical, ale, adj. (bas lat. *vesicalis,* m. s.). [Anat.] Qui a rapport à la vessie.

vésicant, ante, adj. et n. (bas lat. *vesicare,* gonfler, former des ampoules). [Méd.] Qui produit des ampoules sur la peau. = N. m. Médicament vésicant. = N. m. pl. [Zool.] *Les vésicants,* groupe d'insectes coléoptères dont la cantharide est le type.

* **vésication** [*sion*], n. f. [Méd.] Mode de révulsion qui consiste à déterminer une sécrétion séreuse par laquelle l'épiderme se soulève et forme des ampoules remplies de liquide.

vésicatoire, adj. (lat. *vesico,* je produis des ampoules). [Méd.] Qui produit des vésicules sur la peau. *Un emplâtre vésicatoire.* = N. m. Médicament, emplâtre qui produit la vésication.

* **vésiculaire,** adj. Qui a la forme d'une vésicule; relatif aux vésicules.
Par. — *Vésiculeux,* qui s'accompagne de vésicules.

VÉSICULATION — VÊTEMENT

* **vésiculation** [sion], n. f. Production de vésicules.

vésicule, n. f. (lat. *vesicula*, petite vessie). [Anat.] Petit sac membraneux ou petite cavité glandulaire en forme de vessie. *Vésicule biliaire. Vésicules pulmonaires.* [Pathol.] Petites boursouflures pleines de sérosité ou de pus, qui apparaissent sur la peau dans certaines maladies dermiques ou à la suite de frottements mécaniques.

* **vésiculeux, euse**, adj. Qui s'accompagne du développement de vésicules. *Affections vésiculeuses.* ‖ Renflé à la manière d'une petite vessie.

PAR. — *Vésiculaire*, en forme de vésicule.

vesou, n. m. (mot créole). Jus de la canne à sucre au sortir du pressoir.

* **vespasienne**, n. f. (de l'empereur rom. *Vespasien*). Urinoir public.

vespéral, ale, adj. (bas lat. *vesperalis*, m. s.). Qui a lieu le soir, qui a rapport au soir. *Clarté vespérale.* = N. m. [Liturg.] Livre pour l'office du soir.

* **vespertilion** ou * **vespertilio**, n. m. (lat. *vespertilio*, chauve-souris). [Zool.] Genre de mammifères chéiroptères comprenant la plupart des espèces françaises de chauves-souris.

* **vespétro**, n. m. (de *vesse, pet, rot*). Sorte de ratafia stomachique dans lequel on fait entrer des semences d'anis vert, de fenouil, de coriandre, des zestes d'orange, etc.

* **vespidés**, n. m. pl. (lat. *vespa*, guêpe). [Zool.] Famille d'insectes hyménoptères renfermant les guêpes sociales.

vesse, n. f. Vent d'une odeur désagréable, qui sort sans bruit par l'anus (vulg.). ‖ Pop. Peur intense.

HOM. — *Vesce*, plante de la famille des légumineuses ; — *vesse, es, ent*, du v. vesser.

vesse-de-loup ou * **vesseloup**, n. f. Nom vulg. des champignons du genre lycoperdon. = Pl. Des *vesses-de-loup* ou des *vesseloups*.

vesser, v. intr. (lat. *visire*, m. s.). Lâcher une vesse (vulg.).

* **vesseron**, n. m. [Bot.] V. VESCERON.

* **vesseur, euse**, n. Celui, celle qui a l'habitude de vesser. ‖ Fig. Poltron, poltronne (vulg.).

vessie [vé-si], n. f. (lat. *vesica*, m. s.). [Anat.] Réservoir musculo-membraneux destiné à recevoir l'urine et à la contenir. ‖ Cette partie tirée du corps de l'animal et desséchée. *Vessie de cochon.* ‖ Fig. et prov. *Prendre des vessies pour des lanternes*, croire des choses qui n'ont pas le sens commun. ‖ Petite ampoule sur la peau. [Zool.] *Vessie natatoire*, vessie remplie de gaz située dans l'abdomen de la plupart des poissons. V. pl. POISSONS.

vessigon, n. m. (ital. *vessigone*, m. s.). [Méd. Vét.] Tumeur molle qui survient parfois sur l'une des parties latérales du jarret du cheval.

* **vestalat** [*la*], n. m. (de *vestale*). [Antiq.] Corps des vestales chez les Romains. ‖ Durée de trente ans pendant laquelle une vestale devait demeurer vierge.

vestale, n. f. (lat. *vestalis*, m. s.). [Antiq. rom.] Prêtresse de Vesta. Les vestales formaient un collège de six prêtresses particulièrement honorées. Elles devaient rester vierges et entretenir le feu sacré. ‖ Par ext. Femme très chaste.

veste, n. f. (ital. *veste*, m. s., du lat. *vestis*, vêtement). Vêtement qui se portait sous l'habit et qui était à quatre pans. V. tabl. VÊTEMENT et PARURE (*Idées suggérées par les mots*). ‖ Habillement long que les Orientaux portent sous leur robe. *Veste à la turque.* ‖ Vêtement qui tient lieu de l'habit, et dont les basques sont beaucoup plus courtes. *Une veste de drap.* ‖ Pop. *Retourner sa veste*, changer d'opinion. ‖ Pop. Échec à la suite d'une compétition, d'un examen, d'une élection, etc.

> VOCAB. — *Famille de mots.* — *Veste* [rad. *vest, vêt*] : veston, vestiaire, vestimentaire, vêtement, vêture ; dévêtir, dévêtu, dévêtissement ; investir, investissement, investiture ; revêtir, revêtement ; travestir, travesti, travestissement, travestisseur.

vestiaire, n. m. (lat. *vestiarium*, m. s., de *vestis*, habit). Lieu où l'on garde les vêtements dans les communautés, collèges, etc. ‖ Lieu où l'on dépose son pardessus, son parapluie, etc., à l'entrée d'un théâtre, d'un musée, etc., pour les reprendre à la sortie. ‖ Dépense faite pour l'habillement.

* **vestibulaire**, adj. Relatif au vestibule de l'oreille.

vestibule, n. m. (lat. *vestibulum*, m. s.). Pièce située à l'entrée d'un édifice, d'une demeure, d'un appartement, etc., et qui sert de passage pour se rendre aux autres pièces. V. pl. MAISON. [Anat.] Cavité ovoïde, une des trois parties du labyrinthe osseux de l'oreille interne.

vestige, n. m. (lat. *vestigium*, m. s.). Empreinte du corps ou des pas d'un homme ou d'un animal, marquée dans l'endroit où il a passé. — Fig. *Suivre les vestiges de quelqu'un*, l'imiter. ‖ Par ext. Restes qui indiquent qu'il y a eu quelque construction dans le lieu où ils se trouvent. *Des vestiges de temples.* ‖ Fig. Tout ce qui rappelle une chose qui n'est plus. *Les derniers vestiges d'une civilisation.*

SYN. — V. DÉBRIS et MARQUE.

vestimentaire, adj. Qui a rapport aux vêtements. *Élégance vestimentaire.*

* **vestiture**, n. f. (lat. *vestitura*, ensemble de vêtements). [Hist. nat.] Ensemble des organes accessoires (poils, épines, aiguillons), que présentent la surface des végétaux ou la peau, la carapace de certains animaux.

veston, n. m. (de *veste*). Vêtement d'homme, plus court que l'ancienne veste.

* **vésuvien, ienne**, adj. Qui a rapport au Vésuve.

vêtement, n. m. (lat. *vestimentum*, action de vêtir). Habillement, ce qui sert à couvrir le corps. *Changer de vêtement.* V. pl. COSTUMES. V. tabl. VÊTEMENT (*Idées suggérées par le mot*). ‖ Par anal. *Ces oiseaux se distinguent par la richesse de leur vêtement.* ‖ Fig. *La parole sert de vêtement à la pensée.* [Blas.] Pièce formée par la réunion de 4 triangles occupant les coins de l'écu. V. pl. BLASON.

ÉPITHÈTES COURANTES : léger, chaud, commode, ample, large, étroit, étriqué, serré ; neuf, vieux, usé, déchiré, raccommodé, rapiécé, teint, reteint, élimé, déchiré, sali, boueux ; civil, militaire, ecclésiastique, sacerdotal, officiel, riche, somptueux, brodé, doré, magnifique, royal ; revêtu, pauvre, modeste, démodé, humble, misérable ; déposé, ôsé, rangé, brossé, etc.

VÊTEMENT ET PARURE

Étymologie. — Le mot *vêtement* vient du latin *vestimentum*, qui avait la même signification, et qui est tiré de *vestire*, vêtir. — Le mot *parure* a été formé sur le verbe *parer*, du verbe latin *parare*, préparer, qui a pris dans le bas latin le sens d'orner.

Définition. — *Vêtement* est le terme général désignant tout ce qui sert à couvrir le corps. *Parure* marque tout ce qui est destiné à embellir l'aspect extérieur d'une personne.

Mots de la même famille. — V. VESTE et PAIR.

Mots à rapprocher. — *Vêtement, habillement, habit, accoutrement, costume, uniforme, toilette.* *Vêtement* désigne tout ce qui peut couvrir le corps et s'applique tout à la fois aux habits, au linge, à la coiffure, à la chaussure. — *Habillement* comporte en outre une idée de forme et a un sens encore plus général puisqu'il s'applique même aux parures et aux bijoux. — *Habit* a un sens plus restreint, désigne les pièces de vêtement en étoffe et ne s'applique ni au linge, ni à la coiffure, ni à la chaussure, ni, à plus forte raison, aux parures et aux bijoux. — *Accoutrement* a un sens péjoratif et désigne un vêtement de mauvais goût ou de mauvaise coupe. — *Costume* se dit de l'ensemble de l'habillement d'une époque ou d'un pays, d'une profession particulière. — *Uniforme* désigne un vêtement, généralement composé de plusieurs pièces, fait d'après un modèle prescrit et porté par des personnes appartenant à un même corps : militaires, douaniers, facteurs, écoliers, etc. — *Toilette* se dit exclusivement de l'ensemble d'un costume féminin : toilette de bal, de deuil, etc.

Principaux termes concernant le vêtement et la parure.

a) LE COSTUME EN GÉNÉRAL. — Costume, habillement, habits, effets, se vêtir, s'habiller, se dévêtir, se déshabiller; vêtu, nu, en déshabillé, dépenaillé, être bien ou mal mis; tenue de ville, de gala, de cour, de soirée; grande tenue, petite tenue; trousseau, vestiaire, garde-robe; loques, guenilles, nippes, hardes, défroque, oripeaux, friperie; uniforme, costume officiel; affublement, accoutrement, ajustement, attifement, se nipper, s'emmitoufler; fanfreluche, affiquet, toilette, falbalas, atours; deuil, demi-deuil; déguisement, travesti, domino; vêtement tout fait, confection, vêtement sur mesures, sous-vêtement, vêtement de travail, vêtement de sortie, habit du dimanche, mise soignée, négligée, débraillé, déguenillé, fagoté; vêtements râpés, graisseux, déchirés, luisants, amples, larges, justes, étroits, étriqués, usagés, usés, démodés, effilochés, troués, tachés, raccommodés, rapiécés, lustrés; accroc, déchirure, stoppage, reprise, pièce, raccommodage. — *Couture* : mode, coupe, bonne coupe, aller bien, mal; flotter, serrer, bouffer; tailleur, couturier, haute couture, coupeur, confectionneur, grand faiseur, costumier, couturière, modiste, première, ouvrière, petite-main, cousette, arpette, trottin, mannequin, essayeuse; prendre les mesures, épingler, coudre, découdre, faufiler, surfiler, bâtir; surjet, ourlet, point de couture, de piqûre, de côté, de boutonnière, de reprise, de chaînette, d'épine, de chausson, de feston, de devant, d'arrière, noué, etc.; couture anglaise, rabattue, faux-ourlet, nervure; broderie, broderie anglaise, richelieu, madère; feston, plumetis; monogramme, dentelle, jour échelle, simple, fantaisie, ourlet à jour, Venise; point croisé, point de tapisserie, de marqué, canevas, petit point, etc.

b) PARTIES DU VÊTEMENT. — Corps, entournure, dos, collet, encolure, empiècement, revers, doublure, manche, emmanchure, gigot; poignet, manchette, parement, pan, basque; jabot, contrepointe, braguette, ceinture, godet, traîne, queue, lé, gousset, poche, pochette, boutonnière, bouton, agrafe, pression, boucle, garniture, finition, coulisse, ganse, lacet, cordon, ruban, ourlet, lisière, couverture. — *Costume masculin* : culotte, pantalon, culotte de sport, de ski, de chasse, de golf, pull-over, kilt, gilet, veste, veston, vareuse, habit à la française, habit à queue, queue de pie, frac, smoking, redingote, jaquette, dolman, tunique, paletot, pardessus, manteau, manteau d'hiver, de demi-saison, houppelande, carrick, caban, capote, raglan, ulster, plaid, imperméable, gabardine, pelisse, vêtement caoutchouté, cache-poussière, vêtement de pluie, ciré, pèlerine, collet, capuchon, veston de sport, costume ecclésiastique (V. RELIGIONS), costume militaire (V. GUERRE), costume d'académicien, habit vert, costume de diplomate, de préfet, robe de juge, d'avocat, de professeur; blouse de travail, sarrau, bourgeron, bleu, salopette, pantalon de treillis, de velours, à côtes. — *Costume antique et exotique* : chlamyde, pallium, himation, tunique, toge, laticlave, peplum, braie, sayon, saie, haut-de-chausses, gandourah, burnous, caftan, lévite, etc. — *Costume féminin* : robe, corsage, blouse, jupe, costume tailleur, chemisier, robe de ville, d'après-midi, de dîner, de soirée, de théâtre, tunique, fourreau, toilette de bal, décolleté, manteau, redingote, sortie de bal, cape, pèlerine, mantelet, déshabillé, robe de chambre, blouse, peignoir, kimono, mante, châle, mantille, tablier, écharpe, foulard, pointe, fichu, cravate, fourrure, dentelle, manchon, sweater, chandail, jupon, cotillon, cotte, panier, crinoline, tournure, pouf. Costume de sport, de ski, de chasse, amazone, costume de plage, slip, costume de bain, maillot, short, peignoir de bain, costume de voyage. — *Costume d'enfant* : lange, couche, maillot, couche-culotte, brassière, béguin, capote, bavette, bavoir, passe-couloir, barboteuse, douillette, esquimau, costume marin, tablier, combinaison, etc.

c) CHAUSSURE. — Soulier, brodequin; chaussures de fatigue, chaussure montante, à tige, décolletée, à boucles, à boutons, élastique, à fermeture éclair, soulier plat, à talons, de cuir, de satin, de daim, de toile; botte, demi-botte, revers, tire-botte, guêtre, jambière, houseaux, basane, sous-pied, leggins; sandale, espadrille, socque, cothurne, escarpin, chausson, mule, pantoufle, babouche, savate, caoutchouc, snow-boot, sabot, galoche, botte de tranchée, semelle de cuir, de bois, de caoutchouc, de corde, à clous, à vis, cousue, demi-semelle, crampons, clous; patins à glace, à roulettes. Empeigne, tige, bout, bout rapporté, talon plat, haut, anglais, Louis XV, contrefort, bride, œillet, lacet, cordon, boutonnière, tire-bouton, corne à chaussures, cuir : veau, vache, chevreau, phoque, daim, box-calf, renne, etc.; cirage, cirer, brosses à décrotter, à cirage, à reluire; pâte; cordonnier, bottier, chausseur, savetier, sabotier, raccommodeur, bouif, gnaf; échoppe, alêne, fil, poix, fil poissé, tranchet, forme, pied de fer, chaussure sur mesure, pointure, ressemelage, rapiécer, mettre une pièce. Se chausser, se déchausser, lacer, délacer ses chaussures; éculer ses chaussures; pop. : godillot, godasse (V. pl. CHAUSSURES).

d) COIFFURE. — Coiffer, peigner, onduler, friser, décoiffer; chevelure, boucle, mèche, ondulation, frison, accroche-cœur, papillotte, épingles, bigoudis, natte, tresse, queue, chignon, bandeau, toupet, faux-toupet, perruque, postiche, permanente; calvitie, teigne, pelade, pellicule, cheveux longs, courts, coupe, tailleraie, tonsure; bandeaux, anglaises, coiffure en brosse, à la Bressant, à la chien, à la Titus, à la Néron, à la Jeanne d'Arc; cheveux frisés, bouclés, ondulés, tressés, nattés, fournis, épais, touffus, crépus, fins, durs, rares, hérissés, ébouriffés, en désordre; cheveux blancs, albinos, gris, grisonnants, poivre et sel, châtains, bruns, noirs, blonds, roux, acajou, rouges carotte, cheveux platinés, tête chenue, barbe fleurie, moustache, impériale, bouc, favoris; taille, rafraîchissement des cheveux, de la barbe, de la moustache, tondre, tonte, faire la barbe, raser, tailler; tondeuse, rasoir, rasoir mécanique, pierre à rasoir, pâte à rasoir, savon, lame de rasoir, ciseaux, peigne, brosse, fer à friser; coiffeur, perruquier, barbier, artiste capillaire, figaro; passer au fer, friser, lisser, pommader, faire une friction, un shampoing, pommade, onguent, friction à l'alcool, à l'eau de Cologne, de lavande, de quinine, etc., lavage de tête, séchage électrique, ondulation, indéfrisable, permanente, fard, parfum, boîte à poudre, bâton de rouge, etc. Couvre-chef, chapeau, feutre, soie, paille, paille d'Italie; bord, fond, coiffe, galon, ganse, ruban, crêpe, jugulaire, visière, cordelière, plume, cocarde, aigrette, panache, pompon, bonnet, calot, bonnet de police, bicorne, tricorne, chapeau haut de forme, tube, gibus, claque, chapeau de soie, huit reflets, cape, chapeau melon, cronstadt, chapeau mou, bolivar, chapeau tyrolien, canotier, panama, casquette plate, rigide, molle, à pont; béret, béret basque, képi, shako, casque, bonnet à poil, etc. (V. GUERRE), toque, mortier, calotte, barrette, mitre, bonnet, tiare, couronne, turban, fez. Saluer, se couvrir, se découvrir, porter la main à son chapeau; carton à chapeau, brosse à chapeau, donner un coup de fer; chapelier, chapellerie, conformateur, mettre à la forme; chapeau de femme, toque, toquet, capote, capeline, charlotte, bergère, béret, chapeau de feutre, de paille, chapeau-cloche, serre-tête, turban, nœud d'étoffe, bonnet, coiffe, marmotte, fichu de tête, hennin, fontange, bavolet, béguin, cornette; carcasse, forme, garniture, aigrette, fleurs, fruits, plumes, oiseaux, nœud, gland, pompon, ruban, cocarde, bride, voile, voile de deuil, voilette, gaze, filet, réseau, résille; modes, etc. (V. pl. COIFFURES).

e) LINGERIE. — Armoire à linge, linge de corps, de toilette, de table, blanc, exposition de blanc, lé, ourlet, liseré, layette, linge confectionné, cousu à la main, brodé, chiffré, marqué, calandré, cylindré; damassé; linge pur fil, crème, blanc, à damiers, à damiers fleuris, à grands damiers; linge de maison, draps de fil, de coton, draps sans couture, à entre-deux; à retour; applications, taie d'oreiller, essuie-mains, essuie-verres, torchon, serviette-éponge, serviette de toilette, de table, à thé; nappe, napperon, dessus de table, centre de table. Linge de corps, chemise de jour, de nuit, blanche, de couleur, parure, combinaison, culotte, chemise-culotte, corset, soutien-gorge, baleine; faux-col, col empesé, mou, cassé, droit, rabattu, col tenant, manchettes, poignets, plastron, ceinture, tablier, mouchoir de poche, blanc, de couleur, à jours, festonné, etc., couche d'enfant, couche-culotte, camisole, guimpe, cache-corset; empeser, désempeser; lingerie, bonneterie, blanchisseuse, repasseuse, laveuse, lisseuse, lessiveuse, buanderie, lavandière; blanchir, passer au bleu, rincer, essorer, faire la lessive; fer à repasser, à tuyauter, fer à repasser électrique.

f) GANTERIE, BONNETERIE. — Gant, moufle, mitaine, main, doigt, arrière-fente, empaumure, doigtier, gant de laine, de peau, de soie, de fil, de filoselle, de tulle, de Suède, gants fourrés, gants de chauffeur, gant de caoutchouc; boîte à gants, tire-bouton; mettre ses gants, se ganter, ôter ses gants; pointure, ganterie, peaussier, mégisserie. Bonneterie, bas, chaussettes, demi-bas, socquettes, bas de soie, de rayonne, de fil, de coton, de laine; tricot, gilet de laine, chandail, pull-over, caleçon, caleçon de toile, de coton, de laine; pyjama, gilet de flanelle, ceinture de flanelle, brassière, bonnet de coton, bretelles, ceinture, jarretières, jarretelles, fixe-chaussettes, cache-nez, foulard, tour de cou, passe-montagne.

g) FOURRURES. — Fourreur, fourrure, pelletier, pelleterie, loutre, martre, castor, putois, columbia, astrakan, petit-gris, blaireau, hermine, skunks, zibeline, chinchilla, chamois, agneau rasé, veau mort-né, renard blanc, bleu, argenté, noir, roux, croisé, taupe, poulain, rat d'Australie, d'Amérique, kid noir, gris, doré, grèbe, cygne, genette, écureuil, vison, peau de lapin, de chèvre, de chevrette, vair, manteau fourré, manchon, boa, canadienne. Plumes d'autruche.

h) TISSUS. — Étoffes, nouveautés, lainages, soieries, cotonnades, rouennerie, chaîne, trame, endroit, envers, droit fil, biais, grain, échantillon, pièce, coupe, coupon. Tissu souple, raide, fort, clair, foncé, crêpe, gaufré, satiné, moiré, broché, chiné, glacé, frisé, pékiné, rayé, damassé, uni, écossais, quadrillé, imprimé, écru, lavé, apprêté, décati; tissu à ramages, à fleurs, à dessins, à pois. — Lainages : alpaga, bure, cachemire, casimir, castorine, cheviotte, crêpe, crépon, cuir de laine, damas, drap d'Elbeuf, de Sedan, anglais, feutre, flanelle, mérinos, molleton, droguet, gabardine, mousseline, peluche de laine, popeline, ratine, reps, serge, stoff, tartan, tiretaine, moquette, velours, velours de laine, mohair, côte de cheval, chevron, draperie. Étoffes de soie, de rayonne : fibranne, albène, brocart, toile de soie, surah, tussor, pongé, shantung, broché, crêpe, crêpe de Chine, crêpe satin, crêpe georgette, étamine, florence, gaze, gros grain, levantine, madras, moire, pékin, satin, faille, peau d'ange, peau de soie, taffetas, filoche, filoselle, bourre et bourrette de soie, shappe, peluche, velours de soie, voile de soie. — Étoffes de coton : rouennerie, boucassin, bougran, calicot, finette, pilou, coutil, cretonne, toile de coton, shirting, madapolam, indienne, lustrine, nankin, percale, percaline, piqué, satinette, velours de coton. — Étoffes de lin : fil, toile, batiste, cambrai, bougran, canevas, coutil, cretonne, damassé, peluche de lin, étamine, futaine, linon, mayenne, serpillière, treillis, toile, jute. — Étoffes de crin : crinoline, étamine, ramie, lamé, linoléum, toile cirée; ouate, caoutchouc, élastique. — Cuir : maroquin, chamois, ceinture ; caoutchouc, élastique, bretelle, jarretelle, corset.

i) ACCESSOIRES DE TOILETTE, PARURE. — Cravate, nœud, papillon, régate, lavallière, rabat, jabot, fraise, épingle de cravate, bouton de col, de manchette; foulard, fichu de soie, collerette, col, ruche, berthe, écharpe, fanfreluche, lacet, cordonnet, ruban, canon, passement, passementerie, crépine, frange, soutache, brandebourg, galon, tresse, épaulette, aiguillette, chevron, fourragère, gland, houppe, torsade, chou, bouillon, crevé, plissé, bouillonné, cordelière, natte, chenille, ganse, passepoil, lambrequin; perle, paillette, pampille, lamé d'or, d'argent, strass, bouton doré, argenté, nickelé, de corozo, de cristal, de galalith, etc.; boucle de ceinture; dentelle, dentellière, métier, fuseau, coussin, tambour, réseau, ajour; point, blonde, mignonnette, guipure, gueuse, entre-deux, garniture; point de Valenciennes, de Malines, du Puy, d'Alençon, d'Argentan, de Bruxelles, de Lille, de France, d'Angleterre, de Venise, de Gênes; point à la reine, point de rose, point éventail, etc.; éventail, sac à main, pochette, bourse, aumônière, porte-monnaie, réticule; parapluie, parasol, ombrelle, canne, jonc, badine, cravache, etc. — Bijoux : bijouterie, bijoutier, diamantaire, joaillier, bijou d'or, d'argent, de platine; boucles d'oreilles, joyau, breloque, pendeloque, collier, chaîne, chaîne de montre, pendentif, médaillon, ferronnière, jaseran, châtelaine, collier de perles, croix, bracelet, porte-bonheur, semaine, bracelet-montre, broche, épingle, bague, anneau, alliance, chevalière, chaton, brillant, diamant, solitaire, rivière de diamants, pierre précieuse (V. MINÉRAUX), pierrerie; monter, sertir une pierre, diadème, couronne, aigrette de diamants, pendants d'oreilles; émail, camée, bijoux faux, dorés, chromés, simili, doublé, perle de culture, perle artificielle, imitation; écrin, coffret à bijoux; diamant brut, taillé, en rose, en brillants, etc.

SYN. — *Vêtement*, tout ce qui sert à couvrir le corps de l'homme : *Acheter des vêtements neufs*. — *Accoutrement*, le fait d'être vêtu sans goût, ou d'une façon bizarre : *Où avez-vous été chercher cet accoutrement ridicule ?* — *Costume*, ensemble de vêtements formant un tout : *Un costume d'apparat*. — *Tenue*, costume et équipement d'un militaire : *Se mettre en grande, en petite tenue*. — *Uniforme*, costume semblable que portent tous les hommes d'une même catégorie : *Uniforme de militaire, de facteur*.
V. aussi AJUSTEMENT, NIPPES.

vétéran, n. m. (lat. *veteranus*, m. s., de *vêtus, veteris*, vieux). Chez les Romains, soldat qui, après un certain nombre de campagnes, obtenait son congé. — Soldat qui est depuis longtemps sous les drapeaux, et qui est bien aguerri. *Les vétérans de la vieille Garde.* ‖ Par ext., toute personne ayant vieilli dans une profession, une situation. *Les vétérans de la politique.* ‖ Élève qui redouble sa classe.

vétérance, n. f. Qualité de vétéran.

vétérinaire, adj. Qui concerne les maladies des animaux et les soins à donner aux animaux blessés ou malades. *Art vétérinaire.* On dit plutôt aujourd'hui *Médecine vétérinaire.* = N. m. Celui qui traite les maladies des animaux.

vétillard, arde [*ll* mll.], n. Celui, celle qui s'occupe de vétilles.

vétille [*ll* mll.], n. f. (lat. *vitta*, bandelette). Bagatelle, chose sans conséquence. *Ce ne sont là que des vétilles.*
SYN. — V. BAGATELLE.
HOM. — *Vétille, es, ent,* du v. vétiller.

vétiller [*ll* mll.], v. intr. S'amuser à des vétilles. *Il ne fait que vétiller.* ‖ Faire des difficultés sur de petites choses.

* **vétillerie** [*ll* mll.], n. f. (de *vétille*). Discussion oiseuse, chicane sur de petites choses.

vétilleur, euse [*ll* mll.], n. Celui, celle qui s'amuse à des vétilles.

vétilleux, euse [*ll* mll.], adj. Qui demande des soins minutieux, l'attention aux moindres détails. ‖ Qui s'arrête à des vétilles.
SYN. — V. CHICANIER.

vêtir, v. tr. (lat. *vestire*, m. s.). Habiller, mettre ses vêtements à quelqu'un, donner des habits à quelqu'un. ‖ Revêtir, mettre sur soi. *Vêtir une robe.* = SE VÊTIR, v. pr. S'habiller.

CONJUG. — V. trans. 3ᵉ groupe (inf. en *ir*) [rad. *vêt*].
Indicatif. — *Présent* : je vêts, tu vêts, il vêt, nous vêtons, vous vêtez, ils vêtent. — *Imparfait* : je vêtais..., nous vêtions, vous vêtiez... — *Passé simple* : je vêtis, tu vêtis, il vêtit, nous vêtîmes, vous vêtîtes, ils vêtirent. — *Futur* : je vêtirai..., nous vêtirons, vous vêtirez...
Impératif : Vêts, vêtons, vêtez.
Conditionnel. — *Présent* : je vêtirais..., nous vêtirions, vous vêtiriez...
Subjonctif. — *Présent* : que je vête..., qu'il vête, que nous vêtions, que vous vêtiez... — *Imparfait* : que je vêtisse, que tu vêtisses, qu'il vêtît, que nous vêtissions, que vous vêtissiez...
Participe. — *Présent* : vêtant. — *Passé* : vêtu, vêtue.
Obs. — Ce verbe est peu usité au prés. de l'indicatif et à l'impératif, où on lui substitue le verbe *revêtir*.

---

vétiver ou * **vétyver**, n. m. (mot indien). [Bot.] Plante de l'Inde, famille des *graminées*, dont les racines odorantes sont employées à préserver des insectes les fourrures et lainages.

veto [vé], n. m. (mot lat. signif. *je défends, je m'oppose*). [Hist.] Formule employée à Rome par le tribun du peuple lorsqu'il s'opposait aux décrets du sénat ou aux actes des magistrats. ‖ Dans les gouvernements constitutionnels modernes, droit qu'a le chef de l'État de refuser sa sanction aux lois votées par le parlement. ‖ Par plaisant. *J'y mets mon veto*, je m'y oppose.
LING. — Bien que l'expression *opposer son veto* ne constitue pas une incorrection, elle forme un pléonasme si l'on s'en tient à l'étymologie du mot *veto* (je m'oppose).

vêtu, ue, adj. (pp. du v. *vêtir*). Habillé. — Prov. *Être vêtu comme un oignon*, avoir plusieurs vêtements l'un sur l'autre.
SYN. — V. REVÊTIR.
CTR. — *Nu, déshabillé, dévêtu.*

vêture, n. f. (de *vêtir*). Cérémonie de la prise de l'habit de religieux ou de religieuse.

vétuste, adj. Atteint et détérioré par le temps.

vétusté, n. f. (lat. *vetustas*, m. s.). Ancienneté qui fait tomber en ruine ; détérioration par le temps. *Cette chapelle tombe de vétusté.*

veuf, veuve [Pr. l'*f*, même au pluriel], adj. (lat. *viduus*, m. s.). Se dit de celui dont la femme est morte, et qui n'est pas remarié ; et de celle dont le mari est mort, et qui n'est pas remariée. ‖ Fig. Privé de. *Cette église est veuve de son évêque.* = Nom. *Épouser un veuf.* = N. f. [Argot] *La Veuve*, la guillotine.
ANT. — *Célibataire.*

VOCAB. — *Famille de mots.* — *Veuf* [rad. *veuf, vid, vis*] : veuve, veuvage ; viduité ; individu, individuel, individuellement, individualité, individualisme, individualiste, individuation, individualisation, individualiser ; diviser, division, divis, divisibilité, divisionnaire, diviseur, divisible, dividende, indivisibilité, indivis, indivisément ; indivisible, indivisiblement, indivision ; subdivisionnaire, subdivisible, subdiviser, subdivision ; devise, deviser, devis.

---

* **veuglaire**, n. f. ou m. Anc. bouche à feu se chargeant par la culasse (xvᵉ s.).

veule, adj. Faible, mou et sans énergie.
CTR. — *Énergique, actif, viril.*

veulerie, n. f. État de celui qui est veule ; avachissement.
ANT. — *Énergie, activité, virilité.*

veuvage, n. m. État du mari ou de la femme dont le conjoint est mort.

1. **veuve**, n. f. et n. f. V. VEUF.

2. * **veuve**, n. f. [Zool.] Nom vulg. de petits passereaux d'Afrique, au plumage sombre, à queue longue et fine.

vexant, ante [ksan], adj. Qui vexe (Fam.).

* **vexateur, trice**, adj. Qui fait éprouver des vexations.

vexation [ksa-sion], n. f. Action de vexer. *Commettre des vexations.* ‖ Dommage qu'on souffre des mauvais procédés de quelqu'un.

vexatoire [ksa], adj. Qui a le caractère de la vexation. *Procédé vexatoire.*

vexé, ée [*ksé*], adj. Qui s'est fâché, piqué d'un mauvais procédé.
SYN. — V. FÂCHÉ.
vexer [*ksé*], v. tr. (lat. *vexare*, m. s.). Tourmenter, faire de la peine à quelqu'un. ‖ Contrarier vivement, froisser. = SE VEXER, v. pr. Éprouver de la mauvaise humeur d'une impolitesse, d'une observation, d'un manque d'attention, etc.
SYN. — V. BLESSER.
vexillaire [*ksil-lèr*], n. m. (lat. *vexillarius*, m. s.). [Antiq. rom.] Porte-étendard d'une centurie dans la légion romaine. = Adj. [Bot.] Qui a la forme d'un étendard.
* **vexillum** [*ksi-lome*], n. m. (mot lat.) [Antiq.] Étendard romain, fixé à un bâton placé en croix au sommet d'une hampe.
* **vèze**, n. f. [Mus.] Sorte de cornemuse (Vx).
* **via**, prép. (lat. *viâ*, par la route). En passant par. *Aller à Lyon via Dijon*.
1. viabilité, n. f. (de *viable*). [Méd.] Aptitude à vivre indépendamment de la mère, que présente l'enfant en naissant. ‖ Fig. Possibilité de durer.
2. viabilité, n. f. (lat. *via*, voie, chemin). État d'entretien d'une route permettant aux voitures d'y circuler plus ou moins facilement.
ANT. — *Impraticabilité*.
viable, adj. (de *vie*). [Physiol.] Qui présente, au moment de la naissance, une conformation assez régulière pour vivre. ‖ Fig. Qui peut durer; qui peut aboutir. *Projet viable*.
viaduc, n. m. (lat. *via*, route; *ducere*, conduire). Ouvrage d'art en pierre, en béton armé, en métal, sur lequel une route, un chemin de fer franchit une vallée profonde, à une grande hauteur. V. pl. CHEMIN DE FER.
ANT. — *Tunnel*.
viager, ère [*jé*], adj. (vx fr. *viage*, cours de la vie). Dont on ne doit jouir que durant sa vie. *Rente viagère*. = VIAGER, n. m. Revenu viager, qui ne passe pas aux héritiers après la mort. *Il a mis tout son bien en viager*.
* **viagèrement**, adv. D'une manière viagère.
viande, n. f. (bas lat. *vivanda*, ce qu'il faut pour vivre). Aliment en général (Vx). ‖ Chair des mammifères et des oiseaux, dont on se nourrit, par opp. à la chair des poissons, crustacés, mollusques, etc., et aux aliments végétaux. *Viande fraîche*. — *Viande blanche*, chair de la volaille, du veau, du lapin, etc. *Viande brune*, chair du lièvre, de la bécasse, du sanglier, etc. ‖ Par extension, chair de tous les animaux, qui sert à la nourriture. — V. tabl. NOURRITURE (*Idées suggérées par le mot*). — *Viande creuse*, viande peu nourrissante; et, au fig., nourriture intellectuelle peu substantielle, illusion. ‖ Pop. Chair humaine.
ÉPITHÈTES COURANTES : crue, cuite, salée, fraîche, fumée, conservée, frigorifiée, congelée, saignante, rôtie, bouillie, sautée, grillée, braisée; dure, coriace, tendre, nerveuse; avariée, faisandée, pourrie; délicate, assaisonnée, parée, servie, coupée, persillée, blanche, rouge, nourrissante; chère, bon marché; rationnée, prohibée, etc.
viander, v. intr. Pâturer, en parlant des bêtes fauves.

viandis [*di*], n. m. Pâture du cerf et des bêtes fauves. ‖ Jeunes pousses de taillis.
viatique, n. m. (lat. *viaticum*, provisions de route). Provisions ou argent qu'on donne pour un voyage. [Théol.] Le sacrement de l'eucharistie, quand on l'administre aux malades qui sont en péril de mort. ‖ Fig. Moyen de parvenir.
* **vibice**, n. f. [Méd.] Variété de purpura. ‖ Syn. de *vergeture*.
vibord [*bor*], n. m. (angl. *waist*, *board* m. s.; de *waist*, milieu, et *board*, planche). [Mar.] Grosse planche posée de champ, qui borde et embrasse le pont supérieur d'un vaisseau.
vibrant, ante, adj. [Phys.] Qui vibre. *Une corde vibrante*. ‖ Fig. Extrêmement sensible. *Ame vibrante*. ‖ *Voix vibrante*, forte et puissante.
* **vibrateur**, n. m. Appareil qui produit, qui transmet les vibrations.
PAR. — Ne pas confondre *vibrateur* et *vibratile*.
vibratile, adj. [Physiol.] Doué de mouvements vibratoires. *Cils vibratiles*, très petits filaments qui, sur certaines muqueuses, sur le corps des infusoires, sont doués d'un mouvement oscillant spontané.
vibration [*sion*], n. f. (lat. *vibratio*, m. s.). [Phys.] Mouvement rapide de va-et-vient exécuté par l'ensemble des molécules d'un corps qu'une action a écarté de leur position d'équilibre. *Le son est produit par les vibrations de l'air*.
vibratoire, adj. Constitué par une suite de vibrations. *Mouvement vibratoire*.
vibrer, v. intr. (lat. *vibrare*, m. s.). Exécuter des vibrations; entrer en vibration. *Cette corde vibre encore*. ‖ Fig. *Faire vibrer certaines cordes*, exciter certains sentiments; toucher, émouvoir. ‖ Fig. Être enthousiaste.
SYN. — V. RÉSONNER.

> VOCAB. — *Famille de mots*. — *Vibrer* : vibrant, vibrateur, vibration, vibratoire, vibratile; vibrion, vibrisse.

vibrion, n. m. [Méd.] Microbe en filament spiralé se remuant constamment.
HOM. — *Vibrions* (nous), du v. vibrer.
* **vibrisses**, n. f. pl. (lat. *vibrissae*, m. s.). Poils qui se trouvent en dedans de l'orifice des narines.
vicaire, n. m. (lat. *vicarius*, m. s.). Celui qui est établi sous un supérieur pour tenir sa place. ‖ Sous le Bas-Empire, fonctionnaire qui administrait un diocèse impérial. ‖ Prêtre qui assiste un curé dans ses fonctions et le remplace en cas d'empêchement. — *Grand vicaire* ou *vicaire général*, ecclésiastique qui représente l'évêque dans l'administration du diocèse. — *Le vicaire de Jésus-Christ*, le pape.
* **vicairie**, n. f. Syn. de *vicariat*. ‖ Église succursale que dessert un vicaire.
vicarial, ale, adj. (lat. *vicarius*, vicaire). Qui a rapport au vicaire ou au vicariat.
* **vicariant, ante**, adj. [Physiol.] Se dit d'un organe qui remplit la fonction d'un autre, insuffisant ou malade.
vicariat [*ria*], n. m. Fonction de vicaire. ‖ Durée de cette fonction. ‖ Territoire auquel elle s'applique. ‖ Logement de vicaire.
* **vicarier**, v. intr. Remplir les fonctions de vicaire. = Conjug. V GRAMMAIRE.

...vice, visse.

ORTH. — *Finales*. — Le son final *vice* s'écrit dans la plupart des cas sous cette forme : novice, service, sévice. Il s'écrit *vis* dans le mot vis et son composé tournevis; la forme *visse* n'existe que dans écrevisse.

1. vice, n. m. (lat. *vitium*, m. s.). Défaut, imperfection. *Vice de conformation, de prononciation.* ‖ *Vices rédhibitoires.* En matière de vente d'animaux domestiques, maladies entraînant, sous certaines conditions, l'annulation de la vente. — *Vice de construction*, malfaçon qui rend un édifice instable. ‖ *Vice de forme*, erreur de rédaction qui rend une pièce, un jugement nul.
Disposition habituelle au mal, par opposition à vertu. *Se plonger dans le vice.* — Prov. *Pauvreté n'est pas vice.* ‖ Fam. Espièglerie, effronterie, malice. *Cette petite rusée est tout vice.* ‖ Débauche, libertinage. *Vivre dans le vice.* ‖ *Personnes vicieuses. Punir le vice.* ‖ Pop. *Avoir du vice* se dit de quelqu'un qui demande quelque chose d'extraordinaire. V. tabl. CARACTÈRE et MORALE (*Idées suggérées par les mots*).
— *Mettez en comparaison les vertus et les vices qui leur sont contraires* : *Quelle suavité in la patience, au prix de la vengeance ; de la douceur, au prix de l'ire et du chagrin ; de l'humilité, au prix de l'arrogance et ambition ; de la libéralité, au prix de l'avarice ; de la charité, au prix de l'envie ; de la sobriété, au prix des désordres !*
(SAINT FRANÇOIS DE SALES.)
— *Si le plaisir rend le vice aimable, l'habitude le rendra comme nécessaire.*
(BOSSUET.)
— *Les hommes, pour excuser leurs vices, cherchent à décrier la vertu.*
(MASSILLON.)
ÉPITHÈTES COURANTES : grand, gros, tenace, capital, contagieux, affecté, caché, secret; honteux, vil, dégradant, invétéré, naissant, triste, déplorable, étalé, combattu, condamné, réprouvé, extirpé, etc.
SYN. — V. DÉFAUT.
ANT. — *Qualité, vertu.*
HOM. — *Vice*, n. m., défaut, disposition au mal; — *vice*, préfixe, marque celui qui en remplace un autre; — *vis*, n. f., clou fileté; — *visse*, *es*, *ent*, du v. visser; — *visse*, *es*, *ent*, du v. voir.

2. vice- (du lat. *vice*, à la place de). [Gram.] Mot invariable entrant comme préfixe dans un certain nombre de mots composés, comme *vice-consul*, *vice-roi*, etc., pour désigner celui qui tient la place du consul, du roi, etc.
HOM — V. VICE I.

vice-amiral, n. m. Officier général de marine dont le grade est supérieur à celui de contre-amiral. — *Vice-amiral d'escadre*, officier général de marine dont le grade est supérieur à celui de vice-amiral. [Mar.] Bateau que monte le vice-amiral. = Pl. *Des vice-amiraux*.

vice-amirauté, n. f. [Mar.] Charge, grade de vice-amiral. = Pl. *Des vice-amirautés*.

vice-bailli, n. m. Autrefois, officier qui faisait fonction de prévôt. = Pl. *Des vice-baillis*.

★ **vice-camérier**, n. m. Celui qui supplée le camérier. = Pl. *Des vice-camériers*.

★ **vice-chancelier**, n. m. Celui qui remplit les fonctions de chancelier en l'absence de ce dernier. = Pl. *Des vice-chanceliers*.

vice-consul, n. m. Celui qui supplée le consul en son absence, ou qui remplit les fonctions de consul dans les lieux où il n'y en a point. = Pl. *Des vice-consuls*.

vice-consulat [*la*], n. m. Emploi de vice-consul. ‖ Local où se trouvent les bureaux du vice-consul. = Pl. *Des vice-consulats*.

★ **vice-gérance**, n. f. Fonction d'un vice-gérant. = Pl. *Des vice-gérances*.

★ **vice-gérant** [*ran*], n. m. Celui qui supplée le gérant. = Pl. *Des vice-gérants*.

vice-légat [*ga*], n. m. Prélat qui exerce les fonctions du légat en l'absence de celui-ci. = Pl. *Des vice-légats*.

★ **vice-légation** [*sion*], n. f. Emploi de vice-légat. ‖ Local où se tiennent les bureaux du vice-légat. = Pl. *Des vice-légations*.

vicennal, ale, adj. (lat. *vicennalis* m. s.). Qui est de vingt ans. *Engagement vicennal.* ‖ Qui revient tous les vingt ans. *Cérémonie vicennale.*

★ **vicentin, ine**, adj. et n. De Vicence.

vice-présidence, n. f. Fonction, dignité de vice-président. = Pl. *Des vice-présidences*.

vice-président, ente, n. Celui, celle qui exerce la fonction du président ou de la présidence, en son absence. = Pl. *Des vice-présidents*.

★ **vice-recteur**, n. m. Celui qui seconde ou, au besoin, supplée le recteur. = Pl. *Des vice-recteurs*.

★ **vice-rectorat** [*ra*], n. m. Dignité, charge de vice-recteur. = Pl. *Des vice-rectorats*.

vice-reine, n. f. Femme du vice-roi. ‖ Princesse qui gouverne avec l'autorité d'un vice-roi. = Pl. *Des vice-reines*.

vice-roi, n. m. Gouverneur d'un État qui a ou qui a eu le titre de royaume. Gouverneur d'une province très importante. *Vice-roi des Indes.* = Pl. *Des vice-rois*.

vice-royauté, n. f. Dignité de vice-roi. ‖ Pays gouverné par un vice-roi. = Pl. *Des vice-royautés*.

vice-sénéchal, n. m. [Hist.] Officier secondaire, suppléant le sénéchal. = Pl. *Des vice-sénéchaux*.

★ **vice-sénéchaussée**, n. f. Charge d'un vice-sénéchal. ‖ Résidence de cet officier. = Pl. *Des vice-sénéchaussées*.

★ **vicésimal, ale**, adj. (lat. *vicesimus*, vingtième). Qui a pour base le nombre vingt. *Numération vicésimale.* — On dit aussi *vigésimal.*

★ **vicesimo** [*sé-zi*] ou ★ **vigesimo**, adv. (lat. *vicesimus*, vingtième). En vingtième lieu.

vice versa [*sé-vèr*], loc. adv. (mots lat. sign. *le tour étant renversé*). Réciproquement. *Il y a des gens dont la figure attire et le caractère repousse, et vice versa.*
OBS. — Bien prononcer *vicé*, et non *vice versa*.

★ **vichnouisme**, n. m. Doctrine de ceux qui pratiquent le culte de Vichnou.

★ **vichnouiste** ou **vichnoutiste**, n. Hindou qui pratique le culte de Vichnou.

★ **vichy**, n. m. Toile de coton aux teintes vives.

★ **viciable**, adj. Qui peut être vicié.

* **vicianine**, n. f. [Chim.] Glucoside extrait des graines de vesce.
* **viciateur, trice**, adj. Qui vicie, qui corrompt.
* **viciation** [*sion*], n. f. Action de vicier, de corrompre.

vicié, ée, adj. Altéré, corrompu. *Air vicié*,

vicier, v. tr. (lat. *vitiare*, m. s.). Gâter, corrompre. *Ses lectures lui ont vicié le jugement.* [Droit] Rendre défectueux ou rendre nul. *Cette omission ne vicie pas l'acte.* = Conjug. V. GRAMMAIRE.
CTR. — *Purifier ; rectifier.*

vicieusement, adv. D'une manière vicieuse.

vicieux, euse, adj. (lat. *vitiosus*, m. s.). Qui a quelque vice, quelque défaut. [Gram.] Incorrect. *Locution vicieuse.* ‖ Qui a une disposition habituelle au mal, et particulièrement au libertinage, à la débauche. *Un homme très vicieux.* = N. m. Homme qui se laisse entraîner par le vice. ‖ Personne, enfant rusé, espiègle, effronté (Fam.). ‖ Qui tient du vice, qui a rapport aux vices. *Des actions vicieuses.* ‖ En parlant des bêtes de somme, rétif, ombrageux. [Log.] *Cercle vicieux*, raisonnement qui consiste à donner pour preuve un argument qui ne peut se prouver lui-même que par ce qu'il s'agit de démontrer.
CTR. — *Vertueux, impeccable.* — *Correct.*

vicinal, ale, adj. (lat. *vicinalis*, m. s., de *vicinus*, voisin). Se dit des chemins qui servent de moyen de communication entre des agglomérations, des villages peu éloignés les uns des autres. ‖ *Service vicinal*, service chargé de l'entretien et de la construction des chemins vicinaux.

vicinalité, n. f. Communication vicinale. ‖ Caractère d'un chemin vicinal.

vicissitude, n. f. (lat. *vicissitudo*, m. s., de *vicis*, tour, alternative). Révolution régulière, changement de choses qui se succèdent régulièrement. *La vicissitude des saisons.* ‖ Succession de choses fort différentes qui arrivent les unes après les autres, sans aucune régularité ; instabilité. *Les vicissitudes des choses humaines.* ‖ Changement de bien en mal.

* **vicomtal, ale**, adj. Qui appartient à un vicomte.

vicomte, n. m. (bas lat. *vicecomes*, m. s.). Seigneur d'une terre érigée en vicomté. ‖ Titre de noblesse, attaché à l'origine au lieutenant du comte.

vicomté, n. f. Fonction de vicomte. ‖ Terre sur laquelle s'exerce cette fonction. ‖ Titre de noblesse autrefois attaché à une terre. *La terre fut érigée en vicomté.*

vicomtesse, n. f. La femme d'un vicomte ou celle qui, de son chef, possédait une vicomté.

victimaire, n. m. (lat. *victimarius*, m. s.). [Antiq.] Celui qui aidait le prêtre dans les sacrifices et frappait la victime.

victime, n. f. (lat. *victima*, m. s.). [Antiq.] Animal ou être humain que l'on offrait en sacrifice à une divinité. *Victime expiatoire.* ‖ Fig. Celui qui éprouve des dommages, qui souffre, pour les intérêts ou les passions d'autrui. — Celui à qui ses propres passions ou même ses vertus sont fatales. *Il a été la victime de ses perfidies, de sa bonne foi.* — Celui qui a péri, ou qui a subi des dommages, dans un accident ou une catastrophe. *Les victimes de la guerre.* ‖ Par ext. *Les victimes du devoir*, ceux qui ont péri en accomplissant leur devoir. ‖ *Souffre-douleur.*
ÉPITHÈTES COURANTES : malheureuse, triste, déplorable, innocente, expiatoire, propitiatoire, offerte, désignée, volontaire, sacrifiée, résignée, pure, sans tache, etc.
ANT. — *Bourreau ; sacrificateur.*

* **victimer**, v. tr. Traiter quelqu'un de manière à en faire sa victime, son souffre-douleur.

victoire, n. f. (lat. *victoria*, m. s.). Avantage qu'on remporte à la guerre sur un ennemi. *La victoire fut longtemps disputée.* ‖ Avantage qu'on remporte sur un rival, sur un concurrent. ‖ Fig. *Remporter la victoire sur ses passions, sur soi-même.* ‖ *Crier, chanter victoire*, se glorifier d'un succès quelconque. ‖ *La victoire personnifiée.*
ÉPITHÈTES COURANTES : grande, belle, éclatante, signalée, véritable, incontestable, complète, pleine, entière, libératrice, fameuse, glorieuse, totale, décisive, finale; espérée, escomptée, remportée, gagnée, obtenue, chèrement achetée, disputée, incertaine, douteuse, sanglante, exploitée, célébrée, chantée, etc.
ANT. — *Défaite, revers, échec.*

1. **victoria**, n. f. (du nom de la reine d'Angleterre *Victoria*). Ancienne voiture découverte à 4 roues. V. pl. VOITURES.

2. * **victoria**, n. f. [Bot.] Genre de plantes aquatiques ornementales, de la famille des *nymphéacées*.

victorieusement, adv. D'une manière victorieuse.

victorieux [*rieû*], **euse**, adj. (lat. *victoriosus*, m. s.). Qui a remporté la victoire. *Un général victorieux.* — Fig. *La vérité victorieuse des erreurs.* ‖ Qui apporte la victoire, qui détermine la victoire. *Une réplique victorieuse.* = N. m. *Les victorieux oublient souvent la clémence.*
SYN. — V. VAINQUEUR.
CTR. — *Vaincu, défait, battu.*

victuailles [*ill* mll.], n. f. pl. (lat. *victualia*, m. s.). Provisions de bouche ; vivres.

* **vidage**, n. m. Action de vider. ‖ Ce qu'on a retiré en vidant.

vidame, n. m. (bas lat. *vicedominus*, m. s.). [Féod.] Officier qui représentait un évêque, un abbé, pour le temporel (administration de la justice et commandement des troupes).

vidamé ou **vidamie**, n. f. [Féod.] Fief d'un vidame. ‖ Dignité de vidame.

* **vidamesse**, n. f. Femme d'un vidame.

vidange, n. f. (du v. *vider*). Action de vider. *La vidange d'un puits.* — Partic. Action de vider les fosses d'aisances. ‖ État d'un vase fermé qui contient un liquide quelconque, mais sans être rempli. *Un tonneau en vidange.* — État du liquide que contient un vase dans cet état. *Ne laissez pas ce vin en vidange.* ‖ Fossé d'écoulement le long d'une route. ‖ *Vidanges*, au pl., immondices qu'on retire d'une fosse d'aisances.

vidanger, v. tr. Faire la vidange ; vider. — Partic. Vider une fosse d'aisances. = Conjug. V. GRAMMAIRE.

vidangeur, n. m. Celui qui vide les fosses d'aisances.

vide, adj. (lat. pop. *vocitus*, m. s.). Qui n'est pas rempli, ou qui n'est rempli

que d'air. *Espace vide. Tonneau vide.* ‖ En parlant du temps : Libre de toute occupation. *Il y a dans la journée des moments vides.* ‖ Fig. Qui ne contient pas la chose qu'il est destiné à contenir. *Une bourse vide.* — *Avoir la tête vide, le cerveau vide,* avoir peu d'idées. ‖ Sans affection, sans émotion. *Avoir le cœur vide.* — *Les mains vides,* sans avoir rien gagné, ou sans avoir fait de profits illicites. ‖ — Dépourvu de sens, d'idées, de solidité. *Ouvrage, discours vide.* ‖ Non occupé. *Place vide.*
N. m. Espace où il n'y a rien. *La nature, disait-on, a horreur du vide.* ‖ [Phys.] Espace qui ne contient point d'air. *Le vide barométrique.* — *Faire le vide,* retirer, au moyen de la machine pneumatique, l'air que contient un espace clos. ‖ *Nettoyage par le vide,* aspiration de la poussière au moyen d'un appareil pneumatique appelé *aspirateur.* = [Archi.] Espace qui n'est pas occupé par la maçonnerie ou la charpente. *Il faut proportionner les vides aux pleins.* — Fig. *Il n'y a pas un vide dans ses journées.* ‖ Fig. Sentiment de privation. *La mort de sa femme lui a laissé un grand vide.* ‖ Fig. *Faire le vide autour de quelqu'un,* l'isoler, éloigner de lui ses amis. ‖ ‖ Fig. Vanité, néant. *Il reconnut le vide des grandeurs humaines.* = À VIDE, loc. adv. Sans rien contenir. *La diligence est partie à vide.*
SYN. — V. DÉSERT.
CTR. — *Plein, rempli, bourré.*
vide-bouteille, n. m. Petite maison près de la ville, où l'on va pour s'amuser. ‖ Tube métallique creux, terminé par un robinet, traversant le bouchon d'une bouteille pour la vider sans la déboucher. = Pl. *Des vide-bouteilles.*
* **vide-citron,** n. m. Syn. de *presse-citron.* = Pl. *Des vide-citrons.*
* **vide-gousset,** n. m. Voleur, pickpocket (Fam.). = Pl. *Des vide-goussets.*
* **videlle,** n. f. (du v. *vider*). Instrument de confiseur pour vider les fruits. — Instrument de pâtissier pour couper la pâte en bandes minces. ‖ Reprise d'un accroc.
* **videment,** n. m. (du v. *vider*). Action de vider. Résultat de cette action.
vide-poches, n. m. invar. Corbeille, coupe où l'on dépose les objets qu'on a dans les poches d'un vêtement que l'on quitte.
* **vide-pomme,** n. m. Outil pour enlever le cœur d'une pomme sans le couper. = Pl. *Des vide-pommes.*
vider, v. tr. (lat. pop. *vocitare,* m. s.). Rendre vide ; enlever, retirer, faire écouler d'un lieu ce qui le remplissait. *Vider une bouteille. Vider sa bourse.* — *Vider un lieu,* le débarrasser de ses occupants. — *Vider les lieux,* en sortir, les quitter par contrainte. — *Vider les arçons,* tomber de cheval. — Ruiner, épuiser. *Ce travail, cet effort m'a vidé.* ‖ *Vider une volaille, du poisson,* en retirer les viscères qui ne se mangent pas. [Techn.] Percer, creuser en son centre. *Vider un canon. Vider une clef,* la forer. ‖ Fig. En parlant d'affaires litigieuses, les terminer, par jugement, par accommodement, ou de toute autre manière. *Vider un différend.* ‖ Pop. *Vider son sac,* dire, par contrainte, tout ce qu'on sait sur une question et qu'on voulait tenir caché. [Argot] *Vider quelqu'un,* le mettre dehors. = SE VIDER, v. pr. Se désemplir. *Le tonneau, la salle se vide.*

VIDE-BOUTEILLE — VIE

INCORR. — Ne dites pas : *J'ai vidé l'eau du bassin* ; dites : *J'ai vidé le bassin* (c'est le bassin qu'on vide).
SYN. — V. ÉPUISER.
CTR. — *Remplir, emplir, bourrer.*
* **videur, euse,** n. Celui, celle qui vide.
vidimer, v. tr. (de *vidimus*). Collationner la copie d'un acte sur l'original.
vidimus [*muss*], n. m. (mot lat. qui sign. *nous avons vu*). Formule employée autref. pour dire qu'un acte avait été collationné sur l'original et certifié conforme.
* **vidoir,** n. m. Endroit où l'on met les vidanges, par où on jette les ordures.
vidrecome, n. m. En Allemagne, grand verre à boire dans lequel chacun boit à son tour.
viduité, n. f. (lat. *viduitas,* m. s.). État du mari dont la femme est morte, et celui de la femme dont le mari est mort. *Délai de viduité,* délai de 300 jours avant l'expiration duquel une femme veuve ou divorcée ne peut se remarier.
* **vidure,** n. f. (du v. *vider*). Ce qu'on a enlevé en vidant.
1. * **vie,** n. f. (lat. *via,* chemin). Chemin entre les bassins ou réservoirs d'un marais salant.
2. **vie,** n. f. (lat. *vita,* m. s.). État d'activité des êtres organisés et ses manifestations ; ensemble des phénomènes qui concourent à la conservation d'un organisme. *Exposer sa vie.* — *Être en vie,* être vivant. — *Demander la vie à son ennemi,* etc., demander à son ennemi qu'il ne vous tue pas. *Donner, accorder la vie à son ennemi,* ne pas le tuer quoiqu'on le puisse. — *Passer de vie à trépas,* mourir. — *Cette nouvelle, cet événement lui a rendu la vie,* a calmé son inquiétude. ‖ Vitalité. *Il est encore tout plein de vie.* — *Cet homme, cet animal a la vie dure,* il résiste aux accidents qui devraient le faire mourir, ou il est difficile de le tuer. — Fig. *Donner la vie à quelque chose,* l'animer. — *Ce portrait est plein de vie,* il est plein d'expression et semble animé. *Ce discours a de la vie,* il est plein de mouvement, de force et d'énergie.
Temps qui s'écoule entre la naissance et la mort. *La vie moyenne de l'homme est d'une quarantaine d'années.* — Temps qui s'est écoulé depuis la naissance jusqu'au moment où l'on parle. *Sa vie a été trop courte.* — *Eau-de-vie.* V. ce mot.
Existence de l'âme après la mort. *La vie future, l'autre vie,* par opposition à la vie présente. — *La vie éternelle,* l'éternel bonheur que Dieu a promis aux justes. [Théol.] *Le pain de vie,* l'eucharistie.
Ensemble des choses nécessaires à l'entretien de la vie. *Gagner sa vie.* — *Le coût de la vie.* — Fam. *La vie est chère dans ce pays,* le prix des denrées y est élevé.
Manière de vivre par rapport aux commodités, aux plaisirs, aux souffrances de la vie. *Mener une vie heureuse, agitée, misérable.* — Fam. *Rendre la vie dure à quelqu'un,* le tracasser à tout propos.
Occupation et profession. *La vie champêtre. La vie spirituelle.* ‖ Conduite et mœurs. *Une vie sage.* — Fam. *Mener joyeuse vie,* passer sa vie à se divertir. — *Femme de mauvaise vie,* prostituée. — Absol. *Faire la vie, la grande vie,* et. pop., *mener une vie de patachon, de bâton de chaise,* se livrer à la débauche. — *Vivre*

sa vie, profiter de l'existence en dehors de toute considération morale ou sociale.

Histoire, récit des choses remarquables de la vie d'un homme. *Les vies des hommes illustres.* ‖ Pop. Querelle, gronderie, faite avec emportement et cris. *Faire une belle vie à quelqu'un.* = À VIE, loc. adv. Pendant tout le temps qu'on a à vivre. *Une pension à vie.* = POUR LA VIE, loc. adv. Pour toujours. *Je suis votre ami pour la vie.* = DE LA VIE, DE SA VIE, etc., loc. adv. Jamais. *Je n'y consentirai de ma vie.* = JAMAIS DE LA VIE, en aucun temps de la vie (Fam.). V. tabl. VIE ET MORT (*Idées suggérées par les mots*).

— *La plupart des hommes emploient la première partie de leur vie à rendre l'autre misérable.* (LA BRUYÈRE.)

— *La vie ne vaut que pour être utile.* (PASTEUR.)

ÉPITHÈTES COURANTES : entière, complète, longue, courte, brève, noble, heureuse, tranquille, irréprochable, pure, sainte, réglée, ordonnée, aisée, active, douce, oisive; malheureuse, misérable, lamentable, pénible, dure, affreuse, pâle, joyeuse, agitée, tumultueuse; passagère, périssable, fragile, éphémère, mortelle, mourante; donnée, ôtée, vécue, arrachée, ravie, perdue, adoucie, méprisée, aimée, sacrifiée, conservée, abrégée, sauvée, exposée, hasardée, défendue, disputée, vendue chèrement, demandée, publique, privée; religieuse, contemplative, politique, militaire, littéraire, etc.

SYN. — *Vie,* état de l'être organisé qui respire, se nourrit et s'accroît : *La vie, commencée à la naissance, se termine à la mort.* — *Existence,* état de ce qui est, durée de la vie : *Cet homme a eu une triste existence.*

ANT. — *Mort.*

HOM. — *Vie,* n. f., existence; — *vie,* n. f., chemin entre les bassins d'un marais salant; — *vis, vit, vît,* du v. voir; — *vis, vit,* du v. vivre.

VOCAB. — *Famille de mots.* — *Vie* [rad. *vi, viv, vio*] : viable, viabilité; viager, viagèrement; vital, vitalité, vitalisme, vitaliste, vitalisation; vitamine; vivre, vivant, vive (interj.), vivat, qui-vive ? viveur, vivoter, vivres, vivrier, viande, viander, viandis, vivandier, convive; revivre, reviviscible, reviviscence, revivisicent; survie, survivre, survivant, survivance, survivancier; vif, vivement, vivace, vivacité, vivier, vivarium, vif-argent, vif-gage; aviver, avivage, avivement; raviver, ravivage; vivipare, viviparité ou viviparisme; vivifier, vivifiant, vivifiable, vivificateur, vivification, vivifique, revivifier, revivification; vivisection, vivisecteur; viole, violon, violoner, violoniste, violoneux, violoncelle, violoncelliste, vielle, vieller, vielleur.

Le mot grec qui signifie vie est *bios ;* il a donné les mots tels que biologie, biologique, biologue; biographie, biographier, biographique, biographe; biochimie, biomécanique; amphibie, amphibiens; aérobie, anaérobie; cénobite, cénobitisme, cénobitique; microbe, microbien, microbiologie, microbicide, etc.

---

* **viédase,** n. m. Dans le Midi de la France, terme injurieux devenu aujourd. presque amical.

vieil [viè-il mll.] ou **vieux** [*eu*], **vieille** [*ill* mll.], adj. (lat. *vetulus,* dimin. de *vetus, veteris,* vieux). Qui est fort avancé en âge. — Fam. *Vieux comme les rues,* extrêmement vieux. — *Il ne fera pas de vieux os,* il mourra bientôt. — *Se faire vieux,* acquérir de l'âge. ‖ Qui a l'apparence, les dehors de la vieillesse. *Il a l'air vieux.* ‖ Qui se trouve depuis longtemps dans telle situation. *Un vieux magistrat. Un vieil ami.* — *Une vieille fille,* une fille qui a passé sa jeunesse sans se marier. On dit de même, *Un vieux garçon.* — En parlant des choses : Qui dure depuis longtemps. *Une vieille amitié.* ‖ Avancé en âge, par rapport à une autre personne, à une autre chose. *Vous êtes plus vieux que lui.* ‖ Qui date de loin. *Une vieille famille.* ‖ Ancien, antique. *Le bon vieux temps.* — *Ce mot est vieux,* il a cessé d'être en usage. ‖ Se dit encore de certaines choses par comparaison et par opposition à nouveau. *La vieille ville. Du vin vieux.* ‖ Usé, par oppos. à neuf. *Vieux habits. Vieux chapeau.*

VIEUX et VIEILLE, n. Celui, celle qui est avancé en âge. *Les jeunes et les vieux.* — N. m. Ce qui est vieux ou usé, par opposition à neuf. *Coudre du vieux avec du neuf.* — *Mon vieux, ma vieille,* terme d'interpellation familière et amicale. — *Un vieux de la vieille,* autrefois, un ancien soldat de la garde impériale, aujourd'hui un ancien soldat de métier. [Argot] *Les vieux,* les parents.

OBS. GRAM. — Lorsque *vieux,* adjectif, est employé au masculin, on dit toujours *vieux,* quand il est placé après le nom : *du vin vieux.* Mais lorsqu'il est placé devant le nom, et que ce nom commence par une voyelle ou par une *h* non aspirée, on dit ordinairement *vieil : Mon vieil ami. Un vieil habit.*

SYN. — V. ANCIEN.

CTR. — *Neuf, nouveau, récent. Jeune.*

VOCAB. — *Famille de mots.* — *Vieil, vieux* [rad. *vieil, vet*] : vieille, vieillement, vieillir, vieilli, vieillissant, vieillard, vieillesse, vieillarder, vieillissement, vieillot, vieillerie; vétuste, vétusté, vétérance, vétéran; invétéré, s'invétérer; vétérinaire.

---

vieillard [viè-ill mll., *ar*], n. m. (de *vieil*). Homme qui est parvenu au dernier âge de la vie. ‖ Au plur., personnes âgées des deux sexes. *On doit respecter les vieillards.* = VIEILLARDE, n. f. Par dénigr., vieille femme.

ANT. — *Enfant adolescent fillette, garçonnet.*

* **vieillarder,** v. intr. Devenir vieux, en parlant des vins.

* **vieille** [*ill* mll.], n. f. [Zool.] Nom vulg. des *labres.*

* **vieillement** [*ill* mll.], adv. D'une manière vieille, comme un vieux (Rare).

vieillerie [viè-ill mll.], n. f. Vieilles hardes, vieux meubles (employé surtout au pl.). ‖ Fig. et fam. Idées rebattues, phrases usées.

vieillesse [viè-ill mll.], n. f. Dernier âge de la vie. *Mourir de vieillesse.* ‖ Se dit aussi des animaux, des arbres, etc. *La vieillesse des plantes. Ce mur tombe de vieillesse.* ‖ Les personnes âgées en général. *La vieillesse est soupçonneuse.* — Prov. *Si jeunesse savait et si vieillesse pouvait,* la jeunesse manque d'expérience et la vieillesse manque de force.

VIE ET MORT

Étymologie. — *Vie* vient du latin *vita*, m. s., qui est lui-même tiré de *vivere*, vivre ; le mot vie se dit en grec *bios*, d'où les termes français de *biologie, biographie, amphibie*, etc. — *Mort* est tiré du latin *mors, mortis*, qui a la même signification.

Définition. — La *vie* a pu être définie « l'ensemble des forces qui résistent à la mort ». Cette définition négative montre la difficulté d'atteindre le contenu positif et le sens intrinsèque du mot. La *biologie* (de la racine grecque *bio*, idée de vie) est la science de la vie. Elle étudie et s'efforce de déterminer les *fonctions* par lesquelles la vie, chez les *êtres organisés*, se manifeste, se propage, se continue : naissance, respiration, alimentation, nutrition, croissance, motricité, reproduction, mort, etc. Cette *vie* est le propre des hommes, des animaux et des végétaux. Le langage courant donne le nom de *vie* à l'effet total ou partiel de ces fonctions (donner, perdre la vie, donner des signes de vie, etc.). Il l'applique aussi à l'*espace de temps* qui s'étend entre la naissance et la mort (une longue vie, une vie prématurément terminée) ; à l'*ensemble des actes* d'un être vivant (l'histoire d'une vie) ; à la *manière de vivre*, à la condition de vie (vie heureuse, vie en société) ; à la *nouvelle existence* escomptée après la mort (l'autre vie, la vie éternelle). — Au sens figuré, *vie* signifie *ce qui caractérise la vie*, la chaleur, l'animation, la force qui agit et se communique (un discours, un dessin plein de vie). On donne le nom de *biographie* au récit de la vie d'une personne. — La *vie privée* est la partie de la vie, familiale ou personnelle, qui est exempte de tout rapport avec le public ou l'intérêt public ; la *vie publique*, celle d'une personne en tant qu'elle remplit des fonctions publiques ou agit en public ; la *vie extérieure*, celle qui se compose de tous les actes extérieurs tombant sous les sens ; la *vie intérieure*, celle que constituent les opérations de l'esprit, l'activité de la conscience du « moi » ; la *vie civile*, celle qui est l'apanage des citoyens jouissant de leurs droits civils, lesquels sont retirés à ceux qui sont frappés de « mort civile » ; la *vie politique*, celle d'un homme qui s'est consacré aux affaires de l'État. La *vie éternelle* ou l'*autre vie* est l'existence de l'âme après la mort pour ceux qui croient à l'immortalité de l'âme

Mots de la même famille. — V. VIVRE.

Mots à rapprocher.
Mots de sens contraire. — VIE. — MORT. — Ces deux termes sont également difficiles à définir exactement, car ils s'opposent absolument l'un à l'autre, la mort étant la fin de la vie ; physiologiquement elle peut être dite la cessation complète et définitive de toute fonction biologique ; philosophiquement, elle est, pour les uns, une disparition complète, pour les autres, le commencement d'une autre vie ou d'une évolution mal connue de l'être.
Mots de sens voisins. — VIE. — EXISTENCE. — *Existence* se dit de tout ce qui est réel, de ce dont nos sens et notre intelligence constatent la présence ; il se dit *des choses inanimées* aussi bien que des êtres vivants. *Vie* se dit exclusivement *des êtres organisés*, êtres humains, animaux et végétaux.

Les phases essentielles de la vie.
1º *Phase embryonnaire*. Depuis l'origine du germe jusqu'au moment où l'être vivant vient au monde et vit de sa vie propre.
2º *Phase de croissance*, enfance, adolescence ou jeunesse, durant laquelle l'être vivant croît, se développe et prend peu à peu ses proportions normales.
3º *Phase adulte*, durant laquelle l'être vivant, arrivé au terme de sa croissance, est en pleine possession de ses moyens.
4º *Phase de la vieillesse*, durant laquelle l'être vivant décline, décroît, jusqu'au jour où il s'éteint dans la mort.

Principaux termes relatifs à la vie et à la mort.

A. — LA VIE

a) *Origines de la vie* : principe vital, vitalisme, organicisme, animisme ; problème de l'origine de la vie, matérialisme, mécanisme, automatisme, l'instinct, les réflexes, l'intelligence ; l'âme, le souffle vital, le problème de l'origine de l'âme ; la création de l'âme, l'immortalité de l'âme, la mort, la vie éternelle, l'autre vie, l'anéantissement, etc. Les manifestations de la vie : la naissance, la création, la conception, l'existence prénatale ; la vie embryonnaire, la nutrition, la digestion, la sécrétion, l'assimilation, la circulation, la respiration, la croissance, le mouvement, la reproduction, l'adaptation (V. CORPS).

b) *Les époques de la vie.* — *Embryologie et naissance* ; graine, germe, germination, embryon, fœtus, œuf ; ovipare, vivipare, ovovivipare ; parthénogénèse, sexe masculin, féminin, mâle, femelle, hermaphrodite, gestation, grossesse, naissance, accouchement, mettre bas, donner le jour, mettre au monde, enfantement ; engendrer, génération ; couver, couvaison, incubation, couveuse artificielle. Parents, enfants : jumeaux, trijumeaux, aîné, puîné, cadet, dernier-né. Natalité, prénatal, natal. Acte de naissance, bulletin de naissance. Éclore, couvée, portée, fleur, fleurir, étamine, pistil, fruit, graine (V. VÉGÉTAUX). — *Enfance* : nouveau-né ; nourrisson, poupon, bas-âge, premier-âge, petit enfant, bébé, enfant, garçonnet, fillette, infantile, puéril ; allaitement, sevrage, allaitement maternel, nourrice, allaitement artificiel, lait pasteurisé, biberon ; faire ses dents, premiers pas ; maladies de la première enfance, vaccination, sérum, etc. Bambin, mioche, moutard, marmot, gosse, gamin ; petit garçon, petite fille, fillette. Petits des animaux, jeunes (V. tabl. ANIMAUX). *Adolescence et jeunesse* : être dans la fleur de l'âge, adolescent, jeune homme, éphèbe, jeune fille, jouvenceau, jouvencelle, juvénile ; puberté, pubère, nubile ; demoiselle, jeune fille, vierge, pucelle, bachelette. Minorité, mineur, mineure ; majorité, majeur, majeure. Fiançailles, fiancé, fiancée, promise, mariage, fondation d'une famille, jeunes mariés. Veuvage, divorce. *Age mûr* : maturité, virilité, viril ; féminité, féminin, matrone, virago, femmelette, homasse, amazone, maternité, paternité, paternel, chef de famille, père, mère, fils, fille, etc. (V. tabl. FAMILLE). Être dans la force de l'âge, en pleine vigueur. Age viril. Être entre deux âges, le cours des ans, des années. *Vieillesse* : vieux, âgé, cassé ; vieillir, prendre de l'âge, être d'un certain âge, vieillard, être âgé, une personne d'âge, être d'un grand âge, d'un âge avancé, très avancé ; atteindre un bel âge ; sur ses vieux jours ; longévité, verte vieillesse, caducité, sénilité, décrépitude, gâtisme. Rides, cheveux gris, cheveux blancs ; chenu, chauve ; être voûté, courbé, cassé par l'âge ; baisser, décliner, être sur son déclin, retomber en enfance. — *Expressions relatives à l'âge.* Être dans sa quinzième, sa cinquantième année ; avoir 10 ans, 40 ans, 80 ans ; être âgé de trente, soixante-dix ans ; atteindre la trentaine, la quarantaine, la soixantaine ; quadragénaire, quinquagénaire, sexagénaire, septuagénaire, octogénaire, nonagénaire, centenaire. A notre âge, à votre âge. Ne pas paraître son âge. Accuser, porter son âge. N'avoir pas d'âge. Demander son âge à quelqu'un. Avoir l'âge de... être en âge de...

B. — LA MORT

Être mortel, mourir, décéder, s'en aller, disparaître, cesser de vivre, rendre l'âme, le dernier soupir, le dernier souffle, succomber, s'éteindre, expirer, exhaler son âme, ne plus respirer; dépérir, être dans un état grave, désespéré, être au bord de la tombe, avoir déjà un pied dans la tombe ; agoniser, être à l'agonie, être dans le coma, dans un état comateux, râler, être à l'extrémité, in extremis; être à l'article de la mort; recevoir les derniers sacrements, être administré, être à toute extrémité; être dans les affres de la mort, la dernière heure. Lit de mort; fermer les yeux à un mort. Mourir dans son lit; dormir son dernier sommeil; veiller un mort. Cadavre, dépouille mortelle, dépouille, restes mortels, corps; charogne d'animal; trépas, décès; défunt, feu un tel; acte de décès, constatation du décès, permis d'inhumer. Mort naturelle, mort de maladie, de vieillesse, de consomption, mort subite, mort accidentelle, mort violente; mort sur le champ de bataille, au champ d'honneur, sur l'échafaud. Périr, tuer, faire périr, mettre à mort, occire (Vx); suicide; se suicider, se donner la mort, se brûler la cervelle; recevoir une blessure mortelle, être frappé mortellement. Meurtre, assassinat, massacre; poignarder, égorger, empoisonner; condamner à mort, exécuter, pendre, guillotiner, décapiter, trancher la tête, fusiller, électrocuter, étrangler, empaler, brûler vif, écarteler, assommer, supplicier; subir le dernier supplice. Périr en mer, se noyer; être foudroyé, asphyxié, mourir de faim, de froid, de honte, de chagrin. — *Cérémonies funèbres* : toilette de mort, linceul, suaire, cercueil, drap mortuaire; pompes funèbres, obsèques, funérailles, funérailles nationales; maison mortuaire, chapelle ardente, catafalque, luminaire, tentures, torchère, draperies, larmes d'argent, cierges, eau bénite; écusson, registre mortuaire, fleurs, couronnes, immortelles. Levée du corps, agence funéraire, employé des pompes funèbres, croque-mort, ordonnateur, porteur; enterrement de telle ou telle classe; convoi, cortège, corbillard, fourgon, voiture de deuil, chevaux caparaçonnés; mener, suivre le deuil, tenir les cordons du poêle; enterrement civil, enterrement religieux, cérémonie funèbre, messe ou vêpres, absoute, dies irae, office des morts, de profundis; défilé devant la famille du défunt; condoléances; pleureuses, bûcher funèbre, incinération, crémation, four crématoire, urne funéraire. Enterrement, cimetière, dépositoire, nécropole, monument, chapelle funéraire, caveau de famille, concession à perpétuité, concession à temps, fosse commune; tombe, croix, emblème, inscription, épitaphe, dalle funéraire, pierre tombale, buste, sculpture, mausolée, cénotaphe. Marbrier, fossoyeur, inhumation, descente du corps, dernière bénédiction, discours funèbre, oraison funèbre, rendre les derniers honneurs; défilé devant la famille. Nécrologie, nécrologue, obituaire, article nécrologique; éloge ; lettre de faire-part. Embaumement, embaumer, momie, sarcophage; tombeau antique, hypogée, pyramide, mastaba, marabout, ossuaire, charnier, catacombes. — *Deuil* : deuil public, deuil privé, grand deuil, demi-deuil, petit deuil. Chants funéraires, cantiques, thrènes, nénies, complaintes. Mettre en deuil, prendre, porter, quitter le deuil; manifestations de deuil : cris, larmes, cheveux rasés, cendre, poussière; vêtements de deuil, noir et blanc, blanc, violet dans l'Église et pour le roi de France, crêpe au bras, au chapeau, au revers, à la poignée de l'épée, drapeau cravaté de deuil, pavillon en berne, vergues en pantenne (marine). Année de deuil, bout de l'an, anniversaire, obit, jour des Morts (2 novembre), cinquantenaire, centenaire, etc., de la mort d'un homme célèbre. — *Après la mort* : néant, anéantissement, nirvana; résurrection, autre vie, vie future, vie éternelle; l'au-delà, le Jugement dernier, les élus, les réprouvés, le ciel, le paradis, l'enfer, le purgatoire, la béatitude céleste, la damnation éternelle. Immortalité de l'âme, métempsychose, transmigration des âmes, etc.

— *O rage, ô désespoir, ô vieillesse ennemie !* (CORNEILLE.)
— *La vieillesse chagrine, incessamment amasse.*
Garde, non pas pour soi, les trésors qu'elle entasse ;
Marche en tous ses desseins d'un pas lent et glacé,
Toujours plaint le présent et vante le passé ;
Inhabile aux plaisirs, dont la jeunesse abuse,
Blâme en eux les douceurs que l'âge lui refuse. (BOILEAU.)

ÉPITHÈTES COURANTES : avancée, caduque, décrépie, vigoureuse, verte, belle, heureuse, triste, malheureuse, pénible; occupée, active, maladive, pesante, désœuvrée; attendue, proche, venue, honorée, respectée, funeste; ennemie, etc.

ANT. — *Enfance, jeunesse, adolescence.*

vieilli, ie [*ill* mll.], adj. Entré dans la vieillesse. *Un homme vieilli.* ǁ Marqué par l'âge. *Traits vieillis.* ǁ Suranné, hors d'usage. *Expression vieillie.* ǁ Qui a perdu sa force par le temps. *Idées vieillies.*

vieillir [*ill* mll.], v. intr. Devenir vieux. *Il commence à vieillir.* ǁ Être marqué par l'âge, par la vieillesse; paraître vieux. *Les coquettes ont peur de vieillir.* ǁ Acquérir certaines qualités par l'effet du temps. *Ce vin a besoin de vieillir.* ǁ Perdre de sa vigueur, de son importance, avec le temps. *Son talent commence à vieillir.* — *Ce mot, ces locutions vieillissent, ce terme a vieilli, ils commencent à ne plus être usités.* — *Cette mode vieillit*, elle passe. ǁ Passer sa vie dans un emploi. *Vieillir sous le harnois.* = V. tr. Rendre vieux, ou faire paraître vieux avant le temps. *Les chagrins l'ont bien vieilli.* ǁ Donner artificiellement l'aspect d'une chose ancienne. *L'art de vieillir les meubles.* = SE VIEILLIR, v. pr. Se faire paraître vieux. *Il se mit une perruque pour se vieillir.* ǁ Se dire plus âgé qu'on ne l'est réellement.

vieillissant, ante [*ill* mll.], adj. Qui devient vieux.

vieillissement [*ill* mll.], n. m. État de ce qui vieillit. ǁ Action de donner artificiellement à un objet l'aspect d'un objet ancien.

vieillot, otte [*ill* mll.], adj. Qui commence à avoir l'air vieux.

SYN. — V. ANCIEN.

vielle [*viell*'], n. f. (autre forme de viole). [Mus.] Instrument de musique à cordes, dont on joue par le moyen de quelques touches et d'une petite roue-archet à manivelle, enduite de colophane. V. pl. MUSIQUE.

vieller [*viel-lé*], v. intr. Jouer de la vielle.

vielleur, euse, n. Celui, celle qui joue de la vielle.

*** viennois, oise**, adj. et n. De Vienne ou de la Vienne.

vierge, n. f. (lat. *virgo*, m. s.). Fille qui n'a jamais eu commerce avec aucun homme et qui a conservé son intégrité physique. — *La sainte Vierge* ou *la Vierge*, la Vierge Marie, mère de Jésus.
— *Vierge folle*, fille aux mœurs dissolues

[Bx-A.] Représentation de la sainte Vierge, soit en sculpture, soit en peinture, seule ou avec l'Enfant Jésus. = LA Vierge, une des constellations, le 6ᵉ signe du zodiaque.

Adj. Se dit des personnes de l'un et de l'autre sexe qui ont vécu dans une continence parfaite. ‖ Fig. Qui est intact, qui n'a jamais servi, qui a conservé toute son intégrité. — *Une réputation vierge*, une réputation intacte. ‖ *Terre vierge*, celle qui n'a jamais été soumise à la culture. — *Forêt vierge*, celle qui n'a jamais été exploitée. ‖ *Métaux vierges*, ceux qui se trouvent purs et sans mélange dans le sein de la terre. — *Huile vierge*, celle qui sort des olives écrasées avant qu'on les soumette à l'action de la pression. [Bot.] *Vigne vierge*, nom vulgaire d'un arbrisseau sarmenteux (*ampélopsis*), qui ressemble à la vigne. = Ant. — *Pollué, défloré*.

* **vierzonite**, n. f. [Minér.] Variété d'argile ferrugineuse.

* **viette** ou * **viete**, n. f. (lat. *vietum*, desséché). [Vitic.] Partie du sarment de l'année précédente, restée sur le cep après la taille.

vieux, adj. V. Vieil.

* **vieux-catholiques**, n. m. pl. Catholiques schismatiques allemands qui rejettent le dogme de l'infaillibilité pontificale.

vif, vive, adj. (lat. *vivus*, m. s.). Qui est en vie. *Jeanne d'Arc fut brûlée vive à Rouen*. — *Chair vive*, corps vivant, par opposition à chair morte. — *Haie vive*, haie en pleine végétation. — *Bois vif*, bois qui pousse tous les ans de nouvelles branches. ‖ Qui a beaucoup d'activité, de vigueur, d'énergie, de promptitude. *Un enfant très vif*. — *Être vif*, vif comme la poudre, s'emporter facilement. — *Avoir l'esprit vif, l'imagination vive*, avoir un esprit, une imagination qui conçoit et qui produit promptement et facilement. — *Foi vive*, foi ardente. — *Vive canonnade*, canonnade rapide et continue. — *L'air est vif*, il est très pur et un peu froid.

Animé, brillant, éclatant. *Un regard vif*. *Couleur vive*. — Fig. *Un style vif et animé*. ‖ Qui fait une forte impression, physique ou morale. *Le froid est très vif*. ‖ Qui est exprimé avec animation, énergie. *De vifs reproches*. — *Propos un peu vifs*, propos qui approchent de l'insulte. [Chim.] *Chaux vive*, chaux anhydre ou oxyde de calcium. — *Vif argent*. V. ce mot. ‖ *Arête vive, angle vif*, saillant, net, non émoussé. ‖ *Eau vive* se dit de l'eau qui coule de source. — *Vive eau*, grande marée. — *Œuvres vives d'un navire*, partie immergée dont la détérioration amènerait la perte du navire. [Bouch.] *Poids vif*, poids de l'animal vivant. ‖ *De vive voix*, en parlant; *De vive force*, avec violence. = Vif, n. m. Chair vive. *Couper dans le vif*. — Fig. *Couper, trancher dans le vif*, agir énergiquement. — *Piquer au vif*, faire une offense très sensible. ‖ *Entrer dans le vif de la question, du débat*, aborder la partie la plus intéressante. ‖ Fig. *Caractère pris sur le vif*, représenté d'après nature. [Droit] Personne vivante. *Donation entre vifs*. [Pêche] *Pêcher au vif*, avec un petit poisson vivant comme appât.

Ctr. — *Apathique, languissant, lent, nonchalant, traînant*.

vif-argent [*jan*], n. m. Nom vulg. du mercure. ‖ Fig. et fam. *Cet homme a du vif-argent dans les veines*, il est d'une grande vivacité, d'une grande mobilité d'esprit.

* **vif-gage**, n. m. [Dr. anc.] Gage dont un créancier avait la jouissance.

Ant. — *Mort-gage*.

* **vigésimal, ale**, adj. V. Vicésimal.

* **vigesimo** [*vi-jé-zi*], adv. V. Vicesimo.

vigie, n. f. (portug. *vigia*, veille). Poste d'observation, de surveillance. [Mar.] *Être en vigie*, être en sentinelle dans la mâture. ‖ Matelot qui est en vigie. ‖ Sentinelle établie le long des côtes. ‖ Petit écueil à fleur d'eau. ‖ Balise signalant un danger aux navigateurs.

Par. — *Vigile*, jour précédant certaines fêtes; faction de nuit.

* **vigigraphe**, n. m. (de *vigie*, et du gr. *graphô*, j'écris). Télégraphe de vigie. ‖ Celui qui manipule ce télégraphe.

* **vigigraphie**, n. f. Pratique du vigigraphe. ‖ Transmission faite au moyen du vigigraphe.

* **vigilamment**, adv. Avec vigilance.

vigilance, n. f. (lat. *vigilantia*, m. s.). Attention active et soigneuse. *Cet homme est d'une extrême vigilance*. [Blas.] Grue tenant une pierre dans une patte.

vigilant, ante, adj. (lat. *vigilans*, m. s.). Attentif, soigneux; qui veille avec beaucoup de soin à ce qu'il doit faire.

1. **vigile**, n. f. (lat. ecclés. *vigilia*, m. s.). Dans l'Église catholique, jour qui précède certaines fêtes (Noël, la Pentecôte, l'Assomption, la Toussaint).

Syn. — V. Veille.

2. * **vigile**, n. m. (lat. *vigil*, m. s.). [Antiq.] Durée des factions de nuit dans l'armée romaine. ‖ Garde de nuit; surveillant de nuit.

Syn. — V. Garde.

Par. — *Vigie*, poste d'observation, de surveillance.

vigne [*gn* mll.], n. f. (lat. *vinea*, m. s.). [Bot.] Arbuste sarmenteux de la famille des *ampélidées* (ou *vitées*), qui produit le raisin. *Un cep de vigne*. — *Feuille de vigne*, ornement en forme de feuille de vigne cachant le sexe des personnages représentés nus. ‖ Étendue de terrain plantée de ceps de vigne. *Un hectare de vigne*. — *Raisin de vigne*, raisin propre à faire du vin. *Pêches de vigne*, les fruits des pêchers en plein vent. — Fig. et pop. *Être dans les vignes du Seigneur*, être ivre. ‖ Vulg. *Vigne blanche*, la clématite (*renonculacées*) et la bryone (*cucurbitacées*). — *Vigne vierge*. V. Vierge.

Épithètes courantes : verte, dorée, rougie, sauvage, soignée, cultivée, taillée, franche, plantée, arrosée, inondée, sulfatée, soufrée, gelée, vendangée; prospère, malade, arrachée, replantée, vierge, etc.

* **vigneau** [*gn* mll.], n. m. [Zool.] V. Vignot. ‖ Autrefois, en Normandie, sorte de tertre ou allée plantée de vigne, formant cabinet de verdure.

vigneron, onne [*gn* mll.], n. Celui, celle qui cultive la vigne.

Syn. — V. Agriculteur.

* **vignetage** [*gn* mll.], n. m. Action d'orner de vignettes.

vignette [*gn* mll.], n. f. (de *vigne*). Petit dessin ou petite gravure qu'on place en manière d'ornement au titre d'un livre, ou

VIGNETTISTE — VILLACE

au commencement et à la fin des chapitres.
‖ Dessin d'encadrement. ‖ Étiquette portant un petit dessin, servant de marque de fabrique ou certifiant le paiement de certains droits (timbres-poste, par ex.). [Bot.] Nom vulg. de la *reine-des-prés*, de la *mercuriale annuelle* et de la *clématite*.

* **vignettiste** [*gn* mll.], n. m. Celui qui fait des vignettes.

* **vigneture** [*gn* mll.], n. f. Ornement de feuilles de vigne.

vignoble [*gn* mll.], n. m. Étendue de pays plantée de vignes. ‖ Ensemble des vignes d'une région.

* **vignot** ou * **vigneau** [*gn* mll.], n. m. [Zool.] Espèce de mollusques gastéropodes comestibles, appelés aussi *bigorneaux*.

vigogne, n. f. (esp. *vicuna*, m. s.). [Zool.] Nom vulgaire d'une espèce de mammifères ruminants appartenant au genre lama. ‖ Par ext. Laine de la vigogne. *Un chapeau de vigogne.*

vigoureusement, adv. Avec vigueur.

vigoureux [*reu*], **euse,** adj. Qui a de la vigueur. Grand et plein de force. *Un homme, un animal, un arbre vigoureux.* ‖ Se dit aussi des choses faites avec vigueur, qui montrent de la vigueur. *Résistance vigoureuse.* [Peint.] Remarquable par sa fermeté, ses oppositions, ses contrastes. *Un dessin vigoureux.*
SYN. — V. FORT.
CTR. — *Faible, débile, mou, frêle, délicat, chétif, languissant. — Rabougri.*

viguerie, n. f. [Hist.] Charge de viguier. ‖ Territoire soumis à la juridiction du viguier.

vigueur [*gheur*], n. f. (lat. *vigor*, m. s.). Force physique, énergie. *Un homme, un arbre plein de vigueur.* ‖ Force, énergie, fermeté de l'âme et de ses facultés. *La vigueur du caractère.* ‖ Puissance, énergie, intensité. *Vigueur de style.* ‖ Être en vigueur se dit des lois, des coutumes que l'on suit, ou auxquelles on doit se conformer actuellement.
— *Il faut entretenir la vigueur du corps pour conserver celle de l'esprit.*
(VAUVENARGUES.)
ÉPITHÈTES COURANTES : grande, extrême, gardée, témoignée, conservée, augmentée, perdue, retrouvée, exercée, etc.

VOCAB. — *Famille de mots.* — *Vigueur* [rad. *vég, vig, veil*] : vigoureux, vigoureusement; ravigoter, ravigote; revigorer, vigile, vigilance, vigilant, vigilamment; vigie, vigigraphe, vigigraphie, veille, veiller, veilleur, veilleuse, veillée; éveil, éveiller, éveillé réveil, réveiller, réveillée, réveilleur, réveillon, réveillonner, réveille-matin; surveiller, surveillance, surveillant; végétal, végétation, végétatif, végétabilité, végétable, végétalisme, végéter, végétarien, végétarisme.

viguier [*ghié, g* dur], n. m. (lat. *vicarius*, lieutenant). Officier de justice subalterne, au Moyen Age, en Provence et en Languedoc.

vil, vile, adj. (lat. *vilis*, m. s.). Qui est de peu de valeur. *Une étoffe de vil prix.* — *A vil prix*, au-dessous de sa valeur. ‖ Fig. Bas, abject, méprisable. *Un homme vil.*
CTR. — *Noble, élevé. — Précieux.*
SYN. — V. ABJECT.
HOM. — *Ville* n. f., *cité*.

VOCAB. — *Famille de mots.* — *Vil:* vileté, vilement, avilir, avilissant, avilisseur, avilissement; vilipender.

vilain, aine, n. (bas lat. *villanus*, de *villa*, métairie). Paysan, roturier (Vx). — Prov. *Oignez vilain, il vous poindra; poignez vilain, il vous oindra.* V. POINDRE. *Jeu de main, jeu de vilain.* V. MAIN. ‖ Personnage rustre, grossier, plein de vulgarité; manant. — Partic. Avare. *Un ladre, un vilain.* = VILAIN, AINE, adj. Roturier, *qui n'est pas tenu par un noble. Terre vilaine.*
‖ Vil, méchant, déshonnête, méprisable. *Un vilain homme, une vilaine action.* ‖ Qui n'est pas beau, qui déplaît à la vue; laid. *Un vilain pays.* ‖ Fâcheux, incommode, dangereux. *Un vilain temps.*
CTR. — *Gentil, agréable. — Noble, élevé.*
LING. — Le sens de *vilain* diffère selon que cet adjectif est placé avant ou après le nom : *Un homme vilain*, c'est-à-dire laid; *un vilain homme*, c'est-à-dire peu recommandable.
ORTH. — *Vilain, vilainement, vilenie* ne prennent qu'*une l*; *ville, village, villageois* en prennent *deux*.
SYN. — *Vilain*, qui est désagréable à voir : *Habiter une vilaine rue.* — *Déplaisant*, qui choque : *Une attitude déplaisante.* — *Difforme*, qui a une forme irrégulière et qui choque la vue : *Un visage difforme.* — *Disgracieux*, qui déplaît par son manque de grâce : *Des ornements disgracieux.* — *Hideux*, qui choque par sa laideur repoussante : *Un spectacle hideux.* — *Laid*, qui déplaît à la vue, qui a des traits irréguliers : *Un tableau laid.* — *Repoussant*, dont la laideur provoque de la répulsion : *Une saleté repoussante.* V. aussi AFFREUX et RIDICULE.

* **vilainage,** n. m. (de *vilain*). [Féod.] Condition sociale du vilain. ‖ Habitation des serfs ou vilains. ‖ Héritage ou possession non noble.

vilainement, adv. D'une vilaine manière.

vilayet, n. m. (mot turc). Nom des grandes divisions territoriales de la Turquie.

vilebrequin [*kin*], n. m. (du néerland. *wimbelkin*, m. s.). [Techn.] Outil servant à commander la rotation des mèches à percer. V. pl. OUTILS USUELS. [Mécan.] Arbre coudé transformant le mouvement alternatif du piston en mouvement circulaire continu. *Le vilebrequin d'un moteur d'avion.* V. pl. MOTEURS.

vilement, adv. D'une manière vile.

vilenie, n. f. Action basse et vile. *Il a fait là une grande vilenie.* ‖ Paroles, propos sales, obscènes ou injurieux. ‖ Avarice sordide.

vileté ou * **vilité,** n. f. Bas prix d'une chose. *La vileté d'une denrée.* — *La vileté du prix*, un prix beaucoup trop bas. ‖ Fig. Bassesse. *La vileté d'une action* (Rare).

vilipender, v. tr. (lat. *vilipendere*, m. s.). Décrier, traiter avec un grand mépris.
SYN. — V. BAFOUER.

villa, n. f. (lat. *villa*, ferme et maison de campagne). Maison de plaisance. ‖ Maison de campagne élégante avec jardin ou parc.
SYN. — V. HABITATION.

* **villace,** n. f. (de *ville*). Grande ville mal bâtie et peu peuplée (Fam. et peu us.).

village, n. m. (de *ville*, au sens ancien du lat. *villa*, maison à la campagne). Agglomération de maisons, à la campagne, généralement entourée de champs cultivés. *Un gros village.* ‖ Fig. *Le coq du village,* celui qui s'y fait admirer, et, partic., qui a beaucoup de succès auprès des femmes. ‖ L'ensemble des habitants d'un village. V. tabl. VILLE et VILLAGE (*Idées suggérées par les mots*).
  SYN. — V. BOURG.
  ANT. — *Ville.*
villageois, oise, n. Habitant de village. = Adj. Qui appartient au village, aux gens de village. *Des mœurs villageoises.*
  ANT. — *Citadin.*
villanelle, n. f. (ital. *villanella*, du lat. *villanus*, paysan). Chanson pastorale. ‖ Air populaire rustique.
* **villarsie** ou * **villarésie,** n. f. [Bot.] Genre de plantes des eaux stagnantes, famille des *gentianées.*
ville [*vil*'], n. f. (lat. *villa*, métairie). Assemblage d'un grand nombre de maisons disposées par rues, et parfois entourées d'une enceinte commune. *Ville ouverte, fortifiée.* — *Ville franche,* ville qui ne payait pas la taille. — *La ville éternelle,* Rome — *La ville lumière,* Paris. — *La Ville sainte,* Jérusalem, La Mecque, etc. — *Hôtel de ville.* V. HÔTEL. — *Sergent de ville,* agent de police municipale. — *Tenue de ville,* tenue ordinaire de sortie, par opposition à tenue de soirée, de cérémonie. — Fam. *Il est à la ville,* il n'est pas à la campagne. *Il est en ville,* il n'est pas actuellement chez lui. *Il dîne en ville,* il dîne hors de chez lui.
  Division administrative, par oppos. à département ou État. *Le budget de la ville.* ‖ *Les officiers municipaux.* ‖ Population qui habite une ville. *Toute la ville en parle.* ‖ Ville qu'on mène à la ville, mœurs qui y règnent, par opposition à la campagne, etc. *J'aime mieux la ville que les champs.* V. VILLE et VILLAGE (*Idées suggérées par les mots*).
  ÉPITHÈTES COURANTES : grande, belle, bonne, propre, magnifique, superbe, peuplée, populeuse, somptueuse, prospère, riche, célèbre, illustre, fameuse, antique, moderne, déchue, détruite, abandonnée, dévastée, ruinée, incendiée, bombardée, pillée, brûlée, rasée; libre, forte, fortifiée, murée, démantelée, ouverte, capitale, royale, pontificale, impériale, épiscopale, maritime, intérieure, frontière, marchande, commerçante, intellectuelle, universitaire, savante, artistique, ville d'art, ville industrielle, ville de luxe, ville d'eaux, haute, basse ville; neuve, vieille, bâtie, fondée, agrandie, embellie, natale, etc.
  HOM. — *Vil, vile,* adj. de peu de valeur, bas, abject.
  ANT. — *Campagne, village.* — *La cour.*

> VOCAB. — *Famille de mots.* — *Ville* : village, villageois, villa, villégiature, villégiaturer; vilain, vilainage, vilenie, villanelle, villette, villenage, villace.
> *Ville* se disait en latin *urbs*, d'où urbain, urbanité, urbaniste, urbanisme, suburbain, interurbain, et en grec *polis*. V. POLICE.

villégiature [*vil-lé*], n. f. (ital. *villegiatura*, m. s.). Séjour à la campagne durant la belle saison. ‖ Endroit où l'on fait ce séjour.

* **villégiaturer,** v. intr. Être ou aller en villégiature.
* **villenage** ou * **vilenage,** n. m. [Dr. anc.] Droit de possession accordé à un vilain.
* **villette** [*vil-let*], n. f. Dimin. de *ville.* Petite ville (Vx).
villeux, euse [*vil-leu*], adj. (lat. *villosus,* m. s.). [Hist. Nat.] Revêtu de poils épais. *Tige villeuse.* — On dit aussi *villifère.*
* **villiforme** [*vil-li*], adj. [Hist. Nat.] Qui a l'apparence d'une fourrure.
villosité [*vil-lo*], n. f. (lat. *villositas,* m. s., de *villus,* poil). État des surfaces velues; ensemble des poils qui les recouvrent. [Anat.] Petites rugosités qui recouvrent certaines surfaces et leur donnent un aspect velu. *Villosités intestinales.*
vimaire ou * **vimère,** n. f. (lat. *vis major,* force majeure). [Eaux et Forêts] Dégât causé dans les forêts par un ouragan (Vx).
* **vime,** n. m. Nom méridional de l'osier.

...vin, vain.

> ORTH. — *Finales.* — Le son final *vin* s'écrit le plus souvent sous cette forme : alevin, brandevin, chauvin, devin, échevin, divin, bovin, éparvin, etc.; il s'écrit *vain* dans vain, couvain, écrivain, levain, sylvain. Le mot *vingt* est le seul dans lequel les deux lettres finales soient complètement élidées.

vin, n. m. (lat. *vinum,* m. s.) Boisson obtenue par la fermentation du jus de raisin. *Vin blanc, vin rouge, vin mousseux.* — *Grand vin,* vin provenant d'un cru estimé. ‖ Fig. *Mettre de l'eau dans son vin,* se modérer. — *Vin d'honneur,* vin offert par une municipalité, une société à un visiteur de marque. [Pharm.] Préparation obtenue en faisant macérer certaines substances végétales dans du vin. *Vin de quinquina.* ‖ Fam. Ivresse. *Être pris de vin. Avoir le vin gai, triste, mauvais.* — *Être entre deux vins,* être à demi ivre. — *Cuver son vin,* dormir du sommeil de l'ivresse. — *Sac à vin,* ivrogne. ‖ Toute liqueur alcoolique extraite d'un végétal. *Vin de palme.* [Physiol.] *Taches de vin,* taches rougeâtres que présentent, de naissance, certaines personnes, sur le visage ou une autre partie du corps. — V. tabl. NOURRITURE (*idées suggérées par le mot*).
  ÉPITHÈTES COURANTES : bon, excellent, fin, ordinaire, gros, inférieur, chaud, généreux, corsé, doux, nouveau, sucré, fermenté, liquoreux, aigre, acidulé, rouge, rosé, gris, blanc, coloré, alcoolisé, champagnisé, mousseux, travaillé, clarifié, soufré, tiré, cacheté; falsifié, naturel, grand, vieux, coté, goûté, apprécié, de grand cru, classé, célèbre, fameux, chanté, etc.
  HOM. — V. VAIN.

> VOCAB. — *Famille de mots.* — *Vin* [rad. *vin, vig, vit*] : vinaire, viner, vinique, vinosité, vineux, vinage, vinée, vinasse; vinocolorimètre; vinaigre, vinaigrier, vinaigrer, vinaigré, vinaigrerie, vinaigrette; vinicole, vinifère, vinificateur, vinification; avinage, aviner, aviné; vigne, vigneau, vigneron, vignoble, vignette, vignetage, vignettiste, vigneture, vinette; vendange, vendanger, vendangeable, vendangeoir, vendangerot, vendangette, vendangeur, vendémiaire; viticole, viticulteur, viticulture, vitifère, vitées; proviginer, provignage.

LA VILLE ET LE VILLAGE

Étymologie. — Le mot *ville* vient du latin *villa*, qui avait un sens tout différent, celui de métairie, de maison de campagne (d'où le mot moderne de « villa » avec ce sens).

Les mots qui désignaient notre concept moderne de *ville* étaient en latin *urbs, urbis,* d'où nos termes de : urbain, urbanisme, urbanité, suburbain, etc., et *civitas,* d'où cité. citadin, citoyen, civique, etc.; en grec, ville se disait *polis,* qui a donné naissance à nos mots: police, policé, politique, métropole, métropolitain, nécropole, cosmopolite, etc. Le sens étymologique était donc celui de « domaine rural » et c'est de cette acception qu'est dérivé le mot *village,* les habitations rurales s'étant généralement groupées en Gaule autour d'une villa gallo-romaine.

Définition. — La *ville* est une agglomération plus ou moins considérable de maisons construites aux bords de rues et de boulevards, avec des places et des monuments; elle est parfois entourée de murailles et de fossés, d'une enceinte fortifiée, elle est alors une *place* ou une *ville forte*; dans le cas contraire, elle est une *ville ouverte*. Le *village* est une agglomération rurale qui a généralement une rue principale et d'autres rues qui, pour la plupart, mènent aux champs entourant les groupes de maisons.

Mots de la même famille. — V. article VILLE.

Mots de sens analogue. — *Ville,* agglomération plus ou moins considérable de maisons; désigne aussi parfois l'administration de la ville : *les bureaux de la Ville de Paris.* — *Cité,* la ville envisagée comme le siège d'une administration civile organisée : *la cité antique, moderne* ; *cité* indique aussi parfois le cœur, le noyau primitif d'une grande ville, *la Cité de Paris, de Londres.* — *Bourg* indique un grand village ou une petite ville, ou parfois le groupe principal de maisons d'un village formé d'éléments divers dispersés. — *Commune* est un terme administratif désignant la ville ou le village où se trouvent une mairie et un conseil municipal : *les communes du département de Seine-et-Oise.* — *Village* (V. ci-dessus). — *Hameau* désigne un petit groupe de maisons à l'écart du groupe central, mais faisant partie de la même commune que lui : *Cette commune comprend plusieurs hameaux.*

Mots à sens opposés. — La *ville* s'oppose à la *campagne,* aux *champs,* à la *mer,* à la *montagne,* à la *plaine.* — Au XVIIe siècle, la *Ville,* ensemble des bourgeois et des artisans, s'opposait à la *Cour,* entourage du roi.

Principales idées évoquées par les mots Ville et Village.

A. — VILLE

a) TERMES GÉNÉRAUX. — Ville, cité, citadin, urbain, suburbain, agglomération de maisons, cité agricole, industrielle, commerciale, universitaire, etc., ville sainte, ville d'art, ville savante, ville de plaisir, ville d'eaux, station thermale ou balnéaire, centre de tourisme, ville maritime, port maritime, port de guerre, port fluvial, centre régularisateur, ville de garnison ; métropole, capitale d'État, de province, chef-lieu de département, d'arrondissement, de district, de canton; ville ancienne, moderne, neuve, claire, bien, mal bâtie, entretenue, soignée, propre, agréable, élégante, luxueuse, prospère, animée, bruyante, calme, tranquille, gaie, triste, riche, pauvre, sale, noire, abondante, ruinée, détruite, ville morte, etc.

b) LE SITE ET LE PLAN GÉNÉRAL. — Emplacement, enceinte, site, position, orientation, latitude, longitude, altitude, situation en plaine, sur une colline, dans la montagne, près d'une forêt, sur un cours d'eau, au confluent, sur l'estuaire, à l'embouchure d'un fleuve, au bord, de la mer. Configuration de la ville, plan général, ses grandes divisions naturelles, etc, ville haute, ville basse, centre de la ville, périphérie, quartiers, faubourgs excentriques, zone, banlieue, villes et villages annexés à l'enceinte, banlieue, grande banlieue, agglomération urbaine, etc. Partie centrale, pâtés de maison, îlots, blocs d'immeubles, cités-jardins, enclos, cités particulières, arrondissement, quartiers. Plan d'urbanisme.

c) LA VILLE FORTE. — Ville fortifiée, forteresse, ville forte, place de guerre, citadelle, place d'armes, enceinte fortifiée, fortifications, fossé, redan, bastion, glacis, muraille, tour, courtine, chemin de ronde, pont-levis, chaînes, poterne, portes de la ville, barrière, enceinte d'octroi, bureau d'octroi. V. pl. FORTIFICATIONS.

d) LES VOIES DE COMMUNICATION. — Grande artère, voie publique, grande avenue, cours, boulevard, boulevard extérieur, grandes allées, rue, ruelle, passage, cité, square, impasse, cul-de-sac. Voie publique, trottoir, dalle, bitume, bordure de granit, bornes, plaques d'égout, prises de gaz, d'électricité, magasins souterrains pour le matériel de nettoiement, bouches d'égout; chaussée, pavage de grès, de bois, de pavés mosaïque, macadam, asphalte, rue empierrée, dallée, cimentée, rue boueuse. Canalisations sous les rues et les trottoirs, égout, égout collecteur, tout à l'égout, conduites d'eau, de gaz et d'électricité, tubes pneumatiques de la poste, canalisation de chauffage urbain; bouche d'incendie; avertisseur d'incendie, poste d'appel de police-secours, poste d'essence pour automobiles, édicules sur le trottoir, lavabos, kiosques à journaux, colonnes de publicité pour les spectacles, stations et arrêts des transports publics; fontaines Wallace, bornes-fontaines, prises d'eau, d'arrosage, de gaz de ville, etc. Fleuve, rivière, canal, pont, viaduc, passerelle, arches, tablier, parapet, arc, voûte, pylônes, décoration des ponts, quais droits ou en pente, bordure de quais, escalier, descente à la rivière, riverains; estacades, embouchures d'égouts, portes, docks, bateau-lavoir, établissement de bains, pêcheur à la ligne, bouquiniste du quai; aqueducs aériens, souterrains, viaducs, voies ferrées, catacombes, carrière souterraine; circulation, code de la route, agent de la circulation, bâton blanc, mirador, signaux lumineux, priorité de passage, sens unique, sens interdit, rue barrée, interdite à la circulation, travaux dans les rues, pavage, repavage, passages cloutés, embarras de voitures, embouteillage, foule, badauds, incidents de circulation, accidents, contraventions, services de la voie publique, plaques indicatrices des noms de rues, etc.

e) LES ESPACES LIBRES. — Place, esplanade, carrefour, étoile, patte d'oie, fourche, rond-point, place publique, agora grec, forum romain, place de l'hôtel de ville, parvis de la cathédrale, place de la mairie; refuge, place monumentale à édifices symétriques, fontaines, jet d'eau, bassin, vasque, obélisque, colonne, colonnade, galerie; piédestal, statues, groupes, arcs de triomphe, monuments commémoratifs; lampadaires, colonnes rostrales, candélabres, balustrades, horloges pneumatiques. Jardin public, parc, bois aménagé, square, terrasse, escaliers monumentaux, allées, bassins, grandes eaux, fontaines lumineuses, grottes aménagées, labyrinthe, kiosques, temples de l'Amour, statues, bustes, gaines, allégories, vases, groupes et statues d'animaux; plate-bande, massif fleuri, pelouses, quinconces, arbres exotiques, arbres en caisse; lacs artificiels, pièces d'eau, canal, cascade, verdure, bancs, chaises; pelouses accessibles au public; kiosque à musique, musique militaire, marchands de coco, de glace, de rafraîchissements, guinguette rustique, restaurant de luxe, balustrades, grilles, allées sablées, mail, jeu de boules, de crocket, tennis, golf, etc.; gardien de square, le public dans les espaces libres et promenades. Petit square, jeux d'enfants, nourrices, petites voitures, sable, tas de sable pour les enfants, etc. Parc zoologique et jardins des plantes (V. ci-après).

f) MAISONS ET MAGASINS. — Maison, habitation, demeure, hôtel, palais, château (V. tabl. HABITATION). Pâté de maisons, îlot, façade, cour intérieure, magasin, rez-de-chaussée, entresol, loge de concierge, cave, souterrain, abri de bombardement, divers étages, palier, appartement, escalier, combles, terrasse, escalier de service, ascenseur, monte-charge, mansarde, toit, cheminée, paratonnerre, balcon, veranda, bow-window, bungalow, boutique, étalage, devanture, vitrine, échoppe, bureau d'administration, terrasse, numéro de maisons. Eau, gaz, électricité, tout à l'égout, téléphone, chauffage central, ou chauffage urbain. Cour, arrière-cour, garage, atelier, remise, magasin, hangar, débarras; concierge, locataire, gérant, propriétaire.

g) ÉTABLISSEMENTS ADMINISTRATIFS ET COMMERCIAUX. — Mairie, bureau de poste, central téléphonique, bureau auxiliaire, boîte à lettres, taxiphone (V. P. T. T.); commissariat de police, bureau du percepteur, du receveur des contributions (V. FINANCES); bureau de tabac, crédit municipal, hôtel, palace, hôtel de luxe, restaurant, maison de famille, café, bar, liquoriste, cercle, établissement de jeu, banques, succursales, agences, maisons de change, siège social, guichets, coffre-fort. Bureaux et agences de gaz, d'électricité, de pompes funèbres. Boutiques et magasins divers, grands magasins, galeries, nouveautés, uniprix, bazars, pharmacie, droguerie, herboristerie, produits chimiques, couleurs et vernis, articles de voyage, articles d'éclairage, maroquinerie, bijouterie, joaillerie, orfèvrerie, articles d'or et d'argent; tailleurs pour hommes et dames, fourrures, chemiserie, passementerie, bonneterie, mercerie, ganterie, cordonnerie, chaussures, savaterie, chapellerie, modes; coiffeur, parfumeur, produits coloniaux, magasin d'alimentation, marché, légumes et primeurs, graineterie, graineries, épicerie, boucherie, boucherie hippophagique, charcuterie, triperie, boulangerie, pâtisserie, chocolaterie, confiserie, vins et liqueurs, crèmerie, laiterie, fromages, volaille et gibier, poissonnerie, coutellerie, articles de ménage, ferblanterie, serrurerie, étamage, quincaillerie, ferronnerie, charronnage, carrosscric, réparation d'articles de bicyclettes, garagiste, poste d'essence, sellerie, accessoires d'électricité et T. S. F., maison d'édition, librairie, bouquiniste, papeterie, imprimerie, typographie, lithographie, reliure, philatélie, optique, marchand de journaux, lunetterie, photographie, appareils scientifiques et médicaux, lutherie et instruments de musique, installation d'appartements, de bureaux, blanchisserie, repassage, lissage, fleuriste, menuiserie, ébénisterie, fabrique et vente de meubles ; marchand de tableaux, d'antiquités, de gravures et estampes, de curiosités, de meubles anciens; emballage, expédition, déménagement. — Métiers de la rue : marchands des quatre saisons, repasseurs de couteaux et de ciseaux, robinetiers, marchands d'habits, vitriers, réparateurs de faïence, rempailleurs de chaises, tondeurs de chien, cireurs de souliers, porteurs et crieurs de journaux, chanteurs et musiciens ambulants; orgues de barbarie; chiffonniers, vagabonds, mendiants, souteneurs, filles, apaches, etc.— Halles centrales, halles aux vins, au blé; marché aux légumes, au poisson, aux bestiaux, aux fleurs, aux oiseaux, à la ferraille, etc... Bains publics, bains fluviaux. Bureaux d'assurance, de commerce, de compagnies de chemin de fer, de navigation, de transports routiers, de tourisme. — Ateliers de peintres, de sculpteurs, de photographes, studios, etc. (V. tabl. PROFESSIONS ET MÉTIERS). — Enseignes, panneaux, écussons, panonceaux, plaques de profession (médecin, avoué, avocat, huissier, etc.); publicité, affiches, panneaux réclame, publicité lumineuse, etc. — Grands établissements industriels, métallurgiques, tissus, verrerie, etc., manufacture, usines, ateliers, centrale électrique, sous-station, usine à gaz, etc. (V. tabl. INDUSTRIE).

h) LES MONUMENTS PUBLICS. — Cathédrale, basilique, église, paroisse, succursale, chapelle, oratoire, temple, mosquée, synagogue (V. tabl. ART ET RELIGIONS). Palais nationaux, palais du chef de l'État, hôtels des ministères, du chef du gouvernement; palais du Sénat, Chambre des députés, ministère, ambassade, chancellerie, légation, consulat ; archevêché ou évêché, presbytère, hôtel et bureaux de la préfecture, de la sous-préfecture, hôtel de ville, mairie; maison de force, d'arrêt, prison cellulaire, dépôt; préfecture de police, commissariats, postes de police, dépôt de mendicité, gouvernement militaire, préfecture maritime, place, casernes, mess d'officiers, champs de Mars et de manœuvre, postes militaires, guérite, etc. (V. tabl. ARMÉE.) Palais des académies, Institut, Universités, facultés, grandes écoles nationales, laboratoires, instituts divers, lycées, collèges, séminaires, écoles secondaires et primaires, maternelles, professionnelles, techniques, écoles publiques, privées et paroissiales, institutions, pensionnats, maisons d'éducation, cours, crèches, garderies d'enfants, écoles des beaux-arts, conservatoire de musique, etc. (V. tabl. ÉDUCATION ET INSTRUCTION). Bibliothèques nationales, municipales, etc. Muséum d'histoire naturelle, jardin des plantes, parc zoologique, serres; musées d'art, de peinture, de sculpture, de céramique, d'arts décoratifs, d'anthropologie, de l'homme, de minéralogie, d'archéologie, d'antiquités, d'histoire, de l'armée, de l'artillerie, de la marine, de l'aviation, des colonies, des travaux publics, etc. Conservatoire des arts et métiers, cabinet des médailles, Palais de la Découverte, etc. Monuments d'histoire et monuments commémoratifs. Hôtel des monnaies, manufactures de tapisserie, de céramique, de verrerie, manufacture de tabac. Théâtre, opéra, opéra comique, théâtre lyrique, music-hall, cinéma, casino, bal public, dancing (V. tabl. THÉÂTRE et CHANT). Arènes, amphithéâtre, terrain de sport, stade, golf, skating, tennis, champ de courses, hippodrome, piste, pesage, tribunes, vélodrome, autodrome (V. tabl. JEUX et SPORTS). Hospice, hôpitaux (V. ci-après). Aéroport, aérodrome (V. tabl. AVIATION). Cimetière, nécropole, monument funéraire, tombe, caveau, concession, fosse commune, four crématoire, catacombe, abattoir, échauderies, équarissage.

i) LA VOIRIE ET L'HYGIÈNE PUBLIQUE. — Voirie, urbanisme, aménagement d'espaces libres; balayage, nettoiement des voies et chaussées, arrosage, enlèvement des neiges et glaces, arroseur, balayeur municipal, arroseuse, balayeuse automobile, véhicules automobiles et tombereaux pour l'enlèvement des ordures, usine d'incinération, traitement des gadoues et, ordures ménagères, boîtes à ordures, poubelles; égout, siphon, tout à l'égout, évacuation, traitement et utilisation des eaux d'égout, collecteurs, chasse d'eau, épandage, water-closet, lavabos, chalet de nécessité, urinoir, vidanges, service des eaux, adduction des eaux de source et de rivière, aqueduc, conduit souterrain, canalisation, réservoirs, javellisation, analyse des eaux, conduites d'eau des maisons, eau de source et de rivière, prise d'eau, compteur d'eau, borne-fontaine, fontaine Wallace, abreuvoir, lavoir, bateau-lavoir, bouche d'incendie. Gazomètre, canalisation de gaz, usine à gaz, tuyaux, compteurs à gaz,

VILLE   2066

robinet, fourneau, radiateur à gaz, cuisine, éclairage, chauffage au gaz. — Centrale électrique, sous-station, transformateur, pylône, câble électrique, ligne de haute et basse tension, interconnexion des réseaux, heures de pointe de consommation, interrupteur, coupure de courant, panne, colonne montante, compteur électrique; lampes, lampes à arc, phare, lampadaire, réflecteur, projecteur électrique, chauffage et éclairage électriques, cuisine à l'électricité, courant de force ; chauffage urbain, usines thermiques, canalisation, distribution. Services médicaux, hôtel-Dieu, hôpital, hospice, maternité, clinique, hôpitaux d'enfants, maison de santé, établissement de psychiatrie, asile, maison de retraite, sanatorium, préventorium, voiture d'ambulance, dépôt mortuaire, morgue, institut médico-légal, etc. (V. tabl. MALADIE ET MÉDECINE).

j) LES SERVICES DE SÉCURITÉ ET DE POLICE. — Services d'incendie, caserne, poste de pompiers, avertisseurs d'incendie, appel téléphonique, départ, matériel d'incendie, corne d'avertissement, pompe à bras, à vapeur, motopompe, dévidoir, fourgon-pompe, grandes échelles, appareil de cave, voiture de premier secours, échelle, croc, lance, tuyau, hache, appareil contre l'asphyxie, casque, voiture médicale; sauvetage, extinction, ventilation, secours contre les accidents, extincteur, mousse carbonique, bateau-pompe. Faire la part du feu, noyer les décombres, salvage corps, compagnies d'assurance. Sapeur, officier de pompiers. Accident de la circulation, ambulance municipale, voiture d'ambulance, infirmiers, infirmières, ambulancier secouriste, poste de secours, brancard, civière, transport à l'hôpital, secours aux noyés, bouée, ceinture de sauvetage. Police, préfet de police, directeur de la police municipale, commissariat, commissaire de police, secrétaire du commissaire, agent de la police municipale, policier, fonctionnaire, inspecteur, officier de police judiciaire, officier de paix, brigadier, agent de police, sergent de ville, gardien de la paix; policeman; poste de police, emmener au poste, violon, fourgon de la police, appel de police-secours, voiture cellulaire; gardes municipaux, gardes républicains, gardes mobiles, gendarmerie nationale, police des voitures de la circulation, des jeux, police fluviale, service des mœurs, répression de la prostitution, agents en bourgeois, agents de la police secrète. Rondes de police, îlotier, renseignements sur les rues, procès-verbaux, contravention, arrestation, menottes, dépôt. — Règlement de la circulation, code de la route, sens interdit, sens unique, itinéraire dévié, mirador, sens giratoire, voie barrée, barrage: passage clouté, bâton blanc des agents, gants blancs, signaux lumineux de circulation; collision, rencontre, écrasement, etc. Circulation normale, interrompue, interdite; passant, piéton, promeneur, badaud, curieux, attroupement, bagarre, soulèvement, émeute, barricades; invitation à se disperser, sommation, dispersion à main armée, appel à la troupe, aux pompiers, etc.

k) LES TRANSPORTS URBAINS. — Piétons, cyclistes, bicyclette, tandem, bicyclette à moteur, sidecar, tri-porteur, voiture à bras, poussette, voiture à chevaux, tapissière, camion, camionnette, tombereau, fardier, fourgon, voiture de commerce, voiture de livraison, charrette, véhicules divers: carrosse, chaise à porteurs, fiacre, taxi, voiture de louage, voiture de maître, voiture de noces, voiture de deuil, corbillard, fourgon funèbre; coupé, landau, landaulet, voiture de place, station de voitures, taximètre, taxe, pourboire; fourgon postal, voiture d'ambulance, autocar, voiture de courses, autocars de tourisme, omnibus à chevaux, omnibus et voiture de gare, omnibus à impériales, autobus, trolleybus, plate-forme, intérieur, tickets, section, autobus à essence, à gaz de ville, à gazogène, tramway, rail, trolley, canalisation électrique souterraine, tramway à chevaux, à vapeur, à air comprimé, à moteur, électrique: cocher, chauffeur, receveur, conducteur, mécanicien, contrôleur; terminus, station, arrêt obligatoire ou facultatif. Parcs à autos, à bicyclettes, parc gardé, parc entouré. Compagnie de transport, transports en commun. — Garage, dépôts. — Transports de surface, souterrains: cie d'autobus, métropolitain, tunnel, station, trajet souterrain, aérien, escalier de descente, ascenseur, trottoir roulant, galeries, guichet, carnet de tickets, tickets isolés, contrôle, portillon, couloir souterrain, direction, plans et plaques indicatrices. Correspondance, lignes, rames, automotrice, voiture de 1re, de 2e, entrée, sortie, fermeture automatique des portes, foules, bousculades aux montées et descentes de trains; viaduc, voie, quai, signaux, éclairage de la voie et des stations, arrêt, panne de courant, signalisation; employé, machiniste, chef de station, contrôleur et contrôleuse de billets, etc. Gares de chemin de fer, gare principale, voyageurs, marchandises, salle des pas perdus, guichets, enregistrement des bagages, accès aux quais, quais de départ de trains : services de voyageurs, de messageries, de la poste, train, voies, etc. (V. tabl. TRANSPORTS). Bateau mouche, vedette, ponton, embarcadère, débarcadère: canots de sport, canoës, péniches, remorqueurs, etc. (V. tabl. EAU ET MER). Compagnie de tranports aériens, aérodrome, aérogare, service de l'aviation en ville, lignes aériennes, avion de transport, etc. (V. tabl. AVIATION). Compagnies de navigation, siège, agences, agence de transport, train, paquebot, train transatlantique, billets de tourisme, service de renseignement.

l) LES ÉTABLISSEMENTS DE BIENFAISANCE. — Bureau de bienfaisance, fourneau économique, société de secours mutuels, société de philanthropie, société de bienfaisance, sœurs des pauvres, sœurs de St-Vincent-de-Paul, établissements charitables; restaurant à prix réduit, soupe populaire, consultation gratuite, asile, etc. V. ci-dessus. Crédit municipal, mont de piété, engagement, dégagement, reconnaissance.

m) ADMINISTRATION DE LA VILLE. — Les services de l'État, la capitale; gouvernement, ministères, grandes administrations, la ville, chef-lieu, préfecture, conseil général ; le préfet, secrétaire général, conseiller de préfecture, sous-préfet, conseil d'arrondissement, etc. La municipalité, le conseil municipal, maire, maire-adjoint, services municipaux, mairie, police, garnison, etc. (V. tabl. GOUVERNEMENT, ADMINISTRATION et ARMÉE).

n) LA VIE DE LA VILLE. — LA SOCIÉTÉ. — Circulation, public, la vie quotidienne, vers le travail, l'usine, la boutique, le chantier, le bureau, l'école, etc., l'arrivée au travail, la fin du travail; transport : à pied, à bicyclette, par les autobus, les trains de banlieue, le métro; les ménagères dans la rue, l'approvisionnement, étalages, marchés de la rue, queues, faire son marché, ses provisions, etc. Le dimanche, les promenades, rues, avenues, parcs, courses, visite de musées, sport, cinéma, théâtre, départ pour la banlieue ou la campagne, cafés, restaurants, bars, guinguettes, canotage, etc. Cortèges officiels, revues militaires, défilés, cortèges funèbres, réunions politiques, meetings, congrès, manifestations. Fêtes, bals publics, drapeaux, guirlandes, illuminations, lampions, feux d'artifice, salves d'artillerie, jeux d'eaux, fontaines lumineuses. Expositions d'art, salon, exposition de peinture et sculpture, de marine, d'automobiles; foires, exposition universelle, expositions industrielles, etc.

LES SPECTACLES (V. tabl. THÉÂTRE ET CHANT). Les salons littéraires, cercles, cours publics, conférences, académies, etc. (V. tabl. LETTRES et ARTS). La vie mondaine, réception ; soirées, bals, concerts, dîners, cercles, salles de jeu, clubs, etc. (V. tabl. SOCIÉTÉ). Les sports. (V. tabl. JEUX et SPORTS).

B. — Le village

Le site, campagne, plaine, vallée, montagne, bord d'un cours d'eau, de la mer, de la forêt, campagnard, rural, paysan, paysannerie, cultivateur, fermier, maraîcher, agriculteur, horticulteur, pépiniériste, ouvrier agricole, etc., travaux des champs, instruments de culture (V. tabl. AGRICULTURE); champs, prés, pré communal, terres cultivées, moissons, céréales, cultures diverses, vignes, vignobles, oliveraies, verger clos, marais de culture, jachères, guérets; la mare, l'étang, la rivière, le ruisseau, le ru; la route nationale, routes, chemins vicinaux, chemins de culture, ornières, boue, bourbier, poussière, sente, venelle, raidillon; la grande rue, rue; sablière, carrière, marnière, etc. Le village, le bourg, hameau, écart, lieu-dit, ferme isolée, bourgade, commune, commune rurale, chef-lieu de canton; cadastre, géomètre, arpenteur, plan de la commune. La voie ferrée, le passage à niveau, pont, passerelle, gare, bascule, salle d'attente, chef de gare, employés, garde-barrière, gare de marchandises, sémaphore, cloche, passage de train, station, horloge de la gare. Mairie ou hôtel de ville, maison commune, centre du village, poste de police. L'église, le clocher, tour, coq, horloge, l'angelus, le glas, sonnerie de baptême, de mariage, de grandes fêtes, enterrement, tocsin, carillon, volée; chapelle, oratoire. Le conseil municipal, maire, maire-adjoint, conseiller, secrétaire de mairie; doyen, curé, desservant, vicaire, sacristain, bedeau, chantre, enfant de chœur, sonneur. L'école, le directeur, l'instituteur, l'institutrice, les adjoints, écoliers et écolières, salles de classe, bancs, cartes et tableaux muraux, boulier, tables, pupitres, etc.; locaux, centre scolaire, caisse des écoles, école paroissiale, école des sœurs, cour, préau, salle de gymnastique, terrain de sports. — Garde champêtre, huissier, garde des récoltes, cantonnier, tambour de ville, cimetière, fossoyeur, tombes, corbillard, pompiers et pompe municipale, appareil d'exercices des pompiers, incendie, appels de clairon ou de sirène, faire la chaîne, etc.

Monument aux morts de la guerre; sociétés locales, secours mutuels, anciens combattants, groupements politiques ou sociaux, fanfare, orphéon, chorale, société de tir, de tir à l'arc, de jeux de boules, de quilles, etc., mail. — Les notabilités du bourg; juge de paix, tribunal, greffier, commissaire de police, poste, agent, gendarmerie, brigadier, gendarmes; notaire, huissier, percepteur, contrôleur des contributions, docteur, médecin, pharmacien, vétérinaire; géomètre. Le bureau de poste, télégraphe, cabine téléphonique, receveur, facteur-receveur, facteur rural, boîtes aux lettres, levées, etc. (V. tabl. P. T. T.). Métiers ruraux: charron, charpentier, menuisier, couvreur, plombier, puisatier, maçon, plâtrier, carrier, forgeron, maréchal ferrant, serrurier, bûcheron; boulanger, boucher, épicier, débit de tabac, charcutier, marchand de fruits et de légumes, etc. (V. tabl. MÉTIERS et PROFESSIONS): hôtellerie, auberge, le relai de poste, on loge à pied et à cheval, café, cabaret, caboulot, billard, piano mécanique, jeux de cartes, de dominos, etc. — Les animaux, gros et petit bétail, troupeaux, animaux de la ferme, basse-cour; taureaux, bœufs ou vaches, veaux, porcs, moutons, chèvres, chevaux, chiens, chats, coqs, poules, dindons, canards, oies, pintades, paons, pigeons, pigeonnier, colombier, lapins, etc. — Parcs, châteaux, ruines de château fort, tour, donjon, ancien moulin, vieille abbaye, etc.; moulin à vent, à eau, installation électrique, transformateur, adduction d'eau, fontaines, réservoirs, lavoir, doué, abattoir; fermes, maisons, maisons d'habitation, chaumières, hangars, granges, meules de champs, maisons bourgeoises, arbres divers, jardin d'agrément, fleurs, parterre, verger, arbres fruitiers, caves, chais, vignes, pressoir, fruitier, potager. — La route, bas côtés, trottoir cyclable, chaussée, borne, poteau indicateur, bornes kilométriques, fossés. Le marché, étalages, tréteaux, vente au panier, police de marché; foire, la grande place du village, boutiques foraines, foire aux bestiaux, aux chevaux, etc. — Fêtes et réjouissances villageoises, fêtes patronales, fête du village, processions, les rogations, cortège de noces, couronnement de la rosière, pardons, réjouissances, drapeaux, lampions, guirlandes; feux de joie, feux de la St-Jean; fanfares, jeux ruraux, mât de cocagne, courses en sac, danses, farandoles, dérobées bretonnes. Les étrangers au village, citadins en vacances, estivants, campeurs, camping, touristes. Traversée du village par les troupes en manœuvre; billet de logement, cantonnement; cyclistes, automobilistes, etc. — Légendes, histoires de village, querelles de clochers, procès entre voisins; costumes et coiffes locaux, folklore, etc.

vinage, n. m. (de *viner*). Addition d'alcool au vin.

vinaigre, n. m. (de *vin*, et *aigre*). Vin rendu artificiellement aigre par la fermentation acétique, et employé comme condiment. ‖ Par anal., liquide acide retiré d'un liquide alcoolique autre que le vin. *Vinaigre de toilette.* ‖ Fig. et prov. *On prend plus de mouches avec du miel qu'avec du vinaigre,* la douceur réussit mieux que l'âpreté. — *Cela tourne au vinaigre,* la conversation devient aigre, une querelle est près d'éclater (Fam.). ‖ Pop. *Faire vinaigre,* aller très vite. ‖ *Vinaigre de bois,* acide acétique.

vinaigré, ée, adj. Assaisonné avec du vinaigre. ‖ Où il y a trop de vinaigre.

vinaigrer, v. tr. Assaisonner avec du vinaigre.

vinaigrerie, n. f. [Techn.] Fabrique de vinaigre. Industrie, commerce du vinaigre.

vinaigrette, n. f. Sauce faite avec du vinaigre, de l'huile, du sel, du persil et de la ciboule. — Viande apprêtée avec cette sauce. ‖ Autref. Petite chaise à deux roues qui était traînée par un homme. V. pl. VOITURES.

vinaigrier, n. m. Fabricant ou marchand de vinaigre. ‖ Vase à mettre du vinaigre.

vinaire, adj. (lat. *vinarius*, m. s.). Qui a rapport au vin. *Industrie vinaire.* ‖ *Vases* ou *vaisseaux vinaires,* qui sont destinés à contenir du vin.

vinasse, n. f. (de *vin*). Liquide qui reste après qu'on a enlevé par la distillation l'alcool contenu dans le vin ou le jus des betteraves. ‖ Vin de qualité inférieure (Pop.).

* **vincetoxicum** [*sé...komm*], n. m. [Bot.] Nom scientif. du *dompte-venin* (*asclépiadées*).

vindas [*dâ*] ou * **vindau,** n. m. (orig. scandinave) [Mar.] Petit treuil ou cabestan volant. [Gymn.] Appareil avec lequel on exécute les *pas de géant*.

* **vinde,** n. m. [Ling.] Langue slave, plus connue sous le nom de *slovène*.

vindicatif, ive, adj. (lat. *vindicare*, venger). Qui est porté à la vengeance, qui aime se venger.

PAR. — *Indicatif,* le premier des modes du verbe.

* **vindicativement,** adv. D'une manière vindicative.

vindicte, n. f. (lat. *vindicta*, vengeance). [Droit] Poursuite d'un crime. *La vindicte publique, la vindicte des lois,* la poursuite du crime au nom de la société, de la loi (Vx).

vinée, n. f. Récolte du vin. *Une grande vinée.* ‖ Lieu destiné aux cuves de vendange. Branche à fruits des ceps de vigne.

viner, v. tr. (de *vin*). Additionner d'alcool certains vins, pour qu'ils se conservent mieux.

* **vinette**, adj. f. V. ÉPINE-VINETTE.

vineux, euse, adj. (lat. *vinosus*, de vin). Qui à la couleur, la saveur et l'odeur du vin. ‖ Abondant en vin. ‖ Sali, taché par le vin. ‖ *Vin vineux*, vin plein de force.
PAR. — *Vinique*, qui a rapport au vin.

vingt, adj. numéral (lat. *viginti*, m. s.). Deux fois dix. *Vingt francs.* ‖ Pris quelquefois pour un nombre indéterminé, un grand nombre de fois. *Je vous l'ai répété vingt fois.* ‖ Vingtième. *Page vingt.* = VINGT, n. m. Le nombre vingt. *Le numéro vingt. Il habite au vingt de la rue*, il habite la maison qui porte le numéro vingt. — Vingtième jour du mois. *Le vingt mai.*
GRAM. — Le mot *vingt* se prononce *vin* devant une consonne ou une H aspirée; mais on fait sentir le *t* devant une voyelle ou une H muette dans l'énumération de *vingt et un* à *trente*. Ex. *vingt-deux* se pron. *vintt-deû.* — En outre, l'usage veut que ce mot prenne une *s*, lorsqu'il est multiplié par un autre nombre et qu'en même temps il précède immédiatement le nom auquel il est joint : *Quatre-vingts hommes*, et on n'ajoute point cette *s*, quand *vingt* est suivi d'un autre nombre : *Quatre-vingt-un, quatre-vingt-deux*, etc., ou lorsqu'il s'agit de la date des années : *L'an mil six cent quatre-vingt.* Toutefois il est « toléré » de faire varier *vingt* même quand il est suivi d'un autre nombre et d'écrire *quatre-vingts-deux.* — Le nombre qui suit *vingt* se joint toujours à lui par un trait d'union. Il en est de même des nombres ordinaux formés de *vingt*. Ainsi on écrit : *Vingt-deuxième, vingt-troisième*, etc. Il n'y a d'exception que pour *vingt et un et vingt et unième*, à cause de la présence de la conjonction.
LING. — De l'ancienne numération par vingt, il ne reste plus dans la langue moderne que *quatre-vingts, quatre-vingt-dix*, et le nom de l'hôpital des *Quinze-Vingts.*
HOM. — V. VAIN.

> VOCAB. — *Famille de mots.* — **Vingt** [rad. *ving,vic*] : vingtain, vingtuple, vingtupler, vingtaine, vingtième, vingtièmement; quatre-vingts, quatre-vingtième, quatre-vingtièmement; vicésimal, vicesimo; vicennal.

* **vingtain** [*vin-tin*], n. m. [Féod.] Droit du seigneur à la vingtième partie des fruits de la terre.

vingtaine [*vin-tène*], n. f. Quantité de vingt ou environ. *Une vingtaine de jours.*

vingtième [*vin-tièmm*], adj. num. ordin. de vingt. Qui occupe le rang marqué par le nombre vingt. — *La vingtième partie*, ou, n. m., *le vingtième*, chacune des parties d'un tout divisé en vingt parties égales.

* **vingtièmement**, adv. En vingtième lieu.

* **vingtuple**, adj. Vingt fois plus grand.

* **vingtupler** [*vin-tu*], v. tr. Rendre vingt fois plus grand.

vinicole, adj. (lat. *vinum*, vin; *colo*, je cultive). Qui a rapport à la culture de la vigne, à la production du vin. *Industrie vinicole.*

* **viniculture**, n. f. Syn. de *viticulture*.

* **vinifère**, adj. (lat. *vinum*, vin; *fero*, je porte). Qui produit du vin.

* **vinificateur**, n. m. Appareil pour faire le vin.

vinification [*sion*], n. f. (lat. *vinum*, vin; *facio*, je fais). Fermentation qui transforme en vin le jus des raisins. *Vinification en rouge, vinification en blanc.* ‖ Art de faire le vin.

* **vinique**, adj. Qui a rapport au vin.
PAR. — *Vineux*, qui a la couleur, l'odeur, la saveur du vin.

* **vinocolorimètre**, n. m. (lat. *vinum*, vin; fr. *colorimètre*). Appareil qui sert à mesurer la coloration d'un vin.

* **vinosité**, n. f. (bas lat. *vinositas*, m. s.). Qualité des liquides vineux.

viol, n. m. (du v. *violer*). Violence faite à une fille ou une femme pour la posséder.
HOM. — *Viol*, n. m. violence faite à une femme; — *viole*, n.f., ancien instrument de musique; — *viole, es, ent*, du v. violer. — *violle*, n. m. unité d'intensité lumineuse.

> VOCAB. — *Famille de mots.* — **Viol** : violable, violer, violateur, violation, violement, violence, violent, violemment, violenter, inviolable, inviolabilité, inviolablement, inviolé.

* **violable**, adj. Que l'on peut violer.

violacé, ée, adj. (lat. *violaceus*, m. s.). De couleur tirant sur le violet.

* **violacées**, * **violariacées** ou * **violariées**, n. f. pl. (lat. *viola*, violette) [Bot.] Famille de végétaux dicotylédones dialypétales dont le type est la violette.

* **violacer**, v. intr. Prendre une couleur qui tire sur le violet. = Conjug. V. GRAMMAIRE.

* **violat** [*la*], adj. m. Fait avec de la violette. *Sirop violat.* ‖ Où l'on a mis infuser de la violette.
HOM. — *Violas, a, ât*, du v. violer.

violateur, trice, n. (lat. *violator*, m. s.). Celui, celle qui viole (les lois, les traités, etc.).

violation [*sion*], n. f. (lat. *violatio*, m. s.). Action d'enfreindre une loi, une règle, de manquer à un engagement, de porter atteinte à un droit, de profaner une chose sacrée. *Violation de domicile, de sépulture.*

violâtre, adj. D'une couleur qui tire sur le violet.

viole, n. f. (provenç. *viula*, m. s.) [Mus.] Ancien instrument de musique, sorte de grand violon à six cordes dont on jouait avec un archet. — *Viole d'amour*, viole à sept cordes. V. pl. MUSIQUE.
HOM. — V. VIOL.

* **violement** [*le-man*], n. m. (de *violer*). Action de violer (Vx).

violemment [*la-man*], adv. Avec violence.

violence, n. f. (lat. *violentia*, m. s.). Qualité de ce qui est violent. *La violence de la tempête.* ‖ Force dont on use contre le droit, contre la loi ou contre les personnes. ‖ Outrance. *La violence des termes.* ‖ Acte de violence. *Faire violence à quelqu'un*, le contraindre par force. — *Faire violence à une femme*, la prendre de force. — *Se faire violence*, se contraindre à quelque chose avec effort. = N. f. pl. Actions, paroles violentes et excessives.

— *C'est une étrange et longue guerre que celle où la violence essaye d'opprimer la vérité. Tous les efforts de la violence ne peuvent affaiblir la vérité, et ne servent qu'à la relever davantage.* (PASCAL.)
ÉPITHÈTES COURANTES : extrême, honteuse, brutale, féroce, déchaînée, exercée, employée, faite, imposée, subie, combattue, domptée, réfrénée, etc.
SYN. — V. EMPORTEMENT et FOUGUE.
ANT. — *Douceur, bénignité.*
violent [*lant*], **ente**, adj. (lat. *violentus*, m. s.). Impétueux, qui agit avec une force brusque et considérable. *Une explosion violente.* ∥ Intense, vif, puissant. *De violents efforts.* ∥ Qui a recours à la force, qui aime y recourir. *Un gouvernement violent et tyrannique.* — *Mort violente*, celle qui est causée par une action de violence ou par un accident. ∥ Très emporté, très fougueux. *Un homme violent.* ∥ Excessif. *Un discours violent. Expression trop violente.*
SYN. — V. CRUEL.
CTR. — *Doux.* — *Anodin.*
HOM. — *Violant*, ppr. du v. violer.
violenter, v. tr. (de *violent*). Contraindre par force, faire violence à. *Violenter les consciences.*
SYN. — V. CONTRAINDRE.
violer, v. tr. (lat. *violare*, m. s.). Enfreindre, agir contre, porter atteinte à. *Violer les lois.* ∥ Profaner. *Violer un temple, une sépulture.* ∥ *Violer une femme*, abuser d'elle à l'aide de la force.
SYN. — V. CONTREVENIR.
1. **violet, ette**, adj. (de *violette*). Qui est de la couleur de la fleur qu'on nomme violette. — *Il est tout violet;* se dit d'un homme très congestionné. [Phys.] *Rayon violet*, une des sept couleurs du spectre solaire. = VIOLET, n. m. Couleur violette. *Le violet est la couleur réservée aux évêques.* V. tabl. COULEURS (*Idées suggérées par le mot*).
HOM. — *Violet*, adj., qui est de la couleur de la violette; — *violet*, n. m., couleur violette; sorte de petite viole; — *violais, ait, aient,* du v. violer.
2. * **violet**, n. m. (dimin. de *viole*). [Mus.] Sorte de petite viole, anciennement en usage.
* **violeter**, v. tr. Teinter de violet. = Conjug. V. GRAMMAIRE.
violette, n. f. (lat. *viola*, m. s.). Genre de plantes à petites fleurs violettes, de la famille des *violacées.* ∥ Fleur de cette plante, d'un parfum agréable. ∥ Fig. Personne modeste.
* **violeur, euse**, n. Celui, celle qui viole.
violier, n. m. (de la rac. de *violette*). Nom vulg. de la *giroflée des jardins.*
* **violine**, n. f. [Chim.] Principe extrait des fleurs de la violette.
* **violiste**, n. m. Joueur de viole (Vx).
* **violle**, n. m. [Phys.] Unité d'intensité lumineuse.
HOM. — V. VIOL.
violon, n. m. (de *viole*). [Mus.] Instrument de musique à quatre cordes (*mi, la, ré, sol*), accordées de quinte en quinte et que l'on fait vibrer à l'aide d'un archet ou du doigt. V. tabl. MUSIQUE et CHANT (*Idées suggérées par les mots*). V. pl. MUSIQUE. ∥ Celui qui joue de cet instrument, dans un ensemble. *Un premier violon.* ∥ *Payer les violons*, payer les frais d'une chose dont les autres ont eu l'honneur, le plaisir ou le profit. [Mar.] Tablettes retenant la vaisselle, par fort roulis, sur les tables des salles à manger des paquebots. ∥ Prison attenant à un corps de garde ou à un poste de police.
violoncelle, n. m. (ital. *violoncello*, m. s.). Instrument à quatre cordes et à archet, plus grand et de son plus grave que le violon. V. tabl. MUSIQUE et CHANT (*Idées suggérées par les mots*). V. pl. MUSIQUE. ∥ Celui qui en joue.
violoncelliste, n. Celui, celle qui joue du violoncelle.
* **violoner**, v. intr. Jouer (mal) du violon. (Péjor.).
violoneux ou * **violoneur**, n. m. Ménétrier, violoniste de campagne.
violoniste, n. Celui, celle qui joue du violon.
viorne, n. f. (lat. *viburnum*, m. s.). [Bot.] Genre de plantes de la famille des *caprifoliacées;* arbrisseaux grimpants.
vipère, n. f. (lat. *vipera*, m. s.). [Zool.] Genre de serpents venimeux, dont fait partie la *vipère commune* que l'on trouve en France. V. pl. REPTILES. ∥ Fig. Personne méchante et perfide. ∥ *Langue de vipère*, personne très médisante.
vipereau, n. m. Petit de la vipère.
* **vipérides**, n. m. pl. [Zool.] Famille de reptiles ophidiens venimeux.
vipérin, ine, adj. (lat. *viperinus*, m. s.). Qui a rapport à la vipère. ∥ Fig. *Langue vipérine*, personne très médisante.
vipérine, n. f. [Bot.] Genre de plantes herbacées de la famille des *borraginées.*
virage, n. m. (du v. *virer*). Action de tourner ou de faire tourner. [Mar.] Action de virer au cabestan. — Action de virer de bord. — Espace nécessaire pour virer de bord. ∥ En parlant de certains véhicules, changement de direction. ∥ Endroit d'une route où l'on vire. [Phot.] Opération qui a pour but de donner aux épreuves positives leur couleur définitive. = Substance au moyen de laquelle s'effectue cette opération. [Chim.] Changement de teinte éprouvé par une matière colorante.
virago, n. f. (lat. *virago*, m. s., de *vir*, homme). Fille ou femme de grande et forte taille, qui a les allures d'un homme (Fam.).
* **vire**, n. f. (lat. *viria*, bracelet). [Blas.] Meubles de l'écu consistant en anneaux concentriques posés l'un dans l'autre. V. pl. BLASON.
HOM. — *Vire*, n. f., terme de blason; — *Vire*, n. m. ville du Calvados; — *vire, es, ent* du v. virer.
* **virée**, n. f. Action de virer. — Fam. *Faire une virée*, faire un tour, une promenade. [Eaux et Forêts] Mode d'estimation d'une coupe de bois.
virelai, n. m. Petite pièce de poésie française sur deux rimes et à refrain, comportant trois couplets.
virement, n. m. Action de virer. [Mar.] *Faire un virement de bord*, changer les amures et prendre le vent du bord opposé à celui où on le recevait précédemment. [Fin.] Opération qui consiste à transporter une somme du compte d'une première personne au compte d'une seconde.
virer, v. intr. (bas lat. *virare*, du lat. *girare*, tourner). Aller en tournant sur soi-même. ∥ Fig. Tourner à une autre couleur. *Ce vert vire au jaune, au bleu.* [Mar.]

Virer au cabestan, faire tourner le cabestan sur son axe pour lever l'ancre. — En parlant d'un navire, effectuer un virement de bord. ‖ En parlant de certains véhicules, changer de direction. = V. tr. [Phot.]. *Virer des épreuves,* les faire passer par l'opération du *virage.* [Fin.] Faire passer d'un compte à un autre. *Virer une somme.*

* **vireton,** n. m. (du v. *virer*). [A. mil.] Flèche d'arbalète garnie de plumes disposées en spirale, de manière que le trait tourne sur lui-même.

* **vireur, euse,** n. (du v. *virer*). [Techn.] Appareil qui sert à faire virer une machine.

vireux, euse, adj. (lat. *virosus,* envenimé). [Bot.] Se dit des plantes qui ont une odeur et une saveur nauséabondes particulières. *Ciguë vireuse.*

* **virevau,** n. m. [Mar.] Cabestan horizontal des petits bâtiments.

* **virevaude,** n. f. ou **vire-vire,** n. m. [Navig. fluv.] Tournant d'un cours d'eau.

* **virevole,** n. f. *Faire virevole,* au jeu de l'hombre, ne pas faire une seule levée alors que l'on espérait faire la vole.

Par. — Ne pas confondre *virevole* et *virevolte.*

virevolte, n. f. (ital. *giravolta,* m. s.). [Man.] Tour et retour fait avec vitesse. ‖ Fig. *Cet homme fait bien des virevoltes.*

virevolter, v. intr. Tourner en tous sens.

* **virevousse** ou ***virevouste,** n. f. Action de se donner beaucoup de mouvement.

* **virgilien, ienne,** adj. Qui a rapport à Virgile ou à ses œuvres; qui est dans la manière de Virgile.

virginal, ale, adj. (lat. *virginalis,* m. s.). Qui appartient aux vierges; pur. *Pudeur virginale.*

virginalement, adv. D'une manière virginale.

* **virginie,** n. m. Tabac de Virginie.

virginité, n. f. (lat. *virginitas,* m. s.). État d'une personne vierge; pucelage. *Perdre sa virginité.* ‖ Fig. Pureté, intégrité. ‖ *L'innocence est la virginité de l'âme*

virgule, n. f. (lat. *virgula,* petite verge). [Gram.] Signe de ponctuation (,) qui indique un repos peu marqué. V. tabl. ponctuation. La virgule marque un court temps d'arrêt dans la phrase. Elle s'emploie entre les termes d'une énumération, pour séparer les propositions subordonnées non coordonnées, pour isoler les mots mis en apostrophe ou en apposition. ‖ Signe, objet en forme de virgule. = Adj. [Méd.] *Bacille virgule,* le microbe du choléra.

* **virguler,** v. tr. Disposer des virgules dans.

* **viriculture,** n. f. Amélioration de la race humaine par la réglementation des mariages, la stérilisation des anormaux, etc.

* **viridité,** n. f. (lat. *viridis,* vert). Couleur de ce qui est vert; verdeur.

viril, ile, adj. (lat. *virilis,* m. s.). Qui appartient à l'homme en tant que mâle. *Le sexe viril.* ‖ Qui convient à un homme; ferme, mâle. *Sentiments virils.* — *Age viril,* âge de l'homme fait. [Anat.] *Membre viril,* la verge.

Ctr. — *Efféminé.*

Vocab. — *Famille de mots.* — *Viril*: virilité, viriliser, virilement; virago; vertu, vertueux, vertueusement; s'évertuer; virtuose, virtuosité, virtualité; virtuel, virtuellement.

virilement, adv. D'une manière virile; en homme de cœur.

* **viriliser,** v. tr. Rendre viril, ferme, énergique.

virilité, n. f. (lat. *virilitas,* m. s.). Age viril. ‖ Puissance d'engendrer. ‖ Membre viril, attribut masculin. ‖ Fig., au sens moral, vigueur physique, force d'âme digne d'un homme.

Ant. — *Enfance, vieillesse.* — *Lâcheté, veulerie.*

* **virolage,** n. m. Action de viroler et résultat de cette action.

virole, n. f. (lat. *viriola,* petit bracelet). [Techn.] Petit cercle de métal, qu'on met au bout d'une canne, d'un manche de couteau, d'outil, etc., pour empêcher le bois de se fendre.

Par. — *Vérole,* nom pop. de la syphilis.

virolé, ée, adj. [Blas.] Se dit des attributs qui portent des anneaux d'un autre émail.

* **viroler,** v. tr. Garnir d'une virole.

* **virolet,** n. m. Rouleau de sapin utilisé en corderie.

virtualité, n. f. Qualité de ce qui est virtuel.

Par. — *Virtuosité,* talent brillant, exceptionnel.

virtuel, elle, adj. (lat. *virtus,* force, puissance). Qui est seulement en puissance et sans effet actuel. *Intention virtuelle.* [Opt.] *Image virtuelle,* par oppos. à *image réelle.*

Ctr. — *Réel, actuel.*

virtuellement, adv. D'une manière virtuelle.

virtuose, n. (ital. *virtuoso,* habile). Qui a un talent exceptionnel. ‖ Spécial. Homme, femme qui excelle comme exécutant dans la musique.

virtuosité, n. f. Talent de virtuose.

Par. — *Virtualité,* qualité de ce qui est en puissance, mais non réalisé.

virulence, n. f. Qualité de ce qui est virulent, de ce qui contient un virus. ‖ Fig. *La virulence de ses discours,* leur violence satirique et mordante.

virulent, ente, adj. (lat. *virulentus,* m. s.). Qui tient de la nature du virus; ou qui est causé par un virus. ‖ Fig. Se dit des paroles et des écrits violents et mordants.

* **virure,** n. f. (du v. *virer*). [Mar.] File de bordages de la carène qui s'étendent de l'avant à l'arrière du navire.

virus [*russ*], n. m. (mot lat. signif. *poison*). [Méd.] Principe des maladies contagieuses et agent de la contagion. ‖ *Virus filtrant,* microbes capables de passer au travers des filtres qui arrêtent les autres microbes. ‖ Fig. et par ext. Principe de contagion morale.

Syn. — V. poison.

vis [*viss*], n. f. (lat. *vitis,* vrille de vigne). [Mécan.] Cylindre, cône, ou tronc de cône fait d'une matière dure, présentant en saillie un filet en hélice, pouvant s'engager par progression rectiligne dans une matrice de matière peu dure ou dans un écrou fileté en sens contraire. — *Pas de vis,*

distance entre deux filets d'une vis. — *Vis d'Archimède,* machine en forme de vis servant à élever l'eau. ‖ *Vis sans fin,* vis appliquée à une roue dentée pour la faire tourner. — *Vis micrométrique,* vis employée à la mesure des très petites longueurs. [Archi.] *Vis d'un escalier,* noyau vertical formant l'axe autour duquel un escalier *à vis* ou *en colimaçon,* tourne en hélice. ‖ Pop. *Serrer la vis à quelqu'un,* le prendre au cou, l'étrangler ; fig., le traiter durement. — Fam. *Donner un tour de vis,* renforcer une contrainte, rendre plus durs une loi, un impôt. [Zool.] Partie contournée d'une coquille, qui s'allonge en pointe. — Genre de mollusques gastéropodes.
Hom. — V. vice.

visa, n. m. (mot lat. sign. *choses vues*). Formule qui se met sur un acte pour attester qu'il a été vu et vérifié par qui de droit. ‖ Service qui fait cette vérification.
Hom. — *Visas, visa, visât,* du v. viser.

visage, n. m. (vx fr. *vis,* m. s., du lat. *visus,* vue). Face de l'homme ; partie antérieure de la tête. *Son visage ne m'est pas inconnu.* ‖ Mine, air, expression de la face ; physionomie. *Avoir un visage gai, ouvert.* — *Faire bon visage, mauvais visage à quelqu'un,* lui faire bonne ou mauvaise mine. — *Changer de visage,* changer de couleur, rougir, pâlir, etc. ‖ Par ext. Aspect, face, dehors d'une chose. *Voir les choses sous leur vrai visage.* = À VISAGE DÉCOUVERT, loc. adv. Sans masque, sans voile.
ÉPITHÈTES COURANTES : doux, beau, fin, agréable, plaisant, avenant, joli, gai, radieux, riant, serein, sérieux, ouvert, ingrat, laid, déplaisant, mauvais, repoussant, triste, lugubre, morose, rude, mélancolique, renfrogné ; long, ovale, rond, étroit, pâle, blême, rose, coloré, empourpré, enflammé, boursouflé, enluminé, couperosé, distingué, commun, vulgaire ; connu, inconnu ; assuré, tranquille ; changé, troublé, composé, défait, etc.
Syn. — V. face.
Ant. — *Nuque.*

vis-à-vis [*vi-za-vi*], loc. adv. (lat. *visus,* aspect, visage). En face, visage à visage, à l'opposite. *Nous étions tous les deux vis-à-vis.* = Vis-à-vis de, loc. prép. En face de. *Il est logé vis-à-vis de moi.* = N. m. Personne qui est en face d'une autre, à table ou dans une danse. ‖ Calèche ou petit siège où l'on se trouve face à face.
Obs. gram. — *Vis-à-vis,* loc. prépositive, doit toujours être suivi de la prép. *de. Il habite vis-à-vis de la mairie* et non *vis-à-vis la mairie.* — *Vis-à-vis* ne doit pas être employé avec le sens de *à l'égard de.* Il faut dire : *il a mal agi à l'égard de son père* ou *envers son père,* mais non *vis-à-vis de son père,* ce qui est un barbarisme.

* **viscache,** n. f. [Zool.] Genre de mammifères rongeurs des pampas de l'Amérique du Sud, à fourrure estimée.

viscéral, ale [*vis-sé*], adj. (bas lat. *visceralis,* m. s.). Qui a rapport aux viscères.

viscère [*vis-serr*]. n. m. (lat. *viscera,* m. s.). Tout organe contenu dans une des trois cavités du corps (tête, thorax, abdomen). *Le cœur, les poumons, le cerveau, les intestins, le foie,* etc., *sont des viscères.* V. pl. HOMME (viscères).
Syn. = V. boyau.

* **viscose,** n. f. (lat. *viscosus,* visqueux). [Chim.] Cellulose sodique qui forme la base de la rayonne et sert de succédané au celluloïd ou à la soie.

* **viscosimètre,** n. m. (lat. *viscosus,* visqueux, et gr. *métron,* mesure). [Phys.] Appareil servant à déterminer la consistance des huiles.

viscosité, n. f. (bas lat. *viscositas,* m. s.). Qualité de ce qui est visqueux.

* **viscum** [*komm*], n. m. [Bot.] Nom scientif. du *gui.*

* **visé,** n. m. Action de tirer avec une arme à feu après avoir pris le temps de viser.
Hom. — *Visé,* n. m. (pp. du v. *viser*). *Visée,* action de tirer après avoir visé ; — *visée,* n. f., direction de la vue vers un point ; — *viser,* v., tendre vers un but ; mettre son visa.

visée, n. f. (pp. du v. *viser*). Direction de la vue vers un point donné. [A. mil.] Direction donnée à une arme à feu pour que le projectile atteigne le but. ‖ Fig. et fam. Dessein, prétention.
Syn. — V. but.

1. viser, v. intr. (lat. pop. *visare,* m. s.). Regarder attentivement, mirer un but pour y atteindre. *Viser au cœur.* ‖ Fig. Avoir en vue une certaine fin dans une affaire. *Viser à une charge.* = V. tr. S'emploie dans les deux acceptions qui précèdent. *Il visa le lion à la tête ; il vise cet emploi.*
Syn. — V. désirer.
Hom. — V. visé.

2. viser, v. tr. (de *visa*). Voir, examiner un acte, une expédition, et mettre dessus *vu, visa,* ou quelque formule semblable. *Viser un passeport.*

viseur, euse, n. (du v. *viser* 1). Celui, celle qui vise. [Phot.] Petit appareil d'optique, ajusté sur un appareil photographique permettant de déterminer le champ de l'image choisie. V. pl. PHOTOGRAPHIE.

visibilité, n. f. (lat. *visibilitas,* m. s.). Qualité d'une chose qui la rend visible ‖ État de pureté de l'atmosphère permettant de distinguer les objets. *Visibilité bonne, mauvaise.*
Syn. — V. clarté.
Ant. — *Invisibilité.*

visible, adj. (lat. *visibilis,* m. s.). Qu'on peut voir, qui peut être atteint par la vue. ‖ Évident, manifeste. *Un plaisir visible.*

visiblement, adv. D'une manière visible.

visière, n. f. (du vx franç. *vis,* visage). Pièce antérieure du casque, qui protégeait le visage. *Il leva sa visière.* ‖ *Rompre en visière,* rompre sa lance dans la visière du casque de l'adversaire ; et, fig., attaquer quelqu'un sans ménagement. ‖ *La visière d'une casquette,* la partie qui fait saillie en avant pour abriter le front et les yeux. — Fig. *Avoir la visière courte,* avoir peu de pénétration d'esprit.

vision, n. f. (lat. *visio,* m. s.). [Physiol.] Fonction de l'œil ; exercice du sens de la vue, action de voir. ‖ Hallucination, apparition, chose surnaturelle que voient ou croient voir certaines personnes. *Les visions de Jeanne d'Arc.* ‖ Par anal. Idée chimérique, extravagante. *C'est un homme à visions.*
Syn. — V. fantôme.

visionnaire, adj. et n. Qui a des visions surnaturelles ou des hallucinations. ‖ Qui a des idées chimériques.

visir, n. m. V. vizir.

visitandine, n. f. Religieuse de l'ordre de la *Visitation.*

VISITATEUR — VITE

* **visitateur, trice,** n. Celui, celle qui a pour fonction ou pour vocation de visiter.

visitation [*sion*], n. f. (lat. *visitatio*, m. s.). Action de visiter. ‖ Fête de l'Église commémorant la visite faite par la Vierge Marie à sa cousine Élisabeth. ‖ *Ordre de la Visitation*, ordre de religieuses fondé en 1610 par saint François de Sales et sainte Chantal.

Par. — *Visite*, démarche de courtoisie chez une personne; action de voir, d'étudier, d'inspecter.

visite, n. f. (n. verb. de *visiter*). Inspection, examen que l'on fait pour s'assurer de l'état d'une chose ou d'une personne. *On a fait la visite de ses livres, de sa caisse.* — Tournée que fait un évêque dans son diocèse, un général d'ordre dans les maisons de son ordre, etc. ‖ Recherche, perquisition que certains fonctionnaires font dans certains lieux. *Visite domiciliaire. Visite des bagages à la douane.* — *Droit de visite*, droit qu'ont les belligérants de visiter les navires de commerce neutres pour éviter la contrebande de guerre. ‖ Inspection, examen, recherche. *Il a fait la visite de tous ses papiers.* ‖ Action de parcourir une ville, de voir, d'étudier certains objets. *Visite de musées.* ‖ Action d'aller voir une personne chez elle par obligation ou par politesse. *Visite académique. Rendre visite à quelqu'un.* — *Rendre à quelqu'un sa visite*, faire à quelqu'un une visite après en avoir reçu de lui. ‖ Personne dont on a reçu la visite. *J'ai eu beaucoup de visites.* ‖ Action d'un médecin, d'un chirurgien qui va voir un malade. *On le paye tant par visite.* ‖ Tournée qu'un médecin ou un chirurgien d'hôpital fait dans les salles de son service.

Épithètes courantes : agréable, intéressante, bienvenue, utile, longue, courte, brève, fréquente, ennuyeuse, pénible, désagréable; réglée, attendue, annoncée, autorisée, intéressée, reçue, faite, remise, rendue, due; médicale, judiciaire, domiciliaire, académique, etc.

Hom. — *Visite, es, ent,* du v. visiter.

Par. — *Visitation*, visite faite par Marie à Élisabeth.

visiter, v. tr. (lat. *visitare*, m. s.). Examiner les lieux et les choses, afin de voir quel est leur état, si tout y est en ordre, etc. ‖ Examiner quelque chose pour en tirer quelque connaissance. ‖ Faire une recherche, une perquisition. ‖ Aller voir quelque chose par curiosité. ‖ Aller voir quelqu'un chez lui (tournure à éviter). ‖ En parlant d'un médecin, aller voir ses malades.

Ling. — *Visiter quelqu'un*, longtemps employé dans la langue classique, ne se dit plus que des médecins. Aujourd'hui, il est préférable de dire : *Je vais faire visite à....*

Syn. — V. Fréquenter.

visiteur, euse, n. Personne qui fait une visite. *Les visiteurs d'un musée.* ‖ Celui, celle qui est commis pour visiter. *Visiteur des pauvres.* ‖ Celui qui visite les marchandises. ‖ Religieux chargé d'aller visiter les maisons de son ordre. ‖ *Infirmière-visiteuse*, infirmière du service social, qui va voir à domicile les pauvres et les malades. *Infirmière des écoles*, qui va voir à domicile les élèves malades.

* **visnage,** n. m. [Bot.] Nom vulg. du *fenouil*.

vison, n. m. Genre de mammifères carnivores voisins des *martres*, dont la fourrure est très recherchée. ‖ Fourrure faite avec la peau de cet animal.

Hom. — *Visons*, du v. viser.

* **vison-visu,** loc. adv. Vis-à-vis, face à face (Fam.). *Nous étions vison-visu.*

* **visorium,** n. m. [Imprim.] Planchette fixée à la casse, et sur laquelle le compositeur met la copie.

visqueux, euse, adj. (lat. *viscosus*, m. s.). Dont les molécules semblent collées les unes aux autres. ‖ Poisseux, gluant. *Peau visqueuse.*

Syn. — V. Gluant.

vissage, n. m. Action de visser.

visser, v. tr. Fixer, attacher avec des vis. ‖ Faire tourner, serrer, fermer quelque chose muni d'un pas de vis. ‖ Pop. Traiter, punir durement.

* **visserie,** n. f. Fabrique de vis, écrous, etc. ‖ Ensemble de ces articles.

* **visu (de)** [*dé-vi-zu*], loc. adv. (loc. lat. signif. *pour avoir vu soi-même*). Par ses propres yeux. *J'ai constaté ce phénomène de visu.*

visuel, elle, adj. (bas lat. *visualis*, m. s.). Qui concerne la vue. — *Rayon visuel*, ligne idéale qui va de l'œil à l'objet regardé. — *Mémoire visuelle*, mémoire de ceux qui se souviennent plus de ce qu'ils ont vu que de ce qu'ils ont entendu.

* **visuellement,** adv. Au moyen de la vue.

vital, ale, adj. (lat. *vitalis*, m. s.). Qui appartient ou qui a rapport à la vie. *Les phénomènes vitaux.* ‖ Qui assure la vie; qui est indispensable à la vie. *L'air vital.* ‖ Fig. Fondamental, dont une chose très importante dépend absolument. *Une question vitale.*

* **vitalisation** [*sion*.], n. f. Action de rendre vital.

vitalisme, n. m. Doctrine physiologique et philosophique qui admet un principe vital distinct des phénomènes physico-chimiques de l'organisme, et de l'âme pensante.

vitaliste, adj. Qui a rapport au vitalisme. = N. Partisan du vitalisme.

vitalité, n. f. (lat. *vitalitas*, m. s.). Ensemble des forces qui président aux fonctions propres des corps organisés. *La vitalité des animaux.* ‖ Intensité plus ou moins grande des forces vitales. *Il est doué d'une grande vitalité.* — Fig. *La vitalité d'une race.*

vitamine, n. f. (lat. *vita*, vie, et *amine*). [Méd.] Corps de nature chimique mal définie, existant en petite quantité dans certaines matières nutritives, et nécessaire à la croissance et au maintien de l'équilibre vital.

* **vitaminé, ée,** adj. Se dit d'un aliment où l'on a introduit des vitamines. *Gâteau vitaminé.*

vitchoura, n. m. Vêtement fourré des Polonais.

vite, adj. Qui se meut avec rapidité. *Ce cheval est vite comme le vent.* ‖ Qui se fait rapidement. = Adv. Avec vitesse, avec célérité. *Allez-y vite.* ‖ Avec hâte, avec précipitation, sans assez de soins; inconsidérément. *C'est parler un peu vite.*

Incorr. — C'est un pléonasme de dire : *Hâtez-vous vite*, car on ne saurait se hâter autrement, malgré l'adage : *Hâtez-vous lentement.*

* **vitées**, n. f. pl. (lat. *vitis*, vigne). [Bot.] Famille de végétaux dicotylédones dyalipétales dont le type est la vigne. — On dit aussi *ampélidées*.
* **vitellin, ine**, adj. Qui a rapport au vitellus.
* **vitellus** [*vi-tel-luss*], n. m. (mot lat. : *germe*). [Biol.] Nom donné tantôt au jaune de l'œuf, tantôt à la partie de ce jaune qui, en se développant, devient l'embryon.
* **vitelot**, n. m. Ruban de pâte cuite dans du lait puis accommodée à la sauce piquante.
* **vitelotte**, n. f. Variété de pomme de terre de forme allongée.
vitement, adv. Avec vitesse (Fam.).
vitesse, n. f. (de *vite*). Célérité, rapidité de déplacement. *La vitesse d'un cheval, d'un obus, d'un train.* ∥ Promptitude. *Gagner quelqu'un de vitesse.* ∥ Pop. *En vitesse,* très rapidement. [Mécan.] *Vitesse d'un mouvement uniforme,* espace parcouru durant l'unité de temps. — *Vitesse accélérée, vitesse retardée,* vitesse qui s'accroît ou qui décroît en une fonction quelconque du temps. — *Vitesse uniformément accélérée, uniformément retardée,* qui s'accroît ou qui décroît en fonction linéaire du temps. — *Vitesse initiale,* vitesse du mobile à l'instant de son ébranlement. ∥ *Changement de vitesse.* V. CHANGEMENT. [Phys.] Espace parcouru par un mobile pendant l'unité de temps. [Ch. de fer] *Expédition en grande vitesse,* par les trains de voyageurs ou de messageries; *en petite vitesse,* par les trains de marchandises. [Aviat.] *Perte de vitesse,* état d'un avion dont la vitesse devient insuffisante pour que l'air puisse le porter. ÉPITHÈTES COURANTES : grande, petite, modérée, extrême, moyenne, maxima, minima, énorme, exagérée, incroyable, prodigieuse, vertigineuse, toute, initiale, accrue, augmentée, accélérée, calculée, diminuée, freinée, réduite, acquise, etc.
SYN. — V. ACTIVITÉ.
ANT. — *Lenteur*.
vitex, n. m. [Bot.] Nom scientifique du *gattilier*.
viticole, adj. (lat. *vitis,* vigne; *colo,* je cultive). Relatif à la culture de la vigne. *Crise viticole.*
viticulteur, n. m. Celui qui se livre à la culture de la vigne.
viticulture, n. f. (lat. *vitis,*vigne; *cultura,* culture). Culture de la vigne.
* **vitifère**, adj. Favorable à la production de la vigne.
* **vitonnière**, n. f. [Mar.] Ferrure du gouvernail.
* **vitiligo**, n. m. [Méd.] Affection caractérisée par un trouble de la pigmentation de la peau.
vitrage, n. m. Action de vitrer. ∥ Ensemble des vitres d'un édifice. ∥ Châssis garni de vitres qui sert de cloison ou de couverture. ∥ Rideau de fenêtre.
vitrail [*il* mll.], n. m. **vitraux**, n. m. pl. (de *vitre*). Grand panneau de verre, le plus souvent peint, formé de plusieurs compartiments au moyen d'une armature de métal ou de pierre. ∥ Fenêtre d'une église ainsi formée.
vitre, n. f. (lat. *vitrum,* verre). Pièce de verre dont on garnit une fenêtre, une porte, pour permettre le passage de la lumière. ∥ Fig. *Casser les vitres,* faire un éclat, parler ou agir sans ménagements.

vitré, ée, adj. Garni de vitres. *Baie vitrée.* [Hist. nat.] Transparent comme le verre. — *Humeur vitrée,* liquide qui baigne le globe de l'œil. ∥ *Électricité vitrée,* électricité positive (Vx).
vitrer, v. tr. Garnir de vitres.
vitrerie, n. f. Art et commerce du vitrier. ∥ Marchandise qui en fait l'objet.
* **vitrescible**, adj. Syn. de *vitrifiable*.
vitreux, euse, adj. Qui a l'aspect du verre. — *Œil, regard vitreux,* œil terne et mort, regard sans vie.
vitrier, n. m. Ouvrier qui travaille le verre, qui pose les vitres aux fenêtres.∥ Nom donné jadis aux chasseurs à pied (Fam.).
* **vitrière**, n. f. Fer en tiges carrées servant à supporter une verrière.
vitrifiable, adj. Susceptible de se vitrifier.
* **vitrificateur**, adj. m. ou * **vitrificatif, ive**, adj. Qui vitrifie.
vitrification [*sion*], n. f. Action de vitrifier ou de se vitrifier. — Résultat de cette opération. ∥ Fusion de matières qui prennent, en se refroidissant, l'apparence du verre.
vitrifié, ée, adj. Transformé en verre; qui a l'apparence du verre.
vitrifier, v. tr. (lat. *vitrum,* verre;*facere,* faire). Transformer en verre par fusion, ou donner l'aspect du verre. = SE VITRIFIER, v. pr. Se changer en verre, ou prendre l'apparence du verre. = Conjug. V. GRAMMAIRE.
vitrine, n. f. (de *vitre*). Partie d'une boutique située du côté de la rue, dont une glace la sépare et où les marchands placent certains articles, pour qu'on les puisse voir sans y toucher. *Une vitrine de bijoutier.* ∥ Petite armoire vitrée où l'on expose des collections d'objets d'art.
vitriol, n. m. (bas lat. *vitriolum,* m. s.). [Chim.] Ancien nom des *sulfates*. — *Vitriol blanc,* sulfate de zinc. *Vitriol bleu,* sulfate de cuivre. *Vitriol vert,* sulfate de fer. — *Huile de vitriol,* ou simplement *vitriol,* acide sulfurique.
* **vitriolage**, n. m. Action de vitrioler.
vitriolé, ée, adj. Qui contient du vitriol. *Terre vitriolée.* ∥ Arrosé de vitriol. = Nom. Personne victime d'un attentat au vitriol.
vitrioler, v. tr. Additionner de vitriol. ∥ Passer dans un bain d'acide sulfurique. ∥ Arroser quelqu'un, par vengeance, avec du vitriol qui lui fera de profondes brûlures.
* **vitriolerie**, n. f. Fabrique de vitriol.
* **vitrioleur, euse**, n. Celui, celle qui jette du vitriol sur quelqu'un pour s'en venger.
* **vitriolique**, adj. De la nature du vitriol.
* **vitrosité**, n. f. Caractère de ce qui est vitreux.
* **vitulaire**, adj. (lat. *vitulus,* veau). [Méd. vét.] Se dit d'une fièvre survenant chez la vache qui vient de mettre bas.
* **vitupératif, ive**, adj. Qui blâme amèrement.
* **vitupération** [*sion*], n. f. Action de vitupérer.
vitupérer, v. tr. (lat. *vituperare,* m. s.). Blâmer violemment. *Vitupérer son fils.* = Conjug. V. GRAMMAIRE.
INCORR. — Il faut dire : *vitupérer quelqu'un, vitupérer un abus,* et non *vitupérer contre quelqu'un, contre un abus.*
SYN. — V. BLÂMER.
CTR. — *Louer.*

1. vivace, adj. (lat. *vivax*, m. s.). Qui est susceptible de vivre longtemps, ou dont la vie est difficile à détruire. [Bot.] *Plante vivace*, celle qui vit plusieurs années. ‖ Par ext. Qui est de longue durée ou difficile à détruire. *Préjugés vivaces.*
Ant. — *Annuel* (botanique).
2. vivace [*vi-va-tché*], adj. (mot ital.). [Mus.] Vif, rapide. *Allegro vivace.*

vivacité, n. f. (lat. *vivacitas*, m. s.). Activité, promptitude à agir, à se mouvoir. *Avoir de la vivacité dans les yeux.* ‖ Fig. Ardeur, activité des passions; promptitude avec laquelle l'esprit saisit, conçoit, imagine. ‖ Éclat des couleurs, du teint. ‖ Activité, ardeur, promptitude avec laquelle une chose est faite. *La vivacité de la conversation.* ‖ Violence. *La vivacité des reproches.*
Épithètes courantes : grande, extrême, plaisante, joyeuse, active, naturelle, déployée, montrée, manifestée, remarquée; normale, habituelle, réprimée, modérée, etc.
Syn. — V. pétulance.
Ant. — *Apathie, lenteur, nonchalance, langueur.*

vivandier, ière, n. (bas lat. *vivenda*, vivres). Celui, celle qui suit les soldats en campagne pour leur vendre des vivres et des boissons.

vivant, ante, adj. Qui vit, qui est en vie. ‖ Vif, animé. ‖ *Tableaux vivants*, groupes de personnes représentant par leur attitude des scènes connues. ‖ Qui donne l'impression de la vie. *Ses personnages sont très vivants.* ‖ Fig. *Langue vivante*, qui est encore parlée. ‖ Qui ressemble beaucoup à. *Portrait vivant.* ‖ *Quartier vivant*, où il y a beaucoup de monde et de mouvement. = N. m. Homme qui est en vie. ‖ Fam. *Bon vivant*, homme d'humeur gaie et facile. ‖ Fait d'être vivant; durée de la vie. *De son vivant.*
Ctr. — *Mort.* — *Périmé, aboli.* — *Terne, languissant.*

* **vivarium** [*riomm*], n. m. (mot lat. sign. *vivier*). [Hist. nat.] Cage vitrée dans laquelle on conserve des petits animaux vivants de toutes sortes (insectes, reptiles, poissons, etc.) ‖ Établissement contenant de telles cages.

vivat [*vatt*], interj. et n. m. (mot lat. sign. *Qu'il vive*). Exclamation dont on se sert pour applaudir une personne. *Accueillir par de grands vivats.*

vive, n. f. (pour *vivre*, du lat. *vipera*, vipère). [Zool.] Genre de poissons téléostéens comestibles, communs dans nos mers, dont les épines produisent des piqûres douloureuses.

vive-eau, n. f. [Mar.] Désigne les plus fortes marées.
Ant. — *Morte-eau.*

vive-la-joie, n. m. inv. Personne insouciante (Fam. et Vx).

vivement, adv. Avec vivacité, ardeur, vigueur. *Poursuivre vivement.* ‖ Fortement, profondément. *Sentir vivement.*

* **viverridés,** n. m. pl. [Zool.] Famille de mammifères carnivores ayant pour type la civette (*viverra*).

viveur, euse, n. (du v. *vivre*). Celui, celle qui mène une vie de plaisir.

vivier, n. m. (lat. *vivarium*, m. s.). Pièce d'eau disposée de manière à pouvoir y conserver du poisson vivant. ‖ Caisse immergée, percée de trous, qui permet de conserver vivant le poisson qu'on vient de pêcher.

* **vivifiable,** adj. Que l'on peut vivifier.
vivifiant, ante, adj. Qui ranime, qui vivifie. *Principe vivifiant.*
Syn. — V. sain.
Ctr. — *Débilitant, délétère.*

* **vivificateur, trice,** adj. Qui vivifie.
vivification [*sion*], n. f. (lat. *vivificatio*, m. s.). Action par laquelle une chose engourdie ou paralysée est ranimée.

vivifier, v. tr. (lat. *vivificare*, m. s.). Donner la vie et la conserver. *Dieu vivifie tout.* ‖ Imprimer une activité aux corps vivants. *Le soleil vivifie.* ‖ Donner de la force, de l'activité. *Vivifier l'industrie.*
= Conjug. V. grammaire.
Ctr. — *Mortifier ; arrêter, ralentir.*

* **vivifique,** adj. Qui a la propriété de vivifier.

vivipare, adj. et n. (lat. *vivus*, vivant; *parere*, enfanter). Se dit des animaux dont les petits se développent aux dépens des tissus maternels et viennent au monde vivants.
Ant. — *Ovipare.*

* **viviparité** n. f. ou *viviparisme,** n. m. Mode de reproduction des animaux vivipares.

* **vivisecteur,** n. et adj. m. [Physiol.] Celui qui pratique des vivisections.

vivisection [*sek-sion*], n. f. (lat. *vivus*, vivant; fr. *section*). [Physiol.] Opération, expérience pratiquée sur un animal vivant en vue de recherches scientifiques, physiologiques, chirurgicales, etc.

vivoter, v. intr. (dimin. de *vivre*). Subsister avec peine, vivre petitement (Fam.).

1. vivre, v. intr. (lat. *vivere*, m. s.). Être en vie. — Fig. *Il ne vit que pour soi*, il ne songe qu'à lui. — Dans le même sens. *Il ne vit que pour l'étude.* — *Qui vivra verra*, on saura cela avec le temps. — *Ne pas vivre*, être dans une angoisse mortelle. — *Il a vécu*, il est mort. ‖ Jouir de la vie. *La plupart des hommes meurent sans avoir vécu.* ‖ Fig. Durer, subsister. *Son nom vivra dans la postérité.* ‖ Soutenir, entretenir sa vie, et particulièrement, se nourrir. *Vivre aux dépens d'autrui.* — *Vivre au jour le jour.* V. jour. — *Il faut que tout le monde vive*, il faut fournir ou laisser à chacun les moyens de subsister. ‖ Passer sa vie : s'emploie par rapport aux lieux que l'on habite, à l'état que l'on a embrassé, à la situation où l'on se trouve. *Vivre à la ville, à la campagne. Vivre dans le célibat.* ‖ Se conduire, avoir telles mœurs, telles relations sociales. *Vivre dans la débauche.* — *Savoir-vivre.* V. ce mot. — *Apprendre à vivre*, s'instruire des usages du monde. — Fam. *Je lui apprendrai à vivre*, je saurai bien le corriger. — *Vivre bien, vivre mal avec quelqu'un*, être avec lui en bonne, en mauvaise intelligence. — *C'est un homme difficile à vivre*, il est d'un caractère difficile. ‖ Cohabiter. *Ils vivent ensemble.* — En mauvaise part, *vivre avec quelqu'un*, vivre en concubinage avec une personne d'un autre sexe.
— *Pour vivre heureux, vivons cachés.*
(Florian.)
— *Vivre, ce n'est pas respirer, c'est agir ; c'est faire usage de nos organes, de nos sens, de nos facultés, de toutes les parties de nous-mêmes, qui nous donnent le sentiment de notre existence.* (J.-J. Rousseau.)

VIVE ou **VIVENT**, interj. Exclamation par laquelle on souhaite longue vie à quelqu'un, par laquelle on marque son estime, son approbation. *Vive l'Empereur ! Vive la République !* = QUI VIVE ? terme dont se servent les sentinelles, les patrouilles pour ordonner à toute personne qui approche de s'arrêter afin de reconnaître quelle est cette personne. — Fig. et fam. *Être sur le qui-vive*, être dans un état d'alarme et de défiance.
CTR. — *Mourir, périr.*

CONJUG. — V. intrans., 3ᵉ groupe (inf. en *re*) [rad. *viv, vi, véc*].
Indicatif. — *Présent :* je vis, tu vis, il vit, nous vivons, vous vivez, ils vivent. — *Imparfait :* je vivais..., il vivait, nous vivions, vous viviez, ils vivaient. — *Passé simple :* je vécus..., il vécut, nous vécûmes, vous vécûtes, ils vécurent. — *Futur :* je vivrai..., nous vivrons, vous vivrez...
Impératif. — Vis, vivons, vivez.
Conditionnel. — *Présent :* je vivrais..., nous vivrions, vous vivriez...
Subjonctif. — *Présent :* que je vive..., qu'il vive, que nous vivions, que vous viviez, qu'ils vivent. — *Imparfait :* que je vécusse..., qu'il vécût, que nous vécussions, que vous vécussiez, qu'ils vécussent.
Participe. — *Présent :* vivant. — *Passé :* vécu, vécue.
Temps composés conjugués avec l'auxiliaire AVOIR.

---

2. vivre, n. m. (de *vivre* 1, pris comme nom). Le fait, le moyen de se nourrir. *Avoir le vivre et le couvert.* = Au plur. Choses dont se nourrissent les hommes. — *Couper les vivres à une place*, l'empêcher de se ravitailler en vivres. — Fig. *Couper les vivres à quelqu'un*, lui enlever l'emploi, la pension, etc., dont il vivait.
SYN. — V. ALIMENT.
* **vivré, ée**, adj. [Blas.] Se dit de lignes ou de pièces à angles rentrants et saillants.
* **vivrier, ière**, adj. Dont les produits sont destinés à l'alimentation. *Cultures vivrières.*

vizir, n. m. (mot turc). Autrefois, membre du conseil supérieur (*divan*) de l'Empire turc. — Le premier d'entre eux était qualifié de *Grand vizir*.
viziratt ou * **viziriat** [ra, ria], n. m. Dignité de vizir. ‖ Temps pendant lequel un vizir était en place.
* **vizirial, ale**, adj. Relatif au vizir ou qui émanait de lui.
vlan, interj. Qui exprime la vivacité, la rapidité d'un geste, d'une action. *Et vlan, elle le souffleta.* — S'emploie parfois avec *vli* comme réduplicatif. *Et vli, et vlan, les claques pleuvaient.*

...vo, vot, veau

ORTH. — *Finales.* — Le son final *veau* s'écrit le plus souvent sous cette forme : baliveau, caniveau, caveau, cerveau, cuveau, écheveau, etc. La forme *vo* ne se trouve que dans les mots d'origine étrangère : bravo, in-octavo, etc ; on écrit *vot* dans dévot, pavot et pivot.

---

vocable, n. m. (lat. *vocabulum*, appellation). Mot, terme. *Vocable peu usité.* ‖ Nom du saint sous l'invocation duquel une église est placée. *Église sous le vocable de saint Joseph.*
SYN. — V. EXPRESSION.

vocabulaire, n. m. (bas lat. *vocabularium*, m. s.). Dictionnaire abrégé. ‖ Ensemble des mots d'une langue. *Vocabulaire abondant, précis.* ‖ Ensemble des mots se rapportant à une technique. *Le vocabulaire de la chimie, de la cuisine.* ‖ Ensemble des mots employés par un groupe social. *Le vocabulaire des collégiens.*
ÉPITHÈTES COURANTES : riche, développé, abondant, pauvre, restreint, soigné, recherché, correct, choisi, précieux, grossier, vulgaire, distingué ; enrichi ; français, allemand, etc. ; littéraire, scientifique, théologique, artistique, technique, etc.
SYN. — V. DICTIONNAIRE.
* **vocabuliste**, n. m. Auteur d'un vocabulaire.

vocal, ale, adj. (lat. *vocalis*, m. s.). Qui a rapport à la voix, à la parole. *Les cordes vocales.* ‖ Qui est produit par les organes vocaux. *Articulation vocale.* ‖ *Musique vocale*, musique écrite pour être chantée, par opposition à *musique instrumentale.*
CTR. — *Instrumental.*
* **vocalement**, adv. Avec articulation de paroles.
* **vocalique**, adj. (lat. *vocalis*, voyelle). Qui a rapport aux voyelles.
* **vocalisateur, trice**, n. Celui, celle qui fait des vocalises.
vocalisation [*sion*], n. f. [Mus.] Action de vocaliser. [Gram.] Changement d'une consonne en voyelle.
vocalise, n. f. [Mus.] Chant qui consiste à exécuter une série de notes sur une voyelle sans articulation de syllabes. — Ces notes elles-mêmes.
vocaliser, v. intr. (de *vocal*). [Mus.] Exécuter des vocalises. *Elle vocalise comme un rossignol.*
* **vocalisme**, n. m. Système des voyelles d'une langue. ‖ Ensemble des voyelles contenues dans un mot.
vocatif, n. m. (lat. *vocativus*, m. s.). [Gram.] Dans certaines langues où les noms se déclinent, cas des mots mis en apostrophe, cas marquant une interpellation.
vocation [*sion*], n. f. (lat. *vocatio*, appel). Dans le langage religieux, grâce, faveur que Dieu fait quand il appelle quelqu'un à lui. ‖ Destination que Dieu assigne à certains hommes pour l'accomplissement de ses desseins. ‖ Inclination que l'on se sent, aptitude spéciale que l'on possède pour une branche de l'activité humaine, une profession, une science, un art. *Il a une vraie vocation pour le théâtre.*
ÉPITHÈTES COURANTES : naturelle, première, certaine, éprouvée, décidée, examinée, suivie, régulière, contrariée, approuvée, religieuse, militaire, littéraire, administrative, commerciale, artistique, etc.
SYN. — V. APTITUDE.
PAR. — *Vacation*, vacance ; espace de temps consacré à une affaire ; honoraires de certains officiers de justice.
* **voceratrice** [*vo-tché-ra-tri-tché*], n. f. (mot corse). Femme qui chante un vocero.
* **vocero** [*tché*], n. m. (mot corse). Chant funèbre en Corse. = Pl. *Des voceri.*
* **vochysie** [*vo-ki-zi*], n. f. [Bot.] Genre de plantes dicotylédones, type de la famille dite des *vochysiacées.*
* **vociférant, ante**, adj. Qui fait entendre des vociférations.
* **vociférateur, trice**, n. Celui, celle qui a l'habitude de vociférer.

vocifération [sion], n. f. (lat. *vociferatio*, m. s.). Paroles accompagnées de clameurs furieuses.

* **vocifère**, n. m. [Zool.] Espèce d'aigle pêcheur de l'Afrique équatoriale.

vociférer, v. intr. (lat. *vociferare*, m. s.). Pousser des clameurs furieuses; parler en criant, en hurlant. = Conjug. V. GRAMMAIRE.

* **vodka**, n. m. (mot russe signif. *eau*). Sorte d'eau-de-vie de grain fabriquée en Russie.

vœu [veu], n. m. (lat. *votum*, m. s.). Promesse faite à la Divinité par laquelle on s'engage à quelque œuvre. *Faire vœu d'aller en pèlerinage.* ‖ Résolution ferme qu'on prend de faire ou de ne pas faire quelque chose. *Je fais vœu de vous être attaché pour la vie.* ‖ Suffrage. *C'est le vœu de la nation qui l'a appelé au trône.* ‖ Souhait, désir. *Combler les vœux de quelqu'un.* = N. m. pl. Engagement solennel dans l'état religieux; profession religieuse. *Prononcer ses vœux.*
ÉPITHÈTES COURANTES: solennel, sacré, fait, exprimé, accompli, imprudent, téméraire; cher; renouvelé, rompu, violé; exaucé, comblé, rempli, prononcé, recueilli, etc
SYN. — V. SERMENT.
HOM. — *Veux, veut,* du v. vouloir.

VOCAB. — *Famille de mots.* — *Vœu* [rad. *vœ, vou, vot*]: vouer, votif, ex-voto ; dévot, dévotion, dévotement; dévouer, dévoué, dévouement; aveu, avouer, avouable; inavoué, inavouable, désavouer, désavouable, désaveu; vote, voter, votant, votation. etc.

1. vogue [g dur], n. f. (n. verb. de *voguer*). [Mar.] Impulsion que des rameurs communiquent à un bâtiment à rames. (Vx). ‖ Fig. Engouement, faveur momentanée qui porte le public vers une personne ou une chose. *Auteur en vogue.*
SYN. — V. CRÉDIT et RENOM.
HOM. — *Vogue, es, ent,* du v. voguer; — *vogue,* fête annuelle méridionale.

2. * **vogue**, n. f. Dans quelques provinces du Midi, fête qui a lieu annuellement dans chaque commune.

voguer, v. intr. (ital. *vogare*, m. s.). [Mar.] Ramer, faire aller à la rame (Vx). ‖ Par. ext. Naviguer. *Nous voguions à pleines voiles.* ‖ Proverb. *Vogue la galère!* Arrive ce qui pourra !

voici, prépos. V. tabl. VOICI, VOILA.

voie, n. f. (lat. *via*, m. s.). Chemin, route, par où l'on va d'un lieu à un autre. *Les voies romaines.* [Ch. de fer]. *La voie ou la voie ferrée,* les rails sur lesquels circulent les trains. *Voie montante,* voie qui se dirige vers une grande gare. — *Voie descendante,* voie qui s'en éloigne. *Voie de garage,* etc. V. pl. CHEMIN DE FER. ‖ *La voie publique,* les chemins, les rues, les places publiques. — Fam. et prov. *Il est toujours par voie et par chemin,* il voyage continuellement. Mode de transport qu'on emploie. *Prendre la voie de terre, de mer, la voie des airs.* ‖ Intermédiaire; entremise. *Passer par la voie de Monsieur un tel.* — *Voie hiérarchique,* suite d'échelons entre un supérieur et ses subordonnés. [Chasse] Chemin par où la bête a passé. *Mettre les chiens sur la*

VOICI, VOILA, particules invariables.

Étymologie. — Mots composés de *voi,* anc. forme de l'impératif de *voir,* et de (*i*)*ci,* ou *là.*

Nature de ces mots. — Les grammairiens ne sont pas d'accord à ce sujet; la plupart en font une préposition, d'autres un adverbe, certains un simple mot-outil, une particule interjective servant à *présenter* les mots qui suivent.

Emploi grammatical. — En principe, *voici* sert toujours à désigner ce qui est proche dans le temps ou dans l'espace; *voilà,* au contraire, ce qui est plus éloigné. *Voici, à nos pieds, la rivière et voilà, à l'horizon, la forêt.* — *Voilà* nomme ce qui a été fait ou dit auparavant, *voici* énonce ce qui va être fait, dit ou énuméré. *Voici ce que je vais dire. Voilà ce qui est fait. Voilà qui est bien dit.*
Dans le langage parlé actuel, *voici* est beaucoup moins employé que *voilà.*

VOICI, préposition.
Sert à montrer, à désigner une personne ou une chose qui est proche de celui qui parle. *Voici le livre dont je vous parlais.*

Par rapport au temps, s'emploie pour désigner une chose qu'on va immédiatement énoncer, exposer, expliquer. *Voici la preuve de ce que je viens de vous dire. Voici ce que vous allez faire.*
S'emploie aussi pour indiquer un état actuel, ou une action qui a lieu au moment même où l'on parle. *Nous voici au printemps.* — Fam. *Nous y voici,* se dit lorsqu'une chose arrive comme on l'avait prévu, ou encore pour exprimer qu'on arrive à la question. Fam. On dit d'une chose qui paraît singulière : *En voici d'une autre,* ou *en voici bien d'une autre.*

Voici avec un verbe. (Emploi conforme à l'étymologie) autrefois, *voici* se mettait fréquemment devant un verbe à l'infinitif, et surtout devant le verbe *venir* pour indiquer une action, un état proche. *Voici venir l'hiver,* l'hiver approche.
VOICI QUE, suivi de l'indicatif, a le même sens. *Voici que les jours grandissent.*
VOICI, précédé de *que,* remplace souvent la particule démonstrative *ci* accolée à un nom. On dira, au lieu de *ce livre-ci, ce livre que voici.*

VOILA, préposition.
Sert à indiquer une personne ou une chose un peu éloignée de celui qui parle. *Voilà l'homme que vous demandez. Le voilà qui vient.*

Par rapport au temps, s'emploie pour désigner une chose qu'on vient de dire, d'énoncer, d'expliquer. *Voilà ce que j'avais à vous dire.* — Fam. *Voilà ce que c'est que de désobéir,* telle est la conséquence de la désobéissance.

Voilà avec un verbe (emploi conforme à l'étymologie) : avec un infinitif. *Voilà bien parler !* Avec *que* et l'*indicatif,* s'emploie pour indiquer un état actuel, ou dans le récit de choses passées, une action qu'on fait à l'instant, ou qui va être faite dans peu de temps. *Voilà qu'il arrive. Comme nous traversions le bois, voilà qu'une balle siffle à mes oreilles.*
VOILÀ-T-IL. NE VOILÀ-T-IL PAS (avec un sujet apparent). Sens de *voilà,* avec une exclamation de surprise. *Nous allions sortir, et ne voilà-t-il pas qu'il se mit à pleuvoir !* (Fam.).
VOILÀ, précédé de *que,* remplace souvent la particule démonstrative *là,* accolée à un nom. On dit, au lieu de *cette maison-là, cette maison que voilà.*
EN VEUX-TU, EN VOILÀ, loc. pop. sign. A profusion. *Nous reçûmes des horions, en veux-tu, en voilà,*

voie. — Fig. *Mettre quelqu'un sur la voie*, lui donner les indications propres à le faire parvenir à son but.
Partie de la route destinée à la circulation des voitures. ‖ Espace compris entre les rails d'une voie ferrée. ‖ Intervalle entre les roues droite et gauche d'une voiture. [Anat.] *Les voies digestives*, l'œsophage, l'estomac et le tube intestinal. [Astro.] *Voie lactée*, nébuleuse qui forme une immense traînée blanchâtre dans le ciel étoilé. [Mar.] *Voie d'eau*, ouverture accidentelle dans la coque d'un navire, par où l'eau pénètre. [Techn.] *Voie d'une scie*, ouverture laissée par son passage. — Écartement vers l'extérieur des dents de la scie. *Donner de la voie à une scie.*
Fig. Direction suivie pour atteindre un but, moyen dont on se sert, conduite que l'on tient pour arriver à quelque fin. *Les voies de la Providence sont impénétrables.* — *Être en bonne voie*, marcher vers le succès. *Tenter la voie*, essayer. ‖ *Être en voie de*, être en train de, être sur le point de. [Dr.] *Voies de droit*, recours à la justice suivant les formes prescrites par la loi. — *Voies de fait*, actes de violence exercés contre une personne. ‖ *L'affaire est en voie d'accommodement*, elle est en train de s'accommoder.
Charretée, ce qui forme la charge d'une voiture. *Une voie de bois.*
ÉPITHÈTES COURANTES : large, étroite, longue, rude, dure, rocailleuse, unie, plate, directe, droite, détournée, abrégée, raccourcie, normale, bonne, mauvaise, dangereuse, ardue, préparée, tracée, perdue; suivie, prise, tenue, facile, escarpée; de terre, de mer, des airs, ferrée, principale, secondaire, de garage, de service; libre, fermée, barrée, interdite; lactée, etc.
SYN. — *Voie*, route qui sert à arriver à une fin : *Suivre la bonne voie pour réussir.* — *Canal*, se dit d'une personne qui sert d'intermédiaire pour une requête, une négociation : *J'ai obtenu cette intervention par le canal d'un ami.* — *Filière*, suite d'emplois pour arriver à une charge : *Ce fonctionnaire a suivi toute la filière pour arriver à son poste actuel.* — *Moyen*, ce qui permet d'arriver à un but : *Prendre de bons moyens pour arriver.* — *Procédé*, manière d'agir vis-à-vis de quelqu'un : *Avoir de bons, de mauvais procédés.* V. aussi ENTREMISE. — Autre sens : V. CHEMIN et RUE.
HOM. — *Voie*, n. f., chemin, route; direction; mesure (une voie de bois); — *vois, voit, voient, voie*, du v. voir; — *voix*, n. f., ensemble des sons que peut produire le larynx.

> VOCAB. — *Famille de mots.* — *Voie* [rad. *voi, via*] : voyette, voirie, voyer, voyage, voyager, voyageur, voyou, voyoucratie, voyouterie; dévoyer, dévoyé, dévoiement; convoyer, convoyeur, convoi, convoiement; envoyer, envoyé, envoi, envoyeur; dévier, déviateur, déviation, fourvoyer, fourvoiement; via, viable, viabilité, viatique; obvier; entrevoie, viaduc, trivial, trivialité, trivialement, trivialiser.

voilà, prépos. V. tabl. VOICI, VOILÀ.
HOM. — *Voilas, voila, voilât*, du v. voiler.

1. voile, n. f. (lat. *vela*, m. s.). [Mar.] Pièce de toile, de coton, etc., que l'on attache aux vergues ou aux antennes des mâts pour recevoir la force du vent et donner de l'impulsion au navire. *Bâtiment à voiles. Aller à la voile.* V. pl. NAVIGATION. — *Faire voile sur*, se diriger vers. ‖ Fig. Navire à voiles. *Il prit la mer avec trente voiles.* [Aviat.] *Vol à voile.* V. VOL. ‖ Fig. et fam. *Mettre toutes les voiles au vent*, faire force de voiles, faire tous ses efforts, mettre tout en œuvre pour réussir. ‖ *Avoir du vent dans les voiles*, être ivre (Pop.).
ÉPITHÈTES COURANTES : grande, carrée, triangulaire, d'artimon, de misaine, de trinquet, aurique, latine, déployée, toutes, baissée, pliée, serrée, carguée, pleines, tendue, bandée, enflée, déchirée, arrachée, pendante, flottante, etc.
ANT. — *Vapeur.*
HOM. — *Voile*, n. f., pièce de toile adaptée à un navire; — *Voile*, n. m., pièce de toile ou d'étoffe destinée à cacher quelque chose; — *voile, es, ent*, du v. voiler.

> VOCAB. — *Famille de mots.* — *Voile* [rad. *voi, vél*] : voilier, voilure; s'envoiler, se voiler; voile (m.), voiler, voilé, voilière, voilette; dévoiler, dévoilement; révéler, révélé, révélateur, révélation; vélum, vélaire.

2. voile, n. m. (lat. *velum*, m. s.). Pièce de toile ou d'étoffe destinée à cacher quelque chose. *Voile de mousseline.* — Fig. Ce qui nous dérobe la connaissance de quelque chose. *Le voile qui nous cache l'avenir.* — *Il faut jeter un voile sur cette affaire*, il ne faut pas l'examiner, ou il ne faut plus en parler. ‖ Vêtement. *Statue sans voiles.* ‖ Pièce d'étoffe légère adaptée au chapeau, à la coiffure des femmes et couvrant ou non le visage. *Voile de mariée. Voile de deuil.* ‖ Couverture de tête que portent les religieuses. *Cette fille a pris le voile*, elle est entrée au couvent. — *Prise de voile*, cérémonie d'entrée en religion. V. pl. COSTUMES RELIGIEUX. ‖ Grand rideau. ‖ Fig. Apparence, couleur spécieuse, prétexte. *Ce scélérat se couvrait du voile de la dévotion.* [Anat.] *Voile du palais*, membrane située à la partie postérieure de la bouche, qui obture par instant les fosses nasales. [Techn.] Gauchissement accidentel d'une roue. [Phot.] Défaut d'une plaque voilée.
ÉPITHÈTES COURANTES : grossier, fin, épais, transparent, impénétrable, clair, grand, petit, baissé, levé, pris, blanc, noir, etc., déchiré, enlevé, ôté, soulevé, etc.

1. voilé, ée, adj. Couvert d'un voile. ‖ Couvert, obscurci. *Ciel voilé.* ‖ *Voix voilée*, dont le timbre manque d'éclat. — *Regard voilé*, regard qui n'a pas son éclat habituel. [Phot.] *Plaque voilée*, cliché ayant reçu accidentellement une faible impression lumineuse, de sorte que l'image apparaît comme recouverte d'un voile gris.
CTR. — *Dévoilé, découvert, nu.*

2. voilé, ée, adj. [Mar.] Se dit d'un navire par rapport à la manière dont il a été garni de voile. *Navire voilé en brick-goélette.* [Techn.] *Roue voilée*, roue déformée par un accident, et dont la jante se trouve gauchie. — On dit de même: *Planche voilée.*

1. voiler, v. tr. (lat. *velare*, m. s.). Couvrir d'un voile. *Voiler sa figure.* ‖ Dérober la vue d'une chose en la couvrant comme d'un voile. *Le brouillard voilait les collines.* ‖ Cacher, dissimuler. *Il cherchait à voiler*

son chagrin. [Phot.] *Voiler une plaque,* l'exposer par inadvertance à la lumière du jour. = SE VOILER, v. pr. Se couvrir d'un voile. ‖ Par anal. *Le soleil se voila de nuages.*
SYN. — V. CACHER et ÉCLIPSER.
CTR. — *Dévoiler, montrer, découvrir; exhiber, afficher.*
2. * voiler, v. tr. (de *voile* 1). [Mar.] Garnir de voiles. *Voiler un navire.* [Techn.] Courber (comme le vent courbe la voile), gauchir. *Voiler une roue.* = SE VOILER, v. pr. Gauchir, se déjeter. *Cette planche s'est voilée.*
voilerie, n. f. (de *voile* 1). [Mar.] Lieu où l'on fait, où l'on raccommode les voiles des bâtiments. — Magasin où se trouvent les voiles.
voilette, n. f. (de *voile* 2). Petit voile transparent que les femmes ajustent sur leur chapeau et qui leur couvre le visage.
1. voilier, n. m. (de *voile* 1). Ouvrier qui confectionne ou répare les voiles.
2. voilier, adj. Pourvu de voiles. *Bateau voilier.* = N. m. [Mar.] Bâtiment à voile. *Un bon voilier, un mauvais voilier,* un navire qui marche bien ou mal sous l'action du vent. V. pl. NAVIGATION. [Zool.] Se dit des oiseaux dont le vol est très étendu. *Le faucon est bon voilier.*
SYN. — V. BATEAU.
ANT. — VAPEUR.
1. voilure, n. f. (de *voile* 1). [Mar.] Ensemble des voiles que porte un bâtiment au moment où l'on en parle. — Totalité des voiles que peut porter un bâtiment. [Aviat.] L'ensemble des ailes, des plans d'un avion. V. pl. AVIONS.
2. * voilure, n. f. (de *voiler* 2). [Techn.] Courbure d'une planche, d'une feuille de métal, d'une roue qui se déjette.

...voir, voire.

ORTH. — *Finales.* — A l'exception de voire (même) et d'ivoire on écrit la finale *voir* sous cette dernière forme : abreuvoir, apercevoir, bavoir, devoir, lavoir, revoir, etc.

voir, v. tr. V. tabl. VOIR.
voire, adv. (lat. *verum,* vrai). Vraiment (Vx.) — Autref. on disait aussi *voirement,* à la vérité. ‖ Fam. Même. *Manger de l'oie, voire de la dinde.* — Se joint parfois à *même,* mais à tort, *voire même* étant un pléonasme.
HOM. — *Voir,* percevoir par l'œil, avoir la vision de.
* voirement, adv. V. VOIRE.
voirie, n. f. (de *voie*). Partie de l'administration qui a pour objet les voies de communication par terre et par eau. ‖ Règles relatives à l'établissement, à la conservation et à la police de ces voies. ‖ Lieu où l'on dépose les boues et les immondices. *Jeter à la voirie.*
voisin, ine, adj. (lat. *vicinus,* m. s.). Qui est proche, attenant, limitrophe. *Deux maisons voisines.* — Fig. *Ces expressions sont bien voisines,* elles se ressemblent beaucoup. ‖ En parlant du temps, peu éloigné. *Une époque voisine.* = Nom. Celui, celle qui demeure auprès d'une autre personne. *C'est mon voisin.* ‖ *Le prochain. Critiquer les défauts du voisin.*
SYN. — V. CONTIGU et PROCHE.
CTR. — *Lointain, éloigné, écarté, distant.*

VOCAB. — *Famille de mots.* — *Voisin* [rad. *vois, vic*] : voisinage, voisiner; avoisiner, avoisinant, circonvoisin; vicinal, vicinalité.

voisinage, n. m. (de *voisin*). Proximité d'une personne, d'un lieu, d'une chose à l'égard d'une ou de plusieurs autres. *Le voisinage de la forêt.* ‖ Lieux voisins, alentours. *Les maisons du voisinage.* ‖ Ensemble des voisins. *Cela mit en rumeur tout le voisinage.* ‖ Relations entre voisins. *Un agréable voisinage.*
voisiner, v. intr. Visiter familièrement ses voisins, se fréquenter entre voisins.
voiturage, n. m. Transport par voiture.
voiture, n. f. (lat. *vectura,* m. s.). Port, transport des marchandises. *Lettre de voiture.*
— Véhicule qui sert au transport des personnes, des marchandises, etc. ‖ Tout appareil de transport monté sur des roues, le plus souvent traîné par des chevaux. *Voiture à deux roues. Une voiture à bras. Monter en voiture.* V. pl. VOITURES. ‖ Ensemble des personnes qui se trouvent dans une voiture. — *Voiture de vin, de paille,* etc., voiture chargée de vin, etc. ‖ *Voiture automobile,* ou simpl. *voiture,* voiture mue par un moteur. *Sa voiture est en panne.* V. pl. AUTOMOBILES. — *Voiture d'enfant,* petite voiture poussée à bras, servant au transport des petits enfants. [Ch. de fer] Véhicule destiné aux voyageurs. *Voiture de 1re classe* (*Wagon* est réservé aux véhicules pour marchandises).
ÉPITHÈTES COURANTES : haute, basse, grande, petite, ouverte, fermée, à bras, à cheval, automobile, automotrice, riche, élégante, luxueuse, rapide, lente, neuve, vieille; de luxe, de course, de maître, de chemin de fer, etc.
SYN. — V. CHAR.
HOM. — *Voiture, es, ent,* du v. voiturer.

VOCAB. — *Famille de mots.* — *Voiture* [rad. *voit, veh, vec, vex*] : voiturette, voiturier, voiturer, voiturée, voiturin; véhicule, véhiculer; véhémence, véhément, véhémentement, vecteur, vectoriel; invective, invectiver; convexe, convexité; vexer, vexatoire, vexant, vexation, vexateur.

* voiturée, n. f. Contenu d'une voiture.
voiturer, v. tr. Transporter par voiture. *Voiturer du blé.*
voiturette, n. f. Petite voiture. ‖ Petite automobile légère.
voiturier, n. m. Celui qui conduit une voiture. — Celui qui fait le métier de transporter ou de faire transporter des marchandises d'un lieu à un autre.
voiturin, n. m. (ital. *vetturino,* m. s.). Celui qui loue à des voyageurs des voitures attelées et qui les conduit lui-même.
* voïvodat [*da*], n. m. Autorité d'un voïvode.
* voïvode ou *** voïévode,** n. m. Nom donné autref. aux souverains de Moldavie, de Valachie et de Transylvanie. ‖ Commandant d'armée en Serbie, puis en Yougoslavie.
* voïvodie, n. f. Gouvernement d'un voïvode. ‖ Division administrative polonaise.

VOIR, verbe.

Étymologie. — Du latin *videre*, même sens.

Vu, vue, pp., adj. et nom. (V. tabl. vu).

Observation grammaticale. — Le verbe *voir* se construit fréquemment comme un auxiliaire, avec un autre verbe à l'infinitif. Dans ces constructions, il garde généralement son sens propre, apportant un certain mouvement à la pensée, mais sans nuance temporelle ou morale spéciale. Quand *voir* est ainsi suivi d'un infinitif, le pronom complément se place avant les deux verbes. *Je l'ai vu marcher des journées entières. Nous les avons vus résister opiniâtrement.* Dans ces tours il y a en réalité une proposition infinitive dont ce pronom est le sujet.

VOIR, verbe transitif.

1º *Au sens propre.*

Percevoir les objets par l'organe de la vision. *Je vois un homme. Le brouillard m'empêchait de voir la maison. Je l'ai vu comme je vous vois.* — *Des yeux qui ne voient plus,* une personne aveugle. — Pris absolument. Avoir telle ou telle vue. *Voir clair. Voir trouble. Voir double.*
— Fam., et par exag., pour louer extrêmement quelque chose, on dit : *Qui ne l'a pas vu, n'a rien vu.* On dit encore, soit pour louer, soit pour blâmer : *On n'a jamais vu pareille chose. On n'a jamais rien vu de pareil.* — Fam. et par exagération. *On aura tout vu !* Le comble de la misère, de l'audace est atteint. *Ne voir que par les yeux d'autrui,* n'avoir pas d'idées, de volonté personnelles, se laisser influencer par un autre. — Poétiq. *Voir le jour,* être né, vivre. En parlant d'un livre, d'un ouvrage, être publié. *Mes mémoires ne verront le jour qu'après ma mort.* — Fig. *Voir de loin, voir bien loin,* avoir beaucoup de pénétration, de prévoyance. — Fam. *Ne pas voir plus loin que son nez, que le bout de son nez.* Avoir peu de perspicacité, peu de prévoyance. — *Cet homme a vu la mort de près,* il a été sur le point de périr.

2º *Au sens élargi.*

Être témoin d'un fait. *La maison que vous avez vu démolir. Je n'aime pas à voir souffrir. Les événements que nous avons vus s'accomplir.* Elliptiq. *J'en crois des témoins qui ont vu.* — Fig. *Voir venir quelqu'un,* démêler, découvrir, connaître par ses démarches quel est son dessein. — Attendre qu'une personne fasse les premières démarches, pour régler les siennes.

Être de l'époque de certains événements, bien qu'on n'en ait pas été témoin. *Les révolutions que nous avons vues.*

Être témoin de. Fam. *Qui vit jamais rien de plus impudent ? Voyez quelle insolence !*

Fam. et comme par défi, on dit encore : *Je voudrais bien voir cela. Faites cela et vous verrez. C'est ce qu'il faudra voir. Nous verrons bien.* V. ci-après FAIRE VOIR. — *J'ai vu le moment que,* peu s'en est fallu que.

Être le théâtre de. *Cette mer a vu bien des naufrages. Notre pays a vu bien des révolutions.*

Regarder, considérer avec attention. Aller visiter. *Ce monument mérite d'être vu. Voir un musée, une exposition. Voyons un peu ce qu'il va faire. Venez voir.* — *A voir les dépenses qu'il fait, on croirait qu'il jouit d'une grande fortune, si l'on considère les dépenses.* — Fam., on dit à une personne qui doute de ce qu'on lui dit : *Si vous ne le croyez pas, allez-y voir.*
— On dit aussi, quand on doute d'une chose et que cependant on ne veut pas se donner la peine de l'examiner, de la vérifier : *J'aime mieux le croire que d'y aller voir.* — Fam. *Je voudrais bien vous voir à ma place, je voudrais bien vous y voir,* se dit à quelqu'un qui critique, qui trouve à redire à ce que l'on fait, sans tenir compte des difficultés de la chose ou de la position. — Fam. et ironiq., on dit encore : *Il ferait beau voir que...,* c'est ou ce serait une chose curieuse, ridicule que...

Rendre visite à. *J'irai vous voir le plus tôt que je pourrai. Il ne m'est point venu voir.* — *C'est tel médecin qui voit la malade,* qui lui donne des soins. ‖ Fréquenter. *C'est la seule personne de la maison que je voie.* — *Ce n'est pas un homme à voir,* se dit d'une personne qu'il n'est pas convenable de fréquenter. — *Il ne voit personne,* il vit dans la retraite, il ne veut pas recevoir de visite. On dit encore dans ce dernier sens : *Personne ne peut le voir.*

3º *Aux sens figurés.*

VOIR À. Inspecter, surveiller, veiller à. *Qu'avez-vous à voir dans ma maison ? Vous n'avez rien à voir à ma conduite. Voyez à la dépense.* — Fam. *C'est à vous à voir qu'il ne lui manque rien.*

— Examiner. *Si cela arrive, nous verrons ce qu'il faudra faire. Ceci est à voir.* — Fam., on dit d'une affaire au sujet de laquelle on ne veut pas encore prendre de parti, ou quand on ne veut pas faire une réponse immédiate : *Je verrai, nous verrons ; il faut voir, il faudra voir.*

— Essayer, éprouver, expérimenter, vérifier. *Voyez si le vin est bon, si ce pain est assez cuit.* — *Voyez s'il est chez lui,* informez-vous s'il est chez lui. — *Faire une chose pour voir,* faire une chose pour savoir quel en sera le résultat.

— Remarquer, trouver. *J'ai vu dans Tite-Live que... Où avez-vous vu cette particularité ?*

— Acquérir des connaissances par l'expérience, par la fréquentation des hommes, par les voyages, etc. *Il a vu beaucoup de pays. Quiconque a beaucoup vu peut avoir beaucoup retenu* (LA FONTAINE). — *Des troupes qui n'ont pas encore vu le feu,* qui n'ont pas encore pris part à un combat. — Fam. *N'y voir que du feu,* n'y rien comprendre. — Fam. *Nous en avons vu bien d'autres,* se dit pour signifier qu'on méprise les menaces de quelqu'un, ou qu'on ne s'inquiète pas des dangers présents, des événements dont on est témoin.

— Fig. S'apercevoir, prévoir, comprendre. *Ne voyez-vous pas qu'il vous trompe ? Je vis un peu tard qu'il s'était moqué de moi. Voir clair dans une affaire.*

— Juger, apprécier. *Je vois la chose comme vous. Il voit tout en beau. Je ne vois rien d'impossible à cela. Je vois ce que j'ai à faire.* — Elliptiq. *Voir juste. Chacun a sa manière de voir. Voir la vie en rose, en noir* (Fam.). Être optimiste, être pessimiste.

— Fig. Reconnaître, considérer comme. *Ceux qui n'ont vu dans Napoléon qu'un guerrier, n'ont pas compris la grandeur de son génie.*

— Fig. Connaître par l'intelligence. *Dieu voit toutes choses.* ‖ Fig. et fam. *Cela n'a rien à voir avec la question,* cela est en dehors de la question, ne la concerne en rien.

— Connaître, apprécier. *Voir favorablement quelqu'un. Être bien vu, mal vu.* V. tabl. VU.
— Absol. *Voir juste, voir les choses de travers.*

EMPLOIS PARTICULIERS DE VOIR

Voir, verbe intransitif.
Veiller à, faire en sorte que. *Je verrai à ce qu'il n'arrive rien.*
Avoir vue sur. *Cette maison voit sur un jardin, sur une rue.*

Se voir, verbe pronominal.

1° *A sens réfléchi.*
Apercevoir sa propre image par réflexion. *Se voir dans un miroir.* — Se connaître, se considérer comme. *On ne se voit jamais tel que l'on est. Dès lors ils se virent perdus.* ǁ Au sens très général d'être, se trouver. *Elle se voit dans la misère après avoir été dans l'opulence, Elle est fière de se voir admirée.* Avec une nuance de condescendance. *Je me vois dans l'obligation de sévir.*

2° *A sens réciproque.*
Se regarder mutuellement. *Ils se sont vus, mais ils ne se sont pas parlé.*
Se rencontrer, avoir des relations habituelles. *Nous nous voyons souvent. Ces dames se voient presque tous les jours.* — *Ces deux personnes ne se voient point*, elles n'ont aucun commerce l'une avec l'autre, elles sont mal ensemble.

3° *A valeur passive.*
En parlant des choses. Être vu, être aperçu. *Ce dôme se voit de très loin. Cela se voit du premier coup d'œil.* — *Cela se voit tous les jours*, cela arrive journellement. *Cela ne s'est jamais vu, ne s'est point encore vu*, cela n'est jamais arrivé, n'est pas encore arrivé.

Faire voir. Montrer faire connaître, démontrer. *Il a fait voir sa blessure au chirurgien. Je vous ferai voir toutes les curiosités du pays. Dans cette circonstance, il a fait voir son mauvais caractère.* — Fam. et par menace. *Je lui ferai bien voir à qui il a affaire, je lui apprendrai, je lui ferai connaître*, etc. (Fig. et fam.). — *On lui en a fait voir de toutes les couleurs*, on l'a maltraité de toutes les façons.

Laisser voir. Montrer, découvrir, ne pas cacher, faire entrevoir. *Il s'est laissé voir tel qu'il est. Elle n'a pas laissé voir son dépit. Il ne laisse rien voir de ce qu'il a dans le cœur.*

Aller voir. Examiner, s'informer. *Allez voir s'ils viennent.* — Fam. *Va-t'en voir s'ils viennent*, indique l'incrédulité. *Allez voir si j'y suis.* Fam., se dit pour éconduire quelqu'un.

Voyons, voyez. *Voyons*, impér. de *voir*. Formule d'encouragement, d'exhortation, etc. *Voyons, parlez-moi franchement. Voyons, mon enfant, pourquoi as-tu dit cela ?* — Sert aussi à marquer la contradiction, l'impatience. *Voyons, voyons, il ne s'agit pas de cela !* — *Voyons, allez-vous bientôt vous taire !* — Fam., on emploie fréquemment les expressions : *Voyez, voyez-vous, vois-tu*, uniquement pour attirer l'attention. *Eh bien ! voyez, si vous voulez réussir, il faut... C'est que, voyez-vous, il faut prendre garde à ce qu'on fait.*

Voyez, voir (par abrév. V.).
Dans les livres, on emploie ordinairement l'impératif *voyez*, ou l'infin. *voir* pour indiquer un renvoi, pour invoquer une autorité, pour engager à consulter tel ou tel auteur. *Voyez ci-dessus, ci-après. V. Hérodote, Livre III, ch. 24.*

Conjug. — V. trans., 3ᵉ groupe (inf. en *oir*) [rad. *voi, voy*].
Indicatif. — *Présent* : je vois, tu vois, il voit, nous voyons, vous voyez, ils voient. — *Imparfait* : je voyais,... il voyait, nous voyions, vous voyiez, ils voyaient. — *Passé simple* : je vis, tu vis, il vit, nous vîmes, vous vîtes, ils virent. — *Futur* : je verrai, tu verras, il verra, nous verrons, vous verrez, ils verront.
Impératif. — Vois, voyons, voyez.
Conditionnel. — *Présent* : je verrais..., il verrait, nous verrions, vous verriez, ils verraient.
Subjonctif. — *Présent* : que je voie, que tu voies, qu'il voie, que nous voyions, que vous voyiez, qu'ils voient. — *Imparfait* : que je visse, que tu visses, qu'il vît, que nous vissions, que vous vissiez, qu'ils vissent.
Participe. — *Présent* : Voyant. — *Passé* : Vu, vue.

SYN. — *Voir*, percevoir les images des objets : *Voir un beau paysage.* — *Apercevoir*, voir soudainement : *Apercevoir une étoile filante.* — *Contempler*, regarder avec plaisir, avec admiration : *Contempler un beau tableau.* — *Découvrir*, voir nettement et dans son ensemble : *On découvre d'ici un beau panorama.* — *Discerner*, distinguer par la vue : *On discerne mal dans le brouillard.* — *Distinguer*, commencer à voir distinctement : *On distingue un navire venant de l'horizon.* — *Entrevoir*, voir imparfaitement ou trop peu longtemps : *Entrevoir des ombres dans un épais brouillard.* — *Lorgner*, regarder avec envie : *Lorgner la propriété de son voisin.* — *Regarder*, diriger les yeux sur quelqu'un ou quelque chose et les y attacher : *Regarder bien en face son adversaire.* V. aussi CONSIDÉRER.

HOM. — *Voire*, vraiment (Vx), même.

PLÉON. — Ne dites pas : *Voyons voir.* Dites simplement : *Voyons.*

INCORR. — Ne dites pas : *Regardez voir* (on ne regarde évidemment que pour voir).

VOCAB. — *Famille de mots.* — *Voir* [rad. *voi, vid, vo*] : voici, voilà, revoici, revoilà ; voyant ; clairvoyant, clairvoyance ; vue ; bévue ; vedette ; belvédère ; claire-voie, visuel, visuellement, vision, visionnaire, visible, visiblement, visibilité, invisible, invisibilité, invisiblement ; de visu ; vis-à-vis ; viser, visé, visée, viseur, visière ; visage, envisager ; dévisager ; avis, aviser, avisé, aviso ; malavisé ; se raviser ; préavis ; visite, visiter, visiteur, visitateur, visitandine, visitation ; évident, évidence, évidemment ; envie, envier, enviable, envieux, envieusement, à l'envi ; entrevoir, entrevue ; prévoir, prévu, prévision, prévoyant, prévoyance, imprévoyance, imprévoyant, imprévu, imprévision, imprévisible ; pourvoir, pourvoirie, pourvu, pourvu que, pourvoyeur ; dépourvoir, dépourvu ; se pourvoir, pourvoi ; prudent, prudemment, imprudent, imprudence, imprudemment ; providence, providentiel, providentiellement ; proviseur, provisorat ; provision, provisionnel, provisionnellement, approvisionner, approvisionnement, approvisionneur ; provisoire, provisoirement ; improviser, improvisateur, improvisation, à l'improviste ; revoir, revoyeur, revue, revuiste, réviser, révisable, réviseur, révision, révisionniste ; télévision, téléviseur.

VOITURES

- Char de guerre égyptien
- Char assyrien
- Char romain
- Carruca
- Quadrige grec
- Char de voyage du Moyen Age
- Litière
- Chariot germain
- Traîneau attelé
- Carrosse d'Henri IV
- Coche (XVIIe Siècle)
- Chaise à porteurs (XVIIIe Siècle)
- Chaise de poste (fin XVIIIe Siècle)
- Vinaigrette (XVIIIe Siècle)
- Coucou (1815)
- Coupé (XIXe Siècle)
- Berline (XVIIIe Siècle)

VOITURES

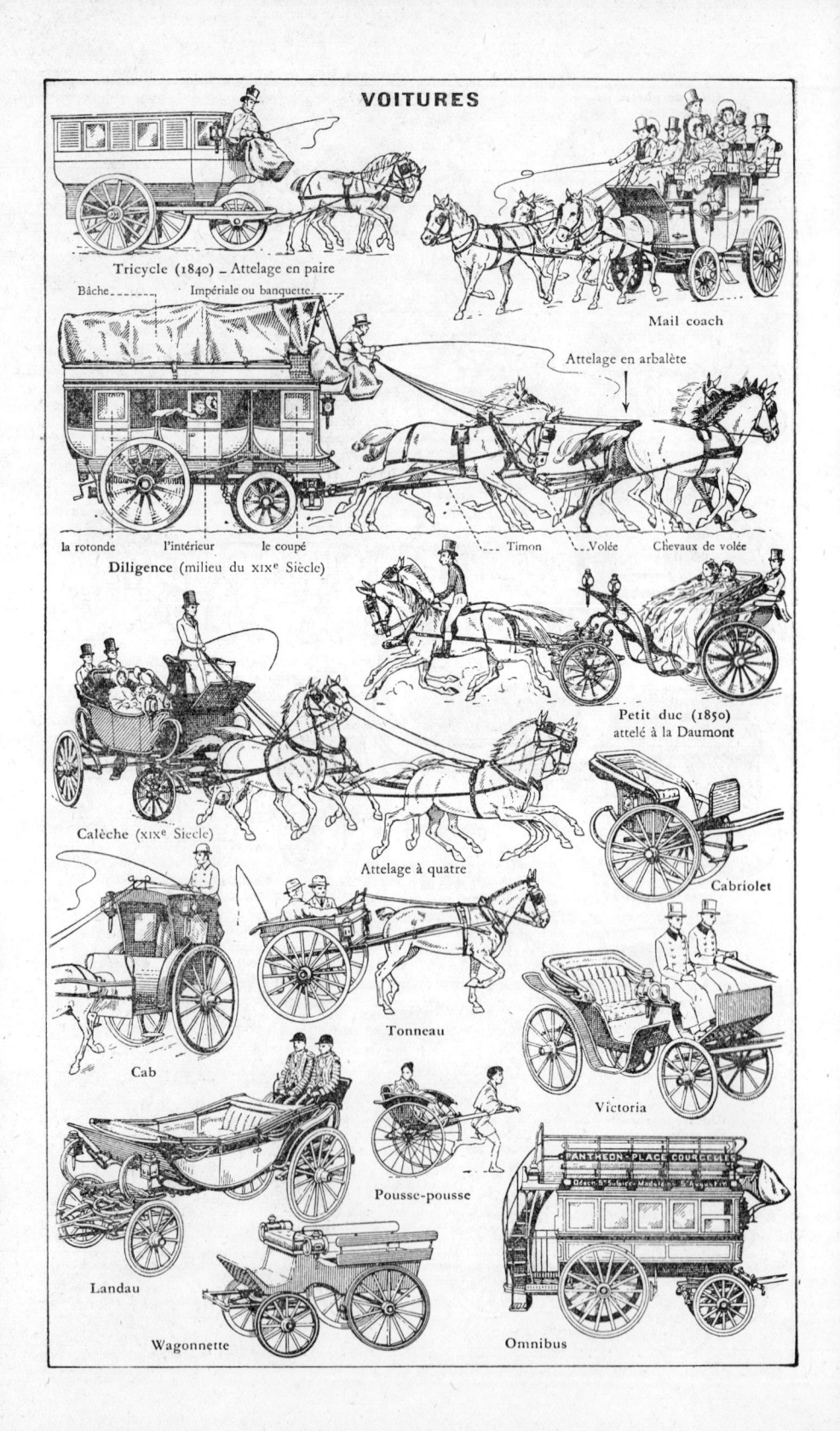

Tricycle (1840) — Attelage en paire

Mail coach

Bâche — Impériale ou banquette — Attelage en arbalète

la rotonde — l'intérieur — le coupé — Timon — Volée — Chevaux de volée

Diligence (milieu du XIXᵉ Siècle)

Petit duc (1850) attelé à la Daumont

Calèche (XIXᵉ Siècle)

Attelage à quatre

Cabriolet

Cab

Tonneau

Victoria

Pousse-pousse

Landau

Wagonnette

Omnibus

voix [voua], n. f. (lat. *vox*, m. s.). Ensemble des sons que peut produire le larynx. *Parler à haute voix, à voix basse.* — Poét. *La déesse aux cent voix*, la Renommée. *De vive voix*, en parlant, oralement. — *A demi-voix*, en baissant la voix, à voix presque basse. ‖ Sons articulés qu'entendent les visionnaires. *Les voix de Jeanne d'Arc.* ‖ Faculté de chanter; sons émis en chantant. *Une belle voix. Une voix juste.* — Voix de chanteur considérée par rapport aux notes qu'elle peut donner. *Voix de ténor, de baryton.* — *Être en voix*, être en train pour bien chanter. ‖ Personne qui exécute un morceau de chant. *Nocturne à deux voix.* ‖ Sons que produisent certains animaux, certains corps sonores. *La voix du rossignol, du clairon.* — *Les chiens donnèrent de la voix.* — Fig. *Donner de la voix*, crier. ‖ Fig. et poét. : Sons, bruits qui résultent des vibrations de l'air ou de certains corps sonores. *La voix argentine des cloches.*

Fig. Au sens moral : Mouvement intérieur qui nous porte à quelque chose ou qui nous en détourne. *La voix du sang, de la nature.* ‖ Conseil, objurgation, avertissement. *Écouter la voix d'un ami.* ‖ Fig. Sentiment, jugement, opinion. *Il n'y a qu'une voix sur le mérite de sa pièce.* — *Voix publique*, approbation ou réprobation unanime.

Suffrage, avis, opinion. *Il a eu toutes les voix.* — *Voix consultative*, droit d'exprimer son avis, mais non de voter. — *Voix délibérative*, droit de voter. ‖ Fig. et fam. *Avoir voix au chapitre*, avoir droit d'exprimer son opinion.

[Gram.] Son représenté par la voyelle. *Voix grave, aiguë, nasale.* — Forme prise par le verbe selon que le sujet fait l'action ou qu'il la subit. *Voix active, passive.* V. VERBE et GRAMMAIRE. [Mus.] *La voix humaine*, un des jeux de l'orgue.

ÉPITHÈTES COURANTES : forte, faible, bonne, belle, haute, douce, claire, nette, éclatante, grêle, aigre, aiguë, pointue, criarde, tonitruante, désagréable, suave, mélodieuse, harmonieuse, musicale, chantante, intelligible, basse, cassée, usée, éteinte, enrouée, rauque, rude, flûtée, discordante, fatiguée, gâtée, étouffée, entendue, écoutée, tue, etc.

VOCAB. — *Famille de mots.* — *Voix* [rad. *voi, voc, vou*] : voyelle, vocalisme, voca-, lique, vocal, vocalement, vocaliser, vocalise vocalisateur, vocalisation; vocation, vocatif, vocabulaire; vociférer, vocifération, vociférant, vociférateur; équivoque, équivoquer; convoquer, convocation, convocable, convocateur; avoué, avocat, avocasser, avocasserie, avocatoire, avocassier; évoquer, évocation, évocable, évocatoire, évocateur; invoquer, invocateur, invocatoire, invocation; provoquer, provocant, provocateur, provocation; révoquer, révocation, révocabilité, révocatoire, révocable, irrévocable, irrévocablement, irrévocabilité.

---

1. vol, n. m. (n. verb. de *voler* 1). Locomotion aérienne au moyen d'ailes ou d'appareils en forme d'ailes. — *Prendre son vol*, s'envoler; et, au fig., s'affranchir d'une tutelle; ou s'élever à une certaine hauteur et s'y maintenir, en parlant de l'esprit humain. — Fig. *Attraper une chose au vol*, la saisir pendant qu'elle est en l'air. ‖ Fig. Mouvement rapide, fuite. *Le vol des heures.* ‖ Espace parcouru par un oiseau en une fois. *Le vol de la perdrix n'est pas long.* ‖ Envergure. *Cet oiseau a plus d'un mètre de vol.* ‖ Ensemble d'oiseaux groupés pour voler. *Un vol de canards sauvages.* [Aviat.] Le fait de s'élever et de se soutenir dans les airs au moyen d'un avion. — *Vol plané*, vol avec moteur au ralenti ou arrêté. — *Vol à voile*, vol exécuté avec des appareils sans moteur appelés *planeurs*. [Blas.] Figure représentant deux ailes d'oiseau. ‖ Chasse faite avec des oiseaux de proie dressés. — *Oiseau de haut vol*, le faucon. — Fig. *Un escroc de haut vol*, de grande envergure. = A VOL D'OISEAU, loc. adv. En ligne droite.

ÉPITHÈTES COURANTES : direct, hardi, aérien, plané, élevé, lent, libre, rapide, vif, roide, haut, long, prolongé, lourd, léger, etc.

SYN. — *Vol*, l'action de se soutenir et de se mouvoir dans les airs : *Le vol d'un oiseau, d'un avion.* — *Envolée*, action de prendre son vol : *Prendre son envolée.* Élévation des sentiments : *Un poème d'une belle envolée.* — *Essor*, l'élan que prend un oiseau pour s'envoler. Au figuré, le mouvement initial d'une chose : *L'essor d'un aigle. L'invention de l'imprimerie eut un essor rapide.*

HOM. — *Vol*, n. m. action de se mouvoir dans l'air; — *vol*, n. m., action de s'approprier le bien d'autrui; — *vole*, n. f., terme de jeu de cartes; — *vole, es, ent*, des v. VOLER 1 et 2.

2. vol, n. m. (du v. *voler* 2). Action de celui qui prend et s'approprie ce qui appartient à autrui. Soustraction frauduleuse de la chose d'autrui. *Vol à main armée.* — *Vol à la tire*, vol dans la poche de quelqu'un. ‖ Par ext., chose volée. *J'ai recouvré mon vol.*

SYN. — V. LARCIN.
ANT. — *Restitution.*
HOM. — V. VOL 1.

volable, adj. Qui peut être volé.
volage, adj. (lat. *volaticus*, qui vole, ailé.) Qui change vite et souvent de sentiments, de goûts. *Humeur volage.* = Nom. *C'est un volage.* [Mar.] *Bâtiment volage*, qui manque de stabilité.
SYN. — V. FRIVOLE.
CTR. — *Fidèle, constant.*

volaille [*ill* mll.], n. f. (lat. *volatilia*, m. s.). Ensemble des oiseaux qu'on élève dans une basse-cour. ‖ Fam. Un de ces oiseaux. *Manger une volaille.*
* **volailler** [*ill* mll.], n. m. Endroit où l'on élève la volaille. ‖ Marchand de volaille.

1. volant [*lan*], ante, adj. Qui a la faculté de voler. *Poissons volants.* ‖ Susceptible d'être actionné pour s'élever et se maintenir dans l'air. *Machine volante.* ‖ Fig. Que l'on peut déplacer à volonté. *Table volante.* ‖ *Feuille volante*, feuille de papier détachée. ‖ *Cerf-volant, passe-volant*, etc. V. ces mots. ‖ *Pont volant*, pont démontable. ‖ *Être en camp volant*, n'être pas à demeure fixe. — *Fusée volante*, fusée qui s'élève par la force de réaction de la déflagration lente de la poudre.

2. volant [*lan*], n. m. Petit morceau de bois, d'os, de liège, recouvert de cuir, etc., et garni de plumes, qu'on lance au moyen d'une raquette. — Jeu où l'on emploie cet objet. [Techn.] Roue pesante destinée à régulariser la marche d'une machine. V. pl. MOTEUR. ‖ Appareil en

VOLAPUK — VOLER

forme de roue qui permet de faire fonctionner un mécanisme, de diriger les voitures automobiles. *Tenir le volant.* V. pl. LOCOMOTIVE, AUTOMOBILE et CANON. — Par ext. : *Automobilisme. Les as du volant.* [Cout.] Bande d'étoffe froncée ou plissée que l'on met au bord des vêtements féminins (col, manches, bas de robe, etc.). ‖ Grosse serpe attachée à une perche. ‖ *Volant de sécurité*, réserve permettant de faire face à l'imprévu.

* **volapük,** n. m. Langue artificielle imaginée sans succès en 1879 pour les relations internationales.

volatil, ile, adj. (lat. *volatilis*, léger, fugitif). Se dit de tout corps susceptible de se réduire facilement en gaz. ‖ *Alcali volatil*, solution aqueuse d'ammoniaque.

Hom. — *Volatile*, animal qui vole.

volatile, n. m. (fém. autref.). (lat. *volatilis*, m. s.). Animal qui vole. — Partic. Oiseau de basse-cour.

Hom. — *Volatil*, qui se réduit facilement en gaz.

* **volatilisable,** adj. Qui peut se volatiliser.

volatilisation [*sion*], n. f. Opération par laquelle un corps liquide ou solide est volatilisé.

volatiliser, v. tr. Rendre volatil ; réduire un corps en vapeur ou en gaz. = SE VOLATILISER, v. pr. Passer à l'état gazeux. ‖ Fig. et fam. Disparaître, s'évanouir. *L'héritage s'est volatilisé!*

volatilité, n. f. Qualité des corps qui se volatilisent.

* **volatille** [*ill mll.*], n. f. Petites espèces d'oiseaux bons à manger.

vol-au-vent, n. m. [Cuis.] Pâtisserie feuilletée chaude, dans laquelle on met des quenelles, de la viande légère, du poisson, etc. = Pl. *Des vol-au-vent.*

volcan, n. m. (de l'ital. *volcano*, m. s., du lat. *Vulcanus*, Vulcain). [Géol.] Orifice naturel situé généralement sur une montagne et d'où s'échappent de la fumée, des flammes, des cendres, de la lave en fusion, etc. *Volcan en activité, volcan éteint.* — Il existe aussi des volcans sous-marins. V. tabl. UNIVERS (Idées suggérées par le mot). — V. pl. GÉOGRAPHIE. ‖ Fig. Personne d'un caractère impétueux et, en général, ce qui est vif, ardent, impétueux. *Sa tête est un vrai volcan.* ‖ *Être sur un volcan*, être menacé d'une catastrophe.

* **volcanicité,** n. f. [Géol.] Caractère de ce qui est volcanique.

volcanique, adj. Qui appartient aux volcans, qui concerne les volcans. ‖ Qui tire son origine d'un volcan.

* **volcaniquement,** adv. Par action volcanique.

* **volcanisé, ée,** adj. Se dit des lieux où il y a des volcans, ou qui ont été bouleversés par leur action.

Par. — *Vulcanisé*, se dit du caoutchouc combiné avec du soufre.

* **volcaniser,** v. tr. Amener à l'état volcanique.

* **volcanisme,** n. m. [Géol.] Ensemble des phénomènes volcaniques, et études de leurs causes.

vole, n. f. Aux cartes, coup où l'un des joueurs fait toutes les levées.

Hom. — V. VOL.

Par. — *Volte*, mouvement en rond qu'on fait faire à un cheval.

volé, ée, adj. Se dit de la personne à qui on a dérobé quelque chose, ainsi que de la chose dérobée. *Le bijoutier volé, les bijoux volés.* = N. m. *Le volé et le voleur.*

volée, n. f. (du v. *voler* 1). Action de voler ; vol d'un oiseau. *L'oiseau a pris la volée.* ‖ Au fig. *Prendre sa volée*, s'affranchir d'une tutelle, faire un premier acte d'indépendance. ‖ Bande d'oiseaux volant ensemble. *Une volée de moineaux.* — Fig. *Une volée d'écoliers.* ‖ Fig. *Une volée de coups*, un grand nombre de coups donnés successivement. ‖ *Sonner les cloches à toute volée*, en leur donnant le plus grand branle possible. ‖ Rang, condition. *Personne de haute volée.* ‖ *Une volée de canons*, la décharge simultanée de plusieurs pièces. ‖ *La volée d'un canon*, partie frettée d'un canon où s'engagent les tourillons. V. pl. CANON. [Techn.] La partie mobile d'un pont tournant ou basculant. — Pièce de bois de traverse qui s'attache au timon d'un chariot, d'un carrosse, et à laquelle on attelle les chevaux du second rang. = à LA VOLÉE, loc. adv. En l'air. *Saisir à la volée.* ‖ En lançant à pleine main. *Semer à la volée.* ‖ Promptement. *Saisir des poules à la volée.*

Hom. — *Volée*, n. f., vol d'un oiseau, série de coups ; — *voler*, v., dérober et se mouvoir dans l'air.

1. **voler,** v. intr. (lat. *volare*, m. s.). Se mouvoir, se soutenir en l'air au moyen d'ailes. *Cet oiseau vole bas.* — *On entendrait voler une mouche*, se dit pour caractériser un profond silence. ‖ Être lancé, passer dans l'air avec une grande vitesse. *Les flèches volaient.* ‖ Par ext. Courir avec une grande vitesse. *Voler au secours de quelqu'un.* ‖ Fig. *Le temps vole.* — Se propager avec rapidité. *Le bruit courut, vola de bouche en bouche.* [Aviat.] Tenir l'air, en parlant d'un aviateur ou d'un avion. *Voler de New York à Paris.* = V. tr. Chasser d'autres oiseaux, en parlant des oiseaux de fauconnerie.

Syn. — *Voler*, se soutenir et se mouvoir dans les airs : *Voler à une grande hauteur.* — *Planer*, voler en se soutenant dans les airs par de légers mouvements, de manière à paraître immobile : *L'aigle planait au-dessus du troupeau de moutons.* — *Survoler*, voler au-dessus de : *Les avions ennemis survolèrent la ville.*

Ant. — *Marcher, courir, ramper.*

> Vocab. — *Famille de mots.* — *Voler* : vol, volatile, volerie, voleter, volettement, voleur (oiseau de chasse), volée, volant, volage, volatil, volatile, volatille, volatiliser, volatilisable, volatilité, volatilisation, volaille, volailler, volière ; volet, volette, volige ; voligeage, voliger ; bavolette, bavolet ; convoler, convoler ; envol, envolée, s'envoler, envolement, vol-au-vent ; d'emblée ; survol, survoler.
> — *Voler* (2) : vol, voleur, volereau, volable, volerie ; embler.

2. **voler,** v. tr. (même mot que le précédent). Prendre furtivement ou par force la chose d'autrui pour se l'approprier. *Voler la bourse de quelqu'un.* — *Voler quelqu'un*, lui prendre quelque chose qui lui appartient. ‖ Par ext. : *Voler un titre*, usurper un titre. ‖ Manquer d'honnêteté dans toutes sortes de transactions. *Ce marchand cherche toujours à vous voler.* ‖ Fig. Se dit de ceux qui s'approprient les pensées

et les expressions des autres. *Il a volé cela dans tel ouvrage.* || Fig. et fam. *Il a volé sa réputation,* il ne mérite pas la réputation dont il jouit. — *Il ne l'a pas volé,* se dit de quelqu'un à qui il est arrivé quelque chose d'heureux ou de fâcheux, et qui l'a bien mérité.
SYN. — V. DÉROBER.
HOM. — V. VOLÉE.

* **volereau,** n. m. Petit voleur.

1. volerie, n. f. (de *voler* 1). Chasse à l'aide des oiseaux de proie.

2. volerie, n. f. (de *voler* 2). Larcin, pillerie (Fam.).

volet [*lè*], n. m. (de *voler* 1). Panneau de menuiserie ou en tôle, placé à l'intérieur d'une fenêtre pour en garantir les châssis, et qui s'ouvre et se ferme à volonté. || Se dit souvent pour contrevent, lequel s'applique également contre la fenêtre, mais à l'extérieur. || Panneau de menuiserie qui sert à protéger, pendant les heures de fermeture, la vitrine d'un magasin. || Tablette sur laquelle on trie des graines. || Fig. et fam. *Trié sur le volet,* se dit des choses et même des personnes qu'on a choisies avec soin. [Techn.] Nom de différents objets en forme de volet, ou destinés à ouvrir et fermer un passage. *Obturateur à volets.* V. pl. AVIONS. || Panneau ayant la forme d'un volet et se repliant comme lui. *Le volet d'un triptyque.*

voleter, v. intr. Voler à petits coups d'ailes ou en ne parcourant que de petits espaces. = Conjug. V. GRAMMAIRE.
HOM. — *Volter,* faire une volte.

* **volette,** n. f. (du v. *voler* 1). Rang de cordelettes qui bordent le réseau dont on couvre quelquefois les chevaux en été. || Petite claie sur laquelle on épluche la laine. || Claie d'osier sur laquelle s'égouttent les fromages.

* **volettement,** n. m. Action de voleter.

1. * **voleur,** n. m. (du v. *voler* 1). [Fauc.] Oiseau de chasse, considéré du point de vue du vol.

2. voleur, euse, n. (du v. *voler* 2). Celui, celle qu a volé, dérobé, ou qui vole habituellement. — Par ext. Marchand qui surfait les prix. || Fig. *Être fait comme un voleur,* avoir les vêtements en désordre.
SYN. — *Voleur,* celui qui s'approprie frauduleusement ce qu'il sait appartenir à autrui : *On recherche le chef des voleurs.* — *Cambrioleur,* voleur armé qui s'introduit par effraction dans les maisons : *Les cambrioleurs ont visité les maisons isolées du village.* — *Chapardeur,* celui qui maraude, qui dérobe : *Des soldats chapardeurs de foin.* — *Détrousseur,* voleur de grands chemins : *Il a rencontré des détrousseurs sur sa route.* — *Escroc,* celui qui vole les gens en les dupant : *Cet homme d'affaires n'est qu'un escroc.* — *Faussaire,* celui qui fait de fausses signatures, altère les actes ou les monnaies : *Les faussaires sont punis des travaux forcés.* — *Filou,* celui qui dérobe subtilement : *Un adroit filou m'a volé ma montre.* — *Fripon,* qui vole adroitement de petites choses : *Ce valet est un fripon.* — *Larron,* qui vole en cachette : *S'entendre comme larrons en foire.* — *Pickpocket,* voleur adroit qui opère dans les foules : *Les pickpockets fouillent adroitement les poches de leurs victimes.* V. aussi BANDIT, COQUIN.

volière, n. f. (du v. *voler* 1). Espace clos par un réseau de fils de métal et où l'on élève des oiseaux pour son plaisir. || Grande cage à oiseaux divisée par des séparations.

volige, n. f. (du v. *voler* 1). Planche mince de bois de sapin ou de bois blanc, large de 25 cm. environ. || Latte que l'on emploie pour porter l'ardoise.
PAR. — *Voltige,* exercice sur une corde; exercice exécuté par un cheval.

voligeage, n. m. Action de voliger.

* **voliger,** v. tr. Garnir de voliges. = Conjug. V. GRAMMAIRE.

* **volis** [*li*], n. m. Cime d'un arbre brisée par le vent.

* **volitif, ive,** adj. Qui se rapporte à la volition.

volition [*sion*], n. f. (du radic. de *volonté*). [Philos.] Action par laquelle la volonté se détermine.

volontaire, adj. (lat. *voluntarius,* m. s.). Qui se fait par une détermination réfléchie et pleinement consciente de la volonté. *Acte volontaire.* || Qui se fait sans contrainte. *Contribution volontaire.* || Qui agit par sa propre volonté. *Un engagé volontaire.* || Qui ne veut obéir qu'à sa propre volonté, qui ne veut s'assujettir à aucune règle. *Un enfant très volontaire.* = Nom. *Un, une volontaire.* = N. m. Celui qui sert dans une armée sans y être obligé par la loi. Soldat qui prend part, sur sa demande, à une attaque, à un coup de main.
SYN. — V. ENTÊTÉ.
CTR. — *Involontaire, obligatoire, forcé.*

volontairement, adv. De bonne volonté, sans contrainte. || Intentionnellement. || Avec une volonté bien arrêtée.

volontariat [*ria*], n. m. (de *volontaire*). De 1872 jusqu'en 1882, engagement militaire d'un an que pouvaient contracter ceux qui avaient fait certaines études.

volonté, n. f. (lat. *voluntas,* m. s.). Faculté qu'a l'âme de se déterminer librement à agir ou à ne pas agir. Forme réfléchie et pleinement consciente de l'activité || Qualité de caractère consistant à exercer énergiquement cette faculté. *Ce chef a une volonté de fer.* || Détermination même de la volonté. *Cela s'est fait contre ma volonté.* || Ordre, injonction, commandement. *Les volontés de Dieu.* — *Les dernières volontés d'une personne,* ce qu'une personne veut qui soit fait après sa mort. || *Caprice,* fantaisie (surtout au pl.). *Il aime à faire ses volontés.* — *Avoir bonne* ou *mauvaise volonté,* être en bonne ou en mauvaise disposition à l'égard d'une chose. — *Être plein de bonne volonté,* être plein du désir de bien faire. = À VOLONTÉ, loc. adv. Quand on veut. *Ce ressort joue à volonté.* — Autant qu'on veut, en aussi grande quantité, aussi longtemps qu'on le veut. *Pain à volonté.* [A. mil.] *Feu à volonté,* tir continu jusqu'à l'ordre de cesser le feu.
ÉPITHÈTES COURANTES : bonne, mauvaise, grande, libre, tenace, forte, efficace, absolue, inébranlable, déterminée, faible, chancelante, molle; dernière, suprême, dictée, publiée, exprimée, imposée, suivie, etc.
SYN. — *Volonté,* intention déterminée de faire ou de faire faire quelque chose : *Cet homme a une volonté de fer.* — *Aspiration,* élan de l'âme : *Réaliser ses aspirations.* — *Boutade,* petit caprice passager : *Il parlait de se ranger, c'était une simple boutade.* —

Caprice, changement de volonté, fantaisie soudaine vite remplacée par d'autres : *Les caprices d'un enfant gâté.* — *Désir,* aspiration de l'âme humaine à posséder un bien : *Prendre ses désirs pour des réalités.* — *Dessein,* but que la volonté se propose d'atteindre : *Avoir le dessein d'écrire un volume.* — *Détermination,* volonté bien arrêtée après réflexion : *Sa détermination est irrévocable.* — *Intention,* acte de la volonté qui tend vers un but : *J'ai l'intention de partir en voyage.* — *Résolution,* action de se déterminer entre plusieurs partis à prendre : *Prendre une résolution définitive.* — *Velléité,* résolution faible, sans effet : *Ce prétendu homme d'action n'a que des velléités.* — *Vouloir,* synonyme de volonté, l'action de vouloir : *Être accusé de mauvais vouloir envers quelqu'un.* V. aussi BUT, HUMEUR.
volontiers [tié], adv. (lat. *voluntarie,* m. s.). De bonne volonté, de bon gré. Facilement. *On croit volontiers ce qu'on désire.*
volt, n. m. (du nom du physicien *Volta*). [Phys.] Unité de potentiel et de force électromotrice ; c'est la différence de potentiel entre les extrémités d'une résistance d'un ohm parcourue par un courant d'un ampère.
HOM. — *Volt,* n. m., unité de potentiel du système électrique ; — *volte,* n. f., mouvement du cavalier, de l'escrimeur ; — *volte, es, ent,* du v. volter.
* **volta,** n. f. (mot ital.). [Mus.] Reprise, fois. *Prima volta.*
voltage, n. m. (de *volt*). [Phys.] Différence de potentiel en volts entre les extrémités d'un conducteur, entre les pôles d'une machine, d'une batterie, etc.
voltaïque, adj. [Phys.] Se dit du courant engendré par les piles.
CTR. — *Faradique.*
* **voltaire,** n. m. (de *Voltaire,* n. pr.). Grand fauteuil dont le siège est assez bas et le dos assez élevé. = Adj. *Fauteuil voltaire.*
* **voltairianisme,** n. m. Philosophie de Voltaire ; esprit d'incrédulité railleuse et de scepticisme.
voltairien, ienne, adj. Qui rappelle Voltaire par son esprit incrédule et antireligieux. = Nom. Partisan de Voltaire, celui, celle, qui est animé de son esprit.
* **voltaïsation** [sion], n. f. [Méd.] Méthode thérapeutique utilisant les courants voltaïques.
* **voltaïsme,** n. m. [Phys.] Électricité voltaïque (Vx).
* **voltamètre,** n. m. [Phys.] Appareil au moyen duquel on fait l'électrolyse. Il peut aussi servir à mesurer l'intensité d'un courant.
PAR. — *Voltmètre,* appareil destiné à mesurer la différence de potentiel.
* **voltampère,** n. m. (de *volt* et *ampère*). [Phys.] Unité de puissance électrique ; on dit mieux *watt.*
volte, n. f. (ital. *volta,* tour, du lat. *volvere,* tourner). [Man.] Mouvement que le cavalier fait faire au cheval en le menant en rond. — *Demi-volte,* le demi-rond que décrit un cheval. — Piste en rond tracée par le cheval dans un manège. [Escrime] Mouvement qu'on fait pour éviter les coups de l'adversaire. [Mar.] Action de virer pour changer de route.
HOM. — V. VOLT.

PAR. — *Vole,* coup où un joueur fait toutes les levées, aux cartes.
volte-face, n. f. (ital. *volta faccia,* m. s.). Action de se retourner pour faire face. ‖ Fig. Brusque changement d'opinion. = Pl. *Des volte-face.*
volter, v. intr. [Escr.] Changer de place pour éviter les coups de son adversaire. [Man.] *Faire volter un cheval,* lui faire faire des voltes. [Mar.] Virer de bord pour changer de route.
HOM. — *Voleter,* voler à petits coups d'ailes.
* **volti,** n. m. (mot ital. sign. *tournez*). [Mus.] Mot indiquant au bas d'une page que le morceau continue au verso. *Volti subito,* tournez très vite.
voltige, n. f. (n. verb. de *voltiger*). Danse, exercice sur une corde raide. — Par ext. La corde même sur laquelle se font ces exercices. [Man.] Exercice gymnastique exécuté sur un cheval, au pas, au trot ou au galop, avec ou sans étriers.
PAR. — *Volige,* planche mince, latte.
voltigeant, ante, adj. Qui voltige.
* **voltigement,** n. m. Action de voltiger.
voltiger, v. intr. (ital. *volteggiare,* faire de la voltige). Faire des tours d'équilibre sur une corde tendue en l'air. [Man.] Faire des exercices de voltige sur un cheval. ‖ Voler à fréquentes reprises et à petites distances. *Les abeilles voltigent de fleur en fleur.* ‖ Flotter au gré du vent. *Le vent fait voltiger les rideaux* ‖ Fig. et fam. Ne s'attacher à rien d'une manière stable. *Voltiger d'étude en étude.* [A. mil.] Courir à cheval çà et là. = Conjug. V. GRAMMAIRE.
voltigeur, n. m. Celui qui fait de la voltige. ‖ Autref., soldat d'un corps d'élite destiné à se porter rapidement de côté et d'autre. — Aujourd. *Fusilier-voltigeur,* fantassin armé d'un fusil-mitrailleur.
* **voltmètre,** n. m. [Phys.] Appareil destiné à mesurer la différence de potentiel entre deux points d'un circuit électrique.
PAR. — *Voltamètre,* appareil au moyen duquel on fait l'électrolyse.
volubile, adj. Doué de volubilité.
volubilis [liss], n. m. (lat. *volubilis,* volubile). [Bot.] Nom vulg. de diverses espèces ornementales du genre liseron (*convolvulacées*).
* **volubilisme,** n. m. [Bot.] Ensemble des caractères des plantes ou organes volubiles.
volubilité, n. f. (lat. *volubilitas,* m. s.). Facilité à exécuter un mouvement circulaire. ‖ Rapidité, aisance de l'articulation dans la parole. *Il parle avec volubilité.*
* **volucelle,** n. f. (dimin. du lat. *volucer,* ailé, léger). [Zool.] Genre d'insectes diptères comprenant de gros bourdons.
volume, n. m. (lat. *volumen,* rouleau). [Antiq.] Manuscrit dont l'extrémité était collée sur une baguette autour de laquelle on enroulait la feuille. ‖ Aujourd. Livre relié ou broché. *Volume in-quarto.* — Fam. *Écrire des volumes,* écrire beaucoup. [Géom. et Phys.] Espace qu'occupe un corps. V. pl. VOLUMES DES CORPS A FACES PLATES et VOLUMES DES CORPS RONDS. — Quotient du poids d'un corps par sa densité ; et par ext. Étendue, dimension d'un corps. *Ce paquet est d'un gros volume.* ‖ Masse d'eau que débite une fontaine, un cours d'eau [Mus.] *Volume de la voix, des sons,* amplitude des sons produits par la voix ou par un instrument.

ÉPITHÈTES COURANTES : gros, grand, petit, juste, raisonnable, fort, beau, in-octavo, in-douze, in-quarto, in-folio, in-seize, etc. ; relié, broché, dépareillé, doré sur tranches, illustré, publié, écrit, imprimé, catalogué, etc.

SYN. — *Volume*, manuscrit ou imprimé formant un tout matériel, relié ou broché, et comprenant soit un ouvrage entier, soit une partie d'ouvrage : *Un volume in-quarto*. — *Album*, livre de grand format contenant des dessins, des planches, etc. : *Album de botanique*. — *Atlas*, grand livre contenant des cartes de géographie, des planches en couleurs, etc. : *Atlas de l'Europe*. — *Bouquin*, livre ancien, relié, et, fam., livre en général : *Une vente de vieux bouquins*. — *Brochure*, petit livre non relié et peu épais : *Publier une brochure sur un point particulier d'histoire*. — *Cahier*, assemblage de feuilles cousues, manuscrites ou imprimées : *Des cahiers de cours*. — *Guide*, livre donnant des renseignements pour les voyageurs : *Guide de la Provence*. — *Livre*, ouvrage d'esprit manuscrit ou imprimé : *Les derniers livres parus*. — *Opuscule*, petit ouvrage littéraire ou scientifique : *Un opuscule devenu introuvable*. — *Ouvrage*, travail de l'esprit : *Composer un savant ouvrage d'érudition*. — *Plaquette*, petit livre de peu d'épaisseur : *Éditer une plaquette sur une exposition*. — *Publication*, ouvrage imprimé et mis en vente : *Des publications illustrées*. — *Tome*, division d'un ouvrage qui comprend plusieurs volumes, mais sans correspondre nécessairement au volume : *Il peut y avoir un volume en plusieurs tomes et réciproquement*. V. aussi CHAPITRE, RECUEIL, REVUE.

* **voluménomètre**, n. m. Instrument qui sert à déterminer le volume d'un corps à l'état pulvérulent.

* **volumétrique**, adj. [Phys.] Qui a trait à la détermination des volumes.

volumineux, euse, adj. Qui a un volume considérable. *Paquet volumineux*. ǁ Qui se compose d'un grand nombre de volumes. *Compilation volumineuse*.
SYN. — V. GROS.
CTR. — *Minuscule, microscopique*.

volupté, n. f. (lat. *voluptas*, plaisir). Jouissance, plaisir des sens. ǁ Au sens moral. Satisfaction de l'âme. *Les voluptés de l'étude*.

voluptuaire, adj. (bas lat. *voluptuarius*, m. s.). [Dr.] Qui est fait pour l'agrément et non par l'utilité. *Dépenses voluptuaires*.
PAR. — *Voluptueux*, qui aime, recherche, inspire la volupté.

voluptueusement, adv. Avec volupté. *Vivre voluptueusement*.

voluptueux, euse, adj. (lat. *voluptuosus*, m. s.). Qui aime, qui recherche la volupté. *Une cour voluptueuse*. ǁ Qui inspire ou qui exprime la volupté. *Danse voluptueuse*. ǁ Qui procure la volupté. *Caresse voluptueuse*. = Nom. *Les voluptueux*.
ANT. — *Austère, ascétique*.
PAR. — *Voluptuaire*, fait pour l'agrément et non pour l'utilité.

* **voluptuosité**, n. f. Caractère de ce qui aime ou inspire la volupté (Rare).

volute, n. f. (ital. *voluta*, m. s., du lat. *volutus*, roulé). [Archi.] Sorte d'enroulement qui forme l'ornement du chapiteau ionique. V. pl. COLONNES. ǁ *Volute d'escalier*, partie ronde du bas du limon, sur laquelle pose le pilastre de la rampe. ǁ Par ext. Ce qui est en forme de spirale. *Des volutes de fumée*. [Zool.] Genre de mollusques gastéropodes.

* **voluté, ée**, adj. [Zool.] Contourné en volute.

* **voluter**, v. intr. Décrire des volutes.

volva ou **volve**, n. f. (lat. *volvere*, tourner). [Bot.] Membrane charnue qui, dans les champignons du groupe des *agaricinées*, enveloppe d'abord l'appareil fructifère, puis se déchire et reste attachée à la base du pied sous forme de collier.

* **volvaire**, n. f. [Bot.] Genre de champignons vénéneux du groupe des *agaricinées*, à volve persistante.

* **volvocacées**, n. f. pl. [Bot.] Groupe d'algues vertes des eaux douces.

* **volvoce** ou * **volvox**, n. m. [Bot.] Genre d'algues vertes de la famille des *volvocacées*.

volvulus [*luss*], n. m. (lat. *volvere*, tourner). [Méd.] Occlusion intestinale due à une torsion ou à un enroulement de l'intestin sur lui-même.

* **volvus** [*vuss*], n. m. [Bot.] Vrilles des plantes grimpantes.

* **vomer** [*mèrr*], n. m. (lat. *vomer*, soc). [Anat.] Os qui forme la partie postérieure de la cloison des fosses nasales.

* **vomi-purgatif, ive**, adj. [Méd.] Se dit des médicaments qui sont à la fois vomitifs et purgatifs.

1. **vomique**, adj. (lat. *vomica* (s. e. *nux*, noix), qui fait vomir). *Noix vomique*, graine d'un arbre des Indes, extrêmement vénéneuse, d'où l'on retire la *strychnine* (famille des *loganiacées*).

2. * **vomique**, n. f. (lat. *vomica*, m. s.). [Méd.] Collection purulente évacuée par les bronches.

vomiquier [*kié*], n. m. (de *vomique* 1). [Bot.] Nom vulg. de l'arbre qui produit la *noix vomique*.

vomir, v. tr. (lat. *vomere*, m. s.). Rejeter par la bouche les matières contenues dans l'estomac. ǁ Par ext. Lancer violemment. *Le volcan vomissait des torrents de lave. Le canon vomit la mort*. ǁ *Vomir des injures*, les proférer avec véhémence. ǁ *Vomir quelqu'un*, le rejeter avec dégoût d'une société (Fam.).

vomissement, n. m. Phénomène convulsif par lequel les matières contenues dans l'estomac sont rejetées par la bouche. ǁ *Matières vomies*.

* **vomisseur, euse**, n. Celui, celle qui vomit.

* **vomissure**, n. f. Matière vomie.

vomitif, ive, adj. Qui fait vomir. *Une racine vomitive*. = N. m. Substance qui provoque le vomissement. *Prendre un vomitif*.

vomitoire, n. m. [Antiq.] Porte destinée à l'entrée et à la sortie du public dans les amphithéâtres romains.

* **vomito negro** [*né*], n. m. (mots esp., propr. *vomissement noir*). [Méd.] Maladie des pays chauds, très grave et très contagieuse, appelée aussi *fièvre jaune*.

* **vomiturition** [*sion*], n. f. [Méd.] Vomissement fréquent, mais sans grandes secousses et évacuant peu de matières.

vorace, adj. (lat. *vorax*, m. s.). Qui mange avec avidité. ǁ *Appétit vorace*, qu'on ne peut rassasier.
SYN. — V. GOURMAND.
CTR. — *Sobre, frugal*.

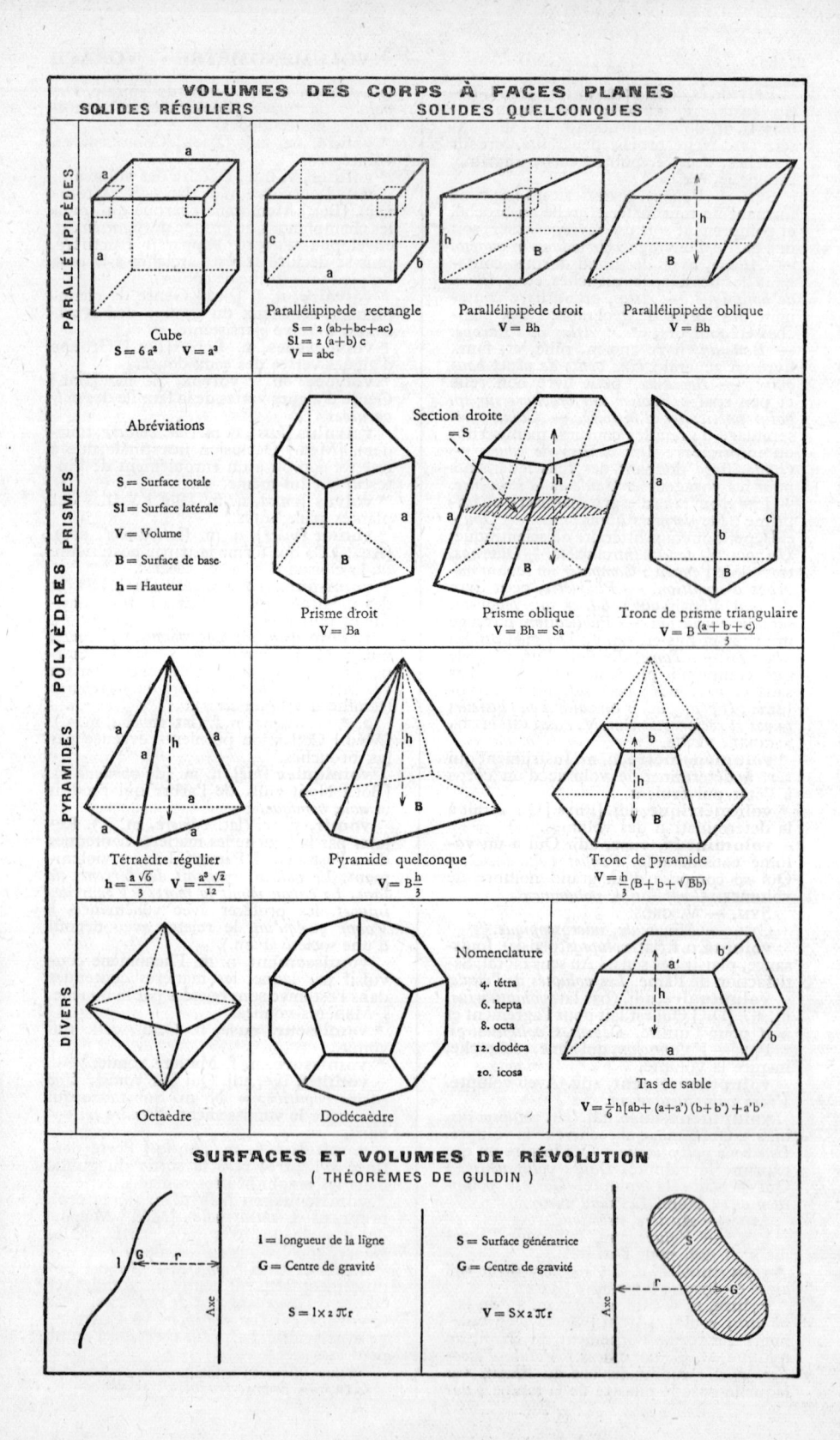

VOLUMES DES CORPS À FACES PLANES
SOLIDES RÉGULIERS — SOLIDES QUELCONQUES

PARALLÉLIPIPÈDES

Cube
$S = 6a^2 \quad V = a^3$

Parallélipipède rectangle
$S = 2(ab+bc+ac)$
$Sl = 2(a+b)c$
$V = abc$

Parallélipipède droit
$V = Bh$

Parallélipipède oblique
$V = Bh$

POLYÈDRES — PRISMES

Abréviations
- S = Surface totale
- Sl = Surface latérale
- V = Volume
- B = Surface de base
- h = Hauteur

Section droite $= s$

Prisme droit
$V = Ba$

Prisme oblique
$V = Bh = Sa$

Tronc de prisme triangulaire
$V = B\dfrac{(a+b+c)}{3}$

PYRAMIDES

Tétraèdre régulier
$h = \dfrac{a\sqrt{6}}{3} \quad V = \dfrac{a^3\sqrt{2}}{12}$

Pyramide quelconque
$V = B\dfrac{h}{3}$

Tronc de pyramide
$V = \dfrac{h}{3}(B + b + \sqrt{Bb})$

DIVERS

Octaèdre

Dodécaèdre

Nomenclature
- 4. tétra
- 6. hepta
- 8. octa
- 12. dodéca
- 20. icosa

Tas de sable
$V = \dfrac{1}{6}h[ab + (a+a')(b+b') + a'b']$

SURFACES ET VOLUMES DE RÉVOLUTION
(THÉORÈMES DE GULDIN)

l = longueur de la ligne
G = Centre de gravité

$S = l \times 2\pi r$

S = Surface génératrice
G = Centre de gravité

$V = S \times 2\pi r$

VOLUMES DES CORPS RONDS

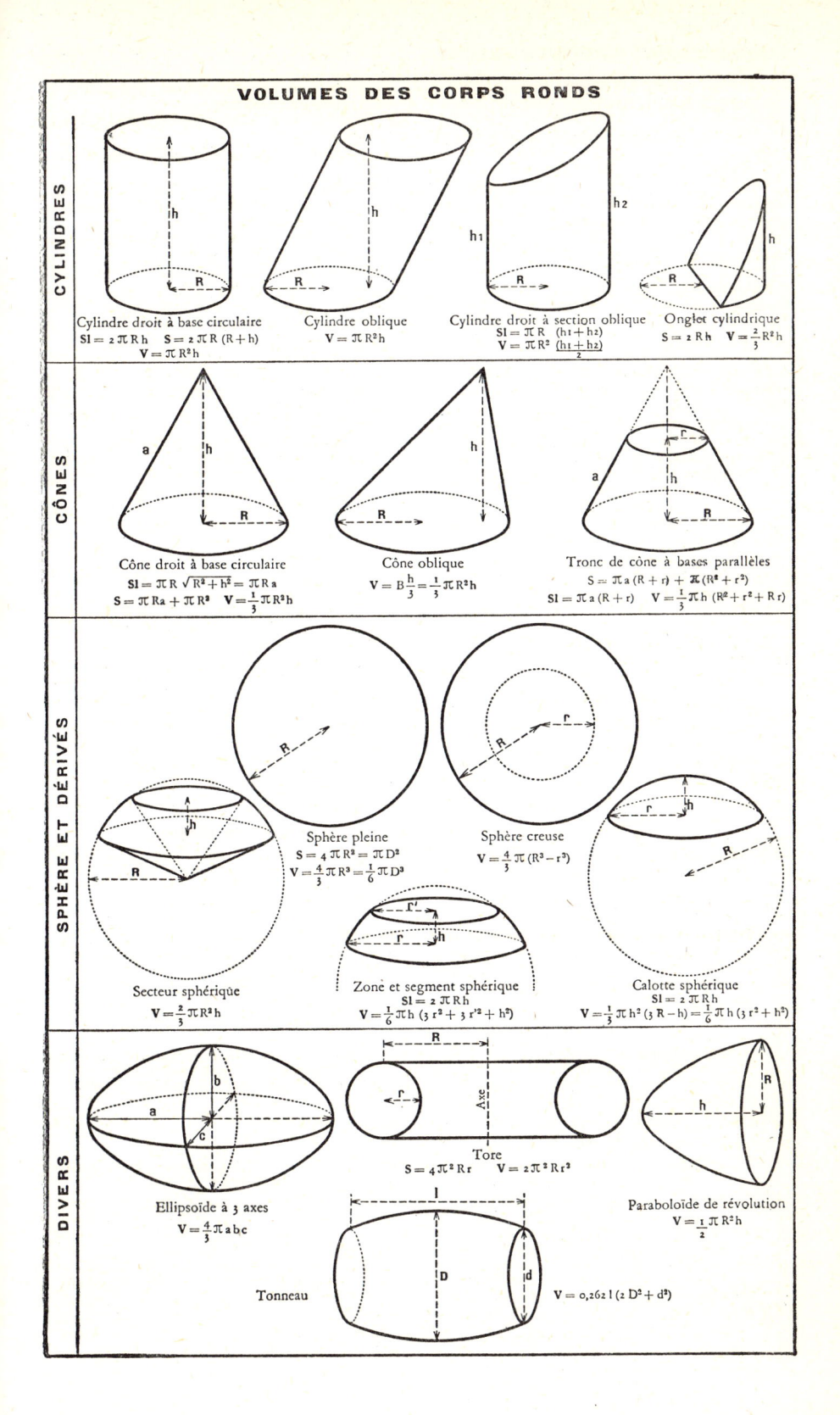

CYLINDRES

Cylindre droit à base circulaire
$Sl = 2\pi R h \quad S = 2\pi R (R+h)$
$V = \pi R^2 h$

Cylindre oblique
$V = \pi R^2 h$

Cylindre droit à section oblique
$Sl = \pi R (h_1 + h_2)$
$V = \pi R^2 \dfrac{(h_1 + h_2)}{2}$

Onglet cylindrique
$S = 2 R h \quad V = \dfrac{2}{3} R^2 h$

CÔNES

Cône droit à base circulaire
$Sl = \pi R \sqrt{R^2 + h^2} = \pi R a$
$S = \pi R a + \pi R^2 \quad V = \dfrac{1}{3} \pi R^2 h$

Cône oblique
$V = B \dfrac{h}{3} = \dfrac{1}{3} \pi R^2 h$

Tronc de cône à bases parallèles
$S = \pi a (R + r) + \pi (R^2 + r^2)$
$Sl = \pi a (R + r) \quad V = \dfrac{1}{3} \pi h (R^2 + r^2 + R r)$

SPHÈRE ET DÉRIVÉS

Sphère pleine
$S = 4 \pi R^2 = \pi D^2$
$V = \dfrac{4}{3} \pi R^3 = \dfrac{1}{6} \pi D^3$

Sphère creuse
$V = \dfrac{4}{3} \pi (R^3 - r^3)$

Secteur sphérique
$V = \dfrac{2}{3} \pi R^2 h$

Zone et segment sphérique
$Sl = 2 \pi R h$
$V = \dfrac{1}{6} \pi h (3 r^2 + 3 r'^2 + h^2)$

Calotte sphérique
$Sl = 2 \pi R h$
$V = \dfrac{1}{3} \pi h^2 (3 R - h) = \dfrac{1}{6} \pi h (3 r^2 + h^2)$

DIVERS

Ellipsoïde à 3 axes
$V = \dfrac{4}{3} \pi a b c$

Tore
$S = 4 \pi^2 R r \quad V = 2 \pi^2 R r^2$

Paraboloïde de révolution
$V = \dfrac{1}{2} \pi R^2 h$

Tonneau
$V = 0{,}262 \, l \, (2 D^2 + d^2)$

voracement, adv. Avec voracité.
voracité, n. f. Avidité à manger. ‖ Avidité extrême.
PAR. — *Véracité,* qualité de ce qui est vrai.
* **vorge,** n. f. [Bot.] Nom vulg. de l'*ivraie*.
* **vortex,** n. m. (mot lat. signif. *tourbillon*). [Anat.] Disposition concentrique et rayonnante, plus ou moins évasée, de certains organes. [Météor.] Syn. de *tourbillon*. [Zool.] Genre de vers turbellariés des eaux douces de nos pays.
* **vorticelle,** n. f. [Zool.] Genre d'infusoires ciliés des eaux douces et salées.
vos, adj. pos., pl. de *votre*. V. tabl. VOTRE, VÔTRE.
HOM. — V. VAU.
* **vosgien, ienne,** adj. Qui a rapport aux Vosges. ‖ Qui se trouve sur ces montagnes. *Grès vosgien.*
votant, ante, adj. Qui vote, ou qui a le droit de voter. = N. Qui prend part effectivement à un vote.
votation [*sion*], n. f. Action, façon de voter. *Mode de votation.*
vote, n. m. (de l'angl. *vote,* m. s., du lat. *votum,* vœu). Vœu énoncé, suffrage donné par ceux qui sont appelés à se prononcer sur une question ou à choisir un candidat. ‖ Par ext. Acte par lequel on fait connaître son vœu, on donne son suffrage.
ÉPITHÈTES COURANTES : secret, public, libre, sincère, forcé, faussé, contraint, vicié, recueilli, dépouillé, confirmé, annulé, recommence, obligatoire, facultatif, etc.
voter, v. intr. (de *vote*). Donner son vote, sa voix, son suffrage, dans une élection, dans une délibération. = V. tr. Établir, décider par un vote. *Voter une loi. Voter des remerciements.*
votif, ive, adj. (lat. *votivus,* m. s.). Qui a un vœu pour objet ; offert pour acquitter un vœu. — *Médaille votive,* frappée pour commémorer un vœu.
votre, vos, adj. poss. V. tabl. VOTRE, VÔTRE.
vôtre (le, la), pron. poss. V. tabl. VOTRE, VÔTRE.
* **vouapa,** n. m. [Bot.] Genre de plantes de la famille des *légumineuses,* beaux arbres de l'Amérique du Sud.
vouer, v. tr. (de *vœu*). Consacrer à la divinité. *Vouer un enfant à Dieu.* ‖ Mettre sous la protection d'un saint. ‖ Fig. Consacrer. *Vouer sa vie à la science.* ‖ Promettre, engager d'une manière particulière. *L'amitié que je lui ai vouée.* = SE VOUER, v. pr. Se lier par un vœu. ‖ S'adonner entièrement à quelque chose. *Se vouer à l'étude.* ‖ Fig. et prov. *Il ne sait à quel saint se vouer,* il ne sait plus à qui avoir recours.
SYN. — V. CONSACRER.
* **vouge,** n. f. (bas lat. *vidubium,* m. s.). Sorte de lance ancienne. V. pl. ARMES. [Hortic.] Espèce de serpe munie d'un long manche. — On écrit aussi *voulge.*
* **vougier** ou * **voulgier,** n. m. Soldat à pied armé de la vouge (XIVe et XVe s.).
* **vouivre,** n. f. [Blas.] Autre orthogr. de *guivre.*
1. **vouloir,** v. tr. V. tabl. VOULOIR.
2. **vouloir,** n. m. (du v. *vouloir* 1). Acte de la volonté. ‖ Intention, disposition. *Bon, mauvais vouloir.* — Fam. *Malin vouloir,* disposition à nuire, intention maligne.
voulu, ue, adj. Exigé, requis. *Les formes voulues.* ‖ Fait à dessein, dans une certaine intention. ‖ *En temps, en lieu voulu,* en temps opportun, au lieu fixé.
vous, pron. pers. V. tabl. VOUS.
vousseau, n. m. [Archi.] V. VOUSSOIR.
* **voussoiement,** * **vousoiement** ou
* **vouvoiement,** n. m. Action de

VOTRE, VÔTRE, mots possessifs de la 2ᵉ pers. du pluriel.

Étymologie. — *Votre* et *vôtre* sont tirés tous deux du latin pop. *voster,* forme refaite par analogie sur *noster,* notre, et remplaçant la forme classique *vester,* votre. La forme prononcée sans accent tonique a donné *votre ;* la forme tonique a pris l'accent circonflexe et a été réservée au pronom. Cf. NOTRE (tableau).
HOM. — V. VAUTRE.

VOTRE, adj. possessif des deux genres ; plur. **VOS.**

1° Marque que les possesseurs sont les personnes à qui l'on s'adresse. — Qui est à vous, qui vous appartient. *Votre maison.* Qui est relatif à vous, qui vous concerne. *Votre père, mes enfants, fut un homme considérable.*

2° Employé avec le sens de *ton, ta, tes,* lorsque le possesseur est unique et qu'on le désigne par le pluriel de politesse *vous. Je vous ai vu et j'ai vu vos parents. Votre Majesté, Votre Excellence. — Votre tout dévoué,* etc.

VOTRE s'emploie parfois avec une nuance méprisante, marquant que la personne à qui l'on s'adresse fait cas, à tort, de tel ou tel individu que l'on n'estime pas. Cette nuance méprisante est donnée par le ton général de la phrase, mais porte sur le possessif. *Voici votre Mathan, je vous laisse avec lui* (RACINE).

VÔTRE, pronom et adj. possessif des deux genres, pluriel *vôtres.*

a) *Pronom* avec l'article *le, la, les.*

1° Renvoie à plusieurs possesseurs, de la 2ᵉ pers. du pluriel. Celui, celle qui est à vous. *Il a pris ses livres et les vôtres.* — Fam. *A la vôtre,* à votre santé.

2° Employé avec le sens de *le tien, la tienne,* etc. lorsqu'il n'y a qu'un possesseur désigné par le pluriel de politesse *vous. J'ai mes ennuis et vous avez les vôtres. — J'ai mon Dieu que je sers, vous servirez le vôtre* (RACINE).

b) Employé sans l'article, *adj. poss.* tonique. Qui est à vous. *Considérez mes biens comme vôtres.* — Par exag. : *Je suis tout vôtre,* vous pouvez disposer de moi en toutes choses. VÔTRE, VÔTRES, employés comme noms m. Ce qui est à vous, ce qui vous appartient.

Le vôtre et le nôtre. — Fig. et fam. *Votre historiette est jolie, mais vous y avez mis du vôtre,* vous y avez ajouté quelque chose de votre invention.

Vôtres, n. pl. Ceux qui sont de votre famille, de votre pays, de votre parti, de votre compagnie, etc. *Vous vous ruinerez, vous et les vôtres.*

VOULOIR, verbe.

Étymologie. — Du latin pop. *volere*, tiré de la forme classique *velle*, m. s.

CONJUG. V. trans., 3ᵉ gr. (inf. en *oir*) [rad. *voul, veul, veuill, veu*].

INDICATIF. — *Présent* : je veux, tu veux, il veut, nous voulons, vous voulez, ils veulent. — *Imparfait* : je voulais, tu voulais, il voulait, nous voulions, vous vouliez, ils voulaient. — *Passé simple* : je voulus,... nous voulûmes, vous voulûtes, ils voulurent. — *Futur* : je voudrai,... nous voudrons vous voudrez,...

IMPÉRATIF : Veuille, veuillons, veuillez. V. ci-après.

CONDITIONNEL. — *Présent* : je voudrais,... nous voudrions, vous voudriez...

SUBJONCTIF. — *Présent :* que je veuille... qu'il veuille, que nous veuillions ou voulions, que vous veuilliez ou vouliez, qu'ils veuillent.

— *Imparfait* : que je voulusse..., qu'il voulût, que nous voulussions, que vous voulussiez, qu'ils voulussent.

PARTICIPE. — *Présent* : voulant. — *Passé* : voulu, voulue.

SYN. — V. DÉSIRER. — Pour *vouloir bien*. V. DAIGNER.

VOULU, UE, pp. et adj. V. ce mot. Pour l'accord de ce participe, v. tabl. GRAMMAIRE.

Emploi de formes. — On a indiqué, jadis, une autre forme d'impératif : *veux, voulons, voulez*, qui est peu usitée, et ne s'emploie que dans certaines occasions très rares où l'on engage à s'armer d'une ferme volonté. Quoiqu'on trouve en effet des exemples de cette forme, elle est contraire à l'analogie et constitue un véritable barbarisme. La forme ancienne est surtout en usage à la seconde personne du pluriel, *veuillez* ; elle se dit pour : Je vous prie de vouloir, de consentir, ou ayez la bonté, la complaisance de... *Veuillez agréer mes hommages. Veuillez me faire le plaisir de... Veuillez du moins nous dire...* Elle se dit aussi comme impératif adouci. *Veuillez vous taire,* taisez-vous. — Les deux formes du subjonctif *que nous voulions, que vous vouliez,* sont aussi des barbarismes introduits par un usage récent. Les formes anciennes, bien préférables, sont *que nous veuillions, que vous veuilliez,* dont on a des exemples chez les écrivains du XVIIᵉ siècle.

VOULOIR, verbe transitif.

Manifester sa volonté, se déterminer, être déterminé à faire une chose ou à s'abstenir. *Il veut partir demain. Cet homme veut ce qu'il veut,* quand il a pris une résolution, il s'y attache fortement. *Il ne sait ce qu'il veut. Faire d'une personne ce qu'on veut* (V. FAIRE). *Ce que femme veut Dieu le veut* (V. DIEU). *Dieu le veut !* Cri de ralliement des Croisés. — *Vouloir, c'est pouvoir* (Prov.).

Par ext., se dit des choses morales qui ont autorité sur l'homme. Exiger. *La loi veut que l'on observe ces formalités.*

Désirer, souhaiter. *On vous donnera tout ce que vous voudrez.* — Fam. *Que voulez-vous ?*

Dans ce sens, au lieu de *je veux*, au présent de l'indicatif, on dit souvent *je voudrais*, au présent du conditionnel, pour exprimer un désir, ou même un ordre, sans faire marque d'autorité. *Je voudrais que vous lui fassiez cette demande.* — Fam. On dit encore pour exprimer une sorte de défi : *Je voudrais bien voir cela !*

VOULOIR, dans des locutions interrogatives et exclamatives. *Que veux-tu ? Que voulez-vous !* Dans la conversation fam., pour s'excuser, pour demander conseil, etc. *Que veux-tu ? j'ai fait ce que j'ai pu.*

VOULOIR DU BIEN, VOULOIR DU MAL À QUELQU'UN, avoir à l'égard de quelqu'un des dispositions favorables ou défavorables.

Tours interrogatifs familiers avec VOULOIR : *Que veut dire cet homme ?* que demande-t-il ? — *Que veut dire ce procédé ?* que signifie ce procédé ? — *Que veut dire ceci ? Que veut dire cela ? Que voulez-vous dire ?* phrases familières qu'on emploie pour marquer l'étonnement.

Consentir. *Voulez-vous me prêter cent francs ?*

Avoir l'intention de. *Je n'ai pas voulu cela.*

Demander, exiger. *Il veut cent mille francs de sa maison.*

Être d'avis, prétendre. *Vous voulez que je sois un paresseux ?*

VOULOIR DE (compl. indir. de sens partitif). *Je veux de ce gâteau.* Par ext. *Je ne veux pas de lui pour cet emploi.*

EN VEUX-TU, EN VOILÀ ! loc. adv. (V. tabl. VOILÀ).

EN VOULOIR, locution verbale intransitive.

Construite avec un complément d'attribution.

Fam. *En vouloir à quelqu'un,* avoir contre lui un sentiment de malveillance. *Je m'en veux d'avoir fait cela,* j'en ai du regret, du repentir. — Fam. *A qui en voulez-vous ?* qui demandez-vous ? ou, qui prétendez-vous attaquer ? — *En vouloir à la vie de quelqu'un,* avoir formé le projet d'attenter à sa vie. *En vouloir à l'argent,* avoir des vues sur l'argent d'autrui.

VOULOIR BIEN, loc. verbale. Admettre. *Soit, je le veux bien.* — Fam. *Je veux bien que cela soit, je veux que cela soit,* je suppose que cela soit, quoique je n'en convienne pas ; ou quand cela serai vrai... ‖ VOULEZ-VOUS BIEN, s'emploie parfois comme formule impérative. *Voulez-vous bien vous taire.*

VOULOIR, verbe auxiliaire de mode.

S'emploie avec un infinitif.

Surtout à l'impératif. *Veuillez,* marque alors l'idée, la nuance de je vous prie de vouloir, de consentir, ou de ayez la bonté, la complaisance de... *Veuillez agréer mes hommages. Veuillez me faire le plaisir de...*

Il s'emploie aussi comme forme d'impératif adouci, même quand l'ordre est formel et péremptoire. *Veuillez vous taire. Veuillez sortir immédiatement.*

Avec un nom de chose, il sert encore d'auxiliaire de mode marquant des nuances telles que : Avoir besoin de, nécessiter. *Cette plante veut être souvent arrosée ;* ou que : Pouvoir. *Ce bois ne veut pas brûler.*

VOCAB. — *Famille de mots.* — *Vouloir* [rad. *voul, vol, vel, veil*] : voulu, volontiers, volonté, volontaire, volontariat ; volition, volitif ; involontaire, involontairement, bénévole, bénévolement ; malévole ; velléité, velléitaire ; bienveillant, bienveillamment, bienveillance ; malveillant, malveillance, malveillamment.

VOUSSOIR — VOYAGE   2092

VOUS, pronom personnel de la 2ᵉ pers. du pluriel, des 2 genres.
Étymologie. — Latin *vos*, même sens. *Vous* représente aussi bien la forme accentuée que la forme atone. — V. tableaux NOUS, TU et GRAMMAIRE (pronoms).
Emplois grammaticaux. — *Vous*, régime direct ou indirect, se met avant le verbe dont il est le complément. *Il vous veut du bien.* — Cependant, il se met après le verbe quand il est précédé d'une préposition. *Il parle de vous.* — Quand *vous* est joint à un sujet de la 3ᵉ pers., le verbe se met à la seconde pers. du pl. : *Vous et lui partirez ensemble.* — Quand *vous* remplace *tu* (V. ci-dessous) et se dit en parlant à une seule personne, le verbe se met au pluriel, mais le nom, l'adjectif et le participe, appositions, épithètes ou attributs, restent au singulier. *Vous êtes digne de cette place.* — *Vous serez reçu la prochaine fois.* — *Vous, le militaire, venez ici.*
HOM. — *Voue, es, ent*, du v. vouer.

Emploi et sens de VOUS :
1° Sert à s'adresser à *plusieurs personnes.*
S'emploie comme :
  a) Sujet : *Vous l'entendez.* — *Croyez-vous ?* — *Vous êtes libres.*
  b) Attribut : *Était-ce vous ou vos amis ?*
  c) Complément d'objet : *Je vous admire tous, mes amis.*
  d) Complément d'attribution : *C'est à vous tous que je m'adresse.*
  e) Complément d'agent : *C'est par vous, Messieurs, que j'ai été prévenu.*
  f) Complément circonstanciel : *C'est par vous, enfants, que je le sais* (cause). — *C'est chez vous que je voudrais vivre* (lieu).
  g) Avec un emploi tonique, comme *apposition* à un autre *vous* sujet : *Nous, nous agissons, mais vous, timides, vous n'osez rien dire.*

2° Sert à s'adresser à une seule personne que l'on ne tutoie pas.
Mêmes emplois que *vous* relatif à plusieurs personnes. *Vous, Cinna, demeurez, et vous, Maxime, aussi* (CORNEILLE).

3° S'emploie d'une façon expressive, sans interlocuteur déterminé et sans rôle grammatical, pour marquer l'intérêt que peut prendre à l'action la personne indiquée par le pronom, le lecteur en général. — *On lui lia les pieds, on vous le suspendit* (LA FONTAINE). — *Ces faits vous rendent tout songeur !*
Parfois, dans un sens indéfini, *vous* à le sens de *on. Elle est si belle que vous ne sauriez vous empêcher de l'admirer.*

Employé comme nom masc. — *Se servir du vous de politesse.*
Locutions. — *A vous*, qui vous appartient. — *C'est à vous de jouer*, c'est à votre tour de jouer. — *De vous à moi*, confidentiellement. — *Tout à vous*, formule de dévouement affectueux à la fin d'une lettre. — *Vous-mêmes* ou *vous-même*, au sing. marque plus expressément la personne. *Vous en allez juger vous-mêmes, Messieurs.*

---

voussoyer ou vouvoyer, et résultat de cette action.
ANT. — *Tutoiement.*
voussoir ou **vousseau**, n. m. (bas lat. *volsorium*, m. s., de *volvere*, rouler). [Archi.] Chacune des pierres, taillées en coin, qui forment le cintre d'une voûte ou d'une arcade.
* **voussoyer,** * **vousoyer** ou * **vouvoyer,** v. tr. Employer le mot *vous* et non le mot *tu* pour parler à certaines personnes. = Conjug. V. GRAMMAIRE.
CTR. — *Tutoyer.*
voussure, n. f. (bas lat. *volsura*, m. s.). [Archi.] Courbe ou cintre d'une voûte ou d'une partie de voûte. — Portion de voûte qui sert à lier un plafond avec la corniche de la pièce. ‖ Chacun des arcs concentriques qui constituent les éléments de l'archivolte d'un portail. V. pl. VOÛTES.
voûte, n. f. (ancienn. *voulte*, du lat. pop. *volta*, enroulement). [Archi.] Ouvrage de maçonnerie fait en arc, dont les pierres appelées *voussoirs*, sont disposées de manière à se soutenir les unes les autres. V. pl. VOÛTES. — *Clef de voûte,* voussoir du milieu qui maintient en place tous les autres. — Fig. Point capital d'une affaire . *C'est la clef de voûte de la combinaison.* ‖ Partie supérieure d'une caverne. ‖ Fig. Ce qui recouvre, en forme de berceau ou de calotte. *Une voûte de verdure. La voûte céleste.* [Anat.] Partie du corps dont la forme offre quelque analogie avec une voûte. *La voûte du crâne, la voûte du palais.* [Mar.] Partie arrière d'un bâtiment. [Techn.] Partie intérieure de l'arc du fer à cheval. ‖ Partie supérieure d'un foyer. V. pl. LOCOMOTIVE.

VOCAB. — *Famille de mots.* — *Voûte* [rad. *vou, vol*] : voûter, voûté, voussure, voussoir; volte, volute, convoluté, révoluté, volter, voltige, voltiger, voltigeant, voltigement, voltigeur, volte-face, archivolte; volume, volumétrique, volumineux; volubilis, convolvulus, convolvulacées; volubile; volubilisme, volubilité; circonvolution; dévolution, dévolutaire, dévolutif, dévolu; évolution, évolutif, évolutionnisme, évolutionniste, évoluer, évolué; révolution, révolutif, révolutionner, révolutionnaire, révolutionnairement; révolu; révolte, révolter, révoltant, révolté; désinvolte, désinvolture.

voûté, ée, adj. En forme de voûte. ‖ Couvert d'une voûte. ‖ Fig. Courbé. *Dos voûté.*
voûter, v. tr. Couvrir d'une voûte. *Voûter une salle.* ‖ Courber. *L'âge voûte les vieillards.* = SE VOÛTER, v. pr. Être construit en forme de voûte. ‖ Se courber. *Ce vieillard se voûte.*
* **vouvoiement,** n.m., * **vouvoyer,** v. tr. V. VOUSSOIEMENT, etc.
voyage [voi-iaj°], n. m. (lat. *viaticum*, provision de route). Chemin qu'on fait pour aller d'un lieu à un autre plus ou moins éloigné, et action de faire ce chemin. *Voyage d'affaires,* déplacement nécessité par les affaires. ‖ Fig. et fam. *Faire le grand voyage,* mourir. ‖ Migration de certains animaux. ‖ Transport de marchandises dans un lieu éloigné. ‖ Allée et venue d'un lieu à un autre. *L'autocar fait quatre voyages par jour.* ‖ Relation des événements d'un voyage. V. tabl. VOYAGE ET TOURISME (Idées suggérées par les mots).
— *Heureux qui, comme Ulysse, a fait un beau voyage.* (JOACHIM DU BELLAY.)

VOÛTES

Voûte en berceau — Arc doubleau

Voûte sur croisée d'ogives — Arcs diagonaux, Arc doubleau

Voûte d'arêtes — Arc doubleau

Voûte en coupole sur trompe conique — Coupole, Trompe, Pilier

Voûte en coupole sur pendentif — Coupole, Grande arcade plein cintre, Pilier, Pendentif

PORTAIL

Archivolte extérieure, Voussures de l'archivolte à 3 registres, Tympan, Linteau, Contrefort, Pied droit, Trumeau, Seuil

ÉPITHÈTES COURANTES : grand, long, court, beau, agréable, utile, instructif, pittoresque, d'agrément, d'affaires, politique, diplomatique, d'exploration, scientifique, pénible, rude, dangereux, périlleux, lointain, maritime, aérien; entrepris, interrompu, préparé, contraint, forcé, obligé, fait, terminé, raconté, décrit, publié, etc.

voyager, v. intr. Faire un voyage. *Voyager par mer, sur mer.* — En parlant de certaines choses, se déplacer. *Les icebergs voyagent jusque dans les régions tempérées.* ‖ Être transporté. *Ces denrées-là ne peuvent pas voyager.* = Conjug. V. GRAMMAIRE.
— *Qui veut voyager loin ménage sa monture.* (RACINE.)

voyageur, euse, n. Celui, celle qui est actuellement en voyage. ‖ Celui, celle qui fait ou qui a fait de grands voyages. [Ch. de fer] *Train de voyageurs*, qui est réservé au transport des voyageurs. = Adject. *Pigeon voyageur.* — *Humeur voyageuse.* — *Commis voyageur*, *voyageur de commerce*, représentant chargé de placer les marchandises d'une maison de commerce.

* **voyance** [*voi-ian*], n. f. (de *voyant*). [Spiritisme] En parlant d'un médium, action de voir les événements passés, futurs ou lointains.

voyant, ante [*voi-ian*], adj. Qui voit, qui est doué du sens de la vue. ‖ Qui attire la vue par un vif éclat. *Couleur voyante.* = Nom. Personne qui a ou qui prétend avoir le don de seconde vue; prophète. = N. m. [Géodésie] Pièce destinée à être vue de loin pour servir de mire. [Mar.] Sphère destinée à être éclairée, placée au haut des mâts des bateaux-feux.
CTR. — *Aveugle.* — *Terne, sombre.*

voyelle [*voi-iel*], n. f. (lat. *vocalis*, n. s.). [Gram.] Son vocal, élément de la parole qui a son origine dans le larynx, et est produit par l'air qui traverse la glotte, sans que les parties supérieures au larynx y concourent par aucun mouvement. ‖ Par ext. Lettre ou caractère qui représente ce son. V. tabl. GRAMMAIRE.
ÉPITHÈTES COURANTES : sourde, sonore, nasale, brève, longue, muette, accentuée, élevée, contractée.

1. voyer [*voi-ié*], n. et adj. m. (lat. *viarius*, relatif aux routes). Fonctionnaire préposé à l'entretien des rues, dans les villes, et des routes dans les campagnes. *Agent voyer*, anc. nom des ingénieurs du service vicinal
HOM. — *Voyer*, n. et adj., relatif aux chemins; — *voyer*, v., faire écouler; — *voyez*, du v. voir.

2. * **voyer**, v. tr. Faire écouler. *Voyer la lessive.* = Conjug. V. GRAMMAIRE.

* **voyette**, n. f. Petit sentier rectiligne à travers bois.

voyou [*voi-iou*], n. m. (de *voie*). Enfant grossier et malpropre, qui vagabonde dans les rues (Pop.). ‖ Homme mal élevé et grossier.

* **voyoucratie**, n. f. Pouvoir, domination exercés par la lie de la société (par plaisant.).

* **voyoute**, n. (Fém. de *voyou*). Fille des rues, fille crapuleuse (Pop.).

* **voyouterie**, n. f. Acte, manière ou parole de voyou (Pop.).

* **vrac (en)**, loc. adv. (mot néerl.). Se dit des marchandises voyageant pêle-mêle et sans enveloppe. *Pommes de terre en vrac.* ‖ Fig. Sans ordre.

vrai, vraie [*vrè*], adj. (lat. *verus*, m. s.). Véritable, qui est conforme à la vérité. *Cette nouvelle n'est que trop vraie.* — *Il est vrai de dire*, ou simpl., *il est vrai*, s'emploie lorsqu'on veut expliquer, modifier ou restreindre ce que l'on vient de dire. *Il a maintenant de la prudence; il est vrai qu'il est payé pour en avoir.*
— *Il y a bien des gens qui voient le vrai et qui n'y peuvent atteindre.* (PASCAL.)
— *Rien n'est beau que le vrai, le vrai seul est aimable.*
— *Le vrai peut quelquefois n'être pas vraisemblable.* (BOILEAU.)
— *Il faut exprimer le vrai pour écrire naturellement, fortement, délicatement.*
(LA BRUYÈRE.)
— *Il faut s'accoutumer à chercher le vrai dans les plus petites choses; on est bien trompé dans les grandes.* (VOLTAIRE.)
— *Le faux présenté avec art nous surprend et nous éblouit; mais le vrai nous persuade et nous maîtrise.* (VAUVENARGUES.)

VOYAGE ET TOURISME

Étymologie. — *Voyage* est venu du latin *viaticum*, provision de route, tiré du mot *via*, route, chemin. Voyage se disait, en latin, *iter, itineris*, d'où *itinéraire*. — *Tourisme* est un mot récent, inconnu à Littré, admis en 1935 dans le dictionnaire de l'Académie. Il est tiré de *touriste*, lui-même emprunté dans la deuxième moitié du XIXe siècle de l'anglais *tourist*, de *tour*, voyage, qui est notre mot français *tour*. Touriste désignait d'abord un Anglais voyageant par curiosité ou désœuvrement, opposé à celui qui voyageait pour affaires ou pour s'instruire.

Définition générale. — Un *voyage* est le fait de se rendre d'un lieu où l'on habite ordinairement dans un autre suffisamment éloigné, soit pour des affaires, soit pour son agrément. Le *tourisme* est le fait de voyager pour son agrément ou pour son instruction. On peut dire que l'adage *les voyages forment la jeunesse* serait surtout vrai du tourisme.

Mots de la même famille. — V. VOIE et TOUR.

Mots à rapprocher : *Voyage, tourisme, excursion, course, promenade, sortie, tour, tournée, croisière, villégiature.* — Un *voyage* a toujours de l'ampleur; il suppose un grand déplacement, souvent vers un point unique et en utilisant principalement les moyens de transport. — Le *tourisme* peut être plus réduit comme ampleur; il se fait par petites étapes avec des séjours variés et des moyens de transport divers. — Une *excursion* est un déplacement moins lointain et qui poursuit un but précis. — Une *course* a un but précis, mais elle a moins d'ampleur et de durée que l'excursion; elle a le plus souvent une intention utilitaire ou une obligation. — Une *promenade* est un court déplacement fait surtout pour son agrément ou par hygiène. — Une *sortie* est un déplacement momentané avec une intention déterminée. — Un *tour* est un voyage ou une promenade de peu d'étendue, et, comme la sortie, indique le retour au point de départ. — Une *tournée* est un voyage fait périodiquement pour des affaires ou des fonctions déterminées avec un itinéraire invariable ou fixé d'avance. — Une *croisière* est un voyage de tourisme par mer, sur un paquebot ou un yacht, avec escales et excursions à terre. — Une *villégiature* est le point d'aboutissement d'un voyage où l'on se propose de se fixer pour un certain temps avant de revenir à son point de départ.

VOYAGE ET TOURISME

Principaux termes relatifs aux voyages. V. aussi tabl. JEUX ET SPORTS, TRANSPORT, ESPACE, MOUVEMENT.

1° *Les conditions du voyage.* Voyager, aller, partir en voyage; voyage d'affaires, d'exploration, d'information, d'agrément. Voyage à pied, marche, footing, aller et venir, halte, s'arrêter, faire la pause, se reposer, rebrousser chemin, retourner sur ses pas, marcher à bonne allure, au pas, au pas de montagne, à allure modérée, faire un long parcours, voyager par étapes, faire une longue étape; aller en pèlerinage, pèlerin, bourdon, gourde, coquille de St Jacques, pérégrination; odyssée, randonnée, exode, caravane; chemineau, nomade. Voyage à cheval, gîte, étape, relais, écurie, auberge, à dos de mulet, en voiture, en diligence, en poste, en chaise de poste; postillon; en traîneau; à bicyclette, cyclisme, cyclotourisme; à motocyclette, en tandem, en side-car, en omnibus, en tramway, en automobile, automobiliste, chauffeur; en autocar ou car, en chemin de fer, en bateau, en paquebot, en ballon, en dirigeable, en avion, par clipper, etc. (V. TRANSPORT). Itinéraire, fixer, tracer, établir son itinéraire, carte routière, guide, plan, indicateur de chemin de fer, horaire des trains, des bateaux; parcours, trajet, arriver à l'heure, manquer le train, être en avance, en retard. Arriver à la gare, décharger les bagages, les faire enregistrer, porteur, facteur, pourboire, bulletin de bagages, prendre son billet, embarcadère, quai, train en gare, place louée, retenue, bulletin d'admission au train, billet d'aller et retour, garde-place, contrôleur, oreiller, couverture de voyage, couchette, wagon-lit, buffet de gare, wagon-restaurant, wagon-bar. Places de luxe, voitures de 1re, 2e, 3e classe, fourgon de bagages. Train rapide, express, direct, autorail, train de luxe, train de plaisir, omnibus, changement de train, manquer la correspondance; brûler la station, les étapes, débarcadère; gare maritime, omnibus de gare, etc.

2° *Les excursions.* — Voir du pays, circuler, faire un détour, flâner; accessoires d'excursion: bâton ferré, canne, lorgnette, jumelle, longue-vue, appareil photographique, plaques, film de rechange; sac, bouteille thermos, bidon, tasse, médicaments courants, pansements, tente portative. Excursion en forêt, en montagne, sur la rivière, dans la campagne, à la mer, en ville. Tourisme, touriste, touristique, Touring-Club de France; excursionniste, explorateur; visite de curiosités naturelles, forêt, bois, gorge, ravin, chaos, fleuve, rivière, torrent, ruisseau, grotte, caverne, gouffre, abîme, rivière souterraine, cascade, chute, saut de rivière; site classé, route, site pittoresque, table d'orientation, point de vue, panorama, curiosités artistiques, sites et cavernes préhistoriques, monuments mégalithiques, dolmens, menhirs, etc. Ruines grecques, égyptiennes, orientales, romaines; monuments romains, théâtre, arènes, thermes, parcs, viaducs, château-fort, donjon, église, église romane, gothique, palais de justice, ancien château; monuments de la Renaissance, châteaux et palais modernes; chapelle, calvaire, ossuaire, vieille abbaye, cloître, hôtel de ville, vieille maison, place, colonnade, arc de triomphe; parc, jardin public, grille d'art, statue, fontaine, etc.; musée d'art, d'antiquités, d'industries diverses, trésor d'orfèvrerie des églises, intérieur d'église, vitraux, roses, tombeaux, pierre tombale, stalle, tour de chœur, chaire, jubé, buffet d'orgue, etc.; monument et lieu historique, champ de bataille; costumes et fêtes locales, folklore, costumes, coiffes, danses, guide, cicerone, carte postale illustrée, notice sur les monuments, etc. Ascension en montagne, col, sommet, pic, guide, cordée, gravir une pente, faire une escalade; rocher, glacier, crevasse, sérac, névé, avalanche, chute de pierres; ascensionniste, alpenstock, piolet, bâton ferré, lunettes noires, boussole (V. JEUX ET SPORT); camping, campeur, camp, tente, piquet, chaise, table pliante, sac de couchage, auberge de la jeunesse, boy scout, éclaireur, louveteau; faire un bon voyage, arriver à bon port; séjourner, faire séjour, s'arrêter, repartir, rentrer de voyage, être de retour, rentrer, dans ses foyers; relation, récit, impression, journal de voyage, périple.

3° *Villégiature,* villégiaturer, baigneur, estivant, étranger, hivernant, horsain, hôte de passage; chalet, villa, ker, maisonnette, location chez l'habitant; louer à la saison, au mois; station balnéaire, climatique, thermale, estivale, station d'hiver; bains de mer (V. EAU ET MER), bains sulfureux, de boue, etc., plage, costume de plage, costume de bain, short, maillot, bonnet, peignoir de bain, tente, parasol, cabine, chaise pliante, transatlantique; maître baigneur, canotage, périssoire, canoë, yole, ski nautique, etc. (V. JEUX ET SPORTS). Promenade en forêt, fraises des bois, noisettes, myrtilles, fleurs champêtres, bleuet, coquelicot, nielle, marguerite, jonquille, primevère, bouton d'or, pervenche, violette, mousse, champignon des prés, morille, girolle, cèpe, oronge, mousseron; pêche à la ligne, aux écrevisses, aux grenouilles, à la crevette, aux crabes, pêche de coquillages; filet de pêche; casino, jeux, boule, petits chevaux, baccara, roulette, tennis, golf, croquet, quilles, tonneau, etc. — *A l'hôtel.* Hôtel, palace, maison de famille, auberge, etc. (V. HABITATION); industrie hôtelière, école hôtelière, hôte, hôtesse, hôtelier, aubergiste, pension, pensionnaire, salon, bureau, salle de correspondance, appartement, chambre, numéro, salle de bains, lavabo, ascenseur, eau courante, chaude et froide; chauffage central, confort moderne, cuisine bourgeoise, cloche des repas, jardin, parc de l'hôtel, vie d'hôtel, réunion, soirée; portier, garçon d'hôtel, groom, chasseur, valet de chambre, femme de chambre, domestique, cuisinier, chef, gâte-sauce, plongeur, femme de peine, laveur de vaisselle, blanchisseuse, etc. Restaurant, restaurateur, salle à manger, table d'hôte, petites tables, maître d'hôtel, garçon de restaurant, serveur, serveuse, caissière; manger à la carte, à prix fixe, menu, carte, carte des vins; demander, régler son compte; addition, pourboire, tant pour cent; plat du jour; être estampé, recevoir un coup de fusil. Omnibus ou autobus d'hôtel; bagages, malle, caisse, manne, panier, cantine, bagages à main. Rentrée en ville, retour à son domicile, à ses occupations. Souvenirs, récits de voyage, photographies, carte postale, etc.

Sincère, franc, véridique. *Un homme vrai.* ‖ Qui est réellement ce qu'on le dit être, qui n'est ni factice, ni simulé; authentique. *Un vrai diamant. Un vrai repentir.* — On dit de même, en mauvaise part : *Un vrai fripon.* ‖ Réel, principal, essentiel, unique. *Voilà la vraie cause de cet événement.* ‖ Convenable, qui convient uniquement. *Voilà le vrai moyen de sortir d'embarras.* ‖ Qui exprime, qui rend avec vérité les pensées et les objets. *Un style vrai. Des tons vrais.* = N. m. Vérité. *Il n'y a pas un mot de vrai dans tout ce récit. Être dans le vrai.* = À VRAI DIRE, loc. adv. Pour dire vrai, pour être sincère. = VRAI, interj. Vraiment, assurément. *Vrai, cela me rendrait service* (Fam.). — Avec la négat., *Pas vrai ?* N'est-ce pas ? (Fam.). = AU VRAI, loc. adv. Conformément à la vérité.

SYN. — V. AVÉRÉ.

CTR. — *Faux, controuvé, mensonger, menteur, factice, erroné.*

VOCAB. — *Famille de mots.* — *Vrai* [rad. *vrai, ver*] : vraiment, vraisemblable, vraisemblance, vraisemblablement; invraisemblable, invraisemblablement, invraisemblance, vérité, véritable, véritablement; contre-vérité; vérifier, vérification, vérificatif, vérificateur, vérifiable, véridique, véridicité, véridiquement; verdict; voire.

vraiment, adv. Véritablement, effectivement. = Interj. qui marque l'ironie. *Vraiment, vous êtes gentil !*

vraisemblable, adj. (de *vrai* et *semblable*). Qui paraît vrai. ∥ Probable. = N. m. *Le vraisemblable n'arrive pas toujours.* SYN. — V. PLAUSIBLE.

vraisemblablement, adv. Apparemment. ∥ Selon toutes probabilités.

vraisemblance, n. f. Apparence de vérité. ∥ Caractère de ce qui offre toutes probabilités.

* **vrillage** [*ill* mll.], n. m. Défaut des matières textiles, provenant d'un excès de torsion des fils.

vrille [*ll* mll.], n. f. (lat. *viticula*, m. s., de *vitis*, vigne). [Bot.] Organe filiforme qui s'enroule en spirale autour des corps voisins, et qui sert à soutenir la tige de certaines plantes grimpantes. [Techn.] Petite mèche à main servant à faire de petits trous dans le bois. V. pl. OUTILS. ∥ Fam. *Yeux percés en vrille*, yeux petits et très enfoncés. [Aviat.] *Descente en vrille*, se dit d'un avion qui pique du nez et fonce vers le sol en tournant sur lui-même.

* **vrillé, ée**, adj. [Bot.] Qui porte des vrilles. ∥ Enroulé, tordu sur soi-même.

* **vrillée**, n. f. [Bot.] Nom vulg. du *liseron des champs*.

* **vriller** [*ill* mll.], v. tr. Faire des trous avec une vrille. *Vriller une planche.* = V. intr. Prendre la forme de vrille, d'hélice.

* **vrillerie**, n. f. Nom générique des vrilles, forets, vilebrequins, burins, etc.

* **vrillette** [*ill* mll.], n. f. [Zool.] Nom vulg. des *anobies*, insectes coléoptères qui rongent le bois et le criblent de petits trous.

* **vrillier** [*ill* mll.], n. m. Celui qui confectionne des vrilles.

* **vrillifère** [*ill* mll], adj. [Bot.] Qui porte des vrilles.

* **vrillon** [*ill* mll.], n. m. Petite tarière en forme de vrille.

* **vrillonner** [*ill* mll.], v. intr. [Bot.] Se tordre en vrille, en hélice; former des vrilles.

vrombir, v. intr. (onomat.). Faire entendre un vrombissement.

vrombissement, n. m. Vibration, ronflement produit par une agitation violente, un mouvement de rotation rapide. *Le vrombissement d'une hélice d'avion.*

vu, vue, adj.; prépos. et n. m. V. tabl. VU, VUE.

vue, n. f. (pp. du v. *voir*). Étendue de ce que l'on peut voir du lieu où l'on est. *Cette maison a une belle vue.* — *A perte de vue*. V. PERTE. ∥ Aspect des objets, manière dont ils se présentent à la vue. *Une vue de côté.*
Un des cinq sens; fonction de l'œil par laquelle nous percevons la lumière et les couleurs, et apprécions la forme, la grandeur et la situation des corps. *Le sens de la vue. Avoir bonne vue.* — Fig. *Avoir la vue courte*, manquer de perspicacité. — *Perdre de vue une personne, une chose.* V. PERDRE. ∥ L'organe de la vue, les yeux, les regards. *Une lumière trop vive blesse la vue.* — Fig. et fam. *Donner dans la vue à quelqu'un*, lui plaire, le séduire. ∥ Action de voir, de regarder, inspection d'une chose. *Juger d'une chose à première vue*, dès le premier coup d'œil. — *Connaître une personne de vue*, la connaître de visage, mais sans avoir jamais eu de relations avec elle. — *Garder un prisonnier à vue*, le garder de telle sorte qu'on l'ait toujours devant les yeux. — *Être en vue*, être exposé à la vue, être en un lieu d'où l'on peut être vu. — *Un homme en vue*, un homme qui occupe une situation de premier plan. ∥ Action d'apercevoir, aspect, présence. *A la vue de sa mère mourante, elle s'évanouit.*
Dessin, tableau, estampe, photographie qui représente un lieu, une ville, un édifice, etc., regardés de loin. *Prendre des vues.*
Fig. Action de l'esprit par laquelle il connaît, distingue, découvre, prévoit. ∥ Idée, aperçu. *Livre rempli de vues intéressantes.* ∥ Fig. Intention, dessein qu'on a, but, fin qu'on se propose. *Il n'a d'autre*

VU, VUE, p. passé du verbe *voir* (V. ce tableau).

Observations. — Le participe *vu* peut être employé comme adjectif, comme nom, ou comme particule invariable.
Le mot est invariable et considéré comme préposition (ou comme adverbe), quand il précède le nom. *Vu ses brillants états de services. Vu la difficulté de...*

VU, VUE, adjectif.

Perçu par l'œil. — Fig. *Il est bien vu, elle est bien vue partout*, estimé, considéré, accueilli. — *Il est mal vu partout, ils sont mal vus de tous*, se dit dans le sens contraire. — Fam. *Ni vu, ni connu*, à l'insu de tous. — Pop. *C'est tout vu*, je ne veux pas revenir là-dessus.
Vu, note ou indication placée sur une pièce, indiquant que celle-ci a été examinée. — On trouve aussi *Vu et Lu.*

VU, nom masc.

[Dr.] *Le vu d'un arrêt, d'une sentence*, ce qui est énoncé dans un arrêt.
[Admin.] *Sur le vu des pièces*, après avoir examiné les pièces. — Fam., on dit: *Cette chose s'est faite au vu et au su de tout le monde*, tout le monde l'a vue, en a été instruit.

VU, employé comme mot invariable, *préposition* selon les uns, *adverbe* selon d'autres. *Attendu, eu égard à. La récompense est mince, vu ses services.* ∥ Dans certaines formules d'administration, de chancellerie et de pratique : *Après avoir vu, considéré. Vu l'arrêté préfectoral en date du...*

VU QUE, locution conjonctive.

Marque une idée de cause, construit avec l'indicatif (fait) ou le conditionnel (possibilité). Attendu que, puisque. *Je m'étonne qu'il ait fait cela, vu qu'il n'est pas très hardi.* — *On ne l'a pas convoqué vu qu'il serait malade.*

vue en cela que de faire son devoir. *Entrer dans les vues de quelqu'un.* — *Avoir une chose en vue*, se la proposer pour objet, espérer l'obtenir. *Il a une nouvelle situation en vue.* — *Avoir des vues sur quelque chose*, former le dessein, se proposer de l'obtenir. *Avoir des vues sur quelqu'un*, se proposer de l'employer à quelque chose, projeter de l'épouser. [Archit. et Dr.] Toute ouverture faite à un bâtiment pour donner accès au jour. *Vue de souffrances.* [Banque] *Billet, traite payable à vue*, payable à présentation. ∥ *Longue-vue.* V. ce mot. = À PREMIÈRE VUE, loc. adv. Sans avoir encore examiné la chose à fond. *A première vue, cela semble impossible.* = À VUE D'ŒIL, loc. adv. Sensiblement. *L'eau baisse à vue d'œil.* = À VUE DE NEZ, loc. adv. Fam. Approximativement. = À LA VUE DE, EN VUE DE, loc. prép. Dans l'intention de. *Travailler en vue d'un examen.*
ÉPITHÈTES COURANTES : belle, large, vaste, étendue, bornée, limitée, illimitée, magnifique, immense, variée, plongeante, rasante, perspective; bonne, mauvaise, corrigée, rectifiée, perçante, trouble, égarée; grande, petite, mesquine, blessée, éblouie, perdue, recouvrée, etc.
SYN. — V. ASPECT et BUT.

* **vulcanales**, n. f. pl. [Antiq.] Fêtes en l'honneur de Vulcain.
* **vulcanicité**, n. f. [Géol.] Syn. de *volcanisme*.
vulcanien, ienne, adj. (lat. *vulcanus*, feu). [Géol.] *Terrains vulcaniens, roches vulcaniennes*, terrains ignés, roches ignées.
vulcanisation [sion], n. f. Action de combiner une certaine quantité de soufre avec le caoutchouc pour lui donner de la souplesse, de l'élasticité, de la cohésion. ∥ Résultat de cette opération.
vulcanisé, ée, adj. Qui a subi la vulcanisation.
PAR. — *Volcanisé*, se dit des lieux où il y a des volcans.
vulcaniser, v. tr. (lat. *Vulcanus*, Vulcain, dieu du feu). *Vulcaniser du caoutchouc*, y incorporer du soufre.
* **vulcanisme**, n. m. [Géol.] Système qui explique par l'action du feu l'état présent du globe terrestre.
* **vulcanite**, n. f. (lat. *vulcanus*, feu). [Techn.] Syn. d'*ébonite*.
* **vulcanologie**, n. f. [Géol.] Étude des volcans et des manifestations volcaniques.
vulgaire [*g* dur], adj. (lat. *vulgaris*, m. s.). Qui est admis par le commun des hommes. *Opinion vulgaire.* ∥ Trivial, commun, grossier. *Des manières vulgaires.* ∥ Qui ne se distingue en rien du commun. *Un esprit vulgaire.* ∥ En parlant d'une langue, se dit des locutions ou formes employées par le peuple, par oppos. à la langue littéraire. *Le latin vulgaire.* — N. m. Le peuple, le commun des hommes. ∥ Ce qui est bas, trivial. *Tomber dans le vulgaire.*
SYN. — V. COMMUN et ORDINAIRE.
CTR. — *Élégant, distingué, noble, délicat.*

VOCAB. — *Famille de mots.* — *Vulgaire:* vulgairement, vulgarité, vulgariser, vulgarisateur, vulgarisation; vulgate; vulgo; divulguer, divulgation, divulgateur.

---

vulgairement, adv. Communément. ∥ Avec trivialité, sans nulle distinction.
vulgarisateur, trice, n. Celui, celle qui vulgarise.
vulgarisation [sion], n. f. Action de vulgariser.
vulgariser, v. tr. (lat. *vulgaris*, vulgaire). Rendre accessible, faire connaître un procédé, une science, etc.; mettre à la portée de tous.
vulgarité, n. f. (bas lat. *vulgaritas*, m. s.). Caractère de ce qui est vulgaire, trivial.
ANT. — *Distinction.*
vulgate, n. f. (lat. *vulgata*, version commune). Version latine de la Bible, adoptée par le concile de Trente, et aujourd'hui en usage dans l'Église catholique. ∥ Texte traditionnel d'un auteur ancien.
* **vulgo**, adv. (mot lat. m. s.). Vulgairement (Fam.).
vulnérabilité, n. f. Caractère de ce qui est vulnérable.
vulnérable, adj. (lat. *vulnerabilis*, m. s.). Qui peut être blessé. ∥ Par ext. Qui peut être attaqué avec succès. ∥ Fig. Défectueux, donnant prise.
CTR. — *Invulnérable.*
PAR. — Ne pas confondre *vulnérable* et *vulnéraire.*
vulnéraire, adj. (lat. *vulnerarius*, relatif aux blessures). Propre à la guérison des blessures, des contusions. *Plantes vulnéraires.* = N. m. Médicament qui guérit les blessures. *Un bon vulnéraire.* = N. f. Plante à fleurs jaunes, de la famille des légumineuses, bonne pour les blessures.
* **vulnération** [sion], n. f. (lat. *vulnerare*, blesser). [Chir.] Blessure faite involontairement par le chirurgien, avec l'instrument dont il se sert.
* **vulpes** [*pèss*], n. m. (lat. *vulpes*, renard). [Zool.] Nom scient. du genre renard.
vulpin, n. m. (lat. *vulpinus*, qui a rapport au renard). [Bot.] Genre de plantes de la famille des *graminées*, appelées aussi *queues-de-renard*.
* **vulpine**, n. f. [Bot.] Nom vulg. du *vulpin des prés*, plante fourragère de la famille des *graminées*.
* **vultueux, euse**, adj. (lat. *vultus*, visage). [Méd.] Se dit d'un visage rouge et bouffi, aux lèvres gonflées, aux yeux saillants et injectés.
* **vultuosité**, n. f. [Méd.] État d'une face vultueuse.
* **vultur**, n. m. [Zool.] Nom scient. du genre vautour.
* **vulturidés**, n. m. pl. [Zool.] Famille d'oiseaux rapaces diurnes ayant pour type le genre vautour. Oiseaux vivant en société et se nourrissant de proies mortes ou en décomposition.
1. * **vulvaire**, adj. [Anat.] Qui a rapport à la vulve.
2. * **vulvaire**, n. f. [Bot.] Nom vulg. du *chenopodium vulvaria*, appelé encore *arroche puante*.
vulve, n. f. (lat. *vulva*, m. s.). [Anat.] Orifice extérieur des parties génitales chez la femme et les femelles des mammifères.
* **vulvite**, n. f. (de *vulve*). [Méd.] Inflammation de la vulve.
* **vulvo-vaginite**, n. f. [Méd.] Inflammation qui atteint à la fois la vulve et le vagin.

W

w, n. m. Lettre consonne qui est la vingt-troisième lettre de l'alphabet et qui est dénommée *double v* [*vé*].

LING. — Le *W* est une lettre propre aux langues d'origine germanique (le *w* n'existe ni dans les langues scandinaves, ni dans les langues slaves, sauf en polonais); elle n'est employée en français que dans l'écriture de certains mots étrangers, principalement d'origine anglaise (le *w* a alors, généralement, le son *ou*) ou d'origine allemande (il a alors le son *v*). La prononciation de quelques mots d'origine anglaise, devenus d'usage vulgaire, a été francisée; ainsi, *wagon* se prononce *vagon*.

W, abrév. anglaise pour *West* (ouest).
wabstringue, n. m. V. BASTRINGUE.
* **wacapou** [*ou-a*], n. m. [Bot.] Arbre de la Guyane, dont on utilise le bois en ébénisterie.
* **wagage** [*ou-a*], n. m. [Agric.] Vase de rivière utilisée comme engrais.
* **wagnérien, enne** [*vag-né*], adj. Qui se rapporte à Wagner ou à son œuvre. = Nom. Partisan du système musical de Wagner. — On dit aussi *wagnériste*.
* **wagnérisme** [*vag-né*], n. m. [Mus.] Système musical de Wagner.
wagon [*va*], n. m. (angl. *waggon*, chariot). Véhicule des chemins de fer servant au transport des voyageurs, des marchandises, des bestiaux. ǁ Contenu d'un wagon de marchandises. *Un wagon de charbon.* ǁ *Wagon-bar, wagon-restaurant*, wagon aménagé en bar, en restaurant. — *Wagon-lit*, wagon muni de couchettes. — *Wagon-salon*, wagon de luxe aménagé en salon. — *Wagon-couloir*, dont les compartiments sont unis entre eux par un couloir latéral. — *Wagon-poste*, wagon aménagé pour le triage en cours de route des objets confiés à la poste. — *Wagon-citerne, wagon-réservoir*, wagons pour le transport des liquides. — *Wagon frigorifique*, wagon muni d'appareils réfrigérants, destiné au transport des denrées périssables. V. pl. CHEMIN DE FER. — V. tabl. TRANSPORTS (*Idées suggérées par le mot*). = Pl. *Des wagons-bars ; des wagons-restaurants ; des wagons-lits ; des wagons-salons ; des wagons-couloir ; des wagons-poste ; des wagons-citernes, des wagons-réservoirs.*
[Techn.] Conduit de cheminée encastré dans la maçonnerie.
SYN. — V. CHAR.
LING. — Dans la langue des chemins de fer le mot *wagon* est réservé aux véhicules transportant du matériel ou des marchandises, celui de *voiture* étant réservé aux véhicules à voyageurs. *Wagon de marchandises, voiture de 2ᵉ classe.*
wagonnage, n. m. Transport par wagon.
wagonnet [*va*], n. m. [Techn.] Petit wagon basculant, utilisé dans les travaux de terrassement ou de mines.

* **wagonnette** [*va*], n. f. Petite voiture légère à quatre roues.
* **wagonnier** [*va*], n. m. [Ch. de fer] Celui qui est chargé de la manœuvre des wagons.
* **walaïte** [*va*], n. f. [Minér.] Variété d'asphalte.
Walhalla, [*val*] n. f. [Myth.] Dans les pays scandinaves, paradis d'Odin, où allaient les âmes des héros.
Walkyrie [*val*] ou **valkyrie**, n. f. Nom donné dans la mythologie scandinave aux vierges, filles d'Odin, qui présidaient aux batailles et versaient l'hydromel aux héros dans le Walhalla.
* **walk-over** [*ou-ok-oveur*], n. m. (mots angl.). Course dans laquelle un seul cheval prend le départ. ǁ Ce cheval lui-même.
* **wallace** [*va*], n. f. (de *Wallace*, philanthrope angl.) Petite fontaine d'eau potable installée dans les rues de certaines villes.
wallon, onne [*oua*], adj. et n. Se dit des habitants de la Belgique de langue française et de ce qui se rapporte à eux. = N. m. Dialecte français de la langue d'oïl, parlé au S. de la limite linguistique de la Belgique. = N. f. Large épée à deux tranchants du XVIIᵉ s. V. pl. ARMES.
* **wapiti** [*oua*], n. m. [Zool.] Grand cerf du Canada dont la robe est d'un gris blanchâtre moucheté de tons fauves.
warrant [*oua* ou *va*], n. m. (mot angl.). [Comm.] Récépissé, négociable comme une lettre de change, de marchandises entreposées dans des magasins spéciaux. Il permet le prêt sur marchandises.
HOM. — V. VARAN.
* **warrantage** [*oua* ou *va*], n. m. Action de warranter.
* **warranter** [*oua* ou *va*], v. tr. Déposer des marchandises dans des docks et les garantir par un warrant.
* **washingtonia** [*oua-chigne*], n. m. [Bot.] Genre de palmiers de l'Amérique du Nord, à très grandes feuilles en forme d'éventail.
wassingue [*oua*], n. f. Toile à laver.
* **water-ballast** [*oua-teur*], n. m. Compartiment d'un sous-marin, qu'on peut remplir ou vider d'eau, pour modifier l'équilibre et le poids du navire. On dit aussi *ballast*. V. pl. NAVIGATION. = Pl. *Des water-ballasts.*
* **water-closet** [*oua-teur-clozètt*], n. m. (angl. *water*, eau, et *closet*, cabinet). Cabinet d'aisances. — Abrév. : W.-C. — Abrév. pop. *Les waters*, prononcé à tort *vatèr*. = Pl. *Des water-closets.*
* **watergang** ou * **wateringue** [*oua-teur-gangh*], n. m. (néerl. *water*, eau, et *gang*, voie). Aux Pays-Bas, canal servant à évacuer les eaux qui imprègnent les terrains situés au-dessous du niveau de la mer.

* **wateringue** [ouate-ringh], n. m. En Flandre, syn. de *watergang*. ‖ Association de propriétaires pour la construction et l'entretien de wateringues.

* **waterman** [oua-teur-mann], n. m. (angl. *water*, eau, et *man*, homme). Batelier. ‖ Machine pour creuser la terre sous l'eau. = Pl. *Des watermen*.

* **water-polo** [oua-teur], n. m. [Sports] Sorte de jeu de polo, et sorte de jeu de football que l'on pratique dans l'eau. V. tabl. JEUX ET SPORTS (*Idées suggérées par les mots*).

* **waterproof** [oua-teur-prouf], n. m. (angl. *water*, eau, et *proof*, épreuve). Manteau imperméable (Vx).

* **watsonie** [ouatt], n. f. [Bot.] Genre de plantes d'Amérique, de la famille des *iridacées*.

* **watt** [ouatt], n. m. [Électr.] Unité de puissance correspondant à la production de un joule par seconde. ‖ *Watt-heure*, unité d'énergie, égale au travail que produirait une puissance de un watt pendant une heure.

* **wattman** [ouatt-mann], n. m. (mot anglais). Mécanicien chargé de la conduite d'un tramway ou d'un train électrique. ‖ Chauffeur d'automobile. = Pl. *Des wattmen*.

* **wédélie** [oué], n. f. [Bot.] Genre de plantes tropicales de la famille des *composées*.

* **week-end** [ouik-ènnd], n. m. (angl. *weck*, semaine, et *end*, fin). Repos du samedi après-midi et du dimanche.

* **wellingtonia** [ouèl], n. m. [Bot.] Autre nom du *sequoïa*.

* **werfénien** [vèr], n. m. [Géol.] Étage inférieur du trias, correspondant au grès bigarré.

* **wergeld** ou * **vehrgeld** [vèr-gheld], n. m. (all. *Werh*, défense, et *Geld*, argent). [Hist.] Indemnité que, chez les Francs et les Germains, un meurtrier payait aux parents de la victime pour échapper à leur vengeance.

* **wesleyen** [ouèss-lé-yin], n. m. Nom donné aux protestants méthodistes.

* **westphalien, enne** [vès-fa], n. et adj. De la Westphalie. = N. m. [Géol.] Étage du carbonifère moyen. ‖ Dialecte allemand parlé en Westphalie.

* **wharf** [ouarff], n. m. (mot angl.) [Mar.] Appontement, estacade en bois ou en fer, qui s'avance en mer pour l'accostage des navires, dans les ports où la profondeur des bassins est insuffisante.

whig [ouig], n. m. (mot angl.) Nom donné, en Angleterre, aux partisans de Charles II, puis aux membres du parti libéral.

ANT. — *Tory*.

* **whipcord** [ou-ipp], n. m. (mot angl. sign. *corde à fouet*). Étoffe à trame très serrée, caractérisée par un effet de diagonales.

whisky [ouis-ké], n. m. (mot angl.). Liqueur alcoolique des pays anglo-saxons, obtenue en distillant de l'orge, de l'avoine ou du seigle. — On écrit aussi *whiskey*.

whist [ouistt], n. m. (mot angl.). Jeu de cartes qui se joue deux contre deux, avec un jeu de cinquante-deux cartes.

* **wicket** [oui-kett], n. m. (mot angl.). Le but, au jeu de cricket.

* **wicléfisme** [oui], n. m. Doctrine de Wiclef, qui nie la transsubstantiation.

* **wicléfiste** [oui], adj. Relatif à la secte de Wiclef. = Nom. Membre de cette secte.

* **wigwam** [ouigh-ouamm], n. m. Tente des Peaux-Rouges, en Amérique du Nord.

* **willon** [oui-lon], n. m. [Techn.] Appareil servant à nettoyer le coton.

* **wisigothique** [vi], adj. Qui a rapport aux Wisigoths.

* **wiski** [ouis-ki], n. m. (angl. *to whish*, voler). Sorte de cabriolet léger, à deux roues de très grand diamètre.

* **wistarie** [viss], n. f. [Bot.] Genre de *légumineuses* d'Asie et d'Amérique.

* **withéringe** [oui], n. f. [Bot.] Genre de plantes de la famille des *solanées*.

* **witloof** [ouit-lôf], n. f. [Bot.] Plante appelée aussi *chicorée de Bruxelles*, qui fournit l'endive.

* **wolfram** [volf], n. m. [Métall.] Tungstate de fer et de manganèse, employé dans la métallurgie de l'acier.

wombat [von-ba], n. m. [Zool.] Nom vulg. du *phascolome*, mammifère marsupial de Tasmanie.

* **workhouse** [ouork-haouze], n. m. (angl. *work*, travail, et *house*, maison). En Angleterre, 1º prison où les détenus sont soumis au travail forcé; 2º maison municipale où l'on donne du travail aux pauvres.

* **wormien** [vor], adj. m. [Anat.] Se dit des petits os engrenés dans les sutures du crâne.

* **wrightie** [vri-ti], n. f. [Bot.] Genre d'*apocynées* dont on retire une teinture bleue.

* **wurtembergeois, oise** [vur], adj. et n. Du Wurtemberg.

* **wyandotte** [oui], n. et adj. Race de poules des États-Unis, de forte taille, bonnes pondeuses.

X

x, n. m. Lettre consonne qui est la vingt-quatrième lettre de l'alphabet, après le **w**.

LING. — Cette lettre nous vient des Latins, qui l'avaient eux-mêmes empruntée aux Grecs. Par sa forme, elle est analogue au χ de ces derniers (= *ch*); mais, par sa prononciation, elle répond à leur ξ (= *cs* ou *ks*). — L'*x*, à la fin d'un mot et précédé d'un *u* comme dans *chevaux, bijoux*, a une origine particulière. Il n'est proprement pas une lettre, mais un sigle spécial aux manuscrits d'une certaine époque du Moyen Age : les terminaisons en *us*, fréquentes en latin ont été, pour gagner de la place, figurées par un signe × placé au-dessus de la lettre qui précédait ce groupe. Ex. : domin×, cheva× (pour *chevaux* pluriel régulier de cheval, après vocalisation de *l*). Ce signe fut plus tard considéré à tort comme une lettre, on lut *chevax*, on rétablit l'*u* que l'on croyait omis, et on eut ainsi les pluriels en *aux* et *oux* dans lesquels, naturellement, ce faux *x* ne se prononce pas.

OBS. GRAM. — La lettre X a, dans notre orthographe, cinq valeurs différentes, savoir : CS, *Alexandre, extrême;* GZ, *Xavier, exercice;* C, *Excellent, excepter;* SS, *Auxerre, Bruxelles;* Z, *Deuxième, sixième*. — L'X initial ne se rencontre que dans un petit nombre de mots empruntés des langues étrangères, et alors on lui donne en général la valeur de CS : *Xénies, xylographie*, etc. Toutefois on lui donne le son GZ dans certains noms d'un emploi plus commun : *Xavier, Xénophon, Xerxès* (ce dernier se prononce *gzerzès*). Enfin, il a encore le son d'S, dans *Xaintrailles*. — Lorsque la lettre X se trouve au milieu d'un mot, elle a différentes valeurs selon ses diverses positions. Entre deux voyelles, elle tient lieu de CS : *Axe, luxe, Mexique*. Il faut excepter les mots composés qui commencent par la préposition latine *ex*, comme *exagérer, exempter*, etc., où X a le son de GZ. Il faut excepter encore les mots : *Deuxième, sixain, sixième*, où X se prononce comme Z, et *Soixante, soixantaine*, où il a la valeur de l'S forte. X tient lieu de CS, lorsqu'il est suivi des syllabes *ca, co, cu*, ou d'une consonne, *h* exceptée, comme : *Excavation, excommunié, excrément, exclusion, excuse, exfolier*. Elle tient lieu du C dur, lorsqu'elle est suivie des lettres *ce* ou *ci*, comme : *Excès, exciter*, qui se prononcent *ek-cès, ek-citer*. — L'X final a aussi différentes valeurs. Il se prononce CS, à la fin des noms propres : *Pollux, Styx, Aix-la-Chapelle*, à la fin de quelques noms, tels que : *bombyx, borax, index, larynx, lynx, sphinx*. Lorsque les deux adjectifs numéraux *six* et *dix* ne sont pas suivis du nom de la chose nombrée, on prononce *sis, dis*; mais lorsqu'ils sont suivis du nom de cette chose, et que ce nom commence par une voyelle ou une *h* muette, X a le son du Z : *Six aunes, dix ans, dix hommes*. L'X de l'adjectif numéral *deux* a aussi le son du Z lorsqu'il précède un nom commençant par une voyelle ou une *h* muette : *Deux arpents, deux hectares*. Enfin, lorsque dix n'est qu'une partie d'un mot numéral composé, comme *dix-huit, dix-neuf*, etc., l'X a encore le son du Z. A la fin de tout autre mot, l'X ne se prononce pas : *Aux, baux, chaux, croix, courroux, heureux, je peux, je veux*. Néanmoins, quand ces mots précèdent un mot commençant par une voyelle ou une *h* muette, on unit les deux mots, comme si le premier se terminait par un Z, dans les cas suivants :
1° à la fin de *aux*, comme : *Aux amis; aux hommes;* 2° à la fin d'un nom suivi de son adjectif : *Chevaux agiles, cheveux épars*; 3° à la fin d'un adjectif immédiatement suivi du nom avec lequel il s'accorde : *Affreux état, heureux amant, faux accord*; 4° après *veux* et *peux*, comme : *Je veux écrire, tu veux y aller*.

X, chiffre romain, vaut 10, et 9 s'il est précédé de I; surmonté d'un trait, X̄ vaut 10.000. En algèbre, *x*, ainsi que *y* et *z*, indique une quantité inconnue. En argot des écoles, l'*X* désigne l'École polytechnique et ses élèves.

Objet en x, formé de jambages croisés, de croisillons en forme d'X. *Un X pour scier du bois*. — *Jambes en X*, jambes cagneuses. ‖ S'emploie pour remplacer le nom d'une personne qu'on ne veut ou ne peut désigner. *Madame X*. ‖ *Rayons X*, rayons lumineux non perceptibles par l'œil, qui traversent certains corps opaques.

* **xanthie** [gzan-ti], n. f. (gr. *xanthos*, jaune). [Zool.] Genre de lépidoptères nocturnes comprenant des papillons aux ailes antérieures jaune d'ocre ou orangées.

* **xanthine** [gzan-ti], n. f. Matière colorante existant dans le sang, le foie, l'urine, l'extrait de thé.

* **xantholin** [gzan-to], n. m. (gr. *xanthos*, jaune). [Zool.] Genre de coléoptères staphylinidés, communs en France.

* **xanthophylle** [gzan-to-fi-le], n. f. (gr. *xanthos*, jaune, et *phyllon*, feuille). [Bot.] Substance jaune voisine de la chlorophylle; en automne, elle colore les feuilles en jaune roux.

* **xénon** [ksé], n. m. [Chim.] Un des gaz rares de l'air.

xénophile [ksé], adj. et n. (gr. *xénos*, étranger, et *philos*, ami). Qui aime les étrangers ou ce qui est étranger.

CTR. — *Xénophobe*.

xénophilie [ksé], n. f. Affection pour les étrangers, pour ce qui est étranger.

ANT. — *Xénophobie*.

xénophobe [*ksé*], adj. et n. (gr. *xénos*, étranger, et *phobos*, crainte ou haine). Atteint de xénophobie.
CTR. — *Xénophile*.

xénophobie [*ksé*], n. f. Haine, mépris de l'étranger, de ce qui est étranger.
ANT. — *Xénophilie*.

* **xéranthème** [*ksé*], n. m. (gr. *xêros*, sec, et *anthêmon*, fleur). [Bot.] Genre de plantes de la famille des *composées*; une variété est une *immortelle* du commerce.

* **xérès** [*ké*], n. m. Vin renommé, provenant de la région de Xérès (Espagne).

* **xérodermie** [*ksé*], n. f. (gr. *xêros*, sec, et *derma*, peau). [Méd.] Maladie congénitale au cours de laquelle la peau, très sèche, se desquame continuellement.

* **xérophage** [*ksé*], adj. (gr. *xêros*, sec, et *phagein*, manger). Qui observe la xérophagie.

* **xérophagie** [*ksé*], n. f. Régime végétarien à base d'aliments secs. ǁ Jours de jeûne dans l'ancienne Église.

* **xérophile** [*ksé*], adj. (gr. *xêros*, sec, et *philos*, ami). [Bot.] Se dit des plantes croissant dans les lieux chauds et secs.

* **xérophtalmie** [*ksé-ro-ftal*], n. f. (gr. *xêros*, sec, et *ophthalmos*, œil). [Méd.] Affection de la conjonctive qui est sèche et atrophiée.

* **xérose** [*ksé*], n. f. (gr. *xêros*, sec). [Méd.] Prolification conjonctive qui se produit chez les personnes âgées.

* **xérus** [*ksé-russ*], n. m. (gr. *xêros*, sec). [Zool.] Genre de mammifères rongeurs d'Afrique (*rat palmiste*).

* **ximénie** [*ksi*], n. f. [Bot.] Genre de plantes dicotylédones des pays chauds, à fruits comestibles (*citron de mer*).

xiphias [*ksi-fiass*], n. m. (gr. *xiphos*, épée). [Zool.] Nom scientifique des poissons du genre espadon.

* **xiphidion** [*ksi-fi*], n. m. (mot gr. sign. *petite épée*). [Zool.] Genre d'orthoptères comprenant de petites sauterelles vertes communes en France.

xiphoïde [*ksi-fo*], adj. (gr. *xiphos*, épée, et *eidos*, aspect). [Anat.] *Appendice xiphoïde*, extrémité inférieure du sternum.

* **xiphoïdien, enne** [*ksi-fo*], adj. Qui se rapporte à l'appendice xiphoïde.

* **xiphosures** [*ksi-fo*], n. m. pl. (gr. *xiphos*, épée, et *oura*, queue). [Zool.] Ordre d'arthropodes à longue queue en forme de stylet, nombreux à l'époque primaire; le seul genre actuel est la *limule*.

* **xylène** [*ksi*], n. m. (gr. *xylon*, bois). [Chim.] Carbure benzénique qui provient de la distillation de la houille. — On dit aussi *xylol*.

* **xylidine** [*ksi*], n. f. [Chim.] Nom donné à des dérivés du xylène; certains servent à la préparation des laques rouges appelées *ponceaux*.

* **xylocope** [*ksi*], n. m. (gr. *xylon*, bois, et *koptô*, je coupe). [Zool.] Genre d'hyménoptères comprenant des abeilles solitaires, dont le *perce-bois*, qui vit dans le bois sec.

* **xylofer** [*ksi-lo-fèr*], n. m. (gr. *xylon*, bois, et *fer*). Sorte de massue allongée avec laquelle on exécute des mouvements de gymnastique.

* **xylographe** [*ksi*], n. m. (gr. *xylon*, bois, et *graphô*, j'écris). Graveur sur bois.
PAR. — *Stylographe*, Porte-plume à réservoir.

xylographie [*ksi ... fi*], n. f. Gravure sur bois, et art de graver sur bois. ǁ Mode d'impression au moyen de caractères séparés ou de planches illustrées, gravés dans un bloc de bois.

xylographique [*ksi ... fi*], adj. Qui concerne l'impression avec caractères de bois.

* **xyloïdine** [*ksi*], n. f. [Chim.] Dérivé nitré de l'amidon.

* **xylol** [*ksi*], n. m. V. XYLÈNE.

* **xylolâtrie** [*ksi*], n. f. (gr. *xylon*, bois, et *latréia*, culte). Culte des idoles en bois.

* **xylologie** [*ksi*], n. f. (gr. *xylon*, bois, et *logos*, science). Traité des bois servant pour les arts et les constructions.

* **xylométrie** [*ksi*], n. f. (gr. *xylon*, bois, et *métron*, mesure). Cubage des bois de construction ou de chauffage.

xylophage [*ksi ... fage*], adj. (gr. *xylon*, bois, et *phagein*, manger). [Zool.] Se dit des coléoptères ou diptères nuisibles dont les larves percent des galeries dans le bois.

xylophone [*ksi ... fone*], n. m. (gr. *xylon*, bois, et *phônê*, son). [Mus.] Instrument de musique composé de lamelles de bois de longueur décroissante reposant sur un bâti, et sur lesquelles on frappe avec deux baguettes de bois.

xyste [*ksi*], n. m. (gr. *xystos*, m. s.). [Antiq.] Galerie couverte, au sol plan, où les athlètes grecs s'exerçaient pendant l'hiver.

* **xystique** [*ksis*], adj. Qui se rapporte au xyste. = Nom. Athlète fréquentant un xyste.

* **xystre** [*ksis*], n. m. (gr. *xystron*, étrille). [Antiq.] Étrille pour le bain. [Chir.] Sorte de rugine.

Y

y, n. m. La vingt-cinquième lettre de notre alphabet et la sixième des voyelles. On la nomme ordinairement *i grec*.

LING. — Cette lettre a été appelée *i grec*, parce que, dans les mots tirés du grec, nous la substituons à l'υ (upsilon); majuscule, c'est l'Y des Grecs, mais la figure que nous avons prise pour la représenter en minuscule est le γ (gamma), qui correspond à notre g. L'υ était, suivant Pline, une des seize lettres qui composaient l'alphabet de Cadmus. Les Latins avaient également pris ce caractère aux Grecs pour représenter le son de l'υ, tandis que leur U équivalait à notre ou. — Chez les Romains, l'Y a été employé comme lettre numérale dans les bas siècles : il signifiait 150, et, surmonté d'un tiret, il valait 150.000.

Y se prononce le plus souvent *i*, comme dans *anonyme*, *physique*, mais parfois comme deux *i*, comme dans *appuyer*. Quand il est précédé de *a*, il se prononce *i*, mais *a* se prononce *è* : *payer* [pè-ié]. Devant un *y*, la lettre *o* se prononce *oua* : *citoyen* [si-toua-ièn], *royal* [roua-ial]. Dans quelques mots, l'*y* initial ne reçoit pas l'élision de la voyelle terminant le mot précédent : *le yatagan*, et non *l'yatagan*.

Sur les anciennes monnaies, Y désignait la fabrication de Bourges. || En algèbre, *y*, comme *x* et *z*, désigne une quantité inconnue.

HOM. — Y. V. HI.

y, mot invar. V. tabl. Y ci-après.

...y... (à l'intérieur des mots)

ORTH. — *Médiales*. — Abyssal, abysse, acétylène, acolyte, acotylédone, adynamique, alcyon, aldéhyde, améthyste, amphictyon, amphitryon, amygdale, amylacé, amylique, anadyomène, anaglyphe, analyse, androgyne, anhydride, ankylose, anonyme, antipyrine, antonyme, apocalyptique, apocryphe, apophyse, appuyer, aréostyle, aryen, asphyxie, assyrien, asymptote, atermoyer, attrayant, azyme ; babylonien, balayer, balayette, balayeur, balayures, barbeyer, baryte, baryton, baryum, bayadère, bayart, bayer, bégayer, beylicat, bicyclette, bioxyde, bombyx, borborygme, bornoyer, boyard, boyau, boycotter, brachycéphale, bradypepsie, brayer, brayette (ou braguette), bromhydrique, broyage, broyer, bruyant, bruyère, byssus; cacaoyer, cacochyme, cayeu (ou caïeu), caryatide (ou cariatide), cartayer, caryophyllé, caryopse, cataclysme, chlamyde, chlorhydrate, chlorophylle, chrysanthème, chrysocale, chrysolithe, chrysostome, chyle, chyme, cipaye, clairvoyant, clayère, clayon, clysopompe, clystère, collyre, conchylien, corroyeur, corybante, corymbe, coryphée, coryza, côtoyer, cotylédon, coyote, crayeux, crayon, croyance, crypte, cryptogame, cryptogramme, crypton, cyanure, cyclamen, cycle, cycliste, cycloïde, cyclone, cyclope, cygne, cylindre, cymbale, cyme, cynégétique, cynips, cynique, cynocéphale, cynoglosse, cyprès, cyprin; cystite; cytise; daguerréotype, déblayer, débrayer, décasyllabe, dégravoyer, délayer, déloyal, déployer, désennuyer, désenrayer, désoxyder, dévoyer, diachylon, dialyse, dicotylédone, dionysiaque, diptyque, dissyllabe, dithyrambe, doryphore, doyen, doyenné, dynamisme, dynamite, dynamo, dynaste, dynastie, dysenterie, dyspepsie, dyspnée, dystique ; ecchymose, écuyer, effroyable ; égayer, égyptien, égyptologue, électrodynamique, électrolyse, électrotypie, élysée, élytre, embrayer, embryologie, embryon, emphysème, emphytéotique, employer, empyrée, empyreume, émyde, encyclique, encyclopédie, enrayer, entymème, envoyer, épicycle, épiphyse, éployée, érysipèle (ou érésipèle), essayer, essuyer, étayer, éthylène, étymologie, eurythmie; fossoyeur, foyer, frayer, fuyant, fuyard; geyser, giboyer, giboyeux, glycérine, glycine, glycogène, glyptique, goyave, grasseyer, gruyère, gymnase, gymnastique, gymnique, gymnote, gynécée, gypaète, gypse, gyroscope; hémoptysie, hendécasyllabe (ou endécasyllabe), hercynien, hiéroglyphe, homonyme, hongroyeur, hyacinthe, hyalin, hybride, hydatisme, hydrate et tous les autres mots commençant par *hydr*; hyène, hygiène, hygromètre et tous les autres mots commençant par *hygr*; hymen, hyménoptère, hymne, hyoïde, hypallage, hyperbole et tous les mots commençant par *hyper*; tous les mots commençant par *hypo*, *hypso*; hysope, hystérie; ichtyol et tous les mots commençant par *ichtyo*; idylle, impayable, impayé, impitoyable, incroyable, incroyant, inoxydable; isodynamique; jointoyer, joyau, joyeux; kyrie, kyrielle, kyste; labyrinthe, lacryma-christi, lacrymal, langueyer, larmoyer, larynx, laryngite, layer, layetier, layette, layon, louvoyer, loyauté, loyer, lycée, lycopode, lymphatique, lymphe, lynchage, lynx, lyonnais, lyre, lyrique; mareyage, mareyeur, martyr, martyre, maryland, mayonnaise, métaphysique, métayer, métempsycose, métyle, métylène, molybdène, monoxyde, monophysisme, monosyllabe, motocyclette, moyen, moyenne, moyette, moyeu, mycélium, mycologie, mygale, myologie, myopathie, myope, myosotis, myotomie, myriade, myriapode, myrmidon, myrobolan, myrrhe, myrte, mystère, mysticisme, mystificateur, mystique, mythe, mythologie, mythomane; nitroglycérine, noyade, noyale, noyau, noyer, nyctage, nyctalope, nymphe, nymphéa; octroyer, odyssée, olympiade, olympien, onyx, oryctologie, otocyon, oxydation, oxyde, oxygène, oxymel, oxysulfure, oxyton, oyant (ppr. du v. ouir); panégyrique, papyracé, papyrus, paralyser, paralysie, parisyllabique, paronyme, payer, pays, paysage, paysan, périssodactyle, péristyle, perityphlite, pharyngite, pharynx, phototypie, phrygien, phyllithe, phylloxéra physicien, physiocratie, physiognomonie, physiologie, physionomie, physique, phytographie, phytolithe, plaidoyer, ployer, podophylle, tous les mots qui commencent par *poly*; porphyre, porphyrogénète, presbyte, presbytère, presbytérien, prophylaxie, propylée, prostyle, prototype, protoxyde, prytanée, psyché, psychique, psychologie, psylle, ptyalisme, pygargue, pygmée, pyjama, pylône, pylore, pyrale, pyramide, pyramidon, pyrénéen, pyrèthre, pyrite, pyrogallique, pyrogravure et tous les mots commençant par *pyro*; pyrrhique, pyrrhonien, pythagoricien, pythie, python, pythonisse, pyxide; quayage; rayer, rayère, rayon, rayonner, remblayer, remployer, renvoyer, repayer, reployer, ressuyer, royal, royauté, rythme; satyre, sayette, saynète, sayon, scytale, scythique, seyant, sibylle, sycomore, soyeux, stéréotype, strychnine, style, et tous les autres mots commençant par *styl*; styptique, styrax, surpayer, sycomore, sycophante, syénite, syllabe, syllepse, syllogisme, sylphe, sylvestre, sylviculture, symbole, symétrique, sympathie, symphonie, symptôme, synagogue, synalèphe et tous les mots commençant par *syn*; syphilis, syrien, syrinx (ou syringe), système, systole, syzygie; tayaut (ou taïaut), thuya, thyade, thym, thymol, thymus, thyroïde, thyrse, tournoyer, trachyte, transylvain, trayon, tricycle, triptyque, trisyllabique, troglodyte, tutoyer, tuyau, tuyère, tympan, type, typhoïde, typhon, typhus, typique, typographe et tous les mots commençant par *typo*; tyran, tyranniser, tyrolienne; verdoyant, voyage, voyant, voyelle, voyer, voyou; xylographe, xylophage, xylophone, xyste; youyou; zéphyr, zézayer, zoophyte, zygomatique, zymologie, zymotique.

* **yachmak** [*iak-mak*], n. m. Voile, qui dissimulait le bas du visage des femmes turques.

yacht [*iott* ou *iak*; *y* aspiré], n. m. (mot angl.). [Mar.] Petit bâtiment de plaisance à voiles ou à moteur. V. pl. NAVIGATION.
SYN. — V. BATEAU.

* **yachting** [*io-tin-gn* ou *iak-tin-gn*; *y* aspiré], n. m. (mot angl.). [Mar.] Sport maritime ou fluvial; navigation sur un yacht, et, en général, navigation de plaisance.

* **yachtman** [*iott-mann* ou *yak-mann*; *y* aspiré], n. m. (mot angl.). Celui qui pratique le yachting. — Au fém., *yachtwoman*. = Pl. Des *yachtmen*, des *yachtwomen*.

yack ou **yak** [*iak*; *y* aspiré], n. m. [Zool.] Mammifère ruminant voisin du buffle, à longue toison et à queue de cheval, employé comme bête de selle ou de trait en Asie centrale.

* **yama-maï** [*y* aspiré], n. m. [Zool.] Ver à soie du Japon (bombyx de l'ailante).

* **yamen** [*y* aspiré], n. m. Administration chinoise chargée des rapports diplomatiques.

* **yankee** [*i-ann-ki*; *y* aspiré], n. Surnom un peu ironique donné aux habitants des États-Unis.

* **yaourt** [*y* aspiré], n. m. Variété de kéfir, d'origine bulgare, provenant du lait ayant subi une fermentation particulière. — On écrit aussi *yahourt*, *yohourth*, *yoghourth*, *yogourt*.

* **yapock** [*y* aspiré], n. m. [Zool.] Mammifère marsupial insectivore de l'Amérique du Sud.

* **yard** [*y* aspiré], n. m. Mesure de longueur anglaise qui vaut 3 pieds (0,914 m.).

yatagan [*y* aspiré], n. m. (mot turc). Sabre-poignard à lame oblique et dont le tranchant forme vers la pointe une courbe rentrante. V. pl. ARMES.

* **yawl** [*iô-l*], n. m. [Mar.] Cotre de course gréé avec tapecu. V. pl. NAVIGATION.

* **yearling** [*ieur-lin-gn*], n. m. (mot angl. sign. *d'un an*). [Turf.] Poulain pur sang âgé d'un an environ.

* **yèble**, n. f. [Bot.] Nom vulg. d'une espèce de sureau. On écrit aussi *hièble*.

* **yelek** [*ièl*], n. m. Sorte de caftan que portent les femmes en Égypte.

* **yen** [*y* aspiré], n. m. Unité monétaire japonaise, divisée en 100 *sen*.

* **yeoman** [*io-mann*; *y* aspiré], n. m. (mot angl.) Petit propriétaire anglais. ‖ Membre de la yeomanry. = Pl. *Des yeomen*.

* **yeomanry** [*io-mann-ré*; *y* aspiré], n. f. En Angleterre, garde civique montée, recrutée parmi les petits propriétaires campagnards.

* **yet** [*ié*], n. m. [Zool.] Genre de mollusques gastéropodes des mers chaudes.

yeuse, n. f. [Bot.] Nom vulg. du *chêne vert*.

yeux, n. m. Pl. de *œil*. V. ce mot.
— *Les yeux sont les interprètes du cœur, mais il n'y a que celui qui y a intérêt qui entend leur langage.*
(PASCAL.)

* **yiddish** [*id-dich*], n. m. Idiome des juifs de l'Europe centrale, formé d'allemand mêlé d'hébreu.

* **ylang-ylang**, n. m. [Bot.] Nom vulg. du *cananga odorata*. ‖ Essence extraite des fleurs de cette plante. — On écrit aussi *ilang-ilang*.

* **yod**, n. m. Dixième lettre de l'alphabet phénicien et de l'alphabet hébreu; elle correspond à notre *y*. ‖ Nom du *j* allemand.

* **yoga**, n. m. (et non f.) [*y* aspiré]. Doctrine hindoue qui recherche, par les pratiques d'ascétisme et la force de concentration, le détachement du monde extérieur et la découverte en soi de l'âme universelle.

* **yoghourth** [*y* aspiré], n. m. V. YAOURT.

* **yogi** [*ghi*, *y* aspiré], n. m. Ascète hindou pratiquant le yoga. On dit aussi *yogin*.

* **yohourth**, n. m. V. YAOURT.

yole [*y* aspiré], n. f. (norv. *jol*, canot). Canot léger et très effilé, généralement à plusieurs rames.

* **yoleur** [*y* aspiré], n. m. Celui qui conduit une yole. — On dit aussi *yolier*.

* **youga** ou **yuga**, n. f. Dans la cosmologie hindoue, nom de chaque âge du monde.

yougoslave, adj. et n. De Yougoslavie.

* **yougite**, n. f. [Minér.] Sulfure de zinc, plomb et manganèse ressemblant beaucoup à la galène.

* **youpin, ine**, adj. et n. Pop. et injurieux. Juif, juive.

* **yourak** [*y* aspiré], n. m. Langue du groupe samoyède parlée en Sibérie.

* **yourte**, n. f. V. IOURTE.

* **youtre**, n. et adj. Pop. et injurieux. Juif, juive.

* **youyou** [*y* aspiré], n. m. [Mar.] Petit canot destiné à faire le va-et-vient entre un navire en rade et la terre pour les divers services du bord.

* **yo-yo** [*y* aspiré], n. m. Jouet appelé autrefois *émigrette*, formé par un disque évidé que l'on fait monter et descendre le long d'une ficelle.

YPÉRITE — YUCCA

ypérite, n. f. (de *Ypres*, où ce produit, fut employé pour la première fois par les Allemands en 1917). [Chim.] Sulfure d'éthyle dichloré, utilisé en 1917 et en 1918 comme gaz de combat, sous le nom de *gaz moutarde*.

* **ypérité, ée,** adj. et n. Atteint, intoxiqué par l'ypérite.

* **yponomeute,** n. f. (gr. *hyponomeuô*, je creuse). [Zool.] Genre de lépidoptères, papillons nocturnes dont les chenilles s'attaquent aux pommiers et pruniers.

* **ypréau,** n. m. (de *Ypres*). [Bot.] Nom vulg. du *peuplier blanc*.

* **ysopet,** n. m. (déformation de Ésope). Au Moyen Age, recueil de fables dans la manière d'Ésope.

* **ytterbine,** n. f. [Chim.] Oxyde d'ytterbium.

* **ytterbium,** [*biom*], n. m. (de *Ytterby*, bourg de Suède). [Chim.] Corps simple, très rare et encore mal connu.

* **yttrium** [*om*], n. m. [Chim.] Corps simple métallique, toujours associé avec les terres rares.

* **yu,** n. m. [*y* aspiré]. Mesure chinoise de capacité, valant environ 110 litres.

yucca [*iou-ka; y* aspiré], n. m. [Bot.] Genre de *liliacées* aux feuilles longues et étroites, cultivées comme plantes d'ornement.

Y, mot invariable.

Étymologie. — Du latin *ibi*, là, dans cet endroit.

La particule *y*, de bonne heure dans la langue, est passée de la valeur adverbiale à une valeur pronominale d'un emploi très étendu à l'époque classique, plus restreint aujourd'hui.

Emplois euphoniques de y. — Quand *y* est placé immédiatement après la seconde personne du singulier de l'impératif, on ajoute à celle-ci une *s* euphonique : *Vas-y. Cueilles-y des fruits.* On ne dira pas cependant, en parlant d'une personne : « *J'y ai donné des livres, J'y ai dit* » tours populaires très incorrects, mais, *je lui ai donné des livres, je lui ai dit*.

Par euphonie on supprime *y* avant le futur et le conditionnel du verbe *aller* : *On m'a invité à un dîner, je n'irai pas* (et non *je n'y irai pas*). Il faut de même rejeter l'emploi des impératifs qui auraient pour complément d'objet un pronom personnel, et comme régime circonstanciel *y* : *conduisez-nous y ; porte l'y*. Devant *y*, par euphonie, l'on écrira et on prononcera, à certaines formes d'impératif : *vas-y, penses-y, songes-y*. Également on ne dira pas : *Menez-moi* (z) *y*, mais *menez-y moi*.

Y, adverbe de lieu.

Employé comme adverbe, *y* signifie : En cet endroit là, et se dit d'un endroit dont on vient de parler ou d'un endroit que l'on vient de désigner.
a) Sans mouvement. Ici. *Aimez-vous cet endroit ? — Oui, on y est bien. J'y suis, j'y reste.* — Y ÊTRE. V. plus bas.
b) Avec mouvement. Là. *J'y vais. Y allez-vous ? Nous voulons y aller.*
c) Avec un sens purement explétif. *On n'y voit pas à cinq mètres.*

Y, pronom personnel adverbial, invariable.

Employé pour le singulier et pour le plur.; pour le masculin, le féminin et le neutre.
Au masc. et au fém. : à lui, à elle, à eux, à elles. A cette personne, à ces personnes.
Au neutre : à cela.
1° EMPLOI ACTUEL.
Le plus souvent, remplace un nom de chose déterminé et du sing. *Mon ouvrage avance, j'y travaille sans cesse. Je vous l'ai promis, vous pouvez y compter. Qui s'y frotte s'y pique.*
En style juridique. *Les causes y afférentes*, qui s'y rattachent. (Observ. Les locutions employées dans certains textes administratifs, telles que : *les dispositions, les demandes, etc., y relatives*, sont peu correctes et à éviter.)
b) Parfois, renvoie à une personne. *Cette personne est sûre, vous pouvez vous y fier* (plutôt *vous fier à elle*). *C'est un finaud, ce sont des finauds, ne vous y fiez pas.* — S'emploie de préférence en parlant d'un animal. *Ce cheval paraît tranquille, ne vous y fiez pas.*
2° EMPLOIS VIEILLIS.
a) Très fréquent au XVIIe s. pour renvoyer à un nom de personne complément d'attribution ou complément circonstanciel. *Vouloir oublier quelqu'un, c'est y penser* (LA BRUYÈRE). *Je te renvoie à l'auteur des Satires... — Je t'y renvoie aussi* (Je le renvoie aussi à lui). (MOLIÈRE.)
b) Renvoie parfois à une proposition entière — A cela. *Accablez-moi de noms encore plus détestés ; Je n'y contredis pas, je les ai mérités* (MOLIÈRE).

Locutions formées avec Y

IL Y A, loc. verbale impersonnelle équivalant aux verbes *être* ou *exister*, généralement suivie d'un nom qui est le sujet logique du verbe. *Il y a des gens qui disent. Il y avait une fois un roi et une reine.*
Nota. — Dans cette locution, *y* est *l'adverbe de lieu*, mais son sens local est souvent fort atténué, et devient parfois un sens temporel, perceptible dans des locutions telles que: *Il y a quinze jours que je ne l'ai pas vu. Il y a longtemps.* — C'est encore à peu près dans ce sens qu'on dit : *Y a-t-il quelque chose pour votre service ?*
Y ÊTRE, loc. verbale. Être chez soi. (Fam.) *Je suis passé chez mon ami, il y était. Je n'y suis pour personne, quoique chez moi, je ne reçois pas.*
IL Y VA DE, loc. verbale. Telle chose est en cause. *Il y allait de son honneur de ne pas répondre à pareille imputation.* V. ALLER (tableau)
Y ÊTRE POUR QUELQUE CHOSE, POUR RIEN. — Avoir sa part d'activité, de responsabilité. *Vous me parlez de cet incident, mais je n'y suis pour rien.*
(Dans ces tours, Y est *pronom adverbial*) il en est de même, dans des tours analogues, où *y* a un sens tout à fait explétif : *Y regarder à deux fois avant de courir un risque. Agir ainsi, mais vous n'y pensez pas ! Savoir s'y prendre. Savoir y faire* (Pop.)

Z

z, n. m. La vingt-sixième et dernière lettre de notre alphabet, appelée *zède*. Elle s'articule à peu près comme *s*, mais plus faiblement.

LING. — La lettre Z a été empruntée aux Grecs par les Latins qui nous l'ont ensuite transmise. Mais, tandis que, chez nous, le Z est une lettre simple qui s'articule à peu près comme l'S, elle constituait chez les Romains, comme d'ailleurs le *dzéta* grec, une lettre double avec le son de *tz* ou de *dz*, prononciation conservée par les Italiens (*Zani* se prononce *Dzani*). Cette lettre provient de l'alphabet phénicien. Du point de vue phonétique, c'est une dentale sonore spirante.

Le *z* est muet lorsqu'il termine un mot, sauf dans *gaz* et dans quelques termes géographiques : *Suez*, *Diégo-Suarez*, etc.

Le Z, sur les monnaies, marquait la fabrique de Grenoble. — En algèbre, il indique, comme *x* et *y*, une quantité inconnue.

Fam. *Être fait comme un z*, être bossu, contrefait. — *Depuis a jusqu'à z*, depuis le commencement jusqu'à la fin.

...za, sa, sat

> ORTH. — *Finales.* — Le son final *za* s'écrit sous cette forme dans colza, coryza ; il s'écrit *sa* dans visa ; *sat* dans rosat.

* **zabre**, n. m. [Zool.] Genre de coléoptères du groupe des carabes, qui vivent sous les pierres.

* **zacinthe**, n. f. [Bot.] Genre de *composées* ; la zacinthe verruqueuse se prescrit contre les verrues.

...zade, sade

> ORTH. — *Finales.* — Le son final *zade* ne s'écrit ainsi que dans le mot cruzade (monnaie portugaise) ; dans les autres mots on écrit *sade* : arquebusade, croisade, rasade, etc.

zagaie [*ghé*], n. f. (esp. *azagaya*, m. s.) Espèce de lance ou de javelot dont se servent diverses peuplades sauvages. — On écrit aussi *sagaie* et *sagaye*.

zain [*zin*], adj. m. (ital. *zaino*, m. s.). Se dit d'un cheval dont la robe est uniforme et sans aucune tache.

...zain, sain, xain, sin

> ORTH. — *Finales.* — La finale *zain* s'écrit sous la première forme dans le mot dizain. On écrit *sain* dans diocésain et dans fusain ; *xain* dans sixain ; *sin* dans argousin, cousin, limousin, raisin, sarrasin, voisin, etc.

* **zamier**, n. m. ou **zamie**, n. f. [Bot.] Genre de *cycadées* dont fait partie *l'arbre à pain*. Certaines espèces fournissent une sorte de sagou.

...zan, san, sent, xempt

> ORTH. — *Finales.* — Le mot alezan est le seul dont la finale s'écrive sous cette forme. On écrit *san* dans artisan, courtisan, faisan, parmesan, partisan, paysan ; *sent* dans présent ; *xempt* dans exempt.

...zance, sance, sence

> ORTH. — *Finales.* — L'orthographe *zance* pour ce son final n'existe que dans un nom propre : Byzance. La forme *sence* ne se trouve que dans le mot présence. Partout ailleurs, on écrit *sance* : aisance, bienfaisance, complaisance, médisance, etc.

* **zancle**, n. m. [Zool.] Genre de poissons téléostéens des mers océaniennes.

zani, n. m. (abrév. ital. de *Giovanni*, Jean). Personnage grotesque des anciennes comédies italiennes. — On écrit aussi *zanni*. = Pl. *Des zani* ou *zanni*.

* **zanzibar**, n. m. (de l'île *Zanzibar*). Jeu de hasard qui se joue avec un cornet et trois dés. — Abrév. pop. *Un zanzi*.

* **zaouïa**, n. f. Établissement musulman, à la fois école, mosquée, hôpital et hôtellerie jouissant du droit d'asile.

* **zaptié**, n. f. Gendarmerie turque.

...zard, sard

> ORTH. — *Finales.* — Le son final *zard* ne s'écrit ainsi que dans le mot lézard. (Éviter la faute souvent commise : *hazard*). On écrit busard, hasard, musard, puisard.

...zarde, sarde

> ORTH. — *Finales.* — L'orthographe *zarde* est employée dans le son final pour lézarde. Mais dans nasarde, cette finale s'écrit avec un *s*.

...zé, sé, sée

> ORTH. — *Finales.* — Le son final *zé* s'écrit sous les formes suivantes : *zé* dans alizé, bronzé ; *sé* dans accusé, pisé, préposé, toisé, etc. ; *sée* dans billevesée, colisée, croisée, élysée, fusée, musée, nausée, pesée, prisée, risée, rosée, visée, etc.

zèbre, n. m. [Zool.] Mammifère africain du genre cheval, dont la robe, à fond clair, est marquée de bandes foncées disposées régulièrement. || Fig. et fam. *Courir comme un zèbre*, courir très vite. || Pop. *Faire le zèbre*, faire une absurdité.

zébré, ée, adj. Qui est marqué de bandes foncées sur un fond clair, comme la robe du zèbre. || Fig. *Nuages zébrés d'éclairs. Figure zébrée de coups de sabre.*

* **zébrer**, v. tr. Marquer de traits semblables aux raies du zèbre, ou de raies quelconques d'une couleur tranchante. = Conjug. V. GRAMMAIRE.

zébrure, n. f. Ensemble de raies de couleur rappelant celles du zèbre. ‖ Rayure sur la peau.

zébu, n. m. [Zool.] Espèce de bœuf de grande taille, portant une bosse sur le garrot, qui vit en Afrique et en Asie tropicales, où il est domestiqué.

* **zédoaire,** n. f. [Bot.] Plante australienne de la famille de *zingibéracées*; son rhizome est utilisé comme stimulant de l'estomac.

* **zée,** n. m. [Zool.] Genre de poissons téléostéens à corps comprimé, dont fait partie la dorée ou poisson de saint Pierre.

zélateur, trice, n. (lat. *zelator*, m. s.). Personne animée d'un grand zèle pour la patrie, la religion. ‖ Religieux chargé de veiller sur les novices. [Antiq.] Membre d'une secte révolutionnaire de Judée, hostile à Rome.

zèle, n. m. (gr. *dzêlos*, lat. *zelus*, m. s.). Dévouement empressé pour le service d'une cause ou les intérêts d'une personne. ‖ *Faire du zèle*, se montrer trop zélé.

SYN. — *Zèle*, empressement ardent et soutenu à agir pour le service de quelqu'un : *Travailler avec zèle au bien public.* — *Dévouement*, fait de se vouer au service, aux intérêts de quelqu'un : *Il a servi son chef avec un entier dévouement.* — *Empressement*, action d'agir avec ardeur pour plaire à quelqu'un : *Je ferai avec empressement ce que vous désirez.* — *Ponctualité*, qualité de celui qui fait, à point nommé, et exactement, ce qu'il a à faire : *Cet employé est d'une ponctualité irréprochable.* V. aussi ACTIVITÉ, ENTHOUSIASME.

ANT. — *Négligence, inactivité, nonchalance, indifférence.*

ÉPITHÈTES COURANTES : beau, grand, prudent, éclairé, sincère, efficace, intelligent, méritoire, intermittent, relatif, indiscret, inconsidéré, intempestif, faux, médiocre, aveugle, intéressé; religieux, patriotique; reconnu, récompensé, méconnu, etc.

— *Plût aux dieux que vous-même eussiez vu [de quel zèle Cette troupe entreprend une action si belle!*
(CORNEILLE.)

— *Je sais combien est pur le zèle qui t'anime.*
(RACINE.)

VOCAB. — *Famille de mots.* — *Zèle* [Rad. *zel, jal*] : zélé, zélateur; jaloux, jalousie, jalouser, jalousement.
---

zélé, ée, adj. et n. Qui fait preuve de zèle.
SYN. — V. ARDENT.
CTR. — *Indifférent, insouciant.*

* **zéleur,** n. m. Procureur général chez les religieux minimes.

...zelle, zèle, selle, sel

ORTH. — *Finales.* — Le son final *zèle* s'écrit sous les formes suivantes : *zelle* dans donzelle et gazelle; *zèle* dans zèle; *selle* dans demoiselle, filoselle; *sel* dans carrousel.
---

* **zélote,** n. m. Se dit pour zélateur (péjor.).

* **zélotisme,** n. m. Manière d'être des zélateurs. ‖ Excès de zèle religieux; fanatisme.

* **zemstvo,** n. m. (russe *zemlia*, province). Assemblée générale en Russie, sous l'ancien régime.

zend, ende [*zinde*], adj. Se dit de la langue des anciens Perses. = N. m. Cette langue, et aussi la doctrine religieuse de Zoroastre.

* **zend-avesta,** n. m. Nom des livres sacrés des Guèbres ou Parsis, attribués à Zoroastre.

zénith [*nitt*], n. m. (arabe *semt erras*, la voie au-dessus de la tête). [Astron. et Géog.] Le point de la sphère céleste situé verticalement au-dessus d'un point d'observation. ‖ Fig. Le plus haut degré où l'on puisse atteindre. *Le zénith de la gloire.*
ANT. — *Nadir.*

* **zénithal, ale, aux,** adj. Qui se rapporte au zénith.

* **zénonique,** adj. Relatif à la doctrine philosophique de Zénon le Stoïcien ou à celle de Zénon d'Élée.

* **zénonisme,** n. m. Se dit de chacune des philosophies des deux Zénon.

* **zénoniste,** n. m. Partisan de l'un ou l'autre Zénon et de sa doctrine.

* **zéolite,** n. f. (gr. *zéô*, je bous, et *lithos*, pierre). [Minér.] Nom générique d'un groupe de silicates hydratés. — On écrit aussi *zéolithe.*

* **zéophage,** adj. et n. (gr. *zéa*, maïs, et *phagein*, manger). Qui se nourrit de maïs.

* **zéphire,** adj. Se dit d'une laine très fine tordue avec des fils de couleurs différentes.

zéphyr ou **zéphire,** n. m. (gr. *zéphyros*). Vent tiède, léger et agréable. ‖ Sorte de toile de fil. [Danse] *Pas de zéphyr*, pas qui se fait en se tenant sur un pied et en balançant l'autre. [Argot mil.] Soldat des compagnies de discipline.

OBS. GRAM. — L'Acad. distingue *zéphyr*, vent d'ouest, et *zéphire*, vent doux et agréable.

* **zéphyrien, enne,** adj. Léger, doux comme le zéphyr.

* **zeppelin,** n. m. (de *Zeppelin*, l'inventeur). Ballon dirigeable allemand de grande dimension, à carcasse métallique rigide.

* **zerbia,** n. m. Tapis-moquette algérien.

zéro, n. m. (mot ital., m. s.). [Math.] Signe numérique en forme d'O, qui n'a aucune valeur par lui-même, mais qui sert à remplacer, dans un nombre, toute unité manquante. ‖ Désigne aussi le point à partir duquel on compte une grandeur, on mesure un nombre sur une graduation, une altitude, une longitude, une latitude. ‖ Chiffre le plus bas dans une cotation, une annotation. *Avoir zéro en mathématiques.* ‖ Fig. *Un zéro à gauche, un zéro en chiffre*, ou absol. *un zéro*, une personne de valeur nulle. ‖ Absolument rien. *Fortune réduite à zéro.* [Mus.] Signe indiquant les notes à produire sur corde vide. [Phys.] Le point de fusion de la glace. — *Zéro absolu*, la température la plus basse que l'on puisse atteindre.

INCORR. — Il est incorrect de dire : *J'ai fait zéro faute dans cette dictée*. *Zéro* ne s'emploie pas comme adjectif, et l'on doit dire : » *Je n'ai fait aucune faute dans cette dictée* ».

* **zérotage,** n. m. [Phys.] Détermination du zéro thermométrique.

* **zérumbet** [*ron-bètt*], n. m. [Bot.] Genre de plantes des régions chaudes, de la famille des *zingibéracées*.

zest, n. m., usité seulement dans l'expression : *Être entre le zist et le zest*, ne savoir quelle détermination prendre, ou indiquant qu'une chose n'est ni bonne ni mauvaise.
Hom. — *Zest*, n. m.: *Entre le zist et le zest* : ni bon, ni mauvais ; — **zeste**, n. m., cloison intérieur de la noix, écorce de l'orange, du citron ; — *zeste, es, ent*, du v. zester.

zeste, n. m. [Bot.] Espèce de cloison membraneuse qui divise l'intérieur de la noix en quatre loges incomplètes. ‖ Écorce extérieure de l'orange, du citron, etc.
Hom. — V. zest.

* **zester**, v. tr. Enlever le zeste à une orange, à un citron.

* **zéta** [*dzé*], n. m. Lettre de l'alphabet grec ζ ; elle se prononce comme *ds* ou *dz*. V. pl. ALPHABET GREC.

* **zététique**, adj. (gr. *dzêtêtikos*, m. s.). Se dit de la méthode qu'on emploie dans la recherche du vrai, ou dans la solution d'un problème. = N. f. Cette méthode elle-même.

* **zéthus** [*tuss*], n. m. [Zool.] Genre d'hyménoptères porte-aiguillon des pays chauds.

* **zeugma**, n. m. (gr. *dzeugma*, jointure). [Gram.] Figure qui consiste à lier des phrases ou des membres de phrase de façon qu'il soit inutile de répéter l'adjectif ou le verbe exprimé dans le premier membre ou la première phrase.

...**zeux, seux**

> ORTH. — *Finales*. — Le son final *zeux* ne s'écrit avec un *z* que dans le mot *gazeux*. Dans les autres mots, cette finale s'écrit avec un *s* : boiseux, glaiseux, oiseux, vaseux, etc.

* **zeuzère**, n. f. [Zool.] Genre de lépidoptères nocturnes dont fait partie la *coquette*.

zézaiement [*zé-zé-man*], n. m. Vice de prononciation de ceux qui zézaient.

zézayer [*zé-zé-ié*], v. intr. (onomatopée). Donner le son du *z* au *j* et au *g* doux. *Ze manzerai*, pour *je mangerai*. = Conjug. V. GRAMMAIRE.

...**zi, si, sie**

> ORTH. — *Finales*. — La finale *zi* ne s'orthographie ainsi que dans le mot *lazzi*. On écrit *si* dans cramoisi, quasi. L'orthographe ordinaire est *sie* : ambroisie, apostasie, anesthésie, hémoptysie, hydropisie, etc.

zibeline, n. f. (lat. *zibellina*, m. s.). [Zool.] Espèce de mammifère carnivore de Sibérie, voisine de la martre, à poil très fin. ‖ Fourrure de cet animal.

* **zibet** ou **zibeth** [*bètt*], n. m. [Zool.] Mammifère carnivore appelé aussi *civette d'Asie*.

* **zicrone**, n. f. [Zool.] Genre d'hémiptères (*punaises des bois*) ; une espèce, de couleur foncée, est répandue en France.

zigzag, n. m. Suite de lignes formant entre elles des angles alternativement saillants et rentrants. ‖ Fig. *Faire des zigzags en marchant*, changer sans cesse de direction (se dit partic. des ivrognes). [A. milit.] Se dit de tranchées formées de coudes, d'angles et de retours.
Hom. — *Zigzague, es, ent*, du v. zigzaguer.

* **zigzagué, ée**, adj. En forme de zigzag.

* **zigzaguer**, v. intr. Marcher en zigzag ; se dit partic. de la marche des ivrognes.

zinc, n. m. (all. *Zink*, m. s.). [Chim.] Corps simple métallique, d'un blanc tirant sur le bleu. V. tabl. MINÉRAUX (*Idées suggérées par le mot*). [Techn.] Plaque de zinc utilisée pour couper les papiers. ‖ Pop. Le dessus du comptoir d'un bar. *Boire un coup sur le zinc*. [Argot d'aviateur] Avion. [Techn.] Cliché sur zinc.

* **zincifère**, adj. (de *zinc*, et lat. *fero*, je porte). Qui contient du zinc ou en possède les propriétés.

* **zincographe**, n. m. (de *zinc*, et gr. *graphô*, j'écris). Ouvrier qui grave ou imprime sur zinc.

* **zincographie**, n. f. [Techn.] Gravure sur zinc. ‖ Art de préparer des clichés sur zinc destinés à remplacer la pierre lithographique.

* **zincogravure**, n. f. Art de graver sur zinc.

* **zingage**, n. m. Action de tremper du fer dans un bain de zinc fondu.

* **zingiber**, n. m. (mot lat.). [Bot.] Nom scientifique du *gingembre*.

* **zingibéracées**, n. f. pl. [Bot.] Famille de plantes monocotylédones, voisine des *scitaminées*, renfermant diverses plantes à épices (gingembre, curcuma, etc.).

* **zinguer** [*ghé*], v. tr. Recouvrir d'une couche de zinc. *Zinguer du fer*.

* **zinguerie** [*ghe-ri*], n. f. Fabrication, commerce du zinc. ‖ Établissement où se fait cette fabrication ou ce commerce. ‖ Objets en zinc.

* **zingueur** [*gheur*], n. m. Artisan qui travaille le zinc, qui fabrique des objets en zinc.

zinnia, n. m. [Bot.] Genre de plantes d'ornement de la famille des *composées*, originaires du Mexique.

* **zinzinuler**, v. intr. Chanter, en parlant de la mésange et de la fauvette.

zinzolin, n. m. (arabe *dioljolan*, sésame). Couleur rouge violacé, retirée de la semence de sésame. = Adj. *Une étoffe zinzoline*.

* **zinzoliner**, v. tr. Teindre en zinzolin.

...**zir, sir**

> ORTH. — *Finales*. — A l'exception de vizir, tous les mots terminés par la finale *zir* doivent s'écrire avec un *s* : choisir, désir, loisir, moisir, saisir, etc.

zircon, n. m. [Minér.] Pierre précieuse, silicate de zirconium, utilisée en bijouterie.

* **zirconium** [*om*], n. m. [Chim.] Corps simple, métal gris, ductile, voisin du silicium.

zist, n. m. V. zest.

zizanie, n. f. (gr. *dzidzanion*, ivraie). Ivraie (Vx). ‖ Fig. Désunion, mésintelligence.

* **zizi**, n. m. [Zool.] Nom vulgaire d'un passereau appelé aussi *bruant*.

* **zizyphe**, n. m. [Bot.] Nom scientifique du *jujubier*.

* **zloty**, n. m. Unité monétaire polonaise.

ZOANTHAIRES — ZOOLOGIE

...zo, seau

> ORTH. — *Finales*. — A l'exception du mot corozo, le son final *zo* ne s'écrit jamais sous cette forme. On écrit *seau* : biseau, ciseau, damoiseau, fuseau, naseau, oiseau, réseau, roseau, etc.

* **zoanthaires**, n. m. pl. [Zool.] Groupe de cœlentérés coralliaires, comprenant les *actinies* et les *madrépores*.

* **zoanthe**, n. m. (gr. *dzôon*, animal, et *anthos*, fleur). [Zool.] Actinie des mers chaudes qui a donné son nom à l'ordre des *zoanthaires*.

zodiacal, ale, aux, adj. Qui appartient au zodiaque. ‖ *Lumière zodiacale*, celle qu'on aperçoit avant le lever ou après le coucher du soleil.

zodiaque, n. m. (lat. *zodiacus*, m. s.). [Astro.] Zone circulaire qui fait le tour du ciel parallèlement à l'écliptique qui en occupe le milieu. Toutes les planètes du système solaire se trouvent dans cette zone. ‖ Représentation du zodiaque par un cercle divisé en douze parties égales par des rayons. Les constellations qui se trouvent dans chacune de ces parties sont représentées par des figures, les *signes du zodiaque* : Bélier, Taureau, Gémeaux, Cancer, Lion, Vierge, Balance, Scorpion, Sagittaire, Capricorne, Verseau et Poissons.

ORTH. — Quoique *zodiaque* s'écrive par *que*, *zodiacal* s'écrit par *c*.

* **zoé**, n. f. [Zool.] Une des formes larvaires des crustacés décapodes, succédant au stade *nauplius*. Les crabes naissent à l'état de zoé.

* **zoécie**, n. f. [Zool.] Enveloppe des bryozoaires.

zoïle, n. m. (de *Zoïle*, critique grec malveillant envers Homère). Critique partial et envieux.

zona, n. m. (gr. *dzônê*, ceinture). [Méd.] Maladie infectieuse caractérisée par une éruption de vésicules à pourtour rouge disposées par groupes sur le trajet des nerfs sensitifs.

* **zonal, ale, aux**, adj. [Zool.] Qui présente des bandes colorées disposées transversalement.

zone [zo], n. f. (gr. *dzônê*, ceinture). [Géog. et Astro.] Chacune des cinq grandes divisions du globe terrestre (du N. au S. : *glaciale*, *tempérée boréale*, *torride*, *tempérée australe*, *glaciale*) que l'on suppose séparées par des cercles parallèles à l'équateur; et chacune des parties du ciel qui correspondent aux zones terrestres.

[A. milit.] *Zone militaire*, terrain voisin de fortifications, sur lequel il est interdit d'édifier des constructions durables. — *Zone dangereuse*, celle qui peut être atteinte par un tir. — *Zone des armées*, en temps de guerre, portion de territoire sous l'autorité du général en chef. Le reste du territoire est, dans ce cas, la *zone de l'intérieur*.

[Douane] *Zone douanière*, l'étendue de pays soumise aux droits de douane, par opp. à *zone franche*, région frontière où ces droits sont réduits pour certaines denrées. ‖ Fig. Région morale; catégorie sociale. *Un citoyen de deuxième zone*. [Géom.] Surface d'une sphère limitée par deux plans parallèles. V. pl. VOLUMES DES CORPS RONDS.

[Mar.] Sur un treuil, espace vide entre deux tours de cordage.

ORTH. — *Zone* ne prend pas d'accent circonflexe.

ÉPITHÈTES COURANTES : polaire, glaciale, boréale, torride, australe, tropicale, tempérée, chaude, brûlante, étroite, large, dangereuse, interdite, déterminée, occupée, libre, limitée, froide, stratosphérique (d'ionisation, radiante, neutre); frontière; de l'avant, de l'arrière, des étapes; ciliaire; climatique, etc.

* **zoné, ée**, adj. Qui a des bandes concentriques.

* **zonier, ère**, adj. Relatif à une zone. = N. m. Celui qui habite dans une zone, et, partic., l'ancienne zone militaire désaffectée qui entourait Paris.

* **zoniforme**, adj. En forme de ceinture.

* **zonure**, n. f. (de *zone*). [Zool.] Genre de reptiles sauriens du S. de l'Afrique.

zoo- préf. tiré du gr. *dzôon*, animal, et indiquant que le mot composé concerne des animaux. = N. m. Abrév. pop. pour *jardin zoologique*.

* **zoobiologie**, n. f. [Zool.] Biologie des animaux.

* **zoochimie**, n. f. Chimie animale.

* **zoogénie**, n. f. Partie de la zoologie qui étudie la croissance des espèces.

* **zoogéographie**, n. f. Étude de la répartition des espèces vivantes à la surface du globe.

* **zooglée**, n. f. (gr. *dzôon*, animal, et *gloios*, crasse). [Biol.] Amas de bactéries, réunies par une substance gélatineuse.

* **zooglyphite**, n. f. (gr. *dzôon*, animal, et *glyphô*, je sculpte). [Paléont.] Empreinte laissée par un animal fossile dans une roche.

* **zoographie**, n. f. (gr. *dzôon*, animal, *graphô*, je décris). [Zool.] Description, connaissance extérieure des animaux. ‖ Peinture d'animaux.

* **zoographique**, adj. Qui a trait à la zoographie.

* **zoogreffe**, n. f. [Méd.] Greffe animale tentée parfois sur l'homme.

* **zooïde**, n. m. (gr. *dzôon*, animal, et *eidos*, aspect). [Minér.] Qui présente la forme d'un animal ou d'une partie d'animal.

* **zoolâtre**, n. Adorateur d'animaux ou de la représentation d'animaux. = Adj. *Une peuplade zoolâtre*.

zoolâtrie, n. f. (gr. *dzôon*, animal, *latréia*, culte). Adoration d'animaux ou de leur représentation.

zoolâtrique, adj. Qui se rapporte à la zoolâtrie.

zoolithe ou **zoolite**, n. m. (gr. *dzôon*, animal, et *lithos*, pierre). Débris d'animal fossile ou pétrifié.

* **zoolithique** ou * **zoolitique**, adj. Qui renferme des zoolithes.

zoologie, n. f. (gr. *dzôon*, animal, et *logos*, étude). Partie de l'histoire naturelle qui traite des animaux, de leur conformation extérieure, de leur organisation interne, du mode de fonctionnement de leur corps; de leurs mœurs, de leurs parentés, de la façon dont ils sont apparus sur la terre et dont ils ont évolué. V. tabl. SCIENCES, ANIMAUX (idées suggérées par les mots).

— V. pl. BATRACIENS, BOUCHERIE, CHEVAL, CRUSTACÉS, ÉCHINODERMES, INSECTES,

MAMMIFÈRES, MOLLUSQUES, OISEAUX POISSONS et REPTILES.
ANT. — *Botanique, géologie.*

> VOCAB. — *Famille de mots.* — Zoologie : zoologiste, zoologique, zoologiquement, zodiaque, zodiacal ; épizootie, épizootique ; protozoaire ; zoophyte ; zoophage, zoosperme, zootechnie, zootrope; azote, azoteux, azotique, azotate, azoté; azoïque, etc.

zoologique, adj. Qui a rapport, qui appartient à la zoologie. *Jardin zoologique*, parc où, dans certaines grandes villes, sont réunis des représentants de nombreuses espèces d'animaux, généralement des vertébrés.
* **zoologiquement**, adv. Au point de vue zoologique.
zoologiste, n. m. Celui qui connaît la zoologie, qui a écrit sur la zoologie.
* **zoomagnétisme**, n. m. [Méd.] Étude de l'action du magnétisme sur les êtres vivants.
* **zoomanie**, n. f. Passion exagérée et maladive pour les animaux.
* **zoomorphie**, n. f. Division de la zoologie qui étudie les formes extérieures, la conformation des animaux.
* **zoomorphisme**, n. m. [Zool.] Métamorphose chez les animaux.
* **zoonomie**, n. f. (gr. *dzôon*, animal, et *nomos*, loi). [Zool.] Ensemble des lois qui régissent la vie animale.
* **zoophagie**, n. f. [Zool.] Manière de s'alimenter des animaux qui se nourrissent de la chair d'autres animaux.
* **zoophobie**, n. f. (gr. *dzôon*, animal, et *phodos* crainte). Crainte maladive des animaux.
* **zoophore**, n. m. (gr. *dzôon*, animal, et *phoros*, qui porte). [Archi.] Anc. nom de la frise d'entablement, quand elle était ornée de figures d'animaux.
* **zoophorique**, adj. [Archi.] Qui supporte une figure d'animal. *Colonne zoophorique.*
zoophyte [*fite*], n. m. (gr. *dzôon*, animal, et *phyton*, plante). [Zool.] Anc. nom d'une classe d'animaux invertébrés; sert aujourd. à désigner, dans un sens très général, les animaux ressemblant à des plantes.
* **zoophytique**, adj. [Zool.] Qui renferme des zoophytes.
* **zoophytolithe**, n. m. [Paléont.] Zoophyte fossile (Vx).
* **zooplasma**, n. m. [Biol.] Plasma animal.
* **zooscopie**, n. f. (gr. *dzôon*, animal, et *skopein*, examiner). Partie de la zoologie qui étudie les fonctions des organismes animaux.
* **zoosporange**, n. m. [Bot.] Sporange renfermant des zoospores.
* **zoospore**, n. f. (gr. *dzôon*, animal, et *sporo*, graine). [Bot.] Spore à cils vibratiles qui se développe dans le zoosporange de certains champignons et chez quelques algues.
* **zoosporé, ée**, adj. [Bot.] Qui a les spores munies de cils vibratiles. — Qui se reproduit par zoospores.
* **zootaxie** [*tak-si*], n. f. [Zool.] Classification des animaux.
* **zootechnicien, enne** [*tèk-ni*], adj. Qui pratique la zootechnie. = Nom. *Un zootechnicien.*

* **zootechnie** [*tèk-ni*], n. f. (gr. *dzôon*, animal, et *tekhnê*, art). Science qui étudie les animaux domestiques, qui cherche à améliorer les races et à rendre meilleurs et plus abondants les produits que nous fournissent ces animaux.
* **zootechnique** [*tèk-nik*], adj. Qui concerne la zootechnie.
* **zoothérapie**, n. f. [Zool.] Thérapeutique des animaux.
* **zoothérapique**, adj. Qui se rapporte à la zoothérapie.
* **zootomie**, n. f. Dissection des animaux et étude de leur organisation interne.
* **zootomique**, adj. Qui a trait à la zootomie.
* **zootrope**, n. m. (gr. *dzôon*, animal, et *tropos*, action de tourner). Phénakistiscope (v. ce mot) permettant d'examiner la décomposition du mouvement chez les animaux.
zootrophie, n. f. (gr. *dzôon*, animal; *trophê*, nourriture). [Zool.] Alimentation, nutrition des animaux.
* **zopissa**, n. f. Poix. Résine fondue.
* **zorilla** ou **zorille** [*ll mll.*], n. m. [Zool.] Mammifère carnivore de la famille des *mustélidés*, vivant en Afrique et recherché pour sa belle fourrure.
* **zoroastrien, enne**, adj. Relatif à Zoroastre ou à sa doctrine.
* **zoroastrisme**, n. m. Doctrine de Zoroastre, devenue la religion des Parsis.
* **zostère**, n. f. [Bot.] Genre de *naïadacées* marines, formant des sortes de prairies sous-marines, dites *herbiers*, découvertes seulement aux grandes marées.
* **zostérops**, n. m. [Zool.] Genre de passereaux d'Asie et d'Afrique.
zouave, n. m. (mot d'orig. arabe). Corps d'infanterie créé en Algérie, uniquement composé de Français, mais dont l'ancien costume était d'origine arabe (les zouaves ont conservé la *chéchia*). || Fig. *Faire le zouave*, faire le malin, tout en risquant gros à ce jeu (Pop.).
* **zouzou**, n. m. Zouave (Pop.).
* **zozoter**, v. intr. Syn. fam. de *zézayer*.
* **zuchette** ou * **zucchette** [*kè-te*], n. f. Espèce de concombre.
* **zumique**, adj. (gr. *dzymê*, ferment). [Chim.] Se dit du mélange acide formé dans la fermentation de l'amidon.
zut [*zutt*], interj. fam. exprimant le mécontentement, le mépris, l'impatience.
* **zwanze** [*zouan-ze*], n. f. (mot bruxellois). Humour, ironie propre aux Belges.
* **zwinglianisme** [*zwin*], n. m. Doctrine de Zwingli, réformateur suisse.
* **zwinglien, enne**, adj. Qui concerne le zwinglianisme. = Nom. Partisan de Zwingli.
***zyeuter** ou * **zieuter**, v. tr. [Argot pop.] Regarder avec attention ou insistance.
* **zygène**, n. f. [Zool.] Genre de poissons sélaciens dont fait partie le *marteau*, petit requin qu'on rencontre parfois près de nos côtes. || Genre de lépidoptères comprenant de petits papillons aux ailes antérieures ornées de taches rouges.
zygoma ou **zygome**, n. m. (gr. *dzygôma*, m. s.). [Anat.] Os de la pommette de la joue, appelé aussi os malaire, os jugal.
zygomatique, adj. [Anat.] Qui appartient, qui a rapport à la pommette de la joue. *Muscle grand zygomatique. Arcade zygomatique.* V. pl. HOMME (muscles et squelette).

* **zygomorphe**, adj. (gr. *dzeugos*, joug, et *morphê*, forme). [Bot.] Se dit des fleurs dont le calice a des sépales de différentes grandeurs et possède en général une symétrie bilatérale.
* **zygomycètes**, n. m. pl. (gr. *dzeugos*, joug, et *mykês*, champignon). [Bot.] Nom donné aux champignons qui se reproduisent par des zygospores.
* **zygophyllacées** ou **zygophyllées**, n. f. pl. [Bot.] Famille de végétaux dicotylédones des régions chaudes, qui comprend la zygophylle, le gaïac, etc.
* **zygophylle**, n. f. [Bot.] Genre de plantes qui a donné son nom à la famille des *zygophyllacées*.
* **zygospore**, n. m. [Bot.] Spore résultant de l'union de deux filaments voisins.
* **zymase**, n. f. (gr. *dzymê*, ferment). [Chim.] Diastase extraite de la levure de bière; elle transforme le sucre en alcool.
* **zymogène**, adj. Se dit des levures qui produisent les fermentations organiques. = N. m. [Biol.] Partie des cellules glandulaires, qui donne naissance au ferment.

* **zymohydrolyse**, n. f. [Chim.] Décomposition d'un sucre par l'eau, en présence d'un ferment.
* **zymologie**, n. f. (gr. *dzymê*, ferment, et *logos*, étude). [Chim.] Étude des fermentations.
* **zymologique**, adj. Qui concerne la zymologie.
* **zymone**, n. m. [Chim.] Anc. nom du gluten.
* **zymoplasma**, n. m. [Biol.] Substance composante des cellules organiques, constituée surtout par des ferments solubles.
* **zymosimètre**, n. m. [Phys.] Instrument qui sert à mesurer le degré de fermentation d'un liquide.
* **zymotique** ou **zymolytique**, adj. (gr. *dzymê*, ferment, et *luô*, je dissous). [Chim.] Qui a trait aux ferments solubles.
* **zythogala** ou **zythogale**, n. m. Boisson composée de lait et de bière, en usage dans certaines contrées.
* **zythum** [*tomm*] ou **zython**, n. m. (gr. *dzythos*, bière). Sorte de bière des anciens Égyptiens.

IMPRIMÉ ET RELIÉ
POUR LA
LIBRAIRIE ARISTIDE QUILLET
PAR
L'IMPRIMERIE DES DERNIÈRES NOUVELLES
DE STRASBOURG
A MONTPELLIER

DÉPÔT LÉGAL 3ᵉ TRIMESTRE 1950
IMPRIMEUR Nº 3326 ÉDITEUR Nº 30

AQ

BIEN MOUDRE
ET POUR TOUS